Dictionnaire étymologique et historique du français

Albert DAUZAT

Jean DUBOIS

Henri MITTERAND

Dictionnaire étymologique et historique du français

17, rue du Montparnasse, 75298 Paris Cedex 06

Collection dirigée par Claude Kannas
assistée de Janine Faure

Distributeur exclusif au Canada : les Éditions Françaises Inc.

ISBN : 2-03-340329-7

Introduction

Cette nouvelle édition du *Dictionnaire étymologique et historique,* destinée au grand public et aux étudiants, a pour objet de mettre à leur disposition les résultats que l'étymologie et l'histoire du vocabulaire ont accumulés depuis le milieu du XIXe siècle, avec les travaux de Diez, Littré, Bréal, A. Thomas, F. Brunot, Godefroy, Tobler-Lommatsch, Huguet, jusqu'aux grands dictionnaires étymologiques de W. Meyer-Lübke, Gamillscheg, Oscar Bloch, W. von Wartburg, et aux dépouillements lexicographiques de Delboulle, Vaganay, O. Bloch, B. Quemada, A. Rey, G. Esnault, P. Enckell, etc.

Cet ouvrage se distingue de ses prédécesseurs par la place qu'il accorde aux lexiques techniques contemporains et aux mots de la langue familière, populaire et argotique. Nous nous sommes fixé pour règle d'omettre le moins possible de mots relevés dans la dernière édition du *Petit Larousse,* et même d'y ajouter un nombre important de termes n'apparaissant que dans de grands dictionnaires encyclopédiques.

Par ailleurs, dans les limites réduites qui sont celles d'un dictionnaire d'usage, une place importante a été laissée aux évolutions caractéristiques du sens des mots. Car l'étymologie n'a pas pour seul souci d'identifier et de dater la forme la plus ancienne d'un mot, ainsi que d'en expliquer l'origine, mais aussi de suivre les principales étapes de son histoire.

Notre *Dictionnaire étymologique et historique* est donc aussi un dictionnaire historique. Chaque fois qu'il a été possible, nous avons indiqué la plus ancienne attestation littéraire ou lexicographique de la variation de sens relevée. On a recouru pour cela aux grands dictionnaires historiques du français, au *Französisches Etymologisches Wörterbuch* de W. von Wartburg, et aux glossaires et dépouillements de tous ordres publiés dans un passé récent, en particulier au travail de synthèse fait par A. Lerond dans le *Grand Larousse de la langue française,* et celui des équipes du *Trésor de la langue française* (T.L.F.). Nous avons nous-mêmes dépouillé des sources partiellement explorées, comme l'ont fait les auteurs de la collection de B. Quemada, « Matériaux pour l'histoire du vocabulaire français » du C.N.R.S.

Cette révision systématique a permis d'enrichir le *Dictionnaire étymologique et historique* de plus de 30 000 datations ou étymologies nouvelles tant pour la première apparition des mots que pour leur évolution sémantique et pour la constitution de leur famille morphologique (dérivés et composés). Cet inventaire historique pourra se poursuivre aisément, grâce à la disposition adoptée pour la rédaction de chaque article : tout mot, qu'il soit répertorié en tête ou à l'intérieur d'un article, est généralement suivi, dans l'ordre, de sa première datation, de la source de cette datation, de son orthographe et de son sens primitifs lorsqu'ils diffèrent de l'état actuel, des sens successifs avec leurs dates et leurs sources d'apparition, enfin de son étymologie. Cette disposition permettra une exploitation historique et thématique de l'ouvrage sous forme de fichiers informatiques : par exemple, les emprunts à telle langue étrangère moderne dans la première moitié du XIXe s., ou l'histoire et le rendement des radicaux d'origine grecque selon les époques et selon les champs lexicaux, etc.

Il nous a semblé nécessaire de faciliter l'utilisation du *Dictionnaire étymologique et historique,* en présentant ci-après des notions élémentaires d'histoire de la langue, qui permettront de comprendre comment s'est constitué le lexique français. On trouvera, à la suite, le tableau des principaux éléments de dérivation et de composition du français (préfixes et suffixes), la liste des abréviations utilisées, enfin une notice pratique pour la consultation du dictionnaire.

Le vocabulaire

Fonds primitifs et emprunts

Le fonds primitif de la langue française, antérieur aux premiers témoignages écrits, est issu, par une évolution ininterrompue de la prononciation, du latin populaire parlé en Gaule à la fin de l'Empire romain.

Le fonds *gaulois* est certes plus ancien, mais il est très pauvre et se réduit à quelques dizaines de termes ruraux (*charrue, chêne, glaner, sillon,* etc.).

La pénétration *germanique,* commencée au IIIe s. par l'immigration des mercenaires militaires et des travailleurs ruraux, s'accélère avec les invasions et s'intensifie avec l'installation des Francs, qui, avant d'adopter la langue des vaincus (la fusion définitive ne date que du Xe s.), ont donné aux divers parlers romans de l'ancienne Gaule de nombreux termes relatifs à la guerre et aux institutions (*franc, guerre, honte, riche,* etc.). L'apport des invasions *normandes* (Xe-XIe s.) s'est limité aux parlers régionaux de la Normandie.

À ces éléments de base du vocabulaire sont venus s'ajouter, au cours des siècles, des apports dont l'origine géographique et la richesse varient selon les circonstances historiques : le plus important est l'apport des *emprunts au latin,* qui n'a pas cessé d'être productif, depuis l'époque (IXe s.) où la langue vulgaire a commencé à s'enrichir de termes directement puisés à la langue des clercs, et notamment au latin ecclésiastique, puis au latin scolastique et scientifique du Moyen Âge. Ainsi se sont formés les lexiques abstraits, indispensables aux sciences et aux techniques modernes, peu abondants dans le fonds primitif, qui ne constituait à l'origine qu'un langage de paysans et d'artisans. Dans de nombreux cas, le mot d'emprunt, qui reproduit la forme latine, double un mot primitif de même origine, mais dont l'évolution phonétique masque l'étymologie. Ces *doublets* étymologiques ne sont pas des doublets sémantiques : ex. *hôtel/hôpital ; écouter/ausculter ; parole/parabole ; raide/rigide ; frêle/fragile ; entier/intègre,* etc.

Ce mouvement d'emprunts au latin s'accrut, dans la première moitié du XVIe s., d'un mouvement parallèle d'emprunts au *grec.* Déjà, au XIVe s., la source grecque s'était fait jour à travers les traductions latines d'Aristote, chez Oresme, évêque de Lisieux et l'un des plus importants traducteurs du Moyen Âge. À partir du XVIe s., sous l'influence des progrès scientifiques et du développement de l'humanisme érudit, le grec, langue de médecins aussi bien que de philosophes et de poètes, a fourni un grand nombre de mots nouveaux (*phrase, thèse, mythe, économe, politique,* etc.), souvent dérivés ou composés, qui se sont d'autant mieux intégrés à la langue qu'ils avaient souvent subi une transposition latine avant d'être francisés.

Dès avant le XIIe s., les relations commerciales instaurées entre les ports de la Provence et du Languedoc, d'une part, l'Afrique du Nord et le Proche-Orient, d'autre part, avaient fait pénétrer dans les parlers d'oc, puis, partiellement, dans les parlers d'oïl, des mots orientaux, *arabes* ou *byzantins*. Le phénomène s'est accru au temps des croisades. L'italien a pu jouer également un rôle d'intermédiaire ; de même, le latin scientifique, en raison de l'avancement des mathématiques et de la médecine dans le monde arabe. Ainsi nous sont parvenus des mots d'usage constant, tels que *chiffre, zéro* (issus de deux transcriptions différentes de *sifr,* « zéro », proprement « vide »), *amiral, alchimie, algèbre,* etc.

Le vocabulaire français compte également une grande quantité de termes issus des langues étrangères modernes, au gré des influences économiques et culturelles qui se sont exercées de manière prépondérante sur la communauté française. L'*italien,* dont les apports principaux se situent au moment des guerres d'Italie et de l'entrée des princesses italiennes dans la famille royale (XVIe-début du XVIIe s.), et lors du succès de la musique italienne (XVIIIe s.), a fourni de nombreux mots aux lexiques de la guerre (*attaquer, brigade, canon, citadelle,* etc.), de la vie mondaine (*cortège, courtisan, page*), du commerce (*banque, crédit, faillite*) et de l'art (*fresque, pittoresque, concerto, ténor,* etc.).

L'*espagnol,* dont l'influence se manifeste au début du XVIIe s., est apporté tant par les mercenaires espagnols que par les engouements de la mode. Il a laissé, lui aussi, des termes militaires et littéraires (*adjudant, camarade, romance,* etc.). Il a servi, comme le *portugais,* d'intermédiaire entre les langues indigènes d'Amérique et d'Afrique et le français, quand les produits exotiques importés ont fait leur apparition en Europe (*abricot, chocolat, banane,* etc.).

L'apport *néerlandais,* notable pour la constitution du vocabulaire maritime où il complétait celui des Normands, diminue au XVIIe s., remplacé dans ce rôle par l'*anglais.*

Les mots d'origine *allemande* sont moins nombreux et sont plus souvent limités à des vocabulaires spéciaux comme celui de l'art militaire (*képi, obus, bivouac,* etc.) ; ils ont été apportés par les mercenaires allemands et suisses des XVIe et XVIIe s., ou, dans une faible proportion, par l'occupation allemande de 1870 et de 1940 (*ersatz*).

Dans le dernier tiers du XIXe s., le succès des romans *russes,* traduits en français, introduit aussi des termes nouveaux (*cosaque, moujik, steppe,* etc.). La révolution russe et le développement du socialisme devaient, à leur tour, apporter un grand nombre de termes et d'expressions traduits ou calqués sur le russe (*kolkhoze, tractoriste,* etc.).

Il ne faut pas oublier enfin les influences et les apports des *parlers régionaux* dans le français commun (*rescapé,* emprunté au parler du Hainaut) ni les emprunts aux langues comme le *breton* (*biniou, dolmen,* etc.) ou le *provençal* (*cigale, cabas,* etc.), et aux divers *argots* (*boniment, grivois, coquille, pion,* etc.).

L'*anglais* a eu une influence importante dans le courant du XVIIIe s. par le prestige que lui conféraient son régime politique auprès des philosophes et son hégémonie commerciale sur les mers. Les emprunts toucheront le vocabulaire politique (*budget, parlementaire, comité,* etc.), technique (*car, rail, tunnel,* etc.), sportif (*record, football,* etc.), alimentaire (*bifteck, rosbif, grog,* etc.), mondain (*bar, raout,* etc.). L'influence de *l'anglo-américain* est venue amplifier ce mouvement à la fin de la Seconde Guerre mondiale, et certaines techniques et sciences nouvelles ou renouvelées (cinéma, pétrole, cybernétique, linguistique, etc.) comportent un nombre croissant d'anglicismes.

Tous ces mots d'emprunt ont adapté leur phonétique, leur structure morphologique et même leur sens au système du français ; cette intégration se manifeste parfois dans la graphie (*riding-coat* devient *redingote*), et ils sont souvent interprétés par rapport à des termes français déjà existants (*choucroute,* de l'alsacien *sûrkrût,* est relié à *chou* par une fausse étymologie).

Dérivation, composition, abréviation, transformation analogique

La langue a aussi ses ressources propres : la *dérivation,* la *composition,* l'*abréviation,* la *transformation analogique.*

1. La dérivation

Les dérivés sont formés soit à l'aide de *préfixes,* dont beaucoup peuvent fonctionner ailleurs, comme préposition (*à, en, par*) ou comme adverbes (*bien, en*), soit à l'aide de *suffixes,* qui n'ont aucune existence isolée. On peut distinguer des suffixes primitifs, remontant au latin populaire (*-eau, -aison, -âtre*), et des suffixes d'emprunt, tirés du latin (*-teur, -tion*), du grec (*-isme, -ose*), ou d'autres fonds : *-ade* vient du provençal et de l'italien, *-esque* de l'italien, etc. ; *-ard* et *-aud* remontent à des éléments de composés germaniques (*-hard,* dur ; *waldan,* maintenir), qui, fréquents à la finale des noms propres (*Renard, Raynaud...*), ont été pris pour des suffixes. La vitalité de la dérivation, qui n'a jamais cessé de se manifester, a pris un aspect nouveau avec le développement des vocabulaires techniques et scientifiques : les suffixes *-isme, -iste, -iser, -isation,* etc., connaissent une expansion considérable.

À côté de la dérivation préfixale et suffixale, le français connaît la *dérivation sans suffixe* ou *suffixation zéro* (*bord, border*), et surtout les *déverbaux* (*port* d'une lettre, de *porter ; boire, manger,* subst. ; part. prés. ou passé devenant adjectif ou substantif : *chute, voyant,* etc.). Enfin, la *dérivation régressive* présente le phénomène inverse : on recrée un mot simple d'après un mot à suffixe (sur le modèle d'un autre groupe) : ainsi, d'*évolution* (emprunté au latin *evolutio*) on a tiré le verbe *évoluer.*

PRINCIPAUX SUFFIXES SERVANT À FORMER DES SUBSTANTIFS

Suffixes français	Origine gréco-latine	Valeur	Exemples
-age, -issage	*-atĭcum*	action ; résultat	*codage, doublage, assemblage, atterrissage.*
-ement, -issement	*-amentum*	action ; résultat	*grelottement ; rougeoiement ; assagissement.*
-tion, -sion	*-tionem*	action ; résultat	*décontraction ; corrosion.*
-ition, -ation	–	–	*indexation ; finition.*
-isation	–	–	*africanisation.*
-son	–	–	*salaison ; livraison.*
-ure, -ature	*-aturam*	résultat	*aluminure ; ossature.*
-is	*-aticium*	résultat	*fouillis ; abattis.*
-isme	*-ismum*	système	*dirigisme ; fauvisme ; attentisme.*

→

Suffixes français	Origine gréco-latine	Valeur	Exemples
-ité, -eté, -té	*-itatem*	qualité	*musicalité ; saleté ; bonté.*
-itude	*-itudinem*	qualité ou état	*rectitude ; négritude.*
-at	*-atum*	état ou fonction	*agglomérat ; professorat.*
-ie	*-iam*	état ou qualité	*agnosie, allergie.*
-erie	*-eriam*	état ou qualité (souvent péjor.) ; métier ; local	*chamaillerie ; politicaillerie ; boucherie ; laiterie.*
-ance, -ence	*-antiam*	qualité	*rutilance ; déficience.*
-escence			*alcalescence.*
-eur	*-orem*	qualité	*blancheur ; froideur.*
-esse	*-itiam*	qualité	*mollesse ; faiblesse.*
-ise	*-ītiam*	qualité	*vantardise ; franchise.*
-eur, -isseur	*-ōrem*	agent	*soudeur ; bâtisseur.*
-ateur			*démutisateur.*
-ier	*-arium*	agent	*ouvrier ; laitier.*
-aire	*-arium*	agent (métier)	*disquaire ; commissionnaire.*
-ien	*-anum*	agent (métier)	*chirurgien ; généticien.*
-iste	*-istam*	agent ; partisan	*affichiste ; fixiste.*
-oir(e)	*-orium*	instrument ; appareil	*semoir ; baignoire.*
-et, -ette	*-ĭttum, -ĭttam*	diminutif	*articulet ; fourgonnette.*
-aille	*-acŭlum*	collectif	*ferraille ; mangeaille.*
-aie	*-ētum, -ētam*	collectif	*aulnaie ; roseraie.*
-ée	*-atam*	contenu	*assiettée ; cuillerée.*

PRINCIPAUX SUFFIXES SERVANT À FORMER DES ADJECTIFS

Suffixes français	Origine gréco-latine	Valeur	Exemples
-ain	*-anum*	originaire	*romain ; africain.*
-ais	*-iscum*	—	*japonais ; maltais ; français.*
-ois	*-ensis*	—	*chinois ; danois.*
-aud	*-aldum* (germanique)	péjoratif	*lourdaud ; noiraud.*

→

Suffixes français	Origine gréco-latine	Valeur	Exemples
-eux	*-ōsus*	qui a la qualité de	*pesteux ; envieux.*
-aire	*-arium*	qui a la qualité de ; qui appartient à	*nucléaire ; tarifaire.*
-al	*-alem*		*racial ; colonial.*
-el	*-alem*		*émotionnel ; résiduel.*
-ier	*-arium*		*hospitalier ; finassier.*
-if	*-īvum*		*duratif ; récessif.*
-ique	*-icum*		*ironique ; phobique.*
-âtre	*-astrum*	qui atténue ; péjoratif	*bleuâtre ; douceâtre.*
-able	*-abĭlem*	capable de ; qui peut être	*froissable ; équitable.*
-u	*-utum*	qui a la qualité de ; pourvu de	*barbu ; charnu.*

Les adjectifs peuvent éventuellement être substantivés.

PRINCIPAUX SUFFIXES SERVANT À FORMER DES VERBES

Suffixes français	Origine gréco-latine	Valeur	Exemples
-(i)fier	*-(i)ficare*	factitif	*vitrifier ; panifier.*
-iser	*-izare*	—	*angliciser ; atomiser.*

SUFFIXE SERVANT À FORMER DES ADVERBES

Suffixe français	Origine gréco-latine	Valeur	Exemples
-ment	*-mente*	d'une manière	*mondialement ; agréablement.*

2. La composition

La composition offre deux types : la composition proprement dite, par réunion de mots français, avec ou sans préposition (*café-concert, porte-serviettes, pot-au-feu*), et la recomposition, qui unit des radicaux savants d'origine grecque ou latine, dont l'un au moins n'existe pas à l'état isolé (*thermogène, électro-encéphalogramme, ignifugé*), ou des radicaux français dont la syllabe finale a été « latinisée » ou « hellénisée » pour les besoins de la composition (*socio-professionnel, publi-rédactionnel,* etc.). La composition, malgré son importance en français, joue un rôle plus restreint que dans les langues germaniques.

3. L'abréviation

Alors que la composition et la dérivation servent à former des mots souvent longs, la langue, par un mouvement inverse, forme des mots abrégés. L'*abréviation* jouait un rôle important en ancien germanique (en particulier pour les noms de personnes et de lieux). On la retrouve pour les noms de baptême dès la fin du Moyen Âge (*Marguerite* → *Margot*). Dans les noms communs, on la constate à la fin du XVIIIe s. en argot (*dauphin* → *dauphe,* nom d'une pince de cambrioleur), où elle se rattache à la dérivation régressive ; puis dans des mots étrangers (*piano-forte* → *piano*), où elle est une forme de l'ellipse. Elle s'est développée par suite de la diffusion de nombreux termes techniques (*automobile, auto ; cinématographe, cinéma* ou *ciné*). En français populaire contemporain, l'abréviation comporte souvent une suffixation (*propriétaire, proprio ; métallurgiste, métallo,* etc.). Pour les noms de firmes, d'administrations, de syndicats, de partis, etc., s'est généralisée, dans toutes les langues européennes, l'abréviation par les initiales (le sigle S.N.C.F., Société nationale des chemins de fer français ; *T.C.F.,* Touring-Club de France ; *C.G.T.,* Confédération générale du travail ; etc.).

4. La transformation analogique

L'existence des dérivés et composés, motivés par rapport à un mot de base, auxquels sémantiquement et morphologiquement ils restent longtemps apparentés avant d'être lexicalisés dans des emplois différenciés, entraîne l'existence de champs lexicaux dans lesquels s'intègrent parfois, par *analogie,* d'autres termes qui en étaient primitivement distincts. L'étymologie populaire (*attraction paronymique*) a eu, ainsi, un rôle important dans l'évolution ancienne de la langue. Les mots isolés, les archaïsmes, les mots étrangers, les mots savants tombent dans l'attraction de mots plus forts, plus usités, faisant partie d'un champ lexical étendu, et voisins des premiers par leur structure phonique. Il en résulte une altération, soit de la forme et du sens du mot original, soit de son sens seul. Ainsi *guipillon* (de l'anc. fr. *guiper*) est devenu *goupillon,* d'après *goupil,* renard ; *iguenot* (de l'all. *Eidgenossen,* « confédérés ») est devenu *huguenot,* d'après *Hugues ; souffreteux* (dér. de l'anc. *souffraite,* du lat. *suffracta,* participe passé passif de *suffrangere*) a été rapproché de *souffrir* (du lat. pop. *sufferire*) ; *saligaud* (d'un très ancien surnom nordique *Saligot,* du francique *salik,* sale) est rapproché directement de *sale.* Des croisements de ce genre ont été très fréquents en latin populaire et en roman : *chêne* (ancien *chaisne* devenu *chesne*) postule soit un type latin populaire **caxinus,* représentant le gaulois *cassanus* influencé par le latin *fraxinus,* frêne, soit un croisement plus tardif de deux formes de l'ancien français, *chasne* (attesté dans les patois), issu de *cassanus,* et *fresne,* issu de *fraxinus.*

Quelques mots ont pour origine une onomatopée : leur prononciation rappelle un bruit naturel (*coucou, brouhaha, ronron*). Cette onomatopée peut remonter jusqu'aux sources les plus anciennes du lexique, ainsi *murmure* est issu d'un *murmur* latin, sans doute d'origine onomatopéique.

La phonétique

On donnera ici les grandes lignes de l'évolution phonétique qui a mené du latin au français.

Le latin

1. Système vocalique :

Le latin est fondé sur une opposition entre des voyelles longues et des voyelles brèves :

ŏ / ō ; ŭ / ū ; ĕ / ē ; ĭ / ī ; ă / ā.

Ainsi s'opposent *măre* (mer) et *cārum* (cher), *mĕl* (miel) et *mē* (moi), *pĭlum* (poil) et *fīlum* (fil), *mŏles* (meule) et *flōrem* (fleur), *gŭlam* (gueule) et *mūrum* (mur).

Le latin classique ne connaissait plus qu'une diphtongue : *au* (*aurum :* or), réduite souvent déjà à ō ; les deux autres diphtongues, encore transcrites, sont réduites à des voyelles simples : *ae* est devenu soit ĕ (*caelum :* ciel), soit ē (*praeda :* proie) ; *oe* est devenu ē (*poena :* peine).

2. Système accentuel :

Le latin repose sur l'existence d'un accent de hauteur, distinctif, à place variable. Cet accent, qui se place toujours sur l'avant-dernière (pénultième) ou sur l'antépénultième des mots polysyllabiques, varie selon la quantité de la syllabe pénultième ; si cette dernière est brève, l'accent recule sur la syllabe qui précède ; si elle est longue, elle est accentuée. Les monosyllabes sont toujours accentués, sauf un petit nombre de termes « enclitiques » :

jácĕre (accent sur *a*) s'oppose à *jacēre* (accent sur *e*).

Cet accent principal, qui joue un rôle capital dans l'évolution du latin vers les langues romanes, n'est pas le seul ; il existe un accent secondaire, de valeur démarcative, sur la première syllabe du mot. Ces accents impliquent l'existence de deux types de syllabes ; un premier type (syllabe ouverte) est formé de la suite *consonne* + *voyelle* ou d'une *voyelle seule* (*ja-ce-re ; a-ra-re*) ; un second type est formé de la suite : *consonne* + *voyelle* + *consonne ; voyelle* + *consonne* (*pon-tem ; ar-ma*). L'évolution des voyelles (libres ou entravées) de chaque type de syllabe a subi une marche différente.

3. Système consonantique :

Le système consonantique est formé en latin :

a) de consonnes *occlusives* comportant une opposition de sonorité :

p — *b*
t — *d*
k — *g*

b) de consonnes *fricatives* ou *continues* comportant aussi une corrélation de sonorité :

f — *v*
s — *z*

(le son [z] existe surtout à l'initiale dans les emprunts).

c) de consonnes nasales :

m — *n*

d) d'un couple *latérale / vibrante :*

l — *r*.

Le système consonantique connaît aussi une opposition entre consonnes simples et consonnes géminées :

carum (cher) et *carrum* (char) ;
causare (causer) et *lassare* (lasser).

Le système consonantique se caractérise aussi par l'existence de deux demi-consonnes : [j] et [w].

L'évolution du latin classique vers le roman (IIIe-Ve s.) est caractérisée par le passage d'une structure vocalique fondée sur des oppositions de quantité à une structure vocalique fondée sur des oppositions de timbres sous l'accent :

[ɔ] [o] [u]
[ɛ] [e] [i]
[a]

L'*e bref* est devenu un *e ouvert* [ɛ], l'*o bref* un *o ouvert* [ɔ] ; l'*e long* et l'*i bref* sont devenus des *e fermés* [e] ; l'*o long* et l'*u bref* sont devenus des *o fermés* [o].

L'accent de hauteur est devenu un accent d'intensité.

L'évolution vers le français

C'est à partir de cette évolution du latin que peuvent s'expliquer les évolutions suivantes du système phonétique.

1. Évolution des voyelles accentuées

Au Ve s., les voyelles libres deviennent longues et les voyelles entravées deviennent brèves, quelle qu'ait été leur quantité en latin classique. Les voyelles libres se sont diphtonguées, au contraire des voyelles entravées.

L'évolution des voyelles toniques a parfois été modifiée par l'action des phonèmes voisins.

Le [l] placé devant une autre consonne (*l vélaire*) se vocalise en [u] vers le XIe s. et cette voyelle s'est combinée avec la voyelle précédente pour former avec elle une diphtongue.

Devant une nasale, les voyelles se sont nasalisées. À partir du XVe et du XVIe s., la consonne nasale s'est effacée dans les mots où elle se trouvait placée devant une autre consonne. Lorsque la consonne nasale était intervocalique, la voyelle a perdu son caractère nasal.

L'évolution des voyelles a pu subir l'influence du phonème palatal [j] : [ɛ] et [ɔ] se sont diphtongués au contact de [j] qui, passant lui-même a (*i*), faisait apparaître ainsi une triphtongue ; [a], [e], [o], [i], [u] ont formé une diphtongue en se soudant avec le [j].

a accentué

partem	→ part	;	*gratum*	→	gré
albam	→ aube	;	*carum*	→	cher
majum	→ mai	;	*manum*	→	main
annum	→ an	;	*panem*	→	pain

e bref accentué, *e* long, *i* bref accentué

perdĕre	→ perdre	;	*pĕdem*	→	pied
bellus	→ beau	;	*lectum*	→	lit
bĕnĕ	→ bien	;	*pendĕre*	→	pendre
ingĕnium	→ engin	;	*mittĕre*	→	mettre
mē	→ moi	;	*illos*	→	eux
tectum	→ toit	;	*plēnum*	→	plein
vēnam	→ veine	;	*vendĕre*	→	vendre

i long accentué, *u* long accentué

vīllam	→ ville	;	*vītam*	→	vie
fīnem	→ fin	;	*nūllum*	→	nul
nūdum	→ nu	;	*ūnum*	→	un
lūnis-diem	→ *lundi*	;	*jūnium*	→	juin

o bref accentué, *o* long, *u* bref accentués

mortem	→ mort	;	*mŏlam*	→	meule
follis	→ fou	;	*nocte*	→	nuit
cŏmitem	→ comte	;	*cognĭtum*	→	cointe
buccam	→ bouche	;	*vŏtum*	→	vœu
păvŏrem	→ peur	;	*ultram*	→	outre
vŏcem	→ voix	;	*dŏnum*	→	don
umbram	→ ombre	;	*cŭnĕum*	→	coin

2. Évolution des voyelles atones

Dans les syllabes atones, la voyelle se réduisit à un son très faible et s'effaça le plus souvent avant le IXe s. Mais, en syllabe finale ou en syllabe prétonique, le [a] latin est devenu [ə] :

ăristam > arête ; *tăbŭlam* > table ; *ornămemtum* > ornement.

Dans les mots accentués sur l'antépénultième, toutes les voyelles finales subsistent à l'état de [ə], devenu *e* muet :

ăsinum > âne.

Derrière un groupe de consonnes qui réclame une voyelle d'appui, une voyelle atone est conservée à l'état de [ə] :

dŭplum > double ; *fĕbrem* > fièvre.

3. Évolution des voyelles en syllabe initiale

Les syllabes initiales étaient articulées avec une intensité particulière, ce qui entraîna leur maintien.

Le traitement des voyelles initiales suivies d'une consonne nasale est semblable à celui des voyelles accentuées devant une consonne nasale suivie d'une autre consonne. L'évolution de *ĭ,* de *ē* et *ĕ,* de *ŭ,* de *ō* et *ŏ* est identique.

vălēre → valoir ; *falcōnem* → faucon
căballum → cheval ; *plācēre* → plaisir
păvŏrem → peur ; *mercēdem* → merci
virtŭtem → vertu ; *debēre* → devoir
lĭcēre → loisir ; *vidēre* → voir
cŏrōnam → couronne ; *pōtiōnem* → poison

4. Évolution des consonnes

1. Les consonnes initiales sont conservées sans changement :

dūru > dur ; *barba* > barbe.

2. Les consonnes finales latines se sont amuïes en gallo-roman :

ămat > aime.

Elles s'étaient parfois même effacées dès l'époque latine ; c'est le cas du *m* final (Ier s.) :

ăsinu(m), qui a donné *âne.*

3. La première consonne d'un groupe consonantique s'efface généralement, tandis que la seconde se conserve sans changement :

rupta > route ; *adpressum* > après.

Lorsque la seconde consonne est un *r* ou un *l,* les groupes évoluent de la façon suivante :

p, b + *r* → *vr* : *labra* → lèvre *lĕpore* → lièvre
p, b + *l* → *bl* : *tabŭla* → table *dŭplu* → double

Dans certains groupes consonantiques, il se produit parfois l'addition d'une nouvelle consonne :

mr → *mbr* : *cam(ĕ)ra* → chambre
sr → *str* : *ess(ĕ)re* → estre, être
nr → *ndr* : *cin(ĕ)re* → cendre
ml → *mbl* : *sim(ŭ)lat* → semble

4. Les consonnes intervocaliques *l, m, n, r* se conservent sans changement :

amara → amère.

Les occlusives *t* et *d* disparaissent ; le *p* et le *b* intervocaliques deviennent *v* ou disparaissent, comme le *g* et le *c.*

mūtare → muer ; *nūdam* → nue
rīpam → rive ; *hăbere* → avoir
tābonem → taon ; *lūcorem* → lueur
jŏcare → jouer ; *a(u)gustum* → août
rūgam → rue

5. La palatalisation est importante dans l'évolution du latin en français et comporte trois séries de faits :

k et *g* devant une consonne dentale se sont complètement palatalisés. Le [j] s'est combiné avec la voyelle précédente pour former une diphtongue :

flābrare → anc. fr. *flairier,* *flairer* en fr. mod.

k et *g* devant une voyelle palatale ont subi l'évolution suivante :

centu	→	cent	;	*mercēde*	→	merci
placēre	→	plaisir	;	*carru*	→	char
arca	→	arche	;	*bāca*	→	baie
gente	→	gent	;	*rēgīna*	→	reine
gamba	→	jambe	;	*larga*	→	large
plāga	→	plaie	;	*calĭdum*	→	chaud

Les occlusives et les nasales suivies d'un [j] résultant de la fermeture d'un [e] ou d'un [i] en hiatus avec une autre voyelle ont subi l'évolution suivante :

săpia	→	sache	;	*tībĭa*	→	tige
căvĕa	→	cage	;	*somniu*	→	songe
arcione	→	arçon	;	*exăgiu*	→	essai
fortia	→	force	;	*rătĭone*	→	raison
dĭurnu	→	jour	;	*hordĕu*	→	orge
area	→	aire	;	*messĭōne*	→	moisson
līnĕa	→	ligne	;	*balneu*	→	bain
fīlĭa	→	fille	;	*potiōne*	→	poison

La méthode étymologique

Les progrès de la grammaire comparée, une meilleure connaissance des phénomènes d'emprunt, les recherches modernes de P. Fouché, Jud, Battisti, Bertoli, Rohlfs, sur le domaine prélatin, l'inventaire des dialectes, des parlers régionaux, des argots (G. Esnault), des lexiques techniques, l'exploration des champs morpho-sémantiques (P. Guiraud), les études toujours plus nombreuses sur les lexiques des époques passées ont diminué très sensiblement le nombre des étymologies obscures ou contestées, ainsi que les incertitudes soulevées par les évolutions sémantiques. Ils ne les ont pas toutes supprimées.

Pour connaître l'étymologie d'un mot, on reconstitue d'abord sa filiation dans la langue, au double point de vue de la forme et du sens, et l'on remonte jusqu'à l'époque où il a été attesté pour la première fois.

Les données externes

On recherche l'aire géographique du mot : dans quelles régions de France a-t-il été d'abord employé ? Dans quels parlers locaux, dans quels noms de lieux le retrouve-t-on ? Quels sont ses correspondants dans d'autres langues romanes ? La géographie linguistique, la dialectologie, la linguistique comparée joignent ainsi leurs données à celles de l'histoire. Elles fournissent des indications précieuses pour les mots prélatins conservés dans les régions archaïsantes (notamment pour les mots gaulois, dont on retrouve des survivants partout, mais surtout dans le Centre et dans l'Ouest), pour les mots germaniques, venus du Nord et de l'Est (les mots norrois ont leur foyer en Normandie), enfin pour les emprunts aux langues voisines.

L'histoire politique et sociale indique quelles ont été les relations de la France avec les autres peuples. Elle s'associe à l'histoire des sciences et des techniques pour rappeler de quels « arts » — au sens ancien du terme — notre pays est redevable (avec le vocabulaire correspondant) à tel peuple et à telle époque. La géographie économique révèle par quelles voies se sont introduits et diffusés les mots nouveaux : on relève, par exemple, que la plupart des mots méditerranéens furent introduits par l'italien ou le provençal ; ils ont gagné Paris et la moitié nord de la France en remontant la grande voie commerciale du Rhône et de la Saône. Ainsi, plusieurs sciences annexes contribuent à fournir à l'étymologie la matière de ses observations et de ses raisonnements sur l'histoire des mots.

Les données internes

Il faut cependant identifier l'origine première du mot. S'il apparaît dans les plus anciens textes, il a une chance d'appartenir au fonds primitif. On cherche s'il existait en latin, ou s'il peut correspondre à une création ou à une altération du latin populaire, ou s'il présente les caractères d'un mot prélatin. Un mot présumé gaulois doit offrir une aire primitive d'un certain type ; il doit se retrouver, pour la plupart des cas, dans d'autres langues celtiques. De même, pour les origines présumées germaniques ; les documents relatifs au francique (langue des Francs) sont peu abondants, mais l'étude du néerlandais, descendant du francique, et celle des langues ou dialectes germaniques voisins permettent d'étayer, plus ou moins solidement, les formes conjecturées. Quant aux emprunts aux langues modernes, il faut établir que le mot est plus ancien dans la langue envisagée qu'en français et retrouver sa voie de pénétration, tant sociale que géographique.

Il va de soi que la conjecture doit reposer sur une analyse de phonétique et de morphologie historiques. Tout mot a obéi, dans une grande mesure, aux mécanismes généraux qui ont provoqué les changements de la prononciation et des structures morphologiques, successivement dans sa langue d'origine, puis dans notre langue. Ces mécanismes ont été fréquemment troublés par des altérations analogiques, des rapprochements morpho-sémantiques, des contacts entre dialectes de structures linguistiques différentes. Lorsqu'un mot et son prototype supposé s'accordent par une racine commune, par le sens, ainsi qu'aux points de vue de la géographie et de l'histoire, si, dans la forme, on est arrêté par un obstacle d'ordre phonétique, l'étymologie n'est pas à rejeter *ipso facto.* Il y a lieu d'examiner si une altération n'a pas été possible. Cette altération doit avoir sa raison d'être, appartenir à un type connu : elle ne saurait être imaginée pour les besoins d'une hypothèse.

Inversement, même une identité de forme entre un mot et son prototype supposé ne suffit pas pour permettre des hardiesses sémantiques injustifiées : car on peut être en présence de deux racines différentes, que les hasards de l'évolution ou des voyages ont rendues homonymes. Faute d'avoir opéré une distinction de cet ordre, Littré et le *Dictionnaire général* ont proposé des conjectures aussi ingénieuses qu'erronnées pour rattacher la *douve* (ver) du mouton à la *douve* (fossé) du château : or, le premier mot représente un bas latin *dolva* (attesté au Ve s.), et le second un bas latin *doga.* La linguistique moderne peut préserver les étymologistes actuels des fantaisies qui ont discrédité tant de recherches anciennes.

Présentation du dictionnaire

Certaines dispositions nouvelles ont été rendues nécessaires par le fait que cette nouvelle édition du *Dictionnaire étymologique et historique* renferme un nombre de mots accru par rapport à la dernière édition du *Dictionnaire étymologique,* et supérieur à ceux que contiennent les ouvrages de même ordre.

Indications générales

L'ordre général de l'ouvrage est alphabétique. Mais les dérivés et composés issus d'un même mot français ou d'une même base, latine, germanique, etc. (l'*étymon*), ont été groupés dans le même article, à la suite du mot simple. On cherchera donc *mangeoire* à *manger, refaire* à *faire,* etc. Les articles spéciaux consacrés dans l'introduction aux préfixes et les tableaux introductifs, regroupant les préfixes, les suffixes et les éléments de composition grecs et latins, compléteront aisément les informations indispensables.

Il a paru parfois utile de réunir, dans toute la mesure du possible, les formations populaires et les formations savantes, lorsque les aires sémantiques des termes offraient des points de contact. Chaque fois qu'il peut y avoir hésitation, le dérivé ou composé est enregistré à sa place alphabétique, avec renvoi au mot simple. Un article spécial est le plus souvent consacré aux dérivés ou composés qui ont eu un développement sémantique indépendant (ex. *patrouille,* de *patte*), ou qui se sont séparés anciennement du mot de base par l'évolution de leur forme (ex. *métayer, mitoyen,* de *moitié*).

L'ordre intérieur de chaque article est celui de la dérivation, puis de la composition. Pour les mots composés sur un même radical initial (*aéro-, allo-*), on a suivi l'ordre alphabétique : ex. *aérodynamique, aéroglisseur, aéronaute,* etc.

L'étymologie

Les mots de base d'origine populaire, directement issus du latin par évolution continue, sont précédés d'un astérisque. Ce sont ceux qui forment la plus grande partie du fonds primitif. Exemple : **ache,* du lat. *apium.*

L'étymologie des autres mots de base (mots d'origine germanique, emprunts aux langues anciennes ou modernes) est indiquée également par une formule du type : « francique », « ar. », « esp. », etc. Quand le terme emprunté est lui-même issu d'une autre langue, la formule initiale est suivie de l'indication : « du, de ». Exemple : *alambic ;* esp. *alambico,* de l'ar. *al'īnbīq.*

Les étymons latins sont donnés sous la forme du nominatif, suivi du génitif lorsque celui-ci se révèle nécessaire pour la compréhension de son évolution phonétique. C'est une convention pratique, car on sait que le mot français est issu, dans la quasi-totalité des cas, de l'accusatif latin. Lorsque deux formes différentes sont issues du nominatif et de l'accusatif latins (cas sujet et cas régime de l'ancien français, cristallisés ultérieurement en deux mots distincts, type *chantre-chanteur*), les précisions indispensables ont été apportées.

L'indication *lat.*, sans épithète, fait référence au *latin classique*. Nous en avons distingué le *latin impérial* (mots latins qui apparaissent dans les textes à partir du IIe s. environ), le *bas latin* (à partir du IIIe-IVe s.), le *latin populaire* (de la même époque que le bas latin, mais dont la plupart des formes, non attestées dans les textes, sont reconstituées par conjecture), le *latin médiéval* (mots latins qui apparaissent dans les textes à partir du VIIe s. environ), le *latin chrétien* (textes s'étageant du IIIe au VIe s.) comprenant des termes relatifs au christianisme, le *latin ecclésiastique* (Moyen Âge), enfin le *latin scolastique* (Moyen Âge) et le *latin moderne* ou *scientifique* (textes scientifiques des XVIe, XVIIe, XVIIIe s.). Les emprunts les plus anciens au latin sont ceux qui ont été faits aux alentours de l'époque carolingienne. Ils ont, en principe, conservé l'accentuation latine. Ces emprunts, et même ceux qui les ont suivis, ont été plus ou moins assimilés au point de vue phonétique ; cela est indiqué dans les dictionnaires par « adaptation », ou « francisation ».

Les indications *grec, germanique, provençal, scandinave* s'appliquent au grec, au germanique, au provençal et au scandinave *anciens*. Pour l'état moderne de ces langues, on ajoute l'épithète *moderne* (abrév. *mod.*). On indique *bas grec* et *byzantin* pour les étapes intermédiaires du grec. Le néerlandais englobe le flamand, lorsqu'on ne peut préciser entre flamand et hollandais.

Les étymons conjecturaux (assez nombreux pour le latin populaire et le germanique) sont précédés de l'astérisque.

Le grec est transcrit en lettres latines : l'*upsilon* (υ) est transcrit par *u* ; êta (η) et ômêga (ω) par *ê* et *ô* ; les aspirées (χ, φ, θ) par *kh, ph, th* ; la graphie *g* (γ) est conservée, même pour *g* nasal (*aggelos*, ange).

La datation

La première attestation du mot est indiquée soit sous la forme d'une date, suivie le plus souvent de la référence à l'ouvrage où l'on a retrouvé le premier emploi, soit sous la forme d'une indication chronologique approximative lorsqu'elle ne se réfère pas de manière précise à un texte (cela à trente années près : ex. début XIVe s., milieu XVIIe s., fin XVIIIe s.). Pour de nombreux auteurs du Moyen Âge, la date est un simple point de repère, étant donné l'imprécision de la chronologie de leurs œuvres. Les informations chronologiques sont suivies de la forme du mot à l'époque considérée, lorsque cette forme offre un intérêt (avec ses variantes, s'il y a lieu).

Il en va de même pour la première attestation des changements importants de l'emploi sémantique du mot.

L'histoire des sens

La signification actuelle des mots répertoriés n'est donnée que pour les mots-racines peu connus. Elle est supposée connue des lecteurs pour les mots courants, et ceux-ci peuvent en trouver le détail dans un dictionnaire de langue. Mais, lorsque le sens d'un mot s'est modifié depuis son apparition dans la langue, nous avons indiqué son sens originel et ses principaux emplois ultérieurs avec leur date. Nous nous sommes limité, lorsque cela nous paraissait suffisant, à indiquer le domaine lexical auquel appartenait l'emploi relevé : ex. « technique », « argotique », « médical », « militaire », etc.

Le sens de l'étymon n'est donné que lorsqu'il présente une différence notable avec le sens du mot français.

Éléments latins et grecs

Préfixes savants d'origine latine entrant dans la composition de mots français

Préfixes	Sens	Exemples
ab-, abs-	loin de	*abduction, abstention.*
ad-	vers	*adhérence, adventice.*
ambi-	les deux	*ambidextre, ambivalent.*
anté-	avant	*antédiluvien, antépénultième.*
bi-, bis-	deux	*bipède, biplace, biscornu.*
centi-	centième	*centilitre, centimètre.*
circon-,	autour	*circonlocution,*
circum-	—	*circumnavigation.*
cis-	en deçà	*cisalpin, cispadan.*
co-, col-,	avec	*coadjuteur, collaborateur, copropriété ;*
com-, con-,	—	*communion, concitoyen ;*
cor-	—	*correspondance.*
contra-	contre	*contradictoire, contravention.*
dé-	séparé de, qui a cessé de, intensif	*déboulonner, débrancher, débrider, déchausser, démonétiser, dépolitiser ; dessécher.*
déci-	dixième	*décilitre, décimètre.*
dis-	séparé de, différent	*disconvenir, discordance, disproportion, dissemblance.*
ex-	1° hors de ; 2° qui a cessé	*expatrier, exporter ; ex-ministre, ex-député.*
extra-	1° extrêmement ; 2° hors de	*extrafin, extra-dry ; extrados, extraordinaire, extraterritorialité.*
il-, im-, in-, ir-	1° dans ; 2° privé de	*immerger, infiltrer, irriguer ; illettré, impeccable, inexpérimenté, insalubre, irrégulier.*
infra-	au-dessous	*infrastructure, infrarouge.*
inter-	entre	*interligne, international.*
intra-, intro-	au-dedans	*intramusculaire, intraveineux, introversion.*
juxta-	auprès de	*juxtalinéaire, juxtaposer.*
ob-	au-devant	*obnubiler, obvier.*
pén(é)-	presque	*pénéplaine, pénultième.*
per-	de part en part	*percolateur, perforer.*
pluri-	plusieurs	*plurivalent, plurilangue.*
post-	après	*postdater, postscolaire.*
pré-	devant, avant, en tête de	*préhellénique, préhistoire, préfigurer.*
prim(o)-	premier	*primogéniture, primordial.*
pro-	en avant	*projeter, prolonger.*
quadr(i)-,	quatre	*quadrijumeaux, quadripartite ;*
quadre-,	—	*quadrette ;*
quadru-	—	*quadrumane, quadrupède.*
quasi-	presque	*quasi-contrat, quasi-délit.*

quinqu-	cinq	*quinquennal.*
quint-	cinquième	*quintessence, quintuple.*
r-, ré-	de nouveau, en revenant	*ramener, réassortir, réexaminer, revenir.*
rétro-	en arrière	*rétroactif, rétrocession, rétrograder.*
semi-	à demi	*semi-rigide, semi-voyelle.*
simili-	semblable	*similigravure, similimarbre.*
sub-	1° sous ; 2° presque	*subalterne, subdélégué ;* *subaigu.*
super-, supra-	au-dessus	*supercarburant, superstructure, supranational.*
trans-	1° au-delà de ; 2° au travers	*transférer, transhumant ;* *transpercer.*
tri-	trois	*tripartite, trisaïeul.*
ultra-	au-delà de	*ultraroyaliste, ultrason, ultraviolet.*
un(i)-	un	*unilingue, univoque.*
vice-	à la place de	*vice-consul, vice-amiral.*

Principaux éléments latins entrant dans la construction de mots français

Composants	Mot latin et sens	Exemples
acét(o)-	*acetum,* vinaigre	*acétique, acétate.*
agri-, agr(o)-	*ager, agri,* champ	*agricole, agriculture, agronome.*
alti-, alto-	*altus,* haut	*altimètre, altocumulus.*
-ambule	*ambulare,* se promener	*somnambule.*
apici-, apic(o)-	*apex, apicis,* sommet	*apiciforme ; apicodental.*
aqu(i)-	*aqua,* eau	*aquatique.*
arbor(i)-	*arbor,* arbre	*arborescent, arboriculture.*
aren(a)-	*arena,* sable	*arénicole, arénisation.*
auri-, auricul-	*auris,* oreille	*auriculaire.*
avi-	*avis,* oiseau	*aviculture, avion.*
brach(i)-	*brachium,* bras	*brachial, brachialgie.*
calc(o)-	*calx, calcis,* chaux	*calcaire, calciner.*
calic(i)-	*calix, -icis,* coupe	*calicicole, caliciflore, calicule.*
calor(i)-	*calor, -oris,* chaleur	*calorifère, calorimètre.*
campho(r)-	*camphora,* camphre	*campholide, camphorosma.*
cannab-	*cannabis,* chanvre	*cannabinacée, cannabisme.*
capill-	*capillus,* cheveu	*capillaire, capillicule.*
capit-	*caput, -itis,* tête	*capitaliser, capitation.*
carbo(n)-	*carbo, -onis,* charbon	*carbonisation, carbonyle.*
carn(i)-	*caro, carnis,* chair	*carnifier, carnivore.*
casé(i)-	*caseus,* fromage	*caséification, caséine.*
caud-	*cauda,* queue	*caudataire, caudiculé.*
caul(i)-, -caule	*caulis,* tige —	*cauliforme, caulinicole ;* *acaule.*
cér(i)-	*cera,* cire	*cérifère, cérigène.*
-cide	*caedere,* tuer	*infanticide, régicide.*
cirri-, cirro-	*cirrus,* mèche, touffe	*cirripèdes, cirroteuthis.*
clathr-	*clathri,* barreaux, treillis	*clathre, clathrus.*
clav(i)-	*clavis,* clef	*clavicorde, clavicule.*
clype(i)-	*clipeus,* bouclier	*clypeaster, clypeola.*
-cole	*colere,* cultiver, fréquenter ou habiter	*agricole, bambusicole.*
cordi-	*cor, cordis,* cœur	*cordial, cordiforme.*
cox(o)-	*coxa,* hanche, cuisse	*coxalgie, coxarthrie.*
cruci-	*crux, crucis,* croix	*crucifère, crucifier.*
culic-	*culex, -icis,* moustique	*culicidés, culicivore.*

cunicul-	*cuniculus,* lapin	*cuniculiculteur, cuniculiculture.*
cupri-, cupro-	*cuprum,* cuivre	*cuprifère, cuprochrome.*
-culteur	*cultor,* qui cultive	*apiculteur, viticulteur.*
-colore	*color,* couleur	*bicolore, multicolore.*
-culture	*cultura,* culture	*agriculture, arboriculture.*
denti-	*dens, dentis,* dent	*denticètes, dentirostres.*
digit(o)-	*digitus,* doigt	*digitigrade, digitoplastie.*
équi-	*aequus,* égal	*équipollent, équivalent.*
falci-	*falx, falcis,* faux	*falcifolié, falciforme.*
-fère	*ferre,* porter	*carbonifère, mammifère.*
ferro-	*ferrum,* fer	*ferrocyanure, ferrotypie.*
fibr(o)-	*fibra,* filament	*fibrinogène, fibroïde.*
-fique, -fier,	*facere,* faire	*maléfique, solidifier,*
-fication	–	*solidification.*
fissi-	*fissus,* fendu	*fissidactyle, fissifolié.*
fulv(i)-	*fulvus,* fauve	*fulvènes, fulverin.*
-folié	*folium,* feuille	*falcifolié, fissifolié.*
-forme	*forma,* forme	*uniforme, filiforme.*
-fuge	*fugere,* fuir *fugare,* faire fuir	*lucifuge, vermifuge.*
génit(o)-	*genitus,* engendré	*génitalité, génito-spinal.*
-grade	*gradi,* marcher	*antérograde, rétrograde, onguligrade.*
grani(t)-	*granum,* grain	*granitoïde, granivore.*
homin-	*homo-, -inis,* homme	*hominiens, hominisation.*
igni-	*ignis,* feu	*ignifugé, ignivore.*
iléo-, ili(o)-	*ilia,* flanc	*iléon, iliaque.*
lact(o)	*lac, lactis,* lait	*lactescent, lactifère.*
latér(o)-	*latus, -eris,* côté	*latéral, bilatéral.*
longi-	*longus,* long	*longiligne, longirostre.*
médic(o)-	*medicus,* médecin	*médicinal, médico-légal.*
métall(o)-	*metallum,* métal	*métalloïde, métallurgie.*
-mobile	*mobilis,* qui se meut	*automobile, hippomobile.*
moto-,	*motor,* qui se meut	*motoculteur ;*
-moteur	–	*quadrimoteur.*
multi-	*multi,* nombreux	*multicolore, multiforme.*
nitr(o)-	*nitrum,* nitre	*nitrique, nitroglycérine.*
olé(o)-	*oleum,* huile, olivier	*oléacées, oléine.*
omni-	*omnis,* tout	*omniscient, omnivore.*
ostréi-	*ostreum,* huître	*ostréiculture.*
ov(o)-	*ovum,* œuf	*ovipare, ovoïde.*
palat(o)-	*palatum,* palais	*palatal, palatogramme.*
-pare	*parere,* enfanter	*primipare, vivipare.*
péd-,	*pes, pedis,* pied	*pédicure ;*
-pède	–	*quadrupède.*
pisci-	*piscis,* poisson	*pisciculture, piscine.*
pluvio-	*pluvia,* pluie	*pluviométrie.*
prim(o)-	*primus,* premier	*primipare, primo-infection.*
radic(i)-	*radex, -icis,* racine	*radical, radicelle.*
radi(o)-	*radius,* rayon	*radial, radiographie.*
rect(i)-	*rectum,* droit	*rectifier, rectiligne.*
sanguin-	*sanguis, -inis,* sang	*sanguinaire, sanguinolent.*
sal(i)-	*sal, salis,* sel	*salicole, salifier.*
saxi-	*saxum,* pierre	*saxicole.*
sér(o)-	*serum,* petit-lait	*sérosité.*
sérici-	*sericum,* soie	*séricicole, sériciculture.*
sidér(o)-	*sidus, sideris,* astre	*sidéral.*
simil(i)-	*similis,* semblable	*similicuir.*
spina-	*spina,* épine	*spinal.*
vas(o)-	*vas, vasis,* canal	*vasomoteur.*

véloci-	*velox, -ocis,* rapide	*vélocipède.*
vermi-	*vermis,* ver	*vermiforme, vermifuge.*
vini-	*vinis,* vin	*vinicole.*
viti-	*vitis,* vigne	*viticulture.*
-vore	*vorare,* dévorer	*carnivore, frugivore.*

Préfixes savants d'origine grecque entrant dans la composition de mots français

Préfixes	Sens	Exemples
a-, an- (*a* privatif)	négation, privation	*acarpe, analgésie, analphabète, anesthésie, anodonte, anonyme, anorexie, anormal, anosmie, anoure, anoxémie, aphone.*
amphi-	double, de deux côtés, de part et d'autre	*amphibie, amphibologie, amphigastre, amphigène, amphipode, amphithéâtre.*
ana-	1° de nouveau ; 2° en arrière, à l'inverse de	*anabaptiste, anaphore, anatocisme ; anachronisme, anagogie, anagramme, anaplasie, anastrophe.*
anté-, anti-	qui est contre, opposition	*antéchrist, antialcoolique, antibiotique, antichar, anticonstitutionnel, antidote, antigel, antihalo, antirouille.*
apo-	à partir de, éloignement	*apogée, apophyse, apostasie, apostolat, apostrophe, apothème.*
arch-, archi-	1° qui vient avant ; 2° qui est au plus haut degré	*archevêque, archidiacre, archiduc, archiprêtre ; archibondé, archifou, archimillionnaire.*
cata-	sur, contre, vers le bas	*cataclysme, catalepsie, cataplasme, cataplexie, catapulte, catastrophe, catatonie.*
di(a)-	1° séparation, distinction ; 2° à travers	*diacritique, diaphragme, diaphyse, diastase, diastole ; diaphane, diagonal, diagraphe, dialyse, diapason, dioptrie.*
di-	double	*dioïque, diphasé, diploé, diptère, diptyque, dissyllabe.*
dys-	difficulté, mauvais état	*dyschromie, dysenterie, dyspepsie, dyspnée, dysurie.*
ec-	hors de	*ecchymose, eccopé, ecthyma, ectropion.*
ecto-	au-dehors	*ectocardie, ectoderme, ectoplasme.*
en-	dans	*encéphale, enchondrome, endémie.*
endo-	à l'intérieur de	*endocarde, endocarpe, endocrine, endoscope, endosmose, endosperme.*
ép-, épi-	position supérieure (sur)	*éphélides, épicentre, épiderme, épigastre, épigenèse, épiglotte, épizootie, éponyme.*
eu-	bien	*euphémisme, euphorie, eurythmie, eutexie, euthanasie.*
ex(o)-	à l'extérieur, en dehors	*exocardie, exogène, exomphale, exophorie, exosmose, exostose.*
hémi-	moitié, demi	*hémicycle, hémiédrie, hémiplégie, hémiptère, hémisphère, hémitropie.*
hyper-	1° au-delà de ; 2° excès	*hyperborée, hyperdulie, hyperfocal, hypermétropie ; hypersécrétion, hypercritique, hypersensible.*
hypo-	1° au-dessous de ; 2° insuffisance	*hypoderme, hypogastre, hypogée ; hypopepsie, hypotension, hypotonie, hypotrophie.*
méta-	1° succession ; 2° changement	*métacarpe, métagramme, métaphysique ; métabolisme, métachromatisme, métastase, métathèse.*
par-, para-	1° contre ; 2° voisin de, le long de	*parachronisme, paradoxe, paralogisme ; paracoxalgie, paralique, parallèle, paraphrase, parasélène, paratyphoïde.*
péri-	autour de	*péricoste, périhélie, périmètre, périphérie, périphrase, périscope.*
pro-	devant, en avant, avant	*procordés, prognathe, programme, prolégomènes, prolepse, propathie, prostyle.*
syl-, sym-, syn-, sy-	avec, ensemble	*syllabe, syllepse, syllogisme, symbiose, symétrie, sympathie, symphonie, symphyse, synalèphe, synarchie, synchrone, synonyme, synoptique, synthèse, systyle.*

Principaux éléments grecs entrant dans la construction de mots français

Composants	Mot grec et sens	Exemples
acanth(o)-,	*akantha,* épine	*acanthacées, acanthocéphales, acanthose ;*
-acanthe	–	*monacanthe.*
acro-	*akros,* à l'extrémité	*acrobate, acrocéphalie, acrocyanose, acrodynie, acromégalie, acrostiche.*
actin(o)-	*aktis, -inos,* rayon	*actinique, actinomètre, actinotactisme.*
-adelphe	*adelphos,* frère	*hétéradelphe, monadelphe.*
adén(o)-	*adên, adenos,* glande	*adénite, adénome, adénopathie.*
æg(o)-	*aiks, aigos,* chèvre	*aegagre, aegagrophile, aegoceras.*
aéro-	*aêr, aeros,* air	*aérodrome, aéronaute, aéronef, aérophagie, aéroplane, aérostat.*
-agogue,	*agôgos,* qui conduit	*cholagogue, pédagogue ;*
-agogie	–	*pédagogie.*
agro-	*agros,* champ	*agrochimie, agrologie, agronome.*
aleur(o)-	*aleuron,* farine	*aleurite, aleurone.*
alg(o)-, algési-,	*algos,* douleur	*algidité, algophobie ; algésimètre ;*
-algie	–	*névralgie, ostéalgie.*
all(o)-,	*allos,* autre	*allergie, allotropie, allopathie ;*
allotri(o)-	–	*allotriosmie.*
ambly(o)-	*amblus,* émoussé	*amblyopie, amblyopodes, amblystome.*
amyl(o)-	*amulon,* amidon	*amylacé, amylobacter.*
andr(o)-, -andrie	*anêr, andros,* homme	*androgène, androgenèse, androgyne, androïde, androstérone ; polyandrie.*
anémo-	*anemos,* vent	*anémographe, anémomètre, anémophile.*
angi(o)-	*aggeion,* capsule, vaisseau	*angiectasie, angiocardiographie, angiocholite, angiographie, angiome.*
anis(o)-	*anisos,* inégal	*anisochromie, anisogamie.*
anth(o)-,	*anthos,* fleur	*anthologie, anthonome ;*
-anthe	–	*hélianthe, périanthe.*
anthrac(o)-	*anthrax, -cos,* charbon	*anthracite, anthracoïde, anthracose, anthracotherium.*
anthropo-,	*anthrôpos,* homme	*anthropologie, anthropométrie, anthropomorphisme, anthropophage ;*
-anthrope, -anthropie	–	*misanthrope ; lycanthropie.*
aphro-	*aphros,* mousse, écume	*aphromètre, aphrophore.*
arachn(o)-	*arakhnê,* araignée	*arachnéen, arachnide, arachnothère.*
archéo-	*arkhaios,* ancien	*archéologie, archéoptéryx.*
-archie, -arque	*arkhein,* commander	*monarchie ; monarque, triérarque.*
aréo-	*araios,* léger, peu dense	*aréomètre, aréométrique.*
-arge	*argos,* brillant	*litharge.*
argyr(o)-	*arguros,* argent	*argyrides, argyrodite.*
arithm(o)-,	*arithmos,* nombre	*arithmétique, arithmographe, arithmologie, arithmomanie ;*
-arithme	–	*logarithme.*
arrhén(o)-	*arrhên,* mâle	*arrhénogénie, arrhénotoque.*
artéri(o)-	*artêria,* artère	*artériectomie, artériographie, artériosclérose.*
arthr(o)-	*arthron,* articulation	*arthrectomie, arthrite, arthritisme, arthrocentèse, arthrodynie.*
astér(o)-,	*astêr, asteros,* étoile	*astérisque, astéroïde ;*
astro-	–	*astrologie, astronaute, astronomie.*
-asthénie	*astheneia,* faiblesse	*neurasthénie, psychasthénie.*
atél(o)-	*atêlês,* incomplet	*atélectasie, atélie.*
aut(o)-	*autos,* de soi-même	*autarcie, autobiographie, autocritique, autodéfense, autogène.*
bactéri(o)-	*baktêria,* bâton	*bactériacées, bactéricide, bactériologie, bactériophage, bactériostatique.*
balan(o)-	*balanos,* gland	*balanite, balano-posthite.*
bar(o)-	*baros,* pesanteur	*baranesthésie, baresthésie, baromètre.*
bary-	*barus,* lourd	*barymétrie, barysphère, baryton.*

-bare	*baros,* pression	*isobare.*
bathy-	*bathus,* profond	*bathycrinus, bathyscaphe.*
-bathe	*bathos,* profondeur	*eurybathe.*
biblio-	*biblion,* livre	*bibliographie, bibliothèque.*
bi(o)-, -bie	*bios,* vie	*biochimie, biogenèse, biographie, biologie, biométrie, biopsie ; aérobie, amphibie.*
blast(o)-,	*blastos,* germe	*blastoderme, blastomère, blastopore ;*
-blaste	—	*chondroblaste, nématoblaste.*
bléphar(o)-	*blepharon,* paupière	*blépharite, blépharoplastie, blépharospasme.*
-bole, -bolie	*bolê,* action de jeter	*discobole, hyperbole, parabole ; élaphébolies, embolie.*
bothri(o)-	*bothrion,* petit trou	*bothridère, bothriocéphale.*
botryo-	*botrus,* grappe	*botryomycose, botryoptéridées.*
brachy-	*brakhus,* court	*brachycéphale, brachydactylie.*
brady-	*bradus,* lent	*bradyarthrie, bradycardie, bradypnée.*
brom(o)-	*brômos,* puanteur	*bromoforme, bromure.*
bronch(o)-	*bronkhia,* bronches	*bronchique, bronchophonie, bronchoscopie.*
bront(o)-	*brontê,* tonnerre	*brontosaure, brontotherium.*
bryo-	*bruos,* mousse	*bryophile, bryophytes, bryozoaires, embryologie.*
butyr(o)-	*bouturon,* beurre	*butyreux, butyrine, butyrique, butyromètre.*
cach-, caco-	*kakos,* mauvais	*cachexie ; cacochyme, cacographie, cacologie, cacophonie.*
calam(o)-	*kalamos,* paille	*calamite, calamodendron.*
calli-, -calle	*kalos,* beau ; *kallos,* beauté	*calligraphie, callipyge ; hémérocalle.*
calyc(o)-	*kalux, -cos,* coupe	*calycanthe, calycotome.*
calypt(o)-	*kaluptos,* caché	*calyptoblastides, calyptolite.*
cardi(o)-,	*kardia,* cœur	*cardiaque, cardiogramme, cardiographie, cardiolyse ;*
-carde, -cardie	—	*endocarde, myocarde, péricarde ; myocardie.*
carp(o)-,	*karpos,* fruit	*carpelle, carpocapse, carpogone ;*
-carpe	—	*cléistocarpe, péricarpe.*
caryo-	*karuon,* noix, noyau	*caryocinèse, caryoclasique, caryolyse, caryorrhexis.*
cén(o), cœn-	*koinos,* commun	*cénesthésie, cénestopathie, cénobite ; cœnocyte, cœnure.*
-cèle	*kêlê,* tumeur, hernie	*cystocèle, hydrocèle.*
-cène	*kainos,* récent	*éocène, oligocène, pliocène.*
céphal(o)-,	*kephalê,* tête	*céphalalgie, céphalique, céphalométrie, céphalopodes ;*
-céphale, -céphalie	—	*acéphale, bicéphale ; acéphalie.*
cérat(o)-, -cère	*keras, -atos,* corne	*cératine, cératophyllus, cératosaure ; acère, chélicère.*
cerco-	*kerkos,* queue	*cercocèbe, cercopidés, cercopithèque.*
chæto, chéto-	*khaltê,* crinière	*chaetognathes ; chétopodes.*
chalco-	*khalkos,* cuivre	*chalcographie, chalcopyrite.*
chamæ-	*khamai,* à terre, rampant	*chamærops, chamsaeiphonales.*
cheil(o)-, chilo-	*kheilos,* lèvre	*chéilite, chéiloplastie ; chilopodes.*
chéli-	*khêlê,* pince	*chélicérates, chélicère.*
cheiro-,	*kheir, -ros,* main	*chéirogale ; chiromancie, chiromégalie ;*
chir(o)-	—	*chiroptère, chirurgie.*
chélidon-	*khelidôn,* hirondelle	*chélidonopsis.*
chélon-	*khelônê,* tortue	*chéloniens, chélonobie, chélyde.*
chlor(o)-	*khloros,* jaune verdâtre	*chlorate, chloration, chlorhydrique, chlorose.*
chol(é)-	*kholê,* bile	*cholagogue, cholangiographie, cholécystite, cholémie.*
chondr(o)-	*khondros,* cartilage	*chondrine, chondrogenèse, chondrome.*
choré-	*khoros,* chœur	*chorée, chorégraphie, choriste.*
chresto-	*khrêstos,* utile	*chrestomathie.*
chromat-,	*khrôma,* couleur	*chromatique ; chromolithographie ;*
chrom(o)-	—	*chromosome, chromosphère.*
chron(o)-,	*khronos,* temps	*chronaxie, chronographie, chronologie, chronomètre ;*
-chrone, -chronie	—	*synchrone ; diachronie ;*
-chronisme	—	*anachronisme, isochronisme.*
chrys(o)-	*khrusos,* or	*chrysocale, chrysolite, Chrysostome.*
chyl(i)-	*khulos,* suc	*chylifère, chyliforme, chylurie.*
cinémat(o)-	*kinêma, -atos,* mouvement	*cinématique, cinématographe, cinématographie.*

-cinèse	*kinêtis,* mouvement	*caryocinèse.*
cinét(o)-	*kinêtos,* mobile	*cinétique, cinétogenèse.*
clado-	*klados,* rameau	*cladocères, cladode, cladonema.*
clast(o)-,	*klastos,* brisé	*clastique, clastomanie ;*
-clasie, -claste	—	*cranioclasie ; iconoclaste*
cléisto-	*kleistos,* fermé	*cléistocarpe, cléistogame.*
clima-,	*klima,* région	*climalyse ;*
climat(o)-	—	*climatisation, climatisme, climatologie.*
clin(o)-	*klinê,* lit ; *klinein,* incliner	*clinandre, clinique, clinode, clinomanie, clinostatisme.*
cœli-	*koilos,* creux ; *choila,* ventre	*cœlialgie, cœliaque, cœlioscopie.*
colo-, -colite	*kôlon,* côlon	*colonalgie, colopathie, colostomie ; entérocolite.*
colp(o)-	*kolpos,* vagin	*colpectomie, colpocèle.*
conch(o)-	*konkhê,* coquille	*conchoïde, conchostracés.*
conchyli(o)-	*konkhulion,* coquillage	*conchyliologie, conchyliophore.*
copro-	*kopros,* excrément	*coprolalie, coprophage.*
-coque	*kokkos,* graine	*streptocoque, staphylocoque.*
cosm(o)-, -cosme	*kosmos,* monde, parure de femme	*cosmogénie, cosmogonie, cosmographie, cosmopolite ; cosmétique ; microcosme.*
crani(o)-	*kranion,* crâne	*crâniectomie, cranioclasie, craniologie.*
-crate, -cratie	*kratos,* force	*autocrate ; bureaucratie, ploutocratie.*
cric(o)	*krikos,* anneau	*cricoïde, crico-thyroïdien.*
crio-	*krios,* bélier	*criocéphale, crioceras, criocère.*
cristall(o)-	*krustallos,* verre	*cristallifère, cristallographie, cristallophyllien.*
cry(o)-	*kruos,* froid glacial	*cryométrie, cryoscopie, cryoturbation.*
crypt(o)-	*kruptos,* caché	*crypte, cryptogame, cryptogramme, cryptographie.*
ctén(o)-	*kteis, ktenos,* peigne	*cténaires, cténoïde, cténophore.*
cyan(o)-	*kuanos,* bleu	*cyanines, cyanophycés, cyanose, cyanure.*
cycl(o)-	*kuklos,* cercle	*cyclone, cyclothymie.*
-cycle	*kuklos,* roue	*bicycle, tricycle.*
cyn(o)-	*kuôn, kunos,* chien	*cynocéphale, cynodrome, cynoglosse.*
cypho-	*kuphos,* convexe	*cyphoscoliose, cyphose.*
cypri(d)-	*Kupris, -idos,* de Chypre	*cypriaque, cypridine.*
cyst(o)-	*kustis,* vessie	*cystite, cystocèle, cystométrie.*
cyt(o)-, -cyte	*kutos,* cellule	*cytologie, cytoplasma, cytotrope ; leucocyte.*
dacry(o)-	*dakru,* larme	*dacryde, dacryocystite.*
dactyl(o)-,	*daktulos,* doigt	*dactylographie, dactyloscopie ;*
-dactyle, -dactylie	—	*isodactyle, ptérodactyle ; brachydactylie.*
déca-	*deka,* dix	*décagone, décamètre, décasyllabe.*
dém(o)-	*dêmos,* peuple	*démagogie, démocratie, démographie.*
dendr(o)-, -dendron	*dendron,* arbre	*dendrite, dendromètre ; rhododendron.*
derm(o)-, dermato-,	*derma, -atos,* peau	*dermite, dermographie ; dermatologie, dermatose ;*
-derme	—	*épiderme, hypoderme, pachyderme.*
deutér(o)-, deut(o)-	*deuteros,* second	*deutérologie, deutéronome ; deutoneurone, deutoplasma.*
dictyo-	*diktuon,* filet	*dictyoptère, dictyotales.*
dino-	*deinos,* terrible	*dinocéras, dinosaures.*
diphy(o)-	*diphuês,* double	*diphyodontes.*
dipl(o)-	*diploos,* double	*diplodocus, diploïde.*
dips(o)-	*dipsôs,* soif	*dipsomanie.*
dodéca-	*dôdeka,* douze	*dodécagone, dodécaphonie.*
dolich(o)-	*dolikhos,* allongé	*dolichocéphale, dolichopode.*
dory-	*doru,* lance	*dorylinés, doryphore.*
doxo-, -doxe	*doxa,* opinion	*doxologie, doxométrie ; hétérodoxe, orthodoxe, paradoxe.*
drama(t)-, -drame	*drama,* pièce de théâtre	*dramatique, dramaturgie ; mélodrame, psychodrame.*
drom(o)-	*dromas,* qui court	*dromadaire.*
-drome	*dromos,* course	*autodrome, hippodrome.*
dry(o)-	*drus, druos,* chêne	*dryophante, dryophile.*
dynam(o)-, -dyne	*dunamis,* force	*dynamique, dynamite, dynamomètre ; hétérodyne.*
échin(o)-	*ekhinos,* hérisson	*échinocoque, échinoderme.*

-ectasie	*ektasis,* dilatation	*bronchiectasie, atélectasie.*
ect(o)-	*ektos,* à l'extérieur	*ectoderme, ectoparasite.*
-ectomie	*ektomê,* ablation	*adénectomie, gastrectomie.*
ectro-	*ektrôsis,* avortement	*ectrodactylie, ectromélie.*
-èdre	*edra,* face, base	*polyèdre, tétraèdre.*
élasmo-	*elasmos,* feuillet, lame	*élasmobranches, élasmodonte.*
élatér(o)-	*elatêr,* qui dirige	*élatéridés, élatéromètre.*
électr(o)-	*elektron,* ambre jaune (électrique)	*électricité, électrocardiogramme, électrochoc, électron, électronique.*
embry(o)-	*embruon,* fœtus	*embryogenèse, embryologie, embryome.*
-émie [V. hémat(o)-]		
encéphal(o)-	*enkephalon,* cerveau	*encéphalite, encéphalographie, encéphalopathie.*
ennéa-	*ennea,* neuf	*ennéagone, ennéasyllabe.*
entér(o)-	*entera,* entrailles	*entérite, entérocolite, entérocoque.*
entomo-	*entomon,* insecte	*entomologie, entomophage, entomostracés.*
éo-	*êôs,* aurore	*éocène, éolithe.*
-ergie, -urgie	*ergon,* travail, force	*cryergie, énergie ; métallurgie, chirurgie.*
érythr(o)-	*eruthros,* rouge	*érythrémie, érythrisme, érythrite, érythrose.*
esthési-, -esthésie	*aisthêsis,* sensation	*esthésiologie, esthésiomètre ; anesthésie, hyperesthésie.*
galact(o)-	*gala, -aktos,* lait	*galactites, galactogène, galactose.*
galéo-	*galê,* belette	*galéopithèque, galéopsis.*
-game, -gamie	*gamos,* mariage	*phanérogame, polygame ; bigamie, endogamie.*
gastér(o)-,	*gastêr, -tros,* ventre	*gastérostéidés ; gastralgie, gastrique ;*
gastr(o)-, -gastre	—	*gastronomie, gastropodes ; épigastre, hypogastre.*
-genèse, -génie	*genêsis,* formation	*cinétogenèse, parthénogenèse ; nosogénie.*
génio-	*geneion,* menton	*génioglosse, génioplastie.*
géno-	*genos,* race	*génocide, génodystrophie.*
-gène	*gennan,* engendrer	*hydrogène, pathogène.*
géo-	*gê,* terre	*géocentrique, géodésie, géographie, géologie, géophysique, géopolitique.*
géront(o)-	*gerôn, -ontos,* vieillard	*gérontocratie, gérontologie.*
gloss(o)-, -glosse	*glotta (glossa),* langue	*glossaire, glossite, glossolalie ; génioglosse, isoglosse ;*
-glotte	—	*épiglotte, polyglotte.*
gluc(o)-,	*glukus, -keros,* doux	*glucométrie, glucoserie ;*
glycér(o)-,	—	*glycérine.*
glyc(o)-	*glukus,* sucré	*glycémie, glycine, glycogène.*
glypt(o)-	*gluptos,* gravé	*glyptographie, glyptologie, glyptothèque.*
-gnathe	*gnathos,* mâchoire	*agnathes, prognathe.*
gonio-, -gone	*gônia,* angle	*goniomètre, gonioscopie ; hexagone, octogone, polygone.*
gono-, -gonie	*gonos,* semence	*gonocoque, gonophore ; cosmogonie.*
-gramme	*gramma,* lettre	*cardiogramme, encéphalogramme.*
graph(o)-,	*graphein,* écrire	*graphite, graphologie, graphomanie, graphomètre ;*
-graphe,	—	*dactylographe, stylographe ;*
-graphie	—	*sténographie.*
gymn(o)-	*gumnos,* nu	*gymnastique, gymnoblastes.*
gyn(o)-, gynéc(o)-,	*gunê, -aikos,* femme	*gynandromorphisme ; gynécée, gynécologie ;*
-gyne	—	*androgyne, misogyne.*
gyr(o)-, -gire, -gyre	*guros,* cercle	*gyrocompas, gyroscope ; autogire ; lévogyre, dextrogyre.*
habro-	*habros,* tendre, joli	*habronémose, habrosyne.*
hal(o)-	*hals, halos,* sel	*halite, halogène.*
haplo-	*haplous,* simple	*haplographie, haploïde.*
hapt(o)-	*haptein,* s'attacher	*haptoglobine, haptotropisme.*
hecto-	*hekaton,* cent	*hectolitre, hectomètre.*
héli(o)-	*hêlios,* soleil	*héliothérapie, héliotropisme.*
helminth(o)-	*helmins, -thos,* ver	*helminthiase, helminthosporiose.*
hémat(o)-,	*haima, -atos,* sang	*hématite, hématome, hématophage ;*
hémo-, -émie	—	*hémophilie, hémoptysie ; hyperémie.*
-hémère	*hêmera,* jour	*éphémère, nycthémère.*

hendéca-	*hendeka,* onze	*hendécagone, hendécasyllabe.*
hépat(o)-	*hêpar, -atos,* foie	*hépatique, hépatocèle.*
hepta-	*hepta,* sept	*heptagone, heptasyllabe.*
herm(o)-	*Hermês*	*hermaphrodisme, hermétique.*
hétér(o)-	*heteros,* autre	*hétéradelphe, hétérodyne, hétérogène.*
hexa-	*hexa,* six	*hexagone, hexamètre.*
hidr(o)-	*hidros,* sueur	*hidradénome, hidrosadénite.*
hiér(o)-	*hieros,* sacré	*hiératique, hiéroglyphe.*
hipp(o)-	*hippos,* cheval	*hippodrome, hippologie, hippophagique.*
hist(io)-	*histos,* tissu	*histiocytome, histogenèse, histologie.*
holo-, olo-	*holos,* entier	*holoédrie, holoprotéide, holoside ; olographie.*
homéo-, homo-	*homoios,* semblable	*homéopathie ; homogénéisation, homologue, homologuer, homonyme.*
hopl(o)-	*hoplon,* arme	*hoplocampe, hoploptère.*
hor(o)-	*hôra,* heure	*horodateur, horoscope.*
hor(o)-	*horos,* borne	*horoptère.*
hyal(o)-	*hualos,* verre	*hyalin, hyaloïde, haloplasme.*
hydr(o)-, hyd-,	*hudôr, -atos,* eau	*hydraulique, hydrogène, hydrophile ; hydarthrose ;*
-hydre	—	*anhydre.*
hygr(o)-	*hugros,* humidité	*hygroma, hygromètre, hygrophile.*
hyl(o)-	*hulê,* matière	*hylarchique, hylémorphisme, hylophile.*
hymén(o)-	*humên, humenos,* membrane	*hyménomycètes, hyménoptères.*
hyph(o)-	*huphos,* tissu	*hyphéma, hypholome.*
hypn(o)-	*hupnos,* sommeil	*hypnagogique, hypnose, hypnotisme.*
hypso-	*hupsos,* hauteur	*hypsogramme, hypsométrique.*
hystér(o)-	*hustera,* utérus	*hystérographie, hystéropexie.*
	husteros, qui vient derrière	*hystérésimètre, hystérésis.*
-iatre, -iatrie	*iatros,* médecin	*pédiatre, phoniatre, psychiatre ; pédiatrie, psychiatrie.*
ichty(o)-	*ikhthus,* poisson	*ichtyosaure, ichtyologie, ichtyose.*
icon(o)-	*eikôn, -onos,* image	*iconoclaste, inocographie, iconostase.*
-ide	*eidos,* apparence	*hyalide, lipide, protéide.*
idé(o)-	*idea,* idée	*idéation, idéogramme, idéologie.*
idi(o)-	*idios,* particulier	*idiome, idiosyncrasie, idiotisme.*
is(o)-	*isos,* égal	*isomorphe, isotherme, isotope.*
-kène	*kainein,* ouvrir	*akène.*
kil(o)-	*khilioi,* mille	*kilogramme, kilomètre, kilovolt.*
-lâtre, -lâtrie	*latreuein,* adorer	*idolâtre ; idolâtrie, zoolâtre.*
léio-	*leios,* mince	*léiomyome, leiothrix.*
laryng(o)-	*larunks, -gos,* gorge	*laryngite, laryngologie.*
lepto-	*leptos,* mince	*leptocéphale, leptospire.*
leuc(o)-	*leukos,* blanc	*leucémie, leucocyte, leucose.*
lip(o)-	*lipos,* graisse	*lipide, lipogenèse, lipolyse, lipurie.*
lith(o)-,	*lithos,* pierre	*lithiase, lithographie, lithodome, lithosphère ;*
-lite ou -lithe	—	*aérolithe, laccolite, microlite, monolithe.*
log(o)-, -logie, -logue, -logiste	*logos,* science, discours	*logarithme, logographe, logogriphe ; anthropologie, sociologie ; ethnologue, géologue ; ophtalmologiste, radiologiste.*
loxo-	*loxos,* oblique	*loxodromie, loxolophodon.*
lyc(o)-	*lukos,* loup	*lycanthropie, lycopode.*
-lyse	*lusis,* dissolution	*analyse, électrolyse, lipolyse, phagolyse.*
macr(o)-	*makros,* grand	*macrocéphale, macromélie, macromolécule.*
malac(o)-	*malakos,* mou	*malacia, malacologie.*
-mancie	*manteia,* divination	*cartomancie, chiromancie, oniromancie.*
-manie, -mane	*mania,* folie	*mégalomanie ; mythomane.*
mast(o)-	*mastos,* mamelle	*mastite, mastodonte.*
méga-, mégalo-,	*mégas, -alos,* grand	*mégaceros, mégalithe ; mégalocyte, mégalomane ;*
-mégalie	—	*acromégalie.*
mélan(o)-	*melas, -anos,* noir	*mélanésien, mélanome, mélanose.*

mél(o)-	*melos,* chant, membre	*mélodique, mélodrame, mélocactus.*
méning(o)-	*mêningx, mêningos,* membrane	*méningiome, méningite, méningocoque.*
mén(o)-	*mên,* lunaison	*ménopause, ménorragie.*
mér(o)-, -mère	*meros,* partie	*mérosperme, mérostomes ; isomère, polymère.*
méso-	*mesos,* milieu	*mésoderme, mésopotamien.*
météor(o)-	*meteôros,* élevé dans les airs	*météore, météorologie.*
métr(o)-, -mètre,	*metron,* mesure	*métrique, métronome ; décimètre, kilomètre, galvanomètre ;*
-métrie, -métrique	—	*audiométrie, économétrie ; géométrique.*
métr(o)-	*mêtra,* matrice	*métrorragie, métrite.*
micr(o)-	*mikros,* petit	*microbe, microcosme, microscope.*
mis(o)-	*misein,* haïr	*misanthrope, misogyne.*
mném(o)-	*mnêmê,* mémoire	*mnémotechnique.*
-mnésie,	*mnêsia,* mémoire	*amnésie, paramnésie ;*
-mnésique	—	*amnésique.*
mon(o)-	*monos,* seul	*monandre, monocorde, monolithique.*
morph(o)-, -morphe	*morphê,* forme	*morphogenèse, morphologie ; amorphe, dimorphe ;*
-morphisme	—	*anthropomorphisme, dimorphisme.*
myc(o)-, -mycose	*mukês,* champignon	*mycétozoaires, mycoderme, mycologie ; actinomycose.*
myél(o)-, -myélite	*muelos,* moelle	*myéline, myélome ; ostéomyélite.*
my(o)-, -myome	*mus, muos,* muscle	*myocardie, myographie ; léiomyome.*
myri-	*muria,* dix mille	*myriade, myriapodes.*
mytho-	*muthos,* légende	*mythologie, mythomane.*
-mythie	*muthos,* légende	*stichomythie.*
nécr(o)-	*nekros,* mort	*nécrologie, nécropole.*
némato-	*nêma, nêmatos,* fil	*nématodes.*
néo-	*neos,* nouveau	*néologisme, néophyte.*
néphr(o)-	*nephros,* rein	*néphralgie, néphrite.*
-nésie	*nêsos,* île	*Mélanésie, Polynésie.*
neur(o)-, névr(o)-	*neuron,* nerf	*neurasthénie, neurologie ; névralgie, névrite, névrose.*
-nome, -nomie	*nomos,* loi	*agronome, astronome ; gastronomie.*
nos(o)-	*nosos,* maladie	*nosémose, nosologie.*
nyct-, nyctal-	*nuks, nuktos,* nuit	*nyctaginacées, nycthémère ; nyctalopie.*
oct(o), octa-	*oktô,* huit	*octogone ; octaèdre.*
odo-, -ode	*hodos,* chemin, route	*odographe, odomètre ; anode, cathode.*
odont-, -odonte	*odous, odontos,* dent	*ondontalgie, odontologie ; mastodonte.*
œn(o)-	*oinos,* vin	*œnilisme, œnologie.*
-oïde	*eidos,* apparence	*ellipsoïde, hylaoïde, ovoïde.*
olig(o)-	*oligoi,* peu nombreux	*oligarchie, oligocène, oligo-élément.*
olo- (V. holo-)		
omphal(o)-	*omphalos,* nombril	*omphalea, omphalotropis.*
onir(o)-	*oneiros,* songe	*onirisme, oniromancie.*
onomat(o)-, onom-,	*onoma, -atos,* nom	*onomatopée ; onomastique ;*
-onyme, -onymie	—	*anonyme ; homonymie, toponymie.*
ont(o)-	*ôn, ontos,* étant, être	*ontogenèse, ontologie.*
onych(o)-, -onyx	*onuks, onukhos,* ongle	*onychophores, onychose ; trionyx.*
-ope, -opie	*ôps, ôpos,* œil	*myope, oryctérope ; deutéranopie.*
ophi(o)-	*ophis,* serpent	*ophicléide, ophiologie, ophiure.*
ophtalm(o)-,	*ophtalmos,* œil	*ophtalmie, ophtalmologiste ;*
-ophtalmie	—	*xérophtalmie.*
opistho-	*opisthen,* en arrière	*opisthobranches, opisthodome.*
opo-	*opos,* suc	*opopanax, opothérapie.*
opt-, -optrie,	*ôps, ôpos,* œil	*optique ; dioptrie ;*
-optrique, -opsie	—	*catadioptrique ; achromatopsie, galéopsie.*
ornitho-, -ornis	*ornis, ornithos,* oiseau	*ornithologiste, ornithorynque ; amblyornis.*
or(o)-	*oros,* montagne	*orogénique, orographie.*
orth(o)-	*orthos,* droit	*orthodoxe, orthographe, orthopédie.*
oryct(o)-	*oruktos,* creusé, déterré	*orycte, oryctérope.*
osm-	*osmê,* odeur	*anosmie, osmanthus, osmium.*
osm(o)-	*ôsmos,* impulsion	*osmomètre, osmose.*

osté(o)-	*osteon,* os	*ostéite, ostéomyélite.*
ostrac(o)-	*ostrakon,* coquille	*ostracisme, ostracodes.*
ot(o)-	*ous, ôtos,* oreille	*otalgie, otite, oto-rhino-laryngologie.*
-oure	*oura,* queue	*anoure, brachyoure.*
oxy-, oxyd-	*oxus,* aigu, acide	*oxyacétylénique, oxygène ; oxydase, oxyde.*
pachy-	*pakhus,* épais, gros	*pachyderme, pachypleurite.*
paléo-	*palaios,* ancien	*paléographie, paléolithique.*
pali(n)-, pali(m)	*palin,* de nouveau	*palilalie, palindrome, palingénésie ; palimpseste.*
pan-, pant(o)	*pas, pantos,* tout	*pancardite, pangermanisme ; panthéisme, pantographe.*
path(o)-, -pathe	*pathos,* souffrance	*pathogène, pathologie ; névropathe, psychopathe.*
péd(o)-	*pais, paidos,* enfant	*pédiatrie, pédagogie.*
-pédie	*paideia,* éducation	*encyclopédie.*
péd(o)-	*pedon,* sol	*pédogenèse, pédologie.*
penta-	*penta,* cinq	*pentagone, pentamètre, pentapole.*
pétr(o)-	*petra,* pierre	*pétrochimie, pétrographie, pétrole.*
phag(o)-, -phage, -phagie	*phagein,* manger	*phagocyte, phagocytose ; anthropophage ; aérophagie.*
-phane,	*phainein,* briller	*diaphane, lithophane ;*
-phanie	*phaneia,* apparition	*Épiphanie.*
phanér(o)-	*phaneros,* clair, visible	*phanère, phanérogames.*
pharmac(o)-	*pharmakon,* médicament	*pharmaceutique, pharmacologie, pharmacopée.*
pharyng(o)-	*pharunx, -ungos,* gosier	*pharyngiome, pharyngite, pharyngotomie.*
phén(o)-	*phainein,* briller	*phénomène, phénotype.*
phil(o)-, -phile, -philie	*philos,* ami	*philanthrope, philatélie, philhellène ; anglophile ; cyanophilie.*
phleb(o)-	*phleps, -bos,* veine	*phlébectomie, phlébite, phlébotome.*
phob(o)-, -phobe,	*phobos,* peur	*phobie ; hydrophobe ;*
-phobie	—	*agoraphobie.*
phlog(o)-	*phlox, phlogos,* flamme	*phlogistique.*
phon(o)-, -phone, -phonie	*phonê,* voix —	*phoniatrie, phonographe ; aphone, téléphone, xylophone ; cacophonie, euphonie.*
-phore	*phoros,* qui porte	*doryphore, sémaphore.*
phot(o)-, -phote	*phôs, photos,* lumière	*photographie, photogravure, phototropisme, phototype ; Cataphote.*
phrén(o)-, -phrène	*phrên, phrenos,* intelligence	*phrénite, phrénologie ; schizophrène.*
phylact(o)-	*phulax, -aktos,* garde	*phylactère.*
phyll(o)-, -phylle	*phullon,* feuille	*phyllode, phylloxéra ; chlorophylle.*
physi(o)-, -physe, -physisme	*phusis,* nature, expansion	*physiocrate, physiologie, physionomie ; apophyse, hypophyse ; monophysisme.*
phyt(o)-, -phyte	*phuton,* plante	*phytopathologie, phytophage ; thallophyte.*
picr(o)-	*pikros,* amer	*picrate, picride.*
pithéc(o)-	*pithêkos,* singe	*pithécanthrope, pithécie.*
-pithèque	—	*anthropopithèque.*
plagi(o)-	*plagios,* oblique	*plagiocéphalie, plagioclases.*
plasm(o)-, -plasme	*plasma,* façonnage, application	*plasmodium, plasmolyse ; ectoplasme, protoplasme.*
plast-, -plastie	*plassein,* façonner	*plasticité, plastique ; génioplastie, méloplastie.*
platy-	*platus,* large	*platycéphalie, platyrhinien.*
plési(o)-	*plêsios,* proche	*plésianthrope, plésiosaure.*
-plégie	*plêssein,* frapper	*hémiplégie, paraplégie.*
pleur(o)-	*pleuron,* flanc, côté	*pleural, pleurite, pleuroscope.*
pléio-, pléo-, pli(o)-	*pleiôn,* riche	*pléiotropie ; pléomorphisme ; pliocène.*
plout(o)-	*ploutos,* riche	*ploutocratie, ploutocratique.*
pneum(o)-	*pneumôn,* poumon	*pneumarthrose, pneumonie, pneumothorax.*
-pnée	*pnein,* respirer	*apnée, dyspnée.*
pod(o)-, -pode	*pous, podos,* pied	*podologie, podomètre ; myriapode, pseudopode.*
pœcil-, poïkil(o)-	*poikilos,* varié	*pœcilandrie ; poïkilotherme.*
-pole	*polis,* ville	*métropole, nécropole, pentapole.*
poly-	*polus,* nombreux	*polygone, polyphonie, polype, polytechnique.*

porphyr(o)-	*porphuros,* pourpre	*porphyre, porphyrogénète, porphyroïde.*
proct(o)-	*proktos,* anus	*proctalgie, proctite, proctologie.*
prot(o)-	*prôtos,* premier	*protagoniste, protoplasma, protozoaire.*
pseud(o)-	*pseudos,* faux	*pseudonyme, pseudopode.*
psych(o)-	*psukhê,* âme	*psychodrame, psychologie, psychopathe.*
psyll-	*psulla,* puce	*psylliode.*
ptér(o)-, -ptère	*pteron,* aile	*ptérodactyle, ptéropodes ; diptère, hélicoptère.*
ptérid-	*pteris, -idos,* fougère	*ptéridophytes.*
-ptérygien	*pterugion,* nageoire	*acanthoptérygien.*
-ptysie	*ptuein,* cracher	*hémoptysie.*
pyél(o)-	*puelos,* cavité	*pyélite, pyélographie, pyélotomie.*
-pyge	*pugê,* fesse	*amblypyges, pygargue.*
py(o)-	*puon,* pus	*pyogène, pyorrhée.*
pyr(o)-	*pur,* feu	*pyrite, pyromètre, pyrotechnie.*
pyxid-	*puxis, -idos,* boîte	*pyxide.*
rhabd(o)-	*rhabdos,* baguette	*rhabditis, rhabdomancie.*
rhé(o)-, -rrhée, -réique	*rhein,* couler —	*rhéobase, rhéomètre, rhéostat ; aménorrhée ;; endoréique.*
rhin(o)-, -rhinien	*rhis, inos,* nez	*rhinite, rhinocéros ; platyrhiniens.*
rhiz(o)-	*rhiza,* racine	*rhizome, rhizopodes.*
rhod(o)-	*rhodon,* rose	*rhododendron, rhodophycées.*
rhomb(o)-	*rhombos,* losange	*rhomboèdre, rhomboïde.*
-rhynque	*rhynkhos,* bec	*amblyrhynque, ornithorynque.*
salping(o)-	*salpinx, -ingos,* trompe	*salpingite, salpingographie.*
sarc(o)-, -sarque	*sarx, sarkos,* chair	*sarcoïde, sarcomateux, sarcophage ; anasarque.*
saur(o)-, -saure	*saura,* lézard	*sauriens, sauropodes ; dinosaure, plésiosaure.*
scaph-, -scaphe	*skaphê,* barque	*scaphite, scaphoïde ; bathyscaphe.*
schiz(o)-	*skhizein,* fendre	*schizoïde, schizophrène.*
sclér(o)-	*sklêros,* dur	*scléreux, scléroprotéine, sclérose.*
sélén(o)-	*selenê,* lune	*sélénique, sélénographie.*
-scope, -scopie	*skopein,* regarder	*microscope, télescope ; radioscopie.*
séma-	*sêma,* signe	*sémantique, sémaphore.*
séméi(o)-, sémi(o)-	*sêmeion,* signal	*séméiologie ; sémiotique.*
sial(o)-	*sialon,* salive	*sialagogue, sialorrhée.*
sidér(o)-	*sidêros,* fer	*sidérolithique, sidérose, sidérurgie.*
solén(o)-	*sôlên,* canal, tuyau	*solénoïdal, solénoïde.*
somat(o)-, some	*sôma, -atos,* corps	*somatique, somatotrope ; chromosome.*
spélé(o)-	*spêlaion,* caverne	*spéléologie, spéléotomie.*
sphén(o)-	*sphên, -nos,* coin	*sphénoïdal, sphénoïde.*
sphér(o)-, sphère	*sphaira,* sphère	*sphérique, sphéroïde ; atmosphère, troposphère.*
sphygm(o)-	*sphugmos,* pouls	*sphygmique, sphygmographe.*
splanchn(o)-	*splankhnon,* entrailles	*splanchnique, splanchnologie.*
splén(o)-	*splên,* rate	*splénectomie, splénique, splénocyte.*
spondyl(o)-	*spondulos,* vertèbre	*spondylarthrite, spondyle.*
staphyl(o)-	*staphulê,* grain de raisin	*staphylin, staphylocoque.*
-stase, -stasie	*stasis,* base, arrêt	*hémostase, iconostase ; hémostasie.*
stat(o)-, -stat	*statos,* stable	*statique, statistique, statoréacteur ; aérostat, gyrostat, thermostat.*
stég(o)-	*stegê,* toit	*stégocéphales, stégomye.*
stén(o)-	*stenos,* étroit, serré	*sténographie, sténoglosses, sténose.*
stéré(o)-	*stereos,* solide	*stéréochimie, stéréoscopique, stéréotype.*
stern(o)-	*sternon,* poitrine	*sternal, sterno-cléido-mastoïdien.*
-stiche, -stique	*stikhos,* vers, ligne	*acrostiche ; distique.*
stomat(o)-, -stome	*stoma, -atos,* bouche	*stomatite, stomatologie ; amblystome.*
strept(o)-	*streptos,* tourné	*streptocoque, streptomycine.*
strob(o)-	*strobos,* tourbillon	*strobile, stroboscopie.*
styl(o)-, -style	*stulos,* colonne, poinçon	*stylite, stylobate, style ; péristyle.*
syc(o)	*sukê,* figue	*sycophante, sycosis.*
tachy-	*takhus,* rapide	*tachycardie, tachymètre.*

-taphe	*taphos,* tombeau	*cénotaphe.*
taut(o)-	*tauto,* le même	*tautologie.*
tax(o)-, -taxe, -taxie	*taxis,* ordre, arrangement	*taxologie ; syntaxe ; ataxie, phyllotaxie.*
techn(o)-, -technie, -technique	*tekhnê,* art	*technocrate, technologie ; mnémotechnie, pyrotechnie ; polytechnique.*
télé-, -télie	*têle,* au loin	*télécommande, téléphone, télévision ; atélie.*
térat(o)-	*teras, -atos,* monstre	*tératologie.*
tétr(a)-	*tettara,* quatre (au neutre)	*tétralogie, tétrarchie.*
thalam(o)-, -thalame	*thalamos,* mariage, couche ou lit	*thalamiflore ; épithalame.*
thalass(o)-	*thalassa,* mer	*thalassocratie, thalassothérapie.*
thall(o)-, thallite	*thallos,* rameau	*thalle, thallophyte ; uranothallite.*
théo-, -thée, -théisme	*theos,* dieu	*théocratie, théologie ; athée ; polythéisme.*
-thèque	*thêkê,* armoire	*bibliothèque, discothèque.*
thér-	*thêr, thêrion,* bête sauvage	*thériaque, théridion.*
thérapeut-, -thérapie	*therapeuein,* soigner	*thérapeutique ; actinothérapie, héliothérapie.*
therm(o)-, -therme, thermie	*thermos,* chaleur	*thermalisme, thermomètre, thermonucléaire ; isotherme ; hypothermie*
thorac(o)-	*thorax, -acos,* poitrine	*thoracoplastie.*
-thèse	*thêsis,* action de poser	*hypothèse, métathèse, parenthèse, prothèse, synthèse.*
thromb(o)-	*thrombos,* caillot	*thrombine, thrombose.*
-tome, -tomie	*tomê,* section, coupe	*atome ; anatomie, mélotomie, trachéotomie.*
top(o)-, -tope	*topos,* lieu	*topographie, toponymie ; isotope.*
trich(o)-, -triche, -thrix	*thrix, trikhos,* cheveu	*trichine, trichocéphale ; holotriches ; leiothrix.*
troch(o)-	*trokhos,* roue	*trochisque, trochocéphalie.*
troph(o)-, -trophie	*trophê,* nourriture, croissance	*trophique, trophonévrose ; atrophie, hypertrophie.*
typ(o)-, -type, -typie	*tupos,* caractère	*typographie, typologie ; daguerréotype, monotype, sténotype ; phototypie.*
uran(o)-	*ouranos,* ciel	*uranographie, uranoscope.*
ur(o)-, -urie	*ouron,* urine	*urémie, urographie, urologie ; albuminurie, hématurie.*
xanth(o)-	*xanthos,* jaune	*xanthie, xanthoderme, xanthome.*
xén(o)-	*xenos,* étranger	*xénoparasitisme, xénophobe, xénophobie.*
xér(o)-, -xéra	*xêros,* sec, dur	*xérodermie, xérophtalmie ; phylloxéra.*
xyl(o)-	*xulon,* bois	*xylographie, xylophone.*
zo(o)-, -zoaire, -zoïsme, -zoïte	*zôon,* animal	*zoolâtrie, zoologie, zootechnie ; protozoaires ;. hylozoïsme ; mérozoïte ;*
zym(o)-, -zyme	*dzumê,* ferment	*lysozyme, zymotechnie.*

Signes conventionnels et abréviations usuelles

*, devant les étymons, indique les formes conjecturales.
*, devant les entrées ou les sous-entrées (dérivés et composés), indique les mots d'origine latine et de formation populaire.

abrév.	abréviation
Acad.	Académie
acc.	accusatif
adapt.	adaptation
adj.	adjectif
admin.	administratif
adv.	adverbe, adverbial
aéron.	aéronautique
agr., agric.	agricole, -culture
allem., all.	allemand
allongem.	allongement
alp.	alpinisme
altér.	altération
amér.	américain
anal., analog.	analogie
anat.	anatomie
anc.	ancien
angl.	anglais
anglo-amér.	anglo-américain
ann.	annales
apr., d'apr.	après, d'après
ar.	arabe
archéol.	archéologie
arch.	archives
arch.	archaïque
archit.	architecture
arg.	argot
art.	artistique
artill.	artillerie
assimil.	assimilation
astron.	astronomie
auj.	aujourd'hui
autom.	automobilisme
av.	avant
bactériol.	bactériologie
béarn.	béarnais
bibl.	bible, biblique
biol.	biologie
blas.	blason
bot.	botanique
bx-arts	beaux-arts
c.-à-d.	c'est-à-dire
cart.	cartulaire
celt.	celtique
cf.	conférez
ch.	chanson
chang., changem.	changement
charp.	charpente
chim.	chimie
chir.	chirurgie
chr., chrét.	chrétien
chron.	chronique, chronologie
class.	classique
comm., commerc.	commercial
comp.	composé
cond.	conditionnel
conj.	conjonction
conjug.	conjugaison
contract.	contraction, contracté
corr.	correspondance
cout.	coutumier
crit.	critique
croisem.	croisement
cul.	culinaire
déform.	déformation
dér.	dérivé
développem.	développement
dial.	dialectal
dict.	dictionnaire
dim., dimin.	diminutif
diplom.	diplomatique (latin)
doc.	documents
E.	Est (point cardinal)
eccl.	ecclésiastique
éd.	édition
égalem.	également
élargissem.	élargissement
électr.	électricité
élém.	élément
empl.	emploi
empr.	emprunté

encycl.	encyclopédie
entom.	entomologie
équit.	équitation
esp.	espagnol
esthét.	esthétique
étym.	étymologie
euphém.	euphémisme
évol.	évolution
ex.	exemple
exclam.	exclamatif, -ive, exclamation
explic.	explication
express.	expression
ext.	extension
fam.	familier
fém., f.	féminin
féod.	féodalité
ferrov.	ferroviaire
fig.	figuré
fin., financ.	finances
flam.	flamand
fortif.	fortifications
fr.	français
franco-prov.	franco-provençal
fut.	futur
gén.	génitif, général
géogr.	géographie
géol.	géologie
géom.	géométrie
germ.	germanique
gr.	grec
gramm.	grammaire, grammatical
gymnast.	gymnastique
hist.	histoire
hortic.	horticulture
ichtyol.	ichtyologie
id.	idem
impér.	impérial (latin), impératif
imprim.	imprimerie
indic.	indicatif
industr.	industriel
inf., infin.	infinitif
infl.	influence
instrum.	instrument
interj.	interjection
interméd.	intermédiaire
intr.	intransitif
introd.	introduit
inus.	inusité
inv.	inventaire
irl.	irlandais
iron.	inronique
ital.	italien
J. O.	Journal officiel
journ.	journaux

judic.	judiciaire
jur., jurid.	juridique
lat.	latin
lex.	lexique
ling., linguist.	linguistique
litt., littér.	littérature, littéraire
liturg.	liturgie
loc.	locution
log.	logique
m., masc.	masculin
mar.	marine
math., mathém.	mathématiques
méd.	médical
médiév.	médiéval
mél.	mélanges
mém.	mémoires
mérid.	méridional
mérov.	mérovingien
métaph.	métaphore
métr.	métrique
milit.	militaire
minér.	minéralogie
mir.	miracle
mod.	moderne
morphol.	morphologie
moy.	moyen
ms.	manuscrit
mus.	musique, -cal
myst.	mystère
myth., mythol.	mythologie
n.	nom
N.	Nord
néerl.	néerlandais
néol.	néologie, néologiste
neut.	neutre
norm.	normand
O.	Ouest
obsc.	obscur
onomat., onomatop.	onomatopée
oppos.	opposition
ordonn.	ordonnance
orig.	origine
ornith.	ornithologie
orth., orthogr.	orthographe
par ext.	par extension
part.	participe
p.-ê.	peut-être
pêch.	pêche
pédag.	pédagogique
peint.	peinture
péjor.	péjoratif
pers.	personne, personnel
pharm.	pharmacie

philos.	philosophie
phonét.	phonétique
phot., photog.	photographie
phys.	physique
physiol.	physiologie
pic.	picard
plur., pl.	pluriel
polit.	politique
pop.	populaire
port.	portugais
pr.	propre
préc., précéd.	précédent
préf.	préfixe
prép.	préposition
prés.	présent
probablem.	probablement
pron.	pronom
pron., prononc.	prononciation
proprem.	proprement
prov.	provençal (ancien)
ps.	psautier
psychol.	psychologie
rac.	racine
rad.	radical
redoublem.	redoublement
rég.	régional
relig.	religion
rev.	revue
rhét.	rhétorique
S.	Sud
s.	siècle, substantif
sav.	savant
scand.	scandinave
sc., scient.	science, scientifique
scolast.	scolastique
s.-e.	sous-entendu
sémant.	sémantique
seulem.	seulement
signif.	signifiant
sing.	singulier
spécial.,	spécialement,
spécialis.	spécialisation
subj.	subjonctif
subst.	substantivé
substit.	substitution
suff.	suffixe
suiv.	suivant
sup.	supérieur
superl.	superlatif
suppl.	supplément
sylvic.	sylviculture
syn.	synonyme
techn.	technique
text.	textile
théol.	théologie
tr.	transitif
trad.	traduit, traduction
typogr.	typographie
v.	verbe, vers
V., v.	voir (renvoi)
var.	variante
vén.	vénerie
vitic.	viticulture
vocab.	vocabulaire
vocal.	vocalique
voy.	voyage
vx	vieux
zool.	zoologie

Éléments de bibliographie

Nous avons indiqué ici les principaux ouvrages de référence et les abréviations de noms d'auteurs ou d'œuvres ; nous n'avons pas donné d'indications sur les écrivains et les ouvrages connus.

Aalma : *lexique latin-français,* v. 1380.

Acad. : Dictionnaire de l'Académie française, 1re éd., 1694 ; 2e éd., 1718 ; 3e éd., 1740 ; 4e éd., 1762 ; 5e éd., 1798 ; 6e éd., 1835 ; 7e éd., 1878 ; 8e éd., 1932. Suppl., 1825, 1827. Compléments, 1836, 1838, 1842.

Aimé du Mont-Cassin, *Ystoire de li Normant* (fin XIIIe s.).

Aiol : chanson de geste (av. 1173).

Alexandre : Roman d'Alexandre (fin XIIe s.).

Alexis : Vie de saint Alexis (1050).

Aliscans : les Aliscans, chanson de geste (fin XIIe s.).

Amyot, *les Vies des hommes illustres...,* 1567.

Anc. Poés. fr. : Anciennes Poésies françaises (XVe-XVIe s.), publiées par **A. de Montaiglon,** 1855-1878, 13 vol.

Année littéraire (l'), Amsterdam et Paris, 1754-1790.

Apocalypse : l'Apocalypse en français au XIIIe s.

App. Probi : Appendix Probi (Ve s.).

Arcadie : Sannazar (Iacopo), *l'Arcadie,* trad. Martin, 1544.

Arveiller (R.), *Contribution à l'étude des termes de voyage en français,* Paris, d'Artrey, 1963.

Aucassin : Aucassin et Nicolette (fin XIIe s.).

Aymeri : Aymeri de Narbonne, chanson de geste (fin XIIe s.).

Bailleul (Jacques), *Dictionnaire critique du langage politique,* Paris, 1842.

Barbier (Paul), *Miscellanea lexicographica. Proceedings of the Leeds Philosophical and Literary Society,* 1925-1950.

Bartzsch : Bartzsch (W.), *Der Wortschatz des öffentlichen Lebens in Frankreich Ludwigs XI,* Leipzig, 1937.

Bayle (P.), *Dictionnaire historique et critique,* 1696-1697.

Beaumanoir : *Œuvres poétiques de Philippe de Remi, sire de Beaumanoir* (v. 1283).

Beauzée (N.) et Marmontel, *Dictionnaire de grammaire et de littérature,* Liège, s. d. (fin XVIIIe s.).

Béguin (Jean), *Éléments de chimie,* Paris, 1620.

Behrens (D.), *Beiträge zur französischen Wortgeschichte und Grammatik,* Halle, 1910.

Belon (P.), *l'Histoire de la nature des oiseaux,* Paris, 1555 ; *les Observations de plusieurs singularités et choses mémorables trouvées en Grèce,* etc., Paris, 1553.

Benoît : Benoît de Sainte-Maure, *Roman de Troie* (v. 1160).

Bersuire : Bersuire (Pierre), traduction de Tite-Live (1352-1358).

Besch. : Bescherelle (Louis-Nicolas), *Dictionnaire national ou Grand Dictionnaire critique de la langue française,* Paris, 1843 ; *Dictionnaire national ou Dictionnaire universel de la langue française,* Paris, 1845, et rééditions successives.

B. W. : Bloch (Oscar) et Wartburg (Walter von), *Dictionnaire étymologique de la langue française,* Paris, P.U.F., 1968, 5e éd. et ss.

Block : Block (M.), *Dictionnaire général de la politique,* Paris, 1863-1864.

Bodel : Jean Bodel, *le Jeu de saint Nicolas* (v. 1190).

É. Boileau : Boileau (Étienne), *Livre des métiers,* 1268.

Boiste (Claude), *Dictionnaire universel de la langue française,* Paris, 1800, et rééd. successives au cours du XIXe s.

Bonnafé (Édouard), *l'Anglicisme et l'anglo-américanisme dans la langue française. Dictionnaire étymologique et historique des anglicismes,* Paris, Delagrave, 1920.

Bonnefons (de), *le Jardinier françois,* Paris, 1651.

Bouchet : *les Soirées de Guillaume Bouchet, sieur de Brocourt* (1584).

Br. Latini : Latini (Brunetto), *Livre du Trésor,* 1265.

Brunot (Ferdinand), *Histoire de la langue française des origines à 1900,* Paris, Colin (depuis 1905).
Carloix : *Mémoires de la vie de François de Scepeaux, sire de Vieilleville, par V. Carloix, son secrétaire* (v. 1570).
Cent Nouvelles : les Cent Nouvelles nouvelles (v. 1462).
Chapelain : V. Fabre (A.).
Charroi : le Charroi de Nîmes, chanson de geste (v. 1160).
Chastellain : Chastellain (Georges), poète et chroniqueur (1405-1475).
Chauliac : Chauliac (G. de), *la Grande Chirurgie de Guy de Chauliac* ou *Guidon en françois,* éd. de 1478, 1490, et 1503 et ss.
Chr. de Pisan : Christine de Pisan, œuvres en prose et œuvres poétiques écrites entre 1390 et 1410.
Chr. de Troyes : Chrétien de Troyes, *Œuvres poétiques,* entre 1170 et 1180.
Clédat (Léon), *Dictionnaire étymologique de la langue française,* Paris, Hachette, 1926.
Coincy : Miracles de Gautier de Coincy (v. 1220).
Coquelin (Ch.) et Guillaumin (U.), *Dictionnaire de l'économie politique,* Paris, 1852-1853.
Coquillards : Jargon des Coquillards (1455).
Coquillart : Guillaume Coquillart, *Poésies* (v. 1493).
Corbichon (J.), *De la propriété des choses* (v. 1372).
Corn. (Th.) : Corneille (Thomas), *le Dictionnaire des arts et des sciences,* Paris, Coignard, 1694.
Corr. litt., philos. : Correspondance littéraire, philosophique et critique, par Grimm, Diderot, etc., Paris, Garnier, 1877-1882.
Couci : *Chansons attribuées au chastelain de Couci,* v. 1190, éd. A. Lerond, Paris, 1964.
Couci : Roman du châtelain de Couci (XIVe s.), éd. Delbouille, Paris, 1936.
Couronn. Loïs : le Couronnement de Louis (1131).
Courrier de l'Europe, gazette anglo-française, Londres et Boulogne, 1776-1792.
Crespin (J.), *le Trésor de trois langues, espagnole, française et italienne,* éd. en 1606, 1617 et 1627.
Dagneaud (Robert), *les Éléments populaires dans le lexique de la Comédie humaine,* Quimper, 1954.
Datations et documents lexicographiques, sous la direction de B. Quemada. Annales littéraires de l'université de Besançon, Paris, Les Belles Lettres, puis C.N.R.S., Klincksieck (depuis 1959, 32 vol.).
Dauzat (A.), *les Argots,* Paris, 1919 ; *l'Argot de la guerre,* Paris, 1919 ; *Études de linguistique française,* Paris, 1943.
Delb. : Delboulle, *Notes lexicographiques inédites* (manuscrit déposé à la Sorbonne).
Delesalle (G.), *Dictionnaire argot-français et français-argot,* Paris, 1896.
Delvau : Delvau (A.), *Dictionnaire de la langue verte,* Paris, 1866, 2e éd., 1867.
Desfontaines (P.-F.-G.), *Dictionnaire néologique,* s. 1, 1726.
Desgranges (J.-C.-L.-P.), *Petit Dictionnaire du peuple à l'usage des quatre cinquièmes de la France,* Paris, 1821.
Desroches, *Dictionnaire des termes propres de marine,* 1687.
D. G. : Hatzfeld (Adolphe), Darmesteter (Arsène), *Dictionnaire général de la langue française,* avec le concours d'Antoine Thomas, Paris, Delagrave, 1890-1900.
Dict. agr. : Dictionnaire universel d'agriculture, 1751.
Dictionnaire de la construction, Paris, 1791.
Dict. hist. nat. : Nouveau Dictionnaire d'histoire naturelle, Paris, 1819.
Dictionnaire de l'argot, Larousse, 1990.
Dictionnaire des métiers, Paris, 1955.
Dictionnaire néologique, par le cousin Jacques, Paris, Moutardier, 1796.
Dict. sc. nat. : Dictionnaire des sciences naturelles, Paris, Levrault et Chœll, 1804.
Doc. : documents divers, archives, journaux, etc.
Dodart (Denis), *Mémoire pour servir à l'histoire des plantes,* 1676.
Domergue, *Journal de la langue française,* Lyon, 1784-1788 et 1791-1792.
Douet d'Arcq, *Choix de pièces inédites relatives au règne de Charles VI,* Paris, 1863.
Dubois (Jean), *le Vocabulaire politique et social en France de 1869 à 1872,* Paris, Larousse, 1963 ; *Étude sur la dérivation suffixale en français moderne et contemporain,* Paris, Larousse, 1963.
Dubois (Jean) et Lagane (René), *Dictionnaire de la langue française classique,* Paris, Larousse, 1991.
Du Cange, *Glossarium mediae et infimae latinitatis (1678),* Paris, Didot, 1840.
Duclerc (Eugène) et Pagnerre (Laurent), *Dictionnaire politique,* Paris, 1839.
Du Pinet : Du Pinet (Antoine), *les Secrets Miracles de la nature,* Lyon, 1562 et 1566 ; *Histoire naturelle de Pline,* Lyon, 1542.
Du Puys, *Dictionnaire français-latin,* Paris, 1573.
Encycl. : Encyclopédie ou Dictionnaire raisonné des sciences, des arts et des métiers (1751-1771).
Encycl. méth. : Panckoucke, *Encyclopédie méthodique* (1781-1832).
Eneas : le Roman d'Eneas (v. 1130).

Est. (Ch., H., R.) : Estienne (Charles), Œuvres médicales (1545-1561) ; Estienne (Henri), *Deux Dialogues du nouveau langage françois italianisé et autrement déguisé,* 1578 ; Estienne (Robert), *Dictionnarium latino-gallicum,* 1538, et *Dictionnaire français-latin,* 1593.
Eulalie : Cantilène de sainte Eulalie (Xᵉ s.).
Fabre (A.), *Lexique de la langue de Chapelain,* Paris, 1889.
Fabri (P.), *le Grand et Vrai Art de la pleine rhétorique,* 1521.
Félibien (A.), *Des principes de l'architecture, de la sculpture, de la peinture et des autres arts qui en dépendent, avec un dictionnaire des termes propres à chacun des arts,* Paris, 1676.
Féraud (J.-F.), *Dictionnaire critique de la langue française,* Marseille, 1787-1788.
Fernel (J.), *la Physiologie,* 1654 ; *la Pathologie,* 1660.
Fet des Romains : trad. de Tite-Live (v. 1213).
Fr. mod. : le Français moderne, revue consacrée à l'étude de la langue française du XVIᵉ s. à nos jours, Paris, d'Artrey (depuis 1933).
Les Français peints par eux-mêmes, Paris, Curmer, 1841.
Frey (Max), *les Transformations du vocabulaire français à l'époque de la Révolution (1789-1800),* Paris, P.U.F., 1925.
Fuchs (Max), *Lexique du Journal des Goncourt,* Paris, Cornély, 1912.
Fumée (A.), *les Histoires depuis la constitution du monde,* Paris, 1574.
Furetière (A.), *Dictionnaire universel,* 1690 (2ᵉ éd., 1701, et éd. successives, reprises par les jésuites de Trévoux).
G. : Godefroy (F.), *Dictionnaire de l'ancienne langue française et de tous ses dialectes du IXᵉ s. au XVᵉ s.,* Paris, Bouillon, 1881-1902, 10 vol.
Galliot (Marcel), *Essai sur la langue de la réclame contemporaine,* Toulouse, Privat, 1955.
Gamillscheg (E.), *Etymologisches Wöterbuch der französischen Sprache,* Heidelberg, 1928.
Garbin (Loys), *Vocabulaire latin-français,* Genève, 1487.
Garn. : Guernes ou Garnier de Pont Sainte-Maxence, *la Vie de saint Thomas le martyr* (v. 1190).
Gattel (Cl. M.), *Nouveau Dictionnaire portatif de la langue française,* Lyon, 1797.
Gautier d'Arras (milieu XIIᵉ s.).
Gautier (J.-M.), *le Style des « Mémoires d'outre-tombe » de Chateaubriand,* Genève, Droz, 1959.
Gay (V.), *Glossaire archéologique du Moyen Âge et de la Renaissance,* Paris, 1882.
Gelée, *l'Anatomie française,* 1635.
Gilles li Muisis, *Poésies* (v. 1350).
Giraud (Jean), *le Lexique français du cinéma, des origines à 1930,* Paris, C.N.R.S., 1958.
Gohin : Gohin (Ferdinand), *les Transformations de la langue française pendant la deuxième moitié du XVIIIᵉ s. (1740-1789),* Paris, Belin, 1903.
Goncourt (Edmond et Jules de), *Journal, Mémoires de la vie littéraire (1851-1896),* Paris, 1956.
Grégoire : Dialogue de saint Grégoire (fin XIIᵉ s.).
Guérin (Paul), *Dictionnaire des dictionnaires,* Paris, May et Motteroy, 1892.
Guidon en françois, ou *la Grande Chirurgie de Guy de Chauliac,* 1490 et 1503. V. Chauliac.
Guillet, *les Arts de l'homme d'épée ou le Dictionnaire du gentilhomme,* Paris, 1670.
Hasselrot (Bengt), *Études sur la formation diminutive dans les langues romanes,* Uppsala, 1957.
Hautel (d'), *Dictionnaire du bas langage,* Paris, 1808.
Haüy (R.-J.), *Traité de minéralogie,* Paris, 1801.
Havard (H.), *Dictionnaire de l'ameublement et de la décoration depuis le XIIᵉ s. jusqu'à nos jours,* Paris, 1887.
Hecart (Joseph), *Dictionnaire rouchi-français,* 2ᵉ éd. 1826 ; 3ᵉ éd. 1834.
Herbillon (J.), *Éléments espagnols en wallon et dans le français des anciens Pays-Bas,* Liège, 1961.
Hollyman (K. J.), *le Développement du vocabulaire en France pendant le haut Moyen Âge. Étude sémantique,* Genève, Droz, 1957.
Huguet (Edmond), *Dictionnaire de la langue française du XVIᵉ s.,* Paris, Champion et Didier, 1925-1967.
Hulsius : Hulsius (L.), *Dictionnaire français-allemand et allemand-français,* 1596, et éd. en 1607 et 1614.
Huon de Bordeaux : chanson de geste (fin XIIᵉ s. ou début XIIIᵉ s.).
Jal : Jal (A.), *Glossaire nautique,* Paris, 1848.
Joinville (Jean sire de), *Vie de Saint Louis* (1272-1309).
Journal des dames et des modes, par Lamésangère, juin 1797-1838, 3 600 numéros.
Klesczewski (R.), *Die französischen Übersetzungen des « Cortegiano » von Castiglione,* Kiel, 1962.
L. : Littré (E.), *Dictionnaire de la langue française,* Paris, Hachette, 1863-1872 ; 1ᵉʳ suppl., 1876 ; 2ᵉ suppl., 1877.
Lachâtre : Lachâtre (Maurice), *le Dictionnaire français illustré,* Paris, 1856, et rééd. successives à la fin du XIXᵉ s.
Lacombe (Jacques), *Dictionnaire portatif des beaux-arts,* Paris, 1752.
La Curne : La Curne de Sainte-Palaye, *Dictionnaire historique de l'ancien langage français,* Paris, Champion, 1875-1882, 10 vol.
Lalande (André), *Vocabulaire technique et critique de la philosophie,* Paris, P.U.F., 1960.

Landais (N.), *Dictionnaire général et grammatical des dictionnaires français,* Paris, 1834, et rééd. successives, 1836, 1839, jusqu'en 1857.
La Noue : La Noue (François de), *Discours politiques et militaires,* 1587.
Lar. : abrév. de Larousse ; la date qui suit renvoie aux dictionnaires suivants :
P. Larousse, *Grand Dictionnaire universel du XIXe siècle,* Paris, 1865-1876 ; 1er suppl., 1878 ; 2e suppl., 1888.
Nouveau Larousse illustré. Dictionnaire encyclopédique en sept volumes, Paris, 1896-1904 ; suppl., 1906.
Larousse universel. Dictionnaire encyclopédique, 2 vol., Paris, 1920-1922 ; éd. successives.
Larousse du XXe siècle (6 vol.), Paris, 1928-1933 ; suppl., 1953.
Petit Larousse illustré, Paris, 1906, et rééd. successives. *Nouveau Petit Larousse illustré,* Paris, 1924, et rééd. successives. *Petit Larousse,* Paris, 1960, éd. successives.
Grand Larousse encyclopédique, Paris, 1958-1964, 10 vol.
Grand Larousse de la langue française, 7 vol., Paris, 1971-1978.
Grand Dictionnaire encyclopédique Larousse, 10 vol., Paris, 1982-1985.
Larchey (L.), *les Excentricités de la langue française,* Paris, 1859 (publié ensuite sous le nom de *Dictionnaire d'argot ;* suppl. 1880).
Laveaux (J.-C. de), *Dictionnaire de l'Académie française, éd. augmentée de plus de vingt mille articles,* Paris, 1802, et rééd. successives.
Lavoisien : Lavoisien (J.-F.), *Dictionnaire de médecine,* 1764.
Le Fèvre : Le Fèvre de Saint-Rémy (Jean), *Chronique (1408-1436).*
Legoarant (B.), *Nouveau Dictionnaire critique de la langue française,* Paris, 1841.
J. Lemaire : Jean Lemaire de Belges (1473-1520).
Lémery (N.), *Traité des drogues,* 1698.
Lerond (A.), *l'Habitation en Wallonie malmédienne,* Paris, 1963.
Lévy (Paul), *la Langue allemande en France,* Paris, 1950.
Lévy (R.), *Chronologie de la littérature française du Moyen Âge,* Tübingen, M. Niemeyer, 1957.
Liébault (T.), *la Maison rustique,* 1554 ; *Secrets de médecine,* 1573.
Linguet (S.-N.-H.), *Annales politiques, civiles et littéraires du XVIIIe s.,* Londres, 1777-1792 ; Bruxelles, 1788.
Littré (E.), *Dictionnaire de la langue française,* 1863-1872 ; suppl., 1877.
Livet (Ch.-L.), *Lexique de la langue de Molière comparée à celle des écrivains de son temps,* Paris, 1895-1897.
Livre disc. : le Livre de la discipline d'amour divine, 1470, rééd. 1537.
L. M. ou *Lar. : Larousse mensuel illustré,* revue encyclopédique mensuelle, Paris 1907-1956.
Lodewijcksz (Willem), *Premier Livre de l'histoire de la navigation aux Indes orientales,* trad. française 1598, de l'ouvrage néerlandais.
Loherains : la Geste des Loherains (fin XIe s.).
Lois de Guill. : Lois de Guillaume le Conquérant (fin XIe s.).
Lundquist (Eva R.), *la Mode et son vocabulaire : quelques termes de la mode féminine au Moyen Âge,* Göteborg, 1950.
Mackenzie (Fraser), *les Relations de l'Angleterre et de la France d'après son vocabulaire,* Paris, Droz, 1936, 2 vol.
Magasin encyclopédique, ou Journal des sciences, des lettres et des arts, par A.-C. Millin, 1792-1816, 122 vol.
Malherbe. V. Régnier (A.).
Marbode : *Lapidaire de Marbode* (1298).
Marco Polo : *le Livre de Marco Polo* (milieu XIIIe s.).
Marie de France : *Lais* (1190).
Martial d'Auv. : Martial d'Auvergne, *les Vigiles de Charles VII* (1493).
Marty-Laveaux, *Lexique de Corneille,* Paris, Hachette, 1868, 2 vol.
Matoré (G.), *le Vocabulaire et la société sous Louis-Philippe,* Paris, Droz, 1951.
Mayer (Gilbert), *Lexique des œuvres d'A. de la Halle,* Paris, Droz, 1940.
Mélanges Delbouille, Gembloux, Duculot, 1964, 2 vol.
Ménage (G.), *Dictionnaire étymologique ou Origines de la langue française,* Paris, Anisson, 1694.
Ménagier : le Ménagier de Paris, 1398.
Ménippée : Satire Ménippée, 1594.
Mer des hist. : la Mer des histoires, 1488.
Mercier (L.-S.), *Néologie,* Paris, 1801, 2 vol.
Mercure : le Mercure de France.
Meyer-Lübke (W.), *Romanisches etymologisches Wörterbuch,* 3e éd., Heidelberg, 1930-1935.
Michel (J.-F.), *Dictionnaire des expressions vicieuses,* Nancy, 1807.
Miege (G.), *The Great French Dictionary,* Londres, 1688 ; *A New Dictionary French and English, with another English and French,* Londres, 1677.
Mir. hist., Mir. historial : Miroir historial de Jean de Vignay, 1495 (v. J. de Vignay).

Modus : les Livres du roi Modus et de la reine Ratio, 1354-1377.
Molard (E.), *le Mauvais Langage corrigé,* Lyon, 1810 ; *Lyonnoisismes,* Lyon, 1791.
Mondeville, *la Chirurgie d'Henri de Mondeville,* 1314.
Monet (Ph.), *Abrégé du parallèle des langues françoise et latine,* Lyon, 1620, rééd. 1636.
Mozin (abbé), *Dictionnaire complet des langues française et allemande,* 1811-1812 ; 3e éd., Stuttgart, 1842 ; suppl., 1859 (avec Peschier).
Murray (James), *A New English Dictionary on Historical Principles,* Oxford, 1898-1933.
Myst. : le Mystère de la Passion, d'A. Gréban (1450) ; *le Mystère du vieil Testament* (1458).
Néol. fr. : Néologiste françois (le) ou Vocabulaire portatif des mots les plus nouveaux de la langue française, 1796.
Nicot (J.), *Thresor de la langue françoise tant ancienne que moderne,* Paris, 1606, rééd. 1621.
Nodier (Charles), *Dictionnaire universel de la langue française,* Paris, 1826.
Nouveau Dictionnaire français à l'usage de toutes les municipalités, Paris, 1790.
Ott (Auguste), *Dictionnaire des sciences politiques et sociales,* Paris, 1855-1866.
Oudin (A.), *Recherches italiennes et françoises,* Paris, 1640-1642 ; *Dictionnaire italien et françois,* Paris, 1662.
Ozanam : *Dictionnaire mathématique,* Paris, 1691.
Palsgrave (J.), *l'Éclaircissement de la langue françoise,* 1530.
Paré (Ambroise), *Œuvres complètes* (v. 1560), Paris, Baillière, 1840.
Passion : la Passion du Christ (v. 980).
Pathelin : la Farce de Maître Pathelin, 1464.
Ph. de Thaun ou Thaon : *le Bestiaire de Philippe de Thaun* (v. 1119-1125).
Piéron (Henri), *Vocabulaire de la psychologie,* Paris, P.U.F., 1957.
Poitevin (P.), *Dictionnaire de la langue française,* Paris, 1851.
Potter (Louis de), *Dictionnaire rationnel des mots les plus usités en sciences, en philosophie, en morale et en religion,* Bruxelles, 1859.
Prévost (abbé), *Manuel lexique,* Paris, 1755.
Proschwitz (G. von), *Introduction à l'étude du vocabulaire de Beaumarchais,* Stockholm, 1956.
Ps. : Liber psalmorum (XIIIe s.).
Ps. de Cambridge, d'Oxford : Psautier de Cambridge, 1120, *d'Oxford,* 1120.
Quatroux, *Traité de la peste,* 1671.
Quemada (B.), *Introduction à l'étude du vocabulaire médical, 1600-1710,* Paris, Les Belles Lettres, 1955.
Rab. : Rabelais (à partir de 1532).
Rangt (Th.), *Der Einfluss der Französischen Revolution auf den Wortschatz der französischen Sprache,* Giessen, 1908.
Raschi : *Gloses de Raschi* (fin XIe s.).
Raymond (Fr.), *Dictionnaire général de la langue française,* Paris, Levrault, 1832.
R. de Cambrai : Raoul de Cambrai (fin XIIe s.).
R. de Moiliens *le Reclus de Moiliens* (fin XIIe s.).
Régnier (A.), *Lexique de Malherbe,* Paris, Hachette, 1869.
Reichenau : Gloses de Reichenau (VIIIe s.).
Renart : le Roman de Renart (fin XIIe s.-XIIIe s.).
Revue de linguistique romane, Strasbourg (depuis 1925).
Rheims (Maurice), *Dictionnaire des mots sauvages,* Paris, Larousse, 1969 ; nouvelle édition 1989.
Richard de Radonvilliers (J.-B.) : *Enrichissement de la langue française. Dictionnaire des mots nouveaux,* Paris, 1845.
Richelet (P.), *Dictionnaire françois contenant les mots et les choses,* Genève, 1680, et rééd. 1706, 1732, 1740, 1759.
Riederer (V.), *Der lexicalische Einfluss des Deutschen im Spiegel der französischen Presse zur Zeit des zweiten Weltkrieges,* Berne, 1956.
Ritter (E.), *les Quatre Dictionnaires français,* Genève, 1905.
Robert (P.), *Dictionnaire alphabétique et analogique de la langue française,* Paris, Société du Nouveau Littré, 1951 ; refondu 1980 — 1964 ; suppl. 1970.
Rois : le Livre des Rois (fin XIIe s., v. 1190).
Roland : Chanson de Roland (v. 1080).
Romania, revue trimestrielle consacrée à l'étude des langues et littératures romanes (depuis 1872).
Romeuf (Jean), *Dictionnaire des sciences économiques,* Paris, P.U.F., 1956-1958, 2 vol.
Romme (Ch.), *Dictionnaire de la marine française,* 1792-1813.
Roncevaux : Chanson de Roland (versions du XIIe et du XIIIe s.).
Ruelle (P.), *le Vocabulaire professionnel du houilleur borain,* Bruxelles, 1953.
Sainéan (L.), *les Sources de l'argot ancien,* Paris, 1912 ; *le Langage parisien au XIXe siècle,* Paris, de Boccard, 1920.
Saint Bernard : Li sermon saint Bernard (v. 1190).
Saint Christophe : Mystère de saint Christophe, 1527.
Saint Gilles : Vie de saint Gilles (1138).

Saint Léger : Vie de saint Léger (Xe s.).
Savary des Bruslons (J.), *Dictionnaire du commerce,* Paris, 1675 (2e éd., 1723).
Saxons : la Geste des Saxons (XIIe s.).
Schmidlin (J.-J.), *Catholicon ou Dictionnaire universel de la langue française,* Hambourg, 1771.
Serments : les Serments de Strasbourg, 842.
Sid. Apoll. : Sidoine Apollinaire (Ve s.).
Simples Méd. : Simples Médecines (XIIIe s.).
Sully : Maurice de Sully, *Sermons* (1170).
Snetlage, *Nouveau Dictionnaire français,* Göttingue, 1795.
Tardif : Tardif (G.), *Facéties de Page,* Paris, 1878.
Thèbes : Roman de Thèbes (début XIIe s.).
Thierry (J.), *Dictionnaire françois-latin,* Paris, 1564, rééd. 1572.
Thomas (A.), *Essais de philologie française,* Paris, 1897 ; *Nouveaux Essais...,* 1904 ; *Mélanges d'étymologie française,* Paris, 1902.
Tilander (Gunnar), *Lexique du Roman de Renart,* 1924.
Tissot (S.-A.), *De la santé des gens de lettres,* Lausanne, 1769.
Tobler-Lommatzsch, *Alt-französisches Wörterbuch,* Berlin (depuis 1925).
Tory (G.), *Champfleury ou l'Art et Science de la proportion des lettres,* 1529, rééd. 1549.
Trévoux : Dictionnaire universel françois et latin ; Trévoux, 1704 (3 vol.) ; 1721 (5 vol.) ; 1732 ; 1734 ; 1743 (6 vol.) ; 1752 (7 vol.) ; 1771 (8 vol.).
Vaganay (H.) [dépouillements lexicologiques], *Romanische Forschungen,* 1913 ; *Revue de philologie française,* 1931-1933 ; *le Français moderne,* 1937-1938.
Valenciennes : Fragment de Valenciennes (Xe s.).
Valkhoff (M.), *Étude sur les mots français d'origine néerlandaise,* Amersfoort, 1931.
Valmont de Bomare, *Dictionnaire raisonné universel d'histoire naturelle,* Paris, 1764-1768 (rééd. jusqu'en 1800).
Vidocq : Vidocq, *les Voleurs, physiologie de leurs mœurs et de leur langage,* Paris, 1836 ; *Mémoires de Vidocq,* 1828-1829.
Vigenère : Vigenère (Bl. de), trad. des *Décades de Tite-Live,* 1583, et diverses autres trad., 1556, 1577, 1581, 1589.
Vignay (J. de) : *le Miroir historial,* trad. du *Speculum majus* de Vincent de Beauvais, trad. de J. de Vignay, 5 vol., 1495-1496 ; trad. exécutée en 1332-1333, profondément modernisée en 1495.
Villers (Augustin), *Dictionnaire wallon-françois,* 1793.
Voy. de Charl. : Voyage ou *Pèlerinage de Charlemagne* (début XIIe s.).
Wailly (Fr. de), *Nouveau Vocabulaire français,* Paris, 1801 (22 éd. successives jusqu'en 1855).
W. : Wartburg (W. von), *Französisches Etymologisches Wörterbuch,* Bâle (depuis 1928).
Wexler (P.-J.), *la Formation du vocabulaire des chemins de fer en France (1778-1842),* Genève, Droz, 1950.
Wey (F.), *Remarques sur la langue française,* Paris, Didot, 1845.
Widerhold (J.-H.), *Nouveau Dictionnaire françois-allemand et allemand-françois,* 1669 ; rééd., 1675.
Wind (B.), *les Mots italiens introduits en France au XVIe s.,* Deventer, 1928.

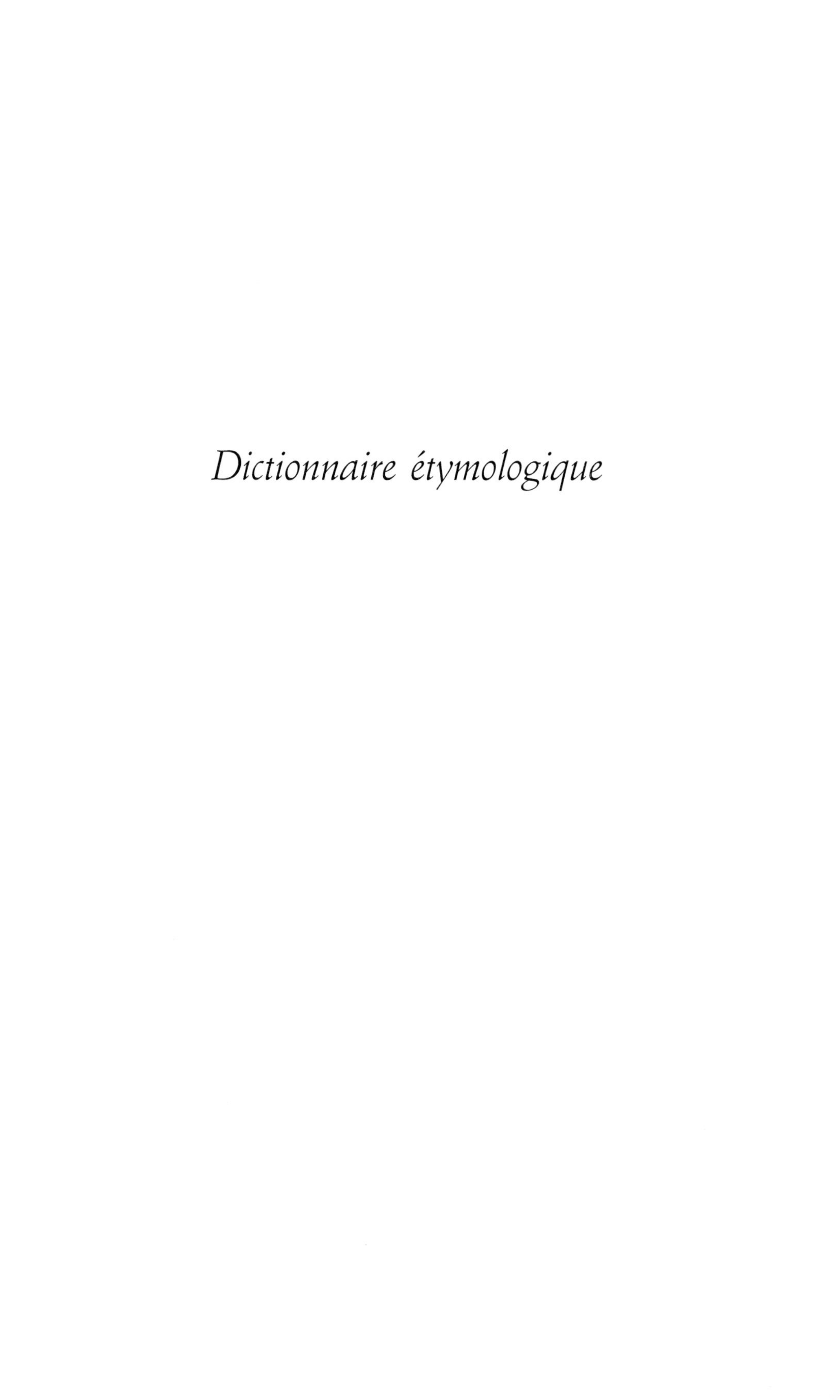

Dictionnaire étymologique

a

1. **a-,** préfixe ; lat. *ad,* qui indique la destination, la direction vers, l'objet (var. *ad-, ac-, af-, al-, am-, ar-, as-, at-*). Les mots construits avec ce préfixe sont indiqués à la place alphabétique du mot simple, lorsque celui-ci existe ; dans le cas contraire, ils sont enregistrés à leur ordre alphabétique. Bien que peu productif, *a*(*d*)- entre encore dans quelques nouvelles formations analogiques (*alunissage*).

2. **a-,** préfixe privatif issu du grec et qui se présente aussi sous la forme *an-* devant voyelle. Les mots construits avec ce préfixe sont indiqués à la place alphabétique du mot simple, lorsque celui-ci existe ; dans le cas contraire, ils sont enregistrés à leur ordre alphabétique. Le préfixe *a-,* d'abord limité aux mots scientifiques au XVIIIe s. et au XIXe s., s'est étendu au vocabulaire philosophique et à la langue commune au XXe s. (*apolitique, asocial,* etc.).

***à** Xe s., *Eulalie,* préposition ; lat. *ad,* indiquant la destination (v. A- préfixe). Cette préposition avait servi, en bas latin, à indiquer l'objet sur lequel porte l'action, avec un certain nombre de verbes (auj. transitifs indirects construits avec *à*), et la destination de l'action (objet secondaire ou complément d'attribution). L'idée de mouvement s'est effacée devant celle de point dans l'espace et le temps. L'accent grave sert à distinguer depuis le XVIe s., en typographie, *à* (prép.) et *a* (verbe).

abaca 1664, Thévenot ; esp. *abacá,* du tagal, langue indigène des Philippines.

abaisser V. BAISSER.

abajoue 1756, Buffon ; de *bajoue* (v. ce mot), avec fausse coupure dans l'emploi avec l'article féminin (*la bajoue* → *abajoue*).

abandon 1165, Marie de France ; expression *être à bandon,* être à merci de, de *à* et **ban,* juridiction, mot d'origine germ. croisé avec le germ. **band,* signe. || **abandonner** 1080, *Roland,* « laisser au pouvoir de » ; XIIe s., « laisser, quitter ». || **abandonnement** 1265, J. de Meung ; emploi plus large qu'*abandon* au XVIIe s., restreint ensuite au domaine jurid.

abaque début XIIe s., *Roman de Thèbes ;* lat. *abacus,* du gr. *abax,* table à calcul.

abasourdir début XVIIe s., « tuer » ; 1713, au sens actuel ; argot *basourdir* (1628), tuer, issu de *basir,* même sens (1455, *Coquillards*), p.-ép.-ê.. lat. *basis,* base ; le mot a subi l'influence de *assourdir.* || **abasourdissant** 1833, P. Borel. || **abasourdissement** 1823.

abâtardir, abâtardissement V. BÂTARD.

abats début XVe s., sing., « viande d'animal » ; de *abattre.*

abattre V. BATTRE.

***abbé** XIe s., G. (*abed*) ; lat. *abbās, -atis,* du gr. eccl., lui-même issu de l'araméen *abba,* père. || **abbesse** fin XIIe s. ; lat. eccl. *abbātissa,* fém. fait sur *abbas.* || **abbaye** XIe s., G. (*abadie*) ; 1125, *Gormont* (*abeie*) ; lat. *abbātia.* || **abbatial** 1404, *Cart.* || **abbatiat** 1876, L.

abcès 1537, Canappe ; lat. *ab*(*s*)*cessus* (Celse), corruption. || **abcéder** *id.* La spécialisation dans le vocabulaire médical s'était faite dès le latin.

abdiquer fin XIVe s. ; lat. *abdicare,* renoncer, sens qu'il conservait au XVIIe s., à côté de l'emploi spécialisé « renoncer à de hautes fonctions, à la couronne », qu'il acquiert alors. || **abdication** début XVe s., « renoncement » ; fin XVIe s., « renoncement à une dignité » ; 1790, Brunot, « renoncement au pouvoir souverain, en parlant du peuple » ; lat. *abdicatio.* || **abdicataire** 1848, Chateaubriand.

abdomen 1537, Canappe ; lat. *abdomen, -inis.* || **abdominal** 1611, J. Duval. || **abdomino-,** XIXe s., premier élément de mots composés, voc. médical.

abduction 1541, Canappe, méd. ; lat. *abductio,* de *abducere,* écarter. || **abducteur** 1565, Paré, anat. ; lat. *abductor,* qui écarte.

abécé 1119, Ph. de Thaon ; mot formé des trois premières lettres de l'alphabet. || **abécédaire** 1529, G. Tory ; bas lat. *abecedarium,* livre où l'on apprend l'alphabet, issu des quatre premières lettres de l'alphabet.

abecquer, abée V. BEC, BAYER.

abeille fin XIIIe s., *Établissements de Saint Louis* (*abueille*) ; 1500, O. de Saint-Gelais (*abeille*), prov. *abelha ;* lat. *apĭcula,* dim. de *apis,* qui a donné les formes disparues *é, eps. Avette,* employé par Ronsard et par la poésie du XVIe s., appartient aux dialectes du nord de la Loire (lat. pop. **apĭtta,* dim. de *apis*). || **abeillage** 1369, jurid. || **abeiller** 1250, nom rég.

aberrer 1532, Michel d'Amboise ; lat. *aberrare,* s'écarter. || **aberrant** 1842, *Acad.* || **aberrance** XXe s. (1959, Lar.), en statistique. || **aberration** 1624, Ph. Daquin, « action de s'écarter » ; 1733, Voltaire, *Mém. Acad. des sc.,* optique (par l'intermédiaire de l'angl.) ; fin XVIIIe s., « égarement d'esprit » ; lat. *aberratio,* erreur, éloignement.

abêtir V. BÊTE.

abhorrer 1488, *Mer des histoires ;* lat. *abhorrēre,* avoir en aversion. Il existait aussi une forme *ab(h)or(r)ir* (1492, *les Sept Sages*), qui a donné *abhorrition* (1551, L. Hébrieu). D'un emploi surtout religieux, il est passé dans le vocabulaire général avec une valeur très forte.

***abîme** début XIIe s., eccl., fém. jusqu'au XVIIe s. ; *en abyme* (d'après une ancienne orth.), 1690, blas. ; 1893, Gide, procédé littéraire ; lat. chrét. *abyssus,* du gr. *abussos,* sans fond, altéré en *abismus,* par analogie avec les mots en *-ismus.* || **abîmer** début XIIIe s., « jeter dans un abîme » (sens qui subsiste au XVIIe s. et se maintient auj. dans le pronominal) ; 1567, Amyot, « endommager ». || **abîmement** 1610, François de Sales, repris au XIXe s. (Goncourt). || **abyssal** 1597, Ph. Bosquier, théol. ; 1842, géogr. et océanographie ; lat. *abyssus.* || **abysse** 1890.

abiotique 1874, Reclus ; préf. *a* privatif et gr. *bios,* vie.

abject 1470, *Livre de la discipline d'amour divine ;* lat. *abjectus,* rejeté. L'emploi social (*condition abjecte*) s'est maintenu jusqu'au XVIIe s. ; la valeur morale s'est seule auj. conservée. || **abjectement** *id.* || **abjection** 1372, Corbichon, « humiliation » (jusqu'au XVIIe s.).

abjurer 1327, « rejeter l'autorité de qqn » ; 1495, J. de Vignay, « renoncer par serment » ; restreint ensuite à un emploi religieux ; lat. *abjurare,* refuser par serment. || **abjuration** 1492, *D. G. ;* lat. eccl. *abjuratio.*

ablatif XIIIe s., « qui enlève » ; fin XIVe s., J. Le Fèvre, gramm. ; lat. des gramm. *ablativus,* qui marque le point de départ, de *ablatus,* enlevé.

ablation XIIIe s., Brun de Long-Borc ; 1538, Canappe, méd. ; lat. *ablatio,* enlèvement.

ablette début XVIe s., dimin. de *able* (fin XIVe s., même sens) ; lat. *albulus,* blanchâtre, de *albus,* blanc. On trouve *auvette* au XIVe s.

ablution XIIIe s., *Barlaam et Josaphat* (*-cion*) ; lat. chrét. *ablutio,* action de se laver les mains pour se purifier, de *abluere,* laver ; 1866, Lar., *faire ses ablutions.* || **ablutionner** 1866, Lar.

abnégation 1361, Oresme, « abjuration » ; XVe s., « renoncement » ; XVIIe s., « sacrifice » ; lat. *abnegatio,* refus, de *negare,* nier, refuser.

aboi V. ABOYER.

abolir 1344, « abroger » ; 1417, Douet d'Arcq, « détruire », « dévaster » (sens qui subsiste jusqu'au XVIIe s.), ensuite seulem. jurid. ; lat. *abolēre,* avec changement de conjugaison. || **abolition** début XIVe s., jurid. ; XVIIIe s., polit., *abolition de l'esclavage ;* lat. *abolitio,* destruction. || **abolisseur** v. 1856, Baudelaire. || **abolitionnisme** 1856, *Rev. des Deux Mondes,* « doctrine antiesclavagiste » ; fin XIXe s., sens jurid. ; mot angl. || **abolitionniste** 1826, Grégoire, « partisan de l'abolition de l'esclavage » ; fin XIXe s., sens jurid. ; mot angl.

abominable 1120, *Ps. d'Oxford ;* XVIIe s., sens actuel ; lat. eccl. *abominabilis,* qui doit être repoussé comme un mauvais présage (lat. *omen, ominis*). || **abominablement** début XIVe s., *Chron. des Quatre Valois.* || **abomination** 1120, *Ps. d'Oxford,* « horreur inspirée par ce qui est impie » ; XVIIe s., sens actuel ; lat. eccl. *abominatio.* || **abominer** 1120, *Ps. d'Oxford ;* lat. eccl. *abominari ;* sens mod., milieu XXe s.

abondance 1119, Ph. de Thaon ; lat. *abundantia,* de *unda,* flot. || **abonder** 1120, *Ps. d'Oxford ;* lat. *abundare,* déborder, regorger. || **abondant** début XIIe s. ; lat. *abundans, -antis.* || **abondamment** début XIIe s. || **surabondance** 1350, *Ars d'amour.* || **surabondant** XIIe s., G. || **surabondamment** 1350, *Ars d'amour.* || **surabonder** 1190, Saint Bernard.

abonner XIIIe s., « borner », « fixer une redevance régulière par laquelle on se rachetait d'un droit variable » ; 1750, abbé Prévost, spécialisation au pronominal ; de *bonne*, anc. forme de *borne*. || **abonné** adj. et n., 1798. || **abonnement** 1275, droit féod. ; XVIIIe s., sens mod. || **abonneur** 1902, d'Avenel. || **désabonner** 1840, Balzac. || **désabonnement** 1834, *Constitutionnel*. || **réabonner** 1845, J.-B. Richard. || **réabonnement** 1845, J.-B. Richard.

abonnir, aborder V. BON, BORD.

aborigène 1488, *Mer des hist.* (*aborigenes*, jusqu'à 1694, Th. Corneille) ; lat. *aborigenes*, habitant originaire d'un pays, de *origo, originis*, origine ; la forme moderne a été refaite avec le suff. *-gène* (de *indigène*), du gr. *genos*, race.

abortif V. AVORTER.

abot 1819, Boiste ; forme dial. de l'anc. fr. *bouter*, mettre.

aboucher, abouler V. BOUCHE, BOULE.

aboulie 1883, Th. Ribot ; gr. *aboulia*, irréflexion, dont le sens a été modifié par influence du gr. *boulesthai*, vouloir. || **aboulique** 1887, Binet.

abouter, aboutir V. BOUT.

***aboyer** XIIe s., G. (*abaier*, graphie qui subsiste jusqu'au XVIIe s.) ; lat. pop. **abbaiare* ou **abbaudiare* (lat. *baudari*), qui a éliminé le lat. class. *latrare* ; orig. onomatop., *bau*. || **aboi** XIIe s., Fierabras ; le sens fig., issu de la vénerie (*rendre les abois, rendre aux abois*), ne subsiste plus guère que dans *être* ou *mettre aux abois*. || **aboiement** XIIIe s. (*abaement*), a remplacé *aboi* au sens propre. || **aboyeur** 1327 (*abayeur*), « personne qui aboie, protestataire » ; 1387, G. Phébus, « chien qui aboie » ; XVIIIe s., « journaliste », « crieur de journal ».

abracadabrant 1834, Gautier ; lat. cabalistique *abracadabra* (1560, Paré), mot-talisman au Moyen Âge ; d'un mot grec forgé par les gnostiques de Basilide (IIe s. apr. J.-C.), d'après *abrasax* ou *abraxas*, autre nom mystique ; ou p.-ê. de l'hébreu *arba-dak-arba*, de *arba*, quatre.

abrasion 1611, A. Du Chesne ; lat. *abrasio*, de *abradere*, enlever en grattant. Restreint au sens technique. || **abrasif** 1905. || **abraser** XIVe s., « démolir » ; 1864, méd. ; XXe s., techn.

***abréger** XIIe s., G. ; bas lat. *abbreviare*, de *brevis*, bref ; *abrevier* a été employé jusqu'au XVIe s. || **abrégé** n. m. 1305, J. Richard. || **abréviation** 1375, R. de Presles ; bas lat. *abbreviatio*. || **abréviateur** 1375, R. de Presles, « qui rédige des brefs apostoliques » ; 1670, Huet, « qui abrège ». || **abréviature** 1529, G. Tory. || **abréviatif** XVe s., Fergot. || **abrègement** 1278, Langlois.

***abreuver** XIIe s., G. (*abevrer*) ; XIIIe s., G. (*abrever*) ; lat. pop. **abbibĕrare*, du lat. class. *bibĕre*, boire, et *biber*, boisson ; XVIe s., sens fig. || **abreuvage** 1262, G. || **abreuvement** fin XIIIe s., *Assises de Jérusalem*. || **abreuvoir** fin XIIIe s., *Saint Graal*.

abréviation V. ABRÉGER.

abri 1170, *Rois* ; déverbal du verbe *abrier*, mettre à l'abri, usité jusqu'au début du XVIIe s. (Saint-Amant) et conservé jusqu'au XIXe s. comme terme de marine et dans certains parlers de l'Ouest, du lat. *apricari*, devenu *apricare*, se mettre au soleil, puis se mettre à l'abri (de *apricus*, exposé au soleil). || **abriter** 1489, R. Gaguin. || **abrivent** 1752. || **Abribus** 1965.

abricot 1512, Thenaud (*aubercotz*) ; catalan *abercoc*, de l'ar. *al-barqūq* qui venait (article *al* à part), par l'intermédiaire du gr., du lat. *praecox* ou *praecoquus*, précoce (pour désigner une pêche précoce). || **abricot-pêche** 1805, *Almanach des gourmands*. || **abricoté** 1628. || **abricotier** 1526, Versoris. || **abricotine** adj. 1651, *Jardinier français*, « marbre » ; n. f. 1843, Balzac.

abroger milieu XIVe s. ; lat. *abrogare*, annuler. || **abrogatif** 1845, J.-B. Richard. || **abrogation** milieu XIVe s. ; lat. *abrogatio*. || **abrogeable** 1858, Legoarant.

abrupt 1512, J. Lemaire, adj. ; lat. *abruptus*, à pic ; n. m. (ravin) 1925, J.-R. Bloch. || **abruptement** XIVe s. || **ex abrupto** fin XVIIe s., Regnard, « brusquement ».

abrutir V. BRUTE.

abscisse 1694, Th. Corneille ; lat. *abscissa* (*linea*), ligne coupée.

abscons 1478, méd. ; 1509, J. Lemaire, « incompréhensible » ; lat. *absconsus*, caché. || **absconse** 1717, Le Brun-Desmarets de Moléon, « lanterne ». || **absconser** v. 1500, Lemaire, subsiste encore au XVIIe s.

absence XIIIe s., *les Sept Sages* ; lat. *absentia* ; le sens de « exil » est usuel jusqu'au XVIIe s. || **absent** 1130, *Enéas* ; lat. *absens, absentis*. || **absenter** 1322, pronominal seul usuel dès le XIVe s. || **absentéisme** 1828, J.-B. Say ; *absen-*

tisme, en 1829, *Rev. des Deux Mondes :* « forme de propriété où le propriétaire absent s'en remettait de la gestion à un fermier » ; 1847, Gautier, polit. ; XXe s., sens général ; angl. *absenteeism,* de *absentee,* absent. || **absentéiste** 1853, Lachâtre.

abside XVIe s., astron. ; 1690, archit. ; bas lat. *absida* (Paulin de Nole), du gr. *hapsis,* voûte, et, en particulier, voûte du ciel. || **absidiole** 1863, L. || **absidal** ou **absidial** 1863, L.

absinthe 1190, Saint Bernard, masc. ou fém. jusqu'au XVIIe s. ; lat. *absintium,* du gr. *apsinthion ;* le sens d'« amertume » existe dès le latin. || **absinthisme** 1871, *Année scient.* || **absinthomanie** 1909, Lar.

absolu 1080, *Roland* (*asolu*) ; XVIIIe s., philos. et politique ; lat. *absolutus,* achevé, parfait, de *absolvere,* absoudre. || **absolument** 1225. || **absolutisme** 1796, Brunot, formé sur le sens politique de *absolu.* || **absolutiste** 1823, Boiste.

absolution, absolutoire V. ABSOUDRE.

absorber XIe s. (*assorber*) ; lat. *absorbēre,* avaler, engloutir. || **absorbant** adj., XVIIIe s. || **absorbement** XVIIe s. || **absorbeur** 1929. || **absorption** 1586, H. Suso ; lat. *absorptio.*

absoudre Xe s., *Saint Léger* (*absols*) ; jusqu'au XVIe s., on rencontre les formes *assoldre, assoudre ;* lat. eccl. *absolvere ;* le verbe a été refait sur la forme lat. || **absolution** fin XIIe s., *Grégoire.* || **absolutoire** 1321. || **absoute** 1319, nom ; du part. passé fém. de *absoudre.*

abstenir (s') XIe s. (*astenir*) ; lat. *abstinere,* tenir éloigné, refait sous l'influence de *tenir.* || **abstention** XIIe s., « abstinence » ; milieu XVIe s., « renonciation » ; lat. *abstentio ;* v. 1840, Lar., sens politique. || **abstentionnisme** 1870, Molinari. || **abstentionniste** 1853, Lachâtre ; concurrencé par *abstenant* (1863, Lar.). || **abstinence** 1050, *Alexis ;* lat. *abstinentia,* abstention (ce sens général subsiste jusqu'au XVIIe s., à côté de l'emploi religieux). || **abstinent** 1160, Benoît ; lat. *abstinens,* qui s'abstient.

abstract, abstraction V. ABSTRAIRE.

abstraire 1327, pron., « s'arracher à » ; 1361, Oresme (*s'*), « faire abstraction de soi » ; lat. *abstrahere,* tirer, enlever. || **abstrait** 1372, Corbichon (*abstract*) ; *art abstrait,* début XXe s. ; part. passé lat. *abstractus,* dont le sens fig., « isolé par la pensée », qui se rencontre en bas lat. (Cassiodore), subsiste au XVIIe s. || **abstraitement** 1579, P. de Lostal. || **abstraction** 1361, Oresme ; lat. *abstractio* (Boèce). || **abstracteur** 1532, Rab. ; lat. scol. *abstractor.* || **abstractif** 1510, J. Lemaire, philos. (*nom abstractif*) ; 1747, Girard, linguistique. || **abstractivement** 1504, J. Lemaire. || **abstractionnisme** 1953, Lar., philos. (de William James). || **abstract** 1939 ; mot angl.

abstrus 1327 ; lat. *abstrusus,* caché, obscur, de *abstrudere,* repousser.

absurde XIIe s., *Règle de saint Benoît* (*absorde*) ; 1495, J. de Vignay (*absurde*) ; lat. *absurdus,* discordant, de *surdus,* sourd. || **absurdement** 1549, R. Est. || **absurdité** 1375, R. de Presles. || **absurdisme** milieu XXe s.

abus 1361, Oresme ; lat. *abusus,* mauvais usage, de *abuti,* faire mauvais usage. Le sens du lat. se maintient dans la langue du droit ; le sens de « erreur, illusion » subsiste jusqu'au XVIIe s., tandis que se développe celui de « injustice ». || **abuser** 1312, *Cart. de Saint-Pierre de Lille ;* le sens de « tromper » se maintient encore au XVIIe s., tandis qu'est plus usuel auj. celui d'« user avec excès ». || **abuseur** 1309, d'abord au sens de « trompeur ». || **abusif** 1361, Oresme ; bas lat. *abusivus.* || **abusivement** 1327. || **désabuser** XVIe s., qui a conservé le premier sens de *abuser* (tirer de son erreur). || **désabusement** 1674, Bouhours.

abysse, abyssal V. ABÎME.

acabit XVe s., *Dialog. de Baillevent et Malepaie,* « accident » ; la graphie *acabie* se maintient jusqu'au XVIIe s. ; p.-ê. prov. *acabir,* se procurer, obtenir, dont le part. passé aurait été substantivé. Il a gardé le sens de « débit, achat » jusqu'au XVIIe s. ; l'expression *de bon acabit* (de bonne qualité) sert de point de départ au sens pop.

acacia XIVe s., Brun de Long-Borc (*acacie*) ; 1503, G. de Chauliac (*acassia*) ; la forme actuelle, calquée sur le lat. *acacia* (du gr. *akakia*), a triomphé au XVIIe s., avec un changement de genre.

académie 1508, Baïf ; ital. *accademia* (l'Italie possédait des sociétés littéraires comme l'Accademia Fiorentina et l'Accademia della Crusca), du lat. *academia,* lui-même du gr. *akadêmia,* jardin d'Akadêmos à Athènes où Platon enseignait sa philosophie. La renommée des académies italiennes a fait adopter le mot dans le sens général de « école supérieure » (C. Marot, XVIe s.) appliqué en particulier aux écoles d'équitation et aux écoles de peinture ; au XVIIe s., aussi « tripot » (maison de jeux ou maison académique). « Circonscription universitaire », 17 mars 1808. || **académicien** 1555, Ramus, « philosophe platonicien » ; lat. *academicus ;* 1635, sens actuel. || **académique** 1361, Oresme, titre d'ouvrage, puis XVIe s., adj. et n. ; lat. *academicus.* || **académiquement** 1570, *Cité de Dieu.* || **académisable** 1890. || **académiser** 1765, « donner la manière académique ». || **académisme** 1845, J.-B. Richard. || **académiste** 1613, *Épître du chien Lyco-Phagos,* celui qui a étudié dans une académie, en particulier d'équitation ; 1634, Chapelain, « académicien ».

acagnarder V. CAGNARD.

acajou 1557, Thevet (*acaïou*) ; port. *acaju,* fruit du *cajueiro,* arbre du Brésil, du tupi, langue indigène du Brésil (*agapu*). Le mot désigne le fruit en portugais et le bois en français ; utilisé en ébénisterie depuis le XVIIIe s.

acanthe 1450, O. de Saint-Gelais, bot. ; lat. *acanthus,* du gr. *akantha ;* archit., XVIe s. || **acanthocarpe** 1842, *Acad.* || **acanthocéras** 1888, Lar. || **acanthoglosse** 1852, Lachâtre. || **acanthacée** 1817.

acariâtre fin XVe s., J. Meschinot (*mal aquariastre,* folie), « possédé du démon, fou » ; XVIe s., « qui est de mauvais caractère » ; au XVIIe s., il pouvait s'appliquer encore à des choses au sens d'« opiniâtre » (*combat acariâtre*) ; de *Acharius,* nom latin d'un évêque de Noyon du VIIe s., qui passait pour guérir la folie (*mal Saint-Acaire*) ; le passage du nom propre au nom commun paraît dû à une étymologie populaire, par rapprochement avec le lat. *acer,* aigre ; les saints guérisseurs doivent souvent leur action à un jeu de mots (*saint Cloud/clou*). || **acariâtreté** 1611, Cotgrave.

acarus 1752, Trévoux (*acare*) ; lat. des naturalistes *acarus,* du gr. *akari,* ciron, mite. || **acariens** 1842, *Acad.* || **acariose** 1909, Lar. || **acaricide** XXe s.

accabler 1329, *Actes normands* (*aachablé*), « abattre » ; XVIe s., sens mod ; forme normanno-picarde de *chabler,* de *chable,* ou *caable ;* lat. pop. **catabola,* du gr. *katabolê,* action de lancer. || **accablant** fin XVIIe s., La Bruyère, fig. || **accablement** 1556, Noguier, sens anc. ; XVIIe s., sens mod.

accalmie, accalminé V. CALME.

accaparer 1562. D'abord employé au sens jurid., il a pris un sens économique, avec une valeur péjor. (« retenir tout ce qui se trouve sur le marché »), au XVIIIe s. (1715, Ch. de Rior) et est devenu très usuel pendant la Révolution. ; ital. *accaparrare,* acheter ou retenir une marchandise en donnant des arrhes, de *caparra,* arrhes. || **accaparement** 1751, *Encycl.* || **accapareur** début XVIIIe s.

accastiller 1678, Guillet ; esp. *acastillar,* de *castillo,* château. || **accastillage** *id.,* mar.

accéder XIIIe s., *Intr. d'astronomie,* « avoir accès » ; lat. *accedere,* s'approcher ; sens mod., 1731 (Voltaire, *Charles XII*). || **accès** 1280, *Clef d'amors* (*donner accès*) ; *accès de fièvre,* 1372, Corbichon ; lat. *accessus,* part. passé de *accedere.* || **accessible** 1355, Bersuire. || **accession** XIIe s., Everat ; XVIIIe s., *accession au trône,* empr. à l'angl. ; lat. *accessio,* action d'approcher ; l'évolution sémantique a été influencée par celle d'*accéder.* || **inaccessible** XIVe s. ; bas lat. *inaccessibilis.*

accélérer 1327, sens tr. et intr. ; lat. *accelerare,* de l'adj. *celer,* rapide. || **accéléré** adj., 1611 ; n. m. 1837, Sainte-Beuve. || **accélération** 1327 ; lat. *acceleratio,* action de se hâter ; phys., 1680, Richelet ; 1888, Lar., techn. || **accélérateur** 1611, Cotgrave, méd. ; 1752, Trévoux, phys. ; 1890, Lar., techn. ; 1953, Lar., *accélérateur de particules.* || **accélératif** 1778, Villeneuve. || **accéléromètre** 1873. || **décélérer, décélération** XXe s. ; faits sur le modèle *accroître/décroître.*

accent 1265, Br. Latini ; lat. *accentus,* « élévation de la voix sur une syllabe », puis « son d'un instrument » ; fin XVIe s., gramm. ; XVIIe s., sens étendu. || **accentuer** XIVe s., *Lexique Abavus,* « dire un poème » ; lat. *accentuare* (XIIe s.) ; XVIIe s., sens actuel. || **accentuation** 1521, P. Fabri ; lat. *accentuatio.* || **inaccentué** 1829, Hugo. || **accentuel** XXe s. || **accentuable** 1845, J.-B. Richard.

accepter milieu XIIIe s. ; lat. *acceptare,* avoir l'habitude d'accueillir, de *accipere,* recevoir. || **acceptable** 1165 (*acetable*), « agréable ». || **acceptant** 1464, *Cout. d'Anjou,* jur. et relig. || **acceptation** 1262 ; lat. *acceptatio,* de même sens. || **accepteur** 1389, adj., relig. ; lat. *acceptor ;* au sens commercial 1740, Trévoux. || **acception** début XIIIe s., *Sept Sages de Rome,* le sens « action d'accepter » s'est maintenu jusqu'au XVIIe s., dans la langue religieuse ; *acception de personne* est directement empr. au lat. ; sens gramm. (*acception d'un mot*), XVIIe s. ; lat. *acceptio.* || **inacceptable** 1779, Beaumarchais. || **inacceptation** 1877, L.

accès, accessible, accession V. ACCÉDER.

accessit 1680 ; mot lat., « il s'est approché », du verbe *accedere,* s'approcher, survivance des distributions de prix proclamées en latin.

accessoire 1296, *D. G.,* jurid. ; XVe s., « moins important » ; lat. médiév. *accessorium,* de *accedere,* joindre ; comme nom le sens de « danger » subsiste jusqu'au XVIIe s. || **accessoiriste** 1902, J. Renard, théâtre, puis cinéma. || **accessoirement** 1328.

accident 1170, « indice » ; 1175, Chr. de Troyes, « événement fortuit » ; XIIe s., « événement malheureux » ; lat. *accidens, -tis,* qui arrive, de *accedere,* survenir ; XIIIe s., scolast., sens philosophique (l'« accident » opposé à la « substance ») ; XVIIIe s., « événement provoquant des dommages matériels ». || **accidenter** 1833, Ph. O'Neddy. || **accidenté** adj. 1662, repris au XIXe s. (1827, Gattel) ; nom 1909, Lar. || **accidentel** XIIIe s., G., concurrencé par *accidental* (XVIe s.) ; lat. *accidentalis.* || **accidentellement** XVe s., *D. G. ;* conjointement avec *accidentalement.*

accise XVIe s., *Cout. de Bruxelles ;* lat. jurid. médiév. *accisia,* impôt féodal, de *accidere,* couper (cf., pour le sens, la *taille*), par l'intermédiaire du néerl. *accijs ;* le mot *accise* s'est confondu en anc. fr. avec *assise* (de *asseoir*) désignant une taxe. En 1748, Montesquieu utilise le mot anglais *excise,* dans un sens fiscal.

acclamer, acclimater V. CLAMER, CLIMAT.

accointance 1170, Chr. de Troyes ; anc. fr. *accointer,* faire connaissance de, du lat. pop. **accognĭtare,* de *cognĭtus,* connu, qui s'était substitué à *accognoscĕre,* reconnaître. Le sens de « fréquentation familière » s'est maintenu jusqu'au XVIIe s. ; d'emploi aujourd'hui ironique.

accolade, accoler, accommoder, accompagner V. COU, COMMODE, COMPAGNON.

accomplir 1119, Ph. de Thaun ; anc. fr. *complir* (v. COMPLIES), achever, du lat. *complēre,* remplir, qui avait changé de conjugaison en latin populaire. || **accomplissement** XIIIe s., *Merlin.*

accordéon 1833, Chateaubriand ; allem. *Akkordion,* nom donné par son inventeur Damian (1829) ; la finale a été faite sur le modèle de *orphéon* (au sens de « vielle »). || **accordéoniste** 1866, Lar.

accorder fin XIe s., au sens musical ; lat. *accordare,* qui s'est substitué à *concordare,* mettre d'accord, et qui a subi l'influence de *chorda,* qui avait le sens de « corde de musique » ; XIIe s., « admettre » ; XVe s., gramm. || **accordant** 1250, Beaumanoir. || **accord** XIIe s., J. Fantosme (*acort*) ; déverbal de *accorder,* sens général et sens musical. || **accordeur** 1325, G., « qui met d'accord » ; 1768, sens musical. || **accordailles** 1539, R. Est., « fiançailles ». || **désaccord** 1160, Benoît. || **désaccorder** XIVe s., G. || **raccord** fin XIIe s., Alex. de Bernay, « réconciliation » ; *raccord de peinture,* XVIe s. || **raccorder** v. 1160, Benoît, « réconcilier » ; 1690, Furetière, mus. || **raccordement** 1190, Saint Bernard ; 1740, *Acad.,* techn.

1. **accore** n., 1382, *Comptes du Clos des Galées* (*escore*), « étai » ; 1671, Seignelay (*accore*) ; moyen néerl. *schore,* étai.

2. **accore** adj., 1606, Nicot, « escarpé » ; néerl. *schor,* escarpé.

accort XIVe s., « avisé » ; ital. *accorto,* de même sens ; XVIIe s., « engageant ». || **accortement** XIVe s. || **accortise** 1539, H. Estienne.

accoster 1155, mar., de *côte ;* av. 1555, Tahureau (*accoster qqn*) ; ital. *accostare,* approcher ; *s'accoster de qqn,* 1558, du Bellay (réfléchi jusqu'au XVIIe s.). Furetière, en 1690, écrit *accoster,* mais dit que le *s* ne se prononce pas. || **accostable** XIIIe s. || **accostage** 1540.

accoter XIIe s., confusion de deux verbes : *accoster,* de *coste* (côte) et *accoter ;* bas lat. *accubitare,* de *cubitus,* coude ; le franco-prov. *cote* a le sens de « appui, étai ». || **accotement** 1552, « étai » ; 1755, sens mod. || **accotoir** 1560, Palissy. || **accot** 1759.

accoucher, accoupler, accourcir, accourir V. COUCHE, COUPLE, COURT, COURIR.

accoutrer fin XIIIe s., *Renart* (*acoutrer*), souvent *acostrer,* arranger ; lat. pop. **acconsuturare,* de **cosutura,* couture, rapprocher en cousant ; XVIe s., terme d'habillement ; XVIIe s., péjor. || **accoutrement** 1498, Commynes. || **raccoutrer** 1538, R. Est., « raccommoder ».

accoutumer, accréditer, accrocher, accroire, accroître, accroupir, accueillir, acculer, acculturer, accumuler V. COUTUME, CRÉDIT, CROC, CROIRE, CROÎTRE, CROUPE, CUEILLIR, CUL, CULTURE, CUMULER.

accuser 980, *Passion ;* XIIIe s., « signaler » ; *accuser réception,* début XVIIe s. ; XVIIe s., « accentuer » ; lat. jurid. *accusare.* || **accusé** n. m., XIIIe s., G. || **accusateur** adj. et n., XIVe s. ; lat. *accusator.* || **accusatrice** XVe s., G. || **accusation** 1265, J. de Meung ; lat. *accusatio.* || **accusable** 1545,

J. Bouchet. || accusatoire 1355, G. || accusatoirement 1425, A. Chartier. || accusatif XIIe s., *Vie d'Édouard le Confesseur ;* lat. gramm. *accusativus,* qui marque l'aboutissement de l'action.

acéphale 1375, R. de Presles ; XVIIIe s., zool ; lat. *acephalus,* usité surtout en prosodie et au fig. en lat. chrét., du gr. *akephalos,* sans tête. || **acéphalie** 1823.

acerbe fin XIIe s. ; XVIe s., sens fig. (1508, *le Procès des deux amans*) ; lat. *acerbus,* aigre, pénible. || **acerbité** XIVe s. ; lat. *acerbitas.* || **exacerber** 1611, Cotgrave ; lat. *exacerbare,* irriter. || **exacerbation** 1503, G. de Chauliac, méd. ; lat. *exacerbatio,* irritation.

acéré V. ACIER.

acétate 1787, Guyton de Morveau ; lat. *acetum,* vinaigre. || **acétique** *id.* || **acéteux** 1256. || **acétone** 1833. || **acétonémie, acétonurie** fin XIXe s. || **acétylène** 1836, E. Davy, l'inventeur ; suffixe de *éthylène.* || **acétylsalicylique** fin XIXe s. || **acétylcholine** XXe s.

achalander, acharner, achat V. CHALAND, CHAIR, ACHETER.

***ache** XIIe s., G. ; du lat. *apium,* au plur. *apia,* pris pour un fém. ; il désignait en latin un groupe de plantes assez étendu et s'est spécialisé, en français, dans un emploi où il a été éliminé par *céleri ;* seule, la langue de la botanique l'a conservé.

acheminer V. CHEMIN.

acheter Xe s., *Jonas* (*acheder*) ; la forme francienne est d'abord *achater* (XIIe s.) ; lat. pop. **accaptare,* de *captare,* chercher à prendre, capter. || **achat** 1170, Prarond (*acat*) ; 1664 (*achat*) ; déverbal de l'anc. forme *achater.* || **acheteur** XIIe s., G. (*achateor*). || **racheter** 1120, *Ps. d'Oxford* (*rachater*). || **rachat** 1175, Chr. de Troyes. || **rachetable** début XIVe s. || **irrachetable** 1850, Tocqueville.

achever fin XIe s. ; anc. fr. *a chief,* à bout (v. CHEF). || **achèvement** 1273.

achillée 1572, J. Des Moulins ; lat. bot. *achillea,* du gr. *akhilleios,* plante d'Achille, qui, dit-on, s'en était servi pour guérir les blessures de son ennemi Télèphe.

achopper XIIe s. ; de *a-* et *chopper,* buter. || **achoppement** début XIIIe s.

acide 1545, G. Guéroult ; XIXe s., sens fig. ; 1966, drogue, par l'angl. ; lat. *acidus* au sens propre. || **acidité** 1545, G. Guéroult ; lat. *aciditas.* || **acidifier** 1786, *Encycl.* || **acidification** *id.* || **acidifiable** *id.* || **acidimétrie** 1841, Gattel. || **acidose** début XXe s. || **aciduler** 1721, Trévoux, de *acidule,* légèrement acide (mot disparu) ; lat. *acidulus.* || **antiacide** 1750, *Dict. des aliments.* || **biacide** XXe s.

***acier** 1080, *Roland* (*acer*) ; début XIIe s., *Voy. de Charlemagne* (*acier*) ; bas lat. **aciarium,* de *acies,* tranchant (*acieris* [glossaire latin], outil tranchant). || **acéré** XIIe s., *Roncevaux ;* 1562, Rab., fig., dér. ancien de *acier.* || **acérer** 1348, *Actes normands de la Chambre des comptes* (*acherer*). || **aciérer** 1470, *Dépenses pour le clocher de Saint-Nicolas.* || **aciérie** 1751, *Encycl.* || **aciérage** 1753, Diderot. || **aciération** 1793, *Encycl. méthod.* || **aciériste** 1932, Lar.

acmé 1751 ; mot grec, « partie aiguë d'un objet » ; début XXe s., sens fig.

acné début XIXe s. ; angl. *acne,* du lat. sav. *acne,* issu du gr. *akmê,* pointe, transcrit *aknê* par une faute de copiste (Aetius, VIe s.). || **acnéique** 1858. || **acnéiforme** 1910.

acolyte 1175, Chr. de Troyes (*acolite*), « clerc remplissant les bas offices » ; XVIIe s., extension de sens ; lat. chrétien *acolytus, acolutus* (Isidore de Séville), clerc servant le prêtre à l'autel, du gr. *akolouthos,* serviteur.

acompte V. COMPTE.

aconit 1130, *Eneas* (*aconita*) ; 1213, *Fet des Romains* (*aconite*) ; XVIe s. (*aconit*) ; lat. *aconitum,* du gr. *akoniton.*

acoquiner (s') V. COQUIN.

acoustique 1701, *Mém. Acad. des sc.,* repris par le physicien Sauveur à l'adj. gr. *akoustikos,* qui sert à entendre, qui concerne l'ouïe (de *akouein,* entendre). || **acousticien** 1876. || **acoustiquement** 1936.

acquérir 1285, Langlois, remplaçant par changement de conjugaison *acquerre,* XIIe s. ; lat. pop. **acquaerĕre,* du lat. class. *acquirĕre.* De même *quérir* a remplacé *querre.* || **acquêt** fin XIIe s., *Drame d'Adam,* « acquisition » jusqu'au XVIIe s. ; part. passé du verbe *acquerre,* spécialisé dans la langue du droit. || **acquis** n. m. 1595, Charron, part. passé d'*acquérir.* || **acquéreur** 1385, *Cout. d'Anjou et du Maine.* || **acquisition** 1283, Beaumanoir ; lat. jur. *acquisitio.* || **acquisitif** av. 1480, René d'Anjou ; lat. *acquisitivus.* || **acquisivité** 1839, Wey, en phrénologie.

acquiescer XIVe s. ; lat. *acquiescere,* se reposer, et, au fig., être satisfait, approuver. || **acquiescement** 1527, Versoris.

acquisition, acquit, acquitter V. ACQUÉRIR, QUITTE.

acre 1059, *Cart. Rouen,* anc. mesure agraire du Nord-Ouest ; angl. *acre,* champ labouré en un jour, empr. au moment de la conquête de l'Angleterre. || **acréage** XXe s.

âcre début XVIIe s. ; lat. *acer* (acc. *acrem*), qui a donné aussi la forme pop. *aigre.* || **âcrement** XIXe s. || **âcreté** 1560, Palissy.

acridien 1834 ; gr. *akris, akridos,* sauterelle.

acrimonie 1538, J. Canappe, « âcreté du sang, de la bile » ; 1801, Mercier, fig. ; lat. *acrimonia.* || **acrimonieux** 1605, Le Loyer, méd. || **acrimonieusement** XIXe s.

acro-, gr. *akros,* extrémité. || **acrocéphale** 1865. || **acrocyanose** 1896. || **acrodonte** 1852, Lachâtre (gr. *odous, odontis,* dent). || **acromélalgie** 1907, Lar. ; gr. *melos,* membre, et *algos,* douleur. || **acronyme** v. 1950 ; angl. *acronym* d'après *homonym.* || **acropole** 1751 ; gr. *akropolis,* ville haute. || **acrostiche** 1582 ; gr. *akros* et *stikhos,* vers. || **acrotère** 1547.

acrobate milieu XVIIIe s., « danseur de corde chez les Anciens » ; gr. *akrobatos,* qui marche sur la pointe des pieds. || **acrobatie** 1853, Lachâtre. || **acrobatique** 1803, Boiste, « machine élévatrice » ; 1837, G. Sand, sens actuel. || **acrobatisme** 1830, Balzac.

acrylique 1865 ; lat. *acer,* aigre, et gr. *hulê,* bois.

acte 1338, *Cart. de Saint-Pierre de Lille,* terme juridique ; lat. jurid. *actum,* plur. *acta. Actes d'une assemblée,* début XVIIe s., empr. à l'angl. pour désigner une institution anglaise ; 1534, « action » ; lat. *actum,* le fait, part. passé substantivé de *agere,* agir ; 1553, théâtre ; lat. *actus,* représentation théâtrale. || **acter** 1751, jurid. || **acteur** 1240, G. de Lorris, « auteur » ; lat. *actor,* qui agit, par confusion avec *auctor ;* 1558, Jodelle, « comédien » ; les autres sens se sont développés à partir du latin. || **entracte** début XVIIe s. || **actant** 1950. || **actanciel** 1966, A. J. Greimas.

actif 1160, Benoît, philos. ; il est passé de la logique à la grammaire au XVe s. Ce sens domine jusqu'au XVIe s., où le terme passe dans la langue financière (*dettes actives*). Le sens général se développe au XVIIe s. ; le substantif apparaît au XVIIIe s. (*actif,* en finance, 1762) ; lat. *activus,* de *agere,* agir (par opposition à *passif* ou à *contemplatif*). || **activement** 1327, J. de Vignay, « rapidement ». || **activer** début XVe s., Gerson, « faire agir » ; 1808, Boiste, « mettre en activité » ; 1790, Mercier, « accélérer ». || **activateur** 1910, *L. M.* || **activation** 1904, techn. || **activisme** 1907, Lar., géol. ; 1911, philos. ; 1916, polit. || **activeur** 1953, Lar., chim. || **activité** 1425, O. de La Haye, d'abord au sens philos. et grammatical ; lat. *activitas* (Priscien, Ve s.). || **inactif** 1771, Trévoux. || **inactivité** 1773, Trévoux ; le sens administratif se développe au XIXe s. || **réactif** début XVIIIe s., refait sur *réaction ;* terme de chimie au XIXe s. || **réactiver** 1870, Lar. || **réactivation** début XXe s.

actinie 1792, *Encycl. méth. ;* gr. *aktis, aktinos,* rayon.

actinium 1881, *Année sc. et industr. ;* gr. *aktis, aktinos,* rayon. || **actinique** 1866, Lar. || **actinisation** 1950. || **actinote** 1801, Haüy. || **actinides** 1953, Lar. || **actinothérapie** 1909, Garnier.

action 1120, *Ps. de Cambridge* (*acciun de grâce*) ; XIIIe s., sens jurid. (Beaumanoir) et sens général (1220, Coinci) ; 1669 (Colbert), sens financier, p.-ê. calque du néerl. *aktie,* vulgarisé au XVIIIe s., avec le développement du crédit ; lat. *actio,* de *agere,* agir. || **actionner** début XIVe s., jurid. ; 1580, Palissy, « rendre actif ». || **actionner (s')** 1819, Boiste, « avoir de l'activité ». || **actionnaire** fin XVIIe s. || **actionnariat** 1912. || **inaction** 1647, Vaugelas. || **interaction** XXe s. || **réaction** XVIe s., philos. ; XVIIe s., phys. ; 1734, Montesquieu, psychol. ; 1793, Brunot, polit. || **réactionnaire** 1796, Brunot. || **réactionnel** 1870. || **réacteur** 1790, Brunot, qui a subsisté jusque dans la seconde moitié du XIXe s. ; XXe s., techn. || **biréacteur, triréacteur, quadriréacteur** XXe s., techn.

actuaire XIVe s., adj. ; lat. *actuarius,* qui concerne les actes ; n. 1749, J. de Calencas, « scribe romain » ; 1872, *Journ. des actuaires fr.,* « chargé des calculs financiers d'assurance » ; angl. *actuary,* même origine. || **actuariat** 1949, Lar. || **actuariel** 1905.

actuel XIIIe s., Brun de Long-Borc, philos. ; 1750, abbé Prévost, « qui appartient au moment présent » ; lat. scolast. *actualis ;* le sens d'« effectif » se maintient au XVIIe s. || **actuellement** XIVe s., « effectivement » (sens qui se maintient au XVIIe s.) ; 1372, Corbichon, « présentement ». || **actualité** 1253 (*actuauté*) ; XIVe s. (*actualité*), philos. ; 1823, Boiste, sens actuel ; 1896, *la Nature,* cinéma ; lat. *actualitas.* || **actualiser** début XVIIe s., chim. ; 1836, Landais, « rendre actuel ». || **actualisation** 1836, Landais. || **actualisateur** 1932, linguist.

acuité, acupuncture V. AIGU.

ad- V. A 1.

adage 1529, Loys Laserre ; lat. *adagium,* proverbe, maxime.

adagio 1726 ; ital. *adagio,* lentement, de *ad agio,* à l'aise.

adamantin 1509, J. Lemaire ; lat. *adamantinus,* dur comme fer, empr. au gr. *adamantinos ;* le sens « de la nature du diamant » vient du sens fig. du lat. *adamas,* diamant.

adamique 1654 ; de *Adam,* du mot hébreu signifiant « homme », désignant le premier homme. || **adamite** 1666.

adapter XIIIe s. ; 1885, littér. ; 1912, cinéma ; lat. *adaptare,* de *aptus,* apte. || **adaptable** fin XVIIIe s. || **adaptabilité** 1932. || **adaptateur** 1885 ; 1917, cinéma. || **adaptatif** 1898. || **adaptation** 1501. || **inadaptation, inadapté** XXe s. || **réadapter** 1932, Lar. || **réadaptation** fin XIXe s.

addenda 1701, Bayle ; plur. neutre du part. passif d'obligation du lat. *addere,* ajouter (choses qui doivent être ajoutées).

additif V. ADDITION.

addition 1265, J. de Meung, « augmentation » ; lat. *additio,* de *addere,* ajouter ; XVe s., math. || **additionner** 1529, *Catalogue Belin,* « augmenter » ; 1680, Richelet, math., remplace *ajouter.* || **additionnel** 1500, jurid. ; 1723, sens courant. || **additif** 1843, Landais. || **additivité** 1910, Valéry.

adduction 1538, J. Canappe, méd. ; lat. *adductio,* conduite. L'expression *adduction d'eau* et l'emploi techn. sont de la fin du XIXe s. (1888, P. Lar.). || **adducteur** 1690, Furetière, anat. ; lat. *adductor.*

adénite 1833 ; gr. *adên, adenos,* glande. || **adénoïde** 1541, Loys Vassée. || **adénome** 1858. || **adénomateux** 1904. || **adénopathie** 1855.

adepte 1630, Van Helmont, *Lettre au P. Mersenne ;* lat. *adeptus,* qui a obtenu ; en alchimie et jusqu'au XVIIe s., « initié au grand œuvre » ; 1723, « initié » à une secte ou à une doctrine (franc-maçonnerie) ; XVIIIe s., emploi élargi (1775, d'Alembert et les physiocrates).

adéquat XIVe s., B. de Gordon ; repris au XVIIIe s. (1736, Ch. Wolff) ; lat. *adaequatus,* égalé, de *aequus,* égal. || **adéquation** 1866, Lar. || **adéquatement** fin XIXe s. || **inadéquat** 1842, *Acad.* || **inadéquation** 1907, Lar.

adhérer début XIIIe s. ; fin XIVe s., sens fig. ; fin XVIIe s. (Saint-Simon), « adhérer à un parti » ; lat. *adhaerere,* qui avait donné la forme pop. *aherdre.* || **adhérence** XIVe s., Brun de Long-Borc, sens actuel ; il eut aussi le sens de « fidélité » du XVe au XVIIe s. ; bas lat. *adhaerentia.* || **adhérent** adj. 1331, Delb. ; n. XIVe s. ; lat. *adhaerens.* || **adhériser** 1934, *Publicité,* « rendre adhérent ». || **adhésif** 1478, Panis. || **adhésivité** 1853. || **adhésion** 1372 ; lat. *adhaesio.*

adiante 1546, Rab. ; lat. *adiantum,* du gr. *adianton,* qui ne se mouille pas, parce que la feuille ne retient pas l'humidité.

adieu V. DIEU.

adipeux 1503, G. de Chauliac ; lat. *adeps, adipis,* graisse. || **adipolyse** 1960, Lar. || **adipopexie** 1933, Lar. || **adipose** 1878, *journ.* || **adiposité** 1869, Cornil.

adjacent 1314, Mondeville ; lat. *adjacens,* part. prés. de *adjacere,* être situé auprès.

adjectif 1365, *Psautier lorrain ;* bas lat. *adjectivum nomen,* nom qui s'ajoute, calque du gr. *epithêton.* || **adjectiver** 1801. || **adjectival** 1911, *L. M.* || **adjectivation** XXe s.

***adjoindre** VIIIe s., *Gloses de Reichenau* (*adjungeat*) ; XIIe s., G. (*adjoindre*) ; lat. *adjungere,* ajouter (le *d* ne s'est prononcé qu'à la fin du XVIe s.). || **adjoint** n. m. 1337, méd., apophyse d'un os ; XVIIe s., sens large. || **adjonction** XIVe s., du Cange (*ajonction*) ; lat. *adjunctio,* action d'ajouter, qui a remplacé l'anc. fr. *ajoignement.* || **adjonctif** 1747.

adjudant 1671, Arnoul, « officier en second », comme en esp. ; XVIIIe s., « sous-officier » ; esp. *ayudante* (part. présent substantivé de *ayudar,* aider), refait sur le lat. *adjuvare,* aider. || **adjudant-major** 1883.

adjudication V. ADJUGER.

adjuger XIIe s., G. (*ajugier*) ; le *d* apparaît au XIIIe s., d'apr. le lat., mais ne se prononce définitivement qu'au XVIIIe s. ; lat. *adjudicare,* donner par jugement ; au Moyen Âge, confondu avec *juger ;* sens précis actuel repris au lat. au XVe s. || **adjudication** début XIVe s., « jugement » ; lat. jurid. *adjudicatio,* acte par lequel le juge attribuait la propriété à l'une des parties dans les actions en partage ou en bornage. Le double sens « vente ou marché de fournitures aux enchères » s'est développé en droit fr. || **adjudicataire** début XVe s. ||

adjudicateur 1823, Boiste. || **adjudicatif** début XVIe s.

adjurer XIIIe s., saint Thomas (*ajurer*) ; le *d* se prononce à partir du XVIIe s. (Maupas, 1607) ; sens affaibli actuel à partir du XVIIe s. ; lat. chrét. *adjurare* (Lactance, etc.), adjurer au nom de Dieu, exorciser ; les sens « faire jurer » et « invoquer », repris au lat. class., se retrouvent, le premier jusqu'au XVIe s., le second au XVIIe s. || **adjuration** 1488, *Mer des hist. ;* lat. chrét. *adjuratio.*

adjuvant 1560, Paré ; XIXe s., sens large ; lat. *adjuvans,* participe prés. de *adjuvare,* aider.

admettre XIIIe s., G. (*amettre*), « mettre sur », et, au fig., « imputer » ; repris au XVe s., avec le sens de « donner accès », « approuver » ; lat. *admittere.* || **admission** 1539, sens jurid. ; lat. *admissio,* action d'admettre ; XVIIe s., « admission à une charge ». || **admissible** 1453, *Cout. de Touraine.* || **admissibilité** 1789, *Courrier d'Europe,* sens jurid. ; XIXe s., au sens scolaire. || **inadmissible** 1475, *D. G.* || **inadmissibilité** 1827, *Acad.* || **admittance** 1926, phys. ; mot angl.

administrer XIIe s., G. (*aministrer*) ; lat. *administrare,* aider, fournir, diriger, de *minister ;* le sens administratif spécialisé a prévalu à partir du XVIIIe s. ; la langue religieuse a gardé *administrer les sacrements.* || **administrateur** XIIe s., *Saint-Evroult ;* spécialisé dès le XVIIe s. (1680, Richelet). || **administratif** 1789, Brunot. || **administrativement** 1802, *Néologie* de Mercier. || **administration** 1120, *Job* (*amminis-*) ; lat. *administratio ;* 1783, Mercier, sens mod. || **administré** n. 1796, *Néol. fr.*

admirer 1360, Froissart (*amirer*), « s'étonner » ; le *d* se prononce au XVIIe s. ; lat. *admirari.* Le sens de « considérer avec stupeur » se maintient encore au XVIIe s., à côté de celui de « contempler avec émerveillement », qui l'emporte. || **admiration** milieu XIIe s., « étonnement ». Cette valeur se maintient à côté d'« émerveillement » jusqu'au XVIIe s., d'après le lat. *admiratio.* || **admirable** 1160, Benoît ; lat. *admirabilis,* qui a subi la même évolution. || **admirablement** 1422. || **admirateur** 1542, É. Dolet ; lat. *admirator.* || **admiratif** 1370. || **admirativement** 1866.

admission V. ADMETTRE.

admonester 1160, Benoît (*amonester*) ; la forme *admonester* a été refaite au XVIe s., et le *d* se prononce au XVIIe s. (Vaugelas, 1647) ; la forme *amonéter* sans prononciation de *s* est encore indiquée dans *Acad.,* 1835 ; lat. pop. **admonestare,* dont le rapport avec *monere* (*monitus*) n'a pas été éclairci. Le sens d'« avertir, encourager » se maintient jusqu'au XVIe s., remplacé au XVIIe s. par l'emploi jurid. de « faire une remontrance », d'après le verbe simple *monester.* || **admonestation** 1260, *Livre de jostice ;* 1849, G. Sand, sens actuel. || **admonition** fin XIIe s., *Grégoire* (*amonicion*) ; lat. *admonitio,* avertissement.

adolescent XIIIe s., *Bible parisienne ;* lat. *adolescens,* part. prés. substantivé de *adolescere,* grandir. || **adolescente** XVe s., G. Tardif. || **adolescence** XIIIe s., *Mir. de saint Éloi ;* lat. *adolescentia.* || **ado** v. 1970.

adonis 1615, Daléchamp, bot. ; 1646, Scarron, fig. ; lat. *Adonis,* du gr. *Adônis,* dieu du Printemps (d'origine phénicienne), symbole de la beauté, déjà employé en gr. comme nom symbolique. || **adoniser** 1552, Ronsard.

adonner V. DONNER.

adopter XIVe s., Ph. de Vitry, « choisir » ; lat. *adoptare ;* 1802, *Code civil,* « prendre légalement pour fils, fille ». || **adoptable** XIXe s. || **adoptant** n. m. 1728, Richelet. || **adopté** n. XIXe s. || **adoption** XIIIe s., *Digeste ;* lat. *adoptio,* choix. || **adoptif** XIIe s., *Naissance du chevalier au cygne ;* lat. jurid. *adoptivus.*

adorer XIIe s., *Saint-Evroult,* relig. ; XVIIe s., « aimer beaucoup » ; lat. *adorare,* de *orare,* prier, parler. || **adorable** XIVe s., *Ovide moralisé ;* lat. *adorabilis.* || **adorablement** 1865, Goncourt. || **adoration** 1495, J. de Vignay ; lat. *adoratio.* || **adorateur** 1420, A. Chartier ; lat. *adorator.*

adosser V. DOS.

adouber 1080, *Roland,* « équiper » un chevalier ; 1512, J. Lemaire, « arranger » (jusqu'au XVIIe s.) ; francique **dubban,* frapper, parce qu'on frappait le chevalier du plat de l'épée en l'armant. || **adoubement** XIIe s. (V. RADOUBER.)

adoucir V. DOUX.

adragante 1560, Paré, réfection de *tragacante* (XVIe s.) ; lat. *tragacantha, -thum,* désignant la plante et sa gomme, du gr. *tragos,* bouc, et *akantha,* épine.

adrénaline 1901, Dr Jokichi Takamine, qui découvrit la substance extraite des glandes surrénales du bœuf et du cheval en Amérique ; lat. *ad,* auprès de, et *ren,* le rein, avec les suffixes *-al* et *-ine.*

adresser XIIe s. (*adrecier*), « dresser » ; « diriger » jusqu'au XVIIe s. || **adresse** XIIIe s. (*adrece*), « moyen » ; XVe s., « indication » ; XVIIe s., « résidence ». || **adressagé** XXe s., en informatique.

adret 1927, *Doc.* ; provençal *adrech*, adroit (n. m.), au sens de « bon côté ».

adroit XIIe s. ; de *à* et *droit*. || **adresse** XVIe s., « bonne direction », puis infl. de *adroit*. || **adroitement** XIIe s.

adsorber 1907, Lar. ; lat. *sorbere*, avaler, d'après *absorber*. || **adsorption** 1904, *Doc.*, d'après *absorption*.

adstrat V. SUBSTRAT.

aduler 1395, Chr. de Pisan ; usité surtout à partir du XVIIIe s. ; lat. *adulari*. || **adulateur** 1361, Oresme ; lat. *adulator*. || **adulation** fin XIIe s., *Grégoire* ; lat. *adulatio*.

adulte fin XIVe s., adj. ; n. m. 1570, *Cité de Dieu*, « parvenu au terme de sa croissance » ; lat. *adultus*, de *adolescere*, croître. (V. ADOLESCENT.)

adultère 1190, Saint Bernard ; lat. *adulter*, homme, femme adultère, et *adulterium*, le fait d'adultère ; le sens « qui viole la foi jurée » (XVIIe s.) a été repris au lat. chrét. || **adultérer** 1350, Gilles li Muisis, « commettre un adultère », jusqu'au XVIe s. ; XVIe s., Rab., « corrompre » ; lat. *adulterare*, falsifier. || **adultérateur** 1552, Rab. ; lat. *adulterator*, qui altère. || **adultération** 1551, *les Vies des saints Pères* ; lat. *adulteratio*, altération. || **adultérin** XIVe s., formé sur *adultère*.

advenir Xe s., *Valenciennes* (*avenir*) ; 1380, Gace de La Buigne (*advenir*, d'après le lat., le *d* prononcé plus tard) ; l'anc. forme est restée dans le nom *avenir* ; lat. *advenire*, arriver. || **adventice** fin XVIIIe s. ; lat. *adventicius*, qui s'ajoute. || **adventif** 1120, *Ps. d'Oxford* (*aventif*), « étranger » ; lat. *adventicius*, qui arrive du dehors, avec substitution de suffixe ; le *d* a été rétabli au XVIe s. (1569, Papon), dans la langue du droit.

adverbe XIIIe s., G. (*av-*) ; XVe s. (*adverbe*) ; le *d* se prononce depuis le XVIIe s. (1606, Masset) ; lat. *adverbium* (de *ad*, auprès de, et *verbum*, verbe). || **adverbial** 1550, Meigret. || **adverbialement** XVe s., G. || **adverbialiser** v. 1830.

adverse 1080, *Roland* (*averse*), « contraire, ennemi » ; XVIIe s., sens restreint, refait d'apr. le lat. *adversus*. || **adversaire** 1155, Wace (*av-*) ; lat. *adversarius*, dont la forme pop. était l'anc. fr. *aversier*. || **adversatif** 1550, Meigret. || **adversité** 1145, Evrart de Kirkham (*av-*) ; lat. *adversitas*, au sens chrét. ; le sens d'« opposition » se rencontre aux XVIe-XVIIe s.

aède 1841 ; gr. *aoidos*, poète.

ægagre 1834 ; gr. *aigagros*, de *aïx*, chèvre, et *agrios*, sauvage.

aegipan 1673 ; gr. *Aïgipan*, de *aïx*, chèvre, et *Pan*.

aérer 1398, *Ordonn.* ; lat. *aer*, du gr. *aêr*, air ; il a remplacé l'anc. fr. *airier*. || **aérage** 1758, de Tilly. || **aérateur** 1866, L. || **aération** 1836. || **aérianiste** 1953, Lar., spécialiste du droit aérien. || **aérien** 1170, *Rois*. || **aérifère** 1808. || **aériforme** 1780, Guyton de Morveau. || **aérium** XXe s. (1953, Lar.) ; sur le modèle de *sanatorium*.

aéro-, élément radical ; gr. *aêr*, air. || **aérobie** adj. 1875, *Année sc. et industrielle*. || **aérobiose** 1920. || **aérobic** 1981 ; d'un mot amér. || **aérobus** 1908, Michel Provins. || **aérochimique** 1960, Lar. || **aéroclasseur** 1951, Lar. || **aéro-club** 1898. || **aérodrome** machine volante, 1868, La Landelle ; sens actuel, 1906. || **aérodynamique** s. 1842, *Acad.* ; adj. 1891, Langley. || **aérodynamicien** 1961, journ. || **aérofrein** 1960. || **aérogare** 1933. || **aéroglisseur** 1963, *journ.* || **aérogramme** 1951, Lar. || **aérographie** 1752, Trévoux. || **aérolithe** 1806. || **aérolithique** 1852, Lachâtre. || **aérologie** 1696, Cally. || **aéromancie** 1335, Digulleville. || **aérométrie** 1712, *Journ. de Trévoux*. || **aéromobile** 1965. || **aéromodélisme** 1942. || **aéronaute** 1784, J.-L. Carra ; gr. *nautês*, matelot. || **aéronautique** 1784, J.-L. Carra. || **aéronaval** 1861, Landais. || **aéronef** fém. 1844, *Magasin* ; masc. ensuite ; du français *nef*. || **aérophagie** 1891. || **aérophobie** 1960, Lar. || **aéroplane** 1855, J. Pline ; de (*surface*) *plane*. || **aéroport** 1928, Lar. || **aéroporté** 1928, Lar. || **aéroportuaire** 1970. || **aéropostal** 1927. || **aéroscaphe** 1859, Hugo. || **aérosol** 1928. || **aérosondage** 1953. || **aérospatial** 1962, *journ.* .|| **aérostat** 1783, Meusnier. || **aérostateur** 1784, *Corr. secrète polit. et litt.* || **aérostation** 1784, *Journ. de Paris* ; 1798, *Acad.* || **aérostatique** 1783, A. Deparcieux, adj. ; 1784, n. f. || **aérostatisme** 1784, Linguet. || **aérostier** 1794, *Décret de la Convention*. || **aérotherme** 1865. || **aérothermique** 1899. || **aérotransporté** 1960, Lar. || **aérotrain** 1965.

affable 1350, Gilles li Muisis (*afable*) ; lat. *affabilis*, d'un abord facile, de *fari*, parler ; il prend ensuite le sens de « poli ». || **affablement** 1532. || **affabilité** XIIIe s., G. ; 1587, La Noue (*affabileté*) ; lat. *affabilitas.*

affabulation, affadir, affaiblir, affaire, affaisser V. FABLE, FADE, FAIBLE, FAIRE, FAIX.

affaler 1610, Flor. Rémond, « faire glisser le long du cordage » ; néerl. *afhalen,* tirer en bas le cordage. || **affaler (s')** XIXe s., « se laisser tomber ». || **affalement** XIXe s.

affamer V. FAIM.

affecter XIVe s., « feindre avec ostentation » ; XVe s., « rechercher, aimer » (jusqu'au XVIIe s.) ; XVIIIe s., « impressionner, toucher » ; lat. *affectare,* avec infl. de *affectus,* sentiment ; 1551, A. de Bourbon, « disposer, attribuer », réfection, d'apr. le lat., de l'anc. fr. *afaitier* (lat. *affectare*), façonner, préparer. || **affection** 1190, Saint Bernard, « disposition physique ou morale » ; 1539, Canappe, méd. ; 1546, Rab., « sentiment ». || **affectionner** XIVe s., *Chron. de Flandre,* « aimer » ; 1607, d'Urfé, « désirer ». || **affectionnément** 1541, Rab. || **affectif** av. 1450, Gréban ; bas lat. *affectivus* (Priscien, en gramm.). || **affectivement** 1616. || **affectivité** 1866, Lar. || **affectueux** début XIVe s. ; bas lat. *affectuosus,* de *affectus,* sentiment. || **affectuosité** début XIVe s., *D. G.* || **affectation** 1413, *Ordonn.,* sur le sens de « disposer » ; lat. *affectatio.* || **affect** 1908 ; all. *Affekt.* || **désaffecter** 1876, L., sur le sens d'« attribuer ». || **désaffection** 1787, Féraud. || **désaffectionner** début XVIIIe s.

afférent 1230, *Tristan,* part. présent d'*aférir,* appartenir, concerner, restreint à ce seul emploi ; refait sur le lat. *afferens,* part. présent d'*afferre,* apporter. || **afférence** fin XVe s.

affermer, affermir V. FERME 1 et 2.

affété XVe s., *Sotties ;* ital. *affettato,* ou réfection de l'anc. fr. *affaité,* façonné. || **afféterie** 1512, Seyssel.

affiche, afficher V. FICHE.

affidavit 1773, Lauragais ; issu, par l'intermédiaire de l'angl., de la 3e pers. sing. du parfait du lat. médiév. *affidare,* confier.

affidé 1567, J. Papon, « digne de foi » ; XVIIIe s., Montesquieu, péjor. ; ital. *affidato,* part. passé de *affidare,* se fier. L'anc. français *affier* s'est conservé jusqu'au XVIIe s.

affilée, affiler, affilier, affiner V. FILE, FIL, FILS, FIN.

affinité 1160, Benoît, « voisinage » ; 1283, Beaumanoir, « parenté par alliance » ; XVIIe s., sens actuel ; lat. *affinitas,* de *finis,* limite.

affiquet XIIe s., « agrafe, boucle » ; XVIe s., « bijou » ; mot normanno-picard, diminutif d'*afique,* var. dialectale du fr. *affiche.*

affirmer 1276, *Registre criminel de Saint-Germain-des-Prés ;* lat. *affirmare,* rendre ferme, assurer. || **affirmatif** XIIIe s., *D. G. ;* bas lat. *affirmativus* (gramm., Diomède). || **affirmativement** XIVe s. || **affirmation** fin XIIe s., *Grégoire* (*afermation*) ; lat. *affirmatio.*

affixe 1546, Ch. Est., adj., méd. ; 1584, Thevet, linguist. ; lat. *affixus,* attaché. || **affixé** 1852, Lachâtre. || **affixal** 1872, L. || **affixation** XXe s.

affleurer V. FLEUR.

affliger 1120, *Ps. de Cambridge,* « blesser, ruiner » (jusqu'au XVIIe s.) ; XVIIe s., « causer de la peine » ; lat. *affligere,* frapper violemment. || **affligeant** 1578, d'Aubigné. || **afflictif** 1374 ; lat. *afflictus,* de *affligere.* || **affliction** 1050, *Alexis ;* lat. *afflictio.*

affluer 1180, au sens propre (jusqu'au XVIIe s.) ; 1375, sens fig. ; lat. *affluere,* couler en abondance. || **affluent** av. 1524, J. Lemaire, adj., « abondant en quelque chose » ; 1539, Canappe, méd. ; 1690, Furetière, géogr., adj., *rivières affluentes,* puis n. m. || **affluence** 1393, « abondance » (jusqu'au XVIIe s.) ; 1443, « foule qui arrive » ; lat. *affluentia.* || **afflux** 1611, Cotgrave ; lat. *affluxus,* qui coule. || **diffluent** XVIe s., Amyot ; lat. *diffluens,* part. prés. de *diffluere,* s'écouler en sens divers.

affoler V. FOU.

affouage milieu XIIIe s., anc. verbe *affouer,* chauffer (disparu au XVIe s.) ; lat. pop. **affocare,* de *focus,* feu. || **affouager,** verbe, 1378.

affouiller, affranchir V. FOUILLER, FRANC.

affre milieu XVe s., « effroi » ; anc. prov. *affre ;* sorti de l'usage au XVIIe s., n'a survécu que dans *les affres de...* || **affreux** début XVIe s. || **affreusement** *id.*

affréter, affriander V. FRET, FRIRE.

affrioler 1530, Palsgrave ; anc. verbe *frioler* (XIVe s.), frire, et, par ext., être friand (cf. « brûler d'envie »), de *frire,* avec un suffixe méridional. || **affriolant** 1808.

affriquée fin XIXe s. ; lat. *affricare,* frotter contre : les consonnes affriquées sont caractérisées par un bruit de frottement de l'air expiré contre les parois du canal vocal resserré à la hauteur d'une région du palais ou des dents.

affront, affronter V. FRONT.

affubler 1080, *Roland,* « agrafer » ; XVIIe s., péjor., « vêtir » ; lat. pop. **affibulare,* de *fibula,* agrafe ; l'*i* est devenu [*ū*] par labialisation. || **affublement** XIIIe s., G.

affûter V. FÛT.

aficionado 1831, *Revue des Deux Mondes ;* mot esp.

afin V. FIN.

africain 1080 (*Affrican*), n. ; XVIe s. (*africain*) ; lat. *africanus,* d'Afrique. || **africanisme** 1836, Landais. || **africaniste** 1908. || **africanisation** 1960, *le Monde.* || **africaniser** 1931. || **africanité** 1963, *journ.* || **afro-asiatique** 1937. || **afro-américain** 1933. || **afro** v. 1970 ; abrév. de *africain,* avec infl. de *affreux.*

aga, agha 1535, *Lettre à du Bellay ;* turc *aga,* frère aîné ; désigne un dignitaire oriental musulman.

agace XIIIe s. ; XVIe s. (*agasse*), « pie » ; mot dial. ; anc. prov. *agassa,* du germ. *agaza.*

agacer fin XIIe s. (*agacier*), « importuner » ; 1530, Palsgrave (*agacer*) ; anc. verbe *aacier,* agacer (les dents), disparu au XVe s., sauf dans le Nord ; lat. pop. **adaciare,* de *acies,* tranchant (des dents). Peut-être croisé avec *agacer,* « crier comme une agace ». || **agacement** 1539, R. Est. || **agacerie** 1671, Sévigné.

agami 1664, Biet ; mot d'une langue indigène de Guyane ; désigne un oiseau à plumage noir d'Amérique du Sud.

agape 1574, Tijeou, « repas fraternel entre les premiers chrétiens » ; XIXe s., plur., « repas » ; lat. chrét. *agape* (Tertullien), du gr. *agapê,* amour.

agaric 1256, Ald. de Sienne ; lat. *agaricum,* du gr. *agarikon,* champignon comestible.

agate XIIe s., *Marbode* (*acate*) ; XIIIe s. (*agathe*) ; lat. *achates,* du gr. *akhatês,* du nom de la rivière près de laquelle fut trouvée cette pierre (Pline l'Ancien). || **agaté** 1838. || **agatifère** 1838. || **agatisé** 1763. || **agatiser** 1819.

agave 1769 ; formé d'après l'adj. fém. gr. *agauê,* admirable.

***âge** 1080, *Roland* (*eage, aage*) ; lat. **aetaticum,* de *aetas, -atis,* âge, en anc. fr. sous la forme *éé, aé,* mot court éliminé par le terme suffixé ; il a des emplois plus étendus en anc. fr. et jusqu'au XVIIe s. (durée de la vie, époque, etc.). || **âgé** 1283, Beaumanoir, « majeur ».

agence V. AGENT.

***agencer** XIIe s. (*agencier*), « orner » (jusqu'au XVIIe s.) et « arranger » ; lat. pop. **adgentiare,* de **gentus,* contraction de *genĭtus,* (bien) né, passé au sens « beau » (v. GENTIL). || **agencement** XIIe s., « ordonnance ». || **ragencer** 1175, Chr. de Troyes.

agenda fin XIVe s. (*agende*), employé pour les registres d'église ; 1535 (*agenda*) ; av. 1720, *Huetiana,* « carnet » ; lat. *agenda,* ce qui doit être fait, de *agere,* faire.

agenouiller V. GENOU.

agent 1337, *Registre criminel de Saint-Martin-des-Champs,* « qui agit » ; lat. *agens,* d'*agere,* agir ; repris au XVIe s. (H. Est., 1578) à l'ital. *agente* dans le sens « chargé de mission » ; *agent de police,* 1797, Laffon. || **agence** 1653, Colbert ; ital. *agenzia.*

aggiornamento v. 1960 ; mot ital., « mise à jour ».

agglomérer 1795, Snetlage ; lat. *agglomerare,* mettre en pelote, amasser, de *glomus, glomeris,* pelote. || **agglomération** 1762, « accumulation » ; XIXe s., « ville ». || **agglomérat** 1823, Bory. || **aggloméré** n. m. 1866, Lar. || **agglo** XXe s. ; abrév. || **agglomérant** 1866.

agglutiner XIVe s., *Mir. de N.-D.* (*aglutiné*), « réunir » ; XVIe s. (*agglutinner*), « recoller » ; lat. *glūtinare,* coller, attacher, de *glūten,* colle. || **agglutinatif** 1560, Paré, méd. || **agglutinantes** (langues) 1863, L. || **agglutination** 1538, Canappe, méd. ; 1857, Mérimée, gramm. ; bas lat. *agglutinatio.*

aggraver 1050, *Alexis,* « alourdir » (jusqu'au XVIIe s., où le sens fig. s'impose) ; lat. *aggravare,* devenu *aggrevare,* de *gravis,* lourd. || **aggravation** 1375, R. de Presles. || **aggravant** XVIe s.

agile XIVe s. ; lat. *agilis,* qui se meut facilement, de *agere,* mener. || **agilement** fin XIVe s. || **agilité** XIVe s. ; lat. *agilitas.*

agio 1679, Savary ; ital. *aggio,* de *agio,* de l'anc. prov. *aize,* aise (1700, Saint-Simon). || **agioter** début XVIIIe s. || **agiotage** début XVIIIe s. || **agioteur** début XVIIIe s.

agir milieu XVe s. ; lat. *agere,* passé à la conjugaison en *-ir ;* les sens « faire » et « poursuivre » (au propre et au sens jurid.), repris au XVIe s., ont disparu au XVIIe s., époque où *il s'agit de* a été calqué sur la loc. passive *agitur de.* || **agissant** 1584, S. Goulart, « qui agit » ; av. 1622, Pascal, sens actuel. || **agissable** 1908, *L. M.* || **agissements** 1794, Billaud. || **réagir** fin XVIIIe s., Voltaire.

agiter XIIIe s., *Nature à alchimiste ;* 1797, polit. ; lat. *agitare,* fréquentatif d'*agere,* faire. || **agitateur** 1520, G. Michel, « cocher » ; lat. *agitator ;* 1792, polit. ; 1863, techn. || **agitation** 1355, Bersuire ; lat. *agitatio.*

agnat 1697, *Traité de Ryswick ;* lat. *agnatus.* || **agnation** 1539, R. Est.

***agneau** XIIe s. (*agnel*) ; lat. *agnellus,* dimin. qui remplaça *agnus* en lat. pop. ; la forme *agnel* a été conservée pour désigner des monnaies en or médiévales à effigie d'agneau. || **agneler** fin XIIe s., Marie de France. || **agnelage** 1840. || **agnelet** fin XIIe s. || **agnelin** 1268, É. Boileau. || **agnelle** XIIe s.

agnosie XIXe s. ; gr. *agnôsia,* ignorance.

agnostique 1884, Claretie ; angl. *agnostic,* tiré lui-même par le philosophe Huxley du gr. *agnôstos,* ignorant. || **agnosticisme** 1884, Claretie.

agnus-castus fin XIVe s., *Livre des secrets de nature ;* lat. *agnus* (Pline), du gr. *agnos,* nom de l'arbuste. *Castus* (chaste) est la traduction du gr. *hagnos,* confondu avec *agnos :* le nom grec se trouve ainsi deux fois dans le mot français.

agnus-dei XIVe s., premiers mots (« agneau de Dieu ») d'une prière liturgique : désigne des médailles où figurent l'agneau, puis des objets de piété.

agonie XIIe s. (*aigoine*) ; 1361, Oresme (*agonie*), « angoisse » ; 1546, Rab., sens mod. ; lat. chrét. *agonia* (*Vulgate*), angoisse, du gr. *agônia,* lutte ; le sens d'« anxiété » subsiste encore au XVIIe s. || **agonir** XVe s., « être en agonie », a été confondu ultérieurement avec *ahonnir,* insulter (de *honnir*), qui a vécu jusqu'au XVIIe s., d'où le sens pop. « accabler » (d'injures), Vadé, 1756. || **agoniser** 1361, Oresme, « combattre » ; fin XVIe s., sens mod. ; lat. chrét. *agonizare,* combattre, du gr. *agônizesthai.* || **agonisant** 1587, Taillepied.

agonistique 1732, Trévoux ; gr. *agonistikos,* qui concerne la lutte.

agoraphobie 1873, *Annales médico-psychologiques ;* le mot a été créé en allem. par Wetsphal, en 1871, du gr. *agora,* place publique, et *phobos,* peur.

agouti 1556, Le Testu (*agoutin*) ; 1578, J. de Léry (*acouti*) ; tupi-guarani (langue du Brésil) *acouti.*

agrafer 1546, *Palmerin d'Olive,* « saisir, accrocher », de *grafe,* crochet (l'anc. fr. avait aussi *grafer*) ; germ. *krap,* crochet, emprunté après la mutation consonantique (VIIe s. env.) sous la forme *krapf ;* le mot a pénétré sous une forme plus ancienne (*grappe*) à une époque antérieure. 1843, Balzac, « apparier ». || **agrafe** 1421, Gay. || **agrafage** 1853. || **agrafeuse** 1912, Lar., « crochet », est un déverbal. || **dégrafer** 1564, J. Thierry, signifiait aussi « lever l'ancre », d'après le verbe *grafer* (XIVe s.) ; il est concurrencé par *désagrafer* (1611, Cotgrave). || **ragrafer** 1680, Richelet.

agraire 1355, Bersuire ; lat. *agrarius,* de *ager,* champ ; *loi agraire,* emprunté aux Romains, usuel pendant la Révolution. || **agrairien** 1790, Babeuf. || **agrarien** 1796, Brunot, « qui concerne la loi agraire » ; XXe s., *parti agrarien.*

agrandir V. GRAND.

1. **agréer, agréable, agrément** V. GRÉ.

2. **agréer** fin XIIe s., *Aiol* (*agreier*), « garnir d'agrès », « équiper », éliminé au XVIIIe s. par *gréer ;* d'un rad. emprunté au scand. *greidi,* attirail. || **agrès** début XIIe s. (*agrei, agroi*), « équipement, armement » ; déverbal ; XVe s., marine (*agrais*) ; XIXe s., sports.

agréger XIIIe s., « amasser » ; XVe s., « réunir » ; lat. *aggregare,* réunir en troupe, de *grex, gregis,* troupeau. || **agrégat** 1556, R. Leblanc (*aggregat*) ; repris au part. passé *aggregatum* du même verbe. || **agrégation** 1375, R. de Presles ; bas lat. *aggregatio ;* au fig., XVIIe s., Bossuet, « agrégation à une communauté » ; 1766, empl. universitaire, « admission comme professeur suppléant » ; 1808, sens universitaire moderne. || **agrégé** 1740. || **agrégatif** 1320, B. de Gordon, méd. ; v. 1930, enseignement, « qui prépare l'agrégation ». || **désagréger** 1798, Guyton de Morveau. || **désagrégation** *id.*

agrès V. AGRÉER 2.

agresseur 1404 (*aggresseur*) ; bas lat. *aggressor,* de *aggredi,* attaquer. || **agression** fin XIVe s. ; bas lat. *agressio,* attaque. || **agresser** fin XIVe s., refait au XIXe s. || **agressif** 1793, Barnave, milit. ; 1836, sens mod. || **agressivité** 1875, *le Temps.*

agreste début XIIIe s. ; lat. *agrestis,* champêtre. || **agrestement** 1510.

agricole 1361, Oresme, « laboureur » ; lat. *agricola,* cultivateur ; encore subst. au XVIIIe s. ;

1765, adj. || **agriculteur** 1495, J. de Vignay ; lat. *agricultor ;* refait au XVIIIe s. et considéré alors comme un néologisme ; 1765, adj., Beaurieu. || **agriculture** fin XIIIe s. ; lat. *agricultura.*

agripper 1200, « arracher » ; XVe s., sens mod. ; de *à* et *gripper,* accrocher. || **agrippeur** début XVIe s. || **agrippement** XXe s.

agro-, gr. *agros,* champ. || **agronome** 1361, Oresme ; gr. *agronomos,* magistrat chargé de l'administration rurale, par l'intermédiaire du lat. médiév. ; XVIIIe s., sens mod. || **agronomie** 1361, Oresme. || **agronomique** XVIIIe s., Delille. || **agroalimentaire** 1960. || **agrobiologie** 1948.

agrume 1739, de Brosses (*agrumi*) ; ital. *agrume,* collectif désignant les oranges, mandarines et citrons, du lat. pop. **acrumen,* de *acer,* aigre ; il a eu d'abord le sens de « prune d'Agen » ; 1859, Duchartre, sens mod. || **agrumiculture** 1938.

aguerrir V. GUERRE.

aguet XIe s. (*agait*), « guet, embuscade » ; déverbal de l'anc. verbe *agaitier,* dérivé de *gaitier,* forme anc. de *guetter,* usuelle jusqu'au XVIIe s. Se réduit auj. à la loc. *aux aguets,* début XVIIe s.

agueusie 1897, Darier ; de *a* priv. et du gr. *geusis,* goût.

aguicher 1842, « exciter » ; 1881, sens mod. ; p.-ê. de **guiche,* courroie, puis « accroche-cœur » au XIXe s. ; ou var. de *aiguiser* ou de *agacher,* agacer. || **aguicherie** 1911. || **aguicheur, -euse** 1896.

ah 1050, *Alexis* (*a*) ; onomatop. : le *h,* tardif, est purement graphique.

ahanner XIe s. ; dérivé de *ahan, aan* (Xe s., *Saint Léger*), lui-même déverbal du lat. pop. **afannare* (d'orig. inconnue), se donner de la peine.

ahurir V. HURE.

1\. **aï** XIXe s., méd., « inflammation aiguë des tendons » ; d'apr. le cri de douleur *aïe !,* mais avec un changement de prononciation (*aï* et non *a-ye*), dû sans doute à la graphie.

2\. **aï** 1558, Thevet (*haiit*) ; 1560, A. Paré (*haït*), « mammifère d'Amérique du Sud » ; tupi-guarani du Brésil.

***aider** Xe s. (*aidier*) ; lat. *adjutare,* dont les formes toniques (déverbal *aiudha,* 842, *Serments ;* ind. prés. *aïu*[*e*]..., *aidons*) ont longtemps été conservées. || **aide** 1268, É. Boileau, fém. jusqu'au XVIe s., a été refait à la fin du Moyen Âge. || **entraider** 1160, Benoît. || **entraide** fin XIXe s. || **aide-mémoire** 1853. || Nombreux noms de métiers en **aide-** à partir du XVIIe s. : **aide-jardinier, aide-lingère, aide-major, aide-bourreau,** etc.

aïe 1473, *Documents hist. ;* onomatop. exprimant la douleur. Une autre interj. dissyllabe, exprimant la douleur morale, *ahi* (1080, *Roland*), se rencontre jusqu'au XVIIe s., où la graphie la confond avec la précédente.

***aïeul** XIIe s., *Hues de la Ferté* (*aiuel*) ; lat. pop. **aviolus,* dimin. euphémique d'*avus,* fém. *avia.* À partir du XVIe s., *aïeul* est remplacé par *grand-père, grand-mère ;* jusqu'au XVIIe s. on ne fait pas la différence entre *aïeuls* et *aïeux.* || **bisaïeul** 1283, Beaumanoir (*besaiol*) ; lat. *bis,* deux fois. || **trisaïeul** XVIe s. ; lat. *tri,* le *s* ayant été ajouté d'après *bis.*

***aigle** XIIe s., *Roncevaux ;* lat. *aquila,* fém. ; orig. dialectale (sans doute du S.-E.), l'oiseau n'habitant que les montagnes ; l'anc. fr. avait aussi la forme normale *aille* (mot de l'Est). Mot des deux genres en anc. fr. ; fém. (d'après le lat.), aux XVI-XVIIe s., dans la langue litt., qui l'a conservé au sens d'emblème ; puis le masc. l'a emporté (pour l'aigle mâle) d'après la langue parlée. || **aiglon** 1546, J. de Caigny.

aiglefin V. AIGREFIN 2.

***aigre** 1120, *Job ;* lat. pop. **acrus* (lat. *acer, acris,* âcre, acide), postulé par toutes les langues romanes, et qui a pris le sens d'*acidus,* disparu dans la langue pop. Jusqu'au XVIIe s., a le sens de « violent ». || **aigrir** fin XIIe s., *Alexandre.* || **aigrissement** 1560. || **aigret** XIIIe s., *Guill. de Dole ;* aussi subst., « verjus », remplacé par **aigrelet** 1554, Tahureau. || **aigreur** 1539, R. Est., au sens propre ; fig., XVIIe s. || **aigre-doux** 1541, formé par L. de Baïf. (V. VINAIGRE.)

1\. **aigrefin** 1670, « chevalier d'industrie » ; p.-ê. comp. de *aigre* et *fin* (cf. AIGRE-DOUX ci-dessus), ou réfection de **agrifin,* dérivé conjectural de l'anc. *agriffer,* prendre avec les griffes.

2\. **aigrefin** 1398, *Ménagier,* « poisson » ; réfection, par attraction de *aigre,* d'*esclevis* (XIVe s.), devenu *esclefin, aiglefin, èglefin ;* moyen néerl. *schelvisch* (prononcé *skhèlvis*), désignant le même poisson.

aigremoine XIIIe s., *Médicinaire liégeois* (var. *agremonie, agrimoine*) ; lat. *agrimonia,* altér. du gr. *argemonê,* pavot, avec infl. de *aigre.*

aigrette 1360, *Modus* (*egreste*), « oiseau » ; empr. a une forme dialectale du Sud et de l'Ouest, *aigron,* héron, avec substitution de suffixe, l'aigrette étant une espèce du genre héron (héron blanc), qui porte un plumet sur la tête ; 1532, « plumet » (ornement).

***aigu** 1080, *Roland* (*agud, agu*) ; XIIIe s. (*aigu*) ; lat. *acūtus ;* la forme *aigu* a été refaite par analogie avec *aigre* sur le latin ou reprise au prov. *agut,* de même orig. || **aiguëment** XIIIe s. || **suraigu** 1727, Furetière. || **besaiguë** 1190, Garn. (*besaguë*) ; lat. pop. **bisacuta,* deux fois aiguë (féminin). || * **aiguiser** fin XIe s. (*aguisier*) ; lat. pop. **acutiare,* du lat. class. *acutare,* sans doute par influence des formes provençales. || **aiguisage** milieu XVe s. || **aiguisement** 1172. || **aiguiseur** XIVe s., G. || **aiguisoir** 1468, Chastellain. || **acuité** XIIIe s., « saveur aigre » ; début XIVe s., sens mod. ; sur le lat. *acutus,* aigu, qui a remplacé l'anc. fr. *agueté.* || **acupuncture** 1765. || **acupuncteur** 1829, Boiste. || **acuminé** 1808 ; lat. *acumen,* pointe, de *acutus,* pointu.

aiguade 1541 (*egade*) ; 1552, Rab. (*aiguade*) ; prov. *aigada,* de *aiga,* eau, dont le sens passé en fr. n'est pas attesté anciennement.

aiguail 1540, Rab. ; mot de l'Ouest (sud de la Loire), de *aigailler,* faire de la rosée, dér. de la forme méridionale *aiga,* eau. (V. ÉGAILLER.)

aiguayer 1600, O. de Serres ; mot dialectal dér. du prov. *aiga,* eau, qui était passé en fr. écrit sous la forme *aigue* à la fin du Moyen Âge.

aigue-marine 1578, Vigenère ; prov. *aigue,* eau, et adj. *marin,* pour désigner une émeraude couleur de mer.

aiguière XIVe s. ; prov. *aiguiera,* de *aiga,* eau (« vase à eau »).

aiguillade 1400, Du Cange ; prov. *agulhada ;* l'anc. fr. avait la forme correspondante, éliminée plus tard par *aiguillon.* (V. AIGUILLE.)

aiguillat 1558, Rondelet ; prov. *agulhat,* chien de mer.

***aiguille** XIIe s. (*aguille*), graphie que l'on trouve jusqu'au XVIe s. ; XVe s. (*aiguille*), refait d'après *aigu ;* lat. pop. *acucula,* de *acus,* aiguille, attesté d'abord au sens de « aiguille de pin » ; 1819, sens ferroviaire. || **aiguiller** fin XIIe s., « piquer avec une aiguille » ; 1853, sens ferroviaire. || **aiguillage** 1869. || **aiguillée** 1229. || **aiguilleur** 1845. || **aiguillette** 1180, « petite aiguille » ; 1352, *Comptes de l'argenterie,* « cordon ferré » ; XIVe s., terme de cuisine. || **aiguilletage** 1752, Trévoux. || **aiguilletier** 1339, Fagniez. || **aiguillier** XIIe s.

***aiguillon** XIe s. *aguillum ;* 1120, *Job, aguillon,* jusqu'au XVIe s. ; XIIIe s. *aiguillon ;* refait sur *aigu ;* du lat. pop. *aculeo, -onis* (*aculionis* [*Gloses de Reichenau*]), de *acus,* aiguille (lat. class. *aculeus*) ; le développement de *aiguillon* est influencé par celui de *aiguille.* XIIe s., sens fig. || **aiguillonner** 1160, Benoît.

aiguiser V. AIGU.

aïkido 1961 ; mot japonais, « la voie de la paix ».

***ail** XIIe s., L. ; lat. *allium* (collectif *aille,* du pluriel *allia*). || **ailloli** 1744, Gillart ou **aïoli** 1842, *Acad. ;* prov. mod. *aioli,* de *ai,* ail, et *oli,* huile. || **aillade** 1534, Rab. ; prov. *alhada,* de *alh,* ail. || **aillée** XIIIe s. || **ailler** 1928. || **alliacé** 1811, Wailly ; fait sur le mot latin. || **chandail** fin XIXe s. ; abrév. pop. de *marchand d'ail,* nom donné au tricot porté par les vendeurs de légumes aux Halles, puis adopté par le fabricant Gamart, d'Amiens ; XXe s., tricot de sport.

***aile** XIIe s. (*ele*) ; *aile,* d'apr. le lat., depuis le XVe s. ; emploi fig. à partir du XVIe s. ; lat. *ala.* || **ailé** XIIe s. (*alé*) ; lat. *alatus,* puis refait sur *ailes.* || **aileron** XIVe s. || **ailette** v. 1175, Chr. de Troyes (*elette*) ; diminutif. || **ailier** 1905, sports. || **alaire** 1827 ; lat. *alarius,* de *ala.*

aillade V. AIL.

***ailleurs** 1050, *Alexis* (*ailurs*) ; lat. pop. **alior,* **alioris,* comparatif pop. d'*alius,* dans l'abrév. de la locution *in aliore loco* (dans un autre lieu) ; on a ajouté un *s* adverbial au mot.

ailloli V. AIL.

***aimant** XIIe s. (*aiemant*) ; XVIe s. (*aïmant, aimant*) ; lat. *adamas, adamantis,* métal dur, et « diamant », du gr. *adamas,* qui a eu en lat. pop. les var. *adimas* et *adiamas, -antis,* qui sont à l'origine du fr. ; le mot a pris le sens « aimant » en Gaule, d'apr. la propriété d'attraction de la pierre d'aimant. (V. DIAMANT.) || **aimanter** 1386, Dehaisnes. || **aimantation** 1750, Buffon.

***aimer** 1080, *Roland* (*amer*) ; puis *aimer,* qui l'emporte au XVIe s., d'apr. les formes toniques *aim*[*e*], *aimes... ;* lat. *amare.* || **aimant** adj. fin XVIIe s. || **amant** participe de *amer,* substantivé dès le XIIe s. ; au XVIIe s., chez les auteurs dramatiques, signifie « celui qui aime et est aimé » ; 1670, La Rochefoucauld, sens mod. || **bien-aimé** 1417, *Chronique* (*bien amé*). || **désaimer** 1621, François de Sales. || **aimable** XIIe s. (*amable*) ; XIVe s. (*aimable*), d'apr. *aimer ;* lat. *amabilis.* || **amabilité** 1676, Bossuet ; lat. *ama-*

bilitas. || **amateur** 1495, J. de Vignay ; lat. *amator,* de *amare,* aimer ; a remplacé la forme pop. *amaor* de l'anc. fr. et a gardé, jusqu'au XVIIe s., le sens large de « celui qui aime ». 1762, Rousseau, « qui cultive un art ou une science pour son plaisir » ; 1841, *Français peints par eux-mêmes,* terme sportif. || **amateurisme** 1892, *le Figaro.*

1. ***aine** 1120, *Job,* « partie du corps » ; lat. *inguen,* à l'acc. pop. **inguinem ;* 1751, « bande de peau intérieure du soufflet d'orgue ».

2. **aine** 1723, « baguette servant à enfiler les harengs » ; orig. obscure. || **ainette** 1795, *Saint-Léger.*

***aîné** 1155, Wace (*ainz né*) ; puis *aisné, aîné ;* de l'anc. adv. *ainz,* avant (représentant un comparatif pop. **antius,* du lat. *ante,* avant), et de *né.* || **aînesse** XIIIe s., *Livre de jostice* (*ainzneesse*).

ainsi 1080, *Roland* (*einsi*) ; composé de *si* affirmatif et d'un premier élément obscur qui pourrait être *ainz* (v. AÎNÉ) ou *ains,* mais (du lat. *antius sic*).

***air** début XIIe s. ; lat. *aer, aeris.* Le sens « apparence extérieure » (XVIe s.) a pu être influencé par *aire,* dont le sens de « caractère » disparaît à cette époque. Le sens « air de musique » (XVIe s.) a pour origine l'ital. *aria,* du plur. neutre lat. *aera* → *area,* devenu fém.

***airain** XIIe s., *Roncevaux* (*arain*) ; puis *airain,* d'apr. le lat. ; bas lat. *aeramen* (*Code Théodosien*), du lat. *aes, aeris,* même sens. Éliminé au sens propre par *bronze* à partir du XVIIe s., il est resté comme mot littér. chez les classiques (la métonymie *airain* = cloche se trouve encore chez Lamartine) et dans quelques locutions figées comme *loi d'airain,* etc.

Airbus 1966, nom déposé ; de *air,* au sens de *aéro-* et de *bus.*

***aire** 1080, *Roland ;* lat. *area,* emplacement, avec spécialisations diverses, dont « aire à battre le grain », « aire géométrique » et « aire d'oiseau » (Plaute). L'anc. fr. avait des sens dérivés disparus. (V. DÉBONNAIRE.)

airelle 1592, Hulsius ; prov. mod. *aire,* mot des régions montagneuses, sous une forme dérivée (cévenole) *airelo ;* de l'adj. fém. lat. *atra,* noire. Les botanistes ont fait de *airelle* un nom de genre, et de *myrtille* un nom d'espèce ; dans l'usage, *airelle* est le terme du Midi, *myrtille* celui du Nord.

***ais** XIIe s. ; lat. *axis,* planche, qui paraît être une fausse régression d'*assis,* d'après *axis,* essieu ; éliminé (mot trop court, réduit à un son *è*) par *planche,* à partir du XVIIe s. || **aisseau** XIVe s., *Glossaire.* || **aisselier** fin XIIe s., *Rois ;* anc. fr. *aisselle,* planche, dimin. de *ais.*

***aise** n. XIe s., *Gloses de Raschi* (*aïse*), « espace vide au côté de quelqu'un » ; XIIe s. (*aise*), « commodité », « absence de gêne » ; lat. *adjacens,* au nominatif, part. présent substantivé de *adjacere,* être situé auprès. Le Moyen Âge a connu le sens de « bonnes dispositions, bonne santé ». Le mot a pu être masculin jusqu'au XVIIe s. || **aise** adj. XIIe s. || ***aisance** XIIIe s., trad. Guill. de Tyr, « dépendance de la maison », puis, au plur., « commodités » (1611, Cotgrave) ; lat. *adjacentia,* plur. neutre de *adjacens* (au sens « environs » chez Pline), pris comme un fém. en lat. pop. || **aisé** XIIe s. L'anc. fr. a créé deux verbes : *aaisier* et *aisier,* qui a absorbé le premier et a laissé *aisé,* part. passé. || **aisément** XIIe s. || **malaise** XIIe s. || **malaisé** part. passé XIVe s. ; 1530, Palsgrave, adj.

1. **aisseau** planchette. V. AIS.

2. **aisseau** ou **aissette** 1389, G., hachette ; dér. de l'anc. fr. *aisse,* hachette, du lat. *ascia.*

***aisselle** 1130, *Eneas ;* lat. pop. **axella* pour *axilla,* par substitution du suffixe.

aître 1080, *Roland ;* lat. *atrium* emprunté à l'époque carolingienne par la langue des clercs.

ajonc XIIIe s., Du Cange (*ajo, ajou*) ; XIVe s. (*ajonc*), par attraction homonymique de *jonc ;* mot prélatin (de l'Ouest, comme cet arbrisseau) **jauga ;* le *a* du fr. paraît dû à une agglutination (*la-jonc*).

ajoupa 1615, Yves d'Évreux (*ajoupane*), « hutte de Peaux-Rouges » ; mot tupi (langue indigène du Brésil) *aiupave.*

ajourer, ajourner V. JOUR.

***ajouter** 1080, *Roland,* « mettre auprès », « réunir » ; XIIe s. (*ajoster*) au sens mod., de l'anc. mot *joste,* auprès ; XIIe s., *ajouter foi ;* remonte peut-être à un lat. pop. **adjuxtare.* || **ajout** 1895, Gide. || **ajouté** n. m. 1842, Balzac. || **ajoutage** 1752. || **ajouture** 1852. || **rajouter** 1560, A. Paré. || **surajouter** 1314, Mondeville.

ajuster V. JUSTE.

akène 1802 ; de *a-* et du gr. *khainein,* entrouvrir.

alacrité V. ALLÈGRE.

alambic 1265, J. de Meung ; esp. *alambico,* de l'ar. *al'anbīq,* vase à distiller, lui-même du gr. *ambix,* même sens. || **alambiquer** 1546, Rab., fig. || **alambiquage** 1852, Delacroix. || **alambiqueur** fin XVIe s., Vauquelin de La Fresnaye.

alanguir V. LANGUIR.

alarme début XIVe s., Guiart ; ital. *all'arme,* aux armes ! (v. ALERTE, emprunt analogue). D'abord interj., puis nom masc. 1511, J. Lemaire, fém. aussi dès le XVIe s. || **alarmer** 1578, d'Aubigné, « donner l'alarme » ; XVIIe s., Molière, sens moderne. || **alarmant** 1766. || **alarmiste** 1790, Mercier. || **alarmisme** 1956.

albâtre 1160, Benoît (*albastre, alabastre, labastre*) ; lat. *alabastrum,* du gr. *alabastron.* || **albâtréen** 1836, Barbey d'Aurevilly. || **albâtrier** 1877.

albatros 1588, *Voy. de Cortez* (*alcatras*) ; port. *alcatraz,* qui désigne le pélican, puis l'albatros, empr. lui-même à une langue indigène d'Amérique ; 1666, Thévenot (*albatrosses*) ; angl. *albatross,* altér. du mot portugais, p.-ê. sous l'infl. de *albus,* blanc ; 1751 (*albatros*).

alberge 1546, Rab. ; esp. *alberchiga,* mot mozarabe, de *al,* le, la, et du lat. *persica,* pêche.

albinos 1665, J. de Crécy, « qui voit la nuit » ; 1763, Voltaire, Buffon, « nègres blancs de la côte d'Afrique, puis d'Amérique » ; port. et esp. *albinos,* plur. de *albino,* blanchâtre, dans *negros albinos* (lat. *albus,* blanc). || **albinisme** 1838.

albugo XIVe s. ; lat. *albugo, -ginis,* tache blanche. || **albugine** XIVe s., *D. G.* || **albuginé, albugineux** 1377.

album 1700, Saint-Évremond, « agenda où l'on porte les noms de ses amis » ; allem. *Album,* livre blanc, tiré du lat. *albus,* blanc, dont le neutre signifiait « liste, tableau ».

albumine 1792, *Encycl. méthod.* ; bas lat. *albumen, albuminis,* blanc d'œuf, de *albus,* blanc. Le mot *albumen,* repris en bot. et zool., a donné *aubin,* blanc d'œuf (1544, d'Aurigny). || **albumineux** 1736. || **albuminoïde** milieu XIXe s. || **albuminurie** 1838, Dr Martin Solon. || **albuminurique** 1857, Monneret. || **albumose** 1898, Lar. || **albuminémie** 1926.

Albuplast XXe s., marque déposée ; lat. *albus,* blanc, et *plast,* de *plastique.*

alcade 1323 (*arcade*) ; 1576 (*alcade*), français des anciens Pays-Bas ; esp. *alcalde,* de l'ar. *al-qādī,* le juge. || **cadi** 1351, Le Long, même orig. arabe.

alcali 1509 (*alkalli*) ; ar. *al-qilyi,* la soude. || **alcalin** 1691, Chastellain. || **alcalinité** 1834. || **alcaliniser** 1888, Lar. || **alcaliser** 1610, J. Duval. || **alcalisation** 1735, Quesnay. || **alcaloïde** 1827. || **alcalose** XXe s.

alcarazas 1798 ; esp. *alcarraza,* de l'ar. *al-karaz,* la cruche ; désigne une carafe de terre poreuse.

alchimie 1265, J. de Meung (*alquemie*) ; lat. médiév. *alchemia,* de l'ar. *al-kimiya,* du gr. *khêmia,* magie noire, lui-même de l'égyptien *kêm,* noir. Le lat. médiév. connaissait aussi *chimia,* tiré de *alchemia,* qui a donné **chimie** 1356, Dehaisnes. || **alchimique** 1547, Ant. Du Moulin (*alkimique*). || **alchimiste** 1370 (*alkemiste*) ; 1532, Rab. (*alchymiste*). || **chimique** 1558, Pontus de Tyard. || **chimiquement** 1610, J. Duval. || **chimiste** 1547, N. du Fail.

alcool XVIe s., Le Loyer (*alcohol*) ; lat. des alchimistes *alkohol, alkol,* de l'ar. *al-kuhl,* antimoine pulvérisé ; « substance pulvérisée », puis « liquide distillé » (Paracelse, début XVIe s.). || **alcooliser** 1620, J. Béguin (*alcolizé*), « ajouter ou produire de l'alcool » ; 1680, Richelet, « réduire en poudre » ; XIXe s., « rendre alcoolique ». || **alcoolisation** 1706, Lepelletier. || **alcoolique** fin XVIIIe s. || **alcoolo** 1970 ; par troncation du préc. || **alcoolisme** 1861, *Année scient. et ind.* || **antialcoolique, antialcoolisme** 1925, Lar. || **alcoolat** 1826, Debraine-Helfenberger. || **alcoomètre** 1809, *Arch. des découvertes.* || **alcoolémie** 1938. || **Alcootest** 1960 ; de *alcool* et *test.*

alcôve 1646, Boisrobert ; esp. *alcoba,* de l'ar. *al-qubba,* petite chambre ; d'abord « lieu de réception séparé du reste de la chambre », puis « petit réduit » au XVIIIe s., enfin « enfonçure dans le mur pour recevoir un lit » (Restauration). Masc. et fém. au XVIIe s.

alcyon 1265, Br. Latini (*alcion*), « oiseau fabuleux » ; lat. *alcyon,* du gr. *alkuôn.* || **alcyonien** 1566, du Pinet.

aldéhyde 1845, fém. puis masc. ; abrév. de « *al*cool *dehyd*rogenatum » (d'abord en angl. ou en allem.). || **métaldéhyde** 1874, Lar.

ale 1280, *Histoire de Saint-Omer* (*alle*) ; néerl. *ale,* bière ; le terme mod. est repris à l'angl. *ale* (Cotgrave, 1611).

aléa 1852, Lachâtre ; lat. *alea,* jeu de dés, chance. || **aléatoire** fin XVIe s., jurid., « soumis au hasard » ; 1804, *Code civil,* « dont le gain est hasardeux » ; lat. *aleatorius,* relatif au jeu.

alêne fin XIIe s., R. de Moiliens (*alesne*) ; germ. **alisna,* de même rad. que l'allem. *Ahle,* alêne ; emprunt latin avant l'invasion franque. || **alênier** début XVIe s. (*allesnier*).

alénois 1546, Rab. (*cresson alenois*) ; altér. de *cresson orlenois* (d'Orléans) XIIIe s.

alentour V. TOUR.

alérion 1131, *Couronn. de Loïs,* « oiseau de proie, aigle » ; seulement terme de blason après le XVIe s. ; francique **adalaro,* de même rad. que l'allem. *Adler,* aigle.

alerte 1540, Rab. (*à l'herte*), *à l'erte* encore chez La Fontaine ; ital. *all'erta,* sur la hauteur !, de *erto,* escarpé (cri d'appel des gardes) ; d'abord adv., « sur ses gardes » (encore au XVIIIe s.) ; adj. XVIe s., « vigilant » (et jusqu'au XVIIe s.), puis « vif, agile » ; nom fém. apr. 1750, Buffon. || **alertement** fin XIXe s., A. Daudet. || **alerter** 1836 (au part. passé).

alèse 1419 ; de *laize,* par coupure fautive.

***aléser** fin XVIIe s., terme d'artillerie ; anc. fr. *alaisier,* du lat. pop. **allatiare,* agrandir, de *latus,* large, confondu avec *alisé,* raccourci, de *alis,* poli, d'origine germ. Le sens de « façonner une surface » est passé de la fabrication des canons à celle des automobiles. || **alésage** 1813. || **aléseuse** fin XIXe s. || **alésoir** 1671, Seignelay.

aléthique XIXe s. ; gr. *alêthês,* vrai.

***alevin** XIIe s. (*alevain*) ; lat. pop. **allevamen,* de *allevare,* lever, et, au fig., « élever des animaux » ou « des enfants », spécialisé dans l'élevage des poissons, avec changement du suffixe *-ain* en *-in.* || **aleviner** 1344. || **alevinage** 1690, Furetière. || **alevinier** 1721, Liger.

alexandrin 1080, *Roland,* au sens « d'Alexandrie » ; l'emploi comme « vers de douze syllabes » date d'un poème du XIIe s., *li Romans d'Alexandre,* où il était employé ; adj., *rime alexandrine, vers alexandrins,* XVe s., *Règles de la seconde rhét.* ; nom fém. XVIe s. || **alexandrinisme** 1838, philos. ; 1866, Lar., « goût du style orné ».

alezan 1534, Rab. ; esp. *alazán,* de l'ar. *al-hisān,* cheval ou mulet dont la robe est rougeâtre.

alfa 1848, Daumas ; ar. *halfā ;* anciennem. *aufe* (XVIIe s.) ; prov. *aufo.* || **alfatier** 1884, Maupassant.

alfange 1615 ; esp. *alfanje,* de l'ar. *al-khandjar,* le sabre.

alfénide 1853, alliage inventé par le chimiste *Halfen* en 1850.

algarade 1549, G. du Bellay, « attaque violente et inopinée » ; esp. *algarada,* cris poussés par les combattants, de l'ar. *al-ghāra,* l'attaque à main armée ; XVIe s., « discussion vive » (1555, É. Pasquier ; av. 1568, B. Des Périers) ; le premier sens existe encore au début du XVIIe s. (Sorel).

algazelle V. GAZELLE.

algèbre fin XIVe s., J. Le Fèvre ; lat. médiév. *algebra,* de l'ar. *al-djabr,* la contrainte, au sens de « réduction, réparation », c'est-à-dire « rétablissement d'un des membres de l'équation qu'on supprime dans l'autre, en changeant le signe de cette quantité ». || **algébrique** 1585, Stevin. || **algébriquement** 1782. || **algébriste** fin XVIe s., Scaliger. || **algébriser** 1752. || **algébrisation** XXe s.

algie 1880 ; gr. *algos,* douleur. *Algie* sert aussi de radical de composition à de nombreux termes médicaux (ex. *gastralgie*). || **algique** 1903, Joret.

algorithme XIIIe s. (*-risme*), procédé de calculs mathématiques de Muhammad ibn Mūsā *al-huwarizmi,* mathématicien arabe du IXe s. dont le nom a été déformé d'apr. le gr. *arithmos,* nombre. || **algorithmique** 1845.

alguazil 1555, en fr. des anc. Pays-Bas (*alguacil*) ; esp. *alguacil,* de l'ar. *al-wazīr,* conseiller, vizir, avec le sens de « agent de police, attaché aux tribunaux en Espagne ».

algue 1551, Cottereau ; lat. *alga* (Pline).

alias XVe s., Martial d'Auvergne, avec le sens de « autrement » ; lat. jurid. *alias,* ailleurs.

alibi 1394, Douet d'Arcq ; adv. lat. *alibi,* ailleurs, qui a pris le sens juridique actuel en lat. médiév. ; il a signifié aussi « diversion, subterfuge » aux XVe-XVIe s.

aliboron 1440, *Procès de Gilles de Rais* (*maistre Aliborum*) ; nom hypothétique du philosophe arabe *Al-Biruni,* connu sous le nom de *maistre Aliboron,* au Moyen Âge. Le mot désigna le diable, celui qui veut tout savoir (XVIe s.), l'âne chez La Fontaine, enfin l'homme ignorant qui se croit propre à tout. Une autre hypothèse fait venir le mot d'*ellébore.*

alidade 1415, Fusoris, « règle utilisée chez les marins » ; lat. médiév. *alidada,* de l'ar. *al-idāda,* la règle.

aliéner XIIIe s., *Livre de jostice,* sens jurid. ; lat. *alienare,* rendre autre, de *alienus,* autre ; le mot lat. avait les valeurs de « vendre », de « détacher, rendre hostile », et, dans l'expression *mentem alienare,* de « ôter la raison ». Ces trois significations se sont développées en français, la dernière au XIVe s. || **aliénation** XIIIe s., *Livre de jostice ;* lat. *alienatio ;* 1361, Oresme, méd., *aliénation d'esprit,* trad. du latin ; *aliénation mentale,* 1811, Hanin ; XIXe s., Marx, sens philos. et écon. || **aliénable** 1523. || **aliénabilité** 1795, Babeuf. || **aliénateur** 1596, J. de Basmaison. || **aliéné** n. début XIXe s., méd. || **aliénisme** 1833. || **aliéniste** 1847, Balzac (auj. le mot est abandonné pour *psychiatre*). || **inaliénable** 1539, *Doc.* || **inaliénation** 1764, Voltaire.

aligner V. LIGNE.

aligoté 1866 ; anc. fr. *harigoter,* déchirer, du germ. **hariôn,* même sens.

aliment 1120, *Ps. d'Oxford ;* lat. *alimentum,* de *alere,* nourrir. || **alimentaire** XIVe s., *D. G.* || **alimentation** 1412, Félibien. || **sous-alimenté** XXe s. || **sous-alimentation** 1918, Rolland. || **suralimenter, suralimentation** XIXe s.

alinéa début XVIIe s., Guez de Balzac ; lat. médiév. *a linea,* formule employée en dictant, pour indiquer d'aller « à la ligne » ; le mot est variable dès 1817 (Jouy).

aliquote 1484 ; lat. *aliquot,* un certain nombre de.

alise 1118, J. Fantosme (*alis*), masc., bot. ; XIIIe s. (*alise*) ; germ. **aliza,* de même radical que l'allem. *Elsbeere.* || **alisier** XIIIe s., Huon de Méry.

aliter V. LIT.

alizari 1805 ; ar. *al-'usāra,* le jus. || **alizarine** 1839.

alizé 1643, Jannequin (*alizée*) ; 1678, Guillet (*alizés*) ; esp. [*vientos*] *alisios,* d'orig. incertaine, peut-être empr. au franç. *au lis du vent,* dans la direction où le vent souffle, ou à l'anc. franç. *alis,* uni.

alkékenge XVe s., *Grant Herbier* (*alcacange*) ; 1556, B. Dessen (*alkenge*) ; 1620, J. Béguin (*alkekengi*) ; ar. *al-kākandj,* lui-même du persan *kākunadj.*

alkermès 1546, Rab. ; esp. *alkermes,* de l'ar. *al-qirmiz,* d'origine persane. || **kermès** 1600, O. de Serres, même orig.

allaiter V. LAIT.

allatif XXe s. ; lat. **allativus,* de *affero,* porter vers, d'après *ablativus.* (V. ABLATIF.)

***allécher** XIIe s. (*allechier*) ; lat. pop. **allecticare* (de *allectare,* fréquentatif de *allicere,* attirer, séduire) ; a subi de bonne heure en fr. l'influence de *lécher.* || **alléchant** 1495, J. de Vignay. || **allèchement** 1295, dans Boèce.

allée, allégation, allège V. ALLER, ALLÉGUER, ALLÉGER.

allégeance 1669 ; angl. *allegiance,* d'un dér. de l'anc. fr. *lige,* avec influence de *alléger* (v. aussi ce mot).

***alléger** fin XIe s., *Lois de Guill. ;* bas lat. *alleviare,* soulager, soulever, de *levis,* léger. || **allège** 1162, du Cange (*alegium*) ; 1463 (*allège*) ; déverbal ; « petite embarcation servant à décharger les navires ». || **allègement** 1177, qui a éliminé *allégeance* (XIIe-XVIIe s.), soulagement.

allégorie 1119, Ph. de Thaon ; lat. *allegoria,* du gr. *allêgoria,* de *agoreueîn,* parler, et *allos,* autre, c.-à-d. « parler autrement [que par des mots propres] ». || **allégorique** 1495, J. de Vignay ; bas lat. *allegoricus.* || **allégoriquement** 1488, *Mer des hist.* || **allégoriser** XIVe s., Chr. de Pisan. || **allégoriseur** 1563, Th. de Bèze. || **allégoriste** XVIe s., H. Estienne. || **allégorisation** 1804.

***allègre** 1131, *Couronn. de Loïs* (*aliègre, haliègre*) ; lat. class. *alacer,* vif, devenu en lat. pop. **alicer, alecris,* puis **alecrus ;* le *h* de l'anc. fr. est dû à une influence germanique (*heil,* sain) ; la réduction de la diphtongue *-ié-* est due à l'influence des emprunts italiens (*allegro*). Le mot a le sens de « vif, leste » jusqu'au XVIIe s. (*allaigre*), puis sa valeur se restreint (« qui est d'un entrain joyeux »). || **allégrement** XIIIe s., *D. G.* || **allégresse** XIIIe s., *Itinéraire à Jérusalem* (*alegrece*). || **allegro** 1703, mus. ; mot ital. || **allegretto** 1703. || **alacrité** 1495, J. de Vignay ; directement sur le lat. *alacritas.*

alléguer 1273 (*auleguer*) ; 1278 (*alléguier*) ; lat. jurid. *allegare,* envoyer, notifier ; 1393, *Ménagier,* « invoquer comme justification ». || **allégation** XIIIe s., *D. G. ;* lat. *allegatio,* a suivi l'évolution du verbe.

alléluia 1119, Ph. de Thaon ; lat. eccl. *alleluia,* de l'hébreu *hallelouyah,* louez l'Éternel ; fin XIVe s., *Livre des secrets de nature,* plante du temps pascal où on chante des *alléluias.*

allemand fin XIe s. (*aleman*) ; XIIIe s. (*allemand*) par substitution de suffixe ; germ. *Alamann-,* latinisé en *Alamannus,* nom du peuple germanique le plus voisin de la France, appliqué par extension à tous les peuples de Germanie ; *querelle d'Allemand* (d'abord : *d'Allemagne*), XVIe s. || **allemande** XVIe s., danse.

***aller** VIIIe s., *Reichenau* (*alare*) ; XIe s. (*aler*) ; pour certaines de ses formes, du lat. *ire,* aller (futur, conditionnel), et du lat. *vadere* (ind. prés. *vais, vas, va, vont,* impér. *va*) ; un troisième verbe, qui a suppléé à la défaillance d'*ire,* est issu du lat. *ambŭlāre* (ind. prés. *allons, allez*), au sens de « aller » comme *vadere. Ambŭlāre,* devenu **ambĭnāre,* a subi une dissimilation dans *nos nos en anons* devenu *nos nos en alons.* || **allure** 1138, *Saint Gilles* (*aleüre*). || **allure** 1941. || **allée** 1160, Benoît, « action d'aller » ; v. 1272, Joinville, sens mod. ; part. passé substantivé de *aller,* restreint au sens de « voie » (où l'on va). || **contre-allée** 1700, Liger. || **allant** adj. fin XIVe s. ; n. masc. 1923.

allergie 1909 ; gr. *allos,* et *ergon,* réaction. || **allergique** 1920. || **allergène** 1922. || **allergisant** 1920. || **anallergique** 1962, *journ.* || **anallergisant** XXe s.

alleu 1080 (*aloe*) ; francique **al-ôd,* propriété complète (*al,* tout, et *ôd,* bien), transcrit *alodis* (*Loi salique*) et *allodium* (*Loi des Longobards*). || **allodial** 1463 ; lat. médiév. *allodialis.* || **allodialité** 1596, J. de Basmaison.

alliacé V. AIL.

1. ***allier** 1080, *Rolland ;* lat. *alligare,* lier, de *ligare,* même sens, au propre et au fig. : dès le XIIe s., sens de « allier par traité » et « allier des métaux ». || **alliable** 1560, A. Paré. || **alliage** 1515, Lortie. || **alliance** fin XIe s., « liaison » ; 1611, « anneau » ; 1660, Oudin, « accord » ; *alliance de mots,* 1770, Voltaire. || **allié** 1316 (*alliiet*). || **aloyer** XVIIIe s., var. de *allier* au sens de « réunir ». || **aloyage** 1723, Savary ; encore auj. pour l'étain. (V. ALOI.) || **mésallier** 1651, Scarron. || **mésalliance** XVIIe s. || **rallier** 1080, *Roland,* « rassembler ». || **ralliement** 1160, Benoît ; *point de ralliement,* 1770, Gohin.

2. ***allier** nom fin XIIIe s., Baudouin de Condé, « filet à prendre les oiseaux » ; lat. pop. **alarium,* de *ala,* aile ; mot du Nord-Ouest.

alligator 1663, Herbert ; angl. *alligator,* interprétation savante de l'esp. *el lagarto,* le lézard (*aligarto* au XVIe s.), désignant le crocodile d'Amérique, sous l'influence du lat. *alligare,* lier.

allitération 1751, *Encycl. ;* angl. *alliteration,* du lat. *ad,* et *littera,* lettre. || **allitératif** XIXe s.

allo-, gr. *allos,* autre. || **allocentrisme** 1951. || **allochtone, allochtonie** 1907. || **allogène** 1887, É. Reclus (français *-gène*). || **allomorphe** 1913, Lar. (gr. *morphê,* forme). || **allopathie** 1800 ; mot créé par le médecin Hahnemann d'après *homéopathie* (gr. *pathos,* souffrance). || **allophone** milieu XXe s. || **allotropie** 1855.

allô 1879-1880, *Bull. Assoc. des abonnés ;* p.-ê. déformation volontaire de *allons !* (témoignage de Ch. Bivort, un des premiers usagers) ; ou d'une interj. proche de l'anglais *hallo, hello.*

allocation V. ALLOUER.

allocution 1160, Benoît ; lat. *allocutio,* de *adloqui,* parler ; il a désigné au XVIIe s. et au XVIIIe s. la harangue d'un général romain ; début XIXe s., sens mod. de « discours ». || **allocutaire** 1936.

allodial, allonge, allonger V. ALLEU, LONG.

***allouer** 1050, *Alexis* (*aloer*) ; lat. pop. **allocare,* placer, prendre en location, dépenser ; ces sens sont encore usuels au XVIe s. ; 1491, « attribuer » ; 1585, « approuver », sens usité jusqu'au XVIIe s. (Furetière). Le mot s'est restreint à la valeur de « accorder une somme d'argent ». || **allocation** 1478 ; fait sur le modèle de *louer, location.* || **allocataire** 1917, Lar. ; avec suffixe *-aire.*

***alluchon** début XVe s. (*alleuchon*), « dent ajoutée à une roue » ; dimin. dial. de *aile.*

***allumer** 1080, *Roland ;* lat. pop. **alluminare,* de *lumen,* lumière, au sens d'« éclairer » en anc. fr. ; XIIe s., « mettre le feu », remplaçant *esprendre ;* XVIIe s., « séduire ». || **allumage** 1845, Besch. || **allumette** 1213, *Fet des Romains,* sens général ; 1739, terme de cuisine. || **allumettier** 1532, Rab. || **allumeur** 1374 ; début XVIIe s., *allumeur de chandelles* dans un théâtre ; XIXe s., « qui séduit ». || **allume** 1789, *Encycl. méth.* || **allume-feu** XIXe s. || **allumoir** XIVe s., J. des Preis, « éclair » ; 1876, L., appareil. || **allume-cigare** 1922. || **allume-gaz** 1891. || **rallumer** 1050, *Alexis.*

allure V. ALLER.

allusion 1558, Des Périers, « badinage » ; lat. impér. *allusio,* de *alludere,* badiner, éveiller une idée ; la valeur mod. de « évocation non explicite » date du XVIIe s. (1671). || **allusif** 1770, Collé. || **allusivement** XXe s.

alluvion 1527, Seyssel, « inondation » ; lat. *alluvio,* de *luere,* laver ; fin XVIIe s. (Fontenelle, 1690), sens mod. empr. à un deuxième sens du mot latin. || **alluvial** début XIXe s. || **alluvionnaire** 1844, J. Itier. || **alluvionner** 1955, Lar. || **alluvionnement** 1878, Lar.

Almageste fin XIIIe s. ; ar. *al midjisti,* le grand œuvre, du gr. *megistos,* très grand.

almanach 1303 (*almenach*) ; fin XIVe s. (*almanach*) ; lat. médiév. *almanachus,* de l'ar. *al-manākh,* lui-même transcrit du gr. tardif *salmeskhoiniaka,* désignant peut-être le livre des naissances ou le livre de la Grande Ourse. Il a gardé jusqu'au XVIIe s. le sens de « prédiction ».

almée 1785, Savary (*almé*) ; ar. *'alūma,* savante.

aloès 1160, Chr. de Troyes (*aloé*) ; lat. *aloe,* devenu *aloes* au nominatif, d'après le génitif, à partir du VIe s. ; du gr. *aloê.* || **aloétique** XVIe s.

aloi 1268, É. Boileau ; déverbal d'*aloier,* forme anc. d'*allier* (v. ce mot) ; d'abord « alliage », puis « titre d'alliage » et, par ext., « valeur » ; ne s'emploie plus guère que dans la loc. *de bon aloi.*

alopécie 1377, Lanfranc (*alopicie*) ; 1538, Canappe (*alopécie*) ; lat. *alopecia,* transcrit du gr. *alôpekia* (*alôpêx,* renard) ; la chute des cheveux est comparée à la chute annuelle des poils du renard.

alors, alourdir V. LORS, LOURD.

***alose** XIIe s. ; lat. impér. *alausa* (Ausone), du gaulois.

alouette XIIe s., *Mort de Garin* (*aloete*) ; anc. fr. *aloe* (usité jusqu'au XVe s.), du lat. *alauda,* du gaulois.

aloyau 1398, *Ménagier* (*allouyaux*) ; paraît représenter (avec une finale pop. *-iau* pour *-eau*) l'anc. fr. *aloel,* alouette, autre dér. d'*aloe* (v. ALOUETTE) ; il aurait désigné d'abord des morceaux préparés au lard comme les alouettes.

aloyer, aloyage V. ALLIER.

alpaga 1579, Benzoni (*alpaces,* pl.) ; 1716, Frézier (*alpaque*) ; 1739, Giraudeau (*alpaca, alpague*) ; esp. d'Amérique *alpaca,* du quechua, langue indigène du Pérou (*allpaca*), désignant l'animal. || **alpaguer** 1935, arg. ; de *alpag* 1869, « vêtement », apocope de *alpaga.*

alpax v. 1920 ; de *al*uminium et du lat. *pax,* paix, en raison de la date de l'invention de cet alliage.

alpenstock V. ALPES.

Alpes lat. *Alpes.* || **alpe** 1405, Chr. de Pisan, « montagne » ; Balzac, 1832, fig. || **alpestre** 1555, Vasquin Philieul, trad. Pétrarque ; ital. *alpestre.* || **alpage** 1546 (*alpaige*) ; 1661 (*alpage*). || **alpin** XIIIe s., *Vie de saint Auban ;* lat. *alpinus,* recréé par les botanistes genevois à la fin du XVIIIe s. || **alpinisme** 1876. || **alpiniste** 1874. || **alpenstock** 1866, Wey ; allem. *Alpen,* Alpes, et *Stock,* bâton.

alphabet 1140 ; lat. impér. *alphabetum,* de *alpha* et *bêta,* les noms des deux premières lettres de l'alphabet grec. || **alphabétique** XVe s., G. Tardif. || **alphabétiquement** 1655, Lancelot. || **alphabétiser** 1853, « ranger par ordre alphabétique » ; milieu XXe s., sens mod. || **alphabétisation** 1913, Valéry, sens anc. ; milieu XXe s., sens mod. || **alphabétisme** 1869, Sachs-Villatte. || **alphabétiseur** 1963, *journ.* || **analphabète** 1580, Joubert ; ital. *analfabeto,* illettré. || **analphabétisme** 1907, Lar. ; ital. *analfabetismo.*

alphanumérique V. NUMÉRATION.

alpiste 1617, Hierosme Victor ; esp. *alpista,* blé des Canaries.

altercation fin XIIIe s. ; lat. *altercatio,* de *altercari,* quereller, sous la forme *alterquer,* d'où *altercas, -at* (encore chez La Fontaine).

alter ego 1845, Besch. ; loc. lat. (Cicéron) signif. « un autre moi-même ».

altérer 1361, Oresme ; lat. *alterare,* changer (de *alter,* autre), devenu péjor. Le verbe a eu, aux XVIe-XVIIe s., le sens de « émouvoir, exciter », d'où « exciter la soif ». || **altérable, inaltérable** 1361, Oresme. || **altération** XIIIe s., « changement » ; repris au lat. impér. *alteratio* (Boèce) ; 1532, Rab., « soif ». || **altérant** XVIe s. || **désaltérer** 1549, R. Est.

altérité XIIIe s., « changement » ; philos. XVIIe s. ; lat. *alter,* autre.

alterner XIIIe s., *Secret des secrets ;* lat. *alternare,* de *alter,* autre. || **alterne** 1350 ; repris au lat. *alternus,* alternatif ; il est resté technique (bot., géom.). || **alternatif** fin XIIIe s., R. de Presles. || **alternative** début XVe s., en droit ; sens actuel au XVIIe s. || **alternativement** 1355, Bersuire.

|| alternance 1830. || alternation fin XIVe s., J. Le Fèvre. || alternat 1791, Gautier. || alternateur 1892.

altesse 1560, Ronsard ; ital. *altezza* ou esp. *alteza* (cf. « Sa Grandeur »), de *alto,* haut ; il a signifié aussi « hauteur » au XVIe s., sous l'infl. de l'anc. fr. *hautesse* (de *haut*).

altier 1578, d'Aubigné, « qui manifeste des sentiments de hauteur » ; ital. *altiero,* orgueilleux, dér. de *alto,* haut. || **altièrement** 1620, *Chron. bordelaise.*

altimètre 1562, M. Scève, adj. ; lat. *altus,* haut, et *mètre ;* nom 1808. || **altimétrie** 1690.

altiport 1960 ; croisement de *altitude* et *aéroport.*

altitude 1485, *Myst. du Vieil Test.,* fig., mot rare ; repris par les géographes au XIXe s. ; lat. *altitudo,* hauteur, de *altus,* haut. || **altitudinal** 1866.

alto fin XVIIIe s. ; ital. *alto,* haut, pour désigner la partie haute du chant et la voix qui chante cette partie ; 1808, nom de l'instrument, abrév. de *violon alto,* adaptation de l'ital. *viola alta.* || **altiste** 1877 (chanteur) ; XXe s. (joueur d'alto). || **contralto** 1767, J.-J. Rousseau ; mot ital. signif. « près de l'*alto* », traduit précédemment par *haute-contre.*

altruisme 1830 ; création de A. Comte, ou d'Andrieux, d'après *autrui,* sur le lat. *alter,* autre. || **altruiste** 1852.

alud 1723, Veneroni, terme de reliure ; prov. *aluda,* du lat. *aluta,* cuir préparé avec de l'alun.

alumelle 1175, Chr. de Troyes (*alemelle*), « lame » ; XIVe s. (*alumelle*) ; de *lamelle,* avec agglutination du *a* de l'article. (V. LAME.)

alumine 1782, Guyton de Morveau, terme de chimie formé sur le lat. *alumen, -inis,* alun. || **alumineux** 1490, G. de Chauliac.

aluminium 1813, Davy ; mot créé d'après le précédent, en anglais, d'où il est passé en fr. || **aluminage** 1890. || **aluminisé** 1962, *journ.* || **alu** XXe s. ; abrév. de *aluminium.*

alun XIIe s. ; lat. *alumen, aluminis.* || **aluner** 1534, Rab. || **aluneux** XVe s., *Grant Herbier.* || **alunage** 1808. || **alunation** XIXe s. || **alunière** 1783. || **alunite** 1824, Beudant.

alunir, alunissage V. LUNE.

alvéole 1519, G. Michel ; 1541, Canappe, méd. ; fém. jusqu'à la fin du XVIIIe s. ; fém. et masc. ensuite ; lat. *alveolus,* diminutif d'*alveus,* cavité. || **alvéolaire** 1751, *Encycl.* || **alvéolé** 1834. || **alvéolite** 1896, Mosny.

amabilité V. AIMER.

amadou 1628, *Jargon* (*amadoue*), « onguent pour rendre jaune » ; 1723, Savary (*amadou*), sens actuel ; prov. mod. *amadou* (anc. prov. *amador*), amoureux, appliqué à l'agaric amadouvier à cause de sa facilité à s'enflammer. || **amadouer** 1546, Rab., « frotter avec l'amadou » ; XVIe s., Calvin, « gagner par des façons insinuantes », sens qui a prévalu. || **amadoueur** 1539, « flatteur », n'a vécu qu'au sens propre « ouvrier en amadou ». Les sens fig. viennent du langage des gueux, qui se frottaient avec l'amadou pour apitoyer. || **amadouvier** 1775, Bomare ; avec un *v* épenthétique développé entre *-ou-* et *-ier.*

amaigrir V. MAIGRE.

amalgame XVe s., *D. G. ;* lat. des alchimistes *amalgama,* de l'ar. *al-mulgam,* même sens ; XVIIIe s. (1785, Domergue), sens fig. || **amalgamer** XIVe s., *Alchimie à nature ;* 1764, Bachaumont, fig. || **amalgamation** 1578, Chauvelot ; XXe s. (1960, Combret), fig.

aman 1731, Voltaire, *Charles XII* (*amman*) ; 1848, Daumas (*aman*) ; ar. dialectal d'Afrique du Nord *amān,* sauvegarde, protection.

***amande** XIIIe s., *Assises de Jérusalem* (on trouve *alemande* au XIIe s.) ; lat. pop. *amandula,* altér. du lat. *amygdala,* repris au gr. *amugdalê.* || **amandier** 1372, Corbichon. || **amygdale** 1370 (*amigdalle*), du même mot *amygdala,* pris au sens fig. || **amygdalien** 1852. || **amygdalite** 1775, Bomare. || **amydalectomie** 1927.

amanite 1611 ; gr. *amanitês.* || **amanitine** XXe s.

amant V. AIMER.

amarante 1544, *l'Arcadie* (*amarantha*) ; lat. *amarantus,* du gr. *amarantos,* plante dont les fleurs sont pourpres.

amariner V. MARIN.

amarrer XIIIe s., *Rôles d'Oléron ;* anc. fr. *marer* (et *marrer,* sous l'influence de *marre,* houe), du néerl. *maren,* attacher. || **amarre** XIIIe s., *Rôles d'Oléron ;* déverbal. || **amarrage** fin XVIe s. || **amarreur** XXe s. || **démarrer** 1340. Pardessus. || **démarrage** 1721, Trévoux. || **démarreur** 1908, Lar.

amasser, amateur, amatir V. MASSE, AIMER, MÂT 2.

amaurose fin XVIe s., Du Bartas (*amaphrose,* d'apr. la pron. *-vr-* du gr. moderne) ; XVIIe s. (*amaurose*) ; gr. *amaurôsis,* affaiblissement de la vue, de *amauros,* obscur. || **amaurotique** 1833.

amazone XIIIe s., *Images du Monde,* nom propre ; 1564, « cavalière » ; 1608, Marg. de Valois, « femme guerrière » ; valeur politique pendant la Révolution ; 1824, *l'Hermite rôdeur,* « jupe, vêtement de femme » ; lat. *amazon,* du gr. *Amazôn,* femme appartenant à une tribu de guerrières de la mythologie grecque.

ambages 1355, Bersuire ; lat. fém. plur. *ambages,* détours, au propre et au fig. (de *amb-,* autour, et *agere* au sens de « mouvoir »).

ambassade fin XIIIe s. (*ambasce*) ; 1355 (*ambaxade*) ; 1387 (*ambassade*) ; ital. *ambasciata,* du prov. *ambaissada,* du lat. médiév. *ambactia,* d'orig. germ. (gotique *andbahti,* service, fonction) ; le mot germ. est lui-même emprunté au celtique (le gaul. **ambactos* est transcrit *ambactus* par César). || **ambassadeur** XIIIe s., Aimé du Mont-Cassin ; ital. *ambasciatore,* du prov. *ambassador,* dont l'origine est identique à celle d'*ambassade.* || **ambassadrice** XVIe s., La Huguerye (*embasciatrice*).

ambe 1762, *Arrêt du Conseil sur la loterie ;* terme de loterie de l'ital. *ambo,* tous les deux, repris au lat. *ambo.*

ambesas 1190, Garn. (*ambes as*), « coup de dés qui ramène deux as » ; anc. fr. *ambes,* deux, et *as.* Abrégé parfois en *besas* (1560, Pasquier).

ambiant 1515 (*ambiens*), méd. ; lat. *ambiens,* part. prés. de *ambire,* entourer ; 1800, Boiste, sens général. || **ambiance** 1885, Villiers de L'Isle-Adam ; 1912, *Ciné-Journal,* fig.

ambidextre V. DEXTRE.

ambigu 1495, J. de Vignay ; lat. *ambiguus,* de *ambigere,* tourner autour ; n. m., XVIIe s. (1694, *Acad.*), « repas froid ». || **ambigument** 1538, R. Est. || **ambiguïté** XIIIe s., G. ; lat. *ambiguitas.* (V. AMBAGES.)

ambition XIIIe s., frère Laurent ; lat. *ambitio,* de *ambire,* entourer, briguer les suffrages. || **ambitieux** XIIIe s., *Miroir des dames ;* lat. *ambitiosus.* || **ambitieusement** XIVe s. || **ambitionner** 1578, d'Aubigné.

ambivalence V. VALOIR.

***ambler** fin XIIe s., *Loherains ;* lat. *ambulare,* marcher, qui s'est spécialisé en Gaule pour désigner une allure du cheval (sens de *ambulatura* chez Végèce). || **amble** XIIIe s. ; déverbal.

amblyope 1838 ; gr. *ambluôpos,* de vue faible, de *amblu,* affaibli, et *-ôpos.* (V. OPTIQUE.) || **amblyopie** 1611.

ambon 1740 ; gr. *ambôn,* bord relevé, puis « chaire ».

ambre début XIIIe s. ; ar. *'anbar,* ambre gris, latinisé en *ambar.* || **ambré** 1651, de La Varenne. || **ambrette** XIIIe s., L., arbrisseau dont la graine exhale une odeur de musc.

ambroisie 1480, *Baratre infernal* (*ambroise,* forme employée encore par La Fontaine) ; 1544 (*ambroisie*), calqué sur le lat. ; le croisement de deux formes, *ambrosie* et *ambroise,* donnant *ambroisie,* l'a emporté au XVIIe s. ; lat. *ambrosia,* repris au gr., proprem. « nourriture des dieux » (gr. *ambrotos,* immortel). Le sens « plante aromatique » existait aussi en grec et en latin.

ambulance V. AMBULANT.

ambulant 1558, Rab., adj. ; lat. *ambulans,* part. prés. de *ambulare,* marcher ; postes, *bureau ambulant ;* 1892. || **ambulance** 1752, Trévoux, « fonction de receveur ambulant » ; 1795, Snetlage, remplaçant *hôpital ambulant* (1762), au sens actuel. || **ambulancier** 1877. || **ambulacre** 1838, sciences naturelles. || **ambulatoire** 1497, *Ordonn. ;* lat. *ambulatorius,* qui marche, mobile.

âme Xe s., *Eulalie* (*anima*) ; 1050, *Alexis* (*aneme*) ; 1080, *Roland* (*anme*) ; 1160, *Charroi* (*ame*) ; lat. *anima,* souffle.

***amélanche** 1721 ; lat. pop. **(a)malinca,* qui paraît être un croisement entre un dérivé gaulois de *aballos,* pomme, et le lat. *malum,* pomme. || **amélanchier** 1549, néflier sauvage.

améliorer V. MEILLEUR.

amen 1138, Gaimar ; lat. chrét. *amen,* de l'hébreu *amen,* qui indique l'approbation, l'adhésion parfois nuancée d'un souhait.

aménager, amende V. MÉNAGE, AMENDER.

***amender** début XIe s., *Lois de Guill.,* « corriger une faute » ; 1784, *Courrier de l'Europe,* emploi parlementaire ; lat. *emendare,* enlever la faute (*menda*), avec changement de préfixe ; le sens de « améliorer une terre » existait déjà en latin. || **amendable** 1369. || **amendement** 1174, « amélioration » (qui subsiste jusqu'au XVIIIe s.) ; 1467, agric. ; 1778, *Courrier de l'Eu-*

rope, sens parlementaire ; empr. à l'angl., il entre dans les règlements des assemblées pendant la Révolution. || **amende** XIIe s., *D. G. (emmende),* « réparation pour racheter une faute » (sens qui s'est conservé dans *amende honorable,* attesté fin XIVe s.) ; fin XIIIe s., « sanction pécuniaire » ; déverbal. || **sous-amendement** 1789, Marat, terme parlementaire.

amène XIIIe s., *Légendes en prose ;* lat. *amoenus,* agréable ; il a pris une valeur ironique au XIXe s. || **aménité** XIVe s., G., « beauté, charme » (jusqu'au XVIIe s.) ; le sens ironique date du XIXe s. ; il est sans doute dû à la présence fréquente, avant le nom, de la prép. *sans ;* lat. *amoenitas,* douceur, agrément.

amener V. MENER.

aménorrhée 1795 ; gr. *mên,* mois, et *rhoia,* courant, de *rhein,* couler.

amenuiser V. MENU.

1. ***amer** adj. XIIe s., L. ; lat. *amarus.* || **amèrement** 980, *Passion (amarament).* || **amertume** XIIe s., d'apr. L. ; lat. *amaritudo, -dinis,* avec substitution de suffixe (*-ume*) et infl. sur le rad. de l'adj. *amer.* A remplacé *amerté,* du bas lat. *amaritas.* || **douce-amère** 1752, Trévoux, bot.

2. **amer** nom 1683, Le Cordier ; norm. *merc,* borne, de l'anc. nord. *merki,* signe distinctif.

américain 1576, J. de Léry ; de *Amérique ; faire l'œil américain,* 1834, Balzac ; *avoir l'œil américain,* 1857, Flaubert. || **américaine,** voiture, 1851, Barbey. || **américaniser** 1851, Baudelaire. || **américanisation** 1867. || **américanisme** 1866. || **américaniste,** 1866. || **américanophile** 1959. || **américium** 1945, découvert par Seaborg (1953, Lar.). || **amérindien** 1930 ; de *Amér*(ique) et *Indien.* || **antiaméricain** 1776, *Aff. de l'Angleterre.* || **amerlo, amerloque** 1936, arg.

amerrir, amertume V. MER, AMER 1.

améthyste 1080, *Roland (matiste)* ; XIIe s., *Marbode (ametiste)* ; lat. *amethystus,* du gr. *amethustos,* de *methuein,* s'enivrer, cette pierre ayant la réputation de préserver de l'ivresse.

ameublement, ameublir, ameuter V. MEUBLE, MEUTE.

***ami** Xe s., *Saint Léger (-ic)* ; lat. *amicus ;* l'emploi, comme substitut euphémique d'*amant,* est moderne et d'orig. pop. Au fém., emploi avec l'adj. possessif apocopé, *m'amie,* forme fam. et pop. jusqu'au XVIIIe s., et sous une forme déglutinée, *ma mie* (Molière, *le Malade imaginaire*), à côté de *m'amour.* || **amical** 1190, Garnier (*amial*) ; 1735, Marivaux ; lat. impér. *amicalis* (Apulée). || **amicale** nom 1906, Lar. || **amicalement** 1745. || **inamical** 1845, Bescherelle. || ***amitié** 1080, *Roland (amistié)* ; lat. pop. **amicitas, -atis,* qui avait remplacé *amicitia* (de *amicus,* ami) ; il a gardé jusqu'au XVIIe s. le sens de « amour ».

***amiable** XIe s. ; bas lat. *amicabilis,* « aimable » et « amiable » (de *amicus,* ami) ; le sens « aimable » a vécu jusqu'au XVIIe s. ; le sens jurid. (1402, *Chron. du règne de Charles VI*) a seul persisté. || **amiablement** 1170, *Rois.*

amiante XVIe s. ; gr. *amiantos [lithos],* [pierre] incorruptible, de *miainein,* corrompre. || **amianté** 1925.

amibe 1822, Bory ; lat. zool. *amiba* (gr. *amibein,* alterner). || **amibiase** 1909. || **amibien** 1853.

amict XIIe s., G. de Saint-Pair (*emit*) ; lat. *amictus,* manteau, spécialisé par le lat. chrét.

amidon XIIIe s., avec prononciation de l'époque (cf. *dictum* > *dicton*) ; lat. médiév. *amidum,* altér. du lat. *amylum,* du gr. *amylon,* non moulu (de *mulê,* meule), qui désignait la fleur de farine. || **amidonner** 1581, G. || **amidonnage** début XIXe s. || **amidonnerie** 1789, Parmentier. || **amidonnier** 1680, Richelet.

amincir V. MINCE.

amine 1874, Wurtz ; rad. de *ammoniac* et suff. *-ine.* || **aminé** 1903. || **amino-,** 1903, élém. de composition.

amiral 1080, *Roland (amiralt),* « émir des Sarrasins » ; ar. *'amīr al-bahr,* prince de la mer ; 1306 (*admiral*) ; av. 1212, Villehardouin, « chef de la flotte » en général. Le premier amiral français fut Jean de Vienne, créateur de la marine de Charles V. || **amirauté** XIVe s., *Chron. de Londres,* « fonction d'amiral » ; 1761, Voltaire, « administration de la marine d'État », sur la forme *amiraut.* || **contre-amiral** XVIIe s. || **vice-amiral** début XIVe s.

ammoniac 1256, Ald. de Sienne (*armoniac*) ; 1575, Thevet (*ammoniacque*) ; lat. *ammoniacum,* du gr. *ammôniakon,* gomme ou sel ammoniac, recueilli près du temple de Jupiter *Ammon* en Libye ; d'abord adj., il est aussi substantif (1787, Guyton de Morveau). || **ammoniacal** 1748, d'Hérouville. || **ammoniaqué** 1888. || **ammonisation** 1894.

ammonite 1752, Trévoux ; gr. *Ammôn,* d'apr. la volute des cornes de Jupiter Ammon.

amnésie 1771 ; gr. *amnêsia,* absence de mémoire (*a* priv. et *mnêsis,* mémoire). || **amnésique** 1843. || **paramnésie** 1843, Lordat.

amniotique 1814 ; gr. *amnios,* sac embryonnaire. || **amniocentèse** 1970 ; gr. *amnios,* et *-centèse.*

amnistie av. 1550, du Fail (*amnestie*) ; 1584, Benedicti (*amnistie*) ; gr. *amnêstia,* pardon, de *a* priv. et de *memnêsthai,* se souvenir ; par un phénomène général (iotacisme), le *ê* s'est prononcé *i* dès l'époque byzantine. || **amnistier** 1795, *Messager du soir.* || **amnistiable** 1866. || **amnistiant** 1879. || **amnistié** n. 1839.

amocher V. MOCHE.

amodier 1283, Beaumanoir ; lat. médiév. *admodiare,* de *modius,* boisseau, « donner à ferme moyennant une redevance en nature ». || **amodiation** 1419, G. || **amodiataire** 1513.

amoindrir V. MOINDRE.

amok 1806 (*amock*) ; 1832, Balzac (*amoc*) ; mot malais. Il désigne une folie meurtrière chez les Malais.

amollir V. MOU.

amome 1213, *Fet des Romains ;* lat. *amomum,* du gr. *amômon,* désignant un arbrisseau indien.

amonceler, amont, amoral V. MONCEAU, MONT, MORAL.

amorce XIIIe s., B. de Condé (*amorse*), « appât » ; fin XVIe s., « amorce d'arme à feu » ; fém. substantivé du part. passé de l'anc. fr. *amordre,* « mordre », « faire mordre », « amorcer », qui disparaît après le XVIe s. || **amorcer** XIVe s., W. de Couvin (*amorser*). || **amorceur** XVIe s. || **amorçoir** 1584. || **amorçage** 1838, Boiste. || **désamorcer, désamorçage** 1864, L.

amoroso 1768 ; mot ital. signif. « amoureux », spécialisé en musique.

amorphe 1784, terme scient. ; gr. *amorphos,* sans forme, de *a* priv. et *morphê,* forme ; 1913, R. Martin du Gard, fig.

***amortir** 1170, *Rois ;* lat. pop. **admortire* (de *mors, mortis,* mort), d'abord « tuer » (et « mourir »), puis « rendre comme mort », « éteindre » (la chaux) ; au fig. (jusqu'au XVIIe s.), « diminuer l'ardeur » ; XVe s., financ. || **amortie** XXe s., tennis. || **amortissable** 1465, G. (*rente amortissable*). || **amortisseur** 1894, *Cosmos,* techn. || **amortissement** 1263, *Cart. de N.-D. de Voisins.*

***amour** 842, *Serments* (*amur*) ; lat. *amor, -oris.* Le *ou* qui n'est pas phonétique (au lieu de *eu*) paraît dû à une infl. littér. du prov. D'abord fém. ; le masc. est dû à l'infl. du lat. || **amourette** XIIe s., *D. G.* || **amour-propre** 1521. || **mamour** 1608, Régnier ; de *m'amour* (v. *m'amie* à AMI). || **amouracher** 1530, Palsgrave (*amourescher*) ; 1551, Du Parc (*amouracher*), « rendre amoureux » ; il s'emploie surtout comme réfléchi depuis le XVIe s. ; ital. *amoracciare,* dér. péjor. de *amore,* amour. || ***amoureux** 1190, Gace Brulé ; lat. pop. *amorosus,* influencé par *amour.* Il désigne dans la tragédie classique celui qui aime sans être aimé. || **amoureusement** XIIIe s., Adenet. || **énamourer** 1180, *Roman d'Alexandre.*

1. **amourette** V. AMOUR.

2. **amourette** plante, 1531, *Fleurs et secret de la médecine ;* altér. de l'anc. fr. *amarouste* (fin XVe s., *Heures d'Anne de Bret.*), du lat. *amalusta* (Apulée), camomille, altéré en **amarusta* (lat. médiév. *amarusca*) sous l'infl. d'*amarus,* amer ; anciennement influencé par *amour* (*amouroiste, -oite,* XIIIe s., *Abavus,* et XIVe s., Passerat [de Troyes]).

amoureux V. AMOUR.

amovible 1681, Patru ; lat. *amovere,* éloigner ; d'abord spécialisé comme terme de droit, il a pris un emploi techn. au XIXe s. || **amovibilité** 1748, Montesquieu. || **inamovible** 1750, d'Argenson. || **inamovibilité** 1774, *Archives du Parlement.*

ampère 1865 ; du nom du physicien Ampère († 1836), adopté avec *coulomb, farad, joule, ohm* et *volt.* || **ampèremètre** 1883, *Ann. sc. et industr.* || **ampérage** 1905. || **ampère-heure** 1890.

amphi-, gr. *amphi,* des deux côtés, autour ; le préfixe a pris un développement important en biologie et en médecine. || **amphétamine** 1945 ; de *amph-, éthyle* et *amine.* || **amphiarthrose** 1690, Fur. || **amphibie** XVIe s. ; sur *-bie ;* gr. *bios,* vie.

amphibole 1787, Haüy ; gr. *amphibolos,* ambigu, parce que la composition de ce minerai était indéterminée.

amphibologie XIIIe s. (*amphibolie*) ; 1521, P. Fabri (*amphibologia*) ; 1533, Montflory (*amphibologie*) ; lat. gramm. *amphibologia* (Ve s.,

Diomède), du gr. *amphibolia,* avec le suffixe *-logia* (-logie). || **amphibologique** 1361, Oresme. || **amphibologiquement** 1551, Des Autels.

amphigouri 1738, Panard, comme genre dramatique ; d'orig. obscure ; on a rapproché de *amphi-* et de *allégorie.* || **amphigourique** 1748, Moncrif. || **amphigourisme** 1876, Goncourt.

amphithéâtre 1213, *Fet des Romains ;* d'abord vaste enceinte ronde, avec des gradins, pour les fêtes publiques ; 1751, salle d'enseignement en gradins ; lat. *amphitheatrum,* du gr. *amphitheatron,* autour du théâtre. || **amphi** 1829, abrév. du préc.

amphitryon 1752, Trévoux ; nom d'un personnage mythologique, pris comme nom commun d'après les vers de la comédie de Molière, *Amphitryon* (1668) : *Le véritable Amphitryon | Est l'Amphitryon où l'on dîne.*

amphore 1518, trad. de Plotin ; lat. *amphora,* du gr. *amphoreus* (de *amphi,* des deux côtés, et *pherein,* porter) ; vase à deux anses que l'on peut prendre des deux côtés.

ample VIIIe s., *Gloses de Reichenau* (*ampla* au fém.) ; 1160, Benoît (*ample*) ; lat. *amplus,* grand, large. || **amplement** fin XIIe s., *Grégoire.* || **ampleur** 1718, *Acad.,* qui a remplacé *ampleté.* || **ampliatif** XVe s., *Chron. ;* lat. *ampliare,* agrandir. || **ampliation** 1339, *Cartul. de Guise ;* lat. impér. *ampliatio,* agrandissement. Ce sens se maintient jusqu'au XVIIe s. (Chapelain) ; le sens administratif (duplicata) est une spécialisation d'un ancien sens jurid. (action de compléter). || **amplifier** XVe s., *Myst. du Vieil Testam. ;* lat. *amplificare,* agrandir (sens conservé jusqu'au XVIIe s.) ; XVIe s., Amyot, fig. ; ce verbe a remplacé *amplier* de l'ancien français (1213, *Fet des Romains*). || **amplificateur** 1532, *Mer des chron.,* « celui qui amplifie » ; XIXe s., techn. ; lat. *amplificator.* || **ampli** 1934 ; abrév. du préc. || **amplification** XIVe s., *Miracle de N.-D. ;* lat. *amplificatio,* agrandissement. || **amplitude** 1495, J. de Vignay ; lat. *amplitudo.*

***ampoule** 1174 ; lat. *ampulla,* fiole renflée, dimin. d'*amphora,* d'abord « fiole » (la « sainte ampoule ») ; XIIIe s., « vésicule » ; XIXe s., sens pharm. et industriel. || **ampoulé** v. 1550, Ronsard, appliqué spécialement au style à partir du XVIIe s. (Boileau, etc.), « qui est enflé comme une ampoule ».

amputer 1480, Meschinot ; lat. *amputare,* tailler, couper. Le sens chirurgical se développe à partir du XVIe s. (Paré). || **amputation** 1478, méd. ; 1521, *Violier des hist. romaines,* sens général.

***amuïr (s')** fin XIXe s. ; repris par les romanistes (G. Paris) à l'anc. fr. *amuir,* rendre muet (au sens propre) du lat. pop. **admutire,* rendre muet (lat. *mutescere ;* rad. *mutus,* muet). || **amuïssement** (*id., ibid.*) repris aussi à l'anc. fr.

amulette 1558, Pontus de Tyard ; lat. *amuletum ;* le mot, d'abord masc. (Tabourot), est devenu fém. (d'Aubigné), comme les mots terminés par le suffixe diminutif *-ette.*

amure 1552, Rab. ; prov. *amura,* cordage, déverbal d'*amurar,* fixer au mur. || **amurer** 1540, Rab.

amuser, amygdale V. MUSER, AMANDE.

amyle 1844 ; lat. *amylum,* du gr. *amylon,* amidon. || **amylène, amylique** *id.* || **amylase** 1875. || **amylose** 1898.

amyotrophie 1865 ; gr. *myo-,* muscle, et *trophie.* || **amyotrophique** 1898.

an- V. A 2.

*** an** fin XIe s., *Lois de Guill. ;* lat. *annus ; jour de l'an,* 1435, P. de Cagny ; *nouvel an, premier de l'an,* XIXe s. ; *bon an mal an, l'an dernier,* dès l'anc. fr. || *** année** 1170, *Perceval ;* lat. pop. * *annata,* de *annus.* || **année-lumière** 1946. || **annal** XIIe s. ; lat. jurid. *annalis,* qui dure un an, puis annuel. || **annales** 1447, *Girart de Roussillon,* récit historique. || **annaliste** 1560, Pasquier. || **annate** 1540, Martin du Bellay, « redevance » ; bas lat. *annata.* || **anniversaire** XIIe s., G., nom ; XVIe s., adj. ; de l'adj. *anniversarius,* annuel (*versus,* où [l'année] tourne). || **annuaire** fin XVIIIe s. ; lat. *annuus,* annuel, remplace *calendrier* (1798, *Acad.*). || **annuel** 1080 ; lat. impérial *annualis.* || **bisannuel** 1694, *Acad.* || **annuité** fin XIVe s. ; lat. médiév. *annuitas.* || **annone** 1119, Ph. de Thaon (*annune*) ; 1863, L., « récolte d'un an » ; lat. *annona.* || **biennal** milieu XVIe s. ; lat. *biennalis,* de *bis,* deux fois, et *annus,* an ; nom fém., XXe s. || **suranné** XIIIe s., « qui a plus d'un an » ; XVIe s. jurid. ; 1661, Molière, sens actuel.

ana-, élém. de composition grec, signif. « de bas en haut ».

ana fin XVIIe s., Huet ; mot tiré du suffixe lat. *-ana* (pl. neutre), ajouté au XVIIe s. et au XVIIIe s. à un nom d'auteur pour désigner un recueil d'anecdotes le concernant (*Scaligeriana,* etc.) ; XVIIIe s., recueil de pensées ou de bons mots.

anabaptisme 1564, J. Crespin ; gr. chrét. *anabaptismos,* second baptême. || **anabaptiste** 1525, C. Marot.

anabolisme 1907, Lar., méd. ; gr. *ana,* en haut, et *bolos,* jet. Forgé sur *métabolisme,* il s'oppose à *catabolisme,* comme réaction de synthèse à réaction de dégradation. || **anabolisant** 1969.

anachorète 1190, Saint Bernard (*anacorite*), d'après *cénobite, ermite... ;* 1598, Fr. Feuardent (*anachorète*) ; lat. chrét. *anachoreta,* du gr. *anakhôrêtês,* de *anakhôrein,* se mettre à l'écart. || **anachorétique** 1845.

anachronisme fin XVIe s., Scaliger (en latin) ; 1625, Naudé (en français) ; gr. *ana,* de bas en haut, et *khronos,* temps. Il indique une erreur dans la date des événements passés, dans la chronologie. || **anachronique** 1866, Lar. || **anachroniquement** 1852, Gautier.

anacoluthe 1751, *Encycl. ;* bas lat. gramm. *anacoluthon* (Servius), du gr. *anakolouthon,* sans liaison, sans suite, de *a*[*n*] privatif et *akolouthos,* qui suit, issu de *keleuthos,* chemin.

anacréontique 1555, Ronsard ; du nom du poète grec *Anacréon.*

anadiplose 1555 ; gr. *anadiplôsis,* redoublement.

anaérobie 1863 ; de *a*[*n*] privatif et de *aérobie.*

anaglyphe 1495 ; de *ana,* vers le haut, et *gluphein,* sculpter. || **anaglyptique** 1838.

anagogie XVe s. ; gr. *anagôgê,* élévation. || **anagogique** 1375.

anagramme 1571, R. Belleau, qui remplace *anagrammatisme* de l'éd. de 1560 ; gr. *anagramma,* de *ana,* indiquant le renversement, et *gramma,* lettre. || **anagrammer** 1752. || **anagrammatiser** 1550, Ronsard. || **anagrammatique** 1823.

anal V. ANUS.

analgésie 1823 ; préf. priv. *an* et gr. *algos,* douleur. || **analgésique** 1860, Salva. || **analgésiant** 1877.

analogie 1213, *Fet des Romains ;* lat. *analogia,* du gr. *analogia.* || **analogue** 1503, G. de Chauliac ; lat. *analogus,* du gr. *analogos,* proportionnel. || **analogique** 1547, Budé ; lat. *analogicus.* || **analogisme** milieu XVIIIe s.

analphabète V. ALPHABET.

analyse 1578, d'Aubigné ; lat. scolast. *analysis,* du gr. *analusis,* de *analuein,* résoudre. || **analyser** 1698, Tournefort ; 1912, « psychanalyser ». || **analysable** 1849. || **analysant** 1965. || **analyseur** 1791. || **analytique** XVIe s., La Borderie ; lat. impér. *analyticus,* du gr. *analutikos.* || **analytiquement** 1668, *Journ. des savants.* || **analyste** 1638, Descartes ; 1907, « psychanalyste ».

anamnèse 1831 ; gr. *anamnêsis,* de *mnêsis,* mémoire.

anamorphose 1751 ; gr. *anamorphoun,* transformer, de *ana,* de nouveau, et *morphê,* forme.

ananas 1544, Musset (*ainanas*) ; 1554, Thevet (*nana*) ; 1578, J. de Léry (*ananas*) ; esp. *ananas, anana,* du tupi-guarani (langue du Brésil) *nana.*

anapeste XVIe s., Ronsard ; lat. *anapaestus,* du gr. *anapaistos,* « frappé à rebours ». || **anapestique** 1558, G. Morel.

anaphase 1896, Prenant ; gr. *ana,* en remontant, et *phase.*

anaphore 1521, P. Fabri (*anaphora*) ; 1557, A. Fouquelin (*anaphore*) ; mot lat., du gr. *anaphora,* reprise. || **anaphorique** 1827, *Acad.* || **anaphorèse** 1928.

anaphylaxie 1902, Ch. Richet ; gr. *ana,* en retour, et *phulaxis,* protection. || **anaphylactique** 1902, Portier.

anarchie 1361, Oresme ; gr. *anarkhia,* de *a*[*n*] privatif et *arkhê,* commandement, latinisé dans les traductions latines d'Aristote ; usuel seulement au XVIIIe s. || **anarchique** 1594, *Ménippée.* || **anarchisme** 1834. || **anarchiste** 1791. || **anarchiser** fin XVIIIe s., Mirabeau. || **anarchisant** 1928, Parnac. || **anarcho-syndicalisme** fin XIXe s. || **anar** 1901 ; abrév. de *anarchiste.*

anastatique 1866 ; gr. *anastasis,* action de surgir.

anastomose 1560, Paré ; gr. *anastomôsis,* ouverture. || **anastomoser** 1717 ; *s'anastomoser,* 1835, *Acad.*

anastrophe 1718, Gédoyn, rhét. ; gr. *anastrophê,* renversement.

anathème 1190, Garn. ; lat. chrét. *anathema* (saint Augustin), du gr. *anathêma,* « offrande votive », devenu péjor. en gr. chrét. au sens de « objet maudit », puis de « malédiction ». || **anathématiser** fin XIVe s., *Somme rurale ;* lat. chrét. *anathematizare* (saint Augustin), du gr. *anathêmatizein.* || **anathématisation** XVIe s.

anatidés 1842, *Acad.* (*anatides*), zool. ; lat. *anas, anatis,* canard.

anatife début XVIIe s., Peiresc (*conque anatifère*) ; 1808 (*anatifé*) ; lat. *ferre,* porter, et *anas, -atis,* canard, d'apr. une légende écossaise qui faisait naître les canards dans ces crustacés ; *anatife* est une abréviation d'*anatifère.*

anatomie 1370 ; lat. *anatomia,* du gr. *anatomia,* de *anatemnein,* couper ; 1546, Ch. Est. « dissection » ; 1558, Des Périers, fig. || **anatomique** 1546, Ch. Est. ; lat. *anatomicus,* du gr. *anatomikos.* || **anatomiquement** 1651, La Mothe Le Vayer. || **anatomiser** 1503, G. de Chauliac, « disséquer » ; 1665, A. Graindorge, emploi fig. || **anatomisme** 1863, L. || **anatomiste** 1503, G. de Chauliac. || **anatono-**, élém. de composition, méd.

anatoxine 1923 ; de *ana-* et *toxine,* v. ce mot.

***ancêtre** 1050, *Alexis* (*anceisur*) ; 1160 (*ancestre*) ; anc. cas sujet, lat. *antecessor,* prédécesseur (de *antecedere,* marcher devant) ; le cas régime *ancessor, -eur* (acc. latin *antecessorem*) a vécu jusqu'au XVe s. || **ancestral** 1853, Lachâtre ; de l'anc. forme *ancestre.*

anche 1413, « goulot » ; 1530, « embouchure d'instrument à vent », germ. **ankja* (anc. haut all. *ancha*), « jambe » et « tuyau » (cf. *tibia,* devenu « flûte » en lat.) ; le mot paraît venir en fr. des dialectes de l'Ouest, où *anche* signifie encore conduit.

anchois 1546, R. Est. ; anc. prov. *anchoia,* du gr. *aphuê,* par l'intermédiaire du bas lat. **apiua ;* mot méditerranéen. || **anchoité** 1765, en cuisine.

***ancien** 1050, *Alexis,* trisyllabique ; lat. des clercs *anteanus,* formé d'après *ante,* avant, au VIIIe s. || **anciennement** 1155, Wace. || **ancienneté** 1190, Garn.

ancillaire début XIXe s. ; lat. *ancilla,* servante.

ancolie 1325, *Archives* (var. *anquelie, angorie*) ; lat. médiéval *aquilegia* (lat. *aquilegus, -a*), « qui recueille l'eau », la fleur offrant de petites cavités en forme d'urnes ; le rapprochement avec *aquila,* aigle, a été fait après coup. La forme qui a prévalu semble due à l'attraction de *mélancolie.*

***ancre** 1155, Wace ; lat. *ancora,* du gr. *agkura.* || **ancrer** XIIe s. ; au fig. 1470, *le Livre de la discipline d'amour divine.* || **ancrage** 1468, Chastellain. || **désancrer** fin XIIe s., *Blancheflore.*

andain fin XIIe s. « enjambée » ; orig. obscure ; même racine que le savoyard et anc. vaudois *andâ,* marcher, l'ital. *andare,* aller, et le prov. *anar,* aller, venir ; les formes latinisées *andainus, andena,* du *Cartulaire de Chartres* (844), montrent l'ancienneté du radical *and-* ou p.-ê. de **ambitanus,* dér. pop. du lat. *ambitus,* pourtour.

andante 1710 ; mot ital., de *andare,* aller. || **andantino** 1751, *Encycl.*

***andouille** XIIe s. ; lat. pop. *inductile* (« andouille » en lat. médiév.), « ce qu'on introduit » (dans le boyau), de *inducere,* introduire ; 1866, fam., imbécile. || **andouillette** milieu XVe s.

***andouiller** milieu XIVe s. (*antoillier*) ; 1360, *Modus* (*andouiller*), sous l'influence d'*andouille ;* p.-ê. lat. pop. **antoculare* (*ante,* devant, *oculus,* œil), c'est-à-dire corne qui pousse devant les yeux.

andrinople 1825, *Journ. des dames ;* du nom de la ville d'*Andrinople,* pour désigner d'abord le « rouge turc », puis une étoffe rouge.

andro-, élém. de composition ; gr. *anêr, andros,* homme mâle. || **androgène** 1945. || **androgyne** XIVe s. ; de *andro-* et gr. *gunê,* femme. || **androgynie** XVIe s. || **androïde** XVIIe s. || **andropause** 1952. || **androstérone** 1931.

***âne** Xe s. (*asne*) ; lat. *asinus.* || **ânesse** XIIe s. || **ânon** fin XIIe s., *Alexandre,* dimin. || **ânonner** 1606, Nicot, « lire mal » ; il a eu aussi le sens de « mettre bas » en parlant de l'ânesse (Richelet, 1680). || **ânement** XVIIe s., Sévigné. || **ânerie** XIVe s., fig. || **ânier** fin XIIe s. ; lat. *asinarius.*

anéantir V. NÉANT.

anecdote av. 1654, G. de Balzac, parfois adj. ; gr. *anekdota,* chose inédite (chez Procope, au VIIe s., comme titre d'ouvrage), devenu substantif. || **anecdotier** 1736, Voltaire. || **anecdotique** 1781, Linguet.

anémie 1722, *Journ. des savants ;* gr. *a*[*n*] priv. et *haima,* le sang ; le sens fig. date du XIXe s. || **anémier** 1857. || **anémié** 1857, Monneret. || **anémique** 1833, Piorry. || **anémiant** 1832.

anémo-, élém. de composition ; gr. *anemos,* vent. || **anémographie** 1771. || **anémomètre** av. 1720, Huet (inventeur). || **anémométrie** 1752, Trévoux. || **anémophile** 1898, Lar. || **anémoscope** 1683, *Mercure galant.* || **anémotrope** 1845. || **anémotropisme** 1906, Lar.

anémone XIVe s., *Recettes méd.* (*anemoine*) ; lat. *anemone,* du gr. *anemonê,* de *anemos,* vent, parce que la fleur s'ouvre au vent.

anéroïde (baromètre) 1844, Vidie ; de *anaéroïde,* c'est-à-dire sans air (où l'on fait le vide), *an-* priv., et *aêr,* air.

anesthésie 1771 ; mot angl., du gr. *anaisthêsia,* insensibilité ; méd. 1827, *Acad.* || **anesthésiant** part., 1866 ; n. m., 1894, *Année scient.* || **anesthésier** 1850. || **anesthésique** 1847. || **anesthésiologie** 1950, Lar. || **anesthésiologiste** 1955, *Dict. des métiers.* || **anesthésiste** 1897.

aneth XIIe s., *Antidotaire Nicolas* (*anet*) ; lat. *anethum,* du gr. *anethon.*

aneurine V. NEURO-.

anévrisme 1478 ; gr. *aneurisma,* dilatation (avec prononciation du grec byzantin). || **anévrismal** 1478. || **anévrismatique** 1826, Broussais.

anfractueux 1503, G. de Chauliac, méd. ; lat. impér. *anfractuosus,* tortueux. || **anfractuosité** 1503, G. de Chauliac, méd. ; le sens général apparaît au XVIe s.

1. **ange** 1050, *Alexis* (*angele*) ; lat. eccl. *angelus,* du gr. *aggelos,* messager, spécialisé en « messager de Dieu ». Le sens fig. se développe très tôt. || **angélique** 1265, Br. Latini ; lat. *angelicus,* a subi la même évolution ; 1538 n. fém., « plante ainsi nommée à cause de ses vertus contre les venins ». || **angéliquement** 1468, Chastellain. || **angéliser** *id.* || **angélisme** 1939. || **angélus** 1690, Furetière, prière catholique du XIVe s. commençant par le mot lat. *angelus.* || **angelot** XIIe s. || **archange** 1155, Wace ; lat. chrét. *archangelus,* du gr. eccl. *arkhaggelos,* de *arkhein,* commander.

2. **ange** (de mer) 1552, Rab. ; calque du néerl. *Zeeëgel,* hérisson de mer, où l'on aurait vu jeeëngel, ange de mer (les nageoires de ce squale ont pu être comparées à des ailes).

angine 1538, Canappe ; lat. *angina,* de *angere,* serrer à la gorge. || **angineux** 1615, L. Guyon.

angio-, élém. de composition ; gr. *aggeion,* vaisseau. || **angiocardiographie** 1953, Lar. || **angiocardite** XXe s. || **angiocarpe** 1842, *Acad.,* bot. || **angiocholite** 1903. || **angiographie** 1743, Trévoux. || **angiologie** 1576, Paré, « incision » ; 1692, C. de La Duquerie, « étude des vaisseaux ». || **angiome** 1869, Cornil. || **angiopathie** 1853. || **angiosperme** 1740, bot. || **angiospermie** 1800, Boiste.

anglais 1138, *Saint Gilles* (*engleis*), puis *anglois ;* de *Angle,* nom d'un peuple germanique qui s'établit au VIe s. en Angleterre ; XVIe s., « créancier » ; fin XVIIe s., cheval ; 1734, Trévoux, bot., narcisse ; 1830, *Journ. des dames,* format de papier. || **anglaise** XVIIIe s., danse ; 1788, *Journ. de Paris,* écriture ; 1734, Trévoux, tulipe ; 1827, Mme Celnart, boucle de cheveux ; *filer à l'anglaise,* XIXe s. || **anglaiser** 1803, Boiste, « couper la queue à un cheval » ; 1847, Ch. de Boigne, « imiter les Anglais ». || **anglaiserie** 1794, Constant, imitation des Anglais. || **angleterre** 1773, *Almanach parisien,* dentelle. || **angliche** 1861, pop. pour *anglais* (vx.). || **anglican** 1554, *Papiers de Granvelle ;* angl. *anglican.* || **anglicanisme** 1801, Saladin. || **angliciser** XVIIIe s. || **anglicisant** XXe s., qui étudie la civilisation anglaise. || **anglicisation** 1902, *l'Angleterre en Afrique australe.* || **anglicisme** 1652 ; lat. médiév. *anglicus,* anglais. || **angliciste** 1939. || **anglomane** 1764, Palinot. || **anglomanie** 1754, Grimm. || **anglophile** 1823, Boiste. || **anglophilie** 1866, Lar. || **anglophobe** 1823, Boiste. || **anglophobie** *id.* || **anglo-normand** 1796. || **anglophone** 1894. || **anglo-saxon** fin XVIIe s. || **antianglais** 1740, d'Argenson.

***angle** 1170, *Rois ;* lat. *angŭlus,* qui paraît tardivement, repris par les langues romanes de l'Ouest. || **angulaire** milieu XIVe s. ; lat. *angularis.* || **angulairement** 1803. || **anguleux** 1538, Canappe, méd. ; 1558, Meignan, sens étendu ; lat. *angulosus.*

anglophile, anglophobe V. ANGLAIS.

***angoisse** XIIe s., *Roncevaux ;* lat. *angustia,* lieu resserré (aussi en fr., jusqu'au XVIe s.), au fig. « gêne ». || **angoisser** 1080, *Roland ;* p.-ê. directement du lat. *angustiare.* || **angoissant** XIVe s., repris fin XIXe s. || **angoisseux** 1050, *Alexis* (*angussus*) ; se rencontre encore au XVIIe s.

angor 1845 ; mot lat., signif. « serrement ».

angora 1761, Diderot (*chat d'angora*) ; du nom de la ville d'*Angora* (auj. Ankara), d'où une race de chats et de chèvres est originaire.

angström v. 1905 ; du nom d'un physicien suédois.

***anguille** XIIe s. (*anguile*), puis *-ille ;* le *l* s'est mouillé aux XVIe-XVIIe s. ; lat. *anguilla,* de *anguis,* serpent.

angulaire V. ANGLE.

anhydre 1820 ; *a*[*n*] priv. et gr. *hûdor,* eau. || **anhydride** 1859.

anicroche 1546, p.-ê. de *ain,* hameçon, et *croche,* v. ce mot.

ânier V. ÂNE.

aniline 1826, découverte par Unverdorben ; de *anil* (1582, Belleforest), nom de plante et de couleur ; port. *anil,* issu du persan *nil,* « indigo », par l'arabe.

***anille** XIIIe s. G., techn. ; lat. *anaticŭla,* petit canard, employé de manière métaphorique.

animadversion fin XIIe s., *Grégoire ;* lat. *animadversio,* observation, de *animadvertere : vertere,* tourner, *anima,* l'esprit, *ad,* vers ; péjor. au XVIIIe s.

1. **animal** nom, 1190, Saint Bernard ; lat. *animal, animalis,* être vivant, animal ; le sens injurieux apparaît au XVIIe s. || **animalité** 1190, Saint Bernard ; reformé au XVIIe s., Gherardi. || **animalcule** 1564, Marcouville, dimin. savant. || **animalier** XVIIIe s., J.-J. Rousseau, peinture. || **animaliser** 1742, *Essais et observ. de médecine.* || **animalisation** milieu XVIIIe s. || **animalerie** 1960.

2. **animal** adj. 1265, Br. Latini ; lat. *animalis,* animé (de *anima,* âme), devenu l'adj. du précédent.

animation V. ANIMER.

animer 1361, Oresme ; lat. *animare* (de *anima*), donner la vie, d'où, en fr., « donner du mouvement », « rendre plus vif » ; *dessins animés,* v. 1923. || **animation** 1375, R. de Presles ; lat. *animatio,* action d'animer, passé en fr. à « agitation, emportement » (1468, Chastellain), puis au sens actuel d'après le suivant. || **animateur** 1801, Mercier. || **inanimé** fin XVe s., « non doué de vie » ; 1529, G. Tory, gramm. || **ranimer** 1549, R. Est. || **ranimation** 1933, Lar. || **réanimer** 1559, du Bellay. || **réanimation** 1932, Lar.

animisme 1781, Thouvenel ; lat. *anima,* âme. || **animiste** 1765, *Encycl.*

animosité 1301 ; lat. *animositas* (de *anima*), « courage », plus tard « violence » (Macrobe), sens qui prévaut en fr. à partir du XVIe s.

anion 1842 ; de *ana,* en remontant, et de *ion.*

anis 1236 ; lat. *anisum,* du gr. *anison.* || **aniser** 1564. || **anisette** 1771, Trévoux.

ankylose 1564 (*ancylosis*) ; 1721, Trévoux (*ankylose*) ; gr. *ankulôsis,* courbure. || **ankylosé** 1749, abbé Nollet. || **ankyloser (s')** 1835, Raymond. || **ankylostome** 1877. || **ankylostomiase** 1888, Lar.

annal, annate V. AN.

***anneau** 1050, *Alexis* (*anel*) ; lat. *annellus.* || **annelet** 1160, Benoît. || **anneler** 1398. || **annelure** 1674. || **annélation** 1898. || **annélides** 1802, Lamarck. (V. ANUS.)

année, annélides V. AN, ANNEAU.

annexe 1265, J. de Meung ; lat. *annexus,* part. passé de *annectere,* joindre. || **annexer** XIIIe s. || **annexion** fin XIVe s. || **annexionniste** 1771, Trévoux.

annihiler 1302 (*anichiler*) ; XVe s., dans Tardif (*annihiler*) ; lat. scolast. *annichilare,* de *nihil* (écrit *nichil*), rien. || **annihilation** 1361, Oresme (*annichilation*) ; lat. scolast. *annichilatio,* anéantissement. || **annihilateur** 1865.

anniversaire V. AN.

***annoncer** 1080, *Roland ;* lat. *annuntiare,* de *nuntius,* messager. || **annonce** 1440, *Cart.* || **annonceur** XIIe s. ; repris dans la langue commerciale au XXe s. (1961, *l'Express*). || **annonciateur** XVe s. ; lat. *annuntiator ;* refait au XIXe s., avec sens techn. || **annonciation** 1120, *Ps. de Cambridge ;* lat. *annunciatio* « action d'annoncer », sens qu'on trouve aussi en fr. jusqu'au XVIIIe s. (Montesquieu) ; la spécialisation religieuse date du lat. chrét. || **annoncier** 1847.

annone, annoter V. AN, NOTE.

annuaire, annuel, annuité V. AN.

annulaire 1539, Gruget ; lat. *anularius,* de *anulus,* anneau (la graphie *nn* l'emporte déjà en latin sous l'influence de *annus,* année) ; 1530, nom, par ellipse de *doigt annulaire.* (V. ANNEAU, ANUS.)

annuler, anoblir V. NUL, NOBLE.

anode 1838 ; gr. *ana,* en haut, et *hodos,* route ; « électrode d'arrivée ». || **anodique** 1903. || **anodisation, anodiser** XXe s.

anodin 1503, G. de Chauliac ; lat. méd. *anodynon,* du gr. *anôdunon,* ce qui calme la douleur, de *odunê,* douleur et *a[n]* priv. Le sens fig. se développe surtout après le XVIIe s.

anomal 1174 ; rare jusqu'au XVIIe s., surtout techn. ; bas lat. (Ve s., gramm.) *anomalus,* du gr. *anômalos,* irrégulier (*a[n]* privatif, *omalos,* pareil). || **anomalie** 1570, Gentian Hervet ; gr. *anômalia ;* a pénétré au XIXe s. dans la langue courante.

anomie 1885 ; gr. *anomia,* « absence de loi ». || anomique 1893.

ânon, ânonner V. ÂNE.

anonyme 1540 ; bas lat. *anonymus,* du gr. *anônumos,* sans nom (de *a*[*n*] priv. et *onoma,* nom). || **anonymement** 1776, *Corr. litt. secrète.* || **anonymat** 1864, *Journ. des débats.* || **anonymie** 1837. || **anonymographie** 1952, Lar.

anophèle 1829 ; gr. *anôphelês,* « nuisible ».

anorak 1906 ; mot esquimau, de *anoré,* le vent, « vêtement qui protège contre le vent ».

anorexie 1584, du Bartas ; *a*[*n*] privatif et gr. *orexis,* appétit. || **anorexique** 1853. || **anorexigène** 1967.

anormal V. NORMAL.

anoxie 1950 ; de *an-* privatif et *oxy(gène).*

anse XIIIe s. ; lat. *ansa,* anse d'un panier ; 1484, Garcie (*ance*), géogr. || **ansé** 1606, Nicot.

ansérine 1534, Rab., adj., *plume ansérine,* plume d'oie ; lat. *anserinus,* adj. dér. de *anser,* oie ; auj. seulement, méd. (*peau ansérine,* chair de poule), et bot., n. f., plante dont les feuilles rappellent la patte d'oie.

anspect 1687, Desroches ; néerl. *handspecke,* épieu à main.

anspessade XVIe s., *Ordonn.* de François Ier (var. *lanspessade*) ; H. Estienne (*lancespessade*) ; ital. *lancia spezzata,* « lance rompue », qui désigna les soldats d'élite (qui avaient eu leur lance brisée) ; en France, aide de caporal sous l'Ancien Régime. La chute du *l* est due à une déglutination.

antagoniste 1560, Paré (*muscles antagonistes*), terme d'anatomie jusque chez Bossuet ; XVIIe s., Malherbe, « adversaire » ; gr. *antagônistês,* adversaire (rac. *agôn,* combat). || **antagonique** av. 1865, Proudhon. || **antagonisme** fin XVIe s., d'abord anat. ; 1826, A. Comte, polit.

antalgique 1793 ; de *anti-* et *algie* (gr. *algos,* douleur).

***antan** fin XIIe s. ; lat. pop. **anteannum,* l'année d'avant ; n'est plus qu'une survivance litt. d'après *les neiges d'antan* de Villon.

antanaclase 1751 ; de *anti-* et gr. *anaklasis,* « répercussion ».

antarctique V. ARCTIQUE.

1. **ante** 1683, Danet, « pilier carré » et « pièce d'un moulin » ; lat. *anta* (usité surtout au pl.), pilastre.

2. ***ante** 1125, *Gormont* (*hanste*) ; XVIIe s., Vaugelas (*hante*) ; lat. *hasta,* lance, croisé avec le francique *hand,* main. En anc. fr., « bois d'une arme », « hampe » (encore chez Vaugelas), auj. manche du pinceau à laver (peint.).

anté-, les mots construits avec le préfixe *anté-,* devant, sont indiqués à la place alphabétique du mot simple.

antécédent 1361, Oresme ; lat. *antecedens,* part. prés. de *antecedere,* précéder (*cedere,* aller, *ante,* devant), sens philos. en lat. scolast. ; « actions antérieures » (d'une personne) début XIXe s. || **antécédence** XVIe s., Gentillet.

antédiluvien V. DÉLUGE.

antenne début XIIIe s., Villehardouin (*antaine*) ; lat. *antenna,* vergue ; appliqué, au XVe s., aux appendices tactiles des insectes par Gaza ; sens passé en fr. en 1712 (*Mém. Acad. des sc.*) ; radio début XXe s. ; sens fig. milieu XXe s.

antérieur 1488, *Mer des hist. ;* lat. *anterior,* placé avant (*ante*). || **antérieurement** 1611, Cotgrave. || **antériorité** 1532, Rab.

anthémis 1615, Daléchamp, trad. Desmoulins ; lat. *anthemis,* du gr. *anthos,* fleur.

anthère 1611, Cotgrave ; gr. *anthêros,* f. *-a,* adj. dérivé de *anthos,* fleur.

anthologie 1574, P. Breslay ; gr. *anthologia,* recueil de fleurs (*anthos,* fleur, et *legein,* choisir). [V. FLORILÈGE.]

anthracite 1752, Trévoux ; gr. *anthrax, -akos,* charbon. Le lat. et gr. *anthracitis* (d'où le moyen fr. *anthracite,* XVe-XVIe s.) signifiait « pierre précieuse ». || **anthracène** ou **enthracine** 1838.

anthrax 1371, Coyecque (*entractz*) ; 1495, J. de Vignay (*antrac*) ; lat. méd. *anthrax,* tumeur noirâtre, du gr. *anthrax,* charbon.

anthropo-, élém. de composition ; gr. *anthrôpos,* homme. || **anthropocentrisme, anthropocentrique** 1877, L. || **anthropoïde** 1838. || **anthropologie** 1507 (*entropologie*), « étude philosophique de l'homme » ; 1819, Boiste, « étude du corps humain » ; 1835, H. de Balzac, ethnographie. || **anthropologiste** 1808. || **anthropologue** milieu XIXe s. || **anthropométrie** 1750. || **anthropomorphe** 1811, Hanin, bot. ; 1819, Boiste, zool. (mandragore). ||

anthropomorphisme 1749. || **anthroponymie** 1938 ; port. *anthroponimia* (1887, Leite de Vasconcellos, *Rev. Lusitana,* I, 45), science des noms (gr. *onoma*) de personnes. || **anthropopithèque** gr. *pithêkos,* singe. || **anthropophage** 1265, Br. Latini (*Anthropophagi*) ; gr. *phagein,* manger. || **anthropophagie** XVIe s., Sales. || **anthropotechnie** 1930.

anti-, les mots construits avec le préfixe *anti-,* contre, sont indiqués à la place alphabétique du terme simple, lorsque celui-ci existe. Dans le cas contraire, ils sont enregistrés à la suite du préfixe. Employé à partir du XVIe s., le préfixe s'est répandu dès le XVIIIe s.

antibiotique 1878, *journ.,* adj. ; 1941, méd. ; préf. *anti-* et gr. *bios,* la vie. || **antibiothérapie** v. 1950. || **antibiogramme** 1960.

antichambre 1529, Lassere ; ital. *anticamera,* « chambre de devant » ; refait sur *chambre.*

anticiper 1355, Bersuire ; lat. *anticipare,* prendre d'avance, être en avance (de *capere,* prendre, *ante,* avant). Il a gardé le sens trans. de « devancer » jusqu'au XVIIIe s. || **anticipation** 1437, *Coutum. d'Anjou ;* lat. *anticipatio.* || **anticipateur** 1922.

antidater V. DATE.

antidote 1130, *Eneas* (*-dot*) ; lat. médiév. *antidotum* (Celse), du gr. *antidoton,* donné contre.

antienne fin XIIIe s., *Renard* (*antievene*) ; lat. eccl. *antiphŏna,* altéré en *antēfona, -făna* (VIe s., saint Benoît, Grég. de Tours) ; 1694, *antienne ;* une var. *antoine,* en anc. fr., est la survivance populaire de *antiphona.* Le mot lat., « chant alternatif » (de deux chœurs), vient du gr. *phônê,* voix, *anti,* contre, en face de.

antilope 1622, trad. Le Maire ; angl. *antelope* (sens actuel au XVIIe s.), du lat. méd. *anthalopus,* animal fabuleux (en anc. fr. *antelop,* même sens, 1265, Br. Latini). Le latin vient du gr. byzantin *anthalôps.*

antimoine XIIIe s., *Antidotaire Nicolas ;* lat. méd. *antimonium* (XIe s.), de l'ar. *'ithmid,* sans doute du gr. *stimmi,* oxyde d'antimoine pour peindre les sourcils.

antinomie 1546, Rab. ; lat. *antinomia,* mot gr. || **antinomique** 1850.

antipathie 1542 ; lat. *antipathia,* du gr. *antipatheia* (*anti,* contre, et *pathos,* passion). || **antipathique** 1568.

antiphonaire 1119, Ph. de Thaon (*antefinier*) ; début XIVe s. (*antiphonar*) ; lat. eccl. *antiphonarius,* de *antiphona,* chant alterné, empr. au gr. *anti,* contre, et *phônê,* voix. (V. ANTIENNE.)

antiphrase XIVe s. ; lat. gramm. *antiphrasis,* du gr. *anti* et *phrasis* (v. PHRASE). || **antiphrastique** 1961.

antipode 1372, Corbichon ; lat. *antipodes,* du gr. *podes,* pieds.

antipyrine 1884, Knorr ; de *anti,* contre, et gr. *pur,* le feu (de la tête) ; « médicament contre la fièvre ».

antique XIIe s., *Roncevaux ;* lat. *antiquus ;* a éliminé l'anc. fr. *anti(f),* f. *-ive,* forme pop. || **antiquité** 1080, *Roland ;* lat. *antiquitas.* || **antiquaille** fin XVe s. ; ital. *anticaglia,* antiquités, dér. de *antico,* péjor. depuis le XVIIe s. (Corneille) ; adj. 1736, Voltaire. || **antiquaire** 1547, G. du Choul ; lat. *antiquarius,* qui aime l'antiquité ; en fr., d'abord « archéologue » au XVIIe s. (et « antique », adj., au XVIe s.), puis, au début du XIXe s., « marchand d'antiquités ». || **antiquariat** 1697, Bayle. || **antiquisant** 1910.

antithèse av. 1550, P. Doré ; gr. *antithêsis,* de *anti,* contre, et *thêsis,* thèse. || **antithétique** av. 1680, Blanchemain ; gr. *antithetos,* que l'on met en face.

antonomase fin XIIIe s. ; lat. *antonomasia,* du gr., de *anti,* à la place de, et *onoma,* nom.

antonyme 1866, Lar. ; gr. *anti,* contraire, et *onoma,* nom. || **antonymie** fin XVIIIe s. || **antonymique** XIXe s.

antre 1500, O. de Saint-Gelais ; lat. *antrum,* du gr. *antron.*

anus 1314, Mondeville ; lat. *anus,* anneau, qui avait pris aussi ce sens en français. || **anal** 1805. (V. ANNEAU, ANNULAIRE.)

anxieux 1375, R. de Presles, adj., au sens général ; lat. *anxiosus,* de *anxius,* inquiet. Le sens méd. enregistré en 1842, *Acad.,* est issu directement du lat. spécialisé en méd. depuis le XVIe s. || **anxiété** XIIe s., Herman de Valenciennes, au sens général du lat. *anxietas ;* 1564, J. Thierry, méd. || **anxieusement** 1823. || **anxiogène** 1968. || **anxiolytique** 1970.

aoriste 1548, Sebillet ; lat. *aoristus,* du gr. *aoristos,* non défini.

aorte 1478 (*aorti*) ; 1546, Ch. Estienne (*aorte*) ; gr. *aortê,* veine. || **aortite** 1824.

***août** XIIe s. (*aost*) ; lat. *augustus* (lat. pop. **agustus*), mois consacré à Auguste (auparavant *sextilis*). || **aoûter** XIIe s. (*aoster*) ; se rencontre encore au XVIIe s. || **aoûteron** 1547, Haudent, qui a remplacé *aoûteur* (XVe s.) || **aoûtat** XIXe s. ; orig. dial. (insecte du mois d'août). || **aoûtien** 1961, *journ.*

apache 1751, ethno. ; anglo-amér. *Apache,* de l'esp. *apache,* d'une langue indienne ; 1902, création de journalistes du *Matin* et du *Journal,* d'apr. le peuple indien des Apaches, pour désigner la pègre des boulevards extérieurs. || **apacherie** 1900, *le Sourire.*

apaiser V. PAIX.

apanage fin XIIIe s. ; anc. fr. *apaner* (anc. comp. de *pain*), à l'origine « donner du pain », par ext. « doter ». Le nom s'est spécialisé au sens de « apanage royal », usage supprimé en 1792, rétabli par Napoléon Ier et Louis XVIII (le dernier apanage fut celui de la maison d'Orléans, qui fit retour à la couronne en 1830). Le mot a survécu au sens fig., usité dès la fin du XVIIIe s. (Regnard). || **apanager** 1407, *Ordonn.*

aparté 1640, La Ménardière, théâtre ; 1866, Lar., sens général ; loc. lat. *a parte,* à part.

apartheid 1954 ; mot afrikaans, « séparation ».

apathie 1375, R. de Presles ; gr. *apatheia,* insensibilité ; d'abord terme de philos. ; il a pris le sens de « indolence » (fin du XVIIe s., Saint-Simon). || **apathique** 1643, Du Bosc, *le Philosophe.*

apatride, aperception, apercevoir V. PATRIE, PERCEVOIR.

apéritif XIIIe s. ; lat. médiév. *aperitivus,* de *aperire,* ouvrir, au sens méd. auj. disparu de « qui ouvre les voies d'élimination » (laxatif, diurétique, sudorifique) ; adj. 1750, *Dict. des aliments,* qui ouvre l'appétit ; n. m. XIXe s. || **apéro** début XXe s., abrév. fam. du préc.

aperture av. 1556, Le Blanc ; XXe s., en linguistique ; lat. *apertura,* de *aperire,* ouvrir, au sens général de « ouverture ».

apeuré V. PEUR.

aphasie 1826, Bouillaud ; gr. *aphasia,* mutisme (*a* priv. et *phasis,* parole). || **aphasique** 1643, Du Bosc ; 1864, *journ.,* sens mod.

aphélie 1690, Furetière ; lat. sc. *aphelium* (1596, Kepler), du gr. *hêlios,* soleil.

aphérèse 1521, P. Fabri (*apheresis*), gramm. ; 1605, Le Loyer, philos ; lat. *aphaeresis* (Charisius), du gr. *aphairesis,* action d'enlever.

aphonie 1617, Habicot ; gr. *aphonia* (*a* priv. et *phônê,* voix). || **aphone** 1836, *Acad.*

aphorisme 1270 (*anphorisme*) ; 1361, Oresme (*amphorisme*) ; 1490. *Guidon en fr.* (*aphorisme*) ; bas lat. *aphorismus* (Rufin), du gr. *aphorismos,* définition. || **aphoristique** 1549, Tagault.

aphrodisiaque 1742 ; gr. *aphrodisiakos,* de *Aphroditê,* Vénus (déesse de l'Amour). || **anaphrodisiaque** 1850. || **anaphrodisie** 1803.

aphte 1545, Guéroult ; lat. méd. *aphtae,* du gr. *aphtai,* de *haptein,* brûler. || **aphteux** XVIIIe s. (*fièvre aphteuse*).

api 1571 (pomme *Apie*) ; 1611, Cotgrave (*d'Appie*) ; 1653, Oudin (*d'api*) ; du nom de Claudius Appius, qui aurait rapporté cette pomme du Péloponnèse à Rome.

apical 1838 ; lat. *apex, -icis,* sommet.

apiculteur 1845, Besch. ; lat. *apis,* abeille, et *-culteur.* || **apiculture** 1845, Besch., a remplacé *abeillage.* || **apicole** 1845, Besch. ; sur le modèle de *agricole.*

apitoyer, aplanir, aplatir, aplomb V. PITIÉ, PLAN, PLAT, PLOMB.

apnée XVIe s., Vigenère (*apné*) ; lat. sc. *apnoea,* du gr. *apnoia.*

apo-, préfixe issu du grec *apo-,* indiquant l'éloignement, la séparation, la cessation, et se présentant avec la variante *aph-.* Les mots construits avec ce préfixe, pour la plupart empr. au gr., sont indiqués à leur place alphabétique.

apocalypse XIIe s. ; lat. chrét. *apocalypsis,* du gr. *apokalupsis,* « révélation ». Il a pris le sens de « catastrophe finale » au XXe s. || **apocalyptique** 1552, Rab. ; repris au gr. *apokaluptikos.* || **apocalyptiquement** 1832, Balzac.

apocope 1501, Vérard ; lat. *apocopa,* du gr. *apokopê,* retranchement ; limité au vocabulaire de la grammaire. || **apocoper** 1578, H. Est.

apocryphe 1220, Coincy (*apocrife*) ; lat. eccl. *apocryphus,* du gr. *apokruphos,* « tenu secret ». Terme eccl. jusqu'au XVIe s., puis sens général de « non authentique ».

apodictique 1582 ; gr. *apodeiktikos,* démonstratif, de *apodeiknunai,* démontrer. || **apodictiquement** *id.* || **apodicticité** 1943, Sartre.

apodose XVIIe s. ; gr. *apodosis,* restitution.

apogamie 1888, Lar. ; gr. *apo,* loin de, et *gamos,* mariage.

apogée 1562, M. Scève, astron. ; lat. *apogeus,* du gr. *apogeios,* loin de la terre ; sens fig. 1652 (Guez de Balzac).

apologie 1495, J. de Vignay ; lat. eccl. *apologia,* du gr. *apologia,* défense. Le sens élargi apparaît au XVIIe s. || **apologétique** XVe s. ; lat. *apologeticus.* || **apologique** 1543, Delb. || **apologiste** 1623, P. Garasse.

apologue XVe s., G. Tardif ; lat. *apologus,* du gr. *apologos,* « récit », spécialisé au sens de « fable ».

aponévrose 1541, Canappe ; gr. *aponeurôsis,* durcissement en forme de nerf, de tendon. || **aponévrotique** 1752, Trévoux.

apophonie 1842 ; gr. *apo,* loin de, et *phônê,* parole.

apophtegme 1529, G. Tory ; gr. *apophtegma,* sentence.

apophyse 1541, Canappe ; gr. *apophusis.* || **apophysaire** 1846, Baudement.

apoplexie XIIIe s., Guill. de Tyr. ; lat. *apoplexia,* du gr. *apoplêxia,* de *apoplêttein,* renverser. || **apoplectique** 1256, A. de Sienne ; lat. *apoplecticus.*

aporie 1704 ; lat. eccl. *aporia,* du gr. *a-* privatif et *poros,* chemin. || **aporétique** 1866.

apostasie 1250, *Statuts d'hôtels-Dieu ;* lat. eccl. *apostasia,* du gr. *apostasia,* abandon, défection, de *apo,* loin de, et *stênai,* se tenir. || **apostasier** XVe s., G. Alexis. || **apostat** 1265, G. ; lat. *apostata,* du gr. *apostatês.*

aposter XIIe s. (*apposter*), « mettre à un poste, placer » ; *s* muet à partir du XIIIe s. ; de *poste.* Il est repris, au XVe s., à l'ital. *appostare,* guetter.

a posteriori 1626, Descartes ; loc. du lat. scolast. signif. « en partant de ce qui est après ».

apostiller av. 1450, Gréban, « annoter en marge » ; 1762, Voltaire, sens mod. ; de l'anc. fr. *postille* (XIIIe-XVIe s.), « annotation », tiré du lat. médiév. *postilla* (*post,* après, *illa,* ces choses). || **apostille** 1506, J. Marot ; masc. jusqu'au XVIIe s. ; « note marginale », puis « note pour recommander » (1802, *Acad.*) ; déverbal.

apostolat XVe s., Du Cange ; lat. chrét. *apostolatus* (Tertullien, de *apostolus*). || **apostolique** XIIIe s., A. du Mont-Cassin ; lat. *apostolicus* (*id.*), du gr. *apostolikos.* (V. APÔTRE.)

1. **apostrophe** 1514, G. Michel, mouvement oratoire ; lat. *apostropha,* du gr. *apostrophê,* action de se détourner ; le sens de « interpellation » est du XVIIe s. || **apostropher** 1672, Molière, « interpeller » ; XVIIIe s., « donner un soufflet ».

2. **apostrophe** 1514, signe orth. ; lat. gramm. *apostrophus,* du gr. *apostrophos,* signe d'élision d'une voyelle finale. || **apostropher** 1540, Dolet, marquer d'une apostrophe.

apostume 1256, Ald. de Sienne ; lat. méd. *apostema,* du gr. *apostêma,* corruption (qui a donné aussi *apostème,* XIIIe s.), avec changement de terminaison par analogie avec *rhume* et *fleugme* (flegme) ; il était, au XVIIe s., indifféremment du masc. ou du fém.

apothéose 1581, C. Guichard ; sens fig., 1581, Nancel ; lat. *apotheosis,* du gr. *apotheôsis,* de *theos,* dieu.

apothicaire 1268, É. Boileau (*apotecaire*) ; bas lat. *apothecarius* (*Code Justinien*), boutiquier, de *apotheca,* qui a donné *boutique.*

apôtre 1080, *Roland* (*apostle*) ; fin XIIe s., *apostre ;* lat. eccl. *apostolus,* du gr. *apostolos,* envoyé, spécialisé en « envoyé de Dieu » par le gr. eccl. Le sens fig. date du XVIIe s., La Bruyère ; *bon apôtre* (*les Plaideurs ;* La Fontaine).

* **apparaître** 1080, *Roland* (*aparoistre*) ; lat. pop. **apparescere,* forme inchoative de *apparēre,* qui avait donné l'anc. fr. *apparoir* (XIIe-XVIe s.), dont il reste la survivance jurid., *il* appert. || **appariteur** 1332, texte de Reims ; lat. *apparitor,* agent subalterne attaché au service d'un officier ou magistrat ; de *apparere,* « se montrer aux côtés de », puis « être au service de ». || **apparition** 1190, Saint Bernard, « Épiphanie » ; lat. eccl. *apparitio,* calque du gr. *epiphaneia,* apparition (le lat. class. signifiait « service » et « escorte »). En fr., le sens s'est étendu, surtout à partir du XVIe s., d'après *apparaître.* || **réapparaître** 1867, Lar. || **réapparition** 1771, Trévoux.

apparat XIIIe s., *Clef d'amors ;* lat. *apparatus,* « préparatifs », de *parare,* préparer ; puis « ornements », « pompe ».

appareil XIIe s., *Chanson d'Antioche ;* lat. pop. **appariculum,* de *apparare,* préparer, à côté de *apparatus ;* en fr., « préparatif, magnificence », jusqu'au XVIIe s., à côté de « instrument » ; *appareil photo,* fin XIXe s., Kjellman ; l'anc. plur.

apparaux est resté comme terme de marine. || **appareiller** 1080, *Roland,* « préparer », jusqu'au XVIIe s., puis terme de marine (1544, J. Cartier), remonte au lat. pop. **appariculare.* || **appareillage** XIVe s., « préparatifs » ; mar., fin XVIIIe s. || **appareilleur** XIIIe s., *Girart de Roussillon.* || **apparatchik** 1965 ; mot russe.

appareiller V. PAREIL, APPAREIL.

apparence 1283, Beaumanoir (*aparance*) ; de *apparoir* (v. APPARAÎTRE), avec infl. du lat. impér. *apparentia* (Tertullien) ; il a eu aussi jusqu'au XIXe s. le sens de « vraisemblance ». || **apparent** 1155, Wace (*aparant*) ; part. présent de *apparoir,* avec infl. du lat. *apparens,* part. présent de *apparere ;* « mensonger » et « considérable » jusqu'au XVIIe s. || **apparemment** XIIIe s., Novare, d'abord « manifestement » jusqu'au XVIIe s.

apparenter V. PARENT.

apparier début XIIIe s., « unir » ; réfection d'après le lat. *par,* « égal », d'un plus ancien *apairier* (v. PARIER) ; au fig. jusqu'au XVIIe s. || **appariement** fin XVIe s. || **apparieur** 1657-1670, Tall. des Réaux. || **désapparier** 1611, Cotgrave.

appariteur V. APPARAÎTRE.

appartement 1559, Du Bellay ; ital. *appartamento,* de *appartare,* séparer, de *parte,* partie ; ensemble de plusieurs pièces constituant un logis.

***appartenir** 1050, *Alexis ;* lat. impér. *adpertinere* (IVe s., Innocentius), « dépendre de », de *pertinere,* se rattacher à, dans lequel l'élément « tenir » a longtemps été senti. || **appartenance** 1170, *Rois,* jurid.

appât début XVIe s., J. Marot (*appast*) ; parfois « aliment » (Du Pinet) ; croisement de l'anc. fr. *past,* nourriture (« appât », XVe s.), du lat. *pastus* (part. passé substantivé de *pascere,* nourrir), avec *apaistre,* repaître (v. PAÎTRE). || **appas** plur., spécialisé au sens fig. à partir du XVIIIe s., est l'anc. forme du pluriel. || **appâter** 1540, Cl. Marot ; 1552, Baïf, fig.

appauvrir, appeau V. PAUVRE, APPELER.

***appeler** 1080, *Roland* (*apeler*) ; lat. *appellare* « aborder » (de *pellere,* pousser). || **appel** fin XIe s., *Lois de Guillaume ;* déverbal ; la finale *-el* a été conservée en corrélation avec le verbe. || **appelant** nom 1392, E. Deschamps. || **appeau** XIIe s. ; var. morphologique de *appel* (forme du plur. étendue au sing. comme la plupart des anciens noms en *-el :* cf. BEAU, MARTEAU). || **appellation** 1190, Garn. ; lat. *appellatio,* de *appellare,* « action d'appeler » (rare en anc. fr.) ; sens jurid. d'« appel » (1525, J. Lemaire) jusqu'au XVIIIe s. ; le sens de « dénomination » l'a emporté en fr. || **appellatif** XIVe s. ; lat. *appellativus* (Priscien). || **rappeler** 1080, *Roland,* « faire revenir » ; *se rappeler,* av. 1673, Molière. || **rappel** milieu XIIIe s., « action de faire revenir » ; XIXe s., « fait de faire souvenir ».

appendice 1233, « dépendance » ; lat. *appendix, -icis,* « objet suspendu », de *pendere,* pendre, qui avait pris le sens « dépendance », et en bas lat. « appendice d'un livre » (*Appendix Probi,* Ve s.) ; sens anat. (1541, Canappe) repris au lat. méd. médiév. ; fém. d'apr. le lat. jusqu'au début du XVIIIe s. || **appendicule** 1546, Ch. Est. || **appendicectomie** 1872. || **appendicite** 1866.

***appendre** 1080, *Roland ;* lat. *appendere,* usuel encore en un sens religieux au XVIIe s. (v. PENDRE). || **appentis** Xe s. (*apendiz*) ; fin XIIIe s. (*appentis*) ; d'un part. passé archaïque **apent* (v. PENTE).

appesantir V. PESER.

appétence 1554, Pasquier ; lat. *appetentia,* désir, de *petere,* demander. Le mot appartient d'abord à la méd. Le verbe **appéter** existait au XVIIe s. || **inappétence** XVIe s.

appétit 1180, *Saint-Évroult* (*apetit*), « désir » ; lat. *appetitus,* désir (dér. de *appetere,* convoiter), spécialisé en « appétit de manger » dans le langage courant du XVIIe s. ; sens économique, 1868, Hugo. || **appétissant** 1398, *Ménagier.* || **appétition** 1550, Fierabras ; lat. *appetitio,* convoitise.

applaudir fin XIVe s., R. de Presles ; lat. *applaudere.* || **applaudissement** 1539, Le Baud. || **applaudimètre** 1950, *journ.* || **applaudisseur** 1539, R. Est.

appliquer XIIIe s., *Sept Sages* (*appliquier*) ; lat. *applicare.* || **applicable** fin XIIIe s. (*-quable*). || **applique** XVe s., « action d'appliquer » ; XIXe s., appareil d'éclairage. || **application** XIVe s. ; lat. *applicatio,* a suivi en fr. les sens du verbe. || **applicateur** 1834, Sainte-Beuve. || **inappliqué** 1677, Bossuet. || **inapplication** 1671, Pomey. || **inapplicable** 1762, *Acad.*

appoggiature XVIIIe s. ; ital. *appogiatura,* de *appogiare,* appuyer.

1. **appointer** 1268, É. Boileau, jurid., régler une affaire ; XVIe s., sens actuel ; dér. de *point,*

« mettre au point ». || **appoint** 1398, Deschamps. || **appointement** début XIVe s., règlement ; XVIe s., sens actuel.

2. **appointer** V. POINTE.

apponter V. PONT.

* **apporter** Xe s., *Saint Léger ;* lat. *apportare,* porter vers. || **apport** fin XIIe s., offrandes des fidèles ; XIXe s., sens financier. || **apporteur** XIIe s. ; XIXe s., sens financier. || **rapporter** 1150, *Charroi de Nîmes.* || **rapport** milieu XIIIe s. || **rapporteur** fin XIIIe s.

apposer 1155, Wace ; de *poser* (auprès). || **apposition** 1213, *Cart. N.-D. de la Roche ;* sens gramm. XVIIIe s. ; lat. *appositio,* action de placer auprès, de *ponere,* placer.

apprécier 1391, *Coutum. d'Anjou ;* lat. impér. *appretiare* (Tertullien), de *pretium,* prix. || **appréciable** fin XVe s. || **appréciateur** 1509, *Doc.* || **appréciatif** 1615, R. Gaultier, théol. ; XVIIIe s., sens actuel. || **appréciation** 1398, G. || **inappréciable** milieu XVe s., G.

appréhender XIIIe s. *Doc. ;* XVIIe s., « comprendre », comme en lat. impér. (IIIe s., Tertullien) ; XVIIIe s. « considérer comme étant à craindre » ; XVIe s., jurid. (*saisir un débiteur*) ; XIXe s., « arrêter » ; lat. *apprehendere,* saisir, de *prehendere,* prendre. || **appréhensif** 1372, Corbichon, « qui perçoit » ; 1566, trad. Gelli, « craintif ». || **appréhension** 1265, Br. Latini ; lat. *apprehensio,* « action de saisir », puis « compréhension » ; même évolution en fr.

* **apprendre** 1050, *Alexis ;* lat. pop. **apprendĕre,* du lat. *apprehendere,* passé de « comprendre » à « apprendre » (pour soi, puis : aux autres) ; l'anc. fr. avait aussi le sens premier « saisir ». || **apprenant** XXe s. || **apprenti** 1175, Chr. de Troyes (*aprantez*) ; XVIe s., (*apprentif,* fém. *-isse*) jusqu'au XVIIe s. ; d'un part. passé **apprenditĭtum,* **aprent* (v. *appentis,* à APPENDRE, et PENTE). || **apprentissage** 1395, Delb. || **malappris** 1835. || **désapprendre** 1280, Végèce.

* **apprêter** 980, *Passion ;* lat. pop. **apprestare ;* bas lat. *praestus,* prêt. || **apprêt** 1305, G. Guiart. || **apprêteur** 1552, Ch. Est. || **apprêtage** milieu XIIIe s. (v. PRÊT). || **inapprêté** 1813, Delille.

* **apprivoiser** fin XIIe s. (*apriveiser*) ; 1555, Pasquier (*-privoiser*), « rendre privé », par opposition à « libre, sauvage » ; lat. pop. **apprīvĭtiare,* de *privus,* privé, personnel. || **apprivoisement** 1550, Amyot. || **apprivoiseur** 1565, Calepin.

approbation, approcher, approfondir, approprier V. APPROUVER, PROCHE, PROFOND, PROPRE.

* **approuver** fin XIIe s. ; lat. *apprŏbare* (de *proba,* preuve), qui signifiait aussi « prouver » (en fr. jusqu'au XVIe s.) et « faire approuver » (repris en fr. au XVIe s.). || **approuvable** 1550, Amyot. || **approbation** 1265, Le Grand ; lat. *approbatio.* || **approbateur** 1534, G. Michel ; lat. *approbator.* || **approbatif** début XVe s. ; bas lat. *approbativus.* || **désapprouver** 1530, Colin Bucher. || **désapprobateur** 1748, Montesquieu. || **désapprobation** 1783, *Courrier de l'Europe.*

approvisionner V. PROVISION.

approximation 1314, Mondeville ; lat. impér. *approximare,* approcher (Tertullien ; de l'adv. *proxime,* superlatif de *prope,* près). || **approximatif** 1795, Snetlage. || **approximativement** 1823, Boiste. || **approximer** XIVe s., « s'approcher » ; fin XVIIIe s., « connaître par approximation ».

* **appuyer** 1080, Roland ; lat. pop. **appodiare,* de *podium,* soubassement, du gr. *podion,* petit pied. || **appui** XIIe s. ; déverbal. || **appui-main** 1680, Richelet. || **appui-tête** 1866, Lar.

* **âpre** 1131, *Couronn. de Loïs* (*aspre*) ; lat. *asper* (*asprum*). || * **âpreté** 1190, Saint Bernard (*aspreteit*) ; lat. *asperitas.* || **âprement** 1138, *Saint Gilles.* || **aspérité** XIIe s., *D. G. ;* formé sur le lat. *asperitas,* au sens propre.

* **après** 1080, *Roland ;* bas lat. *ad pressum,* auprès (*Mulomedicina*), forme renforcée de *pressum* (v. PRÈS), qui a remplacé *post* dans le sens « après », d'abord locatif, puis temporel.

a priori 1626, Mersenne ; lat. scolast. signif. « en partant de ce qui est avant », de *prior,* « qui est avant ». || **apriorisme** 1877, L. || **aprioriste** 1869.

apte XIIe s. (*ate*) ; lat. *aptus ;* spécialisé comme terme jurid. au XVIIIe s. ; sens élargi au XIXe s. || **aptitude** 1361, Oresme, jurid. jusqu'au XVIe s. ; bas lat. *aptitudo.* || **inapte** XVe s. || **inaptitude** XVe s., rare jusqu'au XVIIIe s.

aptère 1751 ; gr. *apteros,* de *a* priv. et *pteron* aile.

apurer V. PUR.

aquaculture ou **aquiculture** 1864 ; lat. *aqua,* eau, et *culture.*

aquafortiste 1853, Goncourt ; ital. *acquafortista,* « graveur en eau-forte » (*acqua forte*), pour servir de nom d'agent à *eau-forte.*

aquaplane 1931 ; lat. *aqua,* eau, et *planer.* || **aquaplaning** 1969. || **aquaplanage** 1973.

aquarelle 1791, *Encycl. méth. ;* ital. *acquarella,* dér. de *acqua,* eau. || **aquarelliste** 1829. || **aquareller** 1855.

aquarium 1860, *Année sc. et industr. ;* lat. *aquarium,* réservoir. || **aquariophile, aquariophilie** 1949, *L. M.*

aquatile V. AQUATIQUE.

aqua-tinta 1819, Boiste ; ital. *acqua tinta,* eau teinte ; francisé en *aquatinte* au XIXe s. (1824, Delacroix).

aquatique XIIIe s., G. ; lat. *aquaticus,* de *aqua,* eau ; il a existé aussi, avec un autre suffixe, *aquatile* (1678, *Journ. des savants*).

aqueduc 1518 (*acqueducte*) ; lat. *aquaeductus,* qui conduit l'eau. Au XVIe s., var. *aqueduct, aquadouch.*

aqueux 1503, G. de Chauliac ; lat. *aquosus* (qui a donné une forme pop. disparue, *eveux*), dér. de *aqua,* eau. Il a existé aussi un autre adjectif, *aqué* (1546, Ch. Est.). || **aquosité** 1314, Mondeville, comme terme de médecine.

aquilin XIVe s. ; lat. *aquilinus,* de *aquila,* aigle, « qui a la forme d'un bec d'aigle ».

aquilon 1120, *Ps. de Cambridge* ; lat. *aquilo, -onis,* vent qui vient du nord.

aquosité V. AQUEUX.

ara 1558, Thevet ; tupi-guarani *ara.*

arabe 1080 (*arrabit*) ; 1564, J. Thierry ; lat. *arabus,* du gr. *araps ;* il a remplacé *Sarrasin* comme nom de peuple ; sens fig. de « dur, âpre au gain » attesté encore au XVIIe s. || **arabesque** 1546, Rab., au sens de *arabe ;* ital. *arabesco,* arabe. Le sens de « ornement de style arabe », qui vient aussi de l'ital., est attesté en 1611 (Cotgrave). || **arabique** XIIIe s., *Assises de Jérusalem ; gomme arabique* 1213, *Fet des Romains ;* lat. *arabicus.* || **arabisant** 1637, Davity, syn. de *arabe ;* 1842, *Acad.,* « spécialiste de la langue et de la littérature arabes ». || **arabiser** 1735, *Mercure.* || **arabisation,** 1947, *Rev.* || **arabisme** 1740, « loc. arabe » ; 1948, Lar., polit. || **arbi** fin XIXe s. || **arabophone** 1903.

arable 1155, Wace ; lat. *arabilis,* qui peut être labouré, de *arare,* labourer.

arachide fin XVIIIe s. ; lat. *arachidna,* du gr. *arakidna* ou *arakos,* gesse ; le mot lat. a servi à désigner la plante au début du XVIIIe s.

arachnide 1806, Lunier, *Dict. de sciences ;* gr. *araknê,* araignée. || **arachnéen** 1857, Baudelaire. || **arachnoïde** 1538, *Guidon en fr.,* méd. || **arachnoïdite** 1824, H. Féraud.

arack, arak 1519, Delb. (*arach*) ; ar. *'araq,* d'abord « liqueur extraite du palmier ». (V. RAKI.)

araignée 1120, *Ps. d'Oxford,* « toile d'araignée » (encore au XVIIe s.) ; 1539, R. Est, sens actuel ; de l'anc. fr. *aragne* (lat. *aranea*), qui désigna l'animal jusqu'au XVIIIe s. (encore Voltaire) ; la même substitution de sens (toile d'araignée → araignée) s'était produite en latin (à l'origine, *araneus,* la bête, *aranea,* la toile). || **aranéeux** 1801.

araire début XIIe s., *Voy. de Charlemagne ;* repris au XIXe s. (1819, Boiste) ; prov. *araire,* du lat. *aratrum,* de *arare,* labourer.

araméen 1765 ; hébreu *Aram,* Syrie.

***arantèle** 1585, Du Fouilloux, mot poitevin ; lat. *araneae tela* (toile d'araignée).

araser V. RASER.

aratoire 1514, *Doc. ;* bas lat. *aratorius* (*Code Théodosien*), de *arare,* labourer.

araucaria 1806, de Wailly (*araucaire*) ; lat. bot. tiré d'*Arauco,* région du Chili d'où vient l'arbre.

***arbalète** 1080, *Roland* (*arbaleste,* var. *-estre,* jusqu'au XVIe s.) ; lat. impér. (Végèce) *arcuballista,* « baliste à arc » ; terme hist., auj. spécialisé dans des acceptions techn. || **arbalétrier** XIIe s., *Aymeri* (*-estier*). || **arbalétrière** 1160, Benoît. || **arbalestrille** 1622, Hobier.

arbitre XIIIe s., Ph. Navarre, « volonté », sens qui s'est conservé dans « libre arbitre » (1541, Calvin) ; lat. *arbitrium* ; « juge entre deux parties » 1213, *Fet des Romains ;* 1896, sports ; lat. *arbiter.* || **arbitrage** 1283, Beaumanoir ; 1771, Trévoux, sens financier ; XXe s., sports. || **arbitragiste** 1869, Sachs. || **arbitraire** 1397, Froissart, lat. *arbitrarius,* « qui dépend de la décision du juge » ; le sens moderne se développe à partir du XVe s., le mot servant d'adj. à « libre arbitre » ; la valeur péjor., sensible au XVIIe s., s'accentue au XIXe s. || **arbitrairement** 1397. || **arbitral** 1270, *D. G.* || **arbitrer** 1274, *D. G. ;* 1901, sports.

arborer 1320, *Geste des Chyprois ;* anc. ital. *arborare,* « dresser comme un arbre ».

arborescent, arboriculture, arboriser V. ARBRE.

arbouse 1557, Dodoens ; prov. mod. *arbousso,* fruit de l'*arbous,* du lat. *arbuteus,* dér. de *arbutus,* arbousier. || **arbousier** 1539, R. Est. (*arbosier*).

***arbre** 1080, *Roland ;* lat. *arbor,* fém. devenu masc. à l'époque préromane ; sens métaphoriques « mât », « axe » (de pressoir), etc., déjà en latin. || ***arbrisseau** VIIIe s., *Gloses de Reichenau* (*arbriscellus*) ; XIIe s. (*arbrissel*) ; lat. pop. **arboriscellus ;* réfection du dimin. de *arbor.* || **arborescent** 1553, P. Belon ; lat. *arborescens ;* part. présent de *arborescere,* devenir arbre. || **arborescence** début XIXe s. || **arboriculture** 1836. || **arborisation** 1806, Lunier ; lat. *arbor.* || **arboriser** 1750 « cultiver des arbres » ; ce dernier est employé parfois au XVIe s. pour *arborer.* || **arbuste** 1495, J. de Vignay ; lat. *arbustum.*

***arc** 1080, *Roland ;* lat. *arcus.* || **archer** XIIe s., *Roncevaux.* || **archet** XIIe s. || **arquer** 1560, A. Paré. || **arc-boutant** 1387, G. ; de *bouter,* pousser. || **arc-bouter** 1604, Certon. || **s'arc-bouter** 1783, Mercier. || **arc-en-ciel** 1265, J. de Meung. || ***arceau** 1175, Chr. de Troyes (*arcel*) ; lat. pop. **arcellus,* dimin, de *arcus,* arc. || **arcure** 1290. || **arcade** 1558, Jodelle ; ital. *arcata,* de *arco,* arc, sous une forme piémontaise-lombarde *arcada.* || **arcature** XIXe s.

arcane fin XVe s., adj., O. de Saint-Gelais, jusqu'au XVIIe s., aussi terme d'alchimie ; lat. *arcanus,* adj., secret, et *arcanum,* nom ; auj. restreint à quelques loc. (les *arcanes* de la science).

arcanne XIIIe s. (*alchanne*) ; 1611, Cotgrave (*arcanne*) ; lat. médiév. *alchanna,* plante tinctoriale, de l'ar. *al-hanna.* || **henné** 1553, Belon ; mot ar., nom d'un arbrisseau. || **orcanette** 1398, *Ménagier* (*arquenet*) ; 1562, Du Pinet (*arcanette*) ; altér. d'un dimin. de *arcanne.*

arcanson 1567 (*arguenson*) ; altér. de *Arcachon,* région où se fabriquait cette colophane.

arcasse 1491, Trémoille ; prov. mod. *arcasso,* gros coffre (dér. de *arco,* du lat. *arca,* coffre).

archaïsme 1659, Chapelain ; gr. *arkhaismos,* de *arkhaios,* ancien. || **archaïque** 1776, *Encycl., suppl.* || **archaïsant** 1906. || **archéen** 1866 ; gr. *arkhaios,* ancien.

***archal** 1170, *Rois ;* seulem. dans *fil d'archal,* depuis le XVIe s. ; lat. *orichalcum,* du gr. *oreikhalkos,* laiton ; en fr., le *a* initial (au lieu de *o*) est dû à *aurum,* or.

archange V. ANGE.

1. ***arche** (de Noé, d'alliance) 1170, *Rois ;* lat. *arca,* coffre, « arche », dans la Vulgate.

2. ***arche** arcade XIIe s., *Roncevaux,* et « arc » (du XIIIe au XVIe s.) ; lat. pop. de Gaule **arca,* arche, tiré de *arcus,* arc. || **archine** 1836.

archéo-, élém. de composition ; gr. *arkhaios,* ancien. || **archéologie** 1599, La Popelinière ; gr. *arkhaiologia.* || **archéologique** 1595, Barbier. || **archéologue** 1813, Boiste. || **archéoptéryx** 1864, F. de Filippi ; gr. *pterux,* aile.

archétype 1230 (*architype*) ; lat. *archetypum,* du gr. *archetypon.* || **archétypal** XXe s.

archevêché V. ÉVÊCHÉ.

archi-, préfixe issu du gr. *arkhein,* commander, qui s'est développé depuis le XVIe s. à partir de termes hiérarchiques empr. à l'ital. (*archiprêtre*) et indique une qualité (ou un défaut) portée à un point élevé. Les mots construits avec *archi-* sont étudiés à la place alphabétique du radical.

archimandrite 1560, Pasquier ; lat. eccl. *archimandrita,* du gr. eccl. *arkhimandritês,* de *mandra,* « enclos », puis « cloître ».

1. **archine** cintre. (V. ARCHE.)

2. **archine** mesure russe, 1699, A. Brand ; du russe *archin.*

archipel XIVe s., *Chron. de Morée* (*archepelague*) ; 1512, J. Lemaire (*archipel*) ; var. *archipelago, -lague* jusqu'à Ménage ; ital. *arcipelago,* formé d'apr. le gr. *pelagos,* mer (propr. « mer principale » ; la mer et les îles qui s'y trouvent).

architecte 1361, Oresme (*architecton*) ; 1510, J. Lemaire (*architecte*) ; lat. *architectus* (var. *architecton,* Varron), du gr. *arkhitektôn* (de *tektôn,* ouvrier travaillant le bois). || **architectonique** 1370 ; lat. *architectonicus,* du grec. Ces mots se sont vulgarisés au XVIe s. sous l'influence des mots ital. correspondants. || **architecture** 1504, J. Lemaire ; lat. *architectura.* || **architectural** 1803, Boiste. || **architecturer** *id.*

architrave 1528, *Comptes des bâtiments du Roi* (*arquitrave*) ; ital. *architrave,* maîtresse poutre. || **architravé** 1739, De Brosses.

archives 1282 ; bas lat. *archivum,* du gr. *arkheion,* ce qui est ancien. || **archiver** 1877, L. || **archivage** XXe s. || **archiviste** 1701, Furetière. || **archivistique** 1952.

archivolte 1694, Th. Corn. ; ital. *archivolto,* voûte maîtresse.

archonte XIIIe s., *D. G.* (*arconde*) ; lat. *archon, -ontis,* du gr. *arkhôn, -ontos,* de *arkhein,* commander. || **archontat** 1701, Furetière.

***arçon** 1080, *Roland ;* lat. pop. **arcio,* **arcionis,* dimin. de *arcus,* arc, en anc. fr. « petit arc » et « archet », spécialisé ensuite dans des sens techniques. || **désarçonner** XIIe s., *Roman d'Alexandre.*

arctique 1338, *Roumant de la fleur de lis ;* lat. *arcticus,* du gr. *arktikos,* de *arktos,* ours et Grande Ourse. || **antarctique** *id. ;* lat. *antarcticus,* même origine (*anti,* en face de).

arct(o)-, gr. *arktos,* ours. || **arctornis** 1878, Lar. ; gr. *ornis,* oiseau. || **arctostaphyle** 1868, Lar. ; gr. *staphulos,* grappe. || **arctotherium** 1928, Lar. ; gr. *thêrion,* bête.

ardent fin Xe s. ; lat. *ardens,* part. prés. de *ardere,* brûler, et confondu avec l'anc. fr. *ardant,* part. prés. de *ardoir* ou *ardre* (lat. *ardere*), vieilli dès le XVIIe s. || **ardemment** 1190, Saint Bernard.

ardeur 1130, *Job ;* lat. *ardor, ardoris,* de *ardere,* brûler.

ardillon 1231 (*hardillon*) ; XVe s. (*ardillon*), d'abord « petit lien » ; de l'anc. fr. *hart,* corde, sous la forme primitive *hard.* (V. HART.)

ardoise 1175, Chr. de Troyes ; orig. inconnue, mot propre à la France du Nord. On a supposé une racine celtique. || **ardoisé** 1571. || **ardoisier** 1506. || **ardoisière** 1564.

ardu XIVe s., *Ps. ;* lat. *arduus,* « escarpé », et « malaisé », sens fig. qui l'a emporté en fr. au XVIIe s.

are 1793, *Décret du 18 germinal an III ;* mot créé d'apr. le lat. *area,* aire, comme unité agraire du système métrique. || **centiare** fin XVIIIe s. || **hectare** *id.*

arec 1521, *Pigaphetta* (*areca*) ; 1687, Choisy (*arèque*) ; port. *areca,* tiré d'une langue de l'Inde et désignant un « palmier ». || **aréquier** 1687, Choisy.

aréique 1953, Lar. ; gr. *rhein,* couler, et *a* priv. || **aréisme** 1953, Lar., spécialisé en géogr.

***arène** 1155, Wace (*araine*), « sable » ; lat. *arēna,* sable (part. ext. « sable de l'amphithéâtre », « arènes ») ; le mot, disparu au XVe s., fut repris au lat. dès le XVIe s. (« sable »), sous la forme *arène* (litt.), puis au XVIe s. au sens « arènes ». || **aréneux** XIIIe s. (*arénoux*).

aréole 1611, A. du Chesne, anat. ; 1888, Lar., zool. ; lat. *areola,* diminutif de *area,* aire. || **aréolaire** 1805.

aréomètre 1675, *Journ. des savants* (*arae-*) ; gr. *araios,* ténu, et *metron,* mesure.

aréopage 1495, J. de Vignay (*ario-*) ; 1538, J. de Vega (*areo-*), nom propre ; 1719, La Motte, sens fig. ; lat. *areopagus,* du gr. *Areios pagos,* « la colline d'Arès », sur laquelle siégeait l'Aréopage.

***arête** XIIe s. (*areste*) ; lat. pop. **aresta,* du lat. class. *arĭsta,* « barbe d'épi », puis « arête » (IVe s., Ausone) ; en fr., le deuxième sens l'a emporté et a entraîné des emplois techniques (arête d'un toit, d'une montagne). || **arêtier** XIVe s. || **arêtière** 1329, G., dans le voc. de l'architecture.

***argent** Xe s., *Eulalie ;* lat. *argentum,* « métal », « monnaie » et « richesses ». || **argenter** 1220, G. de Coincy. || **argenté** 1458. || **argenterie** 1286, *Archives,* ensemble de pièces en argent ; 1562, sens mod. || **argentin** 1120, *Ps. de Cambridge.* || **argentier** 1272, Delb., « banquier » ; 1417, Fauquembergue, « trésorier royal » ; XXe s., par ironie, *grand argentier,* « ministre des Finances ». || **argentifère** 1596. || **argentine** XIIIe s. ; 1801, Haüy, voc. de la minéralogie. || **argenture** 1642, Oudin. || **désargenter** 1611, Cotgrave ; 1835, *Acad.,* « sans argent ».

***argile** XIIe s. (*argille*) ; lat. *argilla,* du gr. *argillos,* argile de potier. || **argileux** fin XIIe s., *Rois.* || **argilière** XIIIe s., *Renart (arzilière).* || **argilacé** 1842, *Acad.*

argon 1874, Raleigh et Ramsay en Angleterre ; gr. *argos,* inactif (le corps n'a aucune activité chimique).

argot 1628, *Jargon,* « corporation des gueux » dans leur jargon (*argotier,* gueux ; *argoter,* mendier) ; le sens « langage (des gueux, des voleurs) » s'est formé en fr. (1690, Furetière) ; orig. obscure : le subst. est peut-être dérivé du verbe, qui paraît de même racine que l'anc. fr. *hargoter,* secouer, quereller, var. de *harigoter,* déchirer, de l'anc. fr. *arguer,* du lat. *argutus,* pointu. || **argoter** 1628. || **argotique** 1628. || **argotier** 1628, Chéreau. || **argotisme** 1839, Boiste.

argousin XVe s. (*agosin*) ; 1538, Vega (*argousin*), « surveillant de galères », aussi « sergent de ville » (Brantôme) ; port. *algoz,* bourreau, de l'ar. *alghozz,* forme arabisée du nom de peuple turc *aghuz,* avec infl. de l'esp. *alguacil,* qui a donné *alguazil* et qui a développé le sens

« agent de police », devenu péjor., le sens originaire ayant disparu avant la suppression des galères, ou du catalan *algutzir*.

arguer 1080, *Roland*, trisyll. ; lat. *arguere*, « prouver » et « accuser » ; il s'est confondu avec l'anc. fr. *arguer*, presser (au propre et au fig. ; du lat. *argutari*, au sens « fouler »), qu'il a éliminé. || **argument** 1160, Benoît ; lat. *argumentum*. || **argumenter** XIIe s., *Floovant ;* lat. *argumentare*. || **argumenteur** XVIe s. || **argumentation** XIVe s., Oresme ; lat. *argumentatio*. || **argumentateur** 1539, Gruget. || **argutie** 1520 ; lat. *argutia*, subtilité ; surtout au pl., comme en lat.

argus 1584, *Somme des péchez*, nom d'un personnage mythologique chargé par Junon de surveiller la nymphe Io. Il a signifié d'abord « surveillant » ; XXe s., publication documentaire.

argyr(o)-, élém. de composition ; gr. *arguros*, argent. || **argyrisme** 1888, Lar. || **argyrose** 1833, Omalius.

1. **aria** m., pop., « embarras », 1493, Coquillard (*haria caria*), tumulte ; 1530, Palsgrave (*haria*) ; anc. fr. *harier*, harceler, même rac. que *harasser*.

2. **aria** f., mus., « air », 1703 ; ital. *aria*. || **ariette** mus., début XVIIIe s. ; ital. *arietta*, dimin. de *aria*, air.

aride 1360, G. de Machaut ; lat. *aridus ;* il a remplacé la forme pop. *are*. || **aridité** 1120, *Ps. d'Oxford (-tet)* ; lat. *ariditas*.

aristarque 1549, Du Bellay ; du nom d'un critique grec (IIe s. av. J.-C.), Aristarkhos ; sens fig. déjà en latin.

aristocratie 1361, Oresme ; gr. *aristokrateia*, « gouvernement des meilleurs » (*aristos*, le meilleur, *krateîn*, commander), latinisé dans les trad. d'Aristote ; usuel à partir de 1750. || **aristocratique** *id. ;* gr. *aristokratikos*. || **aristocratiquement** 1568, Le Roy. || **aristocratiser** 1361, Oresme, inusité pendant quatre siècles ; recréé à la Révolution. || **aristocrate** XVIe s., vulgarisé à la veille de la Révolution (1778, Linguet) ; abrév. pop. *aristo* (1848, *Chanson*).

aristoloche 1248, Delb. ; lat. *aristolochia*, du gr. *aristos*, meilleur, et *lokhos*, accouchement, plante réputée pour faciliter les accouchements.

aristotélique 1527, Dassy, « d'Aristote ». || **aristotélicien** XVIIe s., Chapelain.

arithmétique fin XIIe s., *Thèbes* (*arimétique*) ; 1265, J. de Meung (*arithmétique*) ; 1529, G. Tory (*arithmétique*) ; lat. *arithmetica*, du gr. *arithmêtikê*, de *arithmos*, nombre. || **arithméticien** 1395, Chr. de Pisan (*arismetien*) ; 1539, R. Est. (*arithméticien*). || **arithmétiquement** 1558, Pontus de Tyard. || **arithmologie** 1834. || **arithmomanie** 1900.

arlequin 1160 (*Hellequin*) ; 1324, *Arch. Dijon* (*Harlequin*, nom de personne) ; 1585, comédien italien ; au fig. et au pl., rogatons de restaurant, 1829, Vidocq ; réfect. de l'anc. fr. *Hellequin*, nom d'un diable, p.-ê. de *harler*, harasser, croisé avec *hacquer*, mettre en pièces ; l'ital. *arlecchino* vient du fr. || **arlequinade** 1726, Trévoux.

armada 1829 ; mot esp., « armée navale ».

armadille 1598 ; esp. *armadillo*, tatou, dimin. de *armado*, armé, à cause de la carapace. Le mot a désigné ensuite des cloportes.

armateur 1544, *Recueil de lois ;* bas lat. *armator*, de *armare* au sens de « équiper ». || **armature** 1282, archit. ; fin XVe s., « armure » ; 1694, Th. Corn., sens actuel ; lat. *armatura*, armature.

***arme** 1080, *Roland ;* lat. *arma*, pl. neutre (devenu fém. sing. en lat. pop.). || ***armer** *id. ;* lat. *armare*, « armer » et « équiper ». || **armée** v. 1360, Machault (qui a éliminé au XVIe s. l'anc. fr. *ost* [lat. *hostis*], à l'origine « étranger », puis « ennemi », en bas lat. « troupe d'ennemis », puis « troupe armée »). || **armement** XIIIe s., *Geste des Chyprois*. || **armistice** 1680, Richelet, peu usité jusqu'à la fin du XVIIIe s. ; lat. diplomatique mod. *armistitium*, créé sur le modèle de *justitium* (de *arma*, armes, et *sistere*, arrêter). || ***armure** XIIe s. (*armeüre*) ; lat. *armatūra*. || **armurier** 1292, fabricant d'armoiries. || **armurerie** XIVe s. || **désarmer** 1080, *Roland ;* 1570, Carloix, fig. || **désarmement** 1594, G. || **réarmer** XVe s., La Curne ; repris en 1771, Trévoux. || **réarmement** 1771, Trévoux. || **surarmé** 1955, *le Figaro*.

armeline 1178 (*beste armeline*) ; 1611, Cotgrave (*armelin*) ; 1680, Furetière (*armeline*) ; ital. *armellina*, hermine.

armet XIVe s., *Girart de Roussillon*, rare à cette époque ; très fréquent sous François Ier et Henri II ; croisement entre *arme* et l'esp. *almete* ou l'ital. *elmetto*, type de casque (l'un et l'autre repris à l'anc. fr. *helmet*, dimin., v. HEAUME).

armille 1160, Benoît, « bracelet » ; lat. *armilla*, bracelet (dér. de *armus*, bras) ; il n'est resté que dans des sens techn. || **armillaire** 1557, de Mesmes, astron. (*sphère armillaire*).

***armoire** 1170, *Rois* (*almarie, armarie*), puis *armaire ;* XVIe s. (*armoire*) ; empr. vers les VIIIe-IXe s. au lat. *armarium,* de *arma* au sens de « ustensiles », c'est-à-dire « meuble où l'on range les ustensiles ».

armoiries XIVe s. (*armoierie*) ; seulem. au pl. depuis le XVIe s. ; anc. fr. *armoier,* « couvrir d'armes héraldiques ». || **armorier** 1680, Richelet ; fait d'apr. *historier.* || **armorial** 1611, Cotgrave ; d'apr. l'anc. fr. *historial.*

***armoise** XIIe s. ; du lat. *artemĭsia,* du gr. *Artemis* (plante d'Artémis).

armoisin 1534, Rabelais ; ital. *armesino,* à cause des armoiries dont on en ornait les balles qui contenaient ce taffetas.

armon XVe s., texte de Tournai (*aremon*) ; p.-ê. lat. *artemo, -onis,* poulie.

armorial, **armure** V. ARME.

arnaquer 1835, Raspail (*harnaquer*) ; p.-ê. var. dial. de *harnacher.* || **arnaque** 1833, Moreau-Christophe. || **arnaqueur** 1895.

arnica 1697, *Pharmacopée de Schrœder ;* lat. bot. *arnica,* altér. de *ptarmika,* plante sternutatoire, du gr. *ptarmikê,* de *ptarein,* éternuer. On a longtemps écrit *arnique* (1752, Trévoux).

arôme XIIe s., G., puis repris au XVIIIe s. (1787, Guyton de Morveau) ; lat. *aroma,* du gr. *arôma,* de même sens. || **aromate** début XIIIe s., G. Le Clerc (graphie *aromat* jusqu'au XVIIe s. [Furetière, 1690]) ; bas lat. *aromatum,* de *aroma.* || **aromal** 1837, Fourier. || **aromatique** XIIIe s., G. ; bas lat. *aromaticus.* || **aromatiser** Xe s. ; bas lat. *aromatizare.* || **aromatisant** 1546, J. Martin. || **aromatisation** 1576, A. Thierry.

***aronde** fin XIIe s., *R. de Cambrai,* « hirondelle » jusqu'au XVIIe s. ; lat. pop. **hirunda* (lat. *hirundo*) ; le *a* initial (au lieu de *e* muet) doit s'expliquer par une réaction morphologique (le mot était fém.). Il n'a survécu en fr. que dans le terme techn. *queue d'aronde.*

arpège 1751, *Encycl. ;* ital. *arpeggio,* « jeu de harpe ». || **arpéger** *id.*

***arpent** 1080, *Roland ;* lat. *arepennis* (Columelle), mot gaulois refait en **arependis* dans le lat. pop. || **arpenter** 1384, texte de Reims, évaluer en arpents ; XVIIe s., sens actuel. || **arpentage** fin XIIIe s. || **arpenteur** milieu XIIIe s.

arpette av. 1876, Rabasse, mot dial. attesté à Reims (1845) et à Genève (1858) ; p.-ê. all. *Arbeiter,* travailleur.

arpion 1821, Ansiaume, main, mot d'argot des malfaiteurs (1837, Vidocq) ; prov. *arpioun,* griffe, dont le rad. est le même que celui de *harpon.*

arquebuse 1475, Commynes (var. *harquebuche, hacquebute*) ; moyen haut all. *hâkenbüchse,* canon (*büchse*) à crochet (*hâken*), avec infl. de l'ital. *archibugio* (var. *arcobugio*), tiré lui-même du germ. || **arquebusade** 1475, *Chron.,* a survécu plus d'un siècle à l'arquebuse, au sens de « coup de feu ». || **arquebuserie** 1535, *Papiers de Granvelle.* || **arquebusier** 1543, *Amadis* (*haquebuzier*).

arquer V. ARC.

***arracher** 1170, *Rois* (var. *esrachier,* XIIe-XVIe s.) ; lat. pop. **exradicare* (réfection de *eradicare,* de *radix, -icis,* racine) avec substitution de préfixe (*ad* à *ex*). || **arrachage** fin XVIe s., repris début XIXe s. || **arrachement** XIIe s., *D. G.* || **arracheur** XIIIe s., *Geste des Chyprois* (*aracheour*). || **arrachis** XIIIe s. (*aragis*), arrachage de la vigne ; 1518 (*arrachis*), « défrichement ». || **arrache-pied (d')** 1515, Colin Bucher, « sans relâche ». || **arraché** n. m., 1820 ; *à l'arraché* XXe s.

arraisonner 1080, *Roland,* « parler à quelqu'un » (var. *araisnier,* en anc. fr., de *raisnier*) ; XIIe s. « chercher à persuader », jusqu'au XVIe s. ; 1598, Lodewijcksz, mar. || **arraisonnement** XIIe s. (*araisnement*) ; même évol.

arranger, arrérages, arrestation V. RANG, ARRIÈRE, ARRÊTER.

***arrêter** XIIe s. (*arester*) ; intransitif jusqu'au XVIIe s., transitif ensuite ; lat. pop. **arrestare,* s'arrêter, de *restare,* rester. || **arrêt** 1175, Chr. de Troyes (*arest*). || **arrêté** 1414, Coyecque, décision. || **arrête-bœuf** 1542, Du Pinet, bugrane (dont les racines arrêtent la charrue). || **arrestation** 1370, G. ; réfection de l'anc. fr. *arestaison ;* la prononciation de l'*s,* muet depuis la fin du XIIe s., a été rétablie d'après le lat. *restare.*

***arrhes** XIIe s. (*erres,* graphie qui subsiste jusqu'au XVIIe s.) ; lat. *arrha,* gage, qui a entraîné une réfection graphique au début du XVIIIe s. Le latin est empr. au gr. *arrhabôn,* d'orig. sémitique.

***arrière** 1080, *Roland ;* lat. pop. **adretro,* forme renforcée de *retro,* en arrière ; sports,

1906, Lar. || **arriérer** XIIIe s., *Adenet,* « laisser en arrière ». || **arriéré** adj., milieu XVIIIe s., « en retard » ; 1788, nom, financ. || **arriération** 1909. || **arrérages** 1267, *Cartul. Saint-Pierre de Lille* (*arriérages*) ; XIVe s. || **arrière-ban** 1155. || **arrière-boutique** 1508. || **arrière-cour** 1586, Delb. || **arrière-front** 1922. || **arrière-garde** XIIe s. || **arrière-pont** 1764. || **arrière-grand-mère, arrière-grand-père** 1787, Féraud. || **arrière-neveu** 1375, R. de Presles. || **arrière-petit-fils** 1559, Amyot ; d'abord *arrière-fils* (XVIe s.), qui signifiait « petit-fils » (Amyot, Pasquier) ou « arrière-petit-fils » (Bodin, Montaigne) et qui a été éliminé à cause de son double emploi. || **arrière-petite-fille** 1637, Le Maître ; 1683, Fontenelle. || **arrière-petit-neveu** 1751, *Encycl.* || **arrière-pays** 1898. || **arrière-pensée** 1587, La Noue. || **arrière-saison** fin XVe s. || **arrière-salle** 1853. || **arrière-train** 1827, Chateaubriand.

arrimer 1361, « mettre en état », rare en moyen fr. ; 1671, Delb. (*arrumer*), « ranger la cargaison » ; paraît empr. au moyen angl. *rime(n)*, débarrasser ; le sens nautique a été repris au prov. *arumar,* esp. *arrumar.* || **arrimage** fin XIVe s. ; 1748, Montesquieu, sens moderne. || **arrimeur** *id.* (*arrumeur*).

***arriver** 1050, *Alexis ;* lat. pop. **arrīpare,* « accéder à la rive » (*rīpa*) ; le sens généralisé (comme *aborder*) se rencontre depuis la fin du Moyen Âge. || **arrivage** 1268, É. Boileau. || **arrivant** 1789, Louvet. || **arrivée** XVIe s., *Loyal Serviteur.* || **arrivisme** 1903, Péguy. || **arriviste** 1893, Alcanter de Brahm.

arrobe ou **arobe** 1555, J. Poleur, nom de mesure ; esp. *arroba,* de l'arabe *ar-roub',* « le quart ».

***arroche** XIIe s. (*arace*) ; XVe s. (*aroche*) ; lat. pop. **atripica,* réfection de *atriplex,* étymologie pop. du gr. *atraphaxus,* même sens.

arrogant XIIIe s. ; lat. *arrogans,* anc. part. présent de *arrogare,* revendiquer. || **arrogamment** 1265, Le Grand. || **arrogance** 1160, Benoît, lat. *arrogantia.* || **arroger (s')** XIVe s., Du Cange, « attribuer » ; l'emploi réfléchi date du XVIe s. ; lat. *arrogare,* « attribuer » et « revendiquer ». La valeur péjor. a seule subsisté.

***arroi** 1230, G. de Lorris ; déverbal de l'anc. fr. *aréer,* mettre en ordre ; lat. pop. **arredare,* du germ. **red,* moyen, provision. Le mot, au sens d'équipement, se maintient jusqu'au XVIIe s. || **désarroi** XIIIe s., « désordre » ; 1690, Furetière, fig. ; déverbal de l'anc. fr. *desarroyer* ou *désaréer,* composé négatif de *aréer.*

arrondir, arrondissement V. ROND.

***arroser** 1155, Wace ; lat. pop. **arrosare,* altér. du bas lat. *arrorare* (Ve s., Marcus Empiricus), de *ros, roris,* rosée. || **arrosage** 1611, Cotgrave. || **arrosement** 1190, Saint Bernard. || **arroseur** 1559, Boistuau ; rare jusqu'au XIXe s. || **arroseuse** (voiture) fin XIXe s. || **arrosoir** XIVe s., *Ps. lorrain* (*arousour*).

arroyo 1856, Le François ; mot esp., du lat. pop. **arrugium,* lat. class. *arrugium,* galerie de mines (mot d'origine ibère). || **arrugie** 1729, David Durand, « canal d'écoulement dans les mines » ; du même mot lat.

arrugie V. ARROYO.

***ars** 1213, *Fet des Romains ;* lat. *armus,* épaule d'animal. Il désigne le « pli entre l'épaule et le poitrail du cheval ».

arsenal XIIIe s., *Assises de Jérusalem* (*tarsenal*) ; 1395, d'Anglure (*archenal*) ; la graphie *arsenac* se rencontre jusqu'au XVIIe s. ; ital. *arsenale,* de l'ar. *dār as sinā'a,* maison où l'on construit ; il a désigné en français l'arsenal de Venise jusqu'au XVIe s.

arsenic 1314 ; lat. *arsenicum,* du gr. *arsenikon,* de *arsên,* mâle ; ainsi appelé à cause de la force de ses propriétés. || **arséniate** 1782, Guyton de Morveau. || **arsenical** 1578, Chauvelot. || **arsénieux** 1787, Guyton. || **arsine** 1846, Laurent. || **arsénicisme** 1878, Lar.

arsin fin XIIe s., *R. de Cambrai ;* anc. fr. *ars,* part. passé de *ardre,* brûler (lat. *ardere*). Terme techn. désignant le bois endommagé par le feu.

arsouille 1792, Gorsas, déverbal d'*arsouiller* (procès de Babeuf, an V ; encore en usage en 1821) ; origine obscure, p.-ê. dér. de *harser,* frapper, ou de *souiller,* ou traduction de l'angl. *arsehole,* trou du cul.

***art** 1080, *Roland ;* lat. *ars, artis,* fém. ; masc. et fém. jusqu'au XVIe s. Dans l'usage courant, il a gardé le sens de métier, technique, jusqu'au XVIIe s. || **artiste** 1395, Chr. de Pisan, « lettré » ; 1753, sens mod. ; lat. médiév. *artista,* « maître ès arts », puis « lettré » ; resté l'équivalent de *artisan* jusqu'à la fin du XVIIIe s. ; adj. 1832, Balzac. || **artistement** 1538, en artisan ; 1830, Duvicquet, sens mod. || **artistique** 1808, Boiste. || **artisterie** 1842.

artefact 1905 ; mot angl., du lat. *artis factum,* « fait de l'art », v. le préc.

artel 1800, Massion (*artelchiki*) ; mot russe signif. *commune*.

artère 1213, *Fet des Romains* (*artaire*) ; 1350-1400, *Aalma* (*artère*) ; lat. *arteria,* du gr. *artêria,* de même sens ; 1831, emploi du mot au sens de « voie de grande circulation ». || **artériel** et **artérial** 1314, Mondeville. || **artériole** 1673, Denis. || **artériographie** 1771. || **artériosclérose** 1833, J.-F. Lobstein. || **artérite** 1824. || **artériectomie** 1931. || **artériotomie** 1560, Paré. || **artérioscléreux** 1895, Caussade. || **artériolaire** XXe s.

artésien (*puits*) 1803, Boiste ; de *Artois,* région où ces puits étaient nombreux.

arthrite 1560, Paré (*arthrites*) ; 1646, Balouard et Alexis (*arthrite*) ; lat. *arthritis,* goutte, du gr. *arthritis,* de *arthron,* articulation. || **arthritique** XIIIe s., Beaumanoir (*artétique,* XIIe s., *Cligès*). || **arthritisme** 1866, Fleury. || **arthropathie** 1840, *journ.* || **arthrolyse** 1907, Lar. || **arthrose** 1611, « articulation » ; 1644, pathol. || **arthrosique** 1980.

arthropode 1827, *Acad.* (*arthropodion*) ; 1866, Lar. ; gr. *arthron,* articulation, et *pous, podos,* pied.

artichaut 1530, Rab. ; lombard *articiocco,* déformation de l'ital. *carciofo,* d'origine arabe (*al-harsūfa*).

article 1130, *Job ;* lat. *articulus,* « articulation », de *artus,* même sens ; le sens primitif, repris au XVIe s. par les anatomistes (A. Paré), n'est plus usité qu'en entomologie ; des sens dér. du lat., le fr. a repris d'abord le sens juridique (« membre de phrase » [XIIIe s.] → « disposition légale ») ; d'où, au fig., *article de foi,* et, par ext., *article* de journal, *article* commercial (1597, Laffemas), *article de Paris* (1833, Balzac) ; le sens « division du temps » est passé dans la loc. *à l'article de la mort,* 1450 ; le sens grammatical est apparu au XIIIe s. (H. d'Andeli). || **articulet** 1866. || **articlier** 1839, Balzac. || **articuler** 1265, Br. Latini, sens fig. ; lat. *articulare* (dér. de *articulus*) ; le sens fig. « articuler des sons » a été emprunté le premier. || **articulation** 1478, G. de Chauliac (lat. *-atio*), a les deux sens du verbe. || **articulaire** 1505 (lat. *articularis*), est spécialisé au sens médical. || **désarticuler** fin XVIIIe s. || **désarticulation** début XIXe s., au sens méd. || **inarticulé** fin XVIe s., fig.

artifice 1256, Ald. de Sienne ; ital. *artificium* (de *ars,* art, *facere,* faire), « art, métier », et, par ext., « habileté, ruse », au XVIIe s. *Feu d'artifice* (XVe s. ; var. *feu artificiel, artifice de feu*) est l'adaptation de l'ital. *fuoco artifiziale.* || **artificiel** 1361, J. Oresme, « fait avec art » ; XVIIIe s., sens actuel ; lat. *artificialis.* || **artificiellement** XIIIe s., d'abord « avec art », jusqu'au XVIIe s. || **artificialisme** 1909, Lar. || **artificialité** 1916. || **artificier** 1594, celui qui fait le feu d'artifice. || **artificieux** 1265, J. de Meung ; lat. *artificiosus,* fait avec art ; spécialisé au sens actuel à la fin du XVIIIe s. (Voltaire, *Dict. philos.,* emploie encore *artificieux* au sens ancien).

artillerie 1272, Joinville, « ensemble des engins de guerre » (jusqu'au XVIe s.) ; anc. fr. *artillier* (XIIIe-XVIe s.), « garnir d'engins », réfection sur *art* d'un plus ancien *atilier, atillier,* « parer », d'origine germanique. Sens spécialisé aux canons à partir du XIVe s. (les premiers canons, en France, furent employés à Crécy [1346] par les Anglais). || **artilleur** 1334, Delb.

artimon 1246, *Assises de Jérusalem ;* lat. *artemo, -onis,* du gr. *artemôn.*

artisan 1546, Rab. ; ital. *artigiano,* de *arte,* art ; il avait aussi le sens de « artiste » au XVIe et au XVIIe s. || **artisanal** 1923, Lar. || **artisanat** fin XIXe s.

artison XIIIe s. ; rac. *art-* (anc. prov. *arta, arda ;* aussi *artre,* en anc. fr.), qui représente p.-ê. une forme refaite du lat. *tarmes, -ĭtis,* ou lat. *artare,* serrer, gêner. Il désigne un insecte qui attaque le bois. (V. TERMITE.)

artiste V. ART.

arum XIVe s., G. Phébus (*aron*) ; 1545, G. Guéroult ; lat. *arum,* du gr. *aron.*

aruspice, haruspice 1375, R. de Presles ; lat. *haruspex, haruspicis,* devin. La graphie avec *h* a été refaite sur le lat. après le XVIe s.

aryen 1562 ; du nom propre *Aryas,* nom d'un peuple de l'Antiquité qui envahit le nord de l'Inde. || **aryanisme** 1899, hist. || **aryanisé** 1921.

as XIIe s., L. ; lat. *as,* unité de monnaie, de poids ; en fr., terme de jeu de dés, puis de cartes ; au fig., « cavalier du premier peloton », argot milit. (début du XXe s.), puis « soldat de valeur » (sens développé par la guerre) et, par ext., « homme de valeur » (1922, *journ.*) ; le sens pop. *as,* « argent », vient de *as,* carte maîtresse.

ascaride 1320 ; fém. au XVIIe s. ; lat. méd. *ascarida,* f., du gr. *askaris,* f., de *skairein,* sauter. || **ascaridiose** XXe s.

ascendant 1372, Corbichon ; lat. *ascendens, -entis,* part. présent de *ascendere,* monter ;

d'abord terme spécialisé d'astrologie (d'où, au fig., *ascendant,* influence), puis d'astronomie, et adj. (1503, G. de Chauliac) jusqu'au XVIIe s. ; comme terme de parenté, repris au XVIe s. au lat. jurid. (Paulus, IIIe s.). || **ascendance** fin XVIIIe s., astron. ; au fig., « supériorité » (fin XVIIIe s., Rousseau) ; « ligne généalogique », début XIXe s.

ascenseur V. ASCENSION.

ascension fin XIIe s., *Aliscans,* sens religieux ; lat. *ascensio* (dér. de *ascendere,* « action de monter »), au pr. et au fig. La spécialisation du lat. chrét. (Ascension de Jésus-Christ) a passé la première en fr. ; puis le sens astronomique, 1260, et *ascension de montagne,* 1787, par ext. *ascension* d'un ballon (fin XVIIIe s.), d'où, au fig., *ascension* sociale, XIXe s. || **ascensionnel** 1557, P. de Mesmes (*-nal*) ; 1698, J. Bouguer (*-nel*), astron. et (force) aéronautique. || **ascensionner** 1882. || **ascensionniste** 1872, L. || **ascenseur** fin XIIe s., « cavalier » ; 1867, *Exposition,* techn. (*ascenseur de Edoux*).

ascète 1580, Du Préau (*aschète*) ; XVIIe s., Bossuet (*ascète*) ; gr. chrétien *askêtês,* « qui exerce une profession », « qui pratique ». || **ascèse** av. 1890, Renan ; gr. *askêsis,* méditation. || **ascétique** 1673, Hermant ; gr. chrét. *askêtikos.* || **ascétisme** début XIXe s.

ascidie fin XVIIIe s. ; gr. *askidion,* petite outre.

1. **asclépiade** 1545, Guéroult, bot. ; lat. *asclepias, -adis,* du gr. ; « plante d'Asklêpios (Esculape) ».

2. **asclépiade** 1701, Furetière, terme de métrique ; lat. *asclepiadeus,* du gr. (du nom du poète *Asklêpiadês* [Asclépiade]).

ascorbique V. SCORBUT.

asepsie 1890, Baudouin ; de *a* priv. et *septikos,* putréfié. || **aseptique** 1871, *journ.* || **aseptiser** 1897, Lar. || **aseptisation** 1907, Lar. (v. SEPTIQUE.)

asexué V. SEXE.

ashram 1960 ; mot sanscrit *asrama,* lieu de retraite.

asiatique XVIe s. ; lat. *asiaticus,* de *Asia,* Asie. || **asiate** 1879 ; dér. du préc.

1. **asile** 1355, Bersuire ; lat. *asylum,* du gr. *asulon,* lieu inviolable (*a* privatif, *sulân,* piller, dépouiller). || **asilaire** 1955.

2. **asile** 1582, d'Aigneaux (*azyle*), zool. ; lat. *asilus,* taon.

asine adj. XVIe s. (*asinin, -ine*) ; réduit en *asine,* XVIIe s., employé seulem. au fém. ; lat. *asininus,* de *asinus,* âne.

asocial V. SOCIÉTÉ.

asparagus 1797 ; mot lat., du gr. *asparagos,* asperge.

aspect 1468, Chastellain ; 1611, sens général ; XXe s., sens gramm. ; lat. *aspectus,* de *aspicere,* regarder ; le sens « regard » a été aussi repris au XVIe s. et se conserve au XVIIe s. || **aspectuel** milieu XXe s., gramm.

asperge 1256, Ald. de Sienne (*esparge*) ; lat. *asparagus,* du gr. *asparagos ;* 1548 (*asperge*) ; la variante *asparge* est encore usuelle au XVIIe s. || **asparagé, asparaginé** 1807.

asperger XIIe s., *Mainet ;* lat. *aspergere,* arroser (de *spargere,* répandre), terme eccl. jusqu'au XIXe s. ; on trouve *asperser* aux XVIe-XVIIIe s. || **aspersion** XIIe s., G. de Saint-Pair ; lat. *aspersio.* || **aspersoir** 1345 (*asperceur*) ; lat. eccl. *aspersorium.* || **aspergès** 1352 ; dernier mot d'un psaume en latin : *asperges,* tu asperges.

aspergille 1808 ; lat. *aspergillum,* goupillon. || **aspergillose** 1897, Courtois.

aspérité, aspermie V. ÂPRE, SPERME.

asphalte XIIe s. ; bas lat. *asphaltus,* bitume (VIIe s., Isidore de Séville), du gr. *asphaltos.* || **asphalter** 1866. || **asphalteur** 1877.

asphodèle XVe s. (*afrodille*) ; 1534, Rab. (*asphodèle*) ; lat. *asphodelus,* du gr. *asphodelos.*

asphyxie 1741, Col de Vilars ; gr. *asphuxia,* arrêt du pouls (*sphuxis*). || **asphyxier** fin XVIIIe s. ; 1826, *Journ. des dames et des modes,* sens fig. (étouffer). || **asphyxié** adj. 1791, Fourcroy. || **asphyxiant** 1846.

1. **aspic** 1119, Ph. de Thaon (*aspi*) ; lat. *aspis, aspidis,* du gr. *aspis,* naja d'Égypte ; la graphie *aspic* peut être due à l'influence de *basilic ;* 1742, *Suite des dons de Camus,* cuisine ; le sens de gelée (ragoûts, sauces à l'*aspic*) peut venir des moules ayant la forme de serpents roulés.

2. **aspic** XIe s. (*espig*) ; 1560 (*aspic*) ; anc. prov. *espic,* épi.

aspirer 1160, Benoît, « inspirer » ; lat. *aspirare,* « souffler » (trans. et intrans.), et, au fig., « inspirer » ; sens propre jusqu'au XVIe s., mais dès le XIVe s. « aspirer le souffle, l'eau », etc. ; le sens fig., éliminé par *inspirer,* a fait place à « porter son désir », issu de « porter son souffle vers » ; fin XVIe s., phonétique, repris au lat. || **aspiration** 1170, *Rois ;* lat. *aspiratio,* a suivi l'évolution du verbe ; phonétique, 1529, G. Tory. || **aspirant** nom, fin XVe s., d'après le sens fig. « qui aspire à un emploi », spécialisé pour un grade inférieur dans la marine ; abrév. en argot *aspi* (1914). || **aspirateur** 1836, Lamé, « qui aspire » ; 1909, *Doc., aspirateur de poussière.* || **aspiratoire** 1825, Brillat-Savarin.

aspirine fin XIXe s. ; all. *Aspirin* (1899), formé avec *a* privatif et *spiraea* (*ulmaria*), pour indiquer que la préparation n'est pas tirée de cette plante comme une substance congénère.

asple 1751, *Encycl. méth.,* « dévidoir » ; ital. *aspo, aspolo,* de l'all. *Haspel,* qui a donné aussi *hasple, haspe* (1642, Oudin).

assa-fœtida XIVe s. ; lat. médiéval *asa,* résine de silphium, mot présumé persan, et *fœtida,* fétide.

assagir V. SAGE.

***assaillir** 980, *Passion* (*assalir*) ; lat. pop. **assalire,* réfection de *assilire,* d'après *salire,* sauter (v. SAILLIR). || **assaillant** XIIe s. || ***assaut** 1080, *Roland* (*assalt*) ; lat. pop. **assaltus,* du lat. *assultus,* refait d'après *saltus* (v. SAUT).

assainir V. SAIN.

assaisonner XIIIe s., « cultiver dans une saison favorable » (encore usuel au XIVe s.) ; XVIe s. « faire mûrir », « préparer les aliments avec condiments » ; de *saison,* v. ce mot. || **assaisonnement** 1539, R. Est.

assassin 1560, R. Belleau ; ital. *assassino,* de l'ar. *hachchāchī,* « buveur de hachisch », surnom donné aux fidèles du Vieux de la Montagne (XIe s.) ; déjà repris à l'ar. en anc. fr. comme nom propre et parfois au fig. (*assasis,* XIIIe s.) ; XVIIe s., mouche noire pour rehausser le teint. || **assassiner** 1546, Rab. ; ital. *assassinare.* || **assassinat** 1547 ; ital *assassinato.*

assaut V. ASSAILLIR.

asse 1870, L., « marteau à panne tranchante », forme dialectale (Ouest) ; lat. *ascia,* hache (v. AISSEAU 2). || **asseau** fin XIIIe s. || **assette** 1690, Furetière.

assécher V. SÉCHER.

***assembler** 1050, *Alexis ;* lat. pop. *assimulare,* mettre ensemble, dér. de *simul,* ensemble. || **assemblée** XIIe s., *Roncevaux,* « action d'assembler » et divers sens dér. en anc. fr. ; *Assemblée nationale* 1788, *Doc.* || **assemblage** 1493, *Archives,* qui a éliminé **assemblement** XIe s. || **assembleur** 1281 (*-bleor*). || **désassembler** XIIe s., Couci. || **rassembler** 1155, Wace ; XIVe s., pronominal. || **rassemblement** 1426, G.

assener XIIe s., *Roncevaux ;* lat. *assignare,* « signaler, assigner, distribuer », de *signum,* « signe » (v. ASSIGNER) ; le sens premier, en anc. fr., est « viser, atteindre » et aussi « assigner, attribuer » ; XIIIe s., « assener un coup ». Le mot a pu être influencé par l'anc. fr. *sen,* qui signifiait, comme son prototype, le francique *sin,* « sens » et « direction ».

assentiment fin XIIe s. (*assentement*) ; XIVe s. (*-timent*), rare jusqu'au XVIIIe s., de *assentir* (XIIe s.-XVIIIe s.), « donner son assentiment » ; lat. *assentire* (de *sentire,* au sens fig. « émettre une opinion »).

***asseoir** 1050, *Alexis ;* lat. pop. **assĕdĕre,* réfection de *assīdēre* (d'après *sedēre*), « être assis auprès », avec des sens dér., en partie conservés en anc. fr. (p. ex. « assister » et « assiéger ») ; *s'asseoir* a éliminé *se seoir* au XVIIe s. || **assesseur** XIIIe s., *Fabliau ;* lat. *assessor,* de *assidere,* asseoir. || ***assise** XIIe s., Du Cange ; part. passé substantivé de *asseoir,* sens divers dès le Moyen Âge : *assise* d'une construction ; impôt (d'après son *assiette*) ; réunion des juges qui siègent (XIIIe s.), d'où *cour d'assises.* || **rasseoir** début XIIe s., *Voy. de Charl.*

assermenter V. SERMENT.

assertion 1294 ; lat. *assertio,* de *asserere,* « revendiquer », en bas lat. « prétendre ». || **asserter** 1845. || **assertif** 1521. || **assertorique** 1838.

asservir, assesseur, assette V. SERF, ASSEOIR, ASSE.

***assez** 1050, *Alexis ;* lat. pop. **adsatis,* renforcement de *satis,* assez ; signifiait surtout « beaucoup » en anc. fr. et jusqu'au XVIIe s., d'après le bas lat. (cf. ital. *assai,* beaucoup).

assidu fin XIIe s., à côté de *assiduel ;* lat. *assiduus,* de *assidere* (v. ASSEOIR). || **assiduité** *id. ;* lat. *assiduitas.* || **assidûment** XIIIe s.

assiéger V. SIÈGE.

***assiette** 1283, Beaumanoir, au sens financier ; lat. pop. **assĕdĭta,* part. passé substantivé de **assedēre* (v. ASSEOIR), « manière d'être assis, posé, disposé », d'où assiette de l'impôt, de la rente ; XIVe s., place à table ; « action de mettre les plats sur la table », puis « services d'un repas » ; 1507, par ext. « pièce de vaisselle plate ». Le sens premier (encore au XVIIe s.) subsiste dans *ne pas être dans son assiette,* etc. || **assiettée** 1690, Furetière.

assignat V. ASSIGNER.

assigner 1155, Wace, var. *assiner* jusqu'au XVIIe s. ; lat. *assignare,* forme refaite sur le lat., a limité l'emploi de la var. *assener* et s'est spécialisé au sens jurid., après avoir eu, jusqu'au XVIIe s., le sens de « garantir ». || **assignation** milieu XIIIe s. ; lat. *assignatio,* a subi la même évolution. || **assignat** 1395 (*assinat*) ; 1522 (*assignat*), « constitution de rente » ; 1789, « papier-monnaie » garanti par les biens nationaux. || **assignable** XVIIe s., Bossuet. || **réassigner** début XVIe s. || **réassignation** fin XVe s.

assimiler 1495, J. de Vignay ; lat. *assimulare,* rendre semblable, de *similis,* pareil. || **assimilable** début XIXe s. || **assimilation** XIVe s. ; sens méd., 1503, G. de Chauliac ; 1838, linguistique ; XXe s., polit ; lat. *assimilatio.* || **assimilatif** XVIe s., méd. || **assimilateur** 1626. || **dissimiler** XIXe s., linguist. ; sur *assimiler,* par changement de préfixe. || **dissimilation** *id.* || **inassimilable** 1892, Guérin.

assister début XIVe s. ; lat. *assistere* (*sistere,* se tenir, *ad,* auprès) ; extension de sens en fr. (XVIIe s.), d'après « assister [un client] en justice ». || **assistant** 1372 ; *assistante sociale,* 1945. || **assistance** début XVe s. || **assistanat** v. 1960.

associer milieu XIIIe s. ; lat. *associare,* de *socius,* compagnon. || **association** XVe s., *Vieil Testament ;* sens social 1841, Fourier. || **associé** début XVIe s. || **associatif** fin XIXe s. || **associationnisme** 1877. || **associationniste** 1874. || **coassocié** début du XVIIe s.

assoiffer V. SOIF.

assoler 1374 ; dér. de *sole,* surface de terre. || **assolement** 1800.

assombrir V. SOMBRE.

assommer fin XIIe s., *Aliscans,* « tuer » ; de l'anc. fr. *assommer,* assoupir (lat. *somnus,* somme, masc.) ; d'abord « étourdir » (encore dans le Jura), puis « étourdir d'un coup à la tête » ; au fig., « appesantir », XVIe s., A. Jamyn. || **assommant** XVIe s., G., spécialisé au sens fig. || **assommeur** milieu XVe s. || **assommoir** 1700, Liger ; fig. et pop. « cabaret », sens disparu, d'abord surnom d'un cabaret de Belleville, 1850, Loynel (1866, Delvau).

assomption XIIe s., *Ps. ;* lat. chrét. *assumptio* (IVe s., saint Ambroise), « action de prendre » (de *sumere,* prendre). || **assomptif** 1578.

assonance 1690, Furetière ; lat. *assonare,* « retentir, faire écho » (*ad* et *sonus,* son). || **assonant** début XVIIIe s. || **assoner** fin XIXe s. L'anc. fr. *assoner,* « appeler par le cor », était un comp. fr. de *son* (d'où *assonant,* harmonieux).

assortir, assoter V. SORTE, SOT.

assoupir XIVe s. ; bas lat. *assopire,* de *sopire,* endormir. Le sens fig. de « calmer » apparaît dès le XVe s. || **assoupissant** 1552, Ch. Est. || **assoupissement** 1531, Du Guez.

assouplir, assourdir V. SOUPLE, SOURD.

***assouvir** 1190, Couci (*assevir*) ; bas lat. **assopire* (v. ASSOUPIR) ; fin XIIIe s. (*assouvir*) ; au sens fig., « calmer », d'où « satisfaire » ; s'était confondu en anc. fr. avec *assevir,* achever (lat. pop. **assequire,* lat. *assequi,* atteindre), devenu aussi *assovir, assouvir.* || **assouvissement** XIVe s. || **inassouvi** 1794, Parny.

assuétude 1885 ; lat. *assuetudo,* habitude.

assujettir V. SUJET.

assumer XVe s. ; lat. *assumere,* prendre sur soi (*sumere,* prendre).

assurer V. SÛR.

aster 1549, Meignan ; lat. *aster,* du gr. *astêr,* étoile ; 1883, Charpentier, Lar., biol. || **astérie** 1729, étoile de mer ; 1742, Dezallier d'Argenville, minéral. || **astérisque** 1570, G. Hervet (*astérique*) ; bas lat. *astericus* (IVe s., saint Jérôme), du gr. *asterikos,* petite étoile. || **astéroïde** 1752, bot. ; 1815, B. de Saint-Pierre, astron. ; gr. *asteroeidês,* semblable à une étoile.

asthénie 1790, *Encycl. ;* gr. *asthenia,* manque de force (*a* priv. et *sthenos,* force). || **asthénique** 1814 (v. NEURASTHÉNIE).

asthme XIVe s., G. (*asmat*) ; XVe s., G. Tardif (*asme*) ; 1611, Cotgrave (*asthme*) ; lat. *asthma ;* en moy. fr., on trouve le sens de « angoisse ». || **asthmatique** XIVe s. (*asmatic*) ; 1538, Canappe (*asthmatique*) ; lat. *asthmaticus,* du gr. *asthmatikos.*

astic 1721, morceau de cuir servant à polir le cuir ; p.-ê. de l'angl. *stick,* bâton, ou du liégeois *astichê,* pinter, du fr. *stikkân.* || **astiquer** 1833, Larchey, « frotter », et, au fig., « battre ». || **astiquage** 1866.

asticot 1828, Vidocq ; p. ê. le déverbal du suivant.

asticoter 1747, Caylus ; réfection sur *estiquer, astiquer,* « piquer », mot dialectal du Nord et du Nord-Ouest (néerl. *steeken*), de *dasticoter* (1642, Oudin, « parler allemand », puis « parler un langage inconnu, contredire, importuner »), qui vient d'une imprécation allemande interrompue *dass dich Gott... !* « que Dieu te... ! », entendue *d'asticot* chez les lansquenets (d'Aubigné, 1616). || **asticoteur** 1813. || **asticotage** 1779.

astigmatisme 1857, Mackenzie ; *a* priv. et gr. *stigma, -atos,* point ; désigne d'abord le défaut d'un instrument d'optique ne donnant pas d'un point une image ponctuelle. || **astigmate** 1877.

astracan, astrakan 1775, É. Lamy ; du nom de la ville *Astrakan,* d'où provenait ce type de fourrure.

astragale 1546, Ch. Est. (*astragal*), anat. ; 1546, Martin, archit. ; lat. *astragalus,* du gr. *astragalos,* osselet.

astre XIIe s. ; lat. *astrum,* du gr. *astron ;* le sens fig. est usuel au XVIIe s. || **astral** 1533, F. Dassy ; lat. impér. *astralis* (saint Augustin). || **astrolabe** XIIe s. (*astrelabe*) ; gr. *astrolabos,* instrument pour prendre (*lambanein*) la position des astres. || **astrologie** XIIIe s., au sens de « étude des astres », puis divination par les astres dès le XIVe s. ; gr. *astrologia.* || **astrologique** 1546, O. de Saint-Gelais ; gr. *astrologikos.* || **astrologue** 1372, Corbichon ; gr. *astrologos,* à côté de *astrologien.* || **astronomie** 1155, Wace ; gr. *astronomia,* de même sens. || **astronome** XVIe s. ; gr. *astronomos,* à côté de *astronomien.* || **astronomique** XIVe s. ; gr. *astronomikos.* || **astrobiologie** 1953, Lar. (R. Berthelot). || **astrodôme** 1950, Lar. || **astronautique** 1842. || **astronaute** 1928, Lar. || **astronauticien** 1960, Lar. || **astronef** 1928, Lar. || **astrophotographie** fin XIXe s. || **astrophysique** 1903. || **astrophysicien** 1933, Lar.

astreindre XIIe s., G. (*astraindre*) ; lat. *astringere,* serrer, et, au fig., obliger ; la conjugaison a subi les influences analogiques des verbes en *-aindre ;* le *s* est dû à la graphie latinisante. || **astreignant** 1869. || **astreinte** 1875, jurid. ; sens étendu, 1909, Péguy. || **astringent** 1538, Canappe, méd. ; lat. *astringens,* part. prés. || **astriction** 1538, Canappe, méd. ; lat. *astrictio,* resserrement.

astriction V. ASTREINDRE.

astuce 1260, Br. Latini ; lat. *astutia,* ruse. || **astucieux** 1495, J. de Vignay.

asymétrie V. SYMÉTRIE.

asymptote début XVIIe s. ; gr. *asymptôtos,* qui ne coïncide pas, de *a* priv., *sun,* avec, et *piptein,* tomber. || **asymptotique** 1678, *Journ. des savants.*

asyndète 1863, L. ; gr. *asundetos,* de *a* priv. et *sundein,* lier ensemble. || **asymétique** 1933.

ataraxie 1580, Montaigne ; gr. *ataraxia,* tranquillité, de *a* priv. et *taraxis,* trouble.

atavique 1808, Boiste ; lat. *atavus,* ancêtre, d'abord terme biologique dont l'emploi s'est élargi dès le XIXe s. || **atavisme** début XIXe s.

ataxie 1741, Col de Vilars ; gr. *ataxia,* désordre. || **ataxique** fin XVIIIe s.

atèle sorte de singe, 1839 ; gr. *ateles,* incomplet.

atelier début XIVe s. (*astelier*), « tas d'éclats de bois », puis « chantier » (de charpentier, etc.) ; dér. de l'anc. fr. *astelle,* éclat de bois. (V. ATTELLE.)

atermoyer fin XIIe s., R. de Moiliens ; anc. fr. *termoyer,* « vendre à terme », et « ajourner », « tarder ». || **atermoiement** 1605, H. de Santiago.

athanor XIIIe s. ; lat. médiév. *athanor,* de l'ar. *al-tannur,* four.

athée 1532, Rab. ; gr. *atheos,* sans dieu, de *a* priv. et *theos,* dieu. || **athéisme** 1555, Billon. || **athéiste** 1549. || **athéistique** 1768.

athérosclérose 1904 ; sur le gr. *atheroma,* loupe de matière graisseuse. (V. SCLÉROSE.) || **athérome** 1550.

athlète début XIVe s., usuel à partir du XVIe s. ; lat. *athleta,* du gr. *athlêtês* (de *athlon,* combat). || **athlétique** 1534, Rab. ; lat. *athleticus,* du gr. || **athlétisme** 1855.

atlante V. ATLAS.

atlas 1663, Graindorge, nom donné en 1585 par Mercator à un recueil de cartes dont le frontispice figurait Atlas portant le ciel sur ses épaules ; 1612, anat., première vertèbre du cou, empruntant son sens figuré au gr. || **atlante** 1547, arch. ; ital. *atlante,* de *Atlas.* || **atlantique** XIVe s. ; lat. *Atlanticus,* du gr. *atlantikos,* d'*Atlas,* montagne d'Afrique qui a donné son nom à la mer voisine et que l'on comparait à Atlas portant le ciel. || **atlantisme, atlantiste** milieu XXe s.

atmosphère 1665, Chapelain ; gr. *atmos,* vapeur, et *sphaira,* sphère. || **atmosphérique** 1781, Thouvenel.

atoll 1611, Pyrard de Laval (*attollon*) ; du port. (XVIIe s.-XVIIIe s.) ; repris au XIXe s. (1848, chez Mackenzie) à l'angl. *atoll ;* ces formes sont empr. au maldive *atolu* (sud-ouest de l'Inde).

atome 1350-1400, *Aalma* (*athome*) ; lat. *atomus,* du gr. *atomos,* de *a* priv. et *temnein,* couper. || **atomique** 1585, J. Des Caurres. || **atomisme** XVIIIe s., Diderot, *Encycl.* || **atomiste** v. 1750, Diderot, *Encycl.,* philos. ; XXe s., phys. || **atomistique** 1834, Boiste. || **atomiseur** 1928. || **atomiser** 1884, Waquet ; 1948, Camus. || **atomisation** 1928, Lar. || **atomicité** 1865.

atonal V. TON.

atone 1813, Gattel, méd. ; gr. *atonos,* relâché (*a* priv. et *teinein,* tendre) ; le sens grammatical se développe à la fin du XIXe s. || **atonie** 1361, Oresme, rare jusqu'au XVIIIe s. (1752, Trévoux). || **atonique** 1766, Raulin, méd.

atour 1170, *Rois* (*aturn*), « préparatifs », puis « ornement » (au sing. jusqu'au XVIe s.) ; déverbal de l'anc. fr. *atourner* (1050, *Alexis ;* encore chez La Fontaine), « tourner, préparer, orner » (de *tourner*).

atout XVe s., *Journ. de Paris* (jouer *a tout,* encore *Acad.,* 1694) ; de *à* et de *tout ;* sens fig. fin XIXe s.

atrabile 1565, Paré ; calque du lat. *bilis atra,* bile noire. || **atrabilaire** 1546, Ch. Est., adj., « relatif à la bile noire » ; XVIIe s., nom, celui en qui la bile noire a une action dominante.

***âtre** fin XIIe s., R. de Moiliens (*aistre*) ; lat. pop. **astrăcus, -icus,* « carrelage », altér. de *ostrăcum,* du gr. *ostrakon,* « coquille », « écaille », puis « carreau de brique ». L'anc. fr. *aistre* est dû à l'infl. de *aître.*

atrium 1547, J. Martin ; mot lat. signif. cour d'une maison.

atroce fin XIVe s. (*atroxe*) ; lat. *atrox, -ocis.* || **atrocité** 1355, Bersuire ; lat. *atrocitas.* || **atrocement** 1533, Dacy.

atrophie 1538, Canappe ; lat. *atrophia,* du gr. *atrophia,* privation de nourriture, de *a* priv. et *trephein,* nourrir. || **atrophié** 1560, Rab. (sous la forme du participe) ; sens fig. au XXe s. || **atrophiement** 1868, Goncourt. || **atrophique** 1852, Cruveilhier.

atropine 1810, Nysten ; formé d'apr. le lat. bot. mod. *atropa,* belladone, du gr. *Atropos,* l'une des Parques.

attabler V. TABLE.

attacher 1080, *Roland* (*atachier*) ; de *tache* au sens anc. de « agrafe », avec infl. de l'anc. fr. *estachier,* ficher (du francique **stakka,* pieu). || **attache** 1155, Wace ; sens fig. jusqu'au XVIIe s. || **attachant** XVIIe s. || **attachement** XIIIe s., G. de Tyr, spécialisé au fig. || **attaché** nom 1795. || **attaché-case** v. 1960 ; mot angl., de *case,* boîte, et *attaché,* du fr. || **détacher** 1160, Benoist (*destachier*), par changement de suffixe. || **détachement** 1617, Oudin. || **rattacher** 1175, Chr. de Troyes. || **rattachage** 1858, Legoarant. || **rattachement** J.-B. Richard.

attaquer 1549, Rab. ; ital. *attaccare,* « attacher », puis « commencer », d'où *attaccare battaglia* (Florio, 1598), « commencer la bataille », et, par abrév., *attaccare,* « attaquer » ; souvent francisé en *attacher* au XVIe s. || **attaque** 1596. || **attaqueur** 1587. || **attaquable** XVIe s. || **attaquant** nom XIXe s. || **contre-attaque** 1838, *Acad.* || **contre-attaquer** fin XIXe s. || **inattaquable** début XVIIIe s.

attarder V. TARD

***atteindre** 1080, *Roland* (*ataindre*) ; lat. pop. **attangere* (lat. *attingere,* refait d'apr. *tangere,* toucher). || **atteinte** 1265, J. de Meung. || **atteignable** XVe s. ; repris au XXe s.

***atteler** fin XIIe s., *Aliscans ;* lat. pop. **attelare,* formé d'apr. *protelum,* attelage (de bœufs), avec changement de suffixe, de *telum,* javelot, aiguillon. || **attelage** milieu XVIe s. || **dételer** fin XIIe s., *Aiol* (*desteler*), par changement de suffixe.

***attelle** 1125, *Gormont* (*astele*), « éclat de bois », « planchette », auj. spécialisé dans des sens techn. ; lat. pop. **astella,* du lat. class. *astula,* var. de *assula,* dimin. de *assis,* planche. (V. AIS.)

***attenant** XIVe s., part. présent de l'anc. fr. *atenir,* « tenir » et « tenir à », « dépendre » ; lat. pop. **attenire,* réfection, d'après **tenire* (v. TENIR), de *attinere,* « tenir », « concerner, être attenant ». || **attenances** 1611.

***attendre** 1050, *Alexis* (*atendre*) ; lat. *attendere,* de *tendere,* tendre, c.-à-d. « tendre vers », au fig. « être attentif » jusqu'au XVIe s. || ***attente** *id. ;* fém. substantivé d'un anc. part. passé **attenditus.* || **attentif** XIIe s., *Roman de Troie.* || **attentisme** Première Guerre mondiale. || **attentiste** *id.* || **inattentif** début XVIIIe s., Massillon. || **inattendu** début XVIIe s. (V. ATTENTION.)

attendrir V. TENDRE.

attenter 1302, *Archives ;* lat. *attentare,* porter la main sur, de *tentare,* tenter. || **attentat** 1326, *Cart. de Saint-Pierre de Lille.* || **attentatoire** 1690, Furetière.

attention 1536, Nic. de Troyes ; lat. *attentio,* de *attendere,* être attentif. || **attentionné** 1819, Boiste. || **inattention** 1671, Bouhours.

atténuer XIIe s., Delb., « affaiblir » ; lat. *attenuare,* amincir, XVIIIe s., jurid., « excuser ses torts », a remplacé *atenvrir* (1642, Oudin), de *tenve,* mince, du lat. *tenuis.* || **atténuatif** 1549, A. Du Moulin. || **atténuation** 1503, Chauliac.

1. **atterrer** 1155, Wace, « gagner la terre, aborder » ; de *à* et *terre.* || **atterrage** 1488, *Grant Routier.* (V. TERRE.)

2. **atterrer** XIIe s., « terrasser » ; fin XVIe s., d'Aubigné, « consterner » ; de *à* et *terre.* || **atterrement** XIVe s., G. || **atterrissement** début Xe s., « amas de terre ».

atterrir 1686, Tachard, mar. ; fin XVIIIe s., aérostation ; début XXe s., aviation ; de *à* et *terre.* || **atterrissage** 1835, *Acad.,* mar. ; XXe s., aviation. (V. TERRE.)

attester XIIIe s., *Chanson d'Antioche ;* lat. *attestari,* de *testis,* témoin, témoignage. || **attestation** XIIIe s., G. ; lat. *attestatio,* témoignage. || **inattesté** 1867, L.

atticisme, attiédir V. ATTIQUE, TIÈDE.

attifer XIIIe s. ; anc. fr. *tifer,* parer (XIIIe-XVIe s.), d'orig. inconnue.

attiger 1596, *Vie des mercelots* (*aquiger, attiger* [par croisement avec tige]) ; 1808, d'Hautel, terme d'argot des malfaiteurs signifiant « blesser », puis « abîmer » ; 1922, Montherlant, « exagérer » ; orig. obscure, avec infl. de *tige.*

attique XVe s., *Térence en françois,* adj. ; lat. *atticus,* du gr. *attikos,* relatif à Athènes ; XVIIe s., n. m., architect. || **atticisme** 1543, Ramus ; lat. *atticismus,* du gr. *attikismos.* || **atticiste** XIXe s.

attirer fin XVe s. ; de *tirer.* || **attirail** XVe s., *Franc Archer de Bagnolet.* || **attirance** 1857, Baudelaire.

***attiser** fin XIIe s., *R. de Cambrai ;* lat. pop. **attitiare,* de *titio,* tison. || **attise** 1751, *Encycl.,* techn. ; déverbal. || **attiseur** XVe s.

attitrer V. TITRE.

attitude 1637, N. Poussin, en peinture « posture » ; ital. *attitudine,* du bas lat. *aptitudo,* aptitude ; XVIIIe s., « comportement ».

attorney 1768, Voltaire ; angl. *attorney,* procureur, de l'anc. fr. *atourner,* régler.

attoucher V. TOUCHER.

attraction 1256, Ald. de Sienne (*atration*) « aspiration » ; 1688, Newton, attraction terrestre ; 1733, *Doc.,* attraction magnétique ; 1761, Rousseau, force qui attire ; lat. *attractio,* « contraction », de *trahere,* tirer ; XIXe s., gramm., repris au lat. ; 1835, Balzac, spectacle, d'après angl. *attraction.* || **attracteur** 1546, Ch. Est. || **attractif** XIIIe s., G. ; bas lat. *attractivus.* (V. TRAIRE.)

***attrait** 1175, Chr. de Troyes, part. passé substantivé de l'anc. fr. *attraire,* attirer (XIIe-XVIIe s.) ; lat. pop. **attragere.* || **attrayant** 1283, Beaumanoir ; part. prés. de *attraire.* || **inattrayant** 1936, Gide.

attraper XIIe s., *Chevalerie Ogier,* de *trapper,* « prendre au piège », sens fig. « tromper » dès l'anc. fr. ; 1866, Delvau, pop. « gronder ». || **attrapage** 1869, Larchey, « gronderie ». || **attrape** 1240 (*atrape*), « piège », puis « tromperie ». || **attrapeur** 1526, C. Marot. || **attrape-mouche** 1700, Liger. || **attrape-nigaud** 1650, Scarron. || **rattrapage** 1867, Delvau. || **rattraper** XIIIe s.

attribuer 1313, Delb. ; lat. *attribuere,* de *tribuere,* attribuer. || **attribuable** 1512, Marot. || **attribut** XIVe s., *Nature à alchimie ;* lat. scolast. *attributum* (anc. part. passé du précédent), sens formé en lat. médiév. ; 1680, gramm. || **attributif** 1516, Delb. ; 1866, gramm. || **attribution** 1361, Oresme ; lat. *attributio.*

attrister V. TRISTE.

attrition 1314 (*attricion*) ; milieu XXe s., écon. et comm. ; lat. eccl. *attritio,* « action de broyer ». (V. *contrition,* à CONTRIT.)

attrouper V. TROUPE.

aubade XVe s., *D. G.,* prov. *aubada,* « concert qu'on donne à l'aube » (v. SÉRÉNADE) ; en fr. pop., il a pris un sens péjoratif (« charivari », fin XVIIe s., Regnard).

aubaine XIIe s., G. (*droit d'aubaine*), fém. de l'adj. *aubain,* étranger (XIIe-XVIIIe s.) ; francique **aliban,* « appartenant à un autre ban », ou lat. *alibi,* ailleurs. Par le droit d'aubaine, la succession des étrangers revenait au seigneur, puis au roi ; d'où fig. « profit inattendu », 1668, La Fontaine.

1. ***aube** première lueur du jour, 1080, *Roland* (*albe*) ; lat. *alba,* fém. substantivé de *albus,* blanc (anc. fr. *aube,* adj.).

2. ***aube** vêtement de lin blanc, 1040 (*albe*) ; lat. *alba,* fém. subst. de *albus,* blanc ; spéc. en lat. chrétien dans l'usage ecclésiastique.

3. ***aube** 1080, *Roland* (*alve*), puis *auve, aube,* « planchette » ; lat. *alăpa,* « soufflet », dont le sens premier, non attesté, a dû être « main plate », puis « palette » ; le *b,* au lieu du *v,* paraît dû à une confusion avec le précédent.

***aubépine** XIIe s., *Roncevaux ;* XVIe s. (*aubespin,* forme de l'Ouest et du Centre) ; lat. pop. **alb-ĭspīna* (lat. *alba spina,* épine blanche).

aubère 1579, F. Grisone ; esp. *hobero,* auj. *overo* (en fr. *hobere,* 1555, Ronsard), que l'on croit d'origine arabe.

auberge XVe s. (*aulberge*) ; rhodanien (prov.) *auberjo,* correspondant à l'anc. fr. *herberge* (v. HÉBERGER). || **aubergiste** 1667.

aubergine 1750, Geffroy ; catalan *albergínia,* réfection de l'ar. *al-bādinjān,* du persan *bādind-jān.*

auberon anneau de fer, 1690, Furetière ; orig. obscure. || **auberonnière** déb. XVe s.

aubert 1455, *Coquillards,* « argent » en argot, emploi ironique de nom propre (*Aubert*) [cf. *david,* crochet ; *roland,* scie ; *laure,* maison mal famée, etc.].

aubette 1491, *Arch. de Lille* (*hobette*) ; 1601, S. Goulart (*aubette*) ; dimin. de l'anc. fr. *hobe,* du francique **huba* (le vocalisme fait difficulté).

aubier XIVe s., *Bible* (*auber*) ; altér., par changement de suffixe, de l'anc. fr. *aubour,* même sens, du lat. *alburnum,* de *albus,* blanc.

aubifoin 1175, Chr. de Troyes (*aubefain*) ; 1556, Dessen (*aubifoin*), « foin blanc », parce que le bluet blanchit aussitôt fané ou fauché ; lat. *albus,* blanc.

1. ***aubin** 1390, *Livre des secrets de la nature,* blanc d'œuf, réfection de *aubun* (XIIe s.), encore dans Cotgrave, 1611 ; lat. *albūmen, -ĭnis,* qui a donné *albumine,* de *albus,* blanc.

2. **aubin** XVe s., M. d'Escouchy (*hauby*), équit. ; fin XVe s., Commines (*hobin*), « cheval » ; 1534, Rab., « allure vicieuse » ; de l'angl. *hobby,* cheval trapu. || **aubiner** 1723, Boulay.

aubine fin XIXe s., appareil (chemins de fer) ; dénommé d'après son inventeur, *Aubin.* || **aubiner, aubinage,** *id.*

***aubour** XIIIe s. (*aubor*) ; lat. *alburnum,* aubier, de *albus,* blanc ; a désigné l'aubier jusqu'au XVIe s. ; auj., spécialisé comme terme de charpente et de marine pour désigner le bois jeune.

auburn 1835, mot angl. ; anc. fr. *auborne,* blond, du lat. *albus,* blanc.

aucuba 1796, *Voy. de Thunberg ;* japonais *aokiba.*

***aucun** XIIe s., *Roncevaux* (*alcun*) ; lat. pop. **aliquunus,* de *aliquis,* quelqu'un, et *unus,* un ; sens « quelque, quelqu'un », jusqu'au XVIIe s. ; il a pris le sens négatif par contamination de *ne.* || **aucunement** 1130, *Job.*

audace XIIe s. ; lat. *audacia ;* 1688, terme de chapellerie. || **audacieux** 1495, J. de Vignay.

audible V. AUDIENCE.

audience 1160, Benoît ; lat. *audientia,* action d'entendre, de *audire,* écouter ; sens ancien jusqu'au XVIIe s. ; le sens jurid. apparaît dès le bas lat. et au XIIe s. en fr. || **audiencier** XIVe s., J. de Preis. || **audible** 1488, *Mer des hist. ;* bas lat. *audibilis,* qui peut être entendu. || **audibilité** fin XIXe s. || **auditeur** 1230 ; lat. *auditor,* au sens de officier de justice. Le sens moderne apparaît dès le XIIIe s. avec l'élimination du mot pop. *oieor.* || **auditorat** XVIIIe s. || **auditif** 1361, Oresme. || **audition** 1295, Roisin ; lat. *auditio.* || **auditionner** 1793, *Journ. de la Montagne,* jurid. ; 1922, Lar., sens actuel. || **auditoire** XIIe s., P. de Fontaines ; lat. *auditorium.* || **auditorium** 1866 ; transcription du lat. « lieu d'enregistrement, de prise de son ». || **audiomètre** 1865. || **audiométrie** mil. XXe s. || **audiogramme** 1951, Lar. || **audiovisuel** 1947. || **audio-oral** mil. XXe s. || **audimètre** 1964. || **audimétrie** 1985. || **Audimat** 1981, nom déposé. || **audit** 1970 ; mot angl., du lat. *auditus,* audition. || **auditer** 1977. || **inaudible** 1842, *Acad.*

***auge** 1080, parfois masc. jusqu'au XVIe s. ; lat. *alveus,* masc., « cavité », de *alvus,* ventre. || **augée** 1450. || **auget** XIIe s., Herman de Valenciennes. || **augette** 1415.

augmenter 1360, G. de Machaut ; lat. impér. *augmentare* (IVe s., Firmus, math.), de *augere,* augmenter. || **augmentation** 1290, G. ; bas lat. *augmentatio* (VIe s., Boèce). || **augment** XIIIe s. ; lat. *augmentum.* || **augmentatif** 1370 ; 1680, ling.

1. **augure** présage 1160, Benoît (*augur*) ; lat. *augurium* (dont la forme pop. était *eür, -heur,* v. HEUR) ; sens fig. déjà en latin ; souvent fém.

au XVIe s. || **augurer** 1355, Bersuire ; lat. *augurare,* tirer un présage ; en fr., le sens fig. l'emporte au XVIIe s.

2. **augure** prêtre 1213, *Fet des Romains* (*-reres*) ; 1355, Bersuire ; lat. *augur.* || **augural** 1555, Belon ; lat. *auguralis,* qui a gardé le sens propre.

auguste XIIIe s., Aimé du Mont-Cassin ; rare jusqu'au XVIIe s. ; lat. *augustus,* de *augur* (à l'origine, « consacré par les augures ») ; 1898, type de clown, d'une expr. allemande employée par antiphrase du sens usuel.

aujourd'hui XIIe s., *Saint-Évroult* (*au jour de hui*), forme renforcée de *hui* (lat. *hŏdie*), lequel a disparu au XVIIe s., sauf en wallon et dans le Sud-Est.

aulique 1546, Rab. ; lat. *aulicus,* de *aula,* cour.

aulofée V. LOF.

aumaille XIIe s. (*almaille*) ; lat. *animalia,* plur. de *animal.*

aumône Xe s. (*almosne*) ; lat. pop. *alemŏsĭna,* déformation du lat. chrét. *eleemosyna,* empr. au grec *eleêmosunê,* « compassion », sens spécialisé en grec chrét. || **aumônerie** 1190, Garn. || **aumônier** 1050, *Alexis* (*almosnier*), « qui reçoit l'aumône » ; sens actuel, 1080, *Roland.* || **aumônière** XIIe s., Delb.

aumusse XIIe s. (*-uce*), type de coiffure au Moyen Âge ; lat. médiév. *almutia,* d'orig. inconnue (l'all. *Mütze,* « casquette », vient du fr. ou du lat.) ; p.-ê. croisement du lat. *almus,* doux, et de *capuce,* v. CAPUCHE.

1. ***aune** arbre XIIe s. ; lat. *alnus.* || **aunaie** XIIIe s. (*aunoie*).

2. **aune** ancienne mesure, 1080, *Roland* (*alne*) ; francique **alina* (all. *Elle*), propr. « avant-bras » ; il ne subsiste que dans des loc. métaphoriques. || **auner** 1175, Chr. de Troyes. || **auneur** 1190, Saint Bernard. || **aunage** déb. XIVe s. || **aunée** XIIIe s., longueur d'une aune.

aunée XIIIe s., *Médecin liégeois,* plante ; anc. fr. *eaune* (var. *ialne*), du lat. pop. **ĕlĕna,* réfection (par influence du nom propre [*H*]*elena*) du lat. *helenium,* empr. au grec.

auparavant, auprès V. AVANT, PRÈS.

aura fin XVIIIe s. ; mot lat. signif. « souffle » ; 1923, Proust, « atmosphère ».

auréole fin XIIIe s., Rutebeuf (*auriole*) ; 1350-1400, *Aalma* (*auréole*) ; lat. eccl. *aureola* (*corona*), couronne d'or, de *aureus,* d'or. Le sens fig. date du XIXe s. || **auréolé** milieu XIXe s., Baudelaire.

auri-, lat. *aurum,* or. || **aurifère** 1535, M. d'Amboise ; lat. *aurifer.* || **aurifier** 1863, L. || **aurification** 1858, Nysten.

auricule 1377, Lanfranc, anat. ; bot. XVIe s. ; lat. *auricula,* petite oreille. Le sens propre est attesté chez Rabelais (1538). || **auriculaire** v. 1540, Rab. (*doigt auriculaire*) ; Calvin (*Confession auriculaire*) ; lat. *auricularius.*

aurige 1823 ; lat. *auriga,* cocher.

aurique (voile) fin XVIIIe s. ; néerl. *oorig,* voile en forme de trapèze située dans l'axe du navire.

aurochs 1414, G. de Lannoy (*ouroflz*) ; 1611, Cotgrave (*aurox*) ; XVIIIe s., Buffon (*aurochs*) ; all. *Auerochs,* renforcement expressif (par addition de *Ochs,* bœuf) de l'ancien *Auer* (rac. germ. et celtique *ur-,* passée en lat. : *ūrus*).

***aurone** 1213, *Fet des Romains* (*abrogne*) ; 1486, *le Livre des profits champêtres* (*aurone*) ; forme dial. (Ouest) du lat. *abrŏtŏnum,* du gr. *abrotonos.*

aurore XIIIe s., Aimé du Mont-Cassin ; lat. *aurora ; aurore boréale* 1646, La Peyrière. || **auroral** 1866, Verlaine.

ausculter 1510-1541, Le Caron, « examiner » ; lat. *auscultare,* écouter ; 1819, Laennec, méd. || **auscultation** 1570, Gentian Hervet, « examen » ; lat. *auscultatio ;* 1819, Laennec, méd.

auspice présage, 1355, « présage » ; lat. *auspicium,* de *avis,* oiseau, et *spicere,* observer ; 1697, « prêtre » ; lat. *auspex.*

***aussi** XIIe s., Grégoire (*alsi*) ; lat. pop. **alid* (pour *aliud,* autre chose) et *sic,* ainsi (v. SI 2) ; cf. l'anc. fr. *al, el,* autre chose.

aussitôt V. TÔT.

auster 1120, *Ps. d'Oxford* (*austre*) ; XIVe s., J. de Brie (*auster*) ; lat. *auster,* vent du midi. || **austral** 1372, Corbichon ; lat. *australis.* || **australopithèque** XXe s. ; lat. *australis* et gr. *pithêkos,* singe.

austère XIIe s. ; lat. *austerus,* âpre, au fig. « austère » (sens propre, aussi, en fr., au XVIe s.). || **austérité** XIIIe s., *Apocalypse ;* lat. *austeritas.*

autan milieu XVIe s. ; prov. *autan,* du lat. *altanus,* proprem. « vent de la haute mer », dér. de *altus,* haut. Il est restreint à la langue poétique.

autant V. TANT.

autarcie 1793, Lavoisien ; gr. *autarkeia,* de *autos,* soi-même, et *arkein,* se suffire ; le mot avait d'abord le sens de « euphorie », « frugalité » ; devenu *autarchie* (1896, Réveillère) par attraction des mots en *-archie.* Seule subsiste la forme primitive réapparue (1931). || **autarcique** 1928 (*autarchique*) ; 1938 (*autarchique*).

***autel** 1050, *Alexis* (*alter*), puis *altel, autel,* par substitution de suffixe ; lat. *altare.*

auteur fin XIIe s., *Grégoire,* var. *autheur, auctor ;* lat. *auctor* (var. *autor, author*), « celui qui produit ». || **autoresse** 1900 ; angl. *authoress,* d'abord sous la forme *authoresse* 1841, La Bédollière. || **autrice** 1560, Pasquier. || **auteure** fin XXe s., en québécois ; fém. de *auteur.*

authentique XIIe s. (*autentike*) ; lat. *authenticus,* du gr. *authentikos ;* il a eu le sens de « célèbre » jusqu'au XVIIe s. || **authentiquement** début XIVe s., *Chron. de Flandres.* || **authentiquer** XIIIe s. || **authenticité** 1557, Ferry Julyot (*authentiquité*) ; 1688, Montfaucon (*authenticité*). || **authentifier** 1866, Lar. || **authentification** v. 1930. || **inauthentique** 1867, L. || **inauthenticité** *id.*

autisme 1927, *Journ. psychol. ;* all. *Autismus,* formé sur le gr. *autos,* soi-même. || **autiste** 1957, H. Piéron. || **autistique** 1927, *Journ. psychol. ;* all. *autistisch.*

1. **auto-,** gr. *autos,* de lui-même. || **auto-accusation** 1903. || **autoallumage** 1904, *France autom.* || **autoamorçage** 1956, Lar. || **autobiographie** 1836, Reybaud. || **autobiographique** 1832, Balzac. || **autocensure** milieu XXe s. || **autochtone** 1560, G. Postel ; gr. *autokhtôn,* de *khthôn,* terre. || **autoclave** 1820, *Descr. des brevets ;* lat. *clavis,* clef (qui se ferme de lui-même). || **autocollant** v. 1970. || **autocommutateur** 1911. || **autoconcurrence** v. 1970. || **autocorrection** milieu XXe s. || **autocrate** 1768, *Ephém. du citoyen ;* gr. *autokratês,* qui gouverne lui-même, de *kratein,* gouverner ; usuel pendant la Révolution. || **autocratie** av. 1794, C. Desmoulins ; gr. *autokrateia,* pouvoir absolu. || **autocratique** 1768, Brunot. || **autocratiquement** 1852, Lachâtre. || **autocrator** 1798, *Acad. ;* gr. *autokratôr,* monarque absolu ; d'où le féminin *autocratrice* 1739, Voltaire, *Corr.* || **autocritique** 1866. || **autocuiseur** 1917. || **autodéfense** 1936, Tournoux. || **autodestruction** 1929, Frois. || **autodétermination** 1906, Lar., biol. ; 1955, *l'Express,* polit. || **autodéterminer** 1961, Lar. || **autodidacte** 1580, L. Joubert ; gr. *autodidaktos,* qui s'est instruit lui-même (*didaskein,* instruire). || **autodiscipline** 1919. || **autofécondation** 1888, Lar. || **autofinancement** 1953, Lar. || **autofinancer** 1955, *le Monde.* || **autofrettage** 1919, Lar. || **autogène** (soudure) 1895, *Année sc. et industr.* || **autogestion** 1961, Lar. || **autographe** XVIe s., Le Plessis (*aftographe*) ; 1580, L. Joubert (*autographe*) ; gr. *autographos.* || **autographie** 1800, Boiste. || **autographier** 1836, Landais. || **autoguidage** 1960, Lar. || **auto-imposition** 1956, Lar. || **auto-infection** 1906, Lar. || **auto-intoxication** 1888, Lar. || **autolocomotion** 1863, Nadar. || **autolubrifiant** 1953, Lar. || **autolyse** 1909, Lar. || **automate** 1532, Rabelais (adj.) ; gr. *automatos,* qui se meut. || **automatique** fin XVIIIe s. || **automatisme** av. 1757, Réaumur. || **automatiser** XVIIIe s. || **automatisation** 1877, L. || **automation** 1956, Lar. || **automobilisation** 1933, Lar. || **automoteur** 1834, Biot, au sens de « qui se meut par soi-même » ; 1953, Lar. || **automotion** 1863, La Landelle. || **autonettoyant** v. 1970. || **autonome** 1762, *Acad. ;* gr. *autonomos,* « qui se gouverne avec ses propres lois », de *nomos,* loi. || **autonomie** 1596, Hulsius ; gr. *autonomia ;* usuel depuis le XVIIIe s. || **autonomiste** 1878, Lar., « partisan des communes », puis de « l'autonomie régionale ». || **autonyme** 1866 ; 1957, ling. || **autonymie** 1970. || **autoplastie** 1836, Blandin. || **autoportrait** 1928. || **autopropulsé** 1950, Lar. || **autopropulseur** 1950, Lar. || **autopropulsion** 1953, Lar. || **autopsie** méd., 1573, Desmare ; gr. *autopsia,* vision par soi-même, de *opsis,* vue. || **autopunition** 1929, Frois. || **autoradiographie** 1952, Lar. || **autoréduction** 1878, Lar. || **autoréférentiel** v. 1970. || **autorégulation** 1888, Lar. || **autosatisfaction** 1963, journ. || **autosuggestion** 1888, Lar. || **autotest** 1960, Lar. || **autothétique** 1801, Ch. de Villiers ; de *thèse.*

2. **auto** abrév. de *automobile* (v. ce mot et les composés avec *auto,* dans le sens de « véhicule »).

autodafé fin XVIIe s. ; port. *auto de fé,* acte de foi, puis « arrêt sur des matières de foi ».

automédon 1776, *Journ. de Bruxelles ;* lat. et gr. *Automedon,* nom du conducteur du char d'Achille ; sens ironique déjà en latin.

automne XIIIe s., G. de Tyr (*autonne*) ; lat. *automnus ;* encore des deux genres au XVIIe s. || **automnal** 1119, Ph. de Thaon ; lat. *autumnalis.*

automobile 1861, adj. ; nom vers 1890 ; des deux genres encore au début du XXe s. ; gr.

auto- et *mobile,* sur le modèle de *locomobile ;* abrév. *auto* (d'abord masc.), 1896, *France autom.* || **automobilisme** 1895, *Sport universel.* || **automobiliste** 1896, Lar. || Sur *auto :* **autoberge** 1916, journ. || **autobus** 1906, Lar., finale de *omnibus,* véhicule de transport en commun, abrégé en *bus* (v. ce mot). || **autocanon** 1913. || **autocar** 1896. || **autochenille** 1922, Kégresse. || **autocouchettes** 1964. || **autodrome** 1896, *France autom.* || **auto-école** 1906. || **autogire** 1923, Juan de La Cierva ; esp. *autogiro.* Vieilli, remplacé par *hélicoptère.* || **automitrailleuse** 1906. || **autopompe** 1928, Lar. || **autorail** 1925. || **autoroute** 1928, Lar. || **autoroutier** 1957. || **auto-stop** 1941. || **auto-stoppeur** 1953.

autoriser fin XIIe s., *Loherains* (*actoriser*) ; lat. médiév. *auctorizare* (de *auctor,* auteur) ; d'abord « donner de l'autorité » (encore au XVIIe s.). || **autorisation** début XVe s.

autorité 1119, Ph. de Thaon (*auctorité*) ; lat. *auctoritas ;* au plur. 1790. || **autoritaire** 1866, Lar. || **autoritairement** 1877, L. || **autoritarisme** 1870, Leverdays.

1. **autour** prép. V. TOUR.

2. ***autour** 1080, *Roland,* nom (*ostor, ostur*) ; bas lat. *auceptor* (*Loi Ripuaire*), réfection du lat. *accipiter,* épervier, devenu *acceptor,* puis confondu avec *auceptor,* oiseleur. En fr., le mot, éliminé de bonne heure par des syn. germ. (*épervier, faucon*), n'est resté qu'en poésie ou comme terme de naturaliste pour désigner l'*astur palumbarius ;* la finale (*-our* au lieu de *-eur*) est irrégulière (infl. de *vautour*).

***autre** 1080, *Roland* (*altre*) ; lat. *alter,* « l'autre », qui, en lat. pop., a éliminé *alius,* « autre » (v. AUSSI). || **autrement** 1080, *Roland.* || **autrui** *id.* (*altrui*), anc. cas régime de *autre* (formé d'après *lui*).

autrefois V. FOIS.

***autruche** 1130, *Job* (*ostruce,* jusqu'au XVIIe s.) ; XVIe s. (*autruche,* par substitution de suffixe) ; lat. pop. *avis,* oiseau, *struthio,* autruche (du gr. *strouthos*), formation tardive. || **autruchon** XIVe s. || **autrucherie** fin XIXe s.

autrui V. AUTRE.

***auvent** fin XIIe s., *Aymeri* (*anvant*), « galerie de fortification » ; lat. pop. **antevannum,* peut-être de **banno,* « corne », en gaulois (totem protecteur) ou de *au-devant.*

auvergnat XVIe s., G ; d'*Auvergne,* lat. pop. *Arvernicum.*

auverpin 1854, Privat d'Anglemont ; réfection de *auvergnat,* de *Auvergne.*

auxiliaire 1512, J. Lemaire ; lat. *auxiliaris,* de *auxilium,* secours, au sens milit. || **auxiliairement** XIXe s. || **auxiliariat** XXe s.

auxine v. 1930 ; lat. *augere,* faire croître (parfait *auxi*), « hormone de croissance ».

avachir 1395, Chr. de Pisan ; francique **vaikjan,* rendre mou ; le *v* est dû à l'influence de *vache.* || **avachissement** milieu XIXe s.

1. **aval** 1080, *Roland ;* de *val,* var. *avau,* conservé dans *à vau l'eau* (1552, Rab.) [v. VAL].

2. **aval** 1675, Savary ; ital. *avallo,* de l'ar. *al-walā,* mandat. || **avaliser** 1875 ; v. 1950, fig. || **avaliseur** 1955, Lar.

avalanche XVIe s., J. Peletier (*lavanche*) ; 1611, Cotgrave (*avalanche*) ; 1845, Besch., fig. ; savoyard *lavantse* et suisse-romand *avalantse* (altér. due à *val, avaler*), du lat. *labīna,* glissement de terre, dér. de *labi,* glisser.

avaler 1080, *Roland,* « descendre » ; XIIe s. « faire descendre dans le gosier », de *val.* || **avaloire** milieu XIIIe s., harnais. || **avaleur** début XVe s. (V. VAL.)

avanie 1575, Thevet (*vanie*) ; ital. *avania,* exaction imposée aux chrétiens par les Turcs, de l'ar. *hawwān.* Le sens de « traitement humiliant » est enregistré au XVIIe s.

***avant** 842, *Serments ;* lat. impér. *abante* (IIe s.), forme renforcée de *ante ; aller de l'avant,* 1831, Ansiaume ; XXe s., nom, sports. Voir à la place alphabétique du radical les mots construits avec le préfixe *avant-.* || **auparavant** XIVe s., *Chron. de Flandres,* forme renforcée de *avant* qui a été employée comme prép. jusqu'au XVIIe s. || ***avancer** XIIe s., *Roncevaux ;* lat. pop. **abantiare.* || **avance** fin XIVe s. ; sens financier, 1649, *Doc.* || **avancé** 1845, Wey, polit. || **avancée** nom fém. fin XVIIIe s. || **avancement** XIIe s. || **avançon** 1846. || **avantage** 1160 ; de *avant,* d'abord « ce qui est placé en avant » (sens conservé pour désigner une partie de l'avant du navire qui fait saillie) ; sens fig. dès le XIIe s. || **avantager** XIIIe s. || **avantageux** 1418, Caumont. || **désavantage** 1280, G. || **désavantageux** 1498, Commynes. || **désavantager** 1507, Crétin. || **devant** 1050, *Alexis* (var. *davant*), comp. anc. de *avant ;* sens temporel jusqu'au XVIIIe s. || **devancer** 1155, Wace. || **devancier** 1268, É. Boileau. || **devanture** fin XIIIe s., *Renart,* « le devant » ; 1611, Cotgrave, sens actuel.

avare 1160, *Charroi* (*aver*) ; 1527, J. Bouchet (*avare*) ; lat. *avarus ;* sens lat. « avide » jusqu'au XVIIIe s., à côté de « qui aime entasser l'argent ». || **avarement** 1548, P. Le Febure. || **avarice** 1155, Wace ; lat. *avaritia.* || **avaricieux** 1283, Beaumanoir.

avarie av. 1200, *Assises de Jérusalem ;* ital. *avaria,* de l'ar. *'awar,* dommage, au plur. *awārīya.* || **avarier** 1723. *Avarié,* dans le sens de « syphilitique », se rencontre en 1905 (Brieux) et 1906, dans Lar. || **avaro** pop. 1874 ; de *avarie,* avec le suff. pop. *-o, -ot.*

avatar 1800, Castera ; sanskrit *avatāra,* descente sur terre d'un être divin, puis incarnation de Vishnu ; 1822, « transformation » ; XXe s., « malheur ».

Ave XIVe s. (*ave Maria*), 2e pers. sing. impératif du lat. *avere,* « bien se porter », formule de salutation.

***avec** 1050, *Alexis* (*avoc,* puis *avuec*) ; lat. pop. *apŭd-hŏc,* « avec cela », renforcement de *apud,* « auprès de », « avec », en lat. pop., d'où l'anc. fr. *o*[*d*], prov. *ab,* avec.

aveline 1256, Ald. de Sienne (*avelaine*) ; XVe s., Tardif (*aveline*) ; prov. *avelana,* noisette, du lat. (*nux*) *abellana,* noisette (Pline : « noix d'Abella » [ville de Campanie]) ; spécialisé par les botanistes. || **avelinier** XIIIe s. (*-anier*) ; XVIIIe s. (*-inier*).

aven 1151, Bruel (*avenc,* prov.), « gouffre » ; repris au XXe s. en géol., 1889, Martel ; mot dial. du Rouergue, p.-ê. prélatin.

1. **avenir** nom, 1468 (*advenir*) ; abrév. de la loc. le *temps à venir.*

2. **avenir** verbe. V. ADVENIR.

avenant 1080, *Roland,* adj. ; ancien part. prés. de l'anc. fr. *avenir* (V. ADVENIR), au sens de « convenir » ; le sens « qui s'accorde » est resté dans la loc. *à l'avenant* (XVe s., jurid.) ; nom, jurid., « ce qui revient à » (XIIIe s.), d'où « clause additionnelle » en matière d'assurances (1783).

avènement 1160 ; anc. fr. *avenir,* arriver ; « arrivée » jusqu'au XVIIe s. ; 1360, spécialisé en « arrivée sur le trône ».

avent XIIe s. (*advent*) ; lat. *adventus,* arrivée, de *advenire,* arriver, spécialisé en lat. eccl. pour la venue de Jésus-Christ, puis pour les quatre semaines précédant Noël.

***aventure** fin XIe s., *Lois de Guillaume ;* lat. pop. **adventūra,* ce qui doit arriver (part. futur, au pl. neutre, de *advenire*). || **aventurer** XIIe s., *D. G.* || **aventureux** début XIIe s. || **aventureusement** 1360, Machaut. || **aventurier** XVe s. || **aventurine** 1686, Maintenon : limaille jetée *à l'aventure* sur le verre en fusion. || **aventurisme** 1906. || **aventuriste** 1918, Rolland. || **mésaventure** XIIe s. ; de l'anc. v. *mésavenir.*

avenue 1549, Rab., « voie d'accès » (v. ALLÉE) ; du part. passé substantivé (signifiant « arrivée » en anc. fr.) de *avenir.*

avérer XIIe s., Herman de Valenciennes ; anc. fr. *voir,* vrai, issu du lat. *verus* et disparu au XVIe s. (cf. VOIRE) ; n'est plus employé qu'au part. passé à partir du XVIIIe s., et à la forme pronominale.

avers 1842, *Acad. ;* lat. *adversus,* au sens « qui est en face ».

averse 1690, La Quintinie, de la loc. *pleuvoir à la verse* (1642, Oudin), puis *pleuvoir à verse* (fin XVIIe s.) ; déverbal de *verser.*

aversion XIIIe s., « répulsion » ; méd., 1537, Canappe ; sens mod. début du XVIIe s. ; lat. *aversio,* action de se détourner, de *avertere,* détourner.

avertin 1256, Ald. de Sienne ; lat. *vertīgo, -gīnis* (v. VERTIGE), avec attraction de *avertir.*

***avertir** 1160, Benoît ; lat. pop. **advertīre* (lat. class. *advertĕre*). || **avertissement** milieu XIIIe s. || **avertisseur** 1281, G., « celui qui avertit » ; techn., appareil, 1863, Thorel.

avette, aveu V. ABEILLE, AVOUER.

***aveugle** 1050, *Alexis* (*avogle*) ; lat. méd. **ab ŏcŭlis,* privé d'yeux, calque du gr. *ap'ommatôn ;* l'expression a éliminé le lat. *caecus,* repris dans la formation savante *cécité.* || **aveugler** 1050, *Alexis* (*avogler*). || **aveuglant** 1558, M. de Navarre. || **aveuglément** 1555, Pasquier. || **aveuglement** 1130, *Job ;* « privation de la vue », sens qui subsiste jusqu'au XVIIIe s. ; le sens fig. qui existe dès le début se maintient seul. || **aveuglette** XVe s., *l'Amant rendu cordelier ;* il a été employé sous cette forme comme adv. jusqu'au XVIIe s. (Furetière), avant de laisser la place à l'expression *à l'aveuglette.* || **désaveugler** 1676, Bouhours.

aveulir V. VEULE.

aviation 1863, La Landelle ; lat. *avis,* oiseau. || **aviateur** *id.,* nom de machine ; « pilote », *id.* || **avion** 1875, Ader. || **avionnette** 1920, *Vie au grand air.* || **hydravion** v. 1912. || **avion-cargo**

milieu XXe s. || avion-taxi 1925. || avionneur 1890, Ader. || avionique v. 1960.

avicule 1803, Boiste ; lat. *avicula,* petit oiseau (la coquille du mollusque rappelle une queue d'oiseau), du lat. *avis,* oiseau.

aviculture fin XIXe s. ; lat. *avis,* oiseau, et *culture.* || **aviculteur** fin XIXe s.

avide 1470, *Livre de la discipline d'amour divine ;* lat. *avidus.* || **avidement** 1555, de La Bouthière. || **avidité** fin XIVe s. ; lat. *aviditas.*

avilir, aviner, avion V. VIL, VIN, AVIATION.

aviron 1155, Wace ; anc. fr. *avironner* (XIIe-XIVe s.), tourner, de *viron,* dér. de *virer.*

avis 1175, Chr. de Troyes ; de *ce m'est avis* (début XIIe s.), lat. pop. *mihi est visum,* il me semble (lat. class. *mihi videtur*). || **préavis** fin XIVe s.

aviser 1050, *Alexis,* « apercevoir » ; XIIIe s., « avertir » ; de *viser* (v. VISER). || **avisé** fin XIIe s., « réfléchi ». || **malavisé** 1330, Baudoin de Sebourg.

aviso 1601, Champlain (*patache d'avis*) ; 1776, Ossun (*aviso*) ; esp. *barca de aviso,* barque pour porter des avis.

aviver V. VIF.

1. **avocat** 1160, Benoît (*advocat*) ; fig. XVIIIe s. ; lat. *advocatus* (v. AVOUÉ). || **avocasser** 1392, É. Deschamps, « plaider » ; péjor. depuis le XVIIe s. || **avocasserie** XIVe s. || **avocaillon** 1892, Bergerat.

2. **avocat** 1640, Laet (*aguacate*), bot., « fruit » ; 1684, *Rel. de la Jamaïque* (*avocate*) ; esp. *avocado,* du nahuatl (langue des Aztèques). || **avocatier** 1771, *id.*

avocette 1760, Brisson ; ital. *avocetta,* d'orig. inconnue.

***avoine** XIIe s. (*aveine* jusqu'au XVIe s.) ; lat. *avēna ; oi* pour *ei* devant *n* (cf. VEINE) est dû à une fausse régression.

***avoir** Xe s., *Eulalie* (*aveir*) ; n. m. 1050, *Alexis ;* lat. *habēre.* || **ravoir** 1155, Wace.

avoisiner V. VOISIN.

***avorter** XIIe s. ; lat. *abortare,* de *aboriri,* mourir en naissant (*ab* priv. et *oriri,* naître). || **avortement** 1190, Saint Bernard. || **avorteur** fin XIXe s. || **avorton** début XIIIe s. || **abortif** 1455, Fossetier, « avorté » ou « qui fait avorter » ; lat. *abortivus ;* au XVIe s., *avortif.* || **abortivement** 1544, M. Scève.

***avoué** 1080, *Roland ;* sous l'Ancien Régime, défenseur des couvents, des villes, etc. ; sens actuel, 1790 ; lat. *advŏcatus,* « appelé auprès », « défenseur », « avocat ».

***avouer** 1155, Wace (*avoer*) ; lat. *advŏcare,* « appeler », « recourir à » ; en anc. fr., « reconnaître comme maître ou serviteur », puis « reconnaître une faute », sens qui l'a emporté au XVIIe s. || **aveu** 1283, Beaumanoir ; déverbal d'apr. la forme *j'aveue* (à côté de *nous avouons*). || **avouable** 1302, rare jusqu'en 1849. || **désavouer** milieu XIIIe s. || **désaveu** 1283, Beaumanoir. || **inavouable** 1835, Gautier.

avoyer V. VOIE.

***avril** 1080, *Roland* (*avrill*) ; lat. pop. **aprilius,* d'apr. *Martius,* du lat. class. *aprilis.*

avulsion 1350-1400, *Aalma,* méd. ; lat. *avulsio,* arrachement, de *avellere,* arracher (part. passé *avulsus*).

avunculaire fin XVIIIe s. ; lat. *avunculus,* oncle.

axe 1372, Corbichon, astron. ; lat. *axis,* essieu. || **axer** 1562, M. Scève, « fixer sur un axe » ; 1892, Guérin, « orienter, diriger ». || **axial** 1853, techn. || **axile** 1697, Verduc, anat. ; 1827, *Acad.,* bot. || **coaxial** 1953, Lar. || **désaxer** fin XIXe s., sens pr. ; XXe s., fig.

axel 1961, terme de patinage ; du prénom d'un patineur suédois.

axillaire XIVe s. ; lat. *axilla,* aisselle, que la zool. a repris sous la forme *axille* (XIXe s.).

axiologie début XXe s. ; gr. *axios,* digne, et *logos,* science ; « science des valeurs morales ». || **axiologique** 1927.

axiome 1547, Tagault ; lat. *axioma,* transcrit du gr. *axiôma,* « ce qui mérite », puis « principe évident ». || **axiomatique** 1547, Budé. || **axiomatisation** v. 1935. || **axiomatiser** *id.*

axis 1697, Verduc ; mot. lat. signif. axe.

axonge XIVe s., *Antidotaire Nicolas* (*amxunge*) ; lat. *axungia,* graisse pour les essieux (*axis,* essieu, et *ungere,* oindre).

azalée fin XVIIIe s. (*azalea*) ; 1803, Boiste (*azalée*) ; lat. bot. *azalea* (Linné), fém. du gr. *azaleos,* desséché.

azerole 1651, N. de Bonnefons ; 1562, Du Pinet (*azarole*) ; esp. *acerola,* de l'ar. *az-zou 'roûr.* || **azerolier** 1690, Furetière, aubépine.

azimut 1544, Apian ; ar. *al-samt,* droit chemin. || azimutal 1599, H. Est.

azote 1787, Guyton de Morveau ; de *a* priv. et gr. *zôê,* la vie. || azotate 1836, Landais. || azoteux 1838. || azotémie 1922, Lar. || azotique 1787, Guyton de Morveau. || azoturie 1866, Lar.

aztèque 1869, Marcellus, *Satires* (*aztec*), pop., « individu chétif », d'après l'exhibition à Paris, en 1855, de deux monstres rachitiques présentés comme des Aztèques.

b

1. **baba** 1767, Diderot, gâteau ; polonais *baba ;* d'apr. la tradition, il aurait été introduit par l'entourage de Stanislas Leszczyński (1677-1766).

2. **baba,** ébahi. V. BAYER.

3. **baba,** vieille femme russe, 1660 ; mot russe.

4. **baba** ou **baba-cool** v. 1976 ; mot hindi signif. « papa », par l'angl.

babélique 1803, Volney ; 1850, Hugo, fig. || **babéliser** 1396, *Mém. Soc. d'hist.* || **babélisme** 1866, Amiel, « confusion de paroles » ; 1881, Daudet, « multiplicité exagérée de langues » ; de *Babel,* tour gigantesque dont Jéhovah aurait arrêté la construction par la confusion des langues.

babeurre, babil V. BEURRE, BABILLER.

babilan 1739, de Brosses, *Lettres à Mme Cortoy ;* ital. *babbilano,* de *Babilano,* nom d'un mari impuissant.

babiller XIIe s., G., « bégayer » ; XIIIe s., sens actuel ; rac. onom. *bab-,* indiquant le mouvement des lèvres (angl. *babble* et allem. *babbeln*). || **babil** 1460, Villon, déverbal. || **babillage** 1583, trad. d'Horace, rare jusqu'au XIXe s. || **babillard** fin XVe s., *Anc. Poés. fr.* || **babillarde** subst., 1725, Granval « missive ». || **babille** 1936, Céline. || **babillement** 1583, J. Des Caurres, repris au XIXe s. (1829). || **babine** 1485, Esnault (*babin*) ; 1526, Bourdigné (*babine*) ; de *babiner* (1527, *Saint Christophe*), en moyen fr. syn. de *babiller.*

babiole fin XVIe s., F. Bretin ; ital. *babbola ;* le *i* est p.-ê. dû à *babiller.*

babiroussa 1764, Buffon ; malais *babi-rusa,* porc-cerf, que l'on rencontre dans un texte lat. en 1658.

bâbord 1484, Garcie (*babort*) ; on écrit, au XVIIe s., *bas-bord* par fausse étymologie ; néerl. *bakboord,* bord du dos (*bak*), parce que le pilote manœuvrait en tournant le dos au côté gauche. || **bâbordais** 1694, Corneille.

babouche 1546, Geoffroy (*papouch*) ; 1600, *Disc. de la manière des Turcs* (*babuc*) ; ar. *bâboûch,* du persan *pâpûch.*

babouin fin XIIIe s., Guiart ; rac. onomatop. *bab-* (v. BABILLER). Le mot a d'abord les sens de « singe » (d'où « garnement » chez La Fontaine) et de « sot » (jusqu'au XVIe s.), l'un et l'autre d'après les grosses lèvres. || **embabouiner** 1265, J. de Meung, fig.

babouviste 1796, *Journ. des patriotes,* « partisan de Babeuf » (1760-1797), puis « communiste ». || **babouvisme** 1840, Lahautière.

baby et composés V. BÉBÉ.

babylonien 1668, Racine ; début XIXe s., Nerval, « immense » ; de *Babylone.* Au XVIe s., *babylonique.*

1. ***bac** 1160, Benoît, « bateau » ; XVIIe s., « cuve » ; lat. pop. *baccus,* récipient (attesté en bas lat. par les dér. *bac*[*c*]*ar, bac*[*c*]*arium,* IVe-VIe s., vase à vin), d'orig. gauloise. || **bachot** 1539, R. Est. ; dimin. du mot lyonnais *bache,* forme fém. de *bac.* || **bachoteur** 1735, *Ordonn.,* « batelier ». || **baquet** 1299, Delb. (*baket*), dimin. || **baqueter** 1513, texte de Tournai. || **baqueture** 1701, Furetière.

2. **bac** V. BACCARA.

baccalauréat 1680, Richelet (*bacaloréat*) ; lat. médiév. *baccalaureatus,* de *baccalaureus,* réfection de *baccalarius,* bachelier, rapproché de *bacca laurea,* baie de laurier. || **bachot** 1856, Furpille, arg. scol. ; abrév. du mot précédent et suffixe pop. *-ot.* || **bachoter, bachotage** v. 1900. || **bachoteur** XXe s.

baccantes 1876, Esnault, « barbe, favoris » ; XXe s., « moustache » ; all. *Backe,* joue.

baccara 1837, *Dict. conversation ;* prov. *bacarra,* « faillite », puis « jeu de cartes », avec *-carra* apparenté à *carré.* || **bac** 1865, Delvau, abrév. des joueurs.

bacchanales 1355 ; lat. *Bacchanalia,* fêtes de Bacchus ; XVIIIe s., « orgie bruyante ». || **bacchanal** 1559, Amyot ; de l'adj. lat. *bacchanalis,* de Bacchus. || **bacchanales** n. m., 1155, Wace (*baquenas*), « tapage » ; 1540, Rab. (*-cchanal*), attesté jusqu'au XIXe s. (Gautier) ; adj., 1507, G. || **bacchante** n. m., 1559, Amyot ; n. f., 1596, Vigenère ; 1690, Furetière, « femme désordonnée » ; lat. *bacchans* (pl. *bacchantes*), « qui célèbre les mystères de Bacchus ». || **bacchu-ber** danse des épées dans le Briançonnais ; réfection, d'après *Bacchus,* de *ba-cubert,* bal couvert. || **bachique** 1490, O. de Saint-Gelais ; lat. *bacchicus,* de Bacchus.

baccifère 1562, Du Pinet ; lat. *bacca,* baie, et suffixe *-fère.* || **bacciforme** 1819, Boiste. || **baccivore** 1834.

***bâche** XVe s., vêtement ; 1560, R. Belleau, « filet » ; début XVIIIe s., sens actuel ; anc. fr. *baschoe,* baquet, du lat. *bascauda,* bac à laver, mot gaulois. || **bâcher** fin XVIe s., A. Morin, « vêtir » ; 1752, Trévoux, sens actuel. || **bâchage** XIXe s. || ***bâcholle** 1415, Du Cange, « baquet » en Normandie, « cuveau pour vendange » en Auvergne ; de *baschoe,* avec substitution de suffixe. || **débâcher** 1741, Savary.

bachelette 1460, Villon ; anc. fr. *baisselette* (1265, J. de Meung), dim. de *baissele,* « jeune fille, servante », de *baiasse,* jeune fille, du prov. *bagassa,* prostituée, d'orig. arabe ; *bachelette* a subi l'influence de *bachelier.* || **bagasse** av. 1581, O. de Turnèbe, « prostituée » ; encore au XVIIe s. (Molière, *l'Étourdi*), disparu au XVIIIe s., parfois repris au XIXe s. (Balzac) ; mot prov.

***bachelier** 1080, *Roland* (*bachelor*) ; le mot, par substitution de suffixe, devient à la fin du XIVe s. *bachelier ;* lat. pop. **baccalaris* ou *baccalarius* (attesté au IXe s.), ou de *baccalaria,* domaine, mot p.-ê. gaulois ; d'abord « possesseur d'un domaine » (IXe s., en Espagne, dans le Midi), puis, en anc. fr., « jeune gentilhomme » ou « aspirant chevalier », enfin « jeune homme » jusqu'au XVIIe s. (La Fontaine). Il a été appliqué au premier grade universitaire dès la fin du Moyen Âge.

bachi-bouzouk 1860, *journ. ;* mot turc signif. « mauvaise tête ».

bachique, bacholle, bachot V. BACCHANALES, BÂCHE, BAC 1, BACCALAURÉAT.

bacille 1615, J. Desmoulins, bot. ; 1842, *Acad.,* méd. ; lat. *bacillus,* bâtonnet. || **bacillaire** 1884. || **bacillose** 1896. || **bacilliforme** 1846.

backgammon 1834 ; moyen angl. *gamen,* jeu, et *back,* en arrière.

background 1953 ; mot angl., de *back,* derrière, et *ground,* sol.

***bâcler** 1292, *Taille de Paris,* « fermer » ; 1598, Vigenère, « fermer une porte avec une barre » ; encore au XVIIe s. ; XVIIIe s., « exécuter sans soin et rapidement » ; lat. pop. **baculare,* de *baculum,* bâton. || **bâcle** 1866, Lar. ; déverbal de *bâcler.* || **bâclage** 1751, *Encycl.* || **bâcleur** 1865, Wey. || **débâcler** 1415, *Ordonn.* || **débâcle** 1690, Furetière, « rupture des glaces » ; av. 1850, Balzac, « déroute » ; déverbal de *débâcler.* || **débâclage** 1415, *Ordonn.* || **débâclement** 1694, *Acad.* || **débâcleur** 1415, *Ordonn.* || **embâcle** 1640, Oudin ; formé sur *débâcle.*

bacon XIIIe s., G., attesté jusqu'au XVIe s. ; mot angl., de l'anc. fr. *bacon,* flèche de lard ; terme revenu à la fin du XIXe s. (1895, Rousiers) ; francique **bakko,* jambon.

baconien 1842 ; de *Bacon* (1561-1626).

bactérie 1838, Ehrenberg (*bacterium*) ; 1849, sous la forme fém. ; gr. *baktêrion,* bâton. || **bactéricide** 1893 ; lat. *caedere,* tuer. || **bactériémie** 1888, Lar. ; gr. *haima,* sang. || **bactérien** 1887, Beaulieu. || **bactériologie** fin XIXe s. || **bactériologique** fin XIXe s. || **bactériologiste** 1895, *Année sc. et industr.* || **bactériophage** 1918, Hérelle. || **bactériostatique** 1959, Lar. || **bactériothérapie** 1888, Lar.

bacul V. CUL.

bacula(s) XIXe s., lattis de plafond ; savoyard et suisse romand *baculô,* bâtonnet, du lat. *baculus,* bâton.

badamier 1793, Nemnich ; persan *bādām,* amande, avec le suffixe *-ier* spécifique des noms d'arbres.

badau 1532, Rab. ; prov. *badau,* de *badar,* bayer, « celui qui reste bouche bée ». Le sens de « stupide » se rencontre jusqu'au XVIIe s. || **badauder** 1690, Furetière. || **badaudage** 1594, *Satire Ménippée.* || **badaudement** 1792, Hébert. || **badauderie** 1547, N. Du Fail.

badelaire XIIe s. ; orig. inconnue. Ancienne épée à lame courbe.

baderne 1773, Bourdé, « tresse de vieux cordages » ; fig. et péjor., *vieille baderne,* XIXe s. ; ital. ou esp. *baderna,* orig. obscure.

badge 1862, insigne ; généralisé seulement v. 1950 ; mot angl.

badiane 1681, Thévenot ; persan *bâdyân,* anis.

badigeon 1676, Félibien, « couleur de détrempe » ; orig. inconnue. || **badigeonner** 1701, Furetière. || **badigeonnage** 1820, Laveaux. || **badigeonneur** 1820, Laveaux.

badigoinces 1538, Rab. ; p.-ê. de l'anc. *bader,* bavarder (v. BADAUD), et du dial. *goincer,* crier comme un porc.

badin 1478, Coquillart ; mot prov. de même rac. que le précéd. Le sens premier de « niais, sot » se rencontre jusqu'au XVIIe s., où l'emporte celui de « enjoué, qui fait rire ». || **badinage** 1541, Calvin, « sottise », sens attesté jusqu'au XVIIe s. (Molière). || **badine** 1743, Trévoux, « pincette » ; 1781, *Corr. litt.,* « canne flexible » ; déverbal de *badiner.* || **badiner** 1549, R. Est. || **badinerie** début XVIe s.

badminton 1882 ; mot angl., du nom d'un château anglais.

baffe 1283, coup de poing ; 1750, sens mod. ; onom. *baf,* marquant la notion de « boursouflé », d'où l'idée de coup.

baffle 1948 ; mot angl.

bafouer 1532, Rab., « attacher avec une corde » ; XVIe s., Montaigne, sens actuel ; prov. *bafar,* se moquer (anc. fr. *befe,* moquerie), d'orig. onom.

bafouiller 1867, Lar. ; lyonnais *barfouiller,* barboter, parler mal (1810, Molard), réfection, d'apr. *barbouiller,* d'un dérivé de *fouiller.* || **bafouillage** 1878. || **bafouille** 1876, L., « lettre ». || **bafouillement** 1893, Goncourt. || **bafouilleur** 1878. || **bafouillis** v. 1960.

bâfrer 1507, Éloy d'Amerval (*bauffrer*) ; 1740, *Acad.* (*bâfrer*) ; origine onom. || **bâfre** 1706, Brasey, « repas » ; 1750, Vadé, « gifle » (sens aussi de *bauffrée,* XVe s.) ; déverbal de *bâfrer.* || **bâfreur** 1571 (*bauffreur*).

bagage V. BAGUES.

bagarre 1628, Sorel ; prov. mod. *bagarro,* d'orig. basque. || **bagarrer (se)** 1905. || **bagarreur** 1927.

1. **bagasse** 1719, bot. ; esp. *bagazo,* marc.

2. **bagasse,** prostituée V. BACHELETTE.

bagatelle 1547, N. Du Fail ; ital. *bagatella,* tour de bateleur, du lat. *baca,* baie.

bagne 1637, Dan ; ital. *bagno,* bain ; d'abord lieu où l'on enfermait les esclaves à Livourne, installé dans d'anciens bains. || **bagnard** 1831, a remplacé *bagneux* (1905, Lar.).

bagnole 1840, Hilpert ; mot picard, de *banne,* tombereau, mot d'orig. gauloise.

bagoter 1901, Bruant, « porter des bagages » ; 1910, Esnault, « marcher » ; de *bagots,* bagages.

bagou ou **bagout** XVIe s., G. (*bagos*) ; fin XVIIIe s., *Nouv. Écosseuses* (*bagou*) ; déverbal de *bagouler* (1447), encore au XVIIIe s., « parler inconsidérément », d'une forme dial. de *gueule* (*goule*). || **débagouler** 1547, Calvin, « bavarder » ; 1819, Boiste, « vomir ». || **débagoulage** 1869, Flaubert. || **débagouleur** 1636, Monin.

bague 1360, Froissart (*wage*) ; moyen néerl. *bagge,* anneau (allem. *biegen,* courber). || **baguer** XVe s., « attacher » ; début XVIe s., d'Authon, sens actuel. || **baguage** 1842, *Acad.* || **bagueur** 1842, *Acad.* || **baguier** 1562.

baguenaude 1389, A. Chartier ; languedocien *baganaudo* (région où le baguenaudier est indigène), du lat. *baca,* baie ; le fruit servant à l'amusement des enfants, le mot a pris le sens de « niaiserie » dès l'orig. (d'apr. le lat. *vacare,* être vide, inoccupé). || **baguenauder** XVe s., G., « s'amuser à des riens » (encore au XVIIe s.) ; XVIIIe s., « flâner ». || **baguenauderie** 1556, trad. Gelli ; vieilli dès le XVIIe s. || **baguenaudier** 1539, R. Est., nom de l'arbre ; XVIe s., Des Autels, fig., « niais ».

bagues 1421, G. de Lannoy, « bagages » ; angl. *bag* ou scand. *baggi,* paquet. || **bagage** 1265, Br. Latini, « matériel d'une armée » ; fig., début XIXe s. (Chateaubriand) ; de même origine, avec infl. de l'angl. *baggage,* lui-même issu du fr. || **bagagiste** 1922, Lar. || **Bagagerie** 1968, n. déposé.

baguette 1510, Carloix ; ital. *bachetta,* dim. de *bacchio,* bâton, du lat. *baculum,* bâton ; *commander à la baguette* (dont les officiers étaient munis), XVIe s., Du Vair.

bah onomat., XIIe s., pour marquer le doute ; XVIIIe s., indifférence.

bahut XIIe s., G. ; orig. inconnue, p.-ê. anc. francique **baghûdi,* même sens ; ou du rad. expressif *bab-,* « gonflé », par un lat. pop. **babulus ;* arg. scol. 1858, *les Institutions de Paris.* || **bahutier** 1292, *Livre de la taille* (*-hurier*) ; 1313, *id.* (*-huier*) ; 1530, G. (*-hutier*). || **bahuter** XIVe s., bousculer, chahuter. || **bahutage** XXe s. (1955, *Nouv. litt.*).

bai XIIe s., G. ; lat. *badius,* brun.

1. **baie** XIIe s., fruit ; lat. *baca.*

2. **baie** 1364, G., golfe ; esp. *bahia,* du bas lat. *baia* (VIIe s., Isidore de Séville), p.-ê. d'orig. ibérique.

3. **baie** XIIe s., ouverture d'un mur. (V. BAYER.)

baigner, bail V. BAIN, BAILLER.

baille 1325, *Chron. de Morée,* « baquet », puis « bateau » ; 1767, Esnault, arg., « eau » ; ital. *baglia,* du lat. **bajula (aquae).*

***bailler** 1050, *Alexis,* « porter, apporter » ; lat. *bajŭlare,* porter sur le dos ou à bras ; le sens de « donner » qui se rencontre dès l'origine est attesté encore au XVIIe s. ; emploi actuel restreint à *la bailler bonne* ou *belle,* expression issue du jeu de paume, le mot *balle* étant sous-entendu. || **bail** 1250, G., « pouvoir, tutelle » ; déverbal de *bailler ;* spécialisé à partir du XVIe s., par abréviation de *bail à loyer, à ferme* (*Code civil,* ce qu'on donne à loyer, à ferme). || **bailleur** XIVe s., « qui donne à bail » ; le sens de « qui donne » se retrouve dans *bailleur de fonds.*

***bâiller** fin XIIe s., *R. de Cambrai* (*baa-*) ; bas lat. *batacŭlare* (attesté dans une glose), de **batare,* ouvrir la bouche (v. BAYER). || **bâillement** XIIe s. || **entrebâiller** 1465, G. || **entrebâillement** 1561. || **bâillon** 1462, G., « instrument de torture introduit dans la bouche pour empêcher de parler ». || **bâillonner** 1530, *Débats de Charité et d'Orgueil ;* 1796, *Néol. fr.,* fig. || **bâillonnement** 1842, J.-B. Richard. || **bâillonneur** 1871, Blanqui, au fig. || **débâillonner** 1852, Lachâtre.

baillet XIVe s., Gace de La Bigne ; anc. fr. *baille,* du lat. *badius,* bai, dit d'un cheval qui est d'un roux tirant sur le blanc.

bailli XIIe s., *Roncevaux* (*-if*) ; anc. fr. *bail,* gouverneur, du lat. *bajulus,* chargé d'affaires (anc. fr. *baillir,* administrer). || **bailliage** 1312, G.

bâillon V. BÂILLER.

***bain** 1080, *Roland ;* lat. *balneum* (*l* devant *n* est tombé en lat. pop. et dans les dérivés) ; 1665, Thévenot, « logement d'esclave », syn. de *bagne.* || ***baigner** XIIe s., G. ; bas lat. *balneare.* || **baignade** 1796, *Néol. fr. ;* a remplacé *baignoire* dans son premier sens, ou *baignerie.* || **baigneur** 1310, G. ; lat. *balneator ;* le sens de « tenancier de bains » s'est maintenu jusqu'au XVIIIe s. || **baigneuse** 1768, *Corr. litt.,* « bonnet à plis ». || **baignoire** XIIIe s., « récipient et lieu où l'on se baigne » (jusqu'au XVIIe s.) ; XVIIe s., sens actuel ; XIXe s., théâtre. || **bain-marie** XIVe s., G., d'abord terme d'alchimie, d'après Marie, sœur de Moïse, à qui était attribué un traité d'alchimie. || **balnéaire** 1866, Lar. ; lat. *balnearius,* relatif au bain. || **balnéation** 1866, Lar. ; lat. *balneatio.* || **balnéothérapie** 1865, Littré.

baïonnette 1555, Tahureau (*baïonnette de Bayonne*) ; précédé de *canivet de Bayonne ;* de *Bayonne,* où cette arme fut d'abord fabriquée. Les soldats qui en étaient armés furent appelés *baïonniers* aux XVIIe-XVIIIe s.

baïoque XVIe s., Bonivard ; ital. *baiocco,* de *bajo,* bai, à cause de la couleur de la pièce.

bairam 1533, L. de Barthème (*bairami*) ; 1541, *Lettr. de François Ier ;* turc *bairām.*

***baiser** Xe s., G. (*-sar*) ; XIIe s. (*-sier*), verbe ; n. m. XIIe s. ; lat. *basiare,* qui a remplacé *osculari ;* le verbe, qui ne s'emploie plus que dans quelques loc. (*baiser la main*) en ce sens, est remplacé par *embrasser ;* il a aussi au XIIe s. un sens sexuel ; 1881, Rigaud, « tromper ». || **baisement** 1170, *Floire et Blancheflor,* terme eccl. || **baiseur** XIVe s. || **baisure** fin XVe s., *Anc. Théâtre fr.* || **baisemain** fin XIIIe s., Guiart. || **baisoter** 1556, Ronsard, fam. || **baisade** 1854, Flaubert, pop. || **baisable** 1950, Nimier. || **baisant** 1932, Céline. || **baisé** 1850, Flaubert. || **baise-en-ville** 1934, Esnault. || **baisodrome** v. 1940. || **biser** forme dial. de *baiser.* || **bise** déverbal. || **entrebaiser (s')** début XIIe s., *Voy. de Charl.,* que l'on rencontre encore chez La Fontaine.

***baisser** 1080, *Roland* (*-ssier*) ; lat. pop. **bassiare,* de *bassus,* bas. || **baisse** av. 1577, Monluc ; 1740, Desfontaines, « baisse des prix » ; déverbal de *baisser.* || **baissier** 1823, en Bourse. || **baissière** XIIe s. || **abaisser** 1180, Marie de France. || **abaisse** 1390, Taillevent ; déverbal de *abaisser.* || **abaisse-langue** 1841, Chomel. || **abaissement** 1160, Benoît. || **rabais** 1397, G. (*rabez*), « action de rabaisser ». Le sens actuel de « rabais des prix » existait dès l'anc. fr. || **rabaissement** 1500, d'Authon. || **surbaissé** 1611, Cotgrave.

bajocien 1843 ; lat. *Bajocassi,* habitants de Bayeux, où l'on a trouvé ce type fossilifère.

bajoue, bajoyer V. JOUE.

bakchich 1846, Nerval (*-chis*) ; mot turc, du persan *bakchîden,* donner.

Bakélite 1907, Lar., n. déposé ; du nom du chimiste belge *Baekeland* (1863-1944).

baklava 1853 ; mot turc.

***bal** fin XIIe s., *Girart de Roussillon,* « danse » ; déverbal de *baller,* danser (XIIe s.), qu'on rencontre encore au XVIIe s., chez La Fontaine, du lat. impér. *ballare* (IVe s., saint Augustin), du gr. *ballein,* jeter. || **ballade** 1260, Adam de la Halle (*balade*) ; prov. *balada,* danse, poème à danser, de *balar,* danser. || **balade** XIXe s., de *balader.* || **balader** XVe s., issu de *ballader,* « chanter des ballades », d'où « flâner ». || **baladeur** 1455, *Coquillards,* « escroc » en arg. ; 1849, *Jargon,* « flâneur » ; XXe s., appareil récepteur portatif. || **baladeuse** 1866, Lar., « qui flâne » ; 1850, Nerval, « prostituée » ; v. 1900, « voiture de tram prise en remorque » ; XXe s., « lampe électrique mobile ». || **baladin** 1545, Marot ; prov. *baladin,* de *balar,* danser, « danseur de ballets », sens que l'on rencontre encore au XVIIe s. ; XVIIe s., « bouffon, comédien ambulant ». || **ballant** 1687, Desroches, part. prés. de *baller.* || **ballerine** 1858, Peschier ; ital. *ballerina,* de *ballare,* danser. || **ballet** 1578, d'Aubigné ; ital. *balletto,* dim. de *ballo,* bal. || **bal musette** 9 mars 1882, *le Gaulois.* (V. MUSER.)

balafon 1688, La Courbe ; malinké de Guinée, où l'instrument est appelé *bala ; balafo* signifie « jouer du bala » (*fo* = dire, parler).

balafre 1505, Gonneville, « bouton aux lèvres » ; sens actuel au XVIe s. ; préfixe *be*(*s*) [lat. *bis*] et anc. fr. *leffre,* lèvre (*lafru,* lippu, XVIe s.), du germ. (anc. haut allem. *leffur*) ; le sens s'explique en partant de l'expression *les lèvres d'une plaie.* || **balafrer** 1480, Molinet (*brelaffrer*) ; 1546, Rab. (*balafrer*). || **balafré** av. 1550, Doré. Henri de Guise fut surnommé *le Balafré* pour une blessure à la joue en 1575.

balai 1170, *Rois* (*-lain*) ; breton (trégorrois) *balazn, balain,* genêt. || **balayer** 1280, Beaumanoir (*baloier*) ; fig., 1800, Cousin Jacques. || **balayage** XVIIe s. || **balayeur** XIIIe s., *Digeste* (*balaieor*). || **balayeuse** 1878, Lar., « machine à balayer ». || **balayette** XIIIe s., G. (*baliete*). || **balayure** 1387, G. (*baliure*). Les graphies de l'anc. fr. se sont maintenues jusqu'au XVIIe s. || **balai-brosse** XXe s.

balais XIIIe s., d'Espinau, rubis ; ar. *balakhch,* par l'intermédiaire du lat. médiév. *balascius,* de *Balakhchân,* région voisine de Samarcande, d'où venaient ces rubis.

balaise ou **balèze** 1927, Esnault, arg. ; prov. *balès,* gros.

balalaïka 1768, J. d'Auteroche (*-ca*) ; mot russe désignant un instrument de musique à trois cordes.

***balance** XIIe s., *Roncevaux ;* 1980, « délateur » ; lat. pop. **bilancia,* du lat. du IVe s. *bilanx,* balance à deux plateaux (de *lanx,* plat). L'*a* initial est dû à l'influence analogique de *baller,* danser. || **balancer** fin XIIe s., G. d'Arras, « jeter » ; fin XIIe s., *Alexandre,* « osciller » ; 1821, Ansiaume, « abattre » ; 1929, Dussort, « dénoncer ». || **balancement** 1487, G., « fait de se balancer » ; 1841, *Français peints par eux-mêmes,* pop., « renvoi ». || **balancier** v. 1590, Charron, « objet qui balance » ; XIIIe s., Delb., « fabricant de balances » ; fig., XIXe s. || **balançoire** 1530, Palsgrave ; 1965, Sarrazin, « délateur ». || **balancine** début XVIe s. || **balancelle** début XXe s., siège de jardin. || **contrebalancer** 1549, Du Bellay.

1. **balancelle** V. BALANCE.

2. **balancelle** 1823, *Ann. marit. et coloniales ;* napolitain *paranzella,* par l'intermédiaire du génois *balanzella,* influencé par *balancer ;* embarcation mince avec un grand mât incliné vers l'avant.

balandran ou **balandras** 1597, *Invent. Philippe II ;* encore au XVIIe s. (La Fontaine) et parfois au XIXe s. ; languedocien *balandran* (anc. prov. *balandral*), d'orig. inconnue.

balan(o)-, gr. *balanos,* gland. || **balanoglosse** 1888, Lar. ; gr. *glôssa,* langue. || **balanite** 1803, Boiste. || **balane** 1551, Cottereau.

balata 1775, Bomare ; orig. inconnue ; gomme tirée d'un arbre tropical.

balauste 1314, Mondeville, « fleur de grenadier » ; lat. *balaustium,* mot gr.

balayer V. BALAI.

balbutier v. 1390, Ph. de Maizières ; lat. *balbutire,* de *balbus,* bègue, avec changement de conjugaison. || **balbutiement** 1570, *Dict. des aliments ;* fig., 1826, Mozin.

balbuzard 1770, Buffon ; une première fois dans un texte lat. en 1676 ; angl. *baldbuzzard,* busard chauve (*bald*).

balcon v. 1440, G. de Lannoy (*barcon*) ; v. 1565, Ph. Delorme (*balcon*) ; ital. *balcone,* d'orig. germ. (allem. *Balken*). || **balconnet** début XXe s.

baldaquin 1352, Delb., « dais » ; 1540, Rab. (*-chin*) ; ital. *baldacchino,* étoffe de soie de Bagdad (en anc. ital. *Baldacco*).

baleine 1080, *Roland ;* lat. *balaena.* || **baleiné** 1364, chez Barbier. || **baleineau** 1575, Thevet (*balenon*) ; XVIIIe s. (*baleineau*). || **baleinier** 1389, Froissart. || **baleinière** 1821. || **baleinoptère** 1803, Lacépède ; gr. *pteron,* aile.

balèvre V. LÈVRE.

1. **balise** 1475, J. Lestandart, mar. ; port. *baliza,* du bas lat. *palitium,* de *palus,* pieu. || **baliser** XXe s. || **balisage** 1467, *Ordonn.* || **baliseur** 1516, G. L'emploi en aéronautique de tous ces mots date du XXe s. (1959, Lar.). || **radiobalise** XXe s.

2. **balise** 1651, Cauche, « fruit du balisier » ; orig. inconnue. || **balisier** 1694, Th. Corn.

baliste 1546, Rab. ; lat. *ballista,* machine de jet, mot gr., de *ballein,* lancer. || **balistique** 1647, Mersenne. || **balisticien** 1907, *l'Illustration.*

baliveau 1274, Villehardouin (*baiviaus*) ; 1549, R. Est. (*baliveau*) ; anc. fr. *baïf,* étonné (v. BAYER), le baliveau servant de point de repère (*baer,* regarder). || **balivage** 1669, *Ordonn.*

baliverne 1470, *Pathelin ;* orig. obscure, p.-ê. du prov. mod. *baiuverno,* étincelle, l'évolution sémantique étant semblable à celle de *bluette.* || **baliverner** 1540, N. Du Fail.

balkanique fin XIXe s. ; de *Balkans.* || **balkanisation** v. 1940. || **balkaniser (se)** v. 1950.

ballade, ballant V. BAL.

ballast 1375, *Archives,* « lest pour navires » ; 1840, Minard, ch. de fer ; angl. *ballast.* || **ballastage** 1863, L. || **ballaster** XVIIe s., mar. ; 1855, ch. de fer. || **ballastière** 1863, L.

1. **balle** v. 1268, É. Boileau, « paquet de marchandises » ; l'express. fig. *de balle* (sans valeur) est usuelle jusqu'au XVIIe s. ; 1842, La Bédollière, « visage » ; francique **balla.* || **ballot** 1406, G. || **balluchon** ou **baluchon** 1821, Ansiaume. || **déballer** 1480, G. Alexis. || **déballage** 1670, Huet. || **emballer** 1360, Froissart ; *s'emballer,* XIXe s., « s'emporter ». || **emballage** début XVIe s., G. || **emballement** 1629, *D. G.,* sens propre ; 1877, Daudet, « enthousiasme ». || **emballeur** début XVIe s. || **remballer** 1549, R. Est.

2. **balle** [à jouer] 1534, Rab. ; XVIe s., « projectile », qui date des armes à feu portatives (fin XVe s.) ; ital. dial. *balla* (ital. *palla*), du longobard **ballo,* même mot que le précédent. || **ballotter** 1395, Chr. de Pisan, « renvoyer la balle » ; XVIe s., fig., « se jouer de » ; XVIe s., « mettre aux voix » ; XIXe s., sens électoral actuel ; de *ballotte,* petite balle (XVIe s.), de l'ital. dial. *ballota.* || **ballottage** 1520, G., « vote », avec des ballottes ou petites boules ; XVIIIe s., sens actuel ; il a remplacé *balotation* (anglicisme) pendant la Révolution. || **ballottement** 1586, Taillepied. || **ballottine** 1739, *Dons de Camus.*

3. **balle** [de céréales] 1549, R. Est. ; gaulois **balu.*

ballerine, ballet V. BAL.

1. **ballon** 1549, Rab. ; 1783, Bachaumont, « aérostat » ; ital. dial. *ballone* (ital. *pallone*), grosse balle. || **ballonner** 1584, Monin. || **ballonnement** 1814. || **ballonnet** 1874, L. || **ballon-sonde** 1897, Lar.

2. **ballon** (*d'Alsace*) 1560, Marichal, *Dict. topogr. des Vosges,* type de montagne ; all. *Belchen,* d'après *Bällchen,* dimin. de *Ball,* balle.

ballot, ballotter, ballottine V. BALLE 1, BALLE 2.

ball-trap 1888, Lar. ; angl. *ball,* balle, et *trap,* ressort.

balluchon, balnéaire V. BALLE 1, BAIN.

balourd fin XVe s. ; ital. *balordo,* de même rac. que *lourd.* || **balourdise** 1640, Oudin. || **abalourdir** fin XVIe s. || **abalourdissement** 1842, *Acad.*

balsa 1752, Trévoux (*balse*) ; esp. *balsa,* désignant un bois d'Amérique centrale.

balsamique 1516, G. Michel ; lat. *balsamum,* baume. || **balsamite** XIIIe s., *Antidotaire Nicolas.* || **balsamier** XIIe s. || **balsamine** 1545, Guéroult.

balte XXe s. ; de *Baltique.*

balustre 1529, Parmentier, « fleur de grenadier » ; 1633, *Archives,* fig., à cause du renflement de la fleur ; ital. *balaustro,* du lat. *balaustium,* mot gr. || **balustrade** milieu XVIe s., même évolution que *balustre ;* ital. *balaustrata,* même origine.

balzacien 1833, Th. Gautier ; de *Balzac.* || **balzacisme** 1888, A. France.

balzan 1125, *Gormont ;* ital. *balzano,* du lat. pop. **balteanus,* garni d'une ceinture (*balteus,* bande) ; il a remplacé l'anc. fr. *baucent,* de même rac. avec suffixe germ. *-enc.* || **balzane** 1533, G.

bambin fin XVIe s., rare jusqu'au XVIIIe s., d'abord terme de peinture désignant l'Enfant Jésus ; ital. *bambino,* petit enfant.

bamboche 1680, Richelet, « marionnette » ; XVIIIe s., fig., « débauche » ; ital. *bamboccio,* pantin, dont le dér. *bambocciata,* surnom du peintre hollandais P. de Laer, à Rome, désigna un type de peinture (scènes d'auberge). || **bambochade** début XVIIIe s. || **bambocher** 1807, G. Michel. || **bambocheur** 1814, *Chanson.*

bambou 1598, Lodwijcksz ; port. *bambu,* du malais. Furetière, en 1690, écrit *bambouc.*

bamboula 1722, Labat, « tambour » ; XIXe s., « noce » ; mot bantou.

1. **ban** fin XIIe s., *Aymeri,* « proclamation du suzerain », spécialisé souvent pour les levées de troupes et les *bans du mariage* (même date) ; XIIe s., « bannissement » (jusqu'au XVIIe s.) ; francique **ban* (anc. haut allem. *ban*). || **banneret** XIVe s., G. de Charny. || **arrière-ban** XIIe s. ; de *ban* ou directement du francique **hariban.* || **banal** 1286, G., « appartenant au suzerain », « commun aux habitants du village » (*four banal*) ; 1778, Gilbert, fig., « commun, sans originalité ». || **banalement** 1280, G. ; 1858, Peschier, fig. || **banalité** 1550, « servitude féodale » ; 1836, Landais, fig. || **banaliser** 1842, J.-B. Richard ; XXe s., techn. || **banalisation** 1906, A. Gide, « action de rendre banal » ; 1953, Lar., techn. || **banlieue** fin XIIe s., « espace d'une lieue autour d'une ville où s'exerçait le droit de ban » ; XVIIe s., « villages et campagne entourant une grande ville » ; lat. *banleuca* (Xe s.). || **banlieusard** fin XIXe s.

2. **ban** 1697, d'Herbelot, « gouverneur de Croatie » ; mot croate. || **banat** début XIXe s.

banane 1602, Colin ; port. *banana,* du soussou de Guinée. Le fruit a d'abord été désigné *pomme de paradis* (XIIIe s.). || **bananier** 1604, Martin. || **bananeraie** 1928, Lar., qui a remplacé **bananerie** 1842, *Acad.*

banc 1050, *Alexis,* « type de banc fixé autour de la chambre » ; germ. **banki.* || **bancal** 1747, Caylus, d'après la divergence des pieds d'un banc ; 1819, *le Farceur du régiment,* « sabre ». || **banban** 1866, Delvau, surnom, redoublement expressif. || **bancelle** 1479, Barbier. || **banche** 1694, Th. Corn. ; mot dial., forme fém. de *banc.* || **banchée** 1785, *Encycl. méth.* || **bancher** 1953, Lar. || **banchage** *id.* || **bancroche** 1730, Caylus, « bossu » ; de *banc* et de *croche,* crochu.

bancaire V. BANQUE.

banco 1679, Savary, « valeur en banque », puis terme de jeu ; ital. *banco,* qui a donné aussi *banque.*

bancroche V. BANC.

1. **bande** début XIIe s., *Voy. de Charl.,* « lien » ; 1892, L.-G. Bouly, « film » ; *bande flexible,* 1888, Raynaud ; *bande sensible,* 1888, Marey ; francique **binda* (all. *binden,* angl. *bind,* lier). || **bandeau** XIIe s. (*-del*). || **bandelette** 1377, Delb. ; fém. et dim. de *bandel.* || **bander** début XIIe s. ; XVIIe s., sens érotique. || **bandant** adj., arg., 1920. || **bandage** 1508, G. || **bandagiste** 1704, Furetière. || **débander** fin XIIe s., *Aliscans,* « enlever une bande ». || **plate-bande** début XVIe s. || **rebander** 1175, Chr. de Troyes.

2. **bande** 1360, Froissart, « troupe » ; XVIIIe s., péjor. ; ital. *banda,* corps de troupes distingué par son fanion, du germ. **banda* (gotique *bandwa,* étendard ; dans Festus, IVe s., *bandum = vexillum*). *Donner de la bande,* 1616, d'Aubigné, mar., a été aussi repris à l'ital. ou au prov. || **débander** 1559, Amyot, « mettre en fuite ». || **débandade** 1585, N. Du Fail ; infl. de l'ital. *sbandare, -ata.* || **surbande** début XVIIe s.

banderille 1782, J. F. Peyron ; esp. *banderilla,* dim. de *bandera,* bannière ; spécialisé en tauromachie. || **banderillero** 1845, Gautier ; mot esp.

banderole fin XVe s., *Amadis ;* ital. *banderuola,* dim. de *bandiera,* bannière.

bandit 1621, N. Bernard (*-di*) ; ital. *bandito,* banni, hors la loi. Il devient une injure pendant la Révolution. || **banditisme** 1853, Flaubert.

bandoline 1846, Balzac ; fr. *bandeau* et lat. *linere,* oindre.

bandonéon 1905 ; all. *Bandoneon,* de *Band,* nom de l'inventeur, et *-éon,* finale de *accordéon.*

bandoulière début XVIe s. ; esp. *bandolera,* de *banda,* écharpe.

bang milieu XXe s. ; mot angl.

banian 1610, d'Aubigné (*-anet*) ; 1663, Thévenot (*-nyan*) ; angl. *banian,* mot hindi signif. « marchand ».

banjo 1859, *le Monde illustré ;* mot angloamér. (sud des États-Unis), de l'esp. *bandurria.*

bank-note 1789, Mackenzie ; mot angl. traduit à la fin du XVIIIe s. en *note de banque.*

banlieue V. BAN 1.

***banne** fin XIIIe s., *Renart ;* lat. impér. *benna* (Festus, IVe s.), mot gaulois désignant un panier d'osier servant de véhicule. || **bannette** fin XIIIe s., G. || **banneton** 1284, G. || **benne** 1611, Cotgrave, var. dial. (Nord) de *banne.*

bannière XIIe s., *Roncevaux ;* germ. **band,* étendard (ital. *bandiera*), refait sous l'infl. de *ban* 1. La forme *bandière,* attestée du XIVe s. au début du XVIIe s., a été empruntée à l'ital.

bannir 1213, *Fet des Romains,* « donner un signal, proclamer » ; francique **bannjan* (gotique *bandwjan*), de même racine que *bande,* troupe, mais confondue avec celle de *ban,* juridiction ; XIIIe s., « condamner à l'exil ». || **bannissable** 1661, Molière. || **bannissement** 1283, Beaumanoir, « exil ». || **forban** 1306, G., « bannissement » ; 1505, Gonneville, « bandit » ; déverbal de *forbannir,* du francique **firbannjan,* avec influence de *fors.*

1. **banque** 1458, *Lettres de Louis XI,* « table de changeur ou de commerçant » ; XVIe s., « lieu où se fait le commerce de l'argent », « trafic » ; ital. *banca.* Le mot, confondu avec la forme fém. de *banc* (*banque,* fin XIVe s.), date de l'installation des banques italiennes à Lyon. *Billet* (*lettre*) *de banque,* 1574, Cheverny. *Banque des yeux, du sang,* 1948, trad. de l'angl. *Bank for Sight Restoration.* || **bancaire** début XIXe s. || **bancable** 1877, L. || **banco** XVIIe s., terme de banque, puis de jeu. || **banqueroute** v. 1466, H. Baude ; ital. *banca rotta,* banc rompu (on brisait le comptoir des banqueroutiers). || **banqueroutier** 1536, *Ordonn.* || **banquier** 1243, *Jeu parti ;* n. f. XVIe s. ; ital. *banchiere,* changeur.

2. **banque** 1680, Richelet, terme de jeu ; ital. *banca,* même mot qu'au 1. || **banquier** 1680, Richelet, terme de jeu. || **banquiste** fin XVIIIe s. ; ital. *banco,* tréteau. || **saltimbanque** v. 1560, Pasquier ; ital. *saltimbanco,* saute en banc (*salta in banco*).

banquet début XIVe s., *Chron. de Flandre ;* ital. *banchetto,* petit banc, d'après les bancs disposés autour des tables. || **banqueter** fin XIVe s., *Chron. des quatre premiers Valois.* || **banqueteur** 1532, Rab.

banquette début XVe s. ; languedocien *banqueta,* dim. de *banc.* Certains sens techn. ont été repris à *banc.*

banquise 1773, Bourdé ; calque de l'allem. *Eisbank,* banc de glace.

bantu 1885 ; bantu *ba-ntu,* hommes.

baobab 1751, *Encycl. ;* mot arabe que l'Europe aurait connu par l'Égypte et qui se trouve une première fois dans un texte lat. en 1592.

***baptême** 1050, *Alexis* (*-tesma*) ; lat. chrét. *baptisma,* mot grec. Le *p* n'a jamais été prononcé en fr., comme dans les mots suivants. || **baptiser** XIe s. (*-tizier*) ; lat. chrét. *baptizare,* du gr. *baptizein,* immerger, le baptême se faisant d'abord par immersion ; la forme pop. *bapteier, -oier* a disparu au XIVe s. ; fig., *baptiser le vin,* 1580, Montaigne. || **baptismal** XIIe s., G., d'apr. le lat. *baptisma.* || **baptistaire** 1560, Rab., adj. || **baptistère** 1080, *Roland* (*-testirie*) ; lat. chrét. *baptisterium,* empr. au gr. || **baptistes, anabaptistes** 1841, Reybaud ; mots angl. || **débaptiser** 1564, Rab. || **rebaptiser** XIIIe s., G.

baquet V. BAC 1.

1. **bar** fin XIIe s., *Aliscans,* « poisson » ; néerl. *baers.*

2. **bar** 1857, « débit de boissons » ; angl. *bar,* barre de comptoir, puis comptoir, parce qu'une barre séparait, à l'origine, les consommateurs du comptoir.

3. **bar** début XXe s., unité de mesure ; gr. *baros,* pesanteur.

baragouin 1391, texte de l'Ouest, « terme d'injure » ; XIVe-XVIe s., « celui qui parle une langue incompréhensible » ; 1532, Rab., « langage incompréhensible » ; breton *bara,* pain, et *gwin,* vin, mots souvent répétés qui n'étaient pas compris des étrangers. || **baragouinage** 1546, Rab. || **baragouiner** 1583, Montaigne. || **baragouineur** 1669, Molière (*-neux,* encore dans *Acad.,* 1718).

baraka 1920, Tharaud ; mot ar. signif. « bénédiction », de l'hébreu *brk.*

barange V. BARRE.

baraque fin XVe s., d'Authon ; ital. *baracca,* de l'esp. *barraca,* hutte en torchis, de *barro,* limon, mot d'origine ibère. || **baraquer** XVIIe s. || **baraqué** 1954, Le Breton, « robuste ». || **baraquement** fin XVIe s.

baraterie fin XIIIe s., Guiart, « tromperie » ; *baraterie de patron, de capitaine,* 1679, Savary ; anc. fr. *barater,* tromper, mot méditerranéen d'origine obscure. || **baratin, baratiner, baratineur** 1926, Esnault.

baratte 1549, R. Est. ; déverbal de *baratter,* agiter (1546, Rab.), issu de l'anc. fr. *barate,* agitation, du scand. *barâtta,* combat, tumulte. || **baratter** 1583, Delb. || **barattage** 1845, Besch. || **baratteuse** 1879, *Trésor langue française.*

barbacane fin XIIe s., *Mort d'Aymeri ;* ar. *barbakkaneh,* de sens obscur.

barbacole 1668, La Fontaine ; de *Barbacola,* nom d'un maître d'école que l'on trouve dans le *Carnaval* de Lully (1675).

barbaque 1873, *Gazette des tribunaux,* arg. milit. ; roumain *berbec,* mouton (pendant la guerre de Crimée), ou esp. *barbacoa,* viande d'un animal cuit en entier (expédition du Mexique).

barbare 1308, *Ystoire de li Normant ;* lat. *barbarus.* || **barbarie** 1495, J. de Vignay ; lat. *barbaria.* || **barbarisme** 1265, Br. Latini (*-ime*) ; lat. *barbarismus,* mot gr. || **barbaresque** 1535, *Chanson ;* ital. *barbaresco,* barbare. || **barbariser** 1534, Fabri. || **barbe** (*cheval*) 1534, Rab. ; ital. *barbero,* barbare, de *Barberia,* Barbarie (pour l'Afrique du Nord).

1. ***barbe** 1050, *Alexis ;* lat. *barba.* || **barbier** 1241, *Cart. N.-D. de Bonport.* || **barbette** 1360, *Modus.* || **barbet** 1540, *Anc. Poés. fr.,* « homme barbu » et « chien barbet » (Rab., sens actuel). || **barbelé** 1120, *Alphabet lapidar ;* anc. fr. *barbel,* pointe, du lat. *barbellum,* dim. de *barba.* || **barbeau** 1642, Oudin, « bluet », d'où *bleu barbeau.* || **barbiche** 1694, *Acad.* || **barbichon** 1587, G. Durant. || **barbichette** début XXe s. || **barbifier** XVIIe s. || **barber** XIVe s., « raser » ; fin XIXe s., « ennuyer ». || **barbille** 1751, *Encycl.* || **barbillon** 1398, *Ménagier,* « filament » ; XIVe s., « poisson ». || ***barbeau** 1175, Chr. de Troyes, « poisson » ; lat. pop. **barbellus,* de *barbus,* barbeau, de *barba.* || **barbon** XVIe s. ; ital. *barbone,* grande barbe. || **barbouze** 1926, Esnault, « barbe » ; v. 1960, « policier ». || ***barbu** 1213, *Fet des Romains ;* lat. *barbutus ;* a éliminé *barbé* (1080, *Roland*). || **barbue** XIIIe s., *Fabliau,* « poisson ». || **ébarber** 1180, *Aiquin* (*esb-*). || **ébarbeuse** 1876, L. || **ébardoir** 1785, *Encycl. ;* altér. de *ébarboir* (1723, Savary), auj. disparu. || **imberbe** 1490, Saint-Gelais ; lat. *imberbis,* de *barba* et *in* privatif.

2. **barbe** (*cheval*) V. BARBARE.

barbiturique 1864, fait de l'acide malonique extrait de la bette (*barbabietola* en ital.) et d'*urée.* || **barbiturisme** 1953, Lar. || **barbital** 1959, Lar., suffixe *-al.*

barboter 1170, *Rois,* « marmotter » ; peut-être dér. de *bourbe* (var. *bourbeter*) ; début XIIIe s., remuer dans l'eau ; 1821, Ansiaume, « chercher », « prendre », en arg. || **barbotage** 1580, Montaigne. || **barboteur** v. 1560, Marconville. || **barboteuse** milieu XIXe s., « appareil pour laver le linge » ; 1920, vêtement d'enfant. || **barbotine** 1532, Rab. || **barbotière** 1853, Lachâtre. || **barbouiller** XIVe s., J. Le Fèvre ; de *barboter,* d'après *bourbe,* avec infl. de *bullire,* bouillir. || **barbouilleur** 1480, *Farce morale de Marchebeau et Galop.* || **barbouillage** 1588, Montaigne. || **barbouille** 1927, fam., « peinture ». || **débarbouiller** 1549, R. Est. || **débarbouillage** 1580, Montaigne. || **embarbouiller** 1530, Palsgrave ; fin XVIIe s., Saint-Simon, « s'embrouiller ».

barbotin 1863, L. ; du nom du capitaine de vaisseau *Barbotin,* son inventeur.

***barbu, barbue** V. BARBE 1.

barca ! 1886, Esnault, « assez ! » ; mot ar.

barcarolle 1767, Voltaire (*-ole*) ; vénitien *barcarola,* chant du *barcarolo,* gondolier, qui a donné en fr. du XVIe s. *barquerol ;* de *barca,* barque.

barcasse V. BARQUE.

bard début XIIIe s., *Recueil de motets* (*beart, baart*) ; de l'anc. fr. *baer, béer,* ouvrir la bouche, pour désigner une civière à claire-voie. || **bardée** 1642, Oudin. || **bardelle** 1808, « bras du banc du verrier ». || **barder** 1751, *Encycl.,* « charger sur un bard ». || **bardeur** XIIIe s. || **débarder, débardeur** début XVIe s.

barda 1848, E. Daumas ; ar. algérien *barda'a,* bât d'âne.

bardache 1537 ; ital. *bardassa,* de l'ar. *bardadj,* esclave.

bardane XVe s., *Grant Herbier,* emploi métaphorique du lyonnais *bardane,* punaise (cf. *teigne,* fruit de la bardane) ; lat. pop. **barrum,* boue, la punaise ressemblant à une tache.

1. **barde** n. m., 1512, J. Lemaire, « poète » ; lat. *bardus,* mot gaulois. || **bardit** XVIIe s., Harlay, « chant des Germains » ; lat. *barditus* (chez Tacite), de *bardus.*

2. **barde** n. f., fin XIIIe s., *Assises de Jérusalem ;* XIVe s., « armure » ; 1680, Richelet, « tranche de lard » ; ar. *barda'a,* bât d'âne. || **bardeau** 1358, *Comptes municipaux de Tours,* « bâtardeau » ; 1539, R. Est., archit. ; de *barde,* armure : la couverture en bardeaux fut compa-

rée à l'armure en lamelles. || **barder** 1495, J. de Vignay ; spécialisé en *barder de fer, barder de lard* (1680, Richelet). || **bardée** 1836, Raymond, terme culinaire. || **bardelle** 1852, Lachâtre, « selle ». || **bardeur** 1625, *Muse normande.* || **bardis** début XVIe s., *Chron. bordelaise ;* de *barde,* lamelle.

bardelle V. BARD, BARDE 2.

barder fin XIXe s., fig., « chauffer » (impers.) ; mot d'un parler de l'Ouest, d'abord comme terme de navigation (« drosser »), origine obscure.

bardot 1367, Barbier, mulet ; ital. *bardotto,* bête de somme.

barège 1827, Celnart ; de *Barèges* (Hautes-Pyr.), localité où l'étoffe était fabriquée.

barème 1796, *le Néol. fr. ;* du nom de *Fr. Barrême,* auteur des *Comptes faits du grand commerce* (1670).

baresthésie 1928, Lar. ; gr. *baros,* lourd, et *aisthesis,* sensation.

baréter V. BARRIR.

1. **barge** 1553, Belon, « oiseau » ; sans doute lat. pop. **bardea,* d'origine gauloise (cf. gaulois *bardala,* mauvis).

2. **barge** V. BARQUE.

barguigner 1180, Marie de France (*-gaignier*), « marchander » (jusqu'au XVIIe s.) ; auj. seulement dans *sans barguigner ;* francique **borganjan* (all. *borgen,* emprunter), croisé avec **waidanjan,* gagner. || **barguignage** 1580, Montaigne. || **barguigneur** 1549, R. Est.

barigoule 1837, Balzac, « champignon à large chapeau » ; *artichauts à la barigoule,* 1742, *Suite des Dons de Camus,* parce que l'artichaut évidé rappelle la forme de l'agaric ; prov. mod. *barigoulo,* agaric. || **barigoulé** 1825, *Journ. des modes.*

***baril** fin IXe s., *Capitulaire de Villis* (*barriclos*) ; 1170, *Rois* (*baril*) ; lat. pop. **barricŭlus,* d'orig. obscure. || **barillet** fin XIIIe s., *Renart.* || **barillon** 1546, G. || **barrot** 1323, *Cart. de Saint-Barth.,* « petit baril ».

barioler 1546, Babeau (*barrolé*) ; 1616, P. Biard (*barricolé*) ; 1617, J. Olivier (*bariolé*) ; de *barre,* croisé avec l'anc. fr. *rioler,* rayer (lat. *regula,* règle). || **bariolage** XIVe s., trad. d'Arnaud de Villeneuve. || **bariolis** 1883. || **bariolure** 1808.

barjo ou **barjot** début XXe s., arg. ; interversion de *jobard,* en verlan.

barlong fin XIIe s. (*belong*) ; 1546, J. Martin (*ber-*) ; de *bes* (lat. *bis,* deux fois) et de *long,* c'est-à-dire deux fois plus long que large.

barmaid 1861 ; mot angl., de *bar* et de *maid,* jeune fille.

barman fin XIXe s. ; mot angl. signif. « serveur dans un bar ».

barn 1953, Lar. ; angl. *big as a barn,* grand comme une grange, par antiphrase. Il désigne une unité de surface en physique atomique.

barnum 1855, duc d'Aumale ; du nom de *Barnum,* imprésario américain (1810-1891).

baromètre 1666, Graindorge, formé par l'Anglais Boyle en 1665, avec le gr. *baros,* pesanteur, et *metron,* mesure. || **barométrique** 1752, Trévoux. || **barosensible** XXe s.

1. **baron** Xe s., *Saint Léger ;* francique **baro,* cas régime **barone* (cas sujet *ber,* en anc. fr.) ; dans la *Loi salique,* on rencontre *sacibarone,* fonctionnaire qui perçoit des amendes. Le premier sens paraît être celui d'« homme libre, guerrier ». || **baronnie** fin XIIe s., *Aymeri.* || **baronnet** 1660, *Relation du voy. en Angl. ;* repris à l'anglais.

2. **baron** [d'agneau] av. 1839, terme culinaire ; en angl. dès 1755 (« gros morceau ») ; métaph. probable de *baron.*

baroque 1531, *Inv. de Charles Quint,* « perle baroque » ; fig., fin XVIIe s., Saint-Simon ; port. *barroco,* n. m., perle irrégulière. Le sens archéol., repris à l'ital. *barocco* (mot port.), date du XVIIe s. || **baroquement** 1863, Baudelaire. || **baroquisme** 1927, Cassou. || **baroquiser** 1932.

baroud 1924 ; ar. *barud,* poudre explosive. || **barouder** 1915. || **baroudeur** 1923.

baroufe ou **barouf1e** 1861, à Brest ; ital. *baruffa,* bagarre, d'origine germ. On le rencontre en sabir dès 1830 (Sainéan).

barque fin XIIIe s., *Geste des Chyprins ;* prov. *barca,* du lat. impérial *barca* (IVe s., Paulin de Nole). || ***barge** 1080, *Roland,* « barque » ; lat. pop. **barica, barga* (IXe s.), à l'origine de *barca,* du gr. *baris,* barque égyptienne. || **berge** var. dial. de *barge.* || **barquette** 1238, G. || **barcasse** 1820, avec le suff. péjor. *-asse.* || **débarquer** 1564, Thierry. || **débarquement** fin XVIe s. || **débarcadère** 1687, Desroches (*-dour*) ; fait sur *embarcadère.* || **embarquer** 1418, Caumont (*-barchier*) ; 1511, *D. G.* (*embarquer*). || **embarquement** 1539, R. Est. || **embarcadère** 1689, Raveneau, mar. ; 1840, « gare de chemin de fer » ; esp. *embarcadero,* de *barca,* barque. || **embarcation** début XVIIe s., Voiture ; esp. *embarcación.* || **rembarquer** 1549, R. Est. || **rembarquement** fin XVIe s., Brantôme.

***barre** fin XIIe s., *Aiol ;* lat. pop. **barra,* du gaulois **barro,* extrémité, sommet, fréquent dans les noms de lieux. || **barrer** 1190, Garn. ; XXe s., « arrêter ». || **barrage** 1190, Garn. ; XXe s., construction hydraulique. || **barrement** 1935, *Décret.* || **barreau** 1285, J. Bretel ; *barreau des avocats,* XVIe s., les avocats étant séparés du tribunal par une barre. || **barreauder** v. 1960. || **barrière** XIVe s., G. || **barreur** fin XVIIe s., en vén. ; milieu XIXe s., « qui tient la barre ». || **barriste** 1930. || **barrette** 1751, *Encycl.,* « petite barre ». || **barrot** 1384, *Comptes du Clos des Galées de Rouen,* « poutrelle ». || **débarrer** 1190, Garn. || **embarrer** 1160, Benoît, « enfoncer » ; 1870, Lar., sens actuel. || **embarrure** 1560, Paré, « fracture » ; 1755, *Encycl.,* « contusion à la patte du cheval ». || **rembarrer** fin XVe s., J. Molinet, fig.

1. **barrette** V. BARRE.

2. **barrette** 1366, Prost, « bonnet » ; jusqu'au XVIe s., il désigne aussi une cape à capuchon ; ital. *barretta* (auj. *berretta*), de même rac. que *béret.*

barrière V. BARRE.

barrique milieu XVe s. ; gascon *barrico,* de même rac. que *baril.* || **barricade** 1588, *Journée des Barricades ;* du fr. du XVIe s. *barriquer,* les barricades étant d'abord faites avec des barils. || **barricader** milieu XVIe s. || **barricadier** 1870, L. Halévy. || **barricadeur** 1588, L'Estoile (*-eux*) ; 1695, Gherardi (*-eur*).

barrir 1546, Rab. ; lat. *barrire.* || **barrissement** XIXe s., qui a remplacé *barrit* (1580, Joubert). Ont existé aussi les formes *barriquer* et, par changement de suffixe, *barréter.*

barrot V. BARRE OU BARIL.

bartavelle 1740, *Acad. ;* prov. mod. *bartavèlo,* du lat. pop. **vertabella,* de *vertere,* tourner ; le mot, en anc. prov., désignait le loquet, le chant de l'oiseau étant comparé au bruit d'un loquet (cf. *crécelle*).

bary-, gr. *barus,* lourd. || **barymètre** XXe s. (1953, Lar.). || **barye** 1922. || **barycentre** 1877. || **baryte** 1787, Guyton de Morveau. || **barytine** 1833. || **baryton** fin XVIe s., gramm. ; 1768, mus. ; gr. *barutonos,* qui a le ton grave. || **baryum** 1808, Davy, en angl. ; 1827, *Acad.,* à cause de la grande densité de ses composés.

***bas** début XIIe s., *Ps. de Metz ;* bas lat. *bassus,* bas ; adj. et adv. dès l'anc. fr. || **bas** n. m., vers 1500, *Sotie ;* ellipse de *bas-de-chausses.* || **bas-fond** 1690, géol. ; fig., 1840, Pecqueur. || **basse** 1484, Garcie, mar. || **basse-cour** XIIIe s., *Cout. d'Artois,* « cour des écuries » (jusqu'au XVIIe s.). || **basse-courier** 1863, L. || **basse-fosse** 1468, Chastellain. || **bas-côté** milieu XVIIe s. || **bas-ventre** 1651, Buldit. || **bas-relief** milieu XVIe s. ; ital. *bassorilievo.* || **bassesse** 1120, *Ps. d'Oxford* (*-ssece*), qui a éliminé *basseur.* || **basset** fin XIIe s., *Loherains,* adj. (emploi qui subsiste jusqu'au XVIIe s.) ; XVIe s., « chien basset ». || **contrebas** 1382, J. d'Arras. || **soubassement** v. 1360 ; anc. fr. *sous-basse,* de même sens.

basalte 1553, Belon (*-ten*) ; lat. *basaltes,* mauvaise lecture de *basanites* (Pline). || **basaltique** fin XVIIIe s.

basane 1160, *Charroi de Nîmes* (*-zenne*) ; prov. *bazana,* de l'esp. *badana,* ar. *bitana,* doublure. || **basaner** 1510, G. (*-é*), « bruni » ; XVIe s., *id.* (*-er*), « donner la couleur bistre », en parlant de la peau de l'homme. || **basanage** 1615, Binet.

bas-bleu 1801, chez Mackenzie ; calque de l'angl. *blue-stocking,* d'après les bas bleus que portait Stillingfleet, causeur brillant du salon de lady Montague vers 1781. || **bas-bleuisme** 1866, Barbey d'Aurevilly.

bascule 1549, R. Est. (*bassecule*) ; réfection sur *bas* de l'anc. fr. *bacule* (1466, G.), de *battre* et *cul.* || **basculer** 1611, Cotgrave ; 1863, L., fig. ; de *baculer* (XIVe s., Du Cange), refait sur *bas.* || **basculement** 1959, Lar. || **basculeur** 1873, Tolhausen.

base 1170, *Rois,* fém. et masc. en anc. fr. ; lat. *basis,* du gr. *basis,* marche, point d'appui. || **baser** début XVe s. || **basilaire** 1314, Mondeville, anat. || **basique** 1540, Rab., math. ; 1830, chim. || **basicité** 1838, chim. || **baside** 1837. || **basidiomycètes** 1888, Lar. ; gr. *mukês,* champignon. || **bibasique** 1852, Lachâtre.

base-ball 1889, Saint-Clair ; mot anglo-amér. signif. « balle à la base ».

baselle 1750, De Combles ; mot d'une langue de l'Inde ; plante alimentaire des pays tropicaux.

1. **basilic** 1120, *Ps. d'Oxford,* « reptile » ; 1534, Rab., « pièce d'artillerie » ; lat. *basiliscus,* du gr. *basiliskos,* petit roi.

2. **basilic** 1398, *Ménagier,* « plante » ; bas lat. *basilicum,* du gr. *basilikos,* royal, la plante étant désignée sous le nom de *basilikon.*

1. **basilique** 1495, J. de Vignay, terme eccl. ; 1519, R. Est., archéol. ; lat. *basilica,* du gr. *basilikê,* « (portique) royal », édifice civil à portique, devenu « église » en lat. chrét., au IVe s., à la suite de la fondation de la Basilica Constantini sur le tombeau du Christ. (V. BASOCHE.)

2. **basilique** 1398, *Somme Gautier (vaine bazilique),* anat. ; gr. *basilikos,* royal, cette veine étant considérée comme la plus importante.

basin 1290, *Voy. de Marco Polo* (*bombasin*) ; 1642, Oudin (*basin*) ; ital. *bambagine,* de *bambagia,* coton, issu du lat. *bombyx,* ver à soie. L'initiale a été prise en fr. pour l'adj. *bon.*

basket-ball 1898, *Vie au grand air ;* mot anglo-amér. signif. « balle au panier » (1891, aux États-Unis). || **basket** chaussure de sport, v. 1950. || **basketteur** 1930.

***basoche** XVe s., Gatineau ; lat. *basilica,* église. Le passage de sens à « communauté des clercs de justice », « ensemble des gens de loi », surtout péjor., peut s'expliquer par une survivance du sens de « palais », spécialisé en « palais de justice ». || **basochien** 1480, *Sotie.* (V. BASILIQUE 1.)

basque 1532, Gay ; réfection, sous l'infl. de *basquine,* de *baste* (fin XIVe s. ; encore chez Oudin en 1642 et X. de Maistre en 1794), de l'ital. *basta,* « rempli », rattaché à *bastir(e),* bâtir des pièces d'étoffe.

basquine 1534, Rab. (*vas-*) ; esp. *basquina* (écrit aussi *vasquino*), jupe basquaise.

1. **basse** V. BAS.

2. **basse** 1670, Molière, mus. ; ital. *basso,* bas. || **basse-contre** 1512, G. Crétin. || **basse-taille** 1542, *Arch. art fr. ;* de *tailler.* || **basson** début XVIIe s. ; ital. *bassone,* grosse basse. || **bassoniste** 1821. || **contrebasse** 1512, J. Lemaire ; ital. *contrabasso,* basse qui est contre le violoncelle. || **contrebassiste** 1834, Fétis. || **bassiste** 1838. || **contrebasson** 1821, Castil-Blaze.

basse-cour V. BAS.

bassette fin XVIIe s., « jeu » ; ital. *bassetta,* dimin. de *basso,* bas.

***bassin** 1175, Chr. de Troyes (*-cin*) ; 1546, Ch. Est., anat. ; lat. pop. **baccinus* (VIe s., Gr. de Tours, *bacchinon*), de **baccus* (v. BAC 1). || **bassine** 1412, Prinet, *Industr. du sel en Franche-Comté* (1900). || **bassiner** v. 1300, « humecter » ; 1844, Labiche, « importuner ». || **bassinage** 1819, Boiste, « droit sur le sel ». || **bassinet** 1190, *Huon de Bordeaux,* « armure ». || **bassinoire** 1454, *Comptes de J. Bochetel.*

basson V. BASSE.

bastaing ou **basting** 1877, « madrier pour bâtir » ; de *bâtir* sous une forme méridionale.

bastant 1495, J. de Paris ; ital. *bastare,* suffire. || **baste** 1534, Rab., inter. ; ital. *basta,* 3e pers. sing. de l'ind. prés. || **baster** 1548, de La Planche, « convenir », attesté jusqu'au XVIIe s.

bastaque 1838, *Acad. ;* néerl. *bastag.*

1. **baste** n. f., « panier, cuveau » ; prov. mod. *basto,* panier des bêtes de somme.

2. **baste** V. BASTANT.

bastide 1355, Bersuire ; d'abord terme de fortification, il désigna les villes neuves du Midi (XIIe-XIVe s.) ; XVIe s., « maison de campagne dans le Midi » ; prov. *bastida,* bâtie. || **bastidon** v. 1850.

bastille 1495, J. de Vignay (*bassetille*) ; 1370, début de la construction de la Bastille de Paris, appelée souvent *Bastide* au XVe s. ; altér. de *bastide,* par substitution de suffixe. Le mot est devenu un symbole après 1789. || **bastion** fin XVe s., d'Authon (var. plus fréquente, *bastillon,* XVe-XVIe s.). || **bastionner** 1611, Cotgrave. || **embastiller** 1429, G., « établir dans une bastille » ; XVIIIe s., Voltaire, « emprisonner ». || **embastillement** fin XVIIIe s., Linguet. || **débastillement** 1876, L.

bastingue 1636, Cleirac ; prov. mod. *bastengo,* toile matelassée, qui servait pour cette partie du navire ; de *bastir,* apprêter. || **bastinguer** 1634, Cleirac. || **bastingage** 1747, Jal.

bastion, bastonnade V. BASTILLE, BÂTON.

bastringue 1794, par métaphore ; p.-ê. néerl. *basdrinken,* boire beaucoup, ou var. de *bastingue* (bâti de bois, d'où « bal populaire ») [v. ce mot].

bas-ventre V. BAS.

1. **bat** V. BATTRE.

2. **bat** fin XIXe s., « bâton de sport » ; mot angl., du fr. *batte.*

***bât** 1268, É. Boileau ; lat. pop. **bastum,* déverbal de **bastare,* qui paraît d'origine gr. || **bâter** 1530, Marot. || **bâtier** XIIIe s., Delb.

|| **bâtière** 1268, É. Boileau, archit. ; analogique. || **débâter** 1474, G. || **embâter** fin XVe s., *Quinze Joies de mariage.*

bataclan v. 1750 ; origine inconnue, sans doute de même rac. que *patte.*

***bataille, bataillon** V. BATTRE.

bâtard 1190, *Saint Bernard* (*baistair*) ; *écriture bâtarde,* 1557, Tall. des Réaux ; de *bât* (en anc. fr. aussi *fils, fille de bast*) ou du germ. **bansti,* grange, c.-à-d. « né dans une grange ». || **bâtardise** 1550, Du Bellay. || **abâtardir** XIIe s., *Roncevaux.* || **abâtardissement** 1495, J. de Vignay.

bâtardeau v. 1400 ; anc. fr. *bastart,* digue, dér. de *baste,* support (1308, *Stat. des émailleurs*), déverbal de *bâtir,* conservé dans *bâte* (techn.). Un emploi métaph. de *bâtard* (*porte bâtarde*) est aussi possible.

batavia v. 1750, « salade » ; lat. *Batavi,* peuple occupant la Hollande actuelle ; la salade a dû être obtenue par des sélectionneurs hollandais.

batavique 1765 ; de *Batave,* hollandais ; le phénomène des *larmes bataviques* a été observé d'abord à Leyde.

bateau début XIIe s. ; anc. angl. *bat,* pourvu d'un suffixe. || **batelier** XIIIe s., Delb. || **batelée** XIIIe s., Delb. || **batelet** XIIIe s., Delb. || **batelage** 1443, Delb. || **batellerie** 1390, Delb. || **bateau-lavoir** fin XIXe s. || **bateau-mouche** 1870. || **bateau-phare** 1866.

bateleur XIIIe s., d'apr. Jubinal ; anc. fr. *baastel* (XIIIe s.), tour d'escamoteur.

bath 1804, Stendhal, interj. ; 1846, Hugo, « chic » ; origine obscure, p.-ê. arg. *batif,* de *battant.*

bathy-, gr. *bathus,* profond. || **bathyscaphe** 1946, A. Piccard ; gr. *skaphos,* barque. || **bathymétrie** 1863, L. || **bathymétrique** 1869, Sachs-Villatte. || **bathymètre** 1928, Lar. || **bathysphère** 1928, Lar.

bâtier, bâtière V. BÂT.

batifoler début XVIe s. ; ital. *battifolle,* boulevard où les jeunes gens allaient s'amuser. || **batifolage** 1532, Rab. || **batifoleur** 1835, *Acad.*

batik 1845, J. Itier ; mot malais signif. « joint ».

bâtir début XIIe s., *Voy. de Charl.,* « assembler les pièces d'un vêtement », « coudre à grands points » ; francique **bastjan,* de *bast,* écorce, « travailler avec de l'écorce », puis « construire des huttes en clayonnage », enfin « construire ». || **bâti** n. m., av. 1699, Du Guet. || **bâtiment** 1160, Benoît, « action de bâtir » (jusqu'au XVIIe s.) ; XVIIIe s., « édifice ». || **bâtissage** XVIe s. || **bâtisse** 1636. || **bâtisseur** 1539, R. Est. || **malbâti** 1496, Coquillart (*malbasty*). || **rebâtir** 1160, Benoît, « remettre en état » ; XVIe s., « reconstruire ».

batiste 1401 (*batiche*) ; du nom du fabricant *Baptiste* (Cambrai, XIIIe s.).

bâton 1080, *Roland* (*bastum*) ; bas lat. *bastum,* déverbal de **bastare,* porter. || **bâtonner** fin XIIe s., R. de Moiliens. || **bâtonnet** 1130, *Couronn. Loïs.* || **bâtonnier** 1332, Delb., « porteur de la bannière d'une confrérie », puis spécialement de la confrérie des avocats. || **bâtonnat** 1842, *Acad.* || **bastonnade** 1482, Flameng ; ital. *bastonata,* de *bastone,* bâton. || **bastonner** 1926, Esnault ; réfection de *bâtonner.*

batoude 1879, Goncourt ; ital. *battuta,* avec une pron. dial. Il désigne un tremplin de cirque.

batracien fin XVIIIe s. ; gr. *batrakhos,* grenouille.

battage, battant, battoir V. BATTRE.

battellement 1690, Furetière, « double rang de tuiles » ; anc. fr. *bateiller,* créneler.

battologie 1559 ; 1584, Benedicti (*batologie*) ; de *Battos,* roi de Cyrène, qui, étant bègue, répétait souvent le même mot.

***battre** XIe s. ; *s'en battre l'œil,* 1718, Leroux ; lat. fam. *battuĕre* (chez Plaute), puis *battĕre* (IIe s., Fronton), d'orig. gauloise. || **bat** fin XVe s., G. ; déverbal de *battre.* || **battant** XIIIe s., Fr. Laurent. || **batte** 1398, *Ménagier,* « masse de bois » et « action de battre ». || **battage** 1329, G., « action de battre » ; 1866, Delvau, « charlatanisme », d'après *battre la grosse caisse.* || **battement** fin XIIe s., R. de Moiliens. || **batterie** fin XIIe s., R. de Moiliens, « action de battre » ; 1804, *Almanach des gourmands,* « batterie de cuisine » ; 1783, Bertholon, en phys. ; XXe s., mus. || **batteur** fin XIIe s., R. de Moiliens, « qui bat » ; v. 1850, mus. || **batteuse** 1859, Muller, « machine à battre le blé ». || **battitures** 1573, Liébault. || **battoir** 1307, Delb., « palette de bois » ; 1775, Beaumarchais, « large main ». || **battue** début XVIe s., d'Authon. || **batture** fin XIIe s. || ***bataille** 1125, *Gormont ;* bas lat. *battu(u)alia,* escrime (VIe s., Cassiodore). || **batailler** 1160, Benoit. || **batailleur** 1213, *Fet des Romains.* || **bataillon** 1543, *Amadis ;* ital. *batta-*

glione, augmentatif de *battaglia,* troupe rangée en bataille, sens qui passa au fr. *bataille* au XIVe s. || **bat-flanc** 1888, Lar. || ***abattre** VIIIe s., *Gloses de Reichenau* (*abattas*) ; 1821, Ansiaume, « tuer » ; lat. pop. **abattuĕre.* L'Académie a adopté la graphie *-tt-,* au lieu de *-t-,* dans les dérivés de *abattre,* en 1932. || **abat** 1432, Baudet Herenc, « ce qui abat » ; 1524, *Franc Archer de Cherré,* « ce qui est abattu ». || **abattage** 1265, Du Cange. || **abattant** 1680, Richelet. || **abattement** XIIIe s., Horn, « action d'abattre » ; XVIIe s., fig. || **abattée** 1687, Desroches (*abatée*), mar. ; 1959, Lar., aéron. || **abatteur** XIVe s., Boutillier. || **abattis** fin XIIIe s., *Loherains ;* 1839, Balzac, « pieds ». || **abattoir** XVIe s., *Chron. bordelaise,* « ce qui est abattu » ; 1806, Wailly, « lieu où l'on abat les animaux ». || **abatture** XIVe s., *Cout. normand ;* 1611, Cotgrave, vén. || **abat-jour** 1676, Félibien ; 1749, Buffon, sens actuel. || **abat-son** 1863, Lar. || ***combattre** 1080, *Roland ;* lat. pop. **combattere.* || **combat** début XVIe s., « lutte » ; 1538, R. Est., fig. || **combatif** 1898, Lar. || **combativité** 1839, *Journ. des débats.* || **combattant** 1080, *Roland.* || **contrebattre** 1200, Coincy. || **contre-batterie** 1580, Montaigne. || **débattre** 1050, *Alexis,* « battre fortement » ; XIIIe s., « se débattre » ; XIIIe s., « discuter ». || **débat** XIIIe s., G., fig. ; déverbal de *débattre.* || **ébattre** 1130, *Eneas,* v. intr., « divertir, agiter » ; XIIe s., *Athis,* v. pr. || **ébat** début XIIIe s., *Clef d'amors ;* déverbal de *ébattre.* || **ébattement** fin XIIIe s., Rutebeuf. || **embattre** 1050, *Alexis,* « enfoncer ». || **embattage** 1556, *Compte de Diane de Poitiers.* || **imbattable** 1806, de Ligne. || **rebattre** 1175, Chr. de Troyes ; 1713, Hamilton, *rebattre les oreilles.* || **rabattre** 1155, Wace, « faire descendre » ; 1220, Coincy, « déduire d'une somme » ; 1577, Jamyn, *rabattre le gibier.* || **rabattage** 1730, Savary, « rabais ». || **rabattement** 1284, G., « rabais ». || **rabatteur** 1585, Du Fail. || **rabattoir** 1504, G., « volant » ; 1803, Boiste, « outil ».

bau début XIIIe s., *Conquête de Jérusalem* (*balc*), « poutre » ; francique **balk,* même sens. || **bauquière** 1579, Delb. (V. DÉBAUCHER, ÉBAUCHER.)

baud XXe s. (1953, Lar.) ; du nom de *Baudot* (1845-1903).

baudelairien 1884, Huysmans ; de *Baudelaire.*

baudet 1534, Rab., nom propre ; anc. fr. *baut,* hardi, mot germ.

baudrier 1160, *Charroi* (*baudret*) ; 1170, *Rois* (*baldrei*) ; 1387, G. (*baudrier*), par substitution de suffixe ; de la rac. germ. *balt-,* du lat. *balteus,* bande, baudrier.

baudroie 1542, Du Pinet ; prov. *baudroi,* d'une rac. *baudr-,* boue, d'orig. inconnue.

baudruche 1690, Furetière ; orig. inconnue, p.-ê. rad. lat. *baud-,* « gonflé ».

bauge 1489, R. Gaguin ; 1690, Furetière, « terre boueuse », var. de *bauche,* gîte fangeux du sanglier ; p.-ê. gallo-roman **ballica,* creux, ou gaulois **balcos,* terre inculte. || **bauger (se)** XVIe s., Gauchet.

1. ***baume** 1190, *Saint Bernard* (*balme, basme*) ; lat. *balsamum,* du gr. *balsamon.* || **baumier** début XIIIe s., *Ch. d'Antioche* (*basmier*). || **embaumer** XIIe s., *Roncevaux* (*embasmer*), au sens propre ; 1841, *Français peints par eux-mêmes,* « répandre un parfum ». || **embaumement** fin XIIe s., G. (*embalsement*). || **embaumeur** 1556, Saliat.

2. **baume** XIIIe s., G. (*balme*), « grotte », d'un emploi surtout toponymique ; repris à la fin du XVIIIe s. (1781, Ramond) ; gaulois *balma,* grotte d'ermite (VIIIe s.).

bauquière V. BAU.

bauxite 1847 ; du nom des *Baux-de-Provence* (Bouches-du-Rhône), où le premier gisement fut signalé par P. Berthier.

bavard V. BAVE.

bavaroise 1660, boisson mise à la mode au café Procope par les princes de Bavière ; 1815, pâtisserie ; de *bavarois,* de Bavière.

***bave** XIVe s., *Trésor de foi* (*beve*) ; av. 1450, Gréban (*bave,* refait sur *baver*) ; lat. pop. onomat. *baba,* babil des enfants. || **baver** XIVe s., Bibbesworth ; il a aussi jusqu'au XIVe s. le sens de « bavarder ». || **bavoter** 1930. || **bavette** XIIIe s. || **baveur** XIVe s. || **baveux** XIIe s., *Lapid. de Marbode.* || **bavocher** 1676, techn. || **bavure** XIVe s., Bibbesworth ; 1970, *le Monde,* pop., proprem. « ce qui déborde ». || **bavard** XVe s. ; 1842, Sue, « avocat » ; de *bave,* babil. || **bavarder** 1539, C. Gruget. || **bavardage** 1647, *Muse normande.* || **bavarderie** 1570, Amyot. || **bavasser** 1584, Montaigne. || **bavoir** 1866, Lar.

bavolet 1556, R. Leblanc ; de *bas* et *volet* (pièce d'étoffe flottante) ; le moyen fr. a connu le verbe *bavoler,* voler en bas.

bayadère 1638, *Doc.* (*valhadera*) ; 1782, *Encycl. méth.* (*bayadère*) ; port. *bailadeira,* danseuse, appliqué aux danseuses de l'Inde.

***bayer** ou **béer** XIIe s., *Roncevaux* (*baer, je bée*), « être ouvert », « avoir la bouche ouverte » ; lat. pop. **batare* (VIIe-VIIIe s., *badare, battare*), d'orig. onom. Le mot a été confondu en fr. mod. avec *bâiller* (surtout au XVIIe s.) ; il est réduit à quelques expressions (*bayer aux corneilles*). || **baba** 1808, d'Hautel, « ébahi » ; redoublement plaisant du radical de *ébahir, bayer.* || **baie, bée** ou **abée** (avec agglutination de l'*a* de l'article) 1119, Ph. de Thaon (*baee*) ; part. pass. subst. de *baer.* Le sens de « tromperie » a subsisté jusqu'au XVIIe s. || **béant** 1544, J. Du Bellay ; anc. part. prés. de *béer.* || **bée** (*bouche*) XIIe s., *Fierabras.* || **béer** XIIe s., *Roncevaux.* || **ébahir** 1120, *Ps. de Cambridge* (*es-*) ; de *baer,* avec changement de conjugaison ; l'anc. fr. connaît *baïf,* ébahi. || **ébahissement** fin XIIe s., *Dial. Grégoire.*

bayou 1740 ; mot d'une langue amérindienne, signif. « rivière ».

bazar 1432, La Broquière (*bathzar*) ; 1546, G. (*bazar*) ; 1816, Crapelot, « magasin » ; mot port., du persan *bâzâr,* souk. || **bazarder** 1846, *l'Intérieur des prisons,* « vendre ». || **bazardage** 1959, Queneau.

bazooka v. 1935, « trombone », inventé par un comique de music-hall ; v. 1942, « engin de guerre » ; mot américain.

B. C. B. G. v. 1970 ; abrév. de *bon chic bon genre.*

B. C. G. 1928, Lar. ; sigle de *vaccin bilié de Calmette et Guérin* (ses inventeurs).

beagle 1650, Ménage (*bigle*) ; mot anglais désignant une race de chiens.

béal, béant V. BIEF, BAYER.

béat 1265, Br. Latini, eccl. ; XVIe s., « heureux » ; XVIIe s., sens ironique ; lat. *beatus.* || **béatement** 1866, Lar. || **béatitude** 1265, Br. Latini, eccl. ; XVIIe s., « bonheur » ; lat. *beatitudo.* || **béatifier** 1361, Oresme ; lat. *beatificare* (saint Augustin). || **béatification** 1372, Golein. || **béatifique** 1450, *Myst. Passion ;* lat. *beatificus.* || **béatilles** 1492, *Trésorerie d'Anne de Bretagne ;* dim. de *béat,* « objets de parure » ; 1680, culinaire.

***beau** IXe s., *Eulalie* (*bel*) ; lat. *bellus,* joli, qui a éliminé *pulcher, decorus, formosus.* || **beauté** 1080, *Roland* (*beltet*) ; lat. pop. **bellitas* (*-atis*). || **bellâtre** 1546, Rab. || **bellot** 1552. || **bellement** 1080, *Roland,* « lentement », sens qui subsiste jusqu'au XVIIe s. || **beau-frère** 1386, *Test. Philippe le Hardi,* qui a éliminé *serorge* (lat. pop. **sororius*). || **beauf** 1931, Chautard. || **belle-sœur** début XVe s., qui a éliminé *serorge* (lat. pop. **sororia*). || **beau-père** 1457, *Lettres de Louis XI,* qui a éliminé *suire* (lat. *socer*), et *parâtre,* second mari de la mère. || **belle-mère** début XVe s., qui a éliminé *suire* (lat. *socera*), et *marâtre,* qui a pris un sens péjor. || **belle-fille** 1468, Chastellain, qui a éliminé *fillâtre* (lat. *filiastra*). || **belle-de-jour** 1762. || **belle-de-nuit** 1680 ; 1776, fig. || **belle-famille** fin XIXe s. || **belles-lettres** 1666. || **beau-fils** 1468, Chastellain, qui a éliminé *filiâtre* (lat. *filiaster*). || **beaux-parents** XIXe s. || **beaucoup** 1272, Joinville ; de *beau* et *coup,* qui a éliminé au XVIe s. *moult* (lat. *multum*). || **embellir** 1130, *Eneas,* « plaire » ; fin XIIe s., « rendre beau ». || **embellissement** 1270, *D. G.* || **embellie** 1722, Labat.

beaupré 1382, *Comptes du Clos des Galées de Rouen* (*bropié*) ; début XVIe s. (*beaupré*) ; moyen angl. *bouspret,* du néerl. *boegspriet,* mât (*spriet*) de proue (*boeg*).

bébé 1793, Sophie Arnould ; angl. *baby* (pron. *bébé*). Le surnom du nain Bébé (1739-1764), de la cour de Lorraine, a la même origine. || **baby** 1841, Balzac, forme anglaise. || **baby-boom** XXe s. ; mot angl., de *boom,* forte hausse. || **baby-sitter** XXe s. ; mot angl., de *sitter,* qui se tient debout.

be-bop v. 1945, onom.

***bec** début XIIe s. ; *bec de, à gaz,* 1829, Balzac ; lat. *beccus,* d'orig. gauloise. || **bécard** 1540, Rab. || **bécot** 1794, Hébert. || **bécoter** 1690, Furetière, « donner des baisers ». || **becquer** 1330, *Hugues Capet,* qui a remplacé *bécher,* encore chez Furetière (1690). || **becquée** 1543, *Anc. Poés. fr.* || **becqueter** 1451, G. Alexis, qui tend à éliminer *becquer.* || **becquetage** début XIXe s., Sue. || **becter** 1707, Lesage, « manger ». || **béquet** 1125, *Doon de Mayence ;* diminutif. || **bec-de-corbin** 1453, *Archives ;* du mot dial. *corbin,* corbeau. || **bec-de-cane** 1560, Paré. || **bec-cornu** XVIe s., « mari trompé » ; ital. *becco cornuto,* bouc trompé. || **bec-de-lièvre** 1560, Paré. || **bécane** 1841, Esnault, « mauvaise locomotive » ; 1870, « vieille machine » ; 1870, Poulot, « bicyclette » ; orig. obscure, p.-ê. de *becquer* ou de *bécant,* poulet. || **bécasse** fin XIIe s., *Alexandre,* « oiseau à long bec ». || **bécasseau** 1537, *Discipl. de Pantagruel.* || **bécassine** 1553, *Journ. de Gouberville.* || **becfigue** 1539, R. Est. ; ital. *beccafico,* becquette (impér.) figue. || **bédane** 1379, *Inv. de Charles V* (*bec d'asne*) ; de *bec* et anc. fr. *ane,* canard (lat. *anas, atis*), confondu avec *âne.* || **béjaune** 1265, J. de

Meung (*bec jaune*), « niais ». || **bicher** fin XIXe s. ; dér. de *bec*. || **abecquer** XIIe s. || **embecquer** 1611, Cotgrave.

bécane V. BEC.

bécarre 1425, *Serm. des barbes et des braies ;* ital. *b quadro, b* à panse carrée. || **bémol** XIVe s. (*bemoulz*) ; ital. *b molle, b* à panse ronde. || **bémoliser** 1752, Trévoux.

bécasse V. BEC.

because 1928, Esnault (*bicause*) ; mot angl.

béchamel 1735, *Cuis. mod. ;* du nom de Louis de *Béchamel*, gourmet de la fin du XVIIe s.

***bêche** fin XIe s., *Lois de Guill. ;* lat. pop. **bessĭca* (lat. médiév. *bessos ; Statuts du cloître de Corbie*), d'orig. inconnue. || **bêcher** fin XIIe s., *Aiol*, « labourer avec la bêche » ; 1836, Vidocq, « critiquer ». || **bêchage** 1878, Lar. || **bêchette** 1820, Lasteyrie. || **bêchoir** 1842, *Acad.* || **bêcheur** 1453, au propre ; 1833, fig.

béchevet XIVe s., G. ; préfixe *be(s)*, du lat. *bis*, deux fois, et *chevet*, c'est-à-dire « tête de l'un aux pieds de l'autre ». || **bécheveter** 1778, Villeneuve.

béchique 1560, Paré ; lat. *bechicus*, du gr. *bêkhikos*, de *bêks*, toux.

bécot, bécoter V. BEC.

bedaine XIVe s., vase à panse renflée ; 1667, Du Tertre, ventre ; altér. de l'anc. fr. *boudine*, nombril, gros ventre, même rac. que *boudin*. || **bedon** 1250, *Renart*, « tambour » ; XIVe s., G. ; même rac. avec un autre suffixe. || **bedondaine** 1532, Rab. ; croisement de *bedon* et de *bedaine*. || **bedonner** 1507, Marot, « résonner » ; 1898, Lar., « prendre du ventre ».

bédane V. BEC.

bedeau 1155, Wace, « sergent de ville », puis « huissier d'université » (jusqu'au XVIIIe s.) ; 1680, Richelet, « bedeau d'église » ; francique **bidil*, messager de justice, avec changement de suffixe.

bédégar 1425, O. de La Haye ; arabo-persan *bâdaward*.

bedolle 1860, Flaubert, « imbécile » ; orig. inconnue.

bedon, bedondaine V. BEDAINE.

bédouin fin XIIe s. ; arabe *badwi*, habitant du désert.

bée V. BAYER.

beffroi fin XIIe s., *Loherains* (*berfroi*) ; moyen haut allem. *bĕrgvrĭd, bergfrid*, ouvrage de défense, qui garde (*berg*) la paix (*frid*).

bégayer V. BÈGUE.

bégonia 1706, Plumier, botaniste, en l'honneur de *Bégon*, intendant de Saint-Domingue ; vulgarisé au XIXe s. (1823, *Obs. des modes*). || **bégoniacées** XVIIIe s.

bégu fin XVIe s., Brantôme (*bigu*) ; orig. inconnue.

bègue début XIIIe s. ; déverbal de l'anc. fr. *béguer* (XIVe s.), du néerl. **beggen*, bavarder. || **bégayer** v. 1450, qui a supplanté *béguer*. || **bégayeur** début XIXe s., Michelet. || **bégaiement** 1539, R. Est. || **bégayage** XXe s. || **bégueter** XIVe s. || **béguètement** 1866, Lar.

bégueule 1470, Du Cange (*bée gueule*) ; de *bée*, impér. de *béer*, ouvrir, et de *gueule*, c'est-à-dire celui qui fait l'étonné à tout propos. || **bégueulerie** 1755, Crébillon fils. || **bégueulisme** v. 1750.

béguine 1227, *Rom. de la Violette ;* même rac. que *bégard* (hérétique du XIIIe s.) ; néerl. *beggaert*, moine mendiant, de **beggen*, bavarder. Le prétendu fondateur des béguines, Lambert le Bègue ou Begh, paraît n'avoir jamais existé. || **béguin** 1387, Douet d'Arcq, « coiffe de béguine » ; 1866, Delvau, « amour passager ». || **béguinage** 1261, Rutebeuf, « communauté de béguines ». || **embéguiner (s')** 1549, R. Est., « mettre un béguin » ; 1594, *Satire Ménippée*, fig., « être coiffé de quelqu'un ».

bégum 1653, La Boullaye ; hindi *beg*, seigneur.

béhaviourisme ou **béhaviorisme** v. 1920, trad. de Watson ; angl. *behaviour*, comportement (amér. *behavior*).

beige 1220, Coincy (*bege*), « couleur de laine naturelle » ; orig. obscure, p.-ê. lat. *bigus*, double.

beigne 1378, G. (*buyne*), « bosse provoquée par un coup » ; XVIe s. (*bigne*) ; 1866, Delvau, « gifle » ; orig. inconnue. || **beignet** début XIIIe s., *Floire et Blancheflor* (*buignez*), le beignet étant rond et soufflé.

béjaune V. BEC.

bel 1928, Lar., « unité de mesure acoustique » ; du nom du physicien Graham *Bell* (1847-1922). || **décibel** XXe s.

bélandre 1646, Fauconnier ; néerl. *bijlander,* de *bij,* près, et *land,* terre, pour désigner les caboteurs.

bélemnite 1562, Du Pinet ; gr. *belemnitês,* pierre en forme de flèche (*belemnon*) ; mollusque dont la coquille a une forme allongée.

***bêler** fin XIIe s., R. de Moiliens ; lat. *bēlare* ou *balare,* d'orig. onom. || **bêlement** 1539, R. Est. || **bélier** 1412, G. ; de *belin* (XIIIe s., encore dial.), avec changement de suffixe ; sans doute dér. de *bêler.*

belette fin XIIe s., *Alexandre ;* surnom dimin. de *belle* (c'est-à-dire « la jolie »), peut-être pour conjurer les méfaits de l'animal (angl. *fairy,* même sens). Le mot a remplacé l'anc. fr. *mosteile,* du lat. *mŭstēla.*

bélier V. BÊLER.

bélière 1402, G. (*berlière*), « anneau portant le battant d'une cloche » ; orig. obscure, p.-ê. néerl. *belle,* cloche.

bélinographe 1907 ; du nom de *É. Belin* (1876-1963), l'inventeur. || **bélinogramme** *id.*

bélître début XVe s. (*belleudre*) ; 1506, *Placards de Flandre* (*blitre*), « mendiant, gueux » ; fréquent au XVIIe s. dans un sens injurieux ; p.-ê. néerl. *bedelaer* (allem. *Bettler*).

belladone 1553, Mathée (*-donna*) ; ital. *belladonna,* réfection d'un mot dialect. *bella donna,* belle dame.

bellâtre V. BEAU.

belliqueux 1468, Chastellain ; lat. *bellicosus,* guerrier. || **belliqueusement** XIXe s. || **bellicisme** 1871, appliqué à Bismarck (1908, Lar.) ; lat. *bellicus,* belliqueux ; formé d'après *pacifisme.* || **belliciste** *id. ;* sur *pacifiste.* || **belligérant** 1744, Trévoux ; lat. *belligerans,* part. prés. de *belligerare,* faire la guerre (*bellum*). || **belligérance** 1877, L. || **non-belligérant** XXe s.

belluaire 1852, Gautier ; lat. *bellua,* bête fauve.

belote début XXe s. (après 1914), jeu d'orig. hollandaise (*jass*), mis au point par le Français *F. Belot.* || **beloteur** v. 1930. || **rebelote** milieu XXe s., « répétition », comme interj.

béluga 1575, Thevet, « poisson » ; 1775, Bomare, « dauphin » ; russe *bieluha,* de *bielyi,* blanc.

belvédère 1512, J. Lemaire ; ital. *belvedere,* de *bello,* beau, et *vedere,* voir.

bémol V. BÉCARRE.

bénard 1881, Esnault, « pantalon » ; du nom de *A. Bénard,* confectionneur d'un type de pantalon.

bénarde 1442, Du Cange (*serrure bernarde*) ; de *Bernard,* au XVe s., « pauvre sire », d'où « de qualité inférieure ». (V. BENÊT, JACQUES.)

bénédicité fin XIIe s., R. de Moiliens ; lat. *benedicite,* bénissez, mot lat. qui commence une prière.

bénédictin XIIIe s., rare jusqu'au XVIe s. ; lat. eccl. *benedictinus,* de *Benedictus,* nom latin de saint Benoît, qui fonda cet ordre ; *travail de bénédictin,* d'après les travaux de la congrégation de Saint-Maur aux XVIIe et XVIIIe s. || **Bénédictine** 1878, Lar., n. déposé, liqueur fabriquée à Fécamp dans un ancien couvent de bénédictins.

bénédiction V. BÉNIR.

bénéfice fin XIIe s., *Rec. des histor. de France ;* XVIIe s., « gain » ; lat. *beneficium,* bienfait, de *bene,* bien, et *facere,* faire ; ce sens étymologique s'est conservé jusqu'au XVIIe s., parallèlement à celui de « bénéfice féodal, faveur » (d'après l'acception juridique latine). || **benef** 1849, Murger ; abrév. pop. || **bénéficier** v. tr., début XVIe s., Budé, « gratifier, pourvoir d'un bénéfice » ; fin XVIIIe s., v. tr. ind., « profiter ». || **bénéficier** n. m., début XIVe s. ; lat. *beneficiarus.* || **bénéficiaire** 1609, G. ; lat. eccl. *beneficiarius.* || **bénéficial** 1369, G., terme eccl. ; lat. *beneficialis.*

bénéfique 1532, Rab. ; rare jusqu'au XXe s. ; lat. *beneficus,* bienfaisant.

benêt V. BÉNIR.

bénévole fin XIIIe s., rare jusqu'au XIXe s. ; lat. *benevolus,* bienveillant. Le sens de « favorable » est vieilli et s'est vu substituer à la fin du XIXe s. le sens de « à titre gracieux ». || **bénévolement** 1557, Ph. Bugnon. || **bénévolat** v. 1950. || **bénévolence** fin XIIe s.

bengali 1760, Brisson, « oiseau originaire du Bengale » ; mot hindi.

bénin 1160, Benoît (*bénigne*) ; masc. refait au XVe s., *Chron. de Boucicaut ; remède bénin,* XVIe s. ; lat. *benignus,* bienveillant, favorable (jusqu'au XVIIe s.). || **bénignement** 1190, Garn. || **bénignité** XIIe s., *Drame d'Adam ;* usuel jusqu'au XVIIe s.

béni-oui-oui v. 1950 ; ar. *beni,* « les fils ».

***bénir** Xe s., G. (*beneïr*) ; lat. *bĕnĕdīcere,* dire du bien, de *bene,* bien, et *dicere,* dire ; le sens « glorifier Dieu » est chez Apulée (IIe s.) ; en lat. chrét. « bénir les fidèles ». L'anc. part. passé *benoit* ou *beneit* (XIIe s.), du lat. *bĕnĕdīctus,* a été éliminé au profit de *béni,* refait sur l'infinitif au XVIIe s. La distinction entre *bénit* (*pain bénit, eau bénite*) et *béni, -ie,* d'emploi plus général, date du XIXe s. ; *eau bénite de cour,* 1493, Coquillart. || **bénisseur** 1863, H. de Villemessant. || **benoîte** 1545, Guéroult, fém. de *benoît.* || **benoîtement** 1863, L. || **bénitier** 1281, Delb. (*benoitier* ou *eau benoitier*). || **bénédiction** XIIIe s., G. (*-dicion*), rare jusqu'au XVIe s. ; lat. chrét. *benedictio,* qui a remplacé la forme pop. *beneïçon,* ou *benisson.* || **benêt** 1530, Marot (*benest*) ; pron. pop. de *benoît,* béni, formation ironique d'après le passage de l'Évangile (Matthieu, v, 3) : « Heureux les pauvres d'esprit. » || **rebénir** XIIIe s., Adenet.

benjamin fin XVIIe s., Saint-Simon ; du nom de *Benjamin,* fils préféré de Jacob.

benjoin 1515, Du Redouer (*-jin*) ; altér. du lat. bot. *benzoe,* de l'ar. *lubân-djâwi,* encens de Java, qui a donné aussi *benzine.*

benne, benoît V. BANNE, BÉNIR.

benthos fin XIXe s. ; gr. *benthos,* profondeur, par l'intermédiaire de l'allemand. || **benthogène** 1918. || **benthoscope** milieu XXe s.

benzine 1833, Mitscherlich ; lat. bot. *benzoe* (v. BENJOIN). || **benzène** 1835. || **benzénique** 1878, Lar. || **benzoate** 1787, Guyton de Morveau. || **benzoïque** 1787, Guyton de Morveau. || **benzol** fin XVIIIe s. || **benzyle** fin XVIIIe s. || **benzolisme** XXe s. (1953, Lar.).

béotien 1715, Lesage ; nom d'habitants d'une région de l'ancienne Grèce, réputés pour leur lourdeur d'esprit. || **béotianisme** 1834, Balzac. || **béotisme** 1835, Sainte-Beuve.

béquet V. BEC.

béquille 1611, Cotgrave ; de *béquillon* (XVIe s.), petit bec, p.-ê. sous l'influence de l'anc. fr. *anille,* béquille (lat. pop. **anaticula,* bec de canard). La traverse supérieure de la béquille a été comparée à un bec à cause de chacun de ses saillants. || **béquiller** début XVIIe s. ; 1841, Esnault, « manger ». || **béquillard** v. 1650. || **béquillon** 1580, de La Porte.

***ber** ou **bers** fin XIIe s., *Saint Thomas,* « berceau » (jusqu'au XVIe s.) ; lat. pop. **bertium* ou *bercium,* d'origine gauloise, attesté par le dér. *berciolum* (VIIIe s.), qui a donné l'anc. fr. *berçuel.* || **berceau** 1472, *Compte royal,* qui a éliminé *bers* dès le XVIIe s. || **bercer** 1155, Wace. || **bercement** XVIe s. || **berceur** 1859. || **berceuse** 1835, *Acad.,* « chanson ». (V. BERCELONNETTE.)

***bercail** 1379, J. de Brie (*-cal*) ; mot normanno-picard, du lat. pop. **bĕrbĭcalis* (avec changement de suffixe), de **berbix, -icis,* brebis (v. BREBIS).

berce 1366, dans Barbier ; mot de l'Est qui paraît d'origine germanique (allem. *Bartzch,* dialectal *berz,* myrtica, plante des terrains marécageux).

berceau V. BER.

bercelonnette 1787, *Mém. secrètes* ; de *berceau.* Dans la var. *barcelonnette,* le *a* est une pron. pop. (cf. *dartre*), conservée par l'attraction du nom de la ville de *Barcelone.*

berceur, berceuse V. BER.

béret 1819, Boiste (*-rret*) ; béarnais *berret,* de l'anc. prov. *berret,* bonnet, du bas lat. *birrum* (IVe s., saint Augustin), capote à capuchon, peut-être gaulois.

bergamasque milieu XVIe s., « danse, air de danse », rare jusqu'au XIXe s. ; ital. *bergamasca,* adj. substantivé de *Bergamo,* Bergame, nom de la ville d'où la danse est originaire.

bergamote 1536, Rab., « variété de poire » ; 1694, P. Pomey, « fruit du bergamotier » ; XVIIe s., « essence qu'on en tire » ; de l'ital. *bergamotta,* du turc *beg-armâdé,* poire du seigneur, ou de *Bergama,* nom turc de la ville de *Pergame.* || **bergamotier** début XIXe s.

1. ***berge** 1380, G. (*berche*), « rive » ; lat. pop. **barĭca,* d'origine gauloise (cf. gallois *bargod,* bord).

2. **berge** arg., « année », 1836 ; du tzigane *berj.*

3. **berge** V. BARQUE.

***berger** début XIIe s., G. (*berchier*) ; lat. pop. **vĕrbēcarius* (VIIIe s., *Gloses de Reichenau*), de *bĕrbēx,* brebis. || **bergère** XIIe s., G. ; 1746, La Morlière, « fauteuil » ; 1752, Trévoux, « coiffure ». || **bergerot** XVIe s. || **bergerie** XIIe s. (*-cherie*) ; XVIe s., « poème ». || **bergeronnette** XIIIe s., « oiseau ». || **bergerade** 1845.

berginisation 1929, Lar. ; du nom de l'inventeur *Bergius* (1884-1949), industriel et chimiste allemand.

bergsonien 1905, Péguy. || **bergsonisme** 1906 ; de *Bergson.*

béribéri 1617, Mocquet (*berber*) ; 1752, Trévoux (*béribérii*) ; mot d'une langue du sud de l'Inde par le Hollandais Bontius (dans un livre en latin, 1642).

berk ou **beurk** v. 1960, onom.

berkélium 1950, Seaborg ; de *Berkeley,* ville des États-Unis où se trouvait le cyclotron qui permit de découvrir ce métal.

***berle** v. 1450 ; bas lat. *berŭla* (Vᵉ s., Marcellus Empiricus), cresson, d'orig. gauloise.

berline début XVIIIᵉ s., Saint-Simon (*breline*) ; 1721, Trévoux (*berline*) ; du nom de *Berlin,* où cette voiture fut mise à la mode vers 1670. || **berlingot** 1740, *Acad.,* « demi-berline ».

berlingot début XVIIᵉ s., « bonbon » ; ital. *berlingozzo,* de *berlengo,* table, en argot ital. (ce mot a donné *brelan*), c'est-à-dire bonbon fait sur une table.

berlue XIIIᵉ s., G. (*bellue*) ; 1536, N. de Troyes (*berlue*) ; déverbal de *belluer,* éblouir (XIIIᵉ s.), d'origine obscure, p.-ê. du préfixe péjor. *bes-* et d'un dér. de *lux, lucis,* lumière. || **berlurer** 1958, Simonin « rêver » ; 1973, Audiard « tromper » ; avec infl. de *lurette.* || **éberluer** XVIᵉ s., G.

berme 1611, Cotgrave (*barme*) ; néerl. *berm,* talus ; terme de fortification.

bermuda v. 1960 ; du nom des îles *Bermudes.*

bernache 1532, Du Guez (*barnacle*) ; 1611, Cotgrave (*bernaque*), « petite oie » ; irlandais *bairneach.* Il a désigné aussi l'anatife, d'après une croyance pop. (Écosse) qui fait naître l'oiseau de l'anatife, dont la partie saillante ou manteau rappelle le bec de l'oie. La var. *bernacle* indique un croisement avec *bernicle.*

bernardin début XVIᵉ s. ; du nom de *Saint Bernard.*

bernard-l'ermite 1560, Paré ; orig. languedocienne ; surnom facétieux (parce que ce crustacé se loge dans une coquille vide).

1. **berne** 1533, Rab., « couverture, brimade » (sens utilisé jusqu'au XVIIᵉ s.) ; dér. de *brener* ou *berner,* vanner le blé. || **berner** début XVIᵉ s., « faire sauter dans une couverture » (sens qui s'est maintenu jusqu'au XVIIᵉ s.) ; XVIIᵉ s., « tromper, duper ». || **bernement** 1661, Molière. || **berneur** 1664, Chevalier.

2. **berne** milieu XVIIᵉ s., mar. ; orig. obscure, p.-ê. néerl. *berm,* repli.

berner V. BERNE 1.

bernicle 1742, Dezailliers d'Argenville ; mot de l'Ouest, du breton *bernic,* sorte de coquillage.

bernique 1743, Trévoux (*-nicle*) ; p.-ê. de *bren* ou *bran,* ordure.

berquinade 1865, Baudelaire ; de *Berquin* (1747-1791), auteur d'ouvrages moraux pour les enfants. Signalé chez Monselet d'après Guérin. || **berquinisme** 1844, Balzac.

berrichon début XVIIIᵉ s. ; de *Berry.*

bersaglier 1866, Lar. ; ital. *bersagliere,* tirailleur, de *bersaglio,* cible.

berthe début XIXᵉ s., « pèlerine » ; du nom propre *Berthe.*

berthon 1899, Lar. ; du nom de l'inventeur ; petit canot pliant en toile imperméable.

bertillonnage 1909, Lar. ; procédé d'anthropométrie créé par *A. Bertillon* (1853-1914).

béryl XIIᵉ s., *Marbode ;* lat. *beryllus,* du gr. *bêrullos.* || **béryllium** 1838.

berzingue (à tout) v. 1930 ; de *à, tout* et une var. dial. de *brindezingue.*

be(s)- préfixe d'orig. lat. (lat. *bis,* deux fois) entrant dans la composition de quelques mots, à côté de la forme savante *bis ;* il a pris souvent une valeur péjorative en anc. fr.

***besace** XIIIᵉ s., *Règle du Temple ;* bas lat. *bisaccia,* plur. pris comme fém., de *bisaccium,* de *bis* et *saccus,* c'est-à-dire double sac (v. BISSAC). || **besacier** 1524, Farel, encore au XVIIᵉ s. (La Fontaine).

***besaiguë** V. AIGU et BISAIGUË.

***besant** 1080, *Roland ;* lat. *bysantium,* monnaie de Byzance. || **besanté** XIIIᵉ s.

besef 1861, Esnault ; mot sabir, de l'ar. algérien *bezzâf,* beaucoup.

bésicles 1328, *Inv. de Clémence de Hongrie* (*béricle*) ; déformation de *béril* (v. BÉRYL), d'après *escarboucle ;* le béryl a servi à faire des loupes ; il s'est appliqué aux verres de lunettes, puis aux lunettes elles-mêmes.

bésigue début XIXᵉ s. ; orig. inconnue.

besogne V. BESOIN.

besoin 1050, *Alexis ;* pl. début XIXᵉ s. ; Bastiat, sens social ; le sens de « nécessité » se rencontre encore au XVIIᵉ s. ; francique **bisŭnnia* (forme gotique attestée), représentant le rad. de *soin* et le préfixe germ. *bi-*, auprès (allem. *bei*). || **besogne** début XIIe s., *Couronn. Loïs*, « pauvreté, nécessité » ; « travail, souci » (sens qui se sont maintenus jusqu'au XVIIe s.) ; forme fém. de *besoin*. || **besogner** XIIe s., « être dans le besoin ». || **besogneux** 1050, *Alexis*, qui est dans le besoin. || **embesogné** 1160, Benoît.

***besson** XIIIe s., *Livre de jostice* ; lat. pop. **bĭsso, -onis*, de *bis*, deux fois.

bestiaire, bestial, bestiole, bestion V. BÊTE.

bestourné XIIe s. ; de *bes-*, particule péjor., et de *tourner*.

best-seller 1948, Lar. ; mot angl. signif. « le mieux vendu » (*the best*, le mieux, [*to*] *sell*, vendre).

1. **bêta** 1953, Lar., nom donné à certains rayons ; de la lettre grecque β. || **bêtatron** 1936, avec suffixe *-tron*, empr. à *électron*. || **bêtathérapie** XXe s. || **bêtabloquant** v. 1970.

2. **bêta, bétail** V. BÊTE.

***bête** 1080, *Roland* (*beste*), n. f. ; 1763, Diderot, adj. ; lat. pop. *bĕsta* (lat. *bestia*), attesté chez Fortunat (VIe s.) et par le dér. *bestula*. || **bêta** 1584, Du Monin, mot enfantin avec pron. pop. du suffixe *-ard*. || **bêtasse** XIXe s. || **bêtasserie** v. 1900. || **bébête** 1834, Balzac. || **bêtement** XIVe s. || **bêtifier** 1777, Beaumarchais. || **bêtification** 1804, Stendhal. || **bêtise** 1512, Seyssel. || **bêtisier** 1959, Lar. || **bétail** 1213, *Fet des Romains* (*bestail*) ; de *bête* avec un suffixe de collectif. || **bétaillère** v. 1900. || **bestiaux** 1418, Caumont ; anc. fr. *bestial*, du lat. *bestia*. || **bestiaire** 1495, J. de Vignay (*bestiare*), « gladiateur » ; lat. *bestiarius*. || **bestiaire** 1119, Ph. de Thaon, « recueil de récits sur les animaux » ; adj. lat. *bestiarius*, substantivé (*-arium*), spécialisé en lat. médiéval. || **bestial** 1165, Marie de France ; lat. impérial *bestialis*. || **bestialement** XIIe s. || **bestialité** 1361, Oresme. || **bestialiser** XIXe s. || **bestiole** fin XIIe s., *Apocalypse* ; lat. *bestiola*, dimin. de *bestia*. || **bestion** 1540, Macé, « petite bête », qui subsiste encore au XVIIe s. || **abêtir** 1420, A. Chartier. || **abêtissement** 1552, Aneau, rare jusqu'au XIXe s. (1842, J.-B. Richard). || **embêter** 1794, *le Père Duchesne*. || **embêtement** fin XVIIIe s. || **embêtant** 1830, Monnier.

bétel 1515, Du Redouer (*beteille*) ; 1572, Des Moulins (*betel*) ; hindi *vettila*, par le port. *betel*.

bétoine XIIe s., G. ; lat. *bettonica* ou *vettonica*, de *Vettones*, peuple de Lusitanie ; plante utilisée autrefois en médecine.

***bétoire** début XVe s. (*beteurre*) ; lat. pop. **bĭbĭtoria*, abreuvoir, de *bibere*, boire.

béton fin XIIe s., *Aliscans* (*betun*), « boue, gravats » ; 1584, G. Bouchet, « mélange de mortier et de cailloux » ; 1635 (*beton*), avec changement de suffixe ; lat. *bitumen*, qui sera repris sous la forme *bitume*. || **bétonner** début XIXe s. ; sport, 1959, Lar. || **bétonnage** 1959, Lar., en bâtiment et sport. || **bétonnière** 1873. || **bétonneuse** v. 1940.

bette XIIe s., G. ; lat. *beta*. || **blette** var. de *bette*, XIVe s. ; lat. *blitum*, même sens, ou attraction de *blet*. || **betterave** 1600, O. de Serres. || **betteravier** 1839, H. Fonfrède, qui a remplacé *betteraviste*.

bétuline 1836, Raymond ; lat. *betulla*, bouleau. || **bétulacées** 1842, *Acad.*

bétyle 1586, Le Loyer ; lat. *baetylus*, du gr. *baitlos*, d'orig. sémitique ; pierre sacrée, adorée par les Anciens comme une idole.

beugler XIIe s. (*bugler*) ; 1611, Cotgrave (*beugler*) ; altér. onomatop. de l'anc. fr. *bugle*, bœuf, du lat. *buculus*, jeune bœuf. || **beuglement** 1539, R. Est. (*bu-*). || **beuglant** 1860, *les Étudiants*, « cabaret ». || **beuglante** début XXe s., chanson, protestation.

beur v. 1980 ; de *arabe* en verlan, avec subst. de voyelle.

***beurre** XIIe s. (*burre*), forme de l'Est ; XVe s. (*beurre*) ; 1821, Ansiaume, *faire son beurre* ; lat. *butyrum*, du gr. *bouturon*. || **beurrer** 1220, Coincy (*burrer*). || **beurrage** 1815, *Pâtissier royal parisien*. || **beurré** 1537, Delb., « poire ». || **beurrée** 1585, N. Du Fail. || **beurrerie** 1826, Mozin, bot. ; 1836, Raymond, fabrique de beurre. || **beurrier** 1270, G. (*burrier*). || **babeurre** 1606, Nicot, « bâton à battre le beurre », de *bat*(*tre*) et *beurre* ; 1611, Cotgrave, « liquide », de *bas* et *beurre*.

beuverie V. BOIRE.

bévatron 1954 , Lar. ; de *BeV*, unité valant 1 milliard d'électronvolts, et de *-tron*, suffixe tiré de *électron*.

bévue 1642, Oudin ; de *bé*(*s*), préfixe péjor., et de *vue*.

bey 1432, G. de Lannoy (*bay*) ; 1532, Baïf (*bey*) ; turc *beg* (ou *bey*), seigneur. || **beylical** 1887 ; de *beylik*. || **beylicat** 1922, Lar.

beylisme 1912, L. Blum ; de *Beyle,* nom de Stendhal ; déjà en 1812 chez Stendhal lui-même.

bezef V. BESEF.

bézoard 1314, Mondeville (*bezar*) ; 1605, H. de Santiago (*bezoard*) ; port. *bezuar,* du persan *pâdzehr,* pierre à venin, cette concrétion étant employée comme antidote.

bi-, bis- préfixe issu du lat. *bis,* deux fois, dont la productivité limitée se maintient depuis l'ancien français.

biais XIIIe s. ; anc. prov. *biais,* du gr. *epikarsios,* oblique, introduit par les colonies grecques de Provence. || **biaiser** 1402, *Chron. de Boucicaut,* « aller de biais » (sens que l'on rencontre encore au XVIIe s.). || **biaisement** 1574, Amyot. || **biaiseur** 1669, Méré.

bibelot 1432, Baudet Hérenc ; orig. onomatop. ou redoublement expressif *bel-bel,* avec addition de suffixe (*beubelet,* XIIe s., *Saint Thomas*). || **bibelotier** 1481, *Comptes de la Prévôté.* || **bibeloter** 1859, Larchey. || **bibeloteur** 1880, Larchey. || **bibeloterie** 1468. || **bimbelot** 1549, R. Est., var. de *bibelot.* || **bimbelotier** 1467, G. || **bimbeloterie** 1468, Chastellain.

bibendum 1910 ; lat. *bibere,* boire ; à l'origine, nom d'une figure publicitaire pour les pneus Michelin.

biberon 1301, Delb., « goulot » (sens conservé jusqu'au XVIe s.) ; XVe s., *Sermon joyeux,* « ivrogne » ; lat. *bibere,* boire. || **biberonner** fin XIXe s. || **biberonneur** XXe s.

1\. **bibi** 1832, *Journ. des femmes,* « petit chapeau de femme » ; redoublement expressif, p.-ê. lié à *bibelot,* ou à *bijou.*

2\. **bibi,** « moi », 1832 ; p.-ê. même formation que le précédent.

bibine début XIXe s., « mauvaise boisson » ; 1862, Hugo, « cabaret » ; altér. de l'ital. *bibita,* boisson.

bibion 1771, Schmidlin ; lat. *bibio, -onis,* insecte mal déterminé (Afranius, cité par Isidore de Séville).

bible XIIe s., Herman de Valenciennes ; lat. eccl. *biblia,* du gr. *biblia,* les livres (sacrés). || **biblique** 1623, Garasse.

biblio-, gr. *biblion,* livre. || **bibliobus** 1930, *journ.,* avec suffixe *-bus.* || **bibliographe** 1665, *Journ. des savants* ; gr. *graphein,* décrire. || **bibliographie** 1633, Naudé. || **bibliographique** 1778. || **bibliomane** 1660, G. Patin ; gr. *mania,* folie. || **bibliomanie** 1654, G. Patin. || **bibliophile** 1740, de Brosses. || **bibliophilie** 1845. || **bibliophilique** 1835, Balzac. || **bibliométrie** début XXe s. || **bibliopole** 1787, Féraud. || **bibliothèque** 1493, G. ; lat. *bibliotheca,* du gr. *bibliothêkê,* endroit où l'on place les livres. || **bibliothécaire** 1518, G. || **bibliothéconomie** 1839, Constantin. || **bibliotechnie** XXe s.

bibus début XVIIe s., Scarron ; altér. plaisante de *bibelot* d'après la finale latine *-bus.*

bicamérisme 1843 ; de *bis,* deux fois, et du lat. *camera,* chambre. || **bicaméral** 1898, Lar.

bicéphale début XIXe s., Barthélemy ; de *bis,* deux fois, et du gr. *kephalê,* tête.

biceps 1562, Paré ; adj. lat. *biceps,* à deux têtes, le muscle ayant deux attaches supérieures.

bicêtre V. BISSEXTE.

***biche** début XIIe s., *Voy. de Charlemagne* (*bise*) ; av. 1747, Caylus, « femme entretenue » ; forme normanno-picarde, du lat. pop. **bistia,* du lat. *bestia,* bête. || **bichette** XIIe s., G. (*bissette*). || **bicherie** 1863.

bicher, bichet V. BEC, PICHET.

bichlamar début XXe s. ; port. *bicho do mar,* bête de la mer (angl. *beach la mar*) ; sabir du Sud-Est asiatique.

bichon 1588, Crespet ; abrév. de *barbichon,* chien barbet. || **bichonner** 1690, Sénecé. || **bichonnage** 1782, Mercier.

bickford 1888, Lar. ; du nom de l'inventeur de ce cordon fusant utilisé pour mettre le feu à des explosifs.

bicoque 1522, bataille de La Bicoque, « petite forteresse », jusqu'au XVIIe s. ; XVIe s., « maison chétive » ; ital. *bicocca,* même sens.

bicorne, bicot, bicycle, bicyclette V. COR, BIQUE, CYCLE.

bidasse av. 1914 ; du nom désignant un simple soldat dans la chanson *Avec l'ami Bidasse.*

bidet 1534, Rab., « âne » ; 1550, « pistolet de poche » ; 1751, *Dépenses de Mme de Pompadour,* « meuble de toilette » ; anc. fr. *bider,* trotter (XIVe s.), d'orig. inconnue. || **bidoche** 1829, Esnault, arg. milit. ; déformation de *bidet.*

bidon XVe s., O. Basselin ; du scand. *bida,* vase, ou du gr. médiév. *pithôn,* tonneau. || **bide**

fin XIXe s., abrév. || **bidonner (se)** fin XIXe s., pop., rire. || **bidonville** 1956, Lar., quartier fait de maisons construites avec des matériaux divers et formant des taudis dans la périphérie des centres urbains.

bidule v. 1940, « désordre » ; 1951, Esnault, sens actuel ; picard *bidoule,* mare boueuse, d'orig. inconnue.

***bief** 1155, Wace (*biez*) ; lat. pop. **bĕdŭm,* d'orig. gauloise, signif. « canal, fossé ». || **béal** même rac. avec le suffixe lat. *-ale.*

bielle milieu XVIe s., « manivelle » ; 1684, Guiffrey, sens mod. ; esp. *bielda,* fourche pour vanner le blé, du lat. *ventilare.* || **biellette** 1921, *Science et Vie.*

***bien** Xe s., *Saint Léger,* adv. et n. m. ; lat. *bĕne,* adv. || **bien-aimé** 1417, *D. G.* || **bien-aise** 1833, S. Gay. || **bien-dire** 1593. || **bien-disant** XIIIe s. || **bien-être** 1555, Pasquier ; 1848, Cabet, sens social. || **bien-faire** XIIIe s. (usuel jusqu'au XVIIe s.). || **bienfait** 1138, *Saint Gilles,* part. passé substantivé. || **bienfaiteur** XIIe s., Herm. de Valenciennes ; lat. *benefactum,* bienfait ; il a remplacé *bienfacteur,* usuel encore au XVIIe s. || **bienfaisant** XIIe s., *Fierabras.* || **bienfaisance** XIVe s., rare ; 1725, abbé de Saint-Pierre. || **bien-fondé** 1866. || **bien-fonds** 1803. || **bienheureux** 1190, *Saint Bernard.* || **bienheureusement** XIIe s. || **bien pensant** 1798, *Acad.* || **bienséant** fin XIIIe s., Rutebeuf. || **bienséance** 1532, Rab. || **bienveillant** XIIe s. ; de l'anc. part. prés. *vueillant,* de *vouloir.* || **bienveillamment** v. 1850. || **bienveillance** 1180, Marie de France. || **bienvenir** 1583, Gauchet. || **bienvenu** XIIe s., Guill. le Maréchal, part. passé de *bienvenir.* || **bienvenue** 1271, *Rec. d'actes.*

biennal, bienséance, bienséant, bientôt V. AN, SÉANT, TÔT.

1. **bière** 1080, *Roland,* « cercueil » ; francique **bĕra,* civière pour les morts, même rac. que l'all. *Bahre.*

2. **bière** 1429, lettre de rémission, « boisson » ; néerl. *bier.* Elle a remplacé la cervoise, faite sans houblon.

***bièvre** XIIe s., « castor » ; bas lat. *bĕber, bĕbris* (VIe s., Priscien), mot d'origine gauloise (cf. les noms de rivières *Bièvre, Beuvron,* etc.) ; la même rac. existait en germ.

biffer 1576, Ménard ; anc. fr. *biffe* (XIIIe s.), étoffe rayée ; p.-ê. de la même famille que *rebiffer* ; le sens de *biffe* s'est déprécié aux XVe-XVIe s., « chiffon, objet sans valeur ». || **biffure** 1863, L. || **biffin** 1836, Larchey, « chiffonnier », sur la valeur péjor. de *biffe,* étoffe rayée ; en arg. milit., « fantassin », à cause du sac. || **biffe** 1878, Rigaud ; de *biffin.* || **biffeton** ou **bifton** arg., 1860.

bifide 1772, Rousseau ; lat. *bifidus,* fendu en deux, de *findere,* fendre.

bifteck 1735, *Cuis. mod.* (*beff stek*) ; 1806, Viard (*bifteck*) ; angl. *beefsteak,* tranche de bœuf.

bifurquer 1560, Paré, resté scientifique jusqu'au XIXe s. || **bifurcation** *id.* Les deux mots ont pris une valeur particulière en ce qui concerne les voies de communication ; puis, au XXe s., sens étendu.

bigame 1270, A. de la Halle ; lat. chrét. *bigamus* (VIIe s., Isid. de Séville), du gr. *digamos,* de *di-,* deux fois, et *gamos,* mariage. || **bigamie** 1370.

bigarade 1600, O. de Serres (*orenger bigarrat*) ; 1651, N. de Bonnefons (*bigarrade*) ; prov. mod. *bigarrado,* bigarré. || **bigaradier** 1751, *Encycl.*

bigarrer XVe s. (*bigarré*) ; anc. fr. *garre,* de deux couleurs, d'orig. obscure, sans doute germ. || **bigarreau** fin XVIe s. || **bigarrure** 1530, Palsgrave.

bige 1704, Trévoux ; lat. *biga,* char à deux chevaux. || **quadrige** 1667, Chapelain ; lat. *quadriga,* de *jugum,* joug.

bigle 1471, *Lettres de Louis XI* ; déverbal de *biscler,* loucher, d'orig. obscure, p.-ê. du lat. pop. **bisŏcŭlare,* de *bis,* deux fois, et *oculus,* œil. || **bigler** XVIe s. (*biscler*) ; 1642, Oudin (*bigler*). || **bigleux** v. 1900.

bignone 1751 ; de *Bignon,* bibliothécaire de Louis XV. || **bignoniacées** 1816, A. de Candolle.

bigophone 1888, Lar. ; du nom de *Bigot,* l'inventeur, et du gr. *phônê,* voix. || **bigophoner** fam., 1954, Tachet.

bigorne 1389, G. (*-gorgne*), marteau ; prov. **bigorn* (non attesté au Moyen Âge) ; 1628, *Jargon,* « argot » (ce sens fig. subsiste jusqu'au XIXe s.) ; lat. *bicornis,* à deux cornes. || **bigorneau** 1423, G., techn. ; 1530, Palsgrave, « coquillage » ; dimin. de *bigorne.* || **bigorner** XVIIe s., techn. ; fin XIXe s., « battre, tuer » ; p.-ê. repris au prov.

bigot 1155, Wace, surnom injurieux adressé aux Normands ; XVe s., « dévot » ; d'un juron anc. angl. *bî god,* par Dieu (*Godon,* Anglais,

XIVe s., de *god-dam*) ; *bigot* est aussi un surnom (XIe-XIVe s.). || **bigoterie** 1461, *Cent Nouvelles nouvelles.* || **bigotisme** 1646, Du Lorens.

bigoudi 1852, à Genève ; orig. obscure, p.-ê. altér. de *bigotière,* bourrelet pour friser la moustache.

1. **bigre** V. BOUGRE interj.

2. **bigre** 1462, Du Cange, « garde qui entretenait les ruchers » ; lat. médiév. *bigrius* (XIIe s.), issu du francique **bîkeri,* gardien d'abeilles.

bigue 1494, G. ; prov. *biga,* poutre ; spécialisé dans le vocabulaire de la marine.

biguine v. 1935 ; mot antillais.

bihoreau 1314, Gace de la Bigne (*buhoreau*) ; 1555, Belon (*bi-*) ; orig. obscure, le premier élément paraissant représenter le lat. *buho,* hibou ; oiseau vivant dans les marais.

bijou 1460, Lobin, *Hist. de Bretagne ;* breton *bizou,* anneau, de *biz,* doigt. || **bijoutier** 1675, Retz, « qui aime les bijoux » ; 1701, « marchand de bijoux ». || **bijouterie** XIVe s.

Bikini 1946, n. déposé ; du nom d'un atoll du Pacifique.

bilan 1584, Thevet ; ital. *bilancio,* balance.

bilboquet V. BILLE 1.

bile 1539, Canappe ; lat. *bilis.* || **biliaire** 1687, Duncan, le deuxième *i* d'après *bilieux.* || **bilieux** 1538, Canappe ; lat. *biliosus.* || **bileux** 1901, Bruant, réfect. pop. || **biler (se)** 1894 ; de *bile.* || **biligénie** 1953, Lar. || **bilirubine** 1865. || **biligenèse** 1905, Lar. || **biliverdine** 1856.

bilharzie milieu XIXe s. ; du naturaliste *Bilharz* (1825-1862), qui étudia cette maladie en 1851. || **bilharziose** 1906.

bilingue V. LANGUE.

bill 1669, Chamberlayne ; angl. *bill,* du fr. *bille ;* boule de plomb attachée à certains actes et acte lui-même.

billard V. BILLE 1.

1. ***bille** [d'arbre] XIIe s. (*billa,* en lat.) ; XIVe s. (*bille*) ; lat. pop. **bīlia,* tronc d'arbre, d'orig. gauloise. || **billette** 1304, Gay. || **billot** 1360, *Modus.* || **bilboquet** 1534, Rab. (*bille boquet*) ; de *bouquer,* verbe de l'Ouest signif. « frapper, écorner », de *bouc.* || **billard** 1399, Douet d'Arcq, « bâton pour pousser les boules » (bâton recourbé en terme de chasse) ; 1558, « bâton à pousser les boules du jeu », « table de jeu » ; par attraction homonymique, il a été senti comme un dér. de *bille,* petite boule. || **billardier** XVIIIe s. || **billebaude (à la)** 1676, Sévigné, « en désordre » ; de *bille,* boule, et de l'anc. fr. *baut,* hardi, fier ; d'abord un terme de jeu (« à la bille hardie »). || **billon** 1270, A. de la Halle, « lingot » ; XVIIIe s., « crête entre deux sillons » ; de *bille.* Le sens de « lingot » est dér. d'un anc. sens de *bille* (XVIe s., *argent en bille*) ; il est devenu « monnaie altérée (par alliage) », puis « monnaie de bronze ». || **billonner** 1356, *D. G.,* « trafiquer les monnaies » ; début XVIIIe s., sur le sens agricole. || **billonnage** fin XVIe s., J. Bodin, « altération des monnaies » ; 1716, *Déclaration du 8 févr.,* au sens agricole.

2. **bille** [petite boule] 1164, Chr. de Troyes ; p.-ê. francique **bikkil,* dé, ou autre emploi du précédent (par *biller,* frapper la boule avec un bâton).

billet milieu XVe s. ; *billet doux,* XVIIIe s., Voltaire, d'après le sens de « missive » ; forme masc. de *billette* (1389, G.), altér. de l'anc. fr. *bullette,* de *bulle,* par attraction de *bille ;* ou p.-ê. de *bille* 1 (de bois), le *billet* étant à l'origine un bâtonnet. || **billet de banque** V. BANQUE.

billette V. BILLE 1 ou BILLET.

billevesée XVe s., *Farce de Badin ;* pl., 1540, Rab. (*billes vezées*) ; mot de l'Ouest qui paraît représenter *beille,* boyau (lat. *bŏtŭlus*), et *vezée,* soufflée (auj. *veze,* cornemuse).

billion 1484, Chuquet, « milliard » ; de *million,* avec substitution de la particule *bi-,* deux fois, à la syllabe initiale. || **trillion,** « mille milliards », *id.* || **quatrillion** *id.* (*quadr-*).

billon, billot V. BILLE 1.

biloculaire 1771, Trévoux ; de *bis,* deux fois, et du lat. *loculus,* loge.

bimane, bimbelot, bimestriel V. BIPÈDE, BIBELOT, SEMESTRE.

binaire 1554, J. Peletier ; lat. impér. *binarius* (IIIe s., Lampridius), de l'adj. *bini,* qui s'applique aux objets formant paire. || **binarisme** XXe s. || **binarité** 1869.

binard 1668 ; origine obscure, p.-ê. de *biner ;.* chariot à quatre roues.

biner XIIIe s. ; prov. *binar,* du lat. pop. **binare,* refaire deux fois (lat. *bini*), appliqué au travail de la vigne. || **binette** 1651, N. de Bonnefons, « outil ». || **binage** 1611, Cotgrave.

binette début XIXe s., « perruque Louis XIV » ; 1844, Esnault, « figure » ; p.-ê. du nom de

Binet, coiffeur de Louis XIV, ou de *bobinette,* ou de *trombinette,* ou encore du rad. *bin-,* « à deux éléments ».

bingo 1944 ; mot angl., p.-ê. de *bing,* onomat.

biniou 1799, Chambry (*beniou*) ; 1832, Jal (*biniou*) ; mot breton.

binocle 1677, *Journ. des savants,* « jumelles » ; 1827, *Journ. des dames,* « lorgnon » ; lat. scient. *binoculus* (1645, le P. de Rheita), de *bini,* deux fois, et *oculus,* œil. || **binoclard** 1885, Vallès. || **binoculaire** fin XVIIe s.

binôme 1554, J. Peletier, *Algèbre ;* adapt. du lat. médiév. *binomium* (XIIe s., Gérard de Crémone), de *bi-* et du gr. *onoma,* nom. Le circonflexe vient de *monôme.* || **monôme** 1701, Furetière ; fin XIXe s., *monôme d'étudiants ;* lat. *mononomium,* avec contraction, du gr. *monos,* seul, et *onoma,* nom. || **trinôme** 1690, Furetière. || **quadrinôme** 1554, J. Peletier. || **polynôme** 1697, Lagny ; gr. *polus,* plusieurs.

bin's ou **binz** 1893, Esnault, « latrines » ; v. 1970, « désordre » ; apocope de (*ca*)*binets.*

bio-, gr. *bios,* vie. || **biobibliographie** fin XIXe s. || **biochimie** 1842. || **biochimiste** 1920. || **biodégradable** 1966. || **bioénergie** 1975. || **biogéographie** 1907, Lar. || **biographe** fin XVIIe s. || **biographie** 1721, Trévoux ; gr. *graphein,* décrire. || **biographier** 1832, Marin. || **biographique** 1800. || **biologie** 1802, Lamarck. || **biologique** 1836, Raymond. || **biologiste** 1830, Raymond. || **biométrie** 1842, *Acad.* || **bionique** 1958 ; angl. *bionics,* formé sur *biology* et *electronics.* || **biophysique** 1920. || **biopsie** 1879, Garnier ; gr. *opsis,* vue. || **biorythme** 1972. || **biosphère** 1842, *Acad.* || **biosynthèse** 1960, Lar. || **biotechnie** 1853, Lachâtre. || **biotechnologie** 1980. || **biothérapie** 1929, Lar. || **biotope** 1947. || **biotropisme** 1960, Lar.

biotite 1866, Lar. ; du nom de *Biot* (1774-1862).

bipartie 1361, Oresme ; lat. *bipartitus,* coupé en deux. || **bipartition** 1751, *Encycl.* || **bipartisme** 1948, Lar.

bip-bip v. 1957, onom. pour désigner le signal acoustique du premier satellite artificiel (soviétique).

bipède 1598, Marnix ; lat. *bipes, -edis,* qui a deux pieds (lat. *pes, pedis*). || **bimane** 1770, Buffon ; créé sur *bipède* (lat. *manus,* main).

bipenné 1721, Trévoux ; de *bis,* deux fois, et du lat. *penna,* plume.

bique 1509, Haton, terme familier qui tend à éliminer *chèvre* dans les régions rurales de la moitié nord de la France ; altér. de *biche* par *bouc.* || **biquet** 1339, *Archives.* || **biquette** 1570, R. Belleau. || **bicot** XIXe s., dim. péjor.

birbe 1836, Vidocq, « vieux mendiant » ; 1861, Larchey, « vieillard », argot ; ital. *birbo,* chenapan.

biribi 1719, Voltaire, « jeu italien » ; 1861, Gaboriau, « compagnies de discipline de l'Afrique du Nord », associé à l'idée de « justice » comparée à un jeu de hasard ; ital. *biribisso,* jeu de hasard.

birloir 1694, Ménage, « tourniquet » ; p.-ê. mot dial., de même rac. que le piémontais et le lombard *birlar,* tournoyer, du lat. **virolare,* tourner.

biroute 1914, « pénis » ; p.-ê. de mots rég. désignant la tarière : *biro, birou.*

1. **bis** adj., 1080, *Roland* (*bise,* fém.) ; orig. inconnue, sans doute prélatine. || **bisaille** XVIIe s. || **biset** 1555, Belon, « pigeon sauvage de couleur grise ». || **bise** 1558, Rondelet ; de *bis,* champignon. || **biser** 1690, Furetière, « noircir ». || **bisette** 1836, Raymond, « macreuse ».

2. **bis** adv., 1690, Furetière ; lat. *bis,* deux fois. || **bisser** 1820, *Observ. des modes.* || **biseau** XVe s. || **biseauter** 1743, Trévoux. || **biseautage** 1863, L. || **biser** 1751, *Encycl.,* « reteindre ».

bisaiguë 1751, *Encycl.* (*bizègle*) ; ital. du Nord *bisegolo,* du lat. pop. *biseca,* à deux tranchants (de *secare,* couper) ; confondu avec *besaiguë.* (V. AIGU.)

bisbille 1677, Duillier, « murmure » ; 1694, Ménage, « dispute » ; ital. *bisbiglio,* murmure.

biscaïen 1689, Trévoux ; 1752, « mousquet à longue portée, balle » ; début XIXe s., Stendhal, « petit boulet » ; de *Biscaye,* où cette arme fut d'abord employée.

biscotte 1807, *Alman. des gourmands,* masc. d'abord, puis fém. à cause de sa finale ; ital. *biscotto,* même sens que *biscuit.* || **biscotin** 1680, Richelet ; ital. *biscottino,* diminutif. || **biscotterie** XXe s.

biscuit 1175, Chr. de Troyes (*bescuit*) ; XIIIe s. (*biscuit*) ; de *bes-* (lat. *bis,* deux fois) et *cuit ;* 1751, porcelaine. || **biscuiterie** fin XIXe s. || **biscuiter** 1845.

1. **bise** début XIIe s., *Voy. de Charl.*, « vent du nord-est » ; francique **bisia* (anc. haut allem. *bisa*) ou moins probablement lat. *aura bisa,* vent noir.

2. **bise** V. BIS 1 et *biser,* à BAISER.

biseau, biser V. BIS 2, BAISER et BIS 1.

1. **bisette** V. BIS 1.

2. **bisette** 1327, Gay, « passementerie d'or et d'argent, dentelle » ; anc. fr. **biseter,* sertir, p.-ê. du moyen bas allem. *bisetten* ou *besetten,* garnir, ou de *bis* adj.

bismuth 1597, J. Bodin (*bisse-*) ; lat. des alchimistes *bisemutum* (1529), de l'allem. *Wismuth,* mot de l'Erzgebirge (Saxe) où ce métal fut d'abord exploité.

bison XIVe s. ; lat. *biso, -ontis* (Pline, Sénèque), d'origine germ.

1. **bisque** 1600, Malherbe, « potage » ; orig. obscure.

2. **bisque** 1576, J. Le Houx, terme de jeu ; orig. inconnue, sans doute de *Biscaye.*

bisquer 1706, Brasey ; p.-ê. prov. *bisca,* de *bico,* bique, c.-à-d. « faire enrager ». || **bisque** v. 1850, « colère ».

bissac 1440, Ch. d'Orléans ; de *bis-* (deux fois) et de *sac.*

bisse 1694, Th. Corn., hérald. ; ital. *biscia,* serpent.

bissectrice V. SECTEUR.

bissel 1857, essieu de locomotive ; du nom de son inventeur, ingénieur américain.

bissextile 1549, J. Peletier (*-estil*) ; bas lat. *bisextilis* (VIIe s., Isid. de Séville), de *bisextus,* deux fois sixième jour intercalaire, le sixième avant les calendes de mars, doublé tous les quatre ans dans le calendrier julien. || **bissêtre** ou **bicêtre** 1611, Cotgrave (*bissêtre*), « malheur », c'est-à-dire « jour de malheur » ; de *bissexte* (XIIIe s., *Comput*), anc. forme de *bissextile,* ce jour étant considéré comme néfaste.

bistoquet 1691, Regnard, « masse de billard » ; lat. *bis,* deux fois, et *toquer,* heurter.

bistorte 1256, Ald. de Sienne ; lat. bot. *bistorta,* deux fois tordue, à cause de la conformation de la racine.

bistouille fin XIXe s., Bruant ; mot du Nord, p.-ê. de *bis,* deux fois, et *touiller,* remuer.

bistouri 1462, Du Cange (*-orie*), fém., « poignard » ; 1564, Paré, chirurgie ; p.-ê. de *Pistoia,* nom de ville italienne (cf. *pistolet,* lancette de chirurgien, chez A. Paré). || **bistouriser** XVIIe s.

bistourner 1175, Chr. de Troyes ; réfection de *bestourner,* du préf. *bis,* deux fois, et de *tourner.* || **bistournage** 1836, Landais.

bistre 1503, J. Lemaire ; orig. inconnue. || **bistré** début XIXe s. || **bistrer** 1834, Balzac.

bistro ou **bistrot** 1884, Moreau (*Souvenirs de la Roquette*), précédé de *bistingo* (1856, Goncourt), mot obscur apparenté à *bistouille* ou du poitevin *bistraud,* petit domestique, marchand de vin. || **bistrote** 1914, Esnault. || **bistroquet** 1926, Cendrars ; de *bistro* et *troquet.*

bit 1959 ; mot anglo-amér., de *binary digit,* « unité discrète de système binaire ».

bitord 1694, Th. Corn. ; de *bis,* deux fois, et du lat. *tortus,* tordu ; cordage mince en marine.

bitte 1382, texte de Rouen, mar. ; fin XIXe s., sens pop. ; anc. scand. *biti,* poutre transversale de navire. || **bitter** 1643, Fournier, mar. ; 1844, sens pop. ; écrit aussi *biter.* || **bittable** ou **bitable** XXe s. || **bitture** ou **biture** 1515, mar. ; *prendre une bitture,* 1842, La Bédollière, « s'enivrer », d'abord langue des marins. || **biturer (se)** 1834, Esnault.

bitter 1840, Briffault, « liqueur » ; néerl. *bitter,* amer (qui a donné *pitre* au XVIIIe s.). La liqueur vient de Hollande.

bitume 1130, *Eneas* (*betumoi*) ; 1549, Tagault (*bitume*) ; lat. *bitumen,* qui a donné aussi *béton.* || **bitumer** av. 1545, Fonteneau. || **bitumier** 1803, Boiste. || **bitumage** 1866, Lar. || **bitumineur** 1844, *Vrais Mystères de Paris.* || **bitumeux** fin XIIIe s. || **bitumineux** début XIVe s. ; lat. *bituminosus.*

biture V. BITTE.

biveau 1568, G. (*buveau*), « instrument de tailleur de pierre » ; de **baïvel,* dér. de l'anc. fr. *baïf,* béant, de *baer,* ouvrir la bouche.

bivouac 1650, Ménage (*bivoie*) ; allem. de Suisse *Bîwacht,* patrouille supplémentaire de nuit, de *bî,* auprès de (allem. *bei*), et *Wacht,* garde. || **bivouaquer** 1792, Marat (*bivaquer*).

bizarre 1558, Des Périers (*bigearre,* encore au XVIIe s.) ; ital. *bizarro,* de l'esp. *bizarro,* brave, p.-ê. du basque *bizar,* barbe (symbole de la force). || **bizarrement** 1594, *Satire Ménippée.* || **bizarrerie** 1555, L. Labé. || **bizarroïde** v. 1920.

bizut ou **bizuth** 1843, Esnault ; du français du XVIe s. *bisogne,* jeune recrue d'origine espagnole. || **bizutage** v. 1945. || **bizuter** *id.*

blabla ou **blablabla** 1929, Claudel ; de *blaguer,* ou formation onomat. exprimant le bavardage incessant. || **blablater** 1952, Esnault. || **blablateur** 1952, Esnault.

blache 1842, *Acad.,* « variété de chêne », « type de plantation » ; mot dialectal, du gaulois **blacca,* jeune pousse.

black-bottom v. 1920 ; mot anglo-amér. signif. « fond noir » et désignant vers 1915 le quartier noir de certaines grandes villes, puis une danse.

blackbouler 1834, Mérimée (*black-bull*) ; 1838, Balzac (*blackboller*) ; angl. (*to*) *blackball,* rejeter avec une boule noire. || **blackboulage** 1866, H. de Villemessant.

black-out v. 1940 ; mot angl. signif. « obscurité totale ».

black-rot 1878, *Journ. d'agriculture ;* mot angl. signif. « pourriture noire ».

blafard XIVe s., J. Bruyant ; moyen allem. *bleichvar,* de couleur pâle, avec substitution de finale.

blague début XVIIIe s. ; dial., « vessie » (Boulonnais), puis « blague à tabac » ; 1809, Cadet de Gassicourt, « mensonge » ; néerl. *blagen,* se gonfler. || **blaguer** 1808, d'Hautel. || **blagueur** 1808, d'Hautel (même évolution dans « prendre des vessies pour des lanternes »).

blair V. BLAIREAU.

blaireau 1312, G. (*blarel*) ; anc. fr. *blaire, bler,* tacheté (le blaireau a une tache blanche à la tête), du francique **blārī,* confondu sans doute avec un mot gaulois ; a remplacé l'anc. fr. *taisson* (v. TANIÈRE) ; 1751, « pinceau en poil de blaireau ». || **blaireauter** début XIXe s., techn. || **blair** début XIXe s., abrév. de *blaireau,* d'après le museau allongé. || **blairer** 1914, Esnault, « sentir », surtout dans l'expression pop. fig. *ne pas pouvoir blairer quelqu'un.*

***blâmer** 1080, *Roland* (*blasmer*) ; lat. *blastemare* (*blastema,* dans une inscription), du lat. chrét. *blasphemare,* blasphémer, du gr. *blasphêmein ;* le sens s'est affaibli en passant dans la langue courante. || **blâme** 1080, *Roland ;* déverbal de *blâmer.* || **blâmable** 1260, Br. Latini.

blanc 1080, *Roland,* adj. ; *les Blancs,* 1791, polit. ; n. m., XVIe s., « point de mire » ; n. f., 1694, Th. Corn., note de musique ; francique **blank,* brillant (allem. *blank*), qui a remplacé le lat. *albus* (v. AUBE). || **blanc-bec** 1752. || **blanc-étoc** v. 1850 ; de *étoc,* du francique **stok,* souche, et ital. *stocco.* || **blanc-manger** XIIIe s., fabliaux. || **blanc d'œuf** XVe s., qui a remplacé *aubun* (*aubin*), issu du lat. *albumen.* || **blanc-seing** 1573, Barbier, qui a été précédé de *blanc-signé* (1454, Barbier). || **blanchir** 1220, Coincy, qui a eu aussi jusqu'au XVIIe s. le sens d'« échouer » ; v. 1980, *blanchir de l'argent.* || **blanchissage** 1539, R. Est. || **blanchiment** début XVIIe s. || **blanchissement** 1600, O. de Serres. || **blanchisseur** 1339, J. Richard (*-quisseur*) ; 1611, Cotgrave (*blanchisseur*) ; 1847, « avocat ». || **blanchisserie** 1671. || **blanchâtre** 1372, Corbichon. || **blanchaille** 1694, *Acad.* || **blancherie** 1636, Monet. || **blanchement** fin XIVe s. || **blanchard** XIIIe s., *Frégus.* || **blanchet** fin XIIe s. || **blancheur** XIIe s. || **blanchoyer** 1080, *Roland.* || **reblanchir** XIVe s.

blandice fin XIIIe s. ; lat. *blanditia,* de *blandus,* caressant ; employé surtout au plur.

blanque 1532, Rab. ; ital. *bianca,* adj. f., blanche, d'apr. la couleur du billet perdant.

blanquette 1600, O. de Serres, « vin blanc » ; prov. mod. *blanqueto,* adj. f. substantivé, dimin. de *blanc.* || **blanquette** [de veau] 1735, *Cuis. mod. ;* dimin. de *blanc.*

blanquiste 1871, G. Lefrançais ; d'*A. Blanqui* (1805-1881). || **blanquisme** 1870, L. Veuillot.

blaps fin XIIIe s. ; lat. des naturalistes, du gr. *blaptein,* nuire ; insecte noir vivant dans les lieux obscurs.

blaser 1608, Régnier, « user » (par les alcools) ; 1743, Trévoux, « émousser par des impressions fortes » (cf. lillois *blasé,* bouffi par l'alcool) ; néerl. *blasen,* souffler (en argot, *blasé,* enflé, 1837, Vidocq). || **blasement** 1834, Balzac.

blason fin XIIe s., *R. de Cambrai,* « armoiries sur le bouclier », « bouclier » ; 1505, Gringoire, « éloge, critique » ; orig. obscure. || **blasonner** fin XIVe s., *Cent Nouvelles nouvelles ;* sens fig., « critiquer », encore au XVIIe s. || **blasonnement** 1664. || **blasonneur** XIVe s.

blasphème 1190, *Saint Bernard ;* lat. chrét. *blasphemia* (Tertullien), du gr. *blasphêmia.* || **blasphémer** fin XIIe s. ; lat. chrét. *blasphemare,* du gr. *blasphêmein.* || **blasphémateur** 1390, Ph. de Maizières. || **blasphématoire** 1516, P. Desrey. (V. BLÂMER.)

blasto-, gr. *blastos,* germe. || **blastoderme** 1824 ; gr. *derma,* peau. || **blastogenèse** 1888, Lar. || **blastomère** 1877 ; gr. *mêros,* partie. || **blastomycètes** 1869, Sachs-Villatte ; gr. *mukês,* champignon. || **blastomycose** début XXe s.

blastula 1896, Carlet et Perrier ; diminutif du gr. *blastos,* germe.

blatérer milieu XVIIe s. ; lat. *blaterare,* pour exprimer le cri du chameau.

blatier V. BLÉ.

blatte 1534, Rab. ; lat. *blatta.*

blaude V. BLIAUD.

blazer début XXe s. ; angl. *blazer,* de (*to*) *blaze,* flamboyer, d'apr. les rayures à couleurs vives du vêtement.

blé 1080, *Roland* (*blet*) ; milieu XVIe s., « argent » ; francique **blad* ou gaulois **blato* (gallois *blawd*), farine, qui ont dû désigner d'abord toute céréale. || **blatier** 1268, É. Boileau ; formé sur un dimin. **blaet.* || **emblaver** 1242, *Cart. de Metz* (*anblavei*), avec un *v* intercalaire ; 1573, Du Puys (*emblaver*). || **emblavure** XIIIe s., *Établissements de Saint Louis* (*emblaüre*).

bled 1905, Esnault ; ar. algérien *bled,* terrain, pays. || **blédard** 1926, Esnault.

bleime n. f., 1665, Colbert ; mot wallon, du néerl. *blein,* ampoule ; irritation du talon du cheval.

blêmir 1080, *Roland* (*bles-*), « blesser » ou « (se) flétrir » ; 1546, *Palmerin d'Olive,* « devenir pâle » ; francique **blesmjan,* de *bless,* pâle (« rendre pâle »), ou scand. *blâmi,* bleuâtre. || **blême** XIVe s., déverbal. || **blêmissement** XIIe s.

blende 1751, *Encycl.* ; allem. *Blende,* minerai de sulfure de zinc.

blennie 1558 (*belenne*) ; gr. *blenna,* mucus, d'après la peau gluante de ce poisson (celui-ci a d'abord été désigné par le lat. scientifique *blennus*).

blennorragie fin XVIIIe s. ; gr. *blenna,* mucus, et *rhagê,* éruption. || **blennorragique** 1824.

blépharite XVIIIe s. ; gr. *blepharon,* paupière.

bléser début XIIIe s. ; anc. fr. *blois,* bègue, du lat. *blaesus.* || **blèse** 1866, Lar. || **blèsement** 1834, *Acad.* || **blésité** 1803, Boiste.

blesser XIe s., *Gloses de Reichenau* (*blecier*), « amollir en frappant » ; francique **blettjan,* meurtrir (anc. allem. *bleizza,* tache produite par une meurtrissure). || **blessant** 1145, G. || **blessure** 1138, *Saint Gilles* (*bleceüre*).

blet fin XIIIe s. (*blette*) ; même rac. que *blesser* (francique **blet,* pâle). || **blettir** début XIVe s. || **blettissement** 1826.

blette V. BETTE.

bleu début XIIe s. (*blef*) ; 1791, « républicain », à cause de la couleur de l'uniforme des soldats ; 1866, Delvau, « conscrit » ; *maladie bleue,* 1837 ; n. m., 1864, L., « coup » ; francique **blao* (allem. *blau*). || **bleuâtre** 1493, Delb. || **bleuet** 1380, *Invent. de Charles V* (*bluet*) ; 1549, Maignan (*bleuet*). || **bleuir** 1690, Furetière. || **bleuissage** 1852, Lachâtre. || **bleuissement** 1838, Raymond. || **bleuté** 1845. || **petit bleu** début XIXe s., « vin léger de Suresnes » ; 1882, *le Gaulois,* « dépêche », à cause de sa couleur. || **bleusaille** 1865, L., arg. milit.

bliaud 1080, *Roland* (*blialt*) ; p.-ê. orig. germ. || **blaude** 1566, Du Pinet ; var. dial. fém. de *bliaud.*

blinde 1628, *Traité d'artillerie* ; allem. *blenden,* aveugler. || **blinder** 1678, passé dans la marine (*blinder un navire*) ; 1953, Lar., en radio. || **blindé** n. m., v. 1938 ; adj., 1881, arg., « ivre ». || **blindage** 1752, Trévoux ; XXe s., milit.

blinis 1883 ; mot russe.

blizzard 1888, *J. O.* ; mot anglo-amér.

bloc XIIIe s., *Chron. de Rains,* bloc d'arbre ; néerl. *bloc,* tronc abattu ; 1813, Gattel, bloc de maisons, de l'angl. *block* ; 1866, Delvau, « salle de police ». || **bloc-cuisine** v. 1950. || **bloc-diagramme** 1959, Lar. || **bloc-moteur** 1909, *Omnia.* || **bloc-notes** 1888, Lar. ; angl. *block-notes,* feuillets formant bloc. || **bloc-eau** 1960, Lar. || **blochet** XVIe s., G. || **bloquer** av. 1450, Gréban, « mettre en bloc » ; 1578, d'Aubigné, « investir », repris à *blocus* ; 1880, chemin de fer, repris à l'angl. || **blocage** 1547, J. Martin. || **blocaille** 1549, R. Est. || **bloquette** 1867, Lar. || **brocaille** 1852, Lachâtre ; altér. de *blocaille.* || **débloquer** 1588, Vaultier, sens large ; 1754, *Encycl.,* imprim. ; 1948, Lar., pour un compte. || **déblocage** 1819, Boiste. || **débloquement** 1838, *Acad.*

block forme allem. ou angl. de *bloc.* || **blockhaus** fin XVIIIe s., *Mém. de Bourgogne* ; allem. *Blockhaus,* maison (*Haus*) à poutres (*Block*). || **bloc-système** 1874, Malézieux, « système du tronçon de ligne » ; angl. *block-system,* inventé par Tyer en 1852, introduit en Angleterre vers 1860.

blocus 1376, *Regestes de Liège* (*blochus*), « maison à poutres » ; 1507, « fortin » (*blocquehuys*) ; XVIIe s., « investissement d'une place forte » ; néerl. *blokhuis,* même mot que *blockhaus.* || **déblocus** 1835, Stendhal.

blond 1080, *Roland,* et, au fig., « susceptible » jusqu'au XVIIe s. ; p.-ê. germ. **blŭnd.* || **blondasse** fin XVIIe s., Saint-Simon. || **blondeur** fin XIIIe s. || **blondin** 1650, Loret, « jeune galant ». || **blondinet** 1842. || **blondir** fin XIIe s., Alex. de Paris. || **blondissant** 1554, Du Bellay. || **blondoyer** XIIe s.

blondin 1923, « benne à fond mobile pour le transport du béton » ; du nom de *Blondin,* qui effectua la traversée du Niagara dans une benne de ce type.

bloom 1774, *Descript. des arts et métiers ;* mot angl. signif. « lingot d'acier ». || **blooming** 1859, *Soc. ing. civils ;* mot angl. désignant un laminoir.

bloquer, bloquette V. BLOC.

blottir (se) 1552, Ch. Est., « se réfugier » ; p.-ê. bas allem. *blotten,* écraser. || **blottissement** 1870, Goncourt.

1. **blouse** fin XVIe s., Fauchet, « cavité », terme de jeu de paume ; origine obscure. || **blouser** 1654, La Martinière, terme de jeu ; 1680, Richelet, « tromper ».

2. **blouse** 1788, *Invent. de Lassicourt,* « vêtement des ouvriers et des paysans » (jusqu'au milieu du XIXe s.) ; fin XIXe s., « vêtement de femmes » aussi ; p.-ê. orig. germ. ou du lat. *bullosa,* gonflé, de *bulla.* || **blouser** v. 1925. || **blousier** 1852. || **blouson** v. 1907, Colette.

blousse 1752, Trévoux, prov. mod. (*lano*) *blouso,* laine dépouillée, du germ. *bloz,* nu.

blue-jean 1949 ; mot anglo-amér. signif. « treillis bleu », de l'angl. *blue,* bleu.

blues début XXe s., mus. ; abrév. de *blue-devils* (1862, *Journ. des dames*), « diables bleus », c'est-à-dire en fr. « idées noires ».

bluet (bleuet) V. BLEU.

bluette début XVIe s., B. de La Grise (*belluette*) ; 1530, Marot (*bluette*), « étincelle », jusqu'au XVIIe s. ; 1797, Beaumarchais, « ouvrage sans prétention » ; dim. probable de l'anc. fr. *bellue.* || **bluetter** 1564, Thierry. (V. BERLUE.)

bluff 1840, Balzac, terme de jeu ; 1895, Bourget, sens actuel ; mot anglo-américain. || **bluffer** 1884, Laun, *Traité de poker.* || **bluffeur** 1895, Bourget.

bluter 1170, *Rois* (*buleter*) ; moyen néerl. *biutelen,* bluter ; ou métathèse de *buleter,* var. de *bureter,* V. BURE. || **blutage** 1546, Rab. || **bluteau** XIIe s. (*buletel*) ; 1462, *Cent Nouvelles nouvelles* (*bluteau*). || **bluterie** 1325, J.-B. Richard (*buleterie*). || **blutoir** 1325, J.-B. Richard (*buletoir*).

boa 1372, Corbichon, « serpent » ; 1827, *Journ. des dames,* « fourrure » ; lat. *boa,* serpent aquatique.

bob v. 1950, coiffure ; mot angl.

bobard 1908 ; altér., par substitution de finale, de *bobeau,* mensonge (fin XVIe s., Baïf), de l'onomat. *bob,* croisée avec une formation ironique *beau-beau* (1536, Calvin).

1. **bobèche** 1335, Delb., techn. ; 1878, Rigaud, « tête » ; orig. inconnue, p.-ê. de l'onomat. *bob,* comme *bobiné.* || **bobéchon** XIXe s.

2. **bobèche** 1836, Raymond, « pitre » ; de *Bobino,* nom d'un joueur de parades sous la Restauration ; du rad. expressif *bob-.* || **bobinard** v. 1900 ; du nom *Bobino,* théâtre populaire parisien, issu du précédent.

bobelin 1379, J. de Brie, « chaussure grossière » ; orig. obscure, p.-ê. rac. onomatop. *bob* (aspect bouffi et difforme). || **embob(e)liner** 1585, Cholières, envelopper d'un vêtement, puis tromper, même rac. || **embobiner** 1842, Mozin.

bobine 1410 ; 1870, Poulot, « figure », « moue » ; 1917, *le Temps,* en cinéma ; rac. onomat. *bob.* || **bobiner** 1680, Richelet. || **bobinage** 1809, *Arch. des découvertes.* || **bobinette** fin XVIIe s., Perrault. || **bobinoir** début XIXe s. || **bobineau** début XIXe s.

bobo 1440, Ch. d'Orléans ; redoublement expressif d'une onomatopée.

bobsleigh 1898, *Vie au grand air ;* mot angl., de *sleigh,* traîneau, et (*to*) *bob,* se balancer.

bocage 1138, *Saint Gilles* (*boscage*) ; mot normanno-picard, de **bosc,* forme primitive de *bois.* || **bocager** 1560, Ronsard.

bocal 1532, Rab. ; ital. *boccale,* bas lat. *baucalis,* du gr. *baukalis.*

bocard 1741, d'Hérouville ; allem. *Pochhammer,* marteau à écraser. || **bocarder** 1741, d'Hérouville. || **bocardage** 1802, *Journ. des Mines.*

boche 1887, Verlaine ; apocope de *Alboche* (avant 1870), issu de *Allemoche,* formation argotique de l'Est faite sur *Allemand,* le *b* étant dû à *caboche* et *tête de boche* (tête de bois).

bock 1855, Goncourt ; abrév. de l'allem. *Bockbier,* bière très forte, sans doute déformation de *Einbeckbier* (bière d'Einbeck, ville d'origine), prononcé *Ambockbier* par les Munichois et compris *ein Bockbier* (bière au bouc) dans le reste de l'Allemagne.

body fin XXe s., justaucorps ; mot angl. signif. « corps ». || **body-building** 1980, sport.

boëtte ou **boitte** 1672, N. Denis (*bouette*), « déchets de poisson » ; breton *boued,* nourriture.

***bœuf** 1155, Wace (*buef*) ; *bœuf à la mode,* 1651, *Cuis. fr. ;* lat. *bos, bovis.* || **bouvet** 1305, G., dimin. de *bœuf ;* 1600, É. Binet, « rabot », par comparaison du rabot creusant la rainure avec le bœuf creusant le sillon. || **bouverie** fin XIIe s., Neckam (*boverie*). || **bouveteuse** 1929, Lar. || **bouvril** 1878, Lar. || ***bouvier** fin XIe s., *Lois de Guill.* (*boverz*) ; lat. *bovarius,* de *bos.* || **bouvillon** fin XIIe s., Neckam. || **bouvreuil** 1743, Trévoux, remplaçant *bouvreur* (1700, Liger) ; de **bouvereuil,* dimin. anc. de *bouvier,* par métaphore (il n'est pas exact que le bouvreuil suive le laboureur) ; dans l'O. et le S.-O., on l'appelle *bœuf* ou *petit bœuf.*

bof v. 1960, onom.

B. O. F. v. 1944 ; abrév. de *Beurre, Œufs, Fromages.*

bog 1863, L., jeu de cartes où le *bog* représente une case et une combinaison gagnante ; orig. obscure.

boghead 1857, *Année sc. et industr. ;* du nom d'un village d'Écosse où furent trouvés les gisements de cette houille.

boghei, boguey ou **buggy** 1799, *Doc.* (*bockei*) ; angl. *buggy,* sorte de cabriolet.

bogie ou **boggie** 1843, *Journ. des chemins de fer* (*bogie*) ; angl. *bogie,* mot dial. du Nord.

1. **bogue** 1562, Du Pinet, « poisson » ; prov. *boga,* du lat. *boca.*

2. **bogue** 1863, L., « anneau de fer » ; ital. du Nord *boga,* issu du longobard **bauga,* anneau.

3. **bogue** 1555, Belon, « enveloppe de châtaigne » ; 1598, Villamont, « enveloppe de graines » ; mot de l'Ouest, du breton *bolc'h,* capsule de lin.

bohème 1372, Corbichon, « habitant de la Bohême » ; 1694, *Acad.,* fig., « vie de bohèmes ». || **bohémien** 1467, Du Cange, « de Bohême » ; 1561, *Édit,* « nomade en roulotte ».

***boire** Xe s., *Saint Léger* (*bevvre*), devenu *boivre ;* n. m., fin XIIe s. ; lat. *bĭbĕre,* boire, avec les radicaux *buv-* ou *beuv-* (de *bevons* devenu *buvons*), *breuv-* (anc. infinitif *beivre, brev-*). || **beuverie** XIIe s. (*beverie*), qui semble avoir disparu au XVIIe s., pour être repris au XIXe s. || **buvable** XIIIe s., Legouais (*bevable*). || **buvée** 1220, Coincy (*bevée*). || **buvard** 1828, *Journ. des dames.* || **buvarder** v. 1900. || **buvette** 1539, R. Est., « petit vin » ; 1708, Furetière, « réunion où on boit » ; 1680, Richelet, « local ». || **buvetier** 1585, N. Du Fail. || **buveur** XIIIe s., G. (*beveor*) ; *buveur de sang,* qualificatif injurieux désignant les Montagnards après la Révolution. || **breuvage** fin XIIe s., *Loherains.* || **imboire** 1507, La Chesnaye des Bois ; refait sur *imbu ;* lat. *imbibere.* || **imbuvable** 1600, O. de Serres, « non buvable » ; XXe s., fig. || **imbu** 1460, Chastellain, « versé dans un vase » ; milieu XIVe s., fig. || **pourboire** 1740, de Brosses. || ***boisson** XIIIe s., R. de Blois ; bas lat. *bibitio* (VIIe s.), *bibitionis,* de *bibere.* || **boissonner** 1821, Cuisin. || **déboire** 1468, Chastellain, « arrière-goût d'une boisson », puis « arrière-goût désagréable » (jusqu'au XVIIIe s.) ; XVIe s., L., fig. || **boit-sans-soif** 1872.

bois 1080, *Roland,* « groupe d'arbres » ; d'un rad. *bosc-* (lat. *boscus,* Xe s., v. BOCAGE), d'orig. germanique (allem. *Busch,* buisson, XIe s.) ; le sens de « matière ligneuse », qui a éliminé l'anc. fr. *leigne* (lat. *lignum*), est ancien, et peut être dû à l'influence d'un radical voisin. || **boiser** 1671, « garnir avec du bois » ; 1829, « garnir d'arbres ». || **boisage** 1610, ms., « ensemble de boiseries » ; 1796, Duhamel, terme de mine. || **boisement** 1723. || **boiserie** fin XVIIe s., Saint-Simon. || **boiseur** 1796, *Journ. des Mines.* || **déboiser** 1842, Mozin. || **déboisement** 1842, Mozin. || **reboiser** 1845, Besch. || **reboisement** 1838, Milleret. (V. BOCAGE, BOQUETEAU, BOSQUET, BOUQUET, BÛCHERON, BUISSON.)

***boisseau, boisselage, boisselée, boisson** V. BOÎTE, BOIRE.

***boîte** XIIe s., *Roncevaux* (*boiste*) ; lat. pop. *bŭxida* (Xe s.), ou *buxita,* lat. class. *pyxis,* du gr.

puxis, boîte de buis (acc. *puxida*). || ***boisseau** 1268, É. Boileau (*boissiel*) ; du lat. pop. **buxitellum* ou *buxitielium,* ou, moins probablement, d'un rad. gaulois. || **boisselée** 1295, *Fabliau.* || **boisselage** 1389, G. || **boisselier** 1338. || **boissellerie** 1751, *Encycl.* || **boîtard** 1320, G. || **boîtier** milieu XIIIe s. || **boîtillon** 1788, *Encycl. méth.* || **déboîter** milieu XVIe s., « enlever de la boîte » ; 1870, Lar., « changer de file ». || **déboîtement** 1530, Palsgrave. || **emboîter** 1328, G. || **emboîtage** 1787, Le Gentil. || **emboîtement** 1606, Crespin. || **remboîter** 1307, Guiart. || **remboîtement** 1636, Monet.

boiter 1538, R. Est. (*boister*) ; de *boîte* (cavité d'un os) ou de *bot* (*pied bot*), influencé par *boîte.* || **boitement** 1539, R. Est. || **boiterie** 1803, Boiste. || **boiteux** 1226 (*boistous*). || **boitillement** 1866, Lar. || **boitiller** 1866, Lar.

boitte V. BOËTTE.

1. **bol** milieu XIIIe s. (*bole*), « pilule » ; lat. méd. *bolus,* du gr. *bôlos,* motte, bouchée. || **bolaire** 1771, Trévoux.

2. **bol** 1653, Mackenzie (*bowl*), « récipient » ; 1800, Boiste (*bol de ponche*) ; angl. *bowl.* || **bolée** 1885 (*bolée de cidre*).

bolchevik 1903, *Congrès du parti ;* mot russe signif. « qui adhère à la majorité du parti social-démocrate », opposé à *menchevik,* traduits avant la Première Guerre mondiale par *maximaliste* et *minimaliste.* || **bolcheviser** 1920, J. Maxe. || **bolchevisation** 1924. || **bolcheviste, bolchevique** 1917. || **bolchevisme** 1917.

boldo 1877, L. ; mot esp. désignant un arbuste du Chili.

bolduc 1868, Souviron ; altér. de *Bois-le-Duc,* appelée souvent *Bolduc* aux XVIIe-XVIIIe s., ville de Hollande où l'on fabriquait ce type de ruban.

boléro 1804, *Journ. des dames,* « chanson espagnole », « danse » ; fin XIXe s., « vêtement espagnol », « vêtement féminin » ; esp. *bolero,* danseur, puis danse, de *bola,* boule.

bolet début XIVe s. ; lat. *boletus,* champignon à pied charnu.

bolide 1548, Rab., « sonde » ; XVIe s., « jet, éclair, pierre tombée du ciel » ; XIXe s., « engin rapide » ; lat. *bolis, -idis,* n. f., du gr. *bolis, -idos,* sonde, jet, et en bas grec « éclair ».

bolivar 1819, *Observ. des modes ;* du nom de *Bolivar* (1783-1830), libérateur de l'Amérique du Sud ; ce chapeau haut de forme à larges bords était à la mode chez les libéraux, vers 1820.

bolomètre 1888, Lar. ; gr. *bolê,* trait, et *mètre ;* appareil électrique inventé par Langley en 1881.

bombagiste V. BOMBE 2.

bombance fin XIe s., *Lois de Guill.* (*bobance*), encore en 1642, chez Oudin ; 1530, Palsgrave (*bombance*), « orgueil, faste », puis « repas fastueux » ; du lat. *bombus,* bruit, acclamations, ou du rad. onomat. *bob-,* gonflé. || **bombe** fin XIXe s. ; abrév. de *bombance* ou esp. *bomba,* ébruité.

bombarde XIVe s., « machine de guerre » ; 1413, « instrument de musique » ; lat. *bombus,* bruit sourd. || **bombarder** 1515, Du Redouer, « lancer avec une bombarde » ; milieu XVIIIe s., « nommer » ; XXe s., repris par l'aviation. || **bombardement** 1697, Surirey, même évolution. || **bombardier** 1428, Chastellain ; 1951, Lar., aviation. || **bombardon** XIXe s., « instrument de musique ».

bombasin V. BASIN.

1. **bombe** [ripaille] V. BOMBANCE.

2. **bombe** 1640, Oudin, « projectile » ; 1807, *Alm. des gourmands,* « pâtisserie » ; ital. *bomba,* du lat. *bombus,* boulet. || **bombé** 1690, Furetière, d'apr. la forme de la bombe. || **bomber** 1701, Furetière. || **bombement** 1694, Th. Corn. || **bombagiste** 1878, Lar., « qui donne une forme courbe ».

bombyx 1508 (*bombiche*) ; 1593, Bauhin (*bombyx*) ; lat. *bombyx, -icis,* du gr. *bombux,* ver à soie.

***bon** Xe s. (*buon*) ; XIe s. (*buen*) ; *bon,* forme habituelle en position protonique, l'a emporté ; n. m., fin XVIIe s., Saint-Simon, finances ; lat. *bŏnus.* || **bonnement** XIIIe s., G. || **bonbon** 1604, G. d'Héroard, médecin du dauphin ; redoublement expressif de *bon.* || **bonbonnière** fin XVIIIe s. || **bonbonnerie** 1804, *Alm. des gourmands,* « commerce des bonbons ». || **bon-henri** 1545, Guéroult, horticulture. || **bonhomme** milieu XIIe s., « nom propre » ; XIVe s., « paysan » ; XVIe s., « homme de bien » (jusqu'au XVIIe s.) ; fin XIXe s., pl. pop. *bonhommes.* || **bonhomie** 1736. || **bonard** ou **bonnard** milieu XXe s. || **boni** XVIe s., *Cout. Saint-Omer,* jurid. ; lat. *aliquid boni,* quelque chose de bon. || **bonifier** milieu XVe s. ; lat. *bonificare ;* 1712, Barbier, financier, d'après *boni.* || **bonification** 1584, De Lurbe ;

1712, Barbier, financier. || **bonjour** XIIIe s., G., n. m. ; 1740, *Acad.*, formule de salutation par ellipse de *souhaiter le bon jour ;* XIXe s., a pris la place de *bonsoir* et se dit en s'abordant à n'importe quelle heure. || **bonne** 1708, Saint-Simon (*sa petite bonne*) ; au XVIIe s., on disait *ma bonne, ma chère bonne,* devenu ensuite un terme d'affection employé par les enfants à l'égard des domestiques. || **bonniche** 1863 ; de *bonne* avec un suffixe argotique. || **bon-papa, bonne-maman** 1822, termes enfantins. || **bonsoir** fin XVe s., O. de La Marche, n. m. ; 1524, *Sotie,* « formule de salutation, par ellipse de *souhaiter le bon soir* », s'employait quand on s'abordait après midi, auj. pour prendre congé. || **bonté** XIIe s., G. ; lat. *bonitas, -itatis.* || **bonus** 1930. || **bonus-malus** v. 1970. || **abonnir** fin XIIe s., R. de Moiliens. || **rabonnir** XIIIe s., G.

bonace fin XIIe s., *Mir. de Sardenai ;* prov. *bonassa,* du lat. pop. *bonacia,* réfection du lat. *malacia,* du gr. *malakia,* de *malakos,* mou, senti comme un dér. de *malus,* mauvais.

bonapartiste 1816, Courier, « partisan de l'Empire » ; de *Bonaparte.* || **bonapartisme** 1816, Courier.

bonard V. BON et BONNET.

bonasse fin XIIIe s., « calme » au propre et « débonnaire » au fig. ; XVIIe s., seul le second sens ; ital. *bonaccio,* (mer) calme. || **bonassement** 1770, Rousseau. || **bonasserie** 1840, Balzac.

bonbon V. BON.

bonbonne 1823, Lenormand ; prov. mod. *boumbouno,* du lat. *bombus,* gonflé (v. BOMBE 2).

bon-chrétien 1466, Baude ; lat. *poma panchresta,* calque du gr. *pankhrêston,* utile à tout, refait sur *christianus,* chrétien. Louis XI aurait donné ce nom à cette poire apportée d'Italie par saint François de Paule.

bond V. BONDIR.

bonde 1269, *Cart. Saint-Vincent de Laon,* « borne » ; 1373, trad. de P. Crescens, « trou d'écoulement » ; gaulois **bunda,* reconstitué d'apr. l'irlandais *bonn,* plante du pied, base ; ou lat. pop. **bombita* (v. BONDIR). || **bonder** 1483, Joubert ; 1835, *Acad.,* « remplir complètement ». || **bondon** fin XIIIe s., Macé de La Charité ; 1836, Landais, « fromage ». || **bondieu** 1819, Boiste, « coin en bois » ; de *bondail* qui l'a précédé au XIIIe s. (jusqu'au XVIe s.), dér. de *bonde* refait sur *bon Dieu.* || **débonder** XVe s., « ouvrir un tonneau » ; 1580, Montaigne, « épancher son cœur ».

bondieu V. BONDE.

bondieusard 1861, Vallès ; de *bon Dieu.* || **bondieuserie** *id.*

***bondir** 1080, *Roland,* « retentir » (jusqu'au XVIe s.), et « sauter » ; lat. pop. **bombitire* (IVe s.), var. de *bombitare,* fréquentatif de *bombire,* résonner, de *bombus,* bombe. || **bond** 1390, Chr. de Pisan ; déverbal de *bondir.* || **bondissant** 1512, J. Lemaire. || **bondissement** 1379, J. de Brie, « retentissement » (jusqu'au XVIe s.) ; 1547, Maudent, « action de faire un bond ». || **faux bond** XVIe s., terme de jeu de balle. || **rebondir** 1170, *Rois,* « retentir » ; XIIIe s., « sauter de nouveau ». || **rebondissement** 1395, Chr. de Pisan. || **rebond** fin XVIIe s., « contrecoup » ; XXe s., « rebond d'une balle ».

bondon V. BONDE.

bondrée 1534, espèce de buse ; breton *bondrask,* grive.

bonduc 1705, Trévoux ; ar. *bonduq,* mot hindi.

bongeau 1751, *Encycl.,* « couple de bottes de lin » ; anc. fr. *bonge,* botte (XIIIe s.), mot picard et wallon, du flamand *bondje,* faisceau, diminutif de *bond,* lien (allem. *Bund*).

bonheur, bonhomme, boni, bonifier V. HEUR, BON.

boniment 1827, *Cartouche,* argot ; de *bonnir,* dire (1828, Vidocq), « en dire de bonnes ». || **bonimenter** 1833, Larchey. || **bonimenteur** fin XIXe s. || **bonisseur** 1866, Delvau.

bonite 1525, A. Fabre ; mot du S.-O., du bas lat. *bonito(n),* espèce de thon, par l'interm. de l'esp. *bonito.*

bonjour, bonne V. BON.

bonnet 1160, *Charroi de Nîmes,* « étoffe à coiffure » ; 1401, « coiffure », au moment où l'usage du bonnet prit une grande extension ; *gros bonnet,* 1846, Reybaud ; lat. médiév. *abonnis* (VIIe s., *Loi salique*), p.-ê. d'orig. germ. || **bonard** 1791, *Encycl. méth. ;* suffixe *-ard.* || **bonnette** 1382, G., spécialisé par métaph. dans des sens techn. || **bonneter** 1550, Ronsard, « donner des coups de bonnet ». || **bonneterie** XVe s., *Métiers de Blois.* || **bonnetier** 1469, *Archives.* || **bonneteau** 1708, Fr. Michel, « petit bonnet », et arg. || **bonneteur** début XVe s., « filou » par métaphore. || **bonnichon** 1867,

Delvau, « petit bonnet », syn. ensuite de « bonard ».

bonniche, bonsoir, bonté, bonus V. BON.

bonze 1570, Belleforest ; port. *bonzo,* du japonais *bozu.* || **bonzerie** 1852, Lachâtre.

boogie-woogie v. 1940 ; mot anglo-amér., d'orig. obscure, désignant en 1930, à Chicago, une danse.

bookmaker 1855 ; mot angl. signif. « faiseur de carnets de paris » ; abrégé en *book* (1854).

boom 1885, Grancey ; mot anglo-amér. signif. « détonation » ; orig. onomat.

boomerang 1857, *Magasin pittoresque ;* mot angl. d'une langue indigène de l'Australie (*wo-mur-rang*).

booster 1934 ; mot anglo-amér. signif. « accélérateur ».

bootlegger 1928, Lar. ; mot anglo-amér. signif. « celui qui cache sa bouteille dans sa botte » (1889).

boots v. 1965 ; mot angl. signif. « bottes ».

boqueteau 1360, Froissart (*bosquetel*) ; de *boquet,* var. normanno-picarde de *bouquet.*

boquillon fin XIIe s., *Aliscans* (*bochillon*) ; forme picarde de **bosc-,* forme primitive de *bois.*

bora 1818, « vent d'hiver d'Adriatique » ; mot slovène de la même rac. que *bourrasque.*

borasse 1842, *Acad. ;* gr. *borassos,* datte.

borax 1256 (*borrache*) ; 1540, Rab. (*bourach*) ; lat. médiév., de l'ar. *bawraq,* lui-même du persan *būrak.* || **borate** 1787, Guyton de Morveau. || **boraté** 1826, Mozin. || **boracique** 1801, Brochant. || **bore** 1808, date de la découverte. || **borique** 1818, Riffault. || **boriqué** 1878.

borborygme 1560, Paré ; gr. *borborugmos.*

bord 1112, *Saint Brendan* (*bort*) ; 1866, Lar., polit. ; francique **bord,* bord de vaisseau. || **bordage** XVe s., G., « bord » ; 1669, La Fontaine, « action de border ». || **bordure** XIIIe s., G. || **bordée** 1546, Jal, en mar. ; *tirer une bordée,* 1833, Vidal. || **border** 1170, *Fierabras.* || **bordereau** 1493 (*bourdrel*) ; 1539, R. Est. (*bordereau*). Le rapport avec *bord* n'est pas clair : un relevé placé sur le bord, d'où bande de papier ou registre du *bordier.* || **bordier** 1687, Desroches, adj., mar., ou « qui borde un chemin ». || **abord** 1468, Chastellain, « action d'aborder » ; 1530, C. Bucher, plur. ; déverbal ; *d'abord,* XVIe s. || **abordable** 1542, Du Pinet. || **abordage** 1553, Belon, sens général ; 1634, Cleirac, mar. || **aborder** fin XIIIe s., Guiart, mar. || **abordeur** 1798, Kemna, mar. || **débord** 1558, J. Du Bellay ; déverbal. || **débordement** XVe s., G., « fait de déborder » ; 1654, G. de Balzac, fig. || **déborder** milieu XIVe s. || **inabordable** 1611, Cotgrave, « où on ne peut aborder » ; 1679, Retz, fig. || **plat-bord** 1606, Nicot, mar. || **rebord** 1642, Oudin, déverbal. || **reborder** 1476, Delb. || **rouge-bord** 1665, Boileau. || **transborder** 1812, Mozin. || **transbordement** 1812, Mozin. || **transbordeur** fin XIXe s. Le premier fut construit en 1898.

borde 1138, *Saint Gilles ;* francique **borda,* cabane de planches, rac. *bord-,* planche. || **bordel** XIIe s., « petite cabane » ; v. 1200, J. Bodel, « maison de prostitution », sens qui s'est imposé au XVIe s. ; prov. ou ital. *bordello,* remplaçant *bourdeau,* dér. de *borde.* || **bordelier** XIIIe s. || **bordélique** 1719, Gueudeville. || **bordéliser** v. 1950. || **bordier** fin XIe s., *Lois de Guill.,* « métayer ».

bordeaux 1800, Berchoux, « vin » ; du nom de la ville.

bordigue 1613, Nostredame ; prov. *bordiga,* sans doute d'orig. gauloise ; enceinte en clayonnage destinée à garder le poisson, au bord de la mer.

bordj 1820, Volney ; ar. *burdj,* fortin.

bore V. BORAX.

borée XVe s., « vent du nord » ; lat. *boreas,* du gr. || **boréal** 1495, J. de Vignay ; *aurore boréale,* 1640, Gassendi ; bas lat. *borealis* (Ve s., Avienus).

borgne 1180, Marie de France ; aussi sens de « louche » en anc. fr. ; sans doute d'une rac. prélatine *born-,* trou. || **bornoyer** 1240, G. de Lorris. || **éborgner** XIIe s., *Horn.* || **éborgnage** 1835, *Maison rustique.* || **éborgnement** 1600, O. de Serres.

borin ou **borain** 1803, Boiste ; de *bor(a)in,* du Borinage, mot wallon. || **borinage** 1864, L.

***borne** 1160, Benoît (*bodne*) ; var. *bosne, bonne,* d'où *abonner ;* 1539, R. Est. (*borne*) ; lat. médiév. *bodĭna, bŭtina,* arbre frontière (*Loi des Ripuaires* et *Gloses*) ou borne frontière (XIe s.), p.-ê. d'orig. gauloise ; le *r* du fr. peut s'expliquer par une forme du Midi, où le *d* latin serait devenu un *z,* passé à *r* devant *n.* || **borner** XIIe s. (*bonner*) ; XIVe s. (*borner*). || **bornage** 1260 (*bonnage*). || **aborner** XVIe s. || **abornement** 1611, Cotgrave. (V. aussi ABONNER.)

bornoyer V. BORGNE.

borraginacée 1775, Bomare (*-ginée*) ; lat. *borrago, -ginis,* bourrache.

borsalino v. 1930 ; du nom d'un chapelier italien.

bort 1899, Lar. ; angl. *bort,* sorte de diamant.

bortsch 1863 ; mot russe.

boscot 1808, d'Hautel ; altér. argotique de *bossu.* || **bossuer** 1564, J. Thierry. || **débosseler** 1838, *Acad.* || **débosser** 1683, Le Cordier. || **embosser** 1688, Ducasse. || **embossage** 1792, Romme.

bosel fin XVIe s., du Bartas ; ital. *bozzello,* de *bozzo, -a,* pierre en saillie, moulure, de même rac. que *bosse.*

bosquet fin XIIe s., *Aiol ;* ital. *boscetto,* petit bois (*bosco*).

boss 1869, Dixon ; anglo-amér. *boss,* patron, chef de parti, du néerl. *baas,* maître, patron.

bosse 1160, *Charroi de Nîmes* (*boce*) ; p.-ê. francique **bôtja,* coup, puis « tumeur provoquée par un coup », déverbal de *botan,* frapper (qui a donné *bouter*). || **bossage** 1627, techn. || **bosseler** XIIe s. || **bosselage** 1718, *Acad.* || **bosselure** 1560, Paré. || **bosser** début XVIe s., mar. ; de *bosse,* « cordage » ; 1878, Esnault, « travailler » (abrév. de *bosser du dos*), de « être courbé ». || **bossette** fin XIIe s., diminutif. || **bossoir** 1678, Guillet. || **bossu** 1138, *Saint Gilles,* qui a eu aussi le sens de « monstrueux » jusqu'au XVIIe s.

boston 1800, Boiste, « jeu » ; 1882, *la Vie élégante,* « danse » ; de la ville de *Boston.* || **bostonner** 1836, Balzac.

bostryche 1762 ; gr. *bostrukhos,* boucle de cheveux, à cause de son corselet couvert de poils.

bot XIIe s. ; germ. **butta,* émoussé, même mot que l'anc. fr. *bot,* crapaud.

botanique 1611, Cotgrave ; gr. *botanikê,* adj. f., de *botanê,* herbe, plante. || **botaniste** 1676, *Journ. des savants.*

bothriocéphale 1864 ; gr. *bothrion,* petite cavité, et *kephalê,* tête.

1. **botte** [de paille] fin XIIe s. ; moyen néerl. *bote,* touffe de lin. || **botteler** 1328, Delb. ; du diminutif *botel* (XIVe-XVIIe s.). || **botteleur** 1391, G. || **botteleuse** fin XIXe s., machine. || **bottelage** 1351, G.

2. **botte** fin XIIe s., *Aiol* (*bote*), « chaussure », même mot que le moyen fr. *bot,* sabot (XVe-XVIe s.) ; il a désigné d'abord une chaussure grossière ; orig. obscure, p.-ê. de *bot.* || **bottine** 1367, Delb., « jambière ». || **bottier** XVe s., Delb. || **bottillon** 1863, L. || **botter** XIIIe s. ; 1856, Flaubert, « convenir », pop. ; XXe s., « donner un coup de pied ». || **débotter** fin XIIe s., R. de Moiliens. || **débotté (au)** 1701, Furetière.

3. **botte** [d'escrime] fin XVIe s., Brantôme ; ital. *botta,* coup, de même rac. que *bouter.*

botteler, botter, bottier, bottine V. BOTTE 2.

botulique 1878, Littré ; gr. *botulos,* boudin (empoisonnement par viandes avariées). || **botulisme** 1879, *Journ. de méd.*

boubou 1866, Lar. ; nom du singe en malinké (langue de Guinée). Une coutume voulait que les arrière-grands-pères portent comme vêtement extérieur la peau d'un singe ; on a donné le nom de *boubou* au grand vêtement que portent les hommes dans l'habillement actuel.

boubouler 1829, Boiste ; onomat.

bouc début XIIe s. ; gaulois **bŭcco,* qui a éliminé le lat. *caper.* || **bouquin** 1459, Delb., « de la nature du bouc » (encore au XVIIe s.) ; 1549, R. Est., « vieux bouc » ; 1792, Trévoux, « livre ». || **boucage** 1701, Furetière, à cause de l'odeur de la plante. || **boucaut** 1268, É. Boileau, « outre en peau de bouc », puis « tonneau ».

1. **boucan** 1624, *les Ramoneurs,* « lieu de débauche » ; 1790, *Jean Bart,* « bruit » ; ital. *baccano,* tapage et lieu de débauche, du lat. *bacchanal,* avec infl. de *bouc* (symbole de la débauche) ; ou de *boucaner,* « faire le bouc ».

2. **boucan** 1578, J. de Léry, « viande fumée » ; du tupi-guarani *mukem.* || **boucaner** 1546, Rab. || **boucanage** 1845, Lachâtre. || **boucanier** v. 1650.

boucaut V. BOUC.

boucharde 1600, É. Binet ; p.-ê. forme francisée de *bocard,* sous l'infl. de *bouche.*

***bouche** 1050, *Alexis ;* lat. *bŭcca,* joue, bouche (dans la langue fam.), qui a éliminé *os, oris.* || **bouche-à-bouche** XIIe s. ; 1950, méd. || **bouchée** début XIIe s., « quantité d'aliments » ;

1810, *Alm. des gourmands,* « pâtisserie » ; peut remonter au lat. pop. || **boucheton (à)** XVe s., Du Cange. || **aboucher** XIVe s., *Miracles de N.-D.,* « faire tomber sur la bouche » ; XVIe s., « adresser la parole, mettre en rapport ». || **arrière-bouche** 1826, Mozin. || **déboucher** 1539, R. Est., « sortir d'un lieu resserré ». || **débouché** n. m., 1723, Savary. || **débouchoir** 1754, *Encycl.* || **emboucher** 1273, *Cart. de Pontieu* (*emboukié*). || **embouchoir** 1558, Des Périers. || **embouchure** 1360, Froissart, « orifice » ; début XVIIIe s., mus.

1. **boucher** 1272, Joinville ; anc. fr. *bousche,* touffe d'herbe, de paille, propr. « fermer avec une touffe », du lat. pop. **bosca,* même rac. que *bois.* || **bouché** 1690, Fur., fig. || **boucheur** 1550. || **bouche-trou** fin XVIIe s., terme de peint. ; 1781, Beaumarchais, sens actuel. || **bouchoir** 1553, Delb. || **bouchon** fin XIIIe s., Rutebeuf, « buisson » ; fin XIVe s., « bouchon à baril » ; 1598, G. Bouchet, « cabaret », de la touffe de feuillage qui servait d'enseigne ; 1842, *Français peints par eux-mêmes,* XVIIe s., fig., caresse, d'après *bouchonner ;* XXe s., circul. autom. || **bouchonnement** 1852, Lachâtre. || **bouchonner** XVe s., « chiffonner » ; XVIIe s., fig., « caresser ». || **bouchonnier** 1763, *Encycl.* || **déboucher** fin XIIIe s., Joinville, « enlever ce qui bouche ». || **reboucher** début XVe s.

2. **boucher** n. m., fin XIIe s., *Aiol* (fém. *bouchiere*) ; de *bouc,* c'est-à-dire celui qui vend de la viande de bouc, qui a éliminé l'anc. fr. *maiselier* (lat. *macellarius*). || **boucherie** 1190, *Huon de Bordeaux ;* 1512, J. Lemaire, fig.

bouchon V. BOUCHER 1.

bouchot XIVe s., « parc pour emprisonner le poisson » ; mot poitevin, lat. médiév. *buccaudum,* du lat. pop. **buccale,* de *bucca,* bouche (prov. *boucau*). || **bouchoteur** 1866, Lar.

***boucle** fin XIe s., « bosse de bouclier » ; XIIIe s., « anneau métallique » ; XVIIe s., fig., « boucle de cheveux » ; lat. *buccula,* petite joue, de *bucca,* joue. || **bouclage** 1841, Esnault, « mise sous clé » ; 1960, *le Monde,* milit. || **bouclette** XIIe s., G. de Saint-Pair, « petit anneau ». || **boucler** 1440, G., « munir d'un anneau » ; 1546, Rab., « enfermer » ; 1835, à propos des cheveux ; 1960, milit. || **bouclement** 1658, Thévenin. || **bouclerie** 1268, É. Boileau. || **déboucler** 1160, Benoît (*desbo-*), « enlever la bosse du bouclier ». || **reboucler** XVIIe s.

bouclier 1080, *Roland* (*bucler*) ; XIIIe s. (*boclier*), avec changement de suffixe ; abrév. de *escu bocler,* bouclier garni d'une bosse, du lat. pop. **buccularis,* de *bucca.*

boucon fin XIIIe s., « bouchée » (jusqu'au XVIe s.), et par euphémisme « poison », jusqu'au XVIIe s. (*Acad.,* 1694) ; ital. *boccone,* bouchée.

bouddhisme 1824, Senancour ; de *Bouddha.* || **bouddhique** 1831, Klaproth. || **bouddhiste** 1782, Sonnerat.

bouder XIVe s., *Passion ;* sans doute formation expressive remontant p.-ê. au lat. *bulla,* bulle. || **bouderie** 1690, Furetière. || **boudeur** 1680, Richelet. || **boudoir** début XVIIIe s., formation ironique.

boudin 1268, É. Boileau ; orig. obscure, p.-ê. du rad. onomat. *bod-,* idée d'enflure : le premier sens semble être celui de « enflé » (anc. fr. *boudine,* gros ventre, nombril). || **boudiné** milieu XVIIIe s. || **boudiner** début XIXe s. || **boudinage** 1842, *Acad.* || **boudineuse** 1877. || **boudinière** 1669, Widerhold.

boue 1170, *Rois* (*boe*) ; gaulois **bawa* (gallois *baw*). || **boueux** adj., fin XIIe s., R. de Moiliens. || **boueur** n. m., 1563, Delb. ; 1808, d'Hautel, pron. pop. *boueux.* || **bouillasse** fin XIXe s. ; de *boue* et *bouillie.* || **ébouer** 1864, *Presse scientifique.* || **éboueur** 1870, Lar., qui s'est substitué dans le vocabulaire administratif à *boueur.*

bouée fin XIVe s. (*boue*) ; 1483, Garcie (*bouée*) ; rac. germ. *bauk-,* signal (anc. haut allem. *bouhhan ;* néerl. *baken,* bouée).

bouette V. BOËTTE.

bouffe 1791, *Encycl. méth.* (*scène buffe*), mus. ; 1824, Carmouche (*opéra bouffe*) ; ital. *buffo,* plaisanterie, dans *opera buffa.* || **bouffon** 1530, Marot ; ital. *buffone,* de même rac. || **bouffonner** 1549, Rab. || **bouffonneur** 1580, de La Porte. || **bouffonnerie** 1539, Cl. Gruget.

bouffer fin XIIe s., *Tristan,* « souffler en gonflant ses joues » (jusqu'au XVIIe s.) ; XVe s., « gonfler » ; XVIe s., pop., « manger gloutonnement en gonflant ses joues », d'après *bouffeur* (glouton) ; forme expressive d'orig. onomatop. (**buff,* gonflé). || **bouffant** fin XVe s., *Anc. Poés. fr.* || **bouffée** XIIe s., *Conquête de Jérusalem.* || **bouffette** [de soie] 1409, G. || **bouffarde** 1821, Ansiaume. || **bouffarder** *id.* || **bouffir** 1265, J. de Meung. || **bouffi** 1546, Rab. || **bouffissure** 1582, Liébault. || **bouffe** 1611, gonflement des joues ; début XXe s., « nourriture » ; déverbal de *bouffer.* || **bouffetance** v. 1930, fam. || **boustifaille** 1819, Balzac, à côté de *boustiffer ;* altér. expressive de *bouffaille,* dér. de *bouffer.* || **boustifailler** 1867, Delvau.

bouffon V. BOUFFE.

bougainvillée 1806, Wailly ; du nom du navigateur *Bougainville.*

***bouge** XIIe s., *Huon de Roteland,* « partie bombée ou concave d'un objet » ; XIIIe s., *Merlin,* « local de décharge » (fém. XIVe-XVIIe s.) ; XIIIe s., *Renart,* « échoppe » ; XVIIIe s., Voltaire, « logement misérable » ; p.-ê. même mot que *bouge* (fém., « sac de cuir », XVe s.), du lat. *bŭlga,* d'orig. gauloise.

***bouger** 1150, G., lat. pop. **bŭllicare,* bouillonner, de *bullire,* bouillir. || **bougeotte** 1852, Lachâtre, « petit bouge » : nid pour pigeons ; fin XIXe s., « envie de se déplacer ».

bougie 1300, Delb. (*chandeles de bougie*), « cire fine pour chandelles », puis « chandelle elle-même » ; de *Bougie,* d'où venait la cire. || **bougeoir** 1514, *Inv. Charlotte d'Albret,* d'après la prononciation pop. [buʒwe].

bougna ou **bougnat** 1889, Macé ; abrév. de *charbougna* (1850, encore 1890, *le Père Peinard*), formation plaisante d'après les correspondances phonétiques de l'auvergnat mal interprétées.

bougnon XIVe s. ; mot wallon, du lat. *bulla,* boule, avec le suff. *-oleum.*

bougnoule 1890, Esnault, arg. ; wolof *bougnoul,* noir.

bougonner 1611, Cotgrave, « faire quelque chose maladroitement » ; 1798, *Acad.,* « murmurer » ; p.-ê. par l'intermédiaire « rechigner en travaillant » ; orig. obscure, sans doute dial. || **bougonnement** v. 1850. || **bougonneur** 1611. || **bougonnerie** 1905. || **bougon** 1803, déverbal.

bougran 1175, Chr. de Troyes (*boquerant*) ; prov. *bocaran,* tiré de *Boukhara,* d'où était importée l'étoffe.

***bougre** 1172, G. (*bogre*), Bulgare ; péjor., « hérétique, sodomite » ; XVe s., « gaillard », et juron ; bas lat. *Bŭlgărus* (VIe s.). || **bougrement** fin XVIe s. || **bougrerie** XIIIe s., « hérésie ». || **bigre** 1743, Trévoux, interj., transformation euphémique de *bougre.* || **bigrement** 1833, Corbière.

boui-boui 1847, Gautier (*bouig-bouig*) ; redoublement de *bouis,* lieu de débauche (1808, d'Hautel), mot dial. (« étable » dans le Jura), du lat. *bovile,* étable à bœufs, de *bos, bovis,* bœuf.

bouif 1867, Delvau, arg., de *ribouis,* savetier.

bouillabaisse 1806 ; prov. mod. *bouiabaisso* (*bous-abaisse*), impér., formation plaisante pour exprimer la rapidité de la cuisson.

bouillard V. BOULEAU.

1. **bouille** 1751, *Encycl.,* « sceau » ; esp. *bolla,* bulle ; terme des anc. coutumes.

2. **bouille** XVe s., texte lorrain (*boille*), « hotte » ; p.-ê. lat. pop. **bŭttula,* de *buttis,* tonneau.

bouiller 1669, *D. G.,* « agiter l'eau » ; mot rég. *bouille,* bourbier, marais (Nivernais, etc.), de *boue* (lat. pop. **bau-ŭcula*) ou de **bouler* (infl. par *bouillir*), du lat. *bullare,* bouillonner, de *bulla,* bulle. || **bouille** 1669, perche pour remuer l'eau ; déverbal.

***bouillir** 1080, *Roland* (*bolir*) ; lat. *bŭllire,* former des bulles ; le *l* mouillé vient de l'imparf., du part. prés. et du subj. (*bŭlliam,* bouille). || **bouillant** 1120, *Job,* part. prés. || **bouillie** XIIe s., *Naissance du chevalier au cygne* (*boulie*), n. f. || **bouilli** XIVe s., n. m., du part. passé. || **bouillissage** 1765, *Encycl.* || **bouilleur** 1775, *Arrêt du 19 mai.* || **bouilloire** 1740, *Acad.* || **bouillon** fin XIIe s., R. de Moiliens ; 1839, Balzac, « invendu » ; le sens fig. « ardeur » reste usuel au XVIIe s. ; déverbal de *bouillir.* || **pot-bouille, tambouille** XIXe s. || **bouillonner** XIIIe s. ; 1901, *Doc.,* en parlant des journaux || **bouillonnement** 1560, Paré. || **bouillotte** 1788, récipient ; 1788, La Bractéole, jeu, à cause de la rapidité du jeu ; fin XIXe s., « tête, figure », par métaph. || **bouille** 1890, Esnault, « tête », apocope du précéd. || **bouillotter** fin XVIIIe s. || **ébouillanter** 1836, *Manuel du provençal ;* d'après *ébouillir* (XIIe-XIXe s.). || **ébouillantage** 1876, *J.O.*

bouillon-blanc 1456, Villiers, nom de plante ; bas lat. *bugillo, -ōnis,* d'orig. gauloise, avec influence de *bouillir.*

boujaron 1792, Romme ; prov. mod. *boujaroun,* métaph. ironique de *boujaroun,* bougre (lat. *Bŭlgarus,* avec suffixe ; forme rhodanienne) ; ration quotidienne de tafia donnée aux marins (supprimée en 1907).

boulaie V. BOULE et BOULEAU.

boulanger 1120, *Cart. Saint-Martin de Pontoise* (*bolengerius*), mot formé dans le Nord, par allongement d'un anc. picard *boulenc* (suffixe

-enc, germ. *-ing*), « qui fabriquait des boules » (pain en boules), du néerl. *bolle,* pain rond ; le mot a éliminé en moyen fr. *fournier* (de *four*) et *pesteur* (lat. *pistor, -oris*). || **boulanger** XVᵉ s., v. tr. || **boulange** 1830, Benoît, déverbal. || **boulangerie** 1314, G.

boulangisme 1887 ; du général *Boulanger.* || **boulangiste** 1887. || **néo-boulangisme** XXᵉ s.

boulbène 1800, *Mém. Soc. d'agric.* (*-benne*) ; gascon *boulbenc,* terre d'alluvion, d'origine inconnue.

***boule** fin XIIᵉ s. ; lat. *bŭlla,* bulle, boule creuse. || **bouler** 1390, E. de Conty. || **boulet** 1347, texte de Reims. || **boulette** fin XIVᵉ s. ; 1807, Gabriel, *faire une boulette.* || **boulier** 1864, L. || **boulin** 1486, Joubert, « trou ». || **boulisme** XXᵉ s. || **bouliste** fin XIXᵉ s. || **boulodrome** XXᵉ s. || **boulot** adj., 1830 ; 1845, Besch., petit pain ; 1837, Balzac, « travail ». || **boulotter** 1840, Halbert d'Angers, « manger » ; de *bouler,* aller vite (1800, Esnault). || **bouleverser** 1557, Belleau, « renverser » ; fig., 1796, Pigault-Lebrun ; de *boule* et *verser.* || **bouleversement** 1579, Lostal. || **boulon** XIIIᵉ s., G., « petite boule », puis « tige de fer à tête ronde ». || **boulonner** 1425 (*-né*), « orné de bossettes » ; 1690, Furetière, « mettre un boulon » ; fin XIXᵉ s., « travailler ». || **boulonnage** 1855. || **boulonnerie** 1866, Lar. || **abouler** 1790, *le Rat du Châtelet,* « apporter » et « arriver » (de « apporter la boule ») ; 1837, Vidocq, « payer » (de « apporter l'argent »). || **débouler** 1793, *le Père Duchesne.* || **déboulonner** 1870, *le Charivari ;* XXᵉ s., fig. || **déboulonnage** 1873, Daudet.

***bouleau** 1516, Delb. ; anc. fr. *boul,* du lat. pop. **betŭllus* (lat. *betulla*), d'orig. gauloise. || **boulaie** 1294, G. || **bouillard** 1680 ; lat. pop. *betullia,* de *betulla.*

bouledogue 1745, Fougeret ; angl. *bulldog,* de *dog,* chien, et *bull,* taureau. Le mot angl. a été empr. pour désigner une race anglaise.

boulevard 1350 (*boulever*) ; « rempart de terre et de madriers », « place forte » (jusqu'au XVIIᵉ s.) ; puis « promenade plantée d'arbres », d'abord sur l'emplacement des remparts démolis aux XVIIIᵉ-XIXᵉ s. ; moyen néerl. *bolwerc,* ouvrage (*werc*) de madriers. || **boulevardier** 1866, Veuillot.

bouleverser V. BOULE.

boulimie 1372, Corbichon ; gr. *boulimia,* faim (*limos*) de bœuf (*bous*). || **boulimique** 1842, *Acad.*

boulin 1486, Joubert, « pièce de bois horizontale d'un échafaudage » ; p.-ê. anc. fr. *boul,* bouleau (v. ce mot).

bouline 1155, Wace (*boes-*) ; angl. *bowline,* corde (*line*) de proue (*bow*). || **bouliner** 1611. || **boulinier** 1687, Desroches.

boulingrin 1663, Loret ; angl. *bowling-green,* gazon (*green*) pour jeu de boules.

bouloir 1751, *Encycl. ;* de *bouler,* forme dial. (Nord-Est) de *bouiller ;* perche avec laquelle les ouvriers tanneurs agitent les bains dans lesquels sont traitées les peaux.

boulon, boulot V. BOULE.

boum onom., 1835. || **boum** n. f., v. 1965 ; de *surboum,* « surprise-partie », de *surprise* et de l'onom. *boum.*

boumer 1929, Esnault, pop., « prospérer » ; de l'exclamation *boum ;* surtout dans l'expression *ça boume.*

1. **bouquet** [de fleurs] XVᵉ s., « bosquet » (jusqu'au XVIIᵉ s. et conservé dans *bouquet d'arbres*) ; XVIᵉ s., « bouquet de fleurs » et, fig., « bouquet du vin » ; mot normanno-picard, du germ. *bosk,* bois. || **bouquetière** 1562, Du Pinet. || **bouquetier** 1677, Miege, « vase ».

2. **bouquet** 1485, G., « dartre du museau des moutons » ; forme normanno-picarde de *bouchet* (XIVᵉ s., J. de Brie), de *bouche.*

3. **bouquet** 1119, Ph. de Thaon, « petit bouc », puis par métaph. 1866, Lar., « crevette à rostre » (*palæmon serratus*).

bouquetin XIIIᵉ s., G. (*buskestein*) ; XVIᵉ s. (*bouc estain*) ; franco-provençal *boc estaign* (XIIIᵉ s.), de l'allem. *Steinbock,* bouc de rocher (*Stein*).

1. **bouquin** 1532, Gay (*cornet à bouquin*), « embouchure » ; mot normanno-picard, de *bouque,* bouche.

2. **bouquin** 1459, Milet, « vieux livre, petit livre » ; diminutif du néerl. *boek,* livre (*boeckijn* ou **boekin*). || **bouquiner** 1611, Cotgrave. || **bouquineur** 1671, Pomey. || **bouquinerie** 1650. || **bouquiniste** 1752, Trévoux.

bouracan XIIᵉ s., *Roman de Thèbes* (*barragan*) ; 1593, *Tarif du Comtat Venaissin* (*bourracan*) ; ar. *barrakân.*

bourbe XIIᵉ s., G. ; gaulois **bōrva,* reconstitué d'après la divinité thermale *Borvo* (nom de lieu *Bourbon*) et l'irlandais *berbaim* (je bous). || **bourbeux** 1432, Baudet Herenc. || **bourbier**

1220, Coincy. || **bourbillon** 1690, Furetière. || **bourbelier** fin XIVe s., G. Phébus, « poitrine de sanglier », le sanglier se vautrant dans la boue. || **bourbouille** 1726, Luillier ; mot prov. issu du croisement de *bourbe* et de *bouille* (anc. prov. *borbolhar,* fig., mentir). || **bourbotte** 1700, Liger, « lotte », poisson qui recherche la bourbe. || **embourber** 1220, Coincy.

bourbonien 1829, Béranger, « partisan des Bourbons ». || **bourboniste** 1594, *Satire Ménippée.* || **antibourbonien** 1829, Béranger.

bourcet V. BOURSET.

bourdaine 1200 (*borzaine*) ; 1467, Delb. (*bourdaine*) ; orig. obscure, p.-ê. d'un pré-indo-européen **burgena,* reconstitué grâce à un mot basque.

bourdalou 1701, Furetière, « tresse, bande de cuir » ; XVIIIe s., « vase de nuit », formation ironique ; du nom de *Bourdaloue,* qui portait des chapeaux ornés de tresses.

bourde XIIe s., Fantosme, « plaisanterie trompeuse » (encore au XVIIe s.) ; XVIIIe s., « sottise » ; forme contractée de *behourde,* déverbal de l'anc. fr. **bihurder,* plaisanter, du francique **bihurdan* ou du dial. *borde,* var. de *bourre,* flocon, du gallo-rom. **burra,* fém. || **bourdon** 1688, Miege, « erreur » en typographie.

1. **bourdon** XIIe s., « bâton de pèlerin » ; lat. pop. **bŭrdo, -onis,* de *burdus,* mulet (évolution sémantique, v. POUTRE). || **bourdonnier** 1606, Nicot. || **bourdonnière** 1408, Delb.

2. **bourdon** début XIIIe s., « insecte » et « instrument de musique » ; onomat. || **bourdonner** début XIIIe s., *Renaut de Montauban,* « murmurer » (jusqu'au XVIIe s.). || **bourdonnement** 1545, Guéroult. || **bourdonneur** 1495, J. de Vignay. || **faux-bourdon** début XVe s., Ch. d'Orléans.

3. **bourdon** V. BOURDE.

***bourg** 1080, *Roland* (*borc*) ; bas lat. *bŭrgus,* château fort (IVe s., Végèce), du germ. **burg.* || **bourg pourri** 1783, *Courrier de l'Europe,* en parlant de l'Angleterre ; 1839, Balzac, en parlant de la France. || **bourgade** 1418, Caumont ; ital. *borgata* ou prov. *borgada,* de *bourg.* || **bourgeois** 1080, *Roland* (*burgeis*), a désigné de bonne heure les citoyens des villes affranchies ; péjor. dès la Révolution ; 1830, opposé à *artiste.* || **bourgeoisie** 1240, *Assises de Jérusalem ;* pendant la Révolution, mélioratif au sens de *classes moyennes,* péjor. opposé au *peuple.* || **bourgeoisement** 1654, Scarron. || **bourgeoiserie** 1700, Dufresny. || **bourgeoisisme** 1854, Vieil-Castel. || **désembourgeoiser** 1955, *le Monde.* || **embourgeoiser** 1831, d'après L. || **embourgeoisement** 1870, Lar. || **bourgmestre** 1309 (*bourg-maistre*) ; moyen allem. *burgmeister,* maître du bourg. || **faubourg** fin XIIe s., *Loherains* (*fors borc*), « hors bourg » ; XIVe s. (*faux bourg*), par attraction de *faux.* || **faubourien** 1801, L. J. Breton. || **petits-bourgeois** 1844, Balzac. || **petite-bourgeoisie** 1844, Balzac.

***bourgeon** 1160, Benoît ; lat. pop. *bŭrrio, -onis,* de *bŭrra,* bourre, d'après la villosité de certains bourgeons. || **bourgeonner** début XIIe s. || **bourgeonnement** 1600, O. de Serres. || **ébourgeonner** 1373, trad. de P. de Crescens. || **ébourgeonnement** 1549, R. Est.

bourgeron 1842, Sue ; mot picard signalé en 1834 (*bougeron*) au sens de *sarrau* (*Dict. picard* de Hécart), anc. fr. *bourge,* tissu bourru (XIVe s.), du lat. pop. **burrica,* de *burra,* bourre.

bourgmestre V. BOURG.

bourguignotte 1537, M. Du Bellay ; repris pendant la guerre de 1914-1918 ; de *Bourguignon,* de *Bourgogne,* du lat. *Burgundia,* mot germ. ; casque sans visière créé au XVe s. et utilisé jusqu'au XVIIIe s.

bourle ou **burle** fin XVIe s., Brantôme, « plaisanterie, tromperie » (jusqu'au XVIIe s.) ; ital. *burla.* || **burlesque** 1594, *Satire Ménippée* (*bourrelesque*) ; ital. *burlesco,* de *burla,* plaisanterie. || **burlesquement** 1690, Furetière.

bourlinguer fin XVIIIe s., être secoué comme une *boulingue* (1512, J. Lemaire de Belges), petite voile au haut du mât ; origine obscure, sans doute comme *bouline.* || **bourlingueur** fin XIXe s.

bourrache 1256, Ald. de Sienne, « plante » ; lat. médiév. *borrago, -ginis,* de l'ar. *sabu radj,* père de la sueur.

bourrade, bourrage V. BOURRE.

bourrasque 1548, Rab. ; XVIe s. (*bourrache, -asse*) ; ital. *burasca* (auj. *burrasca*), du lat. *boreas,* vent du nord.

***bourre** XIIe s. ; lat. impér. *bŭrra,* bourre, laine grossière ; début XXe s., « hâte ». || **bourras** début XIIIe s., G. de Lorris. || **bourrelet** 1386, *Compte royal de G. Brunel ;* dimin. de l'anc. fr. *bourrel* (XIIIe s.), « fait de bourre ». || **bourrellerie** 1268, É. Boileau. || **bourrelier** 1268, É. Boileau ; de *bourrel,* collier fait de bourre. || **bourrer** XIVe s., fig., « maltraiter » ; proprement « remplir de bourre » (XVIᵉ s.), en vén. « enlever la bourre du gibier » ; auj. le sens de « maltraiter » est réduit à *bourrer de coups.* || **bourrée** 1326, Delb. (*bourée*) ; part. passé fém. de *bourrer,* « faisceau de branches bourrées » ; danse introduite à la Cour, en 1565, par Marguerite de Valois, « farandole autour d'un feu de joie ». || **bourrade** v. 1590, L'Estoile, fig. || **bourrage** v. 1450. || **bourrier** 1368, « déchet, fétu » ; mot de l'Ouest. || **bourroir** 1758, Tilly. || **bourru** 1542, Du Pinet, « grossier comme de la bourre ». Le sens s'est affaibli au cours du XVIIᵉ s. || **bourratif** v. 1950. || **débourrer** XIVᵉ s. || **rembourrer** fin XIIᵉ s., R. de Moiliens ; anc. fr. *embourrer.* || **rembourrade** fin XIXᵉ s., fig. (V. ÉBOURIFFER.)

bourreau 1302, Bersuire (*bourrel*) ; p.-ê. de *bourrer,* frapper, mais le suffixe est insolite. || **bourreler** 1554, O. de Magny, « torturer » (jusqu'au XVIIᵉ s.) ; XVIIᵉ s., fig., Th. de Viau ; réduit auj. à *bourrelé de remords.*

bourrée, bourrelet, bourrelier, bourrer V. BOURRE.

bourriche 1526, Bourdigné ; var. dial. de *bourrache,* p.-ê. de *bourre* (cf. sens originaire de *bourru*). || **bourrichon** 1860, Flaubert, fig., « tête », par analogie.

bourrier V. BOURRE.

bourrique 1603, Th. de Bèze, « ânesse » ; esp. *borrico, -a,* par suite de l'importation d'Espagne d'une race d'ânes. || **bourriquet** 1534, Rab. ; dim. éliminé par *bourricot.* || **bourri** var. dial., péjor., abrév. de *bourriquet,* comme *bourrin,* qui a pris le sens de « cheval » dans l'arg. milit. || **bourricot** 1849, reprise moderne en Algérie du mot esp. senti comme diminutif, accentué sur la finale (cf. *mendigot*). || **bourrin** 1903 ; mot de l'Ouest, de *bourrique.*

bourroir, bourru V. BOURRE.

1. ***bourse** 1150, *Charroi* (*borse*) ; fin XIIᵉ s., Colin Muset (*bourse*), « petit sac de cuir » ; bas lat. *bŭrsa,* du gr. *bursa,* cuir apprêté, outre. || **boursette** 1304, auj. techn. et bot. || **boursier** 1224, « qui fait des bourses » ; 1387, Fagniez, scol. || **débourser** XIIIᵉ s., *Dit des avocats.* || **débours** fin XVIᵉ s., déverbal. || **déboursement** 1508, Marot. || **embourser** fin XIIᵉ s., *Roman de Renart.* || **rembourser** XVᵉ s. || **remboursable, remboursement** XVᵉ s.

2. **Bourse** 1549, *Édit,* « lieu où s'assemblent les négociants et banquiers » ; mot venu de Flandre, où la première Bourse, celle de Bruges, doit son nom à l'hôtel de la famille *Van der Burse* (ital. *della Borsa*), logis de marchands vénitiens ; ou p.-ê. simplement de *bourse* 1 ; mot vulgarisé au XVIIIᵉ s., éliminant *change ;* en 1719, Law institua la Bourse de Paris ; *Bourse du travail,* févr. 1851, projet de loi Ducoux. || **boursier** 1512, Gringore, « qui fait des opérations en Bourse ». || **boursicot** 1296, Delb. (*bourseco*) ; finale inexpliquée. || **boursicoter** 1580, N. Du Fail, « économiser » ; 1841, Balzac, « faire de petites opérations en Bourse ». || **boursicotier** 1851, Gautier. || **boursicotage** v. 1850. || **boursicoteur** 1867, Delvau.

bourset ou **bourcet** 1336, Delb. ; réfection de *bourse,* du néerl. *boegzeil,* voile (*zeil*) de la proue (*boeg*). || **bourser** 1611, Cotgrave, « plier la voile en bourse ».

boursoufler XIIIᵉ s., H. de La Ferté (*borsoflé*) ; de *boud-,* rad. de *boudin,* indiquant le gonflement, et de *souffler* (normand *boudouflé,* prov. mod. *boudenfla*). || **boursouflement** 1560, Paré. || **boursouflure** 1532, M. d'Amboise. || **boursouflage** XVIIIᵉ s.

bousculer 1798 ; moy. fr. *bousser,* heurter (du haut allem. *bôren*), et *culer,* de *cul,* ou du croisement de *bouteculer,* de *bouter* (v. ce mot) et *culer,* avec *basculer* (v. ce mot). || **bousculade** 1848. || **bousculement** 1838.

bouse fin XIIᵉ s., R. de Moiliens ; p.-ê. de même rac. que *boue,* ou du gallo-roman **bobosa,* renflé, croisé avec **boboser,* ou **bovoser,* « de bœuf ». || **bousard** 1655, Salnove. || **bousage** 1838. || **bousier** milieu XVIIIᵉ s. || **bousiller** 1554, Delb., « construire en torchis » ; XVIIᵉ s., « travailler avec négligence » ; 1867, Delvau, « faire mal ». || **bousillage** 1521, *Comptes de Chenonceaux ;* 1720, Huet, fig. || **bousilleur** 1480, Delb. || **bousin** 1611, Cotgrave, « tourbe ». || **bouseux** 1885, Esnault (*bousoux*).

1. **bousin** 1790, *Jean Bart,* arg. des marins, « cabaret » ; angl. pop. *bousing,* action de s'enivrer ; 1801, « vacarme ». || **bousingot** v. 1830, appliqué aux jeunes républicains ; le sens primitif paraît être « chapeau de matelot » (attesté en 1842 chez Mozin).

2. **bousin** V. BOUSE.

bousingot V. BOUSIN 1.

boussole 1527, J. Colin (*bussolle*) ; 1532, Rab. (*boussole*) ; ital. *bussola,* petite boîte, de même rac. que *boîte,* qui a remplacé *aiguille de mer.* || **boussolier** 1955.

boustifaille V. BOUFFER.

boustrophédon XVIe s., *D. G.* ; mot gr., de *bous,* bœuf, et *strephein,* tourner ; anc. écriture grecque à lignes alternées.

bout, boutade V. BOUTER.

boutargue ou **poutargue** 1441 ; prov. *boutargo,* de l'ar. *būtarch ;* conserve d'œufs de mulet.

boutefeu V. BOUTER.

***bouteille** 1160, *Tristan* (*botele*) ; bas lat. *bŭtticŭla,* dimin. de *buttis,* tonneau (VIe s.). Le sens de « récipient en verre » s'est formé en France du Nord ; le mot a eu le sens de « bulle » au XVIIe s. || **bouteiller** 1138, *Saint Gilles,* n. m., « échanson » (jusqu'au XVe s.). || **bouteillerie** 1155, Wace. || **boutanche** 1889, Macé, « bouteille ». || **embouteiller** 1864, L. ; début XXe s., circulation. || **embouteillage** *id.* ; début XXe s., circulation.

bouteillon v. 1917, « marmite de campagne individuelle » ; réfection du nom de l'inventeur *Bouthéon* sur *bouteille.*

bouter 1080, *Roland,* « frapper, pousser » ; XVIe-XVIIe s., « mettre » ; francique **bôtan,* frapper (moyen néerl. *botten*). || **boutis** 1360, Froissart. || **boutisse** 1450 (*-iche*), « pierre qui s'enfonce dans le mur ». || **boutoir** 1361, *Inv. de Hues de Caumont.* || **bouteur** XIIIe s., *Bible,* « qui met », techn. ; recommandé en 1973 à la place de *bulldozer* (v. ce mot). || **boutefeu** 1324, *Doc.* || **bouteselle** 1549, G. Du Bellay. || **bouterolle** 1202, *Péage de Bapaume.* || **bouteroue** 1636, Monet, « ce qui pousse la roue ». || **boute-entrain** 1694, Boursault. || **bout** fin XIIe s., *Aliscans,* « coup », puis « extrémité » ; déverbal de *bouter.* || **bouts-rimés** 1649. || **boutade** 1588, Montaigne, « pousser une pointe », qui a remplacé *boutée* (encore 1642, Oudin) ; le sens propre « attaque, sortie brusque » se rencontre au XVIIe s. || **bouture** 1446, Delb., bot., « pousse » ; XVIIe s., sens actuel. || **bouturer** 1836, Landais. || **bouturage** 1845. || **about** 1213, *Fet des Romains ;* déverbal de *abouter.* || **abouter** 1247, G. || **aboutir** 1319, dans Barbier, « arriver par le bout » ; 1460, *Mystère de saint Quentin,* « former bout ». || **aboutissant** 1571, Thevet. || **aboutissement** 1488, *Mer des hist.* || **debout** 1155, Wace, « bout à bout » ; 1538, R. Est., sens actuel. || **débouter** Xe s., G., « repousser » ; 1283, Beaumanoir, « destituer ». || **embouter** 1567, Grévin. || **embout** début XIXe s. ; déverbal de *embouter.* || **emboutir** 1390, Gay, « façonner en bout, étirer » ; 1930, Lar., « heurter violemment ». || **emboutissage** 1856, Lachâtre. || **emboutissoir** 1676, Félibien, « poinçon d'acier » ; 1819, Boiste, sens actuel. || **rabouter, raboutir** début XVIIIe s. || **rebouter** 1180, Marie de France, « remettre ». || **rebouteur** 1468, Chastellain, prononcé rég. *rebouteux.*

boutique 1241, Desmaze (*bouticle*), « atelier » ; XIVe s. (*boutique*), « boutique » ; bas gr. *apothêkê* (*ê* prononcé *i*), par l'intermédiaire probable du prov. *botica.* || **boutiquer** 1859. || **boutiquier** XIVe s. (*bouticlier*), remplacé par *boutiquier* au XVIe s. || **boutiquaire** 1974. || **arrière-boutique** 1508, G.

boutoir V. BOUTER.

bouton fin XIIe s., *Aiol,* « bourgeon » ; XIIIe s., *bouton de la peau, d'habit ;* de *bouter,* pousser, croître. || **boutonner** 1155, Wace, « bourgeonner » (encore au XVIIe s.) ; sur le sens de *bouton d'habit* dès le XIVe s. || **boutonnage** 1866, Lar. || **bouton-poussoir** XXe s. || **bouton-pression** début XXe s. || **boutonnier** 1268, É. Boileau. || **boutonnière** XIVe s., sens actuel ; XVIIIe s., « incision ». || **boutonnerie** 1268, É. Boileau. || **boutonneux** fin XVIe s., L'Escluse, « bourgeonnant » ; 1866, Lar., sens actuel. || **déboutonner** 1360, Froissart ; 1611, Sully, « parler sans contrainte ». || **reboutonner** 1549, R. Est., sur *bouton de la peau.*

boutre 1866, Lar., navire de l'océan Indien ; ar. *būt,* voilier.

bouture, bouvier, bouvreuil V. BOUTER, BŒUF.

bovarysme 1865, Barbey d'Aurevilly ; du roman de Flaubert, *Madame Bovary.*

bovidé 1836, Raymond ; lat. *bos, bovis,* bœuf. || **bovin, bovine** XIIe s., *Voy. de saint Brendan ;* lat. *bovinus,* adj., de *bos.*

bowling 1908, *le Petit Parisien ;* mot angl., part. prés. d'un verbe dér. de *bowl,* boule.

bow-window 1830 ; mot angl., de *bow,* arc, et *window,* fenêtre.

box 1777, Linguet, « loge de théâtre » ; 1839, Gayot, « stalle d'écurie » ; XXe s., « garage » ; angl. *box,* boîte, stalle, etc.

box-calf 1899, *le Moniteur de la cordonnerie,* cuir américain dont la marque représentait un veau (*calf*) dans une boîte (*box*).

boxe fin XVIIe s. ; angl. *box,* coup. || **boxer** 1767. || **boxeur** 1788, *Courrier de l'Europe ;* angl. *boxer.*

boxer 1919, chien ; mot all. signif. « boxeur ».

boxer-short v. 1970, culotte ; mot angl.

box-office 1923 ; mot amér., de *box,* boîte, et *office,* bureau.

boxon 1811, Esnault, pop., maison de prostitution ; de *bocard,* var. de *boucard,* boutique (v. ce mot).

boy 1672, Seignelay, « jeune domestique » ; XIXe s., « jeune garçon anglais », puis « jeune domestique chinois ou annamite » ; XXe s., danseur de revue. || **boy-friend** 1947 ; mot angl., de *boy* et *friend,* ami.

boyard 1415, G. de Lannoy ; russe *boyard,* seigneur ; en vieux russe *boyarine,* lequel a donné *barine.*

boyau 1080, *Roland* (*boel, boiel*) ; lat. *botellus,* saucisse. || **boyauderie** début XIXe s. || **boyaudier** 1680, Richelet (*boiotier*) ; 1691, d'apr. Trévoux (*boyaudier*). || **boyauter (se)** 1904, Bruant. (V. ÉBOULER.)

boycotter 1880, *le Parlement ;* angl. (*to*) *boycott,* du nom du capitaine en retraite *Boycott,* gérant de propriétés en Irlande, mis en quarantaine en 1880. || **boycott** 1888. || **boycottage** 1881, *le Figaro.* || **boycotteur** 1881.

boy-scout 1910 ; mot angl. signif. « garçon éclaireur », créé par le général Baden-Powell. || **scout** XXe s. ; abrév. de l'angl. *boy-scout,* vient du fr. *escoute,* c'est-à-dire celui qui écoute. || **scoutisme** v. 1914.

brabant début XIXe s., charrue métallique fabriquée d'abord en Brabant.

bracelet V. BRAS.

brachial 1541, Canappe ; lat. *brachialis,* du gr. *brakhiôn,* bras.

brachi(o)-, gr. *brakhiôn,* bras. || **brachialgie** 1960, Lar. ; gr. *algos,* douleur. || **brachiopodes** 1805 ; gr. *pous, podos,* pied.

brachy-, gr. *brakhus,* court. || **brachycéphale** 1836, Raymond ; gr. *kephalê,* tête. || **brachyoures** 1801 (*-ures*) ; gr. *oura,* queue. || **brachyptère** 1750, Buffon ; gr. *pteron,* aile. || **brachytèle** 1866, Lar. ; gr. *telos,* fin. || **brachysome** 1930, Lar., « insecte » ; 1960, Lar. en anthropologie ; gr. *sôma,* corps.

braconner 1228, G., « chasser avec des braques » ; germ. occidental **brakko* (allem. *Bracke*), chien de chasse. || **braconnage** 1228, G., « chasse avec un braque » ; XVIIe s., sens actuel. || **braconnier** 1155, Wace, « veneur » ; XVIIe s., sens actuel. || **braco** XXe s. ; abrév. de *braconnier.*

bractée 1771, Trévoux (*-tea*) ; lat. *bractea,* feuille de métal. || **bractéal** 1863. || **bractéole** 1566, Paradin ; dim. lat. *bracteola.* || **bractéate** 1751, Schœpflin.

bradel 1835, d'apr. Lar. ; de *Bradel,* famille de relieurs du XVIe au XIXe s.

brader XVe s., « rôtir » ; fin XVIIIe s., « gaspiller », pop. ; mot wallon et picard, du néerl. *braden,* rôtir. || **braderie** *id.* || **bradage** v. 1960. || **bradeur** XVe s., « rôtisseur » ; fin XVIIIe s., sens actuel.

brady-, gr. *bradus,* lent. || **bradycardie** 1895, Boix ; gr. *kardia,* cœur. || **bradypepsie** 1584, du Bartas ; gr. *bradupepsia,* digestion lente. || **bradypnée** 1878, Lar. ; gr. *pnein,* souffler. || **bradypsychie** 1960, Lar. || **bradype** 1826, Mozin ; gr. *pous, podos,* pied. || **bradytrophie** 1960, Lar. ; gr. *trophê,* nourriture.

brague, braguette V. BRAIE.

brahmane 1298, *Doc.* (*abraiaman*) ; 1532, Rab. (*brachmane*) ; mot port., du sanskrit *brahmana.* || **brahmanique** 1835, *Acad.* || **brahmaniste** *id.* || **brahmanisme** 1801, Fischer.

1. **brai** [orge brassée] V. BRAIS.

2. **brai** [piège d'oiseleur] XIIe s. (*bret, broi*) ; germ. *brid,* planchette.

3. **brai** fin XIIe s., *R. de Cambrai,* « boue » ; 1309, Fréville, « goudron » ; gaulois **bracu* (prov. *brac,* même rac. en gallois), ou déverbal de *brayer,* enduire de goudron, de l'anc. nordique *braeda,* goudronner ; forme fém. *braye* (terre grasse).

***braie** XIIe s., « pantalon ample » ; lat. *braca,* mot gaulois désignant un type de pantalon qui, plus ou moins modifié, gagna les pays voisins ; il fut remplacé au XVIIe s. par le *haut-de-chausses.* || **brague** 1308, *Ystoire de li Normant ;* prov. *brago,* de même sens que *braie.* || **braguier** XVIe s., Villamont, « caleçon » (encore au XVIIe s.). || **braguet** 1777, Lescallier, mar. || **braguette** 1379 (*brayette*) ; 1534, Rab. (*braguette*) ; diminutif de *brague.* || **brayer** début XIIe s., *Couronn. Loïs* (*braier*), n. m. || **brayette** 1379, J. de Brie. || **embrayer** 1783, *Encycl. méth.,* d'après le sens fig. de *braie,* traverse de bois mobile du moulin à vent (1694, Th. Corn.), c.-à-d. « serrer la braie ». || **embrayage** 1860, Bragard. || **embrayeur** 1953, Lar. || **désembrayer** milieu XIXe s., remplacé par **débrayer**

1865, Woodbury ; 1939, H. Jeanson, « cesser le travail ». || **débrayage** v. 1860.

***brailler** 1265, J. de Meung, « crier » ; lat. pop. **bragŭlare*, dim. de *bragĕre*, braire. || **braillard** 1528, Gringoire. || **braillerie** fin XVIe s., Brantôme. || **braillement** 1512, J. Lemaire. || **brailleur** 1586, Scaliger.

brain-storming 1959 ; mot anglo-amér., de *brain*, cerveau, et *storming*, tempête.

brain-trust 1947 ; mot anglo-amér., de *brain*, cerveau, et *trust* ; nom donné en 1933 au groupe de techniciens chargés par F. Roosevelt de l'application du New Deal.

***braire** 1080, *Roland*, « crier pour pleurer » (encore au XVIe s.) ; 1640, Oudin, réservé à l'âne ou à l'animal en général ; lat. pop. **bragĕre*, d'origine gauloise (formation expressive). || **braiment** 1160, Benoît, même évolution que le verbe. || **brayard** 1539, R. Est., confondu avec *braillard*, quand *l* mouillé passa à *y*.

brais av. 1185, Barbier, « orge broyée pour faire de la bière » ; lat. *braces*, épeautre, mot gaulois selon Pline. || **brasser** 1160, Benoît (*bracer*), sens propre ; XVIIe s., fig., « tramer » ; 1808, Fourier, *brasser des affaires* ; lat. pop. **braciare*. || **brasserie** 1268, É. Boileau, sens propre. || **brasseur** 1250, Espinas, sens propre ; 1833, d'Arlincourt, fig. || **brassage** 1331, G.

braise 1170, *Rois* ; germ. occidental **brassa* (suédois *brasa*, bûcher) ; fin XVIIIe s., arg., « argent ». || **braisière** 1706, Richelet. || **braiser** 1767, *Dict. portatif de cuisine*. || **braisette** 1836, Raymond. || **braser** ou **ébraser** 1450, Gréban, embraser ; 1611, Cotgrave, techn. || **brasier** début XIIe s., *Couronn. Loïs*. || **brasiller** 1220, Coincy. || **brésil** 1175, Chr. de Troyes, bois de teinture colorant en rouge, sur rad. *bres-* ; d'où esp. et port. *brasil* (nom donné au Brésil où ce bois est abondant). || **brésiller** 1346, G., « briller ». || **brésolles** 1705, *Cuis. Roy.* (*bru-*) ; mot du Sud-Est. || **embraser** 1160, *Eneas*. || **embrasement** *id.*

brame V. BRÈME.

bramer 1528, Rab., « mugir », puis réservé au cerf ; prov. *bramar*, mugir, braire, du germ. **brammôn*. || **bramement** 1787, B. de Saint-Pierre.

***bran** XIIe s., Du Cange (*bren*) ; lat. pop. **brennus*, son, mot gaulois sans doute ; fig., excrément. || **breneux** v. 1320, Watriquet. || **embrener** 1532, Rab.

brancard fin XIVe s., « grosse branche, vergue » ; normand *branque*, branche (v. ce mot). || **brancardier** début XVIIe s., Scarron. || **brancarder** 1877, L.

***branche** 1080, *Roland* ; bas lat. *branca*, patte, p.-ê. mot gaulois. || **branchu** 1180, Marie de France. || **branchage** milieu XVe s. || **brancher** 1510, Carloix, « pendre à une branche » (jusqu'au XVIIe s.) ; XVIe s., Marot, « se percher » ; 1863, L., « diviser en branches, établir des conduites secondaires ». || **branchement** XVIe s., Guill. Michel, « action de pousser des branches », même évolution que le verbe. || **branchette** fin XIIIe s. || **débrancher** 1890, Zola, chemin de fer. || **débranchement** *id.* || **ébrancher** 1193, Hélinant. || **ébranchement** milieu XVIe s. || **ébranchage** 1700, Liger. || **ébranchoir** 1823, Boiste. || **embranchement** 1494, *D. G.*, fig. || **embrancher** 1460, Chastellain, « suspendre aux branches » ; 1773, *Art du plombier*, sens actuel.

branchies fin XVIIe s. ; lat. pl. *branchiae*, du gr. *brankhia*. || **branchial** 1770. || **branchiopode** 1803.

brand 1080, *Roland* ; germ. **brand*, tison, puis épée (à cause de l'éclat). || **brande** 1205, texte breton ; lat. *branda*, bruyère (anc. fr. *brander*, embraser), parce qu'on brûlait les brandes (bruyères, fougères) pour défricher. || **brandir** 1080, *Roland*, sur le sens d'« épée ». || **brandiller** 1300, *Doon de Mayence*, dimin. || **brandillement** 1564, J. Thierry. || **brandon** XIIe s. ; germ. **brand*, tison.

brandade 1788, *Encycl. méth.* ; prov. mod. *brandado*, chose remuée, parce qu'on secoue la casserole, de *brandar*, remuer.

brande V. BRAND.

brandebourg 1680, Sévigné, « casaque ornée de galons, portée par les soldats brandebourgeois » ; 1769, Garsault, « pavillon » ; du nom de l'État du *Brandebourg*, en Allemagne.

brandevin 1641, Richelieu ; néerl. *brandewijn*, vin brûlé. || **brandevinier** 1743, Trévoux.

brandir, brandon V. BRAND.

brandy 1688, Miege ; mot angl., de (*to*) *brand*, brûler.

branler 1080, *Roland* ; contraction de l'anc. fr. *brandeler* (XIIe s.), de *brand*. || **branle** XIIe s., E. de Fougères ; 1492, danse, déverbal. || **bran-**

lement 1355, Bersuire. || **branle-bas** 1687, Desroches. || **branloire** 1350. || **branlequeue** XVIe s., G. || **branlée** 1936. || **branlette** 1836. || **branlade** 1849. || **branleur** 1690. || **ébranler** fin XVe s. || **ébranlement** fin XVe s. || **inébranlable** 1600, Fr. de Sales.

branquignol 1899, Esnault ; de *branque,* « mauvais ouvrier », et *guignol.*

braque 1265, Br. Latini, « chien » ; 1736, Marivaux, fig. ; ital. *bracco* ou prov. *brac.* (V. BRACONNER.)

braquemart 1392, Du Cange ; altér. de l'ital. *bergamasco,* épée de Bergame, ou du néerl. *breeimes ;* XVIe s., fam., pénis. || **braquet** 1432, Baudet Herenc, petite épée, clou, abrév. ; XIXe s., sens techn. mod.

braquer 1546, Rab., « tourner » ; 1561, Grévin, « tourner une arme à feu » ; 1930, Esnault, « mettre en joue » ; v. 1980, « attaquer à main armée » ; lat. pop. **brachitare,* de *bracchium,* bras, ou ital. *braccare,* flairer, rechercher (même rac. que *braque*). || **braquage** 1867, Robin. || **braquement** 1690, Furetière. || **braqueur** 1947, Esnault.

braquet V. BRAQUEMART.

***bras** 1080, *Roland ;* lat. pop. **bracium,* class. *bracchium,* du gr. *brakhiôn.* || ***brasse** 1080, *Roland* (*brace*) ; lat. pl. *bracchia,* « étendue des deux bras », « mesure » ; 1835, *Acad.,* type de nage. || **brassée** 1185, *Aliscans* (*brachie*), avec infl. de *brasse.* || **brassard** 1562, *Statuts des armuriers,* altér. de *brassal* (1540, Rab.) ; ital. *bracciale,* de *braccio,* bras. || **brassicourt** 1690, Furetière ; de *bras* et *court.* || **brassière** fin XIIIe s., « chemise de femme ». || **bracelet** 1175, Chr. de Troyes, « petit bras » ; 1387, Du Cange, sens actuel ; dimin. de *bras,* avec un double suffixe ; même évolution que *corset.* || **bracelet-montre** 1909. || **avant-bras** 1291. || **embrasser** 1080, *Roland,* « prendre dans ses bras » ; XVIIe s., « donner un baiser ». || **embrassement** 1130, *Eneas.* || **embrassade** 1500, Maximien. || **embrasseur** 1539, Macault. || **embrasse** XIVe s., G. (*embrace*) ; 1792, Havard, techn.

braser, brasier, brasiller V. BRAISE.

brasero 1722, *Arch. des Aff. étr., Corr. d'Espagne* (*bracero*) ; esp. *brasero,* brasier.

brasque 1751, *Encycl. ;* piémontais et milanais *brasca,* du lat. pop. **brasĭca,* même rac. que *braise ;* revêtement réfractaire de l'intérieur des creusets en métallurgie. || **brasquer** 1835, *Acad.*

brassard, brasse, brassée, brasser, brasserie, brasseur, brassière V. BRAS, BRAIS.

brave 1379, J. de Brie ; XVIe s., « excellent » ; ital. et esp. *bravo,* du lat. *barbaras.* || **bravement** 1465, Delb. || **braver** 1515, Colin Bucher, « parader » et « affronter ». || **braverie** 1543, G. de Selve, « parade ». || **bravo** 1738, Piron, exclamation, puis n. m., repris directement à l'ital. (le n. f. *brava* s'est employé jusque sous le second Empire) ; n. m., XIXe s., « tueur à gages » ; directement aussi sur l'ital. || **bravissimo** 1776, *Ann. litt. ;* mot ital., superlatif. || **bravi** 1832, trad. de Manzoni, francisé en *braves* au XVIIe s. (1675, chez Barbier). || **bravoure** début XVIIe s., Scarron (*-veure*) ; repris au dér. ital. *bravura.* || **bravache** 1570, Carloix ; ital. *bravaccio,* péjor. de *bravo,* brave. || **bravade** av. 1494, Delb., « bravoure » ; ital. *bravata,* de *bravare,* faire le brave.

1\. **break** 1830, *la Mode ;* mot angl. signif. « interruption », désignant un type de voiture.

2\. **break** 1909 ; mot angl., au sens d'« interruption ».

breakfast 1865, Simonin ; mot angl.

***brebis** fin XIe s., *Lois de Guill.* (*berbis*) ; lat. pop. **berbix, -icis* (class. *vervex,* bélier), qui a éliminé *ovicula* (*ouaille*), conservé dans le Centre et l'O., en face de *fēta* (femelle qui a enfanté), devenu *fedo* en prov. avec le sens de « brebis ».

1\. **brèche** 1611, Cotgrave ; terme alpestre, « espèce de marbre », « roche » ; mot ligure signif. « pierre cassée ».

2\. **brèche** 1119, Ph. de Thaon ; anc. haut allem. *brecha,* fracture (allem. *brechen,* briser). || **brèche-dent** XIIIe s., *Cart. de N.-D. de Paris* (*Brichedent,* n. propre). || **ébrécher** 1268, É. Boileau. || **ébréchure** 1660, Oudin.

bréchet XIVe s. ; angl. *brisket,* hampe d'un animal (scand. *brjōsk,* cartilage).

bredouiller 1564, J. Thierry ; altér. de l'anc. fr. *bredeler* (XIIIe s.), de *bretter,* marmonner, p.-ê. du lat. *brittus,* breton. || **bredouille** 1534, Rab., « qui est dans l'embarras », déverbal. || **bredouillage** fin XVIIe s., Saint-Simon. || **bredouillement** 1611, Cotgrave. || **bredouilleur** 1642, Oudin. || **bredouillis** 1600.

***bref** XIe s. (*brief,* jusqu'au XVIe s.), restreint dès le Moyen Âge pour marquer la durée ; lat. *brĕvis,* bref, substantivé en « sommaire » dès le VIe s., d'où *brief, bref,* rescrit. || **brevet** XIIe s., Rutebeuf (*brievet*), « acte non scellé » ;

XVIIe s., « titre » ; diminutif de *bref.* || **breveter** 1751, *Encycl.* || **bréviaire** 1220, Coincy ; lat. eccl. *breviarium,* abrégé. || **brièveté** 1213, *Fet des Romains* (*briété*) ; sur *brief,* refait au XVe s. || **brièvement** 1138, *Saint Gilles* (*briefment*). || **brévidé** 1819. || **bréviligne** 1922, Lar.

bréhaigne 1119, Ph. de Thaon (*baraigne*), « stérile » ; XIIIe s. (*brehaigne*) ; d'un rad. prélatin obscur.

breitschwanz fin XIXe s. ; mot allem. signif. « large queue » ; fourrure d'agneau caracul mort-né.

brelan 1165, G. d'Arras (var. *brehant, berlan,* jusqu'au XVIIe s.), « table de jeu, maison de jeu » ; « tripot » (jusqu'au XVIIe s.) ; XIIIe s., « jeu de cartes » ; fin XIXe s., au poker ; anc. haut allem. *bretling,* petite planche, puis table (en argot). || **brelander** 1481, Delb. || **brelandier** 1386, G., « joueur » (jusqu'au XVIIe s.).

breloque XVe s. (*-lique*) ; *battre la breloque,* 1820, Laveaux ; orig. obscure.

brème XIIe s., G. (*braisme*) ; francique **brahsima ;* 1821, Ansiaume, « carte à jouer ». || **brame** XVIe s., Rondelet, var. de *brème.*

brésil, brésiller, brésolles, bretailler V. BRAISE, BRETTE.

***bretèche** 1155, Wace ; bas lat. *brĭttisca* (glose de 876), c.-à-d. fortification bretonne (*Brittus,* Breton), importée sans doute de Grande-Bretagne. (V. BRETTE.)

bretelle XIIIe s., *Fabliau,* « lanière de cuir passée sur l'épaule » ; XVIIIe s., sens actuel ; anc. haut allem. *brettil,* rêne.

breton 1080, *Roland* (*Bretun*) ; lat. *Brito, -onis.*

***brette** XVIe s., *Chron. bordelaise ;* fém. de *Bret,* Breton, du lat. pop. **brĭttus,* épée de Bretagne (lat. *Britto*). || **bretteur** 1653, Boisrobert, « fanfaron ». || **bretailler** 1752, Trévoux. || **bretailleur** *id.* || **bretter** 1611, Cotgrave, « denteler ». || **bretteler** 1690, Furetière, « rayer avec une sorte de truelle ».

bretzel 1867, Delvau (*brechetelles*) ; allem. d'Alsace *Brezel,* du lat. *bracchium,* bras (pâtisserie ayant la forme de deux bras entrelacés).

***breuil** 1080, *Roland* (*bruil*), surtout dans les toponymes au sens de « bois humide, bois clos » ; bas lat. *brogilus* (VIIIe s.), mot gaulois, de *broga,* champ.

breuvage, brevet, breveter, bréviaire V. BOIRE, BREF.

bribe fin XIIIe s. (*brimbe*), « chose de peu de valeur » ; XVIIe s., « morceau de pain » ; orig. onomatop.

bric, brac, broc formations expressives ; *à bric et à brac,* 1633, Monluc ; *en bloc et en blic,* fin XVe s., Gringoire ; 1615, *de bric et de broc.* || **bric-à-brac** 1827, *Acad.* || **de broc en bouche** XVe s., *Myst. Vieil Testament* (*-oque*).

brick 1782, *Courrier de l'Europe ;* angl. *brig,* abrév. de *brigantin.*

bricole 1360, Delb. (*-gole*), « machine de guerre » ; 1680, Richelet, « courroie de machine » ; 1650, Richer, « ricochet » ; XVIe s., Monluc, fig., « bagatelles » ; XVIIe s., « tromperie » ; ital. *briccola,* machine de guerre, d'orig. obscure. || **bricoler** fin XVe s., « ricocher, aller en zigzag » (jusqu'au XVIIe s.) ; 1854, Privat d'Anglemont, « travailler ». || **bricolage** fin XIXe s. || **bricoleur** 1778, de La Conterie, « qui va çà et là ». || **bricolier** 1751, *Encycl. ;* de *bricole,* courroie.

bride début XIIIe s. ; moyen haut allem. *bridel,* rêne (même rac. que *bretelle*). || **brider** XIIIe s. ; *oison bridé* (inintelligent), 1540, Rab. (cf. *Bridoison* chez Beaumarchais). || **bridon** 1611, Cotgrave. || **débrider** 1460, Chastellain, « se laisser aller » ; 1549, R. Est., « enlever la bride à un cheval ». || **débridement** 1604, Pallet, « fait de débrider un cheval » ; 1836, *Acad.,* « absence de retenue ».

1. **bridge** 1893, *le Figaro ;* mot angl., adaptation d'un mot levantin sans rapport avec l'angl. *bridge,* pont (en Angleterre, 1875). || **bridger** 1906, *le Gaulois.* || **bridgeur** 1893, *le Figaro.*

2. **bridge** début XXe s., « appareil dentaire », formant un pont sur deux dents ; angl. *bridge,* pont.

1. **brie** XVe s., fém., vin ou fromage de Brie.

2. **brie** XIIIe s., G. (*broie*) ; 1700, Liger (*brie*) ; déverbal de *brier,* forme normande de *broyer.*

briefing v. 1945 ; mot anglo-amér. désignant la réunion des équipages avant une mission d'aviation. || **briefer** v. 1970.

brièvement, brièveté V. BREF.

brifer ou **briffer** 1530, Palsgrave ; orig. obscure comme *brifaud, -auder* (XIIIe s., *Fabliau*), p.-ê. formation expressive. || **brifeur** 1611, Cotgrave, « gros mangeur ». || **brifeton** 1916, Esnault.

brigade 1360, G. de Machaut, « troupe » (jusqu'au XVIIe s.) ; XVIe s., « troupe armée » ; XVIIe s., Turenne, « groupement de deux régiments » ; ital. *brigata,* troupe de personnes, de *briga,* lutte. || **brigadier** 1642, Oudin, « officier général ». || **demi-brigade** 1793, « régiment ». || **embrigader** 1794, *Actes de la Convention ;* fin XIXe s., fig. || **embrigadement** 1793, *id. ;* 1840, Balzac, fig.

brigand milieu XIVe s., Cuvelier, « soldat à pied » ; dès le XIVe s., péjor., à cause des ravages causés par les soldats ; XVIIIe s., terme injurieux ; ital. *brigante,* qui va en troupe. (V. BRIGADE.) || **brigandage** 1410, *Cartulaire.* || **brigander** début XVIe s. || **briganderie** 1534.

brigantin 1360, Froissart (*brigandin*) ; ital. *brigantino,* de *brigante.* || **brigantine** 1480, Fournier, « voile » ; 1794, Röding, « navire ».

brignolet 1876, Huysmans, « pain » ; de *brignon,* pain pour les chiens, de *bren,* son.

brigue 1314, G. ; ital. *briga,* lutte, querelle ; XVIIe s., manœuvre. || **briguer** 1478, « se quereller » ; 1518, « solliciter ». || **brigueur** 1560, Pasquier.

briller 1559, Amyot, « s'agiter » et « briller » ; ital. *brillare,* même sens, de même rac. que *béryl,* ou d'un rad. expressif **pir(l),* s'agiter. || **brillant** 1564. || **brillamment** 1787, Féraud. || **brillanter** 1740. || **brillantage** 1947. || **brillantine** 1823, *Obs. des modes,* « étoffe de soie » ; 1842, Mozin, adj. ; 1866, Lar., huile. || **brillantiner** v. 1914. || **brillance** 1928, Lar. || **brillement** 1564, J. Thierry, qui a disparu.

brimbaler 1440 (var. *bringuebaler, -quebaler*) ; 1634 (*-quebaler*), « secouer » ; formation expressive, peut-être croisement de *brimbe,* bribe, et *trimbaler.* || **brimbalement** 1564, Rab.

brimbelle 1765, *Encycl.,* « myrtille » ; mot lorrain, altér. du francique **brambasi,* mûre (allem. *Brombeere*). [V. FRAMBOISE.]

brimborion 1450, Gréban (*brebo-*), « menues prières marmottées » ; XVIIe s., « menu objet » ; déformation du lat. eccl. *breviarium,* bréviaire (prononciation *um* en *on,* v. DICTON), croisé avec *bribe* ou *brimbe,* c'est-à-dire « prière faite du bout des lèvres ».

brimer 1826, arg. milit., puis scolaire ; mot de l'Ouest (geler, flétrir), attesté en 1842 (Mozin), de *brime,* brume. || **brimade** 1818.

brin 1398, *Ménagier* (*brain*) ; 1471 (*brin*) ; p.-ê. gaulois **brinos,* baguette (gallois *brwyn*). || **brindille** 1375, R. de Presles (*brindelle*) ; le *d* paraît dû à *brande, -don.*

brinde 1552, Rab. (*bringue*) ; 1680, Richelet (*brinde*) ; abrév. de la loc. allem. (*ich*) *bringe dir's,* je te porte (une santé) ; a désigné un toast ; puis *être dans les brindes* (être ivre).

brindezingue 1756, Vadé ; ital. *brindisi,* toast, déform. argotique de *brinde.*

brindille V. BRIN.

1. **bringue** 1738, « cheval malbâti » ; 1808, d'Hautel, « femme grande et maigre » ; il a eu aussi le sens de « menus morceaux » (*en bringues,* en pièces, XVIIe s.) ; orig. obscure.

2. **bringue** 1611, toast ; 1900, beuverie ; var. de *brinde* ou allem. *bringen,* porter.

brinquebaler V. BRIMBALER.

brio 1812, Stendhal ; ital. *brio,* vivacité, animation, du gaulois **brigo,* force.

brioche 1404, G. ; 1821, Rougemont, « bévue » ; mot normand d'apr. Cotgrave (1611) ; déverbal de *brier,* autre forme de *broyer.* || **brioché** 1955.

brique fin XIIe s., R. de Moiliens, « morceau » (jusqu'au XVIe s.), et sens actuel ; moyen néerl. *bricke* (allem. *brechen,* briser). || **briquer** 1850, nettoyer à la brique ; XXe s., nettoyer. || **briquetage** 1394, G. || **briqueter** 1418, G. || **briqueterie** 1407, Delb. || **briquetier** 1503, Delb. || **briquette** XVIe s., « chose sans valeur » ; 1615, texte de Tournai, « charbon aggloméré ».

1. **briquet** XIVe s., « petit morceau » ; 1676, Félibien, « pièce de fer » ; 1731, *Hist. de Courtebotte,* « briquet à amadou » ; il a remplacé *fusil* dans ce sens ; 1888, Lar., remis en usage avec les briquets électriques ; *battre le briquet,* 1756, *le Diable à quatre* ; de *brique,* au sens de « morceau », qui reste dans le nord de la France (morceau de pain).

2. **briquet** 1734, Delb., « couteau » ; 1806, Wailly, « sabre court d'infanterie » ; altér. de *braquet,* par attraction du précédent.

3. **briquet** 1440, Ch. d'Orléans, « petit chien de chasse » ; altér. probable d'un dimin. de *braque.*

briqueter, bris, brisant, briscard V. BRIQUE, BRISER, BRISQUE.

brise 1540, Rab., « vent » (*brize*) ; p.-ê. du frison *brîse.*

***briser** 1080, *Roland* (var. *bruisier*) ; lat. pop. **brisare,* mot gaulois, p.-ê. de *brisa,* marc de raisin. || **brisant** 1529, Parmentier, « écueil » ; adj., 1863, L. || **brisement** 1190, *Saint Bernard.* || **brisées** début XIIIe s., *Modus,* vén., puis fig. || **bris** 1413, déverbal. || **briseur** 1261, G. || **brisis** 1690, Furetière. || **brisoir** 1680, Richelet. || **brisure** 1207, *Assises de Jérusalem.* || **brise-bise** fin XIXe s. || **brise-cou** 1690, Furetière. || **brise-fer** 1862, Hugo. || **brise-glace** 1694, Th. Corn. || **brise-jet** 1906, Lar. || **brise-lames** 1819, Mackenzie. || **brise-mottes** 1796, *Encycl. méth.* || **brise-tout** fin XIVe s. || **brise-vent** 1690, La Quintinie. || **débris** 1549, R. Est. ; déverbal de *débriser* (XIIe s.).

brisque 1752, Trévoux, « carte de jeu » ; fig., pop., « chevron de soldat rengagé » ; orig. inconnue. || **briscard** 1861, *la Vie parisienne.*

bristol 1836, Bonnafé ; du nom de la ville de *Bristol* où on fabriquait ce carton.

brize 1557, L'Escluze (*briza*) ; gr. *bruza,* céréale ; plante poussant dans des lieux arides.

1. **broc** 1380, *Inv. Charles V,* « cruche » ; prov. *broc,* du lat. *brocchus,* saillant, c.-à-d. « cruche à bec » ; p.-ê. croisé avec le gr. *brokhis,* pot.

2. **broc** V. BRIC.

brocaille V. BLOC.

brocanter 1696, Regnard ; p.-ê. anc. haut allem. *brocko,* morceau, ou angl. *broker,* courtier (allem. de Suisse *Brockenhaus,* magasin de friperie). || **brocantage** 1808, Fourier. || **brocante** 1782, Mercier, « commerce » ; 1806, en peinture, déverbal. || **brocanteur** fin XVIIe s., « marchand de tableaux ». || **broc** 1936, Céline ; abrév. de *brocanteur.* || **brocantiner** 1695, Gherardi.

1. **brocard** 1470, « maxime juridique » (jusqu'au XVIe s.) ; lat. médiév. *brocardus,* altér. de *Burchardus,* évêque de Worms (XIe s.), auteur d'un recueil de droit canonique.

2. **brocard** 1373, raillerie ; moy. fr. *broquer,* piquer, var. de *brocher.* || **brocarder** XVe s. || **brocardeur** 1540.

1. **brocart** ou **brocard** 1432, Baudet Herenc, « cerf ou chevreuil d'un an » ; de *broque,* broche (en picard) : cornes ayant la forme de pointes. (V. DAGUET.)

2. **brocart** 1519, *Voy. d'Ant. Pigaphetta ;* altér. de *brocat* (1549, R. Est. ; encore en 1690, Furetière), ital. *broccato,* tissu broché. || **brocatelle** *id.* (*-adelle*) ; XVIIe s., masc. (*-atel, -adel*) ; ital. *broccatello,* de *broccato.*

***broche** XIIe s., G. (*brouque*) ; lat. pop. **brocca,* fém. substantivé de *brocchus,* saillant, pointu. || **brocher** 1080, *Roland,* « éperonner » ; XIIIe s., « passer l'aiguille » ; 1732, Trévoux, « brocher un livre, une étoffe ». || **brochage** 1822. || **brochoir** 1443, G. || **brochure** 1377, Delb., « dessin d'étoffe » ; 1694, *Acad.,* « brochure de livre ». || **brocheur** 1680, Richelet, « brocheur de bas » ; 1771, Trévoux, « brocheur de livre ». || **brochet** 1268, É. Boileau, « poisson », à cause de son museau pointu. || **brocheton** XIVe s., petit brochet. || **brochette** 1160, *Tristan.* || **broquette** 1565, *Compte Écurie du Roi ;* forme picarde. || **débrocher** fin XIVe s., « retirer de la broche » ; 1827, *Manuel du relieur,* « débrocher un livre ». || **débrochage** 1842, *Acad.* || **embrocher** XIIIe s., G. || **rebrocher** XIIIe s., Adenet, terme de tissage ; 1835, *Acad.,* « rebrocher un livre ».

brochet V. BROCHE.

brocoli 1560, Delb. ; pl. ital. *broccoli,* pousses de chou, dimin. de *brocco.* (V. BROCHE.)

brodequin début XIVe s. (*broissequin*) ; altér. de *brosequin,* du néerl. *broseken,* dimin. de *brosen,* souliers, par infl. de *broder ;* ou p.-ê. de l'esp. *borcequi,* infl. par *broder.*

broder début XIIe s. (*brosder*) ; francique **brozdôn* (longobard **brustan*). || **brodeur** 1268, É. Boileau. || **broderie** XIIIe s. || **rebroder** XVIIe s.

broigne 1080, *Roland* (*bronie*) ; francique **brunnia,* justaucorps de cuir.

broker XXe s. ; mot angl., de (*to*) *break,* rompre.

1. **brome** 1559, Vaugelas, « plante » ; lat. *bromos,* folle avoine, mot gr.

2. **brome** 1826, Balard, qui a isolé ce métalloïde ; gr. *brômos,* puanteur, à cause de sa mauvaise odeur. || **bromal** 1858. || **bromate** 1838. || **bromique** 1838. || **bromure** 1828, Caillot. || **bromhydrique** 1845.

bronca v. 1980 ; mot esp.

bronche 1560, Paré (pl. *bronchies*) ; 1633 (*bronche*) ; lat. méd. *bronchia,* du gr. *bronkhia* (pl. neutre). || **bronchectasie** 1855. || **bronchial** 1666, *Journ. des savants.* || **bronchiole** 1877, Espine. || **bronchite** 1825 ; angl. *bronchitis.* || **bronchiteux** 1892. || **bronchitique** 1865. || **bronchique** 1560, Paré. || **broncho-pneumo-**

nie 1836, Beugnot. || **bronchographie** XXe s. || **bronchoscopie** 1904.

broncher 1175, Chr. de Troyes, « pencher » (jusqu'au XVIIe s.) ; XVIIe s., « trébucher » ; lat. pop. **bruncare*, d'orig. obscure. || **bronchade** XVIe s., G.

brontosaure 1888, Lar. ; gr. *brontê,* tonnerre, et *saura,* lézard.

bronze 1511, J. Lemaire (fém.) ; ital. *bronzo.* || **bronzer** 1559, Jodelle ; av. 1795, Chamfort, *se bronzer,* fig. || **bronzeur** 1866, Lar. || **bronzier** 1846, Balzac. || **bronzage** 1845. || **bronzette** v. 1970. || **bronze-cul** v. 1970.

brook 1846, terme de courses ; angl. *brook,* ruisseau.

broquette V. BROCHE.

***brosse** XIIe s., « broussaille » (encore dans les noms de lieux) ; 1265, J. de Meung, sens actuel (*broisse*) ; lat. pop. **brŭscia,* d'orig. obscure, p.-ê. de **broccia,* épineux, de *broccus,* dent saillante. || **brossée** XIXe s., « coup de brosse » ; 1858, Besch., « défaite ». || **brosser** 1374, Delb. (*bruissier*), sens actuel, et « aller à travers les broussailles » (jusqu'au XVe s.). || **brossage** 1837, Balzac. || **brosserie** 1835, *Acad.* || **brosseur** 1468, G. || **brossier** 1597, G.

brou XVe s., « couleur extraite de l'enveloppe verte de la noix » ; de *brout,* pousse. (V. BROUTER.)

brouée V. BROUILLARD.

brouet 1265, J. de Meung ; anc. fr. *breu,* « bouillon », issu de l'anc. haut allem. **brod* (angl. *broth*).

brouette début XIIIe s. (var. *berouette*) ; XVIIe s., « chaise à porteurs à deux roues » (inventée par Pascal) ; la brouette à une roue apparaît dès le XIIIe s. ; dimin. de **beroue,* bas lat. *birota* (*Code Théodosien*), véhicule à deux roues. || **brouettée** 1304, G. || **brouetter** 1304, G. || **brouetteur** 1250, Delb. || **brouettier** XIVe s.

brouhaha XVe s., *Farce* (*brou ha ha*), interj. ; 1552, Ch. Est., « bruit d'applaudissements » ; XVIIe s., « bruit confus » ; orig. onomatop.

brouillamini 1378, Prost, « mottes d'argile rouge » ; 1566, H. Est., fig., sens actuel ; altér., par infl. de *brouiller,* du lat. pharm. *boli Armenii,* bol d'Arménie, petites mottes d'argile qui servaient de médication. || **embrouillamini** 1747, Caylus ; d'apr. *embrouiller.*

1. **brouillard** 1220, Coincy (*bruiloz, brouillas,* jusqu'au XVIIe s.), « brume » ; 1440, Ch. d'Orléans (*brouillard*), par changement de suffixe ; de *broue,* brouillard blanc, de même rac. que *brouet ;* le *l* mouillé est dû à *brouiller.* || **brouillarder** v. 1930. || **brouillardeux** 1860. || **brouillasse** 1842, *Acad.* (*brouillas*) ; 1863, L. (*brouillasse*). || **brouillasser** début XVIIe s. || **brouée** 1314, Mondeville.

2. **brouillard** V. BROUILLER.

brouiller 1219, Guill. le Maréchal (*broillier*), « mélanger », « salir » ; p.-ê. de *brou,* bouillon, écume, boue, avec infl. des verbes en *-ouiller ;* ou du gallo-roman **brodiculare,* du germ. *brod.* || **brouille** 1617, Richelieu, fig. ; déverbal de *brouiller.* || **brouillard** XVe s., J. de Bans (*papier brouillas*), « brouillon » ; 1610, Béroalde de Verville, « registre ». || **brouillage** XVIe s. ; 1924, en radio. || **brouillerie** 1418, G. || **brouilleur** 1411 ; 1937, radio. || **brouillon** 1530, Calvin, « désordonné » ; 1551, « brouillon de lettre » ; de *brouiller,* griffonner. || **brouillade** 1876 ; mot prov. || **débrouiller** 1549, R. Est., « rendre clair » ; XXe s., rendre qqn habile ; *se débrouiller,* 1648, Voiture. || **débrouille** 1872, Esnault, art de se tirer d'embarras. || **débrouillement** 1611, Cotgrave. || **débrouilleur** XVIe s. || **débrouillard** 1872, Larchey. || **débrouillardise** XXe s. || **embrouiller** XIIIe s. || **embrouillement** 1546, *Doc.*

brouir début XIIe s., *R. de Cambrai* (*bruir*), « brûler » ; 1431, agric. ; 1751, *Encycl.,* « passer à la vapeur » ; francique **brojan* (allem. *brühen*), « échauder ». || **brouissure** 1645, Delb.

broussaille XIIe s. ; de *brosse,* buisson. || **broussailler** 1700, Liger. || **broussailleux** XVIIe s. || **débroussailler** 1876, *J. O.* || **embroussailler** 1874, A. Daudet (*-é*), « fait avec des broussailles » ; 1877, L., sens actuel.

brousse 1871, Garnier ; prov. *brousso,* « broussaille », répandu par les troupes coloniales. || **broussard** 1885.

broussin XIIIe s. (*brois-*) ; dimin. de l'anc. fr. *brois,* var. de *bruis* (1160, Benoît), du lat. *brūscum.*

brouter 1160, Benoît ; anc. fr. *brost,* pousse, du germ. **brŭstjan,* bourgeonner, puis mordre le bois. || **brout** XIIe s., *Parthenopeus ;* déverbal de *brouter.* || **broutille** 1329, G. (*brestille*), « petite pousse », puis fig. || **broutage** 1772, *Encycl.* || **broutard** 1866, Lar. || **broutement** 1562, Du Pinet.

brownien 1855 ; du nom de *R. Brown,* botaniste.

browning 1906, Lar. ; du nom de l'inventeur, l'Américain *J. M. Browning* (1855-1926).

broyer XIIe s. (*brier*) ; XIIIe s. (*broier*) ; germ. **brekan,* briser (allem. *brechen*) ; *broyer du noir,* 1767, Dide. || **broie** 1370, J. Le Fèvre, déverbal. || **broyage** 1838. || **broyeur** 1422, « qui broie » ; XVIe s., techn.

bru 1160 ; lat. *brutis,* du gotique *bruths* (allem. *Braut,* fiancée) ; le mot a pris la place de *nurus,* dans le nord de la Gaule ; auj. éliminé par *belle-fille.*

bruant 1378, J. Le Fèvre ; de *bréant,* d'apr. *bruire ;* petit passereau brun.

brucelles 1498, *Doc.* (*-as*), petites pinces ; altér. de *bercelle,* du bas lat. *bersella,* lat. *volsella.* || **brucelle** 1920, Meyer et Shaw ; du médecin anglais sir David *Bruce.* || **brucellose** 1926, Lar. ; même origine.

bruche 1775, Bomare ; lat. *bruchus* (IVe s., Prudence), du gr. *broukhos,* insecte mal déterminé (sauterelle ?).

brugnon 1600, O. de Serres (*bri-*) ; 1680, Richelet (*bru-*) ; prov. mod. *brugnoun, brignoun,* dimin. du lat. pop. **prunea,* de *prunus,* prune, par infl. de *brun.* || **brugnonier** 1877, L.

bruine 1120, *Ps. de Cambridge* (*pruine*) ; 1131, *Couronn. Loïs* (*broïne*) ; lat. *pruina,* frimas, infl. par *brume.* (V. BROUILLARD.) || **bruiner** 1551, Cotereau. || **bruineux** XIIIe s.

***bruire** 1080, *Roland,* « faire du bruit » ; XIIe s., *Roncevaux,* « répandre un bruit » (jusqu'au XVIIe s.) ; lat. pop. **brūgĕre,* croisement du lat. *rugire,* rugir, et **bragere,* braire ; le part. prés. *bruissant,* remplaçant *bruyant,* est dû aux formes en *-uiss-* et à *bruissement.* || **bruyant** XIIe s., *Ogier,* anc. part. prés. || **bruyance** 1867, Goncourt. || **bruyamment** XIIIe s. || **bruit** XIIe s., *Roncevaux,* « querelle, renommée » (jusqu'au XVIIe s.), et sens actuel, anc. part. passé. || **bruitage** 1946. || **bruiter** 1834. || **bruiteur** 1922. || **bruissement** début XIVe s. || **ébruiter** 1583, J. Baudon.

***brûler** 1120, *Ps. d'Oxford* (*brusler*) ; *brûler d'amour,* 1538, R. Est. ; *brûler la cervelle, cervelle brûlée,* 1740, *Acad. ;* p.-ê. du lat. *ūstŭlāre,* de *ūrere,* brûler, refait sous l'infl. de *bustum* (bûcher) en **būstulare,* puis en **brustulare,* sous l'infl. de *bruir* ou d'apr. le germ. *brenn,* brûler (*brand*) ; ou de **bruscitulare,* dimin. de **bruscular*e, flamber avec de la bruyère, de *bruscum,* bruyère. || **brûlable** 1546, Rab. || **brûlage** fin XVIe s., Vauquelin de La Fresnaye. || **brûlement** 1120, *Ps. de Cambridge* (*bruillement*). || **brûlerie** 1417, G. || **brûle-parfum** 1785, *Encycl. méth.* || **brûle-gueule** 1735, *Mercure.* || **brûle-pourpoint** (à) 1648, Scarron, « à bout portant ». || **brûleur** XIIIe s., G. ; 1867, Lar., « appareil ». || **brûlis** 1160, Béroul (*bruelletz*). || **brûloir** fin XVIIIe s. || **brûlot** 1627, Richelieu, navire ; 1671, Delb., sens général. || **brûlure** 1220, Coincy.

***brume** XIIIe s. ; prov. *bruma,* du lat. *brūma,* de **brevima,* (la journée) la plus courte (superlatif de *brevis*), c.-à-d. solstice d'hiver, d'où hiver, frimas. || **brumal** 1495, J. de Vignay. || **brumaire** 1793, Fabre d'Églantine. || **brumasse** fin XVe s., d'Authon (*-as*). || **brumasser** 1835, Jacquemont. || **brumeux** 1787, *Journ. de Genève.* || **brumisateur, brumisation** v. 1970. || **embrumer** v. 1500, J. Marot.

brun 1080, *Roland ;* germ. **brun,* brun, brillant (allem. *braun*). || **brune** v. 1450, « crépuscule, nuit » ; ital. *bruna.* || **brunâtre** 1557, L'Escluze. || **brunelle** 1698, Tournefort. || **brunet** XIIe s., G. || **brunette** 1175, Chr. de Troyes. || **brunante** 1810, n. f. || **brunir** 1080, *Roland,* « rendre brillant », puis « rendre brun ». || **brunissage** 1680, Richelet. || **brunisseur** 1313, Delb. || **brunissoir** XVe s. || **brunissure** 1429, Fauquembergue.

brunch v. 1970 ; mot angl., de *breakfast,* petit déjeuner, et *lunch,* déjeuner.

brushing v. 1965 ; mot angl. signif. « brossage ».

brusque XIVe s. (*vin brusque*), « âpre » ; XVIe s., fig. ; ital. *brusco,* âpre. || **brusquement** 1534, Rab. || **brusquer** 1382, *Comptes du Clos des Galées de Rouen ; brusquer fortune,* 1589, *Chron. bordelaise,* réfection de *busquer fortune.* || **brusquerie** 1668, Molière.

brusquembille 1718, *Académie universelle des jeux ;* du nom de *Bruscambille,* surnom du comédien Deslauriers (XVIIe s.).

brut XIIIe s., Aimé du Mont-Cassin ; on rencontre aussi *brute,* masc. jusqu'au XVIIIe s. ; lat. *brutus,* dépourvu de raison. || **brute** 1559, Amyot (*brut*) ; la forme fém. *brute* l'emporte au XVIIe s. || **brutal** XIVe s., « bestial » (jusqu'au XVIIe s.), et sens actuel ; bas lat. *brutalis.* || **brutalement** 1425, A. Chartier. || **brutaliser** 1572, Belleforest, « agir ou vivre en brute ». || **brutalisme** 1879. || **brutaliste** 1874. || **brutalité** 1539, R. Est., « bestialité » (jusqu'au XVIIe s.), et sens actuel. || **abrutir** 1541, Calvin. || **abrutissement** 1586, J. Lambert. || **abrutisseur** XVIIIe s., Voltaire.

bruyant V. BRUIRE.

***bruyère** 1174 ; lat. pop. **brūcaria,* champ de bruyère, du bas lat. *brucus,* bruyère, mot gaulois.

bryon 1562, Du Pinet ; lat. *bryon,* du gr. *bruon,* mousse des arbres. || **bryologie** 1845, Besch. || **bryozoaire** 1845, Besch.

bryone 1256, Ald. de Sienne ; lat. *bryonia,* du gr. *bruônia,* vigne blanche.

buanderie V. BUÉE.

bubon 1372, Corbichon ; gr. *boubôn,* tumeur à l'aine ; la forme réduite *bube* (1265, J. de Meung) subsiste au XVIIe s. || **bube** 1265, *Roman de la Rose.* || **bubelette** 1532, Rab., « pustule ». || **bubonique** fin XIXe s.

buccal 1735, Heister ; lat. *bucca,* bouche. || **bucco-dentaire** XXe s.

buccin 1372, Corbichon (*buxine*) ; 1733, Lémery (*buccin*), « coquillage » ; lat. *buccinum,* de *buccina,* trompe de bouvier. || **buccine** 1372, Corbichon, « trompette » ; même origine. || **buccinateur** 1549, Du Bellay, « panégyriste » ; 1654, Gelée, « muscle qui gonfle les joues » ; lat. *buccinator,* joueur de trompette.

bûche 1188, *Florimont ;* germ. **busk,* baguette, devenu fém. en lat. pop. d'apr. le pl. neutre ; ou de **buxicus,* « semblable au buis », de *buxus,* buis. || **bûcher** n. m., XIIe s., Delb. || **bûcher** XIIIe s., « frapper avec une bûche, travailler le bois à la hache » ; 1853, Lachâtre, « travailler fort ». || **bûchage** 1876, Vallès, fig. || **bûcheur** 1853, fig. || **bûchette** fin XIIe s., *Conquête de Jérusalem.* || **bûcheron** v. 1550 ; réfection, d'apr. *bûche,* de l'anc. fr. *boscheron* (XIIIe s., Merlin), de **bosc,* forme originelle de *bois.* || **bûcheronner** fin XVIe s. || **bûcheronnage** 1947. || **débucher** 1131, *Couronn. de Loïs,* « sortir de cachette » ; de *bûche,* bois, forêt. || **débusquer** XVIe s., « mettre en fuite » ; 1636, Monet, sens actuels ; fait sur *embusquer.* || **embûche** XIIe s., déverbal de *s'embûcher* (1130, *Eneas*), se mettre en embuscade ; de *bûche,* forêt. || **embusquer** XVe s., Delb., remplace *embûcher* dans *Acad.,* 1718 ; 1889, Esnault, « qui échappe aux corvées » ; ital. *imboscare,* de *bosco,* bois. || **embuscade** 1425, A. Chartier ; ital. *imboscata.*

bucolique 1265, J. de Meung ; lat. *bucolica,* du gr. *boukolikos, -ê,* adj., de *boukolos,* bouvier ; d'abord désigne *les Bucoliques* de Virgile, puis adj. || **bucoliser** 1881.

bucrane 1803, Boiste ; gr. *boukranon,* tête de bœuf (v. BUGRANE).

budget 1768, *Mém. adm. des finances angl. ;* 1801, Mercier, *budget familial ;* 1806, terme officiel ; angl. *budget,* d'abord sac du trésorier, de l'anc. fr. *bougette,* petit sac. || **budgétaire** 1825, Balzac. || **budgétairement** 1877, L. || **budgéter** 1872, L. || **budgétivore** 1845. || **budgétiser** v. 1950. || **budgétisation** v. 1950. || **débudgétisation** 1953, *Combat.* || **débudgétiser** XXe s.

buée début XIIIe s., « lessive » (jusqu'au XVIIIe s. ; encore auj. dans les patois) ; XVIe s., « vapeur d'eau » ; part. passé substantivé de *buer* (XIIe s., *Sept Sages*), faire la lessive, du francique **būkon* (allem. *bauchen*), ou de l'anc. fr. *buie,* cruche, du lat. *buca,* doublet de *bucca,* bouche. || **buanderie** 1471, Delb. || **buandier** 1408, G. (*bugandier*) ; forme poitevine de l'anc. fr. *buer.* || **embué** 1879, A. Daudet.

buffet début XIIe s., *Thèbes,* « table » ; 1268, É. Boileau, meuble actuel ; orig. obscure, p.-ê. onom. *buff-.* || **buffetier** fin XIIIe s., *Rôle de la taille de Paris ;* repris au XIXe s.

buffle début XIIIe s. ; ital. *bufalo,* issu du lat. *bufalus,* forme dial. de *bubalus.* || **buffleterie** 1610, *Lettre de Pecquius.* || **buffletin** 1594, G. (*-ffetin*), « justaucorps ». || **bufflonne** 1829. || **bufflon** 1845.

buggy V. BOGHEI.

1. **bugle** 1841, Boiste, « clairon à clefs » ; mot angl., de l'anc. fr. *bugle,* bœuf (v. BEUGLER), qui désigna au XIIIe s. un instrument en corne de buffle.

2. **bugle** XIIIe s., « plante » ; bas lat. *bugula* (Ve s., Marcus Empiricus).

buglosse 1372, Corbichon ; lat. *buglossa,* du gr. *buglôssa,* langue de bœuf ; plante à fleurs bleues.

bugne 1732 ; forme franco-prov. de *beigne.*

bugrane 1545, Guéroult ; lat. *bucranium,* tête de bœuf, du gr. *boukranion,* de *boukranon* (v. BUCRANE), avec infl. du lat. pop. **boveretina,* arrête-bœuf.

buie V. BUIRE.

building 1895, Bourget ; mot anglo-américain, de (*to*) *build,* construire.

buire 1175 ; altér. de *buie* (XIIe s.), « cruche », du francique **būk,* ventre (allem. *Bauch*). || **burette** 1305, G. (*buyreite*).

buis XIIe s. ; lat. *bŭxus,* avec infl. de *buisson,* ou *buxeus,* adj. || **buissaie ou buissière** 1507, *Archives.*

buisson 1080, *Roland* (*boissum*) ; XIIe s. (*buisson*) ; anc. fr. *boisson,* du lat. *buxeus.* || **buissonnet** 1180, Marie de France. || **buissonneux** 1175, Chr. de Troyes. || **buissonner** début XIIIe s. || **buissonnier** début XVIe s. ; *école buissonnière,* v. 1540, Marot ; s'est dit d'écoles clandestines tenues en plein air pour se soustraire à la redevance ecclésiastique, puis d'écoles protestantes interdites après l'édit de 1554. || **buisson-ardent** 1680, Richelet.

bulbe XVe s., *Grant Herbier,* bot. ; 1836, Landais, anat., n. m. et f. ; lat. *bulbus,* oignon. || **bulbaire** 1833, spécialisé dans l'acception anat. || **bulbeux** 1545, Guéroult, bot. || **bulbille** v. 1850.

bulldozer 1927 ; mot angl. signif. « qui obtient par la force », de (*to*) *bull-doze,* intimider ; d'abord membre d'une organisation punitive contre les Noirs (1876) ; puis techn.

1. **bulle** XIIe s., G. ; lat. médiév. *bulla,* sceau, acte revêtu d'un sceau, d'apr. la boule de plomb attachée au sceau.

2. **bulle** XVIe s., *bulle d'air ;* lat. *bulla,* boule. || **bulleux** 1803.

bulletin début XVIe s. ; ital. *bollettino,* cédule, billet (sens du mot au XVIe s.), de *bolla,* boule (évolution semblable à *bulle*). || **bulletiniste** 1781, Beaumarchais.

bull-finch 1862, turf ; mot angl. désignant un talus de terre couronné d'une haie.

buna 1948, Lar., caoutchouc artificiel fabriqué par les Allemands avec le butadiène et le sodium (symbole *Na*).

bungalow 1826 ; mot angl., de l'hindi *bangla,* bengalien.

bunker 1942 ; mot allem. signif. « soute ».

buplèvre 1562, Du Pinet (*bupleuron*) ; 1783, *Encycl. méth.* (*buplèvre*) ; lat. *bupleuron,* bot., oreille-de-lièvre, du gr. *boupleuron,* propr. « côte de bœuf ».

bupreste 1372, Corbichon ; lat. *buprestis,* bot., du gr. *bouprêtis,* enfle-bœuf.

buraliste V. BUREAU.

burat 1593, *Argenterie du roi ;* ital. *buratto,* de même rac. que *bure.* || **buratin** ou **buratine** 1690, Furetière, variante.

1. ***bure** 1138, *Saint Gilles* (*burel*) ; XVIe s. (*bure*) ; lat. pop. **būra,* var. probable de *burra,* bourre ; ou de l'anc. adj. *bur,* brun foncé, du lat. *burrus,* roux. || **bureau** XIIe s., « étoffe » (jusqu'au XVIIe s.) ; XIIIe s., « tapis de table » ; XIVe s., « meuble à écrire » ; XVe s., « pièce où est ce meuble » ; 1675, Huet, commerce. || **burlingue** 1877, Esnault ; de *burlin* (1836, Vidocq), dimin. de *bureau.* || **burelé** XIIIe s., Huon de Méry, « rayé comme les tapis de bureaux ». || **burelle** XVe s. || **buraliste** fin XVIIe s. || **bureaucrate** 1790, Gallais. || **bureaucratie** av. 1759, Gournay. || **bureaucratique** 1798, *Acad.* || **bureaucratisation** 1905. || **bureautique** 1976 ; de *bureau* et *informatique.*

2. **bure** 1751, *Encycl.,* « puits de mine » ; wallon *beur* désignant, d'apr. Haust, une hutte élevée sur le puits, de l'anc. haut allem. *būr,* maison (normand *bure,* maison rurale).

bureau V. BURE 1.

burette XIIIe s. (*buirette*) ; 1360 (*burette*) ; anc. fr. *buire,* flacon.

burg début XIXe s. ; mot allem. au sens de « château fort ». || **burgrave** 1413, Lannoy (*bour-*) ; 1549, *Doc.* (*bur-*) ; allem. *Burggraf,* comte d'un bourg. || **burgraviat** 1550, G.

burgau 1563, Palissy ; du nom de personne *Burgaut,* comme l'anc. fr. *burgaut,* homme violent et stupide (fin XIVe s.). || **burgaudine** 1701, Furetière.

burin 1420, *Inv. de Philippe le Bon ;* anc. ital. *burino* (auj. *bulino*), du germ. (allem. *bohren,* percer). || **buriner** 1558, Du Bellay. || **burineur** fin XVIe s.

burle, burlesque V. BOURLE.

burnous 1556, *Description de l'Afrique* (*barnusse*), « manteau à capuchon » ; 1830, Ch. Piquet, « manteau d'Arabe » (*barnous*) ; 1839, Balzac (*burnou*) ; XXe s., « vêtement d'enfant » ; ar. *bournous,* manteau à capuchon, qui a donné aussi *alburnos,* avec article, manteau à capuce des chevaliers de Malte (1706) ou manteau des Arabes (1826, Chateaubriand).

buron 1175, Chr. de Troyes (*buiron*) ; de *bure,* hutte, mot haut allem. ; en Auvergne, chalet pastoral où l'on fabrique du fromage.

bus fin XIXe s., abrév. de *omnibus.*

busaigle, busard V. BUSE 1.

busc 1545, Montaiglon ; ital. *busco,* bûchette (rac. *bûche*). || **busquer** XVIe s., garnir d'un busc. || **busqué** XVIe s., corseté. || **busquière** 1690, Furetière.

1. **buse** apr. 1450, Meschinot, « oiseau » ; anc. fr. *buison, buson* (jusqu'au XVIe s.), du lat. *būteo, -onis,*, avec changement de suffixe. || **busard** XIIe s., Fantosme. || **busaigle** XIXe s.

2. **buse** XIIIe s., *Médicinaire liégeois,* « conduit » ; mot du Nord, du moyen néerl. *buse, buyse,* même sens.

business début XIXe s. (pop. *bizness,* 1895, Esnault) ; mot angl., de *busy,* occupé. || **businessman** 1871, M.-A. Gromier. || **business school** v. 1970 ; mot anglo-amér.

busserole 1775, Bomare ; prov. mod. *bouisserolo,* de *bouis,* buis.

buste 1356, Fagniez ; ital. *busto,* du lat. *bustum,* monument funéraire, buste (celui-ci ornant souvent les monuments funéraires). || **bustier** début XXe s. ; v. 1955, sorte de soutien-gorge.

but début XIIIe s. ; p.-ê. du francique **būt,* souche, billot (d'apr. le scand. *butr*), puis but de flèche. || **butée** 1694, Th. Corn. || **buter** fin XIVe s., G., « heurter, viser » (jusqu'au XVIIe s.) ; 1821, Ansiaume, « tuer ». || **buté** adj., 1859. || **butoir** 1690, Furetière, « couteau » ; 1863, L., « heurtoir ». || **buteur** début XXe s. || **abuter** XIIIe s., P. Gastineau. || **débuter** 1549, R. Est., « écarter du but » ; 1640, Oudin, « jouer un premier coup » ; 1690, Furetière, au théâtre. || **début** 1642, Oudin, déverbal. || **débutant** 1767, Proschwitz. || **rebuter** XVe s., A. de La Sale, « repousser du but ». || **rebut** 1549, R. Est., déverbal. || **rebutant** 1674, Boileau.

butadiène, butane V. BUTYREUX.

butin XIVe s., G. de Charny ; moyen bas allem. *būte,* partage (allem. *Beute,* proie), terme de mar., venu des villes hanséatiques. || **butiner** XIVe s., « piller » (jusqu'au XVIIe s.) ; XVIe s., en parlant de l'abeille. || **butinage** fin XIXe s. || **butineur** 1468, Chastellain.

butoir V. BUT.

butor 1130, *Tristan,* oiseau ; 1671, Molière, fig. ; p.-ê. composé du lat. *butiotaurus,* de *butio,* butor, et *taurus,* taureau (surnom du butor à Arles d'apr. Pline) ; *butio* est dér. de *butire,* crier (en parlant de la buse). || **butorderie** v. 1750, Voltaire.

butte 1360, *Modus,* « tertre portant la cible » (jusqu'au XVIIe s.) ; forme fém. de *but.* || **butter** 1694, « disposer en butte ». || **buttage** 1747, Restaut (*butage*). || **buttoir** 1835.

butyreux 1560, Paré ; lat. *butyrum,* beurre. || **butyrique** 1816. || **butylène** 1866, Lar. || **butyromètre** 1855. || **butane** (*gaz*) 1874, créé avec la rac. de *butyrique.* || **butanier** 1960, Lar. || **butène** 1845. || **butadiène** 1913, de *éthylène.*

buvable, buvard, buvette V. BOIRE.

buzzer XXe s. ; mot angl., de (*to*) *buzz,* bourdonner, chuchoter.

byronien 1836, Chateaubriand ; du nom de *Byron* (1788-1824).

byssus fin XIVe s. ; mot lat., du gr. *bussos,* coton, d'origine sémitique. || **byssinose** 1894, Layet.

byzantin XIVe s., monnaie de Byzance ; 1732, de Byzance ; 1838, fig. ; du lat. *byzantinus,* empr. au gr. *buzantion,* de Byzance, à cause des querelles religieuses, mesquines, auxquelles les Byzantins s'adonnaient aux XIVe-XVe s. || **byzantiniser** 1851, Herzen. || **byzantinisme** 1838.

C

ça 1649 ; altér. de *cela* ou confusion avec l'adv. *çà* : l'opposition *ci/çà* a entraîné *ceci/c(e)ça,* d'où *ça.*

***çà** 1080, *Roland* (var. *çai*) ; lat. pop. *ecce-hac,* renforcement par *ecce,* voici, de *hac,* par ici (v. CE, CI). || **deçà** 1130, *Couronn. de Loïs.* || **céans** début XIIe s., *Voy. de Charlem.* (*çaenz*) ; de *çà* et de l'anc. fr. *enz,* dedans (lat. *ĭntus*) ; s'opposait à *léans* (*la-enz ;* encore au XVIIe s., La Fontaine) ; restreint à quelques loc. (*maître de céans*).

cab 1848, Gautier ; mot angl., abrév. de *cabriolet.*

cabajoutis 1833, Balzac ; mot normand, de *cabas,* vieux meuble, et *ajouter.*

cabale 1532, Rab., « tradition hébraïque » ; 1586, L'Estoile, « manœuvres » ; hébreu *qabbalah,* tradition. || **cabaler** 1617, *Mercure.* || **cabaleur** début XVIIe s., Tallemant des Réaux. || **cabaliste** 1532, Rab. || **cabalistique** 1532, Rab. || **cabalistiquement** 1863, L.

caban milieu XIVe s., texte en latin ; milieu XVe s. (*caban*) ; sicilien *cabbanu* (var. *gaban,* de l'esp. *gaban*), dér. de *cabba,* de l'ar. *qabā,* manteau d'homme.

cabane début XIVe s. ; prov. *cabana,* du bas lat. *capanna,* hutte (VIIe s., Isidore de Séville). || **cabaner** XVIe s. || **cabanon** 1752, Trévoux, spécialisé en « cellule d'aliéné » ; XIXe s., pied-à-terre de campagne, en Provence. || **encabaner** 1856, Lachâtre.

1. **cabaret** 1330, *Baudoin de Sebourc,* « buvette » ; XVIIe s., « meuble » ; mot picard, du néerl. *cabret,* issu du picard *cambrette,* petite chambre. || **cabaretier** XIVe s.

2. **cabaret** début XVIe s., « plante » ; altér. d'apr. le précédent de *baccaret* (XVIe s.), du lat. *baccaris,* gr. *bakkaris,* de même sens.

cabas v. 1350 ; prov. *cabas,* du lat. pop. **capacius,* de *capax, -cis,* « qui contient », de *capere,* contenir ; il a désigné longtemps un panier de jonc servant à expédier les figues et les raisins du Midi.

cabèche XVIe s. (*cavèche*) ; 1873, abbé Moreau (*cabèche*) ; esp. *cabeza,* tête. (V. CABOCHE.)

cabernet 1861, Dupuits ; nom de cépage, mot du Médoc.

cabestan 1382, *Compte du Clos des Galées de Rouen ;* prov. *cabestan,* de *cabestran,* de *cabestre,* corde, poulie. (V. CHEVÊTRE.)

cabiai 1575, Thevet (*capiigouare*), rongeur ; fin XVIIIe s., Buffon (*cabiai*) ; mot tupi-guarani (v. COBAYE), langue indigène du Brésil.

cabillaud 1278, G. (*-aut*) ; néerl. *kabeljau.*

cabillot 1687, Desroches ; prov. *cabilhot,* de *cabilha,* cheville.

cabine 1364, texte de Lille, « maison de jeu » ; mot picard, var. de *cabane* (on a dit *cabane d'un navire* du XVIe au XVIIIe s.), ou croisement de *ca-,* « creux », et *benne,* panier, hutte ; 1688, Blome, sens actuel, repris sans doute à l'angl.

cabinet fin XVe s., « chambre intime » ; 1528, Gay, « meuble » ; 1539, R. Est., polit. ; 1708, Furetière, « ministère » ; ital. *gabinetto,* chambre ou meuble.

câble 1180 ; prov. ou normand *cable,* du bas lat. *capŭlum* (VIIe s., Isidore de Séville) ; il a remplacé *chable.* || **câbleau** 1415, Jal. || **câblière** 1795, *Encycl. méth.* || **câblerie** 1905. || **câbler** 1680, « façonner un câble » ; 1877, Lar., « télégraphier », sens repris à l'angl. || **câblage** 1877, L. || **câblogramme** 1888 ; angl. *cablegram,* devenu *cablegramme* (1896, *la Nature*) ; abrégé en *câble* (1897, Bourget). || **câblodistributeur** 1982. || **câblodistribution** 1965. || **encablure** 1758, Savérien.

caboche 1160, Benoît (*caboce*) ; forme normanno-picarde, de *bosse,* avec préf. péjor. *ca-,* vulgarisée comme mot pop. à partir du XIVe s.

(nom du boucher *Caboche*). Le mot a été confondu de bonne heure avec des dér. d'orig. méridionale, du lat. *caput,* tête ; 1680, Richelet, « clou à grosse tête », de l'ital. *capocchia,* même origine. (V. CABÈCHE.) || **cabochard** 1579, H. Est. || **cabochon** 1380, Gay, « pierre précieuse convexe » ; 1706, Richelet, « clou à grosse tête ».

cabosser 1160, *Moniage Guillaume,* « former des bosses », en parlant des souliers ; XVIe s., « déformer par des bosses » ; préfixe *ca-,* expressif, et *bosse.*

1. **cabot** 1821, Ansiaume, « chien à grosse tête » ; mot méridional ou normand, de *cap,* tête, désignant dans les dialectes divers animaux à grosse tête (têtard, chabot) ; ou déform. de *clabaud.*

2. **cabot** 1881, Rigaud, « caporal » en argot milit. ; abrév. de *capo(ral)* par attraction de *cabot* 1.

3. **cabot** V. CABOTIN et CHABOT.

caboter 1678, Guillet ; esp. *cabo,* cap. || **cabotage** 1678, Guillet. || **caboteur** 1542, G.

cabotin 1770, P. Daire, « comédien ambulant », paraît représenter le nom d'un comédien ambulant de l'époque Louis XIII ; il est aussi rapproché d'un mot picard (XVIIIe s.), « petit badin », du lat. *caput,* tête. || **cabot** 1847, abrév. || **cabotiner** 1774, *Confess. Audinot.* || **cabotinage** 1805, Stendhal.

caboulot 1846, Delvau, nom d'un cabaret de la rue des Cordiers d'apr. Rigaud ; mot franc-comtois signif. « réduit », croisement de *cabane* avec un mot obscur, p.-ê. gaulois (*boulot,* petit local, du celtique **buta,* hutte).

cabre 1540, Rab., « chèvre » ; 1827, *Acad.,* sens techn. ; prov. mod. *cabro,* chèvre, du lat. *capra.* || **cabrade** 1867 ; prov. *cabrado.*

cabrer fin XIIe s., « se dresser sur ses pieds de derrière » ; XIVe s., *se cabrer ;* prov. *(se) cabrar,* se dresser comme une chèvre, de *cabro,* chèvre ; 1608, d'apr. Trévoux, fig. || **cabrage** 1886. || **cabrement** 1877, L.

cabrette 1926, cornemuse ; prov. *cabro,* chèvre.

cabri 1392, E. Deschamps ; prov. *cabrit ;* lat. pop. *capritus, Loi salique,* de *capra,* chèvre ; il a remplacé l'anc. fr. *chevri.*

cabriole 1562, Tahureau, écrit souvent *capriole* (XVIe-XVIIe s.) ; ital. *capriola,* de *capriolo,* chevreuil, avec infl. de *cabri.* || **cabrioler** 1584, Du Monin ; ital. *capriolare.* || **cabrioleur** 1625, *Rec. comptes argenterie.* || **cabriolet** 1755, *Mercure,* « voiture légère qui cabriole » ; 1757, Duvaux, « jeu » ; 1757, Grimm, « coiffure ».

cabus 1256, Ald. de Sienne ; prov. *cabus,* de l'ital. *capuccio,* chou à grosse tête. Le dér. *cabusser* (1600, O. de Serres) n'a pas vécu.

caca 1534, Des Périers ; mot enfantin sur le modèle des redoublements, du lat. *cacare,* qui a donné *chier.* (V. DADA, PAPA.)

cacaber 1560, Paré ; lat. *cacabare* (poème de *Philomèle*), du gr.

cacade 1589, Constant ; ital. *cacata ;* la var. *cagade* (fin XVIe s., d'Aubigné) vient du prov. *cacado,* entreprise manquée.

cacahuète début XIXe s., fém. ; esp. *cacahuate,* masc., du nahuatl, langue des Aztèques, *tlacucahuatl,* avec une initiale confondue avec l'article.

cacao 1532, A. Fabre ; esp. *cacao,* du nahuatl, langue des Aztèques, *cacauatl.* || **cacaoyer** 1686, Frontignières. || **cacaotier** 1698, De Laet. || **cacaoyère** ou **cacaotière** 1730, Savary. || **cacaoté** 1949, Lar.

cacarder 1613, Delb. ; orig. onomatop.

cacatoès 1663 (*cacatois*) ; port. *cacatua,* mot malais.

cacatois 1663, Herbert (var. *kakatoès*) ; néerl. *kakatoe,* du malais *kakatūwa,* onomat. d'apr. le cri du perroquet, peut-être aussi infl. du port. *cacatua.* Comme terme de marine, dér. synonymique d'apr. « perroquet ».

cachalot 1628, Contant (*-lut*) ; esp. *cachalote,* de *cachola,* caboche, c'est-à-dire « poisson à grosse tête ».

cachemire début XIXe s. ; du nom de la province du *Cachemire* (Inde).

***cacher** XIIIe s., *Saint-Graal,* « fouler », et sens actuel ; 1549, R. Est., fig. ; lat. pop. **coacticare,* serrer, fréquentatif de *coactare,* contraindre ; a remplacé *escondre* (lat. pop. **excondere*). Pour l'évolution sémantique cf. *resserre.* || **cache** 1561, *Anc. Théâtre fr.,* fém., « cachette » ; 1898, *Encycl. pop.,* en photogr., masc. ; déverbal. || **cachette** 1313, God. de Paris. || **cachot** milieu XVIe s., dimin. || **cachotter** 1550, Delb. || **cachotterie** apr. 1650, Bossuet. || **cachottier** 1670, *Lettre à Huet.* || **cache-cache** 1778, *Courrier de l'Europe.* || **cache-cœur** v. 1950. || **cache-col**

1534, *Gargantua* (*-coul*). || **cache-corset** v. 1880. || **cache-misère** 1847. || **cache-nez** 1549, R. Est. || **cache-pot** fin XVIIe s., Huet (*vente à cache-pot*) ; 1830, *la Mode*, sens mod. || **cache-poussière** fin XIXe s. || **cache-radiateur** XXe s. || **cache-sexe** fin XIXe s. || **cache-tampon** 1835. || **écacher** 1160, Benoît ; de *cacher*, fouler. || **écachement** XVIe s., G. || **écacheur** 1571, *Ordonn.* || **cachet** 1464, « empreinte sur la cire » ; fig., 1774, *Corr. litt. phil. et crit.* ; de *cacher*, presser. || **cacheter** 1464, Bartzsch. || **cacheton** 1937. || **cachetonner** v. 1950. || **décacheter** 1554, Mathée. || **recacheter** 1554, Mathée.

cachet V. CACHER.

cachexie 1538, Canappe ; lat. méd. *cachexia*, du gr. *kakhexia*, mauvaise constitution (*kakos*, mauvais, et *hexis*, état). || **cachexique** ou **cachectique** 1538, Canappe ; lat. méd. *cachecticus*, du gr. *kakhektikos*.

cachot V. CACHER.

cachou 1651, Hellot ; port. *cachù*, du malais ou du dravidien *kâchu*.

cachucha 1837, Barbey ; mot esp. qui indique une danse andalouse.

cacique 1515, Du Redouer, « chef des anciens Mexicains » ; 1803, Boiste, famille de passereaux d'Amérique ; v. 1840, argot scol., « premier de promotion » ; mot esp., de l'arawak, langue indigène d'Amérique centrale. || **caciquer** v. 1950.

caco-, gr. *kakos*, mauvais. || **cacochyme** 1478 (*-ime*) ; gr. méd. *kakokhumos*, de *khumos*, humeur. || **cacodyle** 1842 ; gr. *odmê*, odeur, et *hulê*, matière. || **cacographie** milieu XVIe s. || **cacographe** 1820. || **cacologie** 1611, Cotgrave ; gr. *kakologia*, de *logos*, parole. || **cacophonie** 1587, Ronsard ; gr. *kakophônia*, de *phônê*, son. || **cacophonique** 1853.

cacolet 1819, Boiste ; gascon pyrénéen *cacoulet*, d'orig. basque.

cacouac 1757, Moreau, sobriquet donné aux philosophes ; orig. expressive.

cactus fin XVIIIe s. (*cactier*) ; lat. bot. *cactus*, du gr. *kaktos*, artichaut épineux. || **cactée** 1803, Boiste (*-tê*) ; 1842, *Acad.* (*-tées*). || **cactiforme** 1930, Lar.

cacuminal fin XIXe s. ; lat. *cacumen, -inis*, sommet.

cadastre 1527, Bodin, « cadastre de Toulouse » ; étendu, au XVIIIe s., au nord de la France ; mot prov., altér. de l'anc. ital. *catastico*, du bas gr. *katastikhon*, liste, registre (*kata*, prép., *stikhos*, ligne). || **cadastral** 1790, Necker. || **cadastrer** 1781, Turgot. || **cadastreur** 1838.

cadavre XVIe s., *Chron. bordelaise* ; lat. *cadaver*. || **cadavéreux** 1546, Rab. || **cadavérique** 1787, Féraud. || **cadavériquement** v. 1880, Huysmans. || **cadavériser (se)** 1830.

caddie 1896 ; mot angl. signif. « commissionnaire ».

cade 1518, G., bot. ; mot prov., du bas lat. *catănum* (fin VIIe s., glose d'Espagne).

cadeau fin XIIe s., *Girart de Roussillon*, « lettre capitale » avec enjolivures ; 1532, « enjolivures », au pr. et au fig. ; 1659, Molière, « divertissement offert à une dame » ; 1669, « présent » ; prov. *capdel*, chef, du lat. *capitellum*, dér. de *caput*, tête, confondu pour le sens avec *capdal*, du lat. *capitalis*.

cadédiou ou **cadédis** 1636, Corn., juron gascon ; contraction de *cap de Diou*, tête de Dieu ; employé dans les comédies des XVIIe-XVIIIe s.

cadenas 1529, G. Tory (var. *cathenat*) ; prov. *cadenat*, dér. de *cadena*, chaîne, du lat. *catena*, l'arceau du cadenas ayant été comparé à une chaîne. || **cadenasser** 1530, trad. de Folengo.

cadence fin XVe s., « chute » ; 1546, J. Martin, « terminaison d'une période, rythme » ; ital. *cadenza*, du lat. *cadere*, tomber. || **cadencer** 1597, Cyre Foucault (*-cé*). || **cadencement** 1873.

cadène début XIVe s. ; ital. *catena*, chaîne (var. *catène*), terme de marine (*cadène de haubans*) ; 1829, chaîne de forçat ; prov. mod. *cadeno*.

cadenette 1629, Saint-Amant, mèche de cheveux mise à la mode, sous Louis XIII, par H. d'Albert, sire de *Cadenet* (Provence) ; plus tard, tresse.

1\. **cadet** XVe s., J. de Bueil, « puîné », qu'il a remplacé au cours du XVIIIe s. ; gascon *capdet*, chef, forme dial. de *capdel* (v. CADEAU) ; les capitaines gascons servant dans l'armée royale, aux XVe-XVIe s., étaient généralement des puînés de familles nobles (sens du XVIIe s., Cotgrave). || **cadette** 1801, Boiste, « petite queue de billard ».

2\. **cadet** v. 1904, membre d'un parti de droite de Russie ; des initiales du mot russe *K(onstitutionnel)-D(émocrate)*.

cadi V. ALCADE.

cadis 1352, Gay, « serge du Midi » ; mot prov., de l'esp. *cadiz,* p.-ê. étoffe fabriquée à *Cadix* (esp. *Cadiz*).

cadmie fin XIIIe s. (*camie*) ; 1538, Canappe (*cadmie*) ; lat. *cadmia,* du gr. *kadmeia,* minerai de zinc, extrait près de Thèbes, cité de *Kadmos.* || **cadmium** 1808, tiré de la cadmie par Pontin. || **cadmiage** v. 1925.

cadogan 1780, *Description des arts et métiers* (var. 1768, Piron, *catogan*) ; coiffure mise à la mode par le général anglais *Cadogan* (1675-1726).

cadran XVIIe s., G. (*quadran*) ; lat. *quadrans,* part. prés. de *quadrare,* former un carré, les cadrans solaires étant carrés ou rectangulaires. || **cadrannerie** 1783, *Encycl. méth.*

cadrat XVIIe s., Naudé (*qua-*) ; lat. *quadratus,* carré. || **cadratin** 1680, Richelet (*qua-*). Termes techn. de l'imprimerie.

cadre 1549, Rab., « carré », et sens actuel ; 1931, Farbman, pl., « personnel d'encadrement » ; ital. *quadro,* carré, du lat. *quadrus.* || **cadrer** 1529, G. Tory (*qua-*), avec prép. *à ;* XVIIe s., avec prép. *avec ;* 1912, *le Film,* en cinéma ; de *cadre* ou du lat. *quadrare,* s'adapter. || **cadrage** 1866, Lar., « ensemble de cadres » ; 1924, Ducom, cinéma. || **cadreur** 1952. || **encadrer** 1752, Trévoux. || **encadrement** 1756, Brunot. || **encadreur** 1870, Lar.

caduc 1346 ; *mal caduc* (épilepsie), XVIe s., Michel de Tours ; lat. *caducus,* de *cadere,* tomber. || **caducité** 1479, Lecoy.

caducée 1455, Fossetier (*caduce,* n. f.) ; lat. *caduceus,* du gr. *kêrukeion,* insigne du héraut (*kêrux*).

cæcum 1538, Canappe ; lat. méd. (*intestinum*) *caecum,* intestin aveugle, le cæcum étant en cul-de-sac. || **cæcal** 1654, Gelée.

cæsium ou **césium,** corps simple découvert en 1860 par Bunsen et Kirchhoff ; lat. *caesius,* gris-vert, d'apr. la couleur de ce métal.

cafard 1480, Gringore (*-phar*), « bigot » (sens vulgarisé par les huguenots), puis dénonciateur hypocrite (qui se cache) ; XVIe s., « blatte » ; 1882, Ginisty, *avoir le cafard,* fig., arg. milit. d'Afrique ; ar. *kāfir,* mécréant (cf. esp. *cafre,* cruel), ou d'un rad. *caf-,* du lat. *cavus.* || **cafarder** milieu XVe s., « dénoncer ». || **cafardage** 1765, Rousseau. || **cafardeur** XIXe s. || **cafarderie** XVe s., G. || **cafardeux** 1919, Esnault. || **cafardise** 1551, A. Désiré. || **cafeter** ou **cafter** 1900. || **cafeteur** 1914.

café 1651, Lambert (*cafeh*) ; le premier café fut ouvert à Marseille en 1654 ; ital. *caffè,* de l'ar. *qahwa,* prononcé à la turque *kahvé ;* la forme *caoua* a été reprise par l'argot milit. d'Afrique (1888). || **caféier** 1715 (*cafier*) ; 1791, *Encycl. méth.* (*-eyer*). || **caféine** isolée par Runge, en 1820. || **caféone** 1867, Lar. || **caféisme** 1878, Lar. || **cafetier** 1680, Richelet, *t* analogique ; 1846, Balzac, « débitant ». || **cafetière** 1685, Dufour, « récipient » ; 1836, Mme de Girardin, « établissement » ; 1857, Furpille, « tête ». || **cafétéria** 1925 ; mot amér., de l'esp. *cafeteria.* || **décaféiner** 1911, Lar. || **décaféination** 1911, Lar. || **café-concert** 1852, Nerval. || **caf' conc'** 1878, Esnault. || **café-théâtre** v. 1965.

cafouiller 1740, Cottignies ; renforcement de *fouiller* avec le préfixe péjor. *ca- ;* formation picarde (« fouiller »). || **cafouillage** début XVIIIe s. || **cafouilleux** fin XIXe s. || **cafouillis** fin XIXe s.

caftan 1537, Saint-Blancard ; arabo-persan *qaftān.*

cagade V. CACADE.

***cage** 1155, Wace ; lat. *cavĕa,* de *cavus,* creux (forme pop. *Chaye,* n. de lieu) ; la conservation du *c* est due soit à un emprunt tardif, soit à une forme picarde. || **cageot** 1467, *Ordonn.* || **cagée** 1599, Desparron. || **cagette** 1321, Du Cange. || **cagerotte** 1551, Cottereau. || **encager** 1310, Guiart. || **encagement** 1636, Monet.

cagibi 1891, Coulabin (*cagibiti*), « petit réduit » ; 1915, « abri de tranchées » ; mot de l'Ouest qui paraît être une altér. de *cabane,* à finale obscure, avec infl. de *cage ;* ou métathèse de *cabigit,* cahute, de *cabajétis.*

cagna 1883, au Tonkin, « abri de campagne » ; 1915, « abri de tranchées » ; annamite *kai-nhâ,* la maison, ou prov. *cagna,* lieu abrité.

cagne fin XVe s., *Cent Nouv. nouvelles ;* ital. *cagna,* chienne, avec valeurs péjor. ; 1480, *Comptes de l'hôtel des Rois de France,* « pavillon ». || **cagnard** 1480, D., « petit pavillon » ; 1520, Marot, « paresseux comme une chienne ». || **cagnardise** 1540, Calvin. || **cagneux** 1607, de Francini ; d'apr. la forme des pattes antérieures du chien. || **acagnarder** 1540, Calvin, « accoutumer à la paresse ».

cagnotte 1801, « cuveau pour vendange » ; 1855, V. Rozier, « corbeille pour enjeux »,

« enjeux conservés » ; gascon mod. *cagnoto,* cuveau, de *cana,* récipient.

cagot début XVe s., « lépreux blanc » ; XVIe s., fig., par infl. de *bigot ;* mot béarnais (lépreux blanc), p.-ê. péjor., dér. de *cagar,* chier. || **cagoterie** 1598, Ph. de Marnix. || **cagotisme** 1667, Molière. || **cagou** 1436, *Journ. de Paris ;* 1596, *Vie généreuse,* « lépreux simulé, chef des gueux » en argot ; XVIIe s., Scarron, « gueux ».

cagouille 1611, rég., « escargot » ; du lat. *conchylia,* ou de *caque,* « coquille », avec le suff. *-ouille.*

cagoule XIIe s. (*cogole*) ; 1552, Rab. ; mot du Sud-Ouest, du lat. chrét. *cuculla* (IVe s., saint Jérôme), var. de *cucullus,* capuchon, cape à capuchon ; l'*a* est dû à *cagouille* (v. CUCULLE). || **cagoulard** v. 1936.

***cahier** 1160, Benoît (*quaer*) ; XIIIe s. (*quaier*) ; bas lat. *quaternio,* du lat. *quaterni,* distributif de *quatuor,* quatre, c'est-à-dire « cahier de quatre feuilles ». (V. CARNET.)

cahin-caha 1552, Rab. ; prononciation médiév. de *qua hinc qua hac,* par-ci par-là (var. XVe s., M. Le Franc, *kahukaha*).

cahoter 1564, J. Thierry ; XVIIIe s., fig. ; préfixe *ca-,* péjor., et francique **hottôn,* balancer. || **cahot** 1460, déverbal. || **cahotement** 1769, Tissot. || **cahoteux** 1678, *Archives.*

cahute XIIIe s., E. Caupain (*chaüte*) ; XIVe s. (*quahute*) ; de *hutte* et du préfixe péjor. *ca-,* avec infl. possible d'un mot néerl., ou croisem. de *hutte* et de *cabane.*

caïd 1308, *Hist. des Normands ;* 1827, *Acad. ;* XXe s., sens pop. « chef de bande » ; ar. *qā'id,* chef de tribu.

caïeu 1651, Bonnefons, « bulbe secondaire » ; 1733, Lémery, « moule » ; mot picard signif. « rejeton », métaphore de l'anc. fr. *chael* (picard *cael*), petit chien, du lat. *catellus.*

caillasse V. CAILLOU.

caille VIIIe s., *Reichenau* (*quaccola*) ; fin XIIe s., *Chron. d'Antioche* (*quaille*) ; lat. médiév. *quaccula,* d'orig. onomatop. (néerl. *kakkel*).

caillebotter V. CAILLER.

***cailler** 1120, *Ps. d'Oxford* (*coailler*) ; 1936, Céline, « avoir froid » ; lat. *coagŭlare.* || **caillette** 1398, *Ménagier,* « estomac des ruminants », car on fait cailler le lait avec de la présure retirée de l'estomac d'un jeune veau. || **caillement** 1478. || **caille-lait** 1701, Furetière. || **caillot** XVIe s., G. ; dimin. de l'anc. fr. *cail,* présure, du lat. *coagulum,* présure. || **caillebotter** 1320, Chr. Legouais ; mot de l'Ouest, de *cailler* et *bouter* (dial. *boter*), mettre, c.-à-d. « mettre en caillé ». || **caillebotis** 1678, Guillet. || **caillebotte** 1546, Rab. (V. COAGULER.)

1. **caillette** V. CAILLER.

2. **caillette** 1530, Marot, « personne frivole » ; du nom d'un bouffon de Louis XII et de François Ier ; d'abord masc. (encore chez Cotgrave, 1611), puis fém. sous l'infl. de la syllabe finale. || **cailleter** 1766, Rousseau. || **cailletage** 1758, Sainte-Maure.

caillot V. CAILLER.

caillou 1164, Chr. de Troyes (*chaillo*) ; 1180, Benoît (*caillou*) ; forme normanno-picarde, du gaulois **caliavo,* dont le rad. pré-indo-européen **cal,* signif. « pierre, rocher », est attesté dans les noms de lieux. || **caillouter** 1757, *Inv. de Mme de Pompadour.* || **caillouteux** 1573, Liébault (*cailloueux*). || **cailloutage** fin XVIe s., Sully. || **cailloutis** 1700, Liger. || **caillasse** 1846, avec suffixe augmentatif substitué.

caïman 1584, Fumée (*caymane*) ; 1588, de La Porte (*caïman*) ; passé en argot scol. v. 1880 (*les Normaliens*) ; esp. *caiman,* mot caraïbe.

caïque 1575, *Lettre à Villeroy* (*caïq*) ; ital. *caicco,* du turc *kajïk,* petite embarcation non pontée.

cairn 1797, Mackenzie, « tumuli celtiques en pierres sèches » ; irlandais *cairn,* tas de pierres, du celte *car-,* pierre.

caisse milieu XIVe s. (*quecce*), « coffre » ; XVIe s., caisse d'un tambour ; 1636, Monet, « coffre-fort » ; prov. *caissa,* du lat. *capsa,* boîte (v. CHÂSSE). || **caisserie** 1869, L. || **caissette** XVIe s., Ronsard. || **caissier** 1595, Dampmartin. || **caisson** début XVe s. (*caixon*) ; ital. *cassone,* augmentatif de *cassa,* caisse, avec infl. de *caisse* (le prov. *caisson* est un dimin.). || **décaisser** 1701, Furetière. || **encaisser** début XVIe s., « mettre en caisse » ; 1690, Furetière, « toucher de l'argent ». || **encaisse** 1845, Besch. || **encaissement** 1645, Poussin, « action de mettre dans une caisse » ; 1832, Raymond, sens financier. || **encaisseur** 1870, Lar. || **rencaisser** début XVIIIe s.

caisson V. CAISSE.

cajeput 1739, *Hist. de l'expédition de la Cie des Indes ;* malais *kayou-pouti,* arbre blanc.

cajoler 1560, Paré, « crier », en parlant du geai ; XVIe s., « caqueter » (jusqu'au XVIIe s.) ;

début XVIIe s., « échanger de doux propos », sous l'infl. de *enjoler,* et « chercher à capter » ; adaptation de l'anc. fr. *gaioler,* caqueter ou crier en parlant du *geai,* avec infl. de *cage.* || **cajolerie** fin XVIe s., G. || **cajoleur** fin XVIe s., G.

cajou début XVIIe s. ; mot tupi.

cajun 1885 ; de *Acadien,* pron. à l'anglaise (accent sur la 2e syllabe et palatalisation en *-dj-*).

cake 1795, Behrens ; mot angl., de *plum-cake,* gâteau aux raisins secs.

cal fin XIIIe s., *Fabliau ;* lat. *callus.* || **calleux** 1314, Mondeville (*cailleux*) ; début XVIe s. (*calleux*) ; lat. *callosus.* || **callosité** 1314, Mondeville (*call-*) ; lat. *callositas.*

calage V. CALER.

calamar V. CALMAR.

calame 1540, Rab. ; lat. *calamus,* roseau.

calament XIIe s. ; lat. *calaminthe,* du gr., désignant une plante odorante.

calamine XIIIe s., *D.G.* (*cale-*) ; lat. médiév. *calamina,* altér. de *cadmia* (v. CADMIE). || **calaminaire** fin XIVe s. || **calaminer (se)** v. 1950.

calamistrer XIVe s., G. ; lat. *calamistrum,* fer à friser.

1. **calamite** 1265, Br. Latini (*calemite*), « résine tirée des roseaux » ; 1771, « végétal fossile » ; lat. *calamus,* roseau.

2. **calamite** 1316, G. (*calmite*), « aiguille aimantée » ; XVIe s., « amphibole qui attire la salive dans la bouche » ; ital. *calamita,* de *calamo,* roseau, le roseau servant de flotteur à l'aimant de la boussole.

calamité 1355, Bersuire ; lat. *calamitas.* || **calamiteux** XVe s., G. Tardif ; lat. *calamitosus.*

calancher ou **calencher** 1846, « mourir » ; de *caler,* s'arrêter, avec suff. arg. *-ancher.*

1. **calandre,** rouleau V. CALANDRER.

2. **calandre** XIIe s., G., « alouette » ; prov. *calandra,* du lat. pop. *calandra,* mot gr. || **calandre** 1539, R. Est., « charançon », paraît être un emploi métaph., le rostre de l'insecte rappelant un bec ; les deux valeurs (oiseau et charançon) coexistent aussi en italien.

calandrer 1400, G., « lustrer avec un cylindre » ; bas lat. **calendra,* du gr. *kulindros,* cylindre. || **calandrage** 1771, Schmidlin. || **calandreur** 1313, G. || **calandre** fin XVe s., « cylindre » ; 1816, Beaumier, « pompe » ; 1951, Lar., automobile.

calanque 1678, Guillet ; 1690, Furetière (*-angue*) ; prov. mod. *calanco,* crique rocheuse (XIIIe s., « cabanon, ruelle »), de **cala,* pente raide.

calcaire 1751, *Encycl. ;* lat. *calcarius,* de *calx, calcis,* chaux. || **calcémie** 1927 ; gr. *haima,* sang. || **calcique** 1838. || **calcite** 1723, Veneroni. || **calcium** 1808, Boiste. || **calcifié** 1765. || **calcification** 1848. || **décalcifier** 1873, Cornil. || **décalcification** 1873, Cornil.

calcanéum 1541, Canappe ; mot lat. signif. « talon », de *calcare,* fouler.

calcédoine XIIe s., *Marbode ;* lat. *chalcedonius,* du gr. *Khalkêdôn,* ville près de laquelle on extrayait cette pierre.

calcéolaire av. 1732, Feuillée ; lat. *calceolus,* petit soulier, la fleur rappelant la pointe d'un soulier.

calcet 1622, Hobeir, mar. ; ital. *calcese,* du lat. *carchesium,* gr. *karkhêsion ;* il a remplacé la forme anc. *carcois* (encore chez Oudin).

calcifier, calcin V. CALCAIRE, CALCINER.

calciner XIVe s., B. de Gordon ; lat. *calx, calcis,* chaux. || **calcin** 1765, « rognures de verre qu'on refond ». || **calcination** v. 1265, J. de Meung.

1. **calcul** V. CALCULER.

2. **calcul** 1546, Ch. Est., « concrétion calcaire » ; lat. méd. *calculus,* caillou. || **calculeux** 1540.

calculer 1372, Corbichon ; bas lat. *calculare,* compter (IVe s., Prudence), et, au fig., apprécier (Ve s., Sidoine Apollinaire), du lat. *calculus,* caillou, jeton pour compter, d'où « compte ». || **calcul** XVe s., Chuquet, « action de calculer ». || **calculable** 1732. || **calculateur** 1546, Budé ; lat. impér. *calculator* (Martial). || **calculatrice** XXe s., techn. || **calculette** v. 1970. || **incalculable** 1779, Gérard.

1. **cale** [d'un navire] V. CALER.

2. **cale** 1611, Cotgrave, « coin pour caler » ; allem. *Keil,* coin. || **caler** 1676, Félibien, « mettre une cale » ; *être calé,* être à son aise, fin XVIIIe s., Hébert ; XIXe s., arg. scol., *être calé,* être instruit ; *se caler les joues,* manger. || **calepied** fin XIXe s. || **calot** 1732, Th. Corn., dimin. || **calage** 1866, Lar. || **décaler** 1615, Binet. Le

sens fig. est du début du XXe s. || **décalage** 1845, Besch. || **recaler** 1832, Raymond.

3. **cale** XIIe s., « coiffure » ; peut-être métaphore de *(é)cale,* écorce de noix, c.-à-d. « coiffure qui colle à la tête », du francique **skala,* ou du lat. *callum,* peau dure. || **calot** milieu XVIIIe s., « fond de calotte » ; 1842, *Acad.,* « coiffure de soldat ». || **calotte** 1394, Delb. ; fin XVIIe s., « voûte » ; péjor., fin XVIIIe s., « les prêtres » ; 1808, d'Hautel, « tape sur la tête ». || **calotin** 1664, Mouhy, « confrérie des plaisants » ; 1780, Brunot, appliqué aux prêtres. || **calot(t)inisme** 1871, É. Vermesch. || **calotter** 1808, d'Hautel, au fig., « donner des gifles ». || **décalotter** 1791, *Encycl. méthod.,* techn.

4. **cale** 1606, crique ; anc. prov. *cala.*

calebasse 1527 ; esp. *calabaza.* || **calebassier** 1637, A. de Saint-Lô.

calèche 1646, Livet *(calège)* ; 1661, Molière *(calèche)* ; allem. *Kalesche,* du tchèque *kolesa,* sorte de voiture.

caleçon milieu XVIe s. *(calessons,* pl.) ; 1571, La Boétie *(calçon)* ; ital. *calzoni* (pl.), augmentatif de *calza,* chausse, bas, du lat. *calceus* (v. CHAUSSE). || **caleçonnade** v. 1930. || **calecif** ou **calcif** arg., 1916.

caléfaction 1398, *Somme Gautier ;* bas lat. *calefactio* *(Digeste),* de *calefacere,* chauffer *(calor,* chaleur ; *facere,* faire). || **caléfacteur** 1836.

calembour 1768, Diderot ; orig. obscure, p.-ê. en rapport avec *bourde.* || **calembourdier** 1776, *Corr. litt., phil. et crit.* || **calembouresque** XXe s.

calembredaine 1798, *Acad. ;* du dial. *calembourdaine,* var. de *calembour.*

calencar 1730, Savary *(-ard),* « toile peinte de Perse » ; persan *kalamkar,* ouvrage fait avec le calame.

calendes 1160, Benoît ; lat. *calendae,* premier jour du mois.

calendrier av. 1307, *Marco Polo ;* lat. *calendarium,* livre d'échéances, en bas lat. « calendrier » (de *calendae,* calendes).

calepin 1534, Des Périers, « dictionnaire » (jusqu'au XVIIe s.), ensuite « recueil de notes » ; du nom de l'Italien *A. Calepino* († 1510), auteur d'un *Dictionnaire de la langue latine* (1502).

1. **caler** V. CALE 2.

2. **caler** 1160, Benoît, « en marine, laisser aller les voiles » ; XIXe s., « caler un moteur » ; XVIe s., fig., échouer, renoncer ; forme normanno-picarde, du lat. techn. *chalare,* tenir en l'air, suspendre (Vitruve, Végèce), du gr. *khalân,* relâcher, détendre, qui prit un sens nautique en bas lat. || **cale** [de navire] XIIIe s., G. || **cale** 1694, quai ; prov. *calo,* ou déverbal de *caler* comme le précéd. || **calage** [des voiles] 1863, L. || **recaler** fin XVIIe s., « répliquer à quelqu'un » ; XIXe s., Flaubert, « refuser à un examen ». || **caleter** ou **calter** 1798, *Bandits d'Orgères,* « fuir » ; fréquentatif de *caler,* fuir.

calfat fin XIVe s. *(calefas)* ; ital. *calfato,* du gr. byzantin *kalaphatês,* de l'ar. *jalfaz ;* ouvrier chargé de rendre étanches, avec le *fer à calfat,* les joints d'un pont, d'un navire. || **calfater** XIIIe s. *(calafater)* ; ital. *calafatare.* || **calfatage** 1527, Fréville. || **calfateur** 1373, Du Cange *(-phadeur).* || **calfeutrer** 1382, *Compte du Clos des Galées de Rouen* *(calefestrer)* ; altér. par *feutre* de *calfater.* || **calfeutrage** 1586, Laudonnière. || **calfeutrement** 1636, Monet.

calibre 1478, Delb. ; 1935, Esnault, arme à feu ; ital. *calibro,* de l'ar. *qālib,* forme de chaussure, moule à métaux. || **calibrer** 1552, Rab. || **calibrage** 1838, *Acad.* || **calibreur** 1845.

1. **calice** 1130, *Couronn. de Loïs,* « vase sacré » ; lat. eccl. *calix, -icis,* coupe ; le sens fig. « boire le calice » vient de l'Évangile (Matthieu, XX, 22).

2. **calice** milieu XVIe s., « calice de la fleur » ; lat. *calyx, -ycis,* du gr. *kalux.* || **caliciforme** 1838. || **calicinal** 1803.

caliche 1863, L., minéral ; esp. *caliche.*

calicot fin XVIIe s. *(callicoos),* rare jusqu'au début du XIXe s. ; 1815, « employé de magasin » ; mot angl., cette étoffe fut fabriquée d'abord à *Calicut,* ville de l'Inde.

calife 1080, *Roland* *(algalife)* ; XIIe s., Delb. *(calife)* ; ar. *khalifa,* vicaire, lieutenant. || **califat** 1560, G. Postel.

californium 1950, Seaborg ; de *Californie* (université de l'État), où cet élément chimique fut obtenu artificiellement.

califourchon (à) 1569, Ronsard *(calfourchon)* ; 1578, d'Aubigné *(cafourchon)* ; 1611, Cotgrave *(calli-)* ; altér. de l'anc. fr. *a calefourchies* (XIIIe s., « les jambes écartées »), de *fourcher* et *caler.*

câlin 1598, Bouchet, « paresseux, mendiant simulé » ; fin XVIIIe s., sens actuel ; rare jusqu'au XVIIIe s. et pop. ; mot de l'Ouest, du prov. *calina,* chaleur, sans doute déverbal de *câliner.* || **câliner** XVIe s., « paresser », emploi fig. du prov. *calina,* chaleur, au sens « se chauffer au soleil ». || **câlinage** 1657, Tall. des Réaux. || **câlinerie** 1830, Balzac.

calinotade 1863, Delvau ; de *Calinot,* puis *Calino,* type créé par les Goncourt (1852), popularisé par un vaudeville de Barrière (1856).

caliorne 1634, Cleirac ; ital. *caliorna,* palan.

calisson XIIIe s. (*calison*), « friandise » ; XVe s., Martin du Canal, « claie » ; 1838 ; prov. *calissoun,* forme dissimilée de *canissoun,* clayon de pâtissier, du lat. *canna,* roseau.

calleux V. CAL.

call-girl 1960 ; mot angl., de (*to*) *call,* appeler, et *girl,* fille.

calli-, gr. *kallos,* beauté. || **calligraphe** 1751, *Encycl.* ; gr. *kalligraphos,* de *graphein,* écrire. || **calligraphie** 1569, H. Est. ; gr. *kalligraphia.* || **calligramme** début XXe s., Apollinaire. || **calligrammatique** 1918. || **calligraphier** 1866, Lar. || **calligraphique** 1828, Boiste. || **callipyge** 1786, *Encycl. méth.* ; gr. *kallipugos,* de *pugê,* fesse, épithète d'Aphrodite.

calmar fin XIIIe s. (*calamar*), « écritoire portative » (jusqu'au XVIIIe s.) ; 1552, R. Est., « céphalopode » propre à la Méditerranée, d'apr. le liquide noirâtre qu'il répand ; ital. *calamaro,* du lat. *calămarius,* « qui contient les roseaux à écrire ».

calme début XVe s., n. f. (jusqu'au XVIe s.), d'abord mar. ; ital. *calma,* du gr. *kauma,* chaleur brûlante, et par ext. calme de la mer qui en résulte. || **calmement** 1552, Ronsard. || **calme** adj., début XVe s. ; ital. *calmo.* || **calmer** 1450, Gréban ; ital. *calmare.* || **accalmie** 1783, *Encycl.* ; p.-ê. part. passé d'un verbe **accalmir,* rendre calme.

calomel 1752, *Encycl.* ; gr. *kalos,* beau, et *melas,* noir : la poudre est noire au début de sa préparation.

calomnie début XIVe s. ; lat. *calumnia.* || **calomniateur** XIIIe s., *Bible* ; lat. *calumniator.* || **calomnieux** 1312, G. ; lat. *calumniosus.* || **calomnieusement** 1377, G. || **calomnier** fin XIVe s. ; lat. *calumniari.* (V. CHALLENGE.)

calorie début XIXe s. ; lat. *calor, -oris,* chaleur. || **calorique** 1783, Brunot. || **calorifique** 1550, Fierabras ; lat. *calorificus.* || **calorification** 1827, *Acad.* || **calorifère** 1807, *Acad. des sc.,* subst. ; 1816, *Petite Chron. de Paris,* adj. ; lat. *ferre,* porter. || **calorimètre** 1743. || **calorimétrie** 1803. || **calorifuge** 1846, Pimont. || **calorifuger** 1922, Lar. || **caloriser** 1923, Lar.

1. **calot,** coiffure V. CALE 3.

2. **calot** 1690, Furetière, « noix écalée » ; 1837, Vidocq, « coquille de noix » ; XIXe s., fig., « grosse bille » ; mot de l'Ouest, de *cale,* forme déglutinée de *écale.*

calotte V. CALE 3.

caloyer 1392, É. Deschamps ; gr. mod. *kalogeros,* beau vieillard (avec pron. *i* pour *g*), de *kalos,* beau, et *gerôn,* vieillard.

calquer 1642, Oudin ; *se calquer sur,* 1845, Besch., fig. ; ital. *calcare,* fouler, presser, du lat. *calcare* (anc. fr. *chauchier*). || **calque** 1690, Furetière ; ital. *calco.* || **calquage** 1766. || **décalquer** 1691, Aviler. || **décalque** 1837. || **décalcomanie** 1840, Gay.

calumet 1609 ; forme normanno-picarde de *chalumeau,* avec changement de suffixe, spécialisée pour désigner la pipe des Indiens.

calus 1560, Paré, méd. ; lat. *callus,* cal.

calvaire XIIe s., L. ; lat. chrét. *Calvarium* (IIe s., Tertullien) signif. « crâne », de *calvus,* chauve, calque de l'hébreu *Golgotha,* lieu du crâne, colline où Jésus fut crucifié.

calville milieu XVIe s. (*calvil*), variété de pomme ; du nom de *Calleville,* village de l'Eure.

calviniste 1562 (d'abord *calvinien* au XVIe s., *calvinal, calvinesque, calvinistique, calvinique*) ; du nom latinisé de Calvin (*Calvinus*). || **calvinisme** 1572, Ronsard.

calvitie XIVe s. ; lat. *calvities,* de *calvus,* chauve.

camaïeu XIIIe s., Huon de Méry (*camaheu*) ; p.-ê. ar. *qamā'il,* bouton de fleur. || **camée** 1752, Lacombe ; même origine par l'ital. *cameo.*

camail début XIIIe s. ; 1548, R. Est., pèlerine à capuchon des prêtres ; prov. *capmalh,* coiffure de fer, signif. au propre « tête de mailles » ; lat. *caput,* tête, et *macula,* maille.

camarade 1570, Carloix, fém., « chambrée », puis « compagnon d'armes », « camarade de chambrée » (cf. évolution sémantique de *garde*) ; 1790, sens polit. ; a pris un fém. au début du XIXe s. ; esp. *camarada,* chambrée milit., de *camara,* chambre. || **camaro** 1846, camarade, abrév. pop. || **camaraderie** 1671, Sévigné. || **camarader** 1843, Balzac.

camard V. CAMUS.

camarilla 1824 ; mot esp., dimin. de *camara,* chambre, spécialisé en « cabinet particulier du roi » et désignant le parti absolutiste sous Charles X.

cambiste 1675, Savary ; ital. *cambista,* de *cambio,* change. Terme de Bourse désignant celui qui fait des opérations de change.

cambium 1515 ; lat. bot., du bas lat. *cambium,* change.

cambouis 1398, *Ménagier* (*-bois*) ; orig. inconnue, p.-ê. wallon *cabouiller,* enduire de boue, de *bouiller,* faire des bulles, et *ca-,* préf.

cambrai 1608 ; du nom de la ville où ce tissu se fabrique.

cambrer début XVe s. ; de *cambre,* forme normanno-picarde de l'anc. fr. *chambre,* adj., courbe, du lat. *camŭrum,* courbé, voûté. || **cambrure** début XVIe s. || **cambreur** 1838. || **cambre** 1963.

cambrioleur 1828, Vidocq, argot, « dévaliseur de chambres », popularisé v. 1880-1890 ; arg. *cambriole,* vol (1790, *le Rat du Châtelet*), du prov. mod. *cambro,* chambre, lat. *camera.* || **cambrioler** 1847, Balzac. || **cambriolage** 1898, Esnault. || **cambriole** 1790, *le Rat du Châtelet,* « maison » ; 1821, Ansiaume, « vol » ; déverbal.

cambrousse 1723, Grandval, argot, « servante », et « campagne, province » ; prov. mod. *cambrous, -ouso,* valet, femme de chambre, et *cambrousso,* bouge, cahute, confondus en argot ; d'après le lat. *camera,* chambre. || **cambrousier** 1836. || **cambrousard** v. 1950.

cambuse 1773, Bourdé, mar. ; 1828, Vidocq, « mauvaise maison » ; néerl. *kabuis,* cuisine de navire, chaufferie. || **cambusier** 1784, Behrens.

1. **came** 1751, *Encycl.,* techn. ; néerl. *kamm,* peigne.

2. **came** V. CAMELOT 1.

camée V. CAMAÏEU.

caméléon XIIe s., G. ; XIXe s., fig. ; lat. *camaeleon,* du gr. *khamaileôn,* lion qui se traîne à terre (*khamai*). || **caméléonien** 1831, Balzac. || **caméléonisme** 1850. || **caméléonesque** 1835, Balzac.

camélia fin XVIIIe s., fleur ; 1850, Privat d'Anglemont, « lorette » ; lat. bot. *camellia,* nom donné à une fleur par Linné, d'après celui du *P. Camelli* qui apporta l'arbuste de l'Asie tropicale à la fin du XVIIe s.

cameline 1549, R. Est. ; altér. de *camamine* (1542), déformation du lat. impér. *chamaemelina* (IVe s., Priscien), de *chamaemelon,* du gr. signif. « pomme naine ». (V. CAMOMILLE.)

1. **camelot** XIIe s., « étoffe » ; ar. *hamlat,* peluche de laine, mis en rapport avec *chamelot* (XIIIe s.), de *chameau.* L'étoffe, qui venait d'Orient, était réputée faite en poil de chèvre. || **cameloter** 1530, Palsgrave, « façonner grossièrement » comme le camelot. || **camelote** 1751, *Encycl.* || **came** fin XIXe s., drogue, abrév. argotique de *camelote* avec sens spécial. || **camer (se)** 1952.

2. **camelot** 1821, Ansiaume, « colporteur » ; fin XIXe s., « crieur de journaux » ; altér., d'apr. le précédent, de l'arg. *coesmelot,* dimin. de *coesme,* mercier (colporteur) [1596, *Vie des mercelots*], de même rac. que l'anc. fr. *caïmand,* mendiant, du prov. *caim.* (V. QUÉMANDER.)

camembert 1866, Lar. ; du nom d'un village de l'Orne, centre où s'est d'abord fabriqué ce fromage.

caméra XVIIIe s., en musique ; 1900, *l'Illustration,* cinéma, par l'intermédiaire de l'angl. ; ital. *camera,* chambre claire. || **cameraman** 1919 ; mot angl.

camérier milieu XIVe s. ; ital. *cameriere,* de *camera,* chambre.

caméristе fin XVIIe s., Saint-Simon (*camariste*), « dame d'honneur » ; 1803, Boiste, « femme de chambre » ; esp. *camarista,* de *camara,* chambre : l'*é* (1741, Trévoux) est dû à l'italien.

camerlingue 1418, G. (*camerlin*) ; 1572, Belleforest (*-lingue*) ; ital. *camerlingo,* même mot que *chambellan.*

camion 1352, Du Cange (*chamion*), « chariot » ; 1845, récipient pour les peintres ; forme normanno-picarde d'un mot d'orig. inconnue ; au sens d'épingle, il paraît être un autre terme (1606, Nicot). || **camionner** 1829, Breghot. || **camionnage** 1820, d'apr. L. || **camionnette** fin XIXe s. || **camionneur** milieu XVIe s.

camisard 1688 ; occitan *camisa,* chemise.

camisole 1547, Ronsard ; prov. *camisola,* de *camisa,* chemise.

camomille XIVe s., J. Le Fèvre ; lat. médiév. *camomilla,* altér. du lat. *chamaemelon,* du gr. *khamaimêlon,* pomme (*mêlon*) à terre (*khamai*), l'odeur des fleurs rappelant pour les Grecs celle des pommes.

camoufle V. CAMOUFLET.

camoufler 1821, Esnault, d'abord argot ; ital. *camuffare,* déguiser, tromper (l'*l* est dû à l'infl. de *camouflet*) ; ou plus simplement de *camouflet.* || **camouflage** 1891, « déguisement » ; 1914, milit. || **camouflement** début XIXe s. || **camoufleur** 1922, Lar.

camouflet 1611, Cotgrave, « fumée qu'on souffle au nez dans un cornet de papier allumé » ; fin XVIIe s., Saint-Simon, « mortification » ; de *moufle,* museau, et du préfixe péjor. *ca- ;* la var. *chault mouflet* (XVe s.), bien qu'antérieure, doit être une altér. d'apr. *chaud.* || **camoufle** 1821, Ansiaume, « bougie » ; dér. régressive de *camouflet,* fumée.

camp fin XVe s. ; ital. *campo,* champ, dans son sens milit. ; ou forme normanno-picarde de *champ.* || **camper** XVe s. || **campement** 1584, Thevet. || **campeur** début XXe s. || **décamper** milieu XVIe s. || **décampement** 1611, Cotgrave. (V. CAMPING, ESCAMPETTE.)

campagne 1535, Marot, « armée en campagne », puis « plaine », avec spécialisation rapide à « campagne » opposée à « ville » (usuel au XVIIe s.) ; ital. *campagna,* du lat. *campania,* plaine. L'anc. fr. avait *champagne* (normanno-picard *campagne*), qui a été spécialisé au sens de « terre de bonne culture en plaine ». || **campagnard** 1611, Cotgrave. || **campagnol** 1758, Buffon ; ital. *campagnoli,* campagnard, pris à tort pour le nom du rat des champs.

campane XIIe s., « cloche » (jusqu'au XVIe s.), sens techn. ensuite ; bas lat. ou ital. *campana,* cloche. || **campanelle** fin XIIIe s., Rutebeuf (*champenelle*) ; XVIe s. (*camp-*), « clochette », puis « liseron ». || **campanile** XVe s. (*campanille*) ; ital. *campanile,* clocher (de *campana,* cloche), mot bas lat. signif. « vase en airain de Campanie », par ext. « cloche » en lat. chrét. d'Italie. || **campanule** 1696 ; ital. *campanula,* dimin. de *campana,* cloche. || **campanulacée** 1809.

campêche début XVIIe s. ; du nom d'une ville du Mexique, près de laquelle cet arbre est cultivé.

camper V. CAMP.

camphre 1256, Ald. de Sienne (*canfre*) ; 1372, Corbichon (*camphore*) ; lat. médiév. *camphora,* de l'ar. *kāfūr.* || **camphrer** 1564, J. Thierry. || **camphrier** 1751, *Encycl. ;* d'apr. le rad. lat. || **camphène** 1833. || **camphol** 1888, Lar. || **camphorate** 1803, Wailly. || **camphrène** 1878, Lar.

camping 1905, *Revue Touring-Club ;* mot angl., part. prés. de (*to*) *camp,* camper. || **camping-car** 1974. || **Camping-Gaz** v. 1960 ; nom déposé.

campos (*donner, avoir*) fin XVe s., écrit souvent *campo,* d'apr. l'anc. pron. du lat. ; lat. scolaire *ire ad campos,* aller aux champs, *habere campos,* avoir les champs.

campus 1894 ; mot amér., du lat. *campus,* champ.

camus 1243, Ph. de Novare ; rad. de *museau* et préfixe péjor. *ca-.* || **camard** 1534, Rab., avec substitution de suffixe.

canaille fin XVe s. ; ital. *canaglia,* de *cane,* chien ; il a remplacé l'anc. fr. *chiennaille.* || **canaillement** 1870. || **canaillerie** 1821. || **canaillocratie** 1793. || **décanailler (se)** 1858, Peschier. || **encanailler (s')** 1661, Molière. || **encanaillement** 1876, L.

canal début XIIe s. ; lat. *canalis,* de *canna,* roseau, qui a donné aussi *chenal ;* anat., 1546, Ch. Est. || **canaliser** 1585, Fr. Feuardent. || **canalisable** 1836, Landais. || **canalisation** 1823, Boiste. || **canalicule** 1820, Laveaux.

canapé fin XIIe s., *Alexandre* (*conopé*) ; 1648, Monconys (*canapé*), « lit à un dossier à chaque bout », puis « rideau de lit » ; lat. *conopeum,* du gr. *kônôpeîon,* de *kônôps,* moustique : lit égyptien entouré d'une moustiquaire. || **canapé-lit** 1866, Lar.

canaque 1866, Lar. ; polynésien *kanaka,* homme.

canard, canarder V. CANE.

canari 1576, P. de Brach ; esp. *canario,* serin des Canaries. Le mot a été écrit *canarie* (1642, Oudin).

canasson V. CANE.

canasta v. 1945 ; esp. *canasta,* corbeille ; jeu de cartes.

1. **cancan** milieu XVIe s. (*quanquan de collège*) ; 1602, Sully, « commérage », « bruit fait autour d'une nouvelle » ; lat. *quanquam* avec l'anc. prononciation ; il a désigné d'abord les harangues scolaires en latin, où cette conjonc-

tion revenait souvent. || **cancaner** 1823, Boiste. || **cancanier** 1834, Landais.

2. **cancan,** danse V. CANE.

cancel fin XIIe s., *Loherains,* « balustrade » ; lat. *cancellus,* barreau ; balustrade d'un chœur d'église.

canceller 1293, G., « annuler » ; lat. *cancellare,* barrer. Restreint au vocabulaire de la diplomatie.

cancer 1372, Corbichon, « signe du zodiaque » ; 1503, Chauliac, « maladie » ; mot lat. signif. « crabe » (sens astron. chez Lucrèce, sens méd. chez Celse). || **cancéreux** 1743, Geffroy. || **cancérigène** v. 1920. || **cancériser** XXe s. || **cancérisation** 1845, J.-B. Richard. || **cancérologie** 1920, substitué à *carcinologie.* || **cancérologue** 1920.

cancre 1265, Br. Latini, « crabe » (jusqu'au XVIe s.) et « signe du zodiaque » ou « maladie » ; 1651, Loret, sens fig. péjor. de « miséreux » ; 1801, le Cousin Jacques, sens scolaire ; lat. *cancer.*

cancrelat début XVIIIe s. (*cakkerlak*) ; milieu XVIIIe s. (*cancrelat*) ; néerl. *kakkerlak,* avec infl. de *cancre ;* il désigna d'abord une blatte de l'Amérique du Sud, d'où le mot est originaire, puis toute blatte.

candélabre 1050, *Alexis* (*chandelabre*) ; XIIIe s. (*can-*) ; lat. *candelabrum,* de *candela,* chandelle.

candeur XIVe s. ; lat. *candor,* blancheur. || **candide** fin XVe s., O. de Saint-Gelais ; lat. *candidus,* blanc. || **candidement** 1561, J. de Maumont. || **candidat** XIIIe s., Végèce ; lat. *candidatus,* de *candidus,* car les candidats aux fonctions publiques s'habillaient de blanc à Rome. || **candidature** 1816, Jouy.

candi 1256, Ald. de Sienne (*con-*) ; mot ital., de l'ar. *qandi,* de *qand,* sucre de canne, d'origine hindi. || **candir** 1600 ; d'apr. l'ital.

candidat, candide V. CANDEUR.

cane 1360, *Modus* (*quenne*) ; formation expressive avec infl. de l'anc. fr. *ane, aine,* du lat. *anas, -atis,* canard. || **canard** fin XIIe s., surnom ; XIIIe s., G. (*quanard*) ; 1750, fausse nouvelle ; 1834, Boiste, « fausse note » ; 1842, *Acad.,* « feuille volante », « mauvais journal ». || **canasson** 1866, Delvau, « mauvais cheval » ; altér. péjor. de *canard.* || **caneton** 1530, Palsgrave ; dimin. sur *canette* (XIIIe s.). || **canarder** 1578, d'Aubigné, « tirer un canard » ; 1847, Mérimée, « tirer des coups de feu ». || **canardière** milieu XVIIe s. || **cancan** 1808, d'Hautel, nom enfantin du canard ; 1829, Forçat, « danse populaire de l'époque de Louis-Philippe » d'apr. le déhanchement du canard. (V. aussi CANCAN à son ordre.) || **canepetière** 1534, Rab. ; de *petière,* dér. de *pet,* d'apr. le bruit que l'oiseau fait en détalant. || **caner** début XVIe s., « jacasser » ; 1606, Nicot, « foirer » ; 1821, « reculer, se dérober » ; 1829, Forban, « mourir » ; de *cane,* animal poltron (cf. *faire la cane* au XVIe s., se conduire en poltron) ; l'argot *escanner,* s'enfuir, 1800 (*Chauffeurs*), se rattache à l'idée de jouer des *cannes* (des jambes). || **caniche** 1743, Trévoux, fém., « femelle du barbet » ; de *cane,* car le chien va volontiers à l'eau. || **canéfice** 1577, *Contrat* (*-éfiste*) ; mot créole, de l'esp. *cañafistula,* de *caña,* roseau, et *fistula,* tuyau ; désigne la casse en botanique. || **canéficier** 1647.

canepetière V. CANE.

canéphore 1570, G. Hervet ; gr. *kanêphoros,* de *pherein,* porter, et *kanê,* corbeille.

canepin 1310, Gay, « peau d'agneau » et « papier fait avec l'écorce de tilleul » ; ital. *canapino,* de *canape,* chanvre, qui a désigné une sorte de drap.

caner V. CANE.

1. **canette,** bouteille V. CANNE.

2. **canette** début XVe s., « bobine de fil » ; ital. de Gênes *cannetta,* d'où provenaient les fils d'or et d'argent.

canevas 1175, Chr. de Troyes (*kanevas*), « grosse toile de chanvre » (jusqu'au XVIe s.) ; fin XVIe s., du Bartas, « réseau de fils croisés pour broderie, tapisserie » ; forme picarde (qui a remplacé *chanevas*), de *caneve,* forme anc. de *chanvre.*

canezou fin XVIIIe s. ; p.-ê. croisement entre le prov. mod. *camisoun,* petite chemise, et *caneçon,* déformation pop. ancienne de *caleçon ;* petit corsage de lingerie à la mode sous l'Empire.

canfouine 1883, rég., « cahute » ; p.-ê de *furnus,* four. || **canfouiner (se)** XXe s., rég.

cange 1785, Savary, « barque du Nil » ; ar. d'Égypte *qandja.*

cangue 1664, Chevreuil ; port. *canga,* sans doute de l'annamite *gong.*

caniche V. CANE.

canicule 1500, Molinet ; ital. *canicula,* petite chienne, désignant l'étoile (ou Chien) de Sirius, dont le lever héliaque coïncide avec le solstice d'été ; calque du gr. *kuôn,* chien. || **caniculaire** XVe s., *Grant Herbier ;* lat. *canicularis.* (V. CHENILLE.)

canidé 1834, Landais ; lat. *canis,* chien. || **canin** 1390, Conty ; lat. *caninus,* « de chien », qui a remplacé la forme pop. *chenin* (encore 1578, d'Aubigné). || **canine** 1546, Ch. Est.

canif 1441, G. (*quenif*) ; anc. angl. **knif* (angl. *knife*). Le dérivé *canivet* (XIIe s., *Tristan*) a disparu au XVIIe s.

canin, canine V. CANIDÉ.

canisse 1600 ; mot prov., du bas lat. *cannicius,* de *canna,* roseau.

canitie XIIIe s., G. (*canecie*) ; lat. *canities,* blancheur, de *canus,* blanc (v. CHENU).

caniveau 1694, Th. Corn. ; orig. obscure, p.-ê. dér. de *canne,* conduit, tuyau.

canna 1816, *Dict. hist. nat.,* « balisier » ; lat. *canna,* roseau, terme emprunté par les botanistes.

cannabinée 1842, *Acad. ;* lat. *cannabis,* chanvre. || **cannabine** 1827, *Acad.* || **cannabisme** XXe s.

canne XIIe s., « tuyau » ; 1555, Poleur, « canne à sucre » ; fin XVIe s., « bâton de promenade » ; *canne à sucre,* 1578, Léry ; mot ital., du lat. *canna,* roseau, issu du gr., d'orig. orientale. || **canne-épée** XXe s. || **cannaie** 1600, É. Binet. || **cannelle** [d'un tonneau] XVe s. ; de *canne,* tuyau. || **canneler** 1342, Douet (*quenelé*). || **cannelure** 1545, Graillot ; ital. *cannellatura.* || **canner** 1613, Nostredame, « mesurer à la canne » ; de *canne,* bâton ; 1856, « garnir un siège de joncs tressés ». || **cannage** 1723, « mesurage à la canne » ; 1856, sens actuel. || **canette** XIIIe s., « petit vase » ; 1723, Savary, « bouteille », de *canne,* tuyau, puis « vase cylindrique » ; 1856, Furpille, pour les bouteilles de bière, d'apr. la forme. || **cannelier** 1575, Thevet.

1. **cannelle** V. CANNE.

2. **cannelle** début XIIe s., *Voy. de Charl.,* « écorce de cannelier » (roulée en petits tuyaux) ; même étym. que *cannelle* 1 par l'ital., la cannelle venant d'Orient ; du lat. *canna,* roseau.

cannetille 1534, Rab. ; esp. *cañutillo,* de *cañuto,* roseau.

cannibale 1515, Du Redouer ; esp. *canibal,* altér. du nom des *Caraïbes* ou *Caribes ;* fig., XVIIIe s., Voltaire. || **cannibalisme** 1795, *Abréviateur universel.* || **cannibaliste** 1796, *Journ. des patriotes.* || **cannibalique** 1950. || **cannibaliser** v. 1969 ; angl. (*to*) *cannibalize.*

canoë V. CANOT.

1. **canon** XIIIe s., bobine ; 1339, Gay, « pièce d'artillerie » ; ital. *cannone* (moderne *canone*), augmentatif de *canna,* tube (v. CANNE) ; par ext., « canon de fusil » ; 1826, Larchey, « verre cylindrique à boire ». || **canonner** v. 1500, J. Marot. || **canonnade** 1552, Rab. ; d'apr. l'ital. || **canonnage** 1752, Trévoux. || **canonnier** 1383, *Chron. de Flandre.* || **canonnière** 1415, G.

2. **canon** XIIIe s., *Livre de jostice,* théol. ; lat. *canon,* du gr. *kanôn,* règle, spécialisé en lat. chrét. || **canonique** XIIIe s., *Assises de Jérusalem ;* lat. eccl. *canonicus.* || **canoniste** XIVe s., G. || **canonicat** 1611, Cotgrave ; lat. eccl. *canonicatus* (v. CHANOINE). || **canonicité** fin XVIIe s., Saint-Simon. || **canonial** 1155, Wace ; sert de dér. de *chanoine ;* refait sur le lat. eccl. *canonicalis.* || **canoniser** XIIIe s., G. ; lat. eccl. *canonizare.* || **canonisable** 1601, Charron. || **canonisation** XIIIe s., G.

cañon 1862, Burton ; mot hispano-américain, augmentatif de *caño,* tube, conduit, même mot que *canne,* appliqué d'abord au cañon du Colorado.

canonial, canonicat V. CANON 2.

canot 1519, *Voy. d'Ant. Pigaphetta* (*canoe,* encore au XVIIe s.) ; XVIe s. (*canot*) ; esp. *canoa,* d'une langue indigène des Caraïbes. || **canoë** 1867 ; angl. *canoe,* même mot que le précédent. || **canoéisme** 1948. || **canoë-kayak** milieu XXe s. || **canotier** fin XVIe s. ; fin XIXe s., chapeau. || **canoter** milieu XIXe s. || **canotage** 1843, *le Canotier.*

cant 1729, Mackenzie ; mot angl. signif. « mélopée de mendiant », puis « jargon des mendiants », enfin « jargon d'un milieu formaliste » ; p.-ê. lat. *cantus,* chant.

cantabile 1757, Diderot ; ital. *cantabile,* du bas lat. *cantabilis,* digne d'être chanté, puis « qui a la forme d'un chant ».

cantal 1680, Richelet ; du nom de la région où se fabrique ce fromage.

cantaloup 1703, Bossard ; de *Cantalupo,* ville du pape (près de Rome), où ce melon était cultivé.

cantate début XVIIIe s. ; ital. *cantata,* part. passé fém. substantivé de *cantare,* chanter, du lat.

cantatrice 1746, Mermet, d'abord appliqué aux chanteuses ital. ; sens mod., 1759, *Mercure ;* ital. *cantatrice,* chanteuse, du lat. *cantatrix.*

canter 1862, *le Sport ;* mot angl. signif. « galop d'essai », abrév. de *Canterbury,* d'apr. l'allure lente des chevaux des pèlerins allant à Saint-Thomas de Canterbury.

canthare fin XVIe s., Du Bartas ; lat. *cantharus,* nom de poisson, du gr. *kantharos.* Terme de zool. devenu aujourd'hui *canthère.*

cantharide fin XIIIe s. ; lat. *cantharis, -idis,* du gr. *kantharis* désignant un insecte.

cantilène 1477, Molinet ; ital. *cantilena,* mot lat., de *cantare,* chanter ; chant profane, par opposition au chant religieux, le *motet.*

cantilever 1883, *Génie civil,* type de suspension ; mot anglo-amér., de *cant,* rebord, et *lever,* levier.

cantine 1680, Richelet, « caisse » ; 1720, Brunot, « buvette » ; 1866, Lar., sens actuel ; ital. *cantina,* cave, de *canto,* coin, réserve. || **cantinier, cantinière** 1762, *Acad.*

cantique 1120, *Ps. de Cambridge ;* lat. chrét. *canticum* (IVe s., saint Jérôme), chant religieux, en lat. class. « chant ».

canton 1243, Ph. de Novare, « coin de pays » (jusqu'au XVIIIe s.) ; XVIe s., cantons de la Suisse ; 1775, division territoriale proposée par Turgot ; ital. *cantone,* augmentatif de *canto,* coin. || **cantonal** 1817. || **cantonner** XIIIe s. ; 1694, *Acad.,* fig. || **cantonnement** fin XVIIe s., Saint-Simon. || **cantonnière** 1562, Du Pinet, « pièce qui garnit les coins ». || **cantonnier** XVIIIe s., « qui s'occupe d'un canton de la route » ; création du marquis de Carrion de Nisas, lieutenant du Languedoc, avec infl. du prov. mod. *cantoun,* coin.

cantonade 1455, *Coquillards,* « coin de rue » ; fin XVIIe s., Gherardi, sens théâtral ; ital. *cantonata,* coin de rue, de *cantone,* canton.

cantre 1751, *Encycl.,* « châssis d'ourdissoir » ; orig. obscure.

canule XIVe s. ; lat. *cannula,* dimin. de *canna,* tuyau. || **canuler** 1830, Mérimée, pop., « importuner » ; la canule du lavement symbolisant le désagrément. || **canular** 1895, *Doc.* || **canularesque** v. 1930.

canut 1836, Landais, « ouvrier en soierie à Lyon » ; p.-ê. de *canne,* d'apr. *canette,* bobine de soie.

caoua V. CAFÉ.

caouanne 1643, Jannequin, « tortue des tropiques » ; esp. *caouana,* d'une langue indigène d'Amérique du Sud.

caoutchouc 1745, La Condamine ; mot d'une langue indigène de l'Équateur ; le premier échantillon fut envoyé de Quito, par La Condamine, à l'Acad. des sc. || **caoutchouter** 1844, Dumersan. || **caoutchouteux** 1908, Martin du Gard. || **caoutchoutier** 1892, B. de Saunier.

1. **cap** 1387, J. d'Arras ; rare jusqu'au XVIIIe s. ; prov. *cap,* tête, sens créé sur les rives de la Méditerranée pour désigner un promontoire.

2. **cap** XIIIe s., Ph. Mousket (*par mon cap !*), d'abord dans la bouche des Méridionaux ; *de pied en cap,* 1360, Froissart ; prov. *cap,* tête.

capable XIVe s., « qui peut contenir » (jusqu'au XVIIe s.) et « susceptible de » ; XVIIe s., « instruit, en état de bien faire » ; lat. *capabilis,* de *capere,* contenir. || **incapable** 1501, *Destrees,* « incurable » ; 1517, Bouchet, sens actuel ; 1587, Du Vair, jurid.

capacité 1314 ; lat. *capacitas,* de *capax, -cis,* qui peut contenir, de *capere,* tenir, contenir. || **capacitaire** 1834, Dartois, spécialisé ensuite pour désigner l'étudiant en droit de première année ou le titulaire de la capacité en droit. || **incapacité** 1552, Paradin ; 1810, *Code,* jurid.

caparaçon 1498, G. (*capparasson*) ; esp. *caparazón,* de *capa,* manteau. || **caparaçonner** XVIe s., La Curne.

cape XIIe s., *Amadis ;* ital. *cappa,* en remplacement de la forme *chape.* || **capot** fin XVIe s., « manteau à capuchon » ; fin XIXe s., « capot de voiture », issu d'un sens mar. « tambour couvert » ; 1642, Oudin, *être capot,* terme de jeu, être aveuglé, sous le manteau. || **capote** 1688, « manteau à capuchon » ; XIXe s., « capote de voiture ». || **capotage** 1878, L., « action de mettre la capote ». (V. aussi CAPOT 2.) || **capoter** 1773, Bourdé. || **décaper** 1742, *Mém. Acad. des sc.* || **décapage** 1768, *Encycl.* || **décapement** 1888, Lar. || **décapeuse** 1956, Lar. || **décapoter** début XXe s. || **décapotable** début XXe s.

capelan v. 1540, Marot ; prov. *capelan,* chapelain.

capeler 1687, Desroches, « faire passer sur la tête d'un mât » ; prov. *capelar,* coiffer, de *capel,* chapeau. || **capelage** 1771, Trévoux.

capelet 1678, Guillet, « tumeur chevaline formant un petit grain » ; mot prov. signif. « chapelet ».

capeline milieu XIVe s., Barbier, « armure de tête » (jusqu'au XVIe s.) ; début XIVe s., Gay, « coiffure retombante » ; ital. *cappellina,* de *cappello,* chapeau.

capendu 1423, G., « pomme » ; mot normand, d'orig. obscure.

capharnaüm XIIIe s. (*capharnaon*) ; du nom d'une ville de Galilée où Jésus attira la foule devant sa maison ; on a rapproché ce mot de *cafourniau,* débarras obscur, de *furnus,* four.

cap-hornier 1944 ; du nom géogr. *cap Horn.*

capillaire 1314, Mondeville, adj. ; 1560, Paré, nom de plante ; lat. *capillaris,* de *capillus,* cheveu. || **capillarité** 1820, Laveaux. || **capilliculteur** v. 1960.

capilotade 1555, *Livre exc. de cuisine* (var. *cabirotade,* « ragoût ») ; *mettre en capilotade,* 1610, Béroalde de Verville ; esp. *capirotada,* ragoût aux câpres, de l'ital.

capitaine fin XIIIe s., Guiart ; bas lat. *capitaneus,* de *caput, -itis,* tête, passé au Moyen Âge au sens de « chef militaire ». || **capitainerie** 1339, Saige.

capital 1190, Garnier, adj. ; n. m., 1567, Junius, « dette » ; *le capital d'un marchand,* 1606, Nicot ; 1684, Le Correur, *un capital* à côté de *fonds capital* (1730, Savary) ; lat. *capitalis,* de *caput, -itis,* tête. || **capitale** n. f., 1509, de *ville capitale ;* 1567, de *lettre capitale.* || **capitaliste** 1755, *Encycl.,* adj. ; n. m., 1759, Rousseau, « gros possesseur d'argent », « citoyen riche, propriétaire foncier » ; 1826, J.-B. Say, sens actuel. || **capitalisme** 1753, *Encycl.,* « état de celui qui est riche » ; 1840, Leroux, sens actuel. || **capitaliser** 1770. || **capitalisation** 1829, Boiste. || **capitalisable** 1842, J.-B. Richard. || **décapitaliser** 1793, Brunot. || **décapitalisation** 1871, Blavet, « acte d'enlever à Paris le statut de capitale ».

capitan 1438, *Comptes Trés.,* « chef militaire » ; 1560, Viret, « militaire fanfaron » ; ital. *capitano,* capitaine, appliqué à un matamore de comédie.

capitane 1563 (*galère capitane*) ; calque de l'ital. *galera capitana,* galère montée par un officier général.

capitation 1584, Duret ; lat. impér. *capitatio* (IIIe s., Ulpien), impôt par tête (*caput*).

capiteux XIVe s., « obstiné » ; v. 1550, « excitant » ; 1740, *Acad.,* sens actuel ; ital. *capitoso,* obstiné (évolution sémantique comme *entêté*).

capiton 1386, « bourre de soie » ; ital. *capitone,* grosse tête, du lat. *caput, capitis.* || **capitonner** 1546, Rab. (*se capitonner*), « se couvrir la tête » ; 1842, Mozin, sens actuel. || **capitonnage** 1871, Th. de Langeac.

capitoul 1389, Isambert, « édile toulousain » ; mot languedocien, abrév. de *senhor de capitoul,* du bas lat. *capitŭlum,* seigneur de chapitre. || **capitoulat** 1567.

capitulaire XIIIe s., G., adj. ; n.m., 1690, Furetière ; lat. médiév. *capitularis,* de *capitŭlum,* chapitre, « relatif au chapitre des chanoines ».

1. **capitule** 1721, Trévoux, liturgie ; lat. *capitulum,* petit chapitre.

2. **capitule** 1732, Trévoux, bot. ; lat. *capitulum,* petite tête.

capituler 1361, Oresme, « diviser par articles » ; 1549, R. Est., « négocier » ; 1555, La Noue, « traiter pour la reddition », d'où, au XVIIIe s. (Marmontel), le sens fig. ; lat. médiév. *capitulare,* faire un pacte, de *capitulum,* chapitre, clause (sens conservé en fr. jusqu'au XVIIe s.). || **capitulation** 1500, d'Authon, « pacte » (sens gardé dans les conventions avec la Turquie, qui stipulaient des privilèges pour les chrétiens) ; 1636, Monet, sens milit. || **capitulard** 1871, G. de Molinari. || **capitulatif** 1871, *la Commune.* || **capitulateur** XVIe s., « négociateur » ; 1871, Vallès, sens actuel. || **capituleur** XVIe s. ; 1869, Blanqui, polit.

1. **capon** 1628, Chereau, « gueux » ; 1690, Furetière, « flagorneur » ; 1808, d'Hautel, « poltron » ; argot ital. *accapone,* gueux à la tête couverte de plaies (1627, Frianoro), de *capo,* tête. || **caponner** 1631, Anthiaume. || **caponnerie** 1852.

2. **capon** 1631, Anthiaume, « palan pour hisser l'ancre » ; ital. *capone,* augmentatif de *capo,* tête.

caponnière 1671, Pomey, « abri de fortification » ; ital. *capponiera* (esp. *caponera*), cage à chapons.

caporal 1520, « chef » ; 1600, « dizenier, gradé de rang inférieur » ; 1833, « tabac » ;

ital. *caporale,* de *capo,* tête (v. CAPITAINE). || **caporalisme** 1852, Hugo. || **caporaliser** 1866, Lar. || **caporalisation** 1896, A. Allais. (V. CABOT 2.)

1. **capot,** manteau V. CAPE.

2. **capot** 1642, Oudin, *faire capot,* empêcher l'adversaire de réussir une seule levée au piquet ; 1689, Gabit, *faire capot,* « chavirer », mar. ; mot prov. mod. mal déterminé, dont le premier élément est *cap,* tête (cf. CHAVIRER). || **capoter** 1792, Romme, « chavirer » ; 1905, Lar., appliqué à l'auto ; XXe s., appliqué à l'avion. || **capotage** 1898.

capote V. CAPE.

cappuccino 1937 ; mot ital. signif. « capucin », allusion à la couleur marron et beige de cette boisson.

capre 1678, Colbert, « corsaire » ; néerl. *kaaper.*

câpre 1474, Fréville ; ital. *cappero,* du lat. *capparis,* du gr. || **câprier** 1517, *Doc.* || **câpron** 1642, Oudin, fraise ; nommé d'apr. sa saveur aigre.

capricant 1589, P. Mathieu (*caprisant*) ; 1832, Raymond (*-icant*) ; lat. *capra,* chèvre, avec infl. de *capricorne* (cf. *capricoler,* XVIe s., Nic. de Troyes).

caprice 1558, Des Périers ; ital. *capriccio,* de *capo,* tête, du lat. *caput.* || **capricieux** 1570, Carloix ; ital. *capriccioso.* || **capricieusement** 1612, de Lancre.

capricorne début XIIe s., « signe du zodiaque » ; 1753, *Encycl.,* « coléoptère » ; lat. *capricornus,* de *caper,* bouc, et *cornu,* corne.

caprifiguier 1775, Bomare, « figuier sauvage » ; lat. *caprificus,* figuier à bouc, qui a donné *caprifice* (1540, Rab.), croisé avec *figuier.*

caprifoliacée 1806, Wailly ; lat. *caprifolium,* chèvrefeuille.

caprin 1240, Conty ; lat. *caprinus,* de *capra,* chèvre ; il a remplacé la forme pop. *chevrin* au XVIe s. || **capripèdes** 1743, Trévoux ; lat. *pes, pedis,* pied.

capselle 1820, Laveaux, « bourse-à-pasteur » ; lat. *capsella,* coffret, de *capsa,* boîte.

capsule 1532, Rab., *capsule du cœur ;* 1820, Laveaux, « bouchon » ; lat. *capsella,* coffret, de *capsa,* boîte. || **capsulaire** 1690, Furetière. || **capsuler** 1845, J.-B. Richard. || **capsulage** 1878, Lar. || **bicapsulaire** 1864, L. || **décapsuler** XXe s. || **décapsulage** XXe s.

capter XVe s., Juv. des Ursins ; 1863, L., techn. ; lat. *captare,* chercher à prendre. || **captateur** fin XVIe s., du Vair ; lat. *captator.* || **captation** XIVe s., Delb. ; lat. *captatio.* || **captatoire** 1771, Schmidlin. || **capteur** 1780, Gohin. || **captieux** fin XIVe s. ; lat. *captiosus,* de *capere,* prendre. || **captieusement** fin XIVe s., *Chron. de Flandre.*

captif 1450 ; lat. *captivus* (v. CHÉTIF). || **captivant** 1842, J.-B. Richard. || **captiver** début XVe s., « faire prisonnier » ; milieu XVIe s., J. du Bellay, fig. ; le sens propre subsiste jusqu'au XVIIe s. ; bas lat. *captivare* (IVe s.). || **captivité** XIIIe s. || **capture** 1406, Fréville ; lat. *captura.* || **capturer** XVIe s., *Chron. bordelaise.*

capuce n. m., 1606, Folengo (*-zze*) ; ital. *cappuccio,* cape (lat. *cappa,* chape), puis, par ext., capuchon, avec prononc. piémontaise. || **capuche** début XVIe s., var. || **capuchon** début XVIe s. ; du même mot, avec prononc. toscane. || **capuchonner** 1571, de La Porte (*-é*). || **décapuchonner** 1856, Lachâtre. || **encapuchonner** 1582, *D.G.*

capucin 1546, Rab. (*-ussin*), var. XVIe s. (*-uchin*), d'apr. la prononc. toscane ; ital. *cappuccino,* moine porteur de cape. || **capucinade** 1724, Lesage. || **capucinière** 1753, Fougeret. || **capucine** 1694, Tournefort, bot., par métaphore d'apr. la forme de la fleur.

capulet 1818, Deville ; mot pyrénéen, dimin. de *capo,* cape.

caquer 1340, Delb. (*herens cakés,* harengs en caque) ; néerl. *caken,* ôter les ouïes, d'où *caqueharenc* (XIVe s., G.), hareng préparé (calqué sur le néerl. *kakkaring*). || **caque** XIIIe s., « baril à harengs » ; déverbal de *caquer.* || **caquage** 1730, Savary. || **encaquer** v. 1600, Sully. || **encaquement** 1772, Duhamel. || **encaqueur** 1781, S. Richard.

caqueter 1462, *Cent Nouvelles ;* onom. *kak.* || **caquet** XVe s., *Repues franches.* || **caquetage** 1556, Delb. || **caqueterie** 1418, G. || **caqueteur** 1507, N. de La Chesnaye. || **caquetoir** 1544, J. Martin (*-oi*). || **caquetoire** début XVIe s., « siège », et « traverse de charrue sur laquelle on s'appuie pour causer ».

1. ***car** 1050, *Alexis,* conj. ; lat. *quare,* c'est pourquoi, donc, sens conservé en anc. fr. ; le sens actuel causal apparaît dès les premiers textes.

2. **car** 1873, Hubner, d'abord appliqué aux voitures sur rails des États-Unis ; angl. *car,* char (anc. forme normande de *char*) ; la spécialisation actuelle de sens est due à l'abréviation de *autocar.* (V. AUTO.) || **car-ferry** XXe s. ; mot angl., de *car* et *ferry,* passage.

carabe 1668, Graindorge, « coléoptère » ; lat. *carabus,* crabe, du gr. *karabos,* désignant aussi un insecte. || **carabidés** XXe s.

carabin 1575, Brantôme, « soldat de cavalerie légère armé d'une arquebuse » ; 1650, Richer, *carabin de saint Côme,* garçon de l'École de chirurgie dont saint Côme était le patron ; 1803, *Courrier des spectacles,* « étudiant en médecine » ; p.-ê. altér. de *escarrabin,* ensevelisseur de pestiférés (1521, texte de Montélimar), mot méridional, métaphore d'apr. la famille de *escarbot,* désignant divers coléoptères, notamment les nécrophores. || **carabine** XVIe s., Delb. || **carabinier** 1634, *Chron. ; carabinier à cheval* sous Henri IV ; *carabinier à pied,* 1788-1792. || **carabiné** 1836, Gautier, fam., « très violent » ; d'abord mar., *brise carabinée,* brise violente (1687, Desroches). || **carabiner** 1611, Cotgrave, « se battre en carabin » ; 1687, Desroches, « souffler violemment en parlant du vent » ; le verbe est resté techn. comme dér. de *carabine* (rayer comme une carabine).

caracal apr. 1750, Buffon ; esp. *caracal,* du turc *qara qālaq,* oreille noire.

caraco 1774, *Mercure ;* mot de l'Ouest, sans doute du turc *kerake,* manteau large à manches, porté jusqu'au XVIIIe s.

caracoler 1642, Oudin ; de *caracol* (fin XVIe s.), de l'esp. *caracol* (de même rac. que *escargot*), limaçon, au sens fig. « hélice, spirale » et, en équit., « mouvement circulaire qu'on fait exécuter à un cheval », d'où le sens du verbe « faire exécuter un mouvement circulaire ». || **caracolade** 1850. || **caracole** 1641, Oudin.

caractère XIIIe s., *Chron. de Saint-Denis* (*kar-*), signe gravé (sens conservé jusqu'au XVIIe s.), avec valeur générale d'écriture ; 1512, J. Lemaire, typogr. ; XVIe s., fig. ; lat. *character,* du gr. *kharaktêr,* de *kharattein,* graver. || **caractériel** 1841, *Français peints par eux-mêmes.* || **caractérologie** 1945, Le Senne, reprenant un mot créé par Wundt. || **caractérologue** 1945, Le Senne. || **caractériser** 1512, Thénaud. || **caractérisation** 1840. || **caractéristique** adj., 1550, Meigret ; n. f., 1690, Furetière ; gr. *kharaktêristikos.*

caracul fin XVIIIe s., Adanson, mouton ; du nom de la ville de *Karakoul,* en Ouzbékistan.

carafe 1558, Du Bellay (*-affe*) ; 1901, Bruant, « tête » ; ital. *caraffa,* de l'ar. *gharrāf,* pot à boire, par l'intermédiaire de l'esp. *garrafa.* || **carafon** 1677, Dassoucy, « petite carafe » ; 1680, Richelet, « grande carafe » ; directement de l'ital. *caraffone.*

carafée 1840, Boreau, « giroflée jaune » ; mot du Centre, altér. du lat. *caryophyllon,* du gr. *karuophullon,* de *karuon,* noix, et *phullon,* feuille (v. GIROFLE).

carambole 1602, Colin (*-ola*), « fruit du carambolier » ; fin XVIIIe s., « bille rouge de billard » d'apr. la forme de boule orangée du fruit ; esp. *carambola,* qui a les deux sens, du malais *karambil.* || **caramboler** 1790, Lemaire, « heurter » ; XIXe s., « faire d'une pierre deux coups ». || **carambolage** 1812. || **carambolier** 1783, *Encycl. méth.*

carambouille 1899, Nouguier, « escroquerie » ; altér. de l'esp. *carambola,* au fig. « tromperie ». || **carambouillage** 1902, Esnault. || **carambouilleur** 1926, Esnault.

caramel 1680, Richelet ; esp. *caramel* (*o*), altér. probable du lat. médiév. *cannamella,* canne à sucre, ou du bas lat. *calamellus,* de *calamus,* roseau. || **caraméliser** 1825. || **caramélisation** 1832.

carapace 1688, Œxmelin ; esp. *carapacho,* du rad. préroman *kar,* ou métathèse du prov. *caparasso,* manteau.

carapater (se) 1867, Delvau ; de *patte* et d'un élément obscur, p.-ê. *se carrer,* se cacher.

caraque 1245, Ph. de Novare, « bateau » ; ital. *caracca,* de l'ar. *karrāka,* bateau léger.

carassin 1686, Hauteville (*carache*), « sorte de carpe » ; 1816, Biot (*carassin*) ; mot lorrain, de l'allem. dial. *karas* (allem. *Karausch*), du tchèque.

carat 1367, *Recettes Navarre ;* ital. *carato,* de l'ar. *qirāt,* poids, du gr. *keration,* tiers de l'obole. || **carature** 1751, *Encycl.,* alliage d'or et d'argent.

caravane fin XIIe s. ; persan *qayrawān.* || **caravanier** XIIIe s. || **caravaning** v. 1930 ; mot angl. signif. « roulotte-remorque », de *caravan,* roulotte, dont le sens est passé aussi dans le français *caravane.*

caravansérail 1432, La Broquière (*karvansera*) ; 1673, Boulan (*-érail*), « hôtellerie », d'après *sérail* ; 1866, Lar., fig. ; turc *karwan-serai,* du persan *ārawān-sarāy,* maison pour les caravanes.

caravelle début XVe s. (*carvelle*) ; port. *caravela,* du lat. *carabus,* canot, ou navire arabe de fort tonnage. La première caravelle française fut construite entre 1438 et 1440 pour Philippe le Bon par les Portugais.

carbet 1614, Cl. d'Abbeville ; mot d'une langue indigène d'Amérique du Sud ; petite habitation rurale aux Antilles.

carbonaro 1818 ; ital. *carbonaro,* charbonnier, parce que les membres de cette société secrète introduite en France en 1818 par Bazard et Dugied se noircissaient le visage pour échapper à la police. || **carbonarisme** 1818.

carbone 1787, Guyton de Morveau ; lat. *carbo, -onis,* charbon. || **carboné** 1787, Guyton de Morveau. || **carbonnade** 1534, Rab. ; ital. *carbonata,* de *carbone,* charbon, c'est-à-dire « viande grillée sur les charbons » ; la forme francisée *charbonnée* a existé. || **carbonatation** 1874, Lar. || **carbochimie** XXe s. || **carboglace** 1949, Lar. || **carbonisation** 1789, Lavoisier. || **carboniser** 1803, Boiste. || **carbonate** 1787, Guyton de Morveau. || **carbonique** 1787, Guyton de Morveau. || **carbure** 1787, Guyton de Morveau, sur le rad. *carb-.* || **carburé** 1829, Boiste. || **carburer** 1853. || **carburant** 1900, *France autom.* || **carburateur** 1857. || **carburation** 1857, *journ.* || **carburier** fin XIXe s. || **carburéacteur** 1959, Lar. || **bicarbonate** 1842, *Acad.* || **bicarbonaté** 1861, *journ.* || **supercarburant** 1931, *Doc.*

carbonnade, carbure V. CARBONE.

carcailler ou **courcailler** début XVIIe s. ; onom. ; crier en parlant de la caille. || **carcaillat** 1416, Delb., « petit de la caille ».

carcaise 1701, Furetière (*carquese*), « four de verrier » ; esp. *carcesia,* du lat. *carchesium,* gr. *karkhêsion,* vase.

carcajou 1703 ; mot canadien, d'une langue indigène d'Amérique ; blaireau d'Amérique.

1. **carcan** 1190, Garn. (*charchan*) ; lat. mérovingien *carcannum,* d'orig. inconnue ; p.-ê. issu de formes picardes de *charger* (*carquier*).

2. **carcan** V. CARCASSE.

carcasse XIIIe s. (*charcois*) ; 1550, Ronsard (*carcan*) ; peut-être lat. *carchesium,* récipient, ou de *carquier,* forme picarde de *charger.* || **carcan** 1842, Balzac, « mauvais cheval », var. régionale. || **décarcasser (se)** 1821, Desgranges, « s'agiter ».

carcel 1800, lampe à huile à rouages inventée par l'horloger *Carcel* (1750-1812) ; 1866, Lar., unité lumineuse.

carcinome 1545, Guéroult ; gr. *karkinôma,* de *karkinos,* cancer. || **carcinologie** 1842. || **carcinogenèse** 1968.

cardamine 1545, Guéroult ; lat. *cardamina,* du gr. *kardaminê,* cresson.

cardamome 1175, *D. G.* ; lat. *cardamomum,* du gr. *kardamômon,* plante aromatique.

cardan 1867 ; du nom du savant *Cardan* (1501-1576), qui imagina ce dispositif.

carde XIIIe s., « outil à carder formé de plusieurs têtes de chardon » ; XVIe s., Rab., « plante » ; prov. *carda,* du lat. *carduus,* chardon. || **carder** XIIIe s. || **cardage** 1765. || **cardeur** début XIVe s. || **cardier** 1530, Delb. || **recarder** 1549, R. Est.

cardère 1775, Lamy, bot. ; d'un mot du Midi *cardero,* de même rac. que *carde.*

cardi(o)-, gr. *kardia,* cœur. || **cardia** 1546, Ch. Est. ; gr. *kardia,* cœur, au sens méd. d'orifice supérieur de l'estomac, voisin du cœur. || **cardialgie** XVIe s., Delb. ; gr. *algos,* douleur. || **cardiaque** 1372, Corbichon ; lat. *cardiacus,* du gr. *kardiakos.* || **cardiogramme** 1901. || **cardiographie** 1803, Boiste. || **cardiographe** 1864, L. || **cardiologie** 1797, Gattel. || **cardiologue** v. 1920. || **cardiopathie** 1855. || **cardiovasculaire** 1910. || **cardite** 1771, Schmidlin, mollusque bivalve en forme de cœur ; 1803, « maladie du cœur ».

cardinal fin XIIIe s., adj., « principal » ; lat. *cardinalis,* même sens, de *cardo, -inis,* gond, pivot ; *nombre cardinal,* 1680, Richelet ; 1680, géogr. ; n. m., 1190, *Chron. d'Antioche,* du lat. eccl. || **cardinalat** 1508 ; lat. eccl. *cardinalatus.* || **cardinalice** 1819 ; ital. *cardinalizio.* || **cardinaliste** 1826, Vigny.

cardite V. CARDI(O)-.

cardon 1507 ; prov. *cardoun,* chardon, du lat. *carduus* (v. CARDE).

***carême** début XIIe s. (*quaresme*), fém. en anc. fr. ; lat. *quadragēsima,* le quarantième jour avant Pâques. || **carême-prenant** 1180, *Girart de Roussillon,* « carême commençant », anc. nom du carnaval. || **mi-carême** milieu XIIIe s.

carence 1450, Gréban ; bas lat. *carentia* (XIe s., Boèce), de *carere,* manquer. || **carentiel** 1959, Lar. || **carencer** 1922, Lar.

carène 1246, *Doc. hist.* (*-enne*) ; ital. *carena,* mot génois, du lat. *carina,* coquille de noix. || **caréner** 1642, Fournier. || **carénage** 1678, Guillet.

caresser XVe s., *Geste des ducs de Bourgogne ; caresser un projet,* 1736, Voltaire ; ital. *carezzare,* de *caro,* cher. || **caressant** 1642, Oudin. || **caresse** 1538, *le Courtisan ;* ital. *carezza.* || **caresseur** 1866, Lar.

1. **caret** 1640, Bouton, « tortue exotique » ; esp. *carey,* du malais *kārah,* tortue.

2. **caret** 1382, *Comptes du Clos des Galées de Rouen,* « touret » ; mot normanno-picard, dimin. de *car,* char.

carex fin XVIIIe s. ; mot lat. Désigne des plantes très diverses.

cargaison milieu XVIe s. (*carqu-*) ; prov. ou esp. *cargazon,* de *cargar,* charger, du lat. *carricare.*

cargo 1906, Lar. ; abrév. de *cargo-boat* (1887, *J.O.*), mot angl. signif. « bateau à charge ». || **avion-cargo** 1948.

carguer 1611, Cotgrave ; prov. ou esp. *cargar* (lat. *carricare*), « charger », au sens fig. de « relever la voile » ; le sens de « charger » a existé au XVIe s. || **cargue** 1634, Cleirac, mar. ; XVIe s., « charge, attaque » ; déverbal. || **cargueur** 1678.

cari 1602, Colin ; mot indigène du sud de l'Inde, désignant une épice.

cariatide 1547, J. Martin (*cary-*) ; ital. *cariatidi,* du lat. *caryatides,* pl., gr. *karuatides,* femmes de Carie, emmenées captives et figurées à la place des colonnes.

caribou 1607, Delb. ; mot canadien, de l'algonquin.

caricature 1740, d'Argenson ; 1780, Brunot, fig. ; ital. *caricatura,* de *caricare,* charger (cf. sens fig. de « charge »). || **caricaturer** 1801, Mercier. || **caricaturiste** 1803. || **caricatural** 1842, *le Charivari.* || **caricaturier** 1817, *Petite Chron. de Paris.*

carie 1537, Canappe ; lat. *caries,* pourriture. || **carier** 1530, Marot. || **carieux** 1546. || **cariogène** XXe s.

***carillon** XIIIe s. (*quarregnon*) ; XIVe s. (*careillon*) ; lat. pop. **quatrinio, -onis,* du lat. *quaternio,* groupe de quatre cloches. || **carillonner** XVe s., *Journ. de Paris.* || **carillonneur** 1601, J. Le Petit.

cariste v. 1970 ; lat. *carrus,* chariot.

caritatif V. CHARITÉ.

1. **carlin** 1367, Delb., « monnaie » ; ital. *carlino,* dér. de *Carlo,* Charles (d'Anjou), qui fit frapper cette monnaie.

2. **carlin** 1803, Boiste, petit chien à museau noir ; du nom de l'acteur ital. Carlo Bertinazzi, dit *Carlin* (1713-1783), qui jouait à Paris le rôle d'Arlequin avec un masque noir.

carline 1545, Guéroult, « genre de chardon » ; mot du Sud-Est (prov. mod. *carlino*), du lat. *carduus,* chardon, par infl. de *Carolus,* Charles. Une légende ancienne rattachait ce nom à Charlemagne.

carlingue 1382, *Compte du Clos des Galées de Rouen* (*callingue*) ; 1573, Dupuis (*carlingue*), mar. ; fin XIXe s., aéron. ; scand. *kerling* (angl. *carling*).

carliste 1827, Eckstein ; de don *Carlos* (d'Espagne) [1788-1855]. || **carlisme** 1830, Balzac.

carmagnole 1791, nom d'une veste importée à Paris par les fédérés marseillais et portée dans le Midi par les ouvriers piémontais (v. 1660), originaires de *Carmagnola ;* danse révolutionnaire et chant composé après le 10 août 1792.

carme 1220, Coincy, religieux du mont *Carmel,* où se fonda l'ordre ; par métaph., « sorte de pigeon ». || **carmélite** 1512, J. Lemaire ; XIXe s., Balzac, couleur de l'habit de carmélite ; lat. eccl. *carmelita.*

carmin XIIe s., *Roman de Troie ;* lat. médiév. *carminium,* croisement de *minium* et de l'ar. *qîrmiz* (v. KERMÈS). || **carminé** 1784, Bernardin de Saint-Pierre.

carminatif XVe s., G., méd. ; lat. médiév. *carminativus,* de *carminare,* carder, par ext. « nettoyer ».

carnassier début XVIe s. ; mot prov., de *carn,* chair, du lat. *caro, carnis.* || **carnassière** 1743, Trévoux ; prov. mod. *carnassiero,* développement du sens de *carnassier.*

carnation XVe s., *Actes des Apôtres ;* lat. *caro, carnis,* chair, sur le modèle d'*incarnation,* avec infl. de sens de l'ital. *carnagione,* couleur de chair.

carnaval 1268, texte liégeois (*quarnivalle*) ; 1578, Ronsard (*carnaval*) ; ital. *carnevale,* mardi gras, altér. de *carneleva* (conservé en génois), enlève-chair (lat. *caro, carnis*). Il a remplacé en fr. *carême-prenant.* || **carnavalesque** 1830, Stendhal ; ital. *carnevalesco.* || **carnavalier** XXe s.

1. **carne** XIIe s., *Ps.,* « angle, pivot » ; mot normanno-picard, du lat. *cardo, -inis,* gond. Utilisé encore dans le voc. de la construction.

2. **carne** 1835, Raspail, arg., « mauvaise viande » ; ital. *carne,* viande, péjor.

carné 1669, La Fontaine ; 1889, composé de viande, couleur de chair ; lat. *caro, carnis,* chair. || **carner** 1836, Landais. || **carnier** 1762, Rousseau ; mot prov., même orig. || **carnification** 1700, *Hist. Acad. sc. ;* lat. médiév. *carnificatio,* de *facere,* faire. || **carnifier** 1752, Trévoux ; lat. *carnificare.* || **carnivore** milieu XVIe s. ; lat. *carnivorus,* de *vorare,* dévorer.

carnet 1416, texte de Lyon (*quernet*), « registre » ; 1835, *Acad.,* sens actuels ; anc. fr. *quaern,* du bas lat. *quaternio,* groupe de quatre feuilles. (V. CAHIER.)

carnotset fin XIXe s. ; mot de suisse romande, du rad. de *caro-,* coin.

carogne V. CHAROGNE.

carole XIIe s. ; p.-ê. lat. *chorus,* chœur, par un dér. *choraules,* joueur de flûte, du gr. *aulos,* flûte.

carolus XVe s., « monnaies frappées à l'effigie d'un roi Charles » (lat. *Carolus*), en particulier de Charles VIII.

caronade 1783, *Encycl. méth. ;* angl. *carronade,* de l'arsenal de *Carron,* en Écosse, où ces pièces d'artillerie furent d'abord fondues (1778).

caroncule 1560, Paré, bot. ; lat. *caruncula,* de *caro,* chair. Le sens anat. est de la même époque.

carotide 1541, Canappe ; gr. *karôtis, -idos,* de *karoûn,* assoupir : la cause du sommeil était attribuée à ces artères. || **carotidien** 1762, *Acad.*

carotte 1398, *Ménagier* (*garroite*) ; fin XIXe s., techn. du pétrole, par l'intermédiaire de l'angl. ; lat. impér. *carota* (IIIe s., Apicius), du gr. *karôton.* || **carotter** 1732, d'apr. *jouer la carotte,* jouer avec une prudence excessive ; 1826, Balzac, « subtiliser de l'argent », d'apr. *tirer une carotte* (1836, Landais). || **carottage** 1843, Balzac, pop. ; 1929, Lar., techn. || **carottier** 1740, *Acad.* || **carotteur** 1752, Trévoux. || **carotène** 1924. || **bêta-carotène** XXe s.

caroube 1512, Lemaire ; lat. médiév. *carrubia,* de l'ar. *kharrūba ;* la var. *carrouge* est plus ancienne (XIIe s., *Prise d'Orange*). || **caroubier** 1553, Belon.

1. **carpe** 1268, É. Boileau, « poisson » ; prov. *carpa,* mot wisigothique. || **carpeau** 1268, É. Boileau. || **carpier** 1386, Delb. || **carpillon** 1579, H. Est. || **carpiculture** 1929.

2. **carpe** 1546, Ch. Est., anat. ; gr. *karpos,* jointure. || **carpien** 1805.

carpelle 1836, Raymond ; gr. *karpos,* fruit. En bot., organe foliaire portant les ovules.

carpette 1335, *Restor dou paon,* « gros drap rayé », dit tapis à emballer ; angl. *carpet,* de même rac. que *charpie.* || **carpettier** 1909.

carpologie XIXe s. ; gr. *karpos,* fruit.

carquois 1155, Wace (*tarchois*) ; XIIIe s. (*carquais*), par infl. de *carcan, carcois,* carcasse ; gr. byzantin *tarkasion,* du persan *terkech.*

carrare 1755, Prévost ; du nom d'une ville italienne aux environs de laquelle se trouvaient des carrières de marbre.

***carré** XIIe s., *Roncevaux* (var. *quarré*), adj. ; 1538, n. m., géom. ; XIXe s., n. m., pop., « palier ». || **carrée** n. f., XIIIe s., *Clef d'amor ;* XIXe s., pop., « chambre », puis logis ; part. passé du lat. *quadrare,* rendre carré. || **carrément** XIIIe s., G. || ***carrer** XIIe s. (var. *quarrer*) ; lat. *quadrare ; se carrer,* 1606, Nicot, a pris son sens de *carrure.* || **carre** 1460, Villon ; 1904, partie du ski ; déverbal. || **carrure** fin XIIe s., *Alexandre* (*quarreüre*), « forme carrée ». || ***carrière** [de pierre] 1170, *Rois ;* peut-être lat. pop. **quadraria,* lieu où l'on équarrit les blocs de pierre. || **carrier** fin XIIIe s. (*quarrier*). || **bicarré** 1866, Lar. || **contrecarrer** 1535 ; de l'anc. fr. *contrecarre,* opposition. (V. ÉQUARRIR.)

***carreau** 1080, *Roland* (*quarrel*), « flèche à quatre pans » et « trait de foudre » (jusqu'au XVIIe s.) ; « petit carré » dès le XIe s. ; *carreau des Halles* (où l'on étend les légumes) ; lat. pop. **quadrellus,* de *quadrus,* carré. || **carreler** fin XIIe s., *Aiquin ;* sur *carrel.* || **carrelage** 1611, Cotgrave. || **carrelure** 1307, Deshaines. || **carreleur** 1463, G. || **carrelet** 1360, G. (*quarlet*), « poisson ». || **décarreler** 1642, Oudin. || **recarreler** 1549, R. Est., « raccommoder des chaussures » ; 1690, Furetière, sens actuel.

***carrefour** 1125, *Gormont ;* bas lat. *quadrifurcus,* à quatre fourches, qui a remplacé le lat.

quadruvium, conservé dans les noms de lieux (*Carrouge*[*s*], etc.).

carreler, carrelet, carrer V. CARREAU, CARRÉ.

carrick 1805, Stendhal ; mot angl. signif. « voiture légère » (en fr. aussi), d'où « manteau de cocher ».

1. **carrière** [de pierre] V. CARRÉ.

2. **carrière** 1534, Rab., « espace à parcourir », terme d'équitation ; fig., XVIIe s., Corneille ; ital. *carriera,* chemin de chars, de *carro,* char. || **carriérisme** 1908. || **carriériste** 1909.

carriole 1220, Coincy ; anc. ital. *carriuola,* chaise à roues, de *carro,* char.

carrosse XIIIe s. (souvent fém. d'apr. l'ital.) ; ital. *carrozza,* de *carro,* char. || **carrossier** 1589, Fr. de Sales. || **carrosserie** 1833. || **carrosser** 1828, Dutens. || **carrossage** 1873. || **carrossable** 1827, *Acad.*

carrousel 1596, Vigenère (*-elle*) ; ital. *carosela,* désignant un jeu de cavaliers, de l'ar. *kurradj,* jouet d'enfants fait de chevaux harnachés.

carroyage 1917 ; de *carreau.* || **carroyer** 1950 ; de *carroyage.*

carrure V. CARRÉ.

***cartable** 1636, Monet, « registre » ; 1813, Molard, « grand portefeuille » ; lat. pop. **cartabulum,* du lat. *charta,* papier, sous une forme normanno-picarde. (V. CARTE.)

cartayer 1740, *Acad.,* « éviter les ornières en parlant d'un char » ; mot de l'Ouest, de *quart* (se tenir à l'écart).

carte 1398, *Ménagier,* « carte à jouer » ; *carte de visite,* 1789, d'apr. *donner carte blanche* (XVIe s.) ; 1532, *carte géographique ;* 1803, Boiste, *carte d'un restaurant ; donner carte blanche,* 1549, R. Est. ; lat. *charta,* papier. || **cartier** fin XVe s., Médicis. || **cartographie** 1832, Raymond. || **cartographique** 1832, Raymond. || **cartographe** 1829, Boiste. || **cartomancie** 1803, Mozin (gr. *manteia*), divination. || **cartomancien, -ienne** 1803, Mozin, qui prend la place de *tireuse de cartes.* || **cartophilie** v. 1970. || **cartothèque** 1962, Lar. || **carte-lettre** 1888, Lar. || **carte postale** 1877. || **écarter** [une carte à jouer] 1611, Cotgrave, d'apr. l'ital. *scartare.* || **écart** 1611, Cotgrave. || **écarté** 1810, *Mercure,* jeu. || **encarter** 1642, Oudin. || **encartage** 1870, Lar.

cartel 1527, Carloix (*cartel de deffi*), « lettre de défi » ; 1905, Lar., « trust », de l'allem. *Kartell,* défi ; 1924, *Cartel des gauches ;* 1808, Boiste, « horloge », d'apr. la cartouche qui l'entoure (*pendule à cartel* au XVIIIe s.) ; ital. *cartello,* affiche, de *carta,* papier. Le mot ital. est revenu dans « artiste *di primo cartello* », digne d'occuper la vedette (1868, Th. Gautier). || **cartelliser** XXe s. || **cartellisation** XXe s. || **décartelliser** apr. 1945.

carter 1891, *Vélo-Journal ;* mot angl., du nom de son inventeur, *J. H. Carter* († 1903).

cartésien 1665, Graindorge ; lat. *Cartesianus,* nom lat. de Descartes. || **cartésianisme** 1667, Graindorge.

cartilage 1314, Mondeville ; lat. *cartilago, -inis.* || **cartilagineux** *id. ;* lat. *cartilaginosus.*

cartisane 1642, Oudin ; ital. *carteggiana,* carton fin, de *carta,* papier ; lame de carton fin.

cartographie, cartomancie V. CARTE.

carton v. 1500, Barbier ; ital. *cartone,* augmentatif de *carta,* papier ; par ext. « objet en carton ». || **cartonnier** 1680, Richelet, « marchand de cartons » ; 1822, *Doc.,* « meuble ». || **cartonner** 1751, *Encycl.* || **cartonnerie** v. 1750. || **cartonnage** 1785, *Encycl. méth.* || **encartonner** 1827, *Acad.*

cartoon 1930 ; mot angl. signif. « dessin ». || **cartoonist** ou **cartooniste** 1946.

cartouche milieu XVIe s., rouleau de carton contenant une charge à mitraille ; XXe s., sens actuels ; ital. *cartuccia,* de *carta,* papier ; n. m., milieu XVIe s., « ornement d'architecture » ; ital. *cartoccio,* même origine. || **cartoucherie** 1840, Mérimée. || **cartouchier** 1752, Trévoux. || **cartouchière** 1831, Willaumez.

cartulaire 1278, *Doc. ;* lat. médiév. *chartularium,* d'abord « archiviste », puis sens actuel. (V. CHARTE.)

carus 1560, Paré (*caros*) ; 1741, C. de Villars (*carus*) ; lat. méd. *carus,* du gr. *karos,* sommeil lourd ; coma profond.

carvi 1398, *Ménagier ;* mot du lat. médiév., de l'ar. *karawiyā'.* Désigne en bot. une plante aromatique (francisé en *chervi*[*s*] en 1539, R. Est.).

caryophyllée 1573, *Fr. mod.* (*-phyllet*) ; 1898, Lar. (*-phyllacée*) ; lat. *caryophyllon,* giroflier, du gr. *karua,* noyer, et *phullon,* feuille : nom transposé à l'œillet par l'analogie qui existe entre les boutons des deux fleurs. || **caryogamie** 1906. || **caryotype** 1961. || **caryocinèse** fin

XIXe s. ; gr. *karuon,* noyau, et *kinêsis,* mouvement.

1. **cas** 1283, Beaumanoir ; lat. *casus,* part. passé substantivé de *cadere,* tomber, au sens fig. « événement ». || **casuel** fin XIVe s., adj. ; 1669, n. m., bénéfices attachés aux fonctions ecclésiastiques. || **casuellement** 1468, Chastellain. || **en-cas** fin XVIIe s., « collation » ; XIXe s., autres sens ; ellipse de « objets préparés *en cas* de besoin ». La var. *en-tout-cas* (parapluie, 1821, Ansiaume) a disparu.

2. **cas** XIIIe s. ; lat. *casus,* cas grammatical, même orig. que le précédent, calque du gr. *ptôsis,* chute, terminaison. || **casuel** fin XIVe s., adj. ; lat. *casualis* (Varron, gramm.).

casanier 1315, G. (*caseniers*), « domiciliés en France », en parlant de marchands ital. ; 1558, Du Bellay (*-anier*), « qui reste à la maison » ; p.-ê. ital. *casaniere,* de *casa,* maison.

casaque 1413, Gay, « tunique d'homme » ; XVIIe s., « blouse de femme » ; ital. *casacca,* du persan *kazagand.* || **casaquin** 1546, Gay ; ital. *casacchino,* même origine.

casbah 1813, Mozin (*casauba*) ; ar. *qasba,* forteresse.

cascade 1640, Oudin ; XIXe s., Balzac, fig. ; ital. *cascata,* de *cascare,* tomber, dimin. (v. CASQUER). || **cascatelle** 1740, De Brosses ; ital. *cascatella,* dimin. || **cascader** fin XVIIIe s. || **cascadeur** 1860, *Diogène,* « débauché » ; 1898, Esnault, cirque. || **cascadeuse** 1867, Delvau.

case 1265, J. de Meung ; lat. *casa,* maison rurale (sens jusqu'au XVIIe s.) ; XVIIe s., « case de nègre », repris au port. *casa,* infl. par l'ar. || **caser** 1669, Widerhold, « mettre dans une case » ; XVIIIe s., fig. ; réfection de l'anc. fr. *chaser,* du lat. *casa.* || **casier** 1765, *Encycl.* || **encaster** 1755, *Encycl.,* « placer (les poteries) dans les casettes », de *encaseter.* || **encasteur** 1807, Oppenheim.

caséeux 1599, Valgelas (*caseux*) ; rare jusqu'au XVIIIe s. ; lat. *caseus,* fromage. || **caséifier** 1877, Espine. || **caséification** *id.* || **caséine** 1832, Raymond.

casemate 1539, Gruget ; 1546, Rab. (*chasmate,* d'apr. le gr. *khasma,* gouffre) ; ital. *casamatta,* maison folle, d'orig. obscure. || **casemater** 1578, Boyssières.

caserne milieu XVIe s., « loge pour quatre soldats dans les remparts » ; milieu XVIIe s., « chambre pour soldats » ; appliqué aux bâtiments construits pour loger des corps de troupes ; prov. *cazerna,* groupe de quatre, du lat. *quaternus.* || **caserner** 1718, *Ordonn.* || **casernement** 1800, Boiste.

cash 1916 ; mot angl. signif. « argent liquide ». || **cash-flow** 1966 ; angl. *flow,* écoulement.

casher 1866, Lar. (*cawcher*) ; mot hébreu signif. « conforme à la Loi ».

casier, casilleux V. CASE, CASSER.

casimir 1791, *Journ. de Paris ;* altér., par infl. de *Casimir,* de l'angl. *kerseymere,* tissu de laine.

casino 1740, De Brosses ; ital. *casino,* dimin. de *casa,* maison, au sens de « maison de plaisance », puis « maison de jeu ».

casoar 1677, L'Estra (*-suel ;* var. *gasuel*) ; début XVIIIe s. (*-soar*) ; 1845, coiffure des saint-cyriens ; lat. zool. *casoaris, -uaris,* du malais *kasuvari,* grand oiseau coureur.

casque 1591, Gay ; esp. *casco,* de *cascar,* briser, du lat. pop. **quassicare,* casser ; d'abord « tesson », puis « crâne » et « casque » par métaph. ; *casque à mèche,* 1842, Reybaud. || **casqué** 1734, Trévoux. || **casquer** 1867, *Almanach du « Hanneton ».* || **casquette** 1820, Laveaux. || **casquettier** 1867. || **casquetterie** XXe s.

1. **casquer** V. CASQUE.

2. **casquer** 1837, Vidocq, « tomber dans les pièges » ; 1844, Esnault, « payer » ; ital. *cascare,* tomber, du lat. pop. **casicare,* de *cadere,* tomber.

cassate v. 1950 ; ital. *cassata.*

1. **casse** 1341, *Arch. Dijon,* « casserole » ; prov. *cassa,* du lat. pop. *cattia,* poêle, truelle (*Gloses*). || **casserole** 1583, Gay ; formation méridionale. || **cassole** XIVe s., G., « pot à chauffer la colle ». || **cassolette** début XVe s. ; anc. esp. *cazoleta,* de *cazo,* casse.

2. **casse** [d'imprimerie] 1539, R. Est. ; ital. *cassa,* caisse (v. CAISSE). || **casseau** 1751, *Encycl.* || **cassier** 1797, Restif de La Bretonne.

3. **casse** 1256, Ald. de Sienne, « fruit du cassier » ; lat. *cassia,* du gr. *kassia.* || **cassier** 1512, Thénaud.

4. **casse** [action de casser] V. CASSER.

***casser** 1080, *Roland* (var. *quasser*) ; *casser un arrêt,* XIIIe s. ; *casser aux gages,* XIVe s. ; *casser les* *vitres,* 1787, Féraud ; lat. *quassare,* fréquentatif de *quatere,* secouer, par ext. « endommager », « briser ». || **casilleux** 1676, Félibien, « cassant », en parlant du verre. || **cassant** 1538, R. Est., fig. || **cassement** XIIIe s. || **casson** 1359, G., « sucre cassé ». || **cassonade** 1578, L. Joubert. || **cassure** 1333, Delb. || **casseur** 1547. || **cassis** 1488, *Mer des hist.,* « rigole de pierres cassées, caniveau ». || **casse** n. f., 1642, Oudin, « action de casser un officier ». || **casse** n. m., arg., 1899, Nouguier. || **cassage** 1838. || **cassation** 1413, N. de Baye. || **casse-museau** XVe s., Delb. || **casse-cou** 1718, *Acad. ;* fig., 1785, Beaumarchais. || **casse-croûte** 1803, Boiste. || **casse-cul** 1740, *Acad.* || **casse-graine** fam., 1940. || **casse-gueule** 1808, d'Hautel. || **casse-poitrine** 1829, Caillot. || **casse-mottes** 1700, Liger. || **casse-noisettes** 1680, Richelet. || **casse-noix** 1564, J. Thierry. || **casse-pattes** 1928, Lar. || **casse-pieds** 1948, titre de film. || **casse-pipe** v. 1914. || **casse-tout** XXe s. || **casse-pierre** XVIe s., G. || **casse-tête** 1690, Furetière. || **incassable** 1801.

casserole V. CASSE 1.

cassette 1348, de Laborde ; ital. *cassetta,* de *cassa,* caisse.

cassie 1575, Thevet ; mot du Midi, du prov. *cassio,* altér. de *acacio,* acacia.

cassine 1532, Rab., « petite maison » ; puis « masure » ; ital. dial. (piémontais) *cassina, cascina.*

1. **cassis,** caniveau V. CASSER.

2. **cassis** milieu XVIe s., « fruit » ; mot poitevin, de *casse,* fruit du cassier, le cassis étant laxatif comme la casse.

cassitérite 1832, Beudant ; gr. *kassiteros,* étain.

cassolette, casson V. CASSE 1, CASSER.

cassoulet fin XIXe s. ; mot toulousain, de *cassolo,* dim. de *casso,* casserole, au sens de terrine où est préparé le mets.

castagne fin XIXe s., arg. ; gascon *castagna,* châtaigne. || **castagner** XXe s., « frapper », en arg.

castagnette fin XVIe s. (*cascagnette*) ; esp. *castañeta,* dimin. de *castaña,* châtaigne, par comparaison de forme.

castapiane milieu XIXe s., pop., « blennorragie », par antiphrase ; ital. *casta,* chaste, et *piana,* douce ; ou p.-ê. altér. de *cataplasme.*

caste 1615, Pyrard ; 1793, « classe fermée », polit., fig. ; port. *casta,* du lat. *castus,* pur, sans mélange ; appliqué d'abord aux castes de l'Inde au XVIIIe s.

castel fin XVIIe s., Saint-Simon ; mot prov. répondant au fr. *château,* du lat. *castellum.*

castille 1462, *Cent Nouvelles ;* esp. *castilla,* château ; d'abord « opération militaire », puis « dispute ». || **castiller (se)** fin XVIe s., Carloix.

castine XVIe s., G. Coquille, « pierre calcaire mélangée au minerai » ; altér. de l'allem. *Kalkstein* (prononcé en bas allem. *stéin*), pierre (*Stein*) à chaux (*Kalk*).

castor 1135, Barbier ; lat. *castor,* mot gr. ; il a éliminé l'anc. fr. *bièvre* (du lat. *beber,* d'origine gauloise), conservé dans les noms de lieux. || **castoréum** XIIIe s., Delb. ; lat. médiév. *castoreum,* de *castor.* || **castorine** 1802, Catineau. || **demi-castor** fin XVIIe s., Racine, « chapeau en tissu mi-laine, mi-castor » ; 1695, Regnard, « demi-mondaine ».

castrer XVIIe s. ; lat. *castrare,* châtrer. || **castration** fin XIVe s. ; lat. *castratio.* || **castrateur** 1930. || **castrat** 1556, R. Le Blanc ; mot gascon ou prov. signif. « (animal) châtré » ; repris au XVIIIe s. (1760, Diderot) à l'ital. *castrato,* en parlant des chanteurs italiens. (V. CHÂTRER.)

casuarina 1778, trad. de Cook, arbre d'Australie ; lat. bot. *casuarina,* de *casoar,* oiseau d'Australie.

casuel V. CAS 1 et 2.

casuiste 1611, Cotgrave ; esp. *casuista,* du lat. eccl. *casus,* cas de conscience. || **casuisme** 1837, Balzac. || **casuistique** 1829.

catabolisme 1896 ; de *cata-* et *métabolisme.*

catachrèse 1557, Fouquetin ; lat. *catachresis,* du gr. *katakhrêsis,* abus d'emploi.

cataclysme v. 1548, Des Autels ; 1540, Rab. (*cateclisme*) ; lat. *cataclysmos,* du gr. *kataklusmos,* inondation, déluge. || **cataclysmique** 1863, L.

catacombe XIIIe s., G. ; ital. *catacomba,* altér. de *cata-tumba* (inscriptions chrétiennes), du gr. *kata,* en dessous, et lat. *tumba,* tombe ; ne s'emploie plus qu'au plur.

catadioptrique 1771, Trévoux ; de *catoptrique* et *dioptrique.* || **catadioptre** v. 1950.

catafalque 1690, Furetière, « échafaud pour criminels » ; XVIIIe s., sens actuel ; ital. *catafalco.* (V. ÉCHAFAUD.)

cataire 1733, Lémery, bot. ; 1866, Lar., méd., frémissement perçu à la pointe du cœur dans le cas d'un rétrécissement de l'orifice mitral, et comparé au ronronnement du chat ; bas lat. *cattaria,* de *cattus,* chat.

catalan XVIe s. ; lat. médiév. *catalanus,* de Catalogne.

catalectique 1644, Lancelot ; gr. *katalêktikos,* de *katalegein,* finir, c'est-à-dire « (vers) qui se termine brusquement », « inachevé ».

catalepsie début XVIe s. (var. *-lepse*) ; lat. méd. *catalepsis* (IIIe s., Coelius Aurelius), du gr. *katalepsis,* action de saisir, attaque (méd.). || **cataleptique** 1742, Réaumur.

catalogue 1260, Br. Latini ; bas lat. *catalogus* (Ve s., Macrobe), du gr. *katalogos,* liste, rôle. || **cataloguer** 1801, Mercier. || **catalogage** 1928, Lar.

catalpa 1771, Schmidlin ; mot angl. tiré de la langue des Indiens de Caroline et désignant un arbre utilisé pour la décoration des jardins.

catalyse 1836 ; angl. *catalysis,* créé par Berzelius ; gr. *katalusis,* action de dissoudre. || **catalysateur** 1907, Lar. || **catalyser** 1838 ; fig., 1960, Lar. || **catalyseur** 1884. || **catalytique** 1836.

catamaran milieu XXe s. ; autrefois *catimaron,* fin XVIIe s., radeau des Indes ; tamoul *katta,* lien, et *maram,* bois. || **trimaran** v. 1950 ; formé sur *catamaran* avec le préf. *tri-,* trois.

Cataphote v. 1931 ; gr. *kata,* contre, et *phôs, photos,* lumière.

cataplasme 1390, G. ; lat. *cataplasma,* du gr. *kataplasma,* emplâtre.

catapulte 1355, Bersuire ; lat. *catapulta,* du gr. *katapeltês,* de même sens. || **catapulter** début XXe s. || **catapultage** début XXe s. || **catapultable** v. 1950.

1. **cataracte** 1479, écluse, vanne ; 1538, Canappe, « chute d'eau » ; lat. *cataracta,* du gr. *kataraktês,* chute, et, par ext., barrage, herse, de *katarassein,* tomber avec force.

2. **cataracte** [de l'œil] 1360, G. de Machaut ; lat. méd. *cataracta,* au sens fig. (*cataracte* ou *coulisse,* qui signifie en langue pop. « herse »).

catarrhe 1370 (var. *caterre*) ; lat. méd. *catarrhus* (IIIe s., Aurelius), du gr. *katarrhos,* écoulement, de *rheîn,* couler. || **catarrhal** 1360, G. de Machaut. || **catarrheux** 1478.

catastrophe 1546, Rab. ; lat. *catastropha,* du gr. *katastrophê,* bouleversement, de *strephein,* tourner ; le sens théâtral « dénouement » a été repris au XVIe s. || **catastropher** XXe s., d'abord *catastrophé.* || **catastrophique** 1845, J.-B. Richard. || **catastrophiquement** 1845, J.-B. Richard. || **catastrophisme** 1845.

catatonie 1888 ; gr. *kata,* en dessous, et *tonos,* tension. || **catatonique** 1903.

catau 1582, L'Estoile ; de *Catot,* abrév. de *Catherine.* (V. CATIN.)

catch v. 1930 ; angl. *catch as catch can,* attrape comme tu peux. || **catcheur** 1924.

catéchèse 1574, R. Benoist ; lat. *catechesis,* du gr. *katêkhêsis,* enseignement. || **catéchète** 1819, Boiste.

catéchisme fin XIVe s. ; lat. eccl. *catechismus,* du gr. *katêkhismos,* de *katekhein,* faire retentir, instruire de vive voix. || **catéchiser** 1380, G. ; lat. *catechizare,* du gr. *katêkhizein.* || **catéchiste** 1578, Despence ; lat. eccl. *catechista,* du gr. *katêkhistês.* || **catéchistique** 1752, Trévoux.

catéchumène 1374 ; lat. eccl. *catechumenus,* du gr. *katêkhoumenos,* part. passif de *katêkhein,* instruire à haute voix.

catégorie 1564, Rab. ; philos., 1736, J. des Champs ; bas lat. *categoria* (Ve s., Sid. Apollinaire), du gr. *katêgoria,* de *katêgorein,* énoncer. || **catégorique** 1495, J. de Vignay ; bas lat. *categoricus,* du gr. *katêgorikos.* || **catégoriquement** milieu XVIe s. || **catégoriser** 1842, *Acad.* || **catégorisation** 1853, Castille. || **catégoriel** 1943, Sartre. || **catégorème** 1555 ; gr. *katêgorêma,* de *katêgoria.*

caténaire 1838, bot. ; fin XIXe s., techn. ; lat. *catenarius,* de *catena,* chaîne.

catgut 1877, *Comptes rendus de l'Acad. des sc.,* « corde de boyau » ; mot angl., de *gut,* boyau, et *cat,* chat.

cathare XIIIe s. ; gr. *katharos,* pur.

catharsis 1897 ; mot gr. signif. « purgation ». || **cathartique** 1598.

cathédral 1180, *Itinéraire à Jérusalem,* adj. ; lat. médiév. *cathedralis,* de *cathedra,* siège épiscopal ; *église cathédrale, id.* || **cathédrale** 1666, *Journ. des savants ;* abrév. de *église cathédrale.*

cathèdre XVIe s. ; lat. *cathedra,* chaise à dossier, chaire.

catherinette fin XIXe s., jeune fille qui coiffe sainte Catherine l'année de ses vingt-cinq ans (*coiffer sainte Catherine,* 1867, Delvau).

cathéter 1538, Canappe ; lat. méd. *catheter* (IIIe s., Aurelius), du gr. *kathetêr,* sonde. || **cathétérisme** 1658, Thévenin ; lat. *catheterismus,* du gr.

cathétomètre 1856, Lachâtre ; gr. *kathetos,* vertical, et *metron,* mètre ; instrument de mesure utilisé en physique.

cathode 1838, *Acad.* ; gr. *kata,* en bas, et *hodos,* chemin (v. ÉLECTRODE). || **cathodique** 1897, Delage.

catholicon 1520, J. Cœurot ; mot du lat. méd., du gr. *katholikon* (au neutre), universel.

catholique XIIIe s., G. (*chatoliche*) ; lat. chrét. *catholicus* (IIIe s., Tertullien), du gr. *katholikos,* universel. || **catholiquement** XIVe s., Ph. de Maizières. || **catholicisme** 1598, de Marnix. || **catholicité** 1578, d'Aubigné. || **catholiciser** fin XVIe s.

catimini fin XIVe s., Le Fèvre (var. *catamini*), « menstrues » (jusqu'au XVIe s.) ; *en catimini,* XVIe s. ; gr. byzantin *katamênia,* menstrues (avec prononc. *i* de *ê*), croisé avec le picard *catte-mini,* chatteminette.

catin 1547, Marot ; abrév. de *Catherine ;* péjor. lorsqu'il cessa d'être un hypocoristique ; au XXe s., « prostituée ».

***catir** fin XIIe s., *R. de Cambrai* (*quatir*), « presser, cacher » ; 1606, Nicot, « donner du lustre » ; lat. pop. **coactire,* de *coactus,* pressé. || **cati** 1694, La Bruyère, « apprêt ». || **catissage** 1838, *Acad.* || **décatir** 1753, *Encycl. ; se décatir,* 1815, *Encycl.,* pop., « vieillir ».

catogan 1768 ; du nom du général anglais *Cadogan.*

catoptrique 1584 ; gr. *katoptrikos,* de *katoptron,* miroir.

cattleya 1845 ; lat. bot. formé sur le nom du botaniste anglais *Cattley.*

cauchemar 1564, J. Thierry (var. *-are*) ; 1845, Besch., fig. ; mot picard, de *cauquer,* anc. fr. *chaucher,* fouler, presser (v. COCHE 2), et du néerl. *mare,* fantôme nocturne (allem. *Mahr,* cauchemar). || **cauchemarder** 1841, *Physiologie du parapluie.* || **cauchemardant** 1867, Delvau. || **cauchemardesque** début XXe s.

caudal fin XVIIIe s. ; lat. *cauda,* queue. || **caudataire** 1542, Rab. ; lat. eccl. *caudatarius,* dignitaire de la cour pontificale (celui qui portait la queue de la soutane du pape).

caudrette 1769, Duhamel, filet de pêche ; mot picard (*cauderette*), de *caudière,* chaudière ; comparé d'apr. sa forme à une petite chaudière.

cause 1120, *Ps. de Cambridge,* jurid. ; 1361, Oresme, « principe, origine » ; 1552, Rab., « ce qui occasionne » ; 1549, R. Est., polit. et relig. ; lat. *causa,* « cause » et « procès ». || **causal** XIIIe s. ; 1565, Meigret, sens gramm. ; lat. *causalis.* || **causalité** 1375, sens philos. || **causatif** fin XVe s., G. || **causer** XIIIe s., *Clef d'amor,* « être cause de » ; XIIIe s., « s'entretenir » ; *causer à quelqu'un,* XVIIe s. ; lat. *causari,* faire un procès, par ext. « alléguer des raisons ». || **causant** XVIIe s. || **causeur** 1534, Rab. || **causerie** milieu XVIe s. || **causette** 1790. || **causeuse** 1787, petit canapé. || **recauser** 1876, L.

causse 1791, *Encycl. méth. ;* mot rouergat (XVIe s.) signif. « terre calcaire », du lat. *calx, calcis,* chaux, par un dér. **calcĭnus* ou *calcēnus* (cf. *Caussenard,* habitant des Causses).

caustique 1490, Chauliac ; 1690, Furetière, fig., « mordant » ; lat. *causticus,* du gr. *kaustikos,* brûlant, de *kaiein,* brûler. || **caustiquement** 1863, L. || **causticité** 1738, Le Franc.

cautèle 1265, J. de Meung ; lat. *cautela,* défiance, de *cavere,* prendre garde. || **cauteleux** XIIIe s., *D. G.* || **cauteleusement** 1450, Gréban.

cautère XIIIe s., G. ; lat. impér. *cauterium,* du gr. *kautêrion,* de *kaiein,* brûler. || **cautériser** début XIVe s. ; lat. impér. *cauterizare* (IVe s., Végèce), du gr. || **cautérisation** 1314, Mondeville. || **thermocautère** fin XIXe s. ; gr. *thermos,* chaud.

caution 1283, Beaumanoir ; lat. *cautio,* précaution, garantie, de *cavere,* prendre garde. || **cautionner** 1360, G. || **cautionnement** 1535.

cavaillon 1473, Barennes ; occitan *cabalhon,* melon, de *Cavaillon* (Vaucluse).

cavalcade milieu XIVe s. (*-ate*) ; ital. *cavalcata,* de *cavalcare,* chevaucher, avec la prononc. piémontaise *-ada.* || **cavalcader** 1824, Balzac. || **cavalcadour** 1539, Gruget ; ital. *cavalcatore,* avec la prononc. piémontaise, correspondant au fr. *chevaucheur.*

cavale 1552, La Boétie ; ital. *cavalla,* de *cavallo,* cheval ; il a remplacé les mots issus du lat. *equa,* dans l'est et le sud de la France (*ive*), mais non *jument ;* devenu poétique dès le

XVIIe s. || **cavaler** 1575, « poursuivre » ; 1610, B. de Verville, « chevaucher » ; 1821, Ansiaume, *se cavaler,* se sauver. || **cavaleur, cavaleuse** fin XIXe s., « coureur de filles », « coureuse », pop. || **cavale** 1829, Forban, arg. ; déverbal de *se cavaler.*

cavalier 1470 ; ital. *cavaliere,* qui va à cheval, mot qui avait pris le même sens fig. que *chevalier,* d'où « gentilhomme » en fr. (disparu au XVIIe s.) ; il reste le mot *cavalier* (*de bal*) ; 1540, Rab., terme de fortification. || **cavalerie** 1308, Aimé. || **cavalier** 1470, Chastellain, n., « gentilhomme » ; 1650, G. de Balzac, adj., « de cavalier » ; début XVIIe s., fig., « aisé, dégagé ». || **cavalièrement** 1613, Nostredame, « en galant homme » ; 1642, Oudin, « de façon impertinente ».

cavatine 1767, Rousseau ; ital. *cavatina,* dimin. de *cavata,* art de tirer un son harmonieux, de *cavare,* creuser.

1. **cave** XIIe s., adj. ; lat. *cavus,* creux ; *veine cave,* 1538. || **cave** n. f., XIIe s., *Marbode ;* lat. *cava,* fém. substantivé au sens de « fossé » en bas lat. || **caveau** fin XIIIe s., Rutebeuf. || **cavea** 1886, archéol. ; mot lat. || **caver** 1150, « creuser » ; lat. *cavare ;* 1642, Oudin, « tirer de sa poche » ; ital. *cavare.* || **caviste** fin XVIIIe s. || **cavité** XIIIe s. (*-eté*) ; bas lat. *cavitas.* || **cavitaire** 1838. || **encaver** 1295, G.

2. **cave** n.f., 1690, Furetière, fonds d'argent du joueur ; de *caver,* « tirer de sa poche », du précédent ; n. m., arg., 1835, dupe. || **décaver** 1819, Boiste, fig.

caveçon 1580, Pasquier ; ital. dial. *cavezzone,* du lat. pop. **capitia,* ce qu'on met autour de la tête.

caverne 1120, *Job ;* 1546, Ch. Est., méd. ; lat. *caverna,* de *cavus,* creux. || **caverneux** XIIIe s. ; 1546, Ch. Est., méd. ; 1845, Besch., fig. ; lat. *cavernosus.* || **cavernicole** 1877, L. ; lat. *colere,* habiter.

cavet 1545, G. ; ital. *cavette,* dimin. de *cavo,* creux ; moulure concave.

caviar 1432, La Broquière (*cavyaire*) ; 1553, Belon (*caviar*) ; 1877, L., enduit noir ; ital. *caviale,* du turc *khâviâr.* || **caviarder** 1907, Lar., fig. || **caviardage** 1907, Lar.

cavité V. CAVE 1.

1. ***ce** Xe s., *Eulalie,* démonstratif neutre, en position atone ; lat. pop. *ecce-hoc,* renforcement de *hoc,* ceci, par *ecce,* voici.

2. ***ce, cet** 842, *Serments de Strasbourg* (*cest*), en position atone ; lat. pop. *ecce-iste,* forme renforcée de *iste,* celui-ci, qui désigna la proximité par opposition à *ille* (v. CELUI, IL) ; la forme tonique de l'anc. fr. *icest* a disparu. Le cas régime *cestrui, cettui* (jusqu'au XVIIe s.) est resté longtemps pop. || **ceci** fin XIIe s., *Trois Aveugles de Compiègne.* || **ci** XIXe s., forme contractée de *ceci* (*comme ci, comme ça*). || **cela** XIIIe s. V. ÇA. || **céans** V. ÇÀ.

cécité 1220, Coincy ; lat. *caecitas,* de *caecus,* aveugle ; il a remplacé au sens propre *aveuglement* (encore au XVIIIe s.), passé au fig.

céder fin XIVe s., « s'en aller » ; 1537, *le Courtisan, céder à ;* lat. *cedere,* se retirer. || **cession** XIIIe s., *Cout. d'Artois ;* lat. *cessio,* de *cedere,* jurid. || **cessible** 1605, Loisel ; bas lat. *cessibilis.* || **cessibilité** 1845, Besch. || **cessionnaire** 1531, Delb. || **recéder** fin XVIe s.

cédille début XVIe s. (*cerille*) ; 1642, Oudin (*cédille*) ; esp. *cedilla,* petit *c,* d'abord « petit *z* », dimin. de *zeda,* z (le signe date de la fin du XVe s.).

cédrat 1556 (*cedras*) ; 1680, Richelet (*cédrat*) ; ital. *cedrato,* de l'anc. ital. *cedro,* citron (auj. *limone*), lat. *citrus.* || **cédratier** 1823, Boiste.

cèdre 1170, *Rois ;* lat. *cedrus,* du gr. *kedros.*

cédule 1180 (*se-*), « acte, notification juridique » ; XVIIe s., « ordonnance » ; fin XIXe s., spécialisé aux catégories d'impôt sur le revenu ; bas lat. *schedula,* feuillet, page (*Vulgate*), de *scheda,* bande de papyrus. || **cédulaire** 1796, *Néol. fr.*

cégétiste 1908, Lar., membre de la C. G. T. (Confédération générale du travail).

***ceindre** 1080, *Roland ;* lat. *cĭngĕre ;* éliminé par *entourer.* || **ceinture** 1120, *Ps. d'Oxford ;* lat. *cinctūra,* de *cinctus,* ceint ; *ceinture de murailles,* XVIe s. || **ceinturon** 1579, G., avec valeur dimin. || **ceinturer** 1540, Yver. || **ceinturage** 1867. || **enceindre** XIIIe s. ; lat. *incingere.* || **enceinte** XIIIe s., part. passé substantivé.

ceintrer 1736, mar. ; bas lat. **cincturare,* avec infl. de *ceindre.* (V. CINTRER.)

céladon 1610 ; du nom d'un personnage de *l'Astrée* d'H. d'Urfé, amant sentimental ; 1617, d'Aubigné, couleur vert tendre, porcelaine vert tendre ; XIXe s., abat-jour de porcelaine.

célèbre 1532, Rab. ; lat. *celeber,* fréquenté, illustre ; le sens de « somptueux » se maintient au XVIIe s. || **célébrer** 1130, *Couronn. de Loïs ;*

lat. *celebrare.* || **célébration** 1160, Benoît ; lat. *celebratio.* || **célébrité** XIIIe s., G. ; 1842, *Acad.,* « personne célèbre » ; lat. *celebritas.*

celer Xe s., *Saint Léger ;* lat. *celare,* cacher. || **déceler** XIIIe s. || **receler** 1170, *Vie de saint Edmond.* || **recel** fin XIIe s., *Roman d'Alexandre,* « secret » ; 1842, *Acad.,* sens actuel ; déverbal. || **receleur** début XIVe s., « celui qui achète et revend des objets volés ».

céleri 1651, La Varenne ; lombard *seleri* (pluriel), du lat. *selinon,* ache, mot gr.

célérifère 1794, Sivrac, ancêtre de la bicyclette ; lat. *celer,* rapide, et suffixe *-fère,* qui porte.

célérité 1358, texte de Reims ; lat. *celeritas,* de *celer,* rapide.

céleste 1050, *Alexis ;* XVIe s., Rab., fig. ; lat. *caelestis,* de *caelum,* ciel. || **célestement** XVIe s. || **célesta** 1886, *Brevet,* mus.

célibat 1549, R. Est. ; lat. *caelibatus,* de *caelebs,* célibataire. || **célibataire** 1711, Danet.

1. **celle** V. CELUI.

2. **celle** XIIIe s., G., « cellule de moine » ; lat. *cella,* chambre, repris sous la forme lat. par l'archéologie au XVIIIe s.

cellier 1160, *Charroi ;* lat. *cellarium,* de *cella,* chambre. || **cellérier** fin XIIe s.

Cellophane 1911, Braunberger, nom déposé ; de *cellulose* et de *diaphane,* du gr. *phainein,* apparaître.

cellular V. CELLULE.

cellule début XVe s., « chambre de religieux » ; 1503, Champier, anat. ; 1845, Besch., en prison ; lat. *cellula,* dimin. de *cella,* chambre. || **cellulaire** 1740, P. Demours, anat. ; *voiture cellulaire,* 1845, Besch. || **cellular** 1904, *Mode pratique ;* mot angl. signif. « cellulaire ». || **celluleux** début XVIIIe s. || **cellulose** 1840, Jussieu. || **cellulosique** 1878. || **Celluloïd** 1877, *Année sc. et industr.,* n. déposé ; mot angl. créé par les inventeurs, les frères Hyatt, avec la finale *-oïd,* qui indique la forme d'une chose. || **cellulite** 1878, Lar., méd.

celtique 1495, J. de Vignay ; de *Celtes.* || **celtisme** fin XIXe s. || **préceltique** XXe s.

***celui, celle, ceux** Xe s., *Eulalie* (*celle*), formes atones correspondant aux formes toniques *icelui, icelle, icel* (disparues au XVIe s.) ; le cas sujet disparu était *cel, cil ;* lat. pop. *ecce-ille, -illa,* forme renforcée de *ille,* démonstratif exprimant l'éloignement ; *celui* représente le cas régime *ecce-illui.* Adj. jusqu'au XVIe s., remplacé en cet emploi par *ce, cet.* || **celui-ci** 1372, Corbichon. || **celui-là** XVe s., renforcement compensateur lorsque s'efface l'opposition entre *cet* et *cel.*

cément 1573, Liébault ; lat. *caementum,* moellon, infl. pour le sens par *ciment.* || **cémenter** 1675, Brunot. || **cémentation** 1567, Zecaire.

cénacle début XIIIe s., « salle où a eu lieu la Cène » ; 1829, cénacle littéraire, appliqué aux romantiques ; lat. *cenaculum,* salle à manger, de *cena,* dîner. || **cénaculaire** 1891, Bloy.

***cendre** XIe s. ; pl., 1170, *Floire et Blancheflor ;* lat. *cĭnis, cineris.* || **cendrée** XIIe s., *Chev. Ogier ;* XXe s., piste. || **cendrer** 1556, Papon. || **cendré** début XIVe s. || **cendreux** fin XIIe s., R. de Moiliens. || **cendrier** fin XIIe s., *Vie de saint Évroult,* « linge où on met les cendres » ; fin XIXe s., sens mod. || **cendrillon** 1697 ; du nom d'un personnage des contes de Perrault.

cène fin Xe s. ; lat. *cena,* dîner, au sens particulier de « dîner du Christ et des apôtres » en lat. chrét.

***cenelle** fin XIIe s., *R. de Cambrai ;* p.-ê. lat. pop. **acinella,* de *acinus,* grain de raisin, pépin ; fruit de l'aubépine.

cénesthésie 1838, *Acad. ;* gr. *koinos,* commun, et *aisthesis,* sensibilité. || **cénesthésique** 1898.

cénobite XIIIe s., *Règle de saint Benoît ;* lat. chrét. *coenobita* (IVe s., saint Jérôme), de *coenobium,* monastère, du gr. *koinobion,* vie en commun. || **cénobitique** 1586, N. Le Cerf. || **cénobitisme** 1835, Lamartine.

cénotaphe 1501, de La Vigne ; lat. impér. *cenotaphium* (IIIe s., Ulpien), du gr. *kenotaphion,* de *kenos,* vide, et *taphos,* tombeau.

cens fin XIIe s. ; lat. *census.* || **censier** XIIe s., *Roman d'Alexandre.* || **censitaire** 1718, finance ; 1842, *Acad.,* polit. || **censive** XIIIe s., *Livre de jostice ;* lat. médiév. *censiva,* terre assujettie au cens. || **censuel** 1266.

censé XVIe s., Brantôme, « censuré » ; 1690, Furetière, « réputé tel » ; part. passé de l'anc. verbe *censer,* lat. *censere,* estimer, juger. || **censément** 1852.

censeur 1213, *Fet des Romains* (*-or*) ; 1355, Bersuire (*-eur*) ; 1704, Trévoux, relig. ; 1732, Trévoux, qui censure les livres ; 1863, L., adjoint du proviseur ; lat. *censor,* magistrat romain. || **censorial** 1762, Rousseau. || **censorat**

1878, Lar. || **censure** fin XIVe s., relig. ; 1823, Boiste, examen des livres ; lat. *censura.* || **censurer** 1518, trad. de Pline. || **censurable** 1656, Pascal.

censive, censuel, censure V. CENS, CENSEUR.

* **cent** 1080, *Roland ;* lat. *centum.* || * **centaine** 1170, *Rois* (*centeine*) ; lat. *centena,* fém., distributif de *centum.* || **centenaire** 1370 ; lat. *centenarius.* || **centenier** 1298, *Livre de Marco Polo,* forme plus francisée que *centenaire.* || **centésimal** 1804 ; lat. *centesimus,* centième. || * **centième** 1164, Chr. de Troyes ; lat. *centēsimus* (le développement du suffixe *-ième* est mal éclairci). || **centiare** 1793. || **centigrade** 1811 ; appliqué au thermomètre inventé par A. Celsius (1744). || **centigramme** 1795. || **centilitre** 1800. || **centimètre** 1793. || **centime** 1793. || **centuple** 1370 ; bas lat. *centuplus,* lat. *centuplex.* || **centupler** 1542, P. de Changy ; bas lat. *centuplicare.* || **centurie** XIIe s. ; lat. *centuria,* groupe de cent. || **centurion** XIIe s., *Macchab. ;* lat. *centurio.* || **cent-cinquantenaire** XXe s.

centaure fin XIIe s. ; lat. *centaurus,* du gr. *Kentauros,* être mythologique ; fig., XIXe s. || **centaurée** milieu XIIIe s. ; lat. *centaurea,* du gr. *kentauriê,* (plante) du Centaure ; le centaure Chiron avait découvert, selon la légende, les propriétés des simples. || **centauresse** 1838.

centenaire V. CENT.

centon 1570, Hervet ; lat. *cento, -onis,* habit rapiécé, au sens fig. (VIIe s., Isid. de Séville).

centre 1265, J. de Meung ; lat. *centrum,* du gr. *kentron,* aiguillon, pointe (v. POINT pour le sens). || **central** milieu XIVe s. ; lat. *centralis ;* n. m., bureau télégraphique, 1883 ; n. f., 1927, techn. || **centraliser** 1790, Grégoire. || **centralisation** 1790, *Républicain.* || **centralisateur** 1839, Balzac. || **centralisme** 1842, J.-B. Richard. || **centraliste** 1845, Besch. || **centralité** 1792. || **centrer** fin XVIIe s. || **centration** 1876. || **centreur** 1842, *Acad.* || **centrage** 1834, Biot. || **centriste** 1936. || **centrifuge** 1700, *Mém. Acad. sc. ;* lat. *fugere,* fuir. || **centrifuger** 1871, *J. O.* || **centripète** *id. ;* lat. *petere,* gagner. || **concentrer** 1611, Cotgrave, fig. || **concentration** 1632, Gassendi ; XVIIIe s., sens mod. || **concentrationnaire** 1946, David Rousset. || **concentrique** 1361, Oresme. || **décentraliser** 1827, Eckstein. || **décentralisation** 1829, Boiste. || **décentrer** 1841. || **déconcentrer** 1959, Lar. || **déconcentration** 1959, Lar. || **égocentrisme** 1922, Lar. ; lat. *ego,* moi. || **égocentriste** 1922, Lar. || **allocentrisme** 1953, Lar. || **épicentre** 1898, Lar. || **excentré** 1870, Lar. || **excentration** 1898, Lar. || **métacentre** milieu XVIIIe s.

centuple, centurie, centurion V. CENT.

* **cep** XIIe s. ; lat. *cĭppus,* pieu (d'où, en anc. fr., « étrave »), tronc d'arbre ; spécialisé en fr. en « cep de vigne ». || **cépage** 1573, Baïf. || **cépeau** XIIIe s., Mousket, « billot pour frapper la monnaie » ; sur le sens de *cep,* pièce de bois. || **cépée** fin XIIe s., *Alexandre ;* sur le sens de *cep,* tronc.

cèpe 1798, Nemnich ; gascon *cep,* tronc, appliqué aux champignons à gros pédoncule.

cependant V. PENDANT.

céphal(o)-, gr. *kephalê,* tête. || **céphalalgie** 1495, J. de Vignay (*-argie*) ; lat. *cephalalgia,* du gr. *kephalalgia,* de *algeîn,* souffrir. || **céphalée** 1570, J. Daléchamp ; lat. *cephalaea,* du gr. *kephalaia.* || **céphalé** adj., 1809. || **céphalique** XIVe s. ; lat. *cephalicus,* du gr. *kephalikos.* || **céphalopode** 1795 ; gr. *pous, podos,* pied. || **céphalo-rachidien** v. 1850.

cérambyx 1775, Bomare ; mot du lat. entomol., du gr. *kerambux,* pot (*ambux*) à cornes (*keras*). Cet insecte a de longues antennes.

céramique 1806, Lunier ; gr. *keramikos,* de *keramon,* argile. || **céramiste** 1836, Landais. || **cérame** 1752, Trévoux. || **céramologie** v. 1960.

cérat 1539, Canappe, médicament à base de cire et d'huile ; lat. *ceratum,* de *cera,* cire. || **cératine** 1820, Laveaux, hyménoptère.

cerbère 1576, Marg. de France, mythol. ; 1867, Delvau, concierge ; lat. *Cerberus,* du gr. *Kerberos,* nom du chien qui gardait l'entrée des Enfers.

cerce V. CERCEAU.

* **cerceau** XIIe s., *Saxons* (*cercel*) ; lat. impér. *circellus* (IIIe s., Apicius, « anneau »), dimin. de *circus,* cercle ; la valeur dimin. s'est perdue en fr. || **cerce** XIe s., *Gloses de Raschi ;* dér. régressif de *cerceau ;* planchette de bois entrant dans la confection d'un tambour.

* **cercle** XIIe s., *Ps. ;* XVIIe s., « cercle de personnes » ; *cercle vicieux,* 1740, *Acad. ;* 1764, *Courrier de Vaugelas,* « association ayant un local » ; XIXe s., « club de jeu » (la taxe sur les cercles date du 16 sept. 1871) ; lat. *circulus,* cercle (v. CIRQUE), par ext. « circonscription de l'Empire germ. ». || **cercler** 1160, Benoît, « entourer d'un cercle » ; 1530, Marot, fig.

|| **cerclage** 1819, Boiste. || **cerclier** 1518, Delb. || **cercleux** 1897, Daudet, membre d'un club. || **demi-cercle** fin XIVe s. || **encercler** 1160, Benoît. || **encerclement** XVIe s. || **recercler** 1832, Raymond.

***cercueil** 1050, *Alexis* (*sarqueu*) ; XVe s. (*sarcueil*), par modification de suffixe ; 1564, J. Thierry (*cercueil*), prononc. *e* ou *a* devant *r* ; bas lat. *sarcophagus,* tombeau, du gr. *sarkophagos* (v. SARCOPHAGE).

céréale 1550, Peletier, adj. ; n. f., 1792, *Encycl. méth.* ; lat. *cerealis,* adj., relatif au blé, de *Cérès,* déesse des Moissons. || **céréalier** 1962, Lar.

cérébral 1560, Paré ; lat. *cerebrum,* cerveau. || **cérébralité** 1801. || **cérébro-spinal** 1833, Duparcque. || **cérébelleux** 1814 ; lat. *cerebellum,* dimin. de *cerebrum,* cerveau.

cérémonie XIIIe s., *Bible* (*céri-*) ; lat. *caerĭmonia,* cérémonie religieuse. || **cérémonial** 1372, G. ; XVIe s., fig. ; n. m., XVIIe s. ; lat. *caerimonialis,* adj., relatif aux cérémonies religieuses. || **cérémonieux** XVe s., G. || **cérémonieusement** 1845, J.-B. Richard. || **cérémoniel** 1374.

***cerf** 1080, *Roland* ; lat. *cervus.* || **cervaison** 1398, *Ménagier.* || **cerf-volant** 1381, Gay, « nom d'insecte », puis « jeu d'enfant ».

***cerfeuil** fin XIIIe s., *Renart* (*-fueil*) ; lat. *caerefolium,* du gr. *khairephullon,* de *khairein,* réjouir, et *phullon,* feuille.

***cerise** 1190, Bodel ; lat. pop. **cerĕsia,* pl. neutre passé au fém., lat. class. *cerasus,* cerisier, du gr. *kerasos.* || **cerisier** 1165, G. d'Arras. || **cerisette** XIVe s., G. || **cerisaie** fin XIVe s.

cérite 1757, Adanson ; lat. zool. *cerithium,* du gr. *kerukion,* buccin (gastéropode d'un genre voisin).

cérium 1803, corps métallique découvert par Berzelius ; de *Cérès* (planète qui venait d'être découverte). || **ferrocérium** XIXe s., alliage de fer et de cérium.

***cerne** XIIe s., « cercle » (jusqu'au XVIIe s.) ; XVIIe s., cerne des yeux ; lat. *circinus,* compas, cercle, de *circus* (v. CIRQUE). || **cerner** XIIe s., « entourer d'un cercle » ; rare jusqu'au XVIe s. ; XVIe s., fig., et *cerner une noix,* détacher par une incision circulaire. || **cerneau** XIIIe s., noix cernée (coupée en deux avec sa coque). || **cernoir** 1391, Du Cange, couteau à cerner les noix. || **cernure** 1863, Goncourt, « cerne de l'œil ».

***certain** 1130, *Eneas* (*certan*) ; 1190, Gace Brulé (*certain*) ; lat. pop. **certanus,* de *certus,* assuré ; il a tous les sens du français actuel dès le XIIe s. || **certainement** 1138, *Saint Gilles.* || **certes** 1080, *Roland* ; lat. pop. *certas,* du lat. *certo,* assurément. || **certitude** XIVe s. (*sertetut*) ; 1470, *Livre disc.* (*-titude*) ; lat. *certitudo.* || **incertain** 1361, Oresme. || **incertitude** 1495, J. de Vignay.

certificat 1380, Delb. ; lat. médiév. *certificatum,* de *certificare,* de *certus,* assuré, et *facere,* faire. || **certification** 1310, G. ; lat. *certificatio.* || **certificateur** 1578, d'Aubigné ; lat. *certificator.* || **certifier** XIIe s. (*certefier*) ; XIIIe s. (*certi-*). || **certifié** 1950, pédag.

cérulé 1516, M. de Tours ; lat. *caeruleus,* bleu ciel (*caelum,* ciel). || **céruléen** 1797, Chateaubriand. || **cérulescent** 1842, Mozin. || **céruléine** ou **céruline** 1842, Mozin.

cérumen début XVIIIe s., « cire de l'oreille » ; mot du lat. médiév., de *cēra,* cire. || **cérumineux** 1735, Heister.

céruse XIIIe s. ; lat. *cerussa* ; produit utilisé dans la peinture. || **cérusite** 1878, Lar.

***cerveau** 1080, *Roland* (*cervel*) ; lat. *cerebellum,* dimin. de *cerebrum,* cerveau, cervelle. || **cervelle** 1080, *Roland* (*-elle*) ; *sans cervelle,* « étourdi », début XIXe s. ; lat. *cerebella,* pl. passé au fém. || **cervelet** 1611, Cotgrave, dimin. réservé à l'anat. || **cervelas** 1552, Rab. (*-at*) ; 1623, Sorel (*-as*) ; ital. *cervellato,* mets milanais fait de viande et de cervelle de porc. || **décerveler** XIIIe s., *Grandes Chron. de France.* || **écerveler** fin XIIe s., *Loherains,* « faire jaillir la cervelle », et, comme adj., *écervelé,* « étourdi » (XIIe s., *Aliscans*).

cervelas, cervelle V. CERVEAU.

cervical 1560, Paré ; lat. *cervix, -icis,* nuque.

cervidé 1888, Lar. ; lat. *cervus,* cerf. || **cervicornes** 1842, *Acad.*

***cervoise** XIIe s. ; lat. *cerevĭsia* ou *cervēsia,* mot gaulois.

ces V. CE.

césar XIIIe s., « empereur » ; 1756, Voltaire, polit. ; de *Jules César* (lat. *Caesar*), dont les empereurs romains prirent le nom. || **césarisme** 1847, Romieu. || **césarien** 1527, hist. ; 1863, Lar., polit.

césarienne [opération] 1560, Paré ; lat. *caesar,* enfant mis au monde par incision, de *caedere,* couper ; le surnom *Caesar* a la même origine.

***cesser** 1080, *Roland ;* lat. *cessare,* tarder, différer, fréquentatif de *cedere* (v. CÉDER). || cesse fin XIIe s., *Mort d'Aymeri.* || cessation 1377, Oresme. || **cessez-le-feu** fin XIXe s. ; calque de l'angl. *ceasefire,* de *to cease,* cesser, et *fire,* feu. || **incessant** milieu XVIe s. || **incessamment** 1358, *Bible.*

cessible, cession V. CÉDER.

c'est-à-dire 1306, trad. du lat. *id est.*

ceste XVe s. ; lat. *caestus,* de *caedere,* frapper, au sens de « courroie, ceinture ».

cestode 1820, Laveaux (*cestoïde*) ; 1888, Lar. (*cestode*) ; gr. *kestos,* ceinture, et *eidos,* forme.

cestreau 1783, *Encycl. méth.,* bot. ; lat. *cestrum,* bétoine, du gr. *kestron.*

césure 1537, Marot ; lat. *caesura,* coupure, de *caedere,* couper.

cétacé 1542, Du Pinet ; lat. scientifique *caetaceus,* du lat. *cetus,* du gr. *kêtos,* baleine, dauphin.

cétérach 1314, genre de fougères ; mot du lat. médiév., de l'ar. *chetrak.*

cétoine 1790, *Encycl. méth. ;* lat. des naturalistes *cetonia,* insecte qui vit sur les fleurs.

cétone V. ACÉTATE.

cévadille 1751 ; esp. *cebadilla,* dimin. de *cebada,* du lat. *cibus,* nourriture ; plante exotique.

chabanais 1820, Esnault, « lupanar » ; 1852, Esnault, « vacarme » ; du nom d'une maison close de Paris, rue *Chabanais.*

chabichou 1877, L. ; altér. de *chabrichou,* de *chabro,* forme limousine de *chèvre.*

***chable** 1190, Bodel (*cheable*), « grosse corde », infl. par *chaable* (*câble*) ; bas lat. *capulum.* || **chabier** 1676, Félibien, « haler un bateau », « hisser avec un câble ». || **chableur** 1415, G.

chabler XIVe s., « abattre des noix » ; anc. fr. *chaable,* machine à lancer des pierres, du lat. pop. *catabola,* du gr. *katabolê,* action de lancer, de *ballein,* lancer. || **chablis** 1515, *Ordonn.* (*bois chablis*), bois presque abattu par le vent.

chabot 1220, Coincy (*cabot*), « têtard » ; 1544, *Anc. Poés.,* « poisson à grosse tête » ; prov. *cabotz,* du lat. pop. *capoceus,* de *caput,* tête.

chabraque 1803, Boiste ; allem. *Schabracke,* du turc *tchaprāk,* couverture d'un cheval de cavalerie, introduite en France en 1692 par les hussards hongrois.

chacal 1646, Gaudon (*ciacale*) ; 1667, Thévenot (*chakal*) ; turc *tchaqâl,* du persan *chagâl.*

cha-cha-cha v. 1955 ; onom. sud-amér.

chaconne 1655, Quevedo ; esp. *chacona,* nom d'une danse ; le sens de ruban vient d'une mode lancée en 1693 par le danseur Pécourt.

***chacun** 1050, *Alexis ;* du lat. pop. **casquūnus,* croisement entre *quisque-unus,* de *quisque,* chaque, et *unus,* un, et de **cata-unum,* de la prép. grecque *kata,* employé comme distributif, avec le sens de « un par un », et qui a donné *cadun(a)* [842, *Serments*], puis *chaün,* chacun. || **chaque** XIIe s., rare jusqu'au XVe s., dér. régressif. || **chacunière** 1534, Rab.

chafouin début XVIe s., terme d'injure ; 1611, Cotgrave, « putois » ; 1657, Tallemant des Réaux, fig., adj. ; mot de l'Ouest, de *chat* et *fouin,* forme masc. de *fouine.*

1. **chagrin** XVIe s., *Fr. mod.* (*sagrin*), « cuir grenu » ; turc *çâgri,* avec infl. de *grain.* || **chagriner** 1692, Tournefort, « travailler le chagrin ».

2. **chagrin** 1389, J. Le Petit, adj., « affligé » ; 1450, n. m., « douleur » ; p.-ê. de *chat* et *grigner,* faire la moue, ou d'une rac. *cap-,* tête, et *grigner.* || **chagriner** début XVe s., « rendre chagrin ». || **chagrinant** 1690, Fur.

chah V. SCHAH.

chahuter 1821, Desgranges, « danser » ; 1837, Sainéan, « faire du vacarme » ; mot du Vendômois qui avait le sens de « crier comme un chat-huant », d'où « crier en dansant » ou « en s'agitant ». || **chahut** *id.* (*-hu*), déverbal. || **chahuteur** 1837, Vidocq.

chai fin XVe s., au pl. ; mot de l'Ouest, transmis par Bordeaux, forme régionale de *quai.*

***chaîne** 1080, *Roland* (*chaeine*) ; XVIe s., « servitude » ; *chaîne de montagnes,* 1653 ; 1690, Furetière, « les galères » ; lat. *cătēna.* || **chaînage** début XVIIe s. || **chaînette** fin XIIe s., Delb. (*chaanette*). || **chaînetier** 1680. || **chaînon** 1260, Barbier. || **chaînée** 1836, Landais. || **chaîner** 1827, *Acad.* || **chaîneur** 1827, *Acad.* || **chaîniste** 1853. || **chaînier** 1795, Saint-Léger. || **déchaîner** XIIe s., *D. G.,* « délivrer des chaînes » ; 1460, Chastellain, fig. || **déchaînement** 1671, Sévigné. || **enchaîner** 1080, *Roland ;* 1636, Monet, « coordonner ». || **enchaînement** 1392,

E. Deschamps, « chaîne » ; 1678, La Rochefoucauld, fig.

***chainse** XIIe s., « toile de lin », puis « vêtement de dessous » ; lat. pop. **camīsa,* var. de *camisia,* chemise.

***chaintre** début XVe s. ; lat. *cancer,* au sens de « grille, treillis », puis « borne », d'où « lisière du champ ».

***chair** 1080, *Roland* (*charn*) ; XVe s. (*chair*) ; la collision homonymique avec *chère* l'a fait remplacer dans une partie de ses emplois par *viande ;* lat. *caro, carnis,* chair. || ***charnel** 1050, *Alexis ;* bas lat. eccl. *carnalis.* || **charnellement** XIIe s., Delb. || **charneux** XIIIe s., *Ysopet ;* lat. *carnosus.* || **charnier** 1080, *Roland,* « endroit où on conservait la viande » ; « cimetière, dépôt d'ossements » (jusqu'à la Révolution) ; 1866, Lar., fig., lieu de massacre. || ***charnu** 1256, Ald. de Sienne ; lat. pop. **carnūtus.* || **charnure** fin XIIIe s. (*-neure*). || ***charogne** début XIIe s. ; lat. pop. **caronia.* || **charognard** début XIXe s. || ***carogne** fin XIIe s., *Aiol* (*caronge*), forme normanno-picarde de *charogne.* || **décharner** XIIe s., *Antioche ;* sur le rad. *charn.* || **charcutier** 1464, texte de Blois (*chaircuitier ;* encore fin XVIIIe s.) ; de *chair cuite.* || **charcuter** XVIe s., *Chron. bordelaise ;* 1879, Huysmans, fig. || **charcuterie** 1549, R. Est. (*chaircuicterie*). || **acharner** 1160, Benoît, terme de chasse ; fin XVe s., fig. ; sur *charn,* au sens de « mettre en appétit de chair » les chiens et les faucons. || **acharnement** 1611, Cotgrave. || **écharner** fin XIIe s., *D.G.* (V. INCARNER.)

***chaire** XIe s. (*chaiere*) ; spécialisé dès le XVIIe s. au sens de « chaire d'église », puis « chaire de professeur » ; lat. *cathĕdra,* siège à dossier, par opposition à *sella,* sans dossier. || **chaise** fin XIVe s. (*chaeze*) ; *chaise longue,* 1782, Mercier ; forme champenoise ou orléanaise (siège plus léger). || **chaisier** 1781, *Arch.,* « loueur de chaises à porteurs ». || **chaisière** 1842, *Acad.,* « loueuse de chaises ».

chairman 1829, *Rev. des Deux Mondes,* « président du dîner » ; XIXe s., « président d'assemblée » ; mot angl. signif. « homme (*man*) du fauteuil (*chair,* empr. au fr.) ».

1. **chaland** 1080, *Roland* (*caland*), « bateau plat » ; gr. byzantin *khelandion.*

2. ***chaland** 1190, Garn. (*chalant*), « client », d'abord « ami, connaissance » ; part. prés. substantivé de *chaloir,* au sens de « avoir de l'intérêt ». || **chalandise** XIIIe s. || **achalander** 1383, Delb., « fournir de la clientèle » ; fin XIXe s., *achalandé,* pourvu de marchandises. || **achalandage** 1820, Laveaux, même évolution que *achalander.*

chalaze 1792, *Encycl. méth.,* anat. ; gr. *khalaza,* grêlon, au fig. « orgelet » ; filaments d'albumine des jaunes d'œufs. || **chalazion** 1538, Canappe (*-ium*), tumeur bénigne sous la paupière.

chalcographe 1620, Delb. ; appellation prise par Jacques de Bié, du gr. *khalkos,* cuivre, et *graphein,* écrire. || **chalcographie** 1617, P. de Lanoue, « gravure sur cuivre » ; 1868, Goncourt, « dépôt de planches gravées ».

châle milieu XVIIe s. (*chal*) ; 1772, Raynal (*chaale*) ; rare jusqu'au XVIIIe s. ; 1793 (*gilet shall*) ; hindi *shal,* du persan, vulgarisé sous l'infl. de l'angl. *shawl,* de même origine. || **châlier** 1841, P. Bernard.

chalet 1723, Savary, popularisé par *la Nouvelle Héloïse ;* mot de la Suisse romande désignant les chalets primitifs des bergers sur les alpages, dimin. d'un mot prélatin **cala,* abri, que l'on retrouve en toponymie.

***chaleur** 1155, Wace (*chalour*) ; 1549, R. Est., « ardeur » ; lat. *calor, caloris.* || **chaleureux** 1398, Du Cange. || **chaleureusement** 1360, Du Cange.

***châlit** 1190, Garn. (*chaelit*), « lit de parade pour un mort » ; XVIe s., « monture d'un lit » ; lat. pop. *catalectus,* de *lectus,* lit, et prép. *cata,* issue du grec et signifiant « sur ». (V. ÉCHAFAUD.)

challenge 1865, Bonnafé, terme de sport ; angl. *challenge,* défi, repris à l'anc. fr. *chalenge,* débat, réclamation, défi, forme pop. du lat. *calŭmnia,* calomnie, par ext. de sens. || **challengeur** 1902, Bonnaffé. || **challenger** verbe, début XXe s.

***chaloir** Xe s., *Eulalie* (*chielt,* 3e pers. sing., ind. prés.) ; lat. *calēre,* être chaud, être ardent, enthousiaste, et « importer ». Le mot a disparu au XVIe s. ; il reste d'un usage littér. jusqu'au XVIIe s. ; auj., seulement dans quelques loc. vieillies. (V. CHALAND 2.)

chaloupe début XVIe s., *Chron. bordelaise* (*-oppe*) ; néerl. *sloep,* embarcation, ou fr. dial. *chalope,* coquille de noix, de *écale* avec une finale empr. à *enveloppe.* || **chalouper** 1858, Esnault, pop.

***chalumeau** XIIe s., *Ignaure* (*-mel*) ; 1464, *Quinze Joies du mariage* (*-umeau*) ; lat. impér. *calamellus* (IIIe s., Arnobe), de *calamus,* roseau.

chalut 1753, *Encycl.* ; mot de l'Ouest, d'un verbe *chaler,* sortir sa tête, se sauver ; orig. inconnue, ou p.-ê. doublet de *chaloupe.* || **chaluter** 1845. || **chalutage** 1866, Lar. || **chalutier** 1866, Lar.

chamade 1570, Monluc ; piémontais *ciamada,* appel (ital. *chiamata*), part. passé fém. du verbe *ciamà,* appeler (ital. *chiamare*). Restreint à l'expression *battre la chamade* (faire sonner la reddition et, en parlant du cœur, battre violemment).

chamailler v. 1300, « frapper, batailler, se battre » ; 1690, Furetière, « disputer » ; renforcement probable de l'anc. fr. *mailler,* frapper, de *mail,* avec un préfixe *cha-,* var. de *ca-.* || **chamaillerie** 1680, Motteville. || **chamailleur** fin XVe s. || **chamaillis** 1540, des Essarts.

chaman 1699, A. Brand, « prêtre sorcier » ; mot d'une langue ouralo-altaïque. || **chamanisme** 1801, Fischer.

chamarrer début XVIe s. ; moyen fr. *chamarre* (XVe s.), var. de *samarre* (XVe s.), de l'esp. *zamarra,* vêtement de berger (v. SIMARRE). || **chamarrage** 1828, Raymond. || **chamarrure** 1595, Charron.

chambarder 1859, pop. d'abord ; altér. de *chamberter* (1847), renverser, briser, d'orig. obscure. || **chambard** 1888, Lar., déverbal. || **chambardement** 1856, Magnard. || **chambardeur** fin XIXe s.

chambellan 1050, *Alexis* (*chamberlenc*) ; francique **kamerling* (allem. *Kämmerling*), du lat. *camera,* chambre. (V. CAMERLINGUE.)

chambouler 1807, Michel, « chanceler comme un homme ivre » ; XXe s., « bouleverser, déranger » ; p.-ê. de *cambo,* jambe (d'apr. la var. *camboler* [1866, Delvau], tomber en chancelant), avec un croisement sémantique de *sabouler,* tomber ; ou du prov. *champourla,* barboter. || **chamboulement** XXe s.

chambranle 1313, Gay (*-brande*) ; début XVIe s. (*-branle,* par infl. de *branler*) ; altér. de l'anc. fr. *chambril,* lattis, lambris, du lat. *camerare,* voûter.

***chambre** 1050, *Alexis ;* 1631, Liénard, « assemblée » ; *chambre à air,* 1891, Michelin ; lat. *camĕra,* voûte, du gr. *kamara ;* « chambre voûtée » en lat. pop., puis « pièce de l'habitation ». || **chambrette** 1190, Garn. || **chambrière** 1190, *Saint Bernard ;* le masc. *chambrier* a disparu plus tôt. || **chambrée** XIVe s., « mesure de fourrage » ; 1539, R. Est., sens actuel. || **chambrer** 1678, Guillet, « tenir en chambre » ; 1877, L., « sermonner ». || **chambrelan** 1676, Félibien, « ouvrier en chambre » ; 1694, *Acad.,* « locataire d'une chambre », par croisement avec *chambellan.*

***chameau** 1080, *Roland* (*cameil*) ; 1828, Esnault, « personne méchante » ; lat. *camēlus,* du gr. *kamêlos,* mot sémitique. || **chamelle** 1160, Benoît. || **chamelier** 1430, A. Chartier. || **chamelon** 1845, Besch.

chamérops 1615, Daléchamp ; lat. *chamaerops,* du gr. *khamairôps,* buisson (*rôps*) à terre (*khamai*) ; nom d'arbuste mal déterminé.

***chamois** 1170, Chr. de Troyes ; bas lat. *camox, -ōcis* (Ve s., Polemius Silvius), mot prélatin. || **chamoiser** 1393, G. (*camoiser*) ; rare jusqu'au XVIIIe s. || **chamoisage** 1808, Cuvier. || **chamoiseur** 1393, G. || **chamoiserie** 1723, Savary. || **chamoisine** 1952.

***champ** 1080, *Roland,* « terrain » ; 1911, Ducom, en cinéma ; lat. *campus,* plaine, et terrain cultivé (chez Caton), la culture se faisant surtout en plaine ; le sens premier est resté dans *champ de bataille, champ clos.* || **champi** 1390, Du Cange, « enfant trouvé dans les champs » ; mot du Berry repris par G. Sand. || **champlever** 1753, *Encycl.* || **champlevage** 1866, Lar. || **champart** 1283, Beaumanoir ; de *champ* et *part.* || **champêtre** fin XIe s., *Lois de Guill. ;* 1829, Boiste, *garde champêtre ;* lat. *campestris,* de *campus.* || **échamp** XIIIe s., *D.G.* || **échampir** 1701, Furetière ; d'après le fond de la gravure. || **réchampir** 1676, Félibien. || **réchampi** 1690, Furetière, techn.

***champagne** XVe s., spécialisé en toponymie ; 1360, Froissart, blason ; lat. pop. *campania,* plaine, adj. fém. substantivé dér. de *campus.* || **champagne** 1695, vin, par abrév. de *vin de Champagne* (la fabrication en remonte à la fin du XVIIe s., à dom Pérignon † 1715). || **champagniser** 1839, Boiste. || **champagnisation** 1878. || **fine champagne** XIVe s., terme de blason ; puis « eau-de-vie de la champagne de Cognac ».

champêtre V. CHAMP.

champignon 1398, *Ménagier ;* altér., par changement de suffixe, de l'anc. fr. *champegnuel* (XIIe s.), du lat. pop. (*fungus*) **campagniolus,* champignon des champs. || **champignonner** 1776, *Encycl.,* « former des champignons » ; fin XIXe s., « se multiplier ». || **champignonnière** 1694, *Acad.* || **champignonniste** 1866, Lar.

***champion** 1080, *Roland* (*campium*), « celui qui combat en champ clos » ; 1877, L., sens sportif ; bas lat. *campio, -ōnis,* de *campus,* au sens de « champ de bataille », du germ. *kamp,* combat (allem. *Kampf*). || **championne** 1558, Des Périers. || **championnat** 1859.

champis, champlever V. CHAMP.

champoreau 1866, Lar., « mélange de vin et de café », argot milit., pop. vers 1880-1886 ; terme de l'armée d'Afrique ; esp. pop. *champorro,* de *cha(m)purrar,* mélanger des liquides.

***chance** fin XIIe s., *Aiol ;* dès l'anc. fr., « hasard », puis « heureux hasard » ; « chute de dés » (jusqu'au XVIIe s.) ; lat. pop. *cadentia,* pl. neutre substantivé comme fém., du part. prés. de *cadere,* tomber (v. CHOIR). || **chançard** 1859. || **chanceux** 1606, Nicot. || **malchance** XIIIe s. (*male-*) ; 1864, L. (*mal-*).

***chanceler** 1080, *Roland ;* lat. *cancellare,* clore d'un treillis, avec évolution sémantique obscure (d'apr. les treillis qui vacillent) ; le sens fig. du lat. jurid. « barrer, biffer » existait en anc. fr. || **chancelant** 1190, *Saint Bernard.* || **chancellement** XIIIe s., G.

***chancelier** 1050, *Alexis ;* lat. impér. *cancellarius,* huissier de l'empereur (IIIe s., Vopiscus) qui se tenait près des grilles (*cancelli*), puis chef du greffier d'un tribunal (VIe s., Cassiodore). || **chancellerie** 1190, Garn. || **chancelière** 1611, Cotgrave. || **vice-chancelier** XIIIe s. (*vichancelier*) ; 1583, forme mod.

***chancir** 1508, Éloy d'Amerval ; altér., par attraction de *rancir,* de l'anc. fr. *chanir,* du lat. pop. **canīre,* de *canus,* blanc. || **chancissure** 1538, R. Est.

***chancre** 1256, Ald. de Sienne (*cranche*) ; XVIIe s., Saint-Simon, fig. ; lat. *cancer, -eris,* ulcère. || **chancreux** XIVe s., G. || **échancrer** 1546, Martin, c'est-à-dire « entamer comme fait un chancre ». || **échancrure** 1560, Paré.

chandail V. AIL.

***chandeleur** 1119, Ph. de Thaon (*-lur*) ; lat. pop. (puis eccl.) **candelorum* (génitif pl., abrév. de *festa candelarum,* fête des chandelles).

***chandelle** XIIe s., *Roncevaux* (*-deile*) ; XIVe s. (*-ele*), refait sur le lat. ; 1636, Monet, objet en forme de colonne ; lat. *candēla ;* remplacée par la *bougie* au cours du XIXe s. || **chandelier** 1138, *Saint Gilles,* objet ; 1268, É. Boileau, « marchand de chandelles », sens disparu.

chanfraindre début XIVe s., « tailler en biseau » ; anc. fr. *fraindre,* briser (v. ENFREINDRE), et *chant* (v. CHANT 2), c.-à-d. « abattre de chant ». || **chanfrein** XVe s., La Curne, « demi-biseau ». || **chanfreiner** 1512, Lemaire (*champfrainer*).

1. **chanfrein** V. CHANFRAINDRE.

2. **chanfrein** 1175, Chr. de Troyes, « armure protégeant la tête du cheval », d'où partie antérieure de la tête du cheval ; sans doute différent du précédent, et dér. de *frein,* croisé avec le lat. *camus,* muselière, ou altér. de *caput,* tête. || **enchifrener** 1265, J. de Meung, au fig. (*d'amours enchifrené*) ; XVIIe s., spécialisé pour le rhume de cerveau ; altér. d'un dér. de *chanfrein,* signif. « pris dans un chanfrein ».

***changer** 1130, *Couronn. de Loïs* (*-gier*) ; bas lat. *cambiare* (IVe s., Siculus Flaccus), du lat. impér. *cambire* (IIe s., Apulée), mot gaulois. || **change** XIIe s., *Roncevaux,* « changement » (jusqu'au XVIIe s.), seulement dans la loc. *ne pas gagner au change ;* XIIIe s., sens fin. d'apr. l'ital. *cambio,* à cause des banquiers lombards ; *lettre de change,* 1458, *Lettres de Louis XI.* || **changeant** 1160, Benoît. || **changeur** XIIe s., Delb. ; fin XVe s. || **changement** 1120, *Ps. d'Oxford.* || ***échanger** 1155, Wace (*-gier*) ; lat. pop. **excambiare.* || **échange** 1080, *Roland* (*escange*) ; déverbal. || **échangeable** 1798, *Acad.* || **échangeur** 1764, Brunot, « changeur » ; 1953, Lar., appareil ; XXe s., voie de raccordement. || **inchangé** 1842, *Acad.* || **interchangeable** 1878, Lar. || **rechanger** 1160, Benoît. || **rechange** XIVe s.

chanlatte V. LATTE.

chanoine 1080, *Roland* (*cabunie*) ; d'abord « clerc » (connaissant les canons), spécialisé aux « chanoines du chapitre », au Moyen Âge ; lat. eccl. *canonicus,* du gr. *kanôn,* règle (v. CANON 2). || **chanoinesse** 1264, *Charte wallonne.* || **chanoinie** 1160, Benoît. (V. CANON 2.)

***chanson** 1080, *Roland ;* lat. *cantio, -onis,* de *cantus,* chant. || **chansonnette** 1175, Chr. de Troyes. || **chansonnier** XIVe s., Delb., « recueil de chansons » ; 1571, de La Porte, « chanteur » ; XVIIe s., « auteur de chansons ». || **chansonner** 1584, de La Porte.

1. ***chant** XIIe s., *Roncevaux ; faire chanter,* 1808, d'Hautel ; lat. *cantus,* chant. || **chanter** Xe s., *Saint Léger ;* lat. *cantare,* fréquentatif qui a éliminé *canĕre.* || **chantage** 1837, Vidocq, arg. || **chantefable** début XIIIe s., *Aucassin et Nicolette.*

|| **chantepleure** fin XIIe s., *D. G.* ; de *chanter* et *pleurer,* d'apr. le bruit du robinet qui coule. || **chanterelle** 1540, Yver, « corde de violon », par ext. « bobine des tireurs d'or » (var. *chanterille*), bruyante quand elle tourne. || * **chanteur** 1170, *Rois* (*-ur*) ; lat. *cantorem,* acc. cas régime. || * **chantre** XIIIe s., « chanteur » (jusqu'au XVIIe s.) ; XVe s., « chantre d'église », sens qui l'a emporté ; lat. *cantor,* au cas sujet (nominatif). Le type *chanteor, chantere,* de *cantator,* s'est confondu avec le type *chantre, chanteur ;* le fém. *chanteresse* s'est maintenu jusqu'au XVIe s., remplacé ensuite par *chanteuse.* || **chantonner** 1538, R. Est. || **chantonnement** 1838. || **déchanter** 1220, Coincy, « chanter en déchant, sur un autre ton ».

2. * **chant** XIIe s., Delb., « face étroite d'un objet » (var. *champ,* par confusion avec *champ,* issu du lat. *campus*) ; lat. *canthus,* bande de jante, p.-ê. du gaulois ou empr. au gr. *kanthos,* coin de l'œil. || **chanteau** 1160, Benoît (*-tel*), quartier d'un bouclier ; milieu XVe s., spécialisé en *chanteau de pain.* || **chanterelle** 1552, Pontus de Tyard, « fausse équerre des menuisiers ». || **chantignole** 1676, Félibien, « console », qui a remplacé l'anc. fr. *chantille.* || **chantourner** 1611, Cotgrave, tourner le chant. || **chantournement** 1611, Cotgrave. (V. CANTON, *chanlatte* à LATTE.)

1. **chanterelle** V. CHANT 1 et 2.

2. **chanterelle** 1752, Trévoux, « girofle, champignon » ; lat. bot. *cantharella,* du gr. *kantharos,* coupe, à cause de la forme.

chanteur V. CHANT 1.

* **chantier** fin XIIe s., J. Bodel (*gantier*) ; fin XIIIe s. (*chantier*), « support de tonneau » ; 1690, Furetière, « lieu où l'on dépose les matériaux » ; *mettre sur le chantier,* 1758, Diderot, fig. ; lat. *canterius,* mauvais cheval ; au fig., étai (Ier s., Columelle) [cf. CHEVALET, POUTRE].

chantourner, chantre V. CHANT 2, CHANT 1.

* **chanvre** fin XIe s. ; lat. *cannabis,* du lat. pop. **canapus* (*canabus, Notes tiron.*) postulé par le prov. *canebe.* Fém. en lat. et en fr. jusqu'au XVIIe s., où le masc. (attesté au XIIIe s.) l'a emporté ; le caractère dioïque de la plante explique la longue coexistence des deux genres. (V. CANEVAS, CHÈNEVIÈRE.) || **chanvreur** 1855. || **chanvrier** fin XIIIe s. || **chanvrière** 1429.

chaos 1377, Chr. de Pisan, mythol. ; fin XVIe s., « confusion générale » ; lat. *chaos,* du gr. *khaos.* || **chaotique** 1827, *Acad.* || **chaomancie** 1827, *Acad.,* « divination faite au moyen d'observations faites sur l'air », du sens de *khaos,* immensité de l'espace.

chaouch 1519, Spandugino (*tausse*) ; turc *tchaouch,* sergent.

chaparder 1858, Larchey, d'abord arg. milit. algérien ; de *chapar,* vol, mot du sabir (début XIXe s.) ; ou de *cape,* par l'anc. fr. *caper,* prendre. || **chapardage** 1871, Goncourt. || **chapardeur** 1858, Esnault.

* **chape** 1080, *Roland,* « manteau » ; bas lat. *cappa,* capuchon (VIIe s., Isidore de Séville) ; refoulé par *cape,* s'est spécialisé comme manteau eccl. et dans les sens techn. || **chapier** 1611, Cotgrave. || **chapé** 1558, S. Fontaine. || * **chapeau** fin XIe s., *Voy. de Charl. ;* lat. pop. **cappellus,* dimin. de *cappa* (a signifié aussi « couronne de fleurs » jusqu'au XVIe s.). || **chapelier** fin XIIe s., R. de Moiliens. || **chapelière** 1877, L., « malle pour chapeaux ». || **chapellerie** 1268, É. Boileau. || **chapeauter** 1879. || **chape-chute** 1190, Bodel (*kape keue*), manteau que quelqu'un a laissé tomber ; XVIe s., bonne aubaine. || **chapelet** fin XIIe s. ; de *chapel, -eau ;* spécialisé au XIVe s. au sens de « couronne de fleurs », d'où le sens religieux, d'apr. la couronne de roses de la Vierge. Le mot *rosaire* a subi la même évolution sémantique. || * **chapelle** 1080, *Roland* (*capelle*) ; lat. pop. **cappella,* de *cappa ;* paraît avoir désigné d'abord l'endroit où on gardait la chape de saint Martin. || **chapelain** 1155. || **chapellenie** av. 1450, R. d'Anjou. || **archichapelain** début XVIe s. || **chaperon** 1130, *Couronn. de Loïs,* « coiffure » ; de *chape,* « capuchon ». || **chaperonner** 1190, Garn. || **enchapper** XIVe s., G. || **enchaperonner** 1160, Benoît. || **rechaper** XXe s., techn. || **rechapage** 1905, *Pratique autom.*

chape-chute, chapelain V. CHAPE.

* **chapeler** 1080, *Roland* (*capler*) ; 1398, *Ménagier* (*chapeler,* d'apr. *peler*) ; en anc. fr. « frapper, tailler » ; spécialisé à « enlever la croûte du pain » ; bas lat. *capulare,* couper, ou **cappulare,* du germ. *kappan,* fendre. || **chapelure** 1398, *Ménagier* (*chappeleure*).

chapelet, chapelle, chapelure, chaperon V. CHAPE, CHAPELER.

chapiteau 1160, Benoît ; lat. *capitellum,* dimin. de *caput,* tête, « chapiteau » en bas lat. (VIe s., Corippus).

chapitre 1119, Ph. de Thaon (*chapitle*) ; emprunt, à l'époque carolingienne, du lat. *capĭtulum,* dimin. de *caput,* tête ; au sens fig., chapitre d'un ouvrage, article d'une loi en bas lat. (Tertullien, *Code Justinien*), d'où, en lat. chrét., passage de l'Écriture, lu au début des assemblées ; par ext., assemblée de religieux ; sens passés au fr. || **chapitrer** début XVe s., « réprimander un membre du chapitre » ; XXe s., « faire la leçon à qqn ».

***chapon** 1190, Garn. ; lat. pop. **cappo,* forme, avec gémination emphatique, de *capo, -onis.* || **chaponner** 1285, *Lapidaire de Cambridge.* || **chaponnage** 1701, Liger. || **chaponnière** 1462, *Cent Nouvelles.* || **chaponneau** 1363, Delb.

chapoter V. CHAPUIS.

chapska début XIXe s. (*shapka*) ; 1830, Bemelmans (*schapska*) ; polonais *czapka.* La *chapska,* coiffure des lanciers sous le premier Empire, a été conservée jusqu'en 1871.

chaptalisation 1866, Lar. ; du nom du chimiste français *Chaptal.* || **chaptaliser** *id.*

chapuis 1265, J. de Meung, « billot », et « charpentier », puis « ossature de bât, de selle » ; déverbal de *chapuiser,* menuiser du bois, frapper (XIIIe s., Villehardouin), du lat. pop. **cappūtiare,* de *caput,* tête. || **chapoter** XVIIe s., « dégrossir du bois », de même radical.

chaque V. CHACUN.

***char** 1080, *Roland* (*carre*), « voiture » ; XVIIe s., fig. ; XXe s., *char de combat ;* lat. *carrus,* mot gaulois désignant le char à quatre roues. || **charrier** 1080, *Roland ;* fig., 1837, Vidocq, « duper », « mener en chariot », puis 1902, Colette, « se moquer de », « exagérer », d'où *char* ou *charre,* 1881, Esnault, n. m., arg. || **charriage** XIIIe s. ; 1905, Lar., géologie. || **chariot** 1268, É. Boileau. || **charioter** 1928, Lar. || **charroi** 1155, Wace ; déverbal de *charroyer,* var. morphologique de *charrier.* || **charrette** 1080, *Roland,* dimin. || **charretier** 1175, Chr. de Troyes. || **charretée** fin XIe s. || **charton** 1175, Chr. de Troyes (*charreton*). || **charron** 1268, É. Boileau. || **charronnage** 1690, Furetière. || **char à bancs** 1786, J. Mayer (*charabas*), donné comme terme suisse. || **cherrer** fin XIXe s., pop., var. dial. de *charrier.* || **cherrage** 1911, Rozet.

charabia av. 1789, Sade, nom donné aux émigrants auvergnats (*charabiats*), d'apr. Fr. de Murat († 1838) ; 1821, Desgranges, « mauvais langage des Auvergnats », « jargon » ; formation expressive, p.-ê. de l'esp. *algarabia,* jargon, de l'ar. d'Espagne *al-arabīya,* la langue arabe, c.-à-d. le berbère.

charade 1770, Sabatier ; languedocien et prov. mod. *charrado,* causerie dans les veillées, de *charrà,* causer, formation expressive.

charançon fin XIVe s. ; 1546, Rab. (*charanton*) ; gaulois **karantionos,* petit cerf, du nom de l'animal par métaphore. || **charançonné** 1611, Cotgrave.

***charasse** 1839, Balzac, « caisse à claire-voie », faite avec des lattes ; forme régionale de *échalas,* lat. pop. *caracium,* du gr. *kharax,* pieu, échalas.

***charbon** XIIe s., *Saxons ;* 1798, *Acad.,* maladie ; lat. *carbo, -ōnis.* || **charbonnier** fin XIIe s., *Girart de Roussillon ;* bas lat. *carbonarius.* || **charbonner** XIIe s., *Aliscans.* || **charbonneux** 1611, Cotgrave. || **charbonnage** XIVe s., texte liégeois, « action de charbonner » ; 1842, *Acad.,* « exploitation de charbon ». || **charbonnée** XIe s., *Gloses de Raschi,* « bœuf grillé sur des charbons ». || **charbonnerie** 1596, Hulsius.

charcuter, charcutier V. CHAIR.

***chardon** 1086 (*cardun*) ; bas lat. *cardo, -onis* (Marcus Empiricus), du lat. class. *carduus.* || **chardonnette** 1530, Marot, « artichaut sauvage ». || **chardonneret** 1398, *Ménagier* (*-ereul, -erel*), oiseau qui recherche les chardons (en lat. *carduelis*).

***charger** 1080, *Roland* (*cargier*) ; lat. pop. *carrĭcare,* de *carrus,* char. || **charge** fin XIIe s., *Voy. de Charl. ;* 1773, Mercier, « critique » ; déverbal de *charger.* || **chargeure** fin XIIIe s., *Passion,* en blason. || **chargeur** 1332, G., « docker » ; 1886, pièce d'armurerie. || **chargeoir** 1409, G. || **chargement** 1250, « obligation » ; XVIIe s., sens actuel. || **décharger** 1130, *Couronn. de Loïs.* || **décharge** 1315, « paiement d'une dette » ; 1677, Miege, « salve ». || **déchargement** fin XIIIe s. || **déchargeur** début XIIIe s. || **recharger** 1125, G. ; 1564, Thierry, « mettre une nouvelle charge de poudre ». || **recharge** début XVe s. ; 1611, Cotgrave, « charge de poudre ». || **rechargement** XVe s., *D. G.* || **surcharger** fin XIIe s. || **surcharge** v. 1500, Lemaire ; sur un timbre, 1933, Lar.

charisme 1928, Lar. ; gr. *kharisma,* grâce, faveur.

charité Xe s., *Saint Léger* (*caritet*) ; empr., à l'époque carolingienne, au lat. eccl. *caritas,* amour du prochain, spécialisation au sens class. de « affection », de *carus,* cher ; *dame de* *charité,* 1688, Miege. || **charitable** fin XIIe s., R. de Moiliens. || **charitablement** XIIIe s., G. || **caritatif** début XIVe s. ; lat. médiév. *caritativus.*

charivari 1320, *Fauvel* (*chalivali*) ; p.-ê. bas lat. *caribaria,* du gr. *karêbaria,* mal de tête ; ou formation expressive ; ou composé de *charrier* et *varier.* || **charivarique** 1841, *Français peints par eux-mêmes.*

charlatan 1543, Amyot ; ital. *ciarlatano,* de *ciarlare,* bavarder (v. CHARADE), ou altér. de *Cerretano,* habitant de *Cerreto* en Italie. || **charlataner** fin XVIe s. || **charlatanerie** 1575, Delb. || **charlatanisme** 1741, J.-B. Rousseau. || **charlatanesque** fin XVIe s.

charlemagne (*faire*) 1801, Esnault, « se retirer du jeu après avoir gagné », proprement après avoir tourné le roi de cœur qui représente Charlemagne.

charleston v. 1923 ; mot anglo-américain, désignant une danse créée par des Noirs du Sud ; de *Charleston,* ville de Caroline du Sud.

charlotte 1804, Kotzebue, « entremets » ; 1922, Lar., « chapeau de femme » ; d'un prénom de femme.

1. ***charme** 1175, Chr. de Troyes, arbre ; lat. *carpinus.* || **charmille** 1690, Furetière. || **charnier** XIIIe s., *Livre de jostice,* « échalas » ; d'une forme régionale **charne,* var. de *charme :* les échalas auraient été faits d'abord en charme.

2. ***charme** 1170, *Rois,* « influence magique » (jusqu'au XVIIe s.) ; XVIIe s., « agrément » ; *être sous le charme,* 1757, Diderot ; *se porter comme un charme,* 1808, d'Hautel ; lat. *carmen, -mĭnis,* chant sacré, oracle, formule magique. || **charmer** 1156, *Roman de Thèbes.* || **charmant** 1550, Ronsard. || **charmeur** XIIIe s., G. (*charmeor*).

charmille, charnel, charneux, charnier V. CHARME 1, CHAIR.

***charnière** XIIe s., Delb. ; lat. pop. *cardinaria,* de *cardo, -inis,* gond. || **charnon** 1790, *Encycl. méth.*

charnu, charogne V. CHAIR.

***charpenter** 1175, Chr. de Troyes, « tailler le bois » ; XIVe s., fig. ; *bien charpenté,* 1836, Landais ; lat. pop. **carpĕntare,* du lat. *carpĕntum,* char à deux roues, mot gaulois. || **charpente** 1585, Brantôme, déverbal. || ***charpentier** 1190, Garnier ; lat. *carpentarius,* charron (encore au VIIIe s.). || **charpenterie** 1185, *Aliscans.* || **charpentage** XIIIe s.

***charpir** XIe s., « carder, déchirer », puis « tailler du bois », d'apr. *charpenter ;* lat. pop. *carpire,* du lat. class. *carpĕre,* cueillir, par ext. carder (v. ÉCHARPER). || **charpi** 1560, Paré, techn. || **charpie** 1120, *Ps. Cambridge,* surtout fig. auj.

***charrée** fin XIIIe s., Guiart ; orig. obscure, p.-ê. bas lat. *cathera,* eau employée pour nettoyer.

charrette, charrier, charron V. CHAR.

***charrue** XIIe s., *Roncevaux ;* lat. impér. *carrūca,* de *carrus,* char, désignant un char gaulois, puis un « char rural » ; spécialisé comme « instrument aratoire muni de roues » ; inventé à l'époque de Pline et vulgarisé dans la Gaule du Nord entre le Ve s. (*Loi salique,* encore *aratrum*) et le IXe s. (*Capit.* « *de Villis* », *carruca,* charrue) [v. ARAIRE]. || **charruer** début XIVe s. || **charruage** XIIIe s.

***charte** XIe s. (*chartre*) ; début XIIIe s. (*charte*) ; lat. *charta,* papier, du gr. *khartês,* feuille de papyrus ; terme de clercs ; 1814, *Charte constitutionnelle* d'apr. la *Grande Charte* octroyée en Angleterre par Jean sans Terre en 1215. || **chartisme** 1838, parti politique angl. || **chartiste** 1821, « élève de l'École des chartes » ; 1848, J.-B. Richard, polit. || **charte-partie** début XIVe s., « contrat de louage d'un navire » : l'acte était partagé en deux, chaque contractant gardant une partie. || **chartrier** 1370, G. ; de la forme *chartre.*

charter v. 1950 ; mot angl.

***chartre** Xe s., *Saint Léger,* « prison » ; XVIe s., fig. ; lat. *carcer, carceris,* même sens, qui a été éliminé par *geôle,* puis par *prison* (auj. seulement dans *tenir qqn en chartre privée,* séquestrer).

chartreuse fin XIIIe s., Rutebeuf, « nom du couvent » ; nom du lieu (auj. la *Grande-Chartreuse*) où saint Bruno fonda un monastère en 1084 ; 1863, L., « liqueur », n. déposé. || **chartreux** XIVe s.

chartrier V. CHARTE.

Charybde 1552, Rab., dans la loc. *de Charybde en Scylla,* reprise au latin et désignant le gouffre et les récifs du détroit de Messine.

***chas** 1220, G. ; lat. *capsus,* coffre, case de damier (anc. fr. *chas,* partie d'une maison), avec rétrécissement progressif du sens « cavité » ; le fém. *capsa* a donné *châsse.*

chasse V. CHASSER.

***châsse** 1130, *Couronn. de Loïs ;* lat. *capsa,* coffre, puis coffre contenant des reliques.

|| **châssis** 1160, Benoît, « encadrement » ; 1866, Lar., « carcasse, bâti ». || **enchâsser** XIIe s., *Saint Brendan.*

chasselas 1680, Richelet (*chacelas*) ; de *Chasselas* en Saône-et-Loire.

chassepot 1867, Lar. (*fusil Chassepot*) ; du nom de l'inventeur (1833-1905), qui le fabriqua en 1866 ; son usage dans l'armée se maintint jusqu'en 1874.

***chasser** milieu XIIe s. (*-cier*) ; lat. pop. **captiare,* du lat. *captare,* fréquentatif de *capere,* au sens de « chercher à prendre » ; spécialisé en anc. fr. pour la chasse aux animaux. || **chasse** XIIe s., *Roncevaux ;* déverbal, ou du lat. **captia.* || **chasseur** fin XIe s., *Lois de Guill. ;* début XVIIIe s., *chasseurs à cheval.* || **chasseresse** fin XIIIe s. || **chassoir** XVe s. || **chassé-croisé** 1835, *Acad.,* part. passés. || **chasse-marée** 1260, Chauny. || **chasse-mouches** 1555, de Rochemore. || **chasse-neige** 1834, Balzac, « vent qui chasse la neige » ; 1880, « appareil pour locomotives » ; fin XIXe s., sens actuel. || **chasse-pierres** 1845, Besch. || **chasse-roue** 1836, Landais. || **déchasser** début XIIe s., Béroul, « chasser de », puis terme techn. || **pourchasser** 1080, *Roland,* « chercher à se procurer » ; XVIe s., « poursuivre » ; avec *pour-/pro-.* || **rechasser** 1190, Benoît.

***chassie** XIe s., *Gloses de Raschi* (*chacide*) ; XIIe s. (*chassie*) ; p.-ê. lat. pop. **caccīta,* chiure, forme redoublée, dér. de *cacare,* chier. || **chassieux** début XIIe s. (*chaceuol*).

chaste 1138, *Saint Gilles ;* lat. eccl. *castus,* pur. || **chastement** 1138, *Saint Gilles.* || **chasteté** 1119, Ph. de Thaon (*casteté*), qui a remplacé *chastée* (XIIe s.) ; lat. *castitas, -atis.*

***chasuble** 1138, *Saint Gilles ;* bas lat. **casubŭla* (*casubla, Notes tir.,* Grég. de Tours), var. de *casula,* manteau à capuchon (Isid. de Séville), signif. « petite maison », de *casa,* case ; spécialisé en « vêtement sacerdotal ». || **chasublier** XIIIe s., *D. G.* || **chasublerie** 1863.

1. ***chat, chatte** 1165, Marie de France ; bas lat. *cattus* (Ve s., Palladius), qui a remplacé *feles,* substitution qui paraît correspondre à l'introduction à Rome du chat domestique, d'origine gauloise ou africaine (le chat a été domestiqué d'abord en Égypte). || **chatière** 1265, J. de Meung. || **chaton** XIIe s., « jeune chat » ; 1530, Palsgrave, *chaton de noisetier,* fleur comparée à une queue de chat (angl. *cattail*). || **chatonner** fin XIIe s. || **chatterie** 1544, Des Périers, « espièglerie », puis « caresse » ; 1845, Besch., « friandise ». || **chattemite** 1295, Joinville ; de *mite,* nom enfantin et pop. de la chatte. || **chatoyer** 1745, Dezallier ; d'apr. les reflets de l'œil du chat. || **chatoyant** 1760, Brunot, adj. || **chatoiement** fin XVIIIe s. || **chat-cervier** apr. 1750, Buffon ; lat. *cervus,* cerf. || **chat-pard** 1690, Furetière ; sur *pard,* panthère, du lat. *pardus.* || **chat-tigre** 1688. (V. CHAFOUIN.)

2. **chat** XVIe s., « navire à voiles du Nord » ; francisation du néerl. *kat.*

***châtaigne** XIIe s., *Saxons* (*chastaigne*) ; 1635, *la Sage Folie,* « coup » ; lat. *castanea.* || **châtaignier** 1180, Marie de France. || **châtaigneraie** 1538, R. Est. || **châtain** XIIIe s. ; lat. *castaneus.* || **châtaigner** v. tr., arg., 1927, Esnault.

***château** 1080, *Roland* (*chastel*) ; lat. *castellum,* dimin. de *castrum,* camp, poste fortifié d'un camp, par ext. forteresse ; en anc. fr. « château fort », puis « habitation seigneuriale, palais ». || **châtelet** 1155. || **châtelain** 1155 (*chast-*), seigneur, puis propriétaire du château ; lat. *castellanus,* habitant d'une forteresse. || **châtellenie** 1260, G., seigneurie et juridiction d'un châtelain. (V. CASTEL.)

chateaubriand ou **châteaubriant** 1856, La Châtre ; inventé par Montmireil, cuisinier de Chateaubriand.

***chat-huant** 1265, J. de Meung ; lat. pop. *cavannus* (Ve s., Eucherius), mot gaulois, altér. par infl. de *chat* et de *huer.* (V. CHOUAN, CHOUETTE.)

***châtier** Xe s., *Saint Léger* (*castier*) ; lat. *castigare,* corriger, de *castus,* chaste, proprement « rendre pur ». || **châtiment** 1190, Garn. (*chastiement*).

1. **chaton** V. CHAT 1.

2. **chaton** [de bague] fin XIIe s., *D. G.,* « tête de la bague où est enchâssée une pierre précieuse » ; francique **kasto,* caisse (allem. *Kasten*).

1. **chatouille** V. CHATOUILLER.

2. ***chatouille** 1552, Rab., « jeune lamproie » ; altér., d'apr. *chatouiller,* de *satouille* (1220, Coincy), de *setueille ;* du lat. pop. *septŏcŭla,* du lat. *septem,* sept, et *oculi,* yeux ; la lamproie est appelée *sept-œil, bête à sept trous,* d'apr. les sept paires d'orifices branchiaux.

chatouiller XIIe s. ; p.-ê. de *chat* ou du néerl. *katelen.* || **chatouilleux** 1361, Oresme ; 1690, Furetière, « susceptible ». || **chatouillement**

XIIIe s., G. || chatouille 1787, Féraud. || chatouillis 1891. || chatouillade 1879, Vallès.

chatoyer V. CHAT 1.

***châtrer** XIIe s. (*chast-*) ; lat. *castrare.* || **châtreur** 1416, G. || **châtron** 1907. (V. CASTRER.)

chattemite, chatterie V. CHAT 1.

chatterton 1882 ; mot angl., du nom de l'inventeur.

***chaud** Xe s., *Valenciennes* (*chalt-*) ; XIIe s., « vif » ; lat. *calĭdus.* || **chaudeau** 1162, G. d'Arras. || **chaude** XIIIe s., « chaude attaque » ; récent au sens de « feu pour réchauffer ». || **chaudement** 1190, Garn. || **chaude-pisse** XIIIe s. ; *pisse chaude,* 1540, Rab. || **chaud-froid** 1858, Peschier. || ***chaudière** fin XIe s., *Gloses de Raschi* (*jaldiere*) ; XIIe s., *Aliscans* (*chaldière*) ; lat. impér. *caldaria,* chaudron (IIe s., Apulée), de *calidus.* || **chaudiériste** 1975. || **chaudron** XIIe s., *Fabliau* (*chauderon*), avec suffixe *-on.* || **chaudronnier** 1277, G. || **chaudronnée** XVe s. || **chaudronnerie** 1611, Cotgrave. || **chaudrée** XIIIe s., G. (*-derée*). || ***échauder** 1160, Benoît (*es-*) ; lat. pop. **excaldare.* || **échaudis** 1792, Romme, mar. || **échaudé** 1268, É. Boileau, « pâtisserie ». || **échaudoir** 1380, G. || **échaudure** XIIe s., *Marbode.*

***chauffer** XIIe s., *Aliscans ;* lat. pop. **calefare,* du lat. *calefacere,* de *calere,* être chaud, et *facere,* faire. || **chauffage** 1265, Delb. || **chauffagiste** v. 1960. || **chauffe** XIVe s., combustible ; 1701, Furetière, sens métallurg. ; déverbal. || **chauffoir** XIIIe s., G. || **chaufferie** 1334, G., « chauffage » ; 1723, Savary, « forge ». || **chaufferette** fin XIVe s. || **chauffette** milieu XIVe s., passé ensuite au sens de « bouilloire ». || **chauffeur** 1680, Richelet, « ouvrier d'une forge » ; 1790, « émeutier » ; 1896, *le Sport,* « conducteur d'auto ». || **chauffard** fin XIXe s. || **chauffeuse** 1830, Balzac, « meuble ». || **chauffe-assiettes** 1845, Besch. || **chauffe-bain** 1890. || **chauffe-eau** début XXe s. || **chauffe-linge** 1753. || **chauffe-lit** 1471, Gay. || **chauffe-pieds** 1381, G. ; rare jusqu'au XIXe s. (1827, *Acad.*). || **chauffe-plat** 1890, Lar. || ***échauffer** 1120, *Ps. de Cambridge ;* lat. pop. **excalefare,* chauffer. || **échauffement** fin XIIe s., *Grégoire.* || **échauffure** 1265, Br. Latini. || **échauffaison** XIVe s., *D. G.* || **échauffe** 1790, *Encycl. méth. ;* déverbal. || **réchauffer** 1190, Garn. || **réchauffement** 1611, Cotgrave. || **réchaud** 1549, R. Est. ; croisement de **réchauf* et de *chaud.* || **surchauffer** fin XVIIe s. ; d'après *surchauffure* (1676, Félibien).

chaufour, chauler V. CHAUX.

1. ***chaume** XIIe s. ; lat. *calămus,* tige de roseau, de blé. || **chaumer** 1355, G. || **chaumage** 1393, G. || **chaumine** XVe s., adj., *maison chaumine ;* 1606, Nicot, n. f. || **chaumière** 1666, Furetière. || **déchaumer** 1732, Trévoux.

2. ***chaume** XVe s., texte de Bouillon, « haut plateau dénudé » ; lat. pop. **calmis,* mot prélatin, conservé surtout en toponymie.

***chausse** 1138, *Saint Gilles* (*chauce*), « bas » ; XVe s., « guêtre, culotte », remplaçant *braie ;* début XVIe s., *haut-de-chausses,* opposé à *bas-de-chausses* (*bas,* par abrév.) ; lat. pop. **calcea,* forme fém. de *calceus,* soulier. || **chaussette** milieu XIIe s. (*chalcete*). || **chaussettier** 1337, G., remplacé par *bonnetier.* || **chausson** fin XIIe s., *Alexandre* (*chauçon*). [V. CHAUSSER.]

***chaussée** 1160, *Charroi* (*chauciee*) ; XIIIe s. (*chaussée*) ; lat. pop. **calceata* (*via*), (chemin) chaussé, c.-à-d. butté (on dit *chausser des pommes de terre*), part. passé de *calceare,* chausser. Il a désigné d'abord les voies romaines, d'après leur substructure, puis les digues. (On y a vu aussi un dér. de *calx, calcis,* chaux [employée pour les routes].) [V. REZ-DE-CHAUSSÉE.]

***chausser** 1080, *Roland* (*-cier*) ; lat. *calceare,* de *calceus,* soulier. || **chausse-pied** 1549, R. Est. || **chaussure** fin XIIe s., *Alexandre* (*-ceure*). || **chausseur** 1883. || **déchausser** fin XIe s., *Gloses de Raschi* (*desjalcier*) ; XVIe s. (*déchausser*) ; lat. pop. **discalceare.* || **déchaux** fin XIIe s., *Aliscans.* || **enchausser** 1732, Trévoux. || **rechausser** XIIe s.

chausse-trape 1220, Coincy (*kauketrape*), « piège » ; altér. de *chauchetrape,* foule la trappe, de *chaucher,* fouler, du lat. *calceare.*

chaussette, chausson V. CHAUSSE.

***chauve** XIIe s., *Roncevaux* (*chauf*) ; masc. refait sur le fém., fin XIIe s. ; lat. *calvus.* || **calvitie** XIVe s., B. de Gordon ; lat. *calvities.*

chauve-souris XIe s., *Gloses de Raschi ; calvas sorices,* pl. (VIIIe s., *Reichenau*) ; il a remplacé *vespertilio* en lat. pop. du nord de la Gaule ; anc. altér. de *cawa sorix,* chouette-souris. (V. CHOUETTE.)

chauvin 1831, première représentation de *la Cocarde tricolore ;* du nom de Nicolas *Chauvin,* soldat de l'Empire, patriote naïf, personnage de théâtre. || **chauvinisme** 1834. || **chauviniste** 1867, Lar.

chauvir [des oreilles] XIIIe s., G., « dresser les oreilles », propr. « faire la chouette » ; lat. *cavannus,* chouette. (V. CHOUETTE.)

***chaux** 1155, Wace (*chaus*) ; lat. *calx, calcis ; à chaux et à sable,* XVe s. || **chaufour** 1372, Du Cange ; de *four* et *chaux,* avec déterminant en tête. || **chaufournier** début XIIIe s. (*causfournier*). || **chauler** 1372, Barbier. || **chaulage** 1764, Brunot. || **chauleuse** 1929, Lar. || **échauler** 1700, Liger.

chavirer 1687, Desroches ; adaptation du prov. *cap virar,* tourner (*virar*) la tête (*cap*) en bas. || **chavirage** 1839. || **chavirement** 1845, Besch.

chebec 1771, Trévoux, « trois-mâts à rames » ; ital. *sciabecco,* de l'ar. *chabbāk.*

chéchia 1575, Thevet ; ar. algérien *chāchīya,* de *Chach,* ville de Sogdiane, où l'on fabriquait des bonnets au Moyen Âge.

check-list 1953 ; mot angl., de (*to*) *check,* contrôler, et *list,* liste.

check-up 1960 ; mot angl., de (*to*) *checkup,* vérifier.

cheddite 1908, Lar. ; du nom de *Chedde,* en Haute-Savoie, où cet explosif fut fabriqué.

***chef** Xe s., *Eulalie* (*chief*) ; XVIIe s., restreint à la désignation des reliques (*le chef de saint Jean*) ; XIIIe s., fig., « qui est à la tête » ; lat. *caput, -itis,* tête (sens conservé jusqu'au XVIe s.). || **chef-d'œuvre** 1268, É. Boileau, « œuvre pour obtenir la maîtrise ». || **chef-lieu** 1257, « manoir principal du suzerain » ; 1790, sens actuel. || **chéfesse** 1867, Lar. || **chefferie** 1834, Landais. || ***achever** 1080, *Roland ;* lat. pop. **accapare,* arriver à la fin, arriver à chef (*caput*). || **achèvement** XIIIe s., G. || **acheveur** XIVe s., J. de La Mote. || **achevé** 1538, R. Est., adj., « parfait ». || **couvre-chef** XIIe s. || **derechef** 1130, *Eneas.* || **inachevé** fin XVIIIe s., Delisle. || **parachever** XIVe s. || **parachèvement** XIVe s. || **sous-chef** 1791, Brunot.

cheftaine v. 1911 ; angl. *chieftain,* chef de groupe dans le langage scout, de l'anc. fr. *chevetain.* (V. CAPITAINE.)

cheik 1272, Joinville (*seic*) ; 1631, J. Armand (*cheik*) ; ar. *chaikh,* vieillard.

***cheire** XXe s., mot régional d'Auvergne repris dans la langue des géographes ; lat. pop. **carium, *caria,* rocher, pierre, mot d'orig. prélatine désignant une coulée de lave.

cheiroptère 1797, Cuvier, chauve-souris ; gr. *kheir,* main, et *pteron,* aile.

chelem 1773, Mackenzie ; altér. de l'angl. *slam,* écrasement, « coup de whist, de bridge qui consiste à faire toutes les levées ».

chélicère v. 1850 ; gr. *khêlê,* pince, et *kêras,* corne.

chélidoine XIIIe s., L. (*célidoine*) ; 1538, R. Est. (*chélidoine*) ; lat. *chelidonia herba,* du gr., de *khelidôn,* hirondelle, d'apr. la croyance que l'hirondelle se servait de cette plante pour rendre la vue à ses petits ; au sens d'« agate » parce que la pierre, appelée encore *pierre d'hirondelle,* passait pour se trouver dans l'estomac des hirondelles.

chelléen 1883, de Mortillet ; de *Chelles* en Seine-et-Marne, où cet étage quaternaire fut d'abord étudié.

chéloniens 1799 ; gr. *khelônê,* tortue ; ordre de reptiles comprenant la tortue.

***chemin** 1080, *Roland ;* 1490, Commynes, fig. ; lat. pop. *cammīnus,* mot gaulois. || **cheminer** 1175, Chr. de Troyes. || **cheminement** XIIIe s., Végèce. || **chemineau** 1853, Flaubert (*-au*) ; mot de l'Ouest popularisé par *le Chemineau* de Richepin (1897), et signif. « vagabond ». || **cheminot** 1872, « employé des chemins de fer », var. du précédent avec évolution sémantique : « manœuvre allant de chantier en chantier » ; puis « manœuvre travaillant aux terrassements des chemins de fer », 1908, Verrier-Ornillon. || **chemin de fer** 1784, de Givry ; en 1823, première ligne concédée de Saint-Étienne à Andrézieux ; calque de l'angl. *railway,* de *way,* route, et *rail,* barre. || **acheminer** 1080, *Roland.* || **acheminement** 1551, Du Parc, « action d'acheminer » ; 1660, Corneille, « degré ».

***cheminée** 1138, *Saint Gilles ; cheminée d'un volcan,* XVIIe s. ; bas lat. *caminata* (VIe s.), de *caminus,* âtre, foyer, du gr. *kaminos,* avec infl. de *chemin.*

***chemise** XIIe s., *Roncevaux ;* XVe s., enveloppe d'un livre ; 1907, Lar., « revêtement » ; bas lat. *camīsia* (IVe s., saint Jérôme), d'orig. obscure, p.-ê. ar. *kamis.* || **chemisette** 1220, Coincy. || **chemisier** 1806, Wailly, « qui vend des chemises » ; 1906, Lar., « corsage ». || **chemiserie** 1845, Besch. || **chemiser** 1838 ; sur le sens techn. de *chemise,* revêtement métallique d'une pièce de machine. || **chemisage** 1892.

chenal 1120, *Job* ; var., refaite sur le lat., de l'anc. fr. *chenel* (début XIIe s.), du lat. *canalis,* canal. || **chéneau** 1459, Gay (*chesneau,* d'apr. *chesne*) ; altér. de *chenau,* forme dialectale du Centre pour le mot *chenal.*

chenapan milieu XVIe s. (*snaphaine*) ; 1653, *Voy. de La Boullaye* (*snapane*) ; 1694, Ménage (*schenapan*), « paysan maraudeur armé d'une arquebuse » ; allem. *Schnapphahn,* voleur de grand chemin, de *schnappen,* attraper, et *Hahn,* coq (coq qui happe), emprunté pendant la guerre de Trente Ans.

*__chêne__ 1170, *Rois ;* altér. de *chasne,* d'apr. *fresne,* du lat. pop. **cassanus,* mot gaulois. || **chênaie** 1211, G. || **chêneau** 1323, Delb., « jeune chêne ». || **chêne-liège** 1600, O. de Serres. || **chêne vert** 1600, O. de Serres.

chéneau, chenet V. CHENAL, CHIEN.

*__chènevière__ 1226, G. (*cha-*) ; lat. pop. **canaparia,* de **canapus,* chanvre. || **chènevis** 1268, É. Boileau ; lat. pop. **canaputium.* || **chènevotte** 1460, Villon, « partie ligneuse du chanvre » ; de *cheneve* (fin XIe s., *Gloses de Raschi*), doublet de *chanvre.*

chenil V. CHIEN.

*__chenille__ 1212, Anger ; 1680, Richelet, « passementerie » ; 1922, Lar., « chaîne sans fin » ; lat. pop. **cănīcula,* petite chienne, d'apr. la tête, qui a éliminé *eruca.* || **chenillère** 1642, Oudin. || **chenillette** 1783, *Encycl. méth.* || **chenillé** XXe s. || **écheniller** XIVe s., G. || **échenillage** 1783, Rozier. || **échenilloir** 1700, Liger.

chénopode 1819, Boiste (*chénopodées*) ; 1823, Bory (*chénopodes*) ; lat. bot. de Linné *chenopodium,* patte d'oie, du gr. *khên, -nos,* oie, et *pous, podos,* pied. Les chénopodes sont des plantes qui poussent dans la rocaille.

*__chenu__ 1050, *Alexis* (*canu*) ; bas lat. *cānūtus,* de *canus,* blanc ; 1628, Chereau, « bon », d'apr. *vin chenu,* vin réputé bon d'apr. les fleurs.

*__cheptel__ fin XIe s., *Lois de Guill.* (*chatel, chetel*), « patrimoine » ; le *p* a été ajouté au XVIIe s., d'apr. le lat. ; 1835, *Acad.,* « bétail » ; lat. *capĭtale,* adj. substantivé au neutre, au sens de « principal » (d'un bien), de *caput, -itis,* tête.

chèque 1788, *Courrier de l'Europe* (*check*) ; 1863, L. (*chèque*) ; angl. *check,* puis *cheque,* de (*to*) *check,* faire échec, par ext. contrôler, repris au fr. *échec.* || **chéquard** 1893, Bonnafé pendant l'affaire de Panama. || **chéquier** 1877, Darmesteter ; d'abord *carnet de chèques.*

*__cher__ 980, *Passion,* « aimé », « précieux » ; XIe s., « coûteux » ; lat. *carus,* coûteux, précieux. || **chèrement** 1080, *Roland* (*chierement*). || **cherté** Xe s., *Valenciennes,* « affection » ; lat. *caritas, -atis,* refait sur *cher.* || **chérir** 1050, *Alexis.* || **chérot** 1883, Esnault. || **enchérir** 1190, Garn., « chérir » ; XIIIe s., *Chron. de Rains,* « rendre plus coûteux ». || **enchère** 1259, G., déverbal. || **enchérissement** 1213, *Fet des Romains.* || **enchérisseur** 1328, G. || **renchérir** 1175, Chr. de Troyes. || **renchérissement** 1283, Beaumanoir. || **surenchérir** fin XVIe s. || **surenchère** milieu XVIe s.

*__chercher__ 1080, *Roland* (*cercier*) ; XVIe s. (*chercher*), par assimilation ; bas lat. *cĭrcāre,* aller autour (Ve s., Servius), de *circa, circum,* autour ; il a éliminé *quérir* vers le XVIe s. || **cherche** XIIIe s., G., techn., déverbal. || **chercheur** 1538, R. Est. || **cherche-fiche** 1676, Félibien. || **cherche-pointe** 1676, Félibien. || **rechercher** 1080, *Roland.* || **recherche** début XVIe s. || **recherché** 1580, Montaigne, « affecté ».

*__chère__ 1080, *Roland* (*chière*) ; sens « visage » conservé jusqu'au XVIIe s. ; dès le XIIIe s., « manière de traiter les convives » (auj. encore dans *faire bonne chère*) ; bas lat. *cara,* visage, tête (VIe s., Corippus), du gr. *kara,* tête.

chérif 1528, Charrière (*sérif*) ; 1552, Rab. (*chériph*) ; ital. *sceriffo,* de l'ar. *charīf,* noble ; fin XIXe s., repris par l'angl. || **chérifat** 1842, *Acad.* || **chérifien** 1866, Lar.

chérir, cherrer V. CHER, CHAR.

chérubin 1080, *Roland ;* lat. eccl., de l'hébreu *keroûbim,* pl. de *kerub,* l'un des noms des anges dans l'*Ancien Testament ;* 1610, *Vaux de Vire,* fig.

*__chétif__ 1080, *Roland* (*chaitif*), « prisonnier » (sens éliminé par *captif* au XVe s.) ; XIIIe s., « malheureux » (déjà en lat. impér. du IVe s.) ; 1694, *Acad.,* « débile » ; lat. pop. **cactivus,* croisement entre le lat. *captivus,* prisonnier, et le gaulois **cactos* (irlandais *cacht*), de même sens. || **chétivement** 1190, *Saint Bernard.* || **chétiveté** XIIe s., « captivité » ; le mot a disparu dans ce sens ; recréé au sens de « faiblesse physique » (fin XIXe s.). || **chétivisme** fin XIXe s., Bauer, méd., syn. de *infantilisme.*

chevage V. CHEVER.

chevaine 1220, Coincy (*chevesne*) ; lat. *capĭto, -ōnis,* poisson à grosse tête (IVe s., Ausone), de *caput,* tête ; le bas lat. a dû avoir un génitif *capĭtĭnis.*

***cheval** 1080, *Roland* ; lat. *caballus,* cheval, avec valeur péjor. (Varron), mot gaulois pop. ; a éliminé *equus* en lat. pop. || **chevalier** 1080, *Roland,* « cavalier » ; spécialisé en anc. fr. pour les nobles qui montaient à cheval, supplanté dans son premier sens par *cavalier.* || **chevalerie** 1080, *Roland.* || **chevalière** 1821, *Observ. des modes* ; abrév. de *bague à la chevalière.* || **chevalet** XIIIe s., Adenet, « petit cheval » ; 1564, J. Thierry, « cheval de bois, support ». || **chevaler** 1420, A. Chartier, « poursuivre à cheval » ; 1676, Félibien, techn. || **chevalement** 1694, Th. Corn., techn. || **chevalin** début XIIe s. ; lat. *caballinus,* de *caballus.* || **chevau-léger** fin XVe s. || **cheval-vapeur** 1822, Hachette. || **chevaleresque** 1642, Oudin ; ital. *cavalleresco,* de *cavalliere,* cavalier (v. CAVALIER). || **chevaleresquement** 1866, Lar. || **chevaucher** 1080, *Roland* (*chevalchier*), « monter à cheval » ; 1690, Furetière, techn. ; bas lat. *caballicare* (VIe s.), monter à cheval. || **chevauchée** 1190, J. Bodel. || **chevauchement** 1360, Froissart, « fait d'aller à cheval » ; 1820, Laveaux, « superposition ».

chevance V. CHEVIR.

chevêche XIIIe s., G. (*chevoiche*) ; de la même rac. que *chat-huant* (lat. pop. *cav-*), avec suffixe prélatin *-ĭcca.*

chevecier V. CHEVET.

***chever** fin XIIe s., « évider », techn. ; lat. *cavare,* creuser (v. CAVE). || **chevage** [du verre] 1753, *Encycl.*

***chevet** 1256, Ald. de Sienne (*chevez*) ; XIVe s. (*-et*), par confusion de suffixe, « partie du lit où l'on pose la tête, traversin » ; XIIIe s., *chevet* (tête) d'une église, d'un toit ; lat. *capitium,* ouverture supérieure de la tunique, capuchon, de *caput, -itis,* tête. || **chevecier** 1292, G., eccl., « celui qui surveillait le chevet, le trésor d'une église ».

***chevêtre** fin XIe s., *Lois de Guill.,* « licou » ; 1312, G., « pièce de charpente » ; 1759, Richelet, « bandage » ; lat. *capistrum,* licou. || **enchevêtrer** 1190, Garn., « mettre un licou à un cheval » ; XVIe s., « emmêler ». || **enchevêtrement** fin XVIe s., Liébault, même évolution que *entraver.*

***cheveu** 1080, *Roland* (*chevel*) ; lat. *capĭllus,* chevelure. || **chevelu** XIIe s., *Roncevaux.* || **chevelure** 1080, *Roland* (*-leüre*). || **écheveler** 1050, *Alexis* ; il a existé aussi un verbe *cheveler,* arracher les cheveux (XIIIe s.).

***cheville** 1180, Marie de France, dans les sens actuels ; 1609, Malherbe, « remplissage » ; lat. pop. **cavĭcŭla,* dissimilation de *clavīcula,* de *clavīs,* clef. || **cheviller** 1155, Wace. || **chevillette** XIIIe s., Adenet. || **chevillier** XIIe s., G. || **chevillon** fin XIIe s., *Renart.* || **chevillure** 1547, J. Martin, vén. || **chevillard** 1856, « boucher en gros », d'apr. *vendre à la cheville.*

cheviotte 1872, *J. O.* ; de *cheviot* (1856, *Rev. des Deux Mondes*), mouton d'Écosse et laine de ces moutons, d'apr. le nom des monts *Cheviot,* où ils paissent.

***chevir** 1190, Garnier, « être maître de » ; lat. pop. **capīre,* du lat. class. *capere,* prendre. || **chevance** fin XIIe s., Conon de Béthune, « bien-fonds ».

***chèvre** XIIe s., L. (*chievre*) ; 1753, *Encycl.,* appareil de levage ; lat. *capra.* || **chevreau** fin XIIe s. || **chevrette** 1265, J. de Meung, « musette » ; 1530, Marot, « jeune chèvre ». || **chevroter** 1566, G., « mettre bas » ; fig., 1708, « parler en tremblant » ; de *chevrot,* forme de *chevreau* au XVIe s. || **chevrotement** 1542, Du Pinet, « bêlement » ; 1767, Rousseau, « tremblement de la voix ». || **chevrotin** 1277, G., « petit du chevreuil ». || **chevrotine** 1697, Surirey de Saint-Rémy, « balle pour tuer le chevrotin ». || **chèvre-pied** 1550, Ronsard ; sur le lat. *capripes.* || **chevreuil** début XIIe s., *Voy. de Charl.* (*chevroel*) ; 1540, Rab. (*-euil*) ; lat. *capreolus,* de *capra,* chèvre. || **chevrillard** 1740, *Acad.* || **chevrier** 1241, G. ; lat. *caprarius.*

***chèvrefeuille** 1180, Marie de France (*chevrefoil*) ; 1611, Cotgrave (*-feuille*) ; lat. pop. **caprifolium,* feuille de bouc, féminisé en fr. mod. d'apr. *feuille.*

chevron 1155, Wace, « pièce de bois » ; fig., 1771, Trévoux, « bande plate », puis « galon » ; lat. pop. **caprio, -onis* ou *capro,* dér. de *capra,* chèvre, avec une évolution sémantique comparable à *chevalet, poutre,* etc. || **chevronné** XIIe s., blas. ; XVIIIe s., milit. ; 1867, Delvau, « récidiviste ».

chevroter, chevrotine V. CHÈVRE.

chewing-gum 1904, Bonnafé ; mot anglo-américain, de (*to*) *chew,* mâcher, et *gum,* gomme.

***chez** 1190, J. Bodel (*chies,* var. *en chies, a chies*) ; forme atone de l'anc. fr. *chiese,* maison, du lat. *casa,* hutte (v. CASE). || **chez-soi** 1690, Fur., n. m.

chiade arg., 1835, Esnault, brimade ; puis travail acharné ; de *chier.* || **chiader** 1835. || **chiadeur** 1878, Esnault.

chialer V. CHIER.

chianti 1866, Lar. ; du nom d'un vignoble italien.

chiasme 1554 (*chiasmos*) ; 1842, *Acad.* (*chiasme*) ; gr. *khiasma,* croisement ; usité en gramm. et en anat.

chiasse V. CHIER.

chibouque 1831, Balzac ; ar. maghrébin *chibouk,* du turc *tchoibouq,* tuyau ; pipe turque.

chic 1793, « facilité de l'artiste » ; 1832, Gautier, « aisance » ; 1863, L., « allure élégante » ; allem. *Schick,* adresse, de *schicken,* préparer, d'abord terme de peinture. || **chiquer** 1823, faire avec adresse. || **chiqué** 1834. || **chiquement** 1866, Lar. || **chicocandard** 1842, Marchal, forme emphatique. || **chicard** 1840, *Français peints par eux-mêmes.* || **copurchic** 1886, *le Figaro ;* de *pur* et *chic.*

chicaner v. 1460, Villon, « poursuivre en justice » ; 1611, Cotgrave, sens actuel ; orig. obscure, p.-ê. de *chiquer,* donner un petit coup. || **chicane** 1582, Tabourot, déverbal. || **chicanerie** XVe s., G. || **chicaneur** 1462, *Cent Nouvelles nouvelles.* || **chicanier** 1573, L'Hospital.

1. **chiche** 1175, Chr. de Troyes ; interj., 1866, Delvau ; bas gr. *kikkon,* fig., zeste, un rien, mot emprunté après le XIe s., comme le montre le traitement du *c.* || **chichement** début XIIIe s. || **chicherie** 1866, Delvau. || **chicheté** 1462, *Cent Nouvelles nouvelles.*

2. **chiche** (*pois*) 1244, *Itinéraire à Jérusalem,* forme altérée de *cice* (XIIIe s.) ; lat. *cicer,* pois chiche, d'apr. l'ital. *cece* (prononcé *tchétché*), ou infl. du précédent.

chichi 1890, Esnault, surtout pl., *faire des chichis ;* formation expressive. || **chichiteux** 1920, Bauche.

chicon 1651, N. de Bonnefons, « laitue romaine » ; var. de *chicot* (cette salade offrant un trognon).

chicorée fin XIIIe s. ; ital. *cicorea,* du lat. *cichoreum,* gr. *kikkorion.* || **chicoracée** 1698, Tournefort.

chicot V. CHIQUE.

chicotin XVe s., Tardif (*cicotin*) ; 1564, J. Thierry (*chicotin*), « suc de l'aloès » ; altér. de *socotrin* (1606, Nicot, *çocoterin*), aloès ; du nom de l'île de *Socotora,* dans la mer Rouge.

chicotte 1840 ; prov. *chicote,* probabl. du fr. *chicot.*

*__chien__ 1080, *Roland ; chien de mer,* XIIIe s. ; *chien d'arme à feu,* XVIe s., d'Aubigné ; *avoir du chien,* pop., 1866, Delvau ; lat. *canis.* || **chienne** XIIe s. (V. CAGNE.) || **chenil** fin XIVe s. ; lat. pop. **canile,* de *canis.* || **chenet** fin XIIIe s. ; dimin. de *chien,* d'apr. les têtes de chien qui ornaient les chenets. || **chiennerie** début XIIIe s. || **chiennaille** XIIe s. || **chiendent** 1340, G. ; formation anc. existant sous la forme *dent de chien* au N. et N.-O. || **chien-loup** 1775, Bomare ; calque de l'angl. *wolf-dog,* chien-loup. || **chien-assis** 1929, Lar.

*__chier__ fin XIIIe s., *Renart ;* lat. *cacare* (v. CACA). || **chiant** 1920. || **chiée** 1834, Maubeuge, « quantité ». || **chialer** 1847, Esnault ; altér., par dissimilation vocalique, de **chiailler* (cf. *chier des yeux,* pleurer, 1633, *Comédie des proverbes*). || **chiasse** fin XVIe s. || **chieur** 1521, Fabri. || **chierie** XVIe s. || **chiure** 1642, Oudin. || **chiottes** 1787, Cambresier, « fosses d'aisances ». || **chiard** fin XIXe s. || **chienlit** 1534, Rab. ; de *chie-en-lit.*

chiffe 1611, Cotgrave ; 1810, Molard, *chiffe de pain* (morceau) ; var. de l'anc. fr. *chipe,* du bas allem. (moyen angl. *chip,* petit morceau ; moyen allem. *kipfe,* petit pain à deux pointes). || **chiffon** 1608, M. Régnier. || **chiffonner** milieu XVIIe s., fig. || **chiffonnage** 1740, d'Argenson. || **chiffonnement** v. 1650. || **chiffonnier** 1640, Oudin.

chiffre 1220, Coincy (*cifre*), « zéro » ; 1486, Commynes (*chiffre*), « écriture secrète » ; refait sur l'ital. *cifra* (prononcé *tchi-*), du lat. médiév. *cifra,* de l'ar. *sifr,* zéro. || **chiffrer** 1515, Lortie. || **chiffreur** 1529, G. Tory. || **déchiffrer** XVe s., G. || **déchiffrement** milieu XVIe s. || **déchiffrable** début XVIIe s. || **indéchiffrable** début XVIIe s.

chigner V. RECHIGNER.

*__chignole__ XIIe s. (*ceoignole*), « manivelle » ; 1753, *Encycl.,* « dévidoir de passementier » ; 1901, Esnault, « mauvaise voiture qui grince » ; mot normand, var. de l'anc. fr. *ceognole, cignole,* brimbale de puits (*cigognier* dans le Midi), du lat. pop. **ciconiola,* petite cigogne. Le mot a été infl. par *chigner,* pleurer.

chignon 1080, *Roland* (*caeignum*) ; en anc. fr. « carcan », puis « objet entourant le cou » ; XVIe s., « nuque » ; 1745, Brunot, « masse de cheveux sur la nuque, ou au-dessus » ; lat. pop. **catenio, -onis,* de *catena,* chaîne.

chimère 1220, Coincy, adj., « insensé » ; 1538, *le Courtisan,* « création imaginaire » ; 1803, Boiste, « poisson holocéphale » ; lat. *Chimarea,* du gr. *Khimaira,* monstre mythologique. || **chimérique** 1580, R. Benoist.

chimie V. ALCHIMIE.

chimpanzé 1738, La Brosse (*quimpezé*) ; mot d'une langue d'Afrique occidentale.

chinchilla 1598, trad. d'Acosta ; esp. *chinchilla,* dimin. de *chinche,* moufette du Brésil, d'où *chinche* en fr. (1714, Feuillée), signif. « punaise » (du lat. *cimex, -icis*), appliqué par ext. à des mammifères puants.

1. **chiner** 1753, *Encycl.,* « donner des couleurs différentes au fil d'un tissu » ; de *Chine,* d'apr. l'origine du procédé. || **chinage** 1753, *Encycl.* || **chinure** 1819, Boiste.

2. **chiner** 1844, Esnault ; d'abord « travailler » ; puis spécialisé dans la langue des chiffonniers, « chercher des occasions, duper » ; 1878, Esnault, « railler, critiquer », par affaiblissement du sens « duper » ; altér. de *échiner.* || **chine** (*faire la*) 1873, M. Du Camp, « voler ». || **chinage** 1883, Esnault. || **chineur** 1847, Balzac.

chinois début XVIIe s. (très antérieur à l'enregistrement). || **chinoiserie** 1838, *Acad.,* « objet de Chine » ; 1845, Besch., pl., « formalités compliquées », d'apr. les habitudes des fonctionnaires chinois. || **chinoiser** 1841, Balzac.

chinook 1866, Lar. ; mot indien d'Amérique du Nord.

chintz 1730, Savary (*chint*) ; hindi *chint,* toile de coton.

chiot 1551, Pontus de Tyard (*chiau*) ; lat. *catellus,* petit chien, qui a donné l'anc. fr. *chael.* La forme est régionale.

chiourme début XIVe s., *Geste des Cyprins* (*cheurme*), « équipe des rameurs d'une galère », de l'arg. des galériens ; ital. *ciurma,* altér. du lat. *celeusma,* chant des galériens, mot gr.

chiper début XVIIIe s., « prendre » ; 1723, Savary, « coudre des peaux » ; XVIIIe s., « voler » ; anc. fr. *chipe* (fin XIIIe s., Guiart), chiffon, var. de *chiffe,* empr. au bas allem. (v. CHIFFE). || **chipage** 1723, Savary. || **chipette** 1867, Delvau ; dimin. de *chipe.* || **chipeur** 1829, Vidocq, « voleur », emploi fig. d'origine obscure. || **chipoter** 1546, Rab., « s'arrêter à des bagatelles » ; 1704, Trévoux, « manger sans appétit ». || **chipotage** 1671, Sévigné. || **chipoteur** 1585, Cholières. || **chipotier** 1701, Fur.

chipie 1821, Desgranges (*chipi*), « femme acariâtre » ; d'un comp. *chie-pie* (*grippe-pie* en normand, Moisy, 1887) ou du précédent.

chipolata 1742, *Nouveau Traité de cuisine ;* ital. *cipollata,* saucisse préparée à l'oignon (*cipolla*). [V. CIBOULE.]

chipolin, chipoter V. CIPOLIN, CHIPER.

chips v. 1920, Bonnafé, « pommes de terre frites, séchées à la vapeur » ; mot angl. signif. « éclats, tranches minces ».

chique 1573, Liébault, « boule à jouer » ; 1640, Bouton, « puce pénétrante », à cause de la boule que forme la puce sous la peau ; *chique de tabac,* 1792, Romme ; mot de l'Est, sans doute de l'allem. *schicken,* envoyer ; ou p.-ê. du prov. *chico,* morceau, du lat. *cicca.* || **chiquer** 1794, « mâcher du tabac » ; 1798, Esnault, « manger » ; de *chique* de tabac. || **chicot** 1581, Baïf. || **chicoter** 1582, Tabourot, « se quereller sur des vétilles ».

chiqué V. CHIC.

chiquenaude 1530, Palsgrave (*chicquenode*) ; p.-ê. prov. mod. *chicanaudo,* de l'esp. *chico,* petit (v. PICHENETTE) ; ou de *chiquer,* donner un petit coup.

chiro-, gr. *kheir,* main. || **chirographe** 1190, Garn. (*cyr-*) ; lat. *chirographum,* autographe, du gr. *graphein,* écrire. || **chirographaire** fin XVIe s., Loysel ; lat. impér. *chirographarius* (*Digeste*). || **chiromancie** début XVe s. || **chiromancien** 1546, Saint-Gelais (*cheiro-*). || **chiromancienne** XIXe s. || **chiropracteur** 1959, Lar. || **chiropraxie** 1938.

chirurgie 1175, Chr. de Troyes (*cir-*) ; lat. méd. *chirurgia,* du gr. *kheirourgia,* opération manuelle. || **chirurgien** 1175, Chr. de Troyes. || **chirurgical** 1370 ; lat. médiév. *chirurgicalis.* || **chirurgicalement** 1866, Lar. || **chirurgique** 1545, Bouchet ; lat. *chirurgicus.* || **chirurgicat** XXe s.

chistera 1891 ; mot esp., du lat. *cĭstella,* petite corbeille.

chitine 1821, Odier, zool. ; gr. *kheitôn,* tunique. || **chitineux** 1877, L.

chlamyde 1502, Barbier ; lat. *chlamys, -ydis,* du gr.

chlor(o)-, gr. *khlôros,* vert, d'apr. la couleur du corps ou son effet. || **chloral** 1831, *Annales de chimie.* || **chlorate** 1816. || **chlore** 1815, Ampère. || **chlorique** *id.* || **chlorure** 1815, *Journ. de pharm.* || **chlorer** 1845, Besch. (-*é*). || **chloroforme** 1835, Dumas (*forme* abrév. de *formique*). || **chloroformiser** 1847 ; 1865, *Congrès de Genève de l'Internationale,* fig. || **chloroformer** 1856, Lachâtre. || **chlorhydrique** 1834, Jourdan. || **chlorophylle** 1817, *Journ. de pharm ;* gr. *phullon,* feuille. || **chlorophyllien** 1874, *J. O.* || **chlorhydrate** 1848, Allain. || **chlorose** 1694, Th. Corn., méd. ; 1829, Boiste, bot. (-*osis*) ; lat. méd. *chlorosis,* mot gr. || **chlorotique** 1766, Paulin ; lat. méd. *chloroticus.* || **chlorurémie** 1924, Lar. || **chlorure** 1816, *Journ. de pharm.* || **achloruré** 1912, Lar. || **bichlorure** 1845, Dorvault.

choc, chocard V. CHOQUER, CHOUCAS.

chochotte 1901, Esnault ; p.-ê. var. de *cocotte* ou dérivé de *faire des chichis.*

chocolat 1598, Acosta (-*ate*) ; 1671, *Tarif* (-*at*) ; esp. *chocolate,* du nahuatl du Mexique. || **chocolaté** 1771, Trévoux. || **chocolaterie** 1835, *Acad.* || **chocolatier** 1694, « fabricant ». || **chocolatière** 1675, Huet, « vase ».

chocottes 1882, Esnault, arg. ; p.-ê. de *chicot,* ou de *choquer.*

choéphore 1838, *Acad. ;* gr. *khoêphoros,* porteur de libations (*khoê*).

chœur 1120, *Ps. de Cambridge* (*cuer*) ; *enfant de chœur,* XIVe s. ; lat. eccl. *chorus,* chœur d'église, du gr. *khoros.* || **choral** 1827 ; n. m., mus., 1845, Besch. || **chorale** n. f., 1926. || **choriste** 1359, Delb. (-*istre*) ; lat. médiév. *chorista.* || **chorus** XVe s., seulement dans *faire chorus ;* mot lat. || **choreute** 1866.

***choir** Xe s., *Saint Léger* (*cadit,* passé simple) ; 1080, *Roland* (*cheoir*) ; lat. pop. **cadĕre,* lat. class. *cadĕre,* qui a été éliminé par *tomber* à partir du XVIe s. (V. CHUTE, DÉCHOIR, ÉCHOIR, MÉCHANT.)

choisir début XIIe s., *Voy. de Charl. ;* germ. *kausjan,* éprouver, goûter (allem. *kiesen,* choisir) ; en anc. fr. aussi « apercevoir ». || **choix** 1155, Wace, déverbal.

choke-bore 1878, techn. ; mot angl., de (*to*) *choke,* étrangler, et (*to*) *bore,* forer.

chol-, gr. *kholê,* bile. || **cholagogue** 1560, Paré ; gr. *agein,* conduire. || **cholédoque** 1560, Paré ; lat. méd. *choledochus,* du gr. *kholêdokhos,* de *dekhesthai,* recevoir. || **cholérétique** XXe s. || **cholestérine** 1816, Chevreul ; isolée au XVIIIe s. (1769) ; devenu *cholestérol* (1829).

choléra 1546, Ch. Est. ; lat. *cholera,* du gr. *kholera,* de *kholê,* bile. || **cholérique** 1806, Lunier. || **cholérine** 1832, Marin. (V. COLÈRE.)

cholette V. CHOULE 2.

***chômer** 1156, *Roman de Thèbes,* « se reposer » ; XIIIe s., « ne pas travailler » ; 1740, *Acad.,* « cesser de fonctionner » ; lat. pop. **caumare,* du bas lat. *cauma,* chaleur (*Vulgate*), du gr. *kauma.* || **chômable** XVe s., G. || **chômage** XIIIe s., *Établ. de Saint Louis.* || **chômeur** 1876, *Opinion nationale.*

chondriome début XXe s. ; gr. *khondrion,* granule.

chope 1842, La Bédollière ; mot de l'Est, de l'allem. (et bas allem.) *Schoppen,* mesure de liquide. || **chopine** fin XIIe s., *Statuts des léproseries ;* dér. anc. de *Schoppen.* || **chopiner** 1482, *Myst. de saint Didier.* || **chopinette** XVe s., *Actes des Apôtres.* || **galope-chopine** mot lyonnais signif. « ivrogne ».

choper 1800, *Chauffeurs d'Orgères,* « arrêter » ; 1866, Lar., « voler » ; 1890, Esnault, « prendre un rhume » ; var. de *chiper,* par infl. de *chopper.* || **chopin** 1815, *Chanson de Winter,* « aubaine, conquête amoureuse ».

chopper 1175, Chr. de Troyes, « buter » ; orig. obscure, p.-ê. d'une onom. *tsopp-.* || **achopper** fin XIIe s., *Perceval.* || **achoppement** XIVe s., *Saint-Graal,* emploi réduit à *pierre d'achoppement.*

choquer 1230, G. (*chaquer*), « donner un choc » ; 1640, Corn., fig. ; moyen néerl. *schokken* (ou angl. *to shock*), heurter (sens conservé en fr. jusqu'au XVIe s.). || **choquant** 1650, Scarron. || **choc** 1523, Huguet, « heurt » ; 1740, *Acad.,* fig. ; *choc en retour,* 1845, Besch. ; *choc opératoire,* 1905, Lar. ; déverbal. || **entrechoquer** (s') 1540, Yver.

choral V. CHŒUR.

chorée 1558, danse ; 1753, *Encycl.,* « maladie nerveuse » ; gr. *khoreia,* danse en chœur.

chorège 1535, G. de Selve ; gr. *khorêgos,* de *khoros,* chœur, et *agein,* mener. || **chorégie** 1832, Raymond.

chorégraphie 1701, Feuillet ; gr. *khoreia,* danse, et *graphein,* écrire. || **chorégraphe** 1786, *Encycl. méth.* || **chorégraphier** 1827, *Acad.* || **chorégraphique** 1832, Raymond.

choriste V. CHŒUR.

chorizo v. 1850, Gautier ; mot esp.

choroïde 1538, Canappe ; gr. *khoroeidês,* en forme de membrane (*khorion*).

chorus V. CHŒUR.

***chose** 842, *Serments* (*cosa*) ; XIIe s. (*chose*) ; lat. *causa,* qui, en lat. jurid., avait pris le sens de « chose » et avait éliminé en lat. pop. *res.* || **chosette** fin XIIe s., G. || **chosier** 1560, Viret. || **chosification** 1831, *Caricature.* || **chosifier** 1943, Sartre. || **chosisme, chosiste** 1936, Sartre. || **quelque chose** XVIe s., qui a remplacé l'anc. fr. *auques,* du lat. *aliquid.* (V. CAUSE.)

chott 1849, *Rev. ;* mot ar. signif. « bord d'un fleuve » et désignant ensuite une dépression salée.

***chou** XIIe s., L. ; 1894, Esnault, « tête » ; *faire chou blanc,* 1821, Cuisin ; lat. *caulis.* || **chou-fleur** 1611, Cotgrave ; var. *-flori, -fleuri,* de l'ital. *cavolo-fiore* (*colifiori du Montferrat,* XVIe s., N. Du Fail), mot utilisé par O. de Serres. || **chou-pille** XVIIe s., vén., formation ironique. || **chou-navet** 1611, Cotgrave (*-naveau*). || **chou-rave** 1600, O. de Serres. || **chouchou** 1780, mot de tendresse pour un enfant ; 1788, Guillemin, « favori », redoublement expressif. || **chouchouter** 1842, Balzac. || **chouchoutage** v. 1950. || **choute** XXe s. ; fém. pop. de *chou,* terme d'affection.

chouan 1795, *Journ. des patriotes,* nom donné aux insurgés d'Anjou, d'apr. le surnom de leur chef, Jean Cottereau, dit Jean *Chouan,* qui imitait le cri du *chouan,* forme régionale de *chat-huant.* || **chouannerie** 1794, *Représentants en mission.* || **chouanner** 1794, *Actes du Comité de salut public.* || **contre-chouan** 1871, Moriac.

choucas début XVIe s. (*chucas*) ; formation onomatop. || **choquard** 1803, Boiste. || **chouquette** 1617, d'Arcussia.

choucroute 1739, Marin (*sorcrote*) ; 1768, Cappe d'Auteroche (*saurcroute*) ; alsacien *sûrkrût* (allem. *Sauerkraut*), herbe (*krût*) sure (*sûr*), avec étymologie populaire d'apr. *chou.*

chouette 1175, Chr. de Troyes ; *faire la chouette,* 1770, Lecomte ; adj. pop., 1830, J. Arago, chez Larchey, emploi ironique ; dimin. de l'anc. fr. *choue,* du francique **kāwa* (v. CHAT-HUANT).

chouïa 1866 ; mot ar. maghrébin signif. « un peu ».

1\. **choule** 1147, en Languedoc, jeu de balle ; lat. *solea,* pied (puisque la balle pouvait être disputée à coups de pied), ou irlandais *sull,* mêlée, ou haut allem. *kiulla,* objet arrondi.

2\. ***choule** début XIVe s., boule ; lat. pop. **ciulla,* d'orig. germ. (v. le précédent). Désigne aujourd'hui un mode de pêche. || **cholette** 1885, Zola ; mot du Nord.

choupette début XXe s. ; p.-ê. de *chou* (1708, Furetière), au sens de « nœud de rubans », avec infl. de *houpette.*

chouque V. SOUCHE.

chouraver 1938, Esnault, arg. ; romani *tchorav-.*

chouriner 1828, Vidocq, arg. ; var. de *suriner* (v. SURIN). || **chourineur** 1842, Sue.

choyer av. 1240, G. de Lorris (*chuer*), « cajoler », « tromper » ; 1546, Rab. (*choyer*) ; d'apr. l'ital. *soiare,* lui-même du fr. *chouer,* de *choue, chouette,* oiseau réputé pour choyer ses petits, ou formation onomatop.

chrême 1150, Wace (*cresme*) ; lat. chrét. *chrisma* (IIIe s., Tertullien), du gr. *khrisma,* onction. || **chrémeau** 1175.

chrestomathie 1623, Garasse ; rare jusqu'au XIXe s. ; gr. *khrêstomatheia,* de *khrêstos,* utile, et *manthanein,* apprendre (aoriste *emathon*), c.-à-d. « apprendre des textes utiles ».

chrétien V. CHRIST.

Chris-Craft 1958, n. déposé ; mot angl., avec la finale *craft,* embarcation.

christ Xe s., *Eulalie ;* lat. chrét. *christus,* du gr. *khristos,* oint, calque de l'hébreu *māshīah* (v. MESSIE). La prononc. [kri] (le *s* est tombé phonétiquement, comme dans *chrestien,* au XIIe s.) est restée dans *Jésus-Christ.* La prononc. [krist] d'apr. le lat. a été mise à la mode par les prédicateurs à partir du XVIIe s. || **christianisme** XIIIe s., *Poésies ;* lat. chrét. *christianismus.* || **christianiser** fin XVIe s. || **christianisation** 1843. || **christique** fin XIXe s. || **christologie** 1836. || ***chrétien** 842, *Serments* (*christian*) ; XIIe s. (*chrestien*) ; lat. chrét. *christianus.* || **chrétiennement** 1546, *Palmerin.* || **chrétienté** 1050, *Alexis* (*crestientet*) ; lat. chrét. *christianitas.* || **déchristianiser** 1792, Brunot. || **déchristianisation** fin XIXe s. || **néochrétien** 1846, Reybaud. || **néo-christianisme** 1834, Th. Gautier.

christe-marine (vx) ou **criste-marine** XVe s. ; gr. *krêtmos,* fenouil de mer.

christiania début XXe s., virage skis parallèles ; de *Christiania,* anc. nom d'Oslo, en Norvège (les Norvégiens ayant pratiqué les premiers ce mouvement).

chrom(o)-, gr. *khrôma,* couleur. || **chromatique** 1361, Oresme, musique ; 1630, d'Aubigné, optique ; 1897, *Année biologique,* biologie ; lat. *chromaticus,* mot gr. || **chromatisme** 1829. || **chrome** 1797, Vauquelin, parce qu'il a des composés très colorés. || **chromer** XIXe s. || **chromique** 1797, Vauquelin. || **chromolithographie** 1837, *Soc. ind. de Mulhouse.* || **chromo** 1872, L. ; abrév. du précéd. || **chromosome** 1896, Carlet et Perrier ; gr. *sôma,* corps. || **chromosomique** 1931. || **bichromaté** 1951, Lar. || **achromatique** 1764, de La Lande.

chron(o)-, gr. *khronos,* temps. || **chronique** début XIIe s., n. f., recueil d'histoires ; XIXe s., partie d'un journal ; lat. *chronica,* neutre pl. (f. sing. en bas lat.), gr. *khronika biblia ;* adj., 1398, *Somme Gautier,* méd., du lat. *chronicus.* || **chroniquement** 1845, Besch. || **chroniqueur** 1490, Commynes. || **chronicité** 1835, *Acad.* || **chronologie** 1579, Vigenère ; gr. *khronologia* (*logos,* discours). || **chronologique** 1584, Thevet. || **chronologiquement** 1836, Landais. || **chronomètre** 1701, Sauveur. || **chronométrer** fin XIXe s. || **chronométreur** 1835. || **chronométrie** 1838. || **chronométrique** 1832, Raymond. || **chronobiologie** v. 1970. || **chronophotographie** 1882, Marey. || **chronaxie** 1909.

chrys(o)-, gr. *khrusos,* or. || **chrysalide** 1593, Bauhin ; lat. *chrysalis, -idis,* mot gr. (d'apr. l'aspect doré de quelques chrysalides). || **chrysanthème** 1543, Ant. Pierre (*-emon*) ; 1750, abbé Prévost (*-ème*) ; lat. *chrysanthemon,* mot gr. (*anthemon,* fleur, *khrusos,* d'or). || **chrysochalque** 1823, Boiste, ou **chrysocale** 1372, Corbichon (*crisocane*) ; 1825, Balzac (*-cale*) ; « alliage pour la fabrication des bijoux faux » ; gr. *khalkos,* cuivre. || **chrysolithe** XIIe s., *Marbode ;* lat. *chrysolithus,* mot gr. (*lithos,* pierre). || **chrysoprase** XIIe s., *Marbode ;* lat. *chrysoprasus,* mot gr. (*prasos,* poireau, à cause de la couleur). || **chryséléphantin** 1863, L. ; gr. *khrusos,* or, et *elephas,* ivoire.

chthonien 1819 ; lat. *chthonius,* du gr. *khthôn,* terre.

ch'timi début XXe s. ; mot picard, de *ch'* (le), *ti* (toi) et *mi* (moi).

chuchoter XIVe s., *Mir. de N.-D.* (*-eter,* jusqu'au XVIe s.) ; 1611, Cotgrave (*-oter*) ; formation expressive. || **chuchotage** fin XVIIIe s. || **chuchotement** 1580, Montaigne. || **chuchoterie** 1650, Loret. || **chuchotis** 1895, Daudet.

chuinter 1776, Court de Gébelin, appliqué à la prononc. du *ch,* puis à toute prononc. défectueuse ; onom. d'apr. le cri de la chouette. || **chuintant** 1819, Boiste, en phonétique. || **chuintement** 1873, de Colleville.

chut 1529, *Anc. Théâtre fr. ;* XVIe s. (*cheut*) ; onomat. || **chuter** 1834, Boiste, « faire chut ».

***chute** 1360, Froissart (var. *cheute*) ; réfection, d'apr. le part. passé *chu* (de *choir*), de l'anc. fr. *cheoite* (fin XIIIe s., *Renart*), part. passé fém. substantivé de *choir* (lat. pop. **cadecta*), sur le modèle de *collectus.* || **chuter** 1828, *le Figaro,* « échouer ». || **parachute** 1784, appareil inventé par l'aéronaute Blanchard. || **parachuter** XXe s. || **parachutage** XXe s. || **parachutiste** 1928, Nyrop. || **parachutisme** XXe s.

chyle v. 1360 (*chile*) ; lat. méd. *chylus,* du gr. *khulos,* suc. || **chyleux** 1546, R. Est. || **chylification** *id.* || **chylifère** 1665, Graindorge.

chyme XVe s., G. ; lat. méd. *chymus,* humeur, du gr. *khumos.*

ci Xe s. ; lat. *ecce,* voici, et *hīc,* ici. || **ci-devant** 1792, *Nouveau Dict. fr. ;* de *ci-devant noble,* qui était avant un noble.

cibiste 1980 ; amér. *C.B.* (pron. *sibi*), abrév. de *Citizen's Band,* « fréquence réservée au public ».

cible XIVe s. (var. *cibe,* encore en 1842, Mozin) ; allem. dial. *Schîbe* (allem. *Scheibe,* disque, cible), par la Suisse romande (fin XVe s.). || **cibler** v. 1970.

ciboire 1160, Benoît (*civoire*) ; lat. eccl. *ciborium,* spécialisation du lat. signif. « coupe » (du gr. *kibôreon,* fruit du nénuphar d'Égypte, dont on faisait des coupes).

ciboule 1180, *Alexandre ;* prov. *cebola,* du lat. *caepula,* dimin. de *caepa,* oignon (v. CIVE). || **ciboulette** 1373, trad. de P. Crescens. || **ciboulot** 1889, Esnault ; de *ciboule,* au sens de « tête ».

cicatrice XIVe s., B. de Gordon ; fig., XVIIe s. ; lat. *cicatrix, -icis.* || **cicatriser** 1314, Mondeville ; lat. médiév. *cicatrizare,* lat. class. *cicatricare,* « marquer d'une cicatrice », « fermer une plaie ». || **cicatrisation** 1314, Mondeville. || **cicatriciel** 1845. || **cicatricule** milieu XVIe s. ; lat. *cicatricula.*

cicéro 1550, Plantin, « caractère d'imprimerie », employé pour l'édit. princeps des œuvres de Cicéron par U. Gallus en 1458.

cicerone 1752, Trévoux ; mot ital., emploi ironique de *Cicerone,* Cicéron, à cause de la verbosité des guides à Rome.

cicéronien XIVe s. ; lat. *ciceronianus,* de *Cicero.*

cicindèle 1548, Philieul, « ver luisant », repris par les entomologistes pour désigner un genre de coléoptères ; lat. *cicindela,* ver luisant, de *candere,* briller.

***cidre** 1120, *Ps. de Cambridge* (*sizre*), « boisson forte » ; 1155, Wace (*cidre*), sens actuel ; lat. *sĭcĕra,* boisson enivrante, de l'hébreu *chekar,* par l'intermédiaire du gr. ; spécialisé au jus de poire et de pomme fermenté, puis de pomme en Normandie et en Picardie. || **cidrerie** 1872. || **cidricole** 1907, Lar.

***ciel** Xe s., *Eulalie ; ciel de lit,* 1360, Gay ; lat. *caelum.*

cierge XIIe s., *Roncevaux,* var. *cerge ;* lat. *cereus,* n. m. d'abord adj., de *cera,* cire. || **ciergier** 1480, *Doc.* || **cierger** 1842, *Acad.*

cigale 1457, R. d'Anjou (*sigalle*) ; prov. *cigala,* du lat. *cicada* (*cigade,* 1372, Corbichon) : l'insecte est propre au Midi.

cigare 1688, Exmelin (*cigarro*) ; 1775, Wailly (*-are*) ; esp. *cigarro,* d'origine inconnue, vulgarisé après l'expédition d'Espagne en 1823, p.-ê. du maya *zicar,* fumée, ou de l'esp. *cicarra,* cigale. || **cigarette** 1831, Balzac, usuel v. 1840 : l'emporte sur *cigarito* et *cigaret.* || **cibiche** 1881, Esnault ; de *ci*(*garette*) et suffixe pop. || **cigarière** milieu XIXe s. ; d'apr. l'esp. *cigarrera.* || **cigarillo** 1863 (*cigarille*) ; mot esp., dimin. de *cigarro.* || **fume-cigarette** 1894, Sachs. || **porte-cigares** V. PORTE- 3. || **porte-cigarettes** V. PORTE- 3.

cigogne 1113, E. de Fougères ; prov. *cigogna,* du lat. *cĭcōnia,* qui a donné l'anc. fr. *ceoigne, soigne.* L'oiseau séjourne surtout dans l'Est et vient du Midi.

ciguë XIIe s. (*ceguë*) ; réfection de l'anc. fr. *ceuë,* d'apr. le lat. *cĭcūta.*

***cil** XIIe s. ; *l* mouillé jusqu'au XIXe s. ; lat. *cĭlium.* || **ciliaire** 1665. || **cilié** 1786, *Encycl. méth.* || **ciller** début XIIe s. || **cillement** 1530, Palsgrave. || **déciller** ou **dessiller** 1360, *Modus,* « découdre les paupières » ; XVIe s., fig. || **dessillement** 1636, Monet.

cilice XIIIe s., *Macchabées ;* lat. chrét. *cĭlĭcium* (VIe s., Cassiodore), étoffe en poil de chèvre de Cilicie.

cimaise 1160, Benoît (*cimese*) ; lat. *cymatium,* du gr. *kuma,* vague, d'apr. la forme ondulée de la moulure.

***cime** fin XIIe s., *Myst. d'Adam* (*cyme*) ; lat. *cyma,* pousse de chou, pointe d'arbre, du gr. *kûma,* portée des animaux, par ext. pousse, spécialisé en lat. pop. à l'extrémité d'un objet élevé. || **cimier** 1160, Benoît.

***ciment** fin XIIe s. ; lat. *caementum,* pierre brute, les maçons ayant pris l'habitude de mettre de la pierre dans leur mortier (v. CÉMENT) ; l'*i* reste obscur. || **cimenter** XIIIe s. || **cimentation** 1845, Richard. || **cimenterie** XXe s. || **cimentier** 1680, Richelet.

cimeterre 1420, J. Chartier ; ital. *scimitarra,* du persan *chimchîr,* par l'intermédiaire de l'ar.

cimetière 1150, Wace (*cimetire*) ; XIIIe s. (*cimetière*) ; lat. chrét. *coemeterium* (IIIe s., Tertullien), du gr. *koimêtêrion,* lieu où on dort, équivalent du lat. *dormitorium,* dortoir.

cimier V. CIME.

cinabre XIIIe s., G. (*cenobre*) ; lat. *cinnabari,* du gr. *kinnibari,* d'origine orientale.

cinchonine 1820, alcaloïde extrait du quinquina ; lat. bot. *cinchona,* du nom du comte *Chinchon,* vice-roi du Pérou, qui en 1639 apporta le quinquina.

cinématique 1834, Ampère ; gr. *kinêmatikos,* de *kinêma,* mouvement. || **cinémographe** v. 1950. || **cinémomètre** 1904. || **cinétique** 1877, L. || **cinétisme** 1888, Lar.

cinématographe 1892, L.-G. Bouly, puis 1895, Lumière ; gr. *kinêma,* mouvement, et *graphein,* décrire. || **ciné** 1906, Esnault, abrév. || **cinéma** 1893, abrév. || **cinématographie** 1895. || **cinématographier** 1897, *le Progrès de Lyon.* || **cinématographique** 1896, *la Nature ; appareil cinématographique,* 1899, brevet d'invention. || **cinéaste** 1922, L. Delluc ; sur *ciné* d'apr. l'ital. || **ciné-club** 1920, L. Delluc. || **cinémathèque** 1921, L. Moussinac. || **CinémaScope** 1953, *Cahiers du cinéma.* || **cinéphile** 1912, *Ciné-Journal.* || **Cinérama** 1912, *le Sourire,* n. déposé. || **cinégraphie** 1917. || **cinéroman** 1918.

1. **cingler** 1080, *Roland* (*sigler*), « faire voile » ; XIVe s. (*singler*), par infl. du suivant ; XVIe s. (*cingler*), d'apr. le lat. *cingulum,* ceinture, par étymologie populaire ; scand. *sigla* ou ancien normand *segl.* || **cinglage** XIVe s. || **cinglement** 1611, Cotgrave.

2. **cingler** 1125, *Doon de Mayence,* « frapper avec un objet flexible » ; début XVIe s., en parlant de la pluie ; prov. *cenglar, cinglar,* frapper avec une sangle, du lat. *cingŭla* (*cengla* a déjà le sens de « raclée » en anc. prov.). || **cinglé** 1882, Esnault, « ivre » ; 1925, Esnault, « fou », « toqué ». || **cinglage** 1827, *Acad.* || **cinglant** XIXe s., fig. || **cingleur** 1866.

cinname 1213, *Fet des Romains* (*cename*) ; lat. *cinnamum,* du gr. *kinnamon.* || **cinnamome** 1256, Ald. de Sienne ; lat. *cinnamomum,* du gr. *kinnamômon,* laurier dont les feuilles sont utilisées comme condiment.

***cinq** 1080, *Roland* (*cinc*) ; lat. pop. *cīnque* (*Inscriptions*), par dissimilation du lat. *quinque.* || **cinquième** 1175, Chr. de Troyes (*-isme*). || ***cinquante** 1080, *Roland ;* lat. pop. *cinquaginta,* lat. *quinquaginta,* par dissimilation. || **cinquièmement** 1550, Meigret. || **cinquantième** XIIIe s. || **cinquantaine** 1220, Coincy. || **cinquantenaire** 1775, Restif de La Bretonne.

***cintrer** 1349, texte wallon ; lat. pop. **cincturare,* de *cinctūra,* ceinture. || **cintre** fin XIIe s., « courbure d'une voûte » ; 1932, *Acad.,* « armature pour suspendre les habits » ; déverbal. || **cintrage** 1593, G. (*cein-*), mar. || **cintré** 1926, Esnault, « tordu, fou ». || **décintrer** 1690, Furetière. || **décintrage** 1863, Lar.

cipaye 1750 (*sepay*) ; 1768, Voltaire (*cipaye*) ; port. *sipay,* cipaye, du persan *sipāhi,* soldat, qui a donné aussi *spahi.* Nom donné aux soldats indiens engagés au service des Français, puis des Anglais.

cipolin 1694, Th. Corn. (*cipollini*) ; 1771, Schmidlin (*cipolin*), « marbre veiné rappelant la coupe de l'oignon » ; ital. *cipollino,* de *cipolla,* oignon. || **chipolin** 1789, *Encycl. méth.,* var. avec prononc. toscane.

cippe 1718, *Acad. ;* lat. *cippus,* colonne, borne (v. CEP).

cirage V. CIRE.

circaète 1820, Laveaux, rapace diurne ; gr. *kirkos,* faucon, et *aetos,* aigle.

circée 1572, Des Moulins, bot. ; lat. *circaea,* de *Circé,* la magicienne ; la plante est dite « herbe aux sorciers ».

circoncire 1190, *Saint Bernard ;* lat. chrét. *circumcīdĕre,* en lat. class. « couper autour ». || **circoncision** *id. ;* lat. *circumcisio.* || **incirconcis** XIVe s. ; lat. *incirconcisus.* || **incirconcision** 1530, Lefèvre d'Étaples ; lat. *incirconcisio.*

circonférence 1265, J. de Meung ; lat. *circumferentia,* de *circumferre,* faire le tour, calque du gr. *peripheria* (v. PÉRIPHÉRIE).

circonflexe début XVIe s. (*-flect*) ; 1550, Meigret (*-flexe*) ; lat. *circonflexus* (*accentus*), calque du gr. signif. « sinueux » ; indiquant un ton en gr., il est signe orth. en fr.

circonlocution XIIIe s., *Poème sur la confession ;* lat. *circumlocutio,* calque du gr. *periphrasis ;* du lat. *circum,* autour, et *loqui,* parler, « détour de parole pour éviter un mot ». (V. PÉRIPHRASE.)

circonscrire 1361, Oresme, « définir les limites » ; 1690, Furetière, géométrie ; lat. *circumscrībĕre,* de *scribere,* écrire. || **circonscription** XIIe s., « ce qui limite » ; 1495, J. de Vignay, « action de tracer une ligne autour » ; 1704, Trévoux, « division territoriale » ; lat. *circumscriptio.*

circonspect v. 1395, Chr. de Pisan ; lat. *circumspectus* (rad. *aspicere,* voir, regarder). || **circonspection** XIIIe s., G. ; lat. *circumspectio,* action de regarder autour.

circonstance 1265, Br. Latini, « détail » ; 1668, Molière, sens actuel ; lat. *circumstantia,* de *circumstare,* se tenir debout autour. || **circonstanciel** 1747, Girard, gramm. || **circonstancier** 1468, Chastellain (*-é*) ; 1632, Chapelain, « énoncer avec les circonstances » ; XIXe s., « préciser ».

circonvallation 1632, Chapelain ; lat. *circumvallare,* entourer d'un retranchement, de *vallis,* « vallée », par ext. « tranchée ».

circonvenir 1355, Bersuire, « entourer » ; XIVe s., sens actuel ; lat. *circumvenire,* venir autour, par ext. « entourer d'artifices ».

circonvoisin 1387, Runkewitz ; lat. médiév. *circumvicinus,* situé tout autour, de *vicinus,* voisin.

circonvolution XIIIe s., G., « enroulement » ; 1546, Ch. Est., appliqué à l'intestin ; lat. *circumvolutus,* roulé autour.

circuit 1220, *Queste du Saint-Graal* (*circuite,* fém.) ; 1257, Delb., masc. ; 1907, Lar., électr. et sport ; lat. *circuitus,* de *circum,* autour, et *ire,* aller. || **court-circuit** 1890. || **court-circuiter** début XXe s.

circuler 1361, Oresme, « faire le tour » ; 1680, Richelet, « se mouvoir » pour le sang ; 1829, Boiste, pour les véhicules ; lat. *circulari,* de *circŭlus,* cercle. || **circulaire** XIIIe s. ; lat. *circularis.* || **circulation** 1361, Oresme, « mouvement vers le point de départ » ; 1829, Boiste,

« mouvement des véhicules » ; lat. *circulatio.* || **circulatoire** 1560, Paré ; lat. *circulatorius.* || **circularité** XVIe s. ; lat. *circularis.* (V. CERCLE.)

circumnavigation 1788, Pauw ; lat. *circum,* autour, et *navigation.*

circumpolaire 1700, Brunot (*circon-*) ; lat. *circum,* autour, et *pôle.*

***cire** 1080, *Roland ;* lat. *cēra.* || **cirer** fin XIIe s., *Aliscans.* || **ciré** n. m., 1896. || **cirier** fin XIIe s., *Aymeri,* n. et adj. || **cirage** 1554, Delb., « action de cirer » ; 1680, Richelet, « substance pour cirer », spécialisé pour les chaussures. || **cireux** début XVIe s., sens propre ; 1856, Goncourt, fig. || **cireur** 1837. || **cireuse** n. f., 1925.

ciron XIIIe s., *D. G. ;* altér. de *suiron* (1220, Coincy), mot de l'Est, de l'anc. haut allem. **seuro ;* animal microscopique.

cirque 1355, Bersuire, sens latin ; fin XVIIIe s., géogr. ; 1832, Raymond, sens mod. ; lat. *cĭrcus.*

cirre 1545, Guéroult, bot. et zool. ; lat. *cĭrrus,* filament (v. CIRRUS). || **cirripède** 1817, *Dict. hist. nat. ;* lat. *pes,* pied.

cirrhose 1805, Laennec ; gr. *kirros,* jaune ; maladie du foie caractérisée par des granulations rousses. || **cirrhotique** 1892.

cirrus 1830 ; mot lat. signif. « filament » : « nuage qui s'effiloche ». || **cirrocumulus** 1830.

cirsium XVIe s., Maignan (*cirsion*) ; rare jusqu'au XIXe s. ; lat. *cirsion,* du gr. *kirsion,* chardon.

cisailles V. CISEAU.

cisalpin 1596, Hulsius ; de *cis-* et *alpin.*

***ciseau** 1160 (*cisel*), « lame d'acier » ; dès le XIIe s., ciseaux de couturière ; lat. pop. **cīsellus,* altér. d'apr. divers composés d'un dér. **caesellus,* de *caedere,* couper. Le mot fr. sing. est issu de la forme plur. || ***cisailles** début XIIIe s. ; lat. pop. **cīsalia,* lat. *caesalia,* pl. neutre passé au fém. || **cisailler** 1450, G. || **cisaille** 1324, Du Cange, « rognure de métal » ; 1866, Lar., machine. || **cisaillement** 1636, Monet. || **ciseler** début XIIIe s., *Yder.* || **ciseleur** XVIe s., G. || **ciselet** 1491, G. || **ciselure** 1307, Dehaisnes. || ***cisoir** XIIIe s. (*cisoires*) ; lat. *cisorium,* de même rac.

1. **ciste** 1555, Aneau (*cisthe*), « arbrisseau » ; lat. *cisthos,* du gr.

2. **ciste** 1771, Trévoux, « corbeille » ; lat. *cista,* du gr. *kistê.*

cistre 1527, Marot (*citre*), « instrument à cordes » ; ital. *citara* (v. CITHARE) ; le *s* est dû à une confusion avec *sistre.*

citadelle fin XVe s., G. ; ital. *cittadella,* petite cité.

citadin XIIIe s., Aimé ; ital. *cittadino,* de *città,* cité (anc. ital. *cittade*).

citation V. CITER.

***cité** 1050, *Alexis* (*ciptet*) ; au Moyen Âge, « partie ancienne de la ville » ; XIXe s., *cité ouvrière ;* XXe s., *cité-jardin, cité universitaire, cité-dortoir ;* le sens polit. et fig. a été repris au lat. au XVIe s. ; lat. *cīvĭtas, -atis,* « ensemble des citoyens », « territoire où ils vivent », puis « ville » en bas lat. || **citoyen** XIIe s., *Roman d'Alexandre* (*citoien*) ; XVIIe s., sens polit. opposé à *serf ;* 1791, Brunot, appellation révolutionnaire. || **citoyenneté** 1783, *Courrier de l'Europe.* || **concitoyen** 1290, texte de Besançon (*concitien*) ; refait sur le lat. *concivis.*

citer milieu XIIIe s., « exhorter » ; 1355, Bersuire, jurid. ; fin XVIe s., « invoquer un texte » ; lat. *citare,* mettre en mouvement, puis sens jurid. ; XVIIe s., reproduire un texte, signaler une personne. || **citateur** 1696, Bayle. || **citation** 1355, Bersuire ; lat. *citatio,* même évolution. || **citationnel** XXe s. || **précité** fin XVIIIe s.

citérieur av. 1505, Le Baud ; lat. *citerior,* qui est en deçà.

***citerne** 1170, *Rois* (*cisterne*) ; lat. *cisterna,* de *cista,* coffre. || **citerneau** 1600, O. de Serres.

cithare XIIIe s. (*kitaire* par l'esp.) ; 1361, Oresme (*cithare*) ; lat. *cithara,* du gr. *kithara.* || **cithariste** XIIIe s. (V. GUITARE.)

citoyen V. CITÉ.

citrin XIIe s., *Marbode ;* lat. *citrus,* citron. || **citrate** 1782, Guyton de Morveau. || **citrique** 1782, Guyton de Morveau. || **citral** fin XIXe s.

citron 1398, *Ménagier* (*chitron*) ; 1878, Rigaud, « tête » ; lat. *citrus,* citron. || **citronnier** 1373, trad. Crescens. || **citronnade** 1845, Besch., « mélisse » ; 1858, Peschier, sens actuel. || **citronnelle** 1601, Champlain.

citrouille 1256, Ald. de Sienne (*citrole*) ; 1549, R. Est. (*-ouille*), par changement de suffixe ; ital. *citruolo,* du lat. *citrus,* citron, d'apr. la couleur.

civadière 1540, Rab., « voile attachée sous le beaupré » ; prov. mod. *civadiero,* sac d'avoine, d'apr. la forme ; de *civada,* avoine, qui a donné régionalement *civade.*

* **cive** fin XIIe s. ; lat. *caepa,* oignon (v. CIBOULE). || **civet** XIIe s., *Fabliau* (*civé*) ; 1636, Monet (*civet,* par confusion de suffixe), proprement « ragoût préparé aux cives ». || **civette** 1549, R. Est., « ciboulette ».

civelle 1555 ; lat. *caecus,* aveugle.

1. **civette** V. CIVE.

2. **civette** 1467, Laborde, « mammifère » ; ital. *zibetto,* de l'ar. *zabād,* musc. Cet animal sécrète un suc onctueux, employé en parfumerie.

* **civière** XIIIe s., *Choses qui faillent en ménage,* « brancard servant à transporter les fardeaux, le fumier, etc. » ; 1690, Furetière, spécialisé pour les blessés ; lat. pop. **cibaria,* engin pour le transport des provisions (lat. *cibus*) ; il faut supposer un *ī.*

civil 1290, G., jurid. ; 1549, R. Est., « poli » ; opposé à « militaire », 1718, *Acad. ;* n. m., 1790, Brunot ; lat. *civilis,* dans ses divers sens, de *civis,* citoyen. || **civilement** 1370, Oresme. || **civiliser** 1568, Le Roy ; de *civil,* au sens fig. de « cultivé ». || **civilisation** 1734, Guyau de Pitavel, qui s'est substitué à *police ;* apr. 1800, « ensemble des caractères d'une société ». || **civilisable** fin XVIIIe s., Cuvier. || **civilisateur** 1829, *la Mode.* || **civiliste** 1866, Lar., « spécialiste de droit civil ». || **civilité** 1361, Oresme, « institutions d'une communauté » ; milieu XVe s., « politesse » ; lat. *civilitas,* affabilité. || **civique** 1504, Lemaire (*couronnes civiques*), hist. ; XVIIIe s., sens mod. ; lat. *civicus.* || **civisme** 1770, Restif de La Bretonne, vulgarisé pendant la Révolution. || **incivil** 1361, Oresme ; lat. *incivilis,* sur le sens de *civil,* poli. || **incivilité** 1426, Delb. ; lat. *incivilitas.* || **incivisme** 1791, *Journ. militaire ;* sur le sens de *citoyen.*

clabaud 1458, *Mystère Viel Testament ;* même rac. que *clapper,* onom. (cf. *clabet,* crécelle, texte lillois de 1420). || **clabauder** 1564, J. Thierry. || **clabaudage** 1560, Paré. || **clabaudeur** 1554, fig. || **clabauderie** 1611, Cotgrave.

claboter 1899, Nouguier, pop., mourir ; p.-ê. var. de *claquer.*

clac XVe s., onom. enregistrée tardivement, exprimant le bruit d'une gifle, d'un applaudissement, d'un objet gonflé qui se crève, etc. || **claquer** 1508, Lemaire ; 1842, de Kock, fam., « mourir » ; 1890, *D. G.,* « se casser ». || **claque** n. f., 1307, Guiart, « gifle, coup » ; 1743, Trévoux, « soulier pourvu de claques » ; 1801, le Cousin Jacques, au théâtre ; 1773, *Almanach,* n. m., chapeau claque. || **claquage** 1895, sport. || **claquet** XVe s., G. || **claquement** 1552, R. Est. || **claquette** 1549, R. Est. || **claqueur** 1781, *Corr. litt. secrète,* sens théâtral. || **claquoir** fin XIXe s., Zola. || **claquedent** av. 1450, Gréban, nom propre, « gueux ». || **claquemurer** 1644, Scarron, « réduire à *claque-mur* », « dans un lieu si étroit que le mur claque ». || **claquebois** 1636, Mersenne.

clafoutis milieu XIXe s. ; de *clafir,* remplir (980, *Valenciennes*), du lat. *clavo figere,* fixer avec un clou.

* **claie** fin XIe s., *Gloses de Raschi* (*cloie*) ; lat. pop. **clēta,* mot gaulois. || **clayette** 1863, L., « panier à champignons ». || **clayère** 1856, Lachâtre, « parc à huîtres ». || **clayon** 1328, G. || **clayonnage** 1694, Th. Corn. || **cloyère** 1771, Trévoux, « panier à huîtres ».

* **clair** 1050, *Alexis* (*clar*) ; 1080, *Roland* (*cler*) ; XIVe s. (*clair*), d'apr. le lat. ; lat. *clarus.* || **clairement** 1190, Garn. || **clairet** 1160, *Charroi* (*claré*), adj. ; 1726, n. m., de *vin clairet* (1460, Villon). || **clairière** 1660, La Fontaine. || **clairon** XIIIe s., Du Cange ; de *clair,* d'apr. la clarté du son. || **claironner** 1559, Buttet. || **claironnant** fin XIXe s. || **clairsemé** 1175, Chr. de Troyes. || **clairvoyant** début XIIe s. || **clairvoyance** 1190, Garn. (*clerveiaunce*) ; 1580, Montaigne (*clairvoyance*). || **claire-voie** 1344, Gay (cf., pour le sens, *voie d'eau*). || **clair-obscur** 1596, Vigenère (*chiar-oscuro*) ; 1668, R. de Piles, forme française ; ital. *chiaroscuro.* || **clarifier** 1190, *Saint Bernard,* « glorifier » (jusqu'au XVIe s.) ; puis prend les sens de *clair ;* lat. *clarificare,* glorifier. || **clarification** début XVe s. ; lat. *clarificatio.* || **clarine** XVIe s., Fauchet, « sonnaille à bestiaux ». La forme *clarin, clarain* est du XIIIe s. || **clarinette** 1753, *Encycl. ;* de *clarin,* hautbois, mot prov. || **clarinettiste** 1821. || **clarté** Xe s., *Saint Léger* (*claritet*) ; XIIe s. (*clarté*) ; adaptation du lat. *claritas, -atis,* de *clarus.* || * **éclaircir** début XIIe s., *Voy. de Charl.* (*esclarcir*) ; XIIIe s. (*esclair-*), d'apr. *clair ;* lat. pop. **exclaricire.* || **éclaircissage** 1835, *Maison rustique.* || **éclaircissement** XIIIe s., *Cout. d'Artois* (*esclar-*), fig. || **éclaircie** fin XVe s., d'Authon (*esclarcye*) ; rare jusqu'au XVIIIe s. || * **éclairer** 1080, *Roland* (*es-*) ; lat. pop. **exclariare* (class. *exclarare*). || **éclaireur** 1579, H. Est., « celui qui éclaire les autres » ; 1792, Frey, milit. ; XXe s., scout. || **éclairage** 1798, *Acad. ;* XXe s., fig. || **éclair** 1112, *Voy. saint Brendan* (*es-*) ; déverbal de *éclairer ;* 1864, L., gâteau. || **éclaire** XIIe s., bot.

***clamer** 1080, *Roland ;* lat. *clamare.* || ***clameur** fin XIe s., *Lois de Guill. ;* lat. *clamor, -oris.* || **acclamer** début XVIe s., Lemaire ; lat. *acclamare,* saluer par des cris. || **acclamation** 1504, Lemaire ; lat. *acclamatio.* || **déclamer** 1542, « crier » ; 1688, La Bruyère, péjor. ; lat. *declamare.* || **déclamation** fin XVe s., Tardif, même évolution. || **déclamateur** 1519 ; lat. *declamator.* || **déclamatoire** 1549, R. Est. ; bas lat. *declamatorius.* || **exclamer** 1495, J. de Vignay, v. tr. ; début XVIe s., v. pr. ; lat. *exclamare.* || **exclamation** 1311, texte relatif à Abbeville ; lat. *exclamatio.* || **exclamatif** 1747, abbé Girard, gramm. (V. RÉCLAMER.)

clamp 1643, Fournier, « pièce de bois formant applique » ; méd., 1856, *journ. ;* néerl. *klamp,* de sens voisin.

clampin V. CLOPIN-CLOPANT.

clamser 1867, Delvau, « mourir » ; pop., var. *clapser,* de *claps,* coup, pop., empr. à l'allem. *Klaps,* claque, taloche, ou d'orig. onomatop. (Cf. pop. *claquer,* au sens de « crever ».)

clan 1750, abbé Prévost, « tribu », d'abord celtique ; angl. *clan,* du gaélique *clann,* famille. || **clanique** 1935.

clandestin 1355, Bersuire ; lat. *clandestinus,* de *clam,* en secret. || **clandestinement** 1354, *Arch. de Reims.* || **clandestinité** fin XVIe s., Fontanon. || **clandé** 1948, Esnault, « maison close » ; abrév. de *clandestin.*

clangoreux fin XIXe s., méd., indiquant certain bruit du cœur ; lat. *clangor,* bruit éclatant. || **clangueur** fin XVe s., Auton.

clapet V. CLAPPER.

clapier 1210, *Chartes du Forez ;* anc. prov. *clapier,* lieu pierreux, amas de pierres, d'un rad. préceltique **clapp-,* de **cal* (v. CAILLOU). || **clapir** 1727, Furetière, « se cacher dans un terrier ».

clapoter V. CLAPPER.

clapper XVIe s., Bouchet ; d'une onom. *clapp,* figurant le clappement de la langue et les bruits similaires. || **clapoter** 1611, Cotgrave (*-eter*) ; XVIIIe s. (*-oter*). || **clapotement** 1654, Du Tertre. || **clapotage** début XVIIIe s. || **clapoteux** 1730, Labat. || **clapotis** 1792, Romme. || **clappement** début XIXe s. || **clapet** 1517, Delb. ; p.-ê. du prov.

1. **claque** V. CLAC.

2. **claque** n. m., 1883, arg., maison close ; orig. obscure, p.-ê. de *claquedent.*

claquemurer, claquer, clarifier, clarine V. CLAC, CLAIR.

classe 1355, Bersuire, « classe de citoyens » ; 1549, R. Est., « classe scolaire » ; XVIIe s., Colbert, « classes des gens de mer » ; XVIIe s., fig., « catégorie » ; fin XVIIIe s., milit. ; 1733, Sauvages de La Croix, « classe zoologique » ; lat. *classis,* classe de citoyens. || **classer** 1756, Th. de Bordeu. || **classement** 1784, *Courrier de l'Europe,* « rangement » ; 1790, Mirabeau, sens social. || **classeur** 1811, *Arch. découvertes.* || **classifier** v. 1500, « établir d'après une classification » ; 1787, Féraud, « ranger par classes, par catégories ». || **classification** 1752, Trévoux. || **classificateur** 1816. || **classificatoire** 1874. || **déclasser** 1813, Romme, « retirer de l'Inscription maritime » ; 1826, Mozin, sens social. || **déclassé** n., 1856, F. Béchard. || **déclassement** 1836, *Acad.* || **inclassable** 1845, J.-B. Richard.

classique 1548, Sébillet ; écrivain de premier ordre (en lat., IIe s., Aulu-Gelle) ; *enseignement classique,* 1798, *Acad. ;* lat. *classicus,* de la première classe de citoyens. || **classiquement** 1809. || **classicisme** 1823, Stendhal, fait sur le sens « qui appartient à la littérature classique du XVIIe s. » ; fin XIXe s., sens général.

claudication XIIIe s., *Miroir de saint Éloi ;* rare jusqu'au XVIIIe s. ; lat. *claudicatio,* de *claudus,* boiteux. || **claudicant** XIVe s., B. de Gordon ; lat. *claudicare,* boiter. || **claudiquer** 1880, Huysmans.

clause 1190, Garn., « vers » ; XIVe s., *Girart de Roussillon,* « conclusion » ; 1464, *Maître Pathelin,* sens actuel ; lat. médiév. *clausa,* de *claudere,* clore, confondu avec *clausula.* || **clausule** 1541, Calvin, « période » ; 1638, Chapelain, « fin de vers » ; lat. *clausula,* conclusion, fin de phrase.

claustral 1394, Tuetey ; lat. médiév. *claustralis, de claustrum,* enceinte, lieu clos (v. CLOÎTRE). || **claustration** 1791, *Journ. de Paris,* méd. ; 1842, J.-B. Richard, sens actuel. || **claustrer** 1845, J.-B. Richard ; lat. *claustrare,* enfermer. || **claustrophobie, claustrophobe** 1880, *Journ. de méd.*

clausule V. CLAUSE.

clavaire 1793, Nemnich, « champignon » ; lat. *clava,* massue, d'apr. la forme.

1. **claveau** V. CLEF.

2. ***claveau** XIIIe s., *Lapidaire de Cambridge* (*clavel*), maladie des moutons ; bas lat. *clavellus* (Ve s., Marcus Empiricus), de *clavus,* clou, à cause des pustules. || **clavelée** 1464, *Maître Pathelin.*

clavecin 1611, Cotgrave (*-essin*) ; lat. médiév. *clavicymbalum* (d'où *clavycimbale,* 1447, Gay), c.-à-d. cymbale à clavier, de *clavis,* clef. || **claveciniste** 1694, Regnard.

clavelée, clavette, clavicorde V. CLAVEAU 2, CLEF.

clavicule 1541, Canappe ; lat. *clavicula,* dimin. de *clavis,* clef. || **claviculaire** 1560, Paré. (V. CHEVILLE.)

clavier, clayère, clayette, clayon V. CLEF, CLAIE.

clearing 1948, Lar. ; mot angl. signif. « compensation ». || **clearing-house** 1833, Chevalier ; mot angl. signif. « chambre (maison) de compensation ».

clebs 1832, Lamartine (*kleb*) ; ar. algérien *klab,* pl. *kilāb,* chien. || **clébard** 1934, Esnault, pop.

***clef** 1080, *Roland ;* XIVe s., *clef des champs ;* XVe s., *clef de voûte ;* lat. *clavis.* || **clavier** XIIe s., « porte-clefs » ; 1564, Thierry, assemblage de touches dans divers instruments de musique. || **claviste** XIXe s. || **clavette** 1160, Benoît. || **claveter** 1861. || **clavetage** 1892. || **claveau** 1380, G., archit. ; d'apr. *clef de voûte.* || **clavicorde** 1514, Gay (*-cordium*) ; 1776 (*-corde*).

clématite 1559, Mathée (*-ide*) ; lat. *clematitis,* mot gr., de *klêma,* sarment ; liane grimpante.

clémence Xe s., *Eulalie* (*clementia*) ; 1265, Br. Latini (*clemence*) ; lat. *clementia.* || **clément** 1213, *Fet des Romains ;* lat. *clemens.* || **inclément** 1546, Vaganay ; lat. *inclemens.* || **inclémence** 1521, Fabri ; lat. *inclementia.*

clenche XIIIe s., Rutebeuf (*clenque*) ; francique **klinka,* levier oscillant autour de l'axe d'un loquet (allem. *Klinke*). || **déclencher** 1732, Trévoux. || **déclenchement** 1863, L. ; 1916, fig., d'apr. *déclencher une offensive.* || **enclencher** 1870, Lar. || **enclenchement** 1870, Lar.

clepsydre XIVe s., G. (*-idre*) ; 1611, Cotgrave (*-ydre*) ; lat. *clepsydra,* mot gr. signif. « qui vole (*kleptein,* voler) l'eau (*hudôr*) ».

cleptomane V. KLEPTOMANE.

***clerc** Xe s., *Saint Léger,* opposé à « laïc » ; 1160, Benoît, « lettré » ; XVe s., « employé en écritures » ; lat. chrét. *clericus* (IIIe s., Arnobe), de *clerus,* clergé. || **clergie** 1160, Benoît. || **clergeon** 1155, Wace, avec *g* de *clergé.* || **clergé** Xe s., L. ; lat. chrét. *clericatus* (IVe s., saint Jérôme), de *clerus.* || **clergyman** 1815, de Maistre ; mot angl. || **clérical** XIIe s., « relatif aux clercs » ; 1815, sens polit. ; lat. *clericalis* (Ve s., Sid. Apoll.). || **cléricalement** 1517, G. || **cléricalisme** 1855, Block. || **cléricaliser** 1873, L. || **cléricalisation** 1876, L. || **cléricature** 1429, G. ; lat. eccl. *clericatura,* de *clericatus.* || **anticlérical** 1866, Lar. || **anticléricalisme** fin XIXe s.

clic XVe s., interj. ; 1866, terme de phonét. ; onom.

clic-clac 1836, Landais ; onom. avec redoublement et alternance *i-a,* comme *bric-à-brac, cric-crac, flic-flac, micmac, tic-tac, tric-trac, zigzag.*

1. **clicher** fin XVIIIe s., en imprimerie ; formation expressive d'apr. le bruit de la matrice s'abattant sur le métal en fusion ; ou de l'allem. dial. *Klitsch,* petite masse. || **cliché** 1809, Wailly. || **clichage** 1809, Wailly. || **clicheur** 1835, *Acad.* || **clicherie** 1866, Lar.

2. **clicher** 1836, Landais ; onom. exprimant un défaut de prononc. des chuintantes et des sifflantes. || **clichement** 1836, Landais. || **cliche** 1836, pop., « diarrhée » ; même orig.

client 1437, *Revue hist. littér.,* « protégé » ; 1539, R. Est., client d'un homme de loi ; 1826, Castellane, sens commercial ; lat. *cliens, -tis,* terme polit., puis jurid. || **clientèle** 1352, « état de client » ; lat. *clientela ;* 1838, *le Cabinet de lecture,* sens commercial se substituant à *chaland, achalandage.* || **clientélisme** XXe s., polit.

clifoire 1552, Rab. (*glyphouoire*) ; 1611, Cotgrave (*cliquefoire*) ; onom. *clique* et *foire.*

***cligner** 1155, Wace ; p.-ê. lat. pop. **cliniāre,* baisser les paupières, de *clinare,* incliner, ou de *clūdiniāre,* de *clūdĕre,* fermer. || **clignement** XIIIe s., G. (*cloi-*). || **clin d'œil** XVe s., déverbal. || **clignoter** XIIIe s. (*-eter*). || **clignotement** 1546, R. Est. || **clignotant** 1546, adj. ; n. m., 1953, Lar. || **cligne-musette** 1534, Rab. (*cline muzète*) ; altér. de *cligne-mussette* (XVe s., encore *Acad.* 1798), dimin. de **cligne-musse,* de *cligner* et *musser,* cacher ; anc. nom du jeu de cache-cache.

climat XIIe s., sens actuel ; 1314, Mondeville, « région » ; lat. *clima, -atis,* du gr. *klima,* inclinaison (du soleil), d'où latitude, climat. || **climatique** apr. 1850, E. Reclus. || **climatologie** 1834, Jourdan. || **climatologique** 1842, *Acad.* || **climatiser** 1935. || **climatisation** v. 1920. || **climatiseur** 1955, *journ.* || **acclimater** 1775, Buffon, d'apr. Féraud. || **acclimatement** 1801, Mercier. || **acclimatation** 1832, Boiste.

climatérique 1564, Marcouville ; gr. *klimaktêrikos,* « qui va par échelons », pour désigner les années critiques de l'homme.

1. **clin** V. CLIGNER.

2. **clin** fin XIIe s., *D. G.,* « inclinaison » ; 1866, Lar., mar., « disposition du bordage » ; déverbal de *cliner,* lat. *clinare.* || **déclinquer** 1842, Mozin. (V. DÉGLINGUER.)

clinfoc 1792, Romme ; allem. *klein Fock,* petit foc.

clinique 1586, adj. ; n. f., début XVIIe s. ; lat. *clinicus,* du gr. *klinikos,* « qui visite les malades au lit (*klinê*) ». || **cliniquement** 1852. || **clinicien** 1838, *Acad.* || **clinicat** 1866, Lar., fonction de chef de clinique. (V. POLYCLINIQUE.)

clinquant XIVe s. ; anc. fr. *clinquer,* var. de *cliquer,* faire du bruit (v. CLIQUE), par ext. briller. La nasalisation paraît due au néerl. *klinken,* résonner.

1. **clip** 1932 ; mot angl. signif. « petit bijou en forme d'agrafe ».

2. **clip** 1983 ; mot amér. signif. « extrait ».

clipper 1845, Itier, « voilier » ; mot angl. signif. « qui coupe les flots ».

clique début XIVe s., Gilles li Muisis, déjà au fig. ; anc. fr. *cliquer,* faire du bruit, onom. (XIIIe s.). || **cliqueter** 1230, *Eustache le Moine.* || **cliquette** *id.* || **cliquetis** XIIIe s. || **cliquet** fin XIIIe s. || **cliquart** 1581, Dusseau, « sorte de marbre ». || **déclic** 1510, Delb. ; déverbal de l'anc. fr. *décliquer* (XIIIe s.).

cliques 1866 (*prendre ses cliques et ses claques*) ; mot rég. signif. « jambes », de l'onom. *clic.*

clisse 1160, Benoît (*clice*), « osier tressé » ; croisement probable entre *claie* et *éclisse,* les éclisses servant à faire des treillis. || **clisser** 1461.

clitoris 1611, Cotgrave ; gr. *kleitoris.* || **clitoridien** 1764.

cliver 1583, F. Bretin (*-é*), employé pour les diamants ; XXe s., fig. ; néerl. *klieven,* fendre, spécialisé par les diamantaires d'Amsterdam. || **clivage** 1753, *Encycl.,* sens propre ; 1932, Romains, fig., « séparation ».

cloaque 1355, Bersuire, égout ; XVIe s., Ronsard, fig. ; lat. *cloaca.* La *Cloaca maxima* était le grand égout collecteur de la Rome antique. || **cloacal** 1838.

***cloche** début XIIe s., *Voy. de Charl. ;* XVIe s., objet en forme de cloche ; 1899, Esnault, « stupide » ; bas lat. *clocca* (VIIe s., *Vie de saint Colomban*), mot celtique importé par les missionnaires anglo-irlandais, qui a remplacé en Gaule le lat. chrét. *signum* (lat. class., « statue, signal »). || **clocher** début XIIe s. || **clocheton** fin XVIIe s., Valincourt. || **clochette** XIIe s., G.

1. **clocher** V. CLOCHE.

2. ***clocher** 1120, *Ps. d'Oxford ;* lat. pop. **cloppicare,* de *cloppus,* boiteux, syn. pop. de *claudus.* || **cloche-pied (à)** 1395, Chr. de Pisan. (V. CLOPIN-CLOPANT.) || **clochard** 1895, Esnault, vagabond, proprement « qui boitille ». || **cloche** n. m., v. 1300, boiteux ; n. f., 1882, pop. || **clodo** 1926 ; de *clo(chard)* et de l'élém. *-dot,* de *(cra)dot.* || **clochardisation** 1961, G. Tillion. || **déclochardisation** 1959, de Gaulle.

***cloison** 1160, Benoît, « enceinte fortifiée » (jusqu'au XVIe s.) ; 1538, R. Est., « paroi » ; lat. pop. **clausio, -onis,* de *clausus,* clos. || **cloisonnage** 1505. || **cloisonné** 1742, Trévoux. || **cloisonner** 1803, Boiste. || **cloisonnement** 1845, Richard, fig.

***cloître** 1160, Benoît (*clostre*) ; lat. impér. *claustrum,* enceinte, en bas lat. « lieu clos », spécialisé à l'époque franque en « monastère (cloîtré) » ; le *i* de *cloistre* est dû à l'étymologie pop., qui a rapproché le mot de *cloison* (*cloisture, clôture,* Monluc). || **cloîtrer** 1623, *Cout. de Luxembourg ;* 1832, Raymond, fig.

clope 1902, arg. ; de *ciclope,* de *cigarette* par substitution d'élément. || **clopinettes** 1925, Esnault, fam. ; p.-ê. de *clope.*

clopin-clopant 1668, La Fontaine ; anc. adj. *clopin,* boiteux, et part. prés. de *cloper,* boiter (encore 1611, Cotgrave), lat. *cloppus* (v. CLOCHER). || **clopiner** 1155. || **clopinard** 1947. || **clampin** fin XVIIe s., G., pop. ; var. de *clopin.* || **clampiner** 1845, Besch. || **écloper** 1175, Chr. de Troyes (*-é*).

cloporte XIIIe s., G. (*choplote*) ; 1538, R. Est. (*cloporte*) ; p.-ê. de *clore,* fermer, et de *porte.* (V. CLOPIN-CLOPANT.)

cloque 1750, Ch. Bonnet ; forme picarde de *cloche* au sens fig. de « bulle ». || **cloquer** XVIIIe s., Genlis, hortic. ; 1866, Lar., peint. || **cloquage** 1866, Lar.

***clore** XIe s., « fermer » ; XIIe s., « entourer d'une clôture » ; lat. *claudĕre ;* il a été remplacé peu à peu par *fermer* depuis le XVIe s., par suite de l'homonymie de certaines formes avec celles de *clouer.* || ***clos** XIIe s., *Vie de saint Grégoire ;* part. passé substantivé (lat. *clausus*) de *clore.* || **closier** 1240, G. de Lorris, « fermier du clos » ; mot de l'Ouest. || **closerie** 1449, G. || **closoir** 1511, texte de Béthune, techn. (*clau-*). || * **clôture** XIIe s., Herman de Valenciennes ; XVIe s., fig. ; lat. pop. **clausĭtūra,* qui remplaça *clausura,* de *claudere,* clore. || **clôturer** 1787, Féraud, finir. || **déclore** 1080, *Roland.* || * **éclore** 1155, Wace, « faire sortir » ; v. intr., sens actuel, 1600, O. de Serres ; lat. pop. **excludĕre,* du lat. class. *exclūdĕre,* faire sortir, restreint à « faire éclore des œufs ». || **éclosion** 1747, *Mémoires.* || * **enclore** 1050, *Alexis ;* lat. pop. **includĕre,* réfection de *includere,* d'apr. *claudĕre.* || **enclos** 1250, *Prise de Defur.* || **enclosure** 1804, Bonnafé ; mot angl. signif. « enclos », de l'anc. fr. *encloseure,* enceinte. || **forclore** 1120, *Ps. d'Oxford,* jurid. || **forclusion** milieu XVe s. ; d'apr. *exclusion.* (V. EXCLURE, RECLUS.)

close-combat 1966 ; mot angl. signif. « combat rapproché ».

clôture V. CLORE.

* **clou** 1080, *Roland ;* 1170, furoncle ; XIXe s., attraction ; début XXe s., mauvais véhicule ; lat. *clavus.* || **clouer** 1138, *Saint Gilles.* || **clouter** XIIIe s., surtout au part. passé. || **cloutage** fin XIXe s. || **clouterie** début XIIIe s. (*claueterie*) ; XVe s. (*clouterie*). || **cloutier** fin XIIIe s., G. (*cloitier, clotier*), tous ces mots avec un *t* analogique. || **déclouer** 1170, Chr. de Troyes. || **désenclouer** 1580, d'Aubigné. || **enclouer** fin XIIe s., *Enfances Vivien.* || **reclouer** fin XIIe s., *Naissance du chevalier au cygne.*

clovisse 1611, Cotgrave (*clouïsse*) ; rare jusqu'au XIXe s. ; prov. mod. *clauvisso,* de *claure,* fermer, du lat. *claudĕre ;* le coquillage se ferme quand on le touche.

clown 1823, A. D. d'Arcieu ; mot angl. signif. « rustre ». || **clownesse** 1884, Huysmans. || **clownerie** 1842. || **clownesque** 1878.

cloyère V. CLAIE.

club 1702, Miege ; mot angl., au sens fig. « réunion, cercle » (XVIIe s.), vulgarisé dans la première moitié du XVIIIe s. (club de l'Entresol, 1724) et pendant la Révolution ; 1882, Old Nick, « gros bâton », a été repris en golf. || **clubisme** 1835, Carné. || **clubiste** 1784, *Journ. de Paris,* polit. || **clubman** 1784.

* **cluse** 1562, Du Pinet ; rare jusqu'au XIXe s. (1834) ; mot jurassien, du lat. *clūsa,* fermée, de *clausa,* part. passé de *claudĕre,* clore.

clystère 1256, Ald. de Sienne (*clis-*) ; lat. *clyster,* du gr. *klustêr,* de *kluzein,* laver ; il est remplacé au XIXe s. par *lavement* (1836, Landais).

cnémide 1788, *Encycl. méth. ;* gr. *knêmis, -idos,* jambière, de *knêmê,* jambe.

co- préf. signifiant « avec », du lat. *cum-.* Les mots commençant par ce préfixe sont répertoriés ici à partir de leur radical.

coach 1832, « diligence » ; mot angl., du fr. *coche* (v. ce mot).

coaction 1252, G. ; lat. *coactio,* de *cogĕre,* contraindre. || **coactif** 1361, Oresme ; lat. médiév. *coactivus.*

coadjuteur v. 1265, J. de Meung ; bas lat. *coadjutor,* de *adjuvare,* aider. || **coadjutorerie** 1617, *Mercure.*

coaguler XIIIe s., G. ; lat. *coagulare,* qui a donné *cailler.* || **coagulation** 1360. || **coagulable** 1594, Dariot. || **coagulant** 1827, *Acad.* || **anticoagulant** XXe s. || **coagulum** 1743, Brunot.

coalescence 1537, Canappe ; lat. *coalescere,* « croître avec », de *alĕre,* nourrir. || **coalescent** 1539, Canappe.

coalition 1544, Mathée ; repris à l'angl. (1718, Mackenzie) au sens polit. ; 1836, Landais, sens social ; lat. *coalitus,* part. passé de *coalescere,* s'unir (d'où *coalescer,* 1611, Cotgrave). || **coaliser** 1784, *Courrier de l'Europe ;* 1847, Marx, sens social.

coaltar début XIXe s. ; mot angl., de *coal,* charbon, et *tar,* goudron. || **coaltarer** 1866, Lar., qui s'est substitué à *coaltariser* (1872, L.).

coasser 1564, du Chesne (*coaxer*) ; 1611, Cotgrave (*coasser*) ; lat. *coaxare,* du gr. *koax,* onom., cri des grenouilles (Aristophane). || **coassement** 1600, O. de Serres.

coati 1558, Lokotsch ; mot indigène du Brésil, désignant un carnassier grimpeur des forêts américaines.

cobalt 1549, Belon, var. *cobolt* jusqu'au XIXe s. ; allem. *Kobalt,* var. de *Kobold,* lutin (cf., pour le sens, NICKEL), par l'intermédiaire du lat. scientifique. || **cobalthérapie** v. 1960.

cobaye 1775, Bomare ; lat. zool. *cobaya* (1775, Bomare), du tupi-guarani *sabuja,* par le portugais.

cobéa 1801, *Encycl. méth. ;* lat. bot. ; nom donné à la plante en l'honneur du missionnaire *Cobo.*

cobra 1587, Brunot ; abrév. de *cobra capel,* du port. *cobra capello,* couleuvre-chapeau, la tête de ce serpent indien rappelant un capuchon, du lat. pop. **colŏbra.*

coca 1569, Fumée ; mot esp. empr. à une langue de La Plata. || **cocaïne** 1856, Lachâtre. || **cocaïnomane** 1897, Auscher. || **Coca-Cola** 1948 (marque déposée en 1886) ; mot amér. || **coco** 1912, Esnault ; abrév. de *cocaïne.*

cocagne fin XIIe s., *Aymeri,* souvent nom propre en anc. fr. ; p.-ê. d'origine méridionale (ital. *cuccagna,* même sens) ; le sens premier est représenté par le prov. *cocanha,* friandise (XVe s., « pastel de pâte »), d'origine obscure.

cocaïne V. COCA.

cocarde 1532, Rab. (*bonnet à la cocarde*) ; anc. fr. *coquard,* vaniteux, dér. de *coq.* || **cocardeau** av. 1450, *Passion.* || **cocardier** 1858, Larchey, « patriote ». || **cocarder (se)** 1877, pop. ; de *avoir sa cocarde.*

cocasse 1739, *Étrennes de la Saint-Jean ;* var. péjor. de *coquard,* vaniteux, de *coq.* || **cocasserie** 1836, Vidocq.

coccinelle 1754, A. de La Chesnaye ; lat. *coccinus,* écarlate, de *coccum,* cochenille, d'après la couleur des élytres.

coccyx 1541, Canappe ; gr. *kokkux,* coucou, l'os ayant été comparé au bec du coucou. || **coccygien** 1753, *Encycl.*

1. **coche** V. COCHON.

2. ***coche** 1175, Chr. de Troyes, « entaille » ; p.-ê. lat. pop. **cŏcca,* d'orig. et de sens obscurs. || **cocher** v., début XIVe s. || **cochoir** 1723, Savary (*-ois*). || **décocher** XIIe s. || **décochement** XIIe s. || **encocher** 1160, Benoît. || **encoche** 1542, Du Pinet.

3. **coche** 1283, Beaumanoir, « bateau pour voyageurs », fém. jusqu'au XVIe s., masc. au XVIIe s., d'apr. *coche,* voiture, dont on le distingue en disant *coche d'eau ;* anc. néerl. *cogge,* lui-même issu du lat. *caudica,* sorte de bateau.

4. **coche** 1545, Barbier, « voiture » ; allem. *Kutsche,* n. f., du tchèque *kotchi,* c.-à-d. voiture à niche (*kotec*). || **cocher** 1560, R. Belleau. || **cochère** (*porte*) 1611, Cotgrave, porte pour voiture.

cochenille 1567, Fréville, « nopal », bois qui fournit une teinture rouge et sur lequel le cloporte vit ; esp. *cochinilla,* cloporte, de *cochino,* cochon.

cocher V. COCHE 2 et COCHE 4.

côcher 1256, Ald. de Sienne, « couvrir (la femelle) » ; pour *caucher,* de l'anc. fr. *chaucher,* lat. *calcare,* presser, fouler, croisé avec le picard *cauque.*

cochère (*porte*), **cochet** V. COCHE 4, COQ 1.

cochevis 1320, Watriquet, « alouette huppée » ; orig. obscure, p.-ê. onomatop.

cochlearia 1599, trad. de G. de Vera ; mot du lat. bot. signif. « cuiller », d'apr. la forme des feuilles.

cochon 1091, *Cart. de Redon,* « jeune porc », puis « porc » ; p.-ê. origine expressive (cri pour appeler les porcs) ; d'abord d'emploi grossier. || **coche** XIIIe s., *Roman de Renart,* « truie ». || **cochonner** 1403, G., « mettre bas » ; 1808, d'Hautel, « salir ». || **cochonnet** fin XIIIe s., « cochon de lait » ; 1530, Palsgrave, « petit cochon » ; 1534, Rab., au jeu de boules. || **cochonnaille** 1772, *les Porcherons.* || **cochonnerie** 1688, *Doc.,* au pr. et au fig. || **cochonceté** 1884, fam.

cocker 1863, Pichot, « épagneul anglais de chasse » ; mot angl., abrév. de *woodcocker,* bécassier.

cockney 1750, abbé Prévost ; mot angl. pop. signif. « badaud », d'origine inconnue, p.-ê. de *cocken-egg,* « œuf de coq ».

cockpit 1878, *le Yacht ;* mot angl. signif. « habitacle du pilote ».

cocktail 1755, abbé Prévost, « homme abâtardi » ; 1836, Defauconpret, sens actuel ; vulgarisé au XXe s. ; mot d'argot anglais signif. « à queue redressée ». Il a d'abord désigné en anglais les chevaux bâtards, puis une boisson bâtarde faite d'eau et d'alcool.

1. **coco** V. COCA.

2. **coco** 1525, *Voy. Antoine Pigaphetta,* « fruit du cocotier », auj. *noix de coco ;* 1735, Leroux, « boisson à la réglisse », d'apr. le lait de *coco ;* mot port. signif. « croquemitaine », d'apr. l'aspect hirsute du fruit. || **cocotier** 1529, J. Parmentier. || **cocoteraie** 1929.

3. **coco** 1792, Hébert, « individu » ; d'apr. *coco,* œuf, onom. enfantine formée d'apr. le cri de la poule.

4. **coco** 1941 ; abrév. fam. de *communiste.*

cocodès 1845, Osmont, jeune viveur ; d'une chanson du Directoire, onomat. || **cocodette** 1860, Delvau, pop.

cocon 1600, O. de Serres ; prov. *coucoun,* même rac. que *coque.* || **coconner** 1845, Besch.

cocorico ou **coquerico** 1480, Villon (*coquericoq*) ; onom. d'apr. le chant du coq.

cocoter 1890, Chautard ; de *gogoter* (1881), dér. de *chlingoter, chlinguer,* ou de *sentir la cocotte* (la courtisane).

cocotier V. COCO 2.

1. **cocotte** 1789, *Cahier... des dames de la Halle,* « femme de mœurs légères » ; 1845, Besch., fièvre aphteuse, gonorrhée ; d'apr. l'onom. enfantine signif. « poule » (attestée seulement dans d'Hautel, 1808). || **cocotterie** 1860, Delvau.

2. **cocotte** 1807, Michel, « marmite ronde en fonte » ; il a été rapproché de *coquasse* (1552, Rab.) et de l'anc. fr. *coquemar,* bouilloire, p.-ê. du lat. *cŭcŭma,* chaudron, ou de *coque,* coquille.

coction 1560, Paré ; lat. *coctio,* cuisson. (V. *cuisson,* à CUIRE.)

cocu 1340, J. Le Fèvre ; var. anc. de *coucou,* qui a pris le sens fig. parce que la femelle du coucou pond dans le nid d'autres oiseaux ; le cri moqueur du coucou a été interprété comme une appellation ironique à l'égard de l'oiseau trompé ; lat. pop. **cŭcūlus,* forme redoublée de *cuculus ;* ou de *coque,* coquille (le *cocu* est coiffé comme d'une coquille, c.-à-d. trompé). || **cocuage** XVe s. || **cocufier** 1660, Molière. (V. COUCOU.)

coda 1821 ; mot ital. signif. « queue », en un sens musical ; du lat. *cauda.*

code 1220, d'Andeli, « recueil de lois » ; 1835, *Acad.,* « règles » ; 1866, Lar., « ensemble de symboles » ; lat. jurid. impér. *codex,* tablette, puis registre. || **codex** 1651, Hellot ; forme latine, spécialisée pour le recueil officiel de formules pharmaceutiques. || **codifier** 1836, Raymond. || **codification** 1819, Saint-Simon. || **codicille** 1269, G. ; lat. *codicillus,* dimin. de *codex.* || **codicillaire** 1562, Papon ; bas lat. *codicillaris.* || **coder** v. 1950. || **codage** 1960, Lar. || **codique** v. 1965. || **codeur** 1960. || **codicologie** 1961. || **décoder** XXe s.

codéine 1832, Robiquet ; gr. *kôdeia,* tête de pavot.

codex, codicille, coefficient V. CODE, EFFICIENT.

cœlacanthe 1890 ; gr *koilos,* creux, et *akantha,* épine.

cœlentérés 1888, Lar. ; gr. *koilos,* creux, et *enteron,* intestin ; « qui ont pour appareil digestif un simple sac ».

cœliaque 1545, Guéroult ; lat. *cœliacus,* du gr. *koiliakos,* de *koilia,* ventre. || **cœlioscopie** 1911, Lar.

coercible 1766, Brunot ; lat. *coercere,* contraindre. || **coercibilité** 1842, *Acad.* || **coercitif** 1560, Postel ; part. passé *coercitus.* || **coercition** 1529, *Doc. ;* lat. *coercitio.* || **incoercible** 1767, Diderot. || **incoercibilité** 1867, L.

***cœur** 1080, *Roland* (*cuer*) ; *par cœur,* XIIIe s., le cœur étant considéré comme le siège de l'intelligence (v. COURAGE) ; XVIIe s., dans les jeux de cartes ; début XVe s., *cœur* d'un arbre ; *tenir à cœur,* XVIIe s. ; *grand cœur,* XVIe s. ; lat. *cŏr, cŏrdis.* || **contrecœur (à)** 1398, *Ménagier ; contrecœur d'une cheminée,* XIIIe s. || **écœurer** 1611, Cotgrave, « affaibli » ; 1642, Oudin, « dégoûter ». || **écœurement** 1870, Lar. || **sans-cœur** V. SANS.

coffin XIIIe s., *Saint-Graal ;* bas lat. *cŏphĭnus,* du gr. *kophinos,* corbeille. || **coffine** 1723, Savary ; forme féminine. (V. COUFFE, COUFFIN.)

***coffre** 1130, *Couronn. Loïs,* « bahut » ; XIIIe s., « caisse » ; 1650, Rotrou, *coffres de l'État ;* 1690, Furetière, *coffre d'une voiture ;* bas lat. *cŏphĭnus* (v. COFFIN). || **coffret** 1265, J. de Meung. || **coffrer** 1544, Mathée. || **coffrage** 1836, Raymond. || **coffre-fort** 1543.

cogitation 1120, *Ps. d'Oxford ;* lat. *cogitatio,* pensée. Emploi ironique aujourd'hui. || **cogiter** XVe s., « méditer ».

cognac 1783, *Encycl. méth. ;* de *Cognac,* ville de Charente.

cognassier V. COING.

cognat XIIIe s., *Griselidis ;* lat. *cognatus,* de *co-,* et *natus,* né. || **cognation** 1160, Benoît ; lat. *cognatio,* lien de parenté entre tous les parents de même sang (terme de droit).

***cognée** 1080, *Roland* (*cuignée*) ; lat. pop. *cuneāta* (*cuniada,* IXe s., *Capitulaires*), de *cuneus,* coin.

***cogner** 1130, *Couronn. de Loïs ;* lat. *cunĕāre,* enfoncer un coin (*cuneus*). || **cogne** 1800, *Chauffeurs,* arg. et pop., « gendarme », puis « agent de police ». || **cognement** 1907, Lar.

cognition 1801, Ch. de Villers ; lat. *cognitio,* action de reconnaître. Terme de droit romain. || **cognitif** 1361, Oresme ; lat. *cognitum,* connu, de *cognoscere,* connaître.

cohérent 1524, G. ; lat. *cohaerens,* de *haerere,* adhérer. || **cohérence** *id. ;* lat. *cohaerentia.* || **incohérent** 1751, Voltaire. || **incohérence** 1775, Voltaire.

cohésion fin XVIIe s. ; lat. *cohaesio,* de *haerere,* adhérer, c'est-à-dire « action de s'attacher à quelque chose ». || **cohésif** 1866, Lar.

cohober 1615, Béguin, techn. ; lat. des alchimistes *cohobare,* de l'ar. *cohbé,* couleur foncée ; le liquide distillé devenant plus foncé. || **cohobation** 1615, Béguin.

cohorte 1213, *Fet des Romains,* hist. romaine ; 1530, Marot, « troupe » en général ; lat. *cohors, -ortis.*

cohue 1235, *D. G.,* « marché public » ; 1638, Chapelain, « affluence » ; moyen breton *cohuy,* réunion bruyante.

***coi** 1080, *Roland* (*quei*) ; lat. pop. *quētus,* du lat. class. *quiētus ;* fin XVIIIe s., fém. *coite.*

***coiffe** 1080, *Roland ;* bas lat. *cofea* (VIe s., Fortunat), du germ. *kufia,* casque. || **coiffer** XIIIe s., *D. G.,* « mettre une coiffure » ; 1587, Crespet, fig. ; 1675, Widerhold, « arranger les cheveux ». || **coiffure** fin XVe s., d'Authon. || **coiffeur** 1669, Widerhold, qui a remplacé *perruquier* et *barbier.* || **coiffeuse** milieu XVIIe s. ; 1901, Colette, « toilette ». || **décoiffer** XIIIe s., *D. G.*

***coin** XIIe s., « angle » et *coin* de monnaie ; XVIe s., « endroit » ; lat. *cŭneus,* coin à fendre. || **coincer** 1773, Bourdé, avec un *c* analogique. || **coincement** 1888, Lar. || **écoinçon** 1334, G. || **coinçage** 1863, L. || **coinceur** 1950. || **encoignure** 1504, Barbier. || **rencogner** 1638, Chapelain ; d'apr. l'anc. fr. *encoignier.* || **recoin** 1549, R. Est., déverbal.

coincher v. 1900 ; p.-ê. forme régionale de *coincer.* || **coinchée** v. 1930.

coïncider 1361, Oresme, « concorder », fig. ; 1753, *Encycl.,* géométrie ; lat. médiév. *coincidere,* tomber ensemble, de *cadere,* tomber. || **coïncidence** milieu XVe s., « similitude ». || **coïncident** 1503, Chauliac.

***coing** 1138, *Saint Gilles* (*cooin*) ; 1606, Nicot (*coing*), avec *g* d'apr. les dér. ; lat. *cotoneum,* ou *cydoneum,* du gr. *kudonia mala,* pommes de Cydonea (ville de Crète ou d'Asie Mineure). || **cognasse** 1534, de La Grise ; var. de *coing,* auj. coing sauvage. || **cognassier** 1611, Cotgrave ; a éliminé l'anc. fr. *coignier* (XIIIe s.).

***coint** 1050, *Alexis,* « prudent, habile », puis « joli » ; lat. *cŏgnĭtus,* part. passé de *cognoscĕre,* connaître, au sens de « réputé ». || **cointise** XIIe s., *Athis.*

coït 1378, J. Le Fèvre ; lat. *coitus,* de *coire,* aller ensemble. || **coïter** 1850, Flaubert.

coke 1758, Tilly (*coucke*) ; 1827, Dufrénoy (*coke*) ; angl. *coke,* même sens. || **cokéfaction** 1923, Lar. || **cokéfier** 1911, Lar. || **cokerie** 1882, *Génie civil.*

col V. COU.

cola 1610, Linschoten ; mot du lat. bot., issu d'une langue indigène du Soudan.

colback 1657, La Boullaye (*kalepak*) ; 1823, Boiste (*colback*) ; en 1799, coiffure des chasseurs de la Garde ; fin XIXe s., fam., « col », par attraction de *col ;* du nom de la coiffure des mameluks *kalpak,* du turc *qalpack,* bonnet de fourrure.

colchique 1545, Guéroult ; lat. *colchicon,* mot gr. signif. « plante de Colchide », pays de Médée, la plante étant vénéneuse. || **colchicine** 1838 ; mot allem.

colcotar 1492, G. Tardif ; ar. *qolqotar,* oxyde de fer de couleur rouge.

cold-cream 1827, A. Martin ; mot angl. signif. « crème froide ».

coléoptère 1754, La Chesnaye ; gr. *koleopteros,* aile (*pteron*) en étui (*koleos*). Les élytres de ces insectes ont la forme d'étuis cornés.

colère 1265, Br. Latini, « bile » ; 1418, Caumont, fig. ; lat. *cholera,* bile, du gr. *kholê,* bile ; le sens fig. « colère » est déjà chez saint Jérôme ; il a éliminé l'anc. fr. *ire* (du lat. *ira*). [V. CHOLÉRA.] || **colérer** 1541, *Amadis.* || **colérique** 1256, Ald. de Sienne, « bilieux ». || **coléreux** 1574, R. Garn. || **décolérer** début XVIe s. ; puis 1835, Stendhal ; de la négation *dé-,* et de *colérer.*

colibacille 1895, Courtois ; gr. *kôlon,* gros intestin, et *bacille.* || **colibacillose** 1897, Catrin.

colibri 1640, Bouton ; mot d'une langue indigène des Antilles.

colichemarde fin XVIIe s., « rapière à lame triangulaire » ; altér. de *Kœnigsmark* (1639-1688), qui passe pour l'avoir inventée.

colifichet 1640, Huet ; altér. de *coeffichier* (XVe s., G., ornement de lingerie), ce qu'on *fichait* sur la *coiffe,* par infl. d'un autre mot formé sur *coller* et *ficher,* avec le sens de

« découpure de papier » collée sur du bois (XVIIe s.).

colimaçon 1390, *Doc.* (*caillemasson*) ; 1529, Parmentier (*coli-*) ; altér. du normanno-picard *calimaçon* (fin XIVe s.), de *limaçon* et du préfixe péjor. *ca-*. Ancien nom de l'escargot, qui ne subsiste plus que dans l'expression *en colimaçon* (1850, Balzac).

1. **colin** 1370, Deschamps, « poisson » ; altér., sous l'infl. de *Colin,* abrév. de *Nicolas,* de l'anc. fr. *cole* (1398, E. Deschamps), du néerl. *kool*(*visch*) ou de l'angl. *coal* (*fish*), poisson-charbon, à cause de la couleur du dos.

2. **colin** XIIIe s. ; abrév. fam. de *Nicolas ;* 1530, Palsgrave, « poule d'eau », d'où perdrix d'Amérique.

colin-maillard 1532, Rab. (var. *colin-bridé*), avec deux noms de personnes. || **colin-tampon** 1567, Pasquier ; surnom plaisant donné à une batterie de tambours des Suisses.

colique fin XIIIe s. ; lat. *colica,* fém. substantivé de *colicus,* qui souffre de la colique, du gr. *kôlon,* gros intestin. || **coliqueux** 1560, Paré. || **colite** 1824.

colis 1723, Savary (var. *coli*) ; ital. *colli,* pl. de *collo,* cou, proprement « charges portées sur le cou ».

collaborer 1830 ; lat. chrét. *collaborare* (IIIe s., Tertullien), travailler ensemble (*laborare*). || **collaborateur** 1755, Mercier ; 1940, « qui travaille avec l'ennemi ». || **collabo** 1940 ; abrév. du précéd. || **collaboration** 1759, Richelet, « travaux communs des époux » ; 1829, Boiste, sens actuel ; 1940, polit. || **collaborationniste** 1929, « qui collabore » ; 1940, polit.

collapsus 1785, Cullen ; mot lat., part. passé subst. de *collabi,* s'affaisser, tomber en défaillance ; diminution rapide des forces, sans syncope. (V. LAPS.)

collatéral V. LATÉRAL.

collation 1276, Delb., jurid., *collation de bénéfice ;* XVe s., action de conférer avec quelqu'un ; 1200, *Règle de saint Benoît,* repas léger fait par les moines après la conférence du soir ; 1370, Oresme, « comparaison » (sens repris au lat.), d'où « comparaison de la copie avec l'original » ; lat. *collatio,* ce qu'on rapporte ensemble, de *collatus,* part. passé de *conferre,* rapporter, comparer. || **collationner** 1345, Fagniez, « comparer » ; 1549, R. Est., « faire le repas léger ». || **collationnement** 1866, Lar. || **collateur** 1460, Villon, « celui qui avait le droit de conférer un bénéfice ecclésiastique ». || **collatif** 1461, G.

***colle** 1268, É. Boileau, « matière gluante » ; 1819, Boiste, fig. pop. ; 1840, La Bédollière, arg. scol. (d'apr. *coller*) ; lat. pop. **cŏlla,* du gr. *kŏlla.* || **coller** 1320, Barbier ; *être collé,* 1840, pop. || **collant** 1572, Amyot. || **collante** 1900, Esnault, pop., « convocation ». || **collage** 1544, Delb. || **colleur** 1544, Delb. || **colleuse** XXe s., techn. || **collure** 1611. || **décoller** 1382, Barbier ; 1907, Lar., aviation. || **décollement** 1635, Monet. || **encoller** 1324, *D. G.* || **encollage** 1771, Schmidlin. || **encolleur** 1832, Raymond. || **encolleuse** 1877, L. || **recoller** fin XIVe s. || **recollement** 1845, Besch.

collecte XIIIe s., *Cout. des Chartreux,* sens liturgique ; XVe s., « levée des impôts » ; fin XVIIe s., « quête » ; lat. *cŏllecta,* quote-part, écot, part. passé substantivé de *cŏllĭgere,* placer ensemble. || **collecter** début XIVe s. || **collectage** début XVIe s. || **collecteur** 1325, G., « qui lève la taille » ; 1873, Lar., « conduite », n. m. ; bas lat. *collector.*

collectif XIIIe s. ; n. m., 1845, Besch. ; lat. *collectivus,* ramassé, de *collectus,* part. passé de *colligere,* réunir. || **collectivement** 1568, Le Roy. || **collectivité** 1836. || **collectivisme** 1836 ; sur *propriété collective* opposée à *propriété individuelle.* || **collectiviste** 1869. || **collectiviser** fin XIXe s. || **collectivisation** 1871, Lemonnier.

collection 1361, Oresme, « réunion » ; 1560, Paré, méd. ; 1680, Richelet, sens actuel ; lat. *collectio,* action de réunir (*colligere*). || **collectionner** 1840, Viel-Castel. || **collectionneur** 1828.

collège 1308, *Ystoire de li Normant ;* 1549, R. Est., spécialisation dans le sens scol. ; lat. *collegium,* confrérie, groupement. || **collégial** début XIVe s., Gilles li Muisis, sens eccl. || **collégialité** v. 1950. || **collégien** 1743, Trévoux, sens scol. ; indiqué comme provincial.

collègue v. 1500, Seyssel ; lat. *collega,* confrère.

coller, collerette, collet, collier V. COLLE, COU.

colliger 1535, E. de Granvelle ; lat. *cŏllĭgĕre,* réunir.

collimation 1646, Huet, astron. ; lat. des astronomes du XVIIe s. (Kepler) *collimare,* pour *collineare,* viser, de *linea,* ligne, faute de lecture reproduite dans les éditions de Cicéron. || **collimateur** 1866, Lar.

colline 1555, Belon ; bas lat. *collīna* (Innocentius), de *collis,* colline. || **collinette** 1596, Hulsius.

collision XIVe s., *Catholicon françois ;* lat. *collisio,* choc.

collodion 1845, Schönbein ; gr. *kollôdês,* collant, de *kolla,* colle.

colloïde 1845, Besch., adj. ; n. m., 1888, Lar. ; angl. *colloïd,* tiré par Graham du gr. *kolla,* colle, avec suffixe *-oïd.* || **colloïdal** 1855, Nysten ; angl. *colloïdal.*

colloque 1495, *Mir. historial ;* lat. *colloquium,* entretien, de *loqui,* parler. Au XXe s., le sens de « entretien » s'est spécialisé comme « réunion scientifique ». || **colloquer** 1850.

1. **colloquer** V. COLLOQUE.

2. **colloquer** XIIe s., *Sainte Thaïs,* « placer » ; lat. *collocare,* placer, de *locus,* lieu. || **collocation** 1375, R. de Presles ; lat. *collocatio.*

collusion 1290, *Livre Roisin,* jurid. ; lat. *collusio,* de *colludere,* s'entendre au préjudice d'un tiers. || **collusoire** 1336, jurid. ; d'apr. *illusoire.*

collutoire 1803, Boiste ; lat. *colluere,* laver.

collyre 1120, *Job* (*-ire*) ; lat. *collyrium,* du gr. *kollurion,* onguent, spécialisé dans le sens de « médicament pour les yeux ».

colmater 1820, Lasteyrie ; ital. *colmata,* terrain comblé, de *colmare,* combler ; le colmatage a pris naissance en 1781, en Toscane. || **colmatage** 1845, Besch.

colocasie 1547, Chesneau ; lat. *colocasia,* du gr. ; nom de plante.

colombage V. COLOMBE 2.

1. **colombe** 1120, *Ps. Oxford,* pigeon ; lat. *colŭmba* (v. COULON). || **colombier** 1120 ; d'apr. le lat. *columbarium.* || **colombin** XIIIe s., *D. G.,* « qui a la couleur de la gorge de pigeon » ; 1701, Liger, « fiente de pigeon », au fém. ; 1867, Esnault, « étron » ; lat. *columbinus.* || **colombophile** 1855. || **colombophilie** 1878, Lar.

2. **colombe** 1080, *Roland,* « colonne » ; XIIIe s., La Curne, « solive pour colombage » ; anc. forme de *colonne,* due à une confusion entre le lat. *columna,* colonne, et *columba,* colombe. || **colombage** 1340, Havard.

colombier 1739, « format de papier » ; d'apr. le nom du fabricant.

colombium 1801, Hatchett ; d'un minerai dit *la colombite,* du nom de Christophe *Colomb.*

côlon 1314 ; lat. *colon,* du gr. *kôlon,* gros intestin. || **coloscopie** v. 1970.

colonel 1534, *Archives Gironde* (var. *coulonel*) ; ital. *colonello,* qui commande la colonne. Désigne depuis 1803 le commandant d'un régiment. || **colonelle** 1834, Landais, épouse de colonel.

colonial V. COLONIE.

colonie 1308, *Ystoire de li Normant ;* 1556, jurid. ; 1835, « groupe d'individus en dehors du pays d'origine » ; 1879, *Année sc. et ind., colonie d'enfants ;* lat. *colonia.* || **colon** fin XIIIe s., Aimé, même évolution ; lat. *colonus.* || **colonial** 1776, Vergennes. || **coloniser** 1790, Mackenzie. || **colonisation** 1769, Mackenzie. || **colonisateur** 1835, *Acad.* || **colonisable** 1838. || **colonialisme** 1902, Péguy. || **colonialiste** *id.,* qui remplace *coloniste* (1776, *Affaires de l'Angleterre*). || **anticolonialisme** 1903, Péguy. || **anticolonialiste** 1931, Guérin. || **décolonisation** 1845, J.-B. Richard. || **décoloniser** *id.* || **néocolonialisme** 1955, *journ.*

***colonne** 1170, *Rois* (*columpne*) ; lat. *cŏlŭmna,* avec infl. de l'ital. *colonna.* || **colonnette** 1546, Ch. Est. || **colonnade** 1675, Blondel (*-ate*) ; 1740, *Acad.* (*-ade*) ; ital. *colonnato,* n. m. || **entrecolonnement** 1567, d'après Cotgrave.

colophane XIIIe s. (*colofonie*) ; XVe s., *Grant Herbier* (*-foine*) ; 1560, Paré (*-phane*) ; lat. *colophonia,* du gr. *kolophônia,* résine de *Colophon,* ville de l'Asie Mineure.

coloquinte fin XIIIe s., *Antidotaire Nicolas* (*-quintide*) ; 1372, Corbichon (*-quinte*) ; lat. *colocynthis,* mot gr. désignant une plante grimpante.

colorer, coloris V. COULEUR.

colosse 1495, J. de Vignay, hist. ; 1668, La Fontaine, « homme énorme » ; lat. *colossus,* du gr. *kolossos,* statue d'une grandeur extraordinaire. || **colossal** 1596, Vigenère. || **colossalement** 1845, Gautier.

colostrum 1564, J. Thierry (*-ostre*) ; 1585, Cholières (*-ostrum*) ; mot lat. de même sens (sécrétion mammaire de la femme).

colporter 1539, R. Est., « porter de place en place » ; 1798, *Acad.,* « faire connaître » ; réfection, d'apr. *cou-porter* (porter sur le cou), de l'anc. fr. *comporter,* transporter, du lat. *comportare.* || **colporteur** 1388, adj. ; n. m., 1533, Félibien. || **colportage** 1723, Savary.

colt 1862 ; du nom de l'inventeur Samuel *Colt* en 1829.

coltiner 1790, *Rat du Châtelet,* « arrêter » ; 1828, *Glossaire* (*colletiner*), proprement « prendre au collet » ; 1849, *Jargon,* « porter un fardeau », proprement « porter sur le collet » ; de *collet.* || **coltineur** 1824, *Ordonn. de police.*

colubrin 1501, J. Lemaire ; lat. *colubrinus,* de couleuvre.

columbarium 1752, Trévoux, « monument funéraire romain » (var. *-baire*) ; fin XIXe s., « niches pour les cendres » dans un monument funéraire ; le premier columbarium français au Père-Lachaise date de 1894 ; mot lat. signif. « colombier ».

colure 1361, Oresme, « méridien » ; lat. *colurus,* du gr. *kolouros.*

colza 1664, *Tarif* (*colzat*) ; néerl. *coolzaad,* semence (*zaad*) de chou (*cool*) ; plante oléagineuse.

coma 1658, Thévenin ; gr. méd. *kôma, -atos,* sommeil profond. || **comateux** 1616, J. Duval.

combattre V. BATTRE.

***combe** 1160, *Moniage Guillaume ;* gaulois **cŭmba,* vallée. || **combette** 1615, É. Binet.

combien V. COMME.

combiner XIIIe s., *Roman de Renart,* « se tenir à deux » ; 1361, Oresme, « assembler » ; 1690, Furetière, « joindre » ; bas lat. *combinare,* unir deux choses, réunir. (V. BINAIRE.) || **combinaison** XIVe s. (*-ation*) ; 1669 (*-aison*), « arrangement » ; 1895, Bourget, « vêtement de dessous », repris à l'angl. *combination ;* bas lat. *combinatio.* || **combine** fin XIXe s., pop. || **combinard** 1920, Bauche, pop. || **combinat** 1949, Lar. ; mot russe de même orig. || **combinatoire** 1732, Trévoux.

***comble** 1175, Chr. de Troyes, « tertre » ; XIIIe s., *Chron. de Reims* (*comble d'un édifice*) ; sens fig. repris au lat. au XVe s. ; lat. *cŭmŭlus,* monceau, désignant en lat. pop. le sommet d'un édifice, par confusion avec *culmen.*

***combler** fin XIe s., *Chanson Guillaume,* « remplir » ; 1564, J. Thierry, « donner à profusion » ; lat. *cŭmŭlāre,* amonceler, de *cumulus,* monceau (v. CUMULER). || **comble** adj., fin XIIe s., « rempli » ; 1835, *Acad.,* fig. || **comblement** 1560, Ronsard.

combrière 1681, Pardessus, « filet de pêche » ; 1690, Furetière (*-ier*) ; prov. mod. *coumbriero,* même sens.

comburant 1789, Lavoisier ; lat. *combŭrens,* part. prés. de *combŭrere,* brûler. || **comburer** début XVe s. || **combustion** XIIe s., *Vie saint Évroult ;* lat. *combustio,* même orig. || **combustible** 1380, Conty. || **combustibilité** XVIe s. || **incombustible** 1361, Oresme ; rare jusqu'au XVIIe s. ; lat. médiév. *incombustibilis.* || **incombustibilité** 1751, *Journ. économique.*

come-back 1961 ; mot angl., de (*to*) *come,* venir, et *back,* de retour.

comédie 1361, Oresme, « pièce de théâtre » (jusqu'au XVIIe s.) ; XVIIe s., « pièce comique » ; lat. *comoedia,* du gr. *kômôdia.* || **comédien** fin XVe s., d'Authon.

comédon 1855 ; lat. *comedo,* mangeur.

comestible 1380, Conty ; lat. *comestus,* part. passé de *comedere,* manger. || **incomestible** 1875, *J. O.*

comète 1138, Gaimar ; lat. *cometa,* du gr. *komêtês,* (astre) chevelu.

comice 1355, Bersuire, hist., au sing. ; 1760, Brunot, *comices agricoles ;* lat. *comitium,* assemblée du peuple.

comique 1375, R. de Presles, « de la comédie » ; 1680, Richelet, « drôle » ; lat. *comicus,* du gr. *kômikos,* qui appartient à une pièce de théâtre. (V. COMÉDIE.) || **comiquement** 1546, R. Est. || **comics** v. 1950 ; mot anglo-américain.

comité 1650, du Gard ; angl. *committee,* de (*to*) *commit,* confier, du lat. *committere ;* le mot a connu une grande faveur au XVIIIe s. (1770, Brunot) et pendant la Révolution. || **comitard** 1911.

comma 1550, Meigret, « point-virgule » ; 1552, Pontus de Tyard, sens actuel ; mot lat., du gr. *komma,* membre d'une phrase, de *koptein,* couper.

***commander** Xe s., *Saint Léger,* « donner en dépôt » ; 1080, *Roland,* « ordonner » ; 1573, Du Puys, milit. ; 1690, Furetière, sens commercial ; 1929, Lar., *commander un mécanisme ;* lat. pop. **commandare* (lat. *commendare*), refait d'apr. *mandare,* prescrire, confier. || **command** 1050, *Alexis,* jurid., « commandement ». || **commandement** 1050, *Alexis.* || **commande** 1213, *Fet des Romains,* « protection » ; fin

XVe s., mécanique ; 1540, sens commercial. || **commandeur** 1167, G. d'Arras, « commandant » (jusqu'au XVIe s.). || **commanderie** 1387, G. || **commandant** 1671, Pomey. || **command-car** v. 1945 ; mot angl. || **décommander** milieu XIVe s. || **décommandement** 1911, Lar. || **recommander** Xe s., *Saint Léger.* || **recommandation** 1150, Barbier. || **recommandable** milieu XVe s.

commandite 1673, *Ordonn.* ; ital. *accomandita,* dépôt, garde, avec infl. de *commander.* || **commanditaire** 1727, Furetière. || **commanditer** 1807, *Code de commerce.*

commando 1843, *Revue des Deux Mondes ;* mot port., vulgarisé ensuite pendant la guerre des Boers, puis revenu par l'allem. et l'angl. pendant la Seconde Guerre mondiale (v. 1941).

***comme** 842, *Serments* (*cum*) ; Xe s., *Eulalie* (*com* jusqu'au XIVe s.) ; 1750, Vadé, *comme il faut ;* 1564, J. Thierry, *comme tout ;* lat. *quomŏdo,* de quelle (*quo*) façon (*modo*), devenu en lat. pop. **quomo ;* la forme allongée *comme* apparaît au XIIe s. Il a gardé la valeur de *comment* dans les interrogations jusqu'au XVIIIe s. || **combien** début XIIe s., *Voy. de Charl. ;* de *com* et *bien.* || **combientième** début XXe s. || **comment** 1080, *Roland ;* de *com* et de la finale adverbiale *-ment,* qui représente l'ablatif lat. *mente,* de *mens,* esprit, principe, façon (*claramente,* de façon claire).

commémorer 1355, Bersuire ; lat. *commemorare,* de *memoria,* mémoire. || **commémoratif** fin XVIe s., Ph. de Mornay. || **commémoration** 1200, *Règle saint Benoît.* || **commémoraison** 1386, G., eccl. ; lat. *commemoratio.*

***commencer** 980, *Valenciennes* (*comencier*) ; lat. pop. **cumĭnĭtiare,* de *initium,* commencement. || **commençant** 1470, *Livre discipline d'amour.* || **commencement** 1119, Ph. de Thaon. || **recommencer** 1080, *Roland.* || **recommencement** milieu XVIe s.

commende 1213, *Fet des Romains ;* lat. eccl. *commenda,* de *commendare,* confier. || **commendataire** XVe s., G. ; lat. *commendatarius,* pourvu d'un bénéfice ecclésiastique. (V. COMMANDER.)

commensal 1420, J. des Ursins ; lat. médiév. *commensalis,* de *mensa,* table.

commensurable 1361, Oresme ; bas lat. *commensurabilis* (VIe s., Boèce), de *mensura,* mesure. || **commensurabilité** *id.* || **incommensurable** 1361, Oresme, rare jusqu'au XVIIIe s. ; 1833, Gautier, « qu'on ne peut mesurer » ; bas lat. *incommensurabilis.*

comment V. COMME.

commenter 1314, Mondeville, « expliquer » ; lat. *commentari,* de *mens,* esprit. || **commentateur** 1361, Oresme. || **commentaire** 1495, J. de Vignay ; lat. *commentarius.*

commerce 1370, Machaut (*commerque*), sens actuel ; milieu XVIe s., « relations sociales » ; lat. *commercium,* de *merx, -cis,* marchandises. || **commercer** 1405, Runkewitz. || **commerçant** 1695, Boisguillebert ; dès le XVIIIe s., il supplante *marchand.* || **commercial** 1749, Brunot ; p.-ê. repris à l'angl. ; n., XXe s. || **commercialisation** 1845, J.-B. Richard. || **commercialiser** *id.* || **commercialisable** 1955. || **commercialité** 1866, Lar.

commère 1283, Beaumanoir, « marraine » ; fin XIVe s., Chr. de Pisan, péjor. ; lat. eccl. *commater,* « mère avec », c.-à-d. seconde mère. || **commérage** 1546, Rab., « baptême » ; 1776, Beaumarchais, sens actuel.

***commettre** 1265, *Livre de jostice,* « confier » ; 1389, Runkewitz, « préposer » ; sens conservés jusqu'au XVIIe s. ; 1694, *Acad.,* jurid. ; lat. *committere,* mettre ensemble, mettre aux prises, mettre à exécution, exécuter une action blâmable. || **commettant** 1563, Kuhn. || **commis** début XIVe s. ; part. passé substantivé de *commettre,* « préposé ». || **commise** 1315, G., jurid. ; 1900, fém. de *commis.* || **commissaire** 1310, Langlois ; lat. médiév. *commissarius.* || **commissaire-priseur** 1802. || **commissariat** 1752, Trévoux. || **commission** 1300, *Cout. d'Artois,* « mandement » ; 1611, Cotgrave, « message quelconque » ; lat. *commissio ;* 1704, Mackenzie, *commission parlementaire ;* pl., XXe s. || **commissionner** milieu XVe s. || **commissionnaire** 1506, Saige. || **sous-commission** 1871.

comminatoire 1517, Bouchet ; lat. médiév. *comminatorius,* de *minari,* menacer.

commis V. COMMETTRE.

commisération 1160, Benoît ; lat. *commiseratio,* de *miserari,* avoir pitié, et du préfixe *cum,* avec.

commissaire, commission V. COMMETTRE.

commissure 1314, Mondeville ; lat. *commĭssūra,* de *committere,* mettre ensemble, joindre.

commodat 1585, J. Des Caurres, jurid. ; lat. jurid. *commodatum,* prêt à l'usage, de *commodare,* prêter. || **commodataire** 1584, *Somme des pechez,* jurid.

commode 1475, Delb. ; n. f., 1705, « meuble » ; lat. *commodus,* convenable. || **commodément** 1531. || **commodité** 1400, *Chron. de Boucicaut ;* lat. *commoditas ;* pl., 1596, Du Vair, « richesses » ; 1677, Miege, « lieux d'aisances ». || **accommoder** 1336, Fr. de La Chaise de Dombief. || **accommodable** 1568, Loys Le Roy. || **accommodement** 1585, J. Burel. || **incommode** 1534, Rab. ; lat. *incommodus.* || **incommoder** 1418, J. des Ursins, « endommager » ; 1596, Hulsius, « gêner » ; lat. *incommodare.* || **incommodité** 1389, Delb., « immondice » ; 1549, R. Est., « gêne » ; lat. *incommoditas.*

commodore 1763, Voltaire ; mot angl., du néerl. *kommandeur,* du fr. *commandeur.*

commotion 1155, Wace, « ébranlement » ; 1772, Villeneuve, méd. ; lat. *commotio,* mouvement, de *movere,* mouvoir. || **commotionner** 1875, Fort.

commuer 1361, Oresme, « modifier » ; 1680, Richelet, « convertir » ; lat. *commutare,* échanger, d'apr. *muer.* || **commuable** 1486, G., « modifiable ». || **commutation** 1120, *Ps. de Cambridge,* « changement » ; 1680, Richelet, jurid. ; lat. *commutatio.* || **commutateur** 1858, *Année sc. et industr.* || **commuter** 1611. || **commutatif** 1361, Oresme. || **commutable** XVIe s.

***commun** 842, *Serments ;* lat. *commūnis ;* pl., 1704, Trévoux, « bâtiments de service ». || **communal** 1160, Benoît, « commun à un groupe » ; 1611, Cotgrave, « de la commune ». || **communauté** 1283, Beaumanoir, « groupe humain » ; 1793, Grenus, chez les babouvistes, polit., « doctrine égalitaire » ; réfection de l'anc. fr. *communité,* sur *communal.* || **communautaire** 1842, Cabet. || **communautiste** 1841, Reybaud. || **communément** 1080, *Roland.* || **communalisme** 1842, J.-B. Richard. || **communaliste** 1800, Boiste, relig. ; 1871, Blouet, polit. || **communalisation** 1842, J.-B. Richard. || **communaliser** *id.* || **communisme** 1840, Landais. || **communiste** 1706, adj., « qui a le souci du bien commun » ; 1769, Mirabeau, « copropriétaire » ; adj., polit., 1834, Lamennais ; 1840, n. m., Dezamy. || **communitaire** 1842, Cabet. || **communisant** 1930. || **communisation** 1941. || **communiser** 1919. || **anticommuniste** 1842, Cabet. || **anticommunisme** 1939, Vermeil. || **commune** XIIe s., *Ogier* (*comugne*), « ville affranchie », et « corps des bourgeois d'une ville » ; 1789, « circonscription territoriale » ; 1793, *commune révolutionnaire ;* lat. *communia,* pl. neutre substantivé de l'adj. *communis,* groupe de gens vivant en commun. || **communard** 1871, d'apr. le mouvement révolutionnaire du 18 mars 1871, qui avait pris pour symbole la « commune révolutionnaire », c.-à-d. l'égalité des droits municipaux pour Paris. || **communeux** février 1871, *l'Opinion nationale.* || **communier** n. m., XVIe s., « membre d'une commune » ; 1842, Fourier, « membre d'un phalanstère ».

1. **communier** n. m. V. COMMUN.

2. **communier** fin Xe s., *Saint Léger,* 1849, Sainte-Beuve, fig. ; lat. chrét. *commūnĭcāre,* s'associer à, participer (d'abord *communicare altari* [saint Augustin], c.-à-d. participer à l'autel). || **communiant** 1531, Delb. || **communion** 1120, *Ps. d'Oxford ;* lat. chrét. *commūnio,* communauté des fidèles ; XIIIe s., action de communier, par infl. de *communier.* || **communiel** 1939, Caillois. || **communionisme** 1842, Cabet, polit. || **communioniste** 1841, L. Reybaud, polit. || **excommunier** 1120, *Ps. d'Oxford ;* adaptation, d'apr. *communier,* du lat. eccl. *excommunicare,* mettre hors de la communauté ; il a éliminé la forme pop. *escomengier.* || **excommunication** 1160, Benoît (*escomination*) ; XIVe s. (*excommunication*) ; lat. eccl. *excommunicatio.*

communiquer 1361, Oresme, « mettre en commun », « être en rapport avec » ; 1704, Trévoux, « transmettre », mécanique ; 1671, Pomey, *se communiquer ;* lat. *commūnicare,* de *communis,* commun. || **communication** 1361, Oresme ; lat. *communicatio.* || **communicatif** 1361, Oresme, « libéral » ; 1564, J. Thierry, sens actuel ; bas lat. *communicativus.* || **communicable** XIIe s. || **communicationnel** v. 1975. || **communiqué** n. m., 1840, Sainte-Beuve. || **incommunicable** 1470, *Livre discipline d'amour.* || **incommunicabilité** 1802, Flick.

compact 1377, Oresme ; lat. *compactus,* part. passé de *compingere,* amasser, serrer. || **compacité** 1762, *Acad.* || **compactage** 1953, Lar. || **compacteur** 1953, Lar. ; par l'angl.

***compagnon** 1080, *Roland ;* lat. pop. **companio, -onis,* « celui qui mange son pain avec » ; p.-ê. calque du gotique *gahlaiba,* de *ga,* avec, et *hlaiba,* pain. || **copain** 1708, Furetière, « grand sot » ; 1838, camarade de classe, du cas sujet *compain* (XIIe s., encore au XVIe s.). || **copine** fin XIXe s. ; d'apr. le suffixe *-in.* || **copiner** 1928, Esnault. || **copinage** v. 1960. || copinerie 1936. || **copineur** 1968. || **compagne** fin XIIe s., *Grégoire ;* de *compain.* || **compagnonne** fin XVIe s., Bouchet. || ***compagnie** 1080, *Roland ;* 1706, Grimarest, « troupe théâtrale » ; lat. pop. **compania,* qui a donné aussi *compagne* (XIIe-XIVe s.). || **compagnonnage** 1719, Delb. || **accompagner** XIIe s., *Roncevaux ;* XVe s., sens musical ; XVIe s., *s'accompagner avec ;* anc. fr. *compain,* « être de compagnie avec ». || **accompagnement** 1283, Beaumanoir ; 1690, Furetière, musique. || **accompagnateur** v. 1670, Sévigné.

comparaître début XVe s. ; réfection, d'apr. *paraître,* de *comparoir* (XIIIe s., *Cout. d'Artois*) ; lat. jurid. *comparēre* (v. PARAÎTRE). || **comparution** 1453, d'Épinay ; d'apr. le part. passé *comparu.*

comparer fin XIIe s., R. de Moiliens ; lat. *comparare.* || **comparaison** 1190, Garnier ; lat. *comparatio.* || **comparatif** 1290, Drouart ; 1680, Richelet, n. m., gramm. || **comparable** fin XIIe s. ; lat. *comparabilis.* || **comparativement** 1556, *Disc.* || **comparatiste** fin XIXe s., spécialiste de littérature comparée. || **comparatisme** v. 1950. || **incomparable** 1453, Monstrelet ; sans aucun doute plus ancien ; lat. *incomparabilis.* || **incomparablement** XIIe s., *Grégoire.*

comparse 1669, Ménétrier, « figurant de carrousel » ; 1798, *Acad.,* « comparse de théâtre » ; XIXe s., fig. ; ital. *comparsa,* n. f., personnage muet, proprement « apparition » (part. passé de *comparire,* apparaître).

compartiment 1546, J. Martin, « division d'une surface » ; 1749, Havard, pour un meuble ; 1866, Lar., pour les chemins de fer ; ital. *compartimento,* de *compartire,* partager. || **compartimenter** fin XIXe s., qui a remplacé *compartir* (1842, Mozin). || **compartimentage** 1898, Lar.

comparution, compas V. COMPARAÎTRE, COMPASSER.

***compasser** 1155, Wace, « mesurer, ordonner » (jusqu'au XVIIe s.) ; fig., XVIIe s., « raide » ; lat. pop. **compassare,* mesurer avec le pas. || **compassement** fin XIIe s., *Alexandre.* || **compas** début XIIe s., *Voy. de Charl.,* « mesure, règle » ; XIIe s., « instrument de mesure » ; déverbal.

compassion 1155, Wace ; lat. chrét. *compassio* (IIIe s., Tertullien), du lat. impér. *compati,* souffrir (*pati*) avec. || **compatir** 1549, R. Est., « se concilier » ; 1635, Monet, « avoir pitié » ; lat. impér. *compati,* souffrir avec. || **compatible** 1447, *Ordonn. ;* lat. *compati,* sympathiser. || **compatibilité** 1570, Pasquier. || **compatissant** 1669, Fénelon. || **incompatible** fin XIVe s. || **incompatibilité** 1484, *Procès-verbaux conseil de régence.*

compatible, compatriote V. COMPASSION, PATRIE.

compendium 1584, *Somme des pechez ;* lat. *compĕndium,* abréviation. || **compendieux** 1395, Chr. de Pisan ; lat. *compendiosus,* abrégé. || **compendieusement** 1282, Gauchi, « brièvement » ; il a pris au XIXe s. le sens contraire de « longuement » (1862, Goncourt).

compenser fin XIIIe s., « solder une dette » ; XVIe s., Marot, « neutraliser » ; lat. *compensare,* de *pensare,* peser. || **compensation** fin XIIIe s. ; lat. *compensatio.* || **compensateur** 1791, Mirabeau, n. ; 1829, Boiste, adj. || **compensatoire** 1829, Boiste.

compère 1175, Chr. de Troyes ; lat. eccl. *compater,* parrain, et, au fig., camarade ; 1594, *Ménippée,* « qui est d'intelligence avec quelqu'un ». || **compérage** fin XIIIe s., *Renart.* || **compère-loriot** V. LORIOT.

compétent 1240, Delb., « convenable » ; 1480, Bartzsch, jurid. ; 1680, Richelet, sens actuel ; lat. jurid. *competens,* de *competere,* revenir à. || **compéter** 1371, Oresme ; directement issu du verbe. || **compétence** 1468, Chastellain. || **incompétent** 1505, Huguet ; bas lat. *incompetens.* || **incompétence** 1537, Canappe.

compétiteur 1402, N. de Baye ; lat. *competitor,* de *competere,* rechercher, briguer. || **compétition** 1759, suivant Féraud ; repris à l'angl. *competition,* du lat. *competitio.* || **compétitif** 1907, Lar. || **compétitivité** 1960.

compiler 1190, *Saint Bernard ;* lat. *compilare,* de *pilare,* piller. || **compilation** XIIIe s., *Image du monde ;* lat. *compilatio.* || **compilateur** 1425, O. de La Haye ; lat. *compilator.*

complainte 1175, Chr. de Troyes, « plainte en justice » ; 1590, L'Estoile, « chanson populaire » ; anc. fr. *complaindre.* (V. PLAINDRE.)

complaire début XIIe s. ; lat. *complacēre,* d'apr. *plaire.* || **complaisance** 1361, Oresme. || **complaisant** adj., 1555, Pasquier. || **complaisamment** 1680, Richelet.

complément fin XIIIe s., Aimé, « ce qui complète entièrement » ; 1690, Furetière, « ce qui s'ajoute » ; gramm., 1798, *Acad. ;* lat.

complementum, de *complere,* remplir, compléter. || **complémentaire** 1794, *Journ. de la Montagne.* || **complémentarité** 1907, Lar. || **complémentation** 1914. || **complémenter** fin XIXe s.

complet adj., 1300, Cantimpré ; XVIIe s., n. m., « habit » ; lat. *completus,* part. passé de *complere,* achever. || **complètement** adv., XIIIe s. || **compléter** 1733, *Mémoires de Trévoux.* || **complètement** n. m., 1750, d'après Féraud. || **complétif** 1503, Chauliac ; repris au lat. gramm. (Ve s., Priscien). || **complétude** 1928. || **décompléter** 1779. || **incomplet** 1372, Corbichon ; rare jusqu'au XVIIIe s. ; bas lat. *incompletus.* || **incomplètement** 1503, Vaganay. || **incomplétude** 1907, Lar.

complexe 1378, Le Fèvre, philos. ; n. m., 1906, psychol. ; lat. *complexus,* part. passé de *complecti,* embrasser, contenir. || **complexer** v. 1960. || **complexité** 1755, Morelly. || **complexion** 1256, Ald. de Sienne ; lat. *complexio,* « assemblage », en bas lat. « tempérament » (IVe s., Firmicus Maternus). || **complexifier** 1951. || **incomplexe** 1503, Chauliac ; bas lat. *incomplexus.*

complice 1320, *Girart de Roussillon ;* lat. médiév. *complex, -icis,* « impliqué dans », de *complecti,* embrasser, contenir. || **complicité** 1420, Delb.

complies 1120, *Voy. de saint Brendan,* sing. eccl. ; 1175, Chr. de Troyes, pl. ; part. passé fém. substantivé de l'anc. fr. *complir,* achever, d'apr. le lat. eccl. *completa* (*hora*) ; le pl. est dû à *vêpres, heures.*

compliment 1604, Du Perron ; esp. *complimiento* (auj. *eum-*), accomplissement (des vœux et souhaits). || **complimenter** 1634, *les Advis de... Gournay ;* mot de courtisan. || **complimenteur** 1622, Sorel.

compliquer début XVe s. (*compliqué*) ; XVIIe s. (*compliqué*), « composé de plusieurs choses » ; 1823, Boiste, sens actuel ; lat. *complicare,* lier ensemble, au sens fig. du bas lat. || **complication** 1377, Oresme ; bas lat. *complicatio.*

complot 1150, *Thèbes,* « foule, rassemblement », et sens fig. qui l'a emporté ; orig. obscure. || **comploter** 1450, J. Chartier. || **comploteur** 1580, Th. de Bèze.

componction 1120, *Ps. d'Oxford ;* lat. chrét. *compunctio* (Ve s., Salvien), piqûre, de *pungere,* poindre.

componé 1302, J. Richard ; de *compon,* en blason division de forme carrée, déverbal de l'anc. fr. *compondre* (XIVe s.), disposer, régler, du lat. *componere.*

***comporter** XIIe s., « porter » ; XVe s., sens actuel ; XIIIe s., *se comporter ;* lat. *comportare,* transporter. || **comportement** 1475, Delb., repris en psychol. par Piéron (1908) pour traduire l'américain *behavior.* || **comportemental** v. 1949.

composer 1120, *Ps. d'Oxford,* « susciter des exactions » ; 1559, Amyot, sens actuels ; fin XVIe s., *se composer ;* adapt., d'apr. *poser,* du lat. *componere.* || **composite** 1361, Oresme ; lat. *compositus.* || **composant** n. m., XVIIIe s. || **composante** n. f., 1863. || **compositeur** 1274, G., « qui arrange une querelle » ; 1406, N. de Baye, « qui compose un ouvrage littéraire » ; lat. *compositor.* || **composeuse** n. f., techn., 1866. || **composition** 1155, Wace ; lat. *compositio.* || **décomposer** 1541, Calvin, « analyser » ; 1734, Montesquieu, « diviser en parties ». || **décomposable** début XVIIIe s. || **décomposition** 1694, *Acad. ;* d'apr. *composition.* || **indécomposable** 1738, Voltaire. || **recomposer** 1549, R. Est. || **surcomposé** milieu XVIIIe s., gramm. || **recomposition** milieu XVIIIe s.

compost 1732, Trévoux ; mot angl., de l'anc. fr. *compost,* composé. Terme d'agriculture désignant des résidus organiques mêlés à de la terre. || **composter** XIVe s., G.

composteur 1673, d'après Richelet, en imprimerie ; ital. *compositore,* compositeur. || **composter** 1922, Lar.

***compote** fin XIIe s., *Aiol* (*composte*) ; lat. *compŏsĭta,* part. passé substantivé au fém. de *componere,* mettre ensemble. || **compotier** 1746, Havard.

compound 1874, Mackenzie, techn. ; mot angl. signif. « composé ». || **compounder** 1960, Lar.

***comprendre** 1120, *Ps. d'Oxford,* « s'emparer de » ; début XIIIe s., « saisir par la pensée » ; lat. *comprehendere,* saisir, sens fig., repris au lat. au XIVe s. || **compréhension** 1372, Corbichon ; du lat. au sens fig. *comprehensio.* || **compréhensible** 1375, R. de Presles. || **compréhensibilité** 1829, Boiste. || **compréhensif** 1503, Chauliac, rare jusqu'au XIXe s. ; bas lat. *comprehensivus.* || **incompréhensible** XIVe s., Lanfranc ; lat. *incomprehensibilis.* || **incompréhensiblement** 1867, L. || **incompréhensibilité** 1557, Vaganay. || **incompris** 1460, Chastellain. || **comprenette** 1807, Michel, fam. || **comprenoire** 1904, Mouëzy-Éon.

compresse 1265, J. de Meung, « compression » ; 1539, R. Est., méd. ; anc. fr. *compresser,* « presser sur », d'apr. le part. passé *compressus,* de *comprimere,* presser. || **compresser** XIIIe s. ; reformé au XIXe s. || **compresseur** 1808, Boiste. || **compressible** 1648, Pascal. || **compressibilité** 1680, Richelet. || **compression** 1314 ; XVIIIe s., fig. ; lat. *compressio.* || **compressif** 1478 ; lat. médiév. *compressivus,* de *comprimere.* || **comprimer** 1314, Mondeville, « presser » ; 1832, Fontaney, « réprimer » ; lat. *comprimere,* de *premere,* presser. || **comprimé** n. m., fin XIXe s., méd. || **décompression** 1868, *journ.* || **incompressible** 1690, Furetière. || **incompressibilité** fin XVIIe s.

compromettre 1283, G. ; fig., 1690, Furetière, « mettre en mauvaise posture » ; lat. jurid. *compromittere,* s'en remettre à un arbitre (*Code civil*). || **compromettant** 1842, J.-B. Richard. || **compromis** XIIIe s., *Cout. d'Artois ;* lat. jurid. *compromissus.* || **compromission** 1262, G., « compromis » ; 1842, J.-B. Richard, sens mod.

***compter** 1080, *Roland* (*cunter*) ; XIIIe s. (*compter*) ; cette graphie l'emporte afin de distinguer le sens de « calculer » de la variante sémantique *conter ;* lat. *compŭtare,* calculer. || **compte** 1080, *Roland* (*conte*) ; lat. pop. *computus,* calcul. || **comptant** milieu XIIIe s. || **comptable** XIIIe s., *Digeste,* adj., « qui peut être compté » ; n. m., 1461, Bartzsch. || **comptabiliser** 1922, Lar. || **comptage** 1416, G. || **comptabilité** 1579, F. de Foix. || **compteur** 1268, É. Boileau, « celui qui compte » ; 1752, « appareil à compter ». || **comptoir** 1345, Gay, « table » ; 1690, Furetière, « établissement de commerce ». || **compte-fils** 1836, Landais. || **compte-gouttes** 1850, Dorvault. || **compte-tours** XXe s. || **compte courant** 1675, Savary ; calque de l'ital. *conto corrente.* || **compte rendu** 1483, Bartzsch. || **comptine** 1922, Lar., chanson. || **décompter** XIIe s., G. || **décompte** fin XIIIe s., Joinville ; déverbal. || **acompte** XIIe s., « compte » ; XVIIIe s., sens actuel ; déverbal de *acompter.* || **recompter** début XVe s. || **mécompte** fin XIIe s., R. de Moiliens ; déverbal de l'anc. fr. *mécompter.*

compulser XVe s., G., « exiger » ; XVIe s., sens actuel, d'apr. le sens jurid. « exiger la production d'une pièce » ; lat. *compulsare,* pousser, au fig. « contraindre ». || **compulsion** 1298, G., jurid. ; 1760, Ritter, « contrainte ». || **compulsif** 1584.

comput 1584, Thevet, eccl. ; bas lat. *computus,* compte. || **computiste** 1611, Cotgrave. || **computation** 1375, R. de Presles, « supputation » ; lat. *computatio.*

computer 1964, ordinateur, n. m. ; mot angl., de (*to*) *compute,* compter.

***comte** 1080, *Roland* (cas sujet *cuens* en anc. fr.) ; lat. *comes, -ĭtis,* compagnon, attaché à la suite de l'empereur et haut dignitaire en lat. du Ve s. (*Code Théodosien*) ; « chef militaire commandant une province » à partir du VIe s. ; « province devenue fief héréditaire » au IXe s. || **comtesse** 1080, *Roland.* || **comté** fin XIe s., *Lois de Guill. ;* lat. *comitatus,* n. m. (VIIe s.), d'apr. le type *bonté ;* XIXe s., « fromage », par abrév. de *Franche-Comté,* le mot étant resté au fém. jusqu'au XVIe s. || **comtal** XIIIe s. || **comtat** XIVe s.

***con** 1200, *Roman de Renart ;* 1725, Granval, sexe de la femme ; adj., 1831, Mérimée ; lat. *cŭnnus,* n. m., de *cŭneus,* coin. || **conard** XIIIe s. ; nom péjor., 1791. || **conasse** 1610, Esnault. || **connerie** 1845. || **déconner** 1866, Delvau.

concasser 1230, Merlin ; lat. *conquassare,* casser. || **concassage** 1845, Besch. || **concasseur** 1848.

concaténation 1504, Lemaire ; lat. *concatenatio,* enchaînement, de *catena,* chaîne. || **concaténer** 1536.

concave 1314, Mondeville ; lat. *concăvus,* de *cum,* avec, et *căvus,* creux. || **concavité** 1314, Mondeville ; bas lat. *concavitas.* || **biconcave** 1842, *Acad.*

concéder fin XIIIe s., Aimé ; lat. *concedere,* céder la place, au fig. céder, accorder (v. CÉDER). || **concession** 1265, Br. Latini ; 1885, gramm. ; lat. *concessio.* || **concessif** 1842, J.-B. Richard. || **concessionnaire** 1664, Savary.

concentrer, concept V. CENTRE, CONCEVOIR.

concerner fin XIVe s., « être relatif à » ; lat. *concernere,* de *cernere,* considérer.

concert 1560, Pasquier, « conférence » ; 1608, Régnier, sens musical ; 1665, Molière, *de concert ;* ital. *concerto,* accord, du lat. *concertus,* concerté. || **concerter** 1437, Chartier, « projeter en commun » ; début XVIIe s., mus. ; ital. *concertare,* au sens propre. || **concertation** milieu XVIe s., « lutte » ; v. 1960, sens actuel. || **concerto** 1739, de Brosses ; mot ital. || **concertiste** 1834, Fétis. || **déconcerter** fin XVIe s., Delb., « troubler » ; 1664, Corn., fig.

concessif, concession V. CONCÉDER.

concetti 1720, Huet, d'abord pl., qui a remplacé *concet* (XVIe s., R. Est.) ; mot ital., pl. de *concetto,* concept, et, par ext., pensée originale, mot d'esprit.

***concevoir** 1130, *Job ;* lat. *concĭpĕre,* avec changement de *ĕ* en *ē,* recevoir, par ext. « devenir enceinte » ; le sens fig. « former une conception » (XIVe s.) a été repris au lat. || **concevable** 1547, Budé. || **concevabilité** 1866, Lar. || **inconcevable** 1584, Vaganay. || **préconçu** milieu XVIIe s. || **concept** 1404, Chr. de Pisan ; lat. *conceptus,* part. passé de *concipere,* au fig. « concevoir ». || **conceptuel** 1845 ; lat. scolastique *conceptualis.* || **conceptualisme** 1832, Raymond. || **conceptualiser** 1920. || **conceptualisation** 1936. || **conception** 1190, *Saint Bernard,* « fait de devenir enceinte » ; 1315, « formation d'une idée » ; lat. *conceptio,* dans les deux sens. || **concepteur** 1795 ; de *conception.* || **anticonceptionnel** XXe s.

***conche** XIIIe s., « coquille d'huître » ; 1484, Garcie, « baie, plage, bassin de marais salant » ; lat. *concha,* coquillage, coupe. || **conchite** 1702, Trévoux, en minéralogie.

conchylien 1834, Jourdan ; lat. *conchylium,* du gr. *konkhulion,* coquillage. || **conchyliologie** 1742, Dezallier d'Argenville. || **conchyliculture** 1953.

***concierge** 1195, G. (*cumcerge*), « gardien » ; p.-ê. lat. pop. **consĕrvius,* de *cum,* avec, et *sĕrvus,* esclave. || **conciergerie** 1318 (*-sirgerie*) ; 1328, G. (*-ciergerie*) ; resté comme nom de prison au Palais de Justice de Paris.

concile 1138, Gaimar ; lat. *concilium,* assemblée, au sens eccl., d'évêques et de docteurs. || **conciliaire** 1586.

conciliabule 1549, Calvin, « assemblée » ; 1594, *Satire Ménippée,* « conférence » ; lat. eccl. *conciliabulum,* concile irrégulier (sens du XVIe s.), en lat. « lieu de réunion ».

concilier 1175, « réconcilier » ; lat. *conciliare,* assembler au sens fig. || **conciliable** 1536. || **conciliant** fin XVIIe s., Sévigné. || **conciliatoire** 1583, Papon. || **conciliateur** 1380, Conty ; lat. *conciliator,* médiateur. || **conciliation** XIVe s., J. Le Fèvre ; lat. *conciliatio.* || **inconciliable** 1752, Trévoux. || **réconcilier** 1190, Garn. ; lat. *reconciliare.* || **réconciliateur** 1355, Bersuire. || **réconciliation** XIIIe s. || **irréconciliable** 1559, Amyot ; 1868, *journ.,* polit., « radical ».

***concis** 1553, M. Heret ; lat. *concīsus,* coupé, au fig. bref ; part. passé de *concidere,* de *caedere.* || **concision** 1488, *Mer des hist.,* « action de retrancher » ; 1709, Grimarest, « brièveté ».

concitoyen V. CITÉ.

conclave 1360, Froissart ; lat. médiév. *conclave,* chambre fermée à clef (*clavis*). || **conclaviste** 1546, Rab.

conclure 1120, *Ps. d'Oxford,* « enfermer » ; XIIIe s., « aboutir à » ; 1360, Froissart, « terminer » ; lat. *concludere,* de *claudere,* clore. || **concluant** 1585, Cholières. || **conclusion** 1265, J. de Meung ; lat. *conclusio.* || **conclusif** 1460, Chastellain.

concoction 1528 ; lat. *concoctio,* de *cum-* et *coctio,* cuisson. || **concocter** 1945.

concombre 1256, Ald. de Sienne (*cocombre*) ; 1432, Baudet Herenc (*concombre*) ; prov. *cocombre,* du lat. *cŭcŭmis, -meris.*

concomitant 1503, Chauliac ; lat. *concomitans,* part. prés. de *concomitari,* accompagner, de *comes, -itis,* compagnon (v. COMTE). || **concomitamment** 1874, *J. O.* || **concomitance** XIVe s., B. de Gordon.

concordat 1482, Bartzsch, « accord » ; XVIe s., sens eccl. ; lat. *concordatum,* part. passé de *concordare,* mettre d'accord. || **concordataire** 1838, *Acad.*

concorde 1155, Wace ; lat. *concordia.* || **concorder** 1130, *Eneas,* « accorder » (jusqu'au XVe s.) ; 1777, Linguet, sens actuel ; lat. *concordare.* || **concordance** 1160, Benoît, « accord » ; XIIIe s., sens actuel. || **concordant** 1260, A. de la Halle.

concourir fin XVe s. (*concurrer*), « se produire en même temps » ; milieu XVIe s. (*concourir*), « se rencontrer » ; 1636, Monet, « tendre vers un résultat » ; 1751, Voltaire, « être sur le même rang » et « entrer en concurrence » ; lat. *concurrere,* d'apr. *courir ;* il a été influencé pour le sens par *concurrent.* || **concours** début XIVe s., « recours » ; 1572, Amyot, « réunion » ; 1660, Oudin, « compétition » ; lat. *concursus,* affluence.

concrescence 1888, Lar., bot. ; lat. *concrescere,* « croître ensemble ».

concret 1508, « solide », opposé à « fluide » ; XVIIe s., fig. ; lat. *concretus,* part. passé de *concrescere,* se solidifier. || **concréter** 1789. || **concrétion** 1538, Canappe, « solidification » ; lat. *concretio,* spécialisé en géologie. || **concrétionné** 1801. || **concrétionnement** XXe s. || **concrétiser** 1890. || **concrétisation** XXe s.

concubine 1213, *Fet des Romains ;* lat. *concŭbina,* « qui couche avec ». || **concubin** XIVe s. || **concubinage** v. 1377. || **concubinaire** XIVe s., G. || **concubinat** 1590, Marnix.

concupiscence 1265, Br. Latini ; lat. *concupiscentia,* désir ardent, au sens chrétien. || **concupiscent** 1558, Des Périers ; lat. *concupiscens,* part. prés. de *concupiscere,* désirer ardemment, de *cupere,* désirer.

concurrent 1119, Ph. de Thaon, « (jour) intercalaire » ; 1546, Ch. Est., « accourant ensemble » et sens mod. ; lat. *concurrens,* part. prés. de *concurrere,* accourir, et en lat. jurid. « venir en concurrence ». || **concurremment** 1596, Guénoys. || **concurrence** 1398, É. Deschamps, « rencontre » ; 1559, Amyot, « rivalité », sens mod. || **concurrentiel** 1872, *J. O.* || **concurrencer** 1868, *le Moniteur.*

concussion 1300, « secousse » ; 1539, *Doc.,* « malversation » ; lat. jurid. *concussio,* extorsion d'argent, de *concutere,* frapper, émouvoir. || **concussionnaire** 1559, Amyot. || **concuteur** 1908, Alvin, syn. de *percuteur.*

condamner XIIe s., Herman de Valenciennes (*-emner,* jusqu'au XVIe s.) ; lat. *condemnare ;* le *a* du fr. est dû à *damner.* || **condamné** 1580, Montaigne, n. || **condamnable** 1404, *Ordonn.* || **condamnation** XIIIe s., *Cout. d'Artois.* || **recondamner** 1611, Cotgrave.

condé 1822, Esnault, arg. ; p.-ê. de la même rac. que *compte* ou du port. *conde,* compte, gouverneur.

condenser 1314, Mondeville ; lat. *condensare,* rendre épais, de *densus,* dense ; *lait condensé,* 1873. || **condensé** n., XXe s. || **condensateur** 1753, *Encycl.* || **condensation** 1361, Oresme ; lat. impér. *condensatio* (IIIe s., Aurelius).

condenseur 1796, Prony ; angl. *condenser,* du verbe (*to*) *condense,* par Watt (1769), inventeur de l'appareil.

condescendre XIIIe s. ; bas lat. *condescendere* (VIe s., Cassiodore), de *descendere,* descendre. || **condescendant** XIVe s., G. || **condescendance** 1609, Fr. de Sales, « action de s'abaisser, de descendre à exécuter les désirs d'autrui » ; fin XIXe s., péjor.

condiment fin XIIe s., G., fig. (jusqu'au XVIe s.) ; lat. *condimentum,* assaisonnement (pr. et fig.), de *condire,* assaisonner, confire. || **condit** 1458, *Mystère du Viel Testament.* || **condimenter** 1889, Huysmans. || **condimenteuré** 1863.

condisciple 1470, *Livre disc. amour ;* lat. *condiscipulus.* (V. DISCIPLE.)

condition fin XIIe s., *Grégoire,* sens actuel ; XIIIe s., « rang, ordre social » ; lat. *condicio,* devenu *conditio* en bas lat. || **conditionner** 1265, J. de Meung, « soumettre à des conditions » ; 1694, *Acad.,* « pourvoir de qualités ». || **conditionnement** 1845, Besch., commerce ; 1857, *Année sc. et industr.,* techn. || **conditionneur** 1929, Lar. || **conditionné** début XIVe s. ; *air conditionné,* apr. 1945. || **conditionnel** 1361, Oresme ; gramm., XVIe s., pour désigner un mode inconnu du lat. ; lat. *condictionalis,* soumis à des conditions. || **inconditionnel** 1777, Vergennes. || **inconditionné** début XIXe s.

condoléance v. 1460, Chastellain ; de *condouloir* (XIIIe s., jusqu'au XVIIe s.), du lat. *dolere,* souffrir, d'apr. *doléance.*

condom 1795 ; angl. *condum,* d'orig. inconnue.

condominium 1866, Lar. ; mot du lat. diplomatique, de l'angl., tiré du lat. *domĭnĭum,* souveraineté, avec le préfixe *con-.*

condor 1598, Acosta (var. *cuntur,* au XVIIe s.) ; mot esp. du quichua du Pérou.

condottiere 1770, *Hist. philos. des deux Indes ;* mot ital. signif. « chef des soldats mercenaires », du lat. *conducere,* au sens de « louer » ; le sens péjor. appartient au fr.

conducteur V. CONDUIRE.

***conduire** 980, *Passion* (*conducent*) ; 1690, Furetière, « diriger un véhicule » ; lat. *condūcĕre,* mener, conduire, de *ducere.* || **conduiseur** XIIe s., *Fierabras,* techn. ; lat. *conductor.* || **conduit** 1175, Chr. de Troyes, « action de conduire » ; XIIIe s., « escorte » ; XIIIe s., « conduit de l'oreille » ; fin XVIe s., nom d'objet. || **conduite** XIIIe s., « action de conduire » ; XVe s., « guide » ; 1498, Coyecque, « manière de se conduire » ; part. passé fém., substantivé. || **conducteur** début XIIIe s. (*conduiteur*) ; 1453, Monstrelet (*conducteur*), « qui dirige » ; milieu XVIe s., « qui conduit un véhicule » ; lat. *conductor,* de *conducere.* || **conductible** 1832, Raymond ; lat. *conductus,* conduit. || **conductibilité** 1808. || **conduction** 1253, P. de Fontaines ; lat. *conductio,* louage, de *conducere,* louer. || **conductance** 1893, *Congrès de Chicago.* || **inconduite** 1693, Bouhours. || **reconduire** XIIe s. || **reconduction** XVIe s., Charondas. || **sauf-conduit** XIIe s.

condyle 1538, R. Est. ; lat. *condylus,* du gr. *kondulos,* articulation. || **condylome** 1560, Paré ; lat. *condyloma, -atis,* mot gr.

cône 1552, Rab. ; lat. *conus,* du gr. *kônos.* || **conique** début XVIIe s. ; gr. *kônikos.* || **conicité** 1833, Forget. || **conoïde** 1556, Leblanc ; gr. *kônoeidês.* || **conirostre** 1809, Wailly ; lat. *rostrum,* bec. || **conifère** 1523, J. de Mortières ; lat. *conifer,* c'est-à-dire « végétal qui porte des cônes ».

confabulation V. FABLE.

confection 1155, Wace, « action de faire » ; XIIIe s., G., « préparation pharmaceutique » ; 1863, L., vêtement de confection ; lat. *confectio,* achèvement, de *conficere,* mener à sa fin. || **confectionner** 1598, Marnix, « faire des drogues » ; 1794, *Journ. de la Montagne,* en parlant de vêtements. || **confectionnement** 1922, Lar. || **confectionneur** 1830, *la Mode.*

confédérer 1355, Bersuire ; lat. *confœderare,* de *fœdus, -eris,* traité. || **confédérateur** 1845, Besch. || **confédération** 1358, *D. G. ;* bas lat. *confœderatio* (IVe s., saint Jérôme), action de réunir en une ligue. || **confédéral** 1598. || **confédéré** v. 1475, *D. G. ;* 1866, Lar., pendant la guerre de Sécession.

conférence 1346, *Chartes,* « discussion » ; 1636, Monet, « exposé » ; 1836, Landais, *maître de conférences ;* lat. *conferentia,* de *conferre,* rapporter. || **conférencier** 1752, Trévoux, théologie ; 1827, *Acad.,* « orateur ».

conférer 1361, Oresme, « attribuer » ; 1552, R. Est., « comparer » ; 1450, Chastellain, « s'entretenir » ; lat. *conferre,* « porter avec, réunir ».

conferve 1615, J. Deschamps (*conserva*) ; de *confervere,* fig. se consolider : la conferve était censée souder les corps.

***confesser** 1175, Chr. de Troyes ; lat. pop. **confessare,* de *confessus,* part. passé de *confiteri,* avouer, spécialisé en lat. chrét. || **confesse** XIIe s., *D. G. ;* déverbal. || **confesseur** milieu XIIe s. (*confesseur de la foi*) ; fin XIIe s., « prêtre qui confesse » ; lat. eccl. *confessor* (IVe s., Lactance, au sens de « chrétien qui a confessé sa foi »). || **confession** 980, *Passion ;* lat. *confessio,* aveu. || **confessionnal** 1605, H. de Santiago ; ital. *confessionnale.* || **confessionnel** 1863, L.

confetti 1845, Delavigne ; mot niçois que vulgarise le carnaval de Nice à partir de 1873, d'abord « boulettes de plâtre », puis « petites rondelles de papier » (confetti parisiens, à Nice), vers 1892 ; pl. ital. de *confetto,* dragée (propr. « confit »).

confidence 1361, Oresme, « confiance » (jusqu'au XVIIe s.) ; 1647, Corn., sens mod. d'apr. *confident ;* lat. *confidentia,* de *confidere,* confier. || **confidentiel** 1775, Vergennes. || **confidentiellement** 1775, Vergennes. || **confidentialité** XXe s. || **confident** début XVe s., « qui a confiance » ; 1536, M. Du Bellay, « qui accompagne le chevalier » ; 1587, d'Aubigné, sens actuel ; ital. *confidente,* confiant. (V. CONFIER.)

confier XIVe s., Le Bel ; lat. *confidere,* d'apr. *fier.* || **confiance** XIIIe s., G. (*-ience*) ; lat. *confidentia,* d'apr. *fiance.* || **confiant** XIVe s., G.

configurer 1190, *Saint Bernard ;* lat. *configurare,* de *figura* (v. FIGURE). || **configuration** 1190, *Saint Bernard ;* lat. *configuratio,* action de donner une forme, une figure.

confins fin XIIIe s., Aimé, au sing. ; 1498, Commynes (*-ins*) ; lat. médiév. *confinia,* issu du lat. *confine,* de *finis,* limite. || **confiner** 1225, « enfermer » ; *air confiné,* 1842, *Annales.* || **confinement** 1481, Bartzsch.

***confire** 1175, Chr. de Troyes, « préparer, façonner » ; fin XVIe s., sens restreint ; lat. *conficĕre,* achever, puis préparer (des mets), de *facere,* faire. || **confiseur** 1600, O. de Serres. || **confiserie** 1753, *Encycl.* || **confit** début XIIIe s., adj. ; 1268, É. Boileau, n. m., « préparation » ; auj. seulement *confit d'oie* comme n. m. || **confiture** XIIIe s., L. ; 1866, Lar., fam., *en confiture.* || **confiturier** 1584, de Barrand. || **confiturerie** 1823, Boiste. || **déconfire** 1080, *Roland,* « défaire un ennemi » ; de *confire,* achever. || **déconfiture** fin XIIe s., *R. de Cambrai.*

confirmer 980, *Passion* (*-ermer,* jusqu'au XVIe s.) ; lat. *confirmare,* de *firmus,* ferme. || **confirmation** 1190, Garnier ; lat. *confirmatio.* Le sens relig. apparaît dès le lat. eccl. || **confirmatif** 1473, *D. G. ;* bas lat. *confirmativus* (Ve s., Priscien, gramm.).

confisquer début XIVe s. ; lat. *confiscare,* de *fiscus,* fisc. || **confiscation** fin XIVe s. ; lat. *confiscatio,* action de saisir au nom du fisc. || **confiscatoire** XXe s.

confiteor début XIIIe s. ; mot lat. signif. « je confesse », et qui commence cette prière.

confiture V. CONFIRE.

conflagration 1375, R. de Presles ; 1790, Mirabeau, fig., « bouleversement », « incendie » ; lat. *conflagratio,* de *flagrare,* brûler.

conflit 1170, *Rois,* « combat » ; 1685, Fléchier, fig. ; lat. *conflictus,* choc, de *confligere,* heurter. || **conflictuel** 1961, *journ.*

confluer 1330, G. ; rare jusqu'au XIXe s. ; lat. *confluere,* « couler ensemble ». || **confluent** n. m., 1510, J. Lemaire, géogr. ; 1734, *Journ. des savants,* méd. et bot., adj. ; part. prés. lat. *confluens* (déjà géogr. en lat., d'où les noms de lieux, Conflans, Confolens). || **confluence** 1450, Chastellain.

***confondre** 1080, *Roland,* « détruire » ; XIIe s., « bouleverser » ; lat. *confŭndere,* mêler, et sens fig. surtout en lat. pop. (lat. eccl. « couvrir de confusion »). || ***confus** 1120, *Ps. d'Oxford ;* lat. *confūsus,* part. passé. || **confusément** 1213, *Fet des Romains.* || **confusion** 1080, *Roland,* « défaite » ; 1361, Oresme, « état mêlé » ; 1691, Racine, fig. ; lat. *confusio.* || **confusionnisme** 1907, Péguy. || **confusionniste** 1920, Allard. || **confusionnel** XXe s.

conformer 1190, *Saint Bernard ;* lat. *conformare,* de *forma* (v. FORME). || **conformateur** 1611, Cotgrave. || **conforme** 1372, Corbichon ; lat. *conformis.* || **conformément** 1503, Chauliac. || **conformité** 1361, Oresme ; bas lat. *conformitas.* || **conformateur** 1611, Cotgrave. || **conformation** 1560, Paré ; bas lat. *conformatio.* || **conformiste** 1666, Sorbière, eccl. ; 1794, Révolution, sens mod. ; mot angl., de *conform,* conforme. || **conformisme** 1907, Lar. ; par l'angl. || **anticonformiste** 1955, *le Figaro.* || **anticonformisme** 1948, Saint-Aulaire. || **nonconformiste** 1672, Mackenzie, eccl. ; 1791, Marat, polit., désignant le prêtre réfractaire. || **non-conformité** 1704, Trévoux.

confort 1080, *Roland,* « courage » ; déverbal du verbe *conforter* (XIIe s.), du lat. *confortari,* soutenir le courage, de *fortis,* courageux ; 1815, Chateaubriand, « bien-être matériel », repris à l'angl. *comfort,* lui-même repris à l'anc. fr. (souvent écrit au XIXe s. comme l'angl.). || **confortable** 1786, Bonnafé ; angl. *comfortable.* || **confortablement** av. 1750. || **confortabilité** 1826, *Revue encycl.* || **conforter** fin Xe s., *Vie de saint Léger,* repris au XXe s. || **inconfort** 1893, J. Verne. || **inconfortable** 1850, Sainte-Beuve. || **réconforter** 1050, *Alexis.* || **réconfort** 1230, G. de Lorris, déverbal.

confrère V. FRÈRE.

confronter milieu XIVe s., « être situé en face » ; 1499, Laurière, « mettre en présence » ; lat. jurid. médiév. *confrontare,* de *frons,* front. || **confrontation** 1346, *Bible ;* lat. *confrontatio,* action de mettre en présence.

confus, confusion V. CONFONDRE.

congaï fin XIXe s., « femme annamite » ; annamite *con gai,* la fille.

conge 1545, Guéroult, « récipient » ; lat. *congius ;* récipient en cuivre pour la préparation des liqueurs (1907, Lar.).

***congé** Xe s., *Saint Léger* (*cumgiet*), « autorisation de partir » ; a pris au XVe s. le sens de congé militaire ; 1611, Cotgrave, « renvoi » ; lat. *commeatus,* action de s'en aller, de *meare,* circuler. || **congédier** fin XIVe s., *Chron. de Boucicaut ;* ital. *congedare,* de *congedo,* repris au fr. *congé ;* a remplacé *congier.* || **congédiement** 1842, *Acad.* || **incongédiable** 1778, *Almanach.*

congeler V. GELER.

congénère 1562, Paré ; lat. *congener,* de *genus, -eris,* genre, c'est-à-dire « qui est du même genre ».

congénital V. GÉNITAL.

***congère** 1866, Lar., « amas de neige » ; mot dial. (Wallonie, Massif central, Dauphiné), repris en géogr., du lat. pop. **congĕria* (lat. *congĕries*), amas, de *congĕrĕre,* amonceler.

congestion XIVe s., Chauliac ; lat. *congestio,* au sens méd., de *congerere,* accumuler. || **congestionner** 1833, *Journ. de méd.* || **congestif** 1833, Duparcque. || **congestionnement** 1864, Goncourt. || **décongestionner** 1874, Flaubert.

conglomérer 1672, M. Charas ; lat. *conglomerare,* de *glomus, -eris,* pelote. || **conglomérat** 1818. || **congloméré** 1672, M. Charas. || **conglomération** 1829, Boiste.

conglutiner 1314, Mondeville ; lat. *conglutinare,* de *glutinare,* coller. || **conglutination** 1314, Mondeville; lat. *conglutinatio.* (V. AGGLUTINER.)

congratuler 1355, Bersuire ; lat. *congratulari,* de *gratus,* gré. || **congratulation** 1468, Chastellain ; lat. *congratulatio.* || **congratulateur** 1831, Hugo.

congre XIIIe s., *Bataille de Caresme ;* mot prov., du bas lat. *congrus,* gr. *gongros.*

congréer 1773, Bourdé, « garnir un cordage d'étoupe » ; croisement probable entre l'anc. fr. *conréer,* disposer, apprêter (v. CORROYER) et *gréer.*

congréganiste V. CONGRÉGATION.

congrégation 1120, *Ps. d'Oxford,* « assemblée » ; fin XVIe s., relig. ; lat. *congregatio,* réunion, assemblée (sens de l'anc. fr.), de *grex, gregis,* troupeau. || **congréganiste** 1680, Richelet, formation régressive d'apr. *organiste, ornemaniste,* etc.

congrès XVIe s., « union sexuelle » ; 1611, Cotgrave, « entretien », « réunion » ; 1774, *Journ. de Bruxelles,* corps législatif des États-Unis, repris à l'anglo-américain, lui-même issu de l'anc. français ; lat. *congrĕssus,* de *congredi,* se rencontrer. || **congressiste** 1866, Lar.

congru 1280, *Clef d'amour ; portion congrue,* eccl., 1615 ; lat. *congruus,* convenable, de *congrŭĕre,* « s'adapter à ». || **congruisme** 1753, *Encycl.* || **congruité** 1365, Delb. || **congruence** 1374. || **congruent** 1542, Changy. || **incongru** 1495, J. de Vignay ; lat. *incongruus* (gramm.). || **incongrûment** 1361, Oresme. || **incongruité** 1501, Vérard ; lat. *incongruitas.*

conifère V. CÔNE.

conjecture 1246, *Image du monde ;* lat. *conjectura,* de *jacere,* jeter. || **conjecturer** 1265, J. de Meung ; lat. *conjecturare* (VIe s., Boèce). || **conjectural** fin XIIIe s., Jean d'Antioche. || **conjecturalement** 1488, *Mer des hist.* || **conjectureur** 1752, *Journ. de Trévoux.*

***conjoindre** 1130, *Job ;* lat. *conjungere,* unir (v. JOINDRE). || ***conjoint** 1160, Benoît, « associé » ; 1413, G., « époux » ; lat. *conjunctus,* jurid., époux. || **conjointement** 1254, *Ordonn.* || **conjonctif** 1372, Corbichon, anat. et gramm. ; lat. *conjunctivus,* qui sert à lier. || **conjonctive** anat., v. 1370. || **conjonctivite** 1832, Raymond. || **conjonction** 1160, Benoît, « action de joindre » ; XIVe s., gramm. (repris au lat.) ; 1392, E. Deschamps, astron. ; lat. *conjonctio.* || **conjoncture** XIVe s., « jonction » ; 1611, Cotgrave, « situation » ; réfection de l'anc. fr. *conjointure,* d'apr. le lat. *conjunctus.* || **conjoncturiste** apr. 1945. || **conjoncturel** 1961, *journ.*

conjugal 1282, Gauchi ; lat. *conjugalis,* de *conjugare,* unir. || **conjugalement** 1580, Montaigne. || **conjugalité** 1846.

conjuguer 1572, Ramus ; lat. gramm. *conjugare,* unir, de *jugum,* joug ; XVIe s., fig. || **conjugaison** XIIe s., *le Bal des sept arts,* gramm. ; lat. *conjugatio.* || **conjugable** 1829, Boiste.

conjungo 1670, Th. Corneille, ironique ; mot lat. signif. « j'unis », tiré de la formule du mariage religieux.

conjurer 980, *Passion,* « prier » ; fin XIIe s., « adjurer », « exorciser » ; XIIIe s., « conspirer », sens repris au lat. ; lat. *conjurare,* « jurer ensemble ». || **conjuré** 1213, *Fet des Romains ;* lat. *conjuratus,* « qui a prêté serment » (en anc. fr.). || **conjuration** 1160, Benoît ; 1470, Bartzsch, « complot » ; lat. *conjuratio.* || **conjuratoire** 1891.

***connaître** fin XIe s., *Lois de Guill. ;* lat. *cognōscĕre.* || **connaissance** 1080, *Roland,* « acte de connaître » ; XVIIe s., G. de Balzac, « liaison ». || **connaissement** XIIe s., G., « fait de connaître » ; 1643, Fournier, mar. || **connaisseur** 1160, Benoît. || **connaissable** XIIIe s. || **inconnaissable** milieu XVe s. || **inconnu** 1392, E. Deschamps, adj. ; 1640, Corn., n. ; lat. *incognitus.* || **méconnaître** fin XIIe s., *Aliscans.* || **méconnaissable** fin XIIIe s. || **méconnaissance** 1175, Chr. de Troyes. || **reconnaître** 1080, *Roland,* « identifier » ; XIVe s., « reconnaître pour vrai » ; lat. *recognoscere,* qui suit l'évolution de *connaître.* || **reconnaissance** *id.* (*-nuisance*), « action de reconnaître ». || **reconnaissant** v. 1350. || **reconnaissable** 1080, *Roland.*

connecter 1780, Frédéric II, « être en rapport » ; 1834, Landais, « unir » ; lat. *connectere,* « lier ensemble ». || **connecteur** 1799, Richard. || **connexe** 1290, Drouart ; lat. *connexus,* de *connectere.* || **connexité** 1414, Juvénal des Ursins. || **connexion** 1361, Oresme ; lat. *connexio.* || **interconnexion** 1954, Lar.

connétable 1170, *Rois* (*cunestable*) ; bas lat. *cŏmes stabuli,* comte de l'étable, grand écuyer (*Code Théodosien*). Le *n* pour *m* n'est pas expliqué.

***con(n)il** 1240, G. de Lorris, « lapin », encore dans le blason ; lat. *cŭniculus,* mot d'origine ibérique d'apr. Pline.

connivence 1539, *Doc.,* « complicité » ; bas lat. *conniventia* (Ve s., *Code Théodosien*), du lat. *connivere,* cligner, fermer les yeux, d'où *conniver* au fig. (XVIe s., jusqu'au XVIIIe s.).

conque 1375, R. de Presles ; lat. *concha,* du gr. *konkhê,* coquille. (V. CONCHE 1.)

***conquérir** 1080, *Roland* (*conquerre*) ; XIVe s. (*-quérir,* qui s'imposera au XVIe s.) ; lat. pop. **conquaerere,* chercher à prendre, du lat. *conquīrĕre,* refait sur *quaerere,* chercher (v. QUÉRIR). || **conquête** 1160, Benoît (*conqueste*) ; anc. part. passé fém., du lat. pop. **conquaesita.* || **conquêter** 1190, Garnier. || **conquêt** XIIe s., jurid. ; lat. pop. **conquaesitas.* || **conquérant** 1160,

Benoît. || **reconquérir** 1175, Chr. de Troyes. || **reconquête** XIVe s. (*-quest*).

conquistador 1841, G. Sand ; mot esp. signif. « conquérant ».

consacrer 1119, Ph. de Thaon ; lat. *consecrare,* refait sur *sacré.* || **consécration** 1160, Benoît ; lat. chrét. *consecratio.* || **consécrateur** 1568, Despence ; lat. chrét. *consecrator.*

consanguin V. SANGUIN.

conscience 1170, *Rois ;* lat. *conscientia,* connaissance. || **consciencieux** 1500, Gringore. || **consciencieusement** 1570, Carloix. || **conscient** 1754, Ch. Bonnet ; lat. *consciens,* part. prés. de *conscire,* avoir conscience, de *scire,* savoir. || **consciemment** 1834. || **inconscience** 1836, Raymond. || **inconscient** 1820, Michelet. || **inconsciemment** 1876, Fromentin. || **subconscience** 1907, Lar. || **subconscient** 1907, Lar.

conscrit 1355, Bersuire, hist. (*pères conscrits*), trad. du lat. *patres conscripti,* titre des sénateurs romains ; 1789, sens mod. d'apr. *conscription ;* lat. *conscriptus,* part. passé de *conscribere,* enrôler, de *scribere,* écrire. || **conscription** 1789, Lacuée ; bas lat. *conscriptio ;* appliqué d'abord à la conscription maritime (décret mai 1790), puis à l'armée de terre (19 fructidor an VI).

consécration, consécutif V. CONSACRER, CONSÉQUENT.

***conseil** 980, *Passion,* « avis » ; XIIe s., « conseilleur » ; 1080, *Roland,* « assemblée » ; Xe s., *Saint Léger ;* lat. *consĭlium,* délibération, avis. || **conseiller** n. m., Xe s., *Eulalie* (*-ier*) ; lat. *consĭliarius.* || **conseiller** 1050, *Alexis ;* lat. pop. **consĭliare* (lat. *-ari*). || **conseilleur** 1190, Bodel (*-eor*). || **déconseiller** 1138, *Saint Gilles,* « rendre perplexe » ; 1190, Garnier, sens actuel.

consensuel XVIIIe s. ; lat. *consensus,* sur le modèle de *sensuel.* Se dit en droit d'un contrat formé par le seul consentement des parties.

***consentir** Xe s., *Saint Léger ;* lat. *consentīre,* être d'accord. || **consentement** 1160, Benoît.

conséquent 1361, Oresme ; lat. *consequens,* part. prés. de *consequi,* suivre. || **conséquemment** 1379, G. || **conséquence** XIIIe s., de Fontaines ; lat. *consequentia.* || **consécutif** fin XVe s., « sans interruption » ; 1907, Lar., gramm. ; lat. *consecutus,* part. passé de *consequi.* || **consécutivement** 1373, G. || **consécution** 1265, J. de Meung ; lat. *consecutio,* terme d'astronomie. || **inconséquent** 1552, R. Est. ; lat. *inconsequens.* || **inconséquence** 1538, R. Est. ; bas lat. *inconsequentia.*

***conserver** 842, *Serments,* « observer un serment » ; 1530, Palsgrave, « protéger de l'altération » ; lat. *conservāre,* garder. || **conserve** milieu XIVe s., sens actuel ; XVIe s., mar., repris à l'ital. ; déverbal. || **conserverie** 1953, Lar. || **conserveur** XXe s. || **conservation** 1290, *Livre Roisin.* || **conservateur** 1361, Oresme, « qui conserve » ; XVIIIe s., polit., repris à l'angl. ; lat. *conservator.* || **conservatisme** 1851, A. Herzen. || **conservatiste** 1870, A. Blanqui. || **conservatoire** 1361, Oresme, « lieu où l'on conserve » ; 1787, Féraud, jurid., adj. ; 1778, *Conservatoire de musique,* d'apr. l'ital. ; 1794, *Conservatoire des arts et métiers ;* d'apr. le lat. *servatorium.*

considérer 1130, *Job ;* lat. *considerare,* qui a donné la forme pop. *consirier,* réfléchir, s'abstenir. || **considérable** 1564, J. Thierry, « digne d'être remarqué » ; 1637, Descartes, « important, notable » ; 1668, Molière, sens actuel. || **considérablement** 1675, Maucroix. || **considération** 1170, *Rois ; prendre en considération,* 1775, *Journ. de Bruxelles ;* lat. *consideratio.* || **considérant** 1792, Brunot. || **déconsidérer** 1790, Brunot. || **déconsidération** 1798, Bignon. || **inconsidéré** 1525, Lemaire ; lat. *inconsideratus.* || **inconsidération** 1488, Vaganay ; lat. *inconsideratio.* || **inconsidérément** 1504, Lemaire. || **reconsidérer** 1549, R. Est. || **reconsidération** 1779, Gérard.

consigner milieu XIVe s., « délimiter » ; 1402, N. de Baye, « déposer en garantie » ; 1690, Furetière, « mentionner » ; 1723, Savary, « consigner des marchandises » ; lat. *consignare,* sceller, puis souscrire, consigner par écrit. || **consigne** fin XVe s., Robertet, « marque » ; 1740, *Acad.,* « instruction » ; 1803, Boiste, « punition » ; 1866, Lar., « local de gare pour déposer les bagages » ; déverbal. || **consignation** 1396, *Cout. de Dieppe.* || **consignataire** 1690, Furetière.

consister XIVe s., *Nature a alchimie,* « avoir de la consistance » ; XVe s., sens fig. actuel ; lat. *consistere,* « se tenir ensemble » et sens fig. || **consistance** fin XIVe s., « consistance » ; 1671, Pomey, « compacité ». || **consistant** 1560, Paré, « qui a de la force » ; 1754, *Encycl.,* « ferme ». || **inconsistant** début XVIe s. ; rare jusqu'au XVIIIe s. (1775, Beaumarchais). || **inconsistance** 1738, d'Argenson.

consistoire 1190, Garn., assemblée, dans son sens eccl. spécialisé ; bas lat. *consistorium,* endroit où l'on se tient. || **consistorial** 1432.

consœur V. SŒUR.

console 1565, Barbier ; de *sole,* poutre (v. SOLE) ; par étymol. pop., fait sur *consoler,* avec infl. de *consolider ;* on trouve *consolateur* (1564, J. Thierry), dans le même sens.

consoler XIIIe s. ; lat. *consōlāri.* || **consolation** 1050, *Alexis ;* lat. *consolatio.* || **consolateur** 1265, J. de Meung ; lat. *consolator.* || **consolable** 1458, *Mystère du Viel Testament,* « qui console » ; fin XVe s., d'Authon, sens actuel ; lat. *consolabilis.* || **inconsolable** début XVIe s. ; lat. *inconsolabilis.* || **inconsolé** 1500.

consolider 1314, Mondeville ; le sens fin. (*annuités consolidées,* 1768) a été repris à l'angl. (*consolidated annuities,* 1751) ; lat. *consolidare* (v. SOLIDE). || **consolidation** 1314, Mondeville, « cicatrisation » ; 1380, Conty, « acte de consolider ». || **consolidable** 1842, J.-B. Richard. || **reconsolider** 1468, Chastellain.

consommer 1155, Wace, « achever » ; *consommer le mariage, consommer une denrée,* XVIe s. ; lat. *consŭmmare,* « faire la somme », d'où « compléter ». Souvent confondu jusqu'au XVIIe s. avec *consumer,* d'apr. la graphie commune *consummer* et la parenté de sens en lat. || **consommable** 1580, Montaigne. || **inconsommable** 1867, L. || **consommateur** 1525, Le Fèvre, eccl. ; 1745, Brunot, sens actuel. || **consommation** 1120, *Ps. d'Oxford.* || **consommé** 1361, Oresme, adj. ; 1560, Paré, n. m., « bouillon ».

consomption V. CONSUMER.

consonance 1155, Wace ; lat. *consonantia,* de *sonus,* son. || **consonant** 1175, Chr. de Troyes ; lat. *consonans.* || **consoner** début XIIIe s., *Guillaume de Dole,* « raconter » ; milieu XVe s., aller de pair ; 1853, mus. || **consonne** 1529, Tory ; lat. gramm. *consona* (IIe s., Ter. Maurus ; var. *consonans,* Quintilien), « qui sonne avec (la voyelle) ». || **consonantique** 1872. || **consonantisme** 1878, Lar. || **semi-consonne** 1901, Lar.

consort 1392, *Songe du vergier,* « complice » ; XIVe s., Chr. de Pisan, « compagnon » ; lat. *consors, -ortis,* qui partage le sort ; *prince consort* (d'abord au sujet des reines, 1669, Chamberlayne), calque de l'angl. *queen-consort,* 1634.

consortium 1869 ; mot lat. signif. « association », repris à l'angl. commercial. (V. CONSORT.)

***consoude** 1200, G. (*-oulde*) ; lat. *consolida* (v. CONSOLIDER), à cause des propriétés astringentes de la plante.

conspirer XIIe s., G. ; lat. *conspirare,* « souffler ensemble ». || **conspirateur** 1302, G., « qui machine » ; XVIe s., « qui conspire contre le pouvoir ». || **conspiration** 1160, Benoît ; lat. *conspiratio.*

conspuer 1530, *Postilles,* « cracher » ; 1743, Voltaire, sens actuel ; lat. *conspuere,* « cracher sur ».

constable 1776, Linguet ; mot angl., de l'anc. fr. *conestable* (connétable), et désignant un officier de police.

constant XIIIe s. (*costan*) ; 1355, Bersuire, « ferme » ; 1398, *Ménagier,* « stable » ; 1640, Corn., « avéré » ; lat. *constans,* de *constare,* se tenir ferme, de *stare,* se tenir debout (anc. fr. *conster,* XIVe s., *Traité d'alchimie*). || **constance** 1220, Coincy, « force morale » ; 1265, Br. Latini, « persévérance » ; lat. *constantia.* || **conster** XIVe s. ; lat. *constare,* être certain. || **constante** n. f., 1699. || **constamment** 1355, Bersuire. || **inconstant** 1265, J. de Meung ; lat. *inconstans.* || **inconstance** 1220, Coincy ; lat. *inconstantia.*

constater 1726, *Mém. de Trévoux ;* lat. *constat,* « il est certain », 3e pers. sing. ind. prés., de *constare,* se tenir ferme. || **constatable** 1845, J.-B. Richard. || **constat** n. m., fin XIXe s. || **constatation** 1586, Scaliger ; rare jusqu'au XIXe s. (1845, Besch.).

constellation 1265, J. de Meung ; lat. *constellatio,* de *stella,* étoile, d'abord, au sens astrologique, « groupement des étoiles déterminant un horoscope ». || **constellé** 1519, G. Michel, d'abord sens astrologique ; 1694, Nodot, « parsemé d'étoiles ». || **consteller** 1838, Lamartine.

conster V. CONSTANT.

consterner 1355, Bersuire, fig. ; 1450, Chastellain (*consternir*), « jeter à bas » (sens conservé jusqu'au XVIIe s.) ; lat. *consternāre* et *consternere,* abattre, jeter à terre, de *sternere,* abattre. || **consternation** XIVe s., « émeute » ; 1512, J. Lemaire, sens fig. ; lat. *consternatio.*

constiper 1398, *Somme Gautier ;* lat. *constīpāre,* resserrer ; il a eu le sens de « condenser » jusqu'au XVIe s. || **constipation** fin XIIIe s.

constituer XIIIe s., *Cout. d'Artois,* pronominal ; 1361, Oresme, « placer » ; 1690, Furetière,

« former un tout » ; lat. *constituĕre,* de *statuere,* établir (v. STATUER). || **constituant** 1476, Bartzsch, adj. ; polit., n. m., 1750, *Encycl.,* d'où la *Constituante* de 1790 ; n. m., chimie, anat., etc., fin XVIIIe s. || **constitutif** 1488, *Mer des hist.* ; fin XVIIIe s., polit. || **reconstituer** début XVIe s., « rétablir dans son état premier » ; rare jusqu'au XVIIIe s. (1790, Brunot). || **reconstitutif** 1869, méd. || **reconstituant** 1845, *Journ. de méd.* || **reconstitution** 1734, Féraud.

constitution 1160, Benoît ; d'abord « institution », puis (1683, Burnet) spécialisé en « régime politique » ; 1546, Ch. Est., *constitution du corps,* repris au lat. ; lat. *constĭtutio,* établissement. || **constitutionnalisme** 1828, Saint-Simon. || **constitutionnaliste** 1845, Cabet. || **constitutionnaliser** 1830, Balzac. || **constitutionnalité** 1797, *Doc.* || **constitutionnellement** 1776, *Aff. de l'Angleterre.* || **constitutionnel** 1775, *Journ. de Bruxelles,* sous l'infl. de *constitutional* (en fr., 1776, *Courrier de l'Europe*). || **anticonstitutionnel** 1774, *Journ. de Bruxelles.* || **inconstitutionnel** 1775, *Journ. de Bruxelles.* || **inconstitutionnellement** 1783, Linguet. || **inconstitutionnalité** 1797, *Rapp. du bureau central.*

constricteur fin XVIIe s., méd. ; lat. *constrictor,* de *constringere,* serrer (v. ASTREINDRE) ; *boa constrictor,* 1754, A. de La Chesnaye. || **constriction** 1314, Mondeville ; lat. *constrictio.* || **constringent** 1743, Trévoux ; lat. *constringens.* || **constrictif** milieu XIVe s., méd., « propre à resserrer ».

construire XIIIe s. ; lat. *construere,* de *struere,* élever. || **constructeur** XIVe s., G. ; bas lat. *constructor.* || **construction** 1130, *Job* ; lat. *constructio.* || **constructif** 1487, Garbin. || **constructible** 1863. || **constructibilité** 1863. || **constructivisme** v. 1925. || **constructiviste** v. 1925. || **reconstruire** 1549, R. Est. || **reconstruction** début XVIIIe s.

consubstantiel V. SUBSTANCE.

consul 1213, *Fet des Romains,* hist. ; lat. *cōnsŭl,* qui a désigné aussi des magistrats municipaux du Midi, les juges-consuls, le chef du pouvoir exécutif (1799-1804), et les agents diplomatiques (1690, Furetière). || **consulat** 1246, G., hist. ; 1799, polit. ; lat. *consulatus.* || **consulaire** 1355, Bersuire ; lat. *consularis.* || **vice-consul** 1700, Le Bruyn.

consulter 1410, Cabaret, « délibérer » (jusqu'au XVIIe s.) ; XVe s., « demander conseil » ; lat. *consultare,* dans les deux sens. || **consultant** 1584, Duret. || **consultatif** 1608, du Sin. || **consultation** 1355, Bersuire, « conférence » ; 1580, Montaigne, « délibération » ; 1636, Monet, méd. ; lat. *consultatio.*

consumer XIIe s., *D. G.* ; lat. *consumere,* détruire peu à peu (et aussi *consommer,* du XVIe au XVIIe s.). || **consumable** 1842, J.-B. Richard. || **consumptible** 1585, Papon (*-omptible*) ; bas lat. *consumptibilis* (VIe s., Cassiodore). || **consomption** 1314, Mondeville ; lat. *consumptio.* (V. CONSOMMER.) || **consumérisme** 1972 ; angl. *consumerism.*

contact 1586, Suau ; fin XVIIIe s., fig. ; lat. *contactus,* de *tangere,* toucher (v. TACT). || **contacteur** 1929, Lar., électr. || **contacter** 1842, J.-B. Richard.

contagion début XIVe s. ; lat. *contagio,* de *tangere,* toucher. || **contagionner** 1845, J.-B. Richard. || **contagieux** v. 1300 ; lat. *contagiosus.* || **contagiosité** 1425.

container 1932, Lar. ; mot angl. signif. « récipient ».

contaminer 1213, *Fet des Romains,* « souiller » ; 1866, Lar., « infecter » ; lat. *contaminare,* souiller. || **contamination** milieu XIVe s. ; lat. *contaminatio.* || **décontaminer** 1952, Lar. || **décontamination** *id.*

conte V. CONTER.

contempler 1265, J. de Meung ; lat. *contemplāri.* || **contemplation** 1190, Garn. ; lat. *contemplatio.* || **contemplatif** 1160, Benoît ; lat. *contemplativus.* || **contemplateur** 1355, Bersuire ; lat. *contemplator.*

contemporain V. TEMPS.

contempteur 1449, G. ; lat. *contemptor,* de *contemnere,* mépriser.

contenir 1080, *Roland* ; 1050, *Alexis, se contenir* ; lat. *continere,* refait en **contenere* (v. TENIR). || **contenance** 1080, *Roland,* « comportement » ; XIIIe s., « mesure ». || **conteneur** 1956. || **porte-conteneurs** 1956. || **décontenancer** 1549, R. Est. || **décontenancement** 1671, Sévigné. (V. CONTINENT.)

***content** 1280, *Clef d'amors* ; lat. *contentus,* « qui se contente de », de *continere,* contenir. || **contenter** 1314, *Charte* ; 1360, Froissart, *se contenter.* || **contentement** 1468, Chastellain. || **mécontent** 1501, Joubert, qui a remplacé *malcontent* (XIIIe s.). || **mécontenter** XIVe s., Delb. || **mécontentement** 1539, R. Est.

contentieux 1257, G., « qui donne lieu à une querelle » ; lat. jurid. *contentiosus ;* n. m., 1797, Brunot.

contention 1257, G. ; XVIe s., tension intellectuelle ; 1771, Trévoux, chirurgie, avec infl. de *contenir ;* réfection de l'anc. fr. *contençon,* lutte, débat, du lat. *contentio,* de *contendere,* « tendre vers », lutter.

***conter** 1080, *Roland,* même mot que *compter,* qui s'en est séparé par une divergence graphique pour distinguer les sens. || **conte** 1190, J. Bodel ; *conte bleu,* 1664, Molière, sans doute d'apr. *Bibliothèque bleue,* recueil de contes ; déverbal. || **conteur** 1155, Wace (*-eor*). || **raconter** 1175, Chr. de Troyes. || **racontar** 1867, Delvau, fam. (*-ard*). || **racontable** fin XIIe s., *Grégoire.* || **irracontable** XVe s., La Curne.

contester XIIe s. (*-testar*) ; XIVe s. (*-tester*) ; lat. jurid. *contestari,* plaider en produisant des témoins (*testes*). || **conteste** 1585, Cholières ; auj. seulement dans *sans conteste* (1656, Molière). || **contestable** 1690, Furetière. || **contestablement** 1611, Cotgrave. || **contestation** fin XIVe s. ; lat. *contestatio.* || **contestateur** 1842, J.-B. Richard. || **contestataire** 1968. || **incontesté** 1668, Mézeray. || **incontestable** 1611, Cotgrave. || **incontestablement** milieu XVIIe s.

contexte, contexture V. TEXTE, TEXTURE.

contigu milieu XIVe s. ; lat. *contiguus,* de *tangere,* toucher. || **contiguïté** XVe s., G.

1. **continent** 1160, Benoît, adj., « chaste » ; lat. *continens,* part. prés. de *contĭnēre,* contenir, fig. « maîtriser ». || **continence** fin XIIe s., R. de Moiliens. || **incontinent** 1361, Oresme ; adv., 1332, *Doc.,* « tout de suite » (lat. *in continenti tempore*) ; lat. *incontinens.* || **incontinence** XIIe s., *D. G.*

2. **continent** n. m., 1532, Fabre ; lat. (*terra*) *continens,* « terre qui tient ensemble », de *continere.* || **continental** 1773, Favier.

contingent adj., 1370, Oresme ; n. m., XVIe s. ; lat. *contingens,* part. prés. de *contĭngĕre,* toucher, fig. « arriver par hasard ». || **contingence** début XIVe s. ; bas lat. *contingentia* (VIe s., Boèce). || **contingenter** 1922, Lar. ; du substantif. || **contingentement** 1922, Lar.

continu 1272, Joinville (*contenu*) ; 1314, Mondeville (*continu*) ; lat. *continuus.* || **continuer** 1160, Benoît ; lat. *continuare.* || **continuateur** 1579, Vignier. || **continuation** 1283, Beaumanoir ; lat. *continuatio.* || **continuel** 1155, Wace. || **continuellement** 1160, Benoît. || **continuité** 1390, Conty. || **continûment** 1302, G. || **continuum** 1905 ; mot lat. || **discontinu** 1361, Oresme ; rare jusqu'au XIXe s. || **discontinuer** 1314, Mondeville ; lat. médiév. *discontinuare.* || **discontinuation** 1355, Bersuire ; lat. médiév. *discontinuatio.* || **discontinuité** 1775, Grignon.

contondant 1503, Chauliac ; de *contondre* (XVIe-XVIIIe s.), du lat. *contundere,* blesser ; se dit de ce qui blesse sans couper ni percer. (V. CONTUS.)

contorniate 1754, *Encycl. ;* mot ital., de *contorno,* contour. Nom donné à des médaillons romains, à cause de la bordure, ou contour en creux qui les caractérise.

contorsion 1380, Conty ; bas lat. *contorsio,* de *torquere,* tordre. || **contorsionner (se)** 1771, Masson. || **contorsionniste** v. 1860.

contour XIVe s., Froissart ; ital. *contorno,* de *contornare,* infl. par *tour.* || **contourner** 1311, G. ; ital. *contornare.* || **contournement** 1544.

contraceptif adj. et n. m., v. 1955 ; angl. *contraceptive,* de *contra* et *conceptive,* « de la conception ». || **contraception** 1929 ; angl. *contraception.*

contracter 1361, Oresme, « faire un contrat » ; 1740, *Acad.,* « réduire, resserrer », physique ; lat. jurid. *contractus,* de *contrahere,* resserrer. || **contractant** 1472, Bartzsch. || **contrat** 1361, Oresme (var. *contract*) ; lat. jurid. *contractus.* || **contractuel** 1596, Basmaison. || **contractile** 1755, *Encycl.* || **contractilité** 1735. || **contracture** 1620, Béguin, « rétrécissement » ; 1611, Cotgrave, architecture, repris au lat. ; 1819, Boiste, méd. ; lat. *contractura.* || **contracturer** 1837, en architecture et en méd. || **contraction** 1256, Ald. de Sienne, « diminution de volume » ; lat. *contractio.* || **décontraction** 1956, Lar. || **décontracter** 1956, Lar.

contradiction V. CONTREDIRE.

***contraindre** v. 1120 (*constreindre*) ; lat. *constringĕre,* serrer (v. CONSTRICTEUR). || **contrainte** XIIe s. ; part. passé fém.

contraire 1080, *Roland ;* lat. *contrarius.* || **contrairement** XVe s. || **contrarier** 1080, *Roland,* « se quereller » ; 1690, Furetière, « chagriner » ; bas lat. *contrariare.* || **contrariant** 1300, Bozon. || **contrariété** 1160, Benoît, pl., « choses opposées » ; 1831, Stendhal, « déplaisir » ; lat. *contrarietas.*

contralto, contrapuntiste V. ALTO, POINT.

contraste 1580, Montaigne, « lutte, contestation » (jusqu'au XVIIe s.) ; 1699, Dupuy du Grez, sens pictural ; ital. *contrasto,* de *contrastare,* « s'opposer à », du lat. *contra,* contre, et *stare,* se tenir debout. || **contraster** milieu XVIe s. ; réfection de l'anc. fr. *contrester,* d'apr. l'ital. *contrastare.*

contrat, contravention V. CONTRACTER, CONTREVENIR.

1. ***contre** 842, *Serments* (*contra*) ; lat. *contra.* || **contrer** 1838, *Acad.* || **encontre** 980, *Passion,* prép., « vers » ; XIIe s., *à l'encontre.* || **rencontrer** XIVe s., Cuvelier ; anc. fr. *encontrer.* || **rencontre** XIIIe s., Huon de Méry, déverbal, masc. jusqu'au XVIe s. || **malencontreux** 1400 ; de *malencontre,* malheur (mauvais hasard).

2. **contre-,** préfixe lat. *contra,* contre, opposé à. Les mots construits avec le préfixe *contre-* sont étudiés, sauf exception, à la place alphabétique du radical.

contrebande 1512, Thenaud ; vénitien *contrabbando,* contre le ban. || **contrebandier** 1715, Guyot de Pitaval.

contrebasse V. BASSE.

contrecarrer 1535, G. de Selve ; anc. fr. *contrecarre,* opposition (1470, Chastellain).

contredanse 1626, Bassompierre ; angl. *country-dance,* danse de campagne, rapproché par étymologie pop. de *contre ;* 1901, pop., contravention.

***contredire** Xe s., *Eulalie,* « refuser de faire » ; 1170, *Rois,* « opposer un démenti » ; lat. *contradicere,* dire contre. || **contradiction** XIIe s., *Ps. ;* lat. *contradictio.* || **contradicteur** début XIIIe s. (*contraditor*) ; milieu XIVe s. (*contradicteur*) ; lat. *contradictor.* || **contradictoire** 1361, Oresme ; lat. *contradictorius.* || **non-contradiction** XXe s.

***contrée** 1050, *Alexis ;* lat. pop. **contracta* (*regio*), de *contra,* contre, c.-à-d. « pays en face ».

***contrefaire** 1155, Wace ; bas lat. *contrafacere,* au sens de « imiter », de *contra,* contre, en face, et *facere,* faire. || **contrefaçon** 1268, É. Boileau ; d'apr. *façon.* || **contrefacteur** 1754, *Encycl. ;* d'apr. le lat. *factor* (v. FACTEUR). || **contrefaction** *id.* || **contrefait** adj., XIe s., « difforme » ; croisement de l'anc. fr. *contrait,* du lat. *contractus,* contracté, au fig. perclus, avec le part. passé de *contrefaire.*

contrepèterie 1582, Tabourot, « modification volontaire des mots », puis « inversion de sons ou de mots par lapsus » ; anc. fr. *contrepéter* (1466, Machault), contrefaire, « altérer un son » au fig.

contrepoint 1380, Deschamps, mus. ; de *contre* et *point,* note de musique. || **contrapuntiste** 1831, Balzac ; ital. *contrappuntista,* de *contrappunto,* contrepoint.

contrevallation 1678, Guillet ; de *contre* et du bas lat. *vallatio,* retranchement, de *vallum,* même sens.

contrevenir 1331, Runkewitz ; lat. jurid. médiév. *contravenire.* || **contrevenant** 1611, Cotgrave. || **contravention** XIVe s., *Traité d'alchimie,* infraction ; 1932, *Acad.,* procès-verbal. || **contredanse** 1902, Esnault ; avec suffixe fantaisiste.

contribuer début XIVe s. ; lat. *contribuere,* fournir sa part. || **contribuable** 1401, *Ordonn.,* au sens fiscal ; d'apr. *contribution.* || **contribution** 1317, G. ; lat. *contributio* qui avait le sens général (« action de fournir ») et le sens fiscal (« tribut ») du français. || **contributif** fin XVIe s.

contrister V. TRISTE.

contrit 1190, Garn. ; lat. *contritus,* broyé, au sens chrét. de « broyé de douleur ». || **contrition** 1120, *Ps. d'Oxford ;* lat. *contritio.*

contrôle 1367, *Comptes de Macé Darne ;* début XVe s., contraction de *contre-rôle* (XIVe s.), registre tenu en double. || **contrôler** 1210, Barbier (*contreroller*), « inscrire sur double registre » ; milieu XVe s. (*controoler*), « vérifier ». || **contrôleur** 1292, Barbier (*contrerolleur*). || **contrôlable** 1845. || **incontrôlable** 1624, Nostredame. || **incontrôlé** 1845, Besch.

***controuver** Xe s., *Saint Léger,* « imaginer » ; 1119, Ph. de Thaon, « inventer mensongèrement » ; lat. pop. *contropare,* comparer (VIe s., *Lois des Wisigoths*), de même rac. que *trouver.*

controverse 1236, *Charte de Liège* (*-versie*) ; 1311, Prarond (*-verse*) ; lat. *controversia,* choc, d'où « choc des idées », de *vertere,* tourner. || **controverser** 1611, Cotgrave (*-é*) ; 1640 (*-er*). || **controversiste** 1636, Monet. || **controversable** 1832, Raymond.

contumace ou **contumax** XIIIe s., *Bible* (*-al*), « opiniâtre » ; 1265, Br. Latini (*-ace*), par changement de suffixe ; lat. *contumax, -acis,* orgueilleux, obstiné, de *tumēre,* se gonfler. || **contumace** XIIIe s., *Miracles de saint Éloi ; par contumace,* 1536, *Doc. ;* lat. *contumacia,* orgueil ; le français a aussi les sens propres jusqu'aux XVIe-XVIIe s.

contus 1503, Chauliac ; lat. méd. *contusus,* part. passé de *contundere,* frapper, meurtrir. || **contusion** 1314, Mondeville ; lat. méd. *contusio.* || **contusionner** 1672, Sévigné, qui a remplacé *contuser* (1314, Mondeville). || **contusif** 1835, Bayle.

conurbation 1922, É. Richard ; préfixe *con-,* avec, autour, et lat. *urbs, -is,* ville ; centre urbain avec sa banlieue.

convaincre 1190, Garn. ; lat. *convincere,* au sens fig., refait sur *vaincre.* || **conviction** 1579, Bodin, « preuve de culpabilité » ; 1636, Monet, « certitude » ; lat. impér. *convictio* (IVe s., saint Augustin).

convalescent XIVe s., Chauliac ; lat. *convalescens,* part. prés. de *convalescere,* reprendre des forces, de *valere,* bien se porter. || **convalescence** 1355 ; lat. *convalescentia* (IVe s., Symmaque).

convecteur 1901 ; lat. *convectus.* || **convection** 1877, L. ; lat. *convectum,* de *con-* et *vehere,* transporter.

***convenir** 1080, *Roland* (*covenir*), puis *convenir ;* d'apr. le lat. *convĕnīre,* venir ensemble, et au fig. « être d'accord », d'où « être convenable, falloir », etc. || **convenable** 1160, Benoît. || **convenablement** 1150, Barbier. || **convenance** fin XIIe s., *Chev. Ogier.* || **déconvenue** XIIe s., Raimbert de Paris ; du préfixe *des-* et du part. passé de *convenir,* « événement qui ne convient pas ». || **disconvenir** 1521, Fabri ; lat. *disconvenire.* || **disconvenance** 1488, *Mer des hist.* || **inconvenance** 1573, Vaganay. || **inconvenant** 1790, Mirabeau.

convent, conventicule V. COUVENT.

convention milieu XIIIe s., « contrat » ; lat. *conventio,* de *venire,* venir (avec), au sens fig. ; 1776, *Aff. d'Angleterre,* « assemblée », empr. à l'angl. || **conventionnel** adj., 1453, *Cout. de Touraine ;* n. m., polit., 1792, Mercier, sur *convention,* assemblée. || **conventionnalité** 1908. || **conventionné** 1550, Seyssel ; v. 1958, *médecin conventionné.* || **conventionnement** v. 1958, méd. || **reconvention** 1283, Beaumanoir. || **reconventionnel** 1421, jurid.

conventuel V. COUVENT.

converger 1720, Coste, « tendre vers le même point » ; 1863, L., « avoir le même but » ; lat. médiév. *convergere,* de *vergere,* tourner, incliner, c'est-à-dire « tendre vers un même point ». || **convergent** 1611, Barbier ; lat. *convergens,* même évol. que le verbe. || **convergence** 1671, le P. Chérubin, phys. ; 1866, Lar., fig.

convers, conversation V. CONVERTIR, CONVERSER 1.

1. **converser** 1050, *Alexis ;* lat. *conversari,* fréquenter, sens fr. jusqu'au XVIIe s. ; XVIe s., « s'entretenir ». || **conversation** 1160, Benoît ; lat. *conversatio,* fréquentation ; XVIIe s., entretien. || **conversationnel** 1902.

2. **converser** 1835, *Acad.,* milit., « exécuter une conversion » ; lat. *conversus,* pour servir de verbe à *conversion* au sens propre.

convertir 980, *Passion,* relig. ; 1690, Furetière, math. ; 1866, Lar., finances ; lat. *convertĕre,* « se tourner vers », au propre (alchimie et religion). || **conversion** 1190, *Saint Bernard,* relig. ; 1690, Furetière, finances ; 1704, Trévoux, math. ; lat. *conversio.* || **convers** 1050, *Alexis ;* lat. *conversus,* « tourné », au sens religieux. || **convertissement** XIIIe s., *Psautier.* || **convertisseur** 1530, Palsgrave ; 1876, *Gazette,* appareil. || **convertible** 1265, J. de Meung, « modifiable » ; XIXe s., finances. || **convertibilité** 1265, J. de Meung ; 1845, Besch., finances. || **inconvertible** 1546, Caigny, eccl. ; 1866, L., finances. || **reconversion** 1874, L., « seconde conversion » ; 1877, finances ; XXe s., *reconversion industrielle.* || **reconvertir** 1611, Cotgrave, même évolution sémantique que *reconversion.*

convexe 1361, Oresme ; lat. *convexus,* voûté. || **convexité** 1450, *Livre des eschez amoureux ;* lat. *convexitas.* || **biconvexe** 1842, *Acad.*

convict 1796, Mackenzie ; mot angl. signif. « forçat », du lat. *convictus,* convaincu d'une faute.

conviction V. CONVAINCRE.

***convier** début XIIe s., *Marbode ;* lat. pop. **convītare,* d'apr. *invitare.* (V. ENVI, INVITER.)

convive 1213, *Fet des Romains,* « festin » ; XVe s., sens actuel ; lat. *conviva,* de *vivere,* se nourrir. || **convivial** 1541 ; lat. impér. *convivialis.* || **convivialité** 1816, repris vers 1970 à l'angl. *conviviality.*

convocation, convoi V. CONVOQUER, CONVOYER.

***convoiter** 1155, Wace (*coveitier*) ; XIIe s. (*convoiter*), refait d'apr. le préfixe *con- ;* lat. pop. **cŭpĭdietare,* altér. de *cupĭdĭtas,* de *cupidus,* avide. || **convoiteux** 1138, *Vie de saint Gilles* (*coveitos*) ; lat. pop. **cupidietosus.* || **convoitable** XIIe s., *Élie* *de Saint-Gilles.* || **convoitise** 1130, *Couronn. Loïs* (*coveitise*).

convoler début XVe s. ; lat. *convŏlare,* se remarier, qui signifiait au propre « voler vers, accourir ».

convoquer 1355, Bersuire ; lat. *convocare,* de *vox, vocis,* voix. || **convocation** début XIVe s. ; lat. *convocatio.* || **convocateur** fin XVIIe s., Saint-Simon.

***convoyer** 1170, *Rois ;* lat. pop. **conviare,* « faire route avec » (v. VOIE). || **convoi** 1160, Benoît, « cortège » ; XVIe s., d'Aubigné, convoi des véhicules ; 1847, sens ferroviaire. || **convoyeur** 1196, Ambroise, « qui escorte » ; 1907, Lar., n. m., sens actuel. || **convoyage** 1926.

convulser XVIe s., G. ; lat. *convulsus,* au sens méd., part. passé de *convellere,* arracher. || **convulsif** 1546, Rab., méd. ; 1791, Arnault, fig. || **convulsivement** 1829, Boiste. || **convulsion** 1539, Canappe ; lat. *convulsio.* || **convulsionnaire** 1732, Ch. Colbert. || **convulsionner** 1783.

cool 1952 ; mot angl. signif. « frais ».

coolie 1575, Postel (*culi*) ; XVIIe s. (*coly*) ; mot angl., de l'hindi, nom d'une peuplade misérable du Gujerat.

coopérer, coopter, coordonner V. OPÉRER, OPTER, ORDONNER.

copahu 1578, Lévy ; tupi-guarani *copaü* (var. anc. *capaïba,* 1610, Du Jarric, d'un comp. de *copaü* [var. *copay*] avec *ba,* arbre). || **copaïer** ou **copayer** 1786, *Encycl.,* arbre à suc résineux et balsamique d'Amérique et d'Afrique.

copain V. COMPAGNON.

copal 1588, *Voy. de Cortez ;* mot esp., de l'aztèque *copalle,* résine extraite de certains arbres.

copayer V. COPAHU.

***copeau** 1213, *Fet des Romains* (*cospel*) ; 1611, Cotgrave (*copeau*) ; anc. fr. *coispel,* pointe, p.-ê. du lat. pop. **cŭspellus,* lat. *cŭspis,* pointe.

copeck V. KOPECK.

copie XIIe s., Du Cange, « abondance, ressources » (jusqu'au XVIe s.) ; XIIIe s., « reproduction d'un écrit », d'abord jurid., avec évolution : « faculté de transcrire », « droit de reproduction », « reproduction » ; *copie d'élève,* 1828 ; lat. *copia* (v. COPIEUX). || **copier** 1339, Delb. || **copiable** 1859, Mérimée. || **copiage** 1766. || **copieur** fin XVe s. || **copiste** 1493, Coquillart, *Recueil Trepperel.* || **recopier** milieu XIVe s.

copieux milieu XIVe s., « bien pourvu » ; 1694, *Acad.,* « abondant » ; lat. *copiosus,* de *copia,* abondance (v. COPIE).

copine V. COMPAGNON.

coprah 1602, Colin (*copra*) ; mot angl., du malabar *kopparah.*

coprophage fin XVIIIe s., Latreille ; gr. *kopros,* excrément, et *phagein,* manger. || **coprophagie** 1884. || **coprolalie** 1893.

copte 1664, Thévenot (*cofte*) ; désigna d'abord les chrétiens d'Égypte, puis l'anc. langue démotique ; ar. *kupt,* du gr. *aiguptios,* égyptien : chute de la syllabe initiale après la première période arabe.

copulation XIIIe s., G. ; lat. *cōpŭlatio,* assemblage, liaison. || **copule** XVe s., G., « lien charnel » ; 1752, Trévoux, gramm. || **copuler** 1361, Oresme, « joindre » ; fin XIVe s., « s'accoupler » ; lat. *copulare,* lier. || **copulatif** fin XIVe s.

copurchic V. CHIC.

copyright 1830, *Rev. brit. ;* mot angl. signif. « droit (*right*) de copie ».

1. **coq** 1138, *Saint Gilles* (*coc*) ; il a éliminé l'anc. fr. *jal, jau,* du lat. *gallus ; coq du village,* 1549, R. Est. ; *coq en pâte,* 1694, *Acad.,* d'abord « coq à l'engrais », puis fig. ; onom. d'apr. le cri du coq. || **cochet** fin XIIIe s., *Renart.* || **coquelet** 1285, A. de la Halle. || **coquâtre** 1507, G., « demi-chapon ». || **coq-à-l'âne** 1532, Marot ; discours où l'on passe du coq à l'âne (*saillir du coq en l'asne,* XIVe s.).

2. **coq** 1671, Arnoul, cuisinier de la mar. ; néerl. *kok* ou ital. *cuoco,* du lat. *cŏquus,* cuisinier. (V. CUIRE, QUEUX 1.)

coquard, coquart V. COQUE.

coque 1265, J. de Meung, « coquille d'œuf » (déjà *coco* en bas lat., VIIe s.) ; 1751, *Encycl.,* « coquillage » ; lat. *coccum,* excroissance d'une plante. || **coquetier** 1307, Fagniez, « marchand d'œufs » ; 1524, Gay, « ustensile ». || **coquard** ou **coquart** 1863, Delvau, « œil poché ».

coquebin fin XVIe s., Béroalde de Verville ; p.-ê. turc *kakavan,* sot, hurluberlu, ou dér. de *coq.*

coquecigrue 1534, Rab., « animal chimérique » ; p.-ê. de *coq-grue* (XVIe s.) et *ciguë,* élément de nom de plante (*coqsigrue,* « bugrane », Berry, etc.).

coquelicot 1545, Guéroult (*-coq*) ; altér. de *cocorico ;* il a désigné d'abord le coq (XIVe s.), puis la fleur par comparaison avec la crête du coq.

coquelle 1750, mot rég. ; altér. de *coquemar.*

coquelourde 1539, R. Est., nom de diverses fleurs ; p.-ê. anc. fr. *coquelourde,* gobelet (*coque lourde*), avec infl. de *coq* (dial. *coqueton,* « narcisse », c.-à-d. « petit coq »).

coqueluche 1414, Du Cange, « capuchon » ; 1453, Monstrelet, grippe, puis sens actuel (maladie dans laquelle on se couvrait la tête d'un capuchon) ; 1686, Baron, « passion » (cf. *béguin, avoir le béguin, être coiffé de*) ; p.-ê. mot ital. ou esp., du lat. *cucullus,* capuchon, avec infl. de *coq,* pour la maladie, dont la toux a été appelée *chant du coq.* || **coquelucheux** 1868.

coquemar 1281, Gay ; néerl. *kookmoor,* de *kooken,* bouillir, et *moor,* maure, noir, par ext. « chaudron » (noirci par le feu ; *moor* signifie « bouilloire » en flamand) ; ou du lat. *cŭcŭma,* chaudron.

coqueret fin XIIIe s. (*cokelet*), « alkékenge » ; dér. de *coq ;* c'est l'enveloppe du fruit (et non le fruit qu'on ne voit pas) qui a été comparée à une crête de coq.

coquet XIIIe s., « petit coq » ; n. et adj., XVe s., sens fig. actuel. || **coqueter** 1611, Cotgrave, « se pavaner comme un coq » (*caqueter* au XVIe s., d'où *coquette,* femme qui caquette). || **coquetterie** 1651, Scarron.

coquetier V. COQUE.

***coquille** 1265, Br. Latini ; lat. *conchylia,* pl. neutre passé au fém. en lat. pop., du gr. *kogkhulion ;* par croisement avec *coque.* || **coquillé** 1350, *Ordonn.* || **coquillon** 1399, G. || **coquillard** 1455, *Coquillards,* « coquetier ». || **coquillage** 1573, de Billy. || **coquillier** XVIe s., La Porte, adj. ; n. m., 1743, Trévoux. || **coquillette** XIIIe s., « petite coquille » ; XXe s., sens actuel.

coquin fin XIIe s., *Loherains,* « gueux, mendiant » (jusqu'au XVIe s.) ; p.-ê. de *coque,* coquille, au sens fig. « pèlerin, faux pèlerin » (sur le modèle des *Coquillards* dijonnais du XVe s.) ; ou dér. de *coq.* || **coquinerie** XIIIe s., Du Cange. || **acoquiner (s')** 1530, Palsgrave, « se mêler à des coquins ». || **acoquinant** 1743, Trévoux. || **acoquinement** 1845, J.-B. Richard.

***cor** 1080, *Roland* (*corn*), « olifant » ; lat. *cŏrnu,* au sens propre de « corne » (anc. fr. *cerf à dix cors*), resté dans *cor au pied* (XVIe s.), comparé par sa dureté à la corne ; le sens d'« instrument de musique » (Ier s., Ovide), issu directement du lat., vient du fait qu'il était d'abord fait dans une corne évidée. || **corner** 1080, *Roland,* émettre un son par le cor ; 1866, Lar., « râler », en parlant du cheval ; XIXe s., « plier en corne » ; sur le radical *corn.* || ***corne** [d'animal] XIIe s., *Ps. ;* XVe s., pl., symbole des maris trompés, à cause des coqs châtrés auxquels on avait implanté dans la crête leurs ergots ; XVIe s., *corne d'abondance ;* forme anc. du lat. *cornu,* dont le pl. *cornua* est passé au fém. (lat. pop. *corna*). || **cornu** v. 1150, *Aliscans.* || **cornier, -ière** 1170, *Rois.* || **cornard** 1265, J. de Meung, « mari trompé ». || **corniaud** 1845, chien ; 1949, fam., imbécile. || **cornette** XIIIe s., « coiffe de femme », puis coiffe de religieuse (XIXe s.) ; XVe s., « étendard de cavalerie, officier qui le porte » ; 1821, Desgranges, pop., fém. de *cornard.* || **cornet** début XIIIe s., « trompe » ; 1328, Havard, « objet en forme de corne ». || **cornichon** 1530, Marot, « petite corne » ; 1651, N. de Bonnefons, sens actuel. || **cornillon** 1842, *Acad.* || **corné** 1752, Trévoux ; refait sur le lat. *corneus.* || **cornée** 1314, Mondeville ; lat. méd. *cornea,* abrév. de *tunica cornea.* || **cornéen** 1864. || **corniste** 1821, sur le sens de *cor,* instrument de musique. || **cornecul** 1936, arg. || **cornegidouille** 1888, Jarry ; de *corne* et *gidouille,* bedaine. || **bicorne** 1302, Delb. ; lat. *bicornis.* || **écorner** fin XIIe s., *Aliscans.* || **écornifler** XVe s. ; croisement avec *nifler* (v. RENIFLER). || **écornifleur** 1537, Molinet. || **écorniflerie** fin XVIe s., Baïf. || **encorner** 1125, *Doon de Mayence,* « garnir de cornes » ; 1530, Palsgrave, « blesser ». || **racornir** 1335, Digulleville, « devenir de la corne ». || **racornissement** 1748, *Acad.* (V. aussi CORNU, CORNICHE.)

corail XIIe s., *Marbode* (*coral*) ; XIVe s., Laborde (*courail*) ; XVe s. (*corail*) ; lat. *corallium* (var. *allus*), du gr. *korallion.* || **corailleur** 1679, Savary. || **corallin** 1500, Lemaire ; bas lat. *corallinus.* || **corallien** 1866, Lar.

coran XIVe s., Delb. (*alcoran*) ; 1657, La Boullaye (*koran*) ; ar. *al-Qur'ān,* la Lecture (cf. *l'Écriture*) ; *s'en moquer comme de l'an quarante* paraît une altér. de *l'alcoran.* || **coranique** 1877, *Débats.*

corbeau 1180, Marie de France ; XVIIe s., croc d'abordage ; dér. gallo-roman tardif du lat. *cŏrvus* (anc. fr. *corp,* v. CORMORAN) ; il a éliminé le simple. || **corbin** XIIe s., Herman de Valenciennes, « corbeau » (v. BEC-DE-CORBIN) ; lat. *corvinus.* || **corbillat** XVIe s., Laval ; d'apr. *cornillat* (*id.*). || **encorbellement** 1394, G. ; de *corbel,* anc. forme de *corbeau,* fig. de « poutre » ou « pierre en saillie ».

***corbeille** fin XIIe s., *Aliscans ;* lat. *cŏrbĭcŭla,* dimin. de *corbis.* || **corbillon** XIIe s., G. (*-ellon*). || **corbeille-d'argent** 1866, Lar.

corbillard début XVIe s., *les Triolets du temps,* « coche d'eau faisant le service de *Corbeil* à Paris » (il y avait le *Melunois,* le *Montrelois,* de Montereau) ; 1688, Sévigné, « grand carrosse » ; 1798, *Acad.,* « char mortuaire ».

corbillat, corbillon, corbin, corbleu V. CORBEAU, CORBEILLE, DIEU.

***corde** XIe s. ; lat. *chŏrda,* du gr. *khordê,* d'où « corde de boyau pour instruments de musique ». || **cordon** fin XIIe s., *Aiol ;* 1612, Régnier, *cordon bleu,* homme distingué, d'apr. la couleur du ruban de l'ordre du Saint-Esprit, d'où, iron., « cuisinière » ; 1814, chez Brunot. || **cordonnet** 1515, Laborde. || **cordonner** fin XIIe s., *Aiol.* || **cordée** XVe s. ; fin XIXe s., alpinisme. || **cordeau** 1160, *Thèbes* (*cordel*). || **cordelle** fin XIIe s., *Alexandre.* || **cordelier** XIIIe s., G. (*-olier*), puis nom de religieux seulement ; 1796, *Néol. fr.,* polit. || **cordelette** 1213, *Fet des Romains.* || **cordelière** fin XVe s., La Curne. || **corder** XIIe s. || **cordier** 1240, Delb. || **corderie** XIIIe s., *Fabliau.* || **cordage** 1367, Delb. || **décorder** XIIe s. || **encorder** 1160, Benoît, « munir de cordage » ; fin XIXe s., alpinisme.

cordial 1314, Mondeville, méd. ; XVe s., « qui part du cœur » ; n. m., XVe s. ; lat. *cordialis,* de *cor, cordis,* cœur. || **cordialité** XVe s., Delb. || **cordialement** 1398, *Ménagier.* (V. CŒUR.)

cordillère 1611, Cotgrave ; esp. *cordillera,* chaîne de montagnes, du lat. *chorda.*

cordon V. CORDE.

cordonnier XIIIe s., *D. G.* (*cordoanier*) ; 1307, Fagniez (*-donnier*) ; anc. fr. *cordoan,* cuir de *Cordoue,* avec infl. de *cordon ;* il a éliminé l'anc. fr. *sueur,* du lat. *sutor.* || **cordonnerie** 1236, G. (*-ouannerie*) ; début XVIe s. (*-donnerie*).

corégone 1839, Boiste, poisson ; gr. *korê,* pupille de l'œil, et *gônia,* angle.

coriace XVe s., *Perceforest* (*corias*) ; 1549, R. Est. (*-ace*) ; lat. *coriaceus* (IVe s.), de *corium,* cuir, c'est-à-dire « dur comme le cuir ».

coriandre XIIIe s., *Médicinaire ;* lat. *coriandrum,* du gr. *koriandron,* nom d'une plante utilisée comme condiment.

corindon fin XVIIe s., J. Thévenot (*corind*) ; 1795, Delamétherie (*-indon*) ; du télougou, langue de l'Inde ; désigne l'alumine à l'état naturel.

***corme** début XIIIe s. ; lat. pop. *corma,* postulé par *curmus,* boisson fermentée, mot gaulois (Ve s., Marcus Empiricus) : l'*o* est dû à l'attraction de *cornum,* cornouille, dont *corme* a pris le sens dans l'Ouest. || **cormier** 1130, *Eneas.*

cormoran XIIe s. (*cormare*[*n*]*g*) ; fin XIVe s. (*cormoran*) ; anc. fr. *corp,* corbeau, et adj. **marenc,* marin, dér. de *mer,* avec le suffixe germ. *-ing.*

cornac 1637, Davity (*-aca*) ; port. *cornaca,* altér. d'un mot hindi signif. « dompteur d'éléphants ».

cornaline XIIe s., *Marbode* (*-eline*) ; de *corne,* cornouille, la couleur rappelant celle du fruit, dont il a le sens chez Cottereau au XVIe s.

1. ***corne** V. COR.

2. ***corne** 1175, Chr. de Troyes, « fruit » ; lat. *corna,* pl. neutre féminisé de *cornum,* cornouille. || **cornouille** 1175, Chr. de Troyes (*-olle*) ; lat. pop. **cornŭcula* (var. *-icula*) ; le mot a éliminé *corne.* || **cornouiller** 1175, Chr. de Troyes (*-ellier*). [V. CORME.]

corned-beef 1716, *le Cuisinier royal ;* mot angl., de *corned,* salé, et *beef,* bœuf.

cornée V. COR.

***corneille** 1175, Chr. de Troyes ; lat. pop. *cornĭcŭla,* de *cornix, -icis,* de même sens.

cornélien 1657, Tall. des Réaux (*-neillien*) ; 1764, Voltaire (*-nélien*) ; du nom de Pierre *Corneille.*

cornemuse XIIIe s., *Dame à la licorne ;* déverbal de l'anc. fr. *cornemuser,* de *corner* et *muser* (v. MUSETTE).

1. **corner** V. COR.

2. **corner** 1903, Mackenzie ; mot angl. signif. « coin ».

cornet, cornette V. COR.

corniche 1528, Huguet, « bordure » ; 1850, Balzac, « passage étroit » ; ital. *cornice,* fait sur le lat. *cornu,* corne.

cornichon, cornier, cornouille V. COR, CORNE 2.

***cornu** fin XIIe s., *Aliscans ;* lat. *cornūtus,* de *cornu,* corne. || **cornue** 1405, G. || **biscornu** fin XIVe s. (*bicornu*) ; XVIe s. (*biscornu*), réfection sur le préfixe.

cornue V. CORNU.

corollaire 1361, Oresme ; spécialisé en math. au XVIIe s. ; lat. *corollarium,* petite couronne au sens philos. (VIe s., Boèce).

corolle 1749, Trévoux ; lat. *cŏrōlla,* dimin. de *cŏrōna,* couronne. || **corollé** 1836, Landais. || **corollin** 1842, *Acad.*

coron 1220, Coincy, « bout, extrémité » ; mot du Nord et de l'Est, dér. de *cor,* au sens fig. « angle » en anc. fr. ; en Wallonie, il a pris comme le simple (devenu *cwè*) le sens de « groupe de maisons de mineurs », popularisé par Zola (*Germinal*) en 1885.

coronaire 1560, Paré ; lat. *coronarius,* de *corona,* couronne. En anat., se dit de certains organes, à cause de leur disposition en couronne. || **coronarien** 1897, Achard. || **coronarite** 1897, Barbier. || **coronal** 1314, Mondeville ; lat. *coronalis,* en astron. || **coronule** 1823, Boiste.

coroner 1624 ; mot angl., de l'anc. normand *coroneor,* de couronne.

coronille 1700, Liger (*-illa*) ; esp. *coronilla,* petite couronne (lat. *corona*).

coronoïde 1654, Gelée ; gr. *koronê,* corneille, et *eidos,* forme, c.-à-d. « en bec de corneille » ; se dit de certaines apophyses, à cause de leur forme.

corossol 1599, Champlain ; créole des Antilles, altér. possible de *Curaçao.* || **corossolier** 1709, Gautier de Tronchoy, arbre tropical à fruits comestibles.

corozo 1838 ; mot esp. de l'Équateur signif. « fruits dont les grains sont utilisés pour fabriquer cet ivoire végétal ».

corporal, corporation, corporel V. CORPS.

***corps** fin IXe s., *Eulalie* (*cors*) ; XIVe s. (*corps,* d'apr. le lat.) ; *corps législatif, politique,* XVIIIe s., Montesquieu ; *corps industriel, social,* 1817, Saint-Simon ; lat. *cŏrpus, -oris.* || **corporal** 1264, Delb. ; lat. eccl. *corporale,* l'hostie, ou corps du Christ, étant posée sur ce linge. || **corporation** 1530, Palsgrave ; mot angl., du lat. médiév. *corporari,* se réunir en corps. || **corporatif** 1830. || **corporatisme** 1913, Lar. || **corporativement** 1877, L. || **corporel** 1130, *Eneas ;* lat. *corporalis.* || **corporellement** 1190, *Saint Bernard.* || **corpulent** XIVe s., *Ystoire sages ;* lat. *corpulens.* || **corpulence** début XIVe s. ; lat. *corpulentia.* || **corpus** 1642, Oudin, « hostie » (*corpus Dei*) ; 1863, L., fig., « recueil de droit, d'inscriptions, etc. » (*corpus juris*) ; mot lat. lui-même. || **corpuscule** 1495, J. de Vignay ; lat. *corpusculum,* dimin. de *corpus.* || **corpusculaire** 1721, Trévoux. || **corsage** 1175, Chr. de Troyes, « corps », puis « buste » (jusqu'au XVIIe s.) ; 1778, Rousseau, « partie de la robe qui recouvre le buste ». || **corselet** fin XIIe s., *Grégoire,* « petit corps » et « cuirasse » (jusqu'au XVIe s.) ; « corsage », 1546, Ch. Est., spécialisé aux insectes. || **corser** av. 1589, Baïf, « saisir corps à corps, donner du corps » ; 1828, Stendhal, « renforcer ». || **corset** 1239, G., « vêtement de dessus » (jusqu'au XVIe s.), remplacé par *corsage* en ce sens et spécialisé au sens actuel. || **corseter** 1842 (1829, Boiste). || **corsetier** 1842 (*corsetière*). || **arrière-corps** 1546, J. Martin. || **avant-corps** 1658, La Fontaine. || **incorporel** 1160, Benoît ; lat. *incorporalis.* || **incorporer** 1190, *Saint Bernard* (*en-*) ; XVe s., milit. ; lat. *incorporare,* faire entrer dans un corps. || **incorporation** 1468, Chastellain, relig. ; 1560, Paré, méd. ; 1835, *Acad.,* milit. ; lat. *incorporatio.*

corpuscule, correct, correction V. CORPS, CORRIGER.

Corrector 1947, nom de marque ; de *correction.*

corregidor 1579, *Registre de Bayonne ;* mot esp. dér. de *corregir,* corriger.

corrélatif milieu XIVe s. ; lat. scolast. *correlativus,* de *relatio,* relation. || **corrélativement** 1653, Oudin. || **corrélation** 1412, *Règles de seconde rhétorique ;* lat. *correlatio,* état de ce qui a des relations, des rapports avec d'autres choses. || **corrélat** XXe s. || **corréler** 1963.

correspondre 1355, Bersuire, « être en rapport de conformité » ; XVIIe s., correspondre par lettre ; lat. scolastique *correspondere,* de *respondere,* répondre. || **correspondant** 1361, Oresme ; XVIIe s., n., sens actuel. || **correspondance** XIVe s., *Nature a alchimie,* « conformité » ; XVIIe s., sens actuel. || **correspondancier** 1900.

corrida 1804 ; mot esp. signif. « course ».

corridor fin XVIe s., d'Aubigné (*couridor*), terme de fortification ; 1636, Monet, sens actuel ; ital. *corridore,* « (galerie) où l'on court ».

corriger 1268, É. Boileau ; lat. *cŏrrĭgĕre,* redresser, de *regere,* dresser. || **corrigible** 1300, G. || **incorrigible** 1334, G. ; bas lat. *incorrigibilis.* || **incorrigibilité** 1500, Auton. || **incorrigiblement** 1788, Mirabeau. || **correct** 1512, Lemaire ; lat. *correctus,* part. passé de *corrigere.* || **incorrect** 1421, de Lannoy. || **incorrectement** 1538, Vaganay. || **correcteur** fin XIIIe s. ; lat. *corrector ;* typogr., 1539, L. Morin. || **correctif** 1361, Oresme ; lat. médiév. *correctivus,* adj. || **correction** XIIIe s., *Isopet de Lyon ; maison de correction,* 1771, Trévoux ; lat. *correctio.* || **incorrection** 1512, J. Lemaire, « faute » ; 1587, La Noue, « impolitesse ». || **correctionnel** av. 1450, R. d'Anjou, « qui corrige » ; XVIIIe s., jurid. || **correctionnaliser** 1823, Boiste.

corroborer 1329, G. ; lat. *corroborare,* de *robur,* force. || **corroboration** 1296, G. ; bas lat. *corroboratio,* action de renforcer, d'abord jurid.

corroder 1314, Mondeville ; lat. *cŏrrōdĕre,* ronger. || **corrosif** XIIIe s., L. ; bas lat. *corrosivus.* || **corrosion** 1314, Mondeville ; lat. *cŏrrōsio.* (V. RODER.)

corrompre 1190, Garn. (*-umpre*) ; lat. *corrŭmpĕre* (V. ROMPRE). || **corrupteur** 1495, J. de Vignay ; lat. *corruptor.* || **corruptible** 1265, J. de Meung ; lat. chrét. *corruptibilis.* || **corruptibilité** XVe s., Farget ; lat. chrét. *corruptibilitas.* || **corruption** 1119, Ph. de Thaon ; lat. *corruptio.* || **incorruptible** 1361, Oresme, sens propre ; 1580, Montaigne, fig. ; bas lat. *incorruptibilis.* || **incorruptibilité** 1495, J. de Vignay.

corrosif, corrosion V. CORRODER.

***corroyer** 1050, *Alexis* (*conreer*) ; « préparer, équiper » (jusqu'au XVIe s.) ; XVIe s. (*conroyer* d'apr. les formes toniques et *corroyer* par assimilation) ; à partir du XIIIe s., sens techn. ; lat. pop. **conredare,* du germ. *garêdan,* réfléchir à quelque chose (même rac. que l'allem. *raten,* conseiller). || **corroi** 1155, Wace (*conroi*), « ordre, soin » ; 1611, Cotgrave, « façon donnée au cuir », « enduit ». || **corroyage** XVe s. || **corroyeur** 1268, É. Boileau (*conreeur*). || **corroierie** 1207, G. (*couroierie*).

corrupteur, corruptible, corruption, corsage V. CORROMPRE, CORPS.

corsaire fin XIIe s., *Estoire de Éracles* (*corsari*) ; ital. *corsaro,* « (pirate) qui fait la course (sur mer) ».

corselet, corser, corset V. CORPS.

corso 1807, « réjouissance carnavalesque à Nice » (qui a lieu sur le cours) ; ital. *corso,* cours, avenue.

cortège 1622, G. de Balzac ; ital. *corteggio,* suite de personnes, de *corteggiare,* faire la cour (*corte*).

cortès 1526, *Recueil des lois ;* esp. *cortes,* assemblée nationale, pl. de *corte,* cour.

cortical fin XVe s. ; lat. *cortex, -icis,* écorce, dans les sens d'écorce cérébrale et d'écorce végétale. || **cortex** 1896, Thoinot. || **corticine** 1842, *Acad.* || **corticoïde** milieu XXe s., méd. || **cortisone** 1950, Lar. || **corticosurrénal** XXe s.

cortine 1762, *Acad. ;* lat. *cortina,* vase ; filaments qui réunissent le bord d'un champignon à son pied. (V. COURTINE.)

coruscation fin XIIIe s. ; lat. *coruscatio,* de *coruscare,* étinceler. || **coruscant** fin XVe s., Lemaire ; part. prés. *coruscans.*

***corvée** 1160, Benoît ; « tâche pénible » depuis l'abolition de la corvée féodale (4 août 1789) ; 1835, milit., « travail de courte durée » ; lat. pop. *corrŏgāta* (*opera*), travail en participation, du lat. *corrogare,* inviter ensemble. || **corvéable** fin XVIe s., Loisel ; 1740, Laurière, fig.

corvette 1476, G., texte picard ; moyen néerl. *korver,* bateau chasseur, comme les var. *corbe, corvot* (XVe-XVIe s.), *corbette* (XVIIe s., Ménage).

corvidé 1838 ; lat. *corvus,* corbeau.

corybante 1375, R. de Presles ; gr. *korubas.*

corymbe XIVe s., bot. ; lat. *corymbus,* du gr. *korumbos.*

coryphée 1579, Lostal ; lat. *coryphaeus,* du gr. *koruphaios,* de *koruphê,* tête, « chef du chœur ».

coryza 1398, *Somme Gautier* (*coryze*) ; 1655, Fernel (*-ysa*) ; lat. méd. (IIIe s., C. Aurelius), du gr. *koruza,* écoulement nasal.

cosaque 1578, *Négoc. du Levant ;* russe *kozak.*

cosmétique 1555, Aneau, adj. ; n. m., 1676 ; gr. *kosmetikos,* relatif à la parure, de *kosmos,* ordre, au sens fig. « ornement ». || **cosmétiqué** 1876, A. Daudet. || **cosméticien** v. 1950. || **cosmétologie** 1970.

cosmique fin XIVe s. ; gr. *kosmikos,* de *kosmos,* ordre de l'univers, puis univers. || **cosmos** 1827 ; mot gr. || **cosmodrome** 1961. || **cosmovision** XXe s. || **cosmogonie** 1585, J. Des Caurres ; gr. *kosmogonia.* || **cosmographe** 1361,

Oresme. || **cosmographie** 1512, Lemaire ; gr. *kosmographia.* || **cosmologie** 1582, Barbier. || **cosmonaute** 1934, Guilbert. || **cosmopolite** adj., 1560, Postel ; subst., 1665, *Comédie du Cosmopolite ;* gr. *kosmopolitês.* || **cosmopolitisme** 1823, Boiste, a remplacé *cosmopolisme* (1739, Argenson). || **cosmotron** 1953, Lar.

cossard 1898, Esnault, « paresseux » ; mot de l'Ouest signif. « buse, canard sauvage », oiseau indolent ; origine obscure. || **cosse** 1899, Esnault ; dérivé.

1. ***cosse** [de légume] fin XIIe s., *Aliscans ;* lat. pop. **coccia,* du même type que *coque.* || **écosser** *id.* || **écosseur** 1560, Viret.

2. **cosse,** paresse V. COSSARD.

3. **cosse** 1552, Rab., anneau ; néerl. *kous,* de l'anc. picard *calce,* chausse.

cosson fin XIe s., *Gloses de Raschi,* « charançon » ; lat. *cossus,* ver de bois, larve et insecte rongeant les grains.

cossu XIVe s., *Miracles de Nostre-Dame,* « bien fourni de cosses » ; XVIe s., « aisé » ; de *cosse* 1.

costaud 1806 (*costeau*), « souteneur » ; 1881, abbé Moreau (*costaud*), « gaillard » ; romani *cochto,* bon, solide ; ou de *côte,* avec infl. du prov. *costo,* côte.

costière XIIe s., rivage, versant ; XIVe s., encadrement de pierre ; XIXe s., trappe sur une scène de théâtre ; prov. *coste,* côte.

costume 1641, Poussin, « naturel extérieur » ; 1676, Félibien, « manière d'être extérieure », « couleur locale » ; 1747, Rémond, sens actuel ; ital. *costume,* coutume. || **costumer** 1787, Féraud (*-é*). || **costumier** 1801, Mercier. || **costard** 1966, Esnault.

cosy-corner ou **cosy** 1906, Bonnafé ; mot angl. signif. « petit canapé à deux places » (lit de coin).

cote fin XIVe s. (*quote,* encore au XVIe s.), « indication de la somme à payer » ; 1784, Brunot, « indication de la valeur en Bourse d'une action » ; lat. médiév. *quŏta,* fém. substantivé de l'interrogatif lat. *quŏtus,* combien, d'apr. *quota pars,* « part qui revient à chacun ». || **coter** XVe s., La Curne, « imposer » ; 1834, Landais, « indiquer le taux ». || **coteur** 1891. || **cotation** 1530, Marot. || **cotiser** début XIVe s., « taxer ». || **cotisation** 1515, Huguet. || **cotisant** 1959, Lar., n. m. || **décote** 1952, Lar. || **quote-part** fin XVe s., « part qui revient à chacun ». || **quotité** début XVe s. ; refait sur le lat. *quŏtus.*

***côte** XIe s., os plat du thorax ; fin XIIe s., *Roman* de *Renart,* versant d'une montagne ; 1530, Palsgrave, bord de mer ; lat. *cŏsta,* côte, côté. || **côtelé** fin XIIe s., *Aliscans.* || **coteau** 1130, *Eneas,* qui a remplacé en ce sens *côté.* || **côteline** 1796, *Not. Cavussin,* « étoffe ». || **côtelette** 1398, *Ménagier.* || **côtoyer** 1131, *Couronn. de Loïs* (*costeier*). || **côtoiement** 1876, Huysmans. || **côtière** 1175, Chr. de Troyes. || **côtier** 1160, Benoît, n. m., « côte de la mer » ; adj., 1539, Gruget. || **entrecôte** 1746, Menon. || **intercostal** 1536, Chrestian. (V. ACCOSTER.)

***côté** 1080, *Roland* (*costet*), « partie latérale du corps » ; XIIIe s., « partie latérale de qqch » ; *côté droit, gauche,* polit., 1792, *Journ. de Paris ;* lat. pop. **cŏstātum,* partie du corps où sont les côtes ; il a éliminé *lez,* du lat. *latus,* au XVe s. || **écôter** XIVe s. (*-té*), enlever les côtes des feuilles. || **écôteur** 1768, Duhamel du Monceau. || **écôtage** 1768, Duhamel du Monceau.

coter V. COTE.

coterie 1376, G., « bien roturier », « association de paysans tenant une terre seigneuriale » ; 1660, Oudin, « société » ; 1688, La Bruyère, sens actuel, péjor. ; 1791, *Ami des hommes,* « clientèle de parti politique » ; anc. fr. *cotier* (fin XIVe s.), au sens féodal, d'un germ. *kote,* cabane (angl. *cottage*).

cothurne XVe s. ; lat. *cothurnus,* du gr. *kothornos.*

côtier V. CÔTE.

cotignac 1398, *Ménagier* (*coudoignac*) ; 1530, Goeurot (*cotignac*), d'apr. le lat. *cotoneum ;* prov. *codonat, coudounhat,* de *codouh,* coing.

cotillon V. COTTE.

***cotir** 1265, J. de Meung, « heurter » ; 1690, La Quintinie, « meurtrir un fruit » ; lat. pop. **cottire,* du gr. *kottê,* tête, comme *cosser,* heurter (XVIe s.), de l'ital. *cozzare,* du lat. pop. **cottiare.* || **cotissure** 1701, Furetière.

cotisation, cotiser V. COTE.

coton fin XIIe s., *Alexandre ;* ital. de Gênes *cottone,* de l'ar. *koton.* || **coton-poudre** 1847, *Doc.* || **cotonner** 1244, Barbier. || **cotonneux** 1552, Ch. Est. || **cotonnier** n. m., XIIIe s. ; adj., 1837. || **cotonnade** 1615, Loys Guyon.

cotre 1777, Lescallier, « petit croiseur » (var. *cutter*) ; angl. *cutter,* « qui coupe (l'eau) ».

cotriade 1877, Lar. ; orig. obsc.

cottage 1754, *Encycl.* ; mot angl. signif. « maison de paysans » ; fin XVIIIe s., « maison de campagne ». (V. COTERIE.)

cotte 1138, *Saint Gilles,* « tunique d'homme » (*cotte d'armes, de mailles*) ; 1534, B. Des Périers, « jupe de paysanne » ; 1867, pantalon de travail d'ouvrier ; francique **kotta* (anc. haut allem. *chozza,* manteau de laine grossière). || **cotillon** 1461, Villon, « jupon » ; auj. seulement, au fig., *courir le cotillon* (Wailly, 1809) ; 1708, Regnard, « danse avec accessoires, avec cotillon » ; XVIIIe s., « danse avec figures » ; de *cotte,* robe.

cotyle XIVe s. ; gr. *kotulê,* cavité. || **cotylédon** 1314, Mondeville ; gr. *kotulêdon,* cavité. || **dicotylédone** milieu XVIIIe s. || **monocotylédone** milieu XVIIIe s.

* **cou** 1080, *Roland* (*col*) ; milieu XIVe s., « partie d'un récipient » ; lat. *collum.* || **cou-de-pied** 1190, Garn. ; compris *coude-pied,* il désigne auj. la cambrure du pied. || * **col** XIIe s., var. de *cou,* refait d'apr. le lat. au sens fig. (*col* d'une bouteille, d'un habit, passage étroit) ; 1546, Ch. Est., anat. || **collet** fin XIe s., dimin. de *col ;* d'abord « petit cou » (d'où, au fig., divers sens techn.) ; par ext., « vêtement qui entoure le cou ». || **colleter** 1580, « saisir au collet ». || **colletin** fin XVIe s. || * **collier** fin XIIe s. (*coler*), puis *collier* par changement de suffixe ; lat. *collarium.* || **collerette** 1309, Gay. || **colleret** 1553, Gouberville. || **accoler** 1050, *Alexis.* || **accolade** début XVIe s., « embrassade » ; 1659, Loret, en cuisine. || **accolement** 1213, *Fet des Romains.* || **accolure** 1743, Trévoux. || **décoller** fin Xe s., *Saint Léger,* « décapiter » ; lat. *decollare,* de *collum,* cou. || **décollation** 1268, Delb., eccl. et chirurgie. || **décolleter** 1265, J. de Meung, « découvrir en laissant voir le cou » ; 1700, Regnard, « échancrer de manière à laisser voir le cou » (*robe décolletée*). || **décolletage** 1835, *Maison rustique.* || **encolure** v. 1559, Amyot ; de *col* et suffixe *-ure.* || **faux-col** 1827, *Journ. des femmes.* || **racoler** XIIe s., *Floire,* « embrasser de nouveau » ; XVIIIe s., « recruter ». || **racolage** 1747, *les Bals de bois.* || **racoleur** 1747, *les Bals de bois.*

couac 1530, Marot ; onomatopée.

couard 1080, *Roland,* « lâche » ; de *coe,* forme anc. de *queue,* « qui porte la queue basse ». || **couardise** *id.*

* **coucher** 1080, *Roland* (*colchier*), « étendre », et *se coucher* (en parlant des astres) ; XIIIe s., « rédiger » ; 1440, Ch. d'Orléans, « insérer dans un compte » ; lat. *collŏcare,* placer dans le lit, de *locare,* placer, de *locus,* lieu. || **coucher** n. m., XIIe s. ; *coucher du roi,* 1635, Monin. || **couchage** 1657, Tallemant. || **couchailler** XXe s., fam. || **couchotter** 1877. || **couche** 1170, *Rois,* déverbal, « lit », puis « lit primitif » (XIVe s.), auj. archaïque ; 1505, « linge d'enfant » ; 1600, O. de Serres, agric. ; fin XVIe s., « couche de peinture » ; 1867, Lar., « couches de la population ». || **fausse couche** 1652, Sévigné. || **coucherie** 1760, Voltaire. || **couchette** XIVe s., G. ; fin XIXe s., dans les trains ; *mignon de couchette,* 1611, Cotgrave. || **coucheur** 1534, Des Périers ; *mauvais coucheur,* 1690, Fur. || **couchis** 1694, Th. Corn. || **couchoir** 1680, Richelet. || **couchure** 1754, *Encycl.* || **couche-culotte** XXe s. || **couche-dehors** 1881. || **couche-tard** 1971. || **couche-tôt** 1870. || **accoucher** 1170, *Rois,* « coucher » ; XIIIe s., « mettre au monde » (seul sens à partir du XVIe s., éliminant *gésiner* et *agésir*). || **accouchée** 1321, Richard. || **accoucheur** 1677, D. Fournier. || **accouchement** fin XIIe s. || **découcher** 1196, J. Bodel, « faire lever » ; 1564, J. Thierry, « coucher hors de la maison ». || **recoucher** 1130, *Eneas.*

couci-couça 1648, Scarron (*coussi-coussi*) ; d'apr. *comme ci comme ça,* de l'ital. *così-così,* ainsi.

coucou fin XIe s., *Gloses de Raschi* (*cucu*) ; 1538, R. Est. (*coucou*) ; lat. *cŭcūlus,* altéré par l'imitation du cri de l'oiseau ; le mot a aussi donné *cocu ;* 1813, Jouy, « voiture ». (V. COCU.)

coucoumelle 1816, Candolle, « oronge blanche » ; prov. mod. *coucoumèlo.*

* **coude** XIIe s., *Roncevaux* (*keute*), partie du corps ; 1690, Furetière, « angle d'un chemin, d'une chose » ; 1869, Lar., fig., *jouer des coudes ;* lat. *cŭbĭtus.* || **coudée** 1155, Wace (*coltée*) ; 1611, Cotgrave, *avoir ses coudées franches.* || **couder** 1493, Aubrion. || **coudoyer** 1588, Montaigne. || **coudière** 1898, Lar. || **coudoiement** 1832, Hugo. || **accouder** XIIe s., *D. G.* || **accoudoir** XIVe s., G. || **accoudement** 1611, Cotgrave.

1. * **coudre** n. m., XIIe s., *Roncevaux ;* lat. *corylus, corŭlus,* noisetier, devenu **colurus* en lat. pop., sous l'infl. du gaulois **collo.* || **coudraie** XIIe s., *Pastourelle.* || **coudrette** XIIe s., G. || **coudrier** 1503, Lemaire, éliminé par *noisetier.*

2. * **coudre** XIIe s., L. ; lat. pop. **cōsĕre,* du lat. class. *consŭĕre,* de *sŭĕre,* coudre. || **couseuse** 1803, Boiste ; le masc. *couseur* est attesté au XIIIe s. || **cousoir** début XVIe s. || **cousette** 1865, Barbey. || * **couture** 980, *Passion* (*cousture*) ; lat.

pop. **cosutura*. || **couturer** XVe s., G., « coudre » ; 1787, Féraud, « balafrer » (au part. passé). || **couturier, -ière** XIIe s. ; le masc., éliminé par *tailleur* au XVIe s., a été repris au XIXe s. (1863, L.) et spécialisé pour les costumes féminins. || **découdre** fin XIIe s., *Aliscans ;* 1675, Widerhold, *en découdre ; machine à coudre,* 1829, B. Thimonnier. || **recoudre** XIIe s., Delb.

***couenne** XIIIe s., *Roman de Renart ;* lat. pop. **cŭtĭna,* dér. du lat. *cutis,* peau, avec un suffixe sans doute gaulois. || **couenneux** 1611, Cotgrave.

1. ***couette** XIIe s., L. (var. *cuilte*) ; lat. *cŭlcĭta,* matelas, lit de plume. (V. COURTEPOINTE, COUTIL.)

2. **couette** fin XIIIe s., « petite queue » ; 1896, Goncourt, « mèche de cheveux » ; de *coue,* forme anc. de *queue.*

couffe 1666, Thévenot, **couffin** XVe s. ; prov. mod. *coufo, coufin,* panier, ar. *guffa,* du bas lat. *cophinus,* gr. *kophinos.* (V. COFFIN.)

couguar 1761, Buffon ; port. *cucuarana,* mauvaise graphie du tupi-guarani *susuarana,* refait avec *jaguar.* Ancien nom du puma.

couic 1809 ; onom.

***couille** 1178, *Roman de Renart* (*coil*), pop. ; 1256, Ald. de Sienne (*coille*) ; lat. pop. **cōlea,* du lat. *cōleus,* sac de cuir, et testicule. || **couillard** XIIe s. || ***couillon** XIIIe s., *Fabliau,* « testicule » ; lat. pop. **coleo, -onis ;* XVIe s., « poltron » ; sans doute de l'ital. (var. *coïon*). || **couillonnerie** XVIe s. (*coïonnerie*). || **couillonnade** fin XVIe s. (*couïonnade*). || **couillonner** 1656, Oudin (*-é*).

couiner 1867, « crier en parlant du lapin » ; onom. || **couinement** 1866, Lar. || **couineur** 1917, Esnault, techn.

coulage V. COULER.

1. ***coule** XIIe s., Du Cange, « capuchon » ; lat. *cuculla.* (V. CAGOULE.)

2. **coule** V. COULER.

coulemelle fin XVIe s. ; lat. *columella,* petite colonne.

***couler** XIIe s., *Roncevaux,* « filtrer » ; XIIe s., « se répandre », en parlant des liquides ; 1680, Richelet, « jeter dans un moule » ; 1806, Lelivec, métallurgie ; 1690, Furetière, *couler la lessive ;* 1690, Furetière, *nœud coulant ;* lat. *cōlare,* filtrer. || **coule** fin XIIIe s., *Renart,* dans *être à la coule.* || **coulée** début XVIe s. || **coulé** XIIIe s. || **coulure** fin XIIIe s. || **coulage** fin XVIe s., *Guidon de la mer.* || **couleur, -euse** 1877, L., « ouvrier qui fait une coulée ». || **coulis** 1170, *Fierabras* (*couleis*), adj. et n. ; de *couler,* surtout au fig. || **coulisse** fin XIIIe s. ; d'apr. *porte coleice* (fin XIIIe s., *Renart*) ; 1718, théâtre ; 1841, *Français peints par eux-mêmes,* terme de Bourse. || **coulisseau** fin XVe s., G. de Villeneuve. || **coulisser** 1690, Furetière, spécialisé pour les coulisses de tissus. || **coulissement** 1522, Lar. || **coulissier** 1815, Jouy, courtier de la coulisse en Bourse. || **couloir** fin XIe s., *Gloses de Raschi,* « ce qui sert à couler » ; 1376, G., « passage ». || **couloire** 1376, G., « passoire ». || **découler** fin XIIe s., « dépérir » ; 1690, Furetière, sens actuel. || **découlement** 1519, G. Michel. || **découloir** 1744, Dalibard. || **écouler** 1130, *Eneas* (*escoler*) ; 1835, *Acad.,* commerce. || **écoulement** 1538, R. Est. || **recouler** début XIXe s.

***couleur** 1080, *Roland ;* 1820, Matoré, polit. ; lat. *color, -oris.* || **colorer** 1050, *Alexis ;* sur *couleur,* refait d'apr. le lat. *colorare.* || **coloration** 1370. || **colorant** 1690, Furetière. || **coloris** adj. pl., XVIe s., Papon ; n. m., 1615, Binet ; ital. *colorito,* part. passé de *colorire,* avec confusion de finale. || **colorier** v. 1550. || **coloriage** 1830, Balzac. || **colorisation** 1690, Furetière. || **coloriste** 1660, Brunot. || **colorature** milieu XXe s., mus. ; mot all. || **bicolore** fin XVe s., *Anc. Poés. fr.* (*bicoloré*) ; 1842, *Acad.* (*-colore*). || **décolorer** 1080, *Roland ;* lat. *decolorare.* || **décolorant** n. m., 1792, *Ann. chimie.* || **décoloration** 1478, Panis ; lat. *decoloratio.* || **incolore** 1829, Boiste ; bas lat. *incolor.* || **multicolore** 1510, J. Lemaire. || **tricolore** 1695, Regnard.

***couleuvre** 1180, Marie de France ; *faire avaler des couleuvres,* 1667, Sévigné ; lat. pop. **cŏlobra,* du lat. class. *cŏlŭbra.* || **couleuvreau** 1565, R. Belleau. || **couleuvrine** 1360, Froissart (*coulouvrine*).

coulis, couloir V. COULER.

coulomb 1881, *Congrès des électriciens ;* du nom du physicien *Coulomb* (1736-1806). [V. AMPÈRE.]

***coulon** fin IXe s., *Eulalie,* « pigeon » ; lat. *columbus.* (V. COLOMBE.)

***coulpe** fin IXe s., *Eulalie* (*colpe*) ; XIIe s. (*coupe*), « faute », en usage dans ce sens jusqu'au XVIe s. ; lat. *cŭlpa,* faute, péché (eccl.). || ***coupable** 1130, *Job ;* lat. *cŭlpabĭlis.* || **coupablement** 1590, Baïf. || **culpabilité** 1791, Condorcet, formation savante. || **culpabiliser** v. 1950. (V. INCULPER.)

***coup** 1080, *Roland* (*colp*) ; *être sous le coup de,* 1845, Besch. ; *coup de chapeau,* 1690, Furetière ; *coup de filet,* 1635, Monin ; *coup de soleil,* 1582, Montaigne, « insolation » ; lat. impér. *cŏlăphus* (IIe s.), coup de poing, soufflet, du gr. *kolaphos.* || **à-coup** 1260, adv. ; n. m., fin XIXe s. || **contrecoup** 1560, Paré. || **tout à coup** XVIe s.

coupable V. COULPE.

1. **coupe** V. COUPER.

2. ***coupe** 1170, *Rois ;* 1851, *Doc.,* « récompense dans les compétitions » ; lat. *cŭppa,* vase (var. spécialisée de *cūppa*). || **coupelle** 1431, Delb. || **soucoupe** 1615, Fougasses (*soute-coupe*) ; 1640, Oudin (*soucoupe ;* calque de l'ital. *sotto coppa*).

couper fin XIe s., *Lois de Guill.* (*colper*), de « diviser d'un coup » ; *couper les cartes,* 1640, Oudin ; de *coup.* || **coupe** 1283, Beaumanoir, « abattage » ; *être sous la coupe de,* 1690, Furetière ; *coupe réglée, sombre,* 1863 ; déverbal. || **couperet** 1328, *Arch.* || **coupeur** 1283, Beaumanoir. || **coupé** 1718, *Acad.* || **coupée** 1733, Bourdé, mar. || **coupage** XIVe s. ; 1836, Landais, techn. || **coupon** fin XIIe s., *Alexandre,* « morceau ». || **couponnage** XXe s. || **coupure** fin XIIIe s. || **coupe-bourse** XIVe s. || **coupe-choux** 1344, *D. G.,* surnom ; XIXe s., ironique, « baïonnette ». || **coupe-cigare** 1869. || **coupe-coupe** 1912. || **coupe-feu** 1882. || **coupe-jarret** 1578, d'Aubigné. || **coupe-file** 1869. || **coupe-circuit** 1888, Lar. || **coupe-papier** 1842, Cerfberr. || **coupe-tête** 1360, Froissart. || **coupe-racines** 1832, Raymond. || **coupe-vent** 1894. || **coupe-gorge** XIIIe s., La Curne, « coutelas » ; XVIe s., sens actuel. || **découper** 1155, Wace, « diviser » ; 1917, *le Film,* en cinéma. || **découpage** 1497, G. ; 1917, *le Temps,* en cinéma. || **découpeur** XIIe s. || **découpure** XIIIe s., G. || **entrecouper** 1160, Benoît. || **entrecoupé** adj., XVIe s., « saccadé ». || **entrecoupe** fin XIIIe s. || **entrecoupement** v. 1560, Ronsard. || **recouper** 1190, Garn. || **recoupement** 1190, Saint Bernard, « retranchement » ; 1923, Lar., « rapprochement de témoignages ». || **recoupage** fin XIXe s. || **surcouper** 1730, texte anonyme, jeu de cartes. || **surcoupe** milieu XIXe s., déverbal.

couperose XIIIe s., *Clef d'amors,* « sulfate » ; lat. médiév. *cupri rosa,* rose de cuivre ; 1530, Goeurot, « affection de la peau » ; croisement de *goutte rose* (ancien nom de cette affection) [encore 1793, Lavoisien] avec le précédent ; ou du moyen néerl. *copperose,* vitriol. || **couperosé** fin XVe s.

***couple** XIIe s., *Jeu d'Adam* (*cople*), « mariés » ; 1175, Chr. de Troyes, « liens » ; XIIIe s., « paire » ; lat. *cōpŭla,* lien, liaison. || **coupler** XIIe s. ; lat. *copulare.* || **couplage** milieu XVIIIe s. || **accoupler** XIIe s., *Roncevaux.* || **accouplement** XIIIe s., G. || **accouplage** 1580, Montaigne. || **découpler** 1138, *Saint Gilles,* vénerie ; 1690, Furetière (*-é*), « bien proportionné ».

couplet 1364, G., « réunion de deux pièces jointes par charnières » ; *couplet de chanson,* XVIe s. (repris au prov. *cobla,* couple de vers) ; de *couple.*

coupole 1666, Thévenot ; ital. *cupola,* du lat. *cūpŭla,* petite cuve.

coupon, coupure V. COUPER.

couque 1790, « gâteau » ; néerl. *koek* (prononcé *kouk*) [allem. *Kuchen*].

***cour** 980, *Passion* (*cort*), « espace entouré de murs » ; XIIe s., « assemblée de vassaux » ; XVe s. (*cour*), d'apr. le lat. *curia,* par fausse étymologie ; *faire sa cour,* 1549, R. Est. ; *eau bénite de cour,* v. 1500 ; lat. pop. *cōrtis* (*curtis,* à l'époque franque), du lat. *cohors, -ortis,* cour de ferme, par ext. « ferme, domaine rural », puis « domaine seigneurial et royal, entourage du roi, cour de justice ». || **courée** 1845. || **courette** 1797. || **avant-cour** milieu XVIe s. || **arrière-cour** fin XVIe s. || **basse-cour** XIIIe s., au pr. et au fig. || **haute-cour** 1791. (V. COURTIL, COURTISAN, COURTOIS.)

courage 1080, *Roland ;* dér. anc. de *cœur,* au sens fig. ; il avait aussi le sens de « disposition du cœur », et « cœur » jusqu'au XVIIe s. || **courageux** 1160, Benoît. || **décourager** 1283, Beaumanoir. || **découragement** XIIe s., *D. G.* || **encourager** 1160, Benoît. || **encouragement** fin XIIe s., G. || **encourageant** 1707, H. de La Motte.

courant V. COURIR.

courbache 1842, *Acad. ;* ar. *kurbadj,* du turc *qïrbātch,* long fouet à lanière de cuir. (V. CRAVACHE.)

courbature XVIe s., Loysel ; altér. du prov. *courbaduro,* courbature, par attraction de *court* et de *battu.* || **courbatu** 1460, Martial d'Auvergne, « qui sert mal sa femme » ; 1654, Sarrasin, en parlant du cheval ; début XIXe s., sens actuel. || **courbaturer** 1835, Noël et Chapsal.

***courbe** fin XIIe s. ; lat. pop. *curbus,* du lat. class. *cŭrvus ;* le masc. a été refait sur le fém. ; n. f., fin XVIIe s. || ***courber** 1170, *Rois ;* lat.

cŭrvare. || **courbure** XVe s. || **courbement** 1478, Chauliac. || **courbette** 1351, G., « selle » ; XVIe s., « saut de cheval » ; 1578, Ronsard, fig., « salut bas ». || **recourber** 1130, *Eneas.* || **recourbure** 1600, O. de Serres.

courge 1256, Ald. de Sienne (*cohourde*) ; 1390, Conty (*cohourge*) ; forme de l'Ouest, altér. du lat. *cŭcŭrbita.* || **courgette** 1929, Lar. || **cucurbitacée** 1721, Trévoux.

***courir** 1050, *Alexis* (*courre*) ; XIVe s., J. Le Fèvre (*courir,* réfection sur les verbes en *-ir*) ; la forme *courre* est conservée dans *chasse à courre ;* lat. *cŭrrĕre.* || **courailler** 1732. || **courant** début XIIIe s., Villehardouin, courant d'eau ; XVIIe s., fig. ; 1806, Lunier, courant électrique. || **courante** XIVe s., *Chron. de Morée,* « diarrhée » ; début XVe s., nom d'une danse. || **coureur** fin XIIe s., *Loherains.* || **courrier** XIIIe s., *Geste des Chyprois ;* repris à l'ital. *corriere.* || **courriériste** 1857. || ***cours** 1080, *Roland ;* lat. *cursus ;* XIIIe s., « conférence » ; XVIIe s., « avenue », repris en ce sens à l'ital. où il existe fin XIIIe s. (Villani). || **course** XIIIe s. (*corse*) ; part. passé fém. de *courir ;* fin XIVe s. (*course*) ; sans doute infl. par l'ital. *corsa,* de *correre,* courir. || **courser** 1843. || **coursier** XIIe s., *Roncevaux,* « course », dér. de *cours ;* fin XIXe s., de *course.* || **accourir** 1050, *Alexis* (*acorent*) ; lat. *accurrere.* || **contre-courant** 1783. || **avant-coureur** XIVe s. ; XVIe s., fig. || **encourir** 1190, Garn. (*encourre*), « commettre une faute » ; lat. *incurrere,* « courir sur » (jusqu'au XVIIe s.), puis, au fig., « s'exposer à ». || **parcourir** XIIIe s. (*percorre*) ; v. 1500 (*-rir*) ; lat. *percurrere,* refait avec le préfixe *par-.* || **parcours** 1268, Du Cange, déverbal. || **recourir** 1175, Chr. de Troyes (*recourre*), « courir de nouveau » ; v. 1559, Amyot, *recourir à ;* refait sur le modèle de *courir.* || **recours** fin XIIIe s., Rutebeuf ; lat. jurid. *recursus.* || **secourir** 1080, *Roland* (*secorre*) ; lat. *succurrere,* refait sur *courir.* || **secours** 1080, *Roland ;* lat. *succursus.* || **secourable** début XIIIe s., *Floire.* || **secouriste** XVIIIe s. || **secourisme** XXe s.

courlis XIIIe s., *Bible* (*courlieus*) ; 1555, Belon (*-lis*) ; onomatopée d'apr. le cri de l'oiseau.

***couronne** fin XIe s., *Lois de Guill. ;* XVIIe s., Bossuet, « royauté » ; lat. *cŏrōna,* du gr. *korônê.* || **couronner** fin Xe s., *Saint Léger ;* lat. *coronare.* || **couronnement** 1190, Garn. || **découronner** 1160, Benoît.

courrier V. COURIR.

***courroie** 1080, *Roland* (*correie*) ; lat. *cŏrrĭgia.*

***courroucer** 1050, *Alexis* (*corocier*) ; lat. pop. **corruptiare,* de *corrŭptus,* corrompu, aigri, ou de *cor ruptum,* cœur brisé. || **courroux** fin Xe s., *Saint Léger,* « chagrin », déverbal.

cours, course, coursier V. COURIR.

coursive 1495, G. de Villeneuve (*coursie*) ; 1687, Desroches (*-cive*) ; ital. *corsiva* (dial. *corsia*), passage où l'on peut courir.

1. ***court** 1080, *Roland ; prendre de court,* 1660, Oudin ; *couper court,* 1560, Pasquier ; *avoir la vue courte,* 1540, Rab. ; lat. *cŭrtus.* || **courtaud** 1439, *Journ. de Paris.* || **court-bouillon** 1622. || **court-circuit** 1903. || **court-circuiter** 1890. || **court-jus** 1914, pop. || **court-jointé** 1661, Molière. || **accourcir** 1175, Chr. de Troyes ; de *court,* avec infl. de *accorcier,* du lat. **accurtiare.* || **accourcissement** 1503, Chauliac. || **écourter** 1190, Garn. (*escurter*). || **raccourcir** XIIIe s. || **raccourci** 1400. || **raccourcissement** 1564, J. Thierry.

2. **court** [de tennis] 1880 ; dans Giffard (1641), *a tennis-court, un jeu de paulme ;* mot angl., de l'anc. fr. *court,* cour.

courtepointe 1180, *Alexandre ;* XVe s. (*contrepointe*) ; altér. de *coute-pointe* (XIIe s.), couvre-pied piqué (v. COUETTE), par attraction de *courte ;* usité surtout du XIVe s. au XVIIIe s.

courtier début XIIIe s., *Assises de Jérusalem* (*coretier*) ; 1538, R. Est. (*courtier*) ; prov. *corratier,* coureur, intermédiaire dans des opérations commerciales. || **courtage** 1248, G. (*corratage*).

***courtil** 1155, Wace ; bas lat. **cohortile,* jardin attenant à la ferme (v. COUR), du lat. *cohors, -ortis.* || **courtilier** XIIe s., G., « jardinier », au masc. ; 1547, J. Martin, fém., désigne l'insecte.

***courtine** Xe s., « rideau de lit » ; bas lat. *cortina,* tenture (VIIe s., Isidore de Séville) ; fin XIXe s., « tenture de porte », repris directement à l'ital. *cortina,* même orig.

courtisan fin XIVe s. ; ital. *cortigiano,* de *corte,* cour. || **courtisane** 1500, *Anc. Poésies* (*courtisienne*) ; 1597, *le Courtisan ;* a pris un sens péjor. dès le XVIe s. (Du Bellay). || **courtisanerie** XVIe s., La Curne. || **courtisanesque** 1578, H. Est. || **courtiser** 1557, de Magny ; réfection de l'anc. fr. *courteier, -oyer,* de *court,* cour.

courtois 1080, *Roland* (*corteis*) ; anc. fr. *court,* cour au sens fig. || **courtoisement** 1080, *Roland.* || **courtoisie** fin XIIe s., Conon de Béthune. || **discourtois** 1416, Delb. (*des-*) ; XVIe s. (*dis-*) ; ital. *discortese.* || **discourtoisie** XVe s. (*des-*) ; 1580, Montaigne (*dis-*) ; ital. *discortesia.*

couscous 1505, Gonneville (*couchow*) ; 1649 (*couscous*) ; ar. *kouskous ;* importé aux Antilles, il a pris le sens de graine de maïs.

cousette, couseur V. COUDRE 2.

1. **cousin** [terme de parenté] 1080, *Roland,* se rattache à une forme abrégée mal expliquée (peut-être enfantine) du lat. *consobrīnus.* || **cousinage** XIIe s., Fantosme. || **cousiner** 1560, Pasquier.

2. ***cousin** [diptère] XIIe s. (*cussin*) ; XVIe s. (*cusin*) ; lat. pop. **cūlicinus,* de *cūlex, -icis,* moustique.

***coussin** début XIIe s., *Voy. de Charlemagne ;* lat. pop. **cŏxīnum,* de *cŏxa,* cuisse, proprement « coussin de hanche ». || **coussinet** XIIIe s., J. de Garlande.

***couteau** XIIIe s., *Roncevaux* (*coltel*) ; *être à couteaux tirés,* 1680, Richelet ; lat. *cŭltellus,* dimin. de *culter* (v. COUTRE). || **couteler** XIIIe s., *D. G.* || **coutelier** 1160, Benoît. || **coutellerie** 1268, É. Boileau. || **coutelet** 1265, J. de Meung. || **coutelas** 1410, G. (*-asse*) ; XVIe s., Monluc (*-as*) ; ital. *coltellaccio.*

***coûter** 1190, Couci (*coster*) ; lat. *constare,* être certain, être fixé, spécialisé en lat. pop. pour indiquer le prix. || **coût** 1155, Wace (*cost*) ; déverbal. || **coûteux** fin XIIe s. || **coûteusement** 1833.

coutil début XIIIe s., *D. G.* (*keutil*) ; dér. de *coute,* anc. forme de *couette* (v. ce mot).

coutille 1351, Du Cange, « grand couteau » et « fétuque dorée » (plante méridionale) ; esp. *cuchillo,* couteau, et *cuchilla,* fétuque.

couton 1600 (*couston*), « petite plume qui reste sur les volailles plumées » ; prov. *coustoun,* de *costa,* côte (plume de côté).

***coutre** 1160, Benoît, « grand couteau qui précédait le soc de la charrue » ; lat. *culter, cultri,* grand couteau, dont la spécialisation de sens est ancienne.

***coutume** 1080, *Roland* (*coustume*) ; lat. *consuētūdo, -dinis,* devenu en lat. pop. **cosetudine,* avec changement de suffixe. || **coutumier** adj., 1167, G. d'Arras ; n. m., 1396, *D. G.* || **accoutumer** 1170, *Rois* (*acustumer*). || **accoutumance** 1160, Benoît. || **désaccoutumer** fin XIIe s., *Grégoire.* || **désaccoutumance** XIIIe s., *Livre de jostice.* || **inaccoutumé** 1380, Conty. || **inaccoutumance** 1614, Hulsius. || **raccoutumer** début XVIe s.

couture V. COUDRE 2.

***couvent** début XIIe s. (*covent*) ; lat. *convĕntum,* assemblée, au sens eccl. || **convent** anc. forme de *couvent* (jusqu'au XVIIe s.) ; 1877, L., terme de franc-maçonnerie, mot angl., spécialisé pour les loges écossaises. || **conventicule** 1384, Delb. ; lat. *conventiculum,* petite réunion. || **conventuel** 1249, G. ; lat. eccl. *conventualis.* || **conventuellement** 1462, G. || **conventualité** 1690, Furetière.

***couver** XIIe s., *Ps. ;* XIIIe s., *Roman de Renart,* fig. ; lat. *cŭbare,* être couché, spécialisé pour les volatiles en lat. pop. (cf. PONDRE, SAILLIR, TRAIRE). || **couvade** 1538, R. Est. ; mot prov. || **couvage** 1842, *Acad.* || **couvée** fin XIe s., *Gloses de Raschi.* || **couvain** XIVe s., *Recettes médicales* (*-in*). || **couveuse** XVIe s. || **couvaison** milieu XVIe s. || **couvi** XIIIe s., G. (*couveïs*). || **couvoir** 1564, Liébault. || **couvet** 1350 ; d'apr. la prononciation pop. de *couvoir* (*-ouè*). || **incouvé** 1873, Lar.

couvercle, couverture V. COUVRIR.

***couvrir** fin Xe s. ; *allée couverte,* 1835, *Acad. ; à mots couverts,* 1798, *Acad. ;* lat. *coopĕrīre,* couvrir entièrement, qui a pris dès le début le sens de « protéger ». || **couvert** XIIe s., « ce qui couvre » ; par ext. « ce dont on couvre la table » ; part. passé substantivé. || **couverte** XIIe s., *Florimond.* || **couvreur** 1268, É. Boileau. || **couvre-chef** XIIe s. || **couvre-feu** XIIIe s. || **couvre-pied** 1697, Havard. || **couvre-lit** 1863, L. || **couvre-nuque** 1833. || **couvre-plat** 1688, Miege. || **couvre-radiateur** 1950. || **couverture** 1155, Wace ; bas lat. *coopertura.* || **découvrir** XIIe s., *Ps.,* « révéler » ; bas lat. *discooperire ;* XIVe s., « trouver en parcourant ». || **découverte** fin XIIe s., R. de Moiliens. || **découvert** n. m., 1387, J. d'Arras ; XVIIIe s., sens commercial. || **découvreur** XIIIe s., Ernoul, « éclaireur » ; XVIe s., « qui trouve ». || **recouvrir** 1130, *Eneas.* || **recouvrement** milieu XVe s. || **couvercle** XIIe s. ; lat. *coperculum,* qui recouvre. || **redécouvrir** 1862, Sainte-Beuve.

cover-girl 1946 ; mot amér.

cow-boy 1839 ; mot angl. signif. « garçon chargé de garder les vaches ».

coxal 1811 ; lat. *coxa,* hanche, cuisse. || **coxalgie** début XIXe s. (gr. *algos,* souffrance). || **coxalgique** 1863. || **coxarthrose** 1959.

coyote 1866, Lar. ; mot esp., de l'aztèque *coyotl,* chacal.

crabe début XIIe s., fém. jusqu'au XVIIIe s. ; anc. norm. *krabbi,* masc., et moyen néerl.

krabbe, fém. || **crabot** XXᵉ s., « dent d'un manchon d'embrayage » ; dimin. fig. de *crabe.* || **crabotage** 1836, Landais, « première foncée d'une ardoisière » ; peut-être d'une rac. différente.

crabron 1530, Lefèvre d'Étaples ; 1638, Chapelain, fig., « critique » ; lat. *crabro,* frelon.

crac 1492, Tardif ; onom. *krakk.* || **craquer** 1546, *Palmerin,* sens propre ; 1718, Destouches, fig. || **craqueter** 1538, R. Est. || **craquement** 1553, Martin. || **craqueler** 1761, *Dict. du citoyen* (*-é*). || **craquelure** 1863, L. || **craquerie** fin XVIIᵉ s. || **craque** 1802, « mensonge ». || **craqueur** 1640, D. Ferrand. || **craquage** 1921, techn., de *craquer ;* trad. de l'angl. *cracking.*

***cracher** XIIᵉ s., *Marbode ;* lat. pop. **craccare,* onom. qui paraît d'origine germ. || **crachat** 1265, Br. Latini ; suffixe ancien *-as.* || **crachement** XIIIᵉ s., G. || **cracheur** 1538, R. Est. || **crachoir** 1546, Rab. || **crachoter** 1578, d'Aubigné (*-eter*) ; XVIIᵉ s. (*-oter*). || **crachotement** 1694, *Acad.* || **crachottis** 1657, Tall. des Réaux. || **crachouiller** 1924. || **crachin** fin XIXᵉ s. ; mot régional de Bretagne. || **recracher** 1468, Chastellain.

1\. **crack** 1854, Dillon ; mot angl. signif. « fameux », du verbe (*to*) *crack,* se vanter. D'abord comme terme du turf.

2\. **crack** 1987, *journ.,* cocaïne ; anglo-américain *crack,* coup de fouet.

***craie** fin XIᵉ s., *Gloses de Raschi* (*crete*) ; lat. *creta,* craie. || **crayère** 1379, G. || **crayeux** XIIIᵉ s., *D. G.* || **crayon** 1309, G. (*croion*), « sorte de craie » ; XVIᵉ s., sens actuel ; la craie fut la matière des premiers crayons ; puis vint la plombagine sous Louis XIII. || **crayonner** 1584, du Bartas. || **crayonnage** 1790, Brunot. || **crayonneur** milieu XVIIIᵉ s. || **crayonneux** 1732, Pluche. || **porte-crayon** 1676, Félibien.

***craindre** Xᵉ s. (*criembre*), refait en *criendre, craindre* d'apr. les verbes en *-aindre ;* lat. pop. **crĕmere,* spécial en Gaule, altér. du lat. *trĕmere,* trembler, craindre, par le gallois **cremo-* ou **crito-,* tremblement. || **crainte** XIIIᵉ s., *Clef d'amors,* qui a remplacé *crieme,* déverbal de *criembre.* || **craintif** 1398, *Ménagier.* || **craintivement** XIVᵉ s., Beauveau. || **craignos** v. 1980, arg.

cramer 1823 ; var. rég. de *crémer,* XVIᵉ s., du lat. *cremare,* brûler.

cramoisi 1298, Marco Polo (*cremoisi*) ; ar. *qirm'zī,* rouge de kermès.

crampe fin XIᵉ s., *Gloses de Raschi ;* adj. en anc. fr. (*goutte crampe* en méd.) et n. f. ; francique **kramp* (allem. *Krampf,* moyen néerl. *crampe*), courbé ; XVIIIᵉ s., sens érotique. || **crampette** 1901, Esnault, coït.

crampon 1268, É. Boileau ; fig., « personne tenace », 1867, Delvau ; francique **krampo,* courbé. || **cramponner** 1456, de La Sale. || **cramponnement** 1873, Goncourt. || **décramponner** fin XVIᵉ s., « enlever un crampon » ; 1867, Lar., « lâcher prise ».

cran XIᵉ s., « entaille » (*cren*) ; v. 1900, *avoir du cran,* dans la langue militaire d'abord ; déverbal de *créner.* || **créner** 1539, R. Est. ; lat. impér. *crena,* entaille, restreint à des emplois techn. || **créneau** 1160, Benoît (*crenel*) ; dér. pop. du lat. *crena,* cran. || **créneler** XIIᵉ s., *Roncevaux.* || **crénelage** 1723, Savary. || **crénelure** XIVᵉ s. || **crénure** fin XIIᵉ s., *Alexandre* (*-eüre*). || **crénon** 1754, *Encycl.,* techn.

crâne 1314, Mondeville ; fig., 1787, Féraud, « téméraire » ; 1833, Balzac, « homme décidé » ; lat. médiév. *cranium,* du gr. *kranion.* || **crânement** 1833. || **crâner** 1845, J.-B. Richard, être orgueilleux. || **crâneur** 1862, Vallès. || **crânien** début XIVᵉ s. || **crânerie** 1784, *Courrier de l'Europe.* || **craniologie** 1807. || **craniométrie** XIXᵉ s.

crapaud 1185, *Moniage Guill.* (*crapot*) ; de *crape* (1398, *Ménagier*), « ordure », déverbal de *escraper,* nettoyer en raclant, du francique **krappan.* || **crapaudière** 1394, G. || **crapaudine** XIIIᵉ s., de Méry. || **crapouillot** 1880, d'apr. Lar., 1916 ; canon trapu comme le *crapaudeau* (XVᵉ-XVIᵉ s.). || **crapoussin** 1752, Trévoux.

crapouillot V. CRAPAUD.

crapule 1373, Gace de La Bigne ; lat. *crapula,* ivresse (sens conservé au XVIIᵉ s.). || **crapuleux** 1495, J. de Vignay. || **crapulerie** 1854.

craqueler V. CRAC.

craquelin 1265, G. Espinas, « gâteau » ; moyen néerl. *crakelinc.*

craquer V. CRAC.

crase 1613, Duret ; gr. *krasis,* mélange en phys. et en gramm.

crash 1956 ; mot angl., de (*to*) *crash,* s'écraser. || **crasher (se)** v. 1950.

crasse 1130, *Job,* adj. resté dans *ignorance crasse ;* n. f., début XIVᵉ s. ; lat. *crassus,* épais, gras, au fig. grossier (v. GRAS). || **crasser** 1836,

Landais. || **crasseux** XIIIe s. || **craspec** 1948, pop. || **crassier** 1754, *Encycl.* || **décrasser** fin XIVe s. || **décrassage** 1907, Lar. || **décrassement** fin XVIIe s., Saint-Simon. || **encrasser** XIVe s.

crassula 1390, Conty, « plante grasse » ; lat. *crassus,* gras. || **crassulacée** fin XVIIIe s.

cratère fin XVe s., O. de Saint-Gelais, « vase antique » ; 1570, Hervet, cratère de l'Etna, donné comme expression sicilienne ; lat. *crater,* du gr. *kratêr,* qui avait les deux sens.

cravache 1790, *Encycl. méth.* ; allem. *Karbatsche,* empr. au turc par l'intermédiaire du polonais. || **cravacher** 1834. (V. COURBACHE.)

cravant 1534, Rab., « oie sauvage, anatife », mot de l'Ouest ; sans doute du gaulois **crago,* avec un suffixe obscur. || **crave** 1827, *Acad.,* « choucas ».

cravate 1651, Loret, masc., puis fém. ; forme francisée de *Croate* (cf. le régiment de *Royal-Croate* sous Louis XIV) ; il désigna d'abord la cravate des cavaliers croates ; l'usage en est généralisé en 1636 (Ménage). || **cravater** 1823, *Cravatina.*

crawl 1906 ; mot angl., de (*to*) *crawl,* ramper. || **crawlé** 1921. || **crawleur** 1933.

crayon, créance, créateur V. CRAIE, CROIRE, CRÉER.

créatine 1823, Chevreul ; gr. *kreas, kreatos,* chair.

créature V. CRÉER.

crécelle 1175, Chr. de Troyes (*cresselle*) ; onom. *crec* ou lat. pop. **crepicella,* du lat. class. *crepitacillum,* sorte de hochet, de *crepitare,* craquer. || **crécerelle** 1220, Coincy (*cresserelle*) ; les deux mots ont été souvent confondus, ainsi qu'avec *sarcelle.*

crèche 1150, *Ps.* ; francique **krippia* ; 1789, Brunot, « asile ». || **crécher** 1921, Esnault, pop.

crédence v. 1360, Froissart, « croyance » ; XVIe s., « meuble » ; ital. *credenza,* croyance, confiance, d'où *fare la credenza,* faire l'essai (des mets) sur un meuble qui en a pris le nom. || **crédencier** v. 1540, Rab., « valet qui goûtait les mets avant de les servir ».

crédibilité V. CROIRE.

crédit 1498, Commynes, « confiance » ; lat. *creditum,* part. passé de *credere,* croire ; le sens financier a été repris à l'ital. au début du XVIe s. || **créditer** 1671, Delb. || **créditeur** XIIIe s. || **accréditer** 1553, *Papiers de Granvelle* ; *s'accréditer,* fig., 1955, *le Monde.* || **accréditif** 1946. || **accréditement** 1948, *Témoignage chrétien.* || **accréditation** 1866, Lar. || **discrédit** 1719, *Arrêt du Conseil d'État* ; ital. *discredito.* || **discréditer** 1572, Barbier, « faire perdre son crédit » ; fig., 1671, Pomey.

credo V. CROIRE.

crédule 1398, *Ménagier* ; lat. *credulus,* de *credere,* croire. || **crédulité** fin XIIe s., *Rois* ; lat. *credulitas.* || **incrédule** 1360, Froissart ; lat. *incredulus.* || **incrédulité** 980, *Valenciennes* ; lat. *incredulitas.*

créer 1120, *Ps. d'Oxford* ; lat. *creare.* || **créateur** 1119, Ph. de Thaon ; lat. *creator,* au sens chrét. || **création** 1265, J. de Meung ; lat. *creatio.* || **créature** 1050, *Alexis* ; lat. *creatura,* au sens eccl. ; le sens de « favori » (XVIe s.) est repris à l'ital. ; XVIIe s., « femme méprisable ». || **créatif** XIVe s. ; repris au XIXe s., d'après l'angl. *creative.* || **créativité** 1946. || **créationnisme** fin XIXe s. || **increé** 1470, *Livre de la discipline d'amour divine* ; lat. *increatus.* || **recréer** milieu XIVe s.

crémaillère XIIIe s., G. ; lat. pop. *cramaculus,* du gr. *kremastêr,* qui suspend.

crémaster 1540, Rab., « muscle suspenseur du testicule » ; gr. *kremastêr,* suspenseur.

crémation XIIIe s., G. ; rare jusqu'au XIXe s. (1829, Boiste) ; lat. *crematio,* de *cremare,* brûler. || **crématoire** 1882, *Année sc. et industr.* (*crematorium*) ; *four crématoire,* 1879, *Année sc. et industr.* || **crématiste** 1960.

crème 1155, Wace (*cresme*) ; gaulois *crama* (VIe s., Fortunat), croisé avec le lat. chrét. *chrisma,* chrême. || **crémer** v. 1580, Palissy. || **crémant** 1846. || **crémeux** 1572, Peletier. || **crémier** 1762, *Acad.* ; adj., XVIe s. || **crémerie** milieu XIXe s. || **écrémer** XIVe s., G. (*escramer*). || **écrémage** 1791, *Encycl. méth.,* fig., XXe s. || **écrémeuse** 1893, Lar.

crément 1743, Trévoux, gramm. ; lat. *crementum,* accroissement, de *crescere,* croître.

crémone 1724, Brunot, « collerette » ; p.-ê. de *crémaillère,* ou de la ville de *Crémone.*

créneau, créner V. CRAN.

créole 1598, Acosta (*crollo*) ; 1676, Beaulieu (*criole*) ; esp. *criollo,* mot port., de *criar,* nourrir, du lat. *creare,* spécialisé au Brésil. || **créoliser** 1838. || **créoliste** v. 1950. || **créolophone** v. 1960.

créosote début XIXe s., fabriqué par Reichenbach ; gr. *kreas,* chair, et *sôzein,* conserver.

|| **créosol** fin XIXe s. || **créosal** 1914, Lar. || **créosoter** 1868.

***crêpe** XIIe s. (*cresp*), masc. ; adj. jusqu'au XVIe s. ; lat. *crĭspus,* frisé ; substantivé fém. (pâtisserie XIIIe s.) et masc. (tissu XVIe s.). || **crêperie** 1929. || **crêpier** 1863. || **crêpière** 1863. || **crépon** 1550. || **crêpage** 1723, Savary. || **crépu** 1175, Chr. de Troyes. || **crêper** 1523, R. Belleau ; lat. *crispare,* friser ; le sens de « préparer le crêpe » a été repris de *crêpe* masc. || **crêpure** XIVe s., B. de Gordon (*crespeüre*). || **crêpelu** 1560, Paré. || **crêpeler** 1530. || **crêpelage** 1877. || **crépine** 1265, J. de Meung (*cresp-*), « petite bourse » et « parure de crêpe » ; XIVe s., « membrane d'animaux de boucherie » ; 1740, sens culinaire. || **crépinette** 1265, J. de Meung. || **crépinière** 1820, Laveaux, épine-vinette ; croisement entre *crépinette* et le lat. médiév. *Christi-spina,* épine du Christ. || **crépir** fin XIIe s., *Alexandre,* « friser » ; XIIIe s., « rendre le cuir grenu » ; XIVe s., *crépir un mur.* || **crépi** n. m., 1528, *Comptes des bâtiments du roi.* || **crépissage** 1611. || **décrépir** milieu XIXe s. || **recrépir** 1549, R. Est.

crépiter XVe s. ; rare jusqu'au XVIIIe s. ; lat. *crepitare,* fréquentatif de *crepare,* craquer. || **crépitement** 1869, Daudet. || **crépitation** 1560, Paré ; bas lat. *crepitatio.* (V. CREVER.)

crépon, crépu, crêpure V. CRÊPE.

crépuscule XIIIe s., G., aube ; XVIe s., sens actuel ; XVIIIe s., fig. ; lat. *crepusculum.* || **crépusculaire** 1705.

crescendo 1775, Beaumarchais ; ital. *crescendo,* gérondif de *crescere,* croître. || **decrescendo** XVIIIe s., Bauni ; mot ital. signif. « en décroissant », gérondif de *decrescere,* décroître.

cresson 1138, *Vie de saint Gilles ;* francique **kresso* (allem. *Kresse*). || **cressonnière** 1286, G. || **cressiculteur** 1869.

crésus 1540, Marot ; du nom d'un roi de Lydie (lat. *Croesus,* gr. *Kroisos*), célèbre par ses richesses ; déjà nom symbolique en gr. et en lat.

Crésyl 1866, nom de marque ; de *crésol* et *-yl.* || **crésylé** 1928.

crétacé 1735, Quesnay ; lat. *cretaceus,* de *creta,* craie. Comme adj., « qui contient de la craie ».

***crête** XIIe s. (*creste*) ; lat. *crĭsta ;* XIIIe s., « sommet d'une montagne » et « faîte d'un toit ». || **crêter** 1175, Chr. de Troyes. || **crête-de-coq** 1539, R. Est., « plante ». || **écrêter** 1611, Cotgrave.

crétin 1750, Maugiron, désigna d'abord les crétins des Alpes ; mot bas-valaisan et savoyard, équivalent du fr. *chrétien* (cf. BENÊT). || **crétinerie** 1860, Goncourt. || **crétinisme** 1784, Razoumowsky. || **crétiniser** 1834, Balzac. || **crétinisation** 1870.

cretonne 1723, Savary ; de *Creton,* village de l'Eure où l'on fabriquait des toiles (XVIe-XVIIe s.).

creuser V. CREUX.

creuset 1515, *Arch. ;* altér. par *creux,* avec changement de suffixe, de l'anc. fr. *croisuel, cruisel* (1220, Coincy), lampe ; p.-ê. lat. pop. *cruciolum,* de *crux, -cis,* croix (la lampe devait avoir deux mèches en croix) ; le sens de « creuset » apparaît au XIIIe s. (*croiseus,* Tailliar).

***creux** XIIe s. ; lat. pop. **crŏssus,* sans doute gaulois. || **creuser** 1190, Bodel (*croser*). || **creusement** 1295, G. || **creusage** début XVIIIe s. || **recreuser** 1549, R. Est.

***crevasse** 1120, *Ps. d'Oxford ;* lat. pop. **crepacia,* de *crepare,* craquer. || **crevasser** fin XIVe s., G.

***crever** fin Xe s., *Saint Léger,* trans. d'apr. le bruit, et intrans. au fig. « mourir » (XIIIe s.) ; lat. *crĕpare,* craquer, d'où en roman « crever ». || **crève** 1911, Machard ; déverbal. || **crevaille** v. 1540, Rab. || **crevage** 1883, Daudet. || **crevant** 1857, Monrose, « ennuyeux » ; 1889, Larchey, « qui fait rire ». || **crevaison** XIIIe s. ; 1906, à propos d'un pneu. || **crevard** 1861, Esnault. || **crève** n. f., 1902, pop. || **crève-cœur** XIIe s., *Parthenopeus.* || **crève-la-faim** 1870, Poulot. || **increvable** 1922, Lar. || **crevé** 1867, Delvau, pop., épuisé.

crevette 1532, Du Guez ; forme normande de *chevrette,* usité en ce sens dans l'Ouest à partir de Granville.

cri, criard V. CRIER.

***crible** fin XIIIe s., Rutebeuf ; lat. pop. *crīblum,* du lat. *crībrum.* || **cribler** XIIIe s. ; lat. pop. *crīblare* (lat. class. *cribrare*). || **criblure** XIVe s., *Traité d'alchimie.* || **cribleur** 1556, Delb. || **criblage** fin XVIe s. || **cribleuse** 1877, Lar. || **cribleux** 1561.

cric 1445, Suisse rom. ; orig. obscure, peut-être du haut allem. *kriec.*

cric-crac 1552, Ch. Est. ; onom.

cricket 1728, C. de Saussure ; mot angl. signif. « bâton ».

***crier** 1080, *Roland ;* lat. pop. *crītare,* contraction du lat. *quĭrītare,* appeler les citoyens (*quirites*) au secours. || **cri** Xe s., *Passion,* déverbal. || **criée** 1130, *Saint Gilles.* || **criard** 1495, J. de Vignay. || **criailler** 1564, Ronsard. || **criaillement** 1611. || **criaillerie** fin XVIe s. || **crierie** XIIIe s., G. || **crieur** 1190, Bodel. || **décrier** XIIIe s., sens propre ; fig., *décrier une monnaie,* XIIIe s. (la proclamer hors d'usage). || **écrier (s')** 1080 *Roland.* || **récrier (se)** 1080, *Roland.*

crime 1160, Benoît (*crimne*) ; lat. *crimen, -inis,* accusation, grief. || **criminel** 1080, *Roland ;* lat. *criminalis.* || **criminalité** 1539. || **criminaliser** 1584, Guevarre. || **criminalisation** 1922, Lar. || **criminologie** 1890, Lar. || **criminologiste** XXe s. (1959, Lar.). || **criminogène** v. 1950. || **criminalisme** 1842, J.-B. Richard. || **criminaliste** 1660. || **criminalité** milieu XVIe s.

crin XIIe s., *Saxons ;* lat. *crinis,* cheveu, au sens de « crin » en lat. pop. || **crinière** 1556, Saliat.

crincrin 1661, Molière ; onomatopée.

crinoline 1829, *Journ. des dames,* « tissu » ; 1856, « jupe cloche faite avec ce tissu » ; ital. *crinolino,* tissu à trame de crin (*crino*) et chaîne de lin (*lino*). || **crinoliné** v. 1830.

crique 1336, texte normand ; scand. *kriki.*

criquet début XIIe s., nom donné à divers insectes, spécialisé par l'entomologie ; 1656, Ménage, « petit cheval », puis « homme malingre » ; 1855, Gautier, « jeu » ; anc. fr. *criquer,* craquer, onom. (1539, R. Est.). || **criquetis** 1583, Gauchet ; de l'anc. verbe *criqueter,* onomatop., de *cric.*

crise fin XIVe s. (*crisin*) ; d'abord méd., il a pris un sens fig. au XVIIe s., un sens polit. au XVIIIe s. ; lat. méd. *crisis,* du gr. *krisis,* décision.

crisper 1650, Descartes ; lat. *crĭspare,* friser (v. CRÊPE), au sens fig. « contracter en ridant ». || **crispant** 1845, J.-B. Richard, fig. || **crispation** 1743, Trévoux.

crispin 1825, type de valet de comédie (1654, Scarron) ; ital. *Crispino ;* puis *gants à la Crispin,* d'où *crispin,* manchette de gant ; le lat. *crispinus* a donné le fr. *crépin* (dans *saint-crépin,* 1660, Oudin, « outils du cordonnier »).

criss 1529, Parmentier ; malais *kris.*

crisser 1549, R. Est., en parlant du fer chaud jeté dans l'eau, et *crisser des dents* (XVIe s., Joubert) ; francique **krîsan,* craquer, qui a donné aussi *croissir* (XVIe s.) et *crisner* (XIIIe s.). || **crissement** 1567, Junius. || **crissure** 1789, *Encycl. méth.*

cristal 1080, *Roland,* « quartz » ; XIVe s., « verre spécial plus lourd » ; lat. *crystallus,* du gr. *krustallos,* glace. || **cristallerie** 1745, Dupin. || **cristallier** 1260. || **cristallin** XIIe s., G. ; anat., 1546, Ch. Est. ; lat. *crystallinus.* || **cristalliser** milieu XIIIe s. ; fig., 1845, Besch. || **cristallisation** 1651, Hellot ; 1792, Saint-Martin, fig. || **cristallisable** 1825, Brillat. || **incristallisable** 1762, Brunot. || **cristallographie** 1772, Romé de Lisle. || **cristallomancie** 1721, Trévoux.

critérium 1653, Du Bosc ; lat. scolastique *criterium,* du gr. *kritêrion,* de *krinein,* discerner ; 1878, Lar., « épreuve sportive ». || **critère** milieu XVIIIe s., forme francisée.

critique adj., 1372, Corbichon, méd. ; XVIIIe s., « difficile, décisif » ; n. m. et f., 1580, Scaliger ; adj. en littérature, 1667, Boileau ; lat. *criticus,* du gr. *kritikos,* de *krinein,* discerner, aux sens méd. et litt. || **critiquer** 1552, Rab., intr., « diminuer » ; 1611, Cotgrave, « relever un défaut ». || **criticailler** 1907. || **critiquable** 1737, *le Mercure.* || **incritiquable** 1845, Besch. || **critiqueur** fin XVIe s. || **criticisme** 1828, Laurent. || **hypercritique** 1638, Ménage.

croasser XVe s., G. (*croescer*) ; onom., du cri du corbeau. || **croassement** 1549, Du Bellay.

1. **croc** début XVIIe s., Saint-Amant, interj. ; onom., var. de *crac, cric.* || **croquer** XIIIe s., « craquer » et faire un bruit sec ; fig., XVIIe s., en peinture. || **croquet** 1642, Oudin, « biscuit » ; 1835, jeu, de l'angl. *crocket,* altér. du moy. fr. *croquet,* coup sec. || **croquette** 1740, boulette. || **croqueur** 1548, Rab. || **croquis** XVIIIe s. || **croquade** 1814, Jouy. || **croque-au-sel (à la)** 1718. || **croquembouche** 1818. || **croque-monsieur** 1918. || **croque-noisette** 1564, J. Thierry, loir. || **croque-note** 1767, Rousseau. || **croque-mitaine** 1820, Hugo, certainement plus ancien dans le langage enfantin ; terme obscur. || **croque-mort** 1788, Mercier.

2. **croc** n. m., 1155, Wace ; scand. *krôkr.* || **crocher** 1180, Marie de France. || **croche** n. f., XIIIe s., « crochet » ; adj., 1540, Ronsard (v. BANCROCHE) ; mus., n. f., 1611, Cotgrave (*crochuë*). || **crochet** fin XIIe s., *Aliscans.* || **crocheter** 1457, G. || **crocheteur** 1440, Ch. d'Orléans, « qui ouvre avec un crochet » ; 1533, Rab., « qui porte des fardeaux avec un crochet ». || **crochetage** 1819, Boiste. || **crochetable** 1845, Besch. || **incrochetable** début XIXe s.

|| **crochu** fin XIIe s., R. de Moiliens. || **croc-en-jambe** 1554, Amyot. || **accrocher** début XIIe s., *Thèbes.* || **accroc** 1530, *Grans Décades de Titus Livius,* « harpon » ; sens actuel, XVIe s. ; déverbal. || **accroche-cœur** 1827. || **accrocheur** 1636, Monet ; 1808, *Archives,* techn. ; adj., milit. et sport, XXe s. || **accrochement** 1480, G. Alexis. || **accrochage** 1583, Gauchet, syn. d'*accroc ;* 1784, Saint-Léger, fig. ; milit., 1954, *le Monde.* || **anicroche** 1546, Rab. (*hani-*), « arme » ; 1584, Delb., sens actuel. || **décrocher** v. 1220, *Aymeri ;* XIVe s., fig. || **décrochez-moi-ça** 1867, Delvau. || **raccrocher** début XIVe s. || **raccroc** 1374, Du Cange. || **raccrocheur** fin XVIIIe s.

crocher, crochet, crochu V. CROC 2.

crocodile XIIe s., *Bestiaire* (*cocodrille,* encore au début du XVIIe s.) ; fig., XIXe s., « appareil de sécurité sur les chemins de fer » ; lat. *crocodilus,* du gr. *krokodeilos.*

crocus 1372, Corbichon ; mot lat., du gr. *krokos,* safran.

* **croire** Xe s., *Saint Léger* (*credre*) ; 1080, *Roland* (*creire*) ; lat. *crēdĕre.* || **croyance** 1361, Oresme ; réfection de *créance.* || **croyable** 1120, *Ps. d'Oxford* (*credable*) ; 1361, Oresme (*croyable*). || **croyant** 1190, Bodel. || **incroyable** 1498, Commynes. || **incroyablement** fin XVe s., A. de La Vigne. || **incroyant** 1783, Proschwitz. || **incroyance** 1836, Chateaubriand. || **créance** 1050, *Alexis ;* dér. ancien de *croire* (*creire, creons*) ; il a signifié *croyance* jusqu'au XVIIe s. ; *lettre de créance,* v. 1360, Froissart. || **créancier** 1170, *Rois,* sur le sens fin. || **crédibilité** 1651, G. de Balzac ; lat. scolastique *credibilitas,* de *credere,* croire. || **crédible** XVe s. ; repris v. 1960. || **incrédibilité** début XVIe s. ; lat. *incredibilitas.* || * **accroire** 1120, *Ps. d'Oxford,* « prêter » ; lat. *accredere ;* XVIe s., « croire » ; XVIIe s., *faire accroire.* || **credo** fin XIIe s., G. ; fig., 1771, Linguet ; mot lat. signif. « je crois », qui commence le symbole des Apôtres.

croisade, croisée, croiser, croiseur, croisillon, croissance, croissant V. CROIX, CROÎTRE.

* **croître** 1080, *Roland* (*creistre*) ; lat. *crēscĕre.* || **croît** XIIe s., *Parthenopeus,* « accroissement », spécialisé pour le croît du bétail. || **cru** début XIVe s., « ce qui croît dans un terrain », part. passé. || **crue** v. 1272, Joinville (*creue*), part. passé fém. || **croissance** 1190, *Saint Bernard.* || **croissant** XIIe s., *Parthenopeus,* « temps pendant lequel la lune croît », par ext. *croissant de lune ;* part. prés. ; *croissant* de boulanger, calque de l'allem. *Hornchen,* d'apr. le croissant turc symbolique (les premiers furent fabriqués en 1689 à Vienne après la levée du siège par les Turcs). || * **accroître** 1170, *Rois* (*-creistre*) ; lat. *accrēscĕre.* || **accroît** 1552, Aneau. || **accroissement** 1190, G. d'Arras. || **décroître** 1130, *Eneas ;* lat. pop. **discrescere.* || **décroissement** fin XIIe s., Villehardouin. || **décroît** 1190, Garn. || **décroissance** 1260, Br. Latini. || **décrue** 1542, Du Pinet. || **excroissance** 1314, Mondeville (*excressance*) ; bas lat. *excrescentia.* || **recroître** fin XIIe s., Villehardouin, « ce qui vient compléter un régiment », part. passé fém. substantivé. (V. RECRU, RECRUE.)

* **croix** fin Xe s., *Saint Léger ;* 1802, décoration ; *faire le signe de croix,* XVIe s. ; *Croix du Sud,* 1704, Trévoux ; *chemin de croix,* 1845, Besch. ; lat. *crŭx, crŭcis.* || **croiser** 1080, *Roland ; croiser la baïonnette,* 1835, *Acad. ; croiser les desseins de quelqu'un,* 1578, d'Aubigné ; *feu croisé,* 1752, Trévoux ; *mots croisés,* 1929, Lar. || **croisée** XIIe s., transept ; 1379, « objet en croix, croisement, croisade » ; puis fenêtre *à croisée,* à croix de pierre ; 1490, fenêtre. || **croisement** 1539, Amyot ; au XIIIe s., « croisade ». || **croisade** XVe s. ; réfection de l'anc. fr. *croisée,* var. *croisement,* sous l'infl. des langues du Midi, pour le distinguer des autres sens. || **croisille** 1175, Chr. de Troyes, « petite croix ». || **croisillon** 1375, *D. G.,* « petit bras de la croix ». || **croisière** 1678, Guillet. || **croisette** 1175, Chr. de Troyes. || **croiseur** 1690, Furetière, bateau qui navigue en sens divers. || **crucial** 1560, Paré, méd. ; XXe s., « décisif », repris à l'anglais qui l'avait empr. au fr. || **crucifère** 1701, Furetière, « qui porte une croix » ; 1762, *Acad.,* bot. ; lat. chrét. *crucifer,* « qui porte la croix » (IVe s., Prudence). || **cruciforme** fin XVIIe s. || **crucifier** 1119, Ph. de Thaon ; lat. *cruci figere,* fixer sur la croix, avec infl. des verbes en *-fier,* spécialisé par le christianisme. || **crucifiement** 1175, Chr. de Troyes. || **crucifix** 1138, *R. de Cambrai ;* lat. chrét. *crucifixus,* part. passé, substantivé au Moyen Âge, de *crucifigere.* || **crucifixion** v. 1500, Fr. de Sales ; lat. *crucifixio* (Ve s., saint Avit). || **cruciverbiste** 1959, Lar. ; de *verbum,* mot, c.-à-d. « qui fait des mots croisés ». || **décroiser** milieu XVIe s. || **décroisement** 1836, Landais. || **entrecroiser** 1320, Delb. || **entrecroisement** 1600, O. de Serres. || **recroiser** milieu XVe s.

cromorne 1610 ; allem. *Krummhorn,* de *Krumm,* courbe, et *Horn,* corne.

crône 1694, Th. Corn., « grue » ; néerl. *kraan.*

crooner 1946 ; mot amér., de (*to*) *croon,* chanter des chansons sentimentales.

croquant 1594, Monluc, nom donné aux paysans révoltés du S.-O. ; origine obscure ; les contemporains donnent des interprétations diverses, dont le rapport avec *croquer* ou *croc* est incertain.

croquenot 1867, Delvau, « soulier », onom. ; var. de *craquer* avec la même finale que *goguenot.*

croquer V. CROC 1.

croquignole fin XVe s., « chiquenaude » ; milieu XVIe s., « pâtisserie croquante ». Le deuxième sens vient de *croquer,* auquel le premier se rattache plus difficilement. || **croquignolet** 1866, Lar., adj.

crosne 1882 ; du nom de *Crosne* (Essonne), où la plante, originaire du Japon, fut d'abord cultivée par Pailleux.

cross-country 1885, Pharaon ; mot angl. issu de *across the country,* à travers la campagne.

crosse 1080, *Roland ;* 1881, Segré, « querelle » ; croisement entre le francique **krukkja,* béquille (sens conservé dans divers dialectes), et *croc.* || **crosser** XIIe s., Delb., « chasser avec une crosse » et « jouer à la crosse » ; 1847, Féval, pop., « battre ». || **crosseur** 1680, Richelet, « joueur de crosse ». || **crossette** 1260, Br. Latini.

crotale 1596, Tabourot, « castagnette » ; 1806, Wailly, « serpent à sonnettes » ; lat. *crotalum,* du gr. *krotalon,* castagnette.

crotte fin XIIe s. ; francique **krotta,* boue qui reste sur les vêtements. || **crotter** XIIe s. || **crottin** 1346, Barbier. || **décrotter** fin XIIe s., R. de Moiliens. || **décrottoir** ou **décrottoire** 1483, La Curne. || **indécrottable** 1611, Cotgrave.

***crouler** 980, *Passion* (*crollet*), « secouer », v. tr. ; trembler, branler, v. intr. ; XVIIe s., « tomber » ; lat. pop. **crotalare,* agiter les crotales, ou de **corrŏtŏlare,* faire rouler. || **croulement** XIIe s. || **écrouler (s')** fin XIIe s. || **écroulement** milieu XVIe s.

croup 1777, Mahon ; mot angl. dialectal, onom. d'apr. le bruit rauque de la toux.

croupe 1080, *Roland ;* francique **krŭppa.* || **croupier** 1651, Scarron, « celui qui est en croupe » ; 1690, Furetière, « celui qui s'associe à un autre joueur », d'où le sens actuel. || **croupière** 1155, Wace ; au fig. *tailler des croupières,* d'abord milit., d'apr. la poursuite de la cavalerie avec l'épée. || **croupion** 1460, Villon. || **croupon** 1723, Savary, techn., cuir de vache. || **croupir** fin XIIe s., *Loherains,* « être accroupi » (encore au XVIe s.), puis par ext. rester au même endroit en parlant de l'eau, XVIe s. || **croupissement** début XVIIe s. || **accroupir** fin XIIIe s., *Renart.* || **accroupissement** 1555, Belon.

croupier, croupir, croustade, croustille V. CROUPE, CROÛTE.

***croûte** XIe s. ; lat. *crŭsta ; casser la croûte,* 1798, *Acad.* || **croûteux** 1377, de Gordon. || **croûton** 1596, Vigenère. || **croûter** XIe s. ; 1879, pop., manger (de *casser la croûte*). || **croustade** 1712, Massiallot ; prov. mod. *croustado,* de *crousto,* croûte. || **croustille** 1680, Sévigné, « collation » ; prov. mod. *croustilho,* petite croûte. || **croustiller** début XVIe s., « manger la croûte », puis « être croquant ». || **croustilleux** 1680, Richelet, « plaisant », « graveleux ». || **croustillant** XVIIIe s., « amusant ». || **encroûter** 1539, R. Est. || **encroûtement** 1546, du Bartas.

croyable, croyance V. CROIRE.

1. ***cru** milieu XIIe s. ; lat. *crūdus,* saignant, puis cru, dér. de *cruor,* sang. || **crudité** 1398, *Somme Gautier ;* lat. *cruditas.* || **décruer** 1669, *Règlement.* || **décruser** 1690, Furetière, « lessiver les cocons » ; prov. mod. *decruza,* même mot que *décruer.*

2. **cru** 1307, *Doc.,* « terroir » ; part. passé substantivé de *croître.*

cruauté V. CRUEL.

cruche XIIe s. (*cruie*) ; XIIIe s. (*cruche*) ; anc. haut allem. **krūka* (allem. dialectal *Krauche,* allem. *Krug*) ; 1633, Gassendi. || **cruchon** XIIIe s., G.

crucial, crucifier, cruciverbiste, crudité, crue V. CROIX, CRU 1, CROÎTRE.

***cruel** fin Xe s., *Saint Léger ;* lat. *crudelis,* dér. de *crudus,* saignant, avec changement de suffixe. || ***cruauté** 1130, *Couronn. Loïs ;* lat. *crudelitas, -atis.*

cruiser 1879, *Yacht,* « bateau de plaisance » ; mot angl., du fr. *croiseur* par l'intermédiaire du néerl.

cruor 1765, *Encycl. ;* mot lat. signif. « sang » et désignant en physiologie la partie du sang qui se coagule.

crural 1560, Paré ; lat. *cruralis,* de *crus, cruris,* jambe. En anat., « qui appartient à la cuisse ».

crustacé 1713, A. de Boisregard ; lat. sc. *crustaceus* (1476, Gaza), trad. du gr. *malakostrakos* par le lat. *crusta,* croûte.

cry(o)-, gr. *kruos,* froid. || **cryergie** 1952, Lar. || **cryoscopie** 1888, Lar. || **cryothérapie** 1907, Lar. || **cryoturbation** 1952, Lar. || **cryogénie** XXe s.

crypt(o)-, gr. *kruptos,* caché. || **crypte** XIVe s. (*cripte*) ; lat. *crypta,* galerie couverte, souterrain (v. GROTTE). || **cryptique** 1576 ; repris au XXe s., « secret, caché ». || **cryptogame** 1783, Bulliard ; gr. *gamos,* mariage. || **cryptographie** 1625, Naudé. || **cryptocommuniste** 1949. || **cryptonyme** 1842. || **décrypter** XXe s.

cube adj., XIIIe s., *Comput ;* n. m., 1361, Oresme ; lat. *cubus,* du gr. *kubos,* dé à jouer ; argot scolaire, 1867, Delvau. || **cuber** 1549, J. Peletier ; 1889, Chautard, pop. || **cubage** 1783, *Encycl. méth.* || **cubisme** 1908, *Documents.* || **cubiste** 1894, Jarry (*demi-*). || **cubique** 1361, Oresme ; lat. *cubicus,* du gr. *kubikos.*

cubèbe XIIIe s., G., « poivrier » ; lat. médiév. *cubaba.*

cubitus 1541, *Anatomie ;* mot lat. qui a donné *coude.* || **cubital** 1503, Champier ; lat. *cubitalis,* haut d'une coudée, devenu le dér. du mot français.

cuculle 1308, trad. Aimé ; lat. eccl. *cuculla,* capuchon (v. CAGOULE).

cucurbitacée V. COURGE.

***cueillir** 1080, *Roland,* « accueillir, recueillir », et sens actuel ; lat. *cŏllĭgĕre,* de *legere,* cueillir, avec changement ancien de conjugaison. || **cueillette** début XIIIe s., R. de Clary ; lat. *collecta,* part. passé substantivé, au fém., de *colligere,* avec finale assimilée à *-ette.* || **cueilleur** 1270, G. || **cueillage** 1343, G. || **cueillie** XVe s., *Journ. de Paris.* || **cueille** 1563, *Bible.* || ***accueillir** 1080, *Roland ;* lat. pop. **accolligere.* || **accueil** XIIe s., *Parthenopeus,* déverbal. || ***recueillir** 1080, *Roland,* sens actuel, et « accueillir » ; lat. *recolligere.* || **recueil** 1360, Froissart, « accueil » ; XVe s., « action d'accueillir » ; XVIe s., « réunion de choses recueillies ». || **recueillement** 1429, Delb., « action de recueillir » ; fig., XVIIe s.

cufat 1855, Audibaud, « tonneau d'extraction dans les mines » ; liégeois anc. *coufade,* de *coûfe,* cuve.

***cuider** 1080, *Roland* (*cuidier*) ; lat. *cōgĭtāre,* penser, encore parfois au XVIIe s. (Saint-Simon). [V. OUTRECUIDANT.]

***cuillère** fin XIIe s., *Aliscans* (*cuillier*), masc., puis fém. ; lat. *cŏchlearium,* petite cuillère pour les œufs et les escargots (*cochlea*), d'apr. Martial. || **cuillerée** XIVe s. || **cuilleron** milieu XIVe s.

***cuir** 1080, *Roland* (*quir*) ; lat. *cŏrium.* || **cuirer** 1190, Garn. || **cuiret** XIIIe s., *Fabliau.* || **cuirier** fin XIXe s. || **cuirasse** début XIIIe s. (*curasse*) ; 1418, Douet d'Arcq (*cuir-*) ; anc. aragonais *cuyraza,* du lat. *coriaceus* au fém., dér. de *corium,* cuir. || **cuirassier** milieu XVIe s., adj. ; XVIIe s., « soldat porteur de cuirasse » ; XVIIe s., « corps de cavalerie ». || **cuirasser** 1611, Cotgrave (*-é*). || **cuirassé** n. m., fin XIXe s. ; le premier a été lancé en 1859. || **cuirassement** 1876, de Parville. || **excorier** 1532, Rab. ; bas lat. *excoriare,* de *corium.* || **excoriation** 1398, *Somme Gautier.*

***cuire** fin IXe s., *Eulalie,* au passé simple ; lat. pop. **cŏcĕre,* forme dissimilée de *cŏquĕre.* || **cuite** 1268, É. Boileau, « cuisson » ; 1864, Esnault, « ivresse ». || **cuiter (se)** 1869, pop. || **cuisant** 1160, Benoît. || **cuiseur** 1270, *Ordonn.* || **cuisage** 1350, G. || ***cuisine** 1170, *Rois ;* lat. *cŏcīna,* var. dissimilée de *cŏquīna,* de *cŏquĕre,* cuire. || **cuisiner** XIIIe s., *Chron. d'Antioche.* || **cuisinier** 1200 ; *cuisinière,* fourneau, fin XIXe s. || **cuisinette** 1936. || ***cuisson** XIIIe s., Guiart ; lat. *cŏctio, -onis,* avec infl. de *cuire.* || **cuistance** fin XIXe s., avec double suffixe (*et-ance*). || **cuistot** 1914, Esnault (avec suffixe *-ot*) [v. BISCUIT]. || **recuire** 1130, *Eneas.* || **recuit** 1505, Delb.

***cuisse** 1080, *Roland ;* lat. *cŏxa,* hanche. || **cuissière** milieu XIIe s. || **cuissot** fin XIIe s. || **cuisseau** milieu XVIIe s., var. graphique du précédent. || **cuissard** 1571, Drot. || **cuissardes** fin XIXe s. || **cuissage** XVIe s. || **entrecuisses** n. m., milieu XVIe s. || **cuisse-de-nymphe** XVIIIe s.

***cuistre** XVIe s., d'apr. Oudin, « surveillant subalterne » ; XVIIe s., « pédant » ; argot scolaire, représentant l'anc. fr. *quistre* (cas régime *coistron*), marmiton ; bas lat. *coquistro,* officier chargé de goûter les mets, de *coquere,* cuire. || **cuistrerie** 1844.

***cuivre** début XIIe s. ; lat. *cŭpreum,* var. pop. de *cyprium,* abrév. de *aes cyprium,* bronze de Chypre ; l'anc. fr. *cuevre* repose sur la var. *cŭprum.* || **cuivreux** fin XVIe s. || **cuivrer** 1723, Savary. || **cuivré** adj., fin XVIe s. || **cuivrage** fin XVIIIe s. || **cuivrique** 1834. || **cuprique** fin XIXe s. || **cuprifère** 1836, Landais. || **cuprite** fin XIXe s.

***cul** XIIe s. ; lat. *cŭlus.* || **cucu** 1933, Colette, niais. || **culasse** 1598, Barbier. || **culée** 1355, G., au fig. en maçonnerie. || **culer** 1482, Flamang, « reculer », en mar. || **culière** 1268, É. Boileau, « relatif à l'anus ». || **cul-de-jatte** 1640, Scarron. || **cul-de-sac** début XIIIe s. || **cul-de-lampe** XVe s. || **culot** XIIIe s., « partie inférieure d'un objet » ; au fig., « dernier-né d'une couvée » ; XVIIe s., « résidu au fond d'une pipe » ; fin XIXe s., fig., « toupet », du sens premier (base solide) avec même évolution que *aplomb.* || **culotte** 1515, *Chron. bordelaise* (*hauts de chausses à la culotte*) ; 1842, *Acad.*, « perte au jeu ». || **culottier** 1790, *Encycl. méth.* || **culotter** fin XVIIIe s., « mettre une culotte ». || **culotté** 1792, Aulard, « qui a du toupet ». || **déculotter** 1739, de Brosses. || **sans-culotte** 1792 (les hommes du peuple portant le pantalon et non la culotte aristocratique). || **culbuter** 1480, J. Marot (*culebuter*) ; de *cul* et *buter.* || **culbute** 1493, Coquillart. || **culbuteur** 1599, Hornkens, « acrobate » ; 1877, L., « dispositif pour basculer » ; 1907, Lar., autom. || **acculer** fin XIIIe s., *Roman de Renart,* « poser sur le derrière » (jusqu'au XVIe s.) ; XVIe s., « buter contre ». || **accul** 1561, Du Fouilloux, déverbal. || **acculement** 1687, Desroches, mar. || **bacul** XVe s., Coquillart ; de *battre* et *cul* (v. BASCULE). || **déculasser** 1793, Barbier. || **éculer** 1564, J. Thierry, « déformer en affaissant le derrière ». || **reculer** 1130, *Eneas.* || **recul** XIIIe s. || **reculade** 1611, Cotgrave. || **reculement** milieu XIVe s. || **reculons (à)** XIIIe s. || **torche-cul** début XVIe s.

culinaire 1546, Rab. ; lat. *culinarius,* de *culina,* cuisine.

culminer 1751, Voltaire, d'abord astron. ; 1908, Lar., « atteindre le plus haut degré » ; lat. médiév. *culminare,* de *culmen, -inis,* comble ; repris par les géogr. fin XIXe s. || **culminant** 1708, Furetière, astron. ; 1823, Boiste, sens élargi. || **culmination** 1593, B. de Verville.

culot, culotte, culpabilité V. CUL, COULPE.

culte début XVIe s. (var. *cult*) ; lat. *cŭltus,* part. passé de *colere,* adorer. || **cultisme** 1823, Boiste. || **cultuel** 1877, L.

cultiver début XIIe s., « cultiver la terre » ; 1538, R. Est., fig., *cultiver l'esprit ;* XVIIe s., *cultiver ses relations ;* lat. médiév. *cultivare,* de *cŭltūs,* cultivé. || **cultivable** 1284, G. (*cout-*). || **cultivateur** 1361, Oresme, « qui cultive la terre », équivalent de *laboureur* chez les physiocrates ; XVe s., J. des Ursins, fig. ; réfection de l'anc. fr. *cultiveor.* || **culture** XIIe s. ; XVe s., fig. ; *culture microbienne,* 1878, *Année sc. et industr. ;* lat. *cultura,* de *colere,* cultiver. || **cultural** 1846. || **culturel** 1907, relatif à la civilisation ; d'apr. l'allem. *kulturell.* || **acculturation** 1911, Lar. || **culturalisme, culturaliste** v. 1950. || **culturiste** 1910. || **culturisme** v. 1950. || **inculte** XVe s., « ignorant » ; 1475, Chastellain, « non cultivé » ; lat. *incultus.* || **inculture** 1789, Brunot.

cumin XIIe s. (*comin*) ; lat. *cuminum,* du gr. *kuminon,* mot oriental.

cumuler 1355, Bersuire ; lat. *cŭmŭlare,* mettre en tas, qui a donné aussi *combler ;* spécialisé en fr. mod. || **cumulatif** 1690, Furetière. || **cumul** fin XVIIe s. || **cumulard** 1821, *Almanach des cumulards.* || **accumuler** 1495, J. de Vignay ; lat. *accumulare ;* il a remplacé l'anc. fr. *acombler.* || **accumulation** 1336, G. || **accumulateur** 1564, J. Thierry, « celui qui accumule » ; 1881, *la Nature,* « appareil ». || **accu** 1898, *Vie autom.*, abrév. || **accumulatif** 1955, *le Figaro.* || **cumulus** mot lat. signif. « amas, monceau », d'apr. le type de nuages mamelonnés, souvent amoncelés ; XXe s., réservoir d'eau chaude. || **cumulonimbus** 1891. (V. COMBLE.)

cunéiforme 1560, Paré, méd. ; refait au XIXe s. (1829, Boiste), pour désigner l'écriture assyrienne ; cette écriture est caractérisée par des éléments en forme de coins ; lat. *cuneus,* coin.

cunette 1642, Oudin, fossé de fortification ; ital. *cunetta,* de *lacunetta,* dimin. de *lacuna,* mare, fossé plein d'eau, du lat. *lacus,* lac ; la syllabe initiale a été prise pour l'article ; ou dimin. du lat. *cūna,* berceau.

cupide 1371, *Concile de Trente ;* lat. *cŭpĭdus,* avide. || **cupidement** 1582, Bretin. || **cupidité** 1398, E. Deschamps ; lat. *cupiditas.* (V. CONVOITER.)

cupidon 1265, J. de Meung, n. propre ; 1827, *Acad.*, n. commun ; lat. *Cupido,* dieu de l'Amour.

cuprifère, cuprique V. CUIVRE.

cupule 1611, Cotgrave ; lat. *cŭpŭla,* petit tonneau, confondu avec *cuppa,* coupe. (V. COUPOLE.)

curable V. CURER.

curaçao 1801, *Confiseur ;* du nom d'une île des Antilles productrice des oranges dont l'écorce sert à faire le curaçao.

curare 1758, trad. de Gumilla ; mot d'une langue indigène des Caraïbes. || **curarisation** 1879, Duval.

curatelle, curateur, curatif V. CURER.

curcuma 1559, Mathée ; mot esp., de l'ar. *kūrkūm,* safran, mot hindi.

cure, curé V. CURER.

curée 1160 (*curiée*) ; v. 1360, *Modus* (*cuirée*) ; XVe s. (*curée*) ; fig., XVIe s. ; de *cuir* d'apr. l'explication de *Modus* (*et puis doit on laissier aler les chiens à la cuirée sur le cuir*).

***curer** XIIe s., « nettoyer », et sens méd. ; lat. *cūrāre,* prendre soin, spécialisé dès l'anc. fr. || **curage** 1328, G. || **curable** XIIIe s., G. ; lat. méd. *curabilis.* || **incurable** 1314, Mondeville ; bas lat. *incurabilis,* sur le sens méd. de *curare,* soigner. || **incurablement** milieu XVIe s. || **incurabilité** 1707, Dionis. || **curatelle** XIVe s. ; lat. médiév. *curatela,* réfection de *curatio,* sur *tutela,* avec changement de suffixe, sens jurid. || **curateur** 1227, G. ; lat. jurid. *curator,* « qui prend soin ». || **curation** XIIe s., *Ysopet ;* lat. *curatio,* action de prendre soin. || **curatif** 1314, Mondeville. || ***cure** 1080, *Roland,* « soin » (jusqu'au XVIe s.) ; lat. *cūrā,* resté dans la loc. *n'en avoir cure ;* 1863, spécialisé au sens méd. ; au sens eccl., passé de « fonction de curé » à « presbytère » (fin XVIe s.), d'apr. *curé.* || **curiste** 1899, Sachs. || **curé** XIIIe s., Rutebeuf ; lat. *curatus,* de *curare,* au sens de « prendre soin » ; spécialisé, en lat. eccl., dans le sens « qui a la charge d'une paroisse ». || **cureton** 1916, Esnault, pop. || **curette** 1451, Du Cange, outil à curer, spécialisé en chirurgie. || **curetage** fin XIXe s. || **cureter** fin XIXe s. || **cure-dents** 1416. || **cure-oreille** fin XIXe s. || **curoir** 1378, Du Cange. || **écurer** XIIe s., *Thèbes.* || **écurette** XIIIe s., G. || **récurer** XIIIe s., *Fabliau.* || **récurage** 1509, G.

curie 1611, Cotgrave, hist. ; lat. *curia ;* 1863, L., repris à l'ital. pour la curie papale. || **curial** XIIIe s., n. ; 1546, Rab., adj. ; lat. *curialis,* pour servir de dér. à *cure,* fonction eccl.

curieux 1170, *Rois ;* lat. *cūriosus,* « qui a soin de » (sens dominant en fr. jusqu'au XVIe s.). || **curiosité** 1180, Marie de France (*-eté*) ; lat. *curiositas,* désir de savoir. || **incurieux** XVe s., G., « qui ne se soucie pas ». || **incuriosité** 1495, J. de Vignay ; bas lat. *incuriositas.* || **curiosa** XIXe s. ; plur. latin.

curium 1945, Seaborg ; du nom des *Curie,* physiciens français. || **curiethérapie** 1922, Lar.

curling 1792, Chantreau ; mot angl., de (*to*) *curl,* enrouler, faire boucler.

curry 1820 ; mot angl., d'un mot malabar.

curseur 1372, Corbichon (*courseur*), « coureur » ; XVIe s., techn. ; lat. *cursor,* coureur.

cursif 1532, Rab. ; rare jusqu'au XIXe s. ; n. f., 1797, Gattel ; lat. médiév. *cursivus,* de *currere,* courir. || **cursivement** 1836, Landais.

cursus 1868, Thurot, prose rythmique médiévale ; milieu XXe s., études ; mot lat. signif. « course ».

curvi-, lat. *curvus,* recourbé. || **curviligne** 1613, qui remplace *courbeline* (XVIe s., Chauvet). || **curvigraphe** 1836, Landais. || **curvimètre** 1874, *J. O.*

cuscute XIIIe s. ; lat. médiév. *cuscuta,* de l'ar. *kuchūt.*

custode 980, *Passion,* « gardien » ; fin XIIIe s., relig. ; lat. *custodia,* garde (*cŭstos, -dis,* gardien).

cuti-, lat. *cutis,* peau. || **cutané** 1546, Ch. Est. || **cuti-réaction** XXe s. || **cutine** 1878, Lar. || **cuticule** 1534, Rab. ; lat. *cuticula,* petite peau. || **sous-cutané** 1765, *Encycl.*

cutter 1971 ; mot angl., de (*to*) *cut,* couper.

***cuve** XIe s. ; lat. *cūpa,* coupe. || **cuver** milieu XIVe s. ; 1787, Féraud, *cuver sa colère.* || **cuveau** XIIe s., Barbier. || **cuvée** 1220, Coincy. || **cuvage** XIIe s., *Cart. de Lagny* (*-aige*). || **cuvette** 1175, Chr. de Troyes. || **cuveler** 1758, de Tilly. || **cuvelage** 1756, Grar. || **cuvier** XIIe s.

cyan(o)-, gr. *kuanos,* bleu (vocabulaire de la chimie). || **cyanure** 1815, Gay-Lussac. || **cyanique** 1836, N. Landais. || **cyanine** 1878, Lar. || **cyanamide** 1869, Lar. || **cyanogène** 1815, Gay-Lussac. || **cyanose** 1814. || **cyanosé** 1835. || **cyanhydrique** 1846, Dorvault.

cybernétique 1834, Ampère, d'apr. L., au sens polit. ; spécialisé au XXe s. en technologie ; gr. *kubernan,* gouverner. || **cybernéticien** XXe s.

cyclade V. CYCLO-.

cyclamen XIVe s., *D. G. ;* mot lat., du gr. *kuklaminos,* de *kuklos,* cercle.

cyclo-, gr. *kuklos,* cercle, par lat. *cyclus.* || **cycle** XVIe s., « cercle » ; 1889, « vélocipède », repris à l'angl. || **cyclique** fin XVIe s. || **cycler** XXe s., « tourner ». || **cycliste** 1888, Lar. ; abrév. de *bicycliste.* || **cyclisme** 1891, Baudry. || **bicycle** 1877, Lar. || **bicyclette** 1880 (1892, Guérin). || **tricycle** 1830, *la Mode.* || **cyclecar** 1914 ; de l'angl. || **cyclomoteur** v. 1939. || **cyclomotoriste** 1953, Lar. || **cyclotouriste** 1893. || **cycloïde** 1640, Mersenne. || **cyclométrie** 1813, Gattel. || **cyclostome** 1819, Boiste. || **cyclothymique, cyclothymie** 1909. || **cyclone** 1863, L., d'abord fém. ; mot angl. formé par Piddington (1848). || **cyclonique** 1878, Lar. || **cyclotron** 1930. || **cyclade** 1819, Boiste, zool. || **anticyclone** 1874, *Ann. scient.*

cyclone V. CYCLO-.

cyclope 1372, Corbichon ; lat. *cyclops,* du gr. *kuklôps,* de *kuklos,* cercle, et *ôps,* œil. || **cyclopéen** 1809, Wailly.

***cygne** fin XIIe s., *R. de Cambrai* (*cine*) ; XIIIe s. (*cygne*), d'apr. le lat. ; lat. pop. *cicĭnus* (*Loi salique*), réfection du lat. *cycnus,* du gr. *kuknos.*

cylindre début XIVe s., Conty ; lat. *cylindrus,* du gr. *kulindros.* || **cylindrique** 1596, Delb. || **cylindrer** 1765, *Encycl.* || **cylindrage** *id.* || **cylindroïde** 1721, Trévoux. || **cylindrée** 1886, *Génie civil.*

cymbale 1170, *Rois ;* lat. *cymbolum,* du gr. *kumbalon.* || **cymbalier** 1671, Pomey.

cyn(o)-, gr. *kuôn, kunos,* chien. || **cynégétique** 1750, Prévost, adj. ; gr. *kunêgetikos,* « qui conduit les chiens ». || **cynique** XIVe s., sens propre ; fig., 1674, Boileau ; lat. *cynicus,* du gr. *kunikos,* appliqué à une école de philosophes grecs, qui défiaient les conventions sociales et se réunissaient dans le faubourg athénien de Cynosargue. || **cynisme** 1750, d'Argenson, sens propre ; bas lat. *cynismus,* du gr. *kunismos.* || **cynocéphale** 1372, Corbichon ; lat. *cynocephalus,* du gr. *kunokephalos,* « à tête de chien ».

cypéracée fin XVIIIe s. ; lat. *cyperus,* du gr. *kupeiros,* souchet.

cyprès XIIe s., *Chev. au cygne ;* bas lat. *cypressus,* lat. *cupressus,* du gr. *kuparissos.*

cyprin 1783, *Encycl. méth. ;* lat. *cyprinus,* du gr. *kuprinos,* carpe.

cyrillique 1842, *Acad. ;* de saint *Cyrille* (827-869), qui fit l'alphabet slave.

cyst(o)-, gr. *kustis,* vessie, vésicule (méd. et zool.). || **cystalgie** 1819, Boiste. || **cysticerque** 1819, Boiste. || **cystinurie** 1878, Lar. || **cystique** 1560, Paré. || **cystite** fin XVIIIe s. (*-titis*) ; 1803, Morin (*-te*). || **cystotomie** 1617, Habicot. || **cystolithe** 1878, Lar. || **cystoscope** 1842, *Acad.* || **cystoscopie** 1846. || **cystopexie** 1906, Lar. || **cystectomie** 1617 (*khystotomie*).

cytise début XVIe s. (*cythison*) ; 1582, d'Aigneaux (*-ise*) ; lat. *cytisus,* du gr. *kutisos.*

cyt(o)-, du gr. *kutos,* cellule. || **cytologie** 1878, Littré. || **cytoplasme** 1878, Lar.

d

da 1160, *Charroi de Nîmes* (*diva*) ; XVe s., *Miracles de sainte Geneviève* (*dea*) ; XVIe s. (*da*), dans *oui-da ;* du double impératif *dis va ; nenni-da* (XVIIe s., Molière).

dabe 1576, Larivey (*dabo*), « celui qui paie » (jusqu'au XVIIe s. [Oudin 1642]) ; 1628, *Jargon* (*dasbuche*), « roi » ; m. et f. 1827, *Monsieur comme il faut* (*dabe*), argot, « père » et « mère » ; futur lat. *dabo,* « je donnerai », terme de jeu empr. par l'ital. et accentué sur *a* (d'où *dabe*).

da capo début XVIIIe s. ; loc. ital. signif. « depuis le commencement ».

dactylo-, gr. *daktulos,* doigt. || **dactyle** milieu XIVe s., Le Fèvre, sens métrique ; lat. *dactylus,* du gr. *daktulos ;* XVIe s., « datte, coquillage, graminée ». || **dactylique** fin XVIe s., Baïf, en métrique. || **dactylo** 1907, Lar., abrév. de *dactylographe.* || **dactylographe** 1842, *Acad.,* « clavier pour sourds-muets et aveugles pour transmettre les signes de la parole » ; 1873, « machine à écrire » ; fin XIXe s., « personne qui écrit à la machine ». || **dactylographie** 1833, Gattel, communication avec les sourds-muets ; 1907, Lar., sens actuel. || **dactylographier** 1907, Larousse. || **dactylologie** 1797, Gattel. || **dactylonomie** 1732, Trévoux ; gr. *nomos,* loi. || **dactyloscopie** 1907, Lar.

dada 1507, Amerval, « cheval » ; peut-être redoublement de *da,* var. de *dia,* cri pour exciter les chevaux ; 1776, Frenais, trad. de *Tristram Shandy,* « manie », calque de l'angl. *hobby horse ;* v. 1916, nom d'un mouvement artistique, par suite d'un choix purement arbitraire. || **dadaïsme** v. 1916. || **dadaïste** *id.*

dadais 1585, Cholières (*dadée*), « plaisanterie » ; 1642, Oudin (*dadais*), « sot » ; onomatopée.

dague début XIIIe s., « poignard » ; XVIe s. « corne de cerf » ; prov. *daga* (aussi ital. et esp.), orig. obscure, p.-ê. ital. *daga,* poignard, du lat. *daca ensis,* épée dace. || **daguer** 1572, Des Moulins. || **daguet** fin XVIe s., L'Estoile, « jeune cerf ».

daguerréotype 1839, Dr Donné ; de *Daguerre* (1787-1851), nom de l'inventeur, et du gr. *tupos,* caractère. || **daguerréotypie** *id.* || **daguerréotypé** 1842, *le Charivari,* « stéréotypé ».

dahlia 1804, *Annales du Museum ;* lat. bot., créé en l'honneur du botaniste suédois Dahl ; les premières graines furent envoyées de Mexico en 1788 par V. Cervantes.

***daigner** fin IXe s., *Eulalie* (*degnet,* subj. prés.) ; lat. *dĭgnari,* juger digne. || **dédaigner** 1120, *Ps. de Cambridge.* || **dédaignable** milieu XIIe s., *Thèbes.* || **dédain** 1155, Wace, déverbal. || **dédaigneux** 1175, Chr. de Troyes. || **dédaigneusement** 1220, Coincy.

***dail** m., **daille** f. XVe s., « faux », mot du Midi (prov. *dalh*) ; lat. pop. *daculum* (*Gloses*), de *daca,* dague, ou d'orig. ligure.

***daim** XIIIe s. (*dain*) ; bas lat. *damus,* lat. *dama,* sans doute d'orig. libyenne. || **daine** 1387, G. Phébus.

***daintier** XIe s., « morceau d'honneur », puis « testicules de cerf » ; lat. *dignitas, -atis,* dignité.

***dais** 1160, Benoît (*deis*), « table, estrade » ; XVIe s., Du Cange, « tente dressée au-dessus » ; lat. *dĭscus,* plateau où on disposait les mets.

dalaï-lama 1699, A. Brand (*dalaé-lama*) ; 1762, *Acad. ;* mots tibétains, par une trad. mongole.

dalle début XIVe s., « évier » ; 1676, Félibien, « plaque de pierre » ; fin XVe s., Molinet, « gosier » ; anc. scand. *daela,* gouttière ; *que dalle* 1884, Esnault, orig. discutée. || **daller** 1319, G. || **dallage** 1831, Hugo. || **dalot** 1382, *Comptes du clos des Galées de Rouen.*

dalmatique 1170, Saint-Pair ; lat. chrét. *dalmatica,* blouse faite en laine blanche de Dalmatie.

daltonisme 1841, P. Prevost ; du physicien *Dalton* (1766-1844). || **daltonien** 1827, P. Prevost.

***dam** 842, *Serments* (*damno*) ; fin Xᵉ s., *Vie de saint Léger* (*dam*) ; lat. *damnum ;* remplacé par *dommage,* il ne subsiste plus que dans *à son dam.*

daman 1808, Boiste ; mot arabe.

damas XIVᵉ s., G., « étoffe » ; 1732, Trévoux, « épée » ; nom de la ville de Damas, appliqué à divers produits de cette région. || **damasser** 1386, Delb. || **damassure** 1611, Cotgrave. || **damasquin** 1546, Rab., habitant de Damas. || **damasquiner** 1553, Palissy. || **damasquineur** 1558, Gay. || **damasquinage** 1611, Cotgrave. || **damasquinerie** 1688, Miege. || **damasquinure** 1611, Cotgrave.

1. ***dame** 1080, *Roland,* « femme noble » ; XVIᵉ s., « femme mariée d'une certaine condition » ; 1548, R. Est., aux échecs ; 1755, *Encycl.,* outil de paveur ; lat. *dŏmina,* maîtresse (v. DOM) ; interj., ellipse d'un anc. juron *par Nostre Dame !* ou *Dame-dieu !* (*Domine Deus !*). || **dameret** 1505, Gringore. || **damier** 1548, R. Est., « plateau du jeu de dames ». || **damer** 1552, Rab., au jeu de dames ; *damer le pion à* 1688, Miege ; 1851, Landais, « tasser avec la dame ». || **madame** 1175, Chr. de Troyes, « femme noble » ; XVIIᵉ s., appellation de politesse.

2. **dame** 1442, *Romania* (*dam*), « digue » ; néerl. *dam,* digue, avec infl. de *dame.*

dame-jeanne 1586, Laudonnière (*-jane*), « grosse bouteille ventrue » ; de *dame Jeanne* par plaisanterie.

damelopre 1702, Aubin, « bateau hollandais » ; néerl. *damloper,* bateau qu'on peut tirer par-dessus les digues. (V. DAME 2.)

dameret, damier V. DAME 1.

damnar 1827, *Acad.* (*dammar*) ; 1865, L. (*damnar*) ; mot malais désignant l'arbre d'où est extraite la résine.

damner Xᵉ s., *Épître de saint Étienne ;* lat. eccl. *damnare,* condamner (en lat. class. « blâmer ») || **damné** *id. ; âme damnée* 1690, Furetière. || **damnable** fin XIIᵉ s., *Grégoire.* || **damnation** 1170, *Rois* (*dampnation*) ; lat. eccl. *damnatio.*

***damoiseau** 1131, *Couronn. de Louis* (*dameisel*), « jeune seigneur » ; fin XVIᵉ s., Ronsard, péjor. ; lat. pop. **dŏm*(*i*)*nicellus,* dimin. de *dominus,* maître, puis seigneur. || **damoiselle** fin IXᵉ s., *Eulalie ;* forme anc. de *demoiselle.*

dan v. 1950, mot japonais.

dancing v. 1919 ; abrév. de l'angl. *dancing-house,* maison de danse (*dancing,* part. prés. de *to dance,* danser).

dandiner 1512, Gringore ; 1680, Richelet, comme pronominal ; de l'anc. fr. *dandin,* cloche, onom. d'apr. le son. || **dandin** 1526, Bourdigné, « niais », déverbal de *dandiner ;* d'où les personnages de *Perrin Dandin, George Dandin.* || **dandinement** 1725, *Mercure.* || **dandinette** 1902, Drouin, pêche.

dandy 1813, Mᵐᵉ de Staël, « élégant », mot angl., d'orig. obscure, en vogue à propos de Brummell. || **dandysme** 1830, *Débats.*

***danger** 1130, *Eneas* (*dangier*), « domination, pouvoir » ; XIIIᵉ s., « fait d'être au pouvoir, à la merci de quelqu'un », d'où « péril » ; lat. *dŏm*(*i*)*niarium,* pouvoir, de *dŏmĭnus,* maître. || **dangereux** fin XIIᵉ s., R. de Moiliens, « difficile, sévère ». || **dangereusement** 1539, R. Est.

danois 1160, Benoît (*danesche*) ; germ. *danisk.*

***dans** XIIᵉ s., *Roncevaux* (*denz*) ; adv., puis prép., qui a remplacé peu à peu *en ;* lat. pop. *de-ĭntus,* renforcement de *intus,* dedans (anc. fr. *enz*). || **dedans** 1050, *Alexis* (*dedenz*) ; prép. et adv. en anc. fr., puis seulem. adv. au XVIIᵉ s. ; forme renforcée.

danser fin XIIᵉ s., *Loherains* (*dencier*) ; francique **dintjan,* se mouvoir de-ci de-là (néerl. *deinzen*) ; les danses romaines ayant été proscrites par le christianisme, la danse, sous d'autres formes, a été réintroduite par les Germains. || **danse** 1175, Chr. de Troyes ; *danse de Saint-Guy,* 1819, Boiste. || **danseur** 1440, Ch. d'Orléans. || **dansotter** 1660, Scarron.

dantesque 1828, Nodier, « grandiose » ; de *Dante.*

daphné 1552, Rab. ; gr. *daphnê,* laurier.

daphnie 1808, Boiste ; lat. scient. *daphnia,* du gr. *daphnê,* laurier, à cause de la forme.

darbouka 1859, A. Daudet, tambourin ; mot arabe.

1. **dard** 1080, *Roland,* « aiguillon » ; lat. *dardus,* du francique **darod* (anglo-saxon *darodh,* anc. allem. *tart*). || **darder** XVᵉ s., *Perceforest.* || **dardillon** 1501, *D. G.*

2. ***dard** 1193, Hélinand (*dars*), « vandoise » ; bas lat. *darsus,* mot gaulois.

dare-dare 1642, Oudin ; orig. obscure, peut-être de *courir comme un dard.*

dariole 1385, Du Cange ; anc. prov. *dariola,* de *daurar,* dorer.

darling 1842, Balzac ; mot angl. signif. « chéri », de *dear,* cher.

darne 1528, Desdier, « tranche de gros poisson » ; breton *darn,* morceau.

daron 1726, Cartouche, « maître », puis « père » ; mot de l'Ouest signif. « radoteur », orig. obscure ; au pl. 1928, Esnault. || **daronne** 1726, Granval.

darse 1415, *Chron. de Boucicaut* (à propos du port de Gênes) ; génois *darsena,* de l'ar. *dār sinā'a,* atelier, maison de travail.

***dartre** XIIIe s., *Livre des simples médecines* (*dertre*) ; bas lat. *derbĭta,* mot gaulois. || **dartreux** XVe s., *Glossaire* (*dertreux*).

darwinisme 1867, Quatrefages ; du naturaliste anglais Darwin (1809-1882). || **darwinien** 1870, Lar.

dash-pot 1889, Lar. ; mot angl., de (*to*) *dash,* jeter, et *pot,* récipient. Désigne un appareil utilisé pour la régulation des turbines.

dasyure fin XVIIIe s., G. Saint-Hilaire ; gr. *dasus,* velu, et *oura,* queue.

datcha v. 1950, maison de campagne ; mot russe.

date 1283, Beaumanoir ; lat. médiév. *data littera,* lettre donnée, premier mot de la formule indiquant la date. || **dataire** 1598, Villamont. || **dater** milieu XIVe s., « inscrire la date » ; 1769, Voltaire, « déterminer la date » || **datable** début XIXe s. || **daterie** 1666, *Vie de Maldachini* ; ital. *dataria,* du lat. eccl. *datarius.* || **datation** fin XIXe s. || **dateur** XXe s. || **antidater** 1462, Fierville. || **antidate** 1462, Fierville. || **postdater** 1549, R. Est. (*posti-*) ; 1752, Trévoux (*post-*). || **postdate** *id.*

datif XIIIe s. ; lat. gramm. *dativus* (*casus*), cas attributif, de *dare,* donner.

dation 1272, G., jurid. ; lat. *datio,* action de donner.

datte 1180, *Alexandre* (*dade*) ; XIIIe s. (*date*) ; prov. *datil,* m., lat. *dactylus,* datte, du gr. *daktulos,* doigt. || **dattier** v. 1230, G. de Lorris (*dadier*) ; 1298, *Marco Polo* (*datier*).

datura 1597, Palma Cayet ; mot port., de l'hindî *dhatūra.*

daube 1640, Oudin ; esp. **doba,* de *dobar,* cuire à l'étouffée, du francique **dubban,* frapper. || **dauber** 1743, Trévoux, « accommoder en daube ». || **daubière** 1829, Boiste.

***dauber** (sur quelqu'un) 1662, Molière, forme régionale de *adouber* (1220, Coincy), au sens de « malmener ». || **daubeur** 1678, Montfleury.

daumont (*attelage à la*) 1837, Gautier ; du nom du duc d'Aumont, sous la Restauration.

1. ***dauphin** XIIe s. (*-fin*), « cétacé » ; bas lat. *dalfinus* (VIIIe s.), altér. du lat. *delphinus,* du gr. *delphis.*

2. **dauphin** 1349, date de cession du Dauphiné, « fils aîné du roi de France » ; c'était le nom des comtes d'Albon (lat. *Delphinus*), issu d'un surnom, qui devint héréditaire ; nom de dignité, au XIIIe s., en Dauphiné et en Auvergne. || **dauphine** 1680, Mme de Sévigné.

dauphinelle 1786, *Encycl. méth.,* plante ornementale ; gr. *delphinion,* sous l'infl. de *dauphin.*

daurade V. DORADE.

davantage 1360, Froissart, de *d'avantage* (encore au XVIe s.).

davier 1540, Rab. (*daviet*) ; 1549, R. Est. (*davier*) ; dimin. de *david* (prononcé *davi*), outil de menuisier (XIVe s.), du nom propre *David* (cf. ROBINET).

***de** 842, *Serments ;* lat. *de,* prép. exprimant la séparation, la provenance et, en lat. pop., le complément du nom.

dé- préfixe issu du lat. *de,* qui représente soit un mouvement de haut en bas (*décliner, déchoir*), soit le renforcement ou le commencement de l'action (*définir, démarcation*) ; ou issu du lat. *dis-* indiquant l'éloignement, la séparation ou la négation (*dégénérer, débander, dépolitiser, dénucléariser,* etc.). Les termes composés avec le préfixe *dé-* sont placés à l'ordre alphabétique du radical.

1. ***dé** *à jouer* 1190, Garn. ; lat. *datum,* part. passé de *dare,* donner, substantivé en « pion de jeu » (Ier s., Quintilien).

2. ***dé** (*à coudre*) 1348, Du Cange (*deel*), d'où *dé* (1460, Villon) sous l'infl. de *dé à jouer* ; lat. pop. **dĭtale,* lat. class. *digitale,* de *digitus,* doigt. || **délot** 1530, Palsgrave, « doigtier de cuir de la dentellière ».

dead-heat 1841, Mackenzie ; mots angl. signif. « course (*heat*) morte, nulle (*dead*) » :

quand deux chevaux arrivent au poteau en même temps.

déambuler fin XVe s. ; lat. *deambulare,* se promener. || **déambulation** *id.* || **déambulatoire** XVIe s.

débâcle, débagouler, déballer, débander, débarbouiller, débarcadère, débardeur, débarquer V. BÂCLER, BAGOU, BALLE 1, BANDE 2, BARBOTER, BARQUE, BARD.

debater 1830, *Rev. brit. ;* mot angl. signif. « qui débat », « qui discute », spécialisé dans le langage parlementaire.

débattre V. BATTRE.

débaucher fin XIIe s., « disperser » ; fin XIIIe s., Guiart, « provoquer la défection » ; 1469, Bartzsch, « détourner de ses devoirs » ; 1460, Villon, « détourner les ouvriers de leur travail » ; XVe s., « entraîner à l'inconduite » ; de *bauch,* forme ancienne de *bau,* poutre, proprem. « dégrossir le bois ». || **débauche** 1499, Gringore, déverbal. || **débauché** 1549, R. Est. || **débauchage** 1900, Lar. || **débaucheur** 1534, Des Périers.

débecqueter 1883, Esnault ; de *bec,* gueule.

débet 1441, Delb. ; lat. *debet,* « il doit », d'apr. les formules juridiques.

débile 1265, Le Grand ; lat. *debilis,* faible. || **débilement** fin XVe s. ; G. || **débilité** XIIIe s., *Yst. de li Normant ;* lat. *debilitas.* || **débiliter** XIIIe s., Aimé ; lat. *debilitare.*

débiner fin XVIIIe s., « calomnier » ; 1808, d'Hautel, « tomber dans la misère » ; *se débiner,* 1852, Paillet, « se sauver » ; de *biner,* sarcler, au sens fig., et pop. (cf. BÊCHE). || **débine** 1808, d'Hautel, « misère », déverbal. || **débinage** 1837, Vidocq. || **débineur** 1875, Esnault.

débit 1723, Savary, « ce qui est dû » ; lat. *debitum,* dette, de *debere,* devoir. || **débiter** *id.,* « inscrire au débit ». || **débiteur** début XIIIe s., « celui qui doit » ; lat. *debitor ;* il a remplacé la forme *detteur* (encore au XVIIe s.).

débiter 1340, Tobler-Lommatzsch, « débiter du bois » ; XVe s., « vendre au détail » ; 1608, Régnier, « réciter » ; 1838, *Acad.,* « laisser s'écouler » ; de *dé-* et *bitte,* billot, « faire des bittes ». || **débit** XVIe s., « vente au détail » ; XVIIe s., « façon de réciter » ; début XIXe s., « boutique où l'on débite » ; déverbal. || **débitant** 1730, Savary. || **débiteur** 1611, Cotgrave, « qui vend au détail » ; 1690, Furetière, « qui débite des nouvelles ».

déblatérer 1798, *Acad. ;* lat. *deblaterare,* parler à tort et à travers, de *blaterare,* babiller.

déblayer 1265, *Livre de jostice* (*desbleer*), « enlever la moisson » ; 1388, G. (*-bloyer*), « enlever les matériaux » ; de *blé.* || **déblai** 1641, Patin, déverbal de *déblayer.* || **déblaiement** 1301, G. (*desblafviement*) ; 1775, Grignon.

déboire V. BOIRE.

débonnaire 1080, *Roland ;* de *de bonne aire,* de bonne race, de *aire* (d'aigle). || **débonnairement** 1175, Chr. de Troyes || **débonnaireté** 1265, *Livre de jostice.*

déborder, déboucler, débouler, debout, débraillé, débrayer, débris, débucher, débuter V. BORD, BOUCLE, BOULE, BOUTER, BRAIE, BRISER, BÛCHE, BUT.

décade 1352, Bersuire, « série de dix » ; 1793, Fabre d'Églantine, « période de dix jours » ; lat. *decas, -adis,* groupe de dix, du gr. *deka,* dix. || **décadaire** 1808, Boiste.

décadence 1413, G., « fait de tomber en ruine » ; 1671, Pomery, « déchéance » ; 1870, Lar., « déclin » ; lat. médiév. *decadentia,* de *cadere,* tomber (v. aussi DÉCHOIR). || **décadent** 1516, G. Michel, « vieux » ; 1546, Rab., « décrépit » ; 1885, appliqué à une école littér. || **décadentiste** 1917, Lar.

décadi 1793, Fabre d'Églantine, « dixième jour de la décade révolutionnaire » ; gr. *deka,* dix, et lat. *dies,* jour (d'apr. *lundi*).

décaèdre 1801, Haüy ; gr. *deka,* dix, et *êdra,* face.

décagone 1652, *D. G. ;* gr. *deka,* dix, et *gônia,* angle.

décalogue 1455, Fossetier ; lat. chrét. *decalogus,* du gr. *dekalogos,* de *deka,* dix, et *logos,* parole.

décan 1839, Boiste, astrologie ; bas lat. *decanus,* génie qui préside à dix degrés du zodiaque.

décanat 1650, Patin ; lat. eccl. *decanatus,* de *decanus,* doyen. || **décanal** 1476, *Inventaire Surreau.*

décaniller 1792, Marat, « décamper » ; du lyonnais *canille,* jambe, dimin. métaphorique de *canne.*

décanter 1701, Furetière ; lat. des alchim. *decanthare,* de *canthus,* bec de cruche (v. CHANT 2). || **décantage** 1842, *Acad.* || **décantation** 1690, Furetière ; lat. des alchim. *decanthatio.*

décaper V. CAPE.

décapiter 1320, *Ovide moralisé ;* lat. médiév. *decapitare,* de *caput, -itis,* tête. || **décapité** XIVe s. || **décapitation** 1392, E. Deschamps.

décapodes 1804, Latreille ; gr. *deka,* dix, et *pous, podos,* pied. Animaux qui ont cinq paires de pattes marcheuses.

décathlon 1912, aux jeux Olympiques ; de *déca-* (dix) et [*penta*]*thlon.* || **décathlonien** *id.*

décatir V. CATIR.

decauville fin XIXe s., du nom de son inventeur ; le premier chemin de fer à voie étroite relia les Invalides au Champ-de-Mars, lors de l'Exposition de 1889 à Paris, et fut transféré à Royan.

décaver V. CAVER 2.

décéder XIVe s., G. (*-dir*) ; 1460, Villon (*-der*) ; lat. *decedere,* sortir de la vie. || **décès** 1050, *Alexis ;* lat. *decessus,* part. passé de *decedere.*

déceler, décélérer V. CELER, ACCÉLÉRER.

décembre milieu XIIe s., du lat. *decembris,* de *decem,* dix (à l'origine le dixième mois). || **décembriseur** 1849, nom donné aux membres de la Société du Dix-Décembre, puis aux fauteurs du coup d'État du 2 décembre 1851. || **décembriste** *id.*

décemvir 1355, Bersuire ; mot lat., de *decem,* dix, et *vir,* homme.

décence 1282, Gauchi ; lat. *decentia,* de *decere,* convenir. || **décent** XVe s., Wavrin ; lat. *decens.* || **décemment** 1580, Montaigne || **indécence** 1568, Loys Le Roy. || **indécent** XIVe s., *D. G. ;* lat. *indecens.*

décennal 1540, Rab. ; lat. *decennalis,* de *decem,* dix, et *annus,* année. || **décennie** 1888, Lar.

déception V. DÉCEVOIR.

décerner 1318, G., « décréter » (jusqu'au XVIIIe s.) ; XVIe s., Amyot, « attribuer » ; lat. *decernare,* décider, décréter.

décès V. DÉCÉDER.

***décevoir** 1160, *Roman de Tristan,* « tromper » ; 1360, Froissart, « causer une déconvenue » ; lat. *decipĕre* (lat. pop. *-ēre*), de *capere* prendre. || **déception** XIIe s., « action de tromper » (jusqu'au XVIe s.) ; lat. impér. *deceptio* (IVe s., saint Augustin). || **décevant** 1170, *Rois* « trompeur ».

déchaîner, décharner, *déchausser, V. CHAÎNE, CHAIR, CHAUSSER.

dèche 1835, Raspail, « perte au jeu » ; 1846, Esnault, sens actuel ; de *déchoir* ou de *déchéance* par le provençal *decho,* tare.

***déchéance** V. DÉCHOIR.

déchiqueter 1338, *Actes normands,* « bariolé » ; 1450, Ch. d'Orléans, sens actuel ; anc. fr. *eschiqueté* (début XIIIe s.), « découpé en cases comme un échiquier ». || **déchiquetage** fin XIVe s. || **déchiqueteuse** 1953, Lar. || **déchiqueture** 1534, Rab.

déchirer 1120, *Ps. d'Oxford ;* fig. 1165, Marie de France ; francique **skerjan,* gratter (anglo-saxon *scīran,* nettoyer). || **déchirant** 1611, Cotgrave. || **déchirement** 1120, *Job ;* fig. fin XVIIe s., Mme de Sévigné. || **déchirure** 1250, *Aubery le Bourgoing.* || **s'entre-déchirer** 1544, d'Aurigny.

***déchoir** 1080, *Roland ;* lat. pop. **decadēre,* réfection de *decĭdere,* de *cadere,* tomber. || **déchéance** 1190, Garn. || **déchet** 1283, Beaumanoir (*déchié*), devenu *dechiet,* par confusion avec *il déchet.*

deci- lat. *decem,* dix || **décigramme** 1795, *Bull. des lois.* || **décilitre** *id.* || **décimètre** *id.*

décider 1403, N. de Baye ; 1834, Ségur, « pousser à faire » ; lat. *decidere,* trancher, de *caedere,* couper. || **décision** 1314, G. ; lat. jurid. *decisio.* || **décisif** 1413, G ; lat. jurid. *decisivus.* || **décisoire** XIVe s., G. || **indécis** 1521, Fabri ; bas lat. *indecisus,* non tranché. || **indécision** 1611, Cotgrave.

déciller V. CIL.

décime 1486, G. Alexis, « taxe du dixième » ; 1795, *Bull. des lois,* « terme du système métrique » ; du lat. *decimus,* dixième. || **décimal** 1746, Petit Vandon.

décimer XVe s., « punir de mort un soldat sur dix » ; 1793, Damade, fig. ; lat. *decimare,* de *decem,* dix.

décision, déclamer V. DÉCIDER, CLAMER.

déclarer milieu XIIIe s. ; lat. *declarare.* || **déclaration** début XIIIe s. ; 1659, Molière, « aveu d'amour » ; lat. *declaratio.* || **déclaratif** 1380, Conty ; lat. *declarativus,* qui éclaire.

déclencher, déclic V. CLENCHE, CLIQUE.

décliner 1080, *Roland,* « redescendre après un point culminant » ; 1175, Chr. de Troyes, « s'affaiblir » ; 1220, d'Andeli, gramm. ; 1361, Oresme, jurid ; 1360, Froissart, « réciter » ; lat. *declinare,* redescendre. || **déclin** 1080, *Roland,* déverbal. || **déclinaison** 1220, d'Andeli, gramm. || **déclinable** 1378, J. Le Fèvre. || **déclinatoire** début XIVe s., jurid. || **indéclinable** 1380, *Aalma,* gramm. ; lat. *indeclinabilis.* || **indéclinabilité** 1714, Fénelon.

décliquer V. CLIQUE.

déclive 1560, Paré ; lat. *declivis,* qui va en pente, qui est le plus bas. || **déclivité** 1487, Garbin ; lat. *declivitas.*

décoction XIIIe s., *Antidotaire Nicolas ;* lat. impér. *decoctio* (IIe s., Apulée), de *coquere,* cuire.

décoller, décolleter, décolorer V. COU, COULEUR.

décombres 1404, G., « action de désencombrer » ; 1611, Cotgrave, pl. « ruines » ; anc. fr. *décombrer* (1175, Chr. de Troyes), remplacé par *désencombrer ;* de l'anc. fr. *combre,* barrage de rivière (IXe s., *combrus,* abattis d'arbres), du gaulois **comboros,* rencontre, confluent, composant de nombreux noms de lieux.

déconfire, déconvenue V. CONFIRE, CONVENIR.

décorer 1361, Oresme, « garnir » ; 1863, L., « conférer une décoration » ; lat. *decorare,* de *decus, -oris,* ornement. || **décoratif** 1460, Chastellain. || **décorateur** fin XVIe s., Gaultier-Garguille ; 1560, Amyot, fig., « qui illustre ». || **décor** 1530, Marot (*-ore*), rare jusqu'au XVIIIe s. (1790, Linguet). || **décoration** 1393, G., « action de décorer » ; 1740, *Acad.,* « signe de distinction » ; bas lat. *decoratio.* || **décorum** 1594, *Ménippée ;* lat. *decorum,* convenance.

décortiquer 1826, Mozin ; fig., fin XIXe s. ; lat. *decorticare,* de *cortex, -icis,* écorce. || **décortication** 1747, James ; fig., 1870, Lar. ; lat. *decorticatio.*

décours 1190, Garn. ; francisation du lat. *decursus,* course sur une pente, d'où, en fr., déclin, période décroissante du cours de la lune.

découvrir V. COUVRIR.

décrépit fin XIVe s. (*-ite,* masc. au XVIIe s.) ; lat. *decrepitus,* parfois confondu avec *décrépi* (v. CRÉPIR). || **décrépitude** 1387, G. Phébus.

decrescendo V. CRESCENDO.

décret 1190, Garn., « décision d'une autorité, droit canon, jugement » ; 1789, « acte du pouvoir exécutif » (par opposition à *loi*) ; lat. *decretum,* décision, sentence, part. passé de *decernere* (v. DÉCERNER). || **décret-loi** 1926, date de l'institution. || **décréter** fin XIVe s. || **décréteur** 1796, *Néolog. fr.* || **décrétale** XIIIe s., *Assises de Jérusalem ;* lat. eccl. *decretalis,* ordonné par décret.

décrire 1130, *Eneas* (*des-*), « dépeindre » ; milieu XVIe s., Amyot, « se déplacer selon une courbe » ; lat. *describere,* d'apr. *écrire.* || **descriptif** 1464, G., puis 1787, Féraud ; lat. *descriptus,* part. passé. || **descriptible** 1870, Lar. || **description** 1160, Benoît, lat. *descriptio.* || **descripteur** XVe s., rare avant 1761, Buffon. || **indescriptible** 1801, Mercier.

décrue, décruer, décruser V. CROÎTRE, CRU.

de cujus XVIIIe s. ; abrév. du lat. jurid. *de cujus successione agitur,* de la succession de qui il est question.

décuple milieu XIVe s., *D. G. ;* lat. *decuplus,* de *decem,* dix. || **décupler** 1584, Thevet, « porter au décuple » ; 1850, Balzac, « accroître beaucoup ». || **décuplement** 1870, Lar.

dédaigner V. DAIGNER.

dédale 1555, Pasquier, du nom du constructeur légendaire du labyrinthe de Crète (lat. *Daedalus,* gr. *Daidalos*). || **dédaléen** 1862, Hugo. || **dédalien** 1835, Gautier.

dedans V. DANS.

dédicace fin XIIe s., *Grégoire* (*dicaze*) ; XIVe s., Du Cange (*dédicace*), « fête patronale » (var. *ducasse*) ; 1549, R. Est., « dédicace d'une église » ; 1613, Pasquier, — *d'un livre ;* lat. *dedicatio,* de *dedicare,* dédier. || **dédicatoire** 1542, Du Perron. || **dédicacer** 1836, Landais.

dédier 1131, *Couronn. de Loïs,* « consacrer au culte » ; 1660, Scarron, *dédier un livre ;* lat. *dedicare,* consacrer, dédier.

dédire V. DIRE.

déduire 1050, *Alexis ;* adapt., d'apr. *conduire,* du lat. *deducere,* faire descendre, mener, sens passé en anc. fr., où le verbe a aussi l'emploi fig. « divertir ». || **déduit** 1130, *Eneas,* « divertissement ». || **déduction** 1361, Oresme, « démarche de la pensée » ; XVe s., L., « soustraction » ; lat. *deductio.*

de facto 1870, Lar. ; mots lat. signif. « de fait ».

défaire, défaite V. FAIRE.

défalquer 1384, *Archives de Reims ;* lat. médiév. *defalcare,* trancher avec la faux (*falx, -cis*). || **défalcation** 1307, G.

***défaut** V. FAILLIR.

défectif 1341, G., « défectueux » ; début XVIIe s., gramm. ; lat. *defectivus,* de *deficere,* faire défaut. || **défection** XIIIe s., *Alexandre,* « éclipse » ; 1464, Commynes, « défaite » ; 1772, Raynal, « défaillance » ; lat. *defectio.* || **défectueux** 1336, R. de Louhans ; lat. *defectuosus.* || **défectueusement** 1380, Conty. || **défectuosité** XVe s., *Procès-verbal du conseil de régence de Charles VIII ;* lat. *defectuositas.*

***défendre** 1080, *Roland,* « aider » ; 1265, J. de Meung, « interdire » ; lat. *defendĕre,* protéger, écarter. || **défendable** 1240, G. de Lorris. || **défendeur** 1120, *Ps. d'Oxford,* « défenseur » ; 1283, Beaumanoir, jurid. || ***défens** 1119, Ph. de Thaon, « défense » ; lat. *defensus,* part. passé substantivé en bas lat. || **défense** fin XIe s., *Lois de Guill.,* part. fém. || **défenseur** 1213, *Fet des Romains* (*-eor*), remplace *défendeur* au XVIe s. ; au sens jurid. 1863, L. || **défensif** XIVe s., G. || **indéfendable** 1663, Molière.

déféquer 1583, Liébault ; lat. *defaecare,* débarrasser des impuretés, de *faex,* lie. || **défécation** 1660, N. Le Febvre ; lat. *defaecatio.*

déférer 1355, Bersuire, « se soumettre à » ; 1541, Calvin, « attribuer à une juridiction » ; lat. *deferre,* porter (d'où le sens jurid. repris en fr.), en bas lat. « faire honneur ». || **déférence** 1392, E. Deschamps. || **déférent** 1560, Paré, anatomie ; 1690, Furetière, « respectueux » ; part. prés. *deferens.*

déferler fin XVIe s., d'Aubigné (part. passé *défrelée*), « déployer les voiles » ; 1773, Bourdé, « se briser en écumant » ; fin XIXe s., « se répandre brutalement » ; de *dé-* et *ferler,* plier une voile. || **déferlement** XXe s., a remplacé *déferlage* (XVIIIe s.). || **déferlant** 1870, Lar.

défet 1265, J. de Meung (*defect*) ; XIVe s., *Alchimie à Nature,* « défaut » ; 1752, Trévoux, sens actuel ; lat. *defectus,* manque, part. passé de *deficere,* manquer.

défi, défiance V. FIER 1.

déficient 1587, Crespet ; lat. *deficiens,* part. prés. de *deficere,* manquer. || **déficience** 1907, Lar. || **indéfectible** 1501, Le Roy ; lat. *defectus,* qui manque. || **indéfectibilité** 1677, Mme de Sévigné. || **indéfectiblement** 1873, Lar.

déficit 1589, L'Estoile ; lat. *deficit,* « il manque », mot qui figurait aux inventaires, en regard des articles manquants ; 1771, Trévoux, sens financier. || **déficitaire** 1909, Lar.

défiler V. FIL.

définir 1425, A. Chartier ; lat. *definire,* de *finis,* fin, limite. || **définissable** fin XVIIe s., Saint-Simon. || **définiteur** 1646, *D. G.* || **définition** 1160, Benoît ; lat. *definitio.* || **définitif** fin XIIe s., *Ysopet de Lyon* (*diffinitif*), « qui met fin » ; lat. *definitivus,* limité. || **définitivement** XVIe s., Amyot. || **indéfini** XIVe s., « qui n'est pas limité » ; 1607, Maurepas, gramm. ; lat. *indefinitus.* || **indéfiniment** 1501, Rab. || **indéfinissable** 1731, Voltaire.

déflagration 1691, Chastellain ; lat. *deflagratio,* de *flagrare,* brûler. (V. FLAGRANT.)

déflation V. INFLATION.

déflecteur 1888, Lar. ; lat. *deflectere,* fléchir. Désigne un appareil qui modifie la direction de l'air, de l'eau.

déflorer V. FLEUR.

défrayer 1373, *Mandement de Charles V* (*deffroyer*) ; *dé-* et anc. fr. *fraier,* dépenser, faire les frais ; 1663, Molière, « amuser ». || **défrai** 1403, G.

défroquer V. FROC.

défunt XIIIe s. ; lat. *defunctus,* part. passé de *defungi,* accomplir sa vie.

dégaine, dégainer V. GAINE.

dégât début XIVe s., « partie de la forêt abattue » ; 1360, Froissart, « dommage » ; déverbal de l'anc. fr. *degaster,* dévaster, de *gâter.*

dégénérer 1361, Oresme ; lat. *degenerare,* de *genus, -eris,* race. || **dégénération** 1455, Fossetier, rare jusqu'au XVIIe s. ; lat. *degeneratio.* || **dégénérescence** av. 1794, Condorcet. || **dégénérescent** 1839, Boiste.

dégingandé 1546, Rab. (*deshin-*), « disloqué » ; fin XIVe s., Vigenère, altér. en *desgin-* ; 1690, Furetière, sens actuel ; anc. fr. *deshingander,* sortir de ses gonds, néerl. *henge,* gond, et français *ginguer,* sauter.

déglinguer 1889, Barrère, « disloquer » ; altér. de *déclinquer* (1792, Romme). [V. CLIGNER.]

déglutiner milieu XIXe s. ; lat. *deglutinare,* décoller, détacher. || **déglutination** 1950, Lar.

déglutir 1120, *Ps. d'Oxford,* « engloutir » ; 1839, Boiste, sens actuel ; bas lat. *deglutire,* avaler. || **déglutition** 1560, Paré.

dégobiller 1611, Cotgrave ; de *gober* (cf. *dégober,* vomir, en Anjou, et *gobille,* gorge, en Lyonnais), avec une finale que l'on trouve dans *égosiller.*

dégoiser, dégorger V. GOSIER, GORGE.

dégoter début XVIIe s., Ménage, indiqué comme mot de l'Ouest, « déplacer la balle ou la pierre appelée *go* » (*gal* en Normandie) ; 1740, Desfontaines, « déplacer » ; 1757, d'Argenson, « chasser d'un poste » ; 1808, d'Hautel, « l'emporter » et « trouver » ; origine discutée.

dégouliner 1757, Vadé, de *dégouler* (XIIIe s.), se laisser glisser, de *dé-* et *goule,* forme de *gueule.* || **dégoulinade** XXe s.

dégourdir, dégoût, dégoutter V. GOURD, GOÛT, GOUTTE.

1. **dégrader** V. GRADE.

2. **dégrader** (*les tons*) 1651, Brunot ; ital. *digradare,* de *grado,* degré. || **dégradation** 1660, Molière ; ital. *digradazione.*

dégrafer, degras V. AGRAFER, GRAS.

dégrat XIIIe s., « bateau de pêche en dégrat », c.-à-d. « qui va quitter le port » (*degrater,* fin XIIIe s., Guiart) ; prov. *degrat,* degré, échelon (cf. les *Échelles* du Levant).

degré 1050, *Alexis* (*degret*), comp. anc. par renforcement du lat. *gradus,* échelon ; d'abord au sens de « escalier, marche », puis « état intermédiaire » ; 1694, Th. Corneille, « division du thermomètre ».

dégressif 1907, Lar. ; lat. *degressus,* de *degredi,* descendre. || **dégressivité** milieu XXe s.

dégrever V. GREVER.

dégringoler fin XVIe s. (*desgringueler*), de *gringoler* (1583, Gauchet, même sens) ; du moyen néerl. *cringhelen,* de *crinc,* courbure, c.-à-d. tomber de la *gringole* (colline). || **dégringolade** 1825, C. Ritter.

déguerpir 1120, *Ps. de Cambridge,* « abandonner » ; XVIe s., Loisel, jurid. « abandonner un bien » ; début XVIIe s., Scarron, « vider les lieux » ; anc. fr. *guerpir,* abandonner, du francique **werpjan* (allem. *werfen,* jeter ; angl. *to warp,* détourner).

déguiser V. GUISE.

déguster 1802, Laveaux ; lat. *degustare,* de *gustare,* goûter ; début XXe s., « supporter ». || **dégustation** 1470, *Livre de la discipline d'amour divine ;* bas lat. *degustatio.* || **dégustateur** 1793, Frey.

déhiscent 1798, Richard ; lat. *dehiscere,* s'ouvrir. || **déhiscence** *id.,* en bot., « action par laquelle un organe clos s'ouvre naturellement ».

dehors, déicide, déifier, déiste, déité, déjà V. HORS, DIEU, JÀ.

déjection 1538, Canappe ; lat. méd. *dejectio,* « action de jeter hors », de *dejicere,* évacuer.

déjeter V. JETER.

déjeuner v. 1155, Wace, « rompre le jeûne » et « prendre le repas du matin » ; lat. pop. **disjunare,* de **disjejunare,* du bas lat. *jejunare,* jeûner, et *dis-,* cessation ; comme n. m. 1540, Yver.

délabrer 1561, Maumont (au part. passé), appliqué d'abord aux vêtements ; *dé-* et anc. fr. *label,* frange, du francique **labba,* chiffon. || **délabrement** 1718, *Acad.*

délai 1172, *Chanson ;* déverbal de *deslaier* (1175, Chr. de Troyes), de l'anc. fr. *laier,* laisser, issu de *laisser,* croisé avec des formes de *faire* (v. RELAYER).

délaisser V. LAISSER.

délateur 1538, R. Est. ; lat. *delator,* de *deferre,* rapporter, dénoncer (part. passé *delatus*). || **délation** 1549, R. Est. ; lat. *delatio.*

***délayer** XIIIe s., *Lapid. fr. ;* lat. *delicare,* var. de *deliquare,* transvaser, décanter ; 1766, Voltaire, « exposer de façon diffuse », altér. en Gaule en **delicare,* par infl. de *delicatus,* délicat. || **délaiement** 1549, R. Est. || **délayage** 1836, Landais.

deleatur 1797, Gattel, mot lat. signif. « qu'il soit détruit », en typographie. || **déléaturer** 1914, Gide.

délébile 1823, Boiste ; lat. *delebilis,* de *delere,* détruire. || **indélébile** 1541, Calvin ; lat. *indelebilis,* indestructible ; *encre indélébile,* 1611, Cotgrave.

délecter début XIVe s. ; lat. *delectare ;* il a remplacé la forme pop. *delitier* (1120, *Ps. d'Oxford*), de *delicere,* attirer. || **délectable** 1361, Oresme ; lat. *delectabilis.* || **délectation** 1120, *Ps. d'Oxford ;* lat. *delectatio.*

déléguer début XIVe s. ; lat. *delegare,* envoyer. || **délégué** n. 1534, Des Périers ; *délégué du peuple* 1793. || **délégation** XIIIe s., Delb., « procuration » ; 1878, Lar., « ensemble de personnes déléguées » ; lat. *delegatio.* || **délégataire** 1839, Boiste. || **subdéléguer** fin XIVe s. || **subdélégation** 1555, Paradin.

délétère XVIe s., Joubert ; 1863, L., « malsain » ; gr. *dêlêtêrios,* nuisible.

délibérer XIIIe s. ; lat. *deliberare.* || **délibération** XIIIe s., G., lat. *deliberatio.* || **délibératif** 1372, Corbichon ; lat. *deliberativus.* || **délibéré** 1534, Rab., « résolu ». || **délibérément** XIVe s., G.

délicat 1492, Tardif ; rare jusqu'au XVIe s. ; lat. *delicatus,* de *deliciae,* délices ; il a éliminé la forme pop. *delgié, dougié,* délicat, mince (v. DÉLIÉ). || **délicatement** *id.* || **délicatesse** 1539, R. Est., peut-être d'apr. l'ital. *delicatezza.* || **indélicat** 1787, Féraud, « qui manque de délicatesse » ; av. 1924, A. France, « malhonnête ». || **indélicatesse** 1808, Mme de Staël, « manque de délicatesse » ; 1922, Lar., « malhonnêteté ».

délice(s) 1120, *Ps. d'Oxford,* au sing. et au pl. ; lat. *delicium,* neutre sing. et *deliciae,* fém. pl., formes qui expliquent les deux genres en fr. || **délicieux** 1190, Saint Bernard ; lat. *deliciosus.* || **délicieusement** 1265, J. de Meung

délicoter, délictueux V. LICOU, DÉLIT 1.

délié 1181, Chr. de Troyes ; lat. *delicatus,* mince, délicat ; avec infl. du part. passé de *délier.* (V. LIER.)

délinéer 1845, Besch. ; lat. impér. *delineare,* esquisser, de *linea,* ligne. || **délinéament** 1560, Paré, « contour ». || **délinéation** 1549, R. Est. ; bas lat. *delineatio.*

délinquer 1429, G. ; lat. *delinquere,* manquer (à son devoir), de *linquere,* laisser. || **délinquant** milieu XIVe s., du part. prés. *delinquens.* || **délinquance** XXe s.

déliquescent milieu XVIIIe s. ; lat. *deliquescens,* part. prés. de *deliquescere,* se liquéfier. || **déliquescence** 1757, Macquer et Baumée, phys. ; fin XIXe s., « affaiblissement ».

délirer début XVIe s. ; lat. *delirare,* « sortir du sillon » et « déraisonner ». || **délire** 1538, Canappe ; lat. *delirium,* de *delirus,* fou. || **delirium tremens** 1819, *Dict. sc. nat.,* express. créée en 1813 par l'Anglais Sutton et signif. « délire tremblant ».

1. **délit** début XIVe s. (*delict*) ; XVIe s., Loisel (*délit*), « infraction » ; lat. *delictum,* part. passé substantivé de *delinquere,* manquer. || **délictueux** 1863, L. ; de *delictum,* d'après les adj. en *-eux.*

2. **délit** [d'une pierre], **déliter** V. LIT.

* **délivrer** fin XIe s., *Lois de Guill.,* « libérer » ; XIIIe s., « remettre quelque chose » ; d'apr. *livrer ;* bas lat. *deliberare,* renforcement de *līberāre,* mettre en liberté, de *liber,* libre. || **délivrance** XIIe s., *Marbode,* « accouchement » ; fin XIIe s., Conon, « action de délivrer ». || **délivre** adj., début XIIe s., *Thèbes ;* « dégagé » 1611, Cotgrave, « ce qui délivre, arrière-faix », déverbal.

délot V. DÉ 2.

delphax 1819, *Dict. des sc. nat. ;* lat. des entomol. (1783, Fabricius), du gr. *delphax,* cochon de lait. Désigne un insecte sauteur.

delphinidé 1845, Besch. ; lat. *delphinus,* dauphin, et *eidos,* aspect.

delphinium 1552, Rab. ; lat. bot. *delphinium,* du gr. *delphinion,* dauphinelle, pied-d'alouette.

delta (du Nil) XIIIe s. ; n. m. 1818, Cuvier, mot gr. désignant la lettre *d,* dont la majuscule en gr. [Δ] évoque, lorsqu'elle est renversée, la forme de l'embouchure du Nil. || **deltaïque** 1854, Nerval. || **deltoïde** 1560, Paré ; gr. *deltoeidês,* en forme de *delta.*

déluge 1175, Chr. de Troyes (var. *diluvie* en anc. fr.) ; lat. chrét. *diluvium,* en lat. class. « inondation ».

déluré fin XVIIIe s., mot berrichon d'apr. Raynal (1844), forme dial. de *déleurré,* « qui ne se laisse plus prendre au leurre » (*déleurrer,* détromper, 1787, Féraud).

démagogue 1361, Oresme, puis au XVIIe s. ; péjor. en 1790 ; gr. *dêmagôgos,* qui conduit le peuple (*dêmos*). || **démagogie** 1791, Brissot ; gr. *dêmagôgia.* || **démagogique** 1791, Frey ; gr. *dêmagôgikos.* || **démagogisme** 1796, *Néol. fr.*

demain 1080, *Roland ;* lat. pop. *demane,* renforcement de *mane,* matin, proprem. « à partir du matin » (le passage de *matin* à *demain* est le même dans l'allem. *morgen,* l'esp. *mañana*) ; le mot a éliminé le lat. *cras.* || **lendemain** 1130, *Eneas* (*l'endemain*). || **après-demain** 1690, Furetière. || **surlendemain** 1715, Lesage.

***demander** 1080, *Roland ;* lat. *demandare,* remettre, confier, de *mandare,* mander, passé au sens « attendre quelque chose de quelqu'un », « solliciter » en lat. pop. d'Occident. || **demandable** 1870, Lar. || **demande** 1160, *Roman de Tristan,* déverbal. || **demandeur** 1253, Langlois, spécialisé au sens jurid. || **redemander** 1175, Chr. de Troyes.

démanger, démanteler, démantibuler, démarcation, démarrer, démêler, déménager V. MANGER, MANTEAU, MANDIBULE, MARQUER, AMARRER, MÊLER, MÉNAGE.

dément fin XVe s., Tardif ; rare jusqu'au XIXe s. ; lat. *demens,* privé de raison (*mens, -tis*). || **démence** fin XIVe s. ; lat. *dementia.* || **démentiel** 1883, A. Daudet.

démentir V. MENTIR.

***demeurer** 1080, *Roland* (*-ourer*) ; lat. pop. **demorare,* du lat. *demorari,* tarder (aussi en anc. fr.), rester, d'où séjourner, habiter, en lat. pop., de *morari,* s'attarder. || **demeure** 1190, Couci, « retard, séjour » ; XVIe s., Amyot, « habitation » ; déverbal. Le sens de « retard » subsiste dans : *il n'y a pas péril en la demeure ; mettre en demeure* (rendre responsable du retard, à l'origine). || **demeuré** début XXe s., « attardé mental ».

***demi** 1080, *Roland ;* lat. pop. **dimĕdius,* réfection de *dĭmĭdius,* d'apr. *mĕdius,* au milieu. *Demi-* a été utilisé comme préfixe dès l'anc. fr. ; son aire d'emploi a été, au XVIIe s., limitée par celle de *semi-* dont la valeur s'est ensuite différenciée ; *à demi* 1534, Rab. || **demie** 1450, Ch. d'Orléans, « la moitié d'une heure ».

démission 1338, G. ; lat. *demissio,* abaissement, de *demittere,* laisser tomber, pour servir de dér. à *démettre.* || **démissionnaire** XVIIIe s., *Journ. du Palais.* || **démissionner** 1793, Babeuf.

démiurge 1546, Rab. (*demiourgon*) ; 1823, Boiste (*-iurge*) ; lat. *demiurgus,* du gr. *dêmiourgos,* créateur de l'univers, de *dêmios,* général, et *ergon,* création.

démocratie 1361, Oresme ; gr. *dêmokratia,* de *dêmos,* peuple, et *kratein,* commander. || **démocrate** 1550, Bonivard, fait d'apr. *aristocrate,* usuel à partir du XVIIIe s. (1790, Linguet). || **démocratique** 1361, Oresme ; gr. *dêmokratikos.* || **démocratiquement** 1579, Lostal. || **démocratisation** fin XVIIIe s. || **démocratiser** 1792, Vergniaud. || **démocratisme** 1794, Babeuf. || **antidémocratique** 1794, *Journ. de la Montagne.* || **démocrate-chrétien** v. 1950.

démographie 1850, Guillard ; gr. *dêmos,* peuple, et *graphein,* décrire. || **démographique** 1861, *Rev. des Deux Mondes.*

***demoiselle** Xe s., *Eulalie* (*domnizelle*) ; XIIe-XIIIe s. (*damoiselle*), « fille noble » (jusqu'au XVIIe s.) et « femme mariée de la petite noblesse » ; 1870, Lar., « jeune fille d'honnête famille » (*demoiselle d'honneur, demoiselle de compagnie,* etc.) ; auj. fam. surtout ; 1738, Lémery, « fourmilion » ; 1802, Chateaubriand, « libellule » ; lat. pop. **dŏmĭnĭcella,* dimin. de *domina,* maîtresse (V. DAME 1, DONZELLE). *Damoiselle,* forme archaïque, reprise comme péjor. || **mademoiselle** 1534, Des Périers. || **mam'zelle** 1680, Richelet (*mameselle*) ; 1867, L. (*mam'zelle*), abrév. fam.

démolir 1383, Varin ; lat. *demoliri,* de *moliri,* bâtir, de *moles,* masse. || **démolissage** 1882, Goncourt. || **démolissement** 1377, G. || **démolisseur** 1547, J. Martin ; fig. XVIIIe s., Voltaire. || **démolition** XIVe s., La Curne ; lat. *demolitio.*

démon XIIIe s., *Psautier* (*demoygne*) ; lat. *daemonium ;* XVIe s. (*démon*) ; lat. impér. *daemon* (IIe s., Apulée, « esprit, génie », sens repris au XVIe s. du gr.), avec spécialisation chrétienne ; 1652, G. de Balzac, fig. || **démoniaque** XIIIe s., G., lat. chrét. *daemoniacus* (IIIe s., Tertullien), gr. ecclés. *daimoniakos.* || **démonographe** 1625, Naudé. || **démonographie** 1833, Gautier. || **démonologie** fin XVIe s., d'Aubigné.

démonétiser V. MONÉTAIRE.

démontrer Xe s., *Saint Léger* (*-monstrer,* forme latinisée, var. *-mostrer*) ; lat. *demonstrare,* montrer (jusqu'au XVIIe s.), puis sens actuel repris au lat. || **démontrable** 1265, J. de Meung. || **démonstration** 1361, Oresme, qui a remplacé *demostraison* (1155, Wace), « raisonnement » ; XVIIe s., « action de montrer » ; lat. *demonstratio.* || **démonstrateur** 1495, J. de Vignay ; rare jusqu'au XVIIIe s. || **démonstratif** 1327, *Mir. hist. ;* lat. *demonstrativus.* || **indémontrable** 1726, *Dict. néol. ;* lat. impér. *indemonstrabilis.*

démotique 1361, Oresme, « démocratique » ; 1835, *Acad.,* sens mod. ; gr. *dêmotikos,* de *dêmos,* peuple.

***denché** V. DENT.

dendrite 1732, Trévoux, gr. *dendron,* arbre. Désigne le dessin ramifié d'une pierre. || **dendrologie** 1863, L. || **dendrophage** 1823, Boiste (gr. *phagein,* manger).

dénégation V. DÉNIER.

dengue 1829, Robert, mot esp. signif. « manières affectées ».

déni, dénicher V. DÉNIER, NICHER.

***denier** 1080, *Roland* (*dener*) ; XIIe s. (*denier*) ; lat. *denarius,* monnaie dont la valeur a varié (au XVIIIe s., douzième partie du sou), puis « somme d'argent » (d'où *denier à Dieu,* 1283, Beaumanoir : taxe du marché affectée aux œuvres pies) ; *denier de saint Pierre,* 1739, Barbeyrac, *Hist. des anc. traités ; denier du culte,* 1906, Lar. (V. DENRÉE.)

***dénier** 1160, Benoît (*deneier*) ; XIIIe s. (*dénier*) ; lat. *denegare,* de *negare,* nier. || **déni** XIIIe s., *Aubery,* déverbal ; *déni de justice,* XVIe s. || **dénégation** XIVe s., *Registre du Châtelet,* d'abord jurid. ; lat. *denegatio.*

dénigrer 1358, G. ; lat. *denigrare,* noircir, de *niger,* noir. || **dénigrement** 1527, Dassy. || **dénigreur** fin XVIIIe s.

dénombrer, dénommer V. NOMBRE, NOMMER.

dénoncer 1190, Garn. (*denuntier*) ; XIIIe s. (*dénoncer*), « faire savoir » ; 1265, *Livre de jostice,* « signaler à la justice » ; adaptation du lat. *denuntiare,* faire savoir (l'anc. fr. a eu *noncier,* lat. *nuntiare*). || **dénonciation** 1283, Beaumanoir, « notification » ; 1680, Richelet, « accusation » ; lat. *denuntiatio.* || **dénonciateur** début XIVe s. ; lat. *denuntiator* (en anc. fr. *denonceor*).

dénoter V. NOTE.

denrée 1160, *Charroi* (*denerée*) ; XIIIe s., L. (*denrée*), « marchandise » ; 1283, Beaumanoir, « produit alimentaire » ; de *denier.*

dense XIIIe s., G., « épais » ; XVIIe s., phys. ; lat. *densus.* || **densité** XIIIe s., G., « épaisseur » ; XVIIe s., phys. ; lat. *densitas.* || **densifier** v. 1950. || **densimètre** 1870, Lar.

***dent** 1080, *Roland ;* masc. jusqu'au XIVe s. ; 1646, Rotrou, pointe en forme de dent ; lat. *dens, dentis,* masc. || ***denché** XIIIe s., « dentelé » ; lat pop. **denticātus,* lat. class. *denticulatus.* || **dentaire** 1572, J. Des Moulins ; lat. *dentaria,* jusquiame (employée contre le mal de dents) ; adj. 1700, Andry ; lat. *dentarius.* || **dental** 1503, G. de Chauliac. || **denté** XVe s., G., « pourvu de dents » ; 1864, L., techn. || **dentelaire** 1572, Trévoux, bot. || **denticule** 1545, Delb., en architecture ; lat. *denticulus.* || **dentelle** XIVe s., « petite dent », spécialisé au fig., XVIe s. (Gay) ; dimin. de *dent.* || **denteler** 1554, Thevet, « déchirer avec des dents » ; 1549, Gay, « ajourer un tissu » ; 1555, Belon, sens actuel. || **dentelure** 1547, J. Martin. || **dentier** fin XVIe s., d'Aubigné, « rangée de dents » ; 1611, Cotgrave, « partie du heaume qui couvre les dents » ; XVIIe s., « rangs de dents » ; 1829, Boiste, « rangs de dents artificielles ». || **dentifrice** 1560, Paré ; lat. *dentifricium,* de *fricare,* frotter. || **dentine** v. 1850. || **dentiste** 1735, *Mercure de France.* || **dentisterie** 1898, Lar. || **dentition** début XVIIIe s., Duchemin, lat. *dentitio.* || **dentirostres** 1808, Boiste (lat. *rostrum,* bec). || **dent-de-chien** 1547, R. Est., bot. || **dent-de-lion** 1596, Hulsius, bot. || **adenter** fin XIIIe s., Guiart. || **dentu** 1180, *Horn.* || **denture** 1398, E. Deschamps ; 1752, Trévoux, techn. || **bident** 1827, *Acad.* || **bidenté** 1827, *Acad.* || **édenter** XIIIe s., Trubert. || **endenter** 1119, Ph. de Thaon. || **redent** 1611, Cotgrave ; 1677, Colbert (*redan*). || **surdent** 1160, Benoît (*sordent*), « outrage » ; 1560, Paré, dent surnuméraire.

denteler, dentelle, denture, dénuder, dénuer, dénutrition V. DENT, NU, NUTRITIF.

déontologie 1839, Boiste ; gr. *deon, -ontos,* devoir, et *logos,* science. Ensemble des règles qui régissent une activité. || **déontologique** 1834, Laroche.

départir, dépecer V. PARTIR 1, PIÈCE.

dépêcher 1225, G. (*despeechier*) ; XVIe s. (*dépêcher*), « délivrer » ; 1462, *Cent Nouvelles,* « se débarrasser de qqn » ; 1498, Commynes, « envoyer en mission » ; *se dépêcher* 1490, *Recueil de farces ;* de *dé-* et *empêcher.* || **dépêche** 1464, Bartzsch, « action de dépêcher, lettre patente » ; 1690, Furetière, « message » ; déverbal.

dépeindre, dépenaillé V. PEINDRE, PENAILLE.

1. **dépendre** (*de*) 1130, *Eneas,* « se rattacher à » ; 1580, Montaigne, « être sous la puissance » ; lat. *dependere,* pendre de. || **dépendant** 1355, Bersuire. || **dépendance** 1339, Fagniez, « liaison étroite » ; 1630, Monet, « subordination ». || **indépendant** 1584, saint François de Sales ; polit., 1640, Corn. || **indépendance** 1630, *Rev. de philologie ;* polit. 1663, Corn. || **indépendantisme** 1682, Bossuet, relig. ; av. 1778, Rousseau, polit. || **indépendamment** 1630, Monet. || **interdépendance** 1867, L.

2. **dépendre,** « détacher » V. PENDRE.

***dépens** 1175, Chr. de Troyes (*despans*), « dépense » ; XIIIe s. (*despens*), jurid. seulement et dans la loc. *aux dépens de ;* lat. *dispensum,* part. passé substantivé au neutre de *dispendere,* peser, qui a donné en anc. fr. *despendre* (XIIe s.), dépenser. || **dépense** 1175, Chr. de Troyes (*despanse*), « endroit où l'on garde les provisions » ; 1207, Villehardouin (*despense*), « action de dépenser » ; part. passé fém. refait sur le lat. (XIVe s.). || **dépenser** 1360, Froissart, « employer l'argent » ; *se dépenser* 1850, Balzac. || **dépensier** 1131, *Couronn. de Loïs,* « celui qui garde la dépense » ; XVe s., adj., « prodigue ».

déperdition, dépiauter, dépiler, dépioter, dépister V. PERDRE, PEAU, POIL, PISTE.

***dépit** 1175, Chr. de Troyes (*despit*), « mépris » (d'où *en dépit de,* 1530, Marot) ; début XVIIe s., Voiture, « irritation » ; lat. *despĕctus,* regard jeté de haut. || **dépiter** 1272, Joinville, « mépriser » ; 1530, Marot, « irriter » ; lat. *despectare,* regarder de haut. || **dépité** début XVIIe s., Malherbe, « vexé ».

***déplaire** V. PLAIRE.

déplorer fin XIIe s., *Grégoire,* « pleurer » (jusqu'au XVIIe s.) et « regretter » ; lat. *deplorare,* pleurer. || **déplorable** fin XVe s., « digne de pitié » ; XIXe s., « très mauvais ». || **déplorablement** 1690, Furetière. || **déploration** 1522, Marot, « lamentation ».

déponent 1521, Fabri ; lat. *deponens,* quittant, de *ponere,* placer ; le verbe a « déposé » le sens passif.

dépopulation V. POPULATION.

1. **déport** 1864, L. ; de *dé-* et [*re*]*port.* (V. PORTER.)

2. **déport** V. DÉPORTER.

***déporter** 1130, *Eneas* (*se desporter*), « s'acquitter de » ; 1155, Wace (*se desporter*), « s'amuser » ; v.t. fin XVe s., puis 1791, Brunot, « exiler » ; v. 1942, sens actuel ; lat. *deportare,* emporter, exiler. || **déport** 1130, *Eneas,* « amusement ». || **déportation** 1455, Fossetier, « exil » ; lat. *deportatio.* || **déporté** n. m. 1797, Laffon. || **déportement** XIIIe s., G., « conduite, amusement ».

déposer, dépôt V. POSER.

***dépouiller** XIIe s., *Roncevaux* (*despoiller*), « ôter les vêtements » ; 1611, Cotgrave, « écorcher » ; 1690, Furetière, « dépouiller un document » ; lat. *despoliare,* de *spolia,* dépouilles. || **dépouille** 1190, Saint Bernard, déverbal. || **dépouillement** *id.,* « action de dévêtir » ; 1792, Frey, polit. || **empouiller** XIVe s., texte de Reims, sur le rad. de *dépouiller.* || **empouilles** 1752, Trévoux, « récoltes sur pied », déverbal.

dépourvu XIIe s., Du Cange, part. passé de l'anc. fr. *dépourvoir,* de *pourvoir ; au dépourvu* 1544, M. Scève.

dépraver début XIIIe s. ; lat. *depravare,* de *pravus,* perverti. || **dépravateur** 1551, Aneau ; lat. *depravator.* || **dépravation** 1559, Amyot ; lat. *depravatio.*

déprécation 1120, *Ps. d'Oxford ;* lat. *deprecatio,* prière pour conjurer, de *precari,* prier. || **déprécatif** 1361, Oresme. || **déprécatoire** XVe s., *Myst. du Vieil Testament ;* bas lat. *deprecatorius.*

déprécier V. PRIX.

déprédation 1372, Oresme, puis 1417, *Pièces relatives à Charles VI ;* rare jusqu'au XVIIe s. ; bas lat. *depraedatio,* de *praeda,* proie. || **déprédateur** fin XIIIe s. ; bas lat. *depraedator.*

déprimer 1170, *Rois,* « humilier » ; 1560, Paré, anatomie ; 1907, Lar., « abattre moralement » ; lat. *deprimere,* peser de haut en bas. || **dépressif** 1856, Lachâtre. || **dépression** 1314, Mondeville, « enfoncement » ; 1690, Furetière, dépression atmosphérique ; 1870, Lar., dépression morale ; lat. *depressio,* enfoncement.

de profundis XVIe s., *D. G.,* premiers mots lat. du psaume CXXX (« du fond de l'abîme »), chanté à l'office des morts.

dépuceler, depuis, dépurer V. PUCELLE, PUIS, PUR.

député début XIVe s., « représentant de l'autorité » (déjà en bas lat.) ; 1748, Montesquieu, « désigné par élection », vulgarisé en 1789 ; lat. *deputatus,* envoyé, délégué, de *deputare,* tailler, et par ext. estimer, assigner. || **députation** début XVe s., « délégation » ; 1789, Brunot, « mandat de député » ; bas lat. *deputatio,* délégation. || **députer** 1265, Le Grand, « assigner » ; XVIe s., Amyot, sens actuel ; lat. *deputare.*

déranger V. RANG.

déraper début XVIIe s., Peiresc, « arracher » ; 1687, Desroches, « lever l'ancre » ; 1896, *France autom.,* pour la bicyclette, l'auto ; prov. mod. *derapa,* de *rapar,* saisir, germ. **rapôn.* || **dérapage** fin XIXe s.

dératé V. RATE.

derby 1829, *Journ. des haras ;* mot angl., du nom de *lord Derby,* qui créa le derby d'Epsom en 1780 ; depuis 1860, désigne la course de Chantilly.

derechef, dérision V. CHEF, RIRE.

1. **dériver** 1120, *Job,* « détourner l'eau » ; 1265, J. de Meung, gramm. ; 1361, Oresme, « tirer son origine » ; lat. *derivare,* de *rivus,* ruisseau. || **dérivation** 1377, Lanfranc ; XVIe s., Amyot, gramm. ; 1870, Lar., math. ; lat. *derivatio.* || **dérivatif** XVe s., *Donat fr.,* gramm. ; 1879, Loti, n. m., fig. ; lat. *derivativus.*

2. **dériver** fin XVIe s., « aller à la dérive » ; angl. *to drive,* pousser, d'après *dériver.* || **dérive**

1628, Figuier ; fin XIXe s., fig. ; déverbal de *dériver.* || **dérivation** 1690, Furetière.

derme 1611, Cotgrave ; gr. *derma,* peau. || **dermatologie** 1836, Raymond. || **dermologie** 1793, Lavoisier. || **dermatologue** 1838, *Doc.* || **dermatologiste** 1845, Besch. || **dermatose** 1832, Alibert. || **dermatite** 1836, Landais. || **dermeste** 1769, Eidous ; gr. *derma,* peau, et *esthein,* manger. || **épiderme** 1552, Rab. ; lat. *epidermis,* gr. *epi,* sur, et *derma,* peau. || **épidermique** 1811, *Encycl. méth. ;* XXe s., fig.

***dernier** fin XIIe s., *Couci* (*derrenier*) ; 1360, Froissart (*dernier*) ; anc. fr. *derrain,* dernier, du lat. pop. **deretranus,* de *deretro* (V. DERRIÈRE). || **dernièrement** 1294, *D. G.* (*darrenierement*) ; 1360, Froissart (*dernièrement*). || **dernier-né** 1691, Rac. || **avant-dernier** 1759, Restaut.

dérober 1155, Wace, « dépouiller » ; anc. fr. *rober* (1131, *Couronn. de Loïs*), du francique **raubon.* || **dérobade** fin XVIe s., Brantôme (*à la dérobade*) ; 1889, *le Matin,* n. f. || **dérobée** (à la) 1549, R. Est.

dérocher V. ROCHE.

déroger 1361, Oresme (*desroguer*) ; XVIe s. (*déroger*) ; lat. *derogare,* de *rogare,* demander, d'abord jurid. || **dérogation** 1408, G. ; lat. *derogatio.* || **dérogatoire** 1341, G. ; lat. *derogatorius.*

déroute V. ROUTIER 2.

derrick 1888, Lar., mot angl. qui a signifié d'abord « gibet », d'après le nom d'un bourreau.

***derrière** 1080, *Roland* (*deriere*), refait sur *derrain* (v. DERNIER) ; 1360, Froissart, « fesses » ; lat. pop. *de retro,* renforcement de *retro,* « en arrière », qui a éliminé *post.*

derviche 1546, Geoffroy (*derviz*) ; persan *darvich,* pauvre.

des V. LE.

1. **dès** 1080, *Roland,* adv. ; lat. pop. *de-ex,* renforcement de *ex,* hors de.

2. **dés-,** préfixe V. DÉ-.

désappointé 1761, Voltaire ; anc. fr. *desappointer* (1395, G.), destituer, de *appointer ;* repris à l'angl. *disappoint,* décevoir. || **désappointement** 1783, *Courrier de l'Europe* (en anc. fr. [XIVe s.] « destitution »).

désarroi XIIIe s., « désordre » ; 1690, Furetière, « trouble » ; anc. fr. *desarroyer,* mettre en désordre, de *dés-* et *arroyer,* arranger, lat. **arredare* (v. ARROI).

désastre 1544, Scève ; ital. *disastro,* de *astro,* astre ; d'apr. l'infl. supposée de la mauvaise étoile. || **désastreux** 1570, Carloix ; ital. *disastroso.* || **désastreusement** 1787, Féraud.

***descendre** 1080, *Roland ;* lat. *descendĕre.* || **descendance** 1283, Beaumanoir. || **descendant** XIIIe s., *Livre de jostice,* jurid. ; comme adj. 1690, Furetière. || **descente** 1304, G., jurid., part. passé fém., qui a remplacé *descendement.* || **descenderie** 1771, Schmidlin. || **descendeur** sports, 1913, Esnault. || **descenseur** 1876, *l'Illustration,* d'apr. *ascenseur.* || **descension** 1620, Béguin ; lat. *descensio.* || **descensionnel** 1827, *Acad.,* d'apr. *ascensionnel.* || **redescendre** 1220, Coincy.

descriptif, description, désemparer V. DÉCRIRE, EMPARER.

***désert** 1080, *Roland,* adj. ; lat. *desertus,* abandonné (sens conservé en anc. fr.) ; XIIe s., « sans habitants ». || **désert** n. m., fin XIIe s., *Livre des Rois,* lat. chrét. *desertum* (IVe s., saint Jérôme), issu de l'adj. || **déserter** 1050, *Alexis,* « rendre désert » ; XIIe s., *Roncevaux,* « abandonner » ; XVIIe s., milit., repris à l'ital. || **déserteur** 1253, Fontaines, « qui abandonne sa fonction » ; 1690, Furetière, milit. || **désertique** 1877, L. || **désertion** 1361, Oresme, « abandon », jurid. ; 1690, Furetière, milit. ; lat. *desertio.*

déshérence V. HOIR.

desideratum 1783, *Courrier de l'Europe* (pl. *-ata*), mot lat., part. passé neutre substantivé, de *desiderare,* désirer. || **désidératif** 1842, *Acad.,* gramm.

design 1950, mot angl. signif. « modèle ». || **designer** *id.*

désigner 1265, Le Grand (*désinner*) ; XVIe s. (*désigner*) ; lat. *designare,* de *signum,* signe. || **désignation** XIVe s., G. ; rare jusqu'au XVIIe s. ; lat. *designatio.* || **désignatif** 1611, Cotgrave ; bas lat. *designativus.* (V. DESSINER.)

désinence XIVe s. ; lat. médiév. *desinentia,* de *desinere,* se terminer. || **désinentiel** XXe s.

désinvolte fin XVIIe s., Saint-Simon ; esp. *desenvuelto,* développé, dégagé ; lat. *dis-* et *involvere,* envelopper. || **désinvolture** 1761, Rousseau (*-ura*) ; 1813, Mme de Staël (*-ure*) ; ital. *desinvoltura.*

***désirer** 1050, *Alexis* ; lat. *desiderare,* chercher, désirer. || **désir** fin XIIe s., Conon de Béthune, déverbal. || **désirable** 1050, *Alexis,* « désireux » ; 1361, Oresme, « digne d'être désiré ». || **désirabilité** 1911, Lar. || **désireux** 1050, *Alexis* (*desidros*) ; XVe s. (*désireux*). || **indésirable** 1801, Mercier ; vulgarisé, en 1911, par l'aventure d'Abbadie d'Arrast déclaré indésirable au Canada ; adapté de l'angl. *undesirable.*

désister (se) 1358, É. Marcel, « renoncer à » ; 1690, Furetière, jurid. ; lat. *desistere,* de *sistere,* être placé. || **désistement** 1564, J. Thierry.

désœuvré V. ŒUVRE.

désoler 1330, *Baudouin de Sebourg,* « affliger » ; 1355, Bersuire, « ravager » ; lat. *desolare,* laisser seul (*solus*), d'où « dépeupler ». || **désolation** fin XIIe s., *Grégoire,* « action de ravager » ; XIVe s., « affliction » ; bas lat. *desolatio ;* le sens fig. date du bas lat. d'apr. *consolari,* consoler. || **désolateur** 1516, Lemaire.

désopiler 1546, Rab., méd., « déboucher un organe », vulgarisé dans *désopiler la rate,* dégorger la rate, qui, engorgée, cause des humeurs noires ; 1690, Sévigné, « faire rire » ; anc. fr. *opiler,* obstruer (XIVe s.), du lat. *oppilare.* || **désopilation** 1694, *Acad.* || **désopilant** 1814, Nysten, « qui débouche » ; 1845, Besch., « hilarant ».

désormais, désosser V. MAIS, OS.

despote fin XIIe s., *Alexandre ;* gr. *despotês,* par le lat. de trad. d'Aristote. || **despotique** 1361, Oresme ; gr. *despotikos.* || **despotiquement** 1361, Oresme. || **despotiser** 1776, d'Holbach. || **despotisme** 1678, Fénelon.

desquamer 1836, Landais ; lat. *desquamare,* de *squama,* écaille. || **desquamation** 1752, Trévoux.

dessein XVe s., *Chronique des chanoines de Neuchâtel,* « intention », déverbal de l'anc. fr. *desseigner,* avoir comme dessein, avec infl. de l'ital. *disegno.* (V. DESSINER.)

dessert, desservir V. SERVIR.

dessiccatif XIVe s., G. ; bas lat. *dessiccativus,* de *desiccare,* dessécher, *siccus,* sec. || **dessiccation** XIVe s., Brun de Long Borc ; lat. *dessiccatio.*

dessiller V. CIL.

dessiner 1559, Amyot (*desseigner*) ; 1664, Pomey (*dessiner*) ; ital. *disegnare,* du lat. *disignare,* de *signum,* signe. || **dessin** 1265, Le Grand, écrit d'abord *dessein* ou *dessin* jusqu'au XVe s. ; déverbal de *dessiner,* spécialisé au XVIIIe s. sous l'infl. de l'ital. *disegno ; dessin animé,* 1916, *le Temps.* || **dessinateur** 1664, Pomey ; d'apr. l'ital. *disegnatore.* || **redessiner** 1762, Rousseau. (V. DESSEIN.)

dessous, dessus V. SOUS, SUS.

destiner 1130, *Eneas ;* lat. *destinare,* fixer par le destin (jusqu'au XVIIe s.) ; 1580, Montaigne, « déterminer ». || **destin** 1160, Benoît, « destination », « projet » (jusqu'au XVIIe s.), déverbal de *destiner.* || **destinée** 1131, *Couronn. de Loïs,* part. passé féminin de *destiner.* || **destinataire** 1829, Boiste. || **destination** 1190, *Grégoire ;* lat. *destinatio.*

destituer 1322, *Ordonn.,* « écarter, priver de » ; 1482, L., « déposséder d'une place » ; lat. *destituere,* priver de. || **destitution** 1316, G., « privation » ; XVe s., « dépossession d'une place » ; lat. *destitutio.*

destrier V. DEXTRE.

destroyer 1893, *Rev. générale des sc.,* croiseur ; 1941, avion ; mot angl., de *to destroy,* détruire.

destruction V. DÉTRUIRE.

désuet fin XIXe s. ; lat. *desuetus,* participe passé de *desuescere,* déshabituer, de *suescere,* avoir l'habitude. || **désuétude** 1596, Lecaron ; rare jusqu'au XVIIIe s. ; lat. *desuetudo.*

détacher, détailler, détaler V. ATTACHER, TAILLER, ÉTAL.

détecter 1948, Lar. ; angl. *to detect,* déceler, lat. *detegere,* découvrir. || **détecteur** *id.* || **détection** 1933, Lar. ; angl. *detection.* || **détective** 1872, J. Verne, mot angl.

déteindre, dételer V. TEINDRE, ATTELER.

détenir 1138, *Saint Gilles,* comme pronominal, « se retenir de » ; v.t. 1207, Villehardouin ; lat. *detinere,* refait sur *tenir.* || **détenu** XVIIIe s., Voltaire. || **détention** 1287, G., « emprisonnement », rare avant le XVIe s. ; lat. *detentio.* || **détenteur** 1320, G. (*detemptor*) ; 1344, Varin (*détenteur*). || **codétenteur** XVIe s., G. || **codétenu** 1858, Peschier.

détente V. TENDRE.

déterger 1538, Canappe, méd. ; XXe s., industr. ; lat. *detergere,* nettoyer. || **détergent** 1611, Cotgrave, méd. ; XXe s., industr., part. prés. || **détersif** 1538, Canappe, méd., XXe s., industr. ; lat. *detersus,* part. passé de *detergere.* || **détersion** 1560, Paré, méd. ; lat. méd. *detersio.*

détériorer 1411, *Coutumes d'Anjou* ; bas lat. *deteriorare,* de *deterior,* pire. || **détérioration** XVe s., G. ; rare jusqu'au XVIIIe s. ; lat. *deterioratio.*

déterminer 1119, Ph. de Thaon, du lat. *determinare,* de *terminus,* borne. || **déterminable** fin XIIe s., « déterminé » ; XVIIIe s., sens actuel. || **détermination** 1361, Oresme, « précision » ; 1541, Calvin, « résolution » ; lat. *determinatio.* || **déterminatif** 1460, Chastellain, « qui détermine » ; fin XVIIe s., gramm. || **déterminant** 1662, Pascal. || **déterminisme** 1836, *Acad.* ; allem. *Determinismus,* de même origine. || **déterministe** 1811, Gall. || **indétermination** 1651, Delb. || **indéterminé** 1370, Oresme. || **indéterminable** 1470, *Livre de la disc. d'amour* ; rare jusqu'au XVIIIe s. || **prédéterminer** 1530, Palsgrave. || **prédétermination** 1636, Dereyroles.

détersif V. DÉTERGER.

détester fin XIIIe s., Raymond Lulle, « avoir en horreur » ; lat. *detestari,* prendre les dieux à témoin (*testis*). || **détestable** 1361, Oresme. || **détestation** XIVe s., G. ; lat. *detestatio.*

détoner 1680, Richelet, « exploser » ; lat. *detonare,* tonner fortement. || **détonation** 1690, Furetière. || **détonateur** 1874, *Journ. officiel.*

détonner, détour, détourner V. TON, TOURNER.

détracteur XIVe s., *Chron. de Flandre,* lat. *detractor,* de *detrahere,* tirer en bas. || **détracter** fin XIVe s., « rabaisser ».

détraquer 1464, G., « détourner de la voie » ; 1580, Montaigne, fig., « déranger » ; de *dé-* et *trac,* trace. || **détraquement** XVIe s., Fr. de Sales.

***détremper** V. TREMPER.

***détresse** 1160, Benoît, « passage étroit » ; fin XIIe s., *Alexandre,* « étroitesse » ; XIIIe s., Moniot d'Arras, « angoisse » ; lat. pop. **dĭstrĭctia,* étroitesse, de *distringere,* serrer ; même évolution sémantique que pour *angoisse.* (V. DÉTROIT.)

détriment 1236, G., « dommage » ; lat. *detrimentum,* de *deterere,* user en frottant.

détritus milieu XVIIIe s., « débris » ; 1870, Lar., « ordures » ; lat. *detritus,* usé, broyé, part. passé de *deterere,* user en frottant. || **détritique** milieu XIXe s.

***détroit** 1080, *Roland* (*-treit*), « défilé » ; milieu XVIe s., « bras de mer » ; en anc. fr., fig., « tourment » ; anc. adj substantivé, du lat. *dĭstrĭctus,* resserré. (V. DÉTRESSE.)

détrousser V. TROUSSER.

***détruire** 1080, *Roland* ; lat. pop. **destrugere,* réfection de *destruere* d'après le participe passé *destructus* (v. TRAIRE). || **destruction** 1119, Ph. de Thaon ; lat. *destructio.* || **destructeur** 1420, Delb. ; lat. *destructor* ; il a éliminé *détruiseur* (encore au XVIIe s.). || **destructif** 1372, G., rare jusqu'au XVIIe s. ; lat. *destructivus.* || **destructible** 1764, Ch. Bonnet ; lat. sc. *destructibilis.* || **destructibilité** 1739, Desfontaines. || **s'entre-détruire** 1559, Amyot. || **indestructible** fin XVIIe s., Leibniz. || **indestructibilité** XXe s.

***dette** 1160, Benoît ; bas lat. *debita,* pluriel neutre du lat. *debitum,* participe de *debere,* devoir, parfois masc. en anc. fr.

***deuil** Xe s., *Saint Léger* (*dol*), « douleur » ; XIIe s. (*duel*) ; XVe s. (*dueil*), « douleur causée par une mort » (encore au XVIIe s.), puis « marques extérieures de la douleur » ; bas lat. *dŏlus* (IIIe s.), de *dŏlēre,* souffrir (v. DOULOIR). || **demi-deuil** 1762, Geoffroy. || **endeuiller** fin XIXe s.

deutéro-, gr. *deuteros,* deuxième. || **deutéranopie** v. 1950, gr. *ana,* privatif, et *ôps, ôpos,* œil. || **deutérium** XXe s. || **deutéronome** XIIIe s., *Bible,* gr. *nomos,* loi.

***deux** 1080, *Roland* (*deus*) ; lat. *dŭos,* acc. de *duo.* || **deuxième** XIVe s., Cuvelier (*deusime*). || **deuxièmement** 1740, *Acad.* || **entre-deux** 1130, *Eneas,* terme d'escrime.

dévaler 1155, Wace ; de *val* (v. ce mot). || **dévalement** XIIIe s.

dévaluer, devancer, devant V. VALOIR, AVANT.

dévaster Xe s., *Saint Léger,* rare jusqu'au XVIIIe s. ; lat. *devastare,* de *vastus,* vide, ravagé. || **dévastation** 1502, d'Authon, rare jusqu'au XVIIe s. ; lat. *devastatio.* || **dévastateur** 1502, d'Authon ; bas lat. *devastator.*

développer V. ENVELOPPER.

***devenir** 1080, *Roland* ; lat. *devenire,* arriver, devenir (en lat. pop.) ; n. m. 1864, L. || **redevenir** fin XIIe s., Delb.

dévergondé 1160, B. de Sainte-Maure ; de *vergonde,* du lat. *verecundia.* || **dévergondement** 1677, Sévigné. || **dévergonder** 1360, Froissart.

devers, déverser, dévider V. VERS, VERSER, VIDE.

dévier 1361, Oresme ; lat. impér. *deviare,* sortir de la voie (*via*). || **déviation** 1461, *Remon-*

trances ; bas lat. *deviatio.* || **déviationnisme** 1956, Lar. || **déviationniste** XXe s.

***devin** 1119, Ph. de Thaon ; lat. pop. **devinus,* de *divinus,* divin, puis devin, de *divus,* dieu. || ***deviner** 1130, *Eneas ;* lat. pop. **devinare,* de *divinare,* prédire, conjecturer. || **devinable** 1845, Besch. || **devineur** 1170, *Livre des Rois.* || **devineresse** 1119, Ph. de Thaon. || **devinette** 1864, *la Vie parisienne,* mot de petite fille.

***deviser** XIIe s., *Roncevaux,* « diviser, partager », puis « disposer, ordonner », et, au fig., « discourir » ; du lat. pop. **divisare,* fréquentatif de *dividere,* partager. || **devis** fin XIIe s., *Couronn. de Loïs,* « division » et « intention » ; 1464, Commynes, « propos » (jusqu'au XVIIe s.) ; XVIe s., L., « description d'un projet ». || **devise** 1130, *Eneas,* « signe distinctif » ; fin XIe s., *Lois de Guill.,* « action de diviser » ; en anc. fr., spécialisé dans le sens de « blason » ; fin XVe s., H. Baude, « pièce de vers » ; 1668, La Fontaine, « sentence caractéristique » ; 1842, Mozin, « lettre de change ».

***devoir** 842, *Serments* (*dift,* il doit) ; XIe s. (*deveir*) ; lat. *debēre.* || **devoir** n. m. XIIIe s., *Ysopet de Lyon,* infinitif substantivé. || **doit** XVIIIe s., commerce, présent indicatif substantivé. || **dû** XIVe s., *Livre du bon roy Jehan,* « devoir » ; 1668, La Fontaine, « ce que l'on doit » ; part. passé substantivé. || **dûment** 1360, Froissart. || **indu** 1361, Oresme. || **indûment** début XIVe s. || **redevoir** 1130, *Eneas.* || **redevable** fin XIIe s., Reclus de Moiliens. || **redevance** XIIIe s., *Assises de Jérusalem.* (V. DETTE.)

dévolu adj. 1354, Bersuire ; n. m. 1549, R. Est., d'abord jurid., lettres de provision sur un bénéfice vacant ; 1697, Regnard, prétention juridique (*jeter son dévolu*), d'où le sens fig. ; lat. *devolutus,* part. passé de *devolvere,* rouler, puis au sens médiév. fig., « faire passer à ». || **dévolution** fin XIVe s., « attribution d'un bénéfice » ; 1690, Furetière, sens actuel ; lat. médiév. *devolutio.* || **dévolutif** XVIe s., Loisel.

devon 1907, Lar., « poisson artificiel servant d'appât » ; mot angl., abrév. de *Devonshire,* comté où se pratiquait cette pêche dite « au roulant ». || **dévonien** 1870, Lar., géol., comté angl. où on commença à étudier ces terrains.

dévorer 1120, *Ps. d'Oxford ;* lat. *devorare,* de *vorare,* manger avec avidité. || **dévorant** 1340, J. Le Fèvre. || **dévoreur** fin XIIe s., G. || **dévorateur** 1308, Aimé. || **s'entre-dévorer** 1460, G. Chastellain.

dévot 1170, *Rois* « pieux » ; 1669, Molière, « bigot » ; lat. *devotus,* dévoué, en lat. eccl. « dévoué à Dieu ». || **dévotement** 1138, *Saint Gilles.* || **dévotieux** 1470, G. || **dévotion** 1160, Benoît, « piété » ; XIVe s., *Ordonn. royale,* « attachement » ; lat. *devotio,* sens eccl., « dévouement à Dieu ».

dévouer XIIIe s., *Renart,* « révoquer un vœu » ; 1559, Amyot, sens mod. ; de *vœu,* d'après lat. *devovere.* || **dévoué** 1656, Pascal. || **dévouement** début XIVe s., « vœu » ; XVIe s., « fait d'être victime expiatoire » ; 1690, Furetière, sens mod. (V. VŒU.)

dévoyer 1155, Wace, « sortir de la route, du droit chemin » ; de *voie.* || **dévoyé** n. m., 1273, Adenet. || **dévoiement** 1120, *Ps. de Cambridge,* « chemin impraticable » ; XIIIe s., sens psychol. (V. VOIE.)

dextre 1080, *Roland,* n. f. (*destre*), « main droite » ; lat. *dextera,* fém. de *dexter,* droit, opposé à *gauche ;* le fr. a eu la forme *destre* jusqu'au XVIe s. ; la forme refaite adj. est du XIVe s. (1361, Oresme). || **dextérité** 1504, Lemaire ; lat. *dexteritas.* || **destrier** 1080, *Roland* (*destrer*) ; XIIe s., *Roncevaux* (*destrier*), repris au XVIIIe s., comme terme hist. ; anc. fr. *destre,* main droite : à l'origine cheval conduit de la main droite par l'écuyer. || **dextrement** 1549, R. Est. || **dextrine** 1833, Biot ; fait tourner le plan de polarisation à droite. || **ambidextre** 1547, Budé ; lat. *ambo,* deux, « qui se sert des deux mains ». || **dextrogyre** 1864, L. ; lat. *gyrare,* faire tourner. || **dextrose** 1898, Lar.

dey 1628, de Brèves (*day*) ; 1693, Boulan (*dey*) ; turc *dai,* oncle maternel, puis souverain.

dia 1548, N. Du Fail (*diai*) ; 1656, Molière (*dia*) ; onomatopée pour faire aller les chevaux à gauche, anc. forme de *da.*

diabète XVe s. (*dya-*), 1539, Canappe (*dyabète*) ; lat. méd. *diabetes,* du gr. *diabêtês,* siphon, à cause de l'écoulement continu d'urine. || **diabétique** XIVe s., *Chir. de Gordon ;* rare jusqu'au XVIIIe s. || **diabétologue** XXe s.

diable fin IXe s., *Eulalie* (*diavle*) ; lat. chrét. *diabolus* (IIIe s., Tertullien), du gr. ecclés. *diabolos,* calomniateur. || **diablement** fin XVIe s. || **diablesse** 1320, *Ovide moralisé.* || **diablerie** 1265, J. de Meung. || **diablotin** 1534, Des Périers. || **diabolique** 1180, *Enfances de Vivien ;* lat. chrét. *diabolicus,* du gr. *diabolikos.* || **dia-**

boliquement XVe s., *D. G.* || **diabolo** 1906, *l'Illustration* ; de *diable* (nom de ce jeu en 1825), d'apr. le lat., avec infl. de l'ital. *diavolo.* || **endiablé** XVe s., G., « possédé du diable » ; XVIe s., « infernal », fig. || **endiabler** 1611, Cotgrave.

diachronie XXe s. ; gr. *dia,* à travers, et *khronos,* temps. || **diachronique** XXe s.

diachylon XIVe s., G. (*diaculon*) ; 1560, Paré (*diachylon*) ; lat. méd. *diachylum,* du gr. *dia khulôn,* au moyen de sucs.

diaclase 1870, Lar. géol., gr. *diaklasis,* cassure, de *diaklân,* briser.

diacode XVIe s. (*-codion*) ; 1721, Trévoux (*-code*), « sirop à base d'opium » ; lat. méd. *diacodion,* du gr. *dia kôdeiôn,* « au moyen de têtes de pavot ». (V. CODÉINE.)

diacre 1170, *Livre des Rois* (*diacne*) ; 1283, Beaumanoir (*diacre*) ; lat. chrét. *diaconus* (IIIe s., Tertullien), du gr. *diakonos,* serviteur. || **diaconal** 1495, J. de Vignay, lat. *diaconalis.* || **diaconat** *id.* ; bas lat. eccl. *diaconatus.* || **diaconesse** 1495, J. de Vignay. || **diaconie** 1611, Cotgrave ; bas lat. ecclés. *diaconia,* charge de diacre. || **archidiacre** XIIe s., Garnier (*arcediakesse*) ; 1534, Rabelais (*archidiacre*). || **sous-diacre** 1190, Marie de France ; bas lat. ecclés. *subdiaconus.*

diacritique 1842, *Acad.* ; gr. *diakritikos,* de *diakrinein,* distinguer.

diadème fin XIIe s. ; lat. *diadema,* du gr. *diadêma,* bandeau.

diadoque fin XIXe s. ; gr. *diadokhos,* successeur.

diagnostic n. m., milieu XVIIIe s. ; gr. *diagnôstikos,* apte à reconnaître. || **diagnostique** adj., milieu XVIIIe s. (*diagnostic* ou *-que*). || **diagnostiquer** 1836, Raymond. || **diagnostiqueur** 1870, Lar.

diagonal XIIIe s., *Comput* ; bas lat. *diagonalis,* du gr. *diagônios,* ligne reliant deux angles ; n. f. 1561, Delorme. || **diagonalement** 1561, Franco (*-nellement*).

diagramme 1584, Du Monin, astronomie ; 1767, Rousseau, mus. ; 1888, Lar. techn. ; gr. *diagramma,* dessin. || **diagraphe** 1836, Landais ; gr. *graphein,* écrire.

dialecte 1550, Ronsard ; parfois fém. ; lat. *dialectus,* au fém., du gr. *dialektos,* langage. || **dialectal** 1864, M. Müller. || **dialectalisme** 1933, *Français mod.* || **dialectologie** 1881, enseignement créé à l'École pratique des hautes études. || **dialectologue** fin XIXe s.

dialectique 1130, *Eneas,* « art de discuter » ; lat. phil. *dialectica,* du gr. *dialektikê,* discussion ; repris au XIXe s. (1864, L.), « démarche de la pensée » ; adj. 1865, Proudhon, lat. *dialecticus,* du gr. *dialektikos.* || **dialecticien** fin XIIe s., G. || **dialectiquement** 1549, R. Est.

diallèle 1762, Rousseau ; gr. *diallêlos tropos,* figure de style réciproque (chiasme).

dialogue XIe s. (*-oge*), « conversation » ; 1578, H. Est., « ouvrage littéraire » ; XXe s., « pourparlers » ; lat. *dialogus,* entretien philosophique, du gr. *dialogos,* de *logos,* discours. || **dialoguer** 1717, *Mercure de Fr.,* v.t. ; comme v.i. 1767, Voltaire ; *scène dialoguée,* 1930, Moris, cinéma. || **dialoguiste** 1955, Robert.

dialyse 1842, *Acad.* ; gr. *dialusis,* séparation. || **dialyser** 1864, L.

diamant 1170, *Floire et Blancheflor* ; bas lat. *diamas,* croisé avec *adamas, -antis,* fer très dur, empr. au gr. (v. AIMANT). || **diamantaire** 1680, Richelet. || **diamanter** 1823, Boiste. || **diamanté** fin XVIIIe s. || **diamantin** 1540, Yver. || **diamantifère** 1856, Lachâtre.

diamètre XIIIe s., *Comput* ; lat. *diametrus,* du gr. *diametros,* de *dia,* à travers, et *metron,* mesure. || **diamétral** 1282, Gauchi ; bas lat. *diametralis.* || **diamétralement** 1380, Conty ; 1588, Montaigne, fig.

diandre 1798, Richard ; lat. bot. *diandria* (Linné), du gr. *dis,* deux fois, et *anêr, andros,* homme, mâle. || **diandrie** *id.* || **diandrique** *id.*

diane 1555, Ronsard ; esp. *diana,* de *día,* jour, indique une sonnerie au lever du jour.

diantre 1524, Des Périers, « diable » ; juron, depuis le XVIIe s. (1668, Molière) ; altér. euphémique de *diable.* || **diantrement** 1700, Gherardi.

diapason début XIIe s., *Thèbes* ; rare jusqu'au XVIIe s. ; « partie de l'échelle musicale » ; début XVIIe s., « instrument » ; 1691, Regnard, fig. ; lat. *diapason,* du gr. *dia pasôn khordôn,* « par toutes les cordes (de l'octave) ».

diapédèse 1560, Paré ; gr. *diapedêsis,* de *dia,* à travers, et *pedân,* jaillir, épanchement de sang à travers les tissus.

diaphane 1361, Oresme ; gr. *diaphanês,* de *diaphainein,* laisser entrevoir, par les trad. latines d'Aristote. || **diaphanéité** 1335, Digulleville. || **diaphanoscope** 1908, Lar., gr. *skopein,* examiner.

diaphorèse 1741, Col de Vilars ; bas lat. *diaphoresis,* du gr. *diaphorêsis,* transpiration, de *dia,* à travers, et *pherein,* porter. || **diaphorétique** 1372, Corbichon.

diaphragme 1314, Mondeville, méd. ; 1690, Furetière, optique ; lat. méd. *diaphragma,* du gr. méd. *diaphragma,* cloison, cartilage. || **diaphragmatique** 1560, Paré.

diaphyse 1864, L. ; gr. *diaphasis,* interstice.

diapositive 1907, Lar. ; de *dia,* à travers, et *positif.*

diaprer 1160, Benoît ; anc. fr. *diaspre,* drap à fleurs, du lat. médiév. *diasprum,* altér. de *jaspis,* jaspe. || **diapré** XIVe s., Du Cange. || **diaprure** 1360, G.

diarrhée 1372, Corbichon (*-rrie*) ; 1560, Paré (*-rrhée*) ; lat. méd. *diarrhoea* (IIIe s., Aurélien), du gr. *diarrhoia,* de *rhein,* couler. || **diarrhéique** 1827, *Acad.* (*-oïque*).

diarthrose 1560, Paré ; gr. *diarthrosis,* articulation mobile, de *dia,* au moyen de, et *arthron,* articulation.

diascope 1961, Lar. ; gr. *dia,* à travers, et *skopein,* examiner.

diaspore 1801, Haüy ; gr. *diaspora,* dispersion, de *diaspeirein,* disséminer, parce que ce corps (l'hydrate d'alumine), exposé au feu, se disperse en parcelles.

diastase 1752, Trévoux ; gr. *diastasis,* séparation. || **diastasique** 1859, Cl. Bernard.

diastole 1340, Le Fèvre, gramm. ; début XVIe s., anat. (v. SYSTOLE) ; gr. *diastolê,* séparation, intervalle, de *diastellein,* séparer.

diathermane 1838, *Acad.* ; gr. *dia,* à travers, et *thermos,* chaleur, c'est-à-dire « qui laisse passer la chaleur ». || **diathermie** 1922, Lar.

diathèse 1560, Paré, « disposition de qqn » ; début XXe s., ling. ; gr. *diathesis,* disposition.

diatomée 1845, Besch. ; gr. *diatomos,* coupé en deux, de *diatemnein,* partager.

diatonique 1361, Oresme ; bas lat. *diatonicus,* du gr. *diatonikos,* de *dia,* à travers, et *tonos,* ton. || **diatoniquement** 1732, Trévoux.

diatribe 1558, S. Fontaine, « discussion d'école » ; 1734, Voltaire, « critique virulente » ; lat. *diatriba,* du gr. *diatribê,* exercice d'école.

diazoïque 1870, Lar. ; de *di-,* deux fois, et *azote.*

dichotome 1752, Trévoux ; gr. *dikhotomos,* coupé en deux, de *temnein,* couper. || **dichotomie** 1754, *Encycl.,* astronomie ; 1907, Lar., « partage illicite d'honoraires » ; gr. *dikhotomia.* || **dichotomique** 1833, Forget.

dichroïsme 1842, *Acad.* ; gr. *dikhroos,* de deux couleurs. Indique la propriété de certaines substances de paraître sous plusieurs couleurs. || **dichroïque** 1870, Lar.

dicline fin XVIIIe s. ; gr. *dis,* deux fois, et *klinê,* lit. Se dit de plantes à fleurs unisexuées.

dicotylédone 1782, Bulliard, bot. ; de *di-,* deux fois, et *cotylédon.*

dicrote 1754, *Encycl.* ; gr. *dikrotos,* qui heurte deux fois, de *krotos,* bruit.

dictame 1130, *Eneas* (*ditan*) ; 1552, Rab. (*dictame*) ; lat. *dictamnum,* du gr. *diktamon,* plante aromatique.

dicter 1190, Garnier (*ditier*) ; XVe s. (*dicter,* forme refaite), « lire pour que qqn écrive » ; 1580, Montaigne, « prescrire » ; lat. *dictare,* de *dicere,* dire. || **Dictaphone** 1935, marque déposée ; gr. *phônê,* voix. || **dictée** XIIe s., *Livre de la loi au Sarrasin* ; 1680, Richelet, « exercice scolaire », part. passé fém. || **dictateur** 1213, *Fet des Romains,* hist. ; fin XVIIe s., polit. ; lat. *dictator,* magistrat extraordinaire à Rome. || **dictatorial** 1777, *Courrier de l'Europe,* d'apr. *sénatorial.* || **dictature** 1355, Bersuire (*dictaturie*) ; 1422, A. Chartier ; lat. *dictatura.*

diction 1165, Gautier d'Arras, « expression » (jusqu'au XVIIe s.) ; 1653, Pellisson, « style » ; 1850, Balzac, « manière de dire » ; lat. *dictio,* action de dire, sentence. || **dictionnaire** 1501, Vérard ; lat. médiév. *dictionarium.*

dicton 1488, *Mer des hist.* ; lat. *dictum,* sentence, écrit d'apr. l'anc. prononciation du latin, de *dicere,* dire.

didactique 1554, de Maumont ; gr. *didaktikos,* de *didaskein,* enseigner. || **didactiquement** 1754, *Encycl.* || **didactisme** milieu XIXe s.

didelphes 1770, Duchesne ; gr. *dis,* deux fois, et *delphos,* matrice.

diduction 1870, Lar. ; lat. *diductio,* séparation, de *diducere,* séparer.

didyme 1783, Bulliard, bot. ; gr. *didumos,* jumeau, c'est-à-dire « formé de deux parties accouplées ».

dièdre 1783, Romé de l'Isle ; gr. *dis,* deux fois, et *hedra,* plan, base.

diérèse 1529, *Traicté de l'art d'orth.* ; lat. gramm. *diaeresis,* du gr. *diairesis,* division.

dièse 1551, Le Roy, fém. jusqu'au XVIIe s., puis masc. d'apr. *bémol, bécarre* ; lat. *diesis,* du gr. *diesis,* intervalle. || **diéser** 1704, Montéclair (*-é*).

diesel 1929, Lar. ; du nom de l'inventeur de ce moteur à combustion interne (1858-1913). || **diéséliser** 1957, Lar.

1. **diète** 1256, Ald. de Sienne, « régime de nourriture » ; 1512, Cl. de Seyssel, « régime d'abstinence » ; lat. méd. *diaeta,* du gr. *diaita,* genre de vie. || **diététique** 1560, Paré ; lat. *diaeteticus,* du gr. *diaitêtikos.* || **diététicien** XXe s.

2. **diète** début XVIe s., « assemblée politique » ; lat. médiév. *dieta,* jour d'assemblée, puis assemblée ; de *dies,* jour, pour traduire l'allem. *Tag* (jour) en ce sens.

***dieu** 842, *Serments* (*deo*) ; XIe s. (*deu*) ; XIIe s. (*dieu*) ; lat. *dĕus,* dieu. || **adieu** XIIe s., *Mort de Garin,* interj. ; on recommandait son interlocuteur à Dieu en prenant congé ; n. m. 1588, Montaigne. || **corbleu** XIIe s., Renaud (*carbieu*), juron par le *corps de Dieu.* || **demi-dieu** XIIIe s., calque du lat. *semideus* et du gr. *hemitheos.* || **jarnidieu (-bleu)** 1611, Cotgrave, juron qu'aurait affectionné Henri IV, *je renie Dieu.* || **morbleu** XVe s., La Curne (*morbieu*) ; 1612, *D. G.,* juron par la *mort de Dieu,* altér. en *mordienne, mordieu* (1540, Rab.). || **palsambleu** 1540, Rab., juron *par le sang de Dieu.* || **parbleu** 1553, Rab., juron *par Dieu.* || **sacrebleu**, 1808, Wailly, altér. de *sacrédieu* (XIVe s.), *par le sacre de Dieu* (XIVe s.). || **têtebleu** 1657, Loret, par la *tête de Dieu.* || **tudieu** 1537, Des Périers, par la *vertu de Dieu.* || **ventrebleu** XVe s., *Franc Archet de Bagnolet,* par le *ventre de Dieu.* || **déesse** 1130, *Eneas* ; lat. *dea,* avec suffixe féminin. || **déicide** 1585, Fr. Feuardent, « meurtre de Dieu » ; XVIIe s., Bourdaloue, « meurtrier de Dieu » ; lat. chrét. *deicida* (deuxième sens), fait d'apr. *homicida.* || **déifier** 1265, J. de Meung ; lat. *deificare.* || **déification** 1375, R. de Presles ; lat. *deificatio.* || **déisme** 1657, Pascal. || **déiste** 1564, Viret. || **déité** 1119, Ph. de Thaon (*deitet*) ; 1190, Garnier (*déité*) ; lat. chrét. *deitas* (IVe s., saint Augustin).

diffamer 1265, J. de Meung ; lat. *diffamare,* décrier ; de *dis-,* dispersion, et *fama,* renommée. || **diffamateur** 1460, *Mystère du siège d'Orléans,* adj. ; 1495, J. de Vignay, n. m. || **diffamation** XIIIe s. ; bas lat. *diffamatio,* action de divulguer. || **diffamatoire** 1400, M. de Baye.

différer 1314, Mondeville, « être dissemblable » ; 1355, Bersuire, « retarder, éloigner dans l'accomplissement » ; lat. *differre,* être différent, retarder. || **différé** n. m. milieu XXe s., radio. || **différence** 1160, Benoît ; lat. *differentia.* || **différent** 1360, Froissart ; lat. *differens.* || **différend** 1360, Froissart (écrit d'abord *différent*), var. orth. || **différemment** 1361, Oresme. || **différencier** 1395, Chr. de Pisan ; v. pron. 1851, Sainte-Beuve. || **différenciation** 1808, Cuvier. || **différenciateur** début XXe s. || **différentiel** XVIe s., relatif aux différences techniques ; début XVIIIe s., math. ; XIXe s., *tarif, seuil différentiel* ; bas lat. *differentialis.*

difficile début XIVe s., pour qqch ; 1587, La Noue, « exigeant » ; lat. *difficilis.* || **difficilement** 1539, R. Est. || **difficulté** XIIIe s. ; lat. *difficultas.* || **difficultueux** 1584, Guevaere, d'apr. *majestueux.*

diffluent, difforme V. AFFLUER, FORME.

diffraction 1666, *Journ. des savants* ; lat. scientifique *diffractio,* d'après *diffractus,* de *diffringere,* briser en sens divers. || **diffringent** 1738, *Mém. Acad.,* du part. prés. *diffringens.* || **diffracter** 1842, *Acad.* || **diffractif** 1864, L.

diffus 1361, Oresme, « disséminé » ; 1690, Furetière, « qui délaie sa pensée » ; lat. *diffusus,* de *diffundere,* répandre. || **diffusément** 1361, Oresme. || **diffusible** milieu XIXe s. || **diffuser** XVe s., J. Castel, « répandre » ; rare jusqu'au XIXe s. || **diffusion** 1586, Crespet, « fait de se répandre » ; 1772, Rousseau, « verbosité » ; lat. impér. *diffusio.* || **diffuseur** 1899, Lar.

digérer 1361, Oresme, « calmer la colère », « mettre en ordre » (jusqu'au XVIIe s.) ; XIVe s., « faire la digestion » ; 1460, Chastellain, « endurer » ; lat. *digerere,* distribuer. || **digestion** 1265, J. de Meung, « répartition » ; 1361, Oresme, sens physiologique ; lat. *digestio.* || **digestif** XIIIe s., adj. ; n. m. 1560, Paré, « onguent » ; 1835, *Acad.,* « liqueur » ; part. passé *digestus.* || **digestible** 1374, G. de la Bigne, rare jusqu'au XVIIIe s. || **digest** v. 1948, « abrégé » ; angl. *digest,* du lat. *digesta.* || **digeste** 1880, Flaubert, d'après *indigeste.* || **indigeste** 1270, Mahieu le Vilain, « qui n'est pas digéré » ; 1588, Montaigne, « qui digère mal » ; 1501, *Jardin de Plaisance,* « difficile à comprendre » ; lat. *indigestus,* de *digerere.* || **indigestion** XIIIe s., *Simples Médecines* ; 1686, Sévigné, fig. ; lat. *indigestio.* || **indigestionner** 1873, Goncourt.

digital V. DOIGT.

digne 1050, *Alexis ;* lat. *dignus.* || **dignement** 1196, J. Bodel. || **dignifier** 1606, Nicot. || **dignité** 1080, *Roland* (*deintié*) ; 1190, Garnier (*dignité*) ; lat. *dignitas.* || **dignitaire** 1752, Trévoux. || **indigne** fin XIIe s., *Grégoire* (*en-*) ; lat. *indignus.* || **indignement** fin XIIe s., *Grégoire.* || **indigner** 1355, Bersuire, « braver » ; 1611, Cotgrave, sens actuel ; a remplacé l'anc. fr. *endeignier,* lat. *indignari.* || **indignation** 1120, *Ps. d'Oxford ;* lat. *indignatio.* || **indignité** début XVe s. ; lat. *indignitas.* (V. aussi DAINTIER.)

digression 1190, Garn. ; lat. *digressio,* de *digredi,* s'éloigner. || **digressif** 1870, Lar.

digue 1303, Du Cange (*diic*) ; 1360, Froissart (*digue*) ; moyen néerl. *dijc.* || **contre-digue** fin XVIe s. || **endiguer** 1827, *Acad. ;* 1870, Lar., fig. || **endiguement** 1827, *Acad. ;* 1864, L., fig.

diktat XXe s., mot allem. signif. « ce qui est ordonné », du lat. *dictare,* dicter.

dilapider 1220, Coincy ; lat. *dilapidare,* de *dis-,* division, et *lapidare,* lapider. || **dilapidateur** 1432, Lannoy. || **dilapidation** milieu XVe s. ; bas lat. *dilapidatio.*

dilater 1361, Oresme, comme v. pron. ; v.t. 1580, Montaigne ; lat. *dilatare,* étendre, de *latus,* large. || **dilatable** XVIe s., Huguet. || **dilatation** 1314, Mondeville ; lat. *dilatatio.*

dilatoire 1283, Beaumanoir, jurid. ; 1851, Poitevin, sens général ; lat. *dilatorius,* de *differre,* différer. || **dilation** 1294, G. ; lat. *dilatio.*

dilection 1160, Benoît ; lat. *dilectio,* de *diligere,* chérir. || **prédilection** 1460, Chastellain, d'un emploi plus étendu.

dilemme 1578, d'Aubigné ; lat. *dilemma,* du gr. *dis,* deux fois, et *lêmma,* argument.

dilettante 1740, de Brosses, « amateur de musique italienne » ; 1885, Hugo, sens actuel ; mot ital. signif. « amateur d'art », part. prés. de *dilettare,* délecter. || **dilettantisme** 1821, Castil-Blaze, « amour de la musique » ; v. 1850, Baudelaire, sens actuel.

diligent fin XIIe s., « soigneux » et « zélé » ; lat. *diligens,* de *diligere,* aimer. || **diligence** fin XIIe s., « soins empressés » (jusqu'au XVIIe s.) ; XIIIe s., « rapidité » ; 1464, Commynes, « empressement » ; lat. *diligentia ;* 1680, Richelet, « voiture publique », de *voiture de diligence.* || **diligemment** 1218, Novare. || **diligenter** 1464, Commynes, « presser ».

diluer XVe s., G. ; rare jusqu'au XIXe s. ; lat. *diluere,* détremper. || **dilution** 1836, Landais.

diluvien 1764, *D. G. ;* lat. *diluvium,* déluge. || **diluvial** 1864, L. || **antédiluvien** 1750, abbé Prévost ; angl. *antediluvian* (1646, Th. Browne).

***dimanche** 1119, Ph. de Thaon (*diemanche*) ; fin XIIIe s., Joinville (*dimanche*) ; lat. chrét. *dies dŏminica,* jour du seigneur, avec dissimilation **didominicus* entraînant la chute du second *d ;* l'anc. fr. *diemenche* s'explique par une variante *dia* pour *dies.* || **endimancher** XVIe s., J. de La Taille. || **endimanchement** av. 1850, Balzac.

***dîme** XIIe s., G. (*disme*) ; fém. lat. *dĕcima pars* (déjà impôt du dixième, à Rome), de *decimus,* dixième. || **dîmer** 1155, Wace. || **dîmeur** 1241, G.

dimension 1425, O. de La Haye ; lat. *dimensio,* de *dimetiri,* mesurer en tous sens, de *dis-* et *metiri,* mesurer. || **dimensionnel** 1877, L.

diminuer 1308, G. ; 1464, Commynes, « tempérer » ; lat. *diminuere,* de *minus,* moins. || **diminué** 1677, Sévigné, « amoindri intellectuellement ». || **diminuendo** 1838, *Acad.* || **diminution** XIIIe s. ; lat. *diminutio.* || **diminutif** 1380, Conty, gramm. ; lat. *diminutivus.*

dimissoire 1680, Richelet, relig. ; lat. ecclés. *dimissorius,* qui renvoie, de *dimittere,* renvoyer.

dinandier fin XIIIe s., La Curne ; de *Dinant,* ville de Belgique célèbre par ses cuivres. || **dinanderie** 1387, G.

dinar 1870, Lar. ; mot ar., lat. *denarius,* denier, gr. *dênarion.*

dinde 1600, O. de Serres, abrév. de *poule d'Inde* (1548, Rab.), désignant la pintade ou poule d'Abyssinie. Le mot *Inde* (occidentale) désigne ici le Mexique, où le dindon fut découvert par les Espagnols (1520). || **dindon** 1600, O. de Serres. || **dindonneau** 1680, Richelet. || **dindonnière** 1650, Scarron. || **dindonner** 1828, Vidocq, au fig.

***dîner** v. i. 1131, *Couronn. de Loïs* (*disner*) ; n. m. début XIIe s., *Voy. de Charlemagne ;* lat. pop. **disjunare,* rompre le jeûne ; à l'origine, le repas du matin, puis, par glissement progressif d'horaire, le déjeuner, enfin le dîner. || **dînée** 1668, La Fontaine. || **dînette** XVIe s. || **dîneur** 1609, Régnier. || **dînatoire** fin XVIe s., Béroalde de Verville, auj. seulement dans *déjeuner dînatoire* (1811, Wailly). || **après-dîner** 1362, Froissart. (V. JEÛNE.)

dinghy 1870, Lar. ; mot angl., de l'hindi *dingi.*

dinguer 1833, Vidal-Delmart, rac. onom. *dan-, din,* exprimant un balancement. || **dingo**

1907, Esnault, même orig. ; il a pu subir l'infl. de *dingo* (1870, Lar.), chien d'Australie (mot indigène d'Australie). || **dingue** 1915, Esnault.

dinornis 1870, Lar. ; lat. scientif. *dinornis,* gr. *deinos,* effrayant, et *ornis,* oiseau.

dinosaure 1845, Besch. ; gr. *deinos,* qui inspire la crainte, l'étonnement, et *saura,* lézard.

diocèse fin XIIe s., fém. en anc. fr. (jusqu'au XVIe s.) ; lat. *diœcesis,* étendue d'une juridiction au sens eccl., du gr. *dioikêsis,* administration. || **diocésain** milieu XIIIe s.

diogot 1796, *Encycl. méth. ;* russe *djogot',* sorte de poix ou de goudron.

dioïque 1768, Bomare (*dioïke*) ; lat. bot. *diœcia,* créé par Linné, du gr. *dis,* deux fois, et *oikia,* maison ; les fleurs mâles et femelles de cette classe de végétaux étaient sur des pieds distincts.

dionée 1786, *Encycl. méth. ;* lat. bot. *dionaea,* plante de Dioné, mère de Vénus.

dionysiaque 1762, *Acad. ;* bas lat. *dionysiacus,* du gr. *dionusiakos,* de *Dionusos* (Bacchus).

dioptre 1547, J. Martin ; gr. *dioptron,* miroir, « ce qui sert à voir (*orân*) au travers (*dia*) ». || **dioptrie** 1888, Lar. || **dioptrique** 1637, Descartes.

diorama 1822, *D. G.,* installé par Daguerre à Paris, formé d'apr. *panorama,* avec le préfixe *dia,* à travers.

diorite 1817, Haüy ; gr. *diorizein,* distinguer, cette roche étant formée de parties distinctes.

diphtérie 1821, Bretonneau (*diphtérite*) ; 1855, Trousseau (*-ie*) ; gr. *diphtera,* membrane. || **diphtérique** 1837, Raciborski.

diphtongue 1220, Coincy (*ditongue*) ; 1497, *D. G.* (*dytongue*) ; 1690, Furetière (*diphtongue*) ; lat. gramm. *diphtongus,* masc., du gr. *diphtongos,* double son. || **diphtonguer** 1550, Meigret. || **diphtongaison** 1864, L.

diplodocus 1888, Lar. ; gr. *diplos,* double, et *dokos,* poutre, à cause de sa forme.

diploé 1539, Canappe ; gr. *diploê,* chose double. Terme d'anat. désignant un tissu spongieux compris entre les deux lames de tissu compact des os de la voûte du crâne.

diplôme XVIIe s. (*-mat*), « décret » ; 1732, Richelet, « acte officiel » ; 1829, Boiste, « ce qui confère un titre » ; lat. *diploma,* du gr. *diplôma,* tablette pliée en deux. || **diplomatique** n. f., 1681, Mabillon ; adj., 1708, Lallement, « relatif aux chartes » ; 1726, Dumont, *corps diplomatique ;* lat. scientif. *diplomaticus.* || **diplomate** 1792, *le Défenseur de la Constitution.* || **diplomatie** 1791, Linguet, d'apr. les mots du type *aristocratie, -ate.* || **diplômé** 1841, *Français peints par eux-mêmes.* || **diplômer** 1878, Lar. || **diplomatiquement** 1788, *Courrier de l'Europe.*

dipneuste 1888, Lar. ; lat. scientif. *dipneusta,* gr. *dis,* deux fois, et *pneîn,* respirer.

dipsomanie 1864, L. ; gr. *dipsa,* soif, et *mania,* folie.

diptère 1694, Th. Corn., adj., architecture ; lat. *dipterus,* du gr. *dipteros,* « qui a deux ailes » (*pteron*) ; n. m., zool., 1791, *Encycl. méth. ;* lat. scientif. *diptera.*

diptyque fin XVIIe s., Du Pin, « tablette double » ; 1838, *Acad.,* « tableau à deux volets » ; bas lat. *diptycha,* pl. neutre, « tablettes pliées en deux », du gr. *diptukhos,* plié en deux.

***dire** 980, *Valenciennes ;* lat. *dicĕre.* || **dire** n. m., XIIIe s. || **diseur** 1233, G., « juge » ; 1361, Oresme, « phraseur » ; 1530, Marot, « qui récite » || **dédire** 1155, Wace, « désavouer » ; 1580, Montaigne, pronominal, « ne pas tenir sa parole ». || **dédit** fin XIIe s., *Roman de Renart,* part. passé. || **indicible** XIVe s. (*indisible*) ; 1470, *Livre de la discipline d'amour ;* lat. médiév. *indicibilis,* « qui ne peut être dit ». || **médire** fin XIe s., *Chanson de Guillaume* (*mesdire*), avec préfixe *mes-.* || **médisance** 1559, Amyot. || **médisant** 1155, Wace. || **on-dit** 1752, Trévoux || **qu'en-dira-t-on** 1650, Loret. || **redire** 1130, *Eneas ; trouver à redire* XVIIe s. || **redite** fin XIVe s., E. Deschamps || **soi-disant** XVe s. ; comme adv. 1834, Béranger. || **susdit** 1318, G. (*surdit*) ; XVe s. (*susdit*) ; *sus* a ici le sens de *ci-dessus.* (V. aussi CONTREDIRE, MAUDIRE, PRÉDIRE.)

direct XIIIe s., G., rare jusqu'au XVIe s. ; boxe début XXe s. ; lat. *directus,* sans détour, de *dirigere,* diriger. || **directeur** fin XVe s. ; lat. *director.* || **direction** 1372, Oresme, « action de diriger » ; 1834, Ségur, « côté où on va » ; lat. *directio.* || **directif** 1282, Gauchy. || **directionnel** 1953, Lar. || **directive** n. f., 1888, Lar. || **directivité** XXe s.. || **directoire** XVe s., G., « qui est destiné à diriger » ; 1798, *Acad.,* polit. || **directorial** XVIIe s. ; 1796, Lallement, polit. ; 1829, Boiste, sens actuel. || **directorat** 1672, Ménage. || **codirecteur** 1842, *Acad.* || **indirect** début XVe s. || **directement** XIVe s., G. || **indirectement** 1507, Delb.

diriger 1495, J. de Vignay ; lat. *dirigere,* de *regere,* guider || **dirigeant** 1835, *Acad.* || **dirigeable** adj. 1787, Féraud ; n. m. 1885, *l'Aéronaute,* abrév. de *ballon dirigeable.* || **dirigiste** 1930, Lar. || **dirigisme** 1948, Lar. || **indirigeable** 1789, Proschwitz.

dirimant 1701, Furetière ; part. prés. lat. de *dirimere,* annuler.

discerner 1226, *Cout. d'Artois,* « séparer » (jusqu'au XVIIe s.) ; 1355, Bersuire, « distinguer » ; lat. *discernere,* séparer. || **discernement** début XVIe s., « distinction, séparation » (jusqu'au XVIIe s.) ; 1640, Corn., sens actuel. || **discernable** milieu XVIe s., Tagault. || **indiscernable** 1582, d'Agneaux.

disciple 1175, Chr. de Troyes (*deciple*) ; XIVe s. (*disciple*) ; lat. *discipulus,* disciple du Christ (lat. eccl.).

discipline 1080, *Roland,* « massacre » ; 1120, *Ps. d'Oxford,* « châtiment » ; 1355, Bersuire, « règles, ordre » ; lat. *disciplina,* règles de vie, de *discipulus,* disciple. || **discipliner** 1190, Garnier, « châtier » ; 1361, Oresme, sens actuel. || **disciplinaire** 1611, Cotgrave, rare jusqu'au XIXe s. || **disciplinable** fin XIVe s. || **indiscipline** 1501, Le Roy. || **indiscipliné** 1361, Oresme. || **indisciplinable** 1530, Laigue.

discobole, discontinu, disconvenir V. DISQUE, CONTINU, CONVENIR.

discorde 1130, *Eneas ;* lat. *discordia,* de *discord,* en mésentente. || **discordant** 1130, *Job ;* part. prés. de l'anc. fr. *descorder,* du lat. *discordare,* être en désaccord. || **discordance** 1160, Benoît, « dissension » ; 1704, Regnard, mus. ; réfection de l'anc. fr. *descordance* (XIIe s.). || **discord** 1304, G., en désaccord, lat. *discors.*

discourir fin XIIe s., *Grégoire* (*discurre*) ; 1539, R. Est. (*-courir*), d'apr. *courir ;* lat. *discurrere,* aller de côté et d'autre, au fig. « discourir » en bas lat. || **discoureur** 1542, Marg. de Navarre. || **discours** 1534, Des Périers ; lat. *discursus* au sens bas lat., refait sur *cours.* || **discursif** 1551, Du Parc ; lat. scolast. *discursivus,* de *discursus.* || **discursivité** XXe s.

discourtois, discrédit V. COURTOIS, CRÉDIT.

discret 1160, Benoît, « avisé, capable de discerner » ; 1640, Corn., sens actuel ; lat. *discretus,* séparé, au sens médiév. « capable de discerner », de *discernere,* discerner. || **discrètement** 1160, Benoît. || **discrétion** 1160, Benoît, « discernement » ; 1666, Molière, sens actuel ; lat. *discretio.* || **discrétionnaire** 1794, Frey || **discrétionnel** 1780, *Courrier de l'Europe.* || **indiscrétion** fin XIIe s., *Grégoire,* « manque de jugement » ; 1588, Montaigne, sens actuel ; lat. *indiscretio.* || **indiscret** 1360, Froissart, « intempestif » ; 1587, *Satires,* sens actuel ; lat. *indiscretus.* || **indiscrètement** 1370, Oresme.

discriminant 1877, L. ; bas lat. *discriminans,* de *discriminare,* de *crimen,* point de séparation. || **discrimination** 1870, Ribot. || **discriminatoire** v. 1950. || **discriminer** 1897, Marillier ; lat. *discriminare.*

disculper 1674, Bouhours ; réfection, d'apr. le lat. *culpa,* faute, de l'anc. fr. *descoulper* (XIIe s.), de *coulpe,* faute, péché. || **disculpation** fin XVIIe s., Boileau.

discursif V. DISCOURIR.

discuter XIIIe s. ; lat. *discutere,* écarter, dissiper, et, en bas lat. « discuter » ; *discuter de* 1829, Boiste. || **discutable** 1791, Frey. || **discutailler** XIXe s. || **discutaillerie** début XXe s. || **discutailleur** 1850, Balzac. || **discuteur** av. 1450, Gréban ; rare jusqu'au XIXe s. || **discussion** 1120, *Job ;* lat. *discussio,* secousse, et, en bas lat. « vérification, discussion ». || **indiscutable** 1836, Raymond.

disert 1321, de Picquigny ; lat. *disertus,* « qui parle avec facilité ». || **disertement** 1282, Gauchy.

disette XIIIe s., *Chans. d'Antioche* (*disiete*), fin XIIIe s., Tailliar (*disette*) ; orig. douteuse, peut-être du gr. *disekhtos,* année bissextile, année malheureuse. || **disetteux** 1213, Villehardouin.

diseur, disgrâce, disjoindre V. DIRE, GRÂCE, JOINDRE.

disloquer 1549, R. Est., « déboîter » ; 1580, Montaigne, « séparer » au fig. ; lat. médiév. *dislocare,* du lat. *delocare,* de *locus,* lieu (enlever du lieu), qui a remplacé la forme pop. *deslouer* (XIIe s., G.). || **dislocation** 1314, Mondeville, méd. ; 1580, Montaigne, fig.

disparaître, disparition V. PARAÎTRE.

disparate adj., début XVIIe s. ; n. f., av. 1674, Chapelain ; esp. *disparate,* n. m., lat. *disparatus,* inégal, de *disparare,* séparer.

dispatcher 1948, Lar. ; mot angl., de *to dispatch,* répartir. || **dispatching** 1948, Lar. ; mot angl. signif. « expédition, mise en route ».

dispendieux 1737, *Mémoires de Trévoux ;* lat. *dispendiosus,* nuisible, de *dispendium,* dépense, frais, de *dispendere,* partager. || **dispendieusement** 1843, Landais.

dispensaire 1573, Liébault, « recueil de formules de pharmacie » ; 1775, *Journ. anglais,* « établissement hospitalier anglais » ; 1827, *Acad.,* en parlant de la France ; angl. *dispensary,* de *to dispense,* distribuer. (V. DISPENSER.)

dispenser 1283, Beaumanoir, « accorder une dispense » ; XVIe s., Amyot, « autoriser à ne pas faire » ; lat. *dispensare,* distribuer, en lat. eccl. « faire une faveur ». ‖ **dispensable** 1536, M. Du Bellay. ‖ **dispense** XVe s., Basselin ; déverbal de *dispenser.* ‖ **dispensateur** 1190, Garnier ; lat. *dispensator.* ‖ **dispensation** 1170, *Rois ;* lat. *dispensatio.* ‖ **indispensable** 1654.

disperser 1458, *Mystère du Vieil Testament ;* lat. *dispersus,* part. passé de *dispergere,* répandre çà et là. ‖ **dispersement** 1877, *le Temps.* ‖ **dispersif** milieu XIXe s. ‖ **dispersion** XIIIe s., G. ; rare jusqu'au XVIIe s. ; bas lat. *dispersio,* dispersion, destruction.

dispos 1465, Delb. ; ital. *disposto,* en bonne disposition ; lat. *dispositus,* disposé, francisé d'après *poser.*

disposer 1180, *Enfances Vivien,* « arranger » ; *disposer de* 1298, Varin ; adaptation, d'apr. *poser,* du lat. *disponere,* régler. ‖ **disposition** 1130, *Job,* « état d'esprit » ; XVe s., « action d'arranger » ; 1541, Calvin, « usage » ; lat. *dispositio.* ‖ **dispositif** 1314, Mondeville, adj., méd. ; n. m. 1690, Furetière ; lat. *dispositus,* part. passé de *disponere.* ‖ **disponible** XIVe s., *Traité d'alchim. ;* lat. médiév. *disponibilis.* ‖ **disponibilité** 1492, G., rare jusqu'au XVIIIe s. ; au pl. 1864, L. ‖ **indisposer** début XVe s., Gerson (*indisposé*) ; 1700, Trévoux (*indisposer*). ‖ **indisposition** 1459, *Lettres de Louis XI.* ‖ **indisponible** 1752, Trévoux. ‖ **indisponibilité** 1827, *Acad.* ‖ **prédisposer** XVe s., Delb. ‖ **prédisposition** 1798, *Acad.*

disputer 1170, *Livre des Rois,* « discuter de » ; 1637, Descartes, « débattre » ; 1651, Corn., « quereller » ; lat. *disputare,* discuter. ‖ **dispute** fin XVe s., « discussion » ; 1665, Molière, « querelle », déverbal. ‖ **disputailler** 1596, Vigenère. ‖ **disputeur** XIIIe s., G. ‖ **disputation** 1464, Commynes, « discussion » ; 1541, Calvin, « joute oratoire ».

disqualifier V. QUALIFIER.

disque 1556 Du Choul, « palet » ; 1690, Furetière, « surface d'un astre » ; début XXe s., sens techn. ; lat. *discus,* palet circulaire, gr. *diskos.* ‖ **discobole** 1556, Du Choul, « lanceur de disque » ; 1817, Cuvier, nom de poisson ; gr. *diskobolos,* lanceur de disque. ‖ **discothèque** 1932, Lar., d'apr. *bibliothèque.* ‖ **discophile** 1932, Lar. ‖ **disquaire** 1949, Lar.

dissection V. DISSÉQUER.

disséminer 1503, Chauliac, « répandre la semence » et « disperser » ; rare jusqu'au XVIIIe s. ; lat. *disseminare,* de *semen, -inis,* semence. ‖ **disséminateur** 1675, Le Gallois. ‖ **dissémination** 1674, Le Gallois ; lat. *disseminatio.* ‖ **disséminement** fin XVIIIe s.

dissentir V. SENTIR.

disséquer 1578, R. Le Baillif ; lat. *dissecare,* de *secare,* couper. ‖ **dissection** 1538, Canappe ; 1771, Trévoux, fig. ; lat. *dissectio.* ‖ **dissecteur** 1680, Richelet. ‖ **disséqueur** 1655, Fernel.

disserter fin XVIIe s., Saint-Simon ; lat. *dissertare,* de *disserere,* enchaîner à la file. ‖ **dissertation** 1645, Patin, « discussion, développement » ; 1864, L., « exercice scolaire » ; lat. *dissertatio.* ‖ **dissertateur** 1724, Marivaux ; lat. *dissertator.*

dissident 1539, Canappe, « séparé », anat. ; 1767, Diderot, relig. ; début XXe s., polit. ; lat. *dissidens,* part. prés. de *dissidere,* de *sedere,* s'asseoir. ‖ **dissidence** XVe s., rare avant le XVIIIe s. ; lat. *dissidentia,* même évolution.

dissimiler, dissimuler V. ASSIMILER, SIMULER.

dissiper XIIIe s., *Bible,* « anéantir en dispersant » ; 1580, Montaigne, « dépenser, gaspiller » ; 1671, Sévigné, « laisser aller son esprit » ; lat. *dissipare,* disperser. ‖ **dissipation** début XVe s., « dispersion » ; 1680, Sévigné, « distraction » ; lat. *dissipatio.* ‖ **dissipateur** 1392, E. Deschamps.

dissocier 1495, *Mir. historial,* « distinguer » ; 1838, *Acad.,* « séparer » ; lat. *dissociare,* de *socius,* allié. ‖ **dissociable** 1580, Montaigne. ‖ **dissociabilité** 1793, Brunot, « corruption ». ‖ **dissociation** XVe s., La Curne.

dissoner V. SONNER.

dissoudre 1190, Saint Bernard, fig. ; XIVe s., *Nature à l'alchimie,* sens propre ; adaptation du lat. *dissolvere,* d'apr. *absoudre.* ‖ **dissolu** 1190, Saint Bernard ; lat. *dissolutus,* au fig., part. passé. ‖ **dissolution** XIIe s., *D. G.,* « mort » ; 1240, G. de Lorris, « dérèglement des mœurs » ; 1370, Le Bel, « décomposition » ; 1636, Monet, « absorption d'un liquide » ; 1361, Oresme, « désagrégation » ; 1314, Mondeville, au propre ; lat. *dissolutio.* ‖ **dissolvant** 1580, Joubert. ‖ **dissoluble** XIIIe s. ‖ **dissolubi-**

lité 1757, *Annales de chimie.* || **indissoluble** 1495, J. de Vignay ; lat. *indissolubilis.* || **indissolublement** 1471, *Lettres de Louis XI.* || **indissolubilité** 1609, Brunot.

dissuader 1355, Bersuire ; lat. *dissuadere,* de *suadere,* persuader. || **dissuasion** *id.* ; lat. *dissuasio.* || **dissuasif** XXe s.

dissyllabe V. SYLLABE.

distant 1361, Oresme ; lat. *distans,* part. prés. de *distare,* de *stare,* être debout, se tenir ; 1829, Stendhal, « qui observe les distances », d'après l'angl. || **distance** 1265, J de Meung ; lat. *distantia.* || **distancer** 1361, Oresme, v. i., « être éloigné de » ; v. t., 1838, *Acad.,* dans une course ; d'après angl. *to distance.* || **distanciation** v. 1950.

distendre V. TENDRE.

distiller XIIIe s., *Psautier,* « couler goutte à goutte » ; XIVe s., *Nature à l'alchimie,* « opérer la distillation » ; 1660, Boilon, fig. ; lat. *distillare,* dégoutter, de *stilla,* goutte. || **distillateur** milieu XVIe s., Palissy. || **distillation** fin XIVe s. ; lat. *distillatio.* || **distillatoire** 1560, Paré. || **distillerie** fin XVIIIe s.

distinguer milieu XIVe s. ; lat. *distinguere,* séparer, différencier. || **distingué** 1671, Fléchier, « qui a de la distinction ». || **distinguo** 1578, H. Est. ; lat. scolast., 1re pers. sing. ind. prés. « je distingue ». || **distinct** 1308, Aimé ; lat. *distinctus.* || **distinctement** XIIIe s., G. || **distinctif** 1314, Mondeville. || **distinction** 1170, *Livre des Rois,* « action de distinguer » ; 1670, Bossuet, « marque honorifique » ; av. 1850, Balzac, « manières élégantes » ; lat. *distinctio.* || **indistinct** XVe s. ; lat. *indistinctus.* || **indistinctement** 1495, J. de Vignay.

distique 1510, *D. G.* (*distichon*) ; 1549, R. Est. (*distique*), versification ; lat. *distichon,* du gr. *distikhon,* de *dis,* deux fois, et *stikhos,* vers.

distome fin XIXe s., du gr. *dis,* deux fois, et *stoma,* bouche ; le *distome* a deux suçoirs.

distordre 1560, Paré ; lat. *distorquere,* tordre, tourner. || **distors** 1842, Mozin ; lat. *distorsus,* part. passé de *distorquere,* tordre. || **distorsion** 1538, Canappe ; lat. *distorsio.*

distraire 1361, Oresme, « tirer en sens divers » ; XVIe s., « amuser » ; adaptation du lat. *distrahere,* de *trahere,* tirer, d'après *traire.* || **distraction** 1335, G., « action d'écarter » ; fin XVIe s., « séparation » ; 1686, Mme de Sévigné, « amusement » ; lat. *distractio.* || **distrait** 1662, Corn., part. passé de *distraire.* || **distraitement** 1870, Lar. || **distrayant** 1539, R. Est.

distribuer 1248, *Charte de Namur* (*des-*) ; 1355, Bersuire (*dis-*) ; lat. *distribuere.* || **distribuable** fin XVIe s., d'Aubigné. || **distributeur** 1361, Oresme ; bas lat. *distributor.* || **distributif** *id.* ; bas lat. *distributivus.* || **distribution** 1307, Guiart, « contribution » ; XVIe s., « répartition » ; XIXe s., techn. ; lat. *distributio.* || **distributionnel** v. 1960. || **redistribuer** 1690, Furetière. || **redistribution** *id.*

district début XVe s., « circonscription administrative » ; 1789, date de la loi, « subdivision de département » ; lat. *districtus,* fortement attaché, part. passé substantivé de *distringere* ; il a éliminé l'anc. fr. *détroit.*

dithyrambe 1540, Rab., « poème » ; 1864, L., « éloge exagéré » ; lat. *dithyrambus,* du gr. *dithurambos,* poème lyrique à la louange de Dionysos. || **dithyrambique** 1553, Ronsard, littér. ; 1870, Lar., « élogieux avec excès » ; lat. *dithyrambicus,* du gr. *dithurambikos.*

dito 1723, Savary ; ital. *ditto,* ce qui vient d'être dit (anc. var. toscane de *detto,* part. passé de *dire*).

diurèse 1750, Prévost ; lat. méd. *diuresis,* du gr. *diourêsis,* de *ourein,* uriner. || **diurétique** XIVe s., G. ; lat. méd. *diureticus,* du gr. *diourêtikos.*

diurne 1425, de La Haye ; rare jusqu'au XVIIe s. ; lat. *diurnus,* de jour, de *dius,* forme archaïque de *dies,* jour. || **diurnal** fin XVIIe s., Huet ; bas lat. *diurnalis,* de *diurnus.* Désigne un livre de prières contenant l'office du jour.

diva 1835, Gautier ; mot ital. signif. « déesse », hyperbole appliquée aux cantatrices, du lat. *diva,* fém. de *divus,* divin. || **divette** 1888, Lar.

divaguer début XVIe s., « s'écarter de la vérité » ; 1560, G. Postel, « aller sans but » ; 1864, L., « délirer » ; bas lat. *divagari,* de *vagari,* errer. || **divagation** fin XVIe s., Fr. de Sales, « action de s'écarter » ; 1845, Besch., « fait de déraisonner ». || **divagateur** 1838, *Acad.*

divan 1558, G. Postel, « conseil des Turcs » ; 1653, La Boullaye, « estrade à coussins » ; 1742, Havard, « canapé » [repris à l'arabe] ; turc *dīwān,* mot persan signif. « registre de comptabilité », puis bureau administratif, département ministériel.

dive 1546, Rab. (*dive bouteille*), express. plaisante ; lat. *diva,* fém. de *divus,* divin.

diverger début XVIIIe s., phys. (opposé à *converger*) ; 1798, Lallement, fig. ; lat. *divergere,* incliner. || **divergent** début XVIIe s., phys. ; 1792, Lallement, fig. ; lat. *divergens,* même évolution. || **divergence** *id.*, phys., 1865, Proudhon, fig. ; lat. *divergentia.*

divers 1080, *Roland ;* lat. *diversus,* opposé, part. passé de *divertere ;* en bas lat. a signifié « varié ». || **diversement** 1119, Ph. de Thaon. || **diversité** 1160, Benoît, « singularité » ; 1190, Marie de France, « variété » ; lat. *diversitas.* || **diversifier** XIIIe s., G. de Metz ; bas lat. *diversificare.* || **diversification** fin XIIIe s., Végèce. || **diversion** 1314, Mondeville, méd. ; 1587, La Noue, milit. ; 1580, Montaigne, fig. ; bas lat. *diversio.*

diverticule XVe s., G., « recoin » ; 1870, Lar., anat. ; bas lat. *diverticulum,* de *divertere,* détourner.

divertir XVe s., *Perceforest,* « détourner » (jusqu'au XVIe s.) ; 1580, Montaigne, « détourner de ses occupations » ; lat. *divertere,* de *vertere,* se tourner. || **divertissant** 1637, Tristan l'Hermite. || **divertissement** 1494, G., « détournement » ; 1649, Scarron, sens mod.

divette, dividende V. DIVA, DIVISER.

divin 1119, Ph. de Thaon (*devin*) ; 1361, Oresme (*divin*) ; 1613, M. Régnier, « merveilleux » ; lat. *divinus.* || **divinement** 1327, *Mir. hist.* || **diviniser** fin XVIe s., Fr. de Sales. || **divinité** 1119, Ph. de Thaon, « théologie » ; 1647, Descartes, « nature divine » ; lat. *divinitas.* || **divination** 1212, Anger (*devi-*) ; XIVe s., G. (*divi-*) ; 1796, Staël, « prescience » ; lat. *divinatio.* || **divinateur** XVe s. ; bas lat. *divinator.* || **divinatoire** 1380, Conty.

divis V. DIVISER.

diviser 1190, Saint Bernard ; rare jusqu'au XVIe s. ; réfection de l'anc. fr. *deviser,* lat. *dividere,* diviser. || **division** 1120, *Ps. d'Oxford ;* 1580, Montaigne, « désunion » ; 1690, Furetière, milit. ; lat. *divisio.* || **divisible** 1361, Oresme ; bas lat. *divisibilis* || **divisibilité** XVe s., *Catholicon.* || **divisionnaire** 1797, *Encycl. méth.*, milit. || **diviseur** 1213, *Fet des Romains,* « agent répartiteur » ; 1484, Chuquet, math. ; début XXe s., « qui désunit » ; lat. *divisor.* || **dividende** début XVIe s., J. Peletier, math. ; 1770, Raynal, sens financier, souvent fém. ; lat. *dividendus,* qui doit être divisé. || **divis** 1374, G. (*par divis*) ; lat. *divisus,* part. passé de *dividere.* || **indivis** 1349, G. ; lat. *indivisus.* || **indivision** XVIe s., Delb. ; rare jusqu'en 1801 (Mercier) ; d'apr. *division.* || **indivisible** 1314, Mondeville ; 1765, *Encycl.,* droit ; bas lat. *indivisibilis.* || **indivisibilité** 1380, *Aalma* (*indivisibleté*) ; début XVIe s. (*indivisibilité*), « indissolubilité du mariage » ; 1691, Brunot, sens actuel ; 1790, polit. || **indivisiblement** 1470, *Livre de la discipl. d'amour.*

divorce XIVe s., G., hist. et « séparation » (jusqu'au XVIIIe s.) ; 1792-1816, établissement légal du divorce ; lat. *divortium,* séparation, de *dis,* en sens contraire, et *vertere,* tourner. || **divorcé** milieu XVIIIe s. || **divorcer** XIVe s., Boutillier ; 1826, Chateaubriand, fig.

divulguer XIVe s., G. ; lat. *divulgare,* de *vulgare,* propager, de *vulgus,* peuple. || **divulgation** 1510, Marg. de Valois ; lat. *divulgatio.* || **divulgateur** XVIe s., L. ; bas lat. *divulgator.*

divulsion milieu XVIe s., Amyot ; lat. *divulsio,* de *divellere,* arracher. || **divulseur** 1878, Lar., participe lat. *divulsus.*

***dix** 1080, *Roland* (*dis*) ; lat. *dĕcem.* || **dixième** 1196, J. Bodel (*diseme*) ; milieu XVIe s. (*dixième*). || **dixièmement** début XVIe s. || **dix-sept, dix-huit, dix-neuf** 1170, *Rois* (*dis e set, e uit, e nuef*). || **dix-septième** *id.* (*dis e setime*) ; XVIe s. (*dix-septième*). || **dix-huitième** *id.* (*dis e uitime*) ; XVIe s. (*dix-huitième*). || **dix-neuvième** *id.* (*dis e noime*) ; 1539, R. Est. (*dix-neufième*). || **dizain** XVe s., Delb. || **dizaine** 1515, Lortie (*dizeine*). || **dizenier** XVe s., *D. G.*

djebel 1870, Lar. ; mot ar. signif. « montagne ».

djellaba 1870, Lar. ; mot ar.

djinn 1671, Bernier (*djen*) ; 1674, Thévenot (*djinn*) ; mot arabe signif. « démon ».

do 1767, Rousseau ; ital. *do,* syllabe arbitrairement choisie, comme plus sonore pour remplacer *ut.*

docile 1495, J. de Vignay ; lat. *docilis,* de *docere,* enseigner. || **docilement** 1642, Oudin. || **docilité** 1480, Meschinot ; lat. *docilitas.* || **indocile** 1490, Saint-Gelais ; lat. *indocilis,* rebelle. || **indocilité** début XVIIe s., Montlyard ; bas lat. *indocilitas.*

docimasie 1754, *Encycl. ;* gr. *dokimasia,* épreuve, enquête, de *dokimos,* essayé. || **docimologie** v. 1950 ; gr. *dokimê,* essai, et *logos,* science.

dock 1671, Seignelay, pour l'Angleterre ; 1679, *id.* (*dogue qui doit être construit à Brest*) ; 1864, L. (*dock*) ; mot angl. du néerl. *docke,* bassin. || **docker** 1899, Bourdeau.

docte 1532, Rab. ; lat. *doctus,* part. passé de *docere,* instruire. || **doctement** 1549, R. Est. || **doctissime** 1558, Blondel ; superl. lat. *doctissimus.* || **docteur** 1160, Benoît, « docteur de la loi » ; fin XIIe s., grade universitaire, pour remplacer *maître* (*magister*) devenu trop commun (première réception de docteur en 1140, à Bologne ; puis à Paris, d'abord pour le droit, ensuite pour la théologie) ; le sens de « médecin » (1460, Villon) a prévalu au XIXe s. || **doctoral** 1378, Le Fèvre. || **doctorat** 1575, Belleforest ; lat. médiév. *doctoratus.* || **doctoresse** XVe s., Delb., plaisant jusqu'au XIXe s. ; 1855, *Rev.,* femme médecin.

doctrine 1160, Benoît, « enseignement », sens conservé jusqu'au XVIIe s. ; 1688, La Bruyère, sens actuel ; lat. *doctrina,* éducation, de *docere,* instruire. || **doctrinaire** XIVe s., L., « abstrait » ; 1787, polit. || **doctrinairement** 1864, L. || **doctrinarisme** 1834, Boiste. || **doctrinal** fin XIIe s., R. de Moiliens ; lat. *doctrinalis.* || **endoctriner** 1170, *Rois.* || **endoctrinement** XVe s., « enseignement ».

document 1212, Fr. Anger, « enseignement » (jusqu'au XVIIe s.) ; 1690, Furetière, « renseignement » ; XXe s., pièce officielle ; lat. *documentum,* de *docere,* enseigner. || **documenter** 1769, Dixmérie. || **documentation** 1877, L. || **documentaire** 1876, *J.O.* ; *film documentaire,* 1924, *la Science et la Vie ;* n. m. 1929, A. Gance. || **documentaliste** v. 1950. || **documentariste** 1949, Lar., « auteur de films documentaires ».

dodeca-, gr. *dôdeka,* douze. || **dodécaèdre** milieu XVIe s. ; gr. *dôdekaedron,* de *edra,* face. || **dodécagone** 1690, Furetière ; gr. *gônia,* angle. || **dodécaphonisme** 1948, Lar. || **dodécaphoniste** XXe s. || **dodécaphonie** 1955, *Combat.* || **dodécaphonique** v. 1950. || **dodécasyllabe** 1555, Peletier ; gr. *dôdekasullabos.*

dodeliner 1532, Rab. ; onom. *dod-* exprimant le balancement. || **dodelinement** 1611, Cotgrave. || **dodiner** XIVe s., de La Tour-Landry, v. i. ; 1690, Furetière, v. pr. || **dodinage** 1775, Béguillet. || **dodinement** milieu XVIe s.

dodo 1440, Ch. d'Orléans ; formation expressive, redoublement de l'initiale de *dormir,* avec infl. de *dodiner.*

dodu fin XVe s. ; onom. *dod.* (V. DODELINER.)

dog-cart 1860, Bonnafé ; mot angl. signif. « charrette à chiens ».

doge 1487, Lengherand ; ital. de Venise *doge,* du lat. *dux, ducis,* chef. || **dogaresse** 1691, Misson, remplaçant *dogesse* (fin XVIIe s., Saint-Évremond) ; ital. *dogaressa.*

dogme 1580, Montaigne, « thèse » ; 1679, Bossuet, relig. ; lat. eccl. *dogma,* du gr. *dogma,* opinion, de *dokein,* croire. || **dogmatique** 1537, Canappe ; bas lat. *dogmaticus,* du gr. *dogmatikos.* || **dogmatiser** XIIIe s. *Miracle de saint Éloi ;* bas lat. eccl. *dogmatizare,* établir en dogme, du gr. *dogmatizein.* || **dogmatiste** 1558, S. Fontaine ; bas lat. *dogmatista,* du gr. *dogmatistês.* || **dogmatisme** 1580, Montaigne.

dogre 1678, Seignelay ; néerl. *dogger,* bateau de pêche.

dogue 1398, E. Deschamps ; angl. *dog,* chien (v. BOULEDOGUE). || **doguin** 1611, Cotgrave. || **doguer (se)** 1680, Richelet.

***doigt** fin XIe s., *Lois de Guill.* (*dei*) ; XIIIe s., Du Cange (*doit*) ; 1360, Froissart (*doigt*), refait sur le lat. ; lat. pop. **dĭtus,* contraction de *dĭgitus.* || **doigtier** XIVe s., *Registre du Châtelet* (*doitier*) ; XVIe s. (*doigtier*). || **doigté** 1798, *Acad.,* du verbe *doigter* (début XVIIIe s.), disparu. || **digital** 1732, Winslow, adj. ; lat. *digitalis,* de *digitus,* doigt. || **digitale** 1545, Guéroult, plante en forme de doigt. || **digitaline** 1831, Balzac. || **digitiforme** 1842, *Acad.* || **digitigrade** 1817, Cuvier ; lat. *gradi,* marcher.

dol milieu XIIIe s. ; lat. *dolus,* ruse. || **dolosif** 1864, L. ; lat. *dolosus.* || **dolosivement** 1626, Delb.

dolage, doleau V. DOLER.

dolce 1767, Rousseau, mus. ; mot ital. signif. « doux ».

doléance fin XIIe s., *Grégoire* (*douliance*) ; XVe s. (*doléance,* réfection de *douliance*) ; de *douloir,* souffrir, lat. *dolere.* || **dolent** 1050, *Alexis ;* lat. pop. **dolentas,* de *dolens, -tis,* de *dolere,* souffrir. || **dolemment** 1175, Chr. de Troyes (*dolentement*) ; 1642, Oudin (*dolemment*). || **dolenter (se)** 1834, Landais. || **indolent** 1590, Sully, « insensible » ; XVIIe s., « apathique » ; bas lat. *indolens,* « qui ne souffre pas ». || **indolence** XIVe s.

doler 1170, *Rois ;* lat. *dŏlare,* façonner. || **dolage** 1364, G. || **doleau** 1751, *Encycl.* || ***doloire** 1160, *Charroi* (*doleoire*) ; 1596, Hulsius (*doloire*) ; lat. **dŏlatŏria,* pl. neutre devenu fém. en lat. pop.

dolichocéphale 1842, Betzius ; gr. *dolikhos,* long, et *kephalê,* tête.

doline 1906, Lar. ; slave *dole,* bas, creux.

dolique XVIe s. (*-che*) ; 1796, *Encycl. méth* ; lat. *dolichos,* du gr. *dolikhos,* haricot.

dollar 1773, *Courrier de l'Europe,* mot anglo-américain ; bas allem. *daler,* allem. *Thaler.*

dolman 1537, Saint-Blancard (*doloman*) ; 1560, Postel (*doliman*) ; 1763, Rousseau, « manteau militaire » ; 1835, *Acad.,* sens actuel ; allem. *Dolman,* du turc *dolāmān,* par le hongrois *dolmany.*

dolmen 1809, Chateaubriand (*dolmin*) ; du breton *taol, tol,* table, et *men,* pierre.

doloire V. DOLER.

dolomite 1792, Saussure ; du nom de *Dolomieu* (1750-1801), qui a découvert cette roche. || **dolomitique** 1864, L.

dolorisme V. DOULEUR.

***dom** 1080, *Roland* (*dam*), « sire » ; XVIe s., titre de religieux refait d'apr. le lat. ; 1594, *Satire Ménippée,* titre espagnol ; lat. *dominus,* seigneur, qui précéda, antérieurement à *sanctus,* les noms de saints à l'époque carolingienne (cf. noms de lieux : *Dampierre,* etc.).

domaine fin XIe s., *Lois de Guill.* (*demaine*) ; XIVe s. (*domaine*) ; milieu XIXe s., fig. ; bas lat. *dominium,* propriété, de *dominus,* maître. || **domanial** XVIe s., G. ; bas lat. *domanialis.* || **domanialité** 1839, Boiste.

1. **dôme** XVe s., Desrey, « cathédrale italienne » ; ital. *duomo,* du lat. *domus,* maison, au sens eccl. « maison de Dieu ».

2. **dôme** 1600, O. de Serres (*dosme*), « coupole » ; prov. *doma,* du bas lat. *doma,* terrasse d'une maison, du gr. *dôma,* maison, qui a désigné un type de toiture venu d'Orient.

domestique 1398, *Ménagier,* adj. ; lat. *domesticus,* de la maison (*domus*) ; n. m. 1539, *Doc.* || **domestiquer** 1492, Tardif. || **domestication** 1836, Raymond. || **domesticité** 1583, Huguet, condition de domestique ; 1792, Beaumarchais, ensemble de domestiques ; bas lat. *domesticitas.*

domicile 1360, Froissart ; lat. *domicilium,* de *domus,* maison. || **domicilier** début XVIe s., v. i. ; 1680, Richelet, v. t. || **domiciliaire** 1540 *Coutumier.* || **domiciliation** 1907, Lar.

dominer fin Xe s., *Saint Léger ;* XVIe s., fig., lat. *dominare,* de *dominus,* maître. || **domination** 1120, *Ps. d'Oxford ;* lat. *dominatio.* || **dominateur** 1282, Gauchy ; lat. *dominator.* || **dominant** 1282, Gauchy. || **dominance** XVIe s. || **prédominant** fin XIVe s. || **prédominer** 1580, Montaigne. || **prédominance** 1595, Champaignac, rare jusqu'au XIXe s.

dominicain 1546, Saint-Gelais ; nom de saint *Dominique,* fondateur de l'ordre (propr. *Frères prêcheurs*).

dominical 1417, G. ; bas lat. *dominicalis.* (V. DIMANCHE.)

dominion 1872, *J. O. ;* mot angl. signif. « puissance, domination » ; appliqué au Canada en 1867.

domino début XVIe s., « camail de prêtre à capuchon » ; 1665, Colletet, « robe à capuchon et loup pour bal masqué », puis le loup lui-même ; 1771, Trévoux, « jeu de dominos », d'apr. l'envers noir comparé au loup ; peut-être abrév. de *benedicamus domino,* « bénissons le seigneur », qui a pu être une appellation eccl. plaisante d'un manteau ; il a pris aussi le sens de « papier peint ou imprimé » (1690, Furetière), de filiation obscure. || **dominotier** 1532, Rab. || **dominoterie** 1690, Furetière.

dommage 1080, *Roland* (*damage*), avec un passage de *am-* à *om-,* dû à l'anc. fr. *dongier,* danger ; 1207, Villehardouin, fig. ; dér. ancien de *dam,* qu'il a remplacé. || **dommageable** 1314, Mondeville (*damageable*) ; 1361, Oresme (*domageable*). || **dédommager** 1283, Beaumanoir. || **dédommagement** 1367, *D. G.* || **endommager** 1160, Benoît. || **endommagement** XIIIe s.

***dompter** 1155, Wace (*donter*) ; 1355, Bersuire (*dompter*) ; la graphie *-pt-* date du Moyen Âge ; lat. *domitare.* || **domptage** 1870, Lar. || **domptable** XIIe s. || **dompteur** 1213, *Fet des Romains.* || **indompté** 1525, J. Lemaire. || **indomptable** 1420, Delb.

1. ***don** V. DONNER.

2. **don** XVe s. (*doint*) ; 1594, *Satire Ménippée* (*dom*) ; 1606, Nicot (*don*), mot esp. ; lat. *dominus,* maître. || **doña** 1650, Corn. (*donne*) ; 1864, L. (*dona*) ; esp. *doña,* féminin de *don,* du lat. *domina.*

donacie 1791, *Encycl. méth.,* insecte ; lat. scientif. *donacia,* du gr. *donak, donakos,* roseau.

donation V. DONNER.

***donc** 980, *Valenciennes* (*dunc*) ; XIIe s. (*donc*), lat. impér. *dunc,* croisement entre *dumque,* forme allongée de *dum,* allons ! (dans *agedum*), et *tunc,* alors.

dondon 1579, H. Est. (*domdom*), onom. exprimant un balancement (V. DODELINER).

***donjon** 1130, *Eneas ;* lat. pop, **dŏm(i)nio, -onis,* tour du seigneur, de *dominus,* seigneur. || donjonné 1669, Vulson.

don Juan 1814, Jouy, héros d'une pièce de Molière (1665), devenu le type du séducteur. || * donjuanesque 1851, Nerval. || donjuanisme 1869, Sainte-Beuve.

***donner** 842, *Serments* (*dunar*) ; Xe s. (*doner*) ; XIIIe s. (*donner*) ; lat. *donare,* gratifier, qui a éliminé *dare* en bas lat. de Gaule. || donnant 1864, L. (*donnant donnant*). || * don 1080, *Roland ;* 1361, Oresme « talent » ; lat. *donum.* || donation 1264, G., lat. *donatio ;* il a éliminé la forme pop. *donaison* (encore en 1642, Oudin). || donataire XIVe s. *Songe du vergier ;* lat. *donatorius.* || donateur 1320, G. ; lat. *donator.* || donne 1732, Trévoux, terme de jeu. || donnée 1279, G., distribution d'argent ; XVIIe s., sens actuel. || donneur 1120, *Ps. d'Oxford.* || adonner (s') fin XIIe s., Gautier d'Arras ; lat. pop. **addonare.* || maldonne 1827, Lebrun. || redonner 1120, *Ps. de Cambridge.*

don Quichotte av. 1834, Béranger, redresseur de torts, de Don Quichotte, héros d'un roman de Cervantès (1605). || donquichottisme v. 1850.

***dont** fin IXe s., *Eulalie ;* lat. pop. *de-unde,* renforcement de *unde ;* d'où extension d'emploi en fr., où il a été aussi interrogatif.

donzelle 1130, *Eneas,* « demoiselle » ; 1645, Scarron, péjor. (repris à l'ital.) ; anc. prov. *donzela,* même mot que *demoiselle.*

doper 1907, Lar. ; angl. *to dope,* faire prendre un excitant. || dopage début XXe s. || dope v. 1950, par l'anglais. || doping 1903, *Sport univ.,* part. prés. angl. signif. « drogue, stupéfiant ».

dorade 1525, A. Fabre (*daurade*) ; 1539, R. Est. (*dorade*) ; prov. *daurada,* dorée.

dorême 1786, *Encycl. méth.* (*-ène*) ; lat. bot. de Linné *dorema,* du gr. *dôrêma,* présent, à cause des propriétés bienfaisantes de la plante.

dorénavant 1160, *Tristan* (*d'or en avant*) ; 1573, Chesneau (*dorénavant*) ; anc. fr. *ore, or,* maintenant, et *avant.*

***dorer** XIIe s., *Roncevaux,* lat. impér. *deaurare* (IIIe s., Tertullien), renforcement de *aurare* (v. OR). || dorage 1752, Trévoux. || doré 1080, *Roland.* || dorure 1167, Gautier d'Arras. || doreur début XIVe s., *Livre de la taille de Paris.* || doroir 1680, Richelet. || dédorer fin XIIIe s. || mordoré 1669, L. (*more doré*). || redorer 1328, Delb. || surdorer 1361, *D. G.*

dorique 1545, *D. G. ;* lat. *doricus,* du gr. *dorikos,* de *Dôris,* Doride.

doris 1808, Boiste, « mollusque » ; lat *Doris,* gr. *Dôris,* divinité mythologique ; 1874, *Rev. Deux Mondes,* « barque » ; mot anglo-américain.

dorloter XIIIe s. sens actuel, et « friser » (jusqu'au XVIe s.) ; anc. fr. *dorelot,* boucle de cheveux ; peut-être de l'anc. refrain *dorelo.* || dorlotement 1675, Widerhold.

***dormir** 1080, *Roland ;* lat. *dormīre.* || dormant 1678, Guillet, n. m. techn. || dormeur XIVe s. || dormitif 1545, Guéroult. || dormition 1450, Gréban ; lat. *dormitio.* || endormir 1080, *Roland.* || endormeur 1299, *D. G.* || endormant XVIe s., G. || rendormir 1170, *Floire et Blancheflor.*

doronic 1425, O. de La Haye (*deronic*) ; 1694, Tournefort (*doronic*) ; lat. médiév. *doronicum,* de l'ar. *daraunidj.*

dorsal 1314, Mondeville ; lat. médiév. *dorsalis,* lat. *dorsualis.* || dorsale v. 1950, océanographie. (V. DOS.)

***dortoir** fin XIIe s., *R. de Cambrai,* « dortoir de couvent » ; lat. *dormitorium,* chambre à coucher, de *dormire,* dormir.

doryphore 1752, Trévoux, « porte-lance » ; 1827, *Académie,* « coléoptère d'Amérique », d'apr. les bandes noires des élytres ; lat. *doryphorus,* du gr. *doruphoros,* de *pherein,* porter, et *doru,* lance.

***dos** 1080, *Roland ;* sens techn. à partir du XVe s. ; lat. pop. **dossum,* du lat. class. *dorsum,* avec assimilation *rs,* qui s'appliquait surtout aux animaux et qui s'est substitué à *tergum.* || dos-d'âne XVe s., Du Cange. || dossard 1909, *L. M.* || dosse XIVe s., Du Cange. || dosseret 1360, Froissart. || dossier XIIIe s., « partie postérieure d'un siège » ; 1680, Richelet, « liasse de pièces » qui porte une étiquette au dos. || dossière 1268, É. Boileau. || adosser 1155, Wace, « renverser sur le dos », « appuyer sur le dos ». || ados 1160, Benoît (*adoub*), « soutien » ; XVIIe s., La Quintinie, « plate-bande » ; déverbal de *adosser.* || adossement début XVe s.

|| **endosser** début XIIe s. *Voy. de Charl.* « mettre sur le dos » ; 1600, *Édit,* sens commercial. || **endos** 1599, Delb. || **endosse** XVe s., G. || **endossage** fin XIIIe s., Rutebeuf. || **endossement** XIVe s., action de mettre sur le dos ; 1596, Poiton, sens commercial. || **endosseur** 1664, *Déclaration de janvier,* sens commercial. || **extrados** 1680, Richelet. || **extradosser** *id.* || **intrados** 1704, *Acad. des sc.* || **surdos** 1680, Richelet.

dose 1462, *Cent Nouvelles nouvelles ;* lat. médiév. *dosis,* du gr. *dosis,* action de donner. || **doser** 1534, Des Périers. || **dosage** 1812, *Encycl. méth.* || **dosable** v. 1850. || **doseur** 1915, Lar. || **dosimètre** 1888, Lar.

dot fin XIIe s., G. ; rare jusqu'au XVIe s. ; lat. jurid. *dos, -tis,* don, de *dare,* donner ; usité d'abord dans le Midi et le Lyonnais, pays de droit écrit où s'était conservé le régime dotal. || **dotal** milieu XVe s. ; lat. *dotalis.* || **doter** XIIIe s., Adenet ; rare jusqu'au XVIe s. ; lat. *dotare* (v. DOUER). || **dotation** 1325, *Cartulaire ;* lat. *dotatio.*

douaire 1130, *Eneas* (*doaire*) ; XIIIe s., Rutebeuf (*douaire*) ; lat. médiév. *dotarium,* de *dos, dotis,* dot, francisé d'après *douer.* || **douairière** milieu XIVe s. ; fém. de l'anc. fr. *douairier,* qui a un douaire.

douane 1372, Corbichon ; anc. ital. *doana* (ital. *dogana*), de l'ar. *diouān,* bureau de douane, venu du persan (v. DIVAN). || **douanier** n. m., milieu XVIe s. ; 1836, Landais, adj. || **douaner** 1675, Savary. || **dédouaner** 1901, Lar. ; 1948, Lar., fig. || **dédouanage, -anement** 1901, Lar.

douar 1628, de Brèves (*-art*) ; 1637, Davity (*-ard*) ; rare jusqu'au XIXe s. ; ar. maghrébin *dwār.*

***double** 1080, *Roland* (*duble*) ; XIIe s. (*double*), adj. ; lat. *dŭplus ;* n. m. XIIe s., *Lois de Guill. ; en double* 1690, Furetière. || **doublé** XIVe s., garni d'une doublure. || **doubler** 1170, *Rois,* rendre double ; 1771, Trévoux, garnir de doublure ; 1552, Rab., « franchir » ; 1912, *Ciné-Journal,* cinéma ; lat. impér. *duplare* (IIIe s., Ulpien). || **doubleur** 1700, *Arrêt du Conseil.* || **doubleau** 1268, É. Boileau, « double » ; 1676, Félibien, archit. || **doublement** adv., 1167, Gautier d'Arras. || **doublement** m., 1298, G. || **doublet** XIIe s., *Athis,* « robe de dessous » ; gramm. 1835, *Acad.* || **doublon** XIIIe s., G., « chose double ». || **doublure** 1376, *Mandement ;* 1849, Besch. au théâtre. || **doublage** début XVe s., action de doubler ; 1919 *la Cinématographie fr.* || **double-fond** XXe s. || **dédoubler** 1429, Delb. ; rare jusqu'au XVIIIe s. ; v. pr. 1870, Lar. || **dédoublement** fin XVIIe s., Saint-Simon ; *de la personnalité* XXe s. || **redoubler** 1220, Coincy, v. i. ; 1379, J. de Brie, v. t. ; *redoubler une classe* 1875, Lar. || **redoublement** XIVe s. || **redoublant** n. m., 1875, Lar.

1. **doublon** V. DOUBLE.

2. **doublon** 1594, *Satire Ménippée,* monnaie esp. ; esp. *doblón,* de *doble,* double d'un écu.

douceâtre, **douceur** V. DOUX.

douche 1588, Montaigne, « gargouille » ; 1640, Oudin (*douge*), « jet d'eau » ; XXe s., sens actuel ; ital. *doccia.* || **doucher** 1642, Oudin. || **doucheur** 1687, Huet.

doucine, douelle V. DOUX, DOUVE 1.

***douer** fin XIIe s., *R. de Cambrai,* « doter » (jusqu'au XVIIe s.) ; 1265, J. de Meung, « pourvoir de qualités » ; lat. *dotare,* doter (V. DOT).

1. **douille** 1398, *Ménagier ;* francique **dulja* (moyen haut allem. *tülle*).

2. **douille** 1858, Esnault, argot « argent ». || **douiller** *id.* « payer ».

douillet 1361, Oresme, « mou » ; 1690, Furetière, sens actuel ; dimin. de l'anc. fr. *doille, douille,* lat. *ductilis,* malléable. || **douillette** (de prêtre) 1803, Wailly, fém. || **douillettement** 1370, Machaut. (V. DUCTILE, ANDOUILLE.)

***douleur** 1080, *Roland* (*dulur*) ; lat. *dolorem,* de *dŏlōr, -oris.* || ***douloir** 980, *Valenciennes ;* lat. *dŏlēre,* souffrir (v. DOLÉANCE). || ***douloureux** 1080, *Roland* (*dulurus*) ; bas lat. *dolorōsus,* refait sur *douleur.* || **douloureuse** 1880, Esnault, note à payer, pop. || **doloriste** début XXe s. || **dolorisme** 1919, Souday.

douro 1845, Besch., monnaie ; esp. *peso duro,* poids d'argent.

***douter** 1080, *Roland,* « craindre » (jusqu'au XVIIe s.) ; XIIe s. « hésiter » ; lat. *dŭbĭtāre,* douter. || **doute** 1050, *Alexis ; sans doute* XIIIe s. || **douteur** 1273, Adenet. || **douteux** 1120, *Ps. d'Oxford.* || **douteusement** 1160, Benoît. || **dubitation** 1220, Coincy ; lat. *dubitatio.* || **dubitatif** 1314, Mondeville ; bas lat. *dubitativus.* || **indubitable** XVe s., du lat. *indubitabilis.* || **indubitablement** XVe s., Tardif. || **redouter** 1050, *Alexis,* craindre. || **redoutable** fin XIIe s., *Grégoire.* || **douteur** 1760, Voltaire.

1. ***douve** 1160, Benoît, « fossé » ; 1196, Bodel, « planche d'un tonneau » ; lat. impér. *dōga,* vase (IIIe s., Vopiscus), du gr. *dokhê,*

récipient. || **douvain** 1491, Delb. || **douelle** 1296, G. (*doelle*) ; anc. fr. *doue,* autre forme de *douve.*

2. ***douve** XIe s., « ver trématode » ; 1564, J. Thierry, « renoncule des marais qui passait pour engendrer ce ver » ; bas lat. *dolva* (Ve s., Eucherius).

***doux** 1080, *Roland* (*dulz*) ; XVIe s. (*doux*) ; lat. *dŭlcis.* || **doucement** 1080, *Roland* (*dulcement*) ; XIIe s. (*doucement*). || **douceur** 1119, Ph. de Thaon (*dulçur*) ; bas lat. *dulcor,* refait sur *doux.* || **doucereux** XIIe s., « plein de douceur » ; 1648, Scarron, péjor. || **douceâtre** 1534, Des Périers. || **doucet** 1190, Couci. || **doucettement** fin XIIIe s., *Doon de Mayence.* || **doucine** 1520, Sagredo. || **doucir** 1694, Th. Corn. || **dulcifier** 1620, Béguin ; lat. *dulcificare.* || **dulcification** 1651, Hellot. || **dulcinée** 1755, abbé Prévost, héroïne de *Don Quichotte.* || **adoucir** 1160, Benoît. || **adoucissement** 1402, Gerson. || **adoucissage** 1723, Savary. || **adoucissant** adj., 1698, Alliot ; m., 1721, *Journ. des savants.* || **édulcorer** début XVIIe s. ; lat. médiév. *edulcorare,* de *dulcis.* || **édulcorant** XXe s. || **édulcoration** 1620, Béguin ; lat. *edulcoratio.* || **radoucir** 1175, Chr. de Troyes. || **radoucissement** 1660, Retz.

***douze** 1080, *Roland ;* lat. pop. *dōdecim,* du lat. class. *duodecim.* || **douzième** XIIe s., *Lois de Guill.* (*dudzime*). || **douzièmement** 1690, Furetière. || **douzaine** fin XIIe s. || **in-douze** 1666, Furetière.

doxologie 1610, Roulliard ; gr. eccl. *doxologia,* de *doxa,* opinion, et *logos,* parole, c'est-à-dire « formule de louange ».

***doyen** 1190, Garnier (*deien*), curé ; XIVe s., Du Cange, « personne la plus âgée » (*deien*) ; lat. chrét. *decānus* (sens du lat. class. « dizenier »), chanoine ayant au moins dix moines sous ses ordres. || **doyenné** 1260, G. (v. DÉCANAT).

dracena 1629, Citoys, myth., « dragon femelle » ; 1806, Wailly, bot. ; lat. bot. mod. *dracaena,* en lat. « dragon femelle », du gr. *drakaina.*

drachme 1256, Ald. de Sienne (*drame*) ; XVIe s. (*drachme*) ; lat. médiév. *dragma,* du lat. class. *drachma,* gr. *drakhmê.*

draconien 1796, *Néologie fr. ;* de *Dracon,* législateur athénien réputé pour sa sévérité (VIIe s. av. J.-C.).

dracontium 1747, James, mot lat. signif. « serpentaire » ; gr. *drakontion,* petit dragon.

drag 1859, *le Sport,* « chasse à courre simulée » ; mot angl., de *to drag,* traîner.

1. **dragée** début XIIIe s. (*dragie*) ; 1398, *Ménagier* (*dragée*), « bonbon » ; altér. du lat. *tragemata,* gr. *tragema,* friandise. || **drageoir** XIIe s., G. (*drajouer*), coupe à dragées. || **dragéifier** 1850, Garot.

2. ***dragée** 1268, É. Boileau (*dragie*) ; 1268, Boileau (*dragée*), « fourrage » ; lat. pop. **dravocata,* dér. de *dravoca,* ivraie, mot gaulois.

drageon 1553, Belon ; francique **draibjo,* pousse (allem. *Treib*). || **drageonner** 1636, Monet.

dragon 1080, *Roland,* « serpent fabuleux » ; 1594, *Satire Ménippée,* « soldat de cavalerie », d'apr. le nom de l'étendard (*dragon,* au sens d'étendard, date du XIIe s. : un dragon devait y figurer) ; lat. *draco, -onis.* || **dragonneau** XIIIe s., *Otinel* (*-nel*). || **dragonnier** 1190, Bodel, « porte-étendard » ; XVe s., *D. G.,* « arbre exotique », dont la résine rouge était dite *sang-dragon.* || **dragonne** 1673, Molière, « femme acariâtre » ; 1771, Trévoux, « batterie de tambour ». || **dragonnade** 1708, Furetière.

drague milieu XVIe s., « filet » ; 1505, Gonneville, « racloir adapté au filet » ; 1642, Oudin, sens actuel ; angl. *drag,* crochet, filet, de *to drag,* tirer. || **draguer** début XVIIe s. ; 1914, Esnault, « racoler une fille ». || **dragueur** 1664, Jal. || **dragage** 1765, *Encycl.*

drain 1850, St. Faivre, agric. ; 1859, méd., mot angl., de *to drain,* dessécher. || **drainer** *id.* || **drainage** milieu XIXe s.

draine XVIe s., *Menus de Tonnerre* (*drine*) ; 1755, *Encycl.* (*drenne*), « grive » ; origine sans doute gauloise ou germ.

draisienne 1816, *D. G. ;* du nom du baron *Drais von Sauerbronn,* l'inventeur (1785-1851). || **draisine** 1873, *J. O.*

drakkar 1870, Lar. (*drake*) ; 1906, Lar. (*drakkar*), mot scand. signif. « dragon ». Le nom de ces bateaux scandinaves vient du dragon qui ornait leur proue.

drame 1707, Lesage ; 1787, *Correspondance littér.,* fig. ; bas lat. *drama,* action théâtrale (IVe s., Ausone), gr. *drâma,* de *drân,* agir. || **dramatique** 1370, Lefèvre ; rare jusqu'au XVIIe s. ; bas lat. *dramaticus,* du gr. *dramatikos.* || **dramatiquement** 1777, Cubières-Palmézeaux.

|| **dramatiser** 1801, Mercier. || **dramatisation** 1889, Goncourt. || **dramaturge** 1773, Clément, du gr. *dramatourgos* (*ergein,* faire). || **dramaturgie** 1668, Chapelain, « catalogue » ; 1775, *Année littér.,* sens actuel.

dranet 1691, Ozanam ; angl. *dragnet,* filet (*net*) à draguer.

***drap** 1160, *Charroi,* « vêtement » ; XIIIe s., « étoffe », bas lat. *drappus* (Ve s., trad. d'Oribase), mot gaulois. || **draper** 1268, É. Boileau, « fabriquer le drap » ; 1636, R. François, « disposer une étoffe ». || **drapant** 1566, H. Est. || **drapé** n. m. XXe s. || **drapier** 1244, Fagniez. || **draperie** 1160, *Tristan,* « étoffe de drap » ; 1677, Miege, disposition d'une étoffe. || **drapeau** 1170, *Rois,* « morceau de drap, lange, vêtement » ; XVIe s., La Curne, « étoffe attachée à une hampe » ; 1784, B. de Saint-Pierre, « étendard », avec infl. de l'ital. *drappello.*

drastique 1741, Col de Vilars, « qui purge énergiquement », gr. *drastikos,* actif, de *drân,* agir.

drave XVe s., *D. G.,* bot. ; esp. *draba,* gr. *drabê.*

dravidiennes (*langues*) 1856, Lachâtre (*-ique*) ; 1888, Lar. ; sanskrit *Dravida,* nom d'une province du sud de l'Inde.

drawback 1755, Forbonnais, mot angl. signif. « remise » ; de *to draw,* tirer, et *back,* en arrière.

drayer 1746, Savary, « travailler le cuir » ; néerl. *draaien,* tordre.

dreadnought 1906, lancement d'un cuirassé angl., mot angl. signif. « qui ne craint rien » (*which dreads nought*), et qui servit à désigner un type de navire.

drèche 1688, Miege ; altér. de l'anc. fr. *drasche,* cosse ; du lat. médiév. *drasca,* sans doute d'un gaulois ou d'un prélatin.

1. **drège** 1584, Pardessus, « peigne de fer » ; allem. *Dresche,* machine à égrener, de *dreschen,* battre au fléau.

2. **drège** 1584, *D. G.,* « filet » ; angl. *dredge.*

drelin 1630, Neufgermain, onomat.

***dresser** fin XIe s., *Alexis* (*-cier*) ; XIIe s. (*dresser*) « mettre droit » ; milieu XVIe s., Amyot, « dresser un animal » ; lat. pop. **directiare,* de *directus,* droit. || **dressage** 1791, Pajot. || **dressement** 1120, *Ps. d'Oxford.* || **dresse** 1680, Richelet. || **dressée** 1755, *Encycl.* || **dresseur** 1536, Collerye, « critique ». || **dressoir** 1285, G. (*drecher*) ; XIVe s., Laborde (*dressoir*) : on dressait les assiettes debout contre la paroi. || **adresser** XIIe s., *Rois* (*adrecier*), « dresser, diriger ». || **adresse** 1190, Saint Bernard, « direction » (jusqu'au XVIIe s.), et « bonne direction » ; XVIIe s., « habileté » et « adresse d'une lettre » ; 1656, Dugard, sens parlementaire par l'angl. || **adressier** 1911, Lar. || **maladresse** 1731, Marivaux, d'apr. *adresse,* pour servir de dér. à *adroit.* || **redresser** 1131, *Couronn. Loïs ;* XVIe s., fig. || **redressement** 1155, Wace. || **redresseur** 1566, Delb.

dribbler 1895, *Sports athlét. ;* angl. *to dribble.* || **dribble** 1961, Lar. ; déverbal. || **dribbleur** XXe s. || **dribbling** *id.*

1. **drille** 1628, Chereau, « soldat vagabond », « pauvre diable », emploi fig. de *drille,* chiffon.

2. **drille** fin XIVe s., « chiffon » ; moyen néerl. *drille,* trou de vrille, ou haut all. *durchilon,* mettre en lambeaux.

3. **drille** 1690, Furetière, « chêne » ; lat. pop. **druilia,* apparenté au gaulois *dervo,* chêne.

4. **drille** 1752, Trévoux, « porte-foret » ; néerl. *drillen,* percer en tournant.

drink 1875, Mackenzie ; mot angl., de *to drink,* boire.

drisse 1639, Cleirac ; ital. *drizza,* de *drizzare,* dresser, c'est-à-dire « cordage servant à hisser ».

drive 1896, Bonnafé ; mot angl., de *to drive,* pousser.

driver 1900, Mackenzie ; mot angl., de *to drive,* conduire.

drogman fin XIIe s., *Prise d'Orange* (*drugement*) ; XIVe s., *Chron. de Morée* (*droguement*) ; ital. *drogomanno,* du gr. byzantin *dragoumanos,* interprète, d'orig. sémitique. (V. TRUCHEMENT.)

drogue XIVe s., *Nature à Alch. ;* néerl. *droog,* chose sèche. || **droguerie** 1462, G. || **droguer** milieu XVIe s. || **drogué** début XXe s. || **drogueur** milieu XVe s. || **droguiste** 1549, Maignan. || **droguet** 1554, Gay, « étoffe de laine de bas prix », d'apr. le sens fig. de *drogue,* « chose sans valeur ».

droguerie milieu XVe s., « sécherie de harengs », du néerl. *drogerij,* sécherie, de *droog,* sec. (V. aussi DROGUE.) || **drogueur** 1755, *Encycl. ;* néerl. *drogen,* sécher, « pêcheur de harengs ».

***droit** adj., 1080, *Roland* (*dreit*) ; XIIe s. (*droit*) ; lat. *dirēctus ;* il a pris au XVe s. le sens de l'anc.

fr. *destre*, « qui est à droite » (v. DEXTRE, DIRECT). || **droit** n. m., 842, *Serments Strasbourg ;* bas lat. *directum* (VIe s., Grégoire de Tours). || **droite** 1656, Pascal, « main droite » ; fin XVIIIe s., polit., d'après l'usage angl. || **droitement** 1155, Wace. || **droitier** XVIe s., G. || **droitiste** XXe s., polit. || **droiture** 1190, Couci, « justice, devoir » (aller droit) ; XIIe s., *Vie de saint Thomas Becket,* fig. || **adroit** 1175, Chr. de Troyes (v. DRESSER). || **endroit** 1050, *Alexis ;* prép., « vers » (jusqu'au XVIe s.) ; XIIe s., « lieu » et « le côté droit ». || **maladroit** début XVIe s., avec l'adv. *mal,* pour *maladresse* (v. DRESSER). || **adret** début XXe s., mot prov. *adreit,* droit (vers le soleil). || **ayant droit** milieu XIXe s.

drôle fin XVe s. (*drolle*), « plaisant coquin » ; 1652, Scarron, « mauvais sujet » ; adj., 1636, Monet ; néerl. *drol,* lutin, petit bonhomme. || **drolatique** 1564, Rab. || **drôlerie** milieu XVIe s. || **drôlesse** 1585, Cholières. || **drôlet** 1739, Favart. || **drôlichon** 1827, Ricard (n. pr. dans *les Plaideurs,* 1668).

dromadaire milieu XIIe s., *Thèbes ;* bas lat. *dromedarius* (IVe s., saint Jérôme), du gr. *dromas,* coureur. || **dromas** 1836, Landais, empr. direct au gr. Désigne un échassier de l'Inde.

drome 1755, *Encycl.,* mar. ; bas allem. *drōm* ou néerl. *drommer,* poutre.

drongo 1760, Brisson, « passereau », mot malgache.

drop-goal 1895, Bonnafé ; mot angl., de *to drop,* laisser tomber, et *goal,* but.

dropper XXe s. ; angl. *to drop,* larguer. || **drop-page** 1961, Lar.

drosera 1804, *Encycl. méth. ;* mot du lat. bot. du gr. *droseros,* humide de rosée.

drosophile v. 1850 ; gr. *drosos,* rosée, et *philos,* qui aime.

drosse 1634, *Doc. ;* altér. de l'ital. *trozza,* lat. *tradux,* sarment.

drosser 1777, Lescallier ; néerl. *drossen,* entraîner.

dru 1080, *Roland,* « vigoureux » (jusqu'au XVIIe s.), et « dense » ; gaulois **druto,* fort. || **drument** 1167, G. d'Arras.

drugstore v. 1950 ; mot anglo-américain, de *drug,* drogue, et *store,* boutique.

druide 1213, *Fet des Romains ;* lat. *druida,* mot gaulois, de **dervo,* chêne (fém. au XVIIe s.). || **druidesse** 1727, J. Martin. || **druidisme** 1727, *id.* || **druidique** 1773, Voltaire.

drupe 1796, *Encycl. méth. ;* lat. *drupa,* pulpe. || **drupacé** 1798, Richard. || **drupéole** 1827, *Acad.* (*drupole*) ; 1842, *Acad.* (*drupéole*).

dry 1877, Bonnafé ; mot angl. signif. « sec ».

dryade 1265, J. de Meung, myth. ; 1786, *Encycl. méth.,* « arbuste » ; lat. *dryas, -adis,* du gr. *druas, -ados,* nymphe du chêne (*drus*).

dualité XIVe s., L., puis 1585, Stevin, rare avant le XIXe s. ; bas lat. *dualitas,* de *dualis,* double. || **dualisme** 1755, *Encycl.* || **dualiste** 1702, Bayle (v. DEUX).

dubitation V. DOUTER.

duc 1080, *Roland ;* fin XIIIe s., espèce de lat. *dux, ducis,* chef. || **ducal** 1150, Barbier ; bas lat. *ducalis.* || **ducat** 1395, Anglure ; ital. *ducato,* monnaie à l'effigie d'un duc (*duca*). || **ducaton** fin XVIe s. || **duce** 1922, mot ital. du lat. *dux, ducis,* titre pris par Mussolini. || **duché** XIIe s., *Huon de Bordeaux* (*duchée,* fém., jusqu'au XVIIe s.) ; 1360, Froissart (*duché* n. m.). || **duchesse** XIIe s., *Roncevaux.* || **archiduc** 1486, Delb. || **archiduché** 1512, J. Lemaire. || **archiducal** v. 1500. || **archiduchesse** 1504, J. Lemaire. || **grand-duc** 1690, Furetière.

ducasse XVe s., forme dialectale de l'anc. fr. *dicaze, dicasse* (fin XIIe s., *Grégoire*), abrév. de *dédicace :* fête de la Dédicace dans le nord de la France.

ducat, duce, duché V. DUC.

ducroire 1723, Savary, de *demeurer du croire,* « vendre à crédit ».

ductile 1282, Gauchi ; lat. *ductilis,* de *ducere,* conduire (v. DOUILLE). || **ductilité** 1671, Rohault.

duègne 1655, Quevedo (*douegna*) ; 1655, Scarron (*douègne*) ; esp. *dueña,* du lat. *domina.* (V. DAME 1.)

1. **duel** 1539, R. Est., « combat singulier » ; 1869, Lamartine, fig. ; lat. *duellum,* forme archaïque de *bellum,* guerre ; rattaché à *duo,* deux, par étymol. pop. || **duelliste** fin XVIe s., Brantôme ; ital. *duellista.*

2. **duel** fin XVIe s. ; lat. gramm. *dualis,* de *duo,* deux. (V. DEUX.)

duetto 1870, Lar. ; mot ital. || **duettiste** 1922, Lar.

duffel-coat v. 1950 ; mot angl. de *duffel,* molleton de laine, et *coat,* vêtement.

dugazon 1845, Besch. ; du nom d'une cantatrice (1755-1821).

dugon(g) 1756, Brisson (*dujung*) ; 1765, Buffon (*dugon*) ; malais *doûyoung*.

1. **duire** 980, *Valenciennes*, « dresser », forme refaite sur le lat. *docēre*, instruire.

2. ***duire** fin Xe s., *Saint Léger*, « conduire », « attirer » ; lat. *dūcĕre*, conduire. || **duit** 1112, *Voy. saint Brendan*, « conduit », anc. part. passé. || **duite** 1755, *Encycl.* || **duitage** 1877, L.

dulcifier, dulcinée V. DOUX.

dulie 1372, Golein ; lat. eccl. *dulia*, du gr. *douleia*, servitude.

dum-dum XIXe s. ; mot angl., de *Dumdum*, n. d'un cantonnement angl. en Inde.

dumping 1904, Fleury ; mot anglo-américain signif. « vente au rabais », de *to dump*, décharger, jeter en tas.

dundee 1907, Bonnafé ; mot angl., peut-être altér. de *dandy* (1877, *J. O.*), d'après *Dundee*, port écossais.

dune XIIIe s., trad. de Guill. de Tyr ; moyen néerl. *dûne* (auj. *duin*), orig. gauloise (*duno-*, hauteur, conservé dans *Augustodunum*, Autun, et de nombreux noms de lieux). || **dunette** 1550, Jal, « levée de terre » ; 1564, J. Thierry, « petite dune » ; XVIIe s., dunette du navire.

duo 1548, N. Du Fail, mot ital. signif. « deux » (anc. forme de *due*). [V. DEUX.]

duodécimal 1801, Haüy ; lat. *duodecimus*, douzième, d'apr. *décimal*. || **duodécennal** 1861, d'après L. ; bas lat. *duodecennis*, de douze ans, de *duodecim*, douze, et *annus*, an.

duodénum 1478, Panis, abrév. du lat. méd. *duodenum digitorum*, de douze doigts, d'apr. la longueur de cette portion de l'intestin (appelé *douzedoigtier* au XVIe s.). || **duodénal** 1808, Boiste. || **duodénite** 1835, Bricheteau.

dupe 1426, Du Cange, d'abord argot ; emploi fig. de *duppe*, huppe (forme de l'Ouest avec agglutination du *d* de la prép. *de*) [pour l'évolution v. PIGEON]. || **duper** 1460, Villon (*dupé*). || **duperie** 1690, Furetière. || **dupeur** 1669, Widerhold.

duplex 1883, Jacquez, mot lat. signif. « double ». || **duplexer, duplexeur** XXe s.

duplicité 1265, J. de Meung, « caractère de ce qui est double » (jusqu'au XVIIe s.) ; milieu XVIe s., Amyot, « hypocrisie » ; lat. *duplicitas*, de *duplex, -cis*, double.

dupliquer XIIIe s., G., jurid., du lat. *duplicare*, doubler. || **duplicata** fin XVIe s., abrév. de *duplicata littera*, lettre redoublée, d'abord en lat. médiév. || **duplique** f., 1512, J. Lemaire ; adj., 1732, Trévoux. || **duplication** XIIIe s., G., lat. *duplicatio*. || **duplicateur** 1842, *Acad.*, phys. ; XXe s., techn.

***dur** 1050, *Alexis* ; lat. *dūrus*. || **durement** 1080, *Roland*. || **durcir** fin XIIe s., *Alexandre*, v. i. ; v. t. 1580, Montaigne. || **durcissement** milieu XVIIIe s., Buffon. || **dure-mère** 1314, Mondeville ; lat. médiév. *dura mater*, comme *pie-mère*. || **duret** XIIe s., *Ignaure*. || **dureté** XIIIe s., *Saint-Graal* (*durté*) ; XIVe s. (*dureté*). || **durillon** XIIIe s., *Livre des simples médecines*. || **endurcir** 1170, *Rois*, fig. ; milieu XVIe s., sens propre. || **endurcissement** 1495, J. de Vignay, fig. ; 1560, Paré, sens propre.

Duralumin 1909, formé avec le rad. de *Düren*, ville de Westphalie où l'alliage fut créé, et celui d'*aluminium*.

duramen 1839, Boiste, « cœur de tronc d'arbre », mot lat. signif. « bois dur », de *durus*, dur.

***durer** 1050, *Alexis* ; lat. *dūrāre*, durcir, durer, de *durus*, dur. || **durable** *id.* || **durablement** 1160, Benoît. || **durée** 1131, *Couronn. de Loïs.* || **duratif** 1910, Lar., gramm. || **durant** 1283, Beaumanoir, en finale (*le mariage durant*) ; 1580, Montaigne, inversion de la construction ; *durant que* XVe s., part. prés. de *durer*.

durion 1588, La Porte, malais *dourian* ; grand arbre d'Asie.

Durit v. 1950, nom déposé ; de *dur*.

duumvir 1586, Crespet, mot lat. ; de *duo*, deux, et *vir*, homme. || **duumviral** 1732, Trévoux.

duvet début XIVe s., var. inexpliquée de *dumet* (XVe s.), dimin. de l'anc. fr. *dum* (1170, G. ; le *m* paraît dû à *plume*) ou *dun* (XIIIe s.), du nordique *dūnn* ; les duvets venaient de Scandinavie (v. ÉDREDON). || **duveté** 1534, Rab. (*dumeté*) ; 1611, Cotgrave (*-veté*). || **duveter** (se) 1875, Zola. || **duveteux** 1579, R. Garnier. || **duvetine** 1929, Lar.

dyade 1546, Rab. (*dyas*) ; lat. *dyas*, du gr. *duas, -ados*, dualité.

dyke 1768, Morand (*dike*) ; angl. *dicke*, veine minérale.

dynam(o)-, gr. *dunamis,* force. || **dynamique** 1692, *D. G. ;* XXe s., fig. ; gr. *dunamikos,* puissant, efficace ; n. f., 1752, Trévoux. || **dynamiser** 1872, *Rev. des Deux Mondes.* || **dynamisme** 1835, *Acad.,* philos. ; 1870, Lar., fig. || **dynamie** 1836, Landais, mécanique. || **dynamite** 1866, Nobel. || **dynamiter** 1890, A. Daudet. || **dynamitage** XXe s. || **dynamiterie** 1875, *J. O.* || **dynamitero** 1892, *Figaro ;* mot esp. || **dynamiteur** 1871, *J. O.* || **dynamo** 1886, Benz, de *machine dynamoélectrique.* || **dynamographe** 1878, Lar. || **dynamomètre** 1802, Laveaux.

dynaste v. 1500 ; gr. *dunastês,* souverain (sens restreint en fr.). || **dynastie** 1455, Fossetier ; rare jusqu'au XVIIIe s. ; gr. *dunasteia,* domination. || **dynastique** 1834, Landais. || **dynastisme** 1870, *Centre gauche.*

dyne 1881, *Congrès des physiciens* (Paris), du gr. *dunamis,* force.

dys-, gr. *dus,* préfixe péjor. signif. « mauvais ». || **dysarthrie** XXe s. || **dyscinésie** 1772, Gouvion ; gr. *duskinêsia,* difficulté à se mouvoir. || **dysenterie** XIIIe s., trad. de Guill. de Tyr (*dissintere*) ; 1560, Paré (*dysenterie*) ; lat. méd. *dysenteria,* du gr. *dusenteria* (*entera,* entrailles). || **dysentérique** fin XIVe s., G. ; lat. méd. *dysentericus,* du gr. *dusenterikos.* || **dysfonctionnement** XXe s. || **dysgraphie** 1878, Lar. ; gr. *graphein,* écrire. || **dysharmonie** 1878, Lar. || **dyslexie** 1907, Lar. ; gr. *lexis,* élocution, pris pour dérivé de *lecture.* || **dysménorrhée** 1805, Lunier. || **dyspepsie** milieu XVIe s. ; lat. méd. *dyspepsia,* du gr. *duspepsia* (*peptein,* cuire, digérer). || **dyspepsique** 1845, Besch. (*-peptique*). || **dyspnée** 1363, Martin de Saint-Gille (*-pnœe*) ; XVIIe s. (*dyspnée*) ; lat. méd. *dyspnœa,* du gr. *duspnoia,* de *pnein,* respirer. || **dysthénie** XXe s. ; gr. *sthenos,* vigueur. || **dystocie** 1864, L. ; gr. *tokos,* enfantement. || **dysurie** 1505, Christol.

dytique milieu XVIIIe s. ; lat. bot. *dytiscus,* du gr. *dutikos,* plongeur, de *duein,* plonger.

***eau** 1080, *Roland* (*ewe*) ; XIIIe s. (*eaue*) ; XVe s. (*eau*) ; lat. *aqua*. || **eau-de-vie** XIVe s., *Nature à alchimie* ; trad. du lat. des alchimistes *aqua vitae*. || **eau-forte** 1543, *Doc.*, acide azotique ; 1808, Boiste, « gravure à l'eau-forte ». || **morte-eau** 1484, Garcie.

ébahir, ébarber, ébattre V. BAYER, BARBE 1, BATTRE.

ébaubi 1273, Adenet (*es-*), var. avec préfixe *é-* de l'anc. fr. *abaubi*, part. passé de *abaubir* (1220, Coincy), rendre bègue, du lat. *balbus*, bègue. || **ébaubir (s')** 1530, Marot.

ébaucher 1380, Delb. (*esbochier*) ; 1636, Monet (*ébaucher*) ; de l'anc. fr. *esbaucheïs* (XIIe s.), de l'anc. fr. *balc, bauc*, poutre (v. BAU). || **ébauchage** XVIe s., G. || **ébauche** 1643, Rotrou, « production informe » ; 1701, Massillon, fig. || **ébauchement** 1548, Delb. || **ébauchoir** 1676, Félibien.

ébaudir (s') 1080, *Roland* (*es-*) ; 1646, Scarron (*ébaudir*) ; de l'anc. fr. *bald, baud*, joyeux (XIIe s.). || **ébaudissement** XIIIe s., *Anseïs de Carthage*.

ébène 1130, *Eneas* (*ebenus*) ; 1180, *Alexandre* (*ébaine*) ; lat. *ebenus*, du gr. *ebenos*, mot égyptien. || **ébénier** 1680, Richelet. || **ébéniste** 1676, Pomey, « qui travaille l'ébène » ; 1690, Furetière, « fabricant de meubles de choix ». || **ébénisterie** 1732, Trévoux.

éberluer V. BERLUE.

***éblouir** 1180, *Alexandre* (*esbleuir*) ; 1636, Monet (*éblouir*) ; lat. pop. **exblaudire*, du francique **blaudi*, faible (allem. *blöde*, faible des yeux), avec l'infl. ancienne de *bleu*. || **éblouissant** 1551, Pontus de Tyard. || **éblouissement** 1460, Chastellain.

ébonite 1862, Bonnafé ; angl. *ebony*, bois d'ébène.

ébouler 1155, Wace (*esboeler*), « éventrer » ; 1283, Beaumanoir (*esboouler*) ; XVIIe s. (*ébouler*), « faire tomber » ; anc. fr. *boel*, forme anc. de *boyau*. || **éboulement** 1547, J. Martin. || **ébouleux** 1795, *journ. des Mines*. || **éboulis** 1701, Furetière.

ébouriffer 1671, Sévigné (*-fé*) ; 1778, Rousseau (*-ffer*) ; prov. mod. *esbourifat*, « aux cheveux retroussés comme de la bourre », avec une finale obscure. || **ébouriffant** début XIXe s. (1842, *Acad.*). || **ébouriffement** fin XIXe s.

ébraser, ébrécher V. EMBRASURE, BRÈCHE.

ébriété début XIVe s. ; rare jusqu'au XIXe s. ; lat. *ebrietas*, de *ebrius*, ivrogne. || **ébrieux** 1870, Lar. ; lat. *ebriosus*, adonné au vin.

ébroudir 1768, Duhamel du Monceau ; origine inconnue.

ébrouer 1564, J. Thierry, « éternuer pour dégager les naseaux » ; v. pr. 1688, Miege ; fin XVIIe s., Saint-Simon, « se secouer » ; anc. fr. *brou*, bouillon, d'où « écume ». || **ébrouement** 1611, Cotgrave, « éternuement » ; 1755, *Encycl.*, « vive secousse ».

ébuard 1743, Trévoux, « coin pour fendre les bûches » ; altér. probable de *ébuoir*, de *bu*, trou, mot dial. d'origine obscure.

ébullition XIIe s. ; bas lat. *ebullitio*, jaillissement, de *bullire*, bouillir. || **ébullioscope** 1864, L. ; gr. *skopein*, examiner.

écacher V. CACHER.

écaffer 1680, Richelet, « fendre une tige » ; d'orig. obscure.

écaille 1190, Garn. (*escale*) ; 1636, Monet (*écaille*) ; 1611, Cotgrave, méd. ; mot normanno-picard, du germanique **skal(j)a*, coquille. || **écailler** fin XIIe s., R. de Moiliens ; 1467, Gay (*s'écailler*) ; n. m., début XIVe s. || **écaillage** 1755, *Encycl.* || **écailleux** 1560, Paré. || **écaillement** 1611, Cotgrave. || **écailleur** *id.* || **écaillure** 1538, R. Est.

écale 1190, Garn. (*esc-*) ; mot normanno-picard, de l'anc. haut allem. **skala*, coquille, écaille. || **écaler** 1549, R. Est. || **écalure** 1840, *Acad.*

écarlate 1160, Benoît (*esc-*) ; XVe s. (*écarlate*) ; lat. médiév. *scarlatum,* altér. du persan *saqīrlat,* nom d'étoffe, primitivement bleue, puis rouge, de l'ar. *siguillat,* moyen gr. **sigillatos,* de *sigillum,* sceau. (V. SCARLATINE.)

écarquiller 1530, Palsgrave ; anc. fr. *escarquiller,* lat. *ex,* hors de, et *quart.* || **écarquillement** 1559, Amyot. (V. QUART.)

écarteler 1160, Benoît, « mettre en quartiers » ; anc. fr. **esquarterer,* partager en quatre parties, de *quartier,* dér. de *quart.* || **écartèlement** 1557, P. de Mesmes. || **écartelure** 1352, G. (v. QUART).

1. ***écarter** 1249, Sarrazin (*es-*) ; XVIIe s. (*écarter*) ; *s'écarter,* « s'éloigner », milieu XVIe s., Amyot ; lat. pop. **exquartare,* partager en quatre (ital. *squartare,* écarteler), par ext. séparer, éloigner. || **écart** 1160, Benoît, déverbal ; fig. XVIe s. ; XVIIe s., « hameau ». || **écartement** 1557, P. de Mesmes. || **écarteur** 1864, L.

2. **écarter** [*une carte*] V. CARTE.

ecballium 1870, Lar. (*ecbalion*) ; lat. scientif. *ecballium,* du gr. *ekballein,* jeter hors de ; plante qui s'ouvre en lançant ses graines.

ecce homo 1690, Furetière, « christ couronné d'épines » ; mots lat. signif. « voici l'homme », prononcés par Ponce Pilate d'apr. l'Évangile de saint Jean, en présentant aux Juifs le Christ couronné d'épines.

eccéité 1951, Lalande ; lat. scolastique (Scott) *ecceitas,* de *ecce,* voici.

ecchymose 1540, *Chirurgie ;* gr. *egkhumôsis,* masc., de *khamos,* suc, liquide, c'est-à-dire tache produite par le sang extravasé. || **ecchymosé** 1833, *Doc.*

ecclésiastique adj., fin XIIIe s. ; lat. chrét. *ecclesiasticus* (IIIe s., Tertullien), du gr. *ekklêsiastikos,* de l'assemblée du peuple (*ekklesia*) (v. ÉGLISE). || **ecclésiastiquement** fin XVIe s., Béroalde de Verville. || **ecclésial** 1190, Garnier ; lat. médiév. *ecclesialis,* de *ecclesia,* assemblée de chrétiens.

écervelé V. CERVEAU.

échafaud 1160, Benoît (*eschaiphalt*) ; XVIe s., Amyot (*échafaud*), « plate-forme, estrade » ; 1464, Commynes, sens actuel ; forme renforcée d'apr. *échelle* de l'anc. fr. *chafaud* (1160, Benoît), échafaudage ; lat. pop. **catafalĭcum,* de *fala,* tour de bois, et *catasta,* estrade pour la vente des esclaves. || **échafauder** 1268, É. Boileau. || **échafaudage** début XVIe s.

échalas fin XIIe s., *Loherains* (*esca-*) ; altér., par croisement avec *échelle,* de l'anc. fr. *charas* (XIIe s.), caisse faite avec des lattes, du lat. pop. **caracium,* gr. *kharax,* pieu. || **échalasser** 1396, Du Cange.

échalote début XIIe s., *Voy. de Charl.* (*escaluigne*) ; 1514, Houssemaine (*eschalote*) ; altér. du lat. *ascalonia* (*cepa*), oignon d'Ascalon, ville d'Israël.

échamp, échancrer V. CHAMP, CHANCRE.

échandole 1552, Ch. Est., « bardeau » ; mot dauphinois, du lat. *scindula,* d'où l'anc. fr. *essende.*

***échanger** V. CHANGER.

échanson VIIIe s., *Gloses Reichenau* (*scantione*) ; fin XIIe s., *Loherains* (*eschanson*) ; francique **skankjo ;* même rac. que l'allem. *schenken,* donner à boire.

échantillon 1268, É. Boileau (*es-*), « étalon de poids » ; XVe s., « épreuve, essai » et « morceau de produit pour évaluer » ; 1611, Cotgrave, « spécimen » ; altér. de l'anc. fr. *eschandillon* (XIIIe s.), « étalon », de *eschandiller,* vérifier les mesures des marchands, mot surtout lyonnais ; lat. pop. **scandaculum,* échelle pour monter, de *scandere,* monter. || **échantillonner** 1452, G. || **échantillonnage** *id.* || **échantillonneur** 1922, Lar.

***échapper** 1080, *Roland* (*escaper*) ; XVIIe s. (*échapper*) ; lat. pop. **excappare,* sortir de la chape, en la laissant aux mains du poursuivant. || **échappement** XIIe s., Herman de Valenciennes, « fait d'échapper » ; XVIIIe s., techn. ; *s'échapper* XVe s. || **échappatoire** XVe s., d'Escouchy. || **échappade** 1755, *Encycl.* || **échappée** 1475, *D. G.,* part. passé. || **réchapper** fin XIIe s. (V. RESCAPÉ.)

écharde fin XIe s., *Gloses Raschi* (*esjarde*) ; 1119, Ph. de Thaon (*escherde*) ; XVIe s. (*écharde*) ; francique *skarda,* entaille, éclat (allem. *Scharte*).

écharner V. CHAIR.

écharpe début XIIe s., *Voy. de Charl.* (*escrepe*) ; XIIe s. (*escherpe*), « sacoche, bourse » ; XIIIe s., « bande d'étoffe passée autour du corps » ; francique **skirpja,* sacoche en bandoulière (scand. *skreppa*), sens premier en anc. fr. ; du lat. *scirpus,* jonc.

écharper XVe s. (*escharpir*), « mettre en pièces » ; 1668, Hauteroche (*écharper*), « couper » ; fin XVIIe s., « mettre en pièces » ; anc. fr. *charpir,* déchirer, du lat. pop. **carpire,* cueillir, carder. (V. CHARPIR.)

***échars** 1130, *Eneas* (*eschars*), « avare » ; auj. *monnaie écharse :* au-dessous de sa valeur ; lat. pop. **excarpsus,* réfection de *excerptus,* extrait, d'où « resserré » (v. ESCARCELLE). || **écharser** XIIe s., « user avec épargne » ; XIVe s., « faire de la fausse monnaie ».

échasse fin XIIe s., *Aliscans* (*eshace*), « long bâton » ; XIIIe s., « jambe de bois » ; 1676, Félibien, techn. ; francique **skakkja* (cf. angl. *skate,* patin). || **échassier** début XIIe s., *Thèbes,* « qui porte une jambe de bois » ; 1798, *Bull. des sciences,* zool.

échauboulure 1549, R. Est. (*échaubouillure*) ; 1611, Cotgrave (*-boulure*) ; de *chaud* et *bouillir.*

échauder, échauffer V. CHAUD, CHAUFFER.

échauffourée XIIIe s., Guillot (*es-*), « rencontre malheureuse » ; XVIIIe s., sens actuel ; croisement entre *échauffer* et *fourrer,* au part. passé substantivé.

échauguette 1080, *Roland* (*escalguaite*), « action de veiller » ; 1175, Chr. de Troyes, « sentinelle », « troupe » ; XVe s., « petite tour » ; francique **skarwahta,* de *skara,* troupe, et *wahta,* guet.

***èche, aiche** XIIe s. (*esche*) ; lat. *esca,* nourriture.

échéance V. ÉCHOIR.

échec 1080, *Roland* (*eschac*) ; 1170, *Floire et Blancheflor* (*eschec*) ; 1611, Cotgrave (*échec*), au jeu d'échecs et « insuccès » ; arabo-persan *chāh,* roi (par l'intermédiaire de l'esp.) ; dans la loc. *chāh mat,* « le roi est mort » (v. MAT 1). || **échiquier** 1130, *Eneas* (*eschaquier*) ; 1690, Furetière, au sens de « trésor public », calque de l'angl. *exchequer.*

***échelle** 1175, Chr. de Troyes (*eschiele*) ; XIVe s. (*eschelle*) ; lat. *scala ;* le sens mar. « escale », proprement « lieu où l'on mettait une échelle pour débarquer », est resté dans *Échelles du Levant* (1678, Guillet) ; fig. *échelle sociale,* XVIIIe s. ; *échelle d'un baromètre,* XIXe s. || **échelon** fin XIIe s., *Aiol* (*es-*). || **échelonner** XVe s., *D. G.,* « ranger » ; rare jusqu'au XIXe s. || **échelonnement** 1875, Verlaine. || **écheler** XIIIe s., G., « escalader ». || **échelette** XIIIe s., « petite échelle ». || **échelage** 1509, *Cout. de Meaux.* || **échelier** 1685, Furetière, techn.

***écheveau** 1200, Tobler-Lommatzsch (*eschevel*) ; 1460, Villon (*escheveau*) ; fig. 1842, Mozin ; lat. *scabellum,* petit banc, par ext. dévidoir, puis écheveau à dévider. || **échevette** 1407, Du Cange. (V. ESCABEAU.)

échevelé V. CHEVEU.

échevin 1175, Chr. de Troyes (*es-*) ; mot du Nord, du francique **skapin,* juge (lat. mérovingien *scabinos,* à l'accusatif pl., *Loi des Longobards*). || **échevinage** 1211, *D. G.*

échidné 1611, Cotgrave (*échidne*), « vipère » ; début XIXe s. (*échidné*) ; gr. *ekhidna,* vipère, d'apr. les piquants des oursins comparés aux crochets de la vipère.

échiffe, échiffre début XIIe s., *Thèbes* (*eschive*) ; 1676, Félibien (*échiffre*) ; anc. verbe *eschiver,* var. de *esquiver,* « guérite de bois élevée au Moyen Âge sur les murs d'une ville ».

échine 1080, *Roland* (*eschine*) ; 1655, Bonnefons (*échine*) ; francique **skina,* « os de la jambe » (allem. *Schienbein*) et « aiguille » (même évolution que *épine dorsale*). || **échinée** 1131, *Couronn. de Loïs.* || **échiner** 1515, *D. G.,* « rompre l'échine » ; *s'échigner* 1660, Oudin, « se fatiguer » ; *s'échiner* 1644, Scarron.

échino-, lat. *echinus,* hérisson, gr. *ekhinos.* || **échinocarpe** 1864, L. || **échinocoque** 1839, Boiste. || **échinoderme** 1792, *Encycl. méth. ;* gr. *derma,* peau.

échiquier V. ÉCHEC.

écho XIIIe s., G. ; fig. 1748, Voltaire, « parole rapportée » ; 1870, Lar., « journal » ; lat. *echo,* du gr. *êkhô.* || **échographie** XXe s. || **écholocation** XXe s. || **échotier** 1866, Barbey d'Aurevilly.

***échoir** 1131, *Couronn. de Loïs* (*escheoir*), au prop. et au fig. ; lat. **excadēre,* réfection de *excidĕre,* sur *cadĕre,* tomber. (V. CHOIR.) || **échéance** 1193, Hélinant, « ce qui échoit » ; 1630, *Arrêt de septembre,* sens commercial ; part. prés., au neutre pl. pris comme fém.

1. **échoppe** XIIe s., Ernoul (*escope*), « boutique » ; 1460, Coquillart (*eschope*) ; anc. néerl. *schoppe,* petite baraque.

2. ***échoppe** XIVe s. (*eschaulbre*), « burin » ; XVe s. (*eschaupre*) ; 1625, Stoer (*échoppe*), sens actuel ; lat. *scalprum,* burin, ciseau (v. SCALPEL). || **échopper** 1621, Brunot.

***échouer** 1559, Amyot (*eschoué*) ; orig. douteuse, p.-ê. du lat. pop. **excautare,* de *cautes,* rocher. || **échouage** 1674, J.-B. Colbert. || **échouement** 1637, Crespin.

éclabousser 1564, J. Thierry (*esclabocher,* forme picarde) ; 1669, Widerhold (*éclabousser*) ; altér. de l'anc. fr. *esclaboter* (XIIIe s., *Fabliau*), formation expressive comme *clapoter.* || **éclaboussement** 1835, *Acad.* || **éclaboussure** XVe s., *Perceforest ;* 1829, Boiste, fig.

éclair, *éclaircir, *éclairer V. CLAIR.

éclampsie 1792, *Encycl. méth. ;* lat. médical *eclampsis,* du gr. *eklampsis,* manifestation subite, d'où convulsion, de *eklampein,* briller.

***éclater** XIIe s., *Marbode* (*es-*), « briser » ; XVe s., Mantellier, « se fendre » ; 1564, Thierry, « briller » ; 1671, Pomey, « produire un bruit » ; fig. XVIIe s. ; francique **slaitan,* fendre. || **éclat** 1175, Chr. de Troyes, « fragment » ; 1564, Thierry, « lumière » ; XVe s., La Curne, « bruit » ; XVIIe s., fig. ; déverbal. || **éclatement** 1553, G. || **éclateur** 1922, Lar.

éclectique milieu XVIIe s. ; gr. *eklektikos,* de *eklegein,* choisir, c.-à-d. « formé d'éléments empruntés à d'autres systèmes ». || **éclectisme** 1755, *Encycl.*

éclipse XIIe s., *Marbode ;* 1265, J. de Meung, fig. ; lat. *eclipsis,* du gr. *ekleipsis,* orbite du soleil, sur laquelle se produisent les éclipses. || **éclipser** 1265, J. de Meung, pour un astre ; fig. 1761, Rousseau. || **écliptique** XIIIe s., G. ; rare jusqu'au XVIIIe s. ; lat. *eclipticus,* du gr. *ekleiptikos.*

éclisse 1080, *Roland* (*esclice*) ; début XVIIe s. (*éclisse*) ; déverbal de *éclisser.* || **éclisser** 1080, *Roland* (*esclicer*) ; XVIIe s. (*éclisser*) ; francique **slitan,* fendre (anc. fr. *esclier*).

écloper, *éclore V. CLOPIN-CLOPANT, CLORE.

***écluse** XIIIe s., *Chron. de Rains* (*es-*) ; bas lat. *exclūsa* (VIe s.), part. passé féminin de *excludere,* faire sortir, abrév. d'« eau *séparée* du courant », loc. liée à l'invention du moulin à eau. || **écluser** fin XIIe s., R. de Moiliens ; 1936, Esnault, pop. « boire ». || **éclusier** fin XIVe s., G. ; rare jusqu'en 1798, *Acad.* || **éclusée** av. 1621, Courval-Sonnet.

écobuer 1539, *Cout. général* (*ego-*), « défricher » ; 1721, Réaumur (*eco-*) ; mot de l'Ouest, sans doute du dial. *gobuis,* terre pelée, de *gobe,* motte de terre, d'orig. gauloise. || **écobue** 1753, Duhamel du Monceau. || **écobuage** 1797, *Ann. de l'agriculture.*

écœurer, écoinçon V. CŒUR, COIN.

écoine 1344, G. (*escohine*), « grosse râpe » ; 1676, Félibien, « lime » ; lat. *scobina,* de *scobis,* raclure, de *scabere,* gratter. || **écoiner** 1723, Savary.

***école** 1050, *Alexis* (*escole*) ; 1636, Monet (*école*) ; lat. *schola,* du gr. *skholê.* || **écolage** 1340, *Tombel de Chartrose.* || ***écolier** XIIe s., *Roncevaux* (*escoler*), puis *écolier* (début XIIIe s.) par changement de suffixe ; bas lat. *scholaris* (IVe s., Prudence). || **écolâtre** XIIIe s., G. ; lat. *scholasticus,* « qui appartient à l'école » ; le suffixe a pris une valeur péjor.

écologie début XXe s. ; gr. *oikos,* maison, et *-logie,* science. || **écologiste** *id.* || **écosystème** XXe s.

éconduire XVe s., *Perceforest* (*es-*) ; XVIIe s. (*éconduire*) ; altér., sous l'infl. de *conduire,* de l'anc. fr. *escondire,* refuser (*s'escondire,* s'excuser, 1050, *Alexis*) ; bas lat. *excondicĕre* (IXe s.), du lat. *condicere,* « convenir de », de *dicere,* dire.

économe 1337, G. (*aconome*), « religieux qui a soin de la dépense d'un couvent » ; 1546, R. Est. (*économe*) ; lat. jurid. *œconomus,* administrateur, du gr. *oikonomos,* de *oikos,* maison, et *nomos,* administration ; 1615, Montchrestien, adj., « qui épargne », fig. || **économat** milieu XVIe s. || **économie** 1370, Oresme (*yconomie*) ; 1546, R. Est. (*économie*), « administration » ; début XVIe s., « épargne » ; lat. *economia,* du gr. *oikonomia ; économie politique,* 1615, Montchrestien, rare jusqu'au XVIIIe s. || **économique** *id. ;* lat. *economicus,* du gr. *oikonomikos,* même évol. de sens. || **économiquement** 1690, Furetière. || **économiser** 1718, *Acad.,* « administrer » ; 1747, Graffigny, « épargner ». || **économiseur** 1888, Lar. || **économisme** 1774, Linguet. || **économiste** 1767, Ritter, sur *économie politique.* || **économétrie** milieu XXe s.

écope XIIIe s. (*escope*) ; XVIIe s. (*écope*), « pelle de bois » ; francique **skôpa.* || **écoper** 1867, Delvau, fig. pop., « recevoir un coup » ; du sens propre « vider ou frapper avec l'écope » (enregistré seulement en 1870, Lar.).

écoperche 1470, G. (*es-*), « perche » ; sans doute de *escot,* rameau (XIIIe s.), du francique **skot,* pousse, et de *perche.*

écorce 1175, Chr. de Troyes (*es-*) ; XVIIe s. (*écorce*) ; lat. *scortea,* vêtement de peau, de *scortum,* peau. || **écorcer** 1155, Wace (*escorcier*). || **écorçage** 1799, *Annales.* || **écorcement** 1539, R. Est. || **écorceur** 1930, Lar.

***écorcher** 1160, Benoît (*escorcier*) ; XVIIe s. (*écorcher*) ; bas lat. *excorticare* (IVe s., saint Augustin), écorcer, enlever la peau, de *cortex, -icis,* écorce. || **écorchage** XXe s. || **écorché** 1766, Diderot, bx-arts. || **écorcheur** XIIIe s., G. || **écorchure** XIIIe s., L. || **écorchement** XIIIe s., G. || **écorcherie** XIIIe s., *D. G.*

écorner, écornifler, écosse, écosser V. COR, COSSE 1.

écot fin XIIe s., *Huon de Bordeaux* (*escot*) ; XVIIe s. (*écot*), « part de dépense » ; francique **skot*, contribution (angl. *scot*, écot).

écoufle 1120, *Ps. de Cambridge* (*escufle*) ; fin XIIe s. (*escoufle*), « milan » ; anc. breton **skofla* (auj. *skoul*).

écouler V. COULER.

1. **écoute** V. ÉCOUTER.

2. **écoute** 1155, Wace (*escote*) ; francique **skôta*, cordage de voile.

***écouter** fin IXe s., *Eulalie* (*escolter*) ; XVIIe s. (*écouter*) ; bas lat. *ascŭltare*, du lat. *auscŭltare*, écouter (v. AUSCULTER), avec changement de préfixe. || **écoute** début XIIe s., *Voy. de Charl.*, « action d'écouter » ; fin XIXe s., radio. || **écouteur** fin XIIe s., *Alexandre*, « qui écoute » ; 1922, Lar., appareil. || **écoutoir** fin XVIIIe s., Dellile.

écoutille 1538, Jal, mar. ; esp. *escotilla*, échancrure, d'où « trappe » ; du gotique **skaut*, bord, lisière. || **écoutillon** 1552, Rab.

écouvillon XIIe s., *Audiguier* (*escoveillon*) ; 1460, Villon (*escouvillon*) ; anc. fr. *escouve*, balai (fin XIe s., *Gloses Rachi*), du lat. *scōpa*. || **écouvillonner** 1611, Cotgrave. || **écouvette** XIVe s., G. (*es-*).

écrabouiller fin XVe s. (*escrabouiller*) ; 1840, Mérimée (*écrabouiller*) ; croisement de *écraser* et de l'anc. fr. *esboilier*, éventrer (1155, Wace), de *bueille*, ventraille (1080, *Roland*), du lat. *botulus*, boyau. || **écrabouillage** 1953, Lar. || **écrabouillement** 1871, Goncourt.

écran 1318, *D. G.*, « paravent contre le feu » ; 1820, Gaucheret, « tableau sur lequel on projette une image » ; 1895, Lumière, cinéma ; *passer à l'écran*, 1921, *Cinémagazine ; mettre à l'écran*, 1917, *le Temps ;* moyen néerl. *scherm*, paravent.

écraser 1570, Monluc ; moyen angl. *crasen*, broyer (pendant la guerre de Cent Ans) ; *s'écraser* 1659, Corn. || **écrasable** 1870, Lar. || **écrasage** 1845, Besch. || **écraseur** fin XVIe s. ; 1870, Lar., pour un cocher. || **écrasant** 1771, Garnier || **écrasement** 1611, Cotgrave.

écrémer, écrêter V. CRÈME, CRÊTE.

écrevisse 1213, *Fet des Romains* (*crevice*) ; 1265, Br. Latini (*escrevice*) ; fin XIIIe s. (*écrevisse*) ; francique **krebitja*, le *é* est dû à l'agglutination de l'article (cf. ÉMOUCHET).

***écrin** fin XIe s., *Gloses de Raschi* (*escrin*) ; 1671, Pomey (*écrin*) ; lat. *scrīnium*, boîte.

***écrire** 1050, *Alexis* (*escrire*) ; 1636, Monet (*écrire*) ; anc. fr. *escrivre* (XIIe s.), d'apr. *lire ;* lat. *scrībĕre*. || **écrit** 1080, *Roland*, adj. ; 1155, Wace, n. m. ; part. passé. || **écriteau** 1335, Digulleville (*escriptel*) ; fin XIVe s. (*écriteau*). || **écrivailler** 1611, Cotgrave. || **écrivailleur** 1580, Montaigne. || **écrivaillon** 1885, Maupassant. || **écrivasser** fin XVIIIe s. || **écrivassier** 1745, Gohin. || **écritoire** 1190, Garn. (*escriptoire*), « cabinet de lecture » ; 1223, G., « meuble à écrire » ; 1617, Crespin, « encrier » ; lat. médiév. *scriptorium*, « cabinet de travail ». || **écriture** 1050, *Alexis ;* lat. *scriptura*, de *scriptum*, écrit ; le sens de *écriture sainte* est repris au lat. chrét., calque du gr. *biblos*, livre. || **écrivain** 1120, *Ps.* (*es-*), « écrivain public » ; fin XIIIe s., « auteur » ; lat. pop. **scribanus*, de *scriba*, scribe. || **récrire** XIIIe s., *Livre de jostice*.

1. ***écrou** 1392, G. (*escroue*), féminin ; 1671, Pomey (*écrou*), masculin, « pièce où on introduit une vis » ; métaphore du lat. *scrōfa*, truie (« écrou », IXe s., *Polyptique d'Irminon*), proprement « partie femelle de l'écrou ».

2. **écrou** (*d'une prison*) 1170, Sully (*escroue*), « morceau d'étoffe », puis « morceau de parchemin » ; 1611, Cotgrave (*escrou*) ; même étymologie que *écrou* 1. || **écrouer** XIIIe s., « mettre en pièces » ; 1642, Oudin, sens actuel.

***écrouelles** XIIe s., *Vie d'Édouard* (*escrouele*) ; 1265, J. de Meung (*escrouelles*) ; lat. pop. **scrofellae*, du bas lat. *scrofulae*, scrofules, de *scrofa*, truie, le porc étant sale. || **écrouelleux** 1560, Paré.

écrouir 1564, J. Thierry (*es-*), « rendre un métal plus dense en le battant » ; de *ex-*, négatif, et *crou*, *cru*, qui n'a pas été préparé. || **écrouissage** 1803, Cadet. || **écrouissement** 1680, Richelet.

écrouler V. CROULER.

écru 1268, É. Boileau (*escru*) ; renforcement de *cru*.

écrues 1291, G. (*escreues*), « broussailles récemment poussées », en anc. fr. « crue de rivière » aussi ; anc. fr. *escroistre*, du lat. *crescere*, croître.

ecto-, gr. *ektos,* au-dehors. || **ectoblaste** XXe s., gr. *blastos,* germe. || **ectoderme** 1877, L. || **ectoplasme** fin XIXe s. ; gr. *plasma,* ouvrage façonné.

ectropion 1560, Paré ; gr. *ektropion,* renversement de la paupière, de *ektrepein,* détourner.

***écu** 1080, *Roland* (*escut*), « bouclier » ; XIIIe s., à partir de Saint Louis, « monnaie d'or ornée à l'écu de France » ; fin XIVe s., Deschamps, « pièce d'or fin » ; XVIe-XVIIe s., « pièce d'argent », d'abord *écu blanc ;* lat. *scūtum,* bouclier. || **écuage** 1215, G. (v. ÉCURIE, ÉCUYER). || **écusson** fin XIIIe s., Du Cange (*escuchon*) ; 1334, Havard (*escusson*), « petit écu » ; 1538, R. Est., « greffon ». || **écussonner** 1600, O. de Serres, « greffer ». || **écussonnage** 1870, Lar.

écubier 1382, *Compte du clos des Galées de Rouen* (*esquembieu*) ; 1643, Fournier (*escubier*) ; origine inconnue.

écueil 1538, R. Est. (*escueil*) ; 1669, Widerhold ; anc. prov. *escueyll,* du lat. pop. **scoclus,* lat. class. *scopulus,* rocher, gr. *skopelos.*

***écuelle** début XIIe s., *Voy. de Charl.* (*escuele*) ; lat. pop. **scūtella,* lat. *scŭtella,* sous l'infl. de *scūtum,* écu. || **écuellée** XIIIe s., G. (*es-*).

écume 1130, *Eneas* (*es-*) ; XVIIe s. (*écume*) ; lat. pop. **scuma,* du francique **skūm* (allem. *Schaum*), du lat. class. *spuma,* écume, de *spuere,* cracher. || **écumer** 1131, *Couronn. de Loïs,* fig. ; 1155, Wace, sens propre. || **écumeur** 1360, Froissart. || **écumeux** XIVe s., *D. G.* || **écumoire** 1333, Delb. (*escumoir*).

écurer V. CURER.

***écureuil** 1175, Chr. de Troyes (*escuriuel, -riau*) ; lat. pop. **scuriolus,* diminutif de *sciurus,* devenu par métathèse **scurius.*

écurie, écusson V. ÉCUYER, ÉCU.

***écuyer** 1080, *Roland* (*escuier*) ; 1636, Monet (*écuyer*) ; bas lat. *scutarius,* soldat armé de bouclier, de *scutum,* écu. || **écuyère** 1690, Furetière, « qui monte à cheval » ; 1842, Balzac, cirque. || **écurie** début XIIIe s., G., « local » ; 1285, G., « ensemble de chevaux » ; XXe s., étendu à des coureurs.

eczéma 1836, Landais (*eczème*) ; XIXe s. (*eczéma*) ; lat. méd. (1747, James), du gr. *ekzema,* ébullition. || **eczémateux** 1838, journ.

édam XXe s. ; du nom de la ville hollandaise *Edam,* centre de production de ce fromage.

edelweiss 1861, *Rev.* ; mot allem., de *edel,* noble, et *weiss,* blanc ; plante remarquable par le duvet blanc et laineux qui recouvre toutes ses parties.

éden 1762, *Acad.,* hébreu *'eden,* « paradis terrestre » (*Bible*) ; 1826, Brillat-Savarin, « volupté ». || **édénien** 1838, *Acad.* || **édénique** 1840, Gautier. || **édénisme** 1870, Lar.

édicter V. ÉDIT.

édicule 1863, Flaubert ; lat. *aedicula,* petite maison.

édifice 1120, *Ps. d'Oxford ;* lat *aedificium.* || **édifier** 1120, *Ps. de Cambridge,* « enseigner » ; 1170, *Rois,* « construire » ; lat. *aedificare,* construire, enseigner, de *aedes,* maison. || **édification** fin XIIe s., *Grégoire,* « action de construire » ; XIIIe s., Rutebeuf, fig. ; lat. *aedificatio.* || **réédifier** XIIIe s., *D. G.* || **réédification** fin XIIIe s.

édile 1213, *Fet des Romains,* hist. ; 1748, Montesquieu, magistrats municipaux actuels ; lat. *aedilis,* de *aedes,* maison. || **édilité** XIVe s., G. ; lat. *aedilitas.* || **édilitaire** 1875, *le Temps.*

édit XIIIe s., G. ; lat. *edictum,* de *dicere,* dire. || **édicter** 1399, *Coutumier général ;* rare jusqu'au XIXe s. (1842, *Acad.*) ; réfection, d'apr. le lat. *edictum,* du moyen fr. *éditer* (XIVe s., dér. de *édit*), pour le distinguer d'*éditer,* publier.

éditer 1784, Restif, « publier » ; lat. *éditus,* part. passé de *edere,* publier. || **édition** fin XIIIe s., Guiart, « préparation d'un texte » ; 1690, Furetière, sens actuel ; lat. *editio.* || **éditeur** 1732, Trévoux ; lat. *editor.* || **éditorial** adj. 1856, Montégut ; n. m., 1895, Bourget ; anglo-américain *editorial,* de *editor,* éditeur. || **éditorialiste** 1945, J. Lacroix. || **inédit** 1801, Mercier, du lat. *ineditus,* « qui n'a pas été publié ». || **rééditer** 1845, Besch. || **rééditeur** début XVIIIe s. || **réédition** 1788, Féraud.

édredon 1700, Liger (var. *éderdon*), « duvet d'eider » ; 1835, *Acad.,* « couvre-pied » ; danois *ederduun,* de *eder,* eider, et *duun,* duvet.

éducation, édulcorer V. ÉDUQUER, DOUX.

éduquer 1385, *Charte ;* rare jusqu'au XVIIIe s. (1761, Voltaire) ; lat. *educare,* de *ducere,* conduire. || **éducable** 1845, Besch. || **éducation** 1495, J. de Vignay ; lat. *educatio.* || **éducatif** 1870, Lar. || **éducateur** 1527, Dassy ; lat. *educator.* || **rééduquer** fin XIXe s. || **rééducation** *id.*

efendi 1624, Des Hayes ; turc *efendi,* altér. du gr. mod. *afentis,* maître, gr. ancien *authentês,* maître.

effacer 1120, *Ps. d'Oxford* (*esfacer*) ; XIIIe s. (*effacer*) ; 1253, Thibaut de Champagne, « surpasser qqn » ; de *é-, es-,* privatif, et *face,* « faire disparaître une figure ». || **effaçable** 1525, Lemaire de Belges. || **effaçage** 1866, *Ordonn.* || **effacé** XIIe s., sens propre ; 1778, Rousseau, « modeste ». || **effacement** XIIIe s., *Queste del Saint Graal.* || **ineffaçable** 1523, Mortières.

effarer 1190, Bodel (*efferé*) ; début XIVe s., *Girart de Roussillon* (*esfaré*), « effrayé » ; milieu XVIIe s., à l'inf. ; lat. *efferare,* rendre sauvage, comme le prov. *esferar,* effaroucher, avec infl. de *farouche.* || **effarement** 1790, Guibert.

effectif, efféminer V. EFFET, FEMME.

efférent 1813, *Encycl. méth. ;* lat. *efferens,* part. prés. de *efferre,* porter hors.

effervescence milieu XVIIe s., sens propre ; 1772, Rousseau, fig. ; lat. *effervescens,* part. prés. de *effervescere,* bouillonner (v. FERVEUR). || **effervescent** 1755, *Encycl.,* sens propre ; fin XVIIIe s., sens fig.

effet XIIIe s., G. ; lat. *effectus,* résultat, effet, de *facere,* faire ; *en effet* 1637, Descartes ; *effet de change* XIVe s., fin. ; pl. début XIVe s., « vêtements » ; 1870, Lar., fin. || **effectif** adj. XIVe s. ; lat. médiév. *effectivus ;* fin XVIIIe s., n. m., milit. || **effectivement** 1495, J. de Vignay. || **effectuer** 1420, A. Chartier ; lat. médiév. *effectuare.* || **effectuation** fin XIXe s.

efficace n. f., 1155, Wace ; lat. *efficacia,* de *efficax,* qui produit de l'effet ; adj. début XIIIe s. || **efficacement** 1309, G. || **efficacité** 1495, J. de Vignay ; rare jusqu'au XVIIe s., où il remplaça *efficace,* n. f. ; lat. *efficacitas.*

efficient fin XIIIe s. ; lat. philos. *efficiens,* part. prés. de *efficere,* produire. || **efficience** XXe s. ; angl. *efficiency,* du lat. *efficientia.* || **coefficient** début XVIIe s. ; préfixe *co-,* avec, spécialisé en math.

effigie 1460, Chastellain ; lat. *effigies,* figure, image, de *fingere,* façonner.

effiler, effilocher, efflanquer, effleurer, efflorescence V. FIL, FLANC, FLEUR.

effluent 1745, *Mémoires Acad. sciences,* adj., « qui s'écoule » ; lat. *effluens,* de *effluere,* couler ; n. m., v. 1950.

effluve 1755, *Encycl. ;* lat. *effluvium,* écoulement, de *fluere,* couler.

effondrer 1170, *Rois* (*esfundrer*) ; fin XIIe s. (*effondrer*), « briser » ; *s'effondrer* 1690, Furetière ; de *ex-,* négatif, et lat. pop. **fundora,* pl. neutre de **fundus, funderis,* lat. *fundus, fundi,* fond. || **effondrement** 1645, Brunot. || **effondrilles** 1564, Liébault, réfection de *fondrilles* (fin XIe s.), dépôt de liquides, d'après *effondrer.*

efforcer (s') V. FORCE.

effraction 1559, Amyot ; lat. pop. **effractio,* de *effractus,* part. passé de *effringere,* briser, de *frangere.*

effraie 1555, Belon, altér. de *orfraie,* sous l'infl. de *effrayer ;* mot de l'Ouest et du Centre.

***effrayer** 980, *Passion* (*esfreder*) ; 1080, *Roland* (*esfrer*) ; 1530, Palsgrave (*effrayer*) ; lat pop. **exfridare,* faire sortir de la paix, du francique *fridu,* paix (allem. *Friede*). || **effroi** 1130, *Eneas* (*esfrei*), déverbal. || **effroyable** XIVe s., *Traité d'alchimie.*

effréné fin XIIe s., *Grégoire ;* lat. *effrenatus,* « qui n'a plus de frein », de *frenare,* brider. || **effrénément** 1549, R. Est.

effriter 1611, Cotgrave, « rendre le sol incapable de porter des fruits » ; altér. de l'anc. fr. *effruiter,* dépouiller de ses fruits ; 1858, Gautier, « réduire en poussière », dû à l'infl. de *friable.* || **effritement** milieu XIXe s.

effroi, effronté V. EFFRAYER, FRONT.

effusion fin XIIIe s., G., « action de verser un liquide » ; 1690, Furetière, fig. ; lat. *effusio,* qui a les deux sens, de *fundere,* répandre.

égagropile 1752, Trévoux ; gr. *aigagros,* chèvre sauvage, et *pîlos,* boule de laine.

égailler XIIe s., « égaliser, répartir, répandre » ; fin XVIe s., Baïf, « disperser, s'étendre » ; XVIIe s., Colbert, « répartir » ; mot de l'Ouest, vulgarisé par *les Chouans* de Balzac, sens venu du Midi ; lat. pop. **aequāliare,* de *aequalis,* égal.

égal 1155, Wace (*esgal*) ; 1130, *Eneas* (*igal*) ; n. m. 1361, Oresme ; adapt. du lat. *aequalis,* qui a donné l'anc. fr. *evel, ivel.* || **égaler** XIIIe s., G. ; rare jusqu'au XVIe s. || **égalable** fin XIIIe s., Macé. || **également** 1130, *Eneas.* || **égaliser** 1458, *Mystère* (*equa-*) ; 1539, R. Est. (*éga-*). || **égalisation** XVIe s., Joubert. || **égalisateur** 1870, Lar. || **égalisoir** 1812, *Encycl. méth.* || **égaliseur** 1793, *Amis de la vérité.* || **égalité** 1265, J. de Meung (adaptation du lat. *aequalitas*). || **égalitaire** 1840, Dezamy. || **égalitairement** 1870, Lar. || **égalitarisme** 1870, A. Richard. || **inégal** 1370, Oresme (*inequal*) ; XVIe s. (*inégal*) ; lat. *inaequalis.* || **inégalement** 1484, Chuquet (*inegualement*). || **inégalité** 1290,

Drouart (*inequalité*) ; 1538, R. Est (*inegualité*) ; lat. *inaequalitas.* || **inégaliser** 1839, Lahautière. || **inégalitaire** 1876, Janet.

égard 1138, Gaimar (*esgard*) ; XVIIe s. (*égard*) ; déverbal de l'anc. fr. *esguarder,* regarder (1050, *Alexis*), de *es-* et de *garder ; à cet égard* fin XVIe s. ; *à tous égards* 1740, Vauvenargues ; pl. 1671, Bouhours.

égarer 1050, *Alexis* (*esguaré*) ; XIIe s. (*esgarer*) au sens propre et au sens fig ; *s'égarer* fin XIVe s., Chr. de Pisan ; de *es-*, privatif, et francique **warôn*, conserver, placer qqch, qqn hors de son abri. || **égarement** 1160, Benoît, « folie » ; fin XVIe s., « fait de perdre son chemin ».

égérie 1839, Boiste, « inspiratrice » ; 1827, *Acad.,* « genre de crustacé » ; nom d'une nymphe qui aurait inspiré Numa Pompilius, deuxième roi légendaire de Rome.

égide 1512, Lemaire, hist. ; 1559, Du Bellay, fig., « protection » ; *sous l'égide de* 1870, Lar. ; lat. *aegis, -idis,* du gr. *aigis, -idos,* peau de chèvre, de *aix,* chèvre. Le bouclier merveilleux de Zeus et d'Athéna était couvert de la peau de la chèvre Amalthée.

***églantier** 1080, *Roland* (*-entier*) ; anc. fr. *aiglent* (XIIe s.), même sens, du lat. pop. **aquilentum,* pour **aculentum,* de *acus,* pointe. || **églantine** 1600, O. de Serres, fém. substantivé de l'anc. fr. *aiglantin,* adj. (1572, R. Belleau), de *aiglent.*

églefin V. AIGREFIN 2.

église 1050, *Alexis ;* repris au VIe s. (selon le traitement de *cl* en *gl,* cf. AVEUGLE) au lat. eccl. *eclesia,* var. de *ecclesia,* du gr. *ekklesia,* assemblée, au sens « assemblée des fidèles » en gr. chrét., qui a pris vers le VIe s. le sens de « maison du culte », donné auparavant par *basilica,* basilique.

églogue 1495, *Mir. historial,* masc. ; XVIe s., féminin ; lat. *ecloga,* du gr. *eklogê,* pièce choisie ; la var. *eclogue* se trouve encore au XVIIe s. (Sorel).

***égoïne** 1344, G. (*escohine*) ; 1690, Furetière (*egohine*) ; du lat. *scobīna,* lime, râpe.

ego début XXe s. ; mot lat. signifiant « moi ». || **égocentrique** 1922, Lar., de *centre.* || **égocentrisme** *id.* || **égoïsme** 1755, *Encycl.* || **égoïste** *id.* || **égoïstement** 1864, L. || **égotisme** 1726, Mackenzie ; angl. *egotism,* même origine. || **égotiste** *id.*

égosiller, égout, égoutter, égratigner, égrener V. GOSIER, GOUTTE, GRATTER, GRAIN.

égrillard 1580, Alcrippe (*esgrillard*), « malfaiteur » ; 1640, Oudin, adj., sens actuel ; normand *égriller,* glisser, de l'anc. scand. **skridla,* marcher sur la neige. || **égrillardise** 1867, Goncourt.

eider fin XIIe s. (*edre*) ; 1755, *Encycl.* (*eider*) ; islandais *aedhar,* par l'intermédiaire du lat. scientifique.

eidétique début XXe s. ; allem. *eidetisch,* du gr. *eidos,* forme, essence.

éjaculer milieu XVIe s., G., « lancer une flèche » ; 1835, *Acad.,* sens actuel ; lat. *ejaculari,* lancer ; d'abord emploi eccl., puis seulement physiol. || **éjaculation** 1552, Rab., appliqué à l'atmosphère ; 1611, Cotgrave, physiol. || **éjaculateur** 1580, Montaigne. || **éjaculatoire** 1611, Cotgrave.

éjecter 1888, Lar. ; lat. *ejectare,* lancer. || **éjection** XIIIe s., *Bible ;* lat. *ejectio,* action de lancer, de *jacĕre,* jeter. || **éjecteur** 1874, *J. O.* || **éjectable** 1956, Lar.

élaborer 1534, Rab. (*élabouré*) ; 1650, Descartes (*élaborer*) ; lat. *elaborare,* « obtenir par le travail » (*labor*). || **élaboration** 1478, Chauliac (*élabouration*) ; 1719, *Journ. des savants* (*élaboration*) ; lat. *elaboratio.*

élaguer 1373, Gace de la Bigne (*alaguer*) ; 1425, Du Cange (*eslaver*) ; 1535, G. (*eslaguer*) ; de *ex-,* intensif, et anc. nordique *laga,* arranger. || **élagueur** 1200, *Charte normande* (*allaigneur*) ; 1756, Mirabeau (*élagueur*). || **élagage** 1760, Duhamel.

1. **élan, élancer** V. LANCER.

2. **élan** 1414, Lannoy (*hellent*) ; 1564, J. Thierry (*ellend*) ; 1611, Cotgrave (*élan*) ; moyen haut allem. *elend* (auj. *Elentier*), du balto-slave *elnis.*

élastique 1674, Le Gallois, adj. ; n. m. 1839, Boiste ; lat. *elasticus,* empr. au gr. *elastos,* ductile. || **élasticité** 1687, Dubois ; lat. *elasticitas.* || **élasticimètre** v. 1950. || **élastomère** *id.*

elbeuf 1743, Trévoux ; du nom de la ville, renommée pour ses draps.

eldorado 1579, Benzoni (*Dorado*) ; 1640, Laet (*el-*) ; esp. *el dorado,* le doré, c.-à-d. le pays de l'or ; popularisé après 1759 par *Candide* de Voltaire.

électeur V. ÉLIRE.

électrique 1600, Gilbert ; lat. scient. *electricus,* de *electrum,* gr. *êlektron,* ambre jaune, d'apr. sa propriété d'attirer les corps légers quand on l'a frotté. || **électriquement** av. 1850, Balzac. || **électricité** 1722, Newton, trad. Coste ; lat. *electricitas.* || **électricien** 1764, Nollet. || **électrifier** 1877, L. || **électrification** *id.* || **électriser** 1733, *Hist. Acad. des sc.* ; 1807, Staël, fig. || **électrisable** 1746, Nollet. || **électrisant** 1764, *Mém. Acad. des sciences* ; 1864, L. fig. || **électroacoustique** 1948, Lar. || **électrochimie** 1826, *Mém. Acad. des sciences.* || **électrocuter** 1899, *Année sc.* ; anglo-américain *to electrocute,* croisement entre *électro-* et *to execute,* exécuter ; la première électrocution eut lieu aux États-Unis, le 6 août 1890. || **électrocution** 1890, *le Temps.* || **électrocardiographe** 1919, Lar. || **électrochoc** 1938, Lar. || **électrode** 1838, *Acad.,* mot créé en Angleterre par Faraday en 1834 ; gr. *hodos,* chemin. || **électro-encéphalogramme** 1929, Berger, procédé inventé en 1923. || **électrolyte** 1842, Mozin (gr. *lutos,* soluble). || **électrolyse** 1842, *Acad.* || **électrolyser** 1838, *Acad.* || **électrolytique** 1836, Landais. || **électromagnétique** 1823, *Mém. Acad. des sciences.* || **électroménager** XXe s. || **électrométallurgie** 1858, Peschier. || **électron** 1829, Boiste, créé en Angleterre par Stoney ; mot angl., sur gr. *êlektron.* || **électronique** 1947, Chauvineau. || **électronicien** 1955, *Dict. des métiers.* || **électrophone** 1870, Ader. || **électroradiologie** v. 1950. || **électrotechnique** début XXe s. || **électrothérapie** 1864, L. || **électrum** 1530, Lefèvre (*électron*) ; XVIIe s. (*électrum*) ; lat. *electrum,* gr. *êlektron,* ambre jaune.

électuaire 1165, Marie de France (*lettuaire*) ; XIVe s. (*élect-*) ; bas lat. *electuarium* (VIIe s., Isid. de Séville), altér. du gr. méd. *ekleikton,* sous l'infl. de *electus,* choisi.

élégant 1150, Barbier ; rare jusqu'au XVe s. ; n. 1837, Balzac ; lat. *elegans.* || **élégance** XVe s., G. ; lat. *elegantia.* || **élégamment** 1373, Gace de la Bigne. || **inélégant** 1520, Seyssel. || **inélégance** 1523, Lefèvre d'Étaples.

élégie 1500, d'Authon ; lat. *elegia,* du gr. *elegeia,* chant de deuil. || **élégiaque** 1480, Delb. ; bas lat. *elegiacus.*

élément fin IXe s., *Eulalie,* « doctrine » ; 1453, Monstrelet, « principe de base » ; av. 1869, Lamartine, « individu » ; pl. 1691, Racine ; lat. *elementum.* || **élémentaire** 1380, Conty ; lat. *elementarius.*

élémi 1573, Liébault ; esp. *elemi,* de l'ar. *al-lami,* nom de l'arbuste.

éléphant 1119, Ph. de Thaon (*elefant*) ; on trouve surtout *olifant* (1080, *Roland*) jusqu'au XVe s. ; lat. *elephantus,* du gr. *elephas, antos.* || **éléphante** 1856, Lachâtre. || **éléphantesque** XXe s. || **éléphantin** 1256, Ald. de Sienne. || **éléphanteau** 1562, Du Pinet. || **éléphantidé** 1842, Mozin. || **éléphantique** *id.* || **éléphantiasis** 1538, Canappe ; lat. *elephantiasis,* lèpre tuberculeuse, mot gr. ; la maladie rend la peau rugueuse comme celle d'un éléphant.

élever 1120, *Ps. d'Oxford* (*eslever*), « porter vers le haut » ; 1530, Palsgrave, « augmenter » ; 1270, A. de la Halle, « élever un enfant » ; 1499, Bartzsch, « élever un animal » ; dér. ancien de *lever.* || **élève** masc., 1653, Oudin (*élève d'artisan*) ; pour un animal 1845, Besch., d'apr. l'ital. *allievo.* || **élève** fém., 1770, Brunot, « action d'élever ». || **élèvement** 1120, *Ps. d'Oxford.* || **élévation** XIIIe s., *D. G.* (*elevacion du corpus Domini*), Delb. ; lat. *elevatio,* au sens eccl. ; il a pris un sens étendu au XIVe s. en remplaçant *élèvement* (1120, *Ps. d'Oxford*). || **élévateur** fin XVIe s., Brantôme (*eslevateur*) ; bas lat. *elevator,* « qui élève » ; techn., 1801, *Ann. des arts et manuf.* ; 1873, Malézieux, « magasin où le grain est monté mécaniquement ». || **éleveur** 1120, *Ps. de Cambridge.* || **élevage** 1836, Landais. || **surélever** début XVe s., Gerson. || **surélévation** milieu XIXe s.

elfe fin XVIe s., « fée d'Écosse » ; rare jusqu'au XIXe s. ; angl. *elf,* de l'anc. suédois *älf.*

élider 1549, R. Est. ; lat. gramm. *elidere,* arracher, enlever, de *laedere,* endommager. || **élision** milieu XVIe s. ; lat. *elisio.*

éligible, élimer V. ÉLIRE, LIME.

éliminer 1495, J. de Vignay ; lat. *eliminare,* faire sortir du seuil (de *limen, -inis,* seuil). || **élimination** 1765, Bezout. || **éliminateur** 1856, Lachâtre. || **éliminatoire** 1836, Bourdon, adj. ; v. 1900 n. f., par abrév. de *épreuve éliminatoire.* || **éliminable** 1908, Lar.

élingue 1170, *Vie de saint Edmond* (*eslinge*) ; 1310, Guiart (*eslingue*), « fronde » ; début XIVe s., sens actuel ; francique **slinga,* fronde ; « cordage, filin ». || **élinguet** 1694, Th. Corn., mar. || **élinguer** 1310, Guiart, « lancer avec une fronde » ; 1771, Trévoux.

***élire** 1080, *Roland* (*esl-*) ; lat. pop. **exlĕgĕre,* réfection de *eligĕre,* choisir, d'apr. *legere.* || **électeur** 1361, Oresme ; lat. *elector,* « qui choisit ». || **électoral** 1571, Barbier. || **électoralement** 1850, Balzac. || **électorat** 1593, Holyband. || **électoralisme** XXe s. || **élection** 1190, Garn., « choix » ; 1207, Villehardouin, « nomination par suffrage » ; lat. *electio,* choix. || **électif** 1361, Oresme, « qui fait choix » ; fin

XIVe s., « nommé par élection » ; bas lat. *electivus.* || **éligible** fin XIIIe s., Gauchy ; lat. *eligibilis,* « qui peut être choisi ». || **éligibilité** 1732, Trévoux. || **inéligible** 1752, Trévoux. || **inéligibilité** 1791, Ranft. || **réélire** 1570, Vaganay, « choisir » ; rare jusqu'au XVIIIe s. || **rééligible** 1791, Ranft. || **irrééligible** 1871, Blanqui. || **réélection** 1784, *Courrier de l'Europe.*

élision V. ÉLIDER.

* **élite** 1180, *Alexandre* (*eslite*) ; anc. part. passé fém. substantivé de *élire ;* d'abord « action de choisir » et « ce qui est choisi », d'où le sens actuel. || **élitisme** v. 1950.

élixir 1265, J. de Meung (*eslissir*) ; XIVe s. (*elixir*) ; ar. *al iksir,* la pierre philosophale, et médicament, du gr. *xêrion,* médicament.

* **elle** fin IXe s., *Eulalie* (*ele*) ; forme tonique du lat. *ĭlla,* celle, celle-là, correspondant à la forme atone *la.*

ellébore milieu XIIIe s. ; lat. *helleborum,* du gr. *helleboros.*

1. **ellipse** fin XVIe s., gramm. ; lat. gramm. *ellipsis,* du gr. *elleipsis,* manque. || **elliptique** fin XVIIe s. ; gr. gramm. *elleiptikos.* || **elliptiquement** 1835, *Acad.*

2. **ellipse** début XVIIe s., géom. ; lat. astronom. *ellipsis,* mot créé par Kepler, d'apr. le gr. *elleipsis,* manque, l'ellipse étant un cercle imparfait. || **ellipsoïde** début XVIIIe s. || **ellipsoïdal** milieu XIXe s. || **elliptique** début XVIIe s. ; lat. de Kepler *ellipticus.* || **ellipticité** 1755, *Encycl.*

Elme (feu Saint-) XVIe s. ; ital. (*fuoco*) *sant'Elmo,* trad. du lat. médiév. *lumen sancti Elemi* (XIVe s., Du Cange), déformation de *sanctus Erasmus.*

élocution 1521, Fabri, « manière de s'exprimer » ; av. 1850, Balzac, « articulation des sens » ; lat. *elocutio,* de *loqui,* parler. (V. ÉLOQUENCE.)

éloge 1580, Pasquier (*euloge*) ; 1685, Racine (*éloge*), d'abord « panégyrique » ; bas lat. *eulogium,* du gr. *eulogia,* louange. || **élogieux** 1836, Raymond. || **élogieusement** 1878, Lar.

éloigner, élongation V. LOIN, LONG.

éloquence 1155, Wace ; lat. *eloquentia,* de *eloqui,* parler. || **éloquent** 1213, *Fet des Romains ;* lat. *eloquens.* || **éloquemment** 1548, P. Le Febvre.

élucider V. LUCIDE.

élucubration 1594, *Sat. Ménippée* (*lucubrations*) ; 1750, Prévost (*élucubration*), « recherches » ; 1762, *Acad.,* péjor. ; bas lat. *elucubratio,* travail pendant la veille, de *lucubrum,* « flambeau ». || **élucubrer** 1849, Besch. ; repris tardivement au lat. *elucubrare.*

éluder XVIe s., « jouer » ; 1611, Cotgrave, « tromper » ; 1671, Pomey, « se soustraire » ; lat. *eludere,* se jouer de, de *ludus,* jeu. || **élusif** 1801, Dupré ; angl. *elusive.*

élution 1865, Scheibler, « procédé pour extraire le sucre » ; lat. *elutio,* action de laver, de *luere,* laver.

élymus 1778, Lamarck (*élyme*) ; 1786, *Encycl.* (*elymus*), « plante herbacée » ; gr. *elumos,* millet.

Élysées (*champs*) 1372, Foulechat (*champs elisies*) ; 1516, Lemaire (*champs Élysées*) ; bas lat. *elysei* (lat. *elysii*) *campi,* calque du gr. *êlusia pedia,* lieu où se rendent les âmes, de *elthein,* venir ; au sing., siège de la présidence, 1870, Lar. || **élyséen** 1512, Lemaire (*-ien*) ; 1600, O. de Serres (*-éen*) ; polit., 1962, D. Mayer.

élytre 1762, Geoffroy ; gr. *elutron,* étui. || **élytral** XXe s.

elzévir fin XVIIe s. ; de *Elzevier,* nom d'une famille d'imprimeurs hollandais. || **elzévirien** 1829, Nodier.

émacié 1560, Paré ; rare jusqu'au XVIIIe s. ; lat. *emaciatus,* de *macies,* maigreur. || **émaciation** *id.*

émail début XIIe s., *Voy. de Charl.* (*esmal*), puis *-ail* (1170, *Floire et Blancheflor*) par substitution de finale ; francique **smalt* (allem. *Schmelz,* de *schmelzen,* fondre). || **émailler** XIIIe s. || **émaillage** 1870, Lar. || **émailleur** XIIIe s., L. || **émaillure** 1328, Richard.

émanciper début XIVe s. ; *s'émanciper* 1585, Du Fouilloux ; lat. jurid. *emancipare,* affranchir du droit de vente ; l'acquisition se faisait en prenant avec la main : *manu capere,* d'où *mancipare.* || **émancipation** 1317, G. || **émancipateur** début XIXe s., Chateaubriand.

émaner milieu XVe s., fig ; 1829, Hugo, sens propre ; lat. *emanare,* « couler de ». || **émanation** fin XVIe s., Vigenère ; bas lat. *emanatio.* || **émanateur** 1870, Lar.

émasculer, embâcle, emballer, embarcadère, embarcation V. MÂLE, BÂCLER, BALLE, BARQUE.

embarder 1687, Desroches, mar. ; prov. mod. *embardar,* embourber, de *bart,* boue (lat.

pop. **barrum,* boue), par ext. « tournoyer ». || embardée 1694, Th. Corn., mar. ; fin XIXe s., mouvement d'un véhicule.

embargo 1626, Richelieu, mar. ; 1825, Courier, sens général ; esp. *embargo,* déverbal de *embargar,* mettre l'embargo, propr. embarrasser, du lat. pop. **imbarricare,* de **barra,* barre.

embarquer V. BARQUE.

embarrasser 1580, Montaigne ; esp. *embarazar,* de *barra,* barre (lat. pop. **barra*). || **embarras** milieu XVIe s., d'Aubigné, « obstacle » ; XVIIe s., fig. || **embarrassant** 1642, Oudin ; déverbal. || **débarrasser** fin XVIe s. ; de *désembarrasser,* sous l'infl. de l'ital. *sbarazzare.* || **débarras** 1798, *Acad.,* « fait d'être débarrassé » ; 1863, L., fig.

embase 1752, Trévoux, techn. ; déverbal de l'anc. fr. *embaser* (1611, Cotgrave), de *base.* || embasement 1694, Th. Corn. ; avec infl. de l'ital. *imbasamento,* qui a remplacé *embassement.*

embaucher 1564, Thierry ; formé d'apr. *ébaucher* au sens de dégrossir (un ouvrage), de *bau* (v. ce mot). || **embaucheur** 1680, Richelet. || **embauchage** 1752, Trévoux. || **embauche** 1660, Oudin ; déverbal de *embaucher.*

embaumer, embellir V. BAUME 1, BEAU.

emberlificoter 1790, Brunot, « circonvenir » ; *s'emberlificoter* 1864, L. ; mot champenois, déformation de *embirelicoquier* (1320, *Fauvel*), d'orig. obscure et à multiples variantes (*emberloquer* 1721, Trévoux ; *embrelicoquer* 1674, Hauteroche).

embêter, emblaver V. BÊTE, BLÉ.

***emblée (d')** 1454, Monstrelet, « en enlevant du premier coup » ; d'abord *à l'emblée* (XIIe s.) ; anc. fr. *embler* (980, *Passion*), « dérober », du lat. *involare,* voler vers.

emblème 1560, Montaigne ; 1704, Trévoux, « symbole » ; souvent fém. aux XVIe-XVIIe s. ; lat. *emblema, -atis,* ornement rapporté, du gr. *emblêma.* || **emblématique** av. 1553, Rab. ; bas lat. *emblematicus,* surajouté.

embobeliner, emboîter V. BOBELIN, BOÎTE.

embolie milieu XIXe s. ; gr. *embolê,* « action de jeter dans », « obstruction », de *emballein,* jeter. || **embolique** 1870, Lar.

embolisme 1119, Ph. de Thaon, intercalation d'un mois lunaire ; bas lat. *embolismus,* du gr. *embolimos, -ismos,* de *ballein,* jeter.

embonpoint, 1462, *Cent Nouvelles ;* de *estre en bon point,* être en bonne condition (1210, *Perlesvaus*), de *en, bon* adj., et *point,* état de qqn.

emboucher, embouchure, emboutir, embraser, embrasser V. BOUCHE, BOUTER, BRAISE, BRAS.

embrasure 1522, J. Bouchet, « ouverture où on pointait le canon » ; de *embraser* (1567, Delorme), élargir une fenêtre ; peut-être issu de *embraser,* enflammer, l'embrasure étant l'endroit où s'embrasait le canon. || **embrasement** 1611, Cotgrave, archit., remplacé par *ébrasement.* || **ébraser** 1636, Monet ; var. par changement de préfixe. || **ébrasement** 1694, Th. Corn.

embrayer V. BRAIE.

embreler 1309, G. (*embraeler*), « fixer un chargement avec des cordes » ; anc. fr. *brael, braeil,* cordage, du bas lat. *brogilus,* d'origine gauloise.

embrener V. BRAN.

***embrever** XIIe s., G. (*enbevrer*) ; XVIIe s. (*embrever*), « abreuver, imbiber » ; 1223, *D. G.,* sens techn., « assembler des pièces de bois à rainure » ; lat. pop. **imbiberare.* (V. ABREUVER.) || **embrèvement** 1676, Félibien.

embrocation XIVe s., Gordon ; lat. médiév. *embrocatio,* du gr. *embrokhê,* lotion, de *embrekhein,* arroser.

embrouillamini V. BROUILLAMINI.

embrun début XVIe s. (*anbrun*) ; rare jusqu'au XIXe s. (1828, Laveaux) ; mot du prov. mod., déverbal de *embruma,* bruiner, de *brumo,* brume.

embryon 1361, Oresme (*embrion*) ; XVIIe s. (*embryon*) ; 1674, Chapelain, fig. ; lat. des trad. d'Aristote, du gr. *embruon,* fœtus, de *bruein,* croître et *en,* dans. || **embryonnaire** 1842, *Acad.* || **embryogénie** 1836, Raymond. || **embryogenèse** 1905, Vialleton. || **embryologie** 1762, *Acad.* || **embryologiste** 1864, L. || **embryopathie** XXe s. || **embryotomie** 1707, Dionis (*embruo-*).

embûcher, embusquer V. BÛCHE.

embut 1532, Rab., « entonnoir, puisard » ; mot méridional, du lat. pop. **imbutum,* entonnoir, de *imbuere,* imbiber, remplir.

émender 1549, R. Est., « corriger » ; 1743, Trévoux, droit ; lat. *emendare,* qui a donné aussi *amender.*

émeraude 1119, Ph. de Thaon (*esmeragde*) ; 1130, *Eneas* (*-eralde*) ; 1636, Monet (*émeraude*) ; lat. *smaragdus,* du gr. *smaragdos,* orig. orientale. (V. SMARAGDITE.)

émerger XVe s., La Curne ; rare jusqu'au XIXe s. ; du lat. *emergere,* sortir de l'eau. || **émergement** 1864, L. || **émergent** 1471, G., « dépendant », jurid. ; 1720, Coste (avec infl. de l'angl.), techn. ; part. prés. lat. *emergens.* || **émergence** 1498, *Ordonn.* || **émersion** 1694, Th. Corn. ; du part. passé *emersus.*

émeri 1486, Gay (*emmery*) ; 1636, Monet (*émeri*) ; on trouve la forme *emeril* au XIIIe s. ; ital. *smeriglio,* du gr. byzantin *smeri,* gr. class. *smuris.* || **émeriser** 1870, Lar.

émerillon 1175, Chr. de Troyes (*esm-*) ; diminutif de l'anc. fr. *esmeril* (fin XIIe s.), du francique **smeril* (allem. *Schmerl*). || **émerillonné** av. 1493, Coquillart.

émérite 1355, Bersuire (*esmerit*) ; XVIIIe s. (*émérite*) ; lat. *emeritus,* « qui a accompli son service militaire », de *mereri,* mériter, par ext. « servir dans l'armée ».

émersion V. ÉMERGER.

émétique 1560, Paré ; lat. *emeticus,* du gr. *emetikos,* de *emein,* vomir. Se dit de médicaments qui font vomir. || **émétisant** XXe s. ; de *émétiser* (1798, *Acad.*).

émettre 1476, G., « interjeter appel », jurid., repris au XVIIIe s. avec divers sens ; adaptation, d'apr. *mettre,* du lat. *emittere,* envoyer dehors. || **émetteur** 1792, Brunot. || **émissaire** début XVIe s. ; lat. *emissarius ; bouc émissaire* 1690, Furetière ; fig. fin XVIIe s., Saint-Simon ; calque du lat. eccl. *caper emissarius.* || **émission** 1380, Conty, « action d'émettre » ; 1721, phys., Mackenzie ; d'apr. l'angl. ; 1790, Mirabeau, finances ; lat. *emissio,* action d'émettre, du part. pass. *emissus.* || **émissif** 1839, Boiste.

émeu 1598, Lodewijcksz (*eeme*) ; 1605, Clusius (*émeu*) ; mot des Moluques.

émeut 1360, *Modus ;* déverbal de l'anc. fr. *émeutir,* fienter (1180, Marie de France), du francique **smeltjan,* fondre (allem. *schmelzen*).

émeute, émietter V. ÉMOUVOIR, MIE 1.

émigrer 1797, Féraud ; lat. *migrare,* changer de demeure, se déplacer. (V. MIGRATION.) || **émigrant** 1770, Du Deffand. || **émigré** 1791, *D. G.* || **émigration** 1752, Brunot ; lat. *emigratio.* (V. IMMIGRER.)

éminent 1212, Anger, « élevé, haut » ; milieu XVIe s., Amyot, fig. ; lat. *eminens,* part. prés. de *eminere,* s'élever. || **éminence** 1314, Mondeville ; lat. *eminentia ;* début XVIIe s., titre des cardinaux d'apr. un titre honorifique du Bas-Empire. || **éminemment** 1611, Cotgrave. || **éminentissime** 1680, Richelet ; ital. *eminentissimo.*

émir XIIIe s., G. de Tyr ; rare jusqu'au XVIe s. ; ar. *amir,* « celui qui ordonne ». || **émirat** 1948, Lar. (V. AMIRAL.)

émissaire, émission V. ÉMETTRE.

emménagogue 1720, Vaux ; gr. *emmêna,* menstrues, et *agôgos,* « qui amène ». Se dit de médicaments qui provoquent l'apparition des règles.

emmenthal 1901, Lar. ; du nom d'une vallée où ce fromage est fabriqué.

emmitonné, emmitoufler V. MITAINE.

émoi 1160, Benoît (*esmai*) ; déverbal de l'anc. fr. *esmaier, -ayer* (1131, *Couronn. Louis*), lat. pop. **exmagare,* se troubler, du germ. **magan,* pouvoir (allem. *mögen*), avec *ex-* privatif.

émollient 1560, Paré ; lat. *emolliens,* part. prés. de *emollire,* amollir, de *mollis,* mou.

émolument 1265, J. de Meung ; pl. 1690, Furetière, « rémunération » ; lat. *emolumentum,* profit.

émonctoire 1314, Mondeville ; lat. *emunctus,* part. passé de *emungere,* moucher. Se dit de l'ensemble des organes qui servent à l'évacuation (excréments, urine, etc.).

***émonder** 1170, Sully (*esmonder*), « purifier » ; 1354, *Modus,* « couper les branches » (*esm-*) ; lat. pop. **exmundare,* réfection de *emundare,* nettoyer. || **émondation** 1523, Lefèvre, « purification » ; 1864, L., pharm. || **émondage** 1573, Liébault. || **émondeur** 1549, R. Est.

émotif, émotion V. ÉMOUVOIR.

émoucher XIIIe s., *Renart,* « débarrasser des mouches » ; 1838, *Acad.,* techn., « débarrasser le grain de l'enveloppe ». || **émouchoir** *id.* || **émouchette** 1549, R. Est., « filet dont on couvre les chevaux pour les protéger des mouches ». || **émouchet** 1558, Boistuau, petit rapace.

***émoulu** 1119, Ph. de Thaon ; part. passé de l'anc. fr. *esmoudre,* issu du lat. pop. **exmŏlĕre,* réfection de *emŏlĕre,* moudre entièrement ; il a pris en fr. le sens de « passer sur la meule, affiler » ; au fig., *frais émoulu* (du collège), 1615, Pasquier.

émousser V. MOUSSE.

émoustiller 1718, Leroux ; var. avec sens fig. de *amoustiller* (1540, Rab.), « gorger de vin mousseux », de *mousse* (* *émoussetiller*). || **émoustillant** 1842, Sainte-Beuve. || **moustille** 1827, *Acad.*

* **émouvoir** 1080, *Roland* (*esm-*), « remuer » ; 1196, J. Bodel, « susciter un sentiment » ; 1170, *Rois,* « toucher » ; lat. pop. **exmŏvēre,* réfection de *emŏvēre,* mettre en mouvement ; le sens fig. a éliminé au XVIIe s. le sens propre, réservé à *mouvoir.* || **émouvant** fin XVIe s., Palissy. || **émotif** 1877, L. ; part. lat. *emotus.* || **émotion** 1534, Saint-Gelais, « excitation » ; 1580, Montaigne, « mouvement populaire », « malaise » ;1641, Corn., sens actuel ; d'apr. le lat. *motio.* || **émotionner** 1829, Boiste. || **émotionnable** 1870, Lar. || **émotionnant** 1896, Goncourt. || * **émeute** 1155, Wace (*esmote*), « émoi » ; 1362, Varin, « agitation » ; milieu XVIe s., Ronsard, sens actuel ; anc. part. passé de *émouvoir,* substantivé au fém. (lat. pop. **exmovĭta*). || **émeutier** 1836, Landais. || **émeuter** *id.*

empaler V. PAL.

empalmer 1907, Lar., terme de prestidigitation ; lat. *palma,* paume de la main. || **empalmage** 1870, Lar.

empan 1532, Rab., anc. mesure ; altér., par changement d'initiale, de *espan,* (1150, *Thèbes*), var. de *espanne* (XIIe s.), du francique * *spanna,* de *spannjan,* étendre, tirer (allem. *spannen*). [V. ÉPANOUIR.]

emparer 1323, G., « fortifier » ; *s'emparer de* 1514, *Coutumier général ;* prov. *amparar* (*emparar,* par substitution de préfixe), protéger ; du lat. pop. * *anteparare,* se protéger devant. || **emparement** 1611, Cotgrave. || **désemparer** 1364, Du Cange, « démanteler » ; début XVIe s., mar. ; dér. de *emparer,* au sens anc. de « fortifier » ; il a pris au XVe s. (1464, Commynes) le sens de « cesser d'occuper », d'où l'expression *sans désemparer* (1835, *Acad.*). || **remparer** 1360, Froissart, « renforcer » ; 1559, Amyot, fig. || **rempart** fin XIVe s. ; *t* dû à l'anc. *boulevart* au XVIe s.

* **empêcher** 1120, *Ps. d'Oxford* (*empedecad*), « entraver, embarrasser » ; 1155, Wace (*empeechier*) ; XVIe s. (*empêcher*) , 1420, A. Chartier, « interdire » ; *s'empêcher* 1580, Montaigne ; bas lat. *impedicare,* prendre au piège (v. PIÈGE). || **empêchement** 1190, Garn. (*empee-*). || **empêcheur** 1265, J. de Meung ; disparu au XVIIe s. ; refait au XIXe s. (*empêcheur de danser en rond*), d'apr. un pamphlet de P.-L. Courier. (V. DÉPÊCHER.)

empeigne XIIIe s., de Garlande (*empeine*) ; 1460, Villon (*empeigne*) ; origine obscure, p.-ê. de *peigne,* au sens anc. de « métacarpe ». || **empeigner** 1877, L.

empennage V. PENNE.

* **empereur** 1050, *Alexis* (*emperedre,* cas sujet) ; 1080, *Roland* (*empereor,* cas régime) ; mot qui avait été repris après le couronnement de Charlemagne ; lat. *imperator, -oris.* || **impératrice** fin XVe s. ; lat. *imperatrix,* qui a remplacé *empereris,* l'anc. fém. de *empereur.*

empeser, empester V. POIX, PESTE.

* **empêtrer** 1160, Benoît (*enpaistrié*) ; 1460, Villon (*empestrer*), « mettre une entrave » ; fig. milieu XVIe s., Ronsard ; lat. pop. * *impastoriare,* de *pastoria,* entrave (*Loi des Longobards*), de *pastus,* pâturage. || **dépêtrer** fin XIIIe s., G., « débarrasser de son entrave » ; 1538, R. Est., fig. (V. PATURON.)

emphase 1546, Discret ; lat. *emphasis,* du gr. *emphasis,* « exagération pompeuse », de *emphainein,* montrer. || **emphatique** 1579, H. Est. ; lat. *emphaticus,* du gr. *emphatikos.* || **emphatiquement** XVIe s., Huguet.

emphysème 1628, Planis ; gr. méd. *emphusêma,* gonflement, de *emphusân,* souffler sur, enfler. || **emphysémateux** 1755, *Encycl.*

emphytéose 1271, Delisle ; lat. médiév. *emphyteosis,* altér. du lat. jurid. *emphyteusis,* du gr. *emphuteusis,* de *emphuteuein,* planter ; ce bail à long terme donnait le droit de faire des plantations. || **emphytéotique** XIVe s. ; lat. médiév. *emphyteoticus.* || **emphytéote** fin XVe s. ; lat. médiév. *emphyteota.*

empiéter V. PIED.

empiffrer XVIe s., Le Clercq, « avaler avec voracité » ; *s'empiffrer* 1669, Widerhold ; de *pifre,* gros individu (XVIe s.) ; au fig., personne ventrue ; orig. onomat. || **piffrer** 1747, Rousseau ; sans doute par troncation du précédent.

empire 1050, *Alexis* (*empirie*) ; 1080, *Roland* (*empire*) ; lat. *imperium,* de *imperare,* commander.

empirer V. PIRE.

empirique 1314, Mondeville, méd. ; XVIIe s., sens actuel ; lat. *empiricus,* du gr. *empeirokos,* de *empeiros,* expérimenté. || **empirisme** 1732, Ph. Hecquet, méd. ; 1808, Laplace, « méthode fondée sur l'expérience ». || **empiriquement** 1596, Vigenère.

emplastique 1538, Canappe ; gr. *emplastikos ;* il a servi de dér. à *emplâtre.*

***emplâtre** 1170, *Rois* (*emplastre*) ; XVIIe s. (*emplâtre*) ; parfois fém. jusqu'au XVIIIe s. ; lat. *emplastrum,* du gr. *emplastron,* de *emplattein,* façonner, appliquer sur. (V. PLÂTRE.)

***emplette** fin XIIe s., R. de Moiliens (*emploite*) ; 1360, Froissart (*emplette*) par attraction du suffixe ; lat. pop. **implĭcita,* part. passé substantivé au fém. de *implicare* (v. EMPLOYER) ; emploi de l'argent en achats (*faire emplette*), d'où « achat » (1611, Cotgrave).

***emplir** début XIIe s., *Voy. de Charl. ;* lat. pop. **implire* (lat. *implēre*). || **désemplir** XIIe s., *Roncevaux.* || **remplir** 1130, *Eneas,* qui a remplacé *emplir ; remplir un objet,* 1756, Beaumarchais ; *remplir un but,* 1761, *Année littér.* || **remplissage** fin XVe s., « dessin dans un vitrail » ; 1508, *Comptes de Gaillon,* « terre de soutien ».

***employer** 1080, *Roland* (*empleier*), « faire usage » ; 1636, Monet, « faire travailler » ; lat. *implĭcare,* « enlacer, engager, impliquer ». || **emploi** 1538, R. Est. ; 1630, Monet, « occupation rémunérée » ; *emploi du temps* 1870, Lar. || **employeur** début XIVe s., « dépensier » ; fin XVIIIe s. ; de l'angl. *employer.* || **employé** 1723, Savary. || **remployer** 1320, G., « dépenser » ; 1690, Furetière, sens actuel. || **remploi** fin XVIe s.

empoigner, empois, empouiller V. POING, POIS, DÉPOUILLER.

***empouter** 1789, Paulet, « ajuster » ; prov. *empeuta,* lat. pop. **impeltare,* boucher, greffer, de *pelta,* bouclier, écusson, d'où d'abord « enter ». || **empoutage** *id.*

***empreindre** 1213, *Fet des Romains ;* lat. pop. **imprĕmĕre,* réfection de *imprimere,* d'apr. *premere,* avec changement de radical d'apr. les verbes en *-eindre.* || **empreinte** 1265, J. de Meung ; part. passé fém. (V. IMPRIMER.)

empresser V. PRESSER.

***emprise** 1160, Benoît, « entreprise, prouesse », restreint au sens jurid. ; 1886, Huysmans, fig., sens actuel ; part. passé substantivé de l'anc. fr. *emprendre,* entreprendre, de *prendre.*

***emprunter** début XIIe s., *Voy. de Charl. ;* lat. pop. **impromuntare,* par altér. du lat. jurid. *promutari,* emprunter d'avance, marquant l'antériorité, du lat. *mutare,* échanger. || **emprunt** fin XIIe s. (*empront*) ; 1212, *D. G.* (*emprunt*). || **emprunteur** milieu XIIIe s. || **remprunter** 1549, R. Est.

empuantir V. PUER.

empyème 1400, G. (*empeime*) ; 1560, Paré (*empyème*), « amas purulent », méd. ; gr. *empuêma,* de *puon,* pus.

empyrée XIIIe s., G. (*les cieux empirées*) ; 1544, M. Scève (*empyrée*) ; 1578, d'Aubigné, fig. ; 1830, Lamartine, astron. et hist. ; lat. eccl. *empyrius,* adj. épithète de « ciel », du gr. *empurios,* qui est en feu, de *pûr,* feu.

empyreume 1560, Paré, chimie ; gr. *empureuma,* de *pûr,* feu ; indique la saveur et l'odeur âcre et forte que contracte une matière organique soumise au feu. || **empyreumatique** 1728, *Mém. Acad. sciences.*

émule XIIIe s., péjor., « rival » ; 1870, Lar., sans péjoration ; lat. *aemulus,* rival. || **émulation** v. 1200, *Règle de saint Benoît,* « rivalité » ; XVIe s., terme scolaire ; lat. *aemulatio.* || **émulateur** 1495, J. de Vignay.

émulsion 1560, Paré ; lat. *emulsus,* part. passé de *emulgere,* traire. || **émulsionner** 1690, Furetière. || **émulsif** 1755, *Encycl.* || **émulsifier** XXe s. || **émulsine** 1837, Vallet, « diastase ».

1. ***en** prép. 842, *Serments* (*in*) ; Xe s. (*en*) ; lat. *in,* dont l'emploi s'est trouvé progressivement limité par *dans ;* la forme contractée *ou* (*en le*) a disparu au XVIe s. ; *ès* (*en les*) est resté dans *bachelier, licencié, docteur ès lettres.*

2. ***en** adv. 842, *Serments* (*int*) ; fin IXe s., *Eulalie* (*ent*) ; lat. *inde,* de là, et, par ext., adv. pronominal (de cela...) en bas lat.

énallage fin XVIe s., Du Perron ; bas lat. gramm. *enallage,* du gr. gramm. *enallagê,* changement, interversion. Désigne l'emploi exceptionnel d'un temps, d'un genre, etc., pour celui que l'on attend.

énarthrose 1611, Cotgrave ; gr. *enarthrosis,* action d'articuler ; de *arthron,* articulation.

énaser V. NEZ.

encan v. 1400, N. de Baye (*inquant*) ; début XVIIe s. (*encan*) ; lat. médiév. *inquantum,* « pour combien ? », de *quantum,* combien.

en-cas V. CAS 1.

encasteler (s') fin XVIe s., Régnier, en parlant du cheval, dont le sabot se rétrécit ; ital. *incastellare,* fermé dans son château fort (*castello*), c.-à-d. « cheval qui a le pied serré ». || **encastelure** 1611, Cotgrave.

encaster V. CASE.

encastrer 1560, Paré (*incastré*) ; 1694, Th. Corn. (*encastrer*) ; ital. *incastrare,* emboîter, et refait d'apr. l'anc. fr. *enchâtrer,* tailler pour introduire, de même rac. que *châtrer.* || **encastrement** 1694, Th. Corn.

encaustique 1578, Vigenère ; rare jusqu'au XVIIIe s. ; lat. *encaustica,* du gr. *egkaustikê* (*teknê*), art de peindre à la cire fondue, de *egkaiein,* brûler (v. ENCRE). || **encaustiquer** 1864, L.

enceindre, enceinte V. CEINDRE.

***enceinte** (*femme*) 1160, Benoît ; bas lat. *incincta* (VIIe s., Isid. de Séville), « entourée d'une ceinture », qui a remplacé par étymologie pop. le lat. *inciens, -entis.*

encens 1120, *Ps d'Oxford ;* 1640, Corn., fig. ; lat. chrét. *incensum,* ce qui est brûlé, part. passé de *incendere,* incendier. || **encenser** 1080, *Roland,* « brûler de l'encens » ; 1666, Molière, fig. || **encensement** 1180, Barbier ; XVIIe s., fig. || **encenseur** 1372, Golein ; rare jusqu'au XVIIe s. (1690, Furetière). || **encensoir** début XIIe s., *Couronn. Loïs.*

encéphale 1700, Andry (*vers encéphales*) ; 1755, *Encycl.,* anat. ; gr. *egkephalos,* ce qui est dans le cerveau, de *kephalê,* tête. || **encéphalique** 1771, Schmidlin. || **encéphalite** 1752, Trévoux, « pierre graveleuse » ; 1806, Lunier, méd. || **encéphalocèle** 1790, *Encycl. méth. ;* gr. *kêlê,* tumeur. || **encéphalographie** 1948, Lar. || **encéphalogramme** *id.* || **encéphalopathie** milieu XIXe s. || **diencéphale** XXe s.

***enchanter** 1119, Ph. de Thaon, « exercer un pouvoir magique sur » ; 1190, Garnier, « charmer » ; 1648, Voiture, « ravir » ; lat. *incantare,* prononcer des formules magiques, de *cantare,* chanter. || **enchantement** 1120, *Ps. de Cambridge,* « pouvoir magique » ; milieu XVIe s., Amyot, « charmer ». || **enchanteur** 1080, *Roland,* « magicien » ; 1632, Rotrou, « charmeur ». || **désenchanter** 1260, Rutebeuf, « rompre l'enchantement » ; 1648, Voiture, « désillusionner ». || **désenchantement** milieu XVIe s.

enchérir, enchevêtrer V. CHER, CHEVÊTRE.

enchifrené 1611, Cotgrave ; de *en-,* et de l'anc. fr. *chief,* tête (lat. *caput*) et *frener,* brider (v. FREINER), « avoir la tête, le nez bridés ». || **enchifrènement** 1680, Richelet.

enchondrome 1863, Graves ; gr. *egkhondros,* cartilage, et suffixe *-ome* qui marque le gonflement, c.-à-d. « tumeur cartilagineuse ».

***enclaver** 1283, Beaumanoir ; 1409, Runkewitz, « encastrer » ; lat. pop. **inclavare,* fermer avec une clef (*clavis*). || **enclave** 1312, Du Cange. || **enclavement** 1453, Monstrelet.

enclencher V. CLENCHE.

***enclin** 1080, *Roland,* « baissé » (jusqu'au XVIe s.) ; 1190, Saint Bernard, fig., « disposé », sens qui a prévalu ; anc. fr. *encliner,* saluer en s'inclinant, lat. *inclinare,* incliner, baisser. (V. INCLINER.)

enclitique 1533, Montflory ; lat. *encliticus,* du gr. *egklitikos,* penché, prononcé comme enclitique. || **enclise** XXe s., gramm., « fusion d'une particule avec le mot précédent vers lequel elle incline » ; gr. *enklisis,* inclinaison, flexion des verbes.

***enclore, enclosure** V. CLORE.

***enclume** 1130, *Eneas ;* lat. pop. **inclūdo, -inis,* du lat. *incus, -udis,* avec substitution de suffixe (cf. *amertume, coutume*) ; le *l* est dû à *includere,* enfermer. || **enclumeau** 1392, E. Deschamps. || **enclumette** 1755, *Encycl.*

encoigner, encolure V. COIN, COU.

encombrer 1050, *Alexis ;* de *en-* et de l'anc. fr. *combre,* barrage de rivière, gaulois **comboros,* abattis d'arbres (lat. du IXe s., *combrus*). || **encombre** 1160, Benoît, « dommage » ; *sans encombre* 1526, Marot. || **encombrement** 1172, G., « difficulté » ; 1762, *Acad.,* « obstruction ». || **désencombrer** 1170, Sully.

encontre, encorbellement V. CONTRE, CORBEAU.

encore, *encourir V. OR, COURIR.

***encre** 1050, *Alexis* (*enque*) ; 1160, *Eneas* (*encre*) ; bas lat. *encautum,* « encaustique pour peinture », puis « encre rouge des empereurs » (*Code Théodosien*), var. de *encaustum,* du gr. *egkauston,* qui a gardé son accent en gallo-romain sur la première syllabe (v. ENCAUSTIQUE). || **encrier** 1380, de Laborde. || **encrer** 1530, Palsgrave. || **encrage** 1842, *Acad.* || **encreur** 1856, Lachâtre.

***encroué** 1155, Wace, « fixer, attacher au croc » ; lat. pop. **incrocare,* même rac. que *croc.*

encyclique 1798, *Encycl.,* adj. ; gr. *egkuklos.,* circulaire (v. CYCLO-) ; n. m. 1834, Landais, abrév. de *lettre encyclique,* s'appliquant aux bulles du pape.

encyclopédie 1532, Rab. ; lat. de la Renaissance *encyclopaedia* (1508, Budé), adaptation du gr. *egkuklios paideia* (Plutarque), instruction complète, c.-à-d. embrassant le cercle des connaissances. (V. ENCYCLIQUE.) || **encyclopédique** 1755, *Encycl.* || **encyclopédiste** 1683, Lamy, « qui possède tout le savoir » ; 1755, *Encycl.,* « auteur de l'*Encyclopédie* ». || **encyclopédisme** XXe s.

endéans fin XIVe s. ; de *en-,* de la préposition *de* et de l'anc. fr. *ens* (1050, *Alexis*), dedans, lat *intus,* à l'intérieur.

endémie 1495, Le Forestier, « maladie fixée dans une région » ; gr. *endêmon nosêma,* de *dêmos,* peuple, pays, et *nosêma,* maladie (v. ÉPIDÉMIE). || **endémique** 1586, Suau. || **endémicité** 1844, Marchant. || **endémisme** XXe s.

endêver fin XIIe s., *Loherains,* « enrager » ; renforcement de l'anc. fr. *desver, derver,* perdre le sens, de *dé-* et de l'anc. fr. *esver,* vagabonder, de même rac. que *rêver.*

endive XIIIe s., G. ; lat. médiév. *endivia,* du gr. byzantin *endivi,* gr. ancien *entubon,* qui a donné le lat. *intubus.*

endo-, gr *endon,* dedans. || **endocarde** 1841, Bouillaud ; gr. *kardia,* cœur. || **endocardite** *id.* || **endocarpe** 1808, Cl. Richard ; gr. *karpos,* fruit. || **endocrine** début XXe s. ; gr. *krinein,* sécréter. || **endocrinien** v. 1950. || **endocrinologie** 1915, Lar. || **endogène** 1813, Candolle ; gr. *gennân,* engendrer. || **endogamie** XXe s.. || **endoréisme** 1956, Lar. ; gr. *rhein,* couler. || **endoscope** 1852, d'après Lar. ; gr. *skopein,* examiner. || **endosmose** 1826, Dutrochet ; gr. *ôsmos,* poussée. || **endosperme** 1808, Richard ; gr. *sperma,* graine. || **endothélium** 1878, Lar. ; sur *épithélium.*

endolorir, endosser, endroit V. DOULEUR, DOS, DROIT.

***enduire** XIIIe s., *l'Escoufle ;* lat. *indūcĕre,* « mettre dans, sur » ; l'anc. fr. avait aussi le sens de « absorber, digérer » (v. INDUIRE). || **enduit** 1160, Benoît, rare av. début XVIe s., « produit qu'on répand sur quelque chose ».

endurcir V. DUR.

***endurer** 1050, *Alexis ;* lat. *indurare,* endurcir, au sens chrét. « s'endurcir le cœur » (saint Jérôme), d'où en fr. « supporter ». || **endurable** fin XVIe s. || **endurance** XIVe s., G. || **endurant** fin XIIe s., *Alexandre.*

endymion 1870, Lar. ; de *Endymion,* jeune chasseur de la mythologie grecque, plongé dans un sommeil éternel.

énéolithique XXe s. ; lat. *aeneus,* d'airain, et gr. *lithos,* pierre.

énergie XVe s., *Jardin de santé,* « efficacité » ; 1673, Molière, « force morale » ; 1877, L., en physique ; bas lat. *energia* (saint Jérôme), du gr. *energeia,* force en action. || **énergique** fin XVIe s. || **énergiquement** 1718, *Acad.* || **énergétique** 1755, *Encycl.,* « qui paraît avoir une énergie innée » ; 1909, Lar., sens actuel ; gr. *energetikos.*

énergumène 1579, Bodin ; lat. chrét. *energumenus* (Ve s., Sulpice Sévère), possédé (du démon), du gr. *energoumenos,* part. prés. passif de *energein,* agir, opérer (au sens fig. inspirer, posséder) ; 1734, Lesage, « personne emportée ».

énerver début XIIIe s., « affaiblir » ; fin XVIIIe s., Chénier, « irriter » ; lat. *enervare,* couper les nerfs (en ce sens « les Énervés de Jumièges », fils de Clovis II, VIIe s.). || **énervement** 1413, *Ordonn.,* « affaiblissement » ; rare jusqu'au XVIIIe s. ; 1907, Lar., « irritation ». || **énervant** 1586, Crespet. || **énervation** 1401, G.

enfance, enfançon V. ENFANT.

***enfant** fin Xe s., *Saint Léger,* « enfant en bas âge » ; 1080, *Roland,* « garçon ou fille jeune » ; 1050, *Alexis,* « fils, fille » ; lat. pop. *infans, infantis* (le cas sujet *enfes* de l'anc. fr. a disparu), désignant d'abord l'enfant qui ne parle pas (*in* priv. et *fari,* parler), puis l'enfant jusqu'à treize ans ; en lat. impér., remplace *puer* (Celse, Columelle), qui désignait l'enfant de sept à quinze ans. || **enfantelet** XVIe s. || **enfanter** 1150, *Jeu d'Adam.* || **enfantement** 1160, Benoît. || **enfantin** fin XIIe s., *Grégoire.* || **enfantillage** 1210, *Estoire d'Eustachius ;* de l'adj. *enfantil* (XIIe s.), bas lat. *infantilis,* d'enfant. || **enfance** XIIe s., *Roncevaux ;* lat. *infantia.* || ***enfançon** XIIe s., G. ; lat. pop. **infantio, -ionis ;* il est attesté jusqu'au XVIIe s. || **fanfan** début XVIe s., fam., enfant ; *Fanfan la Tulipe* début XIXe s.

***enfer** 980, *Passion* (*enfern*) ; 1080, *Roland* (*enfer*) ; bas lat. chrét. *infernum,* lieu d'en bas (déjà employé au Ier s. au pl., chez Properce, à côté de *inferi* pour les Enfers païens ; proprement « les dieux d'en bas »). || **infernal** 1130, *Eneas,* « de l'enfer » ; XVIIIe s., fig. ; bas lat. *infernalis,* de *infernus,* qui est relatif aux Enfers.

enfeu, enfiler, enfin, enflammer V. FOUIR, FIL, FIN 1, FLAMME 1.

***enfler** 980, *Passion ;* XIIe s., « rendre orgueilleux » ; 1587, Cholières, « faire paraître plus important » ; lat. *inflare,* « souffler (*flare*) dans ». || **enflure** XIIe s., Marbode (*enfleüre*) ; XIIIe s. (*enflure*) ; fin XVIe s., d'Aubigné, fig. || **désenfler** 1138, *Saint Gilles.* || **renfler** 1160, Benoît. || **renflement** 1553, Vaganay.

enfoncer, enforcir, enfouir, enfourner V. FOND, FORT, FOUIR, FOUR.

***enfreindre** 1090, G. (*-fraindre*) ; XIIIe s. (*enfreindre*) ; lat. pop. **infrangere,* réfection de *infringere,* d'apr. *frangere,* briser ; surtout jurid. (V. INFRACTION.)

engager V. GAGE.

engeance 1539, R. Est., « race d'animaux » ; 1560, *Bible,* « race méprisable d'hommes » ; anc. fr. *aengier, enger* (disparu au XVIIe s.), pourvoir, puis « pourvoir d'animaux, de plantes » ; p.-ê. lat. *indicare,* révéler.

engeigner, engeler, engelure V. ENGIN, GEL.

***engendrer** XIIe s., *Roncevaux,* « produire par voie de génération » ; 1226, G., « être cause de » ; lat. *ingenerare,* de *genus, generis,* race. || **engendreur** 1160, Benoît.

***engin** 1155, Wace (*enging*) ; XIIe s., *Roncevaux* (*engien*), « talent, adresse » (jusqu'au XVIIe s.) ; le sens d'« instrument, machine » (1165, G.), formé peut-être dès le bas lat., l'a emporté ; lat. *ingenium,* caractère, talent. || **engeigner** 1080, *Roland* (*engignier*), « duper », encore au XVIIe s.

englanter, englober V. GLAND, GLOBE.

***engloutir** 1050, *Alexis,* déjà au fig. ; bas lat. *ingluttire,* avaler (v. GLOUTON). || **engloutissement** 1429, Gerson ; rare jusqu'au XIXe s. (1842, *Acad.*). || **engloutisseur** 1571, de La Porte.

engoncer V. GOND.

engouer 1360, Froissart, « obstruer le gosier » ; transitif encore en 1793 (Lavoisien) ; *s'engouer* 1555, Ronsard ; mot dial. de même rac. que *gaver.* || **engouement** 1694, *Acad.,* « étouffement » et « admiration ». (V. GOUAILLER, GOUALER.)

engoulevent 1292, *D. G.,* comme n. propre ; 1656, Oudin, « qui boit beaucoup » ; 1778, Buffon, passereau ; mot dial. de l'Ouest, de *engouler,* avaler (de *gueule*) et de *vent.*

engourdir, engrais, engraisser, engraver, engrener, engrois V. GOURD, GRAS, GRAVER et GRAVIER, GRAIN, GROS.

enhendé 1644, Vulson, croix terminée par trois pointes ; esp. *enhendido,* fendu, correspondant à l'anc. fr. *enfendu,* de *enfendre,* fendre.

enhydre XIIe s., Marbode (*enidros*) ; XVIIIe s. (*enhydre*), « serpent d'eau » ; 1827, *Acad.,* « loutre de mer » ; gr. *enudros* (d'abord dans les trad. lat. d'Aristote), de *en,* dans, et *hudôr,* eau.

énigme fin XIVe s., Le Fèvre (*enigmat*) ; XVe s., *Alector* (*ainigme*), masc. jusqu'au XVIIe s. ; lat. *aenigma,* du gr. *ainigma.* || **énigmatique** XIIIe s., G., « de l'énigme » ; rare jusqu'au XVIe s. ; 1864, L., « secret, mystérieux » ; lat. *aenigmaticus,* empr. au gr. *ainigmatikos.* || **énigmatiquement** 1488, *Mer des hist.*

enjeu, enjoindre, enjôler, enjoué V. JEU, JOINDRE, GEÔLÉ.

enlarme 1771, Trévoux, techn. ; altér. de l'anc. fr. *enarme* (1160, G. ; encore 1611, Cotgrave), « courroie pour passer le bouclier au bras » ; déverbal de *enarmer* (fin XIIe s.), « garnir de courroies », d'où le sens de « garnir de mailles un filet », du lat. pop. **inarmare,* de *in,* dans, et *armus,* bras. || **enlarmer** 1688, Fortin.

enliser XVe s., Gruel ; rare jusqu'au XIXe s. (popularisé par V. Hugo) ; mot normand, de *lise,* sable mouvant (XIIe s.), var. probable de *glise,* glaise. || **enlisement** 1862, Hugo.

enluminer 1080, *Roland,* « orner » ; lat. *illuminare,* avec changement de préfixe ; 1170, *Rois,* « rendre lumineux » (jusqu'au XVIe s.) ; appliqué aux enluminures dès le XIIe s. || **enluminure** 1352, Gay. || **enlumineur** 1268, É. Boileau.

ennemi fin IXe s., *Eulalie* (*inimi*) ; XIe s. (*ennemi*) ; lat. *inimicus,* par emprunt ancien. (V. INIMITIÉ.)

ennième 1834, Esnault ; de *n,* nombre indéterminé, et finale de *deuxième.*

***ennuyer** 1080, *Roland* (*-uiet*), « recru de fatigue » ; XIIe s., *Roncevaux,* « chagriner, nuire » ; XIIIe s., « lasser » ; bas lat. *ĭnŏdiare,* avoir de la haine (*odium*). || **ennui** 1120, *Ps.*

d'Oxford, déverbal ; d'abord peine vive, puis, dès le XIIIe s., malaise d'un esprit inoccupé. || **ennuyeux** 1112, *Voy. saint Brendan* (*annuus*) ; XIIe s. (*ennuyeux*) ; bas lat. *inŏdiŏsus,* de *odiosus,* désagréable. || **ennuyeusement** XIIe s., Couci.

énoncer fin XIVe s. ; rare avant le XVIIe s. (1611, Cotgrave) ; lat. *enuntiare,* de *nuntiare,* annoncer (v. ANNONCER). || **énonçable** 1845, Richard. || **énoncé** 1690, Furetière. || **énonciation** 1361, Oresme ; lat. *enuntiatio.* || **énonciatif** fin XIVe s. ; lat. *enuntiativus.*

énorme 1355, Bersuire, « hors des règles » ; 1560, Paré, sens actuel ; lat. *enormis,* « qui sort de la règle (*norma*) ». || **énormité** 1220, Coincy, « crime énorme » ; 1361, Oresme, sens actuel ; lat. *enormitas.* || **énormément** 1340, Le Fèvre (*-mement*) ; 1549, R. Est. (*-méement*).

***enquérir** 1080, *Roland* (*enquerre*) ; XIVe s. (*enquérir*), réfection d'après *quérir* ; lat. *inquirĕre,* s'enquérir ; devenu pronominal (1460, Chastellain) et jurid. || ***enquête** fin XIIe s., R. de Moiliens ; part. passé fém. substantivé, lat. **inquaesĭta* (v. QUÊTE), « recherche », puis jurid. (1530, Palsgrave). || **enquêter** fin XIIe s., G., « chercher » ; 1907, Lar., sens actuel. || **enquêteur** 1283, Beaumanoir, « juge ».

enrayer V. RAI.

enrouer XIIe s., Marbode (*-oer*) ; anc. fr. **rou* (fém. *roue*), rauque (XIe s., *Gloses Raschi*), du lat. *raucus.* || **enrouement** XVe s., G. || **désenrouer** 1580, Chapuis.

ensacher V. SAC.

***enseigne** 980, *Passion* (*ensenna*) ; XIe s. (*enseigne*), « signe distinctif » ; 1080, *Roland,* « étendard », « porte-drapeau » ; *enseigne de vaisseau* 1573, Du Puys ; *enseigne de boutique* 1458, *Mystère ; à telles enseignes* XIIIe s., Joinville ; pl. neutre lat. *insignia,* passé au fém., de *insignis,* remarquable (v. INSIGNE).

***enseigner** 1050, *Alexis* (*enseignier*) ; XIVe s. (*enseigner*) ; lat. pop. **insĭgnare,* renforcement du lat. *signare,* indiquer, de *signum,* signe, d'où, par ext., en fr. « instruire ». || **enseignant** 1771, Trévoux. || **enseignable** 1265, Br. Latini, « docile à l'enseignement » ; 1838, *Acad.,* sens actuel. || **enseignement** 1180, *Alexandre,* « avis, exemple » et « instruction ». || **renseigner** 1358, *D. G.,* « mentionner, assigner » (jusqu'au XVIe s.) ; puis indiquer de nouveau ; 1762, *Acad.,* « donner un renseignement » ; *se renseigner* 1829, Boiste ; de *enseigner* au sens de « indiquer ». || **renseignement** 1429, G., « mention, libellé » ; 1762, *Acad.,* sens actuel.

***ensemble** 1050, *Alexis ;* fin XIXe s., math. ; lat. pop. *insĭmul,* renforcement de *simul,* ensemble. || **ensemblier** v. 1920, artiste décorateur qui fait des ensembles.

ensevelir 1120, *Ps. d'Oxford ;* de *en* et de l'anc. fr. *sevelir* (1120, *Ps. de Cambridge*), lat. *sepĕlīre,* ensevelir. || **ensevelissement** 1155, Wace.

ensiler V. SILO.

ensimer 1120, *Ps. d'Oxford,* « graisser » (*enssaïmer*) ; XIVe s., Poerck, terme de textile ; 1723, Savary (*ensimer*) ; anc. fr. *saïm,* graisse, du lat. pop. **sagīmen,* lat. *sagīna,* engraissement ; terme techn., « incorporer aux matières textiles un certain pourcentage de corps gras ». (V. SAINDOUX.)

ensorceler V. SORCIER.

ensouple XIe s., *Gloses de Raschi* (*ensoble*) ; 1440, Marquant (*ensouple*), sous l'infl. de *souple ;* bas lat. *insubulum* (VIIe s., Isid. de Séville). || **ensoupleau** 1606, Nicot. Terme techn. désignant un gros cylindre de métier à tisser.

ensuite, entacher V. SUITE, TACHE.

***entamer** 1155, Wace, « blesser » ; XIIIe s., sens actuel ; bas lat. *intaminare,* souiller, qui a dû avoir aussi le sens de « toucher », de *tangere,* toucher. || **entame** 1360, Froissart, « blessure » ; 1675, Widerhold, « première tranche ». || **entamure** 1339, Jean de La Mote. || **rentamer** début XIVe s.

entasser, ente V. TAS, ENTER.

entéléchie milieu XIVe s., Le Fèvre (*ende-*) ; 1553, Rab. (*entéléchie*) ; lat. *entelechia,* du gr. *entelekheia,* ce qui a de la perfection. Désigne en philosophie la réalité parvenue à un état de perfection.

***entendre** 1050, *Alexis,* « percevoir par l'ouïe » ; 1080, *Roland,* « comprendre » ; du lat. *intendĕre,* « tendre vers », au fig. « être attentif à », d'où « comprendre » (sens dominant au XVIIe s.) ; puis seulement « percevoir un son » remplaçant *ouïr,* disparu. || **entente** 1130, *Eneas,* anc. part. passé, du lat. pop. *intendĭtus,* compris ; *entente cordiale* 1840, d'apr. L. || **entendeur** XIIIe s., G. || **entendement** milieu XIe s. ; de *entendre,* comprendre. || **entendu** XIIIe s., G., adj. ; *bien entendu* 1671, La Fontaine ; *faire l'entendu* 1549, R. Est. || **mésentente** XVIe s., « malentendu » ; 1848, *Journ. de Genève,* sens actuel. || **malentendant** 1962, Lar. || **mal-**

entendu 1601, J. Le Petit. || **sous-entendu** 1657, Pascal, adj. ; 1706, Richelet, n. m. || **sous-entendre** début XIVe s.

***enter** fin XIe s., *Gloses de Raschi,* « greffer » ; 1220, Coincy, fig. ; lat. pop. **impŭtare,* de *pŭtāre,* tailler, émonder, spécialisé au sens de « greffer », par croisement avec le gr. *emphuton,* greffe. || **ente** début XIIe s., *Voy. de Charl. ;* déverbal. || **enture** XIVe s., *Glossaire de Salins.*

entériner V. ENTIER.

entérite 1805, Lunier ; lat. scientif. *enteritis,* gr. *enteron,* intestin. || **entérique** 1855, Nysten. || **entérocèle** 1560, Paré ; gr. *kêlê,* tumeur. || **entérocolite** 1855, Nysten. || **entéropathie** 1870, Lar. || **entérotomie** 1755, *Encycl.* || **entérozoaires** milieu XIXe s.

enthousiasme 1546, Rab., « inspiration de l'artiste » ; 1664, Molière, « ardeur » ; gr. *enthousiasmos,* transport divin, de *enthousia,* inspiration divine, de *theos,* dieu. || **enthousiasmer** fin XVIe s., Charles IX ; *s'enthousiasmer* fin XVIIe s., Sévigné. || **enthousiaste** 1544, Mathée, « inspiré » ; 1778, Diderot, « passionné » ; gr. *enthousiastês.*

enthymème 1440, Ch. d'Orléans (*emptimeme*) ; 1690, Furetière (*enthymème*), philos. ; gr. *enthumêma,* ce qu'on a dans la pensée ; syllogisme dans lequel une des prémisses est sous-entendue.

enticher XIIe s., *Guill. d'Angleterre* (*enticier*), « tacher, gâter », surtout au part. passé, « pourvu de tel vice » (1240, G. de Lorris) ; 1664, Molière, fig., sens actuel, ; *s'enticher de* 1845, Besch. ; var. de l'anc. fr. *entechier,* de *teche,* var. de *tache.* || **entichement** XIIIe s. (*entechement*), « corruption » ; XIXe s., Sainte-Beuve (*enti-*), sens actuel.

***entier** XIe s., « complet » ; fin XIIe s., Couci, « intact » ; milieu XVIe s., Amyot, « sans compromis » ; lat. *integer,* non touché, de *in* négatif et *tangere,* toucher ; il a aussi le sens d'« intègre » en anc. fr. ; la finale a subi l'infl. du suffixe *-ier.* || **entièrement** fin XIIe s., Couci. || **entériner** 1268, É. Boileau, « parfaire un acte en le ratifiant » ; 1695, La Fontaine, « approuver comme valable » ; de l'anc. fr. *enterin,* complet, achevé, de *entier.* || **entérinement** 1316, G.

entité 1502, O. de Saint-Gelais ; lat. scolast. *entitas,* de *ens, entis,* part. prés. de *esse,* être. (V. NÉANT.)

entomologie 1745, Bonnet ; gr. *entomon,* insecte, et *logos,* science, traité. || **entomologique** 1789, G.-A. Olivier. || **entomologiste** 1783, Bertholon. || **entomophage** 1839, Boiste. || **entomophile** 1845, Besch. || **entomozoaire** 1864, L. ; gr. *zôon,* être vivant.

entonner, entonnoir V. TON, TONNÉ.

entorse 1560, Amyot ; part. passé fém. de l'anc. fr. *entordre* (XIIe s., *Roman Thèbes*), du lat. pop. **intorquere,* lat. class. *intorquēre,* tordre en dedans.

entortiller V. TORDRE.

entour 980, *Passion ;* de *en* et *tour ; à l'entour* 1424, A. Chartier, devenu *alentour ; alentours* 1766, Voltaire. || **entourer** 1538, R. Est. || **entourage** milieu XVe s. ; 1776, Beaumarchais, « ensemble de personnes ».

entournure 1538, R. Est. ; anc. fr. *entourner,* se tenir autour (1395, G.), de *en* et *tourner.*

entozoaire V. PROTOZOAIRE.

entrailles 1120, *Ps. de Cambridge,* « siège de la sensibilité » ; 1130, *Eneas,* au sing. « viscères » ; 1155, Wace, au pl. ; bas lat. *intralia* (VIIIe s., *Reichenau*), ce qui est à l'intérieur (*intra*).

entrain, entraîner, entrait V. TRAIN, TRAÎNER, TRAIRE.

1. **entraver** 1493, Coquillart, « retenir par une entrave » ; XVIe s., fig., empêcher ; anc. fr. *tref,* poutre (fin XIe s., *Gloses de Raschi*), du lat. *trabs, trabis.* || **entrave** 1530, Palsgrave. || **entravement** 1870 Lar. || **entravon** 1678, Guillet.

2. **entraver** 1460, Villon, « comprendre », arg. ; altér. d'*enterver* (XIIe s.), chercher, mot de l'Est et du Nord-Est, du lat. *interrogare.* (V. INTERROGER.)

***entre** 1080, *Roland ;* lat. *inter ;* il a formé en anc. et en moyen fr. de nombreux composés indiquant la réciprocité ou l'atténuation (*entrevoir*). [V. au mot simple.]

entrechat 1609, Régnier (*entre-chat*) ; 1611, Cotgrave (*entrechasse*) ; ital. *intrecciata,* abrév. de *capriola intrecciata,* saut entrelacé, d'apr. Ménage, avec infl. du fr. *chasser.* (V. CHASSER.)

entrefaites, entregent, entreposer, entreprendre V. FAIRE, GENS, POSER, PRENDRE.

***entrer** Xe s., *Saint Léger* (*intrer*) , 1050, *Alexis* (*entrer*) ; lat. *intrare,* de *inter,* entre. || **entrée** 1130, *Eneas.* || **rentrer** début XIIe s., *Voy. de*

Charl. || rentrée 1538, R. Est., fig. ; XVIIIe s., « retour ».

entresol V. SOLE 2.

entre-temps 1155, Wace (*entretant*) ; 1462, *Cent Nouvelles* (*entretemps*) ; composé de *entre* et de *tant,* avec infl. de *temps.*

entretenir, entretoise V. TENIR, TOISE.

entropie 1877, L., phys. ; gr. *entropê,* action de retourner, de *entrepein,* tourner.

entropion 1792, *Encycl. méth.* (*antropium*) ; 1864, L. (*entropion*), méd. ; gr. *entropê,* retournement.

énucléation 1493, Coquillart, fig., « éclaircissement » ; 1611, Cotgrave, « extraction d'un noyau d'amande » ; chir., 1836, Raymond ; lat. *enucleare,* extraire un noyau (*nucleus*). || énucléer chir., 1836, Raymond.

énumérer 1521, Fabri, en rhétorique ; rare jusqu'au XVIIIe s. ; lat. *enumerare,* de *numerus,* nombre. || **énumérable** 1922, Lar. || **énumérateur** 1688, La Bruyère. || **énumératif** 1794, d'Arçon. || **énumération** 1488, *Mer des hist. ;* lat. *enumeratio,* action de compter complètement.

énurésie 1808, Boiste ; de *en-,* dans, et gr. *ourein,* uriner. || **énurétique** XXe s.

***envahir** 1080, *Roland* (*-aïr*), « attaquer » ; fin XVIe s., « occuper brusquement » (sens qui s'est imposé) ; lat. *invadĕre,* « pénétrer dans », de *vadere,* aller, avec chang. de conjugaison. || **envahissant** 1760, d'après Féraud. || **envahissement** 1080, *Roland.* || **envahisseur** fin XIVe s., « qui attaque » ; 1787, Féraud, sens actuel. (V. INVASION.)

envelopper 980, *Passion* (*envolopet,* 3e pers. sing. prétérit) ; anc. fr. *voloper* (XIIe s.), p.-ê. du bas lat. *faluppa,* balle de blé, avec infl. de *volvere,* tourner. || **enveloppe** 1292, Delb. ; 1690, Furetière, pour la lettre. || **enveloppement** fin XIe s. ; rare jusqu'au XVIIIe s. || **enveloppeur** milieu XIVe s. || **développer** fin XIIe s., « ôter de l'enveloppe » ; 1580, Montaigne, « exposer en détail » ; 1807, Staël, « étendre » ; fait sur la même rac. || **développement** XVe s., G.

envenimer, envergure V. VENIN, VERGUE.

***envers** 980, *Passion* (*enver*) ; bas lat. *inversus,* part. passé de *invertere,* retourner ; adj. (jusqu'au XVIe s.), prép. (XIIe s.) et n. m. (XIIIe s.) ; *à l'envers* XIVe s., Cuvelier. || **renverser** 1280, Poerck ; de *envercier* (XIIe s.). || **renverse** XVe s., *Franc Archer de Bagnolet* (*avoir la renverse*) ; *à la renverse* 1433, d'après Régnier. || **renversement** 1478, Chauliac. || **renversant** 1830, Balzac, fig. || **renversable** 1838, *Acad.*

envi (à l') 1540, Marot ; anc. fr. *envi,* défi, gageure, réduit à cette seule loc. auj. ; déverbal de l'anc. fr. *envier,* du lat. *invītare,* inviter, provoquer au jeu. || **renvier** 1160, Benoît, « inviter de son côté » ; début XIIIe s., R. de Houdenc, « renchérir au jeu ». || **renvi** 1468, Chastellain, « action de renchérir » ; déverbal.

***envie** 980, *Passion* (*enveie*) ; 1130, *Eneas* (*envie*) ; lat. *invidia,* jalousie, passé en fr. au sens de « désir » ; 1611, Cotgrave, « tache sur la peau ». || **envier** 1155, Wace. || **enviable** 1398, E. Deschamps ; rare jusqu'au début XIXe s. (B. Constant). || **envieux** 1119, Ph. de Thaon (*invidius*) ; fin XIIe s. (*envieux*) ; lat. *invidiosus.*

environ 1080, *Roland ;* anc. fr. *viron,* ronde, pays d'alentour, et adv. « environ » ; prép., « autour de » (jusqu'au XVIIe s.), puis seulement adv. (dès le XVIe s.) ; n. m., *à l'environ* 1360, Froissart. || **environnant** 1775, Mercier. || **environner** 1130, *Saint Gilles.* || **environnement** 1300, G., « circuit » ; milieu XXe s., sens actuel.

envisager V. VISAGE.

envoûter XIIIe s., Delb. ; XIXe s., fig. ; anc. fr. *volt, vout,* visage (XIIe s.), et, par ext., image de cire servant à l'envoûtement, du lat. *vultus,* visage. || **envoûtant** XXe s., fig. || **envoûtement** XIVe s., *Registre du Châtelet.* || **envoûteur** 1888, Daudet.

***envoyer** 980, *Passion* (*enveier*) ; bas lat. *inviāre,* parcourir (IIIe s., Solinus) ; de *vĭa,* route, voie ; d'où par ext. faire parcourir, envoyer. || **envoyé** 1290, *Glossaire de Douai.* || **envoi** 1130, *Saint Gilles* (*envei*) ; déverbal. || **envoyeur** XVe s., *D.G.* || **renvoyer** 1130, *Eneas.* || **renvoi** 1396, Runkewitz.

enzyme V. ZYMIQUE.

éocène 1843, Mackenzie ; trad. Tullia, tiré par Lyell en 1833 du gr. *êôs,* aurore, et *kainos,* récent. || **miocène** *id. ;* gr. *meiôn,* plus petit. || **pliocène** *id. ;* gr. *pleiôn,* plus grand.

éolien 1615, Binet (*harpe éolienne*) ; début XXe s., relatif au vent ; lat. *Aiolus* (gr. *Aiolos*), Éole, dieu des vents ; géogr., nom d'une région de Grèce. || **éoliser** XXe s.

éon 1732, Trévoux, philos. ; gr. *aiôn,* temps, éternité.

éosine 1877, L. ; gr. *êôs,* aurore, par comparaison de couleur. || **éosinocyte** XXe s. ; gr. *kutos,* objet creux. || **éosinophile** début XXe s. ; gr. *philos,* ami.

épacte 1119, Ph. de Thaon, cosmographie ; bas lat. *epactae,* du gr. *epaktai* (*hêmêrai*), [jours] intercalaires. || **épactal** 1771, Trévoux.

***épagneul** 1354, *Modus* (*espaignol*) ; milieu XVe s. (*épagneul*) ; var. de *espagnol* (repris à l'esp. *español*), du lat. pop. **hispaniolus,* de *Hispania,* Espagne, spécialisé à la fin du Moyen Âge pour désigner un chien de chasse originaire d'Espagne.

épagogique 1842, Mozin ; de *épagogue* (1697, Verduc), du gr. *epagôgê,* action d'amener, d'attirer. Terme de logique indiquant un argument par induction.

épagomène 1752, Trévoux, jour intercalaire ; gr. *epagomenai (hêmêrai),* [jours] complémentaires, de *epagomenos,* ajouté.

épais 1080, *Roland* (*espes*) ; fin XIIe s. (*espeis, espois*) ; déverbal de l'anc. fr. *espoissier,* du lat. **spĭssiare,* de *spĭssus,* épais. || **épaisseur** 1377, Oresme (*espesseur*) ; 1638, Rotrou (*épaisseur*). || **épaissir** 1165, Thomas (*espessir*) ; XVIIe s. (*épaissir*) ; *s'épaissir* 1538, R. Est. || **épaississant** 1888, Lar. || **épaississement** 1538, R. Est. || **épaississeur** 1948, Lar.

épaler 1262, G. (*espaeler*) ; anc. fr. *païele,* parcelle de terre, du bas lat. *pagella,* feuille de papier, devenu « mesure de surface ».

***épancher** 1312, G. (*esp-*), « verser un liquide » ; 1669, Racine, « donner libre cours » ; *s'épancher* 1583, Tabourot ; lat. pop. **expandĭcare,* de *expandere,* répandre. || **épanchement** 1606, Fr. de Sales, « action de se confier à qqn » ; 1651, Corn., « action de verser un liquide ». || **épanchoir** 1716, H. Gautier, techn., « ouvrage d'art par lequel peut se déverser un trop-plein d'un étang, d'un canal ».

***épandre** 1080, *Roland* (*espandre*) ; XVIIe s. (*épandre*) ; lat. *expandere,* qui a éliminé *pandere.* || **épandage** 1765, Brunot, limité au sens techn. || **épandeur** XXe s. || **répandre** 1170, *Floire et Blancheflor,* « épandre de nouveau » puis « faire couler » (XIIe s.) ; 1653, Bossuet, fig. ; il a perdu au XVIIe s. le sens itératif. || **répandu** 1679, Sévigné, « communément admis ».

épanouir fin XIe s., *Gloses de Raschi* (*espenir*) ; 1538, R. Est. (*-nouir,* d'apr. *évanouir*) ; francique **spannjan,* étendre. || **épanouissement** 1460, G. Chastellain (*-nissement*) ; 1559, Amyot (*-nouis-*).

épar 1175, Chr. de Troyes (*esparre*), pièce de charpente ; germ. *sparro, -a,* poutre (allem. *Sparren*).

épargner 1080, *Roland* (*esparnier*), « laisser la vie sauve » ; XIIe s., « dépenser avec parcimonie » ; germ. **sparanjan,* de *sparan,* épargner (allem. *sparen*). || **épargnant** 1361, Oresme, adj. ; 1876, *Journ. des débats,* n. m. || **épargne** 1155, Wace (*esparne*), « action de faire quartier » ; 1265, J. de Meung (*espergne*), « mise en réserve » ; déverbal.

***éparpiller** 1120, *Ps. d'Oxford* (*esparpeillier*) ; anc. fr. *desparpeillier,* éparpiller, du lat. pop. **disparpiliare,* croisement probable du lat. *palea,* paille, et de *dispare palare,* répartir inégalement, « jeter çà et là comme de la paille ». || **éparpillement** 1290, Végèce (*esperpillement*) ; 1636, Monet (*éparpillement*).

***épars** 1160, Benoît (*espars*) ; 1636, Monet (*épars*) ; part. passé de l'anc. fr. *espardre,* du lat. *spargĕre,* répandre (*sparsus,* répandu), qui a disparu devant *répandre* et *disperser.*

éparvin fin XIIe s., *Assises de Jérusalem* (*esp-*), « tumeur au jarret du cheval » ; p.-ê. francique **sparo, sparwun,* passereau, par métaphore avec la forme de l'oiseau.

épater 1399, J. des Preis (*espatter*), « casser la patte, écraser » ; 1690, Furetière « aplatir en élargissant la base » ; 1808, d'Hautel, *s'épater ;* 1835, Raspail, « étonner, bluffer » ; de *patte.* || **épate** 1835, Raspail. || **épaté** 1611, Cotgrave (*nez épaté*). || **épatement** 1583, Liébault, techn. ; 1864, L., « écrasement » ; 1859, Goncourt, « surprise », fig. || **épateur** 1835, Esnault. || **épatant** 1860, Esnault. || **épatamment** 1867, Delvau.

épaufrer fin XVIIIe s. ; altér. de l'anc. fr. *épautrer* (XIIIe s. ; encore 1611, Cotgrave), probablement francique **spalturōran,* briser. || **épaufrure** 1694, Corn.

***épaule** 1080, *Roland* (*espalle*) ; 1740, *Acad.* (*épaule*) ; lat. impér. *spathŭla,* dimin. de *spatha,* spatule, omoplate (Apicius), par ext. épaule (v. ÉPÉE). || **épaulé** XXe s., sport. || **épaulée** XIVe s., Cuvelier. || **épaulard** 1554, Rondelet (*espaulart*) ; 1752, Trévoux (*épaulard*), dauphin allongé. || **épaulement** 1501, *Doc.* || **épauler** 1268, É. Boileau (*espauler*) ; XVIIe s. (*épauler*). || **épaulette** 1534, *Recueil des lois,* armure ; 1560, Paré, anat. ; 1694, *Acad.,* ornement d'un vêtement ; XVIIIe s., insigne milit. || **épaulière** XIIe s., *Aliscans.*

épave adj., 1283, Beaumanoir (*espave*), « égaré » ; n. f., XIVe s., *Ordonn.* ; XVIe s., sens actuel ; lat. *expavidus,* « épouvanté », de *pavidus,* effrayé, appliqué aux animaux égarés.

***épeautre** fin XIe s., *Gloses de Raschi* (*espelte*) ; 1256, Ald. de Sienne (*espiaute*) ; milieu XVIe s. (*épeautre*) ; les formes sans *r* se rencontrent encore au XVIIIe s. (1771, Trévoux) ; lat. impér. *spelta* (Ier s., Rhemnius), du germanique **spelta.*

***épée** fin IXe s., *Eulalie* (*spede*) ; 1080, *Roland* (*espee*) ; 1636, Monet (*épée*) ; lat. impér. *spatha* (IIe s., Tacite), large épée à deux tranchants qui remplaça l'épée romaine, *ensis* (v. ÉPAULE, SPATULE). || **épéiste** 1907, Lar., « qui pratique l'escrime à l'épée ».

épeiche 1611, Cotgrave ; réfection sur *sec, sèche,* de l'anc. fr. *espec* (XIIe s.), du haut allem. *spëch,* pivert, du francique **speht,* qui a donné directement *espoit* (1155, Wace). || **épeichette** 1864, L.

épeire 1845, Besch. ; lat. scientif. *epeira,* du gr. *êpeiros,* terre ferme, à cause de l'habitat de cette araignée.

épeler 1050, *Alexis* (*espelt*) ; XIIIe s. (*espelir*) ; XVe s. (*espeler*) ; francique *spellôn,* raconter, refait d'après *appeler* ; en anc. fr. « expliquer », spécialisé à la lecture des lettres au XVe s. || **épellation** 1732, Trévoux.

épendyme 1856, Lachâtre ; gr. *ependuma,* vêtement de dessus.

épenthèse 1675, *Rem. sur l'orthographe* ; lat. gramm. *epenthesis,* du gr. *epenthesis,* intercalation, ajout (*epi,* sur, *en,* dans, *thesis,* action de placer). || **épenthétique** 1782, *Encycl. méth.*

éperdu 1130, *Eneas* (*esp-*) ; part. passé de l'anc. fr. *esperdre* (1160, Benoît), perdre complètement, au sens fig., et pronominal « se troubler ». || **éperdument** 1520, La Curne.

éperlan XIIIe s., Delb. (*espellens*) ; 1560, Paré (*esperlan*) ; moyen néerl. *spierlinc* (allem. *Spierling*).

éperon 1080, *Roland* (*esp-*) ; XVIe s. (*éperon*) ; francique **sporo* (*sporonus, Gloses* du VIIIe s.). || **éperonner** *id.* || **éperonnement** 1538, R. Est. || **éperonnerie** XVIe s., G. || **éperonnier** 1292, *Taille de Paris.* || **éperonnière** *id.* || **éperonnelle** 1617, Delb., bot., plante à éperon.

épervier 1080, *Roland* (*esprevier*) ; fin XIe s., *Gloses de Raschi* (*esparvier*) ; XVIIIe s. (*épervier*) ; francique *sparwâri* (allem. *Sperber*). || **épervière** 1786, *Encycl. méth.,* ou *herbe d'épervier,* plante qui passait pour fortifier la vue de l'épervier.

épeuler V. POIL.

éphèbe fin XVe s., hist., jeune homme grec ; fin XIXe s., ironiq. ; lat. *ephebus,* adolescent, du gr. *ephêbos,* de *epi,* sur, et *hêbê,* jeunesse. || **éphébie** 1870, Lar., hist. ; lat. *ephebia,* mot grec. || **éphébisme** 1868, Goncourt.

éphédra 1752, Trévoux (*éphèdre*) ; XXe s. (*éphédra*), bot. ; lat. *ephedra,* mot grec.

éphélide 1752, Trévoux, tache de rousseur ; lat. *ephelis,* du gr. *ephêlis,* de *hêlios,* soleil.

éphémère 1256, Ald. de Sienne ; 1314, Mondeville (*fièvre effimère*) ; 1560, Paré (*éphémère*) ; gr. méd. *ephêmeros,* qui dure un jour (*hêmera,* jour) ; le sens général a été repris au gr. au XVIIIe s. ; n. m. 1690, Furetière, insecte. || **éphémérine** 1786, *Encycl. méth.,* « plante des tropiques ». || **éphémérides** 1537, *Anc. poés. fr.* ; lat. *ephemeris, -idis,* récit de faits quotidiens, calendrier chez Ovide, mot grec, de *hêmera,* jour.

éphialte fin XVIe s., Bouchet, « démon, cauchemar » ; bas lat. *ephialtes,* mot grec, « qui saute sur », par métaphore genre d'hyménoptères.

éphod 1495, J. de Vignay (*ephot*) ; 1672, Sacy (*éphod*), vêtement hébreu ; hébreu *efod,* par les trad. lat. de la Bible.

éphore 1361, Oresme (*effore*), hist. ; 1690, Furetière (*éphore*) ; lat. *ephorus,* gr. *ephoros,* de *horân,* voir.

***épi** 1160, Benoît (*espi*) ; 1636, Monet (*épi*) ; lat. *spīcum.* || **épier** fin XIIIe s., *Renart* (*espier*), monter en épi. || **épiage** 1864, L. || **épiaison** 1870, Lar. || **épiet** 1786, *Encycl. méth.* || **épillet** *id.*

épice début XIIe s., *Voy. de Charl.* (*espice*) ; adaptation anc. du lat. *species,* espèce (v. ce mot), puis « denrée », et spécialisé aux aromates. || **épicer** XIIIe s., *D. G.* (*espicer*), « vendre des épices » ; 1549, R. Est., sens actuel ; 1870, Lar., fig. || **épicé** 1835, Gautier, « grivois ». || **épicier** XIIIe s., Huon de Méry, « vendeur d'épices et de denrées exotiques » (jusqu'au XVIIIe s.) ; 1674, Boileau, sens actuel ; XVIe s., « benêt ». || **épicerie** milieu XIIIe s., Rutebeuf.

épicéa milieu XVIIIe s. (*-éa*) ; 1796, *Encycl. méth.* (*-cia*) ; altér. de *picéa* (*arbre de picea,* 1553,

Belon) ; lat. *picea,* sapin, proprement « arbre à résine », de *pix,* poix.

épicène XVe s., G. (*epichene*) ; 1762, *Acad.* (*épicène*) ; lat. *epicœnus,* du gr. *epikoinos,* possédé en commun, de *koinos,* commun.

épicurien fin XIIIe s., hist. ; 1512, J. Lemaire, fig. ; lat. *epicurius,* disciple d'Épicure, aussi fig. en lat. || **épicurisme** 1585, Cholières.

épicycle milieu XIVe s., Digulleville (*épicicle*) ; bas lat. *epicyclus,* du gr. *epikuklos,* cercle concentrique.

épidémie fin XIIe s., *Alexandre* (*espydymie*) ; fin XIVe s., Deschamps ; lat. méd. *epidemia,* du gr. *epidêmos,* « qui circule dans le peuple » (v. ENDÉMIE). || **épidémique** milieu XVIe s. || **épidémicité** 1870, Lar. || **épidémiologie** 1864, L.

épiderme V. DERME.

1. **épier** 1080, *Roland* (*espier*), « trahir » ; 1155, Wace, « chercher à découvrir » ; 1538, R. Est., « observer secrètement » ; francique **spehôn* (allem. *spähen*). || **épie** début XIIe s., *Voy. de Charl.,* « espion » (jusqu'au XVIIe s.). || **épieur** 1260, Br. Latini.

2. **épier** V. ÉPI.

épieu 1080, *Roland* (*espiet*) ; XIIIe s. (*espieu*), par infl. de *pieu ;* anc. fr. *inspieth* (Xe s.), du francique **speut* (allem. *Spiess*).

épigastre 1538, Canappe ; gr. *epigastrion,* de *epi,* sur, et *gastêr,* ventre, estomac ; partie de l'abdomen située au-dessus de l'ombilic.

épiglotte V. GLOTTE.

épigone 1752, Trévoux, hist. ; 1876, *le Temps,* « successeur » ; lat. *Epigoni,* les Épigones, du gr. *epigonos,* né après.

épigramme 1378, Le Fèvre ; rare jusqu'au XVIe s. ; lat. *epigramma,* mot gr. signif. « inscription », de *epi,* sur, et *graphein,* écrire ; le sens du fr. existe en lat. : « petit poème satirique ». || **épigrammatique** 1455, Fossetier ; rare jusqu'au XVIIIe s. ; lat. *epigrammaticus,* du gr. *epigrammatikos.*

épigraphe 1694, Th. Corn. ; gr. *epigraphê,* inscription, de *graphein,* écrire. || **épigraphie** 1838, *Acad.* || **épigraphique** 1845, Besch. || **épigraphiste** 1845, Besch.

épilepsie 1503, G. de Chauliac ; lat. méd. *epilepsia,* du gr. *epilêpsia,* attaque ; il a remplacé peu à peu *haut mal* (XIVe s.) et *mal caduc* (XVe s.). || **épileptique** XIIe s., *Édouard le Confesseur* (*epilentic*) ; 1545, Guéroult (*épileptique*) ; lat. *epilepticus,* du gr. *epilêptikos.* || **épileptiforme** 1864, L.

épiler V. POIL.

épilobe 1786, *Encycl. méth. ;* du gr. *epi,* sur, et *lobos,* lobe, d'apr. la position de l'ovaire de cette plante.

épilogue XIIe s., *Ysopet ;* début XXe s., « conclusion » ; lat. *epilogus,* du gr. *epilogos,* « après le discours ». || **épiloguer** 1493, Coquillart, « récapituler » ; 1676, Sévigné, « faire des commentaires malveillants ». || **épilogueur** 1683, Sévigné.

épinard 1256, Ald. de Sienne (*espinache*) ; 1398, *Ménagier* (*espinars*) ; lat. médiév. *spinachium, spinarguim,* de l'ar. d'Espagne *isbinākh,* d'origine arabo-persane.

***épine** 980, *Passion* (*espine*) ; lat. *spīna.* || **épinette** 1360, Machault, « arbrisseau », dimin. de *épine ;* 1514, Havard, « instrument de musique », par l'ital. *spinetta* (on pinçait les cordes avec des pointes de plumes). || **épinier** fin XVIe s., Brantôme. || **épinière** (*moelle*) 1660, Habicot. || ***épineux** 1170, *Rois* (*espinus*) ; lat. *spinosus.* || **épine-vinette** XVe s., *Grant Herbier* (*espinete vinete*) ; 1536, Ch. Est., forme actuelle ; de *épine,* arbrisseau, et *vinette,* dér. de *vin,* d'apr. l'analogie des grappes. || **épinoche** XIIIe s., *Fabliau.*

***épingle** 1268, É. Boileau (*esp-*) ; lat. pop. **spinguler,* croisement du lat. *spīnŭla,* petite épine et de *spicula,* petit épi ; l'épine servant à attacher existait chez les Germains. || **épinglier** 1268, É. Boileau. || **épinglerie** 1268, É. Boileau. || **épingler** 1596, Hulsius. || **épinglette** 1380, *Aalma.*

épinoche V. ÉPINE.

épiornis 1856, Lachâtre ; gr. *aipus,* très élevé, et *ornis,* oiseau.

Épiphanie 1190, Saint Bernard ; lat. chrét. *epiphania,* mot gr. signif. « manifestation », de *epi,* sur, et *phainein,* apparaître.

épiploon 1541, Canappe ; gr. méd. *epiploon,* flottant, de *epiploos,* qui navigue ; en anat. « replis péritonéaux ». || **épiploïque** 1611, Cotgrave. || **épiploïte** 1793, *Encycl. méth. ;* lat. scientif. *epiploïtis.*

épique 1578, d'Aubigné ; lat. *epicus,* du gr. *epikos,* de *epos,* épopée, proprement « parole ».

épirogenèse v. 1950 ; gr. *êpeiros,* terre ferme, et *genesis,* origine.

épiscopal V. ÉVÊQUE.

épisode XVe s., *Évangile des Quenouilles* (*-die*) ; 1660, Corn. (*episode*) ; 1696, La Bruyère, « circonstance » ; gr. *epeisodion,* digression, incident, de *epeisodios,* accessoire. || **épisodique** 1637, Scudéry. || **épisodiquement** 1864, L.

épisser 1631, Anthiaume, altér. du néerl. *splissen,* attacher deux cordes en entrelaçant les torons. || **épissoir** 1678, Guillet. || **épissure** 1677, Dassié, réunion de deux bouts de cordage.

épistémologie 1906, Lar. ; gr. *epistêmê,* science, et *logos,* discours ; étude philosophique de la science. || **épistémologique** début XXe s.

épistolaire 1542, Dolet ; lat. *epistolaris,* de *epistola,* épître. || **épistolier** 1539, Ch. Fontaine.

épitaphe 1130, *Eneas* (*-afe*) ; XVe s., La Curne (*-aphe*) ; bas lat. *epitaphium,* du gr. *epitaphion,* de *epi,* sur, et *taphos,* tombeau.

épithalame début XVIe s. ; lat. *epithalamium,* du gr. *epithalamion,* chant nuptial, de *thalamos,* lit nuptial.

épithélium 1836, Landais ; mot lat. scientif., du gr. *epi,* sur, et *thêlê,* mamelon, pour désigner la membrane qui recouvre le mamelon du sein. || **épithélial** 1855, Nysten.

épithème 1314, Mondeville (*epitime*) ; lat. méd. *epithema,* du gr. signif. « ce qui se place sur » ; passé du voc. de la pharmacie à celui de la bot.

épithète 1517, Bouchet, au propre et au fig. ; masc. jusqu'au XVIIe s. ; lat. gramm. *epitheton,* du gr. *epithetos,* ajouté, de *epitithenai,* placer sur. || **épithétique** 1864, L.

épitoge 1484, G., masc., puis fém., d'apr. *toge ;* lat. *epitogium,* de *toga,* toge.

épitomé début XVIe s. (*épitome*) ; 1829, Boiste (*épitomé*) ; lat. *epitome,* du gr. *epitomê,* abrégé, de *temnein,* couper.

épître 1190, Garn. (*epistre*), « lettre, missive » ; 1690, Furetière, sens relig. ; 1530, Marot, genre littéraire ; lat. *epistola,* du gr. *epistolê.*

épizootie 1775, *Arrêt du Conseil ;* gr. *zôotês,* nature animale, d'apr. *épidémie.* || **épizootique** 1772, *Journ. de médecine.*

éploré V. PLEURER.

éployer V. PLOYER.

***éplucher** 1180, Marie de France (*espeluchier*), « débarrasser d'ordures » ; 1508, *Comptes de Gaillon* (*esplucher*), « enlever les bourres d'une étoffe » ; 1549, R. Est., « enlever la peau d'un légume » ; anc. fr. *peluchier,* du lat. pop. **pilūccare,* de *pilare,* peler, de *pilus,* poil. || **épluchage** 1755, *Encycl.* || **éplucheur** 1566, Du Pinet. || **épluchure** 1611, Cotgrave. || **épluchoir** 1680, Richelet.

épode 1550, Ronsard ; lat. *epodos,* du gr. *epôdos,* de *epi,* sur, et *ôdê,* ode ; couplet lyrique composé de deux vers inégaux.

époindre, épointer V. POINDRE, POINTE.

1. ***éponge** XIIIe s. (*esponge*), zool. ; 1636, Monet (*éponge*) ; lat. pop. **sponga,* de *spongia,* mot gr. de *spongos,* substance spongieuse. || **éponger** 1220, Coincy ; 1870, Lar., fig. || **épongeage** 1877, L.

2. **éponge,** « bord », fin XIe s., *Gloses de Raschi* (*esponde*) ; début XVIe s. (*esponge*) ; XVIIIe s. (*éponge*) ; lat. *sponda,* bord, rive, sous l'infl. du précédent ; il désigne chacune des branches du fer à cheval. || **éponte** 1774, Jars, « partie d'un filon », var. picarde.

épontille 1678, Guillet, « étai » ; de *pontille* (1642, Oudin) ; de *pointe* ou ital. *pontile,* ponton, par ext. étai, avec chang. de suffixe. || **épontiller** 1773, Bourdé. || **épontillage** 1787, Vial de Clairbois.

éponyme 1755, *Encycl. ;* gr. *epônumos,* de *epi,* sur, et *onoma,* nom ; désigne celui qui donne son nom à quelque chose.

épopée 1623, Chapelain ; gr. *epopoiia,* de *epos,* poésie, et *poieîn,* faire.

époque 1619, Davity ; 1808, Lagrange, « état du ciel » ; gr. *epokhê,* temps d'arrêt ; le sens de « état remarquable » reste dans l'expression *faire époque* (1762, Rousseau).

époule XIIIe s., Garlande (*espole*), « tuyau » ; francique **spôla* (allem. *Spule*). || **époulin** 1723, Savary (*espoullin*) ; navette utilisée dans le tissage.

***épouser** 1050, *Alexis* (*espuser*), « marier » ; 1671, Pomey (*épouser*), « prendre pour époux » ; XVIe s., fig. ; lat. *sponsare,* par le lat. pop. **sposare.* || **épouseur** XIVe s., G. (*espouseor*) ; 1665, Molière (*épouseur*). || ***époux** 1050, *Alexis* (*espus*) ; 1671, Pomey (*époux*) ; lat. *sponsus ;* le *ou* au lieu de *eu* est dû à *épouser.* || ***épousailles** 1155, Wace (*espusailles*) ; lat. *sponsalia,* fiançailles.

époussseter, époux, -se V. POUSSIÈRE, ÉPOUSER.

époutir XIVe s. (*espoutier*) ; 1679, J. Savary (*époustier*) ; 1864, L. (*époutir*) ; anc. fr. *poutie,* ordure, de *pou,* bouillie de farine (1175, Chr. de Troyes), lat. *puls, pultis,* bouillie. || **épouti** 1723, Savary. || **époutissage** 1785, *Encycl. méth.*

***épouvanter** 1080, *Roland* (*espaenter*) ; XIIe s., *Roncevaux* (*espoanter*) ; milieu XVIe s. (*espouvanter*) ; lat. pop. **expaventare,* du lat. impér. *expavere,* de *pavere,* avoir peur. || **épouvantable** 1120, *Ps. de Cambridge.* || **épouvantablement** *id.* || **épouvantement** *id.* || **épouvantail** XIIIe s., *Fabliau.* || **épouvante** 1570, Carloix (*espavente*) ; 1611, Cotgrave (*épouvante*).

***épreinte** 1354, *Modus ;* part. passé de l'anc. fr. *espreindre* (fin XIIe s., R. de Moiliens), du lat. *exprĭmĕre ;* désigne de fausses envies d'aller à la selle.

épreuve, éprouver, épuiser V. PROUVER, PUITS.

épulide 1560, Paré, « tumeur des gencives » ; gr. *epoulis, -idos,* de *epi,* sur, et *oûlon,* gencive.

épure, épurer, épurge V. PUR, PURGER.

équanime fin XVIe s., d'Aubigné ; bas lat. *aequanimus,* dont l'esprit est égal, de *aequus,* égal, et *animus,* esprit. || **équanimité** milieu XVIe s., Amyot ; lat. *aequanimitas.*

***équarrir** XIIIe s., *D. G.* (*esq-*) ; XVIIe s. (*équarrir*) ; 1780, *Doc.,* « dépecer en quartiers » (un animal) ; var. de l'anc. fr. *équarrer,* lat. pop. **exquadrare,* rendre carré (sens conservé en techn.). || **équarrissement** 1328, G. || **équarrissage** 1364, G. || **équarrisseur** 1552, Ch. Est. || **équarrissoir** 1671, le P. Chérubin.

équateur 1378, Le Fèvre ; lat. *aequator* (de *aequus,* égal), au sens médiév., calque du gr. *isêmerinos kuklos* (*circulus aequinoctialis*), « qui rend égaux les jours et les nuits ». || **équatorial** 1778, Buffon.

équation XIIIe s., Th. de Kent, « égalité » ; 1637, Descartes, sens math. ; *équation personnelle* 1864, L. ; lat. *aequatio,* égalité, qui prit le sens math. au Moyen Âge.

***équerre** 1170, *Rois* (*esquire*) ; XIIIe s. (*esquerre*) ; XVIIe s. (*équerre*) ; lat. **exquadra,* déverbal de *exquadrare,* tailler en forme de carré ; l'équerre servait à tracer les angles des carrés. || **équerrer** 1786, *Encycl. méth.*

équestre 1355, Bersuire ; lat. *equestris,* de *equus,* cheval.

équi-, lat. *aequus,* égal. || **équiangle** 1556, Le Blanc. || **équidistant** 1361, Oresme ; lat. *aequidistans.* || **équidistance** 1361, Oresme. || **équilatéral** début XVIe s. ; lat. *aequilateralis,* de *latus, -eris,* côté. || **équilatère** XIIIe s., L. ; bas lat. *aequilaterus.* || **équimultiple** 1667, Arnauld. || **équipotent** XXe s. ; lat. *potens,* qui peut. || **équiprobable** v. 1950. || **équivalve** 1811, Mozin.

équilibre 1540, M. Scève (*équalibre*) ; 1611, Cotgrave (*équilibre*) ; 1778, Rousseau, équilibre de l'esprit ; lat. *aequilibrium,* de *aequus,* égal, et *libra,* balance. || **équilibrer** début XVIe s. || **équilibré** 1867, Michelet, « pondéré ». || **équilibriste** fin XVIIIe s. || **équilibrage** 1906, *l'Illustration.* || **équilibration** 1870, Lar. || **équilibrateur** XXe s. || **déséquilibrer** 1877, L. || **déséquilibre** 1907, Lar.

équille 1612, Marc Lescarbot, « lançon » ; de *qule* (fin XIVe s.), mot normand, d'origine obscure ; p.-ê. même mot que *esquille.*

équin 1502, O. de Saint-Gelais ; lat. *equinus,* de *equus,* cheval ; désigne une déformation du pied qui ne peut s'appuyer que sur sa pointe.

équinoxe 1119, Ph. de Thaon (*-noce*) ; 1690, Furetière (*-noxe*) ; lat. *aequinoctium,* de *aequus,* égal, et *nox, noctis,* nuit. || **équinoxial** XIIIe s., Végèce ; lat. *aequinoxialis.*

équiper 1130, *Eneas* (*eschiper*), « embarquer », et « pourvoir une embarcation du nécessaire » ; 1535, Olivétan, « munir du nécessaire » ; 1606, Nicot, « pourvoir pour un usage » ; anc. nordique *skipa,* arranger, installer. || **équipage** XVe s., *Débat des hérauts* (*écupage*) ; XVIe s. (*équipage*), équipage d'un bateau ; 1549, R. Est., « voitures d'une armée » ; 1580, Montaigne, pour la chasse. || **équipe** 1456, Jal., mar. ; 1469, Mantellier, en sport ; 1864, L., pour des ouvriers. || **équipée** fin XVe s., Molinet, « expédition » ; 1611, Cotgrave, « entreprise irréfléchie ». || **équipement** 1671, Pomey. || **équipier** 1870, *Gazette des tribunaux.* || **déséquiper** 1669, Widerhold. || **suréquiper** XXe s. || **suréquipement** 1955, *le Monde.*

équipoller 1349, G., « équivaloir », terme scolastique ; XIXe s., Laisant, math. ; lat. *aequipollere,* de *aequus,* égal, et *pollere,* être fort, puissant. || **équipollent** 1265, J. de Meung ; lat. *aequipollens.* || **équipollence** *id.,* « équivalence » ; lat. *aequipollentia.*

équitable V. ÉQUITÉ.

équitation 1503, Chauliac ; lat. *equitatio,* de *equitare,* aller à cheval, de *eques,* cavalier.

équité 1265, J. de Meung ; lat. *aequitas,* égalité, de *aequus,* égal. || **équitable** début XVIe s. || **équitablement** 1564, Thierry.

équivaloir 1453, *Débat des hérauts ;* bas lat. *aequivalere,* valoir autant, d'apr. *valoir.* || **équivalence** 1361, Oresme ; lat. *aequivalens.* || **équivalent** *id.*

équivoque 1220, Coincy, adj. ; XVIe s., Amyot, n. f., « calembour » ; 1648, Pascal, sens actuel ; bas lat. *aequivocus* (Ve s., Capella), à double sens, de *aequus,* égal, et *vox, vocis,* voix. || **équivoquer** 1521, Fabri, user volontairement d'équivoques.

***érable** 1240, G. de Lorris ; bas lat. *acerabulus* (VIIe-VIIIe s., *Gloses*), de *acer,* érable ; le second élément paraît être un nom d'arbre gaulois, **abolos,* sorbier.

éradication 1585, Cholières ; lat. *eradicatio,* action de déraciner. || **éradiquer** v. 1950. (V. RACINE.)

érafler milieu XVe s. ; de *arrafler* (1394, *Charte*), du préfixe *é-* et de *rafle.* || **éraflement** 1811, *Encycl. méthod.* || **éraflure** 1671, Pomey.

érailler XIIe s., Herman de Valenciennes (*esraailler*), « rouler les yeux » ; 1560, Paré (*éraillé*), « dont la paupière est retournée » ; 1690, Furetière, « détériorer en écartant » et « écorcher » ; anc. fr. *roellier* (1131, *Couronn. Louis*), rouler des yeux, du lat. pop. **roticŭlāre,* de *rota,* roue. || **éraillement** 1560, Paré, en parlant des yeux ; 1864, L., en parlant de la voix. || **éraillure** 1690, Furetière.

erbine 1843, d'après les expériences de Mosander en Suède, à *Ytterby,* dont *erbine* représente la seconde partie du mot.

ère 1539, Gruget (*here*) ; 1679, Bossuet (*ère*) ; lat. *aera,* nombre, chiffre, au sens bas lat. « point de départ », en chronologie (VIIe s., Isid. de Séville), de *aes, aeris,* airain.

érection 1485, G. ; lat. *erectio,* action de dresser, de *erigere,* dresser (v. ÉRIGER). || **érectile** 1813, *Encycl. méth. ;* du part. passé *erectus.* || **érectilité** 1839, Boiste. || **érecteur** 1701, Furetière.

éreinter V. REIN.

éréthisme 1743, Geoffroy ; gr. *erethismos,* irritation, de *erethizein,* exciter.

1. **erg** 1857, Fromentin (*areg,* pl.) ; 1888, Lar. (*erg*) ; mot arabe désignant une dune.

2. **erg** 1888, Lar., unité de travail ; gr. *ergon,* action, travail.

ergastule 1495, J. de Vignay ; rare jusqu'au XIXe s. ; lat. *ergastulum,* du gr. *ergastêrion,* atelier, de *ergon,* travail.

1. **ergo** 1220, Coincy (*argo*) ; 1530, Marot (*ergo*) ; mot lat. signif. « donc », et vulgarisé par la scolastique. || **ergoter** *id.* (*argoter*) ; 1534, Rab. (*ergoter*), par croisement avec une autre rac. (v. ARGOT). || **ergoteur** XVe s. (*hargoteur*). || **ergotage** 1578, d'Aubigné. || **ergoterie** 1567, Pasquier.

2. **ergo-,** gr. *ergon,* travail. || **ergographe** 1907, Lar. || **ergomètre** XXe s. || **ergothérapie** v. 1950.

ergot 1160, Benoît (*argoz,* pl.) ; XVIe s. (*argot*) ; XVIIe s. (*ergot*) ; 1721, Trévoux, au fig., ergot des céréales ; origine obscure. || **ergoté** 1594, *Satire Ménippée,* au propre ; *blé ergoté,* 1755, *Encycl.* || **ergotine** 1836, Raymond. || **ergotamine** XXe s., de *amine.* || **ergotisme** 1839, Boiste, intoxication provoquée par du blé ergoté.

éricacée 1839, Boiste ; lat. scientif. *erica,* bruyère, du gr. *erikê.*

ériger 1466, G., « instituer » ; 1530, Palsgrave, « construire » ; lat. *erigere,* dresser.

érigne, érine 1536, Chrestien (*ireigne*) ; 1721, Trévoux (*érigne*), instrument de chirurgie ; var. dial. de *araigne* (XIIe s.) ; du lat. *aranea,* araignée, nom de l'érigne chez Paré.

éristique 1765, *Encycl. ;* gr. *eristikos,* relatif à la controverse.

ermite 1138, *Saint Gilles ;* lat. chrét. *eremita* (Ve s., Sulpice Sévère), du gr. *erêmitês,* « qui vit dans la solitude », de *erêmos,* désert. || **ermitage** *id. ;* XIIIe s., « lieu solitaire ». || **érémitique** 1525, J. Lemaire.

éro-, gr. *erôs, erôtos,* désir, amour. || **érogène** v. 1950. || **érotique** 1566, Du Choul ; gr. *erôtikos.* || **érotiquement** 1845, Besch. || **érotiser** fin XIXe s. || **érotisme** 1861, Goncourt. || **érotologie** 1888, Lar. || **érotomanie** 1741, Villars ; gr. *erôtomania,* de *mania,* folie. || **érotomane** 1836, Landais.

éroder 1560, Paré ; rare jusqu'au XIXe s. ; lat. *erodere.* || **érosion** 1541, Canappe, « lésion de la peau » ; 1870, Lar., sens actuel ; lat. *erosio.* || **érosif** 1864.

***errant** 1155, Wace, « qui voyage » ; 1582, *D. G.,* « non fixé » ; 1690, Furetière, « sans but précis » ; le part. prés. est attesté au XVIe s. dans *le Juif errant ;* de *errer,* marcher, du bas lat. *iterare,* de *iter,* voyage. || errance début XIIIe s. ; rare avant le XIXe s. || **erre** 1120, *Ps. de Cambridge ;* déverbal de *errer,* « voyage » ; 1155, Wace, « manière de marcher » ; subsiste dans divers sens techn. || **errements** 1167, G. d'Arras, déjà fig. en anc. fr. ; début XXe s., « habitudes néfastes ».

errata 1560, Boaistuau, pl., et **erratum** 1798, *Acad.,* sing. ; lat. *erratum,* pl. *errata,* part. passé au neutre de *errare,* se tromper.

erratique 1265, J. de Meung (*estoiles erratiques*) ; rare jusqu'au XIXe s. ; lat. *erraticus,* errant, vagabond, de *errare,* errer. (V. ERRER.)

erre, errements V. ERRANT.

errer 1131, *Couronn. Loïs,* « se tromper » ; milieu XVIe s., Amyot, « aller au hasard » ; lat. *errare,* s'égarer ou se tromper. || **erreur** 1130, *Eneas ;* lat. *error,* au fig. || **erroné** XVe s., L. ; lat. *erroneus.* || **erronément** XVe s., La Curne.

ers 1538, R. Est., lentille ; mot prov., du lat. *ervum.*

ersatz v. 1914 ; vulgarisé depuis 1939 ; mot allem. signif. « remplacement ».

érubescence 1361, Oresme, sens moral ; lat. *erubescere,* devenir rouge, de *ruber,* rouge. || **érubescent** 1784, Bernardin de Saint-Pierre ; lat. *erubescens.*

eruca XIVe s., *Livre secret de la nature* (*eruque*) ; 1752, Trévoux (*eruca*) ; mot lat., roquette croissant dans les blés.

éructation XIIIe s. ; lat. *eructatio,* vomissement, de *eructare,* rejeter, d'apr. le sens de *ructus,* rot. || **éructer** 1827, *Acad.* (V. ROT.)

érudit XIVe s., *Vie saint Eustache ;* rare jusqu'au XVIIIe s. ; lat. *eruditus,* part. passé de *erudire,* instruire. || **érudition** 1495, J. de Vignay, « enseignement » (jusqu'au XVIe s.) ; XVIIe s., « savoir approfondi » ; lat. *eruditio,* enseignement, instruction.

érugineux 1256, Ald. de Sienne ; lat. *aeruginosus,* de *aerugo,* rouille, c.-à-d. « de couleur analogue à celle de la rouille ».

éruption 1355, Bersuire ; lat. *eruptio,* de *eruptus,* part. passé de *erumpere,* sortir avec impétuosité, de *rumpere,* briser. || **éruptif** milieu XVIIIe s.

érusser 1585, Du Fouilloux (*érucer*) ; mot dial. de l'Ouest, anc. fr. *eruisser,* de *roisse, ruisse,* ronce ; lat. pop. **rustum,* buisson.

eryngium XIIIe s., *Antidotaire* (*yringe*) ; lat. *erynge,* empr. au gr. *êruggê,* panicaut, plante voisine du chardon.

érysipèle 1314, Mondeville (*herisipille*) ; fin XVIe s., d'Aubigné (*érésipèle*) ; lat. méd. *erysipelas,* du gr. *erusipelas,* de *erenthein,* faire rougir. || **érésipélateux** 1545, Guéroult.

érythème 1803, Wailly ; gr. *eruthêma,* rougeur. || **érythémateux** 1837, Raciborski.

érythrine 1786, *Encycl.,* bot. ; gr. *eruthros,* rouge. || **érythroblaste** 1907, Lar. || **érythrocyte** 1907, Lar. || **érythropoïèse** 1932, Lar. ; gr. *poiêsis,* action de faire. || **érythrose** 1864, L. || **érythrosine** 1878, Lar.

ès V. EN 1.

esbigner (s') 1808, Désaugiers ; prov. mod. *s'esbignar,* décamper, de l'argot ital. *sbignare* (1642, Oudin), *svignare* (1619, *Il nuovo modo...*), s'enfuir de la vigne.

esbroufe 1815, *Chanson* (*esbrouf*), « action violente » ; 1827, Esnault, sens actuel ; prov. mod. *esbroufo, -fa,* s'ébrouer, sans doute onomatop. || **esbroufer** 1835, Raspail. || **esbroufeur** 1837, Vidocq

escabeau 1419, N. de Baye (*scabel*) ; 1471, Havard (*escabeau*) ; lat. *scabellum ;* il a remplacé l'anc. fr. *eschame, -amel,* du lat. *scamnum, -nellum.* || **escabelle** 1328, Varin (*scabelle*) ; 1507, Havard (*escabelle*), var. fém. || **escabelon** 1665, Havard ; ital. *scabellone,* petit piédestal.

escadre XVe s., *le Jouvencel,* « subdivision d'un corps de troupe » ; XVIIe s., spécialisé aux escadres navales ; ital. *squadra* et esp. *escuadra,* équerre, et au fig. bataillon (rangé en carré). || **escadrille** 1570, Carloix (*scouadrille*), « troupe » ; 1803, Boiste, mar. ; 1922, Lar., aviation ; esp. *escuadrilla.*

escadron fin XVe s., Molinet (*escuadron*) ; 1526, Marot (*escadron*) ; ital. *squadrone,* augmentatif de *squadra.*

escalade début XVe s. ; « assaut à l'aide d'échelles » ; 1707, Lesage, « franchissement d'un obstacle » ; 1810, *Code pénal,* en montagne ; v. 1950, fig. ; ital. *scalata,* ou anc. prov. **escalada,* de *escala,* échelle ; il a remplacé l'anc. fr. *eschelement.* || **escalader** 1611, Cotgrave, milit. ; milieu XVIIIe s., alpinisme.

escale XIIIe s., texte italianisant ; rare jusqu'au XVIe s. (1507, Jal) ; ital. [*far*] *scala* ou prov. *escalo,* échelle. (V. ÉCHELLE.)

escalier 1549, R. Est., au sing. ; 1690, Furetière, au pl. ; lat. *scalaria,* pl. (Vitruve), de *scalaris,* de degrés, dér. de *scala,* échelle ; il a remplacé *degré.* || **escaliéteur** 1955, *Dict. des métiers.* || **Escalator** v. 1950, nom déposé ; angl. *to escalade,* escalader, et *elevator.*

escalin XIIIe s., *Ménestrel de Reims ;* moyen néerl. *schellinc* (angl. *shilling*), ancienne monnaie d'argent des Pays-Bas.

escalope 1691, Massialot (*veau à l'escalope*), tranche de veau et assaisonnement ; début XIXe s., sens actuel ; d'un patois du N.-E. (anc. fr. *eschalope* [1220, Coincy], coquille de noix, de même rac. que *écale*). || **escalopé** 1857, Flaubert.

escamoter 1560, Boaistuau, « remplacer » ; 1640, Oudin, prestidigitation ; 1658, Scarron, « dérober » ; anc. prov. **escamotar,* de **escamar,* écailler, du lat. *squama,* écaille, influencé par le germanique. || **escamotable** 1948, Lar. || **escamoteur** 1609, Delb. || **escamotage** 1757, *Encycl.*

escampette 1688, Miege (*prendre la poudre d'escampette*) ; moyen fr. *escamper* (1546, Rab.), de l'ital. *scampare,* s'enfuir, proprement « prendre du champ » (*campo*).

escapade 1570, Montaigne ; ital. *scappata* ou esp. *escapada,* échappée.

1. **escape** 1567, Delorme, « fût de colonne » ; lat. *scapus,* tige.

2. **escape** 1827, *Acad.,* vénerie ; déverbal de *escaper,* mettre le gibier en liberté, forme méridionale de *échapper.*

escarbille 1667, Barbier (*escabille*) ; 1780, *Ann. de l'agric.* (*escarbille*) ; mot wallon du flamand *Schrabhoelie,* de *schrabben,* gratter. || **escarbiller** 1908, Lar.

escarbot 1460, Villon ; réfection de l'anc. fr. *écharbot* (XIe s. ; lat. *scarabaeus*), sous l'infl. de *escargot ;* le scarabée étant un insecte méditerranéen, le mot a pris des sens divers dans les patois (bousier, hanneton, cétoine, etc.).

escarboucle 1080, *Roland* (*-buncle*) ; XIIe s., G. (*-boucle*) ; altér. de *escarbuncle* (XIIe s.), du lat. *carbŭnculus,* petit charbon, le rubis étant comparé à un charbon brûlant ; l'initiale est issue du préf. *ex-* (*es-*) à valeur intensive.

escarcelle XIIIe s. ; rare jusqu'au XVIe s. ; ital. *scarsella,* petite avare, de *scarso,* avare ; formation ironique.

escargot 1398, *Ménagier* (*escargol*) ; 1541, R. Est. (*escargot*) ; prov. mod. *escaragol* (lat. *conchylium,* coquillage, devenu en lat. pop. **coculiu[m],* *-lia,* d'où l'anc. prov. *cogolha,* et croisement avec *scarabaeus*) [v. ESCARBOT]. || **escargotière** 1806, *Journ. des gourmands.*

escarmouche 1367, J. Le Bel (*escharmuche*) ; 1559, Amyot (*escarmouche*) ; croisement de l'anc. fr. *escremie,* lutte (XIIe s.), francique **skirmjan,* défendre, et de l'anc. fr. *muchier,* cacher (les éclaireurs étant cachés). || **escarmoucher** *id.* || **escarmoucheur** XVe s., Delb.

escarole XIVe s., *Antidotaire Nicolas ;* ital. *scariola,* « chicorée », du bas lat. *escariola,* endive, dér. de *esca,* nourriture. L'italien a fourni de nombreux noms de légumes et salades (*artichaut, céleri, chou-fleur, romaine*).

1. **escarpe** fortif., 1553, Le Plessis ; ital. *scarpa,* du germ. **skarpô,* talus (allem. *schroff,* escarpé). || **escarper** 1536, M. Du Bellay. || **escarpé** 1582, *D. G.,* abrupt. || **escarpement** 1701, Furetière. || **contrescarpe** 1550, Rab., fortif.

2. **escarpe** malfaiteur, 1800, *Chauffeurs,* argot ; déverbal de l'anc. terme argotique *escarper,* assassiner pour voler (1800, *id.*) ; forme méridionale de *écharper,* d'origine germanique.

escarpin 1512, Lemaire (*escalpin*) ; 1564, J. Thierry (*escarpin*) ; ital. *scarpino,* dimin. de *scarpa,* soulier, d'où le fr. *escarpe,* soulier léger (XVIe s.).

escarpolette fin XVIe s., d'Aubigné (*-poulette*) ; 1605, Le Loyer (*-aulette*) ; 1613, Régnier (*-polette*) ; diminutif prov. de *escarpe,* objet en pointe, d'orig. germ.

escarre 1314, Mondeville, méd. ; lat. méd. *eschara,* du gr. *eskhara,* « croûte ». || **escarrifier** 1842, *Acad.* || **escarrification** 1836, Landais.

eschatologie 1864, L. ; gr. *eskhatos,* dernier, et *logos,* discours ; « qui traite des fins de l'homme ». || **eschatologique** *id.*

escient 1080, *Roland* (*mien escient*) ; milieu XIIe s. (*à bon escient*) ; lat. médiév. *meo, tuo sciente,* altér. de l'express. lat. *me, te sciente,* moi, toi le sachant, avec le part. prés. *sciens, scientis,* de *scire,* savoir. (V. SCIEMMENT.)

esclaffer (s') 1540, Rab. (*s'esclaffer de rire*) ; prov. mod. *s'esclafi, -fa,* éclater, de *clafa,* frapper bruyamment, formation expressive. || **esclaffement** 1901, Lar.

***esclandre** 1160, Benoît, « haine » ; 1353, La Curne, « guet-apens » ; 1380, *Aalma,* « scandale » ; doublet pop. du lat. *scandalum,* scandale.

esclave 1160, Benoît ; 1608, Régnier, fig. ; lat. médiév. *sclavus,* var. de *slavus,* slave, de nombreux Slaves ayant été réduits en esclavage ; le sens paraît s'être formé à Venise. || **esclavage** 1577, Vigenère ; 1642, Corn., fig. ; répandu pendant la Révolution pour désigner le régime féodal ; au début du XIXe s., il caractérise les rapports du patron et de l'ouvrier. || **esclavagisme** 1877, Darmesteter. || **esclavagiste** 1864, L. || **antiesclavagiste** 1930, E. Lucas.

escobar 1656, Pascal, nom propre et au fig., du nom du jésuite *Antonio Escobar,* pris à partie dans *les Provinciales.* || **escobarder** fin XVIIe s., Saint-Simon. || **escobarderie** av. 1783, d'Alembert.

escoffion milieu XVIe s., Ronsard ; ital. *scuffione,* de *scuffia,* coiffe.

escofier ou **escoffier** 1725, Cartouche (*coffier*) ; 1796, Esnault (*escofier*) ; prov. *escoufia,* tuer, lat. pop. **exconficere,* de *conficere,* venir à bout.

escogriffe 1611, Cotgrave ; mot orléanais signif. aussi « voleur » ; orig. obscure, p.-ê. de *escroc à griffe.*

escompter 1675, Savary, « payer » ; XIXe s., « compter sur » ; ital. *scontare,* décompter, lat. *computare,* compter. || **escompte** 1597, de Savonne ; ital. *sconto,* décompte. || **escomptable** 1867, d'apr. L. || **réescompter** fin XIXe s.

escopette 1516, *Recueil des anc. lois* (*eschopette*) ; XVIIe s. (*escopette*) ; ital. *schioppetto,* dimin. de *schippo,* arme à feu, du lat. *stloppus,* formation expressive, bruit fait en frappant sur les joues gonflées. Il a existé une forme *chopette* (1525, *Voy. Antoine Pigaphetta*).

escorte v. 1500, milit. ; 1665, La Fontaine, « suite accompagnant qqn » ; ital. *scorta,* action de guider, de *scorgere,* guider, du lat. *corrigere,* corriger. || **escorter** début XVIe s. || **escorteur** 1919, Lar.

escot 1568, texte de Toulouse (*serge façon d'Ascot*) ; 1723, Savary (*anascote*) ; 1829, Boiste (*escot*) ; pour *ascot,* altér. de *Aerschot,* ville de Flandre française où se fabriquait cette étoffe.

escouade 1500, Auton (*escoadre*) ; 1553, *Anc. poésies* (*esquade*) ; 1586, Laudonnière (*escouade*) ; autre forme de *escadre.*

escourgée 1175, Chr. de Troyes (*escorgiée*), « fouet à lanières » ; 1677, Miege (*escourgée*) ; anc. fr. *corgiée,* lanière, courroie, du lat. pop. **corrigiata,* de *corrigia,* courroie.

escourgeon 1268, texte picard (*secourjon*), bot. ; de même origine que *escourgée* (les épillets de la plante ressemblant à une courroie).

escrime fin XIVe s. ; *Chronique Boucicaut ;* ital. *scrima,* qui a éliminé l'anc. fr. *escremie,* de même rac., du germ. **skirmjan,* protéger (allem. *schirmen*). || **escrimer** début XVIe s. ; *s'escrimer* 1534, Rab., fig. || **escrimeur** XVe s.

escroquer 1558, Du Bellay ; fin XVIe s., d'Aubigné, voler ; ital. *scroccare,* écornifler, de *crocco,* croc, au sens de « décrocher ». || **escroc** 1640, Oudin ; ital. *scrocco,* écornifleur ; milieu XVIIe s., sens actuel. || **escroqueur** av. 1550, J. Du Bellay. || **escroquerie** 1690, Furetière.

esculape 1690, Boileau ; lat. *Aesculapius,* du gr. *Asklêpios,* dieu de la médecine.

esgourde 1867, Delvau, arg., « oreille » ; altér. d'apr. *gourde, dégourdi,* de *escoute,* même sens en argot (1725, Cartouche), du prov. mod. *escouto,* déverbal de *escouta,* écouter. || **esgourder** 1878, Rigaud.

ésotérique 1755, *Encycl. ;* gr. *esotêrikos,* réservé aux adeptes, proprement « intérieur », de *esô,* dedans. (V. EXOTÉRIQUE.) || **ésotérisme** 1845, Besch.

***espace** début XIIe s., *Grégoire ;* lat. *spatium.* || **espacer** 1417, Delb. || **espacement** 1680, Richelet.

espade 1553, Rab., « épée » ; 1747, Duhamel, « batte pour le chanvre » ; prov. mod. *espado,* épée.

espadon fin XVIe s., d'Aubigné, « grande épée » ; 1694, Th. Corn., « poisson dit épée de mer » ; ital. *spadone,* augmentatif de *spada,* épée.

espadrille 1723, Savary (*espardille*) ; 1793, Brunot (*-adrille*) ; roussillonnais *espardillo,* de l'anc. prov. *espart,* plante servant à faire des nattes (v. SPARTE).

espagnol XIVe s. (*espaignol*) ; lat. pop. **hispaniolus,* lat. *Hispanus,* abrégé en *Spanus* (*espan* 1080, *Roland*). || **espagnolade** 1611, Cotgrave, « fanfaronnade ». || **espagnolisme** 1835, Stendhal. || **espagnoliser** 1672, G. Patin. || **espagnolette** 1731, Simiane, dimin. de *espagnol,* d'apr. l'origine (dite aussi *targette à l'espagnole*). [V. ÉPAGNEUL.]

espale 1622, Hobier, « dernier banc des rameurs » ; ital. *spalla,* épaule. || **espalet** 1812, *Encycl. méth.,* « pièce de fusil à percussion », dér. du même mot au sens fig. de « appui ».

espalier v. 1560, Paré, « galérien qui règle le mouvement » ; 1600, O. de Serres, hortic. ; ital. *spalliera,* de *spalla,* épaule, au sens fig. de « appui ».

espalmer XVIe s., Farcadel, « enduire d'espalme » ; ital. *spalmare,* enduire avec la paume. || **espalme** 1773, Jaubert, « enduit pour les carènes ».

espar 1175, Chr. de Troyes (*esparre*) ; 1864, L. (*espar*), pièce de bois ; gotique **sparra,* poutre.

esparcette 1600, O. de Serres (*esparcet*) ; 1776, Valmont (*esparcette*) ; prov. mod. *esparceto,* p.-ê. de même rac. que *épars* (lat. *sparsus*), d'apr. le mode de semailles de ce sainfoin.

espèce 1265, J. de Meung ; lat. *species,* aspect, apparence et « catégorie », sens conservé en philos. ; 1541, Calvin, théol. ; 1570, Carloix, sens financier, au pl., déjà attesté en bas latin (VIe s., Grégoire de Tours). [V. ÉPICE, SPÉCIAL.]

espéranto 1887 ; part. prés. du verbe espagnol *esperi,* espérer, c.-à-d. « celui qui espère », pseudonyme employé par le créateur de cette langue, L. Zamenhof. || **espérantiste** 1922, Lar.

***espérer** 1050, *Alexis ;* lat. *spērāre* (*s* prononcé en fr. d'apr. le lat.) ; le sens de « attendre » (XVIe s.) subsiste dans l'Ouest et le Midi. || **espérable** 1580, Montaigne. || **espoir** 1130, *Eneas* (*espeir*) ; pour une personne 1689, Racine ; déverbal d'apr. les formes toniques du verbe. || **espérance** 1080, *Roland ;* au pl. 1690, Furetière. || **espère** 1869, Daudet, chasse ; mot prov., de *esperar,* espérer, de même orig. || **désespérer** 1155, Wace. || **désespoir** 1160, Benoît (*desespeir*) ; XIIe s., Couci (*désespoir*). || **désespérance** 1160, Benoît, enregistré de nouveau au XIXe s. (1801, Mercier). || **désespérant** fin XVIIe s., Bourdaloue. || **désespéré** 1170, *Rois.* || **désespérément** fin XIIe s. || **inespéré** 1466, Michault.

espiègle XVIe s., G., francisation du néerl. *Eulenspiegel,* personnage d'un roman traduit en fr. en 1559 (*Ulespiegle,* dans la trad.). || **espièglerie** 1694, *Acad.*

espingole XVIe s., d'apr. Guérin, altér. de *espringale* (1258, texte de Reims), « machine qui lançait des carreaux », puis « petit canon » ; de l'anc. fr. *espringuer,* sauter, du francique **springan,* même sens (allem. *springen*). || **espingard** 1701, Furetière.

espion fin XIIIe s. ; 1870, Lar., « miroir » ; ital. *spione,* de *spiare,* épier ; il a éliminé *épie* (de *épier*). || **espionner** 1482, G., « observer » ; 1606, Crespin, sens actuel. || **espionnage** 1570, Carloix. || **espionnite** 1923, *Mercure de France.* || **contre-espionnage** fin XIXe s.

esplanade XVe s., Martial d'Auvergne ; ital. *spianata,* de *spianare,* aplanir. Désigne d'abord l'espace libre et découvert ménagé devant le glacis d'une fortification, puis une vaste place découverte.

espolette 1771, Trévoux (*-oulette*), « fusée de projectile » ; ital. *spoletta* (même rac. que *époule,* tuyau), du francique **spôla.*

esponton fin XVIe s., Brantôme (*sponton*), « demi-pique » ; 1688, Miege (*esponton*) ; ital. *spuntone,* pique, de *punta,* pointe.

esprit 1050, *Alexis* (*esperit*), « âme » ; XIVe s. (*esprit*) ; *esprits animaux* début XVIe s. ; conservé au sens de « essence » dans quelques emplois, *esprit-de-vin, esprit-de-sel,* d'apr. l'alchimie, dès le XIe s. ; lat. *spiritus,* souffle, sens aussi en anc. fr. (1361, Oresme).

esquicher 1789, *Encycl. méth.,* « jouer sa carte la plus faible au reversi » ; prov. mod. *esquicha,* presser, comprimer, d'orig. onomatopéique.

esquif 1497, G. de Villeneuve ; ital. *schifo,* du longobard **skif,* de même rac. que *équiper.*

esquille 1503, Chauliac ; lat. *schidia,* copeau, du gr. *skhiza,* de *skhizein,* fendre (cf. *Aegidius,* Gilles). || **esquilleux** 1560, Paré.

esquimau XVIIIe s., nom du peuple ; 1922, friandise glacée ; 1925, vêtement d'enfant d'apr. la ressemblance avec le costume des *Esquimaux.* || **esquimautage** v. 1950, acrobatie de kayakiste.

esquinancie 1175, Chr. de Troyes (*quinancie*) ; XIIIe s., *D. G.,* forme agglutinée ; lat. méd. *cynanche,* du gr. *kunagkhê,* collier de chien, de *kuôn, kunos,* chien, à cause de la sensation d'étranglement.

esquinter 1800, *Chauffeurs,* « blesser » ; *s'esquinter* 1861, Esnault, « se fatiguer », argot, puis pop. ; prov. mod. *esquinta,* « déchirer en tirant », du lat. pop. **exquintare,* couper en cinq (cf. *se mettre en quatre,* écarteler). || **esquintant** XXe s. || **esquintement** 1837, Vidocq, « effraction » ; 1920, Bauche « fatigue ».

esquisse milieu XVIe s. (*esquiche*) ; 1611, Cotgrave (*esquisse*) ; ital. *schizzo.* || **esquisser** *id.* ; fig., 1868, A. Daudet, « ébaucher ».

esquiver 1600, Hardy, « sauver qqn » ; début XVIIe s., sens actuel ; *s'esquiver* 1661, Molière ; ital. *schivare,* éviter, de *schivo,* dégoûté, du germ. **skioh,* farouche ; cette forme a éliminé l'anc. fr. *eschiver* (1080, *Roland*), du francique **skiuhjan,* s'effaroucher, du même mot germanique. || **esquive** 1922, Lar. ; déverbal.

***essaim** 1160, Benoît (*essain*) ; 1265, J. de Meung, fig. ; lat. *exāmen,* au sens propre (*exigere,* pousser, rac. *agere,* mener), « groupe d'abeilles mené au-dehors » (v. EXAMEN). || **essaimer** XIIIe s., de Fournival (*-amer*) ; 1846, Sand, fig. || **essaimage** 1823, Boiste.

essanger 1398, *Ménagier* ; lat. pop. **exsaniare,* faire suppurer, de *sanies,* sanie. || **essangeage** 1849, Besch., savonnage du linge sale avant de le laver.

essarder 1395, Chr. de Pisan, mar., « éponger au moyen du faubert » ; anc. fr. *essardre,* avec changement de conj., du lat. pop. **exardere* (class. *exardescere,* dessécher).

***essart** 1112, *Voy. saint Brendan* ; bas lat. *exartum* (*Loi des Burgondes*), part. passé du lat. pop. **exsarire,* défricher (lat. *sarire,* sarcler). || **essarter** 1138, *Saint Gilles.* || **essartage** 1783, Rozier. || **essartis** XVIIe s., *D. G.* || **essartement** 1611, Cotgrave.

***essayer** 1080, *Roland,* « utiliser, éprouver » ; 1690, Furetière *essayer un vêtement* ; lat. pop. **exagiare,* peser, du bas lat. *exagium,* pesée, expérimentation (rac. *agere,* pousser) [v. EXIGER]. || ***essai** début XIIe s., *Voy. de Charl.* ; lat. *exagium,* poids, puis essai. || **essayerie** (*de monnaie*) 1611, Cotgrave. || **essayage** 1828, Burtel. || **essayeur** XIIIe s., Du Cange, « entreprenant » ; 1611, Cotgrave, « expérimentateur ». || **essayiste** 1821, *l'Album,* repris de l'angl. *essayist,* du fr. *essai,* « traité » (les *Essais* de Montaigne). || **essayisme** 1852, Nerval.

esse fin XIe s., *Chanson de Guillaume,* objet en forme d'*s.*

essence 1130, *Job,* philos. ; 1170, *Rois,* « nature intime » ; lat. philos. *essentia* ; le sens concret (1587, La Noue) « extrait » s'est formé chez les alchimistes. || **essentiel** fin XIIe s., *Grégoire,* bas lat. *essentialis.* || **essentiellement** *id.* || **essentialisme** 1864, L. || **essentialiste** *id.* || **essentialité** 1845, Besch.

***essieu** début XIIe s., *Voy. de Charl.* (*aissuel*) ; 1170, *Rois* (*aissel*) ; 1265, Br. Latini (*essiaus*) ; XVIe s. (*essieu*) ; avec changement de suffixe, forme picarde ; lat. pop. *axīlis,* de *axis,* axe, ais.

essimer 1240, G. de Lorris (*essaïmer*), « dégraisser, faire maigrir » ; de l'anc. fr. *saïm,* graisse, lat. pop. **sagimen,* lat. *sagina,* embonpoint. (V. SAINDOUX.)

essor 1175, Chr. de Troyes, « exposition à l'air », « élan dans l'air » (d'un oiseau, etc.) ; 1608, M. Régnier, « élan de l'esprit, développement » ; déverbal de *essorer.* || ***essorer** *id.,* « exposer à l'air libre » ; 1690, Furetière, sens techn., « exprimer l'eau » ; du lat. pop. **exaurare,* de *aura,* vent, air. || **essorage** XIIe s., *Partenopeus,* vén., action de lâcher un oiseau ; XIXe s., sens actuel. || **essoreuse** 1870, Lar.

essoriller V. OREILLE.

***essuyer** milieu XIIe s., *Roman de Thèbes* (*essuer*) ; fin XVIe s., d'Aubigné, fig., « subir qqch de fâcheux » ; bas lat. *exsūcare,* exprimer le suc (*sūcus*), puis « sécher ». || **essui** 1604, Gauchet. || **essuyage** 1858, Peschier. || **essuyeur** 1472, G. || **essuie-mains** 1611, Cotgrave. || **essuie-glace** 1914, *Vie autom.* || **essuie-plume** 1870, Lar. || **ressuyer** 1175, Chr. de Troyes. || **ressui** 1561, Du Fouilloux, vén.

est 1138, Gaimar ; moyen angl. *east.*

estacade milieu XVIe s. (*enstacatte*) ; 1587, La Noue (*estacade*) ; ital. *steccata,* de *stecca,* pieu, du longobard **stikka* (allem. *Stecken,* bâton ; angl. *stick*).

estafette 1596, Hulsius (*stafette*) ; 1619, *l'Espadon* (*estafette*) ; ital. *staffetta,* dimin. de *staffa,* étrier, par ext. de sens « courrier » (cf. *à franc étrier,* de *andare a staffetta*).

estafier fin XVe s., Molinet (*stafier*) ; 1564, Thierry (*estafier*) ; ital. *staffiere,* valet d'armes qui tenait l'étrier (v. ESTAFETTE) ; sens conservé en fr. jusqu'au XVIIIe s. ; devenu péjor. (1552, Rab.), ces valets étant des gens à tout faire.

estafilade 1552, Jodelle ; ital. *staffilata,* coup d'étrivière (*staffile*), de *staffa,* étrier ; le sens propre est constant au XVIe s. || **estafilader** 1642, Oudin, qui a remplacé *estafiler* (XVIe s.).

estagnon 1864, L., récipient ; anc. prov. *estanh,* étain, du lat. *stagnum, stannum,* plomb argentifère.

estamet 1469, Gay (*- de Lombardye*), étoffe de laine ; de l'anc. fr. *estame* (XIIIe s., G.), fil de laine ; forme méridionale de l'anc. fr. *étaim,* du lat. *stamen,* fil de quenouille.

estaminet 1771, Trévoux ; wallon *staminê,* salle de réunion (XVIIe s.), de *stamon,* poteau (allem. *Stamm,* tronc), d'abord « salle à poteaux ». L'emprunt s'est fait par le picard.

estamper 1190, G., « broyer » ; 1392, Gay « imprimer en relief » ; 1883, Esnault, « soutirer de l'argent » ; francique **stampôn,* broyer (allem. *stampfen*), qui a donné directement le premier emploi en fr., le *s* est dû à l'ital. *stampare.* || **estampe** 1280, Tobler-Lommatzsch, « cachet pour imprimer une marque » ; XIVe s., Laborde, « outil à estamper » ; 1647, Poussin, « épreuve gravée » ; ital. *stampa.* || **estampage** début XVIIe s. ; 1920, Bauche, fig. || **estampeur** 1628, *D. G.* || **estampille** fin XVIIe s., Saint-Simon ; XIXe s., fig. ; esp. *estampilla* (même rac.). || **estampiller** 1762, *Acad.* || **estampillage** 1783, Linguet.

estancia 1840, *Acad. ;* mot esp. ; lat. *stans, stantis,* de *stare,* se tenir debout.

1. **ester** n. m. 1850, créé en allem. par Gmelin (fin XVIIIe s.), d'apr. l'allem. *Essigäther,* éther acétique. || **estérifier** XXe s.

2. **ester** fin Xe s., *Saint Léger,* « se tenir debout » ; 1384, Runkewitz, sens jurid., avec la graphie anc. ; lat. *stare,* se tenir debout.

esterlin 1155, Wace ; lat. médiév. *sterlingus,* de l'anc. angl. **steorling,* anc. forme de *sterling,* ancien poids monétaire d'Écosse.

esthésiomètre 1877, L. ; gr. *aisthêsis,* sensation, et *-mètre.*

esthétique 1753, Beausobre ; lat. philos. *aesthetica,* tiré par Baumgarten (1735), du gr. *aisthêtikos,* de *aisthanesthai,* sentir. || **esthétiquement** 1798, Schwan. || **esthéticien** 1867, Gautier. || **esthète** 1838, *Acad.,* adj., « éprouvé par les sens » ; 1881, Claretie, nom d'apr. le gr. *aisthêtês.* || **esthétisme** 1888, Lar. || **esthéticisme** 1908, Lar. || **inesthétique** 1931, Lar.

estimer fin XIIIe s., *Chron. de Saint-Denis,* qui a éliminé l'anc. fr. *esmer* (1160, *Tristan*), confondu avec *aimer,* du lat. *aestimare.* || **estimable** XIVe s., Bouthillier. || **estimation** 1283, Beaumanoir ; lat. *aestimatio.* || **estimateur** 1389, Delb., qui a remplacé *estimeur ;* lat. *aestimator.* || **estimatif** 1314, Mondeville, au sens propre seulement. || **estime** 1498, Commynes, « réputation » ; 1600, O. de Serres, « évaluation ». || **inestimable** 1398, *Ménagier.* || **mésestimer** 1556, Granvelle. || **mésestime** 1753, d'Argenson. || **surestimer** v. 1600, François de Sales. || **sous-estimer** 1898, Robert.

estival 1119, Ph. de Thaon ; bas lat. *aestivalis,* relatif à l'*été* (v. ce mot). || **estiver** XVIe s., « faire passer l'été aux troupeaux ». || **estivage** 1856, Lachâtre. || **estivant** début XXe s. ; repris au prov. mod. *estiva,* passer l'été. || **estivation** 1827, *Acad.,* bot. ; 1856, Lachâtre, zool.

estiver 1660, Oudin, « comprimer les marchandises » ; ital. *stivare,* du lat. *stipare,* entasser. || **estive** 1539, Fournier, « chargement d'un navire » ; déverbal (V. CONSTIPER.)

1. **estoc** 1265, J. de Meung (*frapper d'estoc*) ; 1446, Gay, « épée » ; déverbal de *estochier* (1170, *Vie saint Edmond*), frapper, du moyen néerl. *stoken,* piquer. || **estoquer** 1307, Guiart.

2. **estoc** 1190, Garn., « souche d'arbre » ; francique **stok,* bâton.

estocade milieu XVIe s. (*estoquade*) ; ital. *stoccata,* de *stocco,* rapière, du français *estoc.* || **estocader** 1580, du Bartas.

estomac fin XIe s., *Gloses de Raschi* (*estomage*), « orifice de la panse » ; 1220, Studer (*stomac*) ; 1256, Ald. de Sienne (*estomac*) ; lat. *stomachus,* du gr. *stomakhos.* || **estomaquer** 1480, Delb., fig., lat. *stomachari,* s'irriter, proprement « exhaler sa bile ».

estompe fin XVIIe s., *Mém. Acad. des sc. ;* néerl. *stomp,* chicot, bout (allem. *stumpf,* émoussé). || **estomper** 1676, Félibien ; 1840, Hugo, « atténuer ». || **estompage** 1896, Goncourt.

estouffade 1752, Trévoux ; ital. *stufata,* étuvée. (V. ÉTOUFFER, ÉTUVER.)

estourbir 1850, Esnault, « assommer » ; 1835, Raspail, « tuer » ; argot *stourbe,* mort, de l'allem. dial. (Alsace, Suisse) *storb,* mort (allem. *gestorben*).

1. **estrade** av. 1439, Monstrelet, « route » ; resté seulement dans la loc. *battre l'estrade, batteur d'estrade ;* ital. *strada,* route, qui formait des loc. analogues, du lat. *via strata,* chemin pavé, de *sternere,* étendre, couvrir.

2. **estrade** 1669, Widerhold, « plancher élevé » ; esp. *estrado,* du lat. *stratum,* ce qui est étendu, de *sternere,* étendre.

estragon 1564, Liébault ; altér. de *targon* (1540, Rab.), du lat. bot. *tarchon,* de l'ar. *tarkhūn,* lui-même empr. au gr.

estramaçon milieu XVIe s., épée longue et lourde ; ital *stramazzone,* de *stramazzare,* renverser violemment, de *mazza,* masse d'armes. || **estramaçonner** XVIIe s.

estran 1138, *Vie saint Gilles* (*strand*) ; 1687, Jal (*estran*), délaissé sableux de la mer ; mot dial. (Normandie), de l'angl. *strand,* rivage.

estrapade fin XVe s. ; ital. *strappata,* de *strappare,* tirer violemment, du gotique **strappan,* atteler fermement. Désigne un supplice consistant à hisser la victime à une certaine hauteur, puis à la laisser tomber en la retenant par un câble à une certaine distance du sol.

estrapasser 1611, Cotgrave, « rendre fourbu » ; ital. *strapazzare,* malmener, surmener, augmentatif de *strappare,* tirer violemment ; spécialisé comme terme d'équitation (1678, Guillet).

estrope début XIVe s. (*étrope*), mar. ; lat. *stroppus,* courroie de l'aviron ; du gr. *strophos,* cordon, corde, de *strephein,* tourner. || **estroper** 1683, Le Cordier, mar.

estropier XVe s. ; ital. *stroppiare ;* lat. pop. **exturpiare,* de *turpis,* laid. || **estropié** 1529, Parmentier. || **estropiat** 1546, Rab.

estuaire XVe s. ; rare jusqu'au XIXe s. (1842, *Acad.*) ; lat. *aestuarium,* de *aestus,* mouvement des flots.

estudiantin V. ÉTUDE.

esturgeon XIe s., Du Cange (*sturgeon*) ; 1398, *Ménagier* (*esturgeon*) ; repris au gascon, ce qui explique la prononc. de *s ;* francique **sturio* (allem. *Stör*).

***et** 842, *Serments ;* souvent écrit *é ;* le *t* a été rétabli au XIIe s., d'apr. l'origine latine : *et.* || **et cetera** fin XIVe s., expression lat. signif. « et les autres choses », qui avait pris le sens actuel en lat. médiév.

***étable** v. 1160, *Charroi ;* lat. pop. **stabula,* pl. neutre pris pour fém. ; de *stabulum,* demeure, gîte, spécialisé pour les animaux, de *stare,* se tenir, séjourner.

***établir** 1080, *Roland* (*est-*) ; *s'établir* 1627, Richelieu ; lat. *stabilire,* de *stabilis,* stable. || **établi** XIIIe s. (f. *établie*), « table de travail », « ce qui est établi » au sens propre ; 1390, Gay, au masc. || **établissement** 1155, Wace, « règle » ; fin XIIe s., « action d'installer » ; début XVIIe s., « mariage » ; 1835, *Acad.,* « fabrique ». || **préétablir** début XVIIe s. || **rétablir** 1120, *Ps. d'Oxford* (*rest-*). || **rétablissement** 1261, *Layettes.*

***étage** 1080, *Roland* (*estage*), « demeure » ; 1170, *Rois,* « étage d'une maison », sens qui a prévalu ; 1190, Garn., au fig., rang, resté dans la loc. *de bas étage ;* bas lat. **staticum,* de *stare,* se tenir. || **étagère** 1502, E. de Médicis ; rare jusqu'au XIXe s. (1800, Boiste). || **étager** fin XVIIe s., Dacier, « tailler par étages » ; 1796, *Encycl. méth.,* sens actuel ; l'anc. fr. avait *estager* (1160, Benoît), établir. || **étagement** 1864, L. (V. STAGE.)

1. **étai** 1138, *Saint Gilles,* cordage pour maintenir les mâts ; anc. angl. *staeg* (auj. *stag*), avec infl. du suivant.

2. **étai** 1193, Hélinant (*estai*), pièce de bois de soutien ; francique **staka,* soutien (allem. *stehen,* se tenir debout). || **étayer** 1213, *Fet des Romains* (*estaier*). || **étaiement** 1459, G. || **étayage** 1864, L.

étaim 1244, Fagniez (*estain*) ; milieu XVIe s., Amyot (*estaim*) ; lat. *stamen,* ourdissoir.

***étain** 1213, *Fet des Romains* (*estaim*) ; 1596, Hulsius (*étain*) ; lat. *stagnum,* plomb argentifère, var. de *stannum,* mot gaulois ; l'étamage était d'apr. Pline une invention gauloise. || **étamer** 1283, Beaumanoir (*est-*), sur la var. ancienne *estaim.* || **étameur** XIVe s., *Registre du Châtelet* (*entameur*) ; 1723, Savary (*étameur*). || **étamage** 1743, *Arrêt du Cons. d'État.* || **étamure** 1508, G. || **rétamer** 1834, Hecart ; fig., 1920, Esnault. || **rétameur** 1870, L. || **rétamage** 1870, L.

étal 1080, *Roland* (*estal*), « position » ; 1190, G., « table » ; francique **stal,* position, par ext. demeure, spécialisé ensuite aux animaux (allem. *Stall,* écurie) ; en fr., restreint peu à peu à « étalage de boucher » (1396, *Ménagier*). || **étaler** fin XIIe s., *Aliscans* (*est-*), « s'arrêter » ; XVe s., « disposer » ; *s'étaler* 1829, Boiste, « tomber ». || **étaleur** XVIe s., *Cout. de Saint-Pol,* remplacé par *étalagiste.* || **étale** fin XVIIe s., adj., mar. || **étalage** XIIIe s., « droit perçu sur la marchandise étalée » ; 1247, Runkewitz, remplace *étal.* || **étalager** 1870, Lar. || **étalagiste** 1801, *Bull. des Lois.* || **étalement** 1609, Camus, « exposition à la vue » ; 1611, Cotgrave, « exposition à l'étal » ; 1864, L., sens actuel. || **étalier** 1268, É. Boileau, qui a suivi l'évolution d'*étal.* || **détaler** fin XIIIe s., « retirer de l'étalage » ; XVIe s., « étaler » ; XVIIe s., « se sauver, courir ». || **détalage** 1752, Trévoux, dans le premier sens.

étalinguer V. TALINGUER.

1. **étalon** cheval XIIIe s., G. (*estalon*) ; 1680, Richelet (*étalon*) ; francique **stallo,* cheval entier, de *stal,* écurie (v. ÉTAL).

2. **étalon** (*de mesure*) 1322, Runkewitz (*estalon*) ; francique **stalo,* modèle. De « pieu » on est passé d'une part à « cheville », de l'autre à « bâton garni de marques pour jauger » (XIVe s.). ‖ **étalonner** 1390, G. ‖ **étalonnage** milieu XVe s. ‖ **étalonnement** 1540, d'après Th. Corn. ‖ **étalonneur** 1636, Monet.

étamage, étamer V. ÉTAIN.

étambot 1573, Du Puys (*estambor*) ; 1643, Fournier (*étambot*), pièce de la poupe ; scand. **stafnbord,* planche de l'étrave. (V. ÉTRAVE.)

étambrai 1382, Delb. (*tambroiz*) ; 1690, Furetière (*-braye*) ; anc. scand. *timbr,* bois de charpente, varangue.

1. ***étamine** 1155, Wace (*est-*), étoffe ; lat. pop. **staminea,* adj. substantivé au fém., de *stamineus,* garni de fil (*stamen,* fil de la quenouille) ; *-ine* pour *-igne* est un chang. de suffixe.

2. **étamine** 1690, Furetière, bot., adaptation, d'apr. le précédent, du lat. *stamina* (pl. de *stamen, staminis,* fil) employé en ce sens par Pline.

étamper 1190, G., « broyer » ; 1392, Gay, sens actuel ; francique **stampôn,* piler. ‖ **étampeur** 1838, *Acad.* ‖ **étampe** 1752, Trévoux ; déverbal.

étanche milieu XIIe s., *Thèbes,* « qui a cessé de saigner » ; 1679, Jal, sens actuel ; anc. adj. *estanch,* de *estancier,* étancher. ‖ **étanchéité** 1876, *Gazette des tribunaux.* ‖ **étancher** 1690, Furetière « rendre étanche ».

étancher fin XIe s. (*estanchier*) ; milieu XIIe s., *Thèbes,* « arrêter l'écoulement » ; 1636, Monet (*étancher*), « apaiser en buvant » ; lat. pop. **stanticare,* arrêter, de *stans, stantis,* de *stare,* se tenir debout, arrêté. ‖ **étanchement** fin XIIIe s., R. de Cesare.

étançon fin XIIe s. ; anc. fr. *étance, estance* (1160, Benoît), du lat. pop. **stantia,* pl. neutre, passé au fém., du part. prés. de *stare,* se tenir debout. ‖ **étançonner** 1130, *Job.* ‖ **étançonnement** fin XIVe s.

étanfiche 1321, Delb. (*estanfique*), « lit de pierres » ; anc. fr. *estant,* part. prés. de *ester,* se tenir debout, du lat. *stare* (même sens) et de *ficher.*

étang fin XIIe s., *Chanson de Guillaume* (*estanc*) ; 1460, Villon (*étang*), avec infl. du lat. *stagnum ;* déverbal de *estanchier,* étancher.

étape 1280, Delb. (*estaple*) ; fin XVe s. (*estape*), « comptoir » ; 1546, Rab., pour les troupes de passage ; XVIIIe s., « endroit où s'arrêtent les troupes » ; moyen néerl. *stapel,* entrepôt.

étarquer XVIIe s., Jal (*esterquer*) ; 1773, Bourdé (*étarquer*) ; moyen néerl. *sterken,* rendre raide.

état 1213, *Fet des Romains* (*estat*) ; lat. *status,* de *stare,* se tenir debout, au sens fig. de « position », et « État » en bas lat. ; *état civil,* fin XVIIIe s. ‖ **étatique** v. 1950. ‖ **étatisme** 1888, Lar. ‖ **étatiste** 1903, Péguy. ‖ **étatifier** 1916, Lar. ‖ **étatiser** 1905, Sachs-Villatte. ‖ **étatisation** début XXe s. ‖ **état-major** 1678, Guillet.

étau 1611, Cotgrave ; prononciation pop. de *estoc,* de même sens ; francique **stok,* bâton (v. ESTOC).

et cetera V. ET.

***été** 1080, *Roland* (*estet*) ; XVIIe s. (*été*) ; lat. *aestas, -atis.* (V. ESTIVAL.)

***éteindre** 1160, Benoît (*esteindre*), au fig. ; 1283, Beaumanoir, au propre ; fin XIXe s., électr. ; *s'éteindre* 1715, Fontenelle, mourir ; lat. pop. **extĭngĕre,* altér. de *extinguere,* par infl. de *tingere,* teindre. ‖ **éteigneur** 1272, Joinville (*esteigneur*). ‖ **éteignoir** 1552, R. Est. (V. EXTINCTION.)

ételle 1864, L., grande vague ; orig. obscure.

étendard 1080, *Roland* (*estandart*) ; 1636, Monet (*étendart*) ; 1701, Furetière (*étendard*) ; francique **standhard,* inébranlable (symbole de fermeté), de **standan,* être debout, et **hard,* ferme.

***étendre** 1120, *Ps. Oxford ;* lat. *extendĕre.* ‖ **étendu** 1647, Descartes, « vaste ». ‖ **étendue** XVe s., *Pastoralet,* qui a éliminé *étente* (XIIe s.) ; anc. part. passé du lat. pop. **extendĭta.* ‖ **étendoir** 1688, Miege. ‖ **étendage** 1765, *Encycl.*

éternité 1160, Benoît ; lat. *aeternitas,* de *aeternus,* éternel. ‖ **éternel,** *id. ;* lat. chrét. *aeternalis* (IIIe s., Tertullien). ‖ **éternellement** 1265, Br. Latini. ‖ **éterniser** 1552, Ronsard ; rare jusqu'au XVIIIe s. ‖ **éternisation** 1876, *Gazette des tribunaux.*

***éternuer** fin XIe s., *Gloses de Raschi* (*esternuder*) ; fin XIIIe s., *Renart* (*esternuer*) ; lat. *sternūtare* (Pétrone), fréquentatif de *sternuere.* ‖ **éternuement** début XIIIe s.

étésiens (*vents*) 1531, de Laigue (*-ésies*) ; 1542, Du Pinet (*-iens*) ; lat. *etesiae,* du gr. *étêsiai anemoi,* vents annuels ; de *etos,* année.

éteuf fin XIIe s., *Alexandre* (*stui*), « balle de paume » ; 1380, *Aalma* (*esteuf*) ; v. 1440, Ch. d'Orléans (*éteuf*), par fausse régression (v. SOIF) ; francique **stôt,* balle.

***éteule** fin XIe s., *Gloses de Raschi* (*estoble*) ; 1120, *Ps. de Cambridge* (*estuble*), « chaume » ; 1636, Monet (*éteule*) ; bas lat. *stŭpŭla,* tige des céréales (lat. class. *stĭpŭla*). La forme actuelle sans *b* paraît picarde.

éthane V. ÉTHER.

éther 1120, *Ps. de Cambridge* (*-ere*), espace céleste ; 1730, Frobenius, chim. ; 1735, Heister, phys. ; lat. *aether,* air subtil, du gr. *aithêr,* de *aithein,* brûler. || **éthéré** XVe s. ; lat. *aethereus,* du gr. *aithêrios.* || **éthane** 1897, Lar., rad. et suffixe *-ane.* || **éthanol** 1933, Lar. || **éthyle** 1845, Allain ; gr. *hulê,* bois. || **éthylamine** 1870, Lar. || **éthériser** 1842, *Acad.* || **éthérisation** v. 1850. || **éthérifier** 1836, Landais. || **éthérification** v. 1850. || **éthérisme** 1855, Nysten. || **éthéromanie** 1888, Lar. || **éthéromane** *id.* || **éthyle** 1855, Nysten. || **éthylique** 1870, Lar. || **éthylisme** 1888, Lar. || **éthylène** 1870, Lar.

éthiopien 1265, Br. Latini ; gr. *aithiops,* éthiopien.

éthique 1265, Br. Latini, n. m. ; adj., 1580, Montaigne ; bas lat. *ethicus, -ca,* moral, du gr. *êthikos, êthikê,* de *êthos,* mœurs. Désigne la science de la morale.

ethmoïde 1560, Paré ; gr. *êthmoeidês,* os ethmoïde, proprement « pareil à un crible [*êthmos*] ».

ethnique 1530, Marot, « païen » ; 1752, Trévoux, sens actuel ; lat. *ethnicus,* du gr. *ethnikos,* de *ethnos,* peuple ; le sens « païen » est repris au lat. eccl. || **ethnie** 1930, Lar. || **ethnocentrique** v. 1950. || **ethnographie** XVIIIe s., Gohin. || **ethnographe** 1827, *Acad.* || **ethnologie** 1834, Landais. || **ethnologique** 1849, Besch. || **ethnologue** 1870, Lar.

éthologie 1611, Cotgrave ; gr. *êthos,* mœurs, et *logos,* science.

éthyle, éthylène V. ÉTHER.

***étier** XIVe s., Du Cange (*estier*) ; enregistré dans *Acad.,* 1762 ; mot de la côte atlantique désignant un chenal reliant un marais à la mer ; lat. *aestuarium,* lagune maritime (v. ESTUAIRE). || **étiage** 1783, Perronet.

***étincelle** fin XIe s., *Gloses de Raschi* (*estencele*) ; XIIIe s., Du Cange (*estincelle*) ; lat. *scintilla,* devenu par métathèse **stincilla.* || **étinceler** 1155, Wace (*estenceler*) ; 1680, Richelet (*étinceler*). || **étincelant** 1265, J. de Meung. || **étincellement** 1119, Ph. de Thaon.

étioler 1690, La Quintinie ; var. champenoise de *éteule,* à cause de l'aspect grêle. || **étiolement** 1756, *Encycl.*

étiologie 1611, Cotgrave (*aitiologie*) ; 1752, Trévoux (*étiologie*) ; gr. *aitiologia,* de *aition,* cause, et *logos,* science. Désigne en méd. la recherche et l'étude des causes des maladies.

étique 1256, Ald. de Sienne (*etike*) ; 1560, Paré (*étique*) ; XVe s., Basselin, « maigre » ; abrév. de *fièvre hectique,* fièvre qui amaigrit (v. HECTIQUE). || **étisie** 1719, Maintenon ; réfection de *hectisie* (fin XVIe s.). Le mot a disparu, remplacé par *consomption.*

étiquette 1387, Du Cange (*est-*), « poteau servant de but » ; 1549, R. Est., « écriteau fixé sur chaque sac de procès », encore au XVIIIe s. ; fin XVIe s., sens actuel ; 1719, Maintenon, fig., cérémonial, d'apr. l'ordre des étiquettes. || **étiqueter** 1549, R. Est. || **étiquetage** 1850, Dorvault.

étirer, étisie V. TIRER, ÉTIQUE.

étoffe 1241, G. (*estophe*) ; 1636, Monet (*étoffe*) ; sens plus étendu (« matière ») en anc. fr. ; déverbal de *étoffer.* || **étoffer** fin XIIe s., *Loherains* ; francique **stopfôn,* rembourrer, calfater.

***étoile** 1080, *Roland* (*esteile*) ; « star », 1865, Esnault ; lat. pop. **stēla,* lat. *stella.* || **étoilé** 1112, *Voy. saint Brendan* (*estelé*). || **étoilement** 1845, Besch. || **étoiler** fin XIIe s. (*esteler*) ; XVIe s. (*estoiler*).

étole 1130, *Eneas* (*estole*) ; lat. *stola,* du gr. *stolê,* longue robe, au sens spécialisé du lat. eccl.

***étonner** 1080, *Roland* (*est-*), « frapper d'une commotion » ; 1652, Pascal, « ébranler » ; les sens de « épouvanter » et de « surprendre » sont attestés dès le XIIe s. ; lat. pop. **extonare,* de *tonus,* tonnerre. || **étonnement** début XIIIe s., *Barlaham* (*estonement*), « violente secousse physique » ; 1690, Furetière, « surprise ». || **étonnant** XVIe s., *Anc. Poés. fr.,* « qui épouvante » ; 1683, Fontenelle, « qui surprend ». || **étonnamment** 1752, Trévoux.

étoquiau 1462, G. (*estoquiau*), pièce de serrure ; dér. de *estoc,* souche, tronc.

***étouffer** XIIIe s., G. (*estofer*) ; 1564, *Bible* (*étouffer*) ; anc. fr. *estofer,* rembourrer, étoffer et *estoper,* obstruer, étouper. || **étouffant** 1562, J. Grévin, pour la chaleur ; 1869, Sainte-Beuve, fig. || **étouffé** 1760, Voltaire, « amorti ». || **étouffement** XIVe s., G. || **étouffoir** 1671, Pomey. || **étouffeur** 1776, Bomare. || **étouffée** fin XIVe s. || **étouffe-chrétien** XXe s. (V. ESTOUFFADE.)

***étoupe** XIIe s., G. (*est-*) ; lat. *stŭppa,* gr. *stuppê,* de *stuphein,* contracter. || **étouper** 1120, *Ps. de Cambridge ;* lat. pop. **stŭppare.* || **étoupille** 1632, Barbier. || **étoupiller** 1752, Trévoux.

***étourdi** début XIe s., *Chanson de Guillaume* (*estordi*) ; XIIIe s. (*estourdi*), « hébété » ; XIVe s., Cuvelier, sens actuel ; lat. pop. **exturdītus,* de *turdus,* grive (cf. ÉTOURNEAU dans le même sens). || **étourdir** fin XIIe s. ; lat. pop. **exturdire.* || **étourdissement** 1213, *Fet des Romains,* « vertige » ; 1553, *Bible Gérard,* « trouble moral » ; 1685, Bossuet, « fait de se distraire ». || **étourderie** 1675, Bouhours. || **étourdissant** 1690, Furetière ; 1838, *Acad.,* « extraordinaire ».

***étourneau** fin XIe s., *Gloses de Raschi* (*estornel*) ; 1398, *Ménagier* (*estourneau*) ; lat. pop. **stŭrnellus,* de *stŭrnus.* (V. ÉTOURDI.)

étouteau 1734, D. Alexandre, pièce formant butoir ; de *étoquiau.*

***étrange** 1050, *Alexis* (*estr-*) ; lat. *extraneus,* étranger, sens en fr. jusqu'au XVIIe s. ; dès le XIIe s., « bizarre ». || **étrangement** 1170, *Rois.* || **étrangeté** 1398, E. Deschamps ; rare aux XVIIe-XVIIIe s. || **étranger** adj., v. 1350, Machaut, « d'une autre nation » ; XVIIe s., « sans rapport avec » ; 1120, *Ps. de Cambridge,* comme verbe auj. disparu ; *étranger* a remplacé *étrange* dans son premier sens.

***étrangler** 1119, Ph. de Thaon (*est-*) ; lat. *strangŭlare,* même sens. || **étranglement** début XIIIe s. ; XVIIIe s., « état de ce qui est resserré ». || **étrangleur** XIIIe s., *Gloss. de Conches.*

étrave 1573, Du Puys ; anc. scand. *stafn,* proue. (V. ÉTAMBOT.)

***être** 1080, *Roland* (*estre*) ; lat. pop. **essĕre,* du lat. *esse ;* plusieurs formes ont été empr. au lat. *stare,* se tenir debout (anc. fr. *ester*). || **être** n. m., 1130, *Eneas.* || **bien-être** 1555, Pasquier. || **non-être** XVIIe s., Bossuet. || **mieux-être** 1750, d'après Féraud.

étrécir V. ÉTROIT.

***étreindre** 1155, Wace ; lat. *strĭngĕre,* serrer. || **étreignant** 1460, Chastellain. || **étreinte** XIIe s., *Audefroi le Bâtard ;* part. passé substantivé.

étrenne 1175, Chr. de Troyes (*estrainne*) ; 1636, Monet (*étrenne*) ; au pl. dès le XIVe s. ; lat. *strēna,* bon présage, par ext. cadeau à titre d'heureux présage. || **étrenner** 1160, Benoît, « gratifier » ; fin XVIIe s., « recevoir des coups ».

***êtres** 980, *Passion* (*estras,* pl.) ; 1130, *Eneas* (*estres*) ; lat. *exterus,* ce qui est à l'extérieur, substantivé au pl. neutre ; sens plus étendu en anc. fr. (emplacement, jardin, etc.).

étrésillon 1333, G. (*estesillon*) ; XVe s., G. (*étré-*) ; forme agglutinée de *tésillon* (avec article), de *teseillier,* ouvrir la bouche, d'apr. *teser,* tendre, du lat. pop. **te(n)sare* (v. TOISE). Le sens premier est « bâton pour maintenir la gueule ouverte », puis 1690, Furetière, « pièce de charpente pour empêcher l'éboulement d'une tranchée » ; 1762, *Acad.,* mar. || **étrésillonner** 1676, Félibien.

étresse V. ÉTROIT.

étrier 1080, *Roland* (*estreu*) ; 1175, Chr. de Troyes (*estrif*) ; 1130, *Eneas* (*estrier*) ; XVIIe s. (*étrier*) ; francique **streup,* courroie (qui formait l'étrier des Germains), attesté sous la forme lat. *strepus, strepa* au XIe s. || **étrivière** 1175, Chr. de Troyes (*est-*) ; de *estrif,* forme ancienne. || **étrière** 1600, *Ordonn.* (V. ÉTRIVE.)

***étrille** XIIIe s., *Fabliau* (*estrille*), pour panser les chevaux ; 1769, Duhamel, crabe ; lat. pop. **strigĭla,* du lat. *strigilis.* || **étriller** 1155, Wace (*estriller*), frotter avec l'étrille.

étriquer XIIIe s. (*s'étriquer*), « allonger le bras » ; v. t. 1583, Tilander, « amincir une pièce de bois » ; 1760, Voltaire, fig., « rendre étroit » ; mot du Nord, du néerl. *striken,* s'étendre, du francique **strîkan,* frotter.

étrive 1773, Bourdé, mar., « angle que fait une manœuvre », var. fém. de *étrif,* forme ancienne de *étrier.*

étrivière V. ÉTRIER.

étroit 1155, Wace (*estreit*) ; 1175, Chr. de Troyes (*estroit*) ; lat. *strictus,* de *stringere,* étreindre. || **étroitement** 1175, Chr. de Troyes. || **étroitesse** XIIe s. (*estreitece*) ; XIVe s. (*estroitesse*) ; inusité aux XVIIe-XVIIIe s. || **étresse** 1751, *Encycl.,* papier gris très mince, collé au dos des cartes à jouer ; paraît représenter l'anc. fr. *estrece,* étroitesse, du lat. pop. **strictius.* || ***étrécir** 1366, G. (*estroicir*), var. tardive de *estrecier* (XIIe-XVIe s.) ; lat. pop. **strictiare,* de *strictus.* || **rétrécir** XIVe s., *Traité d'alch.* (*restroicir*) ; 1549, R. Est. (*rétrécir*). || **rétrécissement** 1546, Martin.

étron XIIIe s., Rutebeuf (*estrons* pl.) ; francique **strunt* (néerl. *stront*).

étude 1120, *Ps. de Cambridge* (*estudie*) ; 1150, *Thèbes* (*estuide*) ; 1190, Saint Bernard (*estude*) ; tous sens actuels dès l'anc. fr. ; parfois masc. en anc. fr. ; adaptation du lat. *studium,* soin, application à l'étude, de *studere,* étudier. || **étudier** 1155, Wace (*estudier*) ; d'apr. le lat. || **étudié** 1580, Montaigne, « calculé ». || **étudiant** 1370, Oresme (*est-*), qui n'a remplacé *écolier* en son sens actuel qu'à la fin du XVIIe s. || **estudiantin** 1899, Sachs-Villatte ; esp. *estudiantino,* de *estudiante,* étudiant.

étui 1170, *Rois* (*estui*), « boîte où l'on enferme » ; 1190, Garn., « prison » ; déverbal de l'anc. fr. *estuier, estoier,* enfermer, ménager, du lat. pop. **studiare,* de *studium,* soin.

***étuve** fin XIe s., *Gloses de Raschi* (*estuve*), « salle de bains » ; 1560, Paré, sens actuel ; lat. pop. **extupa,* salle de bains, déverbal de **extupare,* remplir de vapeurs chaudes, gr. *tuphos,* fumée, vapeur. || **étuver** 1175, Chr. de Troyes (*estuver*). || **étuvage** 1874, d'après L. || **étuvée** 1390, Taillevent (*estuvée*). || **étuveur** 1260, Du Cange.

étymologie XIVe s., *Girart de Roussillon ;* lat. *etymologia,* du gr. *etumos,* vrai, et *logos,* traité, « qui fait connaître le vrai sens des mots ». || **étymologiste** fin XVIe s. || **étymologique** 1550, Bonivard ; lat. *etymologicus,* du gr. *etumologikos.* || **étymon** XXe s., mot donné comme étymologie d'un terme.

eucalyptus 1796, *Encycl. méth.* (*-ypte*) ; mot du lat. bot. (1788, Lhéritier) ; gr. *eu,* bien, et *kaluptos,* couvert, le limbe du calice restant clos jusqu'à la floraison. || **eucalyptol** 1870, Lar.

eucharistie 1150, Barbier ; lat. chrét. *eucharistia* (IIIe s., saint Cyprien), du gr. *eukharistia,* action de grâces ; encore en lat. au IIIe s., chez Tertullien ; de *kharizesthai,* faire plaisir. || **eucharistique** fin XVIe s. ; lat. *eucharisticus,* du gr. *eukharistikos.*

euclidien début XVIIIe s. ; lat. *Euclides,* du gr. *Eukleidês,* Euclide.

eudémonisme 1870, Lar ; gr. *eudaimonismos,* action de regarder comme heureux, de *eudaimôn,* heureux, de *daimôn,* destin. Théorie du bonheur considéré comme bien suprême. || **eudémoniste** XXe s.

eudiomètre v. 1775, Brunot ; gr. *eudia,* beau temps, et *metron,* mesure. Désigne un instrument de mesure du volume des mélanges gazeux. || **eudiométrie** 1796, Lamarck. || **eudiométrique** 1793, *Annales chimie.*

eugénique 1883, Galton ; gr. *eu,* bien, et *genos,* race. || **eugénisme** début XXe s. ; angl. *eugenism,* étude scientifique des moyens capables de sauvegarder les qualités génétiques de l'espèce humaine. || **eugénésie** 1888, Lar. ; gr *eu,* bien, et *genesis,* reproduction. || **eugénète** XXe s.

euh, heu 1668, Racine ; onomatopée.

eulogie fin XVIe s., « pain bénit » ; 1611, Cotgrave (*-oge*) ; lat. eccl. *eulogia,* du gr. chrét. *eulogia,* bénédiction, de *eulogos,* qui parle bien.

eumolpe 1839, Boiste ; gr. *eumolpos,* harmonieux ; coléoptère d'un vif éclat métallique.

eunecte 1842, *Acad. ;* gr. *eu,* bien, et *nêktos,* nageur. Désigne un boa aquatique.

eunuque XIIIe s. (*eunique*) ; 1672, Sacy (*eunuque*) ; 1794, Chénier, fig. ; lat. *eunuchus,* du gr. *eunoûkhos,* « qui garde (*ekhein,* avoir, tenir) le lit, *eunê* (des femmes) ». || **eunuchisme** 1865, L. ; bas lat. *eunuchismos,* mot gr.

eupatoire, eupatorium XVe s., *Grant Herbier ;* lat. *eupatoria herba,* du gr. *eupatorion,* du nom du roi Eupator, qui fit connaître les vertus médicinales de cette plante.

eupepsie 1865, L. ; gr. *eupepsia,* bonne digestion, de *peptein,* digérer.

euphémisme 1730, Dumarsais ; gr. *euphêmismos,* parole de bon augure, de *eu,* bien, et *phêmê,* parole. || **euphémique** 1839, Boiste.

euphonie 1561, Du Verdier ; bas lat. *euphonia,* du gr. *eu,* bien, et *phônê,* son. || **euphonique** 1756, *Encycl.*

euphorbe XIIIe s. (*euforbe*) ; 1690, Furetière (*euphorbe*) ; lat. *euphorbia herba,* du nom de *Euphorbus,* médecin de Juba, roi de Numidie (Ier siècle), qui révéla la valeur curative de cette plante. || **euphorbiacées** 1816, Candolle.

euphorie 1750, Prévost d'Exiles, « sentiment de bien-être en fin de maladie » ; 1907, Lar., « vive satisfaction » ; gr. *euphoria,* force de supporter, de *eu,* bien, et *pherein,* porter. || **euphorique** XXe s. || **euphoriquement** *id.* || **euphoriser** *id.*

euphraise 1600, O. de Serres ; lat. bot. *euphrasia,* du gr. *euphrasia,* « gaieté, plaisir », de *euphrainein,* réjouir, d'apr. la propriété curative de la plante.

euphuisme 1820, Mackenzie ; angl. *euphuism,* dér. de *Euphues,* mot gr. signif. « qui a d'heureuses dispositions » ; titre d'un ouvrage de J. Lyly (1579), écrit en style précieux.

eupnée 1878, Lar. ; gr. *eupnoia,* respiration facile, de *pnein,* respirer.

eurasien 1865, L. ; de *Europe* et de *Asie.* || **eurasiatique** XXe s.

européen 1740, Castel, a remplacé *européan, -pain,* de *Europe.* || **européennement** 1833, Gautier. || **européaniser** 1830, *la Mode.* || **europium** 1901, Demarçay. || **Eurovision** 1954, abrév. de *Union européenne de radiodiffusion et de télévision.* || **eurocrate** v. 1965 ; de *euro[péen]* et *[techno-] crate.* || **eurodollar** v. 1965.

eury-, gr. *eurus,* large. || **euryalique** 1870, Lar. ; gr. *halôs,* aire. || **eurycéphale** 1877, L. ; gr. *kephalê,* tête. || **euryhalin** début XXe s. ; gr. *hals, halos,* sel. || **eurytherme** 1906, Lar. ; gr. *thermon,* chaleur.

eurythmie 1547, J. Martin ; lat. *eurythmia,* harmonie, du gr. *euruthmos,* bien rythmé.

eustache 1779, Dorvigny ; du nom de *Eustache Dubois,* coutelier à Saint-Étienne, couteau à virole.

eustatique début XXe s. ; allem. *eustatische [Bewegungen],* « mouvements eustatiques » ; de *stasis,* position.

eutexie 1922, Lar. ; gr. *eutexia,* fonte aisée. || **eutectique** 1906, Lar. ; gr. *eutekos,* « qui fond facilement » ; se dit d'un phénomène physique consistant dans la fusion à température constante de mélanges solides.

euthanasie 1771, Trévoux ; gr. *euthanasia,* mort douce, de *eu,* bien, et *thanatos,* mort. || **euthanasique** v. 1950.

eutocie 1878, Lar. ; gr. *eutokia,* enfantement heureux.

eux V. IL.

évacuer XIIIe s., « rejeter des matières » ; 1690, Furetière, milit. ; fin XVIIIe s., Brunot, « sortir » ; 1890, *D. G.,* « faire sortir d'un lieu » ; lat. *evacuare,* vider, de *vacuus,* vide ; d'abord milit. || **évacuation** 1314, Mondeville, méd., jusqu'au XVIe s. ; 1690, Furetière, pour les troupes ; bas lat. *evacuatio.* || **évacuateur** 1826, Brillat-Savarin, adj.

évader 1360, *Modus,* intrans., « échapper à » ; *s'échapper* 1690, Furetière ; lat. *evadere,* « sortir de », de *vadere,* aller. || **évasion** XIIIe s., G., en astronomie ; fin XIVe s., « échappatoire » ; 1679, Retz, « fuite » ; bas lat. *evasio* (*Vulgate*). || **évasif** 1547, Budé. || **évasivement** 1787, Féraud.

évaltonner (s') 1562, J. Grévin, « s'émanciper » ; anc. fr. *valeton* (1138, Gaimar), dimin. de *valet.*

évaluer, évanescent V. VALOIR, ÉVANOUIR.

évangile 1174, E. de Fougères ; lat. chrét. *evangelium* (IIIe s., Tertullien), du gr. *euaggelion,* bonne nouvelle. || **évangéliste** 1190, Saint Bernard (*euv-*) ; lat. chrét. *evangelista,* du gr. chrét. *euaggelista.* || **évangélique** fin XIVe s., Ph. de Maizières ; lat. chrét. *evangelicus,* du gr. *euaggelikos.* || **évangéliser** XIIIe s., L. ; lat. chrét. *evangelizare,* du gr. *euaggelizein.* || **évangéliaire** 1721, Trévoux ; lat. eccl. *evangeliarium.* || **évangélisateur** 1877, L.

évanouir (s') 1130, *Eneas* (*esvanoïz,* au part. passé), « disparu » ; fin XIIe s., *Dialog. Grégoire* (*esvanoïr*), « perdre connaissance », v. intr. ; comme pronominal 1265, J. de Meung ; altér. de l'anc. fr. *esvanir,* du lat. pop. **exvanīre,* réfection de *esvanescere,* se dissiper, disparaître, d'apr., semble-t-il, le parfait lat. (*evanuit*) ; d'abord mot de clerc. || **évanouissement** 1175, Chr. de Troyes (*esv-*). || **évanescent** 1859, Lachâtre. || **évanescence** 1877, L.

évaporer V. VAPEUR.

évaser 1360, *Modus ;* anc. fr. *vaser,* creuser, de *vas,* vase. || **évasement** 1130, *Eneas.* || **évasure** 1611, Cotgrave.

évasion V. ÉVADER.

évection 1361, Oresme, astron. ; lat. *evectio,* action de s'élever, de *vehere,* transporter. Désigne l'inégalité périodique dans le mouvement de la Lune.

***éveiller** 1175, Chr. de Troyes ; comme pronominal 1080, *Roland* (*esv-*) ; lat. pop. **exvĭgĭlare,* « s'éveiller », de *vigilare,* être éveillé, de *vigil,* attentif. || **éveil** 1175, Chr. de Troyes (*esv-*) ; déverbal. || **réveiller** 1155, Wace (*resveillier*), « tirer du sommeil » ; 1360, Froissart, « redonner de la vigueur » ; *se réveiller* 1265, J. de Meung. || **réveil** fin XIIIe s., Rutebeuf (*resveil*) ; 1440, Gay, « réveille-matin » ; déverbal. || réveillon début XVIe s. || **réveillonner** 1862, *l'Univers illustré.* || **réveille-matin** av. 1450, *Myst. Passion.* (V. VEILLE.)

événement début XVIe s. ; d'apr. le lat. *evenire,* arriver, et *eventus,* événement, sur le modèle de *avènement.* Il a remplacé *event* (XVe s.) ; lat. *eventus.* || **événementiel** 1959, Lar.

event 1866, Behrens (*great evens*), épreuve sportive, en parlant du derby ; 1901, *Vie au grand air* (*grands events*) ; mot angl., de l'anc. fr. *event,* événement.

évent V. ÉVENTER.

éventail 1416, Gay ; de *éventer.* || **éventailliste** 1690, Furetière.

éventer XIe s. ; lat. pop. **exventare,* aérer, de *ventus,* vent. || **évent** 1521, G. ; déverbal de *éventer.* || **éventaire** XIVe s. (*-toire*) ; 1690, La Quintinie (*-taire*) ; de *éventer.*

éventuel 1718, *Acad.* ; dériv. du lat. *eventus,* événement. || **éventuellement** 1737, *Mercure de France.* || **éventualité** av. 1797, Beaumarchais

***évêque** Xe s., *Saint Léger* (*ebisque, evesque*) ; XVIIe s. (*évêque*) ; lat. chrét. *episcŏpus,* du gr. *episkopos,* surveillant. || **évêché** Xe s., *Saint Léger* (*evesquet*) ; XVIIe s. (*évêché*) ; lat. eccl. *episcopatus,* épiscopat. || **épiscopal** fin XIIe s. ; bas lat. *episcopalis.* || **épiscopat** début XVIIe s. ; lat. chrét. *episcopatus.* || **archevêque** 1080, *Roland.* || **archevêché** 1138, Gaimar ; d'après lat. *archiepiscopatus.* || **archiépiscopal** 1389, Delb ; lat. chrét. *archiepiscopalis.*

éverdumer 1549, R. Est., enlever la couleur verte aux légumes ; lat. *ex,* hors de, et **verdum* (lat. *verdumen*), qui a donné *verd,* forme anc. de *vert* ; d'apr. l'ital. *verdume,* verdure.

éversion XVe s., G. ; lat. *eversio,* renversement, de *evertere,* retourner.

évertuer (s') 1080, *Roland* ; de *vertu,* courage ; 1613, Régnier, « faire des efforts ».

évhémérisme 1842, *Acad.* ; du philosophe gr. *Evhémère.*

éviction V. ÉVINCER.

évident 1265, J. de Meung ; lat. *evidens,* visible, de *videre,* voir. || **évidemment** XIIIe s., L. || **évidence** XIIIe s. ; lat. *evidentia.*

évider V. VIDE.

évier XIIIe s., Tailliar (*euwier*) ; 1690, Furetière (*évier*) ; lat. pop. **aquarium,* égout, adj. substantivé, de *aqua,* eau ; en bas lat., il a signifié « égout ». (V. AQUARIUM.)

évincer début XVe s., jurid. ; 1546, Rab., fig. ; lat. *evincere,* au sens jurid., de *vincere,* vaincre. || **éviction** 1283, *D. G.* (*évicion*) ; XVIe s., Loisel (*éviction*) ; lat. jurid. *evictio,* de *evincere* ; « dépossession d'un bien acquis de bonne foi ».

éviré 1552, Rab., « châtré » ; 1690, Furetière, héraldique ; lat. *eviratus,* de *evirare,* ôter la virilité, de *vir,* homme.

éviter 1324, Lespinasse ; lat. *evitare,* se soustraire à quelque malheur ; *éviter à* (« se soustraire à ») jusqu'au XVIe s. || **évitable** 1165, Marie de France. || **évitage** 1773, Bourdé. || **évitement** 1539, R. Est. || **inévitable** 1377, Oresme ; d'apr. le lat. *inevitabilis.* || **inévitablement** fin XVe s.

évocation, évocatoire V. ÉVOQUER.

évolution 1647, de Lostelneau, milit. ; 1762, Rousseau, « changement » ; 1811, Wailly, théorie biologique ; lat. *evolutio,* action de dérouler, de *volvere,* rouler. || **évoluer** 1783, *Encycl. méth.* ; de *évolution.* || **évolutif** début XIXe s., Ballanche. || **évolutionnisme** 1878, Lar. || **évolutionniste** 1878, L.

évoquer 1398, E. Deschamps, « faire apparaître par magie » ; fin XVe s., jurid. ; 1807, Staël, « rappeler » ; lat. *evocare,* de *vocare,* appeler (v. VOIX). || **évocable** 1718, *Acad.* || **évocateur** 1870, Lar. || **évocation** 1348, Varin, jurid. ; 1690, Furetière, « évocation des démons » ; 1835, Vigny, « souvenir » ; lat. jurid. *evocatio.* || **évocatoire** début XIVe s., jurid. ; milieu XIXe s., Baudelaire, « d'une évocation magique » ; lat. *evocatorius.*

évulsion 1540, *Chirurgie de Paulus Aegineta* ; lat. *evulsio,* arrachement, de *vellere,* arracher. Terme de chirurgie désignant une extraction.

evzone début XXe s. ; mot du gr. mod. ; gr. *euzônos,* à belle ceinture, à cause de la tenue de ces fantassins.

ex-, prép. lat. signif. « hors de » ; devenu préfixe dans les composés en bas lat. dont le deuxième terme était à l'ablatif : *ex consule,* au sortir de la charge de consul ; puis *expatricius,* ancien patrice (*Code Justinien*). Prenant le sens de « qui a rempli cette fonction, qui a été, mais n'est plus », et séparé du deuxième élément par un trait d'union, il a connu un grand développement à partir du XVIIe s. Le préfixe *ex-* entre aussi en composition d'un certain nombre de mots, directement issus du lat., sans trait d'union : *expatrier, exporter,* etc.

ex abrupto, exacerber V. ABRUPT, ACERBE.

exact 1541, Canappe, « achevé, parfait » ; 1652, La Rochefoucauld, « minutieux » ; 1657, Pascal, « vrai » ; 1870, Lar., « ponctuel », var. *exacte,* masc. ; lat. *exactus,* achevé, part. passé de *exigere,* achever. || **exactement** 1541, Canappe, « avec soin » ; 1778, Rousseau, « tout à fait ». || **exactitude** 1644, Livet, qui a été en concurrence avec *exacteté* et *exactesse* (début XVIIe s.). Il a d'abord eu le sens « soin scrupuleux » ; les valeurs « conformité avec la vérité » ou « conformité avec la grandeur mesurée » se développent à partir du XVIIIe s. || **inexact** 1689, Andry de Boisregard. || **inexactement** fin XVIIIe s. || **inexactitude** 1689, Andry de Boisregard, « faux » ; 1867, L., « absence de ponctualité ».

exaction XIIIe s., Tailliar, « action d'exiger un paiement » ; 1361, Oresme, « fait d'exiger plus qu'il n'est dû » ; lat. *exactio,* recouvrement d'impôts, de *exactus,* part. passé de *exigere,* réclamer. || **exacteur** 1304, G. (*exautor*) ; milieu XIVe s. (*exacteur*), jurid. ; 1361, Oresme, péjor.

ex aequo XIXe s. ; loc. lat. signif. « également », de *ex,* de, et *aequus,* égal ; vient de la langue scolaire.

exagérer 1535, G. de Selve, « déformer » ; fin XVIIe s., Bossuet, « grossir » ; lat. *exaggerare,* entasser, de *agger,* chose entassée, au fig. amplifier. || **exagération** 1549, R. Est. ; lat. *exaggeratio.* || **exagérateur** 1654 Balzac ; lat. *exaggerator.* || **exagéré** n. polit., 1794, Brunot, pour désigner les Montagnards. || **exagérément** 1830, Armand Carrel.

exalter Xe s., *Saint Léger,* « élever » au sens ecclés. ; 1530, Marot, « porter trop haut » ; 1835, *Acad.,* « enthousiasmer » ; lat. *exaltare,* « exhausser », de *altus,* haut, au sens du lat. eccl. || **exaltant** 1865, L. || **exaltation** XIIIe s., *Règle du Temple* (*- de sainte croiz*) ; lat. *exaltatio* au sens du lat. chrét. ; 1460, Chastellain, « promotion » ; 1772, Voltaire, « enthousiasme ». || **exalté** n. 1778, Diderot.

examen 1340, *Tombel de Chartrose,* « observation » ; 1485, *Ordonnance,* « épreuve d'un candidat » ; lat. *examen,* pesée, d'apr. le lat. *exigere,* peser. || **examiner** XIIIe s., *Règle de saint Benoît,* « questionner » ; jurid. en anc. fr. ; lat. *examinare.* || **examinateur** 1307, G. ; 1690, Furetière, « faire subir un examen » ; bas lat. *examinator,* au sens fig. de *examinare,* apprécier.

exanthème 1545, Guéroult (*-émate*) ; fin XVIe s. (*exanthème*) ; lat. méd. *exanthema, -atis,* efflorescence, de *anthos,* fleur ; désigne une éruption cutanée. || **exanthémateux** 1756, *Encycl.* || **exanthématique** 1765, *Encycl.*

exarque 1516, *Faits des saints Pères* (*exarche*) ; lat. impér. *exarchus,* chef, gr. *exarkhos,* de *arkhein,* commander.

exaspérer 1308, Aimé, « rendre plus difficile » ; 1580, Montaigne, « aggraver », sorti de l'usage au XVIe s. ; milieu XIXe s., « irriter » ; lat. *exasperare,* de *asper,* rude. || **exaspération** 1588, Montaigne ; bas lat. *exasperatio.* || **exaspérant** XIIIe s., repris au XIXe s.

exaucer 1540, Marot, var. graphique de *exhausser,* spécialisée au sens fig. de « écouter les prières », proprement « exalter en réalisant le vœu », avec infl. du lat. eccl. *exaudire.* || **exaucement** XVIe s.

ex cathedra v. 1680, Sévigné ; loc. du lat. eccl. signif. « du haut de la chaire ».

excaver fin XIIIe s., Végèce, rare jusqu'au XVIIIe s. ; lat. *excavare,* de *cavus,* creux. || **excavation** 1566, Du Pinet ; lat. *excavatio.* || **excavateur** 1843, Bonnafé ; de *excaver,* d'après l'angl. *excavator.*

excéder fin XIIIe s. ; lat. *excedere,* « sortir de », au sens trans. « dépasser ». || **excédent** 1392, Deschamps ; part. prés. *excedens ;* la graphie a longtemps varié (*-ant* ou *-ent*). || **excédentaire** 1935, Sachs.

exceller 1544, Scève ; lat. *excellere,* surpasser. || **excellent** 1160, Benoît ; sens restreint en fr. ; lat. *excellens,* supérieur. || **excellemment** 1339, J. de La Mote (*-tement*) ; 1539, R. Est. (*-emment*). || **excellence** 1160, Benoît, « degré éminent » ; fin XIIIe s., Rutebeuf, titre honorifique, d'apr. l'ital. (surtout aux XVe-XVIe s.) ; *par excellence* 1549, Marguerite de Navarre ; lat. *excellentia.* || **excellentissime** XIIIe s., *Ystoire de li Normant* (œuvre d'un Italien) ; du superlatif ital. *eccellentissimo,* titre honorifique.

excentrique 1361, Oresme, géométrie ; 1611, Cotgrave, « original » ; 1845, Besch., « bizarre » ; XXe s., terme de music-hall (d'après l'angl. *eccentric*) ; lat. scient. médiév. *excentricus,* « qui est hors du centre ». || **excentricité** 1562, Scève, géométrie ; début XVIIIe s., « originalité » ; lat. *excentricitas.*

excepter fin XIIe s., Marie de France ; lat. *exceptare,* recevoir (sens en anc. fr.), qui a subi l'infl. sémantique de *exception.* || **excepté** prép., v. 1360, Froissart ; *excepté que* 1677, Sévigné. || **exception** 1265, *Livre de jostice,* jurid. ; lat. *exceptio,* de *excipere,* retirer, excepter

(v. EXCIPER). || **exceptionnel** 1739, d'Argenson. || **exceptionnellement** 1842, *Acad.*

excès fin XIIIe s., « qui est en excédent » ; XIVe s., « ce qui dépasse la mesure » ; lat. *excessus,* de *excedere,* dépasser au sens du bas lat. || **excessif** 1265, J. de Meung ; 1587, La Noue, « qui ignore la mesure ». || **excessivement** 1359, Varin.

exciper 1279, G. (*exceper*), jurid. ; rare jusqu'au XVIIIe s. (1797, Beaumarchais), « tirer argument de » ; lat. *excipere,* retirer, excepter, au sens jurid. (v. EXCEPTER). || **excipient** 1747, James ; lat. *excipiens,* recevant, spécialisé en pharm.

excise V. ACCISE.

excision 1340, G. ; lat. *excisio,* de *excidere,* couper. || **exciser** XVIe s., G., « enlever », en chirurgie.

exciter XIIe s., G. de Saint-Pair (*esciter*), « éveiller » ; XIIIe s., L., « rendre plus vif » ; milieu XVIe s., Amyot, « stimuler une réaction psychologique » ; XIXe s., « agiter » ; lat. *excitare,* mettre en mouvement au fig. || **excitant** 1613, Gruau, « qui stimule » ; milieu XIXe s., fig. || **excitable** 1265, J. de Meung ; rare jusqu'au XIXe s. (1865, Taine, « irritable ») ; bas lat. *excitabilis.* || **excitation** 1282, Gauchy ; lat. *excitatio.* || **excitateur** 1335, Digulleville ; bas lat. *excitator.* || **excitatif** XIVe s., Delb. || **surexciter** 1826, Broussais. || **surexcitation** 1832, Raymond. || **surexcité** 1849, Sainte-Beuve.

exclamer V. CLAMER.

exclure 1355, Bersuire, « écarter » ; 1662, Pascal, fig. ; lat. *excludere,* de *claudere,* fermer (v. ÉCLORE). || **exclusion** 1220, Coincy ; lat. *exclusio.* || **exclusif** milieu XVe s., « incompatible » ; XVIIIe s., « intolérant » ; lat. scolast. *exclusivus.* || **exclusive** XVIe s., « mesure d'exclusion ». || **exclusivement** 1410, N. de Baye. || **exclusivisme** 1835, Fourier. || **exclusivité** 1778, Voltaire (*exclusiveté*) ; début XIXe s. (*exclusivité*) ; cinéma, 1911, *Ciné-Journal.*

excommunier, excorier V. COMMUNIER, CUIR.

excrément 1534, Rab. ; 1668, La Fontaine, fig. ; lat. méd. *excrementum,* excrétion, de *excernere,* tamiser, au sens méd., évacuer. || **excrémenteux** 1560, Paré. || **excrémentiel** *id.*

excrétion 1534, Rab. ; bas lat. *excretio,* criblure, de *excernere,* évacuer. Terme méd., « rejet de sécrétions glandulaires ». || **excréteur** 1560, Paré. || **excrétoire** 1536, Chrestien. || **excréter** 1836, Raymond.

excroissance V. CROÎTRE.

excursion 1530, Delb. (*excurcion*), « attaque d'un territoire ennemi », rare jusqu'au XVIIIe s. (1718, *Acad.*) ; 1772, Rousseau, « voyage » ; lat. *excursio,* voyage, de *currere,* courir. || **excursionniste** 1852, Gautier. || **excursionner** 1871, Hugo.

excuser 1190, Saint Bernard (*esc-*), « disculper » ; *s'excuser* 1273, Adenet ; lat. *excusare,* mettre hors de cause (*causa*). || **excuse** fin XIVe s. ; 1690, Furetière, expression du regret ; déverbal. || **excusable** fin XIIIe s., G. || **excusabilité** 1873, d'après L. || **inexcusable** 1474, Delb. ; lat. *inexcusabilis.*

exeat 1622, Sorel, terme scolaire ; mot lat. signif. « qu'il sorte », subj. de *exire ;* mot du lat. eccl. pour autoriser un prêtre à exercer hors de son diocèse.

exécrer 1495, J. de Vignay ; lat. *exsecrari,* maudire, charger d'imprécations, de *sacer,* sacré. || **exécration** XIIIe s., *Bible ;* lat. *execratio.* || **exécrable** 1355, Bersuire ; lat. *execrabilis.* || **exécrablement** XVe s., G.

exécuter fin XIIIe s., Gauchy ; fait sur le rad. de *exécution.* || **exécutable** 1507, *Lettres de Louis XII.* || **exécutant** 1398, E. Deschamps. || **exécuteur** fin XIIe s., *Grégoire,* « qui exécute » ; milieu XVIe s., Amyot, « bourreau » ; lat. *executor,* de *exsequi,* poursuivre. || **exécution** 1265, J. de Meung ; lat. *executio,* achèvement. || **exécutoire** 1337, G., jurid., n. m. ; adj., XVIe s., Loisel ; bas lat. *executorius.* || **exécutif** 1361, Oresme, « qui exécute » ; rare jusqu'au XVIIIe s. (1764, Rousseau) ; n. m., 1865, L., « pouvoir exécutif ». || **inexécutable** 1579, *Chron. bordelaise ;* rare jusqu'au XVIIe s. (1695, Desfontaines). || **inexécution** 1578, d'Aubigné. || **inexécuté** 1484, *Doc.* || **inexécutoire** 1875, *Gazette des tribunaux.*

exégèse 1705, Chastelain, « explication philologique » ; XXe s., « interprétation » ; gr. *exêgêsis,* de *exêgeisthai,* expliquer. || **exégète** 1732, Trévoux ; gr. *exêgêtês.* || **exégétique** 1694, Th. Corn. ; gr. *exêgêtikê.*

exemple 1080, *Roland* (*essample*), au féminin ; 1165, G. d'Arras (*exemple*), au masculin ; lat. *exemplum ; par exemple !* 1627, Mairet. || **exemplaire** n. m., 1119, Ph. de Thaon (*essemplarie*) ; XIIIe s. (*exemplaire*), « modèle à conserver » (jusqu'au XVIIIe s.) ; 1580, Montaigne, « copie d'un ouvrage » ; 1858, Legoarant, « échantillon » ; lat. *exemplarium.* || **exemplaire** adj., 1150, Barbier, « comme modèle » ; 1570, Carloix, « qui sert de leçon » ; lat. *exemplaris.* || **exemplarité** 1361, Oresme, « caractère de ce qui peut servir d'exemple ». || **exemplifier** 1810, Stendhal.

exempt adj., 1265, *Livre de jostice ;* n. m., 1578, d'Aubigné, « sous-officier exempt du service ordinaire » ; 1655, Molière, « sous-officier de police » ; lat. *exemptus,* part. passé de *eximere,* affranchir. || **exempter** 1339, J. de La Mote. || **exemption** 1411, Delb. ; lat. *exemptio,* action d'enlever ; spécialisé ensuite en matière fiscale.

exequatur 1752, Trévoux ; mot lat. signif. « qu'il exerce », subj. de *exsequi,* poursuivre ; d'abord jurid., puis diplom. (1781, *Doc.*).

exercer 1119, Ph. de Thaon (*essercer*) ; XIVe s. (*exercer*) ; *s'exercer* 1580, Montaigne ; lat. *exercere,* mettre en mouvement, pratiquer. || **exercice** 1265, J. de Meung, « action d'exercer le corps » ; 1587, La Noue, « action de pratiquer un métier » ; XVe s., « action de mettre en usage » ; 1580, Montaigne, « exercice d'esprit » ; 1865, L., scolaire ; lat. *exercitium.* || **exerciseur** 1901, *Monde illustré,* sports ; angl. *exerciser,* issu du fr. || **inexercé** 1798, *Acad.*

exérèse 1607, Habicot ; gr. *exairêsis,* de *exairein,* retirer. Ablation chirurgicale.

exergue 1636, de Bie, en numismatique ; 1910, J. Renard, *mettre en exergue ;* lat. mod. *exergum,* espace hors d'œuvre, du lat. *ex,* « hors de », et du gr. *ergon,* travail ; puis « inscription placée en tête d'un ouvrage ».

exfolier 1560, Paré ; lat. impér. *exfoliare,* effeuiller (IIIe s., Apicius), de *folium,* feuille. || **exfoliation** 1478, Panis.

exhaler XIVe s., *Nature à alchimie ;* lat. *exhalare,* de *halare,* souffler, exhaler. || **exhalaison** XIVe s., *Traité d'alchimie ;* lat. *exhalatio.* || **exhalation** 1361, Oresme, « exhalaison » ; 1560, Paré, chimie, même origine.

exhausser V. HAUT.

exhaustion 1740, Ritter, math. ; 1778, Diderot, logique ; mot angl., issu du bas lat. *exhaustio,* de *exhaurire,* épuiser. || **exhaustif** 1818, Dumont, fig. ; d'apr. l'angl. *exhaustive,* de *to exhaust,* épuiser. || **exhaustivement** XXe s. || **inexhaustible** 1514, Huguet, directement du latin ; 1922, Proust, de l'angl.

exhéréder 1468, Chastellain, « exclure d'une succession » ; lat. *exheredare,* de *heres, -edis,* héritier. || **exhérédation** début XVe s. ; lat. *exheredatio,* action de déshériter.

exhiber XIIIe s., « produire un document » ; 1541, Calvin, « exposer au public » ; 1848, Chateaubriand, péjor. ; *s'exhiber* 1660, Scarron ; lat. *exhibere,* montrer. || **exhibition** fin XIIe s., *Grégoire,* « action de produire un document » ; 1835, Gautier, « fait de montrer avec impudeur » ; 1925, Esnault, sports ; lat. *exhibitio.* || **exhibitionnisme** 1866, Lar. || **exhibitionniste** 1877, Lasègue.

exhilarant, ante av. 1669, Molière ; anc. fr. *exhilare,* égayer.

exhorter 1150, Barbier ; lat. *exhortari,* de *hortari,* exhorter. || **exhortation** 1130, *Job ;* lat. *exhortatio.*

exhumer 1643, d'après Trévoux ; lat. médiév. *exhumare,* formé pour servir de contraire à *inhumer.* || **exhumation** 1690, Furetière.

exiger milieu XIVe s. ; lat. *exigere,* pousser dehors, de *agere,* conduire, d'où faire payer, au fig. || **exigible** 1603, Delb. || **exigibilité** 1783, *Encycl. méth.* || **inexigible** av. 1781, Turgot. || **inexigibilité** 1839, Boiste. || **exigeant** 1762, *Acad.* || **exigence** 1361, Oresme, « ce qui est requis » ; 1870, Lar., « caractère de qqn qui exige beaucoup » ; lat. *exigentia.* (V. EXACTION.)

exigu 1495, J. de Vignay ; lat. *exiguus,* exactement pesé, de *exigere,* au sens de « peser ». || **exiguïté** *id. ;* rare jusqu'en 1798, *Acad.* ; lat. *exiguitas.* Les deux mots avaient longtemps été considérés comme du style dogmatique ou plaisant.

exil 1080, *Roland* (*exill*), « misère » ; 1160, Benoît, « expulsion » ; lat. *exsilium,* qui avait les deux sens ; *exil* a éliminé la forme pop. *essil, eissil* (bannissement). || **exiler** XIIe s. (*exilier*) ; XIIIe s. (*exiler*) ; anc. fr. *essilier,* du bas lat. *exsiliare,* exiler. || **exilé** XIIe s.

exister XIVe s. ; rare jusqu'au XVIIe s. ; lat. *existere,* sortir de, naître, de *sistere,* être placé. || **existant** 1690, Furetière. || **existence** XIVe s., Delb. ; bas lat. *existentia.* || **existentialisme** v. 1940. || **existentialiste** *id.* || **existentiel** 1908, Lar. || **coexister** 1745, Brunot. || **coexistant** 1594, G. || **coexistence** 1560, Viret. || **inexistant** 1784, Guigoud-Pigalle. || **inexistence** début XVIIe s.

ex-libris V. LIVRE.

exo-, gr. *exô*, dehors, et *ex*, hors de. || **exogamie** 1874, *Rev. Deux Mondes* ; gr. *gamos*, mariage. || **exogène** 1813, Candolle. || **exomphale** 1707, Dionis ; gr. *exomphalos*, de *omphalos*, nombril. || **exophtalmie** 1752, Trévoux. || **exostose** 1560, Paré ; gr. *exostôsis*, excroissance, de *ostoûn*, os. || **exothermique** 1870, Lar.

exocet 1558, Rondelet, poisson volant ; lat. *exocoetus*, du gr. *exôkoitos*, qui sort de sa demeure (*koitê*).

1. **exode** XIIIe s., Guiart des Moulins, « émigration des Hébreux » ; rare jusqu'au XVIIe s. ; 1865, L., sens actuel ; lat. chrét. *exodus*, du gr. *exodos*, départ (*ex*, hors de, et *hodos*, route) ; le mot a été spécialisé en juin 1940 (fuite des populations).

2. **exode** 1596, Vigenère, dernière partie de la tragédie grecque après la sortie du chœur ; lat. *exodium*, du gr. *exodion*. (V. EXODE 1).

exogène, exomphale V. EXO-.

exonérer fin XVIIe s., « décharger » ; 1829, Boiste, « détaxer » ; lat. jurid. *exonerare*, décharger, de *onus, oneris*, charge. || **exonération** 1552, Guéroult, « action de décharger son ventre » ; 1842, *Acad.*, fiscalité ; lat. jurid. *exoneratio*.

exorable 1541, Calvin ; lat. *exorabilis*, de *orare*, prier. || **inexorable** 1520, Seysell, « à quoi on ne peut se soustraire » ; milieu XVIe s., Amyot, « impitoyable » ; lat. *inexorabilis*. || **inexorablement** 1661, Racine.

exorbitant 1490, G., « qui blesse les convenances » ; 1662, Livet, « excessif » ; du part. prés. du bas lat. *exorbitare*, dévier, déjà au fig., Ve s., Sid. Apoll., de *orbita*, ornière. || **exorbitance** 1595, G.

exorbité V. ORBITE.

exorciser 1372, Golein ; lat. chrét. *exorcizare* chasser les démons, du gr. *exorkizein*, faire jurer le nom de Dieu (*orkos*, serment). || **exorcisation** XVIe s., Huguet. || **exorcisme** 1495, J. de Vignay ; lat. chrét. *exorcismus*, du gr. *exorkismos*. || **exorciste** 1488, *Mer des histoires ;* bas lat. *exorcista*.

exorde 1488, *Mer des hist.* ; lat. *exordium*, de *ordiri*, commencer.

exosmose, exosmotique V. OSMOSE.

exotérique 1568, Le Roy, « qui se fait en public » ; lat. *exotericus*, du gr. *exôterikos*, de *exô*, en dehors.

exotique 1552, Rab., « importé » ; 1690, Furetière, sens actuel ; lat. *exoticus*, du gr. *exôtikos*, étranger, de *exô*, dehors. || **exotisme** 1845, Besch.

expansion XVIe s., phys., physiol. ; 1752, Trévoux, « développement » ; 1870, Lar., milit. ; 1850, Balzac, fig., diffusion ; lat. méd. *expansio* (IIIe s., C. Aurelius), de *pandere*, ouvrir. || **expansé** v. 1950. || **expansif** 1732, Trévoux, phys. ; 1770, Rousseau, fig. || **expansible** 1756, *Encycl.* || **expansibilité** *id.* || **expansivité** 1875, *J.O.* || **expansionnisme** 1922, Lar. || **expansionniste** *id.*

expatrier V. PATRIE.

expectant 1460, Chastellain ; lat. *exspectans*, part. prés. de *exspectare*, attendre, de *spectare*, regarder. || **expectation** 1355, Bersuire, seulement méd. ; lat. *exspectatio*. || **expectatif** 1512, Lemaire, jurid. || **expectative** 1552, Paradin.

expectorer 1664, Chapelain, fig., « exprimer franchement » ; 1752, Trévoux, méd. ; fin XVIIe s., Saint-Simon, eccl., « rendre publique une nomination secrète » ; lat. *expectorare*, chasser de son cœur (*pectus*, poitrine). || **expectorant** 1752, Trévoux. || **expectoration** 1611, Cotgrave, méd.

expédient adj., 1361, Oresme ; n. m., 1361, Oresme, « avantage » ; milieu XVIe s., Amyot, « moyen ingénieux » ; 1859, Baudelaire, péjor. ; lat. *expediens*, part. prés. de *expedire*, dégager, être avantageux. || **expédier** 1360, G., « terminer rapidement » ; 1534, Rab., « terminer avec trop de hâte » ; 1676, Pomey, « faire partir un messager pour une destination » ; 1723, Savary, « faire partir des marchandises » ; de l'adj. *expédient*. || **expéditeur** 1460, Chastellain. || **expéditif** 1544, Peletier. || **expéditivement** 1836, A. Carrel. || **expédition** 1212, Frère Anger, « préparatifs » ; fin XVe s., Commynes, « fait de terminer rapidement » ; 1747, Savary, « fait d'envoyer qqch » ; XVIe s., milit. ; 1835, *Acad.*, « voyage d'exploration » ; lat. *expeditio*, expédition militaire, de *expedire*, avec des sens repris à *expédier*. || **expéditionnaire** 1553, *Édit de Henri II*. || **réexpédier** 1791, Mirabeau. || **réexpédition** *id.*

expérience 1265, J. de Meung, « acquisition de la connaissance » ; 1314, Mondeville, « épreuve de vérification » ; lat. *experientia*, de *experiri*, faire l'essai de. || **inexpérience** 1460, Delb., rare avant le XVIIIe s. ; lat. *inexperientia*.

expérimenter 1372, Corbichon ; bas lat. *experimentare*, de *experimentum*, essai ; il a éliminé la forme pop. *espermenter* (1130, *Eneas*), de *esperment*, expérience (1119, Ph. de Thaon).

|| **expérimenté** adj., 1453, *Cout. d'Anjou.* || **expérimental** 1503, Chauliac ; bas lat. *experimentalis.* || **expérimentalement** XVIIIe s., Brunot. || **expérimentaliste** 1870, Lar. || **expérimentateur** 1372, Corbichon ; repris au XIXe s. (1834, Landais). || **expérimentation** 1824, Boiste. || **inexpérimenté** 1495, J. de Vignay ; rare avant le XVIe s.

***expert** adj., XIIIe s., Le Marchand (*espert*), « habile, adroit » ; XIVe s., *Ordonnance* (*expert*), « qui connaît bien » ; n., 1580, Montaigne, avec *x* rétabli d'après le lat. ; lat. *expertus,* part. passé de *experiri,* faire l'essai de. || **expert-comptable** début XXe s. || **expertise** 1580, Montaigne (*-ice*), « habileté » ; spécialisé jurid. 1792, Brunot, d'apr. *expert,* il a remplacé *espertise* (1340, Le Fèvre), de *espert.* || **expertiser** 1807, Michel. || **inexpert** 1455, Chastellain, « qui manque d'expérience » ; 1778, Beaumarchais, « ignorant ». || **contre-expertise** fin XIXe s.

expier 1355, Bersuire ; lat. *expiare,* apaiser par des expiations, de *pius,* pieux. || **expiable** 1355, Bersuire. || **expiation** 1160, Benoît ; lat. *expiatio.* || **expiatoire** milieu XVIe s., Amyot ; lat. chrét. *expiatorius.* || **expiateur** XVIe s., La Borderie ; lat. *expiator.* || **expiatrice** XVIIIe s., Diderot ; lat. *expiatrix, -icis.* || **inexpiable** 1455, Fossetier ; lat. *inexpiabilis.* || **inexpié** 1867, L.

expirer 1175, Chr. de Troyes (*espirer*), remplacé par *expirer* à cause de l'homonymie avec *espirer* (1120, *Ps. de Cambridge*), souffler (du lat. *spirare*) ; XIVe s., « rendre le dernier soupir » ; lat. *expirare,* expirer l'air et, au fig., rendre le dernier soupir. || **expirant** 1667, Racine, « mourant ». || **expiration** 1285, G., anat. ; 1690, Furetière, « fin du temps fixé » ; lat. *expiratio,* exhalaison. || **expirateur** 1265, Br. Latini ; 1771, Trévoux, anat.

explétif 1420, A. Chartier ; lat. gramm. *expletivus,* « qui remplit (inutilement la phrase) », de *explere,* remplir. || **explétivement** 1551, B. Aneau.

expliquer XIVe s., Delb., « déployer » ; XVIIe s., fig., « développer, faire comprendre », sens qui a prévalu ; lat. *explicare,* de *plicare,* plier. || **explication** début XIVe s. ; lat. *explicatio.* || **explicable** 1554, de Maumont ; bas lat. *explicabilis.* || **explicatif** fin XVIe s. ; bas lat. *explicativus.* || **explicateur** 1642, Oudin ; bas lat. *explicator.* || **explicite** 1488, *Mer des histoires,* terme de scolastique ; lat. *explicitus,* part. passé de *explicare.* || **explicitement** v. 1550, Doré. || **expliciter** 1870, Lar. || **explicitation** début XXe s. || **inexplicable** 1486, G., « non justifié, non expliqué » ; 1778, Voltaire, en parlant de qqn. || **inexplicablement** XVIe s. || **inexpliqué** fin XVIIIe s.

***exploit** 1080, *Roland* (*espleit*) ; 1360, Froissart ; *x* d'apr. le lat. *explicitum,* part. passé substantivé de *explicare,* au sens de « accomplir », d'où action menée à bien ; milieu XVIe s., Amyot, « action d'éclat » ; XVIe s., Loisel, jurid., le sens d'accomplissement, d'exécution aboutissant à celui de saisie, acte pour saisir. || ***exploiter** 1080, *Roland* (*espleitier*), « accomplir, travailler » ; 1283, Beaumanoir (*exploitier*) ; 1840, Proudhon, « tirer un profit abusif » ; lat. pop. **explicitare.* || **exploitable** XIIIe s., *Établ. de Saint Louis* (*es-*). || **exploité** 1830, Balzac. || **exploitation** 1340, G., « saisie judiciaire » en anc. fr. ; 1683, Colbert, « mise en valeur » ; 1829, *Doc.,* exploitation de l'homme par l'homme. || **exploitant** fin XVIIIe s., Brunot, agriculture ; 1912, *Ciné-Journal,* cinéma. || **exploiteur** 1340, G. (*-eresse*) ; XVIe s. (*-eur*), huissier ; 1840, Pillot, sens social. || **inexploitable** 1867, L. || **inexploité** 1842, Balzac. || **inexploitation** 1876, *J.O.*

explorer 1546, Rab., « examiner » ; av. 1841, Chateaubriand, sens actuel ; lat. *explorare,* parcourir en étudiant. || **explorable** 1865, L. || **explorateur** 1265, Br. Latini, « espion » ; XVe s., Juvénal des Ursins, « éclaireur » ; 1718, *Acad.,* sens actuel ; lat. *explorator ;* XVIIIe s., sens mod. || **exploration** 1455, Fossetier, rare jusqu'au XVIIIe s. ; lat. *exploratio.* || **inexplorable** 1867, L. || **inexploré** av. 1841, Chateaubriand.

explosion 1581, Rousset, méd. ; 1701, Furetière, « action d'éclater » ; milieu XVIIIe s., fig. ; lat. *explosio,* action bruyante pour huer, de *plaudere,* applaudir ; il a pris en fr. le sens de « action d'éclater ». || **exploser** 1801, Mercier. || **explosif** 1691, Chastellain, adj. méd. ; 1816, *Encycl. méth.,* « qui peut exploser » ; fin XIXe s., fig. ; n. m., 1874, *Journal des débats.* || **explosible** av. 1841, Chateaubriand. || **exploseur** 1867, Lar. || **inexplosible** début XIXe s.

exponentiel 1711, Bernoulli ; lat. *exponens, -entis,* de *exponere,* exposer. Terme de math. indiquant une fonction à exposant variable.

exporter, exposer V. PORTER, POSER.

exprès adj., 1265, J. de Meung (*espres*) ; adv., XIVe s., *Nature à alchimie* (*par exprès*) ; lat. *expressus,* part. passé de *exprimere,* exprimer, presser. || **expressément** 1190, Saint Bernard.

express 1849, Lorenz, train rapide de voyageurs ; mot angl. issu du fr. *exprès* ; milieu XIXe s., café ; ital. *espresso,* café express, de l'angl.

exprimer XIIe s., *Grégoire* (*espriemer*) ; fin XIVe s. (*exprimer*), « dire » ; *s'exprimer* 1580, Montaigne ; lat. *exprĭmere,* de *premere,* presser, au propre et au fig. ; il a éliminé la forme pop. *espreindre.* || **exprimable** 1599, Bertaud. || **inexprimable** XVe s. || **inexprimablement** 1867, L. || **inexprimé** 1845, Richard || **expression** v. 1360, Froissart, « action d'exprimer qqch » ; XVIIe s., « manière de s'exprimer » ; lat. *expressio,* du part. passé *expressus.* || **expressionnisme** 1921, *Je sais tout,* cinéma. || **expressionniste** 1921, I. Goll. || **expressif** 1488, G. || **expressivité** début XXe s. || **expressivement** av. 1825, Courier. || **inexpressif** 1782, Mercier, « qui n'exprime pas bien » ; 1860, Goncourt, « sans expression ». || **inexpression** 1865, Goncourt.

exproprier V. PROPRIÉTÉ.

expugnable 1355, Bersuire ; lat. *expugnabilis,* qu'on peut prendre d'assaut, de *pugnare,* combattre. || **inexpugnable** 1355, Bersuire, « dont on ne peut s'emparer » ; milieu XVIe s., Amyot, fig. ; lat. *inexpugnabilis.*

expulser milieu XVe s., « faire sortir » ; 1560, Paré, méd. ; 1690, Furetière, sens actuel ; lat. *expulsare,* de *pellere,* pousser. || **expulsion** 1309, G., « fait de chasser » ; 1560, Paré, méd. ; 1690, Furetière, sens actuel ; lat. *expulsio.* || **expulseur** 1460, Chastellain, « qui chasse » ; 1560, Paré, méd. ; lat. *expulsor.* || **expulsif** 1398, *Somme Gautier,* méd. ; bas lat. *expulsivus.*

expurger V. PURGER.

exquis fin XIVe s., « recherché » ; 1541, Calvin, « raffiné » ; 1549, Marguerite de Navarre, « délicieux » ; 1655, Molière, « délicat » ; lat. *exquisitus,* part. passé de *exquirere,* au sens de « recherché » (sens en anc. fr.) ; il a remplacé *esquis* (XIIe s.), forme pop. refaite sur le latin. || **exquisément** 1530, Lefèvre. || **exquisité** 1855, Sand.

exsangue, exsudation, exsuder V. SANG, SUER.

extase 1495, J. de Vignay, « transport de l'âme » ; 1669, La Fontaine, au fig. ; 1832, Balzac, psychiatrie ; lat. eccl. *extasis,* du gr. *ekstasis,* « fait de se déplacer, d'être hors de soi ». || **extasier** 1600, saint François de Sales, « ravir en extase » ; comme pronominal, et sens actuel, 1674, Boileau ; d'apr. la var. *extasie* (1361, Oresme). || **extatique** 1546, Rab. ; gr. eccl. *extatikos.* || **extatisme** 1868, Goncourt.

extension 1361, Oresme ; 1560, Paré, anat. ; bas lat. *extensio,* de *tendere,* tendre. || **extenseur** 1654, Gelée. || **extensible** 1380, Conty ; rare jusqu'au XVIIIe s. || **extensibilité** 1732, Trévoux. || **extensif** XVIe s., Tollet. || **in extenso** 1842, Mozin, mots lat. signif. « dans toute son étendue ». || **inextensible** 1777, Buffon. || **inextensibilité** 1867, L.

exténuer XIVe s., « épuiser » ; lat. *extenuare,* au sens fig. « atténuer », repris en fr. au XVIe s. (1552, R. Est.). || **exténuant** 1888, Huysmans. || **exténuation** 1398, *Somme Gautier ;* lat. *extenuatio,* de *tenuis,* ténu.

extérieur 1460, Chastellain ; lat. *exterior,* comparatif de *exter* (v. ÊTRES) ; plur., cinéma, 1914, *la Science et la vie.* || **extérieurement** 1532, Rab. || **extérioriser** 1869, Janet. || **extériorisation** 1843, Proudhon. || **extériorité** 1541, Calvin.

exterminer 1120, *Ps. d'Oxford ;* lat. *exterminare,* exiler, de *terminus,* frontière, avec le sens du lat. chrét., « chasser d'un territoire, faire périr » (IVe s., saint Jérôme). || **exterminateur** XIIIe s. ; lat. chrét. *exterminator.* || **extermination** 1160, Benoît, rare avant le XVIe s. || **inexterminable** 1873, Lar.

externe 1502, O. de Saint-Gelais, « étranger » ; 1541, Calvin, « qui vient du dehors » ; 1865, L., sens actuel ; n. m., 1690, Furetière, enseignement ; 1865, L., méd. ; lat. *externus,* de *exter,* extérieur. (V. ÊTRES.) || **externat** 1829, Boiste, sens scolaire ; 1835, Bourdon, méd.

extinction 1488, *Mer des hist.,* « action d'éteindre » ; 1680, Richelet, sens actuel ; lat. *exstinctio,* de *extinguere,* éteindre. || **extincteur** 1719, Dufresny, « qui anéantit » ; 1870, Lar., appareil ; lat. *extinctor.* || **extinguible** 1560, Paré ; bas lat. *exstinguibilis,* qui doit s'éteindre. || **inextinguible** 1495, J. de Vignay ; bas lat. *inextinguibilis,* qui ne peut être éteint.

extirper 1361, Oresme, « faire disparaître » ; 1560, Paré, méd. ; 1690, Furetière, agriculture ; lat. *exstirpare,* de *stirps, -ipis,* souche. || **extirpateur** XIVe s. ; bas lat. *exstirpator.* || **extirpation** av. 1453, Monstrelet ; lat. *exstirpatio.* || **extirpable** 1870, Lar. || **inextirpable** début XVIe s.

extorquer 1355, Bersuire ; lat. *extorquere,* de *torquere,* tordre, au sens fig. ; l'anc. fr. avait une forme pop. *estordre* au sens propre et fig.

|| **extorqueur** 1611, Cotgrave. || **extorsion** 1290, Drouart ; bas lat. *extorsio.*

extra n. m., 1732, Trévoux, « jour extraordinaire où se tient une audience » ; 1846, Balzac, « dépenses extraordinaires » ; XIXe s., « service exceptionnel » ; adj. invar., 1825, Brillat, abrév. de *extraordinaire ;* d'abord préfixe au sens de « hors de » (*extrabudgétaire* 1865, L. ; *extra-parlementaire* 1907, Lar. ; *extra-utérin* 1855, Nysten), du lat. *extra,* il a pris au XIXe s. le sens superlatif (*extra-fin*) ; || **extra-dry** 1877, Bonnafé ; angl. *dry,* sec. || **extra-fin** av. 1850, Balzac. || **extra-fort** 1870, Lar.

extraction V. EXTRAIRE.

extradition 1763, Voltaire ; lat. *ex,* hors de, et *traditio,* action de livrer. || **extrader** 1777, *Traité franco-suisse ;* d'apr. le lat. *tradere,* livrer.

extrados V. DOS.

***extraire** 1080, *Roland* (*estraire*) ; XVe s., refait en *ex* d'apr. le lat. ; du lat. pop. **extragere,* issu du lat. *extrahere* (v. TRAIRE). || **extrait** 1312, Delb. (*estrait*), « résumé » ; 1541, Calvin, « substance extraite » ; part. passé de *extraire.* || **extraction** XIIe s., Delb. (*estration*) ; 1360, Froissart (*estraction*), « origine sociale » ; 1398, *Somme Gautier,* « séparation d'un produit d'une matière » ; lat. *extractus,* part. passé de *extrahere.* || **extractif** 1555, Aneau ; rare jusqu'au XVIIIe s. || **extractible** 1877, L. || **extracteur** 1560, Paré, abstracteur de quintessence ; début XIXe s., techn.

extraordinaire, extrapoler V. ORDINAIRE, INTERPOLER.

extravaguer 1539, R. Est., « s'écarter de la voie » ; 1662, Pascal, « déraisonner » ; lat. scolastique *extravagari,* de *extra,* au-dehors, et *vagari,* errer. || **extravagant** 1380, G., « en dehors du droit canonique » ; XVIIe s., sens actuel ; lat. ecclés. *extravagans, antis.* || **extravagance** fin XVe s., *Alector,* « digression » ; 1580, Montaigne, « caractère de ce qui s'écarte de la norme » ; XVIIe s., sens actuel. || **extravagamment** 1596, Vigenère.

extravaser V. VASE.

extraverti v. 1950, de *extra-,* hors de, et lat. *versus,* tourné vers (v. INTROVERTI). || **extraversion** 1747, James, chimie ; v. 1950, psychologie.

extrême XIIIe s., *Guinglain* (*est-*) ; XIVe s., (*extrême*) ; milieu XVIe s., « immodéré » ; lat. *extremus,* superlatif de *exter,* extérieur. || **extrêmement** 1549, R. Est. || **extrême-onction** V. ONCTION. || **extrémiser** 1865, L., « donner l'extrême-onction ». || **extrémisme** 1911, Lar. || **extrémiste** *id.* || **extrémité** 1265, J. de Meung, « degré extrême » ; 1314, Mondeville, « partie extrême ».

extrinsèque 1314, Mondeville ; adv. lat. *extrinsecus,* au-dehors, de *secus,* loin ; se dit de ce qui ne dépend pas du fond intime d'une chose. || **extrinsèquement** 1541, Canappe.

extrusion début XXe s. ; lat. *extrudere,* rejeter, sur *intrusion.*

exubérant XVe s., Robertet ; lat. *exuberans,* part. prés. de *exuberare,* regorger, de *uber,* fertile. || **exubérance** 1560, Paré, « développement excessif » ; 1836, Landais, fig. ; lat. *exuberantia.* || **exubérer** 1611, Cotgrave.

exulcérer V. ULCÈRE.

exulter XVe s. ; lat. *exsultare,* sauter, être transporté de joie, de *saltus,* saut. || **exultation** XIIe s., *Bible ;* lat. *exsultatio.*

exutoire fin XVIIIe s., méd. ; 1825, Brillat-Savarin, fig., « dérivatif » ; lat. *exutus,* part. passé de *exuere,* enlever.

exuvie XXe s. ; lat. *exuviae,* dépouille des animaux.

ex-voto 1643, Saint-Amant ; abrév. de *ex voto suscepto,* « suivant le vœu fait », formule lat. de dédicace dans les inscriptions ; lat. *votum,* vœu, et *susceptus,* pris.

eyra 1839, Boiste, « puma » ; lat. scientif., d'une langue du Brésil.

fa V. UT.

***fable** 1190, Garnier, « court récit allégorique » ; 1555, Ronsard, « récit imaginaire » ; 1667, Corn., « mythologie » ; lat. *fabula,* propos, récit, de *fari,* parler (v. ENFANT). || **fabliau** 1196, Bodel, « conte plaisant » ; forme picarde reprise par Fauchet (XVIe s.). || **fablier** XVIIe s., d'Olivet, faiseur de fables. || **fabulation** 1839, Balzac, « version romanesque » ; fin XIXe s., psychiatrie ; lat. *fabulatio,* récit. || **fabulateur** XVIe s., « narrateur, fabuliste » ; début XXe s., « qui fabule ». || **fabuler** v. 1950. || **fabuliste** 1588, Guterry ; esp. *fabulista,* recréé par La Fontaine (1668) d'apr. *fabula.* || **fabuleux** XIVe s., « inventé » ; 1714, Fénelon, « extraordinaire » ; 1835, *Acad.,* « étonnant par ses dimensions » ; lat. *fabulosus,* mensonger. || **fabuleusement** XVe s., G. || **affabulation** fin XVIIIe s., Laharpe ; lat. *affabulatio,* moralité d'une fable (Priscien). || **affabuler** XXe s. || **confabuler** 1521, Delb. ; lat. *confabulari.* || **confabulation** 1490, Tardif ; bas lat. *confabulatio,* de *confabulari,* converser.

fabrique XIIIe s., *Traité de Salomon,* « construction religieuse » ; v. 1350, Machaut, « fabrication » ; XVe s., L., *conseil de fabrique ;* 1679, Savary, « établissement industriel » ; déverbal de *fabriquer.* || **fabricien** milieu XVIe s. (var. *fabricier,* 1611, Cotgrave), d'apr. le sens de *fabrique,* « revenus affectés à l'entretien d'une église » (*fabrice, -isse,* fin XIVe s.). || **fabriquer** fin XIIe s., G., « confectionner » ; 1690, Furetière, « faire un produit » ; 1580, Montaigne, « faire sans brio » ; 1656, Pascal, « forger », fig. ; lat. *fabrĭcare.* || **fabricant** XVe s., Molinet, celui qui fabrique quelque chose ; 1740, *Acad.,* sens mod. || **fabricateur** 1460, Chastellain ; lat. *fabricator.* || **fabrication** 1455, Fossetier ; lat. *fabricatio.* || **préfabriqué** v. 1950. (V. aussi FORGE.)

fabulation, fabuliste V. FABLE.

façade 1567, Ph. Delorme (*fassade*) ; 1690, Furetière (*façade*) ; ital. *facciata,* de *faccia,* face.

***face** 1120, *Ps. de Cambridge,* « surface de qqch » ; 1131, *Couronn. Loïs,* « visage de qqn » ; XIIe s., Grégoire, fig. ; *faire face* 1657, Scarron ; *en face de* XVe s., Molinet ; *en face* XIIIe s., *Roman de Renart ; de face* 1763, d'Alembert ; *face à face* 1170, *Floire et Blanchefor ;* lat. pop. **facia,* du lat. *facies.* || **facette** XIIe s., *Athis,* « petit visage » ; 1653, Cyrano, « face plane d'un objet ». || **facetter** 1454, Delb. || **face-à-main** 1888, Lar. || **facial** 1545, Bouchet ; rare jusqu'au XIXe s. || **faciès** 1758, Duhamel, bot ; 1836, *Acad.,* « aspect général du visage » ; mot lat. signif. « face ». || **surface** 1120, *Ps. d'Oxford* (*superface*) ; 1611, Cotgrave (*surface*) ; d'apr. le lat. *superficies.* (V. EFFACER.)

facétie 1490, Tardif (*-cie*) ; 1580, Montaigne (*facétie*) ; lat. *facetia,* de *facetus,* plaisant, proprement « bien fait », de *facere,* faire. || **facétieux** *id.* || **facétieusement** *id.*

***fâcher** milieu XVe s. (*fascher*), « dégoûter » ; 1539, R. Est., « causer de la douleur, de la colère » ; 1656, Molière, « être en mauvais termes avec qqn » ; mot de l'Ouest ; lat. pop. **fasticāre,* altér. probable de **fastidiare,* de *fastidium,* ennui (v. FASTIDIEUX). || **fâcherie** XVe s., « tristesse » ; fin XVIIIe s., « mésentente ». || **fâcheux** XVe s., « qui fâche » ; 1530, Marot, « difficile à supporter » ; début XXe s., « regrettable » ; n. m. 1538, R. Est., « importun ».

facial V. FACE.

faciende 1552, Rab., « occupation » ; 1642, Oudin (var. *facende*) ; 1665, La Fontaine, « intrigue » ; ital. *faccenda,* besogne, d'apr. le lat. *facienda,* « choses devant être faites », part. futur passif de *facere* (v. HACIENDA). || **faciendaire** 1580, *Sat. Ménippée.*

faciès V. FACE.

facile milieu XVe s. ; milieu XVIe s., Amyot, en parlant de qqn ; lat. *facilis,* « qui se fait aisément », de *facere,* faire. || **facilement** 1475, Delb. || **facilité** fin XVe s. ; 1656, Pascal, au pl., « occasion » ; lat. *facilitas.* || **faciliter** XVe s. ; ital. *facilitare.*

***façon** 1160, Benoît, « aspect de qqn » ; XIIe s., *Roncevaux,* « modalité d'une action » ; 1587, La Noue, « forme donnée à un objet » et « comportement » ; *sans façons* 1660, Molière ; *de façon que* 1580, Montaigne ; lat. *factio, -ionis,* action de faire (v. FACTION). || **façonner** 1175, Chr. de Troyes. || **façonnier** 1549, R. Est. || **façonnement** 1611, Cotgrave. || **façonnage** 1776, Restif de La Bretonne. || **contrefaçon** 1268, É. Boileau. || **malfaçon** 1268, É. Boileau (*male-*).

faconde 1160, Benoît, « facilité de parole » ; 1813, Delille, péjor ; lat. *facundia,* éloquence.

fac-similé 1820, V. Hugo ; mot lat. signif. « fais une chose semblable », de *facere,* faire, et *simile,* neutre de *similis,* semblable. || **fac-similer** 1858, Goncourt.

factage V. FACTEUR.

facteur 1339, G. Saige, « celui qui fait » ; il a remplacé la forme *faiteur* en moyen fr. ; 1360, Froissart, agent commercial ; 1699, Carré, facteur d'orgues, et math. ; 1651, *Recueil des lois,* « facteur de lettres » ; 1704, Trévoux, employé des postes ; 1836, Landais, facteur de pianos ; lat. *factor,* de *factum,* part. passé de *facere,* faire. || **factage** 1845, Besch., employé de messageries. || **factorage** 1756, *Encycl.,* fonction d'agent commercial. || **factorerie** 1428, Delb. (*factorie*) ; XVIe s. (*-rerie*) ; de *facteur,* agent commercial. || **facture** XIIIe s., « fabrication » ; XVIe s., « travail, œuvre » ; fin XVIe s., pièce comptable ; lat. *factura,* fabrication. || **factoriel** 1959, Lar. || **factoriser** v. 1950. || **facturer** milieu XVIIIe s., Buffon, « fabriquer » ; 1836, Landais, sens mod. || **facturation** 1935, Sachs-Villatte. || **facturier** 1849, Besch.

factice 1534, Rab., « produit par l'homme » ; 1778, Rousseau, « simulé » ; lat. *facticius,* artificiel, de *facere,* faire (v. FÉTICHE). || **facticité** 1873, A. Daudet.

faction 1355, Bersuire, « groupe violent » ; lat. *factio,* parti politique ; 1550, La Boétie, garde, guet, repris à l'ital. *fazione.* || **factionnaire** XVIe s., « agent, factieux » (encore 1642, Oudin) ; 1671, Pomey, spécialisé au sens milit. || **factieux** 1460, Le Fèvre ; lat. *factiosus,* agissant, actif, au sens d'intrigant ; il a remplacé *factionnaire* dans cet emploi au XVIIIe s. || **factieusement** 1660, Oudin.

factitif 1890, *D. G.,* gramm. ; lat. *factitare,* faire souvent, fréquentatif de *facere,* faire ; forme verbale signif. « faire faire quelque chose ».

factotum 1545, Le Maçon (*-toton*) ; 1570, Monluc (*-totum*) ; de la loc. lat. *factotum,* « fais tout », avec l'anc. prononc. du lat. (V. DICTON.)

factuel v. 1950 ; lat. *factum,* fait, sur l'angl. *factual,* relatif au fait.

factum 1532, Rab., « mémoire d'un procès » (jusqu'au XVIIIe s.) ; 1601, L'Estoile, « libelle » ; 1671, Pomey, « pamphlet » ; mot lat. signif. « fait ».

facture V. FACTEUR.

faculté fin XIIe s., « capacité physique ou morale » ; XIIIe s., « collège universitaire », sens qui s'est développé au Moyen Âge ; lat. *facultas, -atis,* capacité, moyen, du lat. *facul,* facilement, de *facere,* faire. || **facultatif** 1694, *Acad.,* « qui donne une faculté » ; 1836, Landais, sens mod. || **facultativement** v. 1850.

fada 1578, d'Aubigné (*fadasse*) ; 1761, Voltaire, puis 1930 (*fada*) ; prov. mod. *fadas,* de *fado,* fée, c.-à-d. « servi par les fées » (iron.).

fadaise 1541, Calvin ; prov. *fadeza,* sottise, de *fat,* sot. (V. FAT.)

***fade** XIIe s., *Vie d'Édouard le Confesseur ;* lat. pop. **fapidus* ou **fatidus,* croisement de *vapidus,* éventé, de *vapor,* vapeur, et *fatuus,* fade. (V. FAT.) || **fadement** 1553, Rab. || **fadeur** XIIIe s., Suder, mais rare jusqu'au XVIIe s. (1611, Cotgrave). || **affadir** XIIIe s., *Hist. Guillaume le Maréchal.* || **affadissement** 1578, La Borderie.

fader 1725, Granval, argot, « partager les objets volés » ; prov. mod. *fada,* douer d'une vertu surnaturelle, par ext. avantager ; de *fado,* fée.

fading 1930, Lar. ; mot angl. signif. « action de disparaître, de s'effacer ».

fafiot 1627, Savot, « jeton » ; 1821, Ansiaume, « papier d'identité » ; 1847, Balzac, « billet de banque » ; sans doute onom. (bruit du papier froissé). La finale *-iau* (*-iot*) est la forme régionale du suffixe *-eau.* || **faffes** 1829, Esnault, pop., billets de banque.

fagara 1598, Lodewijcksz ; ar. *fagar,* nom d'arbre. || **fagarier** 1786, *Encycl. méth.*

fagne 1840, *Acad.,* « marais bourbeux » ; mot wallon, du francique **fanja,* limon, vase. (V. FANGE.)

fagot XIIe s. ; lat. pop. **facus,* botte, sans doute du gr. *phakelos,* faisceau, fagot. || **fagoter** 1268, É. Boileau, « mettre en fagots » ; 1585, N. du Fail, « accoutrer ». || **fagoteur** 1215, G. || **fagotage** 1580, Montaigne, « travail fait rapidement » ; fin XIXe s., « habillement ridicule ». || **fagotin** 1584, *Somme des pechez,* « petit fagot » ; XVIIe s., « singe » d'apr. un surnom donné à un singe.

***faible** 1080, *Roland* (*fieble*) ; 1175, Chr. de Troyes (*foible*) ; XVIIe s. (*faible*) ; lat. *flēbilis,* déplorable (de *flēre,* pleurer), par ext. faible ; le premier *l* est tombé par dissimilation. || **faiblement** 1080, *Roland* (*fieblement*). || **faiblesse** 1050, *Alexis.* || **faiblir** 1188, Aimon de Varennes (*flebir*) ; fin XVIIe s. (*faiblir*) ; rare jusqu'au XVIIe s. || **faiblard** 1890, *D. G.* || **affaiblir** 1120, *Ps. de Cambridge.* || **affaiblissement** 1290, Drouart.

faïence fin XVIe s., L'Estoile (*faenze*) ; XVIe s. (*fayence*) ; 1642, Oudin (*faiance*) ; fin XVIIe s. (*faïence*) ; de *Faenza,* ville d'Italie qui fabriquait la faïence. || **faïencerie** 1743, Trévoux. || **faïencier** 1680, Richelet.

1. **faille** fin XIIIe s., *Roman de Renart,* « voile de femme », mot du Nord-Est, d'où *taffetas à failles* et, par ellipse, *faille,* étoffe ; correspond au néerl. *falie,* vêtement de femme, d'origine obscure.

2. **faille** 1155, Wace, « manque » ; *sans faille* 1131, *Couronn. Loïs ;* 1771, Schmidlin, « interruption d'un filon », repris au wallon ; lat. pop. **fallia,* de **fallire,* manquer, de *fallere,* faire défaut. || **faillé** XXe s.

failli 1606, Nicot ; adaptation, d'apr. *faillir,* de l'ital. *fallito,* de *fallire,* manquer d'argent pour payer. || **faillite** XVIe s., Loysel ; fin XIXe s., fig. ; ital. *fallita.*

***faillir** 1050, *Alexis* (au futur, 3e pers. sing., *faldra*) ; « commettre une faute » ; milieu XVIe s., Amyot, « être sur le point de » ; lat. *fallĕre,* tromper, « manquer à », avec changement anc. de conjugaison. Le *l* mouillé vient des temps et des pers. du lat. qui avaient un *i* en hiatus (*falliunt* devient *faillent,* mais *faillit* donne *faut,* usuel en anc. fr.). || **faillible** 1265, J. de Meung ; rare jusqu'au XVIIIe s. ; lat. médiév. *faillibilis.* || **faillibilité** fin XIIIe s., G. ; puis 1697, Bayle ; lat. médiév. *faillibilitas.* || **défaillir** 1080, *Roland,* « manquer, faire défaut » (jusqu'au XVIIe s.) ; milieu XVIe s., Amyot, « se trouver mal ». || **défaillance** 1190, Saint Bernard, « fait de faire défaut » ; 1549, R. Est., « évanouissement ». || **défaut** XIIIe s., « manque » (encore dans *faire défaut*) ; 1636, Monet, « imperfection », fait sur la 3e pers. *il faut.* || **infaillible** XIVe s., *Nature à alchimie ;* bas lat. *infallibilis,* infaillible, refait d'après *faillible.* || **infailliblement** milieu XVe s., Joret. || **infaillibilité** milieu XVIe s. ; lat médiév. *infaillibilitas.*

faillite V. FAILLI.

***faim** XIe s. ; lat. *fames.* || **famine** 1170, *Rois.* || **famélique** XVe s., G. ; lat. *famelicus,* affamé. || **familleux** 1130, *Eneas,* « affamé » ; anc. fr. *fameiller,* « avoir faim », du bas lat. *fameculare.* || **faim-valle** début XIIe s., *Thèbes,* « grande faim » ; 1694, Th. Corn, « boulimie des chevaux » ; du breton *gwal,* mauvais (correspond à l'anc. fr. *male faim*). || **affamer** XIIe s. ; lat. pop. **affamare,* de *fames.* || **affameur** 1791, Marat. || **affamement** 1876, Daudet.

***faine** XIIe s., *Parthenopeus (favine) ;* 1258, *Roman de Mahomet* (*faïne*) ; lat. pop. **fagina* (*glans*), gland de hêtre, lat *fagus,* hêtre.

fainéant début XIVe s., G. (*fainoient*) ; XVIe s., prononcé *féniant* d'apr. Baïf, d'où la graphie *feignant (*XIIIe s.), sous l'infl. de *feindre,* de *fait* et de *néant* (« qui fait rien »).|| **fainéantise** 1539, R. Est. || **fainéanter** 1690, Furetière (*faitnéanter*). || **affainéantir** 1584, Duret.

***faire** 842, *Serments* (*facet,* 3e pers. subj.) ; Xe s., *Eulalie* (*faire*) ; lat. *facĕre,* altéré à l'inf. en **fagĕre,* d'apr. *agere ;* le futur et le conditionnel reposent sur la forme abrégée **farehabeo,* d'où *je ferai.* || **faisable** 1361, Oresme. || **faisabilité** v. 1950 ; d'après l'angl. *feasability.* || **infaisable** début XVIIe s. || **faisance** 1160, *Tristan.* || **faiseur** 1155, Wace (*facerre,* cas sujet), « créateur » ; 1361, Oresme (*faiseur*), « qui fait qqch » ; 1789, Esnault « hâbleur ». || **fait** n. m. XIIe s., *Roncevaux.* || **fait-tout, faitout** 1890, *D. G.,* marmite qui fait tout. || **faire-part** V. PART. || **faire-valoir** 1877, L. || **affaire** XIIe s., *Marbode,* masc. ; XVIe s., fém. || **affaires** 1788, Clément, sens actuel ; *gens d'affaires,* 1808, Fourier. || **affairiste** XXe s. || **affairé** 1584, Guevarre, « besogneux » ; fin XVIe s., « très occupé ». || **affairisme** 1928. || **affairer (s')** 1876, A. Daudet. || **affairement** XIIIe s. ; milieu XIXe s., sens mod. || **défaire** 1080, *Roland* (*des-*). || **défaite** 1273, G., « faute de faire » ; 1475, Delb., « déroute » ; part. passé substantivé au fém. || **défaitiste** 1916, Alexinsky, appliqué aux Russes. || **défaitisme** *id.* || **entrefaites** XIIIe s.

Merlin, « entreprise », resté dans *sur ces entrefaites* (milieu XVIe s.) ; part. passé substantivé de *entrefaire.* || **forfaire** 1080, *Roland,* « agir en dehors (*fors*) du devoir ». || **forfait** fin XIe s., *Lois de Guill.,* « crime » ; 1580, *Edit* (*fayfort*) ; XVIIe s. (*forfait*), « contrat » ; de *for,* au sens ancien de « taux » ; 1829, *Journ des haras,* terme de courses ; XIXe s., « inexécution d'un engagement » ; d'après l'angl. *forfeit,* amende, du français *forfait,* transgression. || **forfaitaire** XXe s. || **forfaiture** XIIe s., *Lois de Guill.* || **malfaire** 1130, *Eneas.* || **malfaisant** XIIe s., *Roncevaux.* || **malfaisance** 1738, d'Argenson. || **méfait** 1130, *Eneas ;* avec le préfixe *mes-.* || **malfaiteur** 1170, *Rois* (*malfaitur*) ; XIVe s. (*malfaiteur*) ; réfection de *maufaiteur* (XIIe s.) ; lat. *malefactor,* « qui agit mal ». || **parfaire** fin XIIe s., R. de Moiliens. || **surfaire** XIIe s., Herman de Valenciennes. (V. PARFAIT.)

fair-play 1856, Montalembert ; loc. angl. signif. « jeu loyal », de *fair,* franc, honnête, et *play,* jeu.

faisan 1175, Chr. de Troyes (*fesant*), 1552, R. Est (*faisan*) ; au fig. 1896, Delesalle, « tricheur, trompeur, escroc », d'apr. *faiseur ; lat. phasianus,* du gr. *phasianos* (*ornis*), oiseau du Phase en Colchide. || **faisandeau** 1373, Gace de la Bigne. || **faisander** 1398, *Ménagier.* || **faisandage** 1866, Goncourt, « corruption » ; 1875, *l'Univers illustré,* sens propre. || **faisanderie** 1669, Rommel.

***faisceau** XIIe s., Delb. ; lat. pop. **fascellus,* dér. de *fascis,* fagot. (V. FAIX.)

faiseur V. FAIRE.

faisselle fin XIIe s., G. (*feiscelle, foisselle*) ; mot dial. ; lat *fiscella,* dimin. de *fiscus,* corbeille.

fait V. FAIRE.

faîte 1160, Benoît (*fest*) ; 1175, Chr. de Troyes (*feste*), fém. ; XVIe s., masc., d'apr. le lat. *fastigium ;* francique **first* (allem. *First*) ; les Germains n'avaient que le toit à faîtage. || **faîtage** 1213, *Fet des Romains* (*festage*), « droit seigneurial sur les constructions » ; 1676, Félibien, techn. || **faîteau** 1329, *Actes normands* (*festel*), « poutre du faîte » ; XVIe s., Vauquelin (*faîteau*), « tuile creuse, ornement d'un toit ». || **faîtière** 1287, Bevans (*festiere*). || **enfaîter** 1400, G. || **enfaîteau** 1402, G. || **enfaîtement** 1676, Félibien.

fait-tout V. FAIRE.

***faix** 1080, *Roland* (*fais*), « charge » ; 1170, *Rois,* fig. ; lat. *fascis,* au sens de « fardeau » ; le sens propre est pris par le dér. *faisceau.* || **affaisser** XIIIe s., « supprimer » ; 1529, G. Tory, sens actuel, « faire plier sous le faix ». || **affaissement** 1538, R. Est., sédiment. || **portefaix** 1270, *Romania* (*porte-fays*) ; 1538, R. Est. (*portefaix*).

fakir 1653, de La Boullaye ; ar. *faqir,* pauvre. || **fakirisme** 1894, Sachs.

falaise 1130, *Eneas* (*-eise*) ; 1182, Thibaud (*falaise*) ; mot normanno-picard, du francique **falisa,* rocher, avec déplacement d'accent (anc. haut allem. *feliso,* allem. *Fels,* rocher).

falbala 1692, Caillières, « volant de robe, de rideaux » ; 1872, Lar., péjor. ; prov. mod. *farbella,* (ital. *faldella,* pli de vêtement), de l'anc. fr. *felpe,* guenilles. || **falbalassé** 1765, Gohin.

falciforme 1812, *Encycl. méth. ;* lat. *falx, falcis,* faux, et *forme.*

falconidé 1872, Lar. ; lat. *falco, -onis,* faucon.

faldistoire 1668, Aranton ; lat. eccl. *faldistorium,* forme lat. du francique **faldistôl,* fauteuil ; désigne le siège liturgique des évêques ; précédemment toujours employé en latin. (V. FAUTEUIL.)

fallace XIIIe s., G. (*fallasse*) ; 1360, Froissart (*fallace*), « tromperie » ; lat. *fallacia,* de *fallere,* tromper. || **fallacieux** 1495, J. de Vignay ; lat. *fallaciosus,* qui cherche à tromper. || **fallacieusement** 1552, R. Est.

***falloir** 1130, *Eneas* (*falt,* ind. prés.) ; lat. pop. **fallĕre,* du lat. class. *fallĕre,* qui a donné aussi « faillir » ; le sens lat. « manquer à » s'est développé en « manquer » (*petit s'en faut,* puis *peu s'en faut*), d'où au XVe s. *il faut,* « il fait besoin », « il est nécessaire ».

1. **falot** 1371, Cuvelier (pl. *falos*), « torche, flambeau » ; 1578, Havard, « fanal d'un navire » ; toscan *falô* (XIVe s., feu pour signal), altér. du bas gr. **pharos* (v. PHARE).

2. **falot** 1466, Baude, n. m., « plaisant compagnon » ; adj., 1534, B. des Périers, « joyeux » ; 1651, Livet, « grotesque » ; 1922, Lar., « terne, effacé » (avec infl. de *pâlot*) ; angl. *fellow,* compagnon (Rab., 1560, *goud fallot,* pour *good fellow*).

falourde 1311, G. (*vallourde*), « fagot de bûches » ; 1419, Fauquemberge (*falourde*) ; par infl. de l'anc. fr. *falourde,* tromperie, qui se rattache au lat. *fallere,* tromper ; orig. obscure.

falquer 1690, Furetière, « exécuter des courbettes » en équitation ; ital. *falcare,* « se courber comme une faux », spécialisé en équitation.

falquet XVIe s., d'Arcussia, « faucon hobereau » ; ital. *falchetto,* dimin. de *falco,* faucon.

falsifier début XIVe s., « altérer » ; 1633, Corn., « tromper » ; XXe s., « rendre faux » (d'après l'angl.) ; bas lat. *falsificare* (IVe s., Prudence), de *falsus,* faux. || **falsificateur** 1510, Delb. || **falsification** 1369, G.

faluche 1888, Esnault ; mot lillois, d'orig. obscure.

falun 1720, Réaumur, géol. ; mot provençal moderne désignant une sorte de marne. || **faluner** 1756, *Encycl.* || **falunage** 1835, *Maison rustique.* || **falunière** *id.*

falzar 1878, Rigaud, « pantalon » ; gr. moderne *salvari,* culotte bouffante, du turc *chalvar.*

famé XIIe s., Wavrin ; anc. fr. *fame* (XIIe s.-XVIe s.), du lat. *fama,* renommée. || **fameux** XVe s., « renommé » ; 1730, Marivaux, « remarquable » ; 1778, Voltaire, « à un degré élevé » ; lat. *famosus,* célèbre. || **famosité** 1829, Boiste. || **fameusement** 1642, Oudin. (V. DIFFAMER, INFAMIE.)

famélique V. FAIM.

famille fin XIIe s., *Loherains,* « serviteurs » ; 1355, Bersuire, « personnes unies par le sang et l'alliance » ; lat. *familia.* || **familier** 1155, Wace (*famelier*) ; 1361, Oresme (*familier*) ; lat. *familiaris.* || **familièrement** XIIe s., *Grégoire.* || **familial** 1837, Fourier. || **familiariser** 1585, Cholières. || **familiarité** début XIIe s., *Grégoire ;* lat. *familiaritas.* || **familistère** 1859, Godin, « coopérative de production ».

famine, fan V. FAIM, FANATIQUE.

fanal 1552, Rab. (*phanal*) ; 1564, Thierry (*fanal*), « lanterne de navire » ; 1756, Voltaire, « lanterne des rues » ; 1879, Loti, « grosse lanterne » ; ital. *fanale,* du lat. médiéval *fanarum,* du gr. byzantin *phanarium,* petite lanterne, qui a donné le français *phanars* (1369, Delisle), de *phanos,* lumière, flambeau.

fanatique 1532, Rab., « d'inspiration divine » ; XVIe s., sens mod. ; lat. *fanaticus,* inspiré, proprement « relatif au temple » (*fanum*). || **fan** 1923, *Mon Ciné,* abrév. || **fanatiser** 1752, Trévoux. || **fanatiquement** fin XVIIIe s., Mme Roland. || **fanatisme** 1689, Bossuet, « état d'inspiration divine » ; 1758, Rousseau, sens actuel.

fanchon 1828, *Journ. des dames ;* de *Fanchon,* anc. forme hypocoristique de Françoise, devenue nom de paysanne.

fandango 1756, Coste ; mot esp. d'orig. inconnue.

***faner** XIIe s., Delb. (*fener*) ; 1360, Froissart (*faner*) ; XVIe s. (*fanir*) ; lat. pop. *fenare,* de *fenum,* foin. || **fanage** 1312, G. (*fenage*). || **fane** 1385, G. || **faneur** 1275, G. (*feneor*) ; 1690, Furetière (*faneur*). || **faneuse** 1859, *Encycl.,* agric., « machine ». || **fenaison** 1287, Delb. (*feneison*) ; 1600, O. de Serres (*fenaison*). || **fanure** 1877, Daudet.

fanfan V. ENFANT.

fanfare 1546, Rab., « morceau de musique » ; 1587, La Noue, « sonnerie de trompe » ; 1865, L., « orchestre » ; *reliure à la fanfare,* XVIe s. ; orig. obscure, peut-être onomatop.

fanfaron av. 1613, Régnier, « jeune galant » ; 1636, Corn., « qui fait le brave » ; esp. *fanfarron,* de l'ar. *farfār,* bavard, léger. || **fanfaronnade** fin XVIe s. || **fanfaronner** 1642, Oudin. || **fanfaronnerie** fin XVIe s.

fanfreluche 1534, Rab., « ineptie » ; 1541, Calvin, « chose très petite » ; 1680, Richelet, « garniture féminine » ; altér. de l'anc. fr. *fanfelue,* bagatelle (XIIe s., *Parthenopeus*) ; *-luce,* 1395, Chr. de Pisan ; bas lat. *famfaluca* (VIIIe s.), déformation du gr. *pompholux,* bulle d'air. || **fanfrelucher** 1617, Olivier.

fange 1160, *Tristan ;* lat. pop. **fania,* du germ. *fani,* boue, ou empr. directement au germ. (prov. *fanga*). || **fangeux** 1130, *Eneas.*

fanion 1180, *Aiquin* (*feinion*) ; 1673, La Chesnaye-Desbois (*fanion*) ; forme pop. de **fanillon,* dimin. de *fanon.*

fanon 1053, Du Cange, « manipule de prêtre » et « fanion » en anc. fr. ; *fanon de coq* fin XIIIe s. ; *fanon de bœuf* 1538, R. Est. ; francique **fano,* morceau d'étoffe (allem. *Fahne,* drapeau).

fantaisie XIIe s. (*fantasie,* encore au XVIe s.), « vision » ; 1361, Oresme (*fantaisie*), « imagination » ; 1538, R. Est., « caprice » ; lat. *fantasia,* du gr. *phantasia* signif. « apparition » et par ext. « imagination ». || **fantaisiste** 1845, Besch. || **fantaisisme** 1852, Nerval.

fantasia 1842, titre d'un tableau de Delacroix ; esp. *fantasia,* fantaisie, interprété d'une manière erronée par le spectateur européen ou lié à l'ar. *fantazia,* fête brillante, du gr. *phantasia,* apparition.

fantasmagorie 1799, Brunot, « appliqué à la lanterne magique » ; 1831, Hugo, « spectacle trompeur » ; gr. *phantasma,* fantôme, et de *allégorie.* || **fantasmagorique** 1798, Potez.

fantasme fin XIIe s., « illusion » ; XIVe s., « fantôme » ; 1827, *Acad.,* sens mod. ; lat. *phantasma,* mot. gr. signif. « vision », de *phainein,* apparaître. || **fantasmatique** 1851, Poitevin.

fantasque début XVe s., Gerson ; ital. *fantastico,* fantastique, ou de *fantaste* (XVIe s., Ronsard), « d'imagination vive », abrégé de *fantastique.* || **fantastique** 1361, Oresme, « imaginaire » ; 1580, Montaigne, « incroyable » ; bas lat. *phantasticus,* du gr. *phantastikos,* de *phantasia,* imagination. || **fantastiquement** 1380, Conty.

fantassin 1567, Baïf ; ital. *fantaccino,* de *fante,* forme raccourcie de *infante,* spécialisée en « valet », puis « fantassin ». (V. INFANTERIE.)

fantoche 1863, Gautier ; ital. *fantoccio,* marionnette, de *fante,* enfant ; appliqué d'abord à un jeu de pantins, comme le dimin. ital. (au pl.). || **fantoccini** 1812, Mozin.

fantôme 1130, *Eneas ;* gr. dialectal **fantauma,* du gr. *phantasma,* fantôme. || **fantomatique** 1858, Goncourt. || **fantomal** 1888, Daudet.

fanum 1756, *Encycl.,* mot lat. signif. « temple ».

***faon** 1131, *Couronn. de Loïs,* « petit d'animal » (jusqu'au XVIIe s.) ; 1549, R. Est., spécialisé pour le jeune cerf ; lat. pop. **feto, -onis,* de *fetus,* portée des animaux. || **faonner** 1188, *Aspremont.* (V. FŒTUS.)

faquin 1534, Rab., « portefaix » (jusqu'au XVIIe s.) ; 1561, Calvin, « sot et prétentieux » ; anc. fr. *facque,* poche, du moyen néerl. *fac,* espace clos. || **faquinerie** 1575, J. Des Caurres.

farad 1881, *Congrès des électriciens,* unité de capacité électrique, du nom du physicien Faraday (1791-1867). || **faradisation** 1865, L. ; angl. *faradization.*

faramineux XVIIIe s., mot de l'Ouest, dér. de (*bête*) *faramine,* animal fantastique (XVIe s., « bête nuisible » dans *Cout. de Bretagne*) ; forme de l'occitan *faramio,* bête sauvage, de *feram,* du bas lat. *feramen* (IXe s.), lat. *fera,* bête fauve.

farandole 1771, Schmidlin ; rare avant 1827, *Acad. ;* prov. mod. *farandoulo,* croisement de *barandello,* danse languedocienne, de *branda,* danser, et *flandrina,* lambiner. || **farandoler** fin XIXe s., A. Daudet. || **farandoleur** 1877, L.

faraud 1628, *Jargon* (*pharos*), « gouverneur de ville » ; 1725, *Cartouche* (*farot*), « monsieur » ; 1743, Vadé (*faraud*), « fanfaron », sens péjor. ; anc. prov. *faraut,* héraut, qui représente une altér. de l'anc. fr. *héraut.*

farce V. FARCIR.

farcin 1190, Garn., inflammation des chevaux ; lat. *farcimen,* farce, andouille ; « farcin » en lat. pop. (le lat. class. dit *farciminum*). || **farcineux** XIIIe s.

***farcir** 1190, Garnier, « remplir » ; 1580, Montaigne, « mettre de la farce » ; 1265, J. de Meung, « surcharger de connaissances » ; *se farcir* 1932, Esnault ; lat. *farcīre,* bourrer. || **farcissure** 1580, Montaigne, au fig. || **farce** XIIIe s., *D. G.,* hachis ; XIVe s., fig., comédie (introduite dans un mystère, comme la farce dans une volaille), d'où, 1573, Du Puys, « bouffonnerie, plaisanterie » ; lat. pop. **farsa,* féminin de **farsus,* part. passé de *farcire.* || **farcer** XIIIe s., *Apollonius,* « railler » ; 1718, *Acad.,* « faire des farces ». || **farceur** XVe s., *Cent Nouv. nouvelles,* « auteur ou joueur de farces », et le sens actuel de « blagueur », qui seul a subsisté.

fard 1213, *Fet des Romains ;* déverbal de *farder.* || **farder** 1175, Chr. de Troyes ; 1398, *Ménagier,* fig. ; francique **farwidhon,* de *farwjan,* teindre (allem. *Farbe,* couleur). || **fardage** 1896, Delesalle.

farde 1155, Wace, « paquet » ; repris au XVIIIe s. (1787, Volney) ; ar. *farda,* charge d'un chameau, par ext. ballot (balle de café). || **fardeau** 1190, J. Bodel (*fardel*), « botte d'herbe » ; fin XIVe s. (*fardeau*), « ballot », puis « charge » ; 1640, Corn., fig. || **farder** XIVe s., G. li Muisis. || **fardage** 1392, Du Cange (*fardaige*). || **fardier** 1771, Schmidlin.

farfadet 1532, Rab. ; mot prov. mod., forme renforcée de *fadet,* dér. de *fado,* fée.

farfelu XVIe s., *Anc. Théâtre français* (*fafelu*), « dodu » ; Sévigné (*fafelu*) ; repris au XXe s. (1928, Malraux) avec le sens de « bizarre, fou » ; lat. pop. *famfaluca,* du gr. *pompholux,* bulle d'air (évolution sémantique comme *fou,* v. FOU 1). [V. FANFRELUCHE.]

farfouiller 1552, Rab. ; de *fouiller,* avec une initiale empruntée à *farcir.* || **farfouillement** 1892, Goncourt. || **farfouilleur** 1552, Rab.

faribole 1532, Rab. ; var. *faribourde* (XVIe s.) ; orig. obscure ; apparenté à des formes prov. diverses (*falabourdo*...), qui paraissent de même rac. que l'anc. fr. *falourde,* tromperie (de *faillir*).

faridondaine 1598, Marnix, refrain de chanson, composé expressif, formé de l'onomatopée *dondaine* (v. DONDON) et d'une particule obscure que l'on retrouve dans *farfouiller.*

***farine** 1170, *Rois ; rouler dans la farine* début XXe s. ; lat. *farīna,* de *far,* blé. || **farinacé** 1798, Richard, bot. || **farinade** début XXe s. || **fariner** 1460, Chastellain. || **farinier** XIIIe s., G. || **farineux** 1539, R. Est. ; d'apr. le bas lat. *farinosus.* || **farinet** 1701, Furetière, dé à jouer. || **enfariner** 1398, *Ménagier ; la bouche enfarinée,* Sévigné 1675.

farlouse 1555, Belon, petit passereau ; orig. inconnue.

farniente 1676, Sévigné ; mot ital., de *far(e),* faire, et *niente,* rien. (V. FAINÉANT.)

faro 1839, Boiste, sorte de bière ; mot wallon, du néerl. *faro.*

farouch(e) 1795, *Encycl. méth.,* trèfle incarnat ; mot languedocien et gascon signif. « foin rouge » (*fe routch*).

farouche fin XIIIe s., *Roman de Renart* (*faroche*), « sauvage » ; 1398, *Ménagier,* en parlant d'un animal ; 1664, Racine, « terrible » ; métathèse de l'anc. fr. *forasche,* forme restée dans le berrichon *fourâche,* mal apprivoisé ; du bas lat. *forasticus,* étranger, par ext. sauvage, puis farouche (cf. BARBARE), du lat. *foras,* dehors. || **farouchement** XVe s. ; rare avant le XXe s. || **effaroucher** 1495, J. de Vignay. || **effarouchement** XVIe s., Huguet.

farrago 1600, O. de Serres (*farrage*) ; XVIIIe s. (*-rago*), mot prov. ; lat. *farrago,* mélange de grains, de *far,* blé.

fart 1907, Lar. ; mot scandinave. || **farter** XXe s. || **fartage** *id.*

Far West 1918, Nozière ; mot anglo-américain signif. « Ouest lointain ».

fasce fin XIIe s., *Alexandre,* blas. ; lat. *fascia,* bandelette. || **fascé** 1467, Pomey. || **fascie** 1314, Mondeville, « bande » ; XVIIe s., architecture ; XVIIIe s., zool. ; lat. *fascia.* || **fascia** 1806, Lunier ; mot lat. || **fascié** 1737, Gersaint. || **fasciation** début XXe s.

fascicule XVe s., Farget, « petit paquet » ; 1690, Furetière, « petit paquet de plantes » ; fin XVIIIe s., terme de librairie ; lat. *fasciculus,* dimin. de *fascis,* faix, charge. || **fasciculaire** 1865, L. || **fasciculé** 1786, *Encycl. méth.,* bot., au sens de « petit faisceau ».

fascie, fascié V. FASCE.

fascine XVIe s. ; réfection, d'apr. l'ital. *fascina,* de l'anc. fr. *faissine, fessine* (XIIe-XVIe s.), fagot, fardeau, du lat. *fascina,* de *fascis,* faix, charge. || **fasciner** XVe s., G. (*fessiner*), garnir de fascines.

fasciner XIVe s., B. de Gordon (*fasiner*), « captiver par le regard » ; milieu XVIe s., Ronsard, « charmer » ; lat. *fascinare,* de *fascinum,* enchantement, sortilège ; il a remplacé la forme pop. *faisnier* (fin XIIe s., Bodel). || **fascinateur** milieu XVIe s., Ronsard ; rare jusqu'au XIXe s. || **fascination** XIVe s. ; lat. *fascinatio.*

fascisme 1922, Hazard ; ital. *fascismo,* de *fascio,* faisceau, puis groupement : le faisceau des licteurs était l'emblème du parti. || **fasciste** *id.* || **fasciser** v. 1955. || **fascisant** v. 1950. || **fascisation** v. 1965. || **antifascisme** 1924, Eaton.

faséole 1256, Ald. de Sienne (*fasole*) ; 1525, Lemaire ; lat. *phaseolus,* fève. (V. FLAGEOLET 2.)

faséyer 1687, Desroches (*fasier*) ; 1771, Trévoux (*faseyer*), mar., battre au vent ; néerl. *faselen,* agiter.

fashion 1698, *Observ. par un voy. ;* angl. *fashion,* mode, ton, du fr. *façon.* || **fashionable** 1804, Saint-Constant, en parlant des Anglais ; 1810, *Mercure,* appliqué aux Français.

fasin 1789, *Encycl. méth.,* cendre de charbon ; lat. pop. * *facīlis,* de *fax, facis,* tison. (V. FRAISIL.)

1. **faste** milieu XVIe s., avec aussi var. *fast ;* lat. *fastus,* n. m., orgueil ; le sens de « affectation », usuel au XVIIe s. (1651, Scarron) a laissé la place à celui de « luxe » (1674, Boileau). || **fastueux** *id. ;* bas lat. *fastuosus,* lat. class. *fastosus.* || **fastueusement** 1558, S. Fontaine.

2. **faste** 1548, Rab., « favorable », confondu avec *fauste* (1335, Bersuire) ; lat. *fastus,* [jour] faste, adj., de *fari,* parler. || **fastes** n. m. 1488, *Mer des hist. ;* comme traduction des *Fastes* d'Ovide, d'apr. le lat. *fasti* (*dies*), calendrier des jours fastes ; 1570, Hervet, sens du latin ; début XVIIe s., Malherbe, « hauts faits ». (V. NÉFASTE.)

fastidieux 1380, Conty ; lat. *fastidiosus,* de *fastidium,* dégoût. || **fastidieusement** 1762, *Acad.*

fastigié 1796, *Encycl. méth.,* bot. ; bas lat. *fastigiatus,* dressé, de *fastigium,* faîte ; se dit des tiges, des rameaux qui sont dressés et serrés, formant une pyramide étroite et élancée.

fat 1534, Rab., « sot » (encore au XVIIe s.) ; début XVIIe s., « content de soi » ; mot prov. signif. « sot », du lat. *fatuus,* fade, au sens fig. sot. || **fatuité** 1355, Bersuire, « sottise » ; 1696, La Bruyère, sens actuel ; lat. *fatuitas.* || **infatuer** 1380, *Aalma,* « rendre stupide » ; 1530, Palsgrave, sens mod. ; *infatué de,* « amoureux de », XVIe s. ; lat. *infatuare.* || **infatuation** début XVIIe s., « engouement » ; 1848, Chateaubriand, « fatuité ».

fatal 1355, Bersuire, « du destin » ; 1615, Pasquier, « imposé par le destin » ; lat. *fatalis,* de *fatum,* destin. || **fatalisme** 1724, le P. Castel. || **fataliste** fin XVIe s. ; rare jusqu'au XVIIIe s. (1738, Voltaire). || **fatalement** 1549, R. Est. || **fatalité** XVe s., P. de Lannoy ; bas lat. *fatalitas.* || **fatidique** fin XVe s., O. de Saint-Gelais ; lat. *fatidicus,* de *fatum,* destin, et *dicere,* dire. || **fatidiquement** 1874, *Gazette des tribunaux.*

fatiguer 1308, Aimé ; lat. *fatigare.* || **fatigue** 1308, Aimé ; déverbal. || **fatigant** 1666, Molière. || **fatigable** 1525, J. Lemaire. || **fatigabilité** début XXe s. || **infatigable** 1488, Vaganay ; lat. *infatigabilis.* || **infatigablement** 1495, J. de Vignay.

***fatras** 1320, Watriquet (*fatras*), « pièce de vers extravagante » ; 1580, Montaigne, « amas confus » ; p.-ê. lat. pop. conjectural **farsuraceus,* dér. du bas lat. *farsura,* farce de volailles (même rac. que *farcir*). || **fatrassier** 1611, Cotgrave. || **fatrasie** XIIIe s., Du Cange, genre littéraire.

faubert 1645, Fournier (*fauber*) ; 1701, Furetière (*faubert*), balai de fil de caret ; métaphore de l'anc. fr. *foubert,* qui se laisse duper, du n. propre germ. *Fulbert,* désignant le sot. || **fauberter** 1694, Th. Corn.

faubourg, faucard V. BOURG, FAUCHER.

***faucher** 1196, Bodel ; lat. pop. **falcare,* de *falx, -cis,* faux, qui avait remplacé *secare,* scier. || **faucard** XIVe s., *D. G.* ; de la forme picarde *fauquer.* || **faucarder** 1842, *Acad.* || **faucardage** 1907, Lar. || **fauchaison** 1160, Benoît. || **fauchage** 1374, G. || **fauchard** fin XIIe s., *Aymeri* (*faussard*). || **fauche** XIIIe s. ; déverbal de *faucher.* || **fauché** 1877, A. Daudet, sans argent. || **fauchée** 1231, G. || **fauchet** 1268, É. Boileau, râteau. || **fauchette** 1811, *Encycl. méth.* || **faucheur** fin XIIe s., Girard de Vienne. || **faucheuse** 1872, Lar., machine. || **faucheux** 1775, Bomare, prononc. pop. ; nom de l'« araignée des champs ». || **fauchon** 1280, Adenet.

fauchère 1796, *Encycl. méth.,* « croupière de mulet » ; prov. mod. *fauquièro,* de *falco,* croupe, en Rouergue ; même rac. que *falx, falcis,* faux.

***faucille** XIIe s., Delb. ; bas lat. *falcĭcula* (Ve s., *Palladius*), dimin. de *falx, -cis,* faux. || **faucillon** XIIIe s., *Fabliau.* || ***faux** 1175, Chr. de Troyes (*fauz*) ; 1360, Froissard (*faulx*) ; lat. *falx, -cis.*

***faucon** 1080, *Roland* (*falcun*) ; XIIe s., *Roncevaux* (*faucon*) ; bas lat. *falco, -onis* (IVe s., Firmius Maternus), dér. du lat. *falx, -cis,* faux, d'apr. la courbure des ailes ou la forme du bec ; le cas sujet (*falc, fauz*) est resté dans *fauperdrieux, gerfaut.* || **fauconnier** 1160, Benoît. || **fauconnière** XIIIe s., G. || **fauconnerie** 1354, *Modus.* || **fauconneau** fin XVe s., qui a remplacé *fauconnel,* « jeune faucon » ; 1516, *Inventaire,* petit canon (emploi fig.).

fauder XIIIe s., *Fabliau,* « plier le drap » ; de l'anc. haut allem. *faldan,* plier. (V. FAUTEUIL.)

faufiler 1684, Boislisle (*faufilé*), « enclavé » ; 1690, Furetière, « faire une couture provisoire » ; *se faufiler* 1732, Trévoux, « s'introduire dans » ; anc. fr. *fourfiler* (1349, *D. G.*), faufiler, de *fors-,* lat. *foris,* dehors, et *fil* (« mettre du fil à l'extérieur »). || **faufil** 1865, L.

faune n. m., 1372, Corbichon, mythol. ; n. f., 1802, Walckenaer, zool., d'apr. *flore ;* lat. *faunus,* dieu champêtre. || **faunesse** 1850, Baudelaire. || **faunesque** 1888, A. Daudet ; du n. m. || **faunique** 1907, Lar.

fauperdrieux 1398, Ménagier (*faulx perdriel*) ; de *fauc,* cas sujet de *faucon,* en anc. fr., et de *perdrieur,* chasseur de perdrix, pour désigner le busard.

fausset V. FAUX 1.

***faute** 1174, E. de Fougères, « manquement aux règles » ; 1360, Froissard, « manque, absence » ; lat. pop. **fallĭta,* action de faillir, part. passé de *fallere* (v. FAILLIR), substantivé au fém. || **fautif** XVe s. || **fauter** milieu XVIe s., puis 1808, d'Hautel, « commettre une faute » ; 1877, Goncourt, sens actuel. || **fautivement** 1856, Lachâtre.

fauteuil 1080, *Roland* (*faudestoel*) ; XIIIe s. (*faudesteuil*) ; 1611, Cotgrave (*faudeteuil*) ; 1589, Havard (*fauteuil*), en anc. fr. siège pliant pour les grands personnages ; francique **faldistôl*, siège pliant (*stôl*, siège, allem. *Stuhl* ; *faldan*, plier). [V. FALDISTOIRE.]

fauteur 1355, Bersuire ; lat. *fautor*, qui favorise, de *favere*, favoriser.

fauve adj., 1080, *Roland* (*falve*) ; n. m., 1578, d'Aubigné, abrév. de *bête fauve* (1572, La Curne) ; francique **falw* (allem. *falb*), latinisé en *falvus* (IXe s.). || **fauverie** 1948, Lar. || **fauvette** XIIIe s., *Bataille de Caresme et Charnage*. || **fauvisme** 1905, exposition des peintres de l'École moderne, d'apr. *les Fauves*, nom donné à ces peintres v. 1900.

1. ***faux** 1080, *Roland* (*fals*) ; 1662, Pascal, comme adv. ; 1265, Br. Latini, comme n. m. ; le *x* est dû à *faux*, nom ; lat. *falsus*, part. passé de *fallere*, tromper. || **fausser** 1080, *Roland* (*falser*) ; XIIe s. (*fausser*), qui a eu aussi le sens de « falsifier » et de « accuser de fausseté », en anc. fr. ; bas lat. *falsare* (*Digeste* : altérer, falsifier). || **faussement** 1190, *Saint Bernard*. || **fausseté** 1138, *Saint Gilles* ; d'apr. le bas lat. *falsitas*. || **fausset** fin XIIIe s., *Roman de Renart*, voix de tête, celle-ci donnant l'impression d'une voix fausse ; 1322, *Archives de Reims*, n. m., fausset d'un tonneau ; de *fausser* au sens de « percer » (attesté en prov. et d'apr. « fausser une armure »). || **faussure** XIIIe s., G. || **défausser** 1849, Besch., « redresser » ; *se défausser* 1792, *Encycl. méth.*, se débarrasser d'une fausse carte.

2. ***faux** V. FAUCHER.

faux-du-corps 1549, R. Est. ; de *faut*, manque, 3e pers. sing. devenue déverbal de *faillir* ; employé en ce sens comme n. m. par E. Deschamps (1468). Il a été remplacé par *taille*.

faux-fuyant 1550, Tilander, vén. (fém. *-ante*), sentier par où s'échappe le gibier ; comme n. m. fin XVIe s., La Curne ; fig. 1664, Molière ; altér. de *fors-fuyant* (fuyant au-dehors), par infl. de *faux*.

faux-semblant XIVe s., *Chron. de Boucicaut* ; de *faux* et *semblant*, n. m.

faverolle V. FÈVE.

***faveur** 1120, *Job* (*-or*) ; 1564, J. Thierry, « ruban », parce qu'il était donné par faveur au chevalier par sa dame ; *en faveur de* XVe s., des Ursins ; lat. *favor, -oris*. || **favorable** milieu XIIe s., ; lat. *favorabilis*. || **favorablement** 1265, J. de Meung. || **favoriser** début XIVe s. || **favori** début XVIe s. ; pl. 1829, Boiste, « touffe de barbe » ; ital. *favorito*, favorisé, part. passé de *favorire*. || **favorite** 1564, J. Thierry, qui a remplacé l'anc. fém. *favorie*. || **favoritisme** 1820, Hugo. || **défaveur** XVe s., Delb. || **défavorable** 1460, Chastellain. || **défavorablement** 1752, Trévoux. || **défavoriser** 1460, Chastellain.

favus 1836, Landais ; lat. *favus*, gâteau de miel, à cause des croûtes formées par cette maladie.

fayard fin XIVe s. (*faiart*) ; 1743, Trévoux (*fayard*) ; dér. anc. de l'adj. lat. *fageus*, de *fagus*, hêtre ; mot lyonnais (var. rég. *foyard*).

fayot 1784, *Mém. Soc. royale de médecine*, arg. milit. et scol. ; prov. *faiol* (1470, Pansier), de l'anc. fr. *faisol*, faséole, du lat. pop. **fabeolus*, lat. class. *phaseolus*. || **fayoter** 1936, Esnault. (V. FLAGEOLET 2.)

fazenda 1866, Lar. ; mot portug. du Brésil ; lat. *facienda*, ce qui doit être fait.

féage, féal V. FIEF, FOI.

fébricitant début XIVe s. ; lat. *febricitans*, part. prés. de *febricitare*, avoir la fièvre (*febris*). || **fébricité** 1922, Proust, n. f. || **fébriciter** 1897, Rostand. || **fébrile** 1503, Chauliac ; 1857, Flaubert, fig. ; lat. *febrilis*. || **fébrilement** milieu XIXe s. || **fébrilité** 1857, Goncourt. || **fébrifuge** 1666, Monnier ; bas lat. *febrifugia*, de *fugare*, mettre en fuite.

fèces 1560, Paré, méd. ; lat. pl. *faeces*, excréments. || **fécal** 1503, Chauliac ; lat. *faex, -cis*. || **fécaloïde** 1865, L. || **fécalome** XXe s.

fécond XIIIe s., Th. de Kent ; lat. *fecundus*. || **fécondation** 1488, *Met des hist.* ; rare jusqu'au XVIIIe s. || **fécondant** 1755, Bonnet. || **féconder** XIIIe s., Th. de Kent ; lat. *fecundare*. || **fécondable** 1885, Hugo. || **fécondateur** 1762, Bonnet. || **fécondité** 1050, *Alexis* ; lat. *fecunditas*. || **infécond** 1450, Gréban, « sans résultat » ; 1560, Paré, « impropre à la reproduction » ; lat. *infecundus*. || **infécondité** 1378, Le Fèvre ; lat. *infecunditas*.

fécule 1660, Le Febvre ; lat. *faecula*, dimin. de *faex, faecis*, lie, excrément, spécialisé au sens de « sédiment amylacé ». || **féculerie** 1836, Mozin. || **féculent** 1560, Paré, « qui laisse un dépôt » ; 1849, Besch., légume ; lat. *faeculentus*. || **féculence** XIVe s., Brun de Long Borc ; lat. *faeculentia*.

feddayin v. 1965 ; ar. *fida iyyūn*.

fédéral 1783, *Courrier de l'Europe ;* devenu usuel pendant la Révolution ; dér. savant du lat. *foedus, -eris,* alliance. || **fédéraliser** 1793, Danton. || **fédéralisation** 1796, *Néologiste fr.* || **fédéralisme** 1755, Montesquieu. || **fédéraliste** 1793, *Journal de la Montagne.* || **fédéré** XVIe s., « allié », puis repris en 1790. || **fédérer** 1792, Brunot, lat. *foederatus.* || **fédératif** 1748, Montesquieu. || **fédérateur** XXe s. || **fédération** XIVe s., Delb., « alliance, union », repris au XVIIIe s. ; lat. *foederatio.*

***fée** début XIIe s., *Voy. de Charl.,* « être imaginaire » ; XVIIIe s., fig. ; lat. pop. *Fata,* déesse des destinées dans les inscriptions, de *fatum,* destin. || **féer** 1130, *Eneas* (*faer*). || **féerie** XIIe s., *Parthenopeus* (*faerie*) ; 1718, *Acad.* (*féerie*) ; 1823, Boiste, théâtre. || **féerique** 1834, Landais. || **féeriquement** 1872, Lar.

feeder 1896, Bonnafé ; mot angl. signif. « conduit, canal ».

feignant V. FAINÉANT.

***feindre** 1080, *Roland,* « imaginer » (jusqu'au XVIIIe s.) ; 1265, Br. Latini, « simuler » ; lat. *fĭngĕre,* façonner, et au fig. imaginer. || **feinte** 1220, Coincy, « fiction » ; 1530, Marot, « fait de feindre » ; 1680, Richelet, mouvement destiné à tromper ; part. passé substantivé au fém. || **feinter** 1897, Rostand. || **feinteur** 1929, Esnault. || **feintise** 1190, Garn.

feld-maréchal 1845, Besch. ; allem. *Feld-marschall,* maréchal de campagne (*Feld*).

feldspath 1773, Saussure ; mot allem. signif. « spath des champs ».

feldwebel v. 1940 ; mot allem. signif. « adjudant ».

***fêle** 1723, Savary, « sarbacane de verrier » ; lat. *fistula,* tube. (V. FISTULE.)

***fêler** XIIIe s., *Aucassin et Nicolette* (**faieler,* d'apr. le dér., encore en wallon, XIXe s.) ; 1423, *D. G.,* au part. passé *fellée ;* lat. pop. **fagellare,* sans doute forme dissimilée du lat. *flagellare,* frapper (v. FLÉAU), la cause devenant l'effet, de *flagellum,* fouet. || **fêlure** XIIIe s., *Lapidaire* (*faielure*).

félibre 1876, L. ; mot prov. mod. empr. par Mistral (1854) dans un récit pop. (*les Sept Félibres de la loi*) pour désigner les sept fondateurs du félibrige ; bas lat. *fellibris,* de *fellebris,* nourrisson, de *fellare,* sucer. || **félibrige** *id.*

félicité 1265, Br. Latini ; lat. *felicitas, -atis,* de *felix, -icis,* heureux, restreint à un emploi religieux ou littéraire. || **féliciter** 1460, Chastellain, « rendre heureux » ; 1630, Brunot, « complimenter sur ce qui arrive d'heureux » ; bas lat. *felicitare,* rendre heureux (IVe s. Donat). || **félicitation** 1623, d'Aubigné, au pl. ; mot genevois.

félidés 1842, *Acad.* (*félides*) ; lat. *felis, -idis,* chat. || **félin** fin XVIIIe s. ; adj. *felinus.* || **félinité** 1875, *J. O.*

fellaga v. 1956 ; mot de l'ar. maghrébin, pl. de *fellag,* coupeur de route.

fellah 1664, Thévenot ; ar. *fallâh,* laboureur.

***félon** 980, *Passion* (cas sujet *fel* en anc. fr.) ; bas lat. *fello, -ōnis* (IXe s., *Capitulaire de Charles le Chauve*), du francique **fillo,* de **filljo,* celui qui fouette un esclave. || **félonie** 1050, *Alexis.*

felouque fin XVIe s. (*pel-*) ; 1606, Nicot (*fal-*) ; 1611, Cotgrave (*fel-*) ; ar. marocain *feluka,* de l'ar. *faluwa,* petit bateau.

fêlure, femelle V. FÊLER, FEMME.

***femme** 1080, *Roland ;* nasalisé en *fẽ-me,* puis *fã-me,* d'où la prononc. *fame* après la dénasalisation au XVIIe s. ; lat. *femina,* femme, épouse et femelle ; le fr. n'a gardé que le premier sens, le second étant passé au dimin. || **femmelette** XIVe s., Machaut (*fam-*). || **femelle** 1131, *Couronn. Loïs ;* lat. *femella,* jeune femme. || **féminin** 1188, *Aspremont* (*femenin*) ; XIIIe s. (*féminin*) ; lat. *femininus,* de *femina.* || **féminiser** 1501, Vérard. || **féminisation** 1864, Sainte-Beuve. || **féminisme** 1837, Fourier. || **féministe** 1872, A. Dumas fils. || **féminité** 1265, Br. Latini. || **efféminer** 1160, Benoît ; lat. *effeminare.* || **efféminé** 1687, Fénelon, fig.

fémur 1586, Guillemeau ; lat. *femur,* cuisse, spécialisé en fr. en « os de la cuisse ». || **fémoral** fin XVIIIe s. ; bas lat. *femoralis,* de cuisse.

fenaison V. FANER.

***fendre** 980, *Valenciennes* (part. *fendut*) ; 1493, Coquillart, fig. (*fendre l'âme*) ; lat. *fĭndĕre.* || ***fente** 1361, Oresme ; lat. pop. **fendita,* féminin substantivé du lat. pop. **finditus,* part. passé. || **fendant** fin XVIe s., L'Estoile, « batailleur » ; 1738, *Journ. helvétique,* nom d'un chasselas (qui se fend sous la dent) et d'un vin vaudois et valaisan. || **fenderie** 1603, Gay. || **fendeur** XIIe s. (*fendeor*), « défenseur » ; 1453, Monstrelet (*fendeur*), « qui fend du bois ». || **fendiller** 1580, Palissy. || **fendillement** 1845, Besch. || **fendoir** 1700, Liger. || **fendis** 1723, Savary || **fenton** 1676, Félibien. || **pourfendre**

fin XIe s., *Chanson de Guillaume.* || **pourfendeur** 1798, *Acad.* || **refendre** 1268, Boileau. || **refend** 1423, Delb., « cloison » ; 1690, Furetière (*mur de refend*).

***fenêtre** XIIe s. (*fenestre*) ; XVIe s. (*fenêtre*) ; lat. *fenestra.* || **fenêtrer** XIIe s., *Parthenopeus* (*-estrer*) ; 1823, Boiste (*fenêtré*), « percé de fenêtres ». || **fenêtrage** 1320, G. (*fenestrage*). || **fenestrelle** XIIe s., rare avant 1827, *Acad.*, bot. ; lat. *fenestrella,* dimin. de *fenestra,* d'apr. *fenêtre.* || **contre-fenêtre** début XIVe s.

***fenil** XIIe s. ; lat. *fenīle,* de *fenum,* foin. || **fenouil** 1240, G. de Lorris (*fenoil*) ; lat. pop. **fenŭculus,* du lat. *feniculus,* petit foin. || **fenouillet** 1628, La Quintinie. || **fenouillette** XVIIe s., Delb., eau-de-vie distillée avec de la graine de fenouil.

fennec 1808, Boiste ; ar. *fanek, fenek.*

fente V. FENDRE.

fenugrec XIIIe s., *Antidotaire* (*fenegrec*) ; 1560, Paré (*fœnugrec*) ; lat. *fenugraecum,* foin (*fenum*) grec.

féodal V. FIEF.

***fer** 1080, *Roland,* « objet en acier » ; XIIe s., *Roncevaux,* « métal » ; XIVe s., Cuvelier, « alliage » ; *de fer* 1240, G. de Lorris ; *les fers* XVe s., L., « menottes » ; lat. *ferrum.* || **ferraille** 1390, G. || **ferrailler** 1665, Quinault. || **ferraillement** 1889, Goncourt. || **ferrailleur** début XVIIe s., « bretteur » ; début XVIIe s., sens actuel. || **ferrasse** 1765, *Encycl.,* techn. || ***ferre** 1412, G. ; lat. *ferra,* pl. neutre de *ferrum,* fém. en lat. pop. || **ferrement** 1130, *Eneas,* « pièce en outil de fer » ; lat. *ferramentum,* instrument de fer. || ***ferrer** début XIIe s., *Voy. de Charl.* ; lat. pop. **ferrare.* || **ferret** 1320, *Poème,* « petit objet en fer ». || **ferreur** 1155, Wace (*-eor*). || **ferrure** XIIe s. || **ferrage** XIVe s., Bouthillier. || **ferrique** 1842, *Acad.* || **ferreux** 1752, Trévoux. || **ferricyanure** 1888, Lar. || **ferrocyanure** 1872, Lar. || **ferromanganèse** 1888, Lar. || **ferronnerie** 1297, Du Cange ; de *ferron,* marchand de fer (XIIe s., R. de Moiliens). || **ferronnier** 1560, Amyot. || **ferronnière** 1832, *Journ. des dames,* d'après un tableau de Léonard de Vinci, *la Belle Ferronnière* qui porte cette chaîne d'or sur le front. || **fer-blanc** 1384, Gay. || **ferblantier** 1723, Savary || **ferblanterie** 1836, Landais || **déferrer** 1131, *Couronn. de Loïs* (*desf-*). || **déferrage** 1870, Lar. || **enferrer** fin XIIe s., *Aiol.*

féra XVe s., *Comptes du château de Neuchâtel* (*ferra*), « corégone, poisson des lacs suisses » ; en lat. *ferrata* (XIIe s.) ; origine inconnue (allem. *Felchen,* bernois *färig*).

ferblantier V. FER.

férie 1119, Ph. de Thaon (au pl. *féries*) ; lat. *feriae,* jour de repos ; il a pris en liturgie catholique, au XVIe s., le sens de « jour de la semaine ». || **férié** 1120, *Tristan,* rare jusqu'au XVIIe s. (1690, Furetière) ; lat. *feriatus,* au sens ancien. || **férial** XIIIe s., G. ; lat. eccl. *ferialis.*

***férir** 1080, *Roland* (*ferir*), restreint auj. à *sans coup férir* (1160, Benoît) ; lat. *ferire,* frapper, éliminé au XVIe s. par *frapper.* || **féru** *id.,* part. passé, « blessé » ; fig., XVe s., *Cent Nouv. nouvelles.*

ferler 1553, Grouchy, « relever la voile le long de la vergue » ; par métathèse de l'anc. fr. *fresler,* de même sens, du lat. *ferula,* baguette, férule. (V. DÉFERLER.)

1. ***ferme** adj., 1155, Wace (*ferm*) ; puis *ferme* (XIIIe s.), d'apr. le fém. ; lat. *firmus.* || **fermement** 1130, *Eneas.* || **fermeté** *id.,* « forteresse » ; 1361, Oresme, fig. ; lat. *firmitas,* au sens propre et fig. ; il a remplacé la forme pop. *ferté,* limitée aux noms de ville. || **affermir** 1372, Corbichon. || **affermissement** 1552, Ch. Est. || **raffermir** 1394, Delb. || **raffermissement** 1669, Widerhold.

2. **ferme** n. f. XIIIe s., *Guill. de Dole* (*rente à ferme*), convention moyennant un arrérage ferme, c.-à-d. fixe, d'où *bail à ferme,* spécialisé pour les domaines ruraux ; fin XIIIe s., « domaine rural » ; 1549, R. Est., « bâtiment ». || **fermier** début XIIIe s., « locataire » ; *fermier général* 1690, Furetière. || **fermage** 1367, G. || **fermette** 1949, H. Bazin. || **affermer** 1160, Benoît, mettre à ferme. || **affermage** 1489, *Ordonn.*

ferment 1372, Golein, fig. ; 1560, Paré, sens propre ; lat. *fermentum,* de *fervere,* bouillir. || **fermenter** 1270, d'Abernum ; fig. 1778, Rousseau ; lat. *fermentare.* || **fermentable** 1839, Boiste. || **fermentation** 1539, Canappe ; bas lat. *fermentatio.* || **fermentescible** 1764, Bonnet ; lat. *fermentescere,* entrer en fermentation.

***fermer** 1080, *Roland* ; lat. *firmare,* de *firmus,* ferme, au sens de « rendre ferme », d'où en anc. fr. « fortifier, fixer par une clôture », d'où « clore » (1160, Benoît), sens qui a prévalu, le verbe éliminant *clore* ; 1629, Mairet, « achever » ; 1690, Furetière, « mettre fin à l'activité de ». || **fermeture** XIIe s., *Alexandre* (*fermeüre*), « forteresse » ; XIVe s., Delb. (*fermeture*), « dispositif pour fermer » ; XVIIe s., « action de fermer ». || **fermail** XIIe s., G. || **fermoir** 1268, É. Boileau. || **enfermer** XIIe s., *Roncevaux.* || **enfermement** XVIe s. || **refermer** 1130, *Eneas.*

fermeté V. FERME 1.

1. **fermoir** V. FERMER.

2. **fermoir** ciseau de sculpteur, 1676, Félibien ; altér., d'apr. *fermer,* de *formoir* (1407, Gay), dér. de *former.*

féroce 1460, Chastellain, « sauvage » (jusqu'au XVIIe s.) ; 1690, Furetière, « cruel » ; lat. *ferox, -cis,* orgueilleux, féroce (en bas lat.), de *ferus,* bête fauve (v. FIER 2). || **férocement** XVIe s. || **férocité** XIIIe s., « sauvagerie », rare jusqu'au XVIIe s., où il a le sens mod. de « cruauté » ; lat. *ferocitas.*

féronie 1811, Wailly, coléoptère ; lat. entom. *feronia,* en lat. « déesse des fleurs ».

ferrade 1624, Peirex ; du prov. mod. *ferrado,* de *ferra,* ferrer. On marque au fer le taureau ou le cheval. (V. FER.)

ferraille, ferrailler V. FER.

ferrandine 1659, Gay ; ital. *ferrandina* (fin XVIe s.), de *ferro,* fer, à cause de la couleur gris clair.

ferre, ferrement, ferrer, ferronnerie, ferronnier, ferronnière V. FER.

ferroviaire 1911, Lar. ; ital. *ferroviario,* de *ferrovia,* chemin de fer, pour servir d'adj. à chemin de fer.

ferrugineux av. 1594, Dariot ; lat. *ferruginosus,* de *ferrugo, -inis,* rouille de fer, couleur de fer. || **ferruginosité** 1642, Oudin.

ferrure V. FER.

ferry-boat 1786, Jal. ; angl. *to ferry,* transporter, et *boat,* bateau.

fertile XIVe s., *Gloss.* ; 1643, Corn., fig. ; lat. *fertilis.* || **fertilement** XVe s., G. || **fertiliser** 1564, Ronsard. || **fertilisable** 1865, L. || **fertilisation** 1764, Bonnet. || **fertilité** 1361, Oresme (*fertileté*) ; 1378, Le Fèvre (*fertilité*) ; lat. *fertilitas.* || **infertile** 1434, *Archives* ; lat. *infertilis.* || **infertilité** 1455, Fossetier ; lat. *fertilitas.*

féru V. FÉRIR.

férule 1372, Corbichon, nom de plante ; fin XIVe s., baguette pour frapper les écoliers ; 1690, Furetière, fig. (*sous la férule de*) ; lat. *ferula,* dans les deux sens.

ferveur 1170, *Rois* (*fervor*) ; XIVe s. (*ferveur*) ; lat. *fervor,* au sens fig. « ardeur », de *fervere,* bouillonner. || **fervent** 1165, Marie de France ; lat. *fervens,* bouillonnant.

***fesse** 1360, *Modus* ; lat. pop. **fissa,* fente, part. passé de *findĕre,* fendre, substantivé au fém. ; il a remplacé *nache* (XIIe s.), du lat. pop. **natica,* de *nates,* fesses. || **fessu** XIIIe s., Gaydon. || **fesser** fin XVe s. || **fessée** 1526, Bourdigné. || **fessier** n. m., 1530, Marot ; adj., 1560, Paré. || **fesseur** 1549, R. Est. || **fesse-mathieu** 1585, Du Fail, avare, qui bat saint Mathieu, patron des changeurs, pour lui tirer de l'argent.

festin fin XIVe s., « repas de fête » ; XVe s., Basselin, « repas abondant » ; ital. *festino,* petite fête, de *festa,* fête. || **festiner** XIVe s., « banqueter ».

festival 1830, Mackenzie ; mot angl. signif. « fête », de l'anc. fr. *festival,* du lat. *festivus,* de *festa,* fête. || **festivalier** v. 1950.

festivité V. FÊTE.

feston 1533, Wind ; ital. *festone,* ornement de fête, de *festa,* fête. || **festonner** fin XVe s., E. de Médicis, orner de guirlandes de fleurs, de fruits. || **festonnement** av. 1951, Gide.

festoyer V. FÊTE.

***fête** 1080, *Roland* (*feste*) ; lat. pop. **festa,* abrév. de *festa* (*dies*), jour de fête. || **festivité** XIIIe s., « fête », repris au XIXe s. (1801, Mercier), « célébration d'un jour de fête » ; lat. *festivitas,* gaieté. || **festoyer** 1170, *Rois* (*festeer*) ; 1273, Adenet (*festoier*) ; disparu de l'usage et repris à l'anc. fr., d'où la prononciation de *s* (var. *fétoyer* chez Voltaire). || **festoiement** XIVe s. || **fêtard** 1265, J. de Meung, recréé au XIXe s. (1859) d'apr. l'expression *faire la fête.* || **Fête-Dieu** créée en 1264 sous le nom de *Corpus Domini* ; attesté seulement en 1564 (Thierry) ; mais le type de composition atteste une formation du XIIIe-XIVe s. || **fêter** fin XIIe s., *Loherains.* || **fêteur** 1320, *Roman de Fauvel.*

fétiche 1605, Marees (*fetisso*) ; 1669, Villault (*fétiche*) ; port. *feitiço,* « artificiel », par ext. « sortilège », du lat. *facticius,* qui a donné le fr. *factice.* || **féticheur** 1605, Marees ; adaptation de *fétichère,* néerl. *feticheer,* dér. du portugais *feitiço,* fétiche. || **fétichisme** 1757, Diderot. || **fétichiste** 1824, Constant.

fétide XVe s., J. Chartier ; lat. *foetidus,* de *foetere,* puer. || **fétidité** 1478, Chauliac.

***fétu** début XIIe s., *Voy. de Charl.* (pl. *festus*) ; lat. pop. **festucum,* var. de *festuca,* brin d'herbe, paille. || **fétuque** 1786, *Encycl. méth.,* formation savante en bot., herbe à touffes serrées et à tige presque nue.

1. ***feu** n. m., fin IXe s., *Eulalie* (*fou*) ; XIIe s., *Roncevaux* (*feu*) ; 1268, É. Boileau, « famille » et dans les dénombrements de la population (jusqu'au XVIIe s.) ; *feu de paille* av. 1660, Scarron ; *à feu et à sang* 1530, Marot ; *feu d'enfer* 1627, Crespin ; *feu d'artifice* 1671, Pomey ; lat. *fŏcus,* foyer, qui a remplacé *ignis* sous l'Empire. || **contre-feu** 1531, Delb. (V. AFFOUAGE, FOU, FOUAGE.)

2. ***feu** adj., 1050, *Alexis* (*feü*), « qui a tel destin » ; XIIIe s., Rutebeuf, « mort » ; lat. pop. **fatutus,* de *fatum,* destin, c.-à-d. « qui a accompli son destin » (création euphémique).

feudataire V. FIEF.

feuillant ordre religieux fondé en 1108 à N.-D. de Feuillants, aux environs de Toulouse ; membre d'un parti politique (1791-1792) installé dans un ancien couvent de feuillants. || **feuillantine** religieuse dont le couvent fut installé à Paris en 1622 ; 1646, d'apr. Tall. des Réaux, « gâteau feuilleté », par jeu de mots avec *feuilleter.*

***feuille** 1130, *Eneas* (*foille* et *fueille*), feuille d'arbre ; 1360, Froissart, feuille de papier ; *feuille morte,* XIIIe s. ; couleur, 1675, Sévigné ; *bonne feuille* 1798, *Acad. ;* lat. *fŏlia,* pl. neutre devenu collectif et subst. fém., du sing. *folium,* qui a donné l'anc. fr. *fueil.* || **feuiller** 1175, Chr. de Troyes. || **feuillé** XIIe s., *Chanson de Floovant.* || **feuillée** 1120, *Ps. de Cambridge.* || **feuillette** 1265, J. de Meung. || **feuillage** 1324, Delb. || **feuillagiste** 1856, *Doc.* || **feuillaison** 1771, Schmidlin, de *feuiller,* se couvrir de feuilles. || **feuillard** XIVe s., *D. G.* || **feuillu** XIIe s., *Roncevaux.* || **défeuiller** fin XIIIe s., Rutebeuf. || **effeuiller** 1300, *Viandier.* || **feuillet** 1130, *Eneas* (*foillet*), « petite feuille » ; spécialisé de bonne heure en divers sens techn. || **feuilleter** XIIIe s., « pousser des feuilles » ; 1549, Du Bellay, « tourner les pages » ; 1552, Rab., pâtisserie. || **feuilletage** 1680, Richelet. || **feuilletis** 1706, Richelet. || **feuilleton** 1790, *Encycl. méth.,* « petit cahier » ; 1811, Courier, feuilleton d'un journal. || **feuilletoniste** 1820, Cuisin. || **feuilliste** 1761, Diderot, folliculaire. || **refeuilleter** 1560, Ronsard.

1. **feuiller** V. FEUILLE.

2. **feuiller** 1357, G., « entailler » ; lat. pop. **fodiculare,* fouiller, de *fodere,* creuser. || **feuillure** 1334, G. || **feuilleret** 1676, Félibien.

feuillette XVe s., *Comptes de Jacques Cœur* (*feuillette*), mesure de liqueurs ; 1678, La Fontaine, futaille ; il a existé une var. *fillette,* bouteille d'un tiers de litre ; de *feuiller,* entailler par une feuillure.

feuler 1843, d'Orbigny, « crier », en parlant du tigre ; onomat. || **feulement** fin XIXe s.

feurre, fouarre 1155, Wace (*fuerre*), paille ; à Paris, rue du *Fouarre ;* francique **fôdar,* fourrage (allem. *Futter,* angl. *fodder*). [V. FOURRAGE.]

feutre fin XIe s., *Gloses de Raschi* (*feltre*) ; 1130, *Eneas* (*feutre*) ; francique **filtir* (allem. *Filz,* angl. *felt*). || **feutrer** *id. ; à pas feutrés* début XXe s. || **feutrier** 1292, Delb. || **feutrage** 1723, Savary. || **feutrement** XIVe s. || **feutrier** 1872, Lar. || **feutrine** XXe s.

***fève** XIIIe s., *Chron. de Rains ;* lat. *faba.* || **féverolle** début XIVe s. (*faverolle*) ; 1690, Furetière (*féverolle*) ; paraît repris à un des divers noms de lieux *Faverolles,* représentant un dimin. de l'anc. fr. *favière,* champ de fèves. || **févier** 1786, *Encycl. méth.*

***février** XIIe s. ; bat lat. *fĕbrārius,* du lat. class. *februarius,* mois de purification (*februus*).

fez 1677, Vansleb (*fes*), de Fez, au Maroc, où cette coiffure était fabriquée.

fi début XIIIe s. ; *fi de* fin XIIIe s., Beaumanoir ; interj., onomat.

fiacre 1650, Ménage ; du nom de saint *Fiacre,* dont l'image était pendue au bureau où l'on louait ces voitures ; 1700, Gherardi, « cocher » ; d'apr. Trévoux, nom d'un loueur de voitures.

fiancer XIIe s., *Chevalerie Ogier,* « prendre un engagement » (jusqu'au XVe s.) ; 1283, Beaumanoir, « faire une promesse de mariage » (sens qui a prévalu) ; de l'anc. fr. *fiance* (1080, *Roland*), engagement, de *fier.* || **fiancé** n., milieu XIVe s. || **fiançailles** 1175, Chr. de Troyes (V. FIER 1.)

fiasco 1818, Stendhal, « bouteille » ; 1822, Stendhal, « échec sexuel » ; *faire fiasco,* « échouer », 1840, *Acad. ;* ital. *far fiasco,* échouer ; loc. d'argot théâtral en ital., où s'est développé ce sens métaphorique de *fiasco,* bouteille, mot toscan, de même rac. que *flacon.*

fiasque 1803, Boiste, masc. ; 1843, Lamartine, féminin ; ital. *fiasco,* bouteille, du germ. **flaska.*

fibre 1372, Corbichon, « élément de tissu vivant » ; fig. 1794, Chamfort ; lat. *fibra.* || **fibreux** 1549, Maignan. || **fibrille** 1674, Le Gallois. || **fibrillaire** 1811, Mozin. || **fibrillation** 1907, Lar. || **fibrine** 1805, *Encycl. méth.* || **fibrinogène** 1855, Nysten. || **fibranne** v. 1941. || **fibrome** milieu XIXe s. (suffixe *-ome*). || **Fibrociment** XXe s. ; nom déposé.

fibule 1530, Bourgoing ; lat. *fibula,* agrafe.

***fic** XIIIe s., La Curne (*fi*) ; 1492, G. de Salicète (*fic*), « verrue » ; lat. *ficus,* figue (v. FIGUE). || **ficaire** 1786, *Encycl. méth.* ; lat. bot. *ficaria,* de *ficus,* verrue, c.-à-d. l'herbe aux verrues, qu'elle est censée guérir.

***ficelle** 1350, G. de Machaut (*fincelle*) ; 1564, Thierry (*ficelle*) ; 1808, d'Hautel, « rusé », expression du théâtre des marionnettes ; « procédé, truc », 1841, *Les Français peints par eux-mêmes ;* lat. pop. **funicella,* de *funis,* cordon, avec infl. de *fin* et de *fil.* || **ficeler** 1694, *Acad.* || **ficelage** 1765, *Encycl.* || **ficelé** 1833, Esnault, « serré dans ses vêtements ». || **ficelier** 1723, Savary. || **ficellerie** 1872, Lar. || **déficeler** milieu XVIIIe s.

***ficher** 1120, *Ps. d'Oxford,* « percer la chair » ; lat. pop. **figĭcare,* de *figĕre,* fixer ; 1628, *Jargon,* fig., arg., « donner » ; XVIIIe s., Vadé, *ficher le camp ;* XVIIe s., pop., euphémisme de *foutre ;* 1695, Gherardi, *se ficher,* se moquer de, influencé par ital. *infischiarsi,* même sens, de *fischiare,* siffler ; début XXe s., « inscrire sur une fiche ». || **fichu** 1611, Cotgrave, « mauvais » ; 1640, Oudin, « mal fait » ; 1695, Gherardi, « mis à la hâte », de *fiché,* d'après *foutu.* || **fichûment** 1701, Furetière. || **fiche** 1190, Garn., « pointe » ; 1413, Du Cange, « pieu, clou, qu'on fiche » ; 1690, Furetière, marque de jeu, carte de bibliothèque. || **fichaise** 1756, *Remède à la mode.* || **fichet** 1611, Cotgrave. || **fichier** 1922, Lar. || **fichiste** v. 1950. || **fichoir** 1680, Richelet. || **afficher** 1080, *Roland,* « fixer, attacher ». || **affichage** 1792, *Législative.* || **affiche** av. 1204, L'Escouffle, « agrafe » ; fin XVIe s., « avis imprimé » ; déverbal. || **affichette** 1867, Veuillot. || **afficheur** 1680, Richelet. || **affichiste** 1785, Beaumarchais, « publiciste » ; XIXe s., « dessinateur d'affiches ». || **contre-ficher** 1839, Boiste, pop.

fichtre 1808, d'Hautel ; croisement entre *ficher* et *foutre.* || **fichtrement** fin XIXe s., A. Daudet.

fichu V. FICHER.

ficoïde 1734, Seba ; par le lat. scient. (Herman, 1687), genre de plantes grasses ; lat. *ficus,* figue, et gr. *eidos,* forme.

fictif fin XVe s., Tardif ; rare jusqu'au XVIIIe s. ; lat. *fictus,* part. passé de *fingere,* feindre, imaginer. || **fictivement** 1460, Chastellain. || **fiction** XIIIe s., *Queue de Renart,* « mensonge » ; 1361, Oresme, « création de l'imagination » ; lat. *fictio.*

fidéicommis XIIIe s., G., trad. du *Digeste ;* rare en anc. fr. ; lat. jurid. *fideicommissum,* confié à la bonne foi. || **fidéicommissaire** *id.* ; lat. jurid. *fideicommissarium.* || **fidéjusseur** 1308, Aimé ; lat. jurid. *fidejussor.* || **fidéjussion** fin XVIe s., Cayet. || **fidéjussoire** XVIe s., La Curne ; lat. *fides,* foi, et *jubere,* ordonner.

fidéisme 1838, d'apr. L. Febvre ; dériv. du lat. *fides, fidei,* foi. || **fidéiste** 1842, Mozin ; pour qui la foi religieuse dépend du sentiment et non de la raison.

fidèle nom, 980, *Passion* (*fidel*), religieux ; 1080, *Roland,* reçu en ami ; rare jusqu'au XVIe s. (1533, Sainéan) ; lat. *fidelis,* de *fides,* foi, qui a remplacé la forme pop. *feoil* (Xe s.) ; moins usité que *féal.* || **fidèlement** 1539, R. Est. || **fidélité** fin XIIIe s. ; lat. *fidelitas,* qui a remplacé *feelté* (1155, Wace), moins usuel que *féauté* (v. FOI). || **infidèle** XIIe s. ; lat. *infidelis.* || **infidèlement** 1464, J. Chartier. || **infidélité** 1160, Benoît.

fiducie XVIe s., G., « confiance » ; 1732, Trévoux, sens jurid. ; lat. *fiducia,* confiance, de *fides,* foi. || **fiduciel** 1517, J. Bouchet (*-ial*) ; 1741, Thiout (*-iel*). || **fiduciaire** 1596, Hulsius ; lat. *fiduciarius.*

***fief** 1080, *Roland* (*feu, fiet*), var. *fieu ;* milieu XIIe s., *Roman de Thèbes* (*fief*), avec un *f,* analogique (cf. *bief, juif, soif*) ; bas lat. *feudum, feodum* (881, *Chartes de Cluny*), du francique **fĕhu,* bétail, bénéfice héréditaire (allem. *Vieh*). || **fieffé** 1190, Garnier, « donné en fief » ; 1546, Rab., fig. ; du verbe disparu *fieffer* (1138, Gaimar). || **féage** 1138, Gaimar. || **féodal** début XIVe s. ; lat. médiév. *feodalis.* || **féodalisme** 1829, Boiste, polit. || **féodalité** début XVIe s. ; *féodalité industrielle,* 1834, Considérant. || **féodaliser** 1838, Balzac. || **féodalisation** 1876, L. || **feudataire** 1282, *Archives ;* rare jusqu'au XVIIIe s. ; lat. médiév. *feudatarius,* de *feudum,* fief. || feudiste 1586, Charondas ; lat. médiév. *feudista.* || **inféoder** 1411, Delb. ; 1867, L., fig. ; lat. médiév. *infeodare.* || **inféodation** 1393, Douet d'Arcq (*infeudacion*) ; 1467, Bartzsch (*inféodation*).

***fiel** 1160, Benoît, fig. ; XIIIe s., L., liquide de vésicule biliaire ; lat. *fĕl.* || **fielleux** 1564, J. Thierry. || **enfieller** 1220, Coincy.

***fiente** 1170, *Rois ;* lat. pop. **fĕmita,* de *femus* ou *fimus,* fumier, avec infl. de *stercus,* excrément. || **fienter** 1495, J. de Vignay. (V. FUMER 2.)

1. ***fier** verbe XIIe s., *Roncevaux,* « confier à qqn » ; *se fier* 1080, *Roland ;* lat. pop. **fidare,* confier, de *fidus,* fidèle (v. FIANCER). || **fiable** XIIe s., repris au XXe s. || **fiabilité** 1962, *Acad. des sc.,* techn. || **défier** 1080, *Roland,* « enlever la foi ou renoncer à la foi jurée » ; 1580, Montaigne, « provoquer » ; 1538, R. Est., *se défier de ;* sur le lat. *diffidere.* || **défiance** 1130, *Eneas,* « défi » ; 1538, R. Est., sens actuel. || **défiant** milieu XVIe s. || **défi** fin XVe s. || **méfier** fin XVe s., O. de Saint-Gelais. || **méfiant** 1642, Oudin. || **méfiance** XVe s.

2. ***fier** adj. 1050, *Alexis,* « cruel, barbare », jusqu'au XVIIe s. ; 1080, *Roland,* « hautain » ; 1190, Garnier, « sauvage [animal] » ; lat. *fĕrus,* farouche, sauvage (v. FÉROCE). || **fièrement** 1080, *Roland.* || **fierté** *id. ;* d'apr. le lat. *feritas,* barbarie. || **fierot** XVIe s., rare jusqu'à d'Hautel, 1808, devenu pop. || **fier-à-bras** XIVe s., *Girart de Rousillon ;* de *Fierabras,* nom d'un géant sarrasin des chansons de geste, de *fier,* au sens de « redoutable, sauvage ».

fieux V. FILS.

***fièvre** 1190, Garnier, fig. ; XIIIe s., *Roman de Renart,* sens propre ; *fièvre quarte* 1560, Paré ; lat. *fĕbris.* || **fiévreux** 1190, Garn. (*fievros*). || **fiévrotte** 1673, Molière. || **fiévreusement** 1872, Lar. || **enfiévrer** 1588, Montaigne ; 1775, Beaumarchais, fig.

fifre 1494, J. de Paris ; moyen haut allem. *pfīfer* (allem. *Pfeifer*), joueur de fifre (*pfīfe*) ; lat. *pipare.* (V. PIPEAU.)

fifrelin 1821, G. Esnault, « chose sans valeur » ; allem. *Pfifferling,* au sens fig. « petit champignon ».

fifty-fifty 1936, G. Esnault ; angl. *fifty,* cinquante ; propr. « cinquante [pour cent], cinquante [pour cent] ».

figaro 1836, Landais ; d'un personnage du *Barbier de Séville,* de Beaumarchais (1775).

***figer** XIIe s., *Tyolet* (*fegier*) ; XIIIe s., *Apollonius* (*figer*) ; 1675, Sévigné (*figé*), fig. ; lat. pop. **fĕticare,* de *fĕticum,* foie, c.-à-d. « prendre l'aspect du foie ». || **figement** 1549, R. Est.

fignoler 1743, Trévoux ; dér. de *fin,* formation méridionale. || **fignolage** 1874, *J.O.* || **fignoleur** 1743, Vade.

figue XIIIe s., *Fabliau ;* anc. prov. *figa,* du lat. pop. *fica,* lat. class. *ficus* (v. FIC) ; il a remplacé la forme pop. *fie* (1160, Benoît) et la forme dial. *fige* (1170, *Rois*). || **figuerie** XIIIe s., *D. G.* || **figuier** 1600, O. de Serres ; il a remplacé *fier, figier* (1120, *Ps. d'Oxford*).

figure fin IXe s., *Eulalie,* « forme, aspect » ; 1170, *Rois,* « représentation » ; XIIIe s., figure de rhétorique ; milieu XVIIe s., « partie de la tête » ; lat. *figura,* forme, figure. || **figurer** XIe s., « donner une forme » ; 1265, J. de Meung, « représenter » ; lat. *figurare.* || **figuré** 1050, *Alexis,* « bien fait » ; milieu XVIe s., Amyot, *langage figuré ;* 1783, d'Alembert, *sens figuré.* || **figurant** 1740, *Acad.,* au théâtre. || **figuratif** XIIIe s., G. ; peint., *art figuratif,* XXe s. ; lat. *figurativus.* || **figuration** XIIIe s. ; lat. *figuratio ;* XVIIIe s., ensemble des figurants. || **figuriste** 1604, Feu-Ardent, théolog. ; 1788, Havard, techn. || **figurisme** 1752, Trévoux, théolog. || **défigurer** 1119, Ph. de Thaon (*des-*).

figurine 1578, Vigenère, « petite figure » ; 1625, Stoer, sens actuel ; ital. *figurina,* dimin. de *figura,* figure.

***fil** XIIe s., *Parthenopeus,* « brin » ; XIIe s., « sens » ; milieu XVIe s., « progression » et « tranchant » ; lat. *fīlum.* || **filière** 1296, G. || **filet** 1165, Marie de France, dimin., et par ext. fibre ; 1398, *Ménagier,* morceau de viande, p.-ê. parce qu'il était livré roulé et entouré de fil (l'angl. *fillet* signifie « bandelette » et « viande roulée ») ; XVIe s., filet de pêche, forme altér. de *filé* (XIIIe s., Tailliar), encore au XVIIe s., « fait de fils » ou « objet filé ». || **fileter** XIIIe s., G. || **filetage** 1865, L. || **filer** 1160, Benoît, « couler » ; XIIIe s., L., textile ; divers sens fig. en fr., notamment dérouler, se dérouler, d'où, au XVIe s., *filer,* en parlant d'un navire, puis d'une troupe ; 1754, Esnault, « se sauver », fam. ; et tr., 1815, Esnault, filer quelqu'un ; bas lat. *filare.* || **file** XVe s., J. Chartier ; déverbal de *filer,* spécialisé au fig. ; *à la file* 1580, Montaigne. || **filable** milieu XVIIe s. || **fil-à-fil** 1930, Lar. || **filant** 1835, *Acad.,* « qui coule ». || **filé** n. m. 1265, J. de Meung || **filiforme** 1762, Brunot. || **filin** 1611, Cotgrave. || **filage** XIIIe s., G. || **filerie** 1376, G.

|| **filature** 1724, *Ordonn.*, usine ; 1829, *Mém. d'un forban,* action de filer quelqu'un. || **filateur** 1823, Boiste. || **fileur** 1268, É. Boileau. || **fileux** 1678, Guillet, var. pop. spécialisée dans la mar. || **filure** 1398, G. || **affiler** XIIe s., *D. G.,* « affûter » d'apr. le *fil* d'un couteau ; lat. pop. **affilare,* de *filum,* tranchant. || **affilée (d')** v. 1850 ; du part. passé de *affiler,* ranger (XIVe s.), dér. de *file.* || **bifilaire** 1888, Lar. || **contre-fil** 1540, Rab. || **défiler** 1268, É. Boileau, enlever fil à fil ; XIVe s., Delb., désenfiler ; *se défiler* 1860, Esnault, « s'esquiver ». || **défilage** 1784, *Encycl. méth.* || **défilement** 1785, *Encycl. méth. ;* cinéma 1921, Brizon. || **défiler** 1648, d'Ablanc, « aller à la file ». || **défilé** 1643, Rotrou, où l'on ne peut passer qu'à la file ; XVIIIe s., défilé de troupes ; d'apr. *défiler.* || **défilade** 1863, L. || **désenfiler** 1694, *Acad.* || **effiler** début XVIe s. || **effilement** fin XIXe s. || **effilage** 1845, Besch. || **enfiler** 1240, G. de Lorris, « passer un fil » ; fin XVIe s., d'Aubigné, « s'engager dans un lieu ». || **enfilement** 1577, Jamyn. || **enfilage** v. 1950. || **enfilade** 1611, Cotgrave. || **entrefilet** 1843, Balzac, typogr., « article entre deux filets métalliques », abrégé en *filet.* (V. aussi FILAMENT, FILANDIER, FILASSE, MORFIL.)

filadière 1527, *Archives de la Gironde* (*fell-*) ; mot du S.-O., de *filat,* filet. Il désigne un bateau plat et allongé.

filaire 1809, Lamarck, « ver intestinal » ; lat. zool. *filaria,* tiré par K.-O. Müller du lat. *filum,* fil. || **filariose** fin XIXe s.

filament 1538, R. Est. ; bas lat. *filamentum,* de *filum,* fil. || **filamenteux** fin XVIe s.

filandier, -ière XIIIe s. (*-drier* ou *-dier*) ; de *filer,* par l'intermédiaire de **filande,* bas lat. *filanda,* ce qui doit être filé ; altéré avec spécialisation de sens en *filandre* (1360, *Modus*). || **filandreux** début XVIIe s., d'abord désignant le marbre veiné. || **filandreusement** début XXe s.

filanzane fin XIXe s. ; mot d'un parler malgache, « chaise légère à deux barres, soutenue par quatre porteurs ».

filardeau 1392, Du Cange, « jeune brochet » ; dér. de *fil,* les alevins étant comparés à des fils.

filaret 1622, Hobier, « balustrade d'une galère » ; ital. *filaretto,* de *filo,* fil.

filasse 1130, *Eneas* (*-ace*) ; 1563, La Boétie (*filasse*) ; lat. pop. **filacea,* de *filum,* fil. || **filassier** 1390, *Ordonn.*

filateur, filature, file, filer, filet, filial V. FIL, FILS.

filicine 1842, *Acad. ;* lat. *filix, -icis,* fougère ; extrait acide des fougères mâles. || **filicule** 1752, Trévoux.

filière V. FIL

filigrane 1664, Gay, « ouvrage d'orfèvrerie » ; 1837, Balzac, marque sur le papier ; ital. *filigrana,* fil à grains. || **filigraner** 1845, Besch., travailler l'or, l'argent ou le verre en filets déliés et soudés.

filin V. FIL.

filipendule XVe s., *Grant Herbier ;* lat. médiév. *filipendula ;* de *filum,* fil, et *pendulus,* qui pend.

fille, filleul V. FILS.

filler 1930, Lar. ; mot angl., de *to fill,* remplir.

film 1889, Balagny ; mot angl. signif. « pellicule » en photographie, puis en cinéma, d'où, fin XIXe s., sens actuel. || **filmer** 1908, *Ciné-Journal.* || **filmage** 1912, Giraud. || **filmologie** 1948, Lar. || **filmographie** v. 1950. || **filmothèque** 1911, Giraud. || **filmique** 1936, *Ciné-amateur.*

filon 1566, Du Pinet ; 1791, Mirabeau, fig. ; ital. *filone,* augmentatif de *filo,* fil.

filoselle 1369, *Mandement de Charles V* (*filoisel*) ; 1564, Delb. (*filoselle*), bourre de soie, par ext. tissu ; ital. dial. *filosello,* cocon, du lat. **follicellus,* petit sac, avec attraction de *filo,* fil.

filou milieu XIVe s., Digulleville ; forme de l'Ouest, de *fileur* (cf. *fileur de laine,* filou, Ph. Le Roux). [V. VOYOU.] || **filouter** 1656, Pascal. || **filoutage** 1679, Retz. || **filouterie** 1644, d'Ouville.

***fils** 1080, *Roland ;* lat. *filius* (prononcé *fi* jusqu'au XVIIIe s., puis *fis,* d'apr. la graphie qui avait gardé le *s* du cas sujet pour éviter une confusion avec *fil*). || **fieu** forme picarde de *fils,* employée parfois hors de ce domaine dial. || **filial** début XIVe s. ; lat. *filialis.* || **filiale** 1877, L. || **filialement** 1460, Chastellain. || **filiation** XIIIe s., *Cout. d'Artois ;* lat. *filiatio.* || **fille** 1050, *Alexis ;* lat. *filia,* fém. de *filius.* || **fifille** 1833, Balzac. || **fille-mère** 1848, Tampuci. || **fillette** fin XIIe s., *Loherains.* || ***filleul** XIIe s., *Naissance du chevalier au cygne* (*filluel*) ; XIIIe s. (*filleul*) ; lat. *filĭŏlus,* dimin. de *filius,* spécialisé par le christianisme. || **fiston** 1570, Du Fail. || **affilier** XIVe s., G. ; lat. jurid. *affiliare,* prendre pour fils, pour adepte. || **affiliation** 1560, Pasquier ; lat. *affiliatio.* || **affilié** n., XIVe s., Bonnet.

filtre (*à liquide*) 1560, Paré ; lat. médiév. des alchimistes *filtrum,* même orig. francique que *feutre.* || **filtrer** 1560, Paré, sens propre ; début XXe s., fig. || **filtrant** 1752, Barbier. || **filtrat** 1907, Lar. || **filtration** 1578, Chauvelot. || **filtrage** 1843, *Le Charivari.* || **filtrée** n. f., 1868, Goncourt. || **infiltrer (s')** 1503, Chauliac ; 1931, Mac Orlan, fig. || **infiltration** *id.* (V. aussi PHILTRE.)

filure V. FIL.

1. ***fin** n. m., 1050, *Alexis ;* lat. *finis,* terme. || **final** XIIe s. ; bas lat. *finalis.* || **finale** 1732, Trévoux, « dernière syllabe » ; début XXe s., sports. || **finalisme** XXe s., sports ; 1922, Valéry, phil. || **finaliste** 1802, Cabanis. || **finalité** 1819, Gosse. || ***finir** 1080, *Roland* (*fenir* par dissimilation vocalique) ; puis *finir* (XIIIe s.) refait sur *fin ;* lat. *finire.* || **finissant** 1848, Chateaubriand. || **finisseur** XIIIe s., G. ; 1756, *Encycl.,* techn. || **finissage** 1786, Berthoud. || **finition** fin XIVe s., « définition » ; av. 1850, Balzac, sens actuel. || **afin de, que** XIVe s. (*à fin*). || **enfin** 1130, *Eneas,* « à la fin ».

2. ***fin** adj., 1080, *Roland ;* 1273, Adenet, « délicat » ; emploi adj. du lat. *finis,* terme, au sens de « qui est au point extrême », d'où « accompli ». || **fine** n. f., 1872, Lar., eau-de-vie fine. || **finement** 1190, Couci. || **finesse** début XIVe s. || **finasser** 1680, Richelet ; a remplacé *finesser,* de *finesse* (*Acad.,* 1694). || **finasserie** 1718, *Acad.* || **finassier** *id.* || **finasseur** milieu XVIIIe s. || **finaud** 1762, *Acad.* || **finauderie** 1850, Balzac. || **finet** XVe s., G. || **finette** 1519, G. || **fine-de-claire** 1872, Lar. || **fines** 1865, L., houille en morceaux. || **affiner** fin XIIIe s., Rutebeuf. || **affinement** 1547, Budé. || **affinage** 1390, *Ordonn.* || **affinerie** 1552, *D. G.* || **affineur** XIVe s., *Traité d'alchimie.* || **raffiner** 1519, G., sens propre ; 1613, Régnier, fig. || **raffiné** 1642, La Mothe Le Vayer, « très délicat ». || **raffinage** 1611, Cotgrave ; 1875, Lar, techn. || **raffinement** 1600, O. de Serres. || **raffineur** *id.* || **raffinerie** 1666, La Barre. || **superfin** 1688, Miege. || **surfin** 1834, Mme Celnart. (V. FIGNOLER.)

finance 1283, Beaumanoir, « paiement, rançon » ; 1678, La Fontaine, « profession de financier » ; pl. 1690, Furetière, « fisc » ; 1832, Raymond, « deniers publics » ; de l'anc. fr. *finer,* payer (XIIe s.), « mener à fin un paiement ». || **financier** 1420, A. Chartier, n. m. ; adj. 1752, Trévoux. || **financièrement** 1865, L. || **financer** XVe s. || **autofinancement** 1955, Lar. || **autofinancer** *id.*

finasser, finir V. FIN 2, FIN 1.

finish 1904, *Sport Univ. ;* mot angl. signif. « fini », de *to finish,* finir.

fiocchi 1774, Voltaire (*cardinal in fiocchi*) ; mot ital., de *fioccho,* gland.

fiole 1180, *Alexandre ;* lat. médiév. *phiola,* lat. *phiala,* du gr. *phialê,* vase.

fion 1744, Vadé (*donner le fion, coup de fion*), « dernière façon » ; p.-ê. de *fignoler.*

fiord, fjord 1829, Brongniart ; norvégien *fjord.*

fioriture v. 1825, Stendhal, mus., « ornements ajoutés à la mélodie » ; 1830, Balzac, fig. ; ital. *fioritura,* de *fiorito,* fleuri.

firmament 1120, *Ps. de Cambridge ;* lat. *firmamentum,* appui, de *firmare,* rendre solide, au sens métaphorique de la Vulgate.

firman 1663, Thévenot ; turc *fermān,* ordre, empr. au persan.

firme 1877, L. ; allem. *Firma,* de l'ital. *firma,* convention, même orig. que le français *ferme,* n. f.

fisc 1278, *Archives* (*fisque*) jusqu'au XVIIe s. ; fin XVe s. (*fisc*) ; lat. *fiscus,* cassette, puis au sens fig. « trésor public » ; même évolution sémantique que *caisse.* || **fiscal** XIIIe s., rare avant le XVIIe s. ; lat. *fiscalis.* || **fiscalement** 1791, *Moniteur universel.* || **fiscalité** 1750, d'Argenson. || **fiscaliser** 1956, Lar. || **fiscaliste** 1950.

fissi-, lat. *fissus,* fendu. || **fissifolié** 1872, L. || **fissipare** XIXe s. (lat. *parere,* enfanter). || **fissipède** 1744, Buffon.

fissile XVIe s., Huguet ; repris au XIXe s. (1842, Mozin) ; lat *fissilis,* de *fissus,* part. passé de *findere,* fendre. || **fissilité** 1865, L. || **fission** 1948, Lar., phys. ; par l'angl. || **fissible** XXe s. ; sur *fission.*

fissure 1314, Mondeville ; fig. 1770, Rousseau ; lat. *fissura,* fente. || **fissurer** XVIe s. ; attesté au XVIIe s. ; repris au XXe s. || **fissuration** 1842, *Acad.*

fiston V. FILS.

fistule 1314, Mondeville ; lat. *fistula,* au sens méd., proprement « tuyau, tube ». || **fistulaire** XIVe s., Brun de Long Borc ; bas lat. *fistularius.* || **fistuleux** 1490, Chauliac ; lat. *fistulosus.* || **fistuline** 1808, Boiste, champignon en forme de langue de bœuf. || **fistulisation** v. 1950.

five o'clock 1885, *Figaro ;* loc. angl., abrév. de *five o'clock tea,* thé de cinq heures.

fixe 1265, J. de Meung (*fix*) ; XVIe s., Palissy (*fixe*), « invariable » ; XVIIe s., « qui reste au même point » ; 1690, Furetière, « réglé d'avance » ; lat. *fixus,* part. passé de *figere,* attacher. || **fixer** 1340, Varin, « taxer » ; 1580, Montaigne, *fixer son attention ;* 1669, Bossuet, « établir » ; 1718, Massillon, « regarder ». || **fixable** 1872, Lar. || **fixement** début XVIe s. || **fixation** XVe s., G. || **fixage** milieu XIXe s. || **fixatif** 1803, Boiste. || **fixateur** 1824, Boiste. || **fixisme** fin XIXe s. || **fixiste** 1877, L. || **fixité** début XVIIe s. || **fixe-chaussette** début XXe s.

fjeld 1878, Lar. ; mot norvégien.

fla 1845, Besch., coup de baguette de tambour ; onomatopée.

flabellé 1611, Cotgrave ; lat. *flabellum,* éventail, de *flare,* souffler. || **flabellation** 1560, Paré. || **flabelle** XVIe s., G. || **flabelliforme** 1813, Lamarck.

flac XVIe s., La Curne ; onom., var. de *flic.*

flaccidité 1611, Cotgrave ; lat. *flaccidus,* flasque, pour servir de subst. dér. à *flasque.*

***flache** adj., 1180, *Horn* (*flac*), « mou » ; n. f., XIVe s., *Miracles de Nostre-Dame,* partie molle, affaissée, par ext. fente ; lat. *flaccus, flacca,* flasque. || **flacher** 1497, G. || **flacherie** 1877, L. || **flacheux** 1690, Furetière, techn.

***flacon** 1314, Mondeville ; bas lat. *flasco* (VIe s., Grégoire de Tours), *-onis ;* du germ. *flaska,* (angl. *flask,* allem. *Flasche,* ital. *fiasco*). || **flaconnage** 1930, Lar. || **flaconnier** 1907, Lar.

fla-fla 1847, Balzac, fig., ostentation, d'abord terme d'atelier ; de l'onom. *fla* (1845, Besch.), coup de baguette ; enregistré dans Delvau, 1867.

flagada 1910, Esnault ; de *flaquer,* foirer, onomat. *flac.*

flagelle fin XIXe s. ; lat. *flagellum,* fouet. || **flagellé** 1878, Lar.

flageller 980, *Passion ;* lat. *flagellare,* de *flagellum,* fouet (v. FLÉAU). || **flagellant** 1872, Lar., adj. ; n. m. 1694, Corn., relig. || **flagellation** 1382, de Maizières, rare jusqu'au XVIIe s. ; lat. chrét. *flagellatio* (IIIe s., Tertullien). || **flagellateur** 1587, La Noue. || **flagellement** 1889, Barbey d'Aurevilly.

1. **flageolet** flûte, 1234, Colin Muset ; dimin. de l'anc. fr. *flageol* (XIIe s., *Raoul de Cambrai*), du lat. pop. **flabeolum,* de *flabrum,* souffle (rac. *flare,* souffler). || **flageoler** 1752, Rousseau ; formation ironique d'apr. la métaphore « jambe grêle » (cf. FLÛTE 1, fam. en ce sens). || **flageolant** fin XIXe s., A. Daudet.

2. **flageolet** haricot, début XIXe s. ; altér., par infl. de *flageolet* 1 (les haricots, flatueux, sont appelés aussi, pop., *musiciens*), d'un dimin. du picard *fageole* (1726, Luillier), de l'ital. *fagiuolo,* haricot, lui-même du lat. pop. **fabeolus,* croisement entre *faba,* fève, et *phaseolus,* mot gr. (v. FASÉOLE, FAYOT).

flagorner 1464, *Pathelin,* « parler à l'oreille » ; orig. obscure, p.-ê. de *flatter* et de *corner.* || **flagornerie** 1582, Bretin. || **flagorneur** XVe s., M. Le Franc.

flagrant 1413, *D. G. ;* lat. *flagrans,* brûlant, au sens fig. jurid. (*flagranti crimine,* en flagrant délit, *Code Justinien*) ; *flagrant délit,* fin XVe s. || **flagrance** 1611, Cotgrave.

***flairer** XIIe s., G., « exhaler » et « sentir une odeur » ; lat. *fragrare,* sentir bon. || **flair** 1175, Chr. de Troyes, « odeur » ; milieu XVIe s., Ronsard, « odorat du chien » ; 1872, Gautier, fig. ; déverbal. || **flaireur** 1539, R. Est.

flamand 1080, *Roland ;* germ. *flaming.* || **flamingant** milieu XVIIIe s.

flamant 1534, Rab. ; prov. *flamenc,* du lat. *flamma,* flamme, d'apr. la couleur du plumage de l'oiseau.

***flambe** 1080, *Roland,* « flamme », auj. techn. ou dial. (Ouest) ; forme dissimilée de l'anc. fr. *flamble* (XIIe s.), du lat. *flammula,* dimin. de *flamma,* flamme. || **flamber** 1160, Benoît, rare avant le XVIe s. (Ronsard), qui a remplacé l'anc. fr. *flammer* (1160, Benoît) ; lat. *flammare ;* 1878, Esnault, « jouer gros jeu ». || **flambant** 1170, *Rois ;* 1841, *les Français peints par eux-mêmes,* fig. || **flambage** 1771, Schmidlin. || **flambard** 1285, G., « charbon à demi consumé » ; fig. 1852, Esnault, *faire le flambard.* || **flambeau** 1398, *Ménagier,* « torche » ; fin XVIe s., d'Aubigné, « chandelier ». || **flambée** début XIVe s. || **flambeur** 1885, Esnault, « joueur ». || **flamboyer** 1080, *Roland* (*-eier*). || **flamboiement** début XVIe s., puis 1842, E. Sue.

flamberge 1598, Bouchet ; nom de l'épée de Renaud de Montauban, héros de chansons de geste (d'abord *Froberge, Floberge,* nom de personne germ.) ; altér. par infl. de *flamme.*

flamboyer V. FLAMBE.

flamenco fin XIXe s. ; mot esp. signif. « tzigane », « flamand ».

flamiche fin XIIIe s., Rutebeuf, « tarte cuite à petit feu » ; mot de même rac. que *flamme* (*galette à la flamme*).

flamine 1372, Golein ; lat. *flamen, -inis,* d'origine obscure.

1. ***flamme** Xe s., *Saint Léger* (*flamma*) ; XIIe s. (*flamme*) ; 1460, Villon, « passion amoureuse » ; lat. *flamma.* || **flammé** 1808, Boiste. || **flammerole** XVe s., *Perceforest.* || **flammette** 1372, Corbichon, « petite flamme », auj. techn. || **enflammer** XIe s., « mettre en flammes » ; 1130, *Eneas,* « rendre ardent », fig. ; 1690, Furetière, méd. ; lat. *inflammare.* || **inflammable** fin XIVe s., formation savante. || **ininflammable** 1622, Fr. de Sales. || **inflammation** 1355, Bersuire, « irritation », fig. ; XVe s., méd. ; 1525, J. Lemaire, « incendie ». || **inflammatoire** 1560, Paré.

2. ***flamme** fin XIe s., *Gloses de Raschi* (*flemie*) ; fin XIIe s., *Grégoire* (*flieme*), « lancette de vétérinaire », altéré ensuite (1680, Richelet) sous l'infl. de *flamme ;* lat. pop. **flĕtomus,* de *phlebotomus,* du gr. *temnein,* couper, et *phleps,* veine (v. PHLÉBITE). || **flammette** 1314, Mondeville, « petite lancette ».

flammèche 1120, *Job* (*flammasche*) ; XIIe s., Tobler-Lommatzsch (*flammesche*) ; croisement entre le francique **falawiska,* étincelle, et le lat. *flamma,* flamme.

flan fin XIe s., *Gloses de Raschi* (*fladon*) ; XIIe s., Raimbert de Paris (*flaon*) ; XIVe s. (*flan*), terme de monnayage ; fin XIIe s., *Chevalerie Ogier* (*flaon*) ; 1490, *Recueil de farces* (*flan*), « gâteau » ; francique **flado* (allem. *Fladen*). || **flanier** 1788, *Encycl. méth.*

flanc 1080, *Roland,* anat. ; 1559, Amyot, « partie latérale » ; francique **hlanka,* hanche (anc. haut allem. *flancha*), qui avait donné *flanche* (fin XIe s., *Gloses de Raschi*). || **flanchet** 1376, Du Cange. || **flanchis** blas., 1732, Trévoux. || **bat-flanc** 1888, Lar. || **flanc-garde** 1888, Lar. || **flanquer** 1555, Ronsard, « garnir sur le flanc » ; 1564, Thierry, « protéger » ; 1665, Boileau, « être placé de part et d'autre » ; 1634, *Cabinet satyrique,* « donner des baisers » ; 1680, Richelet, « battre » ; 1808, d'Hautel, « jeter violemment sur ». || **flanquis** 1672, Menestrier ; réfection de *flanchis.* || **flanqueur** 1770, Hassenfratz, milit. || **flanquement** 1794, d'Arçon, fortif. || **efflanqué** 1573, Belleau ; réfection, d'apr. *flanquer,* de *efflanché* (1387, G. Phébus). || **tire-au-flanc** 1887, Esnault.

flancher 1835, Raspail ; anc. fr. *flanchir,* détourner, du francique **hlankjan,* ployer. (V. FLANC.) || **flanchage** 1942, Gide. || **flanchard** 1896, Delesalle.

flandrin 1470, *D. G.,* « fluet » ; 1525, J. Lemaire, « de Flandre » ; 1665, Molière, sens actuel ; mot signif. « flamand », de *Flandre,* parce que les Flamands seraient grands et mous.

flanelle 1656, Bonnafé (*flanel*) ; 1694, Ménage (*flanelle*) ; angl. *flannel,* du gallois *gwlanen,* de *gwlân,* laine.

flâner 1645, *Muse normande ;* mot normand sans doute plus ancien, vulgarisé au XIXe s. (1808, d'Hautel) ; scand. *flana,* aller çà et là. || **flâne** 1856, Goncourt ; déverbal. || **flânerie** début XVIIe s., rare jusqu'au XIXe s. || **flâneur** fin XVIe s., texte normand. || **flânocher** 1856, Furpille.

flanquer V. FLANC.

flapi fin XIXe s., « abattu, déprimé », mot lyonnais ; de *flapir,* amollir, abattre (XVe s.), de *flap,* mou, lat. pop. **falappa, faluppa,* balle de blé.

flaque XIVe s., Boutillier (*flasque*) ; 1564, Thierry (*flaque*) ; mot du Nord, du moyen néerl. *vlacke,* étang maritime ; ou du picard *flache,* mou, creux, d'où « creux dans un chemin » et « mare ».

flash 1918, *le Film ;* mot angl. signif. « éclair » ; origine onomat. || **flash-back** v. 1950 ; angl. *back,* en retour.

1. **flasque** adj., 1421, Lannoy, « dépourvu de consistance » ; milieu XVIe s., « mou » ; altér. de *flaque* (encore 1611, Cotgrave), forme picarde de *flache* (v. ce mot) ; le *s* peut être dû à l'infl. du suivant.

2. **flasque** fin XIIe s., *Chevalerie Ogier,* flacon ; 1535, G., poire à poudre, puis bouteille à mercure ; germ. *flaska* ou par le catalan *fiasca,* gourde. (V. FLACON.)

3. **flasque** n. m. et f., 1445, G., « montant d'affût » ; néerl. *vlacke,* plat, plan (allem. *flach*), ou var. de *flache,* surface dénudée, lat. *flaccus.*

flatter 1175, Chr. de Troyes, « faire un éloge exagéré » ; 1354, *Modus,* « caresser avec la main » ; *se flatter de* 1661, Molière ; francique *flat,* plat, c.-à-d. « mettre à plat » ou « toucher avec le plat de la main ». || **flatterie** 1265, Br. Latini. || **flatteur** 1220, Coincy. (V. FLÉTRIR 2.)

flatueux 1538, Canappe ; lat. *flatus,* vent, de *flare,* souffler. || **flatuosité** 1552, Massé. || **flatulent** 1560, Paré. || **flatulence** 1747, James.

flave 1539, Canappe, « blond » ; lat. *flavus,* jaune, blond. || **flavescent** 1530, Rab. ; lat. *flavescens,* part. prés. de *flavescere,* devenir jaune. || **flavescence** XXe s.

***fléau** fin Xe s., *Saint Léger* (*flaiel*) ; XIIe s. (*flael*) ; XIIIe s. (*fléau*) ; lat. *flagellum,* fouet, spécialisé pour le fléau articulé (IXe s., saint Jérôme) ; au fig. d'apr. la métaphore du lat. eccl. *flagellum Domini,* châtiment envoyé par Dieu (trad. de la Bible).

1. **flèche** arme, fin XIe s., *Gloses de Raschi,* arme ; XVIe s., objet en forme de flèche ; XVIIe s., techn. ; 1701, Furetière, « trait d'esprit » ; francique **fliukka* (moyen néerl. *vliecke*), signif. « celle qui vole », de même rac. que l'allem. *fliegen,* voler. || **flécher** 1589, Baïf ; techn. XXe s. || **fléchage** 1962, Lar. || **fléchette** 1922, Lar. || **biflèche** 1959, Lar.

2. **flèche** 1193, Hélinant (*fliche*) ; 1549, R. Est. (*flèche*), « pièce de lard » ; moyen néerl. *vlecke,* altér., sous l'infl. du précédent, du scand. *flikki.*

***fléchir** XIIIe s., *Roman de Renart ;* var. probable de l'anc. fr. *flechier* (1160, Benoît), de même sens, du lat. pop. **flecticare,* fréquentatif de *flectere,* ployer, fléchir. || **fléchissement** 1314, Mondeville. || **fléchisseur** 1586, Guillemeau. || **infléchir** 1738, de Mairan (*infléchi*). || **inflexion** 1380, Conty ; lat. *inflexio.* || **inflexible** 1314, Mondeville ; lat. *inflexibilis.* || **inflexiblement** fin XVe s., G. || **inflexibilité** 1611, Delb.

flegme 1265, Br. Latini (*fleume*) ; XIIIe s., *Médicinaire liégois* (*flegme*) ; 1651, Scarron, « sang-froid » ; lat. méd. *phlegma,* humeur, pituite, du gr. *phlegma,* « inflammation » (v. PHLEGMON). || **flegmatique** fin XIIe s., Guiot de Provins (*fleumatique*) ; 1534, Rab. (*flegmatique*), méd. ; 1669, Boileau, fig. ; lat. *phlegmaticus,* du gr. *phlegmatikos.*

flemme 1821, Desgranges, « lenteur » ; ital. *flemma,* du lat. *phlegma,* f. au sens de « paresse ». || **flemmard** 1883, Boutmy. || **flemmarder** 1894, Sachs-Villatte. || **flemmardise** v. 1950.

fléole 1786, *Encycl.,* graminée ; lat. sc. *phleum,* du gr. *phleôs,* roseau.

flet XIIIe s., G., sorte de plie ; moyen néerl. *vlete,* espèce de raie. || **flétan** 1554, Rondelet, poisson plat ; d'un dér. néerl. **vleting.*

1. **flétrir** (en parlant d'une plante) 1265, J. de Meung (*flestrir*) ; anc. fr. *flaistre* (1155, Wace), flasque, flétri, du lat. *flaccidus,* flasque, de *flaccus* (v. FLACHE 1, FLASQUE 1). || **flétrissure** XVe s., *D. G.*

2. **flétrir** 1175, Chr. de Troyes (*flatir*), « marquer au fer rouge » ; XIIIe s., *Assises de Jérusalem* (*flastrir*), « marquer d'ignominie » ; altération, d'apr. le précédent, du francique **flatjan,* lancer, pousser, de *flat,* plat (v. FLATTER). || **flétrissure** 1611, Cotgrave.

flette 1311, G. ; anc. angl. *flete,* bateau (angl. *fleet,* flotte).

***fleur** 1080, *Roland* (*flur*) ; *à fleur de* 1354, *Modus ;* lat. *flos, floris* (masc.) || **fleurée** 1408, G., qualité d'indigo. || **fleurage** XVIe s., Delb., « ensemble de fleurs » ; XVIIIe s., sens techn. || **fleurette** 1119, Ph. de Thaon, « petite fleur » ; 1643, Saint-Amant, « propos galant ». || **fleureter** XIIIe s., *Doon de Mayence,* « orner de fleurettes » ; fin XIXe s., « conter fleurette ». || **fleuriste** 1680, Richelet, « amateur de fleurs », ensuite divers sens techn. || **fleur de lis** XIIe s., Gay, emblême royal. || **fleurdeliser** 1542, Delb., de *fleur de lis.* || **fleuret** 1563, G., dimin. de *fleur,* spécialisé en divers sens techn. (proprement « fleur de laine ») ; 1580, Montaigne (*floret*), épée terminée par un bouton comparé à un bouton de fleur ; adaptation de l'ital. *fioretto.* || **fleurir** 1080, *Roland* (*florir*) ; lat. *florire,* d'apr. *fleur.* || **fleurissant** 1539, R. Est. || **fleuron** 1302, Delb. (*floron*) ; p.-ê. d'apr. l'ital. *fiorone,* de *fiore,* fleur. || **fleuronner** 1460, Chastellain. || **affleurer** 1397, Delb., « être, mettre à fleur ». || **affleurement** 1593, de Lurbe. || **affleurage** 1762, *Encycl.* || **défleurir** XIVe s., Jubinal. || **effleurer** 1220, Coincy (*esfloré*), « qui a perdu sa fraîcheur » ; 1549, R. Est., « ôter les fleurs » ; par ext. « enlever la fleur, le dessus » ; 1595, Montaigne, « toucher à la surface » ; 1611, Cotgrave « toucher légèrement » et « examiner superficiellement ». || **refleurir** 1120, *Ps. d'Oxford.* || **flore** 1777, Lamarck, *Flore française ;* lat. *Flora,* déesse des fleurs, de *flos, floris.* || **floral** 1546, Martin (jeux Floraux de Toulouse, fondés en 1323), d'apr. le prov. ; milieu XVIIIe s., bot. ; lat. *floralis.* || **floralies** 1819, Cornelissen, fête horticole. || **floraison** 1731, de Brémond ; réfection de *fleuraison* (1600, Malherbe) ou *fleurison* (1704, Trévoux). || **florès** 1638, Richelieu ; *faire florès,* « faire une manifestation éclatante » ; XVIIe s., La Curne, « obtenir des succès » ; latinisation du provençal *faire flori,* être prospère, lat.

floridus, fleuri. || **floréal** 1793, huitième mois du calendrier révolutionnaire créé par Fabre d'Églantine ; du lat. *florus,* fleuri. || **floricole** 1842, *Acad.* || **floriculture** 1856. || **floridés** 1827, *Acad.* (*-ridées*). || **florifère** 1783, Bergeret. || **florilège** 1697, A. Galand ; lat. mod. *florilegium,* fait sur le modèle *spicilegium,* glanage (v. SPICILÈGE). || **florule** 1842, *Acad.* || **déflorer** XIIIe s., *D. G.* (*desflourer*) ; 1437, Ch. d'Orléans (*déflorer*) ; 1530, Marot, fig. ; lat. *deflorare,* ôter la fleur. || **défloration** 1355, Bersuire ; lat. *defloratio.* || **défloraison** 1863, L. || **efflorescence** 1560, Paré ; lat. *efflorescens,* part. prés. de *efflorescere,* fleurir. || **efflorescent** 1755, *Encycl.* || **inflorescence** 1789, Lamarck ; bas lat. *inflorescere,* commencer à fleurir.

fleurer XIVe s., *Livre de la Passion,* « exhaler une odeur » ; anc. fr. *flaor,* odeur, du lat. pop. **flator,* de *flare,* souffler.

fleuret, -eter, -iste, -on V. FLEUR.

fleurs (*blanches*) 1314, Mondeville, « menstrues » ; altér. de *flueur,* par infl. de *fleur.*

fleuve 1130, *Eneas* (*flueve*) ; empr. anc. au lat. *fluvius,* ruisseau, fleuve, de *fluere,* couler. || **fluvial** 1265, Br. Latini (*fluviel*) ; 1512, Lemaire (*fleuvial*) ; 1829, Boiste (*fluvial*) ; lat. *fluvialis.* || **fluviatile** 1559, Valgelas ; lat. *fluviatilis.*

flexible 1314, Mondeville ; 1525, J. Lemaire, fig. ; lat. *flexibilis,* de *flexus,* part. passé de *flectere,* fléchir. || **flexibilité** fin XIVe s. ; 1580, Montaigne, fig. || **flexion** XVe s., « fléchissement » ; 1804, Humboldt, gramm. ; lat. *flexio.* || **flexionnel** 1877, L. || **flexueux** 1549, Tagault ; lat. *flexuosus* || **flexuosité** 1546, Rab. || **flexure** XXe s.

flibot 1587, Parfouru (*felibot*) ; fin XVIe s., d'Aubigné (*phlibot*), bateau plat ; adaptation du néerl. *vlieboot,* petit bâteau de charge. (V. PAQUEBOT.)

flibustier 1667, Dutertre (*fri-*) ; 1680, d'Estrées (*fli-*) ; angl. *flibutor, flisbuter* (auj. *freebooter*), altér. du néerl. *vrijbuiter,* pirate (proprement « libre-butineur »). || **flibuster** 1701, Furetière. || **flibuste** 1643, Le Hirbec (*fribuste*). || **flibusterie** 1836, *Acad.* ; fig. 1841, *les Français peints par eux-mêmes.*

flic n., 1828, Esnault, « commissaire de police » ; 1856, Esnault (*fliguc*), « agent de police » ; argot allem. *flick,* jeune garçon.

flic-flac XVIe s., Béroald de Verville ; onomatopée. || **flicflaquer** 1876, *J.O.*

flingot 1858, Esnault, arg. milit., puis pop. ; adaptation de l'allem. dial. (bavarois) *flinke, flingge* (allem. *Flinte*), avec un suffixe argotique. || **flingue** 1889, Barrère. || **flinguer** 1947, Esnault.

flinquer 1756, *Encycl. méth.,* techn. ; flamand *flinke,* coup.

flint-glass 1771, Bonnafé (*flint-glass*) ; 1774, Gomicourt (*flint*), verre de cristal ; de *flint,* silex, et *glass,* verre.

flion 1555, Belon, palourde ; mot normand, du scand. *flida,* gland ; le mot *flie,* qui a précédé *flion,* a pris régionalement le sens de « copeau ».

flip-flap 1903, Lar. ; mot angl., de *to flip,* se détendre, et *to flap,* frapper avec un clapet.

flipot 1732, Th. Corn., tringle de bois ; du surnom pop. *Phelipot,* dér. de *Philippe,* prononcé *Phelipe* (cf. *Flipote* dans *le Tartuffe*).

flirt 1879, Bonnafé ; angl. *flirt,* de *to flirt,* « jeter, remuer vivement », puis, au XVIIIe s., « faire la cour » ; d'origine onomat. ; la prononc. anglicisante a provoqué une homonymie avec *fleur* (*fleureter, conter fleurette*). || **flirter** 1855, J. Janin ; fin XIXe s., polit. || **flirtage** 1855, Bonnafé. || **flirteur** 1878, Lar.

1. ***floc** 1130, *Eneas* (pl. *flos*), « petite houppe » ; lat. *floccus,* flocon de laine. || **flocon** fin XIIIe s., *Roman de Renart.* || **floconné** 1847, Flaubert. || **floconner** 1881, Daudet. || **floconnement** 1874, Daudet. || **floconneux** fin XVIIIe s. || **floche** XVIe s. (*soie floche*), « mou », nom en anc. fr. ; forme fém. de *floc.* || **floculation** 1911, Lar. ; lat. *flocculus,* petit flocon. || **floculer** 1911, Lar.

2. **floc** 1530, Marot ; onomat.

floche adj., XVIIe s., *Chron. bordeloise,* « mou, flasque » ; n. f., 1300, G., « petite houppe » ; gascon *floche,* du lat. *fluxus,* frêle, lâche.

flonflon 1697, Gherardi ; onomatop.

flopée 1849, *Jargon,* « volée de coups » ; 1867, Delvau, « grande quantité » ; de *floper,* battre, du bas lat. *faluppa,* copeau.

floraison, floral, flore, floréal V. FLEUR.

florence 1732, Trévoux, « toile de soie » ; de *Florence,* lieu originaire de fabrication. || **florentine** 1666, Gay, satin façonné.

florès, florilège V. FLEUR.

florin 1278, *Archives* ; ital. *fiorino,* de *fiore,* fleur, monnaie d'or frappée d'abord à Florence avec des fleurs de lis, armes de la ville ; il a désigné ensuite les pièces françaises (XIVe s.), autrichiennes, hollandaises, etc. (XVIIIe s.).

florule V. FLEUR.

flosculeux 1792, Desfontaines ; lat. *flosculus,* dimin. de *flos,* fleur.

flot 1120, *Ps. de Cambridge* (*fluet*) ; 1175, Chr. de Troyes (*flot*) ; francique **flôt,* fait de monter (allem. *Flut*). [V. RENFLOUER.]

1. **flotte** 1080, *Roland,* « grande quantité » ; lat. *fluctus,* agitation, flot ; 1138, Gaimar (*flote*), ensemble des vaisseaux ; scand. *floti,* radeau, sens développé sous l'infl. de l'esp. *flota* (v. FLOTILLE).

2. **flotte** XVIe s., « inondation » ; 1886, Esnault, « pluie ». || **flotter** 1886, Esnault, pleuvoir.

flotter 1080, *Roland* (*floter*) ; v. 1200, *Bueve de Hantone,* « ondoyer » ; 1580, Montaigne, « être indécis » ; de *flot.* || **flottant** milieu XVIe s., sens propre ; 1580, Montaigne, « incertain ». || **flottage** 1446, G. (*flotaige*), « fait de dériver l'eau » ; 1611, Cotgrave (*flottage*), sens actuel. || **flottaison** *id.* || **flottement** début XIVe s., « mouvement des flots » ; 1801, Mercier, fig. || **flottabilité** 1856, Lachâtre. || **flottable** 1572, G. || **flotteur** début XVe s., « homme employé au flottage » ; 1865, L., sens moderne. || **flottation** 1930, Lar., techn. ; d'après l'angl. *flotation.*

flottille 1691, Boulan ; esp. *flotilla,* dimin. de *flota,* flotte.

flou 1180, *Alexandre* (*flo*), « fané » ; 1273, Adenet, « faible, fluet » (jusqu'au XVe s.) ; 1765, Diderot, en beaux-arts, « peu net » ; lat. *flavus,* jaune, puis « fané ».

flouer XVIe s., Huguet ; repris au XIXe s. (1827, *Cartouche*), « tricher » ; var. de *frouer,* tricher au jeu (1460, Villon), de *froer,* « casser, briser » (v. 1160, *Charroi*), lat. *fraudare.* (V. FRAUDE.) || **flouerie** 1840, Larchey. || **floueur** 1821, Ansiaume, « joueur » ; 1827, Esnault, « tricheur » ; 1841, *les Français peints par eux-mêmes,* « qui dupe ».

flouve 1786, *Encycl. méth.,* graminée ; orig. obsc., p.-ê. forme fém. de *flou.*

fluctuation 1120, *Ps. d'Oxford,* « incertitude » ; lat. *fluctuatio,* de *fluctus,* flot. || **fluctueux** XIIIe s., G. ; lat. *fluctuosus.* || **fluctuer** 1517, J. Bouchet ; lat. *fluctuare.* || **fluctuant** 1355, Bersuire, « indécis ».

fluer 1288, *Renart le Nouvel,* « couler » ; 1361, Oresme, méd. ; lat. *fluĕre,* couler. || **fluage** 1922, Lar. || **fluent** 1756, *Encycl.,* math. ; 1767, Diderot, fig. ; part. prés. *fluens, -tis,* sens spécialisé en lat. scient. par Newton (XVIIe s.). || **fluence** 1773, Voltaire. || **fluide** XIVe s., *D. G.,* adj. ; n. m. 1764, Ch. Bonnet ; lat. *fluidus.* || **fluidifier** 1832, Raymond. || **fluidique** 1872, Lar. ; lat. *fluidus.* || **fluidité** 1565, Tahureau. || **flueurs** 1552, R. Est. ; bas lat. *menstrui fluores,* menstrues, pl. de *fluor,* écoulement. (V. FLEURS.)

fluet 1493, Coquillart (*flouet,* encore chez Furetière) ; 1690, Furetière (*fluet*) ; dimin. de *flou.*

fluide V. FLUER.

fluor 1723, Savary ; *flueur* en anc. chimie (1553, Belon) ; d'abord adj., (acide) fluide, (minéral) fusible (*spath fluor*), puis n. m., 1832, Raymond, corps simple gazeux ; lat. *fluor,* écoulement, c.-à-d. corps liquide. || **fluoré** 1865, L. || **fluoration** v. 1950. || **fluorescent** 1858, Nysten. || **fluorescence** 1852, Stokes. || **fluorimétrie** 1968, Lar. || **fluorine** 1844, d'Orbigny. || **fluorographie** XXe s. || **fluorure** 1832, Raymond.

flush 1930, Lar., poker ; mot angl. signif. « riche ».

1. **flûte** XIIe s., G. (*flehute, flaüte*), « instrument de musique » ; 1669, Widerhold, « verre haut » ; 1845, Besch., « petit pain » ; 1867, Delvau, interj. ; sans doute origine onomatop. || **flûter** 1160, Benoît (*flaüter*). || **flûteau** début XIIIe s., Colin Muset (*flaütel*). || **flûteur** 1240, G. de Lorris (*fleüsteor*). || **flûtiste** 1828, Nodier ; qui a remplacé *flûteur.*

2. **flûte** 1559, Amyot (*fluste*) ; 1671, Pomey (*flûte*), bateau ; néerl. *fluit.*

fluvial V. FLEUVE.

flux 1272, Joinville (*flux dou ventre*), méd. ; 1314, Mondeville, « écoulement » ; 1362, Fréville, sens géogr. ; milieu XVIe s., Amyot, « flot de paroles » ; lat. *fluxus,* écoulement, de *fluere,* couler. || **fluxion** XIVe s., Delb., méd. ; *fluxion de poitrine* 1635, Monet ; lat. *fluxio,* écoulement, et par ext. fluxion.

fluxer XXe s., chimie ; angl. *to flux,* mettre en fusion, du français *flux.*

foc 1602, Van Noort (*foquemast*) ; 1702, Aubin (*foque*) ; néerl. *fok,* voile triangulaire du beaupré.

focal XVe s., La Curne, « de feu [lieu] », repris comme terme de sc. au XIXe s. (1823, Boiste) ; lat. *focus,* foyer. || **focaliser** v. 1950. || **focalisation** 1877, L. || **bifocal** 1951, Lar.

fœhn 1859, Hugo ; mot allem. dial., du lat. *favonius,* vent du S.-O.

foène V. FOUINE 2.

fœtus 1470, Panis ; graphie bas lat. de *fetus,* au sens d'enfant (v. FAON), spécialisé en langue méd. || **fœtal** 1813, *Encycl. méth.*

***foi** 1050, *Alexis ; ajouter foi* 1541, Calvin ; *par ma foi* XIIe s., *Roncevaux ;* lat. *fides,* croyance, confiance, spécialisé en lat. chrét. || **féal** 1160, Benoît (*feel*) ; fin XIIe s. (*féal*) ; dér. anc. de *fei* (foi) ; le subst. *féalté, féauté* (1155, Wace) a disparu.

***foie** VIIIe s., *Gloses de Reichenau* (*figido*) ; 1080, *Roland* (*firie*) ; XIIe s. (*fedie, feie*) ; XIIIe s. (*foie*) ; lat. pop. **fecatum,* altér. du lat. impér. *ficatum* (IIIe s., Apicius : foie d'oie farci de figues), adaptation du gr. [*hêpar*] *sukôton,* [foie] préparé avec des figues ; ce terme culinaire a remplacé le lat. *jecur.* || **foissier** 1772, Duhamel, tonneau où l'on met les foies de morue.

1. ***foin** XIIe s. (*fein*) ; av. 1493, Coquillart (*foin*) par fausse régression (cf. AVOINE) ; lat. *fēnum.* || **sainfoin** 1549, R. Est. (*sainct foin*) ; 1600, O. de Serres (*sainfroin*), « luzerne » ; avec fausse étym. : *sain* doit être compris « sain pour le bétail ». (V. FANER, FENIL.)

2. **foin** interj., 1579, Larivey ; p.-ê. de *bailler foin en corne,* duper ; proprem. « mettre du foin aux cornes des taureaux » pour indiquer qu'ils sont dangereux.

1. ***foire** 1130, *Eneas* (*feire*), « marché » ; XIIIe s., La Curne (*foire*) ; bas lat. *fēria,* jour de fête (IIIe s., Tertullien) ; lat. pl. *feriae* (v. FÉRIE), les foires étant placées jadis les jours de fête. || **foirail** 1874, *Gazette des trib.,* à propos d'un foirail du Puy-de-Dôme ; mot berrichon.

2. ***foire** 1160, Benoît (*feire*) ; XIIIe s., *Roman de Renart* (*foire*), « diarrhée » ; lat. *foria.* || **foireux** 1216, R. de Clari. || **foirer** fin XVIe s., d'Aubigné, « avoir la diarrhée », « faire long feu » ; 1907, Lar., pour une vis. || **foirole** 1548, R. Est.

***fois** 1050, *Alexis* (*feiz*) ; 1175, Chr. de Troyes (*fois*) ; *à la fois,* 1530, Palsgrave ; lat. *vĭces* (pl.), vicissitudes, changements ; le *f* s'explique mal (encore *vice* dans les *Gloses de Reichenau*). || **autrefois** 1160, Benoît (*-feiz*). || **parfois** 1270, Mahieu le Vilain. || **quelquefois** av. 1525, J. Lemaire. || **toutefois** 1280, Studer (*toutes foies*) ; 1559, Amyot (*toutefois*).

***foison** fin XIe s., *Gloses de Raschi ; à foison* XIIIe s. ; lat. *fūsio, -ionis,* action de répandre, refait en **fŭsio,* d'apr. le verbe *fŭndere ;* il avait pris des sens fig. en bas lat. (versement d'argent, *Digeste,* etc.). || **foisonner** 1155, Wace. || **foisonnant** 1553, Rab. || **foisonnement** 1554, Thevet.

foissier V. FOIE.

fol, folâtre, folichon, folie V. FOU 1.

foliaire 1778, Lamarck ; lat. *folium,* feuille. || **foliation** 1757, *Encycl. méth.* || **foliacé** 1751, *Encycl. ;* lat. *foliaceus.* || **folié** 1713, Geoffroy ; lat. *foliatus.* || **foliole** 1757, *Encycl. ;* lat. *foliolum,* petite feuille. || **foliolé** 1865, L.

folio 1609, L'Estoile ; de *in-folio.* || **folioter** 1832, Raymond. || **foliotage** 1845, Besch. || **foliotation** XXe s. || **in-folio** 1602, Peiresc ; mots lat. signif. « en feuille », du lat. *folium.* || **interfolier** 1812, Mozin.

foliot 1360, Froissart, « levier de serrure » ; anc. fr. *folier* (1120, *Ps. d'Oxford*), « faire le fou » (de *fol,* fou) et par ext. « aller de côté et d'autre ». Il a désigné le balancier des premières horloges.

folklore 1877, *Rev. crit. ;* angl. *folk-lore,* science du peuple, créé en 1846 par Thoms. || **folklorique** 1894, Sachs-Villatte. || **folkloriste** 1885, Bonnafé.

follet V. FOU 1.

folliculaire 1759, Voltaire ; lat. *folliculum,* petit sac, pris à tort pour un dér. de *folium,* feuille ; dimin. de *follis,* sac.

follicule début XVIe s., capsule, bot. ; 1560, Paré, anat. ; lat. *folliculus,* petit sac ; de *follis,* poche. || **folliculeux** 1865, L. || **folliculine** 1827, *Acad.,* zool. || **folliculite** 1836, Landais.

fomenter 1220, Coincy, méd., « appliquer une compresse chaude » ; 1580, Montaigne, « exciter » ; lat. méd. *fomentare,* de *fomentum,* cataplasme, de *fovere,* chauffer. || **fomentation** XIIIe s., méd. ; 1636, Monet, action d'exciter ; lat. *fomentatio.* || **fomentateur** 1613, Huguet.

foncer 1389, G., « garnir d'un fond de pâte » ; 1680, Richelet, « charger à fond » ; 1798, *Acad.,* « rendre plus sombre » ; *foncer sur* 1829, Hugo, d'apr. *fondre sur ;* dér. de *fons,* anc. forme de *fond.* || **fonçage** 1867, Simonin, technique. || **fonçailles** 1588, G. (*fonsailhe*), « fond d'un tonneau » ; 1743, Trévoux, sens actuel. || **foncé** 1690, Furetière, couleur sombre (qui paraît *enfoncée*). || **foncement** 1877, L. || **défoncer** XIVe s., Cuvelier (*-onsser*). || **défoncement** 1653, Oudin. || **défonceuse** 1870, Lar. || **enfoncer** 1278, Sarrazin, « faire pénétrer » ; 1580, Montaigne, « vaincre » ; 1635, Corn., « faire céder par un choc ». || **enfoncement** 1468, Chastellain. || **enfonceur** 1565, Tahureau. || **enfonçure** 1363, G.

foncier V. FOND.

fonction 1539, R. Est., « exercice d'une charge » ; 1580, Montaigne, physiologie ; 1835, *Acad.*, « emploi » ; 1757, *Encycl.*, math. ; lat. *functio,* accomplissement, de *fungi,* « s'acquitter de », au sens jurid. de « service public ». || **fontionner** 1637, *Chron. bordeloise,* « remplir une charge » ; 1787, Féraud, techn. || **fonctionnement** 1842, *Acad.* || **fonctionnaire** 1770, Turgot. || **fonctionnariser** XXe s. || **fonctionnarisme** 1864, Proudhon. || **fonctionnariste** 1871, *le Vengeur.* || **fonctionnel** 1845, Besch., « relatif aux fonctions organiques » ; 1907, Lar., « dont la forme convient parfaitement à la destination ». || **fonctionnellement** fin XVIIe s., Saint-Simon. || **fonctionnalisme** 1866, Fleury.

***fond** 1080, *Roland* (*funz*), puis *fons* (d'apr. le nominatif lat.) ; lat. *fundus,* au double sens de « fond d'un objet » et « fonds de terre », pour lequel a été spécialisée la graphie *fonds ;* les divers sens de *fond* et *fonds* sont attestés dès l'anc. fr. || **foncier** 1370, G. (cens *fonsier,* d'apr. la graphie *fons,* au sens de fonds de terre) ; XVe s., fig. || **foncièrement** 1460, Chastellain. || **tréfonds** XIIIe s., G., « sous-sol » ; 1690, Furetière, fig. ; anc. préfixe *tré(s)-*, du lat. *trans,* au-delà de, c.-à-d. le sous- sol. || **tréfoncier** 1283, Beaumanoir. (V. EFFONDRER, PLAFOND.)

fondamental V. FONDEMENT.

***fondement** 1170, *Rois ;* lat. *fundamentum,* de *fundare,* fonder ; le sens de « anus » (XIIe s.) est repris au lat. méd. || **fondamental** 1460, Chastellain ; bas lat. *fundamentalis.* || **fondamentalement** *id.* || **fondamentaliste** 1966, *le Monde.*

***fonder** 1190, Garnier ; lat. *fundare,* de *fundus,* fond. || **fondé** 1160, Benoît, « instruit » ; 1580, Montaigne, « justifié ». || **fondateur** début XIVe s., qui a remplacé la forme *fondeor* (1150, Barbier) ; lat. *fundator.* || **fondation** XIIIe s., G. ; milieu XVe s., soubassement d'une maison ; bas lat. *fundatio.*

fonderie, fondeur V. FONDRE.

fondouk 1606, Nicot (*fondegue*) ; 1611, Cotgrave (*fondique*) ; 1857, Fromentin (*fondouk*) ; ar. *funduk,* magasin, du gr. *pandokeion,* hôtellerie, entrepôt.

***fondre** 1112, *Voy. saint Brendam,* « verser des larmes » ; fin XIIe s., J. Bodel, « fondre la glace » ; XIIe s., *Roncevaux,* « s'écrouler » ; 1190, Garnier, « fabriquer un métal » ; 1354, *Modus, fondre sur,* « s'abattre », en fauconnerie ; 1580, Montaigne, « dissoudre » ; lat. *fŭndere,* verser, au sens de « couler » ; en anc. fr., par infl. de *effondrer,* le verbe a pris le sens de « s'écrouler, s'affaisser » (jusqu'au XVIIIe s. ; resté dans *cheval fondu,* jeu d'enfants) et « faire écrouler ». || **fondant** milieu XVIe s., « où on enfonce » ; 1611, Cotgrave, « qui fond » ; 1688, Miege, « qui fond dans la bouche ». || **fonderie** 1373, G. (*fondrie*) ; XVIe s. (*fonderie*). || **fondeur** 1268, É. Boileau. || **fondoir** XIIIe s., G., creuset. || **fondu** 1765, Diderot, pour les couleurs. || **fondue** 1432, G., « fonte » ; 1768, Rousseau, fromage fondu. || **fondu** n. m., 1908, *l'Illustration,* en cinéma. || ***fonte** 1493, Martial d'Auvergne, action de fondre, et par ext. fer non affiné sortant de la fonte ; lat. pop. **fŭndĭta,* part. passé de *fŭndĕre,* substantivé au fém.

fondrière 1488, *Mer des hist. ;* lat. pop. **fundora,* pl. de *fundus, -oris,* fond. Désigne un lieu bas et marécageux.

fonds V. FOND.

fongible 1752, Trévoux (*bien fongible*), jurid. ; lat. *fungibilis,* « qui se consomme », de *fungi,* s'acquitter de. Se dit des choses qui se consument par l'usage (denrées, argent). || **fongibilité** 1930, Lar.

fongus 1560, Paré (*fungus*) ; 1752, Trévoux (*fongus*), méd. ; lat. *fungus,* champignon, en méd. tumeur. || **fongicide** 1912, Lar. || **fongicole** 1839, Boiste. || **fongiforme** 1865, L. || **fongueux** 1560, Paré. || **fongosité** *id.*

***fontaine** 1170, *Rois ;* lat. pop. *fontana,* adj. substantivé au fém., dér. de *fons, fontis,* source, resté dans le Midi. || **fontainier** 1292, *Rôle de la taille de Paris* (*fontenier*) ; XIVe s. (*fontainier*). || **fontanelle** 1560, Paré, méd., « exutoire » ; 1611, Cotgrave, « déhiscence crânienne » ; réfection, d'apr. le lat. méd. *fontanella,* de l'anc. fr. *fontenelle,* petite fontaine, par ext. ulcère, exutoire. || **fontinal** 1746, James ; lat. *fontinalis,* de source. || **fonts** (*baptismaux*) 1080, *Roland* (*funz*) ; 1160, Benoît (*fons*) ; lat. *fontes,* pl. de *fons, -tis,* avec spécialisation en un sens eccl.

fontange 1680, Sévigné ; nom de Mlle de Fontanges, maîtresse de Louis XIV, qui aurait inventé cette coiffure.

1. **fonte** V. FONDRE.

2. **fonte** 1752, Trévoux, « poche de cuir fixée à la selle » ; altér. par le précédent de l'ital. *fonda,* bourse, du lat. *funda,* fronde (qui a donné l'anc. fr. *fonde*), au sens bas lat. de « petite bourse ».

fonts V. FONTAINE.

football 1698, *Voy. en Angleterre ;* vulgarisé v. 1888 ; mots angl. signif. « balle au pied ». || **footballeur** 1894, *Journ. des débats* (*-er*).

footing 1895, A. Hermant ; angl. *footing,* base, danse, sol pour poser le pied, de l'ang. *foot,* pied, dont le sens a été modifié sur le modèle de *rowing,* sport nautique, etc.

for XVe s., « coutume » (régions pyrénéennes) ; *for intérieur,* 1635, Monet ; lat. eccl. *forum,* juridiction ecclésiastique ; au fig. « tribunal de la conscience », d'apr. le sens de « tribunal » du lat. (V. FORFAIT, FUR.)

***forain** adj., XIIe s., *Saxons,* « étranger » ; 1757, *Encycl., marchand forain* et n. m. ; il a existé une var. *foirain* d'apr. *foire,* qui a infl. le sens du mot ; bas lat. **foranus,* étranger, de *foris,* dehors. (V. FORS.)

foraminé 1842, *Acad. ;* lat. *foramen, -inis,* trou, de *forare.* || **foraminifère** *id.,* sous-classe de protozoaires. || **foramen** 1878, Lar., anat., trou de petite dimension.

forban V. BANNIR.

forçat 1531, Gosselin ; ital. *forzato,* galérien, de *forzare,* forcer.

***force** 1080, *Roland ;* milieu XVIIIe s., en physique, techn. ; bas lat. *fortia,* pl. neutre subst. de *fortis,* courageux, puis fort. || ***forcer** XIe s. (*forcier*) ; lat. pop. **fortiare,* de *fortia.* || **forcé** 1580, Montaigne, « imposé ». || **forçage** 1174, E. de Fougères, « violence », rare jusqu'au XVIIIe s. || **forcement** 1341, G. || **forcément** XIVe s., G. (*forciéement*) ; XVIe s. (*forcément*) ; part. passé au fém. || **forcerie** 1283, Beaumanoir, « violence » ; 1865, L., hortic. || **forcet** 1827, *Acad.,* techn. || **forceur** XIIe s., J. Bodel (*forceor*) ; 1530, Marot (*forceur*). || **forcing** 1926, Esnault. || **forcir** 1865, L., « devenir fort ». || **efforcer** (s') 1050, *Alexis* (*soi esforcier*) ; XIIIe s. (*s'efforcer*). || **effort** 1080, *Roland* (*esfort*). || **enforcir** fin XIIe s., *Loherains ;* anc. fr. *enforcier* (1130, *Eneas*), de *force.* || **renforcer** 1155, Wace (*renforcier*) ; XIIIe s. (*renforcer*). || **renfort** 1340, G. ; déverbal. || **renforcement** 1388, Delb. || **renforçage** 1865, *J.O.* || **renforçateur** 1964, Lar.

forcené 1050, *Alexis* (*forsené*), « fou » ; milieu XVIe s., Amyot, « violent » ; pris à tort pour un dér. de *force,* d'où le *c* au XVIe s. ; part. passé de l'anc. fr. *forsener,* « être hors de son bon sens » et par ext. « être furieux », de *fors,* hors de, et de *sen,* sens, d'origine germanique. || **forcènement** 1160, Benoît. (V. ASSENER.)

forceps 1692, Col de La Duquerie ; mot lat. signif. « pinces », repris au sens chirurgical, de *formus,* chaud, et *capere,* saisir. || **forcipressure** 1877, L. ; de *presser.*

***forces** 1131, *Couron. Loïs,* « ciseaux » ; aussi au sing. en anc. fr. ; lat. *forfices,* cisailles (pl. de *forfex*). || **forcettes** 1380, G., ciseaux d'une seule pièce à branches unies par un demi-cercle d'acier formant ressort.

forcière 1326, G. (*foursière*) ; 1865, L. (*forcière*), « étang pour l'élevage des poissons » ; anc. fr. *fourser,* frayer, de *fricare,* frotter.

forcine 1758, Duhamel, renflement d'un arbre à la naissance d'une branche ; p.-ê. dér. de *force* ou de *fourche.*

forcing 1930, Lar., en boxe ; 1926, Esnault, sens général ; mot angl. signif. « faisant un effort violent », de *to force,* forcer.

forclore 1120, *Ps. d'Oxford (forsclore)* ; XIIIe s. (*forclore*), « exclure » ; *fors,* hors de, et *clore,* spécialisé en terme de droit. || **forclos** XIVe s., G., « exclu » ; 1549, R. Est., sens actuel ; part. passé. || **forclusion** 1471, Bartzsch.

forer fin XIIe s., R. de Moiliens, « transpercer le cœur » ; XIVe s., Gordon, techn. ; lat. *forare,* percer. || **forage** 1335, Digulleville. || **forerie** (*de canons*) av. 1683, Colbert. || **foret** XIIIe s. || **foreur** 1845, Besch. || **foreuse** 1894, Sachs-Villatte. || **forure** 1280, Bibbesworth.

***forêt** début XIIe s., *Voy. de Charl.* (*forest*) ; XVIIe s. (*forêt*) ; bas lat. *forestis,* abrév. de *forestis silva,* forêt (*silva*) en dehors (*foris*) de l'enclos, loc. désignant la « forêt royale » au VIIIe s. (*Capitulaires de Charlemagne*). || **forestier** 1150, Wace, n. m. ; 1538, R. Est., adj. ; ensuite repris à l'anc. fr. avec la prononc. de *s.*

forfait V. FAIRE.

forfanterie 1560, Paré, « coquinerie » ; 1669, Molière, « fanfaronnade » ; anc. fr. *forfant* (XVe s.), coquin, anc. prov. *forfan,* de *forfaire,* faire le mal.

forficule 1791, *Encycl. méth.,* perce-oreille ; lat. *forficula,* petites pinces.

***forge** XIIe s. ; lat. *fabrĭca,* atelier, de *faber,* qui a donné l'anc. fr. *fèvre ;* spécialisé comme « lieu où l'on travaille le fer » (*fabrica ferrea*) et comme « grand fourneau où l'on fond le fer » (1690, Furetière). || ***forger** 1120, *Ps. d'Oxford,* « créer » ; fin XIIe s., *Aliscans,* techn. ; lat. *fabrĭcāre,* fabriquer, façonner. || **forgeable** 1627, Savot. || **forgeage** 1775, Grignon. || **forgerie** 1842, *Acad.,* industrie de forges ; 1870, L., « falsification de documents » ; repris à l'angl. *forgery.* || **forgeron** 1539, R. Est. ; d'apr. *forgeur.* || **forgeur** XIIIe s., *Artur* (*forgeor*) ; milieu XVIe s., Amyot, fig. || **reforger** XIVe s. (V. FABRIQUE.)

forjeter 1120, *Ps. de Cambridge* (*forgeter*), « repousser » ; 1636, Monet, en architecture ; de *fors* et *jeter.*

forlane 1732, Trévoux ; ital. *furlana,* (danse) « frioulane », importée du Frioul à Venise.

format V. FORME.

forme fin XIe s., *Gloses de Raschi ;* lat. *forma* dans les divers sens. || **former** 1120, *Ps. de Cambridge ;* lat. *formare.* || **formel** XIIIe s., G. ; milieu XVIe s., Amyot, « d'une netteté sans équivoque » ; lat. *formalis,* « relatif à la forme », au sens scolastique. || **formellement** fin XIIIe s., G. || **formaliser (se)** 1539, R. Est., « prendre fait et cause » ; 1540, Yver, « se froisser d'un manquement aux formes » ; v. t. XXe s., en logique. || **formalisant** 1967, Piaget. || **formalisation** XXe s. || **formalisme** 1842, Mozin, philos. ; 1845, Besch., « respect scrupuleux des formes ». || **formaliste** 1585, Du Fail. || **formalité** début XVe s. || **formant** 1962, Lar., phonétique. || **format** 1723, Savary ; ital. *formato,* part. passé subst. de *formare,* former, plutôt que dér. de *forme,* avec le suffixe *-at.* || **formateur** début XVe s., qui a remplacé *formeor* (XIIe s.) ; lat. *formator.* || **formage** 1875, *J. O.* || **formation** 1160, Benoît ; lat. *formatio.* || **formatif** fin XIIIe s., « qui sert à former » ; 1808, Cuvier. || **formeret** 1397, Gay. || **formule** 1372, Fagniez, « règle » ; XIXe s., en sciences ; lat. *formula,* de *forma.* || **formuler** XIVe s., Bouthillier ; 1740, Demours, pharmacie. || **formulable** 1877, L. || **formulaire** 1426, *D. G.,* « recueil de formules » ; XXe s., « questionnaire ». || **formulation** 1846, Besch. || **informulé** 1855, Goncourt. || **déformer** 1265, J. de Meung ; lat. *deformare.* || **déformation** XIVe s., G. ; lat. *deformatio.* || **difforme** XIIIe s. ; lat. médiév. *difformis,* altér. de *deformis.* || **difformité** XIVe s. ; lat. médiév. *difformitas,* altér. de *deformitas.* || **informe** 1455, Fossetier ; lat. *informis,* sans forme. (V. CONFORMER, FROMAGE.)

Formica n. déposé, v. 1950 ; mot angl., de *for,* au lieu de, et *mica.*

formidable 1475, Delb. ; lat. *formidabilis,* redoutable, de *formidare,* craindre. || **formidablement** 1868, *Moniteur universel.*

formique 1787, G. de Morveau ; dérivé du lat. *formica,* fourmi (acide existant à l'état naturel chez les fourmis). || **formol** fin XIXe s. || **formoler** 1912, Lar. || **formolage** XXe s.

forniquer 1564, Thierry ; lat. chrét. *fornicari* (IIIe s., Tertullien), de *fornix, -icis,* voûte, par ext. prostituée (demeurant dans un réduit voûté). || **fornication** 1120, *Ps. de Cambridge ;* lat. chrét. *fornicatio.* || **fornicateur** fin XIIe s., *Grégoire ;* lat. chrét. *fornicator.*

***fors** 980, *Valenciennes* (*foers*) ; XIIe s. (*fors*), « dehors », adv. ; XIIe s., *Lois de Guillaume,* « hors », prép. ; remplacé au XVIIe s. par *hors ;* lat. *fŏris,* dehors ; la forme accentuée a disparu avec l'emploi adv. (anc. fr. *foers, fuers*). En composition, *fors* s'est confondu avec le préf. germ. *fir* (allem. *ver*) [ainsi *forban, forclos,* etc.].

forsythia 1839, Boiste ; du n. de Guillaume *Forsyth,* horticulteur écossais du XVIIIe s.

***fort** 1080, *Roland ;* lat. *fortis ;* le fém. a été *fort* jusqu'au XIVe s. ; n.m. 1170, *Rois,* « portefaix » ; XIIIe s., « forteresse » d'apr. l'ital. || **fortement** 1050, *Alexis.* || **forteresse** 1130, *Eneas ;* p.-ê. déjà **fortaricia* en lat. pop. || **contrefort** XIIIe s., *Gauvain,* « étai fort », placé contre un mur. || **forte** 1767, Rousseau ; ital. *forte,* fort au sens mus. || **fortiche** 1897, Esnault. || **fortifier** 1308, Aymé ; bas lat. *fortificare.* || **fortifiant** adj. 1690, Furetière ; n. m. 1872, Lar. || **fortification** 1360, G. ; bas lat. *fortificatio ;* abrév. arg. *fortifs,* 1881, Esnault. || **fortin** 1642, Oudin ; ital. *fortino,* dimin. de *forte,* forteresse. || **fortiori (a)** 1836, Landais ; loc. du lat. scolast. signif. « en partant de plus fort ». || **fortissimo** 1757, *Encycl.,* mus. ; superlatif ital. de *forte.* || **fortitude** 1308, Aymé ; lat. *fortitudo,* force, courage ; repris au XIXe s. par Chateaubriand. || **infortifiable** XVIe s., La Curne

fortrait fin XVIIe s., Liger ; anc. fr. *fortraire* (XIIIe s.), tirer dehors, de *traire.* || **fortraiture** 1762, *Acad.*

fortran 1968, Lar. ; de *for[mulation] tran[sposée].*

fortuit XIVe s. ; lat. *fortuitus,* de *fors,* hasard. || **fortuitement** 1562, J. Grévin.

fortune 1130, *Eneas,* « sort » ; 1265, Br. Latini, « heureux sort » ; XVe s., richesse ; lat. *fortuna,* sort, au pl. richesses, de *fors,* hasard. || **fortuné** 1360, Froissart, « heureux » ; 1787, Féraud, « riche » ; lat. *fortunatus.* || **infortune** 1360, Froissart, « revers de fortune » ; lat. *infortunium* || **infortuné** 1361, Oresme ; lat. *infortunatus,* malheureux.

forum 1265, Br. Latini ; mot lat. au sens de « place publique (où se tiennent des réunions politiques) » ; 1813, Delille, « tribune » ; XXe s., « réunion ». (V. FOR.)

***fosse** 1080, *Roland ;* lat. *fossa,* de *fodere,* creuser. || ***fossé** *id.* (*fosset*) ; XIIe s. (*fossé*) ; bas lat. *fossatum* (IVe s., Végèce). || **fossette** 1119, Ph. de Thaon. || **fossoyeur** 1265, Br. Latini ; de l'anc. fr. *fossoyer* (1361, G., « creuser une fosse »). || **fossoir** fin XIe s., *Gloses de Raschi,* « charrue vigneronne » ; bas lat. *fossorius,* qui sert à creuser. || **basse-fosse** XVe s., cachot obscur et humide.

fossile 1556, R. Le Blanc ; lat. *fossilis,* tiré de la terre, de *fodere,* creuser. || **fossiliser** 1832, Raymond. || **fossilisation** *id.*

1. ***fou** 1080, *Roland* (*fol*) ; lat. *follis,* sac (v. FOLLICULAIRE), ballon, et par métaph. ironique « fou » (comparé au ballon qui va de côté et d'autre) ; n. m. 1613, Régnier, terme d'échecs, qui a remplacé l'anc. fr. *aufin,* empr. à l'ar. ; 1686, Choisy, ornith. || **folichon** 1642, Oudin. || **folichonner** 1786, Leroux. || **folichonnerie** 1867, Delvau. || **folâtre** 1394, Du Cange (*-astre*), « un peu fou » ; 1530, Marot, sens actuel. || **folâtrement** 1539, R. Est. || **folâtrer** XVe s. || **folâtrerie** 1534, Rab. || **folie** 1080, *Roland,* « trouble mental » ; 1636, Monet, « goût excessif » ; 1843, Balzac, « dépense excessive ». || **follement** XIIe s., *Voy. de Charlemagne.* || **follet** 1160, Benoît ; *feu follet,* 1611, Cotgrave. || **affoler** 1130, *Couronn. Loïs.* || **affolement** XIIIe s., G. || **raffoler** 1378, Le Fèvre, « devenir fou » ; fin XVIIe s., Saint-Simon, « être follement épris ».

2. ***fou** XIIIe s., *Roman de Renart ;* nom du hêtre en anc. fr. et dial. ; lat. *fagus.* (V. FOUAILLER, FOUET, HÊTRE.)

***fouace** fin XIIe s., *Aliscans* ; lat. pop. **focacia* (*focacius panis,* VIIe s., Isid. de Séville, pain cuit sous la cendre du foyer [*focus*]). || **fouacier** 1307, G.

fouage XIIIe s., trad. de Guill. de Tyr (*foage*), impôt féodal réparti par feux ; dér. du lat. *focus,* foyer. || **fouagiste** 1848, Chateaubriand.

fouaille 1334, *Modus* (*fouail*) ; 1573, Du Puys (*-aille*) ; dér. anc. de *feu,* du lat. *focus,* foyer ; proprement « part, donnée aux chiens, des entrailles cuites au feu ».

fouailler 1330, *Baudoin de Sebourg* (*foueillier*), « se frapper les flancs » ; 1680, Richelet (*fouailler*), « fouetter » ; dér. de l'anc. fr. *fou* (v. FOU 2), du lat. *fagus,* hêtre (pour le sens, v. FOUET).

foucade V. FOUGUE 1.

fouchtra 1847, Balzac, *le Cousin Pons ;* interj. attribuée à tort aux Auvergnats, déformation plaisante de *foutre !* par addition de *ch,* puis de *a* (*fouchetre,* 1829, *Mém. de Sanson ;* par Lhéritier, créateur probable du mot qu'il attribue au plieur de journaux de Marat).

1. * **foudre** fém., 1080, *Roland (fuildre)* ; fin XIIe s. (*foudre*) ; au pl., 1587, Du Vair (*foudres de l'Église*) ; lat. pop. **fulgerem,* du lat. class. *fulgur, -uris,* éclair, de *fulgere,* briller. || **foudroyer** fin XIIe s. || **foudroyant** adj., 1552, R. Est. ; 1669, Molière, fig. || **foudroiement** XIIIe s., G.

2. **foudre** m., 1669, Widerhold, tonneau dont on se sert en Allemagne ; allem. *Fuder.*

fouée fin XIIe s., *Loherains,* « flambée » ; 1650, Ménage, « fouace » ; dér. anc. de *feu,* du lat. *focus.*

fouet XIIIe s., *Fabliau ;* anc. fr. *fou,* hêtre, du lat. *fagus :* le sens a dû être d'abord « petit hêtre », puis « baguette de hêtre » (pour fustiger) et, par ext., fouet ; il a éliminé l'anc. fr. *écourgée,* resté comme terme techn. || **fouetter** 1534, Rab., « avaler d'un trait » ; XVIe s., Loisel, « cingler » ; XVIe s., La Curne, « battre » ; 1580, Montaigne, fig. ; 1878, Esnault, « puer », abrév. de *fouetter le nez ;* v. 1950, « avoir peur » ; fouetté *Crème fouettée* 1690, Furetière. || **fouettard** (*père*) fin XIXe s. ; nom donné au Père Noël dans l'Est. || **fouettage** 1781, Richard. || **fouettement** 1553, Rab. || **fouetteur** 1534, Rab.

fougasse 1688, Miege ; altér. de *fougade* (XVIe s., Brantôme) au même sens de « mine » ; de l'anc. ital. *fugata,* de même rac. que *fougue.*

***fouger** XIVe s., vén., creuser en parlant du sanglier ; lat. *fodicare,* fréquentatif de *fodere,* creuser. || **fouge** fin XIVe s., vén., végétaux que le sanglier extrait en creusant ; déverbal.

***fougère** 1175, Chr. de Troyes (*fouchière*) ; 1600, O. de Serres (*fougère*) ; lat. pop. **filicaria,* de *filix, -icis,* fougère. || **fougeraie** 1611, Cotgrave.

1. **fougue** 1580, Montaigne ; ital. *foga,* impétuosité, d'abord « fuite précipitée », du lat. *fŭga,* fuite. (V. FUGUE.) || **fougueux** début XVIe s., de Montlyard. || **foucade** 1614, J. Auffray ; altér. de *fougade.* || **fougueusement** 1872, Lar.

2. **fougue** 1677, Dassié (*mât de fougue*), « qui supporte l'effort du vent » ; altér. de (*mât de*) *foule* (1643, Fournier), déverbal de *fouler.*

fouiller V. FOUIR.

1. ***fouine** 1160, Benoît (*foïne*), mammifère rongeur ; abrév. de **fagīna,* qui a donné *faïne* (1268, É. Boileau), lat. *fagīna meles,* martre du hêtre (la fouine recherche les faines) ; le *o* est dû à l'anc. fr. *fou,* hêtre, du lat. *fagus.* || **fouiner** 1749, Vadé, « s'esquiver » ; 1808, d'Hautel, « explorer ». || **fouinard** 1867, Delvau. || **fouineur** *id.*

2. ***fouine** XIIIe s., Gay (*foisne,* var. *foène*), var., fourche en fer ; lat. *fŭscina,* trident, avec infl. de FOUINE 1. || **fouinette** 1428, Du Cange.

***fouir** 1120, *Ps. de Cambridge* (*foïr*) ; lat. pop. **fodire,* du lat. *fodere.* || **fouisseur** 1250, Mousket. || **fouissage** XXe s. || ***enfouir** 1050, *Alexis* (*enfodir*) ; XIIIe s. (*enfouir*) ; lat. pop. **infodire.* || **enfouissement** 1539, R. Est. || **enfouisseur** 1627, Crespin. || **enfeu** 1482, Lobineau, texte breton ; déverbal de *enfouir.* || **fouiller** 1283, Beaumanoir (*fooillier*) ; 1580, Montaigne, fig. ; lat. pop. **fodiculare,* du lat. *fodicare,* qui a donné *fouger,* de même rac. que *fodire.* || **fouille** fin XVIe s. (*faire fouille*), « pillage » ; 1655, Salnove, « action de creuser » ; pl. 1811, Chateaubriand, archéologie, action de chercher. || **fouilleur** début XVIe s., Gringore. || **fouille-au-pot** fin XVIIe s., Saint-Simon. || **fouille-merde** 1542, Du Pinet. || **fouillis** 1398, E. Deschamps, action de fouiller ; 1803, Laharpe, entassement désordonné. || **fouillage** 1773, Guilbert. || **affouiller** 1835, Raymond. || **affouillement** 1835, Raymond. || **trifouiller** 1808, d'Hautel ; croisement de *tripoter* et de *fouiller.* || **trifouillage** 1878, Lar. || **trifouilleur** 1904, Lar. (V. CAFOUILLER, FARFOUILLER, FOUGER.)

foulard 1761, *Dict. du citoyen ;* altér. probable, par changement de suffixe, du prov. *foulat,* foulé (cf. le *foulé,* drap léger d'été, 1877, L.).

foule V. FOULER.

***fouler** fin XIe s., *Gloses de Raschi ;* lat. pop. **fŭllare,* fouler une étoffe, d'apr. *fullo,* foulon ; 1867, *se fouler,* pop., se fatiguer. || **foule** XIIe s., *Fabliau* (*fole*) ; 1265, J. de Meung, « presse due au grand nombre » ; XIVe s., G., « grand nombre de personnes » ; 1538, R. Est., « groupe d'individus » ; dér. de *fouler,* presser, proprement « endroit où on est pressé ». || **foultitude** 1848, Arnould ; croisement de *foule* et de *multitude.* || **foulage** 1284, G. || **foulement** 1611, Cotgrave. || **foulerie** 1268, É. Boileau, métier de foulon. || **fouleur** XIIIe s., G. || **foulée** 1280, Bibbesworth, « cohue » ; 1835, *Acad.,* appui du coureur. || **fouloir** 1274, G. || **foulure** XIIe s., A. de Bernay. (V. REFOULER.)

***foulon** XIIe s., ouvrier qui presse les étoffes ; XIVe s., moulin à fouler ; lat. *fŭllo, -onis,* ouvrier qui conduit une machine à fouler. || **foulonnage** 1907, Lar. || **foulonner** 1611, Cotgrave. || **foulonnier** 1723, Savary.

foulque 1265, Br. Latini (*fulica*) ; 1398, *Ménagier* (*fourque*), oiseau des marais ; prov. *fólca,* du lat. *fŭlica.*

fouquet 1776, Sonnerat, « hirondelle de mer », anc. surnom de l'écureuil ; dimin. du nom d'homme *Fouque, Foulque,* du francique *Fulko.*

***four** 1080, *Roland* (*forn*) ; 1283, Beaumanoir (*four*) ; 1659, La Grange, *faire un four,* terme de théâtre, renvoyer les spectateurs quand la salle était presque vide (on éteignait les lumières en rendant la salle noire comme un four). Le radical *forn, fourn* sert de base aux dérivés ; lat. *fŭrnus.* || **fournage** 1231, G., droit féodal sur la cuisson du pain. || **fourneau** 1170, *Fierabras* (*-nel*), « cheminée » ; XIVe s., « sorte de four » ; 1690, Furetière, appareil. || **fournée** 1180, Barbier, quantité de pain ; XIIIe s., fig. || **fournette** 1700, Liger, petit fourneau. || **fournil** 1180, Barbier (*fornil*). || **fournier** 1153, G., « boulanger » ; 1856, Michelet, « passereau dont le nid est en forme de four », seul sens qui a subsisté. || **enfourner** XIIIe s., La Curne, « mettre dans un four » ; XVIe s., Ronsard, « engager une affaire » ; 1850, Balzac, « introduire ». || **enfournement** milieu XVIe s. (V. CHAUX.)

fourbe 1455, *Coquillards,* comme n. m., « voleur », de *fourbir* (1220, Coincy), au sens anc. de « voler » ; sens actuel 1642, Corn. ;

n. f. 1460, *Mystère,* « fourberie ». || **fourber** début XVIIe s., Nicole. || **fourberie** 1640, Oudin.

fourbesque 1866, Lar., argot italien ; ital. *furbesco,* de *furbo,* voleur.

fourbir 1080, *Roland* (*furbir*) ; francique * *fŭrbjan* (moyen haut allem. *fürben,* nettoyer). || **fourbissage** 1444, G. || **fourbissement** 1270, L. || **fourbisseur** 1175, Chr. de Troyes (*forbisseur*), qui a remplacé *forbeor.* || **fourbi** 1835, Raspail, « jeu frauduleux » ; 1861, Esnault, « affaire compliquée » ; fin XIXe s., Huysmans, « objets hétéroclites ».

fourbu 1563, J. Massé (*forbeü*), en parlant du cheval ; 1865, L., « harassé » ; part. passé de l'anc. fr. *forboire,* boire hors de raison, à l'excès, et par ext. fatiguer par suite d'excès de boisson. || **fourbure** 1611, Cotgrave, congestion de la membrane tégumentaire du pied du cheval.

fourc, fourcat V. FOURCHE.

***fourche** fin XIe s., *Gloses de Raschi,* « potence » ; 1170, *Rois,* instrument ; fin XIIe s., objet divisé en deux ; lat. *fŭrca.* || **fourc** 1130, *Eneas* (*forc*) ; forme masc. *furcus,* spécialisé en sylviculture. || **fourcat** 1690, Furetière ; prov. *forcat,* fourche (XVe s.) || **fourche-fière** 1160, Benoît (*forche fire*) ; le deuxième mot paraît représenter le fém. lat. *ferrea,* de fer. || **fourcher** XIIe s., *D. G.* || **fourchet** 1690, Furetière. || **fourchette** 1313, de Laborde. || **fourchon** fin XIIe s., *Renaut de Montauban,* « dent de fourche ». || **fourchu** fin XIIe s., *Loherains.* || **fourchure** 1080, *Roland* (*furcheüre*). || **enfourcher** 1553, Belon, « percer d'une fourche » et « monter à cheval ». || **enfourchement** XIIIe s., *D. G.* || **enfourchure** 1155, Wace.

1. ***fourgon** fin XIe s., *Gloses de Raschi* (*forgon*), tisonnier ; lat. pop. *furico, -onis,* de *fur,* voleur, au sens de « qui furète » (v. FURET). || **fourgonner** XIIIe s., *Choses qui faillent en ménage,* remuer avec le fourgon ; 1690, Furetière, fig. et fam.

2. **fourgon** début 1640, Voiture, « voiture à bagages » ; origine obscure, sans doute de *char à fourgon,* char à ridelles, de *fourgon* 1. || **fourgonnette** 1949, Lar.

fourguer 1821, Ansiaume, « acheter des produits de vols » ; 1901, Esnault, « vendre » ; v. 1950, « dénoncer » ; prov. mod. *fourza,* fouiller, issu du lat. * *foricare.* Terme d'argot. || **fourgat** 1821, Ansiaume. || **fourgue** 1835, Raspail.

fouriétiste 1842, Pecqueur ; du socialiste Ch. *Fourier* (1772-1837). || **fouriérisme** 1842, *Acad.*

fourme 1829, Boiste (*forme*) ; 1872, Lar. (*fourme*) ; anc. prov. *forma,* fromage (éclisse pour mettre les fromages), du lat. *forma,* forme.

***fourmi** 1165, Marie de France (*fromiz*), souvent masc. (jusqu'au XVIe s.) ; 1550, Ronsard (*fourmi*) ; lat. pop. **formīx, -icis,* du lat. *formīca,* représenté dans les langues méridionales. || **fourmilière** 1564, Thierry, qui a été refait sur l'anc. fr. *formiere* (1165, Marie de France). || **fourmilier** 1756, Brisson. || **fourmilion** 1372, Corbichon (*fourmilleon*) ; 1745, Bonnet (*fourmilion*) ; calque du lat. *formicaleo,* en bas lat. *formicoleon* (VIIe s., Isid. de Séville). || **fourmillement** 1545, Paré (*-iement*) ; XVIIe s. (*-illement*), « agitation » ; 1680, Richelet, « picotement ». || **fourmiller** 1552, Paré, « picoter » ; 1587, La Noue, « s'agiter » ; forme refaite sur *formïer* (fin XIe s., *Gloses de Raschi*).

fournaise 1130, *Eneas* (*for-*) ; forme féminisée de l'anc. fr. *fornaiz* (1155, Wace), du lat. *fornax, -acis,* augmentatif de *furnus,* four.

fournage, -neau, -née, -nier, -nil V. FOUR.

fournir 1130, *Eneas* (*fornir*), « fonder une cité » ; 1160, Benoît, « former » ; 1190, Garnier, « procurer » ; francique * *frumjan,* exécuter (anc. saxon *frummian*), qui présente quelques difficultés phonétiques. || **fourniment** 1265, Br. Latini, « garniture » ; 1570, Carloix, milit. || **fournisseur** début XVe s. ; rare jusqu'au XVIIe s. || **fourniture** fin XIIe s. (*fornesture*), « provisions » ; XIIe s. (*fourniture*), « approvisionnement » ; pl. 1596, Hulsius.

fourrage fin XIIe s., *Loherains ;* dér. anc. de *feurre,* paille (XIIe s.), du francique * *fôdr-* (allem. *Futter*). || **fourrager** verbe, 1370, J. Le Bel, « faire du fourrage » et « piller » ; 1696, La Bruyère, « fouiller ». || **fourrager** adj. 1835, *Acad.* || **fourragère** 1815, Xavier de Maistre, « bonnet d'écurie » ; 1872, *J. O.,* ornement de l'uniforme ; origine obscure, sans doute dér. de *fourrager,* adj. || **fourrageur** 1370, J. Le Bel, « maraudeur ». || **fourrier** 1131, *Couronn. de Loïs,* « fourrageur », puis XIIIe s., milit. || **fourrière** 1268, É. Boileau, local où l'on mettait le fourrage, puis (XVIe s., Laurière) les animaux saisis pour dettes ; 1836, Landais, lieu où l'on mettait les animaux errants ; la fourrière de Paris date de 1850. (V. FOURREAU.)

fourreau 1080, *Roland* (*furrel*) ; dér. anc. de l'anc. fr. *fuerre* (1160, Benoît), du francique

**fôdr,* doublure, gaine, fourreau (allem. *Futter,* fourreau, gotique *fôdr).*

fourrer 1175, Chr. de Troyes (*forrer*) ; XIIIe s. (*fourrer*), « garnir de fourrure » ; 1464, *Maistre Pathelin,* « introduire dans » ; 1690, Furetière, *fourrer dans la tête ;* anc. fr. *fuerre* (v. FOURREAU). || **fourré** n. m. 1761, Rousseau ; abrév. de *bois fourré* (1694, *Acad.*). || **fourrée** 1464, Tilander, pêche. || **fourreur** 1268, É. Boileau. || **fourrure** 1130, *Eneas* (*forreüre*). || **fourre-tout** 1936, Aragon.

fourrier, fourrière V. FOURRAGE.

fourvoyer 1155, Wace, « égarer » ; sur le suffixe *for-, fors,* de *voie.* || **fourvoiement** XIVe s., « chemin où l'on s'égare » ; 1865, L., fig.

fouteau 1530, Marot, mot de l'Ouest ; lat. pop. * *fagustellus,* du lat. *fagus,* hêtre. || **foutelaie** 1165, Marie de France.

***foutre** fin XIIe s., *Roman de Renart,* « posséder charnellement » ; *se foutre de,* 1650, Adam ; interj. 1618, Sigogne ; *foutre le camp,* déguerpir, 1867, Delvau ; lat. *futuere,* avoir des rapports avec une femme. || **foutaise** 1775, Restif. || **fouterie** 1920, Bauche. || **foutoir** XVIe s., Huguet, « machine de guerre » ; XXe s., sens actuel. || **foutrement** début XXe s. || **foutu** av. 1772, Piron. || **foutriquet** 1791, Lemaire. || **jean-foutre** 1661, *Archives.*

fovéa début XXe s. ; lat. *fovea,* trou.

fox fin XIXe s. ; abrév. de *fox-hound* (1828, *Journ. des haras*), mot anglais, chien (*hound*) pour chasser le renard (*fox*). || **fox-terrier** 1866, E. Parent ; mot angl. (1823, lord Byron), du fr. *terrier.*

fox-trot 1912, mot angl. ; le « trot » (*trot*) du renard (*fox*), danse imitative d'origine américaine.

***foyer** 1131, *Couronn. Loïs* (*fuier*), « partie de cheminée » ; 1580, Montaigne, « séjour domestique » ; milieu XVIIIe s., Buffon, « centre d'où rayonne qqch » ; lat. pop. **focarium,* adj. substantivé de *focarius,* dér. de *focus,* qui a donné *feu.*

frac 1767, Beaumarchais ; altér. probable de l'angl. *frock* (1719, habit de soirée), du fr. *froc.*

fracasser 1475, *Chroniques ;* ital. *fracassare,* briser. || **fracassant** 1891, Huysmans. || **fracassement** XVIe s., G. || **fracas** 1475, *Chroniques ;* déverbal de *fracasser ;* ou directement de l'ital. *fracasso.*

fraction 1187, Delb., eccl., « action de rompre l'hostie » ; 1549, J. Peletier, arithm. ; 1829, Boiste, « partie d'une organisation » ; bas lat. *fractio* (IVe s., saint Augustin), de *frangere,* briser. || **fractionnaire** 1725, Nicole. || **fractionner** 1801, Frey. || **fractionnement** 1842, Mozin. || **fractionnel** v. 1950. || **fractionnisme** 1959, Lar. || **fractionniste** *id.* || **fractionnateur** *id.,* techn.

fracture 1391, G., « action de rompre » ; XVe s., méd. ; lat. *fractura,* de *frangere,* briser ; qui a remplacé *fraiture* (XIIe s.). || **fracturer** 1560, Paré (*-é*), méd. ; début XIXe s. (*-er*), « briser ».

fragile 1361, Oresme, « peu important » ; 1541, Calvin, « cassable » ; 1651, Corn., sens actuel ; lat. *fragilis,* de *frangere,* briser, qui a donné le fr. *frêle.* || **fragilité** 1119, Ph. de Thaon ; bas lat. *fragilitas,* qui a remplacé la forme pop. *fraileté.* || **fragiliser** v. 1950. || **fragilisation** *id.* (V. FRÊLE.)

fragment 1525, J. Lemaire ; lat. *fragmentum,* de *frangere,* briser. || **fragmenter** 1811, Mozin. || **fragmentaire** 1801, Villers. || **fragmentation** 1872, Lar.

fragon XIIe s., Delb. (*fregon*) ; p.-ê. bas lat. *frisco,* houx (*Gloses*), d'origine gauloise. Désigne une plante des régions arides.

fragrance XIIIe s., G. (*fraglance*) ; XVIe s., Huguet (*fragrance*) ; lat. *fragrantia,* de *fragrare,* sentir bon (v. FLAIRER). || **fragrant** 1525, J. Lemaire ; lat. *fragrans.*

frai V. FRAYER.

***fraindre** 1080, *Roland,* « se briser » ; 1878, Lar., techn. ; lat. *frangere,* briser. || ***frainte** XIIe s., G. ; part. passé substantivé.

frairie XIIe s., *Troie* (*frarie*), « confrérie », auj. fête patronale dans l'Ouest ; lat. *fratria,* du gr. *phratria.*

1. **frais, fraîche** adj. 1080, *Roland* (*freis, fresche*) ; du francique **frĭsk* (allem. *frisch*), (temps) frais, et par ext. « qui n'est pas flétri ». || **fraîchement** début XIIe s., *Thèbes.* || **fraîcheur** début XIIIe s., G. (*frescor*) ; 1669, Widerhold (*fraîcheur*) ; 1580, Montaigne, fig. || **fraîchir** 1120, *Ps. d'Oxford* (*frescir*) ; rare jusqu'au XVIIe s. || **fraîche** fin XVIIe s., Regnard, heure du jour où il fait frais. || **défraîchir** 1856, Lachâtre. || **rafraîchir** 1165, G. d'Arras (*rafrescir*). || **rafraîchissant** 1690, Furetière. || **rafraîchissement** XIIIe s. ; trad. Guill. de Tyr.

2. **frais** n. m. 1283, Beaumanoir (*fres,* pl.) ; le *s* vient du plur. ; anc. fr. *fret, frait,* dommage causé en brisant ; du lat. pop. **fractus,* neutre substantivé de *fractus,* ce qui est brisé, par ext. amende pour infraction, dépense, en lat. médiév. (V. DÉFRAYER.)

1. **fraise** fruit, 1174, E. de Fougères (*freise*) ; lat. pop. *fraga,* qui a donné l'anc. fr. *fraie* (forme rare), pl. neutre de *fragum,* devenu fém. ; le mot a été infl. par l'anc. fr. *frambeise* (v. FRAMBOISE). || **fraisière** 1836, Landais. || **fraisier** fin XIIe s., *Moniage Guillaume* (*frasier*). || **fraisiériste** 1875, *Revue horticole.*

2. **fraise** (*de veau*) 1130, *Eneas,* « tripes » ; 1398, *Ménagier* (*frase*), « membrane d'intestin » ; dér., au sens de « enveloppé », de l'anc. fr. *fraiser,* « dépouiller de son enveloppe », qui représente le lat. pop. **frēsare,* de (*faba*) *frēsa,* (fève) moulue : *frēsa* est le part. passé fém. de *frendere,* broyer.

3. **fraise** collerette V. FRAISER.

fraiser XIIe s. (*fresé, frasé*), « galonné, plissé » ; v. 1560, R. Belleau (*-er*), « plisser » ; 1723, Savary, évaser un trou ; francique **frisi,* bord, frisure (allem. *Fries*), ou dér. de *fraise* 2. || **fraise** milieu XVIe s., collerette ; 1723, Savary, outil. || **fraisage** 1877, L., techn. || **fraiseur** fin XIXe s. || **fraiseuse** 1877, L. || **fraisure** 1792, Salivet. || **fraisoir** 1534, G.

fraisil 1244, Huon le Roi (*faisil*), résidu de charbon brûlé ; 1676, Félibien (*fraisi*), sous l'infl. de *fraiser ;* lat. pop. **facīlis,* de *fax, facis,* tison, par abrév. de *scoria facilis,* scorie de tison.

framboise 1160, Benoît ; francique **brambasia,* mûre, avec infl. de *fraise* 1 à l'initiale. || **framboisier** 1306, Delb. || **framboiser** 1651, Bonnefons || **framboiseraie** 1922, Lar.

framée XVIe s., Rod. Magister ; lat. *framea,* mot germ. d'apr. Tacite.

1. **franc, franche** adj. 1080, *Roland ;* 1050, *Alexis,* « libre » ; 1580, Montaigne, « qui dit ce qu'il pense » ; de l'ethnique *Franc* (Xe s., *saint-Léger*), du francique *frank,* latinisé en *Francus* (241, bataille de Mayence) ; on a refait un fém. *franque* pour l'ethnique (XVIIe s.). || **franchement** 1138, *Saint Gilles.* || **francique** 1643, Mézeray. || **franchise** 1138, *Gaimar,* « condition libre » ; 1170, *Rois,* « droits d'une commune » ; 1559, Amyot, « sincérité » ; le sens de « immunité, exemption » s'est conservé à côté du sens moral. || **franquette** (à la) 1650, *Mazarinade,* fam., devenu *à la bonne franquette* (1741, Favart). || **franc-alleu** 1258, Runkewitz. || **franc-archer** 1448, Charles VII. || **franc-bourgeois** 1467, Bartzsch. || **franc-maçon** 1737, Mackenzie ; calque de l'angl. *free mason* (1646), maçon libre : les premiers adeptes, idéologues alchimistes, s'abritaient derrière les franchises des corporations. || **franc-maçonnerie** 1742, Mackenzie (*franche-maçonnerie*). || **maçonnerie** 1766, Berase, par abrév. || **franc-maçonnique** 1872, Lar. || **maçonnique** 1779, Mackenzie. || **franc-parler** 1765, Diderot. || **franc-tireur** 1838, *Acad.,* à l'origine « soldat qui faisait partie de certains corps légers pendant les guerres de la Révolution ». || **affranchir** XIIIe s., Couci, « libérer » ; XIXe s., postes. || **affranchi** n. m., 1640, Corn., hist. ; 1821, Ansiaume, argot. || **affranchissement** 1322, G. ; 1827, *Acad.,* sens polit. étendu.

2. **franc** n. m. 1360, *Ordonn.,* denier d'or frappé par le roi Jean avec la devise *Francorum rex,* roi des Francs.

français 1080, *Roland* (*franceis, -eise*) ; dér. de *France,* du bas lat. *Francia,* pays occupé par les Francs, qui désigna d'abord une petite région au nord de Paris, puis le domaine des premiers Capétiens, et par ext. le territoire sur lequel ils exerçaient leur suzeraineté. || **francien** fin XIXe s., G. Paris, pour désigner le dialecte de l'Île-de-France. || **franciser** 1534, B. Des Périers. || **francisation** 1796, Frey. || **francisque** 1606, Nicot ; bas lat. *francisca* (VIIe s., Isid. de Séville), abrév. de *securis francisca,* hache des Francs. || **francophone** v. 1930. || **francophonie** 1962, *Esprit.* || **franciste** v. 1960, spécialiste de langue française. || **francité** 1943, Ziégler. || **francophile** 1591, Maillard. || **francophilie** 1930, Lar.

franchir 1130, *Tristan,* « affranchir » (jusqu'au XVe s.) ; XVe s., *Perceforest,* « se libérer, passer au-delà (d'un obstacle) » ; de *franc* 1. || **franchissable** 1872, Lar. || **franchissement** XIIIe s., « libération » ; XIVe s., « dépassement ». || **infranchissable** 1798, *Acad.*

franchise, francique V. FRANC 1.

franco 1771, Trévoux ; abrév. de *porto franco,* port franc, anc. loc. ital.

francolin 1298, *Livre de Marco Polo ;* ital. *francolino,* oiseau galliforme.

***frange** 1190, *Saint Bernard ;* lat. *fīmbria,* devenu **frĭmbia,* par métathèse. || **franger** 1213, *Fet des Romains.* || **frangeon** 1615, S. Certon. || **frangeuse** 1872, Lar. || **effranger** 1870, Lar. || **effrangement** 1869, A. Daudet.

frangin, -ine 1821, Ansiaume, frère, sœur ; de *frère,* avec infl. de *franc.*

frangipane 1588, G., « parfum pour gants » ; du nom du marquis ital. *Frangipani,* inventeur de ce parfum ; 1746, *Nouveau cuisinier,* crème pour la pâtisserie. || **frangipanier** 1700, Tournefort, à cause de l'arôme de cet arbuste.

franglais 1955, Rigaud ; croisem. de *français* et d'*anglais.*

franquette, frappe V. FRANC, FRAPPER, FRIPON.

frapper fin XIIe s., *Aliscans* (en anc. fr. *se fraper,* s'élancer) ; 1580, Montaigne, fig. ; francique **hrappan* (cf. bas allem. *rappeln ;* angl. *to rap,* frapper la porte) ou onomatopée *frap.* || **frappe** 1220, Coincy, « piège » ; 1567, Plantin, action de frapper, techn. ; déverbal. || **frappant** adj., 1742, Massillon, fig. || **frappage** 1845, Besch. || **frappé** 1826, Brillat-Savarin, « refroidi » ; XXe s., « fou ». || **frappement** XIIIe s., Delb. || **frappeur** XVe s., *D. G.* || **refrapper** XIIe s., E. de Fougères.

frasque XVe s., M. Le Franc ; ital. *frasche,* balivernes ; pl. de *frasca,* rameau, brindille, du lat. pop. **fraxicare,* rompre, de *fractus,* brisé.

frater, fraternel, fratricide V. FRÈRE.

fraude 1255, chez A. Thierry, « tromperie » ; 1682, Kuhn, droit ; lat. *fraus, -dis,* tromperie, erreur. || **frauder** 1355, Bersuire ; lat. *fraudare,* faire tort par fraude. || **fraudeur** adj. 1340, Varin ; n. m. 1549, R. Est. || **fraudatoire** 1930, Lar. ; lat. *fraudatus,* participe de *fraudare.* || **frauduleux** 1361, Oresme ; 1675, Kuhn, droit ; bas lat. *fraudulosus* (*Digeste*). || **frauduleusement** 1398, *Ménagier.*

fraxinelle 1561, *Recueil,* bot. ; lat. médiév. *fraxinella,* de *fraxinus,* frêne ; nom usuel du dictame.

***frayer** 1155, Wace (*freier, froier*), « frotter » (sens conservé comme terme monétaire), et en vén. « frotter son bois » (1354, *Modus*) ; début XIVe s., frayer, en parlant du poisson (la femelle frotte son ventre contre les bas-fonds) ; fin XVIIe s., Saint-Simon, *frayer avec quelqu'un ;* 1360, Froissart, *frayer une voie,* représente une autre évolution de « frotter » (par les pas) ; lat. *fricare,* frotter. || **frai** 1388, *Ordonn.* (*froiz*), « œufs de poissons » ; 1560, Paré (*fray*), « frottement » ; 1690, Furetière (*frai*), « usure des monnaies » ; déverbal de *frayer.* || **fraie** XIVe s., *Ordonnance* (*froie*), « époque de fécondation » ; déverbal de *frayer.* || **frayage** v. 1950. || **frayement** 1560, Paré, « frottement ». || **frayère** 1829, Boiste, lieu où les poissons fraient. || **frayoir** 1354, *Modus* (*freour*) ; 1380, G. Phébus (*froieour*).

frayeur 1138, *Saint Gilles* (*freiur*), « bruit » ; 1160, *Tristan* (*freor*), « peur », par confusion avec *esfreer* (v. EFFRAYER) ; lat. *fragor, -ōris,* bruit, vacarme.

fredaine 1420, Du Cange ; fém. de l'anc. fr. *fredain,* mauvais, anc. prov. **fraidin,* scélérat, du germ. **fra-aidi,* « qui a renié son serment » (anc. haut. allem. *freidi*).

fredon 1540, Yver, « son plus ou moins distinct » ; 1546, *Palmerin,* « ornement musical » ; 1890, *D. G.,* « refrain indistinct » ; sans doute d'origine méridionale, peut-être du lat. *fritinnire,* gazouiller. || **fredonner** 1547, Du Fail. || **fredonnement** 1546, Rab.

freezer 1953, Lar. ; mot angl. signif. « glacière ».

frégate XVe s., *Invent. de Marseille ;* ital. *fregata ;* zool., oiseau, av. 1637, Beaulieu, à cause du vol rapide. || **frégater** 1680, Colbert. || **frégaton** 1643, G.

***frein** 1080, *Roland,* « mors » ; 1690, Furetière, techn. ; 1265, J. de Meung, fig. ; lat. *frēnum,* morceau de la bride qui entre dans la bouche du cheval. || **freiner** 1190, Garnier, fig. ; fin XIXe s., techn. || **freinage** fin XIXe s. (V. RÉFRÉNER.)

freinte 1372, G., « déchet », var. *frainte ;* déverbal de l'anc. fr. *fraindre,* briser, du lat. *frangere.*

frelampier 1614, Barbier, refait en *frère lampier* (1642, Oudin) ; picard *ferlamper,* boire avec excès, de *lamper* et du préfixe intensif d'orig. néerl. *ver.*

frelater 1525, G. Crétin ; 1546, Rab., fig., « gâter » ; 1660, Oudin, couper (le vin), d'où altérer par mélange ; néerl. *verlaten,* transvaser (du vin), sens en fr. au XVIe s. || **frelatage** 1655, Bonnefons (*fralatage*), qui a remplacé *frelaterie* (1609, Delb.).

***frêle** 1050, *Alexis* (*fraile*) ; XVIIe s. (*frêle*) ; lat. *fragilis,* « qui peut être brisé » (v. FRAGILE) ; les emplois étaient plus étendus en anc. fr.

***frelon** 1165, Marie de France, guêpe ; bas lat. *furlone* (VIIe s., Isid. de Séville ; *furslones, fursleones,* au pl., VIIIe s., *Gloses de Reichenau*), du francique **hurslo* (néerl. *horzel*) ; le *f* s'explique mal, p.-ê. par infl. de *fur,* voleur.

freluche 1493, Coquillart (*freluque*) ; 1625, Gay (*-uche*), « chose inconsistante » ; 1660, Saint-Amant, fil de la Vierge ; var. de *farluge* (XVᵉ s.), de *fanfreluche*. || **freloche** 1399, Du Cange (*-oque*) ; var. de la même rac., filet très léger fait de gaze.

freluquet XVIᵉ s., Delb., « menue monnaie » ; 1609, Sigogne, fig., « homme frivole » ; dimin. de *freluque* (1493, Coquillart), menue monnaie ; altér., par chang. de finale, de l'anc. fr. *frelin, ferlin* (XIIᵉ-XVIᵉ s.), monnaie valant le quart d'un denier ; du néerl. *vierlinc,* ou var. de *freluche.*

***frémir** 1120, *Ps. d'Oxford ;* lat. *fremĕre,* retentir, faire du bruit, avec chang. de conjugaison. || **frémissant** 1480, *D. G.,* « retentissant » ; 1685, Bossuet, fig. || **frémissement** 1120, *Ps. de Cambridge,* « agitation » ; 1636, Monet, fig.

frénateur 1875, *Progrès médical,* physiologie ; lat. *frenator,* de *frenare,* mettre un mors. || **frénation** v. 1950 (v. FREIN).

***frêne** 1080, *Roland* (*fraisne*) ; XIIᵉ s. (*fresne*) ; lat. *fraxĭnus.* || **frênaie** 1280, G. (*fragnée*) ; 1600, O. de Serres (*fresnaie*) ; refait d'apr. *frêne,* du bas lat. **fraxinēta.*

frénésie 1283, Beaumanoir (*-isie*), méd., « délire » ; 1544, M. Scève, « exaltation » ; le sens méd. a existé jusqu'au XVIIIᵉ s. ; lat. médiév. *phrenesia, -isia,* du lat. *phrenesis,* du gr. *phrenitis,* de *phrên,* intelligence, cœur, âme. || **frénétique** fin XIIᵉ s., *Grégoire* (*frenetike*), méd. ; 1544, M. Scève, « exalté » ; lat. méd. *phreneticus,* du gr. *phrenetikos,* même évolution. || **frénétiquement** 1872, Lar.

fréquent 1398, E. Deschamps, « fréquenté » ; 1552, Rab., « répété » ; 1694, *Acad.,* « qui revient souvent » ; lat. *frequens,* dans les deux sens. || **fréquemment** fin XIVᵉ s., J. Le Fèvre (*-amment*). || **fréquence** 1190, *Saint Bernard,* « fréquentation, réunion », « affluence » (jusqu'au XVIIIᵉ s.) ; 1587, La Noue, « répétition d'un phénomène » ; 1907, Lar., physique ; lat. *frequentia,* réunion, puis infl. de l'adj. || **fréquencemètre** 1907, Lar. || **fréquenter** 1190, *Saint Bernard,* « célébrer » ; 1360, Froissart, « aller habituellement chez quelqu'un » ; 1679, Bossuet, « aller souvent dans un lieu » ; lat. *frequentare,* rassembler, et sens actuel. || **fréquentable** 1526, Marot. || **fréquentation** 1350, Gilles li Muisis, « fréquence » ; 1361, Oresme, « fait de fréquenter » ; 1580, Montaigne, fig., sous l'infl. du verbe ; lat. *frequentatio,* fréquence. || **fréquentatif** 1550, Meigret ; lat. impér. *frequentativus.*

frequin 1723, Savary, tonneau pour le sucre ; angl. *firkin,* contraction de *ferdekyn* (XVᵉ s.), qui paraît venir du néerl. et signif. proprement « tonneau d'un quart (*vierde*) ».

***frère** 842, *Serments* (*fradre*) ; 1080, *Roland* (*frere*) ; en lat. eccl., le mot avait pris le sens de « moine » qu'il a aussi gardé ; *frères et amis,* 1764, dans la langue de la franc-maçonnerie ; lat. *frater, -tris.* || **frérot** v. 1534, B. Des Périers. || **frater** 1549, Marg. de Navarre, moine et par ext. barbier. || **fraternel** 1190, *Saint Bernard ;* lat. *fraternus,* fraternel. || **fraternellement** 1360, Froissart. || **fraterniser** 1548, Sibilet, « être en accord » ; fin XVIIIᵉ s., Brunot, milit. || **fraternisation** 1792, *Procès-verbal du Comité de l'Instr.* || **fraternité** 1155, Wace ; lat. *fraternitas ;* rôle important dans la langue de la franc-maçonnerie, puis pendant la Révolution. || **fraternitaire** 1841, Reybaud ; d'une secte appelée *fraternité ;* 1855, Baudelaire, sens actuel. || **fratricide** n. m., 1130, *Job,* « meurtre », rare jusqu'au XVIIIᵉ s. ; 1458, *Vieil Test.,* « meurtrier » (très contesté au XVIIᵉ s.) ; lat. *fratricida,* « qui a tué son frère », *fratricidium,* « meurtre d'un frère » (de *frater* et de *caedere,* tuer). || **confrère** fin XIIIᵉ s., *Roman de Renart ;* lat. médiév. *confrater.* || **confrérie** *id. ;* anc. fr. *confrarie,* lat. médiév. *confratria,* de *fratria,* phratrie, mot gr. || **confraternité** 1283, Delb. || **confraternel** fin XVIIIᵉ s. || **confraternellement** XXᵉ s.

fresaie 1120, *Ps. d'Oxford ;* altér., d'apr. *effraie, orfraie,* de *presaie* (XVIIᵉ s., poitevin d'apr. Ménage), du lat. *praesaga* (*avis*), [oiseau] prophétique, c.-à-d. de mauvais augure.

fresque 1669, Molière, en beaux-arts ; 1861, Baudelaire, fig. ; ital. *fresco,* frais, avec abrév. de la loc. *dipingere a fresco ;* 1596, Vigenère (*peindre à frais*), c.-à-d. sur un enduit frais ; le mot, masc. en ital., est devenu fém. en fr. à cause de la finale. || **fresquiste** 1865, L.

***fressure** 1220, Coincy (*froisure*) ; fin XIIIᵉ s., Joinville (*fressure*), « ensemble des viscères » ; « mets » chez Rab. et encore en Anjou ; lat. pop. **frĭxura* (bas lat. *frĭxare,* frire) ; proprement « friture » : cet organe (viscères) était mangé frit (cf. *fricassée,* foie en Saintonge, XVIIᵉ s., Ménage) ; le *ĭ* est dû à une analogie avec les parfaits latins en *-ĭxi, -ĭnxi.*

fret XIIIᵉ s., G. ; néerl. *vrecht, vracht,* prix du transport (allem. *Fracht,* angl. *fraught*). || **fréter** XIIIᵉ s., G. || **fréteur** fin XVIᵉ s. || **affréter** 1322, G., « fréter ». || **affrètement** 1366, Delb. || **affréteur** 1678, Guillet.

frétiller XIIe s. ; anc. fr. *freter,* frotter, du lat. *fricare.* || **frétillant** fin XVe s., Martial d'Auvergne. || **frétillement** 1361, Oresme. || **frétillon** 1493, Coquillart, fam., surtout sobriquet. || **frétilleur** 1611, Cotgrave.

fretin 1193, Hélinant, « menu débris » (jusqu'au XVIIe s.), et par ext. chose sans valeur ; XVIe s., petits poissons ; 1606, Nicot, fig. (*menu fretin*) ; anc. fr. *frait, fret,* part. passé de *fraindre,* briser, avec suffixe *-in.*

1. **frette** virole de fer, fin XIIe s., *Fabliau ;* francique **fetur,* chaîne. || **fretter** XIIe s., *Parthenopeus.* || **frettage** 1723, Savary.

2. **frette** 1360, G., archit et blas., bande, baguette ; féminin substantivé de *fret,* participe passé de *fraindre* (1080, *Roland*), lat. *frangere,* briser.

freudien 1928, Aragon ; du nom de *Freud* (1856-1939), psychiatre autrichien. || **freudisme** 1915, Voivenel.

freux début XIIIe s. (*fros*) ; 1493, *Calendrier des bergers* (*freux*), « corneille » ; francique **hrök* (anc. haut allem. *hruoh*).

friable 1539, Canappe ; lat. *friabilis,* de *friare,* broyer. || **friabilité** 1641, de Clave.

friand V. FRIRE.

fric 1879, Esnault, argent ; abrév. de *fricot* (cité en ce sens par Rossignol, 1900).

fricandeau 1552, Rab. ; p.-ê. de même rac. que *fricasser.*

fricasser XVe s., *Repues franches ;* p.-ê. du lat. pop. **frĭgicare,* de *frīgere,* frire, ou un croisement entre *frire* et *casser.* || **fricassée** 1490, Taillevent. || **fricasseur** début XVIe s., Gringore.

fricatif 1877, L., se dit de consonnes qui se prononcent avec l'air passant par un conduit étroit ; lat. *fricare,* frotter.

fric-frac 1669, Widerhold, « bruit » ; 1837, Vidocq, « vol avec effraction » ; onom. avec alternance vocalique (v. FLIC-FLAC).

friche 1251, Tobler-Lommatzsch ; moyen néerl. *versch* [land], terre fraîche.

frichti 1855, Maynard, repas, en argot milit. ; allem. *Frühstück,* avec la prononciation alsacienne *frichtik* (mot de caserne introduit par les sous-officiers alsaciens).

fricot 1767, Le Lué, « bombance » ; 1842, E. Sue, « besogne » ; 1850, Balzac, « nourriture » ; dér. pop. du rad. de *fricasser.* || **fricoter** 1807, Michel, « fricasser » ; 1868, Esnault, fig., « tripoter ». || **fricotage** 1883, Esnault, « tripatouillage ». || **fricoteur** 1812, *Mém. de Caulaincourt,* en parlant de soldats qui dépeçaient les chevaux et voyageaient le poêlon à la main ; 1823, général Hugo, « soldat pillard » ; 1843, Esnault, « agent d'affaires véreuses ».

friction 1538, Canappe, « frottement » ; 1752, Trévoux, techn. ; 1872, Lar., « désaccord » ; lat. méd. *frĭctio,* de *frĭcare,* frotter. || **frictionner** 1782, Chevillard. || **frictionnel** 1962, Lar., techn.

fridolin 1918 (*frigolin*) ; d'apr. un prénom allem. (saint Fridolin, moine irlandais, évangélisa la Germanie au VIIe s.).

frigide 1706, Brasey, « froid » ; av. 1848, Chateaubriand, sens moderne ; lat. *frigidus,* froid. || **frigidement** 1855, Goncourt. || **frigidité** 1330, G. ; lat. méd. *frigiditas* (IIIe s., Aurelius). || **frigidaire** 1636, Monet, terme hist. ; repris en 1932 (avec majuscule) comme nom de marque d'un réfrigérateur ; lat. *frigidarium,* chambre froide. || **frigorifique** adj., 1701, Furetière ; lat. *frigorificus,* « qui fait le froid », de *frigus, -oris ;* n. m., fin XIXe s. || **frigo** 1922, Lar. ; abrév. de *frigorifique.* || **frigorie** fin XIXe s. || **frigorifier** 1894, Sachs ; *être frigorifié,* avoir froid, début XXe s. || **frigorifère** 1836, Landais. || **frigorigène** 1907, Lar. || **frigoriste** v. 1950.

***frileux** fin XIIe s., *Alexandre* (*friuleus*) ; 1360, Froissart (*frileux*) ; bas lat. *frigorosus,* de *frigus, -oris,* froid, avec dissimilation du deuxième *r* en *l.* || **frileusement** fin XIXe s., A. Daudet. || **frilosité** XIVe s., Du Cange (*frilousité*) ; 1858, Legoarant (*frilosité*).

friller 1611, Cotgrave, « trembler de froid » ; 1757, Trévoux, tech. ; lat. pop. **frigulare,* geler ou bouillir, de *frigere,* frire.

frimaire 1793 ; nom de mois tiré de *frimas* par Fabre d'Églantine.

frimas 1460, Villon ; anc. fr. *frime* (XIIe s.), du francique **hrîm* (scand. *hrim*).

frime XIIe s., *Richeut* (*frume*), mine ; XVe s. (*frime*), sens actuel d'apr. *faire frime de,* faire mine de (semblant de) ; bas lat. *frumen, -inis,* gosier.

frimousse 1576, Truppault ; origine obscure, sans doute de *frime,* mine.

fringale 1774, Beaumarchais (*fringalle*) ; 1807, Michel (*fringale*) ; altér., sous l'infl. de *fringant,* de *faim-valle.* (V. FAIM.)

fringant 1493, Coquillart ; part. prés. de l'anc. fr. *fringuer,* sautiller, et, au XVIIe s., rincer un verre ; de *faire fringues,* gambader, origine onomat. || **fringuer** 1749, Vadé, pop., « faire l'élégant », puis *être bien fringué,* bien habillé. || **fringues** 1878, Esnault, pl., « habits », souvent péjoratif (1896, Esnault).

fringille 1800, Boiste ; lat. *fringilla,* pinson, petit passereau. || **fringillidé** 1839, Boiste.

fringuer, fringues V. FRINGANT.

frio 1883, Macé, pop., froid ; mot esp., lui-même du lat. *frigidus.*

friper 1534, Rab., « chiffonnier » ; altér., d'apr. *friper,* manger (v. FRIPON), de l'anc. fr. *freper,* dér. de *frepe, fripe,* frange, guenille, sans doute du bas lat. *falappa,* copeau. || **fripier** 1268, É. Boileau. || **friperie** XIIIe s., Rutebeuf (*freperie*) ; 1541, Calvin (*friperie*), « vêtements ». || **défriper** 1771, Trévoux.

fripon début XVIe s., *Anc. théâtre fr.,* « voleur » et « gourmand » ; de *friper,* « avaler goulûment » (1265, J. de Meung) et « voler » (début XVIIe s., Malherbe) ; de *frepe,* chiffon, du bas lat. *faluppa.* || **friponner** 1340, Le Fèvre, « bien manger » ; 1580, Montaigne, « dérober ». || **friponnerie** 1530, *D. G.* || **friponneau** 1665, La Fontaine. || **fripouille** 1797, Esnault, « bon à rien » ; 1837, Vidocq, « misérable », pop. ; de *fripon.* || **frappe** 1866, Esnault, de *frapouille* (1807, Michel), « gueux » ; var. de *fripouille.*

friquet 1555, Belon, « moineau » ; de l'anc. fr. *frique* (var. *friche,* XIIIe s.), vif, éveillé ; p.-ê. du germ. **frĭk-,* avide, entreprenant (allem. *frech,* hardi) ; il existait une var. *frisque* (XIIIe s., A. de La Halle) jusqu'au XVIIe s.

***frire** fin XIIe s., *Aliscans ;* lat. *frĭgĕre ;* devenu défectif en fr. mod. || **frit** 1460, *Mystère,* fam., être perdu. || **frite** 1858, Larchey ; sur le part. passé *frit.* || **friteau** XIIIe s., *Bataille de Caresme.* || **friterie** 1909, Lar. || **friteur** 1877, L. || **fritte** 1690, Furetière, techn., vitrification. || **fritter** 1765, *Encycl.* || **frittage** 1845, Besch. || **friture** 1120, *Ps. de Cambridge ;* bas lat. **frīctura,* de *frĭgere,* frire. || **friturerie** 1877, L. || **friand** XIIIe s., *Fabliau ;* anc. part. prés. de *frire* au fig., « qui grille d'impatience » et aussi « appétissant » en anc. fr. (1265, J. de Meung). || **friandise** XIVe s., « goût raffiné », var. *-tise* au XVe s. , 1541, Calvin, « sucrerie ». || **affriander** XIVe s.

1. **frise** 1528, Barbier ; bas lat. *frisium, phrygium,* broderie, d'apr. les étoffes brochées d'or originaires de Phrygie (lat. *phrygius,* gr. *phrux, phrugos*).

2. **frise** (*cheval de*) 1572, *D. G. ;* calque du néerl. *friese ruiter,* cavalier de Frise ; ce système de défense aurait été inventé en Frise.

friser milieu XVe s. ; attesté au XVIe s., au moment où la mode de friser les cheveux des femmes apparaît dans la noblesse ; p.-ê. d'un radical *fri-* tiré de *frire,* par métaphore. || **friselis** 1864, Goncourt. || **frisage** 1827, *Acad.,* techn. || **frisement** 1872, A. Daudet. || **friseur** 1865, L. || **frisette** *id.* || **frisoir** 1640, Oudin. || **frison** 1560, Belleau. || **frisotter** 1552, Ronsard. || **frisottement** XXe s. || **frisure** début XVIe s., « action de friser » ; 1539, Corrozet, « boucles de cheveux ». || **défriser** 1670, Sévigné ; 1808, d'Hautel, fig. || **défrisement** 1836, Landais.

frison V. FRISER.

frisquet 1827, *Gloss. argot.,* fam. ; mot wallon signif. « froid », du flamand *frisch,* frais.

***frisson** fin XIe s., *Gloses de Raschi* (*friçon*) ; XVIe s. (*frisson*), fém. en anc. fr. (jusqu'au XVIe s.) ; bas lat. *frīctio, -onis* (VIe s., Grégoire de Tours), dér. de *frīctus,* part. passé de *frigere,* frire, pris au sens fig. de « trembler » et rattaché à *frīgēre,* avoir froid. || **frissonner** début XVe s., Charles d'Orléans. || **frissonnant** 1540, Yver. || **frissonnement** 1560, Paré.

friteau V. FRIRE.

fritillaire 1669, P. Morin ; lat. *fritillus,* cornet, d'apr. la forme des fleurs.

fritte V. FRIRE.

fritz 1914 ; abrév. allem. de *Friedrich,* Frédéric.

frivole XIIIe s., *Ysopet de Lyon ;* lat. *frivolus.* || **frivolement** 1384, G. || **frivolité** fin XIIe s., Saint-Simon, « caractère frivole » ; pl. 1872, Lar.

froc 1138, Gaimar, « manteau » ; 1155, Wace, « habit de moine » ; 1905, Esnault, « culotte » ; francique **hrokk* (bas lat. *hroccus,* allem. *Rock,* habit). || **frocard** fin XVIIe s., Marsollier. || **froquer** fin XVIe s., L'Estoile. || **défroquer** XVe s., *Perceforest.* || **défroque** 1540, C. Marot (*défroc*) ; déverbal.

***froid** 1080, *Roland* (*freit*) ; XIVe s. (*froid*) ; lat. pop. *frĭgĭdus* (lat. *frīgidus*) ; premier *ĭ* d'apr. *rĭgidus* ou d'apr. le francique *frĭsk,* frais. || **froideur** 1120, *Ps. de Cambridge,* spécialisé au fig. (av. 1559, J. du Bellay). || **froidement** 1370, J. Le Bel. || **froidure** 1120, *Ps. de Cambridge*

(*-freid-*) ; 1450, Ch. d'Orléans (*froidure*). || **froidir** 1160, Benoît. || **refroidir** fin XIIe s., *Aiol,* rendre froid, qui a remplacé *froidir* ; 1130, *Eneas,* « perdre la vie ». || **refroidissement** 1314 Mondeville. || **refroidisseur** 1827, Chateaubriand. (V. RÉFRIGÉRER.)

***froisser** 1080, *Roland* (*froissier*) ; XIIIe s. (*froisser*), « briser » ; 1462, *Cent Nouvelles,* « chiffonner », par affaiblissement progressif du sens de « meurtrir » ; fin XVIe s., « offenser » ; lat. pop. **frŭstiare,* de *frŭstum,* fragment (v. FRUSTE). || **froissement** 1275, Adenet, « bruit d'entrechoquement » ; 1560, Paré, « contusion » ; 1835, *Acad.,* sens actuel. || **froissis** 1155, Wace, « action de briser ». || **froissure** fin XIIe s., *Loherains,* « fracture ». || **infroissable** 1914, Gide. || **défroisser** 1155, Wace, « briser » ; XXe s., sens actuel.

frôler av. 1450, Gréban (*fraulée* part.), « rosser » ; 1670, Molière, sens actuel ; origine obscure, sans doute onomat. || **frôlement** 1700, Dodart. || **frôleur, -euse** 1876, A. Daudet.

***fromage** 1180, Gay (*formage*) ; XIIIe s., *Roman de Renart* (*fromage*) ; lat. pop. **formaticum,* de *caseus formaticus,* fromage fait dans une forme, de *fŏrma,* spécialisé en « forme à fromage » (cf. *fourme,* fromage du Cantal). || **fromager** XIIIe s., qui vend du fromage ; 1755, *Encycl.,* arbre, à cause de son revêtement cotonneux ; 1872, Lar., adj. || **fromagerie** XIVe s., *Miracles de Nostre-Dame.* || **fromegi** 1878, Rigaud (*fromji*), argot milit., puis pop. ; du lorrain *fromegie,* fém., fromage caillé, devenu masc. d'apr. *fromage.* || **frometon** 1888, Esnault ; altér. de *fromegi.*

***froment** XIIIe s., *Apollonius* (*froument*) ; XIVe s. (*froment*) ; lat. pop. **frŭmentum* (lat. *frūmentum*) ; le *ŭ* bref est attesté par l'ital. et l'esp. et reste inexpliqué. || **fromentacée** 1732, Trévoux. || **fromental** XIIIe s., adj. ; 1760, Voltaire, avoine. || **fromenteau** 1775, Béguillet, mot du N.-E. || **fromenteux** XIVe s.

froncer fin XIe s., *Gloses de Raschi ;* var. de l'anc. fr. *froncir,* francique **hrunkjan.* || **fronce** fin XIe s., *Gloses de Raschi,* « rides » ; 1803, Boiste, « pli défectueux » ; XXe s., en couture ; déverbal. || **froncement** 1530, Palsgrave. || **froncis** 1563, Palissy. || **défroncer** XIIIe s., G.

1. **fronde** bot., feuille, XVe s., *Pastoralet ;* lat. *frons, frondis,* feuillage. || **frondaison** 1823, Boiste.

2. ***fronde** lance-pierres, 1170, *Rois ;* altér. de *fonde* (XIIe-XVIIe s.) ; 1649, Retz, parti des insurgés ; lat. *funda.* || **fronder** XIIe s. (*fonder*) ; 1611, Cotgrave (*fronder*), « lancer avec la fronde » ; au fig. « faire le mécontent », 1649, Retz, d'apr. une comparaison ironique du conseiller Bachaumont, d'où le parti de la Fronde. || **frondeur** 1290, G., soldat armé de la fronde ; 1662, La Rochefoucauld, membre de la Fronde, même évolution. || **fronderie** 1671, Sévigné, mécontentement.

***front** 1080, *Roland,* partie du visage ; 1265, Br. Latini, face antérieure de qqch ; XXe s., polit. ; *de front* 1207, Villehardouin ; *avoir le front de* XVe s. ; *faire front* milieu XVIe s., Amyot ; lat. *frons, frontis,* fém. ; masc. en fr. d'apr. *mont, pont.* || **frontal** n. m. fin XIe s., *Gloses de Raschi* ; adj. XVIe s. || **frontail** 1583, Liébault, étoffe. || **fronteau** XIIe s., *Thèbes* (*frontel*). || **frontalier** 1730, Savary ; repris au XIXe s. (1827, *Acad.*) ; catalan *frontaler,* limitrophe (gascon *frountalié*), pour servir de dér. à *frontière.* || **frontalité** fin XIXe s. || **frontière** XIIIe s., G., « front d'une armée » ; 1316 ; Maillart, « place forte » ; 1360, Froissart, « limite de territoire » ; forme substantivée de l'anc. fr. *frontier, -ère,* adj., « qui fait face à, voisin ». || **frontispice** 1529, G. Tory ; bas lat. *frontispicium,* de *frons,* et *spicere,* regarder. || **frontiste** 1916, polit. en Belgique. || **frontologie** XXe s., météo. || **fronton** 1653, Oudin ; ital. *frontone,* augmentatif de *fronte,* front au sens architectural. || **affronter** 1155, Wace, « frapper » et sens actuel ; 1521, Nostradamus, « tromper ». || **affronterie** 1521, Nostradamus, « tromperie ». || **affronteur** 1526, Delb., « qui trompe ». || **affrontement** 1547, Budé. || **affronté** XIIe s., héraldique. || **affront** fin XVIe s., Brantôme ; ital. *affronto,* injure. || **effronté** 1265, J. de Meung, c.-à-d. « sans front pour rougir ». || **effrontément** 1190, *Saint Bernard* (*effronteiement*). || **effronterie** 1605, H. de Santiago.

frontignan 1688, Miege ; vin du nom d'une ville de l'Hérault.

frotter 1167, Gautier d'Arras ; a remplacé par substitution de suffixe l'anc. fr. *freter* (XIIIe s.), du lat. pop. **frictare,* fréquentatif de **frĭcare,* frotter. || **frottement** XIVe s. || **frottée** 1611, Cotgrave, tartine frottée d'ail ; 1752, Trévoux, « coups reçus ». || **frottage** 1690, Furetière. || **frotte** 1861, Esnault, « nettoyage » ; 1866, Esnault, « gale ». || **frotteur** 1372, Corbichon, « qui frotte » ; 1690, Furetière, sens spécialisé. || **frottis** 1588, L'Estoile, « action de frotter » ; XXe s., méd. || **frottoir** début XVe s. || **frotton** 1701, Furetière, boule de crin et de cuir servant à l'impression des gravures sur bois.

frou-frou 1738, Thurot, onom. || **froufrouter** 1876, *le Figaro.* || **frouer** 1732, Trévoux, imiter le cri de la chouette.

frousse 1859, Larchey ; orig. inconnue. || **froussard** 1890, Esnault.

fructi-, du lat. *fructus,* fruit. || **fructidor** 1793 ; tiré par Fabre d'Églantine du gr. *dôron,* présent, c.-à-d. « mois des fruits ». || **fructifère** XVIe s. || **fructifier** 1170, *Rois ;* lat. impér. *fructificare* (IIe s., Calpurnius). || **fructification** XIVe s. ; lat. impér. *fructificatio.* || **fructificateur** 1865, L. || **fructueux** fin XIIe s., *Grégoire ;* lat. *fructuosus,* « qui donne des fruits » ; le sens propre est rare avant le XVIe s. (Marot). || **fructueusement** XIVe s., *Miracles de Notre-Dame.* || **fructose** XXe s. || **infructueux** 1372, Golein ; lat. *infructuosus.* || **infructueusement** fin XVe s., G.

frugal 1534, Rab. ; lat. *frugalis.* || **frugalement** av. 1553, Rab. || **frugalité** 1355, Bersuire ; lat. *frugalitas.*

frugivore 1762, *Mém. Acad. des sciences ;* lat. *frux, frugis,* fruit, et *vorare,* dévorer.

***fruit** XIe s., bot. ; XIIe s., *Partenopeus,* fig., profit ; 1283, Beaumanoir, produits du sol ; XVIe s., *Coutumier,* droit ; *fruit de mer,* 1798, Casanova ; lat. *fructus,* revenu, production, qui élimina *frux* en lat. pop. et prit le sens de *pomum ;* les sens fig. ont été repris au lat. jurid. et eccl. || **fruité** 1690, Furetière, héraldique ; 1907, Lar., pour une boisson. || **fruiterie** 1261, G., « fruits », en anc. fr. ; 1611, Cotgrave, « local ». || **fruitier** 1277, *Archives,* « personne qui prenait soin des fruits » ; 1563, La Boétie, « verger » ; fin XIVe s., Deschamps, « qui vend des fruits ».

frusquin 1628, *Jargon,* « habit » en argot ; puis *saint-frusquin* (1748, Michel), par formation plaisante ; origine inconnue. || **frusques** 1790, *Rat du Châtelet ;* masc. sing., puis fém. pl. d'apr. la finale. || **frusquer** 1883, Esnault.

fruste XVe s. (*frustre*) ; milieu XVIe s., Ronsard (*fruste*), en parlant d'une monnaie usée ; 1845, Besch., « rude », d'après *rustre ;* ital. *frusto,* usé, de *frustare,* broyer, même rac. que le fr. *froisser.*

frustrer début XIVe s., « priver d'un bien » ; fin XVIIe s., Bossuet, « priver de satisfaction » ; lat. *frustrari,* voler. || **frustrant** v. 1950. || **frustration** 1549, R. Est., « privation de biens » ; XXe s., sens actuel. || **frustratoire** 1367, G., droit.

frutescent 1811, Mozin ; lat. *frutex, -icis,* arbrisseau, sur le modèle de *arborescent.* || **fruticicola** 1844, Ch. d'Orbigny, escargot mangeur de fruits.

fuchsia 1693, Plumier ; mot du lat. bot. créé en souvenir du botaniste bavarois *Fuchs* (XVIe s.).

fuchsine 1859, *Brevet ;* tiré par le chimiste Verguin, au service de l'industriel lyonnais Renard, de l'allem. *Fuchs,* nom allem. du renard.

fucus 1562, Du Pinet ; mot lat. désignant une plante marine ; gr. *phûkos.*

fuégien 1888, Lar. ; esp. *fuegino,* de *fuego,* feu, lat. *focus.*

fuel-oil ou **fuel** v. 1950 ; mot angl. désignant l'huile combustible.

fugace 1550, Ronsard ; lat. *fugax, -acis,* de *fugere,* fuir. || **fugacité** 1827, *Acad.*

fugitif fin XIIIe s., G. (*fuigitif*) ; XIVe s. (*fugitif*) ; lat. *fugitivus,* qui s'enfuit, de *fugere,* fuir. || **fugitivement** 1828, Villemain.

fugue 1598, de Marnix, mus. ; 1775, Voltaire, repris au sens de « fuite » et surtout de « escapade » ; ital. *fuga,* fuite, appliqué à un motif musical dont les parties semblent fuir dans les différentes voix, du lat. *fŭga,* fuite. || **fugué** 1845, Besch. || **fugueur** 1930, Lar., en psychiatrie. || **contre-fugue** 1680, Richelet, mus.

führer v. 1930 ; mot allem. signif. « conducteur », calque de l'ital. *duce,* chef ; appliqué à Hitler.

***fuie** 1131, *Couronn. Loïs,* « fuite », puis « refuge », auj. « volière pour pigeons » ; lat. pop. **fūga* (lat. class. *fŭga*).

***fuir** fin IXe s., *Eulalie ;* lat. pop. *fūgire* (lat. *fŭgĕre*), le *ū* d'apr. le parfait *fūgī.* || ***fuite** 1190, J. Bodel ; anc. part. passé du lat. pop. **fūgĭtus* (lat. *fŭgĭtus*), substantivé au fém. || **fuyant** adj., 1539, R. Est. ; n., 1213, *Fet des Romains.* || **fuyard** 1540, Herberay des Essars, adj. ; 1690, Furetière, qui refuse le combat. || **s'enfuir** 1080, *Roland.*

fulgore 1791, *Encycl. méth.,* insecte lumineux ; lat. zool. *fulgora,* en lat. déesse des éclairs (*fulgur, -oris*).

fulgurant 1488, *Mer des hist.,* fig., rare avant le XIXe s. (1845, Besch.) au sens propre ; lat. *fulgurans,* part. prés. de *fulgurare,* faire des éclairs. || **fulguration** 1532, G., « éclat de lumière » ; 1857, Flaubert, fig. ; lat. *fulguratio.* || **fulgural** 1842, Mozin ; lat. *fulguralis.* || **fulgurer** 1862, Flaubert ; lat. *fulgur,* foudre. || **fulgurite** 1827, *Acad.,* minér.

fuligineux 1560, Paré ; lat. *fuliginosus,* de *fuligo, -inis,* suie. || **fuliginosité** 1561, Du Pinet. || **fuligine** 1372, Corbichon, suie.

full 1884, Laun, au poker ; mot angl. signif. « plein ».

fulmi-, du lat. *fulmen, -inis,* foudre. || **fulmicoton** 1865, L. || **fulminer** 1335, Digulleville, « lancer la foudre » ; 1655, Cyrano, fig. ; milieu XVIe s., Amyot, relig. ; lat. *fulminare,* lancer la foudre. || **fulminant** fin XVe s., O. de Saint-Gelais ; part. prés. lat. *fulminans.* || **fulmination** 1406, G. || **fulminatoire** 1521, Marot ; lat. eccl. *fulminatorius.* || **fulminate** 1823, *Annales de chimie.* || **fulminique** 1824, Liebig.

fulverin 1827, *Acad.* ; lat. *fulvus,* fauve, couleur pour glacer les bruns.

fumagine 1845, Besch., bot., lat. *fūmus,* fumée, sur les dér. en *-ago, -aginis ;* croûte noire se formant à la surface de végétaux atteints de cette maladie.

1. ***fumer** dégager de la fumée, 1120, *Ps. d'Oxford ;* 1611, Cotgrave, *fumer une denrée ;* 1690, Furetière, *fumer du tabac ;* XVe s., L., « être en colère » ; lat. *fūmāre,* de *fūmus,* fumée. || **fumée** 1170, *Rois ;* 1410, Chr. de Pisan, « griserie » ; 1354, *Modus,* vén., fiente du cerf, d'apr. la fumée qu'elle dégage. || **fumerolle** 1827, *Acad.* ; ital. *fumaruolo,* masc., orifice de cheminée, spécialisé en fr. pour les fumerolles volcaniques ; fém. en fr. d'apr. la finale. || **fumage** 1752, Trévoux, action d'exposer à la fumée. || **fumaison** 1872, Lar. || **fumeux** 1165, Marie de France (*fumos*), « trop luxueux » ; 1314, Mondeville, « enivrant » ; 1560, Paré, « qui fait de la fumée » ; 1922, Lar., « obscur » ; lat. *fumosus.* || **fumerie** 1786, Le Lué. || **fumeron** 1611, Cotgrave, « morceau de bois qui fume » ; 1833, Esnault, « jambe ». || **fumeronner** 1950, Mistler. || **fumet** XVIe s., Thevet, spécialisé en « émanation odorante ». || **fumeterre** 1372, Corbichon ; lat. médiév. *fumus terrae,* fumée de la terre, parce que, selon O. de Serres, le jus de cette plante fait pleurer les yeux comme la fumée. || **fumeur** (*de tabac*) 1690, Furetière. || **fumigène** fin XIXe s. || **fumiger** 1373, *Trad. de P. Crescens,* méd. ; lat. *fumigare,* faire de la fumée. || **fumigation** 1314, Mondeville, méd. ; bas lat. *fumigatio.* || **fumigatoire** 1503, Chauliac || **fumigateur** 1803, Wailly. || **fumignon** fin XIXe s., Huysmans. || **fumivore** 1799, *Ann. des arts et manuf.* || **fumiste** 1735, Voltaire, « ramonneur » ; 1840, *la Famille du fumiste,* « farceur ». || **fumisterie** 1840, Varner, sens propre ; 1852, Goncourt, farce. || **fumoir** 1821, Lasteyrie, bâtiment où l'on fume les viandes, le poisson ; milieu XIXe s., Baudelaire, pièce où l'on fume. || **fume-cigarette** V. CIGARE.

2. ***fumer** amender avec du fumier, fin XIIe s., *Escoufle* (*femer*) ; XIVe s. (*fumer*), par infl. de *fumer* 1 ; lat. pop. **femare,* de **femus,* fumier, lat. *fimus.* || **fumage** 1254, G. (*fe-*), action de fumer une terre. || **fumier** 1170, *Rois* (*femier*) ; 1175, Chr. de Troyes (*fumier*), par infl. de *fumer* 1 ; lat. pop. **femarium,* tas de fumier, de **fĕmus,* fumier ; d'où l'anc. fr. *fiens,* fumier, du lat. *fimus.* || **fumière** 1530, Marot. (V. FIENTE.)

fumerolle, fumeterre, fumeux, fumigation, fumigène, fumiste V. FUMER 1.

fumier V. FUMER 2.

funambule début XVIe s. ; lat. *funambulus,* de *funis,* corde, et *ambulare,* marcher. || **funambulesque** 1857, Banville.

funding 1900, Bonnafé, fin. ; abrév. de l'angl. *funding loan,* emprunt de consolidation, part. prés. de *to fund,* consolider.

fune 1464, Lagadeuc ; forme féminisée (ou reprise du lat.) de l'anc. fr. *fun* (XIIe s., *Grégoire*), corde, du lat. *fūnis.* || **funer** 1586, Laudonnière. || **funin** 1130, *Eneas* (*funain*), cordage ; lat. pop. **funamen,* de *funis.*

funèbre XIVe s., « propre aux funérailles » ; 1704, Trévoux, « lugubre » ; lat. *funebris,* de *funus, funeris,* funérailles. || **funèbrement** XVIe s., Huguet. || **funérailles** 1406, N. de Baye ; lat. *funeralia,* pl. neutre de *funeralis,* relatif aux funérailles. || **funéraire** 1565, Huguet ; lat. *funerarius.*

funeste 1355, Bersuire, « désolé » ; 1564, Thierry, « qui cause la mort » ; lat. *funestus,* funèbre, de *funus, -eris,* funérailles. || **funestement** 1680, Richelet.

funiculaire adj., 1725, Varignon ; n. m., 1890, *D. G.,* abrév. de *chemin de fer funiculaire* (1872, Lar.) ; lat. *funiculus,* dimin. de *funis,* corde.

funin V. FUNE.

***fur** 1130, *Eneas* (*fuer*), « taux » ; XVIe s. (*fur*) ; renforcement de la loc. *au fur* (XVIe s., Loisel), à proportion, par *à mesure,* d'où auj. *au fur et à mesure* (1690, Furetière) et *au fur à mesure ; lat. fŏrum,* marché, et, par ext. de sens, « opérations faites au marché », d'où, en lat. pop., « convention ».

***furet** XIIIe s., *Roman de Renart ;* lat. pop. **furitus,* petit voleur, furet, de *fur,* voleur. || **fureter** XIVe s., Aug. Thierry, chasser au furet ; 1549, R. Est., « fouiller ». || **furetage** 1811, *Encycl. méth.* || **fureteur** 1514, Delb., qui chasse au furet ; 1611, Cotgrave, qui fouille.

fureur fin Xe s., *saint Léger ; faire fureur,* être à la mode, *Acad.,* 1835 ; adapt. du lat. *furor.* || **furibond** 1265, Br. Latini ; lat. *furibundus,* de *furere,* être en colère. || **furibonder** 1674, Sévigné. || **furie** 1355, Bersuire, qui remplace *fuire* (XIIe s.) ; lat. *furia.* || **furieux** fin XIIIe s., « en colère » ; 1372, Corbichon, « dément » ; lat. *furiosus.* || **furieusement** 1360, Froissart. || **furibard** fin XIXe s. || **furax** XXe s. ; de *furieux,* d'après lat. *furax,* rapace. || **furia** 1872, Lar. ; mot ital., du lat. *furia,* impétuosité. || **furioso** 1865, L. ; mot ital. signif. « furieusement ».

furfur(e) 1280, Bibbesworth (*fourfre*) ; 1377, Lanfranc (*furfure*), méd., squame de la peau ; lat. *furfur,* son (de céréale). || **furfuracé** 1810, Alibert, lésion recouverte de petites squames.

furibond, furie V. FUREUR.

furolle 1525, J. Lemaire (*fuirole*) ; francique **fuir,* feu. Désigne le feu follet en certaines régions.

furon XIVe s., Du Cange, petit du furet ; réfection, d'apr. *furet,* de l'anc. fr. *fuiron,* autre nom du furet, du lat. pop. *furo,* voleur.

furoncle 1478, Chauliac ; a remplacé la forme pop. *feroncle,* altérée en *ferongle* (1376, Du Cange) d'apr. *ongle ;* on trouve encore *froncle* en 1690 (Furetière) ; lat. *furunculus,* petit voleur, de *fur,* et désignant la bosse de vigne à l'endroit du bouton, parce qu'il dérobe la sève de la plante ; par analogie de forme, sens actuel. || **furonculeux** 1842, *Acad.* || **furonculose** fin XIXe s.

furtif milieu XIVe s., « de voleur » ; 1549, R. Est., « secret » ; 1778, Rousseau, sens actuel ; lat. *furtivus,* de *furtum,* vol, rac. *fur,* voleur. || **furtivement** début XIIIe s.

***fusain** fin XIIe s., *Alexandre ;* lat. pop. **fūsago, -ag̃inis,* dér. de *fūsus,* fuseau (dont on faisait des fusains). || **fusainiste** 1877, *J. O.*

fusarolle 1676, Félibien (*-erole*), archit. ; ital. *fusaruola,* de *fuso,* fuseau.

fuscine XVIe s., Huguet ; lat. *fuscina,* fourche à trois dents.

***fuseau** 1138, Gaimar (*fuisel*) ; fin XIIe s., *Aliscans* (*fusel*) ; XVe s. (*fuseau*) ; lat. pop. **fūsellus,* de *fūsus,* fuseau. || **fuselé** 1398, *Ménagier,* spécialisé au fig., « en forme de fuseau ». || **fuselage** 1908, à cause de la forme des avions. || **fuseler** 1842, *Acad.*

***fusée** XIIIe s., *Fabliau* (*fusée de chanvre*) ; 1400, Gay, fusée de feu d'artifice ; XXe s., engin ; lat. pop. **fūsata,* quantité de fil enroulée autour d'un fuseau ; il a pris divers sens techn. par métaphore ; spécialisé en pyrotechnie, la fusée ayant été comparée à un fuseau.

fuselé, fuselage V. FUSEAU.

fuser 1544, M. Scève, « faire fondre » ; 1566, Du Pinet, se répandre en fondant ; 1743, Trévoux, se répandre, en parlant du pus ; 1872, Lar., « jaillir en fusée » ; lat. *fūsus,* part. passé de *fundere,* couler. || **fusible** 1265, J. de Meung ; bas lat. *fusibilis,* de *fusilis,* « qui peut fondre » ; n. m. 1922, Lar. || **fusibilité** 1641, E. de Clave. || **fusion** milieu XVIe s. ; 1842, Bailleul, fig., polit., « réunion » ; lat. *fūsio,* « liquéfaction ». || **fusionner** 1802, Madelin ; 1865, L., économ. || **fusionnement** 1865, L. || **fusionnisme** XIXe s., Ph. Chasles. || **fusionniste** 1842, *Acad.*

fuserolle 1752, Trévoux, broche de fer du tisserand ; ital. *fusaruola.*

fusible V. FUSER.

fusiforme 1784, Bergeret ; de *fusi-,* lat. *fusus,* fuseau, et *forme.*

***fusil** fin XIe s., *Gloses de Raschi* (*foisil, fuisil*) ; 1244, Huon le Roi (*fusil*), « acier pour faire une étincelle » ; 1671, Pomey, « arme » ; lat. pop. **fŏcilis,* de *fŏcus,* feu, abrév. probable de *focilis petra,* pierre à feu ; d'où en anc. fr. pièce d'acier recouvrant le bassinet des armes à feu, sur lequel frappait la pierre de la batterie (XVe-XVIe s.) ; le fusil des bouchers et cuisiniers (XIIIe s., Laborde) vient d'un sens annexe, « baguette à aiguiser ». || **fusil mitrailleur** début XXe s. || **fusilier** 1642, Oudin (*fuselier*) ; 1662, La Rochefoucauld (*fusilier*). || **fusillade** 1771, Brunot. || **fusiller** 1732, Trévoux. || **fusilleur** 1797, Brunot.

fusion V. FUSER.

fustanelle 1844, Nerval, jupon des Grecs ; du lat. médiév. *fustanella.* (V. FUTAINE).

fustet 1340, Varin (*feustel*) ; 1351, G. (*fustet*) ; mot prov., altér. de l'ar. *fustuq*, pistachier.

fustiger XIVe s., « battre » ; rare jusqu'au XVIIIe s. ; 1864, Hugo, fig. ; adaptation du lat. *fustigare*, bâtonner, de *fustis*, bâton. || **fustigation** 1411, *Cout. d'Anjou.*

***fût** 1080, *Roland*, « bâton, bois de lance, fût d'arbre » ; XIIIe s., « tonneau », repris du dér. *futaille* ; lat. *fustis*, bâton, pieu. || **futaie** 1354, *Modus* (*fustoie*) ; XVIe s., Loisel (*futaie*), d'apr. le sens de « tronc ». || **futaille** 1268, É. Boileau (*fust-*) ; XVe s. (*futaille*), « tonneau de bois ». || **affûter** 1155, Wace, « poster derrière un tronc d'arbre » ; 1680, Richelet, « aiguiser ». || **affût** 1437, Gay, support d'arme ; *être à l'affût de* 1671, Pomey. || **affûtage** 1468, Gay. || **affûtiau** 1696, Bayle.

futaie, futaille V. FÛT.

futaine 1234, *Rec. des monuments de l'histoire du Tiers État* ; adaptation de l'anc. fr. *fustaingne*, du lat. médiév. *fustaneum*, calque du bas gr. (*Septante*) *xulina lina*, c.-à-d. tissu de bois (« qui vient d'un arbre », pour désigner le coton, *Baumwolle* en allem.).

futé XIVe s., *Girart de Roussillon* (*fustet*) ; part. passé de l'anc. fr. *se futer*, fuir, en parlant d'un oiseau manqué une première fois.

futile XIVe s. ; lat. *futilis*, « qui laisse échapper ce qu'il contient, qui fuit ». || **futilement** 1840, Sainte-Beuve. || **futilité** 1672, Molière, qui a remplacé *futileté* (XVIe s., fait sur l'adj.) ; lat. *futilitas.*

futur 1265, *Livre de jostice* (*par futur*) ; début XVIIe s., Malherbe, « à venir » ; lat. *futurus*, « qui doit être », part. futur de *esse*. || **futurition** fin XVIIe s., Fénelon. || **futurisme** 1909, *le Figaro*, manifeste de Marinetti ; ital. *futurismo*. || **futuriste** *id.* ; ital. *futurista*. || **futurologie** v. 1950. || **futurologue** *id.*

fuyard, fuyant V. FUIR.

g

gabardine 1482, G. (*gaverdine*) ; av. 1493, Coquillart (*galvardine*), « vêtement » ; fin XIXe s. (*gabardine*), sorte de serge ; esp. *gabardina,* de l'ar. *qabā,* manteau, et esp. *tavardina,* jaquette. La forme du XIXe s. est due à un nouvel emprunt à l'esp.

gabare 1338, du Cange, texte gascon ; anc. prov. *gabarra,* du gr. byzantin **gabaros,* d'apr. le gr. ancien *karabos,* écrevisse, au fig. canot. (V. CARAVELLE.) || **gabarot** 1562, G.

gabarit 1643, Fournier (*gabari*) ; 1678, Colbert (*gabarit*), « modèle d'un bateau » ; 1842, *Acad.,* modèle en général ; prov. mod. *gabarrit,* altér., sous l'infl. de *gabare,* de *garbi,* du gotique **garwi,* préparation, d'où « modèle », p.-ê. par l'intermédiaire de l'ital. *garbo* (v. GALBE). || **gabarier** 1478, du Cange, nom ; 1764, Duhamel, verbe.

gabegie 1790, Hébert, « désordre » ; 1807, Michel, « fraude » ; de *gaber,* tromper, d'après *tabagie.*

gabelle 1267, *Layettes,* « impôt » ; 1330, Ch. de Liège, « impôt sur le sel » ; 1342, *Ordonn.,* « grenier à sel » ; 1651, Scarron, « administration chargée de le percevoir » ; anc. prov. *gabella,* de l'ar. *qabala,* impôt. || **gabelou** 1585, N. du Fail (*gabeloux du Croisil* [Le Croisic]), « employé de la gabelle » ; 1807, Michel, « employé des douanes » ; forme régionale de *gabeleur* (XIIIe s.).

gaber 1050, *Sponsus* ; scand. *gabba,* railler, qui a donné le subst. *gab,* raillerie (1190, Garn.).

gabie fin XVe s., *Anc. Chron. de Savoie* (*gabia*), « demi-hune » ; prov. mod. *gabia,* cage, devenu terme de marine. || **gabier** 1678, Guillet.

gabion 1543, *Anc. Poésies* ; ital. *gabbione,* grande cage, devenu terme de mar. || **gabionnade** XVIe s., La Noue. || **gabionner** 1546, Rab. || **gabionnage** 1832, Raymond.

gable ou **gâble** 1338, *Actes norm. de la Ch. des comptes,* mot normand signif. « pignon monumental » ; gaulois **gabulum,* gibet.

gabord 1538, Jal, « bordage extérieur voisin de la quille » ; néerl. *gaarboord.*

gaburon 1642, Oudin (*-urron*), « enveloppe en bois au bas d'un mât » ; prov. mod. *gabarioun,* peut-être forme atténuée de *cabrioun, cabiroun,* chevron.

gâche 1294, G. (*gaiche de serrure*) ; 1489, *Ordonn.* (*gasche*) ; XVIIe s. (*gâche*) ; francique **gaspia,* boucle. || **gâchette** 1478, Delb. (*guaschette*) ; 1560, Paré (*gaschette*).

gâcher 1160, Benoît (*guaschier*), « souiller moralement » ; XIIIe s., *Roman de Renart* (*gacier*), « éclabousser » ; 1307, Fagniez, « laver » ; 1741, Savary, « faire bon marché » ; XVIIIe s., « abîmer » ; francique **waskon,* laver, détremper (allem. *waschen*), d'où *gâcher* le mortier. || **gâche** 1376, du Cange (*gaiche*), « outil de maçon ». || **gâcheur** 1292, *Rôle de la taille* (*gascheeur*), techn. ; 1741, Savary, fig. || **gâcheux** 1573, Liébault. || **gâchis** 1373, Lespinasse, « drap grossier » ; 1564, Thierry (*gas-*), sorte de mortier ; 1777, Bachaumont, « désordre ». || **gâchoir** 1842, *Acad.*

gade 1788, *Encycl. méth.,* poisson ; gr. *gados,* morue.

gadget 1955 ; mot angl., du fr. *gâchette.*

gadin 1838, Esnault, « palet de billard » ; 1877, Esnault, « chute » ; var. de *galet.*

gadolinium 1880, Marignac ; du nom de *Gadolin,* chimiste finnois qui découvrit les terres rares, dites yttriques ; on trouve *gadolinite* (1800, Delamétherie).

gadoue XVIe s., Rivaudeau ; mot dial. de l'Ouest et du Centre, d'orig. obscure. || **gadouard** 1578, Joubert.

gaffe fin XIVe s., sens propre ; 1872, Lar., « maladresse », langue des bateliers ; 1821,

Ansiaume, « sentinelle » en argot, d'où pop. *faire gaffe* (1926, Esnault) ; anc. prov. *gafar,* du gotique **gaffôn,* saisir. || **gaffer** 1687, Desroches, « ramer à la gaffe » ; 1694, Th. Corn., « accrocher avec une gaffe » ; 1837, Vidocq, « guetter » ; 1883, Esnault, « commettre une bévue ». || **gaffeur** début XIXe s., « veilleur » ; 1872, Lar., « maladroit ».

gag 1922, *Ciné-Magazine ;* mot angl. signif. « blague ». || **gagman** *id.*

gaga 1879, A. Daudet ; onomat. *gag-,* évoquant le bredouillement.

gage fin XIe s., *Lois de Guill.* (*wage*) ; XIIe s., *Roncevaux* (*gage*), jurid. ; 1549, R. Est., dans les jeux ; francique **waddi* (gotique *wadi*), latinisé en **wadium.* || **gager** 1080, *Roland,* « mettre en gage » ; début XIIIe s., « promettre ». || **gagerie** fin XIIIe s., *Assises de Jérusalem.* || **gageure** XIIIe s., *Fabliau,* jurid. ; 1835, *Acad.*, « pari difficile ». || **gagiste** 1680, Richelet. || **dégager** 1170, Garn., « retirer qqch mis en gage » ; fin XVIe s., d'Aubigné, « libérer » ; *se dégager* fin XIIe s., Conon de Béthune. || **dégagé** 1668, Molière, « naturel ». || **dégagement** début XVe s., « saisie », jurid. ; 1465, Bartzsch, sens actuel. || **engager** fin XIIe s., *Loherains,* jurid. ; milieu XVIe s., « faire entrer » ; XVIIe s., « commencer » ; 1945, polit. || **engagement** fin XIIe s., charte d'Abbeville. || **engageant** 1656, Livet. || **désengagé** 1622, Fr. de Sales. || **rengager** 1471, Wavrin. || **rengagement** 1718, *Acad.*

gagner 1130, *Eneas* (*guaaignier*) ; XIIIe s. (*gaigner*), « labourer » ; 1140, Bartzsch, « piller » ; 1175, Chr. de Troyes, « obtenir un profit » ; début XVe s., fig., « acquérir » ; 1679, Bossuet, « conquérir un avantage » ; francique **waidanjan,* chercher de la nourriture, d'où, en anc. fr., « paître » (sens conservé en vénerie). || **gagnable** 1150, G. || **gagnage** 1160, Benoît (*guaaignage*), sur le sens agric. || **gain** 1175, Chr. de Troyes (*gaaing*) ; XIIIe s. (*gain*) ; déverbal. || **gagneur** 1160, Benoît (*gaaigneor*). || **gagnant** 1226, *Courtois d'Arras.* || **gagne-pain** 1285, J. Bretel (*wagnepain*), « gantelet de tournois » ; XIIIe s., « ouvrier qui gagne peu » ; 1606, Nicot, sens actuel. || **gagne-denier** 1515, Isambert. || **gagne-petit** édit de 1597 (*petit* = peu). || **regagner** fin XIIe s., *Aliscans* (*aaignier*). || **regain** XIIe s., É. de Fougères, nouvelle pousse ; sur le francique **waida,* prairie.

gai 1175, Chr. de Troyes, « vif » et « joyeux » en anc. fr. ; francique **gâheis,* bouillant, impétueux. || **gaiement** XIVe s. || **gaieté** 1160, Benoît. || **égayer** 1240, G. de Lorris, « divertir ». || **égaiement** 1160, Benoît, « plaisir » ; 1690, Furetière, « divertissement ».

gaïac 1520, J. Cheradame ; esp. *guayaco,* de l'arawak de Saint-Domingue *guayacan.* Désigne un arbre d'Amérique à feuilles persistantes. || **gaïacine** 1816, Candolle. || **gaïacol** 1888, Lar.

gaillard 1080, *Roland,* « vigoureux », adj. ; 1534, B. des Périers, « trop libre » ; n. m. 1573, Du Puys, mar., abrév. de *château gaillard* (1552, Rab.) ; gallo-roman **galia,* force, d'origine gauloise. || **gaillarde** XVe s., danse. || **gaillardement** 1080, *Roland,* « avec entrain » ; 1596, Hulsius, « de bon cœur ». || **gaillardise** 1510, Lemaire. || **ragaillardir** XVe s., Basselin. || **regaillardir** 1549, R. Est.

gaillet 1786, *Encycl. méth.,* « caille-lait » ; lat. *galium,* du gr. *galion,* avec infl. de *caille-lait.*

gaillette milieu XVIIIe s., « morceau de houille » ; mot du Hainaut, dimin. de *gaille,* grosse noix, abrév. anc. du lat. *nux gallica,* noix de galle, noix gauloise (anc. fr. *noix gauge*). || **gailletin** 1878, Lar. || **gailleterie** 1872, Lar.

gain V. GAGNER.

***gaine** XIIIe s., *Aucassin et Nicolette* (*gaïne ; waïne* en picard), « fourreau » ; 1695, d'après Trévoux, anat. ; lat. pop. **wagīna,* du lat. class. *vagīna,* avec infl. germ. sur *v.* (V. GUÊPE.) || **gainer** 1773, Bourdé. || **gainage** v. 1950. || **gainier** fin XIIIe s., *Fabliau,* « fabricant de gaines » ; 1587, Daléchamp, arbre de Judée dont la gousse rappelle une gaine. || **gainerie** 1324, Lespinasse. || **dégainer** début XIIIe s. (*desw-*). || **dégaine** XVIe s., A. de Monluc, spécialisé au fig. (1611, Cotgrave) ; d'apr. la loc. *tu t'y prends d'une belle dégaine.* || **dégainement** 1611, Cotgrave. || **engainer** 1340, G., « mettre dans une gaine » ; 1665, *Muse normande,* « envelopper ». || **rengainer** début XVIe s., « empocher » ; 1610, B. de Verville, « reprendre ce qu'on allait dire ». || **rengaine** 1680, Richelet, « refus », n. m. ; 1852, Flaubert, n. f., « banalité qu'on répète » (Molière, *je rengaine ma nouvelle*) ; 1935, *Acad.,* « chanson » ; déverbal de *rengainer.*

gala 1670, *Mémoires curieux,* « grande fête » ; 1787, Bachaumont (*habit de gala*) ; mot esp., de l'anc. fr. *gale,* réjouissance, de *galer,* s'amuser. (V. GALANT.)

gala(ct)-, gr. *gala, galaktos,* lait. || **galactite** 1372, Corbichon (*-ide*) ; lat. *galactitis,* nom d'une pierre précieuse couleur de lait. || **galactique** 1808, Boiste ; gr. *galaktikos,* du lait. || **galactose** milieu XVIIe s., « formation de lait » ; 1741, Col de Vilars, chimie. || **galactomètre** 1796, *Encycl. méth.* || **galalithe** 1906, Lar. ; gr. *lithos,* pierre.

galandage 1785, *Encycl. méth.,* altér. de *garlandage* (XIIIe s., conservé dans la mar.) ; anc. fr. *garlande* (1240, G. de Lorris), var. fr. de *guirlande,* sans doute du moyen haut allem. *wieren,* garnir (francique **weron*).

galanga 1298, Marco Polo ; mot du lat. pharm., de l'ar. *halangân,* rhizome de l'alpinia.

galant 1318, Gace de La Bigne, « vif » ; part. prés. de *waler* (1220, Coincy), *galer* (début XIVe s., Gilles di Muisis), s'amuser ; lat. pop. **walare,* se la couler douce, du frq. **wāla,* bien ; 1548, *Ancien Théâtre,* « empressé auprès des femmes » ; de l'ital. *galante,* lui-même du fr. || **galamment** 1534, Rab. (*gualantement*) ; 1636, Monet (*galamment*). || **galanterie** 1537, trad. du *Courtisan,* « distinction de l'aspect » ; XVIIe s., sens actuel. || **galantin** 1555, de La Bouthière, « vigoureux » ; 1798, *Acad.,* « galant ». || **galantise** 1534, B. des Périers, « politesse ». || **galantiser** 1629, Corn.

galantine début XIIIe s., Guill. le Maréchal (*galatine*) ; 1265, J. de Meung (*galantine*), « gelée » ; 1328, Gay, sens actuel ; ital. dialectal *galatina,* de **galare,* geler, du lat. *gelare.*

galapiat 1793, Hébert (*galipiat*) ; av. 1850, Balzac (*galapiat*) ; du rad. *gal-,* gloutonnerie, et *laper.*

galaxie 1557, Pontus de Tyard ; lat. *galaxias,* d'abord astron., « Voie lactée », du gr. *gala, -aktos,* lait

galbanum fin XIe s., *Gloses de Raschi* (*galme*) ; 1130, *Job* (*galban*) ; XIVe s., du Cange (*galbanum*), gomme résineuse ; mot lat., du gr. *khalbanî,* de l'hébreu *chelbenah.*

galbe 1550, Ronsard (*garbe*) ; 1578, R. Est., « bonne grâce » ; 1676, Félibien, archit. ; ital. *garbo,* belle forme, du gotique **garwon,* arranger. || **galbé** 1611, Cotgrave. (V. GABARIT.)

galbule 1801, Boiste, fruit du cyprès ; lat. *galbulus,* de même rac. que *jaune.*

1. **gale** 1213, *Fet des Romains,* var. orth. de *galle,* qui de « excroissance » est passé au sens « gale des végétaux » (1688, Miege), et « des animaux » (1613, M. Régnier). || **galeux** 1495, J. de Vignay.

2. **gale** 1762, *Acad.,* « myrte des marais » ; angl. *gale,* introduit par Bauhin (1541-1613) dans le lat. bot.

galéasse 1420, A. Chartier ; ital. *galeazza,* augmentatif de *galea.* (V. GALÈRE.)

galée V. GALÈRE.

galefretier 1532, Rab., va-nu-pieds ; déformation probable de **calefeutrier,* de *calfeutrer.* (V. GALFÂTRE.)

galéga 1615, Daléchamp ; mot ital. et esp., sans doute du lat. *gallica* (*herba*), herbe de Gaule.

galéjade 1881, A. Daudet ; prov. mod. *galejado,* plaisanterie, de *galejá,* plaisanter, de *gala,* s'amuser (v. GALANT). || **galéjer** XXe s.

galène 1553, Belon ; lat. *galena,* du gr. *galênê,* plomb. Désigne le sulfure naturel de plomb.

galénique 1581, Nancel, méd. ; de *Galenus,* nom lat. de Galien (IIIe s.).

galer V. GALANT.

galère 1402, J. de Béthencourt ; catalan *galera,* altér. d'un anc. ital. *galea* (XIe-XIIe s.), mot byzantin (IXe-Xe s.). || **galée** 1080, *Roland ;* gr. byzantin *galea,* galère, du gr. *galê,* belette, à cause de la forme. || **galion** 1272, Joinville ; de *galie* (1080, *Roland*), var. de *galée.* || **galiote** milieu XIVe s., « petite galère ». || **galérien** 1568, Huguet. (V. GALÉASSE.)

galerie début XIVe s., « passage couvert » ; 1690, Furetière, « allée couverte pour les spectateurs » ; fin XVIe s., milit. ; ital. *galleria,* p.-ê. altér. du nom propre lat. *Galilaea,* la Galilée, qui aurait désigné un porche d'église où les gens allaient et venaient, comme la Galilée abritait une foule de gens peu religieux.

galerne début XIIe s., *Voy. de Charl.,* vent du Nord-Ouest, mot de l'Ouest ; lat. pop. **galerna,* sans doute prélatin.

galet XIIe s., *Parthenopeus ;* dimin. de l'anc. fr. *gal,* caillou, du gaulois **gallos,* pierre (v. CAILLOU) ; la forme est normanno-picarde. || **galette** XIIIe s., *Fabliau,* à cause de sa forme ronde ; 1872, Esnault, « argent ». || **galeter** XXe s. || **galetage** fin XIXe s. || **galgal** 1858, Legoarant ; redoublement de *gal.*

galetas XIVe s. (*chambre à galathas*) ; 1398, E. Deschamps (*galatas*) ; 1532, Havard (*galetas*) ; désigna d'abord les logements dans la partie haute d'un édifice ; du nom de la tour *Galata* à Constantinople.

galfâtre 1808, d'Hautel, « mauvais ouvrier » ; 1867, Delvau, sens moderne ; mot de l'Est, du fr. *calfat,* cet ouvrier paraissant ne rien faire.

galhauban V. HAUBAN.

galibot 1871, Reybaud ; mot picard, de *galibier,* garnement, du picard *galobier,* de *galer,* s'amuser, et *lober,* flatter (germ. *loben*).

galimafrée 1398, *Ménagier* (*cali-*) ; sans doute picard *mafrer,* manger beaucoup, var. de *bâfrer,* et de *galer,* s'amuser.

galimatias 1580, Montaigne ; sans doute bas lat. *ballimathia,* chanson obscène (Isidore de Séville glose : « *inhonestae cantationes* »).

galion, galiote V. GALÈRE.

galipette 1865, à Nantes (*ca-*) ; 1883, Larchey ; mot dial., de *galer,* s'amuser.

galipot 1561, du Pinet (*garipot*), « résine de pin » ; 1701, Furetière (*galipot*) ; 1840, *Acad.,* « mastic » ; mot prov. d'orig. inconnue. || **galipoter** 1840, *Acad.*

galis 1627, de Maricourt, trace du chevreuil ; de *galer,* gratter, dér. de *gale.*

galle fin XIe s., *Gloses de Raschi* (*gale*) ; 1398, *Ménagier* (*galle*) ; lat. *galla,* excroissance. || **gallique** 1802, Flick.

galli-, lat. *gallus,* coq.

gallican 1355, Bersuire ; lat. eccl. *gallicanus,* de la Gaule (et « français » au XIVe s., dans Oresme) ; spécialisé pour l'Église de France. || **gallicanisme** 1810, Brunot.

gallicisme 1578, H. Est. ; lat. *gallicus,* gaulois, au sens médiév. de « français ». || **gallophobie** 1845, Besch. ; gr. *phobos,* peur. || **gallophobe** *id.* || **gallo-romain** 1841, Chateaubriand. || **gallo-roman** 1887, *Revue.*

gallinacé 1770, Buffon ; lat. *gallinaceus,* adj., de poule, de coq, de *gallina,* poule. || **galliforme** 1872, Lar.

gallium 1836, Landais ; formé par Lecoq de Boisbaudran, qui lui donna son nom latinisé (*gallus,* coq).

gallo XIIIe s., *Grandes Chroniques* (*gallot*), habitant de haute Bretagne ; breton *gall,* français, du lat. *Gallus.*

gallon 1687, *Nouv. Voy. d'Italie,* mesure de capacité ; mot angl., de l'anc. normand *galon,* de l'anc. fr. *jaloie* (XIIIe s.), du bas lat. *galleta,* seau.

***galoche** 1292, *D. G.* ; sans doute de *gal,* caillou, par comparaison de la semelle avec un galet. || **galocher** 1907, Lar. || **galocherie** XXe s. || **galochier** 1292, *Rôle de la taille de Paris.*

galonner 1130, *Eneas,* « orner les cheveux de rubans » ; anc. fr. *galer,* s'amuser. || **galon** 1379, *Inventaire de Charles V* ; déverbal. || **galonné** 1922, Lar., milit. || **galonnier** 1757, *Encycl.,* qui fabrique des galons ; déverbal. || **dégalonner** XIIIe s., G.

galoper 1138, Gaimar, « aller le galop » ; 1690, Furetière, « courir » ; francique **walahlaupan,* bien courir (allem. *wohl, laufen*). || **galop** 1080, *Roland* ; déverbal. || **galopade** 1611, Cotgrave. || **galopant** 1836, Landais ; *phtisie galopante,* calque de l'angl. || **galope** 1810, Lesné, techn. ; 1900, *D. G.,* danse ; déverbal. || **galopeur** fin XVIe s. || **galopin** 1388, Prost, nom propre de messager dès le XIIe s. ; 1611, Cotgrave, « petit garçon de courses à la Cour » ; 1718, Hamilton, péjor. || **galopiner** 1881, Huysmans.

galoubet 1767, Rousseau ; mot du prov. mod., de la même rac. que l'anc. prov. *galaubia,* magnificence, du gotique *galaubei,* qui a de la valeur.

galuchat 1762, Havard, techn. ; du nom de l'inventeur († 1774).

galurin 1866, Delvau ; anc. fr. *galure,* galant (1493, Coquillart), de *galer,* s'amuser.

galvanisme 1797, *Ann. chimie,* magnétisme animal ; de *Galvani,* physicien qui découvrit l'électricité animale en 1780. || **galvanique** fin XVIIIe s. || **galvaniser** 1790, Humboldt ; 1831, Hugo, fig. || **galvanisation** 1802, Sue. || **galvanocautère** 1877, L. || **galvanomètre** 1802, Sue. || **galvanoplastie** v. 1850 ; gr. *plassein,* former. || **galvanoplastique** 1860, Gautier. || **galvanotype** début XXe s.

galvauder 1690, Furetière, « maltraiter » ; 1770, Voltaire, « faire mauvais usage de » ; sans doute de *galer,* s'amuser, et de *ravauder,* poursuivre et maltraiter. || **galvaudage** 1842, Balzac. || **galvaudeur** 1778, de Villeneuve, « grondeur » ; 1841, *les Français peints par eux-mêmes,* sens actuel. || **galvaudeux** 1865, Larchey, avec prononc. pop. de *-eur.* (V. BOUE, GÂTER, etc.)

gamache 1595, Gay, « guêtre » ; 1836, Landais, pop. ; prov. mod. *gamacho,* anc. *galamacha,* altér. de l'esp. *guadamaci,* cuir de Ghadamès.

gambade 1493, Coquillart ; prov. *cambado,* de *cambo,* jambe. || **gambader** début XVe s. || **gambadeur** 1845, Besch. || **gambe** 1677, Dassié ; forme normande de *jambe.* || **gambette** XIIIe s., *Aucassin et Nicolette,* petite jambe ; 1834, Baudrillant, zool., chevalier à pieds rouges. || **gambier** 1827, *Acad.,* « outil allongé, poutre ».

gambe, gambette V. GAMBADE.

gamberger 1837, Vidocq (*gomberger*), « compter » ; 1899, Esnault (*gamberger*), « réfléchir » ; de *comberger,* sur le rad. de *compter.* || **gamberge** 1952, Esnault ; déverbal.

1. **gambier** V. GAMBADE.

2. **gambier** début XVIIe s. (*gambeir*) ; fin XVIIIe s. (*gambir*) ; 1877, L. (*gambier*), arbuste exotique ; malais *gambir.*

gambiller 1609, Oudin ; altér., par changement de finale, de *gambeyer* (1540, Rab., *gambayer*), adaptation de *gambaggiare,* de *gamba,* jambe. || **gambilles** 1773, Nisard.

gambit 1743, Trévoux ; ital. *gambetto,* croc-en-jambe, de *gamba,* jambe.

gambusie 1930, Lar. ; esp. américain *gambusina,* orig. inconnue.

gamelle 1584, Pardessus, milit. ; ital. *gamella,* du lat. *camella,* écuelle.

gamète 1872, Lar., insecte ; 1888, Lar., sens actuel ; gr. *gamêtês,* époux, de *gamos,* mariage. || **gamétocyte** v. 1950. || **gamétophyte** *id.* ; gr. *phuton,* qui pousse.

gamin 1765, *Encycl.,* « aide-verrier » ; 1802, Laveaux, sens actuel ; *gamin de Paris,* 1830, H. Monnier, Balzac ; adj. 1844, Soulié ; p.-ê. rad. *gamm-* signifiant « vaurien ». || **gaminer** 1836, Landais. || **gaminerie** 1836, *le Gamin de Paris.*

gamma, 1839, Boiste, lettre grecque ; *rayons gamma,* XXe s. || **gammaglobuline** v. 1950. || **gammathérapie** v. 1965.

gamme milieu XIIe s., *Thèbes* (*game*) ; 1530, Palsgrave (*gamme*) ; 1846, Baudelaire, pour les couleurs ; lat. médiév. *gamma,* du nom de la lettre grecque *gamma,* employée par Gui d'Arezzo (XIe s.) pour désigner la première note de la gamme, puis la gamme entière, appelée aussi *gamma ut.*

gammée (*croix*) 1872, L. ; de la lettre majuscule grecque *gamma,* à cause de la forme.

gamo-, gr. *gamos,* mariage. || **gamopétale** 1817, Gérardin. || **gamosépale** 1840, *Acad.*

ganache 1642, Oudin, « mâchoire de cheval » ; 1740, *Acad.,* « imbécile » ; ital. *ganascia,* mâchoire, du gr. *gnathos.*

gandin 1710, Charbot ; anc. fr. *gandir,* faire des détours (1155, Wace), du francique **wandjan,* tourner ; un personnage (R. *Gandin*) de la pièce de Barrière, *les Parisiens* (1855), le mit à la mode. || **gandinerie** 1875, *J.O.*

gandoura 1852, Gautier ; mot de l'ar. marocain, du berbère *quandūr.*

gang 1837, Mérimée ; mot anglo-américain signif. « bande ». || **gangster** v. 1925. || **gangstérisme** 1948, Lar.

ganglion 1560, Paré, « tumeur » ; 1757, *Encycl.,* « organe » ; lat. méd. *ganglion* (IVe s., Végèce), du gr. *gagglion,* glande. || **ganglionnaire** 1826, Broussais. || **ganglionné** 1845, Besch. || **gangliectomie** début XXe s.

gangrène 1495, Gordon (*can-*) ; 1503, Chauliac ; 1601, Charron, fig. ; lat. méd. *gangraena,* empr. au gr. *gaggraina,* pourriture. || **gangrener** 1503, Chauliac (*-é*) ; 1692, Fénelon (*-er*) ; 1865, L., fig., *id.* || **gangreneux** 1539, Canappe.

gangster, gangstérisme V. GANG.

gangue 1552, Barbier ; allem. *Gang.,* chemin, au sens de « filon ».

gano 1679, *Relation d'un voy. d'Esp.,* terme du jeu d'hombre ; mot esp. signif. « je gagne », de *ganar.*

ganoïde 1872, Lar. ; se dit de l'écaille de certains poissons ; gr. *ganos,* éclat, et suffixe *-oïde.*

ganse fin XVIe s. ; prov. mod. *ganso,* boucle d'un lacet, du gr. *gampsos,* courbé. || **ganser** 1765, *Encycl.* || **gansette** 1754, *Encycl.*

gant 1080, *Roland* (*guant*) ; 1155, Wace (*gant*) ; *mettre les gants,* 1808, d'Hautel ; francique **want,* d'abord milit. || **ganté** 1549, Marguerite de Navarre. || **gantelet** 1268, É. Boileau. || **gantelée** XIVe s. || **ganter** 1488, O. de La Marche. || **ganterie** 1292, Barbier. || **gantier** 1241, G. (*wantier*) ; 1268, É. Boileau (*gantier*). || **déganter** 1335, Digulleville.

ganymède 1718, Leroux, au sens de « mignon » ; du n. mythologique *Ganymède,* fils de Tros, enlevé par l'aigle de Jupiter pour devenir échanson des dieux.

garage V. GARER.

garance fin XIe s., *Gloses de Raschi* (*warance*) ; 1175, Chr. de Troyes (*garana*) ; bas lat. *waran-*

tia, -entia (*Gloses, Capitulaires*), du francique **wratja* (anc. haut allem. *rezza*). || **garancer** 1283, Poerck. || **garançage** 1750, Hellot. || **garancerie** 1872, L. || **garancière** 1600, O. de Serres.

garant 1080, *Roland* (*guarant*), jurid. ; du part. prés. du germ. **werjan,* fournir une garantie ; le premier *a* est dû à l'attraction de *garer, garir,* anc. forme de *guérir.* || **garantir** 1080, *Roland,* « donner pour assuré » ; 1283, Beaumanoir, « assurer contre un événement fâcheux ». || **garantie** fin XIe s., *Gloses de Raschi.*

garbure 1655, Molière ; gascon *garburo,* d'orig. obscure, peut-être de l'esp. *garbias,* ragoût ; désigne une soupe aux choux.

garce V. GARÇON.

1. **garcette,** petite corde. V. GARÇON.

2. **garcette** 1578, d'Aubigné, coiffure de femme ; esp. *garceta,* aigrette (héron).

3. **garcette** 1636, Cleirac, pince de foulon ; ital. *garzetta,* de *garza,* chardon, carde.

garçon 1080, *Roland* (*garçun*), « valet » ; 1155, Wace, « domestique » ; 1530, Palsgrave, « enfant mâle » ; 1539, R. Est., célibataire ; cas régime de *gars.* || **gars** 1155, Wace, « domestique » ; 1530, Marot, « garçon » ; 1759, Esnault, « gaillard » ; cas sujet du francique **wrakjo* (IXe s., *Wracchio,* nom propre), soldat, mercenaire. || **garce** XIIe s., *Guill. d'Angl.,* « fille » ; 1530, Palsgrave, « fille de mauvaise vie » ; début XXe s., terme d'injure. || **garcette** 1220, Coincy, « jeune fille » ; 1634, Jal, petite corde, par métaph. du sens péjor. || **garçonne** 1880, Huysmans, popularisé, en 1922, par le roman *la Garçonne,* de V. Margueritte. || **garçonnière** 1175, Chr. de Troyes, adj., « qui se livre aux goujats » ; 1656, Oudin, « qui rappelle un garçon » ; n. f. 1835, Balzac. || **garçonnet** 1185, G., « valet » ; 1534, Rab., « jeune garçon ».

garde V. GARDER.

gardénia 1777, *Encycl.* ; mot du lat. bot., du nom du bot. *Garden* (XVIIIe s.).

garden-party 1882, *Gil Blas* ; angl. *garden,* jardin (normand *gardin*), et *party,* partie de plaisir.

garder 980, *Passion,* « regarder » ; 1050, *Alexis,* « veiller sur qqch » ; 1050, *Roland,* « détenir » ; 1334, G., « conserver » ; francique **wardôn,* veiller, être sur ses gardes (allem. *warten,* attendre ; angl. *to ward,* protéger). || **garde** 1050, *Alexis,* n.f. ; 1155, Wace, n. m. ; *prendre garde,* 1190, Garnier ; *garde champêtre,* 1829, Boiste ; déverbal. || **gardien** 1130, *Eneas* (*guardenc*) ; 1280, *Clef d'amors* (*-ien*), par changement de suffixe ; *gardien de la paix,* 1872, L. || **gardiennage** 1803, Boiste. || **gardeur** 1160, Benoît. || **garderie** 1540, Picot. || **garde-à-vous** av. 1850, Balzac ; de *garde à vous,* 1835, Balzac. || **garde-barrière** 1865, L. || **garde-boue** 1869, *Brevet.* || **garde-chasse** 1669, Isambert. || **garde-chiourme** XVIIIe s., Brunot. || **garde-corps** XIIIe s., G., « vêtement de dessus » ; 1872, Lar., « barrière ». || **garde-côte** fin XVIe s., navire ; fin XVIIIe s., personne. || **garde-feu** 1377, Prost. || **garde-fou** fin XIIIe s. || **garde-frein** 1857, Figuier. || **garde-magasin** 1622, Colbert. || **garde-malade** 1754, *Journ. de médecine.* || **garde-manger** milieu XIIIe s., *Roman de Renart.* || **garde-meuble** 1658, Livet. || **garde-pêche** fin XVIIe s. || **garde-robe** XIIIe s., *Fabliau,* « armoire » ; 1314, Mondeville, « chaise percée ». || **garde-voie** 1872, Lar. || **garde-vue** 1642, Lespinasse. || **avant-garde** XIIe s., G. ; 1794, Robespierre, fig. || **avant-gardiste** v. 1950. || **arrière-garde** XIIe s., *Garin le Loherain.* || **regarder** VIIIe s., *Glose* (*rewardant*), « faire attention » ; 1080, *Roland,* « voir » ; 1170, *Rois,* « considérer ». || **regard** 980, *Passion ;* 1690, Furetière, « ouverture d'une conduite » (*reguart*). || **regardant** 1690, Furetière, « trop méticuleux ». || **regardeur** 1265, J. de Meung. (V. ÉGARD.)

gardon 1220, Coincy ; de *garder,* ce poisson revenant, comme pour garder, aux lieux où il a été effarouché.

gare V. GARER.

***garenne** fin XIIIe s., *Roman de Renart,* « réserve de gibier » ; XIVe s., du Cange, « défense de chasser » ; 1560, Paré, « lieu où abondent les lapins » ; bas lat. *warenna,* altér. de *varenna,* d'un prélatin **vara,* eau, par croisement avec le germ. *wardôn,* garder, *warôn,* garer (endroit où on garde le gibier). || **garennier** fin XIIe s., G.

garer 1265, Br. Latini, à cause des composés attestés ; francique **warôn* (allem. *wahren,* avoir soin). || **gare** fin XVe s., Commynes (*sans dire gare*), interj., anc. impératif ; début XVIe s., n. f., « distance » ; 1690, Furetière (*gare d'eau*) ; 1831, Wexler, « voie d'évitement » ; *à la gare !,* 1920, Bauche ; déverbal. || **garage** 1802, *Ordonn.,* endroit où l'on gare les bateaux ; 1899, Lar., garage d'auto. || **garagiste** 1922, Lar. (V. ÉGARER.)

gargamelle 1468, du Cange ; en langue pop. « gorge » ; prov. *gargamela* (XIIIe s.), croisement entre la rac. *garg-,* gorge, et *calamela,* chalumeau, tuyau. (V. GARGOTER.)

gargantua 1704, Trévoux, « homme grand » ; 1808, Flick, « gros mangeur ». || **gargantuesque** 1836, Balzac.

gargarisme XIIIe s., G. ; lat. méd. *gargarisma,* du gr. *gargarizein.* || **gargariser** 1398, *Somme Gautier ;* 1865, L., fig. ; lat. méd. *gargarizare,* du gr. *gargarizein.*

gargoter 1387, G. Phébus (*gargueter*) ; 1622, *Caquets de l'accouchée* (*-oter*), « faire du bruit en bouillonnant », puis par ext. « manger gloutonnement, malproprement » ; anc. fr. *gargette,* var. de *gargate,* gorge, d'origine expressive, avec finale obscure. || **gargote** 1680, Richelet ; déverbal ; restaurant médiocre où l'on mange à bas prix ; il a existé *gargot* (1665, *Muse normande*), « ragoût ». || **gargotier** 1642, Oudin.

gargouille 1294, du Cange (*-oule*) ; croisement du rad. *garg,* gorge (v. GARGOTER), et de *goule,* forme dial. de *gueule.* || **gargouiller** 1390, Conty, « parler confusément » ; 1534, B. des Périers, sens actuel. || **gargouillement** 1560, Paré. || **gargouillis** 1581, G. || **gargoulette** début XIVe s., « petite gargouille » ; 1879, Huysmans, « gosier » ; de l'anc. forme *gargoule.*

gargousse 1505, Gonneville ; altér. du prov. mod. *cargoūsso,* de *carga,* charger ; charge de poudre prête au tir et placée dans de petits sachets. || **gargoussier** 1722, Labat.

garnement 1080, *Roland,* « ce qui garnit, ce qui protège » ; 1360, Froissart, « protecteur de femmes, souteneur » ; 1784, Beaumarchais, « voyou, vaurien », sens qui l'a emporté ; de *garnir.*

garnir fin 980, *Passion,* « prémunir » ; 1080, *Roland,* « munir de moyens de défense » ; milieu XVIe s., Amyot, « protéger » ; 1530, Palsgrave, sens actuel ; francique **warnjan* (allem. *warnen,* prendre garde), proprement « se refuser à », d'où « prendre garde, se protéger ». || **garni** n. m. 1829, Boiste, « chambre meublée ». || **garnissage** 1785, *Encycl. méth.* || **garnisseur** 1268, É. Boileau. || **garniture** 1268, É. Boileau || **garnison** XIIe s., Herman de Valenciennes, « armure » ; 1213, *Fet des Romains,* milit., « action de garnir de troupes » ; 1283, Beaumanoir, ville de garnison. || **garnisonner** 1794, Brunot. || **dégarnir** 1080, *Roland.* || **regarnir** XIIe s., *Chevalier aux deux épées,* « fortifier de nouveau ». (V. GARNEMENT.)

garnison V. GARNIR.

1. **garou** 1165, Marie de France (*garulf*) ; XIIIe s. (*garou*) ; francique **wer-wulf,* homme-loup (allem. *Werwolf*), avec infl. du scand. *wargulfr,* de *vargr,* criminel. [V. LYC(O)-.]

2. **garou** 1700, Liger, daphné ; mot du prov. mod., anc. forme *garoupe* (XVIe s.), origine inconnue.

garrigue av. 1540, M. du Bellay ; anc. prov. *garriga,* de *garric,* nom prélatin du chêne, qui paraît ibère.

garron 1615, Binet, mâle de la perdrix ; prov. mod. *garroun,* du rad. *garr,* tacheté.

1. **garrot** fin XIIIe s., Guiart, « trait d'arbalète, bâton » ; 1611, Cotgrave, « morceau de bois qu'on tord » ; déverbal de *garochier,* barrer la route (1155, Wace) ; francique **wrokkôn,* tordre avec force.

2. **garrot** XIIIe s., G., partie saillante du dos d'un quadrupède ; prov. *garrot,* de même rac. que *garra,* jarret, mot d'orig. gauloise ; les noms des parties du corps éprouvent souvent de ces changements de sens (v. BOUCHE, HANCHE, QUENOTTE). || **garrotter** 1535, Olivétan, « lier » ; 1580, Montaigne, fig. || **garrottage** 1588, Montaigne. || **garrotte** 1647, Vaugelas ; esp. *garrote,* du fr. *garrot ;* désigne le supplice par strangulation.

gars V. GARÇON.

garum 1545, Guéroult ; mot lat., du gr. *garon,* sauce relevée faite avec certaines parties de poissons (*garus*).

***gascon** 1622, Ch. Sorel, fig., « hâbleur » ; lat. pop. *Wasco* (lat. *Vasco*), altéré par l'infl. germ., même mot que *Basque.* || **gasconnade** 1600, P. de L'Estoile, « hâblerie ». || **gasconisme** 1584, Scaliger. || **gasconner** fin XVIe s., Vauquelin.

gas-oil v. 1925 ; mot anglo-américain, de *gas,* gaz, et *oil,* huile, pétrole.

gaspacho 1872, Lar. ; mot esp.

gaspiller 1549, R. Est. (*gap-*) ; prov. mod. *gaspilha,* gaspiller, grappiller, sans doute d'un gaulois **waspa,* nourriture, déchet, dont l'initiale aurait pu subir une infl. germ. || **gaspilleur** 1538, R. Est. || **gaspillage** 1732, Hecquet.

gastéro-, gastr(o)-, gr. *gastêr, gastros,* estomac, ventre. || **gaster** 1611, Cotgrave. || **gastéria**

1875, Zola, bot. || **gastéromycètes** 1839, Boiste (*-myces*) ; gr. *mukês,* champignon. || **gastéropodes** 1795, Cuvier ; gr. *pous, podos,* pied. || **gastralgie** 1824, Nysten. || **gastralgique** 1845, Richard. || **gastrectomie** 1888, Lar. ; gr. *ektomê,* amputation. || **gastrique** 1560, Paré. || **gastrite** 1803, Boiste. || **gastro-entérique** 1872, Lar. || **gastro-entérite,** 1823, Boiste. || **gastro-intestinal** 1808, Broussais. || **gastrolâtre** 1552, Rab. || **gastrologie** 1836, Landais ; gr. *gastrologia,* traité de la gourmandise. || **gastronome** 1803, Croze-Magnan. || **gastronomie** 1622, titre d'un ouvrage ; 1800, Berchoux ; gr. *gastronomia,* traité de la gourmandise.|| **gastronomique** 1807, *Journ. des gourmands.* || **gastropode** 1872, Lar. || **gastroptôse** XXe s. || **gastrorraphie** 1539, Canappe ; gr. *rhaptein,* coudre. || **gastroscope** 1930, Lar. || **gastrotomie** 1611, Cotgrave.

gastrula 1888, Lar. ; lat. scientif. mod., dimin. de *gastra,* vase, de *gaster,* ventre. || **gastrulation** 1901, Lar. ; mot allem. créé en 1879.

gâteau 1198, Gaimar (*gastel, wastel*) ; 1636, Monet (*gâteau*) ; adj. 1785, Restif ; *c'est du gâteau,* 1952, Esnault ; lat. pop. **wastellum,* du francique **wastil,* nourriture (ancien saxon *wist ;* anc. haut allem. *wastel*).

***gâter** 1080, *Roland* (*guaster*) ; 1155, Wace (*gaster*) ; 1636, Monet (*gâter*), « ravager » (jusqu'au XVIIe s.) ; 1240, G. de Lorris, « endommager » ; 1530, Palsgrave, « traiter avec trop d'indulgence » ; *gâter le métier,* 1640, Oudin ; *enfant gâté,* 1549, R. Est. ; lat. *vastare,* devenu **wastare,* sous l'infl. du germ. *wast-,* ravager (allem. *wüsten*). || **gâtine** 1120, *Ps. de Cambridge* (*guastine*), « terrain inculte » ; anc. fr. *guast* (1080, *Roland*), dévasté. || **gâteur** 1213, *Fet des Romains.* || **gâtebois** 1397, G. || **gâte-métier** 1596, Hulsius. || **gâte-papier** XIIIe s., G. || **gâte-sauce** 1808, d'Hautel. || **gâterie** début XVIIe s., « altération d'un texte » ; 1815, *Rev. hist.,* fig. ; 1887, Zola, « friandise ». || **gâteux** 1836, *Acad.,* méd. ; 1893, Courteline, « débile » ; prononc. pop. de *gâteur,* « qui gâte ses effets par incontinence d'urine ». || **gâtisme** 1868, Goncourt. || **gâtifier** v. 1950. (V. DÉGÂT.)

gatte 1525, Bourbon, mar., « hune » ; prov. *gata,* jatte (à cause de la forme).

gattilier 1755, Duhamel, bot. ; esp. *gatillo,* altér. de (*agno*) *castil,* conservé en port., avec croisement de *gatto,* chat, du bas lat. *cattus.* (V. AGNUS-CASTUS.)

gauche 1471, du Cange, « opposé à droit » ; qui a éliminé *sénestre* (jusqu'au XVIe s.) lorsque *droit* a supplanté *destre ;* il a signifié « de travers » (1580, Montaigne), au fig. « maladroit » (1660, Oudin) ; n. f. 1538, R. Est. ; 1791, Brunot, « côté d'une assemblée où siègent les progressistes » ; *extrême gauche,* 1840, *Acad. ;* adj. verbal de *gauchir.* || **gauchement** 1575, J. des Caurres. || **gaucher** 1549, R. Est. || **gaucherie** 1750, d'Argenson, « maladresse » ; v. 1950, utilisation de la main gauche. || **gauchisant** 1959, Lar. || **gauchir** 1130, *Eneas* (*guenchir*), « faire des détours » ; 1210, *Estoire d'Eustachius* (*gauchir*), « perdre sa forme » ; francique **wenkjan* (allem. *wanken,* vaciller), sous l'infl. de l'anc. fr. *gauchier,* fouler, du francique **walkan* (allem. *walken,* fouler le drap). || **gauchissement** 1547, J. Martin. || **gauchisme** 1962, Lar. || **gauchiste** 1843, Balzac. || **dégauchir** 1582, Tabourot. || **dégauchissage** 1829, Boiste. || **dégauchisseuse** 1888, Lar. || **dégauchissement** 1513, Delb.

gaucho 1842, Gautier ; mot esp. d'Argentine, de l'arawak ou du quetchua *cachu,* pauvre.

gaude 1268, É. Boileau, réséda tinctorial ; germ. **walda* (angl. *weld*).

gaudeamus 1493, Coquillart, « bamboche » ; 1865, L., chant religieux ; lat. *gaudeamus,* réjouissons-nous, de *gaudere,* se réjouir ; empr. à des prières liturgiques.

gaudir (se) fin XIIe s., *Loherains ; se gaudir,* 1285, *Livre d'Artus ;* lat. *gaudere,* se réjouir. || **gaudisserie** fin XVe s., Molinet.

gaudriole 1741, Brunot ; formé du croisement de *gaudir* et de *cabriole.* || **gaudrioler** 1879, Huysmans.

gaufre 1180, Hue de Rotelande (*walfre*) ; 1398, *Ménagier* (*gaufre*), « gâteau » ; francique **wāfla,* rayon de miel, et « gaufre », d'apr. la forme. || **gaufrier** 1365, Gay. || **gaufrette** 1536, G. || **gaufrer** début XVe s., « imprimer des motifs en relief ». || **gaufrage** 1806, Desmarest. || **gaufreur** 1604, Lespinasse. || **gaufroir** 1785, *Encycl. méth.* || **gaufrure** fin XVe s., O. de La Marche.

gaule 1278, G. (*waulle*) ; début XIVe s. (*gaule*) ; francique **walu-* (gotique *walus,* pieu), par l'intermédiaire d'un lat. pop. **walua.* || **gaulée** 1611, Cotgrave. || **gauler** 1360, G. || **gaulage** 1845, Besch. || **gaulis** 1392, G.

gaulliste v. 1941 ; de Charles de *Gaulle.* || **gaullisme** v. 1949. || **gaullien** v. 1950.

gaulois XVe s. ; 1640, *Ancien Théâtre,* « grivois » ; de *Gaule,* peut-être issu du francique

Walha,* pays des *Walh,* Romains (allem. *Welsch*) ; il y a eu métathèse en **Wahla,* puis vocalisation de *h* vélaire en *u* (cf. SAULE). || **gauloiserie 1872, Lar. || **gauloisement** 1720, Dufresny. || **gauloise** 25 avr. 1910, cigarette.

gault 1840, Parandier ; mot angl. dial. signif. « argile » ; introduit en géologie par W. Smith.

gaupe 1401, du Cange ; emploi pop. jusqu'au XVIIe s. ; allem. du Sud (bavarois, etc.) *Walpe,* femme sotte.

gauss fin XIXe s. ; du physicien allemand K. F. *Gauss* (1777-1855). || **gaussmètre** 1968, Lar.

gausser (se) 1560, Ronsard (*se gaucher*) ; 1580, R. Garnier (*se gausser*) ; sans doute mot de l'Ouest ; orig. obscure. || **gausse** 1611, Cotgrave (*gosse*). || **gausseur** 1539, N. du Fail. || **gausserie** milieu XVIe s.

gavache 1546, Rab., « lâche » ; gascon *gavach(o),* sobriquet ethnique, qui désigne les Pyrénéens en esp., dér. prélatin de **gaba,* gorge (v. GAVER), du type **gabactum.* Il a dû désigner d'abord les goitreux, jadis nombreux dans les montagnes.

gave 1671, Pomey ; béarnais *gabe,* du lat. pop. *gabarus* (VIIIe-IXe s., Théodulfe), formé avec la rac. *gab-,* comme *gaver,* et le suffixe hydronymique atone prélatin *-arus.*

gaver 1642, Oudin ; mot normand, du picard *gave,* gosier (1288, *Renart le Nouvel*), prélatin **gaba,* gorge, d'orig. gauloise. || **gavage** 1877, Darmesteter. || **gaveur** 1870, *la Liberté.* || **gaviot** 1808, d'Hautel. (V. ENGOUER, JATTE, JOUE.)

gavette 1757, *Encycl.,* barre d'or ; ital. *gavetta.*

gavial 1789, Lacepède ; hindî *gharviyal,* crocodile.

gavotte 1588, Gay ; prov. mod. *gavoto,* danse des Gavots (de *gava,* gorge, goitre), sobriquet des montagnards des Alpes en Provence, des montagnards en Auvergne. (V. GAVACHE.)

gavroche 1862, Hugo, *les Misérables,* nom propre, vulgarisé comme symbolisant le gamin de Paris (1872, Lar.).

gaz 1670, trad. de Van Helmont (1577-1644), qui créa le mot d'apr. le lat. *chaos,* au sens de « substance subtile », du gr. *khaos ;* 1787, Féraud, sens physique ; 1836, Landais, spécialisé au gaz d'éclairage dans la langue commune. || **gazage** 1877, L. || **gazeux** 1775, Grignon. || **gazéifier** début XIXe s. || **gazéifiable** 1811, Mozin. || **gazéificateur** 1930, Lar. || **gazéification** 1842, *Acad.* || **gazéiforme** 1811, Mozin. || **gazer** 1829, Boiste, passer à la flamme ; v. 1915, intoxiquer par le gaz ; 1915, Esnault, aller vite, marcher bien. || **gazé** v. 1915 comme n. m. || **gazier** début XIXe s., adj. ; 1865, L., « ouvrier d'une usine de gaz ». || **gazogène** 1829, *Rev. industr.* || **gazomètre** 1789, Lavoisier. || **gazoline** 1888, Lar. || **gazoduc** 1958, *le Midi libre.*

gaze 1554, Ronsard, étoffe de soie ; de la ville de *Gaza.* || **gazer** 1742, Massillon, couvrir de gaze ; 1762, *Acad.,* voiler, masquer. || **gazeur** 1930, Lar. || **gazier** 1723, Savary.

gazelle 1272, Joinville (*gazel*) ; 1690, Furetière (*gazelle*) ; ar. *al-ghazal,* qui a donné aussi *algazelle.*

gazer V. GAZ, GAZE.

gazette 1578, d'Aubigné, « écrit périodique » ; 1654, G. de Balzac, « chronique » ; remplacé à la fin du XVIIIe s. par *journal ;* ital. *gazzetta,* du vénitien *gazeta,* menue monnaie (prix de feuilles périodiques au XVIe s., par ext., la feuille elle-même) ; même racine que *geai.* || **gazetier** 1633, Peiresc.

gazon 1213, *Fet des Romains* (*gason*), « motte de terre » ; 1258, *Roman de Mahomet,* « herbe courte » ; francique **wazo,* motte de terre garnie d'herbes (allem. *Wasen*). || **gazonner** 1295, G. (*was-*). || **gazonnement** 1701, Furetière. || **gazonnage** 1713, Isambert. || **gazonnant** 1338, G. || **gazonneux** 1791, Bomare.

gazouiller 1316, J. Maillard ; forme normanno-picarde, même rad. que *jaser.* || **gazouillant** 1712, La Fare. || **gazouillement** 1361, Oresme (*gasoillement*) ; 1560, Paré (*gazouillement*). || **gazouillis** 1540, Yver.

***geai** 1170, *Floire et Blancheflor* (*gai*) ; XVIIe s. (*geai*) ; bas lat. *gaius* (Ve s., Polemius Silvius), qui représente le nom propre *Gaius,* par sobriquet pop. (V. MARTINET, PIERROT, SANSONNET.)

***géant** 1080, *Roland* (*jaiant*) ; 1170, *Rois* (*jéant,* puis *g* d'apr. le lat.) ; lat. pop. **gagantem,* de **gagas,* altér. de *gigas,* du gr. *Gigas* (personnage myth.). [V. GIGANTESQUE.]

gecko 1734, Seba ; mot néerl., par lat. sc., du malais *gêkoq,* saurien.

géhenne 1265, Br. Latini (*Jehenne*) ; XVIe s. (*gehenne*) ; lat. eccl. *gehenna* (IIIe s., Tertullien), de l'hébreu *ge-hinnom,* vallée de l'Hinnom (lieu maudit, enfer). || **géhenner** 1580, Montaigne. (V. GÊNE.)

***geindre** fin XIIe s. (*giembre*) ; début XIIIe s. (*geindre*) d'apr. les verbes en *-eindre ;* lat. *gemĕre* (v. GÉMIR), devenu péjor. au XIVe s. || **geignant** 1856, Lachâtre. || **geignard** 1867, Goncourt. || **geignement** 1842, Hugo. || **geigneur** 1874, A. Daudet.

geisha 1887, Loti (*guécha*) ; 1901, Lar. (*geisha*) ; mot jap.

***geler** XIIe s., Herman de Valenc. ; lat. *gĕlāre.* || ***gel** 1080, *Roland* (*giel*) ; XXe s., fig. ; lat. *gĕlu.* || **antigel** v. 1930. || **gelation** 1953, Lar. || **gelée** VIIIe s., *Gloses de Reichenau* (*gelata*) ; 1080, *Roland* (*gelée*) ; part. passé substantivé. || **gélif** 1519, G. || **gélifier** début XXe s. || **gélivité** 1845, Besch. || **gélivure** 1737, Buffon. || **gélissure** 1771, Trévoux. || **gelure** 1538, R. Est., « gelée » ; 1542, du Pinet, « engelure » ; fin XIXe s., sens actuel. || **gélatine** 1611, Cotgrave ; lat. *gelatus,* gelé. || **gélatineux** 1743, Quesnay. || **gélatiné** 1874, *J.O.* || **gélatiniser** 1922, Lar. || **gélatinisation** 1865, L. || **congeler** 1265, Br. Latini ; lat. *congelare.* || **congelable** 1612, Béroalde. || **congélateur** 1845, Besch. || **congélation** XIVe s., *Traité d'alchimie ;* lat. *congelatio.* || **dégeler** 1213, *Fet des Romains ;* v. 1950, fig. || **dégel** 1265, J. de Meung ; v. 1950, fig. || **dégelée** 1809, Esnault, volée. || **décongeler** 1907, Lar. || **décongélation** 1907, Lar. || **engelure** XIIIe s., G. ; anc. fr. *engeler* (fin XIIe s., *Alexandre*). || **regeler** v. 1450. || **regel** 1835, Raymond.

***geline** 1190, Garn., poule ; lat. *gallina.* || **gelinotte** 1530, Marot.

gémeau 1165, Marie de France, « jumeau » ; au pl. 1546, Rab., sens actuel désignant une constellation formée de deux étoiles ; réfection savante de *jumeau,* d'apr. le lat. *gemellus ;* auj. seulement pl., pour le signe du zodiaque. || **gémellaire** 1842, *Acad.* || **gémellation** 1963, Druon. || **gémellipare** *id.* || **géminé** début XVIe s. ; lat. *geminatus,* doublé, même rac. que *gemellus,* jumeau. || **géminer** fin XVe s., Molinet, « joindre ». || **gémination** XVIe s., Huguet, « répétition de mots » ; v. 1960, « mixité » ; lat. *geminatio.*

gémir 1150, Barbier, « émettre des sons plaintifs » ; 1648, Scarron, fig. ; lat. *gemere,* avec changement de conjugaison, formation savante en face de la forme pop. *geindre.* || **gémissant** 1502, O. de Saint-Gelais. || **gémissement** 1120, *Ps. de Cambridge.* || **gémisseur** milieu XVe s.

gemme 1050, *Alexis* (var. *jamme,* 1190, *saint Bernard*) ; lat. *gĕmma,* bourgeon, au fig. « pierre précieuse » ; le sens de « suc de résine » (dont les gouttes ont été comparées à des perles) s'est développé dans l'Ouest et le Sud-Ouest. || **gemmé** 1080, *Roland* (*gemé*). || **gemmer** 1820, Barbier, sylviculture. || **gemmation** 1798, Richard. || **gemmage** 1864, Darmesteter. || **gemmeur** 1877, L. || **gemmifère** 1596, Félix. || **gemmipare** 1771, Trévoux. || **gemmiste** XXe s. || **gemmologie** XXe s. || **gemmule** 1808, Richard, bot., dimin. ; lat. *gemmula,* petit bourgeon.

gémonies 1548, E. de La Planche ; *traîner aux gémonies,* 1820, Lamartine ; lat. *gemoniae* (*scalae*), même rac. que *gémir ;* escalier où l'on exposait à Rome les corps des suppliciés (escalier des gémissements).

***gencive** XIIe s. ; lat. *gĭngīva ;* le 2e *g* est devenu *c* par dissimilation. || **gingivite** début XIXe s., formation savante sur le lat. || **gingival** 1821, G. de Mamers.

gendarme V. GENS.

***gendre** fin XIe s., *Lois de Guill. ;* lat. *gĕnĕr, gĕnĕris.* || **engendrer** XIIIe s., *Glossaire hébreu-fr.,* « prendre pour gendre » (jusqu'au XVIIe s.).

gène début XXe s. ; mot créé en 1911 par Johannsen ; angl. *gene,* du gr. *genos,* génération.

gêne 1200, *Vie de saint Jean* (*gehine*) ; 1390, *Coutum.* (*gehenne*), altér., par croisement avec *gehenne ;* 1538, R. Est. (*gêne*) ; 1617, Angot, « tourment physique » ; 1580, Montaigne, « tourment moral » et « sensation désagréable » ; 1762, Rousseau, sens actuel ; 1813, Delille, « pénurie d'argent » ; déverbal de l'anc. fr. *gehir* (1120, *Ps. d'Oxford*), faire avouer par la torture, du francique **jehhjan* (anc. haut allem. *jehän,* avouer). || **gêner** 1363, Prost (*gehenner*) ; 1530, Palsgrave (*gêner*), « torturer » ; 1669, Widerhold, « perturber » ; 1752, Trévoux, « mettre dans la difficulté financière ». || **gênant** XVIe s. || **gêneur** 1474, Bartzsch (*gehinneur*), « bourreau » ; 1866, Delvau, sens actuel. || **sans-gêne** V. SANS.

généalogie XIIe s., *Bible ;* bas lat. *genealogia* (*Vulgate*), du gr. *genos,* race, et *logos,* traité. || **généalogique** 1480, Delb. || **généalogiste** 1654, Cyrano.

génépi 1733, Lémery ; mot savoyard d'origine inconnue et désignant une armoise des sommets élevés.

général adj. 1190, *Saint Bernard ;* 1463, Bartzsch, subst., abrév. de *capitaine général ; en général,* 1360, Froissart ; lat. *generalis,* adj., « qui appartient à un genre » (*genus*), au sens philos. (Cicéron). || **générale** 1680, Richelet, « sonnerie de tambour et de clairon » ; 1740, *Acad.*, supérieure d'un couvent ; 1802, Flick, femme d'un général. || **généralement** 1190, *Saint Bernard.* || **généraliser** 1578, d'Aubigné. || **généralisable** 1845, Besch. || **généralisation** 1760, d'Alembert. || **généralisateur** 1792, Gohin. || **généralat** 1585, Barbier ; dér. du subst., qui a remplacé *générauté.* || **généralissime** 1558, S. Fontaine ; ital. *generalissimo,* superlatif de *generale,* général. || **généraliste** 1962, Lar. ; de *(médecine) générale.* || **généralité** 1265, J. de Meung (var. francisée *générauté,* XIIIe-XVIIe s.) ; pl. fin XVIIe s., Bossuet, « notions générales » ; 1443, Heidel, circonscription administrative (jusqu'au XVIIIe s.) ; lat. philos. *generalitas* (IVe s., Symmaque).

génération 1120, *Ps. d'Oxford* (*generatium*) ; XIIIe s. (*génération*) ; lat. *generatio,* action d'engendrer (générations d'hommes, au pl. et au sing. en lat. chrét., IVe s., saint Augustin). || **générateur** 1519, G. Michel, « créateur » ; 1560, Paré, « qui engendre » ; 1752, Trévoux, féminin, en géométrie ; 1845, Besch., abrév. au masc. de *appareil générateur ;* lat. *generator,* qui engendre. || **génératif** 1314, Mondeville, méd. ; lat. *generare,* engendrer.

généreux 1378, Le Fèvre, « noble de cœur » ; 1587, du Vair, « de race noble » ; 1611, Cotgrave, « brave » ; 1677, Miege, « qui donne avec largesse » ; lat. *generosus,* de bonne race, au fig., « noble » (Pline). || **généreusement** XVIe s., Brantôme. || **générosité** 1512, J. Lemaire, « noblesse de race » ; 1564, Thierry, « noblesse de cœur » ; pl. 1688, Miege, « libéralités » ; lat. *generositas,* même évolution.

générique fin XVIe s. ; cinéma, n. m., début XXe s. ; lat. *genus, generis.* genre

genèse 1611, Cotgrave (*génésie*) ; 1660, Oudin (*genèse*), théol. ; 1865, L., fig., « formation » ; gr. *genesis,* naissance. || **génésiaque** 1839, Boiste ; bas lat. *genesiacus.* || **génésique** 1826, Brillat-Savarin. || **génétique** 1846, Besch., « relatif aux fonctions de génération » ; début XXe s., science de l'hérédité ; gr. *genetikos,* propre à la génération (*genos*). || **génétiquement** XXe s. || **généticien** 1953, Lar. || **génétisme** fin XIXe s. ; par l'intermédiaire de l'angl.

genestrole fin XVe s., *Journ. de bot. ;* prov. mod. *genestrolo,* dimin. de *genestro,* genêt.

genet 1374, Prost (*genest*), petit cheval de race espagnole ; esp. *jinete,* cavalier armé à la légère (par ext. le cheval), de l'ar. *zanâti,* nom d'une tribu berbère renommée pour ses cavaliers. || **genette** 1460, Chastellain, désigna d'abord les étriers *à la genette,* calque de l'esp. *a la jineta,* de *jinete,* puis une sorte de mors.

***genêt** 1175, Chr. de Troyes (*geneste*) ; 1600, O. de Serres (*genêt*) ; lat. *genĕsta,* var. *genista.* || **genètière** 1611, Cotgrave (*genestrière*).

genéthliaque 1546, Rab. ; lat. *genethliacus,* du gr. *genethliakos,* relatif à la naissance (*genethlê*).

génétique V. GENÈSE.

1. **genette** V. GENET.

2. **genette** 1268, É. Boileau, mammifère à fourrure ; esp. *jineta,* de l'ar. *djerneit.*

génie 1532, Rab., « nature morale de l'homme » ; 1549, J. du Bellay, « disposition naturelle » ; 1674, Chapelain, « aptitude supérieure » ; XVIIe s., « être fictif bon ou mauvais », « art des places fortes » ; fin XVIIe s., « art des fortifications » ; 1759, date de création du corps de troupes ; lat. *genius,* divinité tutélaire, au fig. « inclination, talent ». || **génial** 1509, J. Lemaire, « fécond » ; 1888, Lar., « qui a du génie » ; lat. *genialis,* relatif à la naissance. || **génialité** 1873, Schérer. || **génialement** 1869, Gasparin. || **congénial** 1820, Laveaux, « qui s'accorde avec la nature, le caractère distinctif de quelqu'un ».

genièvre 1160, Benoît (*geneivre*) ; XIVe s., *Antidotaire Nicolas* (*-ièvre*) ; francisation du poitevin *genèvre,* du lat. pop. **jeniperus,* de *jūnĭpĕrus,* genévrier. || **genévrier** 1372, Corbichon. || **genévrière** 1839, Boiste.

***génisse** fin XIIIe s., *Renart* (*genice*) ; 1538, R. Est. (*génisse*) ; lat. pop. **jenicia,* altér. de **jūnīcia,* lat. *junix, -icis.* || **génisson** 1553, *Journal de Gouberville.*

génital 1308, Aimé ; lat. *genitalis,* qui engendre, de *genitus,* part. passé de *gignere,* engendrer. || **génitalité** 1878, Lar. || **génitoire** 1119, Ph. de Thaun (*-taire*) ; 1165, Marie de France (*-oire*) ; adaptation anc., par changement de suff., du pl. neutre *genitalia,* parties sexuelles. || **génito-urinaire** 1845, Besch. || **géniture** XVe s., G., « origine » ; lat. *genitura.* || **congénital** fin XVIIIe s. ; lat. *congenitus,* né avec.

génitif fin XIVe s., Le Fèvre ; lat. *genitivus* (*casus*), cas qui engendre, parce qu'il marque l'origine, la propriété ; de *genitus,* engendré (v. GÉNITAL).

génocide 1944, R. Lemkin, Duke Univ. (U.S.A.) ; gr. *genos,* race, et suffixe *-cide* (lat. *caedere,* tuer).

***genou** 1080, *Roland* (*genoil*) ; la forme *-ou* (1360, Froissart) vient du pl. (*genouilz, genous*) ; lat. pop. **genuculum* (lat. *geniculum*), dimin. de *genu,* genou (cf. OREILLE, SOLEIL). || **genouillère** 1130, *Eneas* (*genoillere*) ; 1570, Carloix (*genouillère*) ; sur *genouil.* || **agenouiller (s')** 1175, Chr. de Troyes. || **agenouillement** 1495, J. de Vignay. || **agenouilloir** XVIe s., Delb. || **génuflexion** 1372, Golein ; bas lat. *genuflexio,* de *genuflectere,* fléchir le genou (*Vulgate*), d'apr. *flexion.*

genre fin XIIe s., G., « race » (*genre humain*) ; 1361, Oresme, philos. ; début XVe s., « sorte, manière » ; 1647, Vaugelas, gramm. ; 1654, Racan, littérature ; lat. *genus, generis,* origine, puis « manière ».

***gens** 1050, *Alexis,* pl. collectif masc. de l'anc. *gent* (980, *Passion*), du lat. *gens, gentis,* race, peuple, repris par les historiens avec la prononc. lat. et le genre féminin que le mot avait en anc. fr. ; le sens de « hommes » , pris par le pl. (parallèle au développement de l'allem. *Leute*), a appelé le masc. ; *jeunes gens,* 1538, R. Est. ; *vieilles gens,* 1530, Marot ; *gens d'Église,* 1360, Froissart ; *gens d'épée,* 1690, Furetière ; *gens de lettres,* milieu XVIe s. || **gendelettre** 1843, Balzac, formation plaisante par agglutination. || **gendarme** fin XIIIe s., Joinville (*gens d'armes*) ; 1355, Bersuire, au sing., « soldat à cheval » ; 1549, R. Est. (*gendarme*), spécialisé pour un corps de police ; *gendarmerie de la maréchaussée* (sous Louis XIII), remplacée par la gendarmerie nationale en 1790 ; 1599, Gay, « défaut d'un diamant » ; XVe s., « hareng saur » d'apr. sa raideur. || **gendarmerie** 1473, Bartzsch, « cavalerie » ; 1791, Brunot, sens actuel. || **gendarmer (se)** 1547, du Fail, « gouverner autoritairement » ; 1580, Montaigne, « se révolter » ; 1666, Molière, sens actuel. || **entregent** début XVe s., de La Salle, « art de se conduire entre gens ».

***gent** adj. (fém. *gente*) 1080, *Roland ;* lat. *genĭtus,* né, par ext. « bien né » en bas lat., puis « noble, beau ». || ***gentil** 1050, *Alexis,* « noble » ; fin XIIIe s., A. de la Halle, « de grâce délicate » ; 1360, Froissart, « prévenant » ; lat. *gentilis,* de famille, de race, par ext. en bas lat. « de bonne race ». || **gentillesse** 1175, Chr. de Troyes (*jantillesce*) ; XIIIe s., du Cange (*gentillesse*), « noblesse » ; 1611, Cotgrave, « amabilité ». || **gentillâtre** 1320, *Fauvel,* devenu le péjoratif de *gentilhomme.* || **gentillet** 1845, Besch. || **gentilhomme** 1080, *Roland* (*gentil home*) ; XIIIe s. (*gentilhomme*). || **gentilhommerie** 1668, Molière. || **gentilhommesque** 1845, Besch. || **gentilhommière** fin XVIe s., Vauquelin de La Fresnaye.

gentiane XIIIe s., *Antidotaire ;* lat. *gĕntiana,* du nom de *Gentius,* roi d'Illyrie, qui aurait découvert les propriétés de la plante.

1. **gentil, gentilhomme,** etc. V. GENT.

2. **gentil** 1488, *Mer des histoires,* « païen » ; lat. chrét. *gentīles,* païens, calque de l'hébreu *gôim,* peuples, d'où « non-juifs», par l'intermédiaire du gr. chrét. *ethnê.* || **gentilité** milieu XIVe s.

gentleman 1698, *Voy. en Angleterre ;* adapté en *gentilleman* (1558, Perlin) ; mot angl., calque de *gentilhomme ;* jusqu'au XIXe s., appliqué seulement aux Anglais. || **gentleman-farmer** 1809, Chateaubriand ; angl. *farmer,* fermier. || **gentleman-rider** av. 1850, Balzac ; angl. *rider,* cavalier.

gentry 1692, Chamberlayne ; mot angl. de même rac. que l'anc. fr. *gentelise* (XIIe s., *Partenopeus*), noblesse.

génuflexion V. GENOU.

géo-, gr. *gê,* terre. || **géocentrique** 1732, Trévoux. || **géochimie** 1838, d'après Lar. || **géode** milieu XVIe s., minér. ; lat. *geodes,* du gr. *geôdês,* terreux. || **géodésie** 1647, Bobynet ; gr. *geôdaisia,* de *daiein,* diviser. || **géodésique** 1742, *Hist. Acad. des sciences.* || **géodynamique** fin XIXe s. || **géographie** 1525, J. Lemaire ; lat. *geographia,* du gr. *geôgraphia,* description de la Terre. || **géographique** 1545, Jacquinot ; bas lat. *geographicus* (IVe s., Amm. Marcellin), du gr. *geôgraphikos.* || **géographe** 1542, G. ; bas lat. *geographus,* du gr. *geôgraphos.* || **géographier** 1870, Gautier. || **géoïde** 1888, Lar. ; gr. *eidos,* forme. || **géologie** 1751, Diderot, créé en ital. par Aldrovandi en 1603. || **géologue** 1798, Deluc. || **géologique** *id.* || **géomagnétisme** 1962, Lar. || **géomancie** 1495, J. de Vignay. || **géomètre** fin XIIIe s., Boèce, qui existe à côté de l'anc. fr. plus usuel *géométrien ;* lat. *geometres* (*-a* en bas lat.), du gr. *geômetrês,* de *metron,* mesure. || **géométrie** 1175, Chr. de Troyes ; lat. *geometria,* du gr. *geômetria.* || **géométrique** 1371, Oresme ; lat. *geometricus,* du gr. *geômetrikos.*

|| **géométriquement** XIVe s., L. || **géométriser** 1749, Diderot. || **géomorphologie** 1950, Baulig. || **géophage** 1827, *Acad.* || **géophysique** 1907, Lar. || **géophysicien** 1944, Simonet. || **géopolitique** 1936, Short ; all. *Geopolitik.* || **géostationnaire** 1966, *Figaro.* || **géosynclinal** 1875, d'après Lar. || **géotactisme** 1888, Lar. ; gr. *taktos,* commandé. || **géothermie** 1866, L. || **géotropisme** 1868, Franck. || **géotrupe** 1827, *Acad. ;* gr. *trupân,* percer.

***geôle** 1155, Wace (*gaole*) ; 1220, Coincy (*jaiole*) ; XIIIe s. (*jeole* et *geôle*) ; bas lat. *caveola,* dimin. de *cavea,* cage ; il a signifié aussi « cage » en anc. fr., comme *cave.* || **geôlier** 1298, Delb. (*jeolier*) ; XVIIe s. (*geôlier*). || **enjôler** 1220, Coincy (*enjaoler*), « emprisonner » ; 1564, Y. Thierry (*enjôler*), fig. ; le sens a évolué comme *captiver.* || **enjôleur** XVIe s., Dampmartin, fig. || **enjôlerie** av. 1890, Maupassant.

georgette XVIIIe s., « tabatière » ; XXe s., *crêpe georgette,* nom d'étoffe ; du nom propre *Georgette.*

géphyriens 1890, Lar. ; gr. *gephura,* pont, à cause de leur apparence intermédiaire entre vers et échinodermes.

géranium 1545, Guéroult ; lat. bot. *geranium,* du lat. *geranion,* du gr. *geranos,* grue ; le fruit de la plante rappelait le bec de la grue. || **géraniacées** 1827, *Acad.* (*gérancées*) ; 1845, Besch. (*géraniacées*).

gérant V. GÉRER.

gerbe XIIe s. (*jarbe*) ; XIVe s. (*gerbe* par fausse régression) ; milieu XVIIIe s., Buffon, « faisceau » ; 1864, Hugo, fig. ; francique **garba* (allem. *Garbe*). || **gerber** XIIIe s., G., « mettre en gerbes » ; 1751, *Dict. d'agric.,* « mettre en tas des fûts ». || **gerbage** fin XVIe s., Vauquelin. || **gerbée** 1432, *Doc.* || **gerbier** XIIIe s. || **gerbillon** 1732, Trévoux. || **engerber** début XIIIe s., « remplir de gerbes la grange » ; XIVe s., « mettre en gerbes ».

gerboise 1700, C. de Bruyn (*gerbo*) ; apr. 1750, Buffon (*-boise*), mammifère rongeur et sauteur de l'Ancien Monde ; lat. zool. *gerboa,* de l'ar. maghrébin *djerbū.*

***gercer** fin XIIe s., R. de Moiliens (*jarser*) ; milieu XIVe s., Machaut (*gercer,* par fausse régression) ; il a signifié aussi « scarifier » en anc. fr. , bas lat. *charaxare,* sillonner, du gr. *kharassein,* faire une entaille, scarifier. || **gercement** 1866, L. || **gerçure** fin XIVe s. || **gerce** 1175, Chr. de Troyes, « lancette » ; XVIe s., Delb., « teigne qui ronge les étoffes » ; 1777, *Encycl.,* « fente dans le bois ».

gérer XVe s., « exécuter » ; 1671, Pomey, « administrer » ; lat. *gerere,* porter, au sens fig. jurid. « administrer » . || **gérant** 1787, Féraud. || **gérance** 1843, Balzac.

gerfaut 1130, *Saint Gilles* (*gerfalc, gir-*) ; de *gir fanc,* du germ. **gerfalko,* de *gîr,* vautour, et *falko,* faucon, au cas sujet (cf. FAUCON).

gériatrie 1957, Larivière ; gr. *gerôn,* vieillard, et *iatreia,* traitement, de *iatros,* médecin.

1. **germain** adj. 1160, Benoît (*cousin germain*) ; 1243, Ph. de Novare, « né des mêmes père et mère » (jusqu'au XVIIe s.), comme l'esp. *hermano, -a,* frère, sœur ; lat. *gĕrmānus,* de frère, fraternel.

2. **germain** 1678, La Fontaine, « allemand » ; repris au lat. *Gĕrmānus,* de Germanie, qui paraît être d'origine celtique. || **germania** 1700, Esnault. || **germanisme** 1736, Voltaire, d'apr. J.-B. Rousseau. || **germanique** 1532, Rab. ; lat. *germanicus,* de Germanie ; 1771, d'Alembert, « d'Allemagne ». || **germaniser** XVIe s., Huguet ; 1755, Prévost d'Exiles, « rendre allemand ». || **germanisation** 1876, L. || **germanisme** 1720, du Noyer. || **germaniste** 1866, L. || **germanite** 1962, Lar. || **germanophile** 1894, Sachs. || **germanophilie** 1922, Proust. || **germanophobe** 1922, Lar. || **germanophone** v. 1945. || **germanium** 1886, Winkler, par opposition à *gallium,* qu'il avait cru formé de *Gallia,* la Gaule, sur *Germania,* l'Allemagne ; désigne un métal rare.

germandrée fin XIIe s., *Gloss.* (*gemandree*) ; altér. mal expliquée du lat. médiév. *calamendria,* déformation obscure du lat. *chamaedrys,* du gr. *khamaidrus,* de *drûs,* chêne, et *khamai,* à terre, c'est-à-dire « chêne nain ». Le mot désigne une plante des régions méditerranéennes.

germe 1120, *Ps. d'Oxford,* « première pousse » ; 1679, Bossuet, fig. ; fin XIXe s., « microbe » ; lat. *germen, -inis.* || **germer** 1130, *Job,* fig. ; fin XIIe s., *R. de Cambrai,* au propre ; lat. *germinare.* || **germen** XIXe s. ; mot lat. || **germicide** fin XIXe s. || **germinal** 1793, Fabre d'Églantine, mois du calendrier révolutionnaire (où les plantes germent). || **germinateur** 1770, Bonnet. || **germinatif** 1551, Du Parc. || **germination** 1455, Fossetier, « descendance » ; 1580, Palissy, bot. ; lat. *germinatio.* || **germoir** 1700, Liger.

germinal V. GERME.

germon 1280, Bibbesworth (*gernon*) ; 1769, Duhamel (*germon*), thon ; mot poitevin, p.-ê. de *germe.*

géromé 1757, *Encycl.* (*giraumé*) ; 1845, Besch. (*géromé*), fromage ; prononciation vosgienne de *Gérardmer,* ville des Vosges.

gérondif 1521, Fabri, adj. ; n. m. 1647, Vaugelas ; lat. *gerundivus* (*modus*), de *gerere,* faire, diriger.

géronte 1636, nom propre de personnage de comédie ; 1829, Boiste, sens fig. ; gr. *gerôn, gerontos.* || **gérontisme** 1866, L. || **gérontocratie** 1825, Béranger, d'apr. *aristocratie.* || **géronto-cratique** 1755, Montesquieu. || **gérontologie** 1955, Binet. || **gérontophilie** 1962, Lar.

gerseau 1678, Guillet, corde de poulie, en mar. ; altér. de *herseau,* dimin. de *herse.*

***gésier** fin XIIe s., G. (*giser*), « foie » ; XIIIe s., *Medicinaire* (*juisier*), « poche digestive » ; 1509, Crétin (*gésier*) ; bas lat. *gigerium,* du lat. class. pl. *gigeria,* entrailles ; le *s* du fr. est dû à une dissimilation. (V. GENCIVE.)

gésine V. GÉSIR.

***gésir** 1050, *Alexis,* auj. restreint à quelques formes comme *ci-gît ;* lat. *jăcēre,* être étendu ; il a été remplacé par *être couché,* et dans les inscr. par *ici repose.* || **gisant** adj. 1260, G. ; 1930, Lar., archit. || ***gésine** 1160, Benoît, « couches d'une femme » ; lat. **jăcīna.* || **gisement** v. 1200, *Renaud de Montauban,* « action de se coucher » ; XVIIe s., mar. ; 1721, Trévoux, « position des couches de minerai » ; du rad. de *gesir* (nous *gisons,* ils *gisent*). || ***gîte** 1175, Chr. de Troyes (*giste*) ; 1398, *Ménagier,* partie de la cuisse de bœuf ; anc. part. passé du verbe *gésir,* substantivé au féminin (lat. pop. **jacĭtam*). || **gîter** 1265, J. de Meung, « demeurer » ; fin XVIe s., pour les animaux ; 1866, L., mar., « avoir de la gîte ».

gesse fin XIe s., *Gloses de Raschi* (*jese*) ; XVe s., du Cange (*gesse*) ; prov. *geissa,* d'orig. inconnue ; herbe assez voisine des vesces.

gestalt v. 1950 ; mot allem. signif. « configuration ». || **gestaltisme** *id.*

gestapo 1934 ; abrév. allem. de *Ge*[*heime*] *Sta*[*ats*] *Po*[*lizei*], police secrète d'État.

gestation 1537, Canappe, « exercice consistant à se faire porter » ; 1611, Cotgrave, « action de porter » ; 1748, d'après Trévoux, « fait de porter un petit » ; 1872, Lar., fig. ; lat. *gestatio, -onis,* action de porter, de *gestare,* fréquentatif de *gerere.*

1. **geste** n. m. 1213, *Fet des Romains* (*gest*) ; XVe s., *Perceval* (*geste* m. ou f.) ; lat. *gestus,* de *gerere,* agir. || **gesticuler** 1578, H. Est. ; lat. *gesticulari.* || **gesticulation** 1495, J. de Vignay ; lat. *gesticulatio.* || **gesticulateur** 1578, H. Est. ; lat. *gesticulator.* || **gesticulatoire** fin XIXe s. || **gestuel** début XXe s., d'après *manuel.*

2. **geste** n. f. (*chanson de*) 1080, *Roland,* mot repris au XIXe s. ; auj. seulement dans *faits et gestes* (début XVIIe s.) ; lat. *gesta,* pl. neutre du part. passé de *gerere,* faire (*Gesta Francorum,* en lat. médiév., a désigné l'histoire des Francs).

gesticuler V. GESTE 1.

gestion 1455, Fossetier ; lat. *gestio, -onis,* de *gerere,* faire. || **gestionnaire** 1874, *J. O.* (V. GÉRER.)

geyser 1784, Mongez ; angl. *geyser,* de l'islandais *geysir,* d'abord nom propre d'un *geyser.*

ghetto 1690, *Nouv. Voy. d'Italie,* seul exemple relevé jusqu'au XIXe s. (1842, Mozin) ; ital. *ghetto* attesté à Venise en 1516, p.-ê. de l'hébreu *ghēt,* séparation ; d'abord des fonderies dans le quartier où les Juifs se seraient établis, puis quartier réservé.

ghilde V. GUILDE.

giaour 1740, *Acad. ;* turc *giaour,* incroyant.

gibbeux XVe s., Delb., « bossu » ; lat. *gibbosus,* de *gibbus,* bosse. || **gibbosité** 1314, Mondeville, « partie renflée du foie » ; 1377, Lanfranc, « courbure du dos ».

gibbon apr. 1750, Buffon ; mot angl., d'une langue de l'Inde ; désigne un singe anthropoïde d'Insulinde.

gibecière, gibelotte V. GIBIER.

gibelet 1549, R. Est. (*giblet*), foret ; altér. de *guimbelet* (1412, du Cange) ou *guibelet* (XVe s.), formes citées par Ménage ; néerl. *wimmel,* foret (*vimblet* en Normandie).

giberne 1585, *Doc.,* « sacoche » ; 1748, Puységur, « boîte à cartouches » ; ital. *giberna,* du bas lat. *zaberna* (IVe s., édit de Dioclétien).

gibet 1155, Wace, « casse-tête » ; XIIIe s., *Chron. de Rains,* « potence » ; francique **gibb* (bavarois *gippel*), branche fourchue.

gibier 1190, *Huon de Bordeaux,* « chasse » ; 1373, Gace de La Bigne, « viande de gibier » ; 1549, R. Est., sens actuel, d'apr. *aller au gibier ;*

gibier de potence, 1668, Molière ; sans doute du francique **gabaiti,* chasse au faucon (moyen haut allem. *gebeize*). || **gibelotte** début XVIIe s. ; anc. fr. *gibelet* (1170, *Floire et Blancheflor*), plat préparé avec de petits oiseaux, diminutif de *gibier.* || **gibecière** fin XIIIe s. ; anc. fr. *gibecier,* aller à la chasse. || **giboyer** XIIe s., *Amis* (*giboier*). || **giboyeur** 1581, Sauvage. || **giboyeux** 1700, Liger, abondant en gibier.

giboulée 1548, Mizauld ; orig. inconnue.

giboyer V. GIBIER.

gibus 1834, date du brevet ; du nom de l'inventeur ; chapeau haut de forme monté sur ressorts.

gicler milieu XVIe s. ; puis 1810, Mollard ; anc. fr. *cisler* (1112, *Voy. saint Brendan*), du prov. *cisclar,* lat. pop. **cisculare,* fouetter, du bas lat. *fistulare,* de *fistula,* tuyau. || **giclée** 1916, Esnault. || **giclement** 1922, Lar. || **gicleur** 1906, Lar.

gifle 1220, Coincy (*giffe*), « joue » (jusqu'au XVIIe s.) ; 1808, d'Hautel, coup sur la joue ; 1887, Zola, fig. ; mot du Nord-Est, du francique **kifel,* mâchoire. || **gifler** 1808, d'Hautel, « frapper » ; 1906, Loti, fig.

gig 1815, Behrens ; mot angl. désignant une petite embarcation très légère.

gigantesque fin XVIe s. ; ital. *gigantesco,* de *gigante,* géant. || **gigantesquement** 1847, Flaubert. || **gigantisme** apr. 1750, Buffon. || **gigantomachie** XVIe s., Huguet ; lat. impér. *gigantomachia,* combat des Géants et des dieux ; gr. *makhê,* combat. || **gigantosité** 1644, Scarron.

gigogne 1659, d'Assouci, en parlant de la *dame Gigogne,* personnage de théâtre, des jupes de qui sortait une foule d'enfants ; altér. probable de *cigogne,* par infl. de *gigue* 1.

gigolo, gigot, gigoter V. GIGUE 1.

1. **gigue** XIIe s., « violon » ; 1655, Borel, « cuisse, jambe » par analogie ; 1680, Richelet, « fille qui gambade » ; haut allem. *giga,* instrument de musique à trois cordes (allem. *Geige*). || **gigot** fin XIVe s., Taillevent, terme de boucherie, par analogie avec l'instrument. || **gigoter** 1655, fréquentatif de *giguer,* gambader (XVe s., de Beauvau). || **gigotement** 1885, A. Daudet. || **gigoteur** 1862, Hugo. || **gigolette** 1850, *Dict. arg. de Reims,* « fille qui gambade ». || **gigolo** 1850, *Chanson pop.,* « amant de cœur ».

2. **gigue** 1650, Ménage, air de danse ; angl. *jig* (*jigge,* 1599, Shakespeare), p.-ê. du fr. *gigue* 1. || **gigoullette** fin XIXe s.

gilet 1557, Gay ; rare jusqu'au XVIIIe s. (1664, Thévenot) ; esp. *gileco* (var. *jaleco*), de l'ar. algérien *jalaco,* casaque (XVIe s.), du turc *yelek.* || **gileter** 1845, Besch. || **giletier** 1828, *Gazette des tribunaux.* || **giletière** 1872, Lar.

1. **gille** milieu XVIIe s., nom d'un bouffon de foire ; 1776, Voltaire, personnage naïf ; du nom de baptême *Gilles,* du lat. *Aegidius ; faire gille,* av. 1613, M. Régnier, s'enfuir ; croisement avec l'anc. fr. *giler,* se hâter, et duper, d'origine germ.

2. **gille** 1669, *Ordonn.,* filet de pêche ; altér. probable de *gielle* (1360, *Modus*), partie d'un rets, d'origine inconnue.

gimblette 1680, Richelet, gâteau croustillant ; prov. mod. *gimbleto,* de *gimbla,* torche, de l'anc. prov. *giba,* bosse.

gin 1759, Richelet ; angl. *gin,* adaptation du néerl. *genever,* genièvre, lat. *juniperus* (v. GENIÈVRE).

***gindre** fin XIe s., *Gloses de Raschi* (*joindre*), « apprenti », ouvrier boulanger ; 1694, Th. Corn. (*gindre*) ; lat. pop. **jŭnior,* avec *ŭ* de *jŭvenis,* lat. *jūnior,* comparatif de *juvenis,* jeune, au cas sujet.

gingembre fin XIe s., *Gloses de Raschi* (*jenjevre*) ; 1190, Garnier (*gingimbre*) ; 1330, *Baudouin de Sebourg* (*-gembre*) ; lat. *zingiberi,* du gr. *ziggiberis,* mot oriental ; plante servant de condiment.

gingivite V. GENCIVE.

ginguet 1549, *Doc.,* « vin vert » ; du moyen fr. *ginguer,* pétiller (XVe s., Martial d'Auvergne), forme nasalisée de *giguer,* danser, parce que le vin vert fait sursauter. || **ginglet** 1852, Goncourt. || **ginglard** 1878, Larchey.

ginkgo 1808, Boiste, bot. ; mot chinois.

ginseng 1663, Thévenot, plante aromatique ; chinois *jen-chen,* plante-homme.

giorno (a) 1842, *Acad. ;* loc. ital. signif. « par la lumière du jour ».

gipsy 1796, Staël ; nom angl. des tziganes, altér. de *Egyptian,* Égyptien.

girafe 1298, Marco Polo (*-affa*) ; XVe s. (*-affle*) ; ital. *giraffa,* de l'ar. *zarāfa ,* les formes d'anc. fr. *giras* (XIIIe s., *Prise de Jérusalem*), *orafle* (1272, Joinville) sont des empr. directs à l'arabe, avec altération. || **girafeau** 1874, *J. O.* || **girafon** 1962, Lar.

girandole 1571, Gohory, « gerbe de fusées » ; 1671, Pomey, « candélabre » ; XVIIIe s., « guirlande » ; dimin. ital. *girandola,* de *giranda,* gerbe de feu (qui a donné *girande,* 1694, Th. Corn.), du bas lat. *gyrare,* tourner. (V. GIRATION.)

girasol 1542, du Pinet (*girasole* n. f.) ; 1611, Cotgrave (*girasol* n. m.), « pierre précieuse » ; 1621, Binet, bot. ; ital. *girasole,* de *girare,* tourner, et *sole,* soleil.

giration 1377, Oresme (*gyracion*), « rotation » ; repris au XVIIIe s. ; dériv. du bas lat. *gyrare,* tourner, faire tourner en rond (IVe s., Végèce, terme de manège), du gr. *guros,* mouvement circulaire. || **giratoire** 1773, Bourdé. || **girie** av. 1792, *Poissardiana,* manière affectée, pop., d'apr. les gestes prétentieux ; 1808, d'Hautel, pl., « farces ». || **giravion** 1962, Lar., de *avion.* || **girodyne** 1962, Lar. ; gr. *dunamis,* force.

giraumont début XVIIe s. (*gyromon*) ; 1721, Trévoux (*giraumont*) ; mot d'orig. tupi.

girie V. GIRATION.

girl début XXe s. ; angl. *girl,* fille, jeune fille.

***girofle** 1170, *Floire et Blancheflor ;* lat. *caryophyllon,* giroflée, accentué à la grecque sur l'antépénultième, du gr. *karuophullon ;* le passage de *c* à *g* en lat. pop. est obscur ; spécialisé en fr. à l'épice (auj. *clou de girofle,* XIIIe s.). || **giroflier** 1372, Corbichon. || **giroflée** 1398, *le Ménagier ;* part. passé de l'anc. fr. *girofler,* parfumer à la girofle (XIIIe s.).

girolle 1513, G. ; anc. prov. *giroilla,* de l'anc. fr. *girer,* tourner, à cause de la forme évasée du chapeau de ce champignon (v. GIRATION).

giron début XIIe s., *Voy. de Charl.,* « pan de vêtement en pointe » ; XIIe s., « partie du vêtement allant de la taille au genou » ; 1544, M. Scève, « partie du corps entre taille et genoux d'une personne assise » ; 1676, Félibien, « largeur de marche d'escalier » ; francique **gêro,* pièce d'étoffe en pointe. || **gironné** 1188, *Chanson d'Aspremont* (*gironé*) ; 1537, Huguet (*-er*).

girond 1815, Esnault, « mignon », surtout au féminin ; prov. *giroundo,* hirondelle, altér. de *ironda,* par croisement avec *girar,* tourner. || **gironner** 1881, A. Daudet, « caresser ».

girondin 1793, *Journ. de la Montagne ;* du département de la *Gironde,* où avaient été élus certains des membres de ce groupe politique révolutionnaire. || **girondisme** *id.*

girouette 1155, Wace (*wirewite*) ; début XVIe s. (*girouette*) ; de *girer,* tourner, d'après *pirouette ;* anc. scand. *vedrviti.*

gisant, gisement V. GÉSIR.

gitan 1681, Esnault (*gitain*) ; 1823, Boiste (*gitan*) ; parfois au XIXe s. (1845, Mérimée) sous la forme esp. ; esp. *gitano, -a,* nom des tziganes en Espagne, altér. de *Egiptano,* Égyptien (v. GIPSY). || **gitane** n. f., XXe s., cigarette française.

***gîte** V. GÉSIR.

givre XVe s., G. (*joivre*) ; 1611, Cotgrave (*gi-*) ; prélatin **gēvero.* || **givrage** v. 1945. || **givrer** 1845, Besch. (*-é*). || **givrant** v. 1950. || **givreux** 1829, Boiste. || **givrure** XVIIIe s. || **antigivrant** 1959, Lar. || **dégivrer** v. 1950. || **dégivrage** v. 1950.

glabelle 1806, Lunier ; lat. *glabellus,* dimin. de *glaber,* sans poils.

glabre 1545, Guéroult, bot. ; 1585, Du Verdier, « sans poils » ; lat. *glaber,* attesté dans le nom du chroniqueur Raoul Glaber (v. 1000-1050). || **glabrescent** 1866, L. || **glabrisme** *id.*

***glace** 1130, *Eneas ;* 1175, Chr. de Troyes, « miroir » ; 1669, Widerhold, entremets glacé (les premières glaces furent fabriquées par l'Italien Procope) ; lat. pop. **glacia,* du lat. *glacies.* || ***glacer** 1160, Benoît (*glacier*), « glisser » ; 1538, R. Est., « convertir en glace » ; XVIIe s., fig. ; lat. *glaciare.* || **glaçage** 1872, Lar. || **glaçant** XIIe s., « glissant » ; fig. 1768, Rousseau. || **glacière** 1640, Oudin, « glacier » ; v. 1850, réfrigérateur. || **glaciaire** 1866, L. || **glacerie** 1765, *Encycl.* || **glaceux** 1400, Douet d'Arcq. || **glacial** 1380, Conty, anat. ; 1534, Rab., « où il fait froid » ; 1740, de Boissy, fig. || **glacier** début XIVe s., lieu froid ; 1572, Peletier du Mans, accumulation de glace ; 1765, *Encycl.,* miroitier ; 1803, Boiste, « qui fabrique des entremets glacés » ; mot franco-provençal. || **glaçon** 1160, Benoît. || **glaciation** 1560, Paré, méd. ; 1930, Lar., géogr. || **glacis** début XVe s., « talus de protection » ; 1757, *Encycl.,* mince couche de couleur ; de *glacer,* en anc. fr. « glisser ». || **glaciologie** fin XIXe s. || **glaciologiste** 1901, Lar. || **déglacer** milieu XVe s. || **déglacement** 1870, Lar. || **déglaçage** 1888, Lar.

glacier, glacis, glaçon V. GLACE.

glaçure 1772, de Milly ; allem. *Glasur,* de *Glas,* verre. (V. GLASS.)

gladiateur XIIIe s., G. ; lat. *gladiator,* homme armé d'un glaive (*gladius*).

glagolitique 1872, Lar. ; mot slavon, de *glagol,* nom d'un ancien alphabet.

***glaïeul** fin XIe s., *Gloses de Raschi* (*glaid*) ; 1160, Benoît (*glai*) ; lat. *gladius ;* XIIIe s. (*glaiuel*) ; 1600, O. de Serres (*glaïeul*) ; lat. *gladiŏlus,* dimin. de *gladius,* glaive, au sens fig.

***glaire** XIIe s., Marbode, « blanc d'œuf cru » ; XIIIe s., « humeur » ; 1690, Furetière, « tache de diamant » ; lat. pop. **claria,* de *clarus,* clair ; le *g* est dû à l'attraction de *glarea,* gravier. || **glaireux** 1256, Ald. de Sienne, « visqueux ». || **glairer** 1680, Richelet, en reliure. || **glairure** 1810, Lesné.

glaise 1160, Benoît (*glise*) ; fin XIIIe s. (*glaise*) ; gaul. **gliso,* attesté dans le comp. *glisomarga,* marne argileuse (Pline). || **glaiseux** XIIIe s., G. || **glaiser** 1690, Furetière. || **glaisière** 1759, d'Holbach.

glaive fin Xe s., *Saint Léger* (*gladie*) ; 1120, *Ps. d'Oxford* (*glaive*) ; lat. *gladius ;* le *v* s'est développé entre voyelles après la chute du *d* (v. EMBLAVER).

***gland** XIIe s. (*glant*) ; XVIe s. (*gland*), « fruit du chêne » ; 1379, *Inventaire de Charles V,* « ornement » ; 1538, Canappe, anat. ; lat. *glans, glandis.* || **glandage** 1589, Baïf. || **glandée** fin XVe s., *Cout. d'Anjou.* || **englanté** XVIe s., Goumin.

glande XIIe s., *Vie d'Édouard* (*glandre*), « tumeur » ; 1538, R. Est., sens actuel ; adaptation anc. du lat. méd. *glandŭla,* dimin. de *glans, glandis,* gland. || **glandé** 1577, Jamyn. || **glandule** 1478, Chauliac. || **glandulaire** 1611, Cotgrave. || **glanduleux** 1314, Mondeville ; lat. *glandulosus.* || **glandaire** 1842, *Acad.* || **glander** XVe s., « produire des glands » ; 1941, Esnault, « paresser ».

***glaner** XIIIe s., Tailliar (*glener*) ; XIIIe s. (*glaner*) ; bas lat. *glenare* (VIe s., *Loi salique*), mot d'origine gauloise. || **glanage** 1596, Vaganay. || **glane** fin XIIIe s., *Renart ;* déverbal. || **glaneur** XIIIe s., G. (*-eor*) ; XVIe s. (*glaneur*). || **glanure** 1540, Calvin.

glapir 1175, Chr. de Troyes ; altér. de *glatir,* par infl. de *japper.* || **glapissement** 1538, R. Est.

glaréole 1768, Bomare ; lat. scient. *glareola,* de *glarea,* gravier ; oiseau appelé aussi *hirondelle des marais.*

***glas** début XIIe s., *Voy. de Charl.,* « sonnerie » ; 1155, Wace, « sonnerie d'église » ; début XIIIe s. (*glais*), « sonnerie mortuaire » ; 1564, Thierry (*glas*) ; lat. pop. **classum,* du lat. class. *classĭcum,* sonnerie de trompettes (le *g* est peut-être dû à *glatir*).

glass 1628, *Jargon* (*glasse*), pop., verre à boire ; allem. *Glass.* (V. GLAÇURE.)

glatir 1080, *Roland ;* lat. *glattīre,* japper, onom., appliqué aux jeunes chiens.

glaucière 1872, Lar., genre de papavéracée ; lat. *glaucium,* du gr. *glaukion,* sorte de pavot. On a eu aussi *glacium* (1694, Th. Corn.) et *glaucion* (1827, *Acad.*).

glaucome 1649, Brunot ; lat. *glaucoma,* du gr. *glaukôma,* de *glaukos,* glauque ; maladie des yeux. || **glaucomateux** 1866, L.

glauque 1503, Chauliac ; lat. *glaucus,* du gr. *glaukos,* vert tirant sur le bleu.

glaviot 1808, d'Hautel (*claviot*) ; 1866, Delvau (*glaviot*), « crachat » ; var. de *claveau,* appliqué au pus. || **glaviotter** 1867, Delvau.

glèbe XVe s., G. ; lat. *gleba,* motte de terre.

1. **glène** 1560, Paré, « cavité d'un os » ; gr. *glênê,* cavité. || **glénoïde** 1541, Canappe. || **glénoïdal** 1754, Bertin. || **glénoïdien** *id.*

2. **glène** 1494, Mantellier (*glenne*) ; 1786, *Encycl. méth.* (*glène*), « rond d'un cordage enroulé » ; prov. mod. *glano,* de même rac. que *glaner.* || **gléner** 1803, Boiste.

glisser 1191, *Vengement d'Alexandre* (*glicier*) ; 1380, *Aalma* (*glisser*) ; 1580, Montaigne, « avancer sans bruit » ; XVIIe s., « insinuer » ; altér., d'apr. *glacer,* de l'anc. fr. *glier* (XIIIe s.), du francique **glidan* (allem. *gleiten*). || **glissade** 1553, Ronsard. || **glissant** 1265, Br. Latini. || **glissance** 1948, Lar. || **glisse** v. 1950 ; déverbal. || **glissement** 1360, Froissart. || **glissade** 1866, L. || **glisseur** 1636, Monet. || **glissière** 1866, L. || **glissette** 1900, *D. G.* || **glissoir** 1636, Monet. || **glissoire** 1308, G. (*glichouere*), « tuyau d'écoulement ».

globe XIVe s., Brun de Long Borc, « rouleau de drap » ; 1552, R. Est., « corps sphérique » ; 1560, Paré, « astre » ; 1741, Voltaire, « globe terrestre » ; lat. *globus,* dans tous les sens. || **global** 1864, Darmesteter. || **globalement** 1842, Mozin. || **globaliser** 1966, *le Monde.*

|| **globalité** 1936, Aragon. || **globe-trotter** 1906, Lar. ; mot angl., de *trotter,* coureur, cheval qui va au trot, et *globe,* la Terre. || **globule** 1662, Pascal ; lat. *globulus,* dimin. de *globus.* || **globuleux** 1611, Cotgrave. || **globulaire** 1679, *Journ. des savants,* adj. ; n. f. 1694, Tournefort, bot. || **globulin** 1846, Besch. || **globuline** v. 1850. || **globigérine** 1826, *Annales des sc. naturelles,* zool. || **globicéphale** 1872, Lar. || **globoïde** 1877, L. || **englober** 1611, Cotgrave, « mettre dans un tout ».

globe-trotter, globule V. GLOBE.

gloire 1050, *Alexis* (*glorie*) ; 1080, *Roland* (*gloire*), par métathèse, « considération, réputation », sens usuel jusqu'au XVIIe s. ; XVIIe s., « splendeur de Dieu » ; 1798, *Acad.,* « cercle de lumière » ; 1835, *Acad.,* « auréole » ; empr. anc. au lat. *gloria,* gloire. || **gloria** 1680, Richelet, chant religieux ; 1817, Jouy, « thé avec rhum », emploi iron. du lat. *gloria,* fréquent dans les psaumes. || **gloriette** 1190, *Aliscans,* « palais », puis, par infl. du suffixe dimin., « petite chambre » (XIIe s.); 1538, G., « petit pavillon ». || **glorieux** 1080, *Roland* (*glorius*) ; XIVe s. (*glorieux*) ; lat. *gloriosus.* || **glorieusement** 1120, *Ps. d'Oxford.* || **glorifier** 1120, *Ps. de Cambridge ;* bas lat. *glorificare,* rendre glorieux. || **glorification** 1361, Oresme, « grande louange » ; 1690, Furetière, relig. ; 1865, Proudhon, sens général ; lat. *glorificatio.* || **glorificateur** XVe s., Molinet. || **gloriole** 1738, abbé de Saint-Pierre ; dimin. lat. *gloriola,* petite gloire. || **inglorieux** XIVe s., *D. G. ;* lat. *ingloriosus.*

glomérule 1845, Besch. ; lat. scientif. *glomerulus,* dimin. de *glomus, -eris,* peloton. || **glomérulé** 1872, Lar. || **gloméris** 1839, Boiste.

gloria, glorieux, glorifier V. GLOIRE.

glose XIIe s., Éverat, « interprétation de la Bible » ; 1220, Guiot, « annotation » ; bas lat. *glosa,* mot rare qui a besoin d'être expliqué, var. de *glōssa,* du gr. *glôssa,* langue, et, par ext., « idiotisme ». || **gloser** 1175, Chr. de Troyes, « interpréter par une glose » ; XIIIe s., « railler » ; *gloser sur,* XIIIe s. || **gloseur** XIIe s., *Bible.* || **glossaire** 1585, Cholières, « recueil de gloses » ; 1680, Richelet (*glosaire*), « dictionnaire » ; lat. *glossarium.* || **glossateur** 1426, *Cout. d'Anjou* (*glosa-*).

glossaire, glossateur V. GLOSE.

glosso-, bas lat. *glossa,* du gr. *glôssa,* langue. || **glossalgie** 1808, Boiste. || **glosséine** v. 1935. || **glossien** 1811, Mozin. || **glossite** *id.* || **glossodynie** 1888, Lar. || **glossoplégie** 1878, Lar. || **glossotomie** 1771, Schmidlin.

glotte début XVIIe s. ; gr. *glôtta,* forme attique de *glôssa,* langue, pour un sens nouveau. || **glottique** v. 1850. || **épiglotte** 1314, Mondeville ; lat. méd. *epiglottis,* du gr. *epiglôttis,* qui est sur la langue ; désigne l'opercule placé à la partie supérieure du larynx. || **épiglottique** 1864, L.

glottorer 1836, Landais ; lat. *glottorare,* craqueter (cri de la cigogne).

glouglou début XVIIe s., onom. ; 1721, Trévoux, cri du dindon ; bas lat. *glutglut,* glouglou de la bouteille. || **glouglouter** 1560, Ronsard.

glousser XIIe s. (*clocir*) ; XIVe s., Delb. (*cloucier*) ; lat. pop. **cloclare,* du lat. *glocire,* onom. || **gloussement** XVe s. (*glocement*) ; 1680, Richelet (*gloussement*).

***glouton** 1080, *Roland,* « canaille » ; 1361, Oresme (*glouton*), « vorace » ; lat. *glŭtto, -onis* (Ier s., Perse), de *glŭttus,* gosier, pop. || **gloutonnement** début XVe s., Juvénal. || **gloutonnerie** 1119, Ph. de Thaun (*glutunie*) ; 1145, Evrart (*glotonnerie*).

***glu** fin XIe s., *Gloses de Raschi* (*glud*) ; bas lat. *glus, glutis,* var. du lat. *glūten,* colle. || **gluer** *id.* || **gluant** 1265, Br. Latini. || **gluer** 1190, *Saint Bernard.* || **glutineux** 1265, Br. Latini ; lat. *glutinosus,* collant. || **dégluer** 1213, *Fet des Romains.* || **engluer** 1120, *Ps. de Cambridge.* || **engluement** XIVe s., *D. G.*

gluc(o)-, glyc(o)-, gr. *glukus,* doux, d'apr. la saveur sucrée des composés. || **glucide** 1833, Omalius. || **glucine** 1798, *Annales de chimie.* || **glucose** milieu XIXe s. || **glucoside** 1872, Lar. || **glycémie** *id.* || **glycocolle** 1866, L. || **glycogène** 1853, Cl. Bernard. || **glycol** milieu XIXe s. || **glycolyse** 1962, Lar. || **glycosurie** 1853, Marchal. || **glycosurique** 1878, Lar.

***glui** 1175, Chr. de Troyes, paille de seigle ; lat. pop. **glŏdium,* ou *clŏdium,* d'orig. sans doute gauloise.

glume fin XVIe s. ; rare jusqu'au XIXe s. (1803, Wailly) ; lat. *gluma,* balle de graine. || **glumelle** 1818, *Nouv. Dict. sc. nat.*

gluten 1560, Paré, « humeur visqueuse » ; 1803, Boiste, sens actuel ; lat. *glūten,* glu, colle, spécialisé au sens techn. || **glutéine** 1866, L.

glycér(o)-, gr. *glukeros,* doux, sucré. || **glycérie** 1827, *Acad.* || **glycérine** 1823, Chevreul. || **glycériné** 1872, Lar. || **glycérol** XXe s.

glycine 1786, *Encycl. méth.* ; lat. scientif. *glycina,* du gr. *glukus,* à cause de l'odeur douce.

glyc(o)- V. GLUC(O)-.

glypt(o)-, gr. *gluptos,* gravé. || **glyptique** 1796, *Magasin encycl.* ; gr. *gluptikos,* relatif à la gravure. || **glyptodon** 1872, Lar., zool. ; gr. *odous,* dent. || **glyptographie** 1756, *Encycl.,* science des pierres gravées. || **glyptothèque** 1829, Boiste, sur *bibliothèque.*

gnaf XIIIe s., La Curne, onomat. de mépris ; 1691, Challemel (*gniaf*), « cordonnier » ; forme à finale effritée de *gnafre,* mot lyonnais, d'orig. onomat.

gnangnan 1784, Beaumarchais, cri pleurard ; 1825, Talma (*gnian-gnian*), « qui bredouille » ; 1866, L., sens actuel ; onomatopée redoublée.

gneiss 1759, d'Holbach ; allem. *Gneiss.*

gnocchi 1864, G. Sand ; mot ital., « quenelles de pâte à choux », de *gnocco,* boulette de pâte.

gnognotte 1841, Mérimée, « niaiserie » ; 1867, Delvau, « chose sans importance » ; orig. onomat.

gnole 1882, à Lyon, eau-de-vie ; mot lyonnais, de (*une*) *yôle,* du lat. *ebulum,* hièble.

gnome 1583, Vigenère, génie imaginaire ; début XXe s., homme très petit ; lat. des alchimistes *gnomus,* créé par Paracelse (XVIe s.), d'apr. le gr. *gnômê,* intelligence.

gnomique 1617, Coton ; bas lat. *gnomicos,* du gr. *gnomikos,* sentencieux, de *gnômê,* intelligence.

gnomon 1547, J. Martin ; lat. *gnomon,* du gr. *gnômôn,* genre de cadran solaire. || **gnomonique** *id.*

gnon 1651, *Mazarinades,* pop., enflure par ecchymose, puis coup qui la produit (1867, Delvau) ; forme apocopée de *oignon.*

gnose fin XVIIe s., Bossuet ; gr. eccl. *gnôsis,* connaissance. || **gnostique** fin XVIe s., Arth. Thomas ; gr. eccl. *gnôstikos.* || **gnosticisme** 1828, Matter. || **gnosie** v. 1950. || **gnoséologie** 1962, Lar.

gnou 1778, *Voy. de Cook* (*gnoo*) ; mot hottentot, désignant une antilope.

go (tout de) V. GOBER.

goal 1922, Lar. ; mot angl., abrév. de *goal-keeper,* gardien de but. || **goal-average** 1937, *l'Auto* ; angl. *average,* moyenne, et *goal,* but.

gobelet V. GOBER.

gobelin début XIIe s. ; bas lat. **gobelinus,* du gr. *kobalos,* lutin.

gober 1549, R. Est., « avaler » ; déjà au fig. *se gober* (XIIIe s.), ainsi que *gobet* (1220, Coincy), bouchée, morceau ; 1690, Furetière, « accepter sottement » ; 1846, Esnault, « estimer » ; gaulois **gobbo,* bouche (irlandais *gob,* bec). || **go (tout de)** 1580, Alcrippe (*avaler tout de gob*), déverbal de *gober.* || **gobelet** XIIIe s., *ms. de Saint-Jean* (*gubulet*) ; XIVe s., Laborde (*gobelet*) ; dimin. de l'anc. fr. *gobel,* de même rac. (verre où l'on gobe, où l'on avale). || **gobelot** 1395, G. ; var. de *gobelet.* || **gobeloter** 1680, Richelet. || **gobeur** 1554, Delb. || **gobe-mouches** milieu XVIe s. (V. DÉGOBILLER.)

goberge 1676, Félibien, sorte d'ais ; altér. probable de *écoperche* (v. ce mot).

goberger (se) 1526, Bourdigné, v. t. ; 1648, Scarron, v. pr., « s'amuser » ; moyen fr. *gobert,* facétieux, de *se gober,* au sens de « se vanter ».

gobichonner 1835, Balzac ; de *gober* et *bichonner.* || **gobichonneur** 1839, Gautier.

godailler 1750, Vadé ; anc. fr. *godale,* bière (XIIIe s.), mot du Nord, du moyen néerl. *goedale,* bonne bière ; proprement « boire de la bière ». || **godaille** 1808, d'Hautel. || **godailleur** 1831, Balzac.

godan ou **godant** fin XVIIe s., Saint-Simon, « tromperie » ; anc. fr. *goder,* se moquer (1220, Coincy), du lat. *gaudere,* se réjouir. (V. GAUDIR.)

godasse V. GODILLOT.

godelureau XIIe s., domestique ; 1552, Rab. (*gaudelureau*) ; onomat. *god-,* croisée avec l'anc. fr. *galureau,* forme de *galant.*

godenot 1644, *Nouv. Compliments de la place Maubert* ; sans doute de *godet.*

goder 1762, *Acad.,* faire de faux plis ; sans doute de *godron.* || **godage** 1774, Desmarets.

godet XIIIe s., *Choses qui faillent en ménage,* vase à boire ; 1690, Furetière, « petit récipient » ; moyen néerl. *kodde,* cylindre de bois.

godiche 1752, Trévoux ; mot argotique, sans doute de *Godon,* forme fam. de *Claude* ; le mot est peut-être à mettre en relation avec *godiz,* riche (1455, *Coquillards*), issu de l'esp. *godizo,* riche, de *Godo,* Goth, puis « noble ». || **godichon** 1752, Trévoux ; dimin. ; comme n. pr. 1559, des Autels.

godille 1792, Jal ; mot du Nord et du Nord-Ouest, orig. obscure ; aviron placé à l'arrière d'une embarcation. || **godiller** 1792, Romme (*goudiller*) ; 1840, *Acad.* (*godiller*).

godillot 1869, Esnault ; arg. milit. d'abord, du nom d'Alexis *Godillot,* fournisseur de l'armée (mort en 1893). || **godasse** 1888, Esnault ; altér. de *godillot.*

godiveau 1546, Rab., andouillette, var. *gaudebillaux* (av. 1553, Rab.) ; altér. probable, d'après *veau,* de *gogue* (boudin).

godron 1379, *Inventaire de Charles V* (*goderon*), « ciselure » ; XVIe s., « pli des fraises en broderie » ; diminutif de *godet* avec suffixe *-ron.* || **godronner** 1379, *Inventaire de Charles V.* || **godronnage** 1842, *Acad.* || **godronnoir** 1763, *Encycl.*

goéland 1484, *Grand Routier* (*gaellans*) ; 1770, Buffon (*goéland*) ; breton *gwelan,* correspondant à *mouette,* terme normand. || **goélette** 1752, Trévoux (*goualette*), « goéland » ; début XIXe s., fig., « navire léger ».

goémon XIVe s., du Cange (*gouemon*) ; 1686, d'après Trévoux (*goémon*) ; breton *gwelan,* correspondant à *varech,* terme normand (cf. gallois *gwymon*). || **goémonier** 1922, Lar.

gogaille V. GOGUE.

1. **gogo (à)** 1440, Ch. d'Orléans ; redoublement plaisant de la rac. de *gogue.*

2. **gogo** 1834, *Robert Macaire,* comme personnage de comédie, crédule que l'on exploite ; il a pris sa valeur actuelle avec Daumier (1838 et suiv.) ; formé par redoublement plaisant de l'initiale de *gober.*

gogue XIIe s., *Ysopet,* « réjouissance, liesse » ; onomat. qui évoque la joie. || **gogaille** 1564, Junius, « ripaille ». || **goguenard** début XVIIe s., d'après *mentenart,* menteur (XIVe s.). || **goguenarder** fin XVIe s., G. || **goguenarderie** fin XVIe s. (*goguenardie*) ; XVIIe s. (*-derie*). || **goguenardise** 1872, Lar. || **goguette** XIIIe s., « propos joyeux » ; XVe s., « ripaille » (*être en goguette*).

goguenard V. GOGUE.

goguenot 1805, Esnault, « gobelet » ; 1823, *Voy. à Sainte-Pélagie* (*-neau*), « baquet d'aisances », pot de chambre ; mot normand signif. « pot de cidre », de la même rac. que *gogue.*

goguette V. GOGUE.

goinfre 1578, d'Aubigné ; p.-ê. croisement entre *gouin* et le terme dial. *goulafre* (mot du Centre, de l'Ouest), de *goule,* gueule, avec infl. de *bâfrer* ou *galifre* (chevalier musulman). || **goinfrer** 1642, Oudin. || **goinfrerie** 1646, Maynard.

***goitre** 1492, Salicet (*goyetre*) ; 1530, Palsgrave (*gouistre*) ; 1552, R. Est. (*goitre*) ; mot lyonnais, dér. régressif de *goitron* (« gorge » en anc. fr. ; 1120, *Ps. d'Oxford*), qui a pris le sens de « goitre » dans le Sud-Est au Moyen Âge ; lat. pop. **gŭttŭrio, -ionis,* de *gŭttŭr,* gorge. || **goitreux** 1411, du Cange, texte du Forez, mot de la même région.

golden XXe s. ; angl. *golden delicious,* délicieuse dorée.

golem 1877, L. ; mot hébreu signif. « masse d'argile ».

golf 1776, trad. Twiss ; vulgarisé en France v. 1889 ; mot angl. issu du néerl. *kolf,* crosse. || **golfeur** fin XIXe s.

golfe 1196, Ambroise (*goffre*) ; 1265, Br. Latini (*golf*) ; 1538, R. Est. (*golfe*) ; ital. *golfo,* du gr. *kolpos,* pli. (V. GOUFFRE.)

golmelle début XIXe s., bot. ; de *colmelle,* lépiote, var. de *columelle* (fin XVIe s.) ; lat. *columella,* petite colonne.

Goménol 1896, n. déposé ; du district *Gomen* de la Nouvelle-Calédonie, où abondent les arbres qui fournissent l'essence, et de l'angl. *gum,* gomme, création arbitraire. || **goménolé** 1922, Lar.

Gomina v. 1930, n. déposé ; esp. *goma,* gomme, du bas lat. *gumma,* gomme.

gomme 1160, Benoît (*gome*) ; fin XIVe s., E. Deschamps (*gomme*) ; bas lat. *gumma* (lat. *gummi* ou *gummis*), du gr. *kommi,* d'origine orientale. || **gommer** XIVe s., Delb., « coller » ; 1930, Lar., effacer. || **gommage** 1836, Landais. || **gommeux** 1314, Mondeville, « qui produit la gomme » ; 1842, Stendhal, jeune élégant, prétentieux. || **gommier** 1645, Coppier. || **gomme-gutte** 1654, Boyer. || **gomme-laque** 1679, Savary. || **gomme-résine** 1694, Th. Corn. || **dégommer** 1653, Oudin ; 1833, Balzac, fig., pop., « destituer ». || **engommer** 1581, Guichard.

gonade v. 1920 ; gr. *gonê,* semence.

***gond** début XIIe s., *Guill. d'Angl.* ; lat. *gŏmphus,* cheville, du gr. *gomphos,* cheville. || **dégonder** 1611, Cotgrave. || **engoncer** 1611, Cotgrave ; de l'anc. pl. *gons,* par comparaison avec la porte aux pivots enfoncés dans les gonds. || **engoncement** 1803, Boiste.

gondole début XIIIe s. (*gondele*) ; 1549, Rab. (*-dole*), « petite barque » ; 1600, Gay, sens actuel ; vénitien *gondola,* du gr. *kondu,* vase, d'origine persane. || **gondolier** 1532, Rab. ; vénitien *gondoliere.*

gondolé 1687, Desroches, mar., « dont la forme rappelle la gondole » ; XVIIIe s., *se gondoler,* se bosseler (tôle, bois) ; 1881, *le Figaro,* fig., « rire aux éclats » (*se tordre,* même sens). || **gondolage** 1845, Besch. || **gondolant** 1898, Lar., pop.

gonfanon fin XIe s., *Alexis* (*-fanon*) ; fin XIIIe s., Joinville (*-lon* par dissimilation) ; francique **gundfano,* étendard (allem. *Fahne*) de combat. || **gonfalonier** 1080, *Roland* (*gunfanuner*) ; XIIe s. (*gonfanonier*) ; 1360, Froissart (*gonfalonier*).

gonfler 1560, Paré, mot régional du Sud-Ouest ; fig. 1656, Molière ; lat. *conflare,* de *flare,* souffler. || **gonfle** 1757, *Encycl.,* techn. || **gonflement** 1542, du Pinet. || **gonflage** fin XIXe s. || **gonflant** XXe s. || **gonflé** 1842, Sue, « plein d'espoir » ; 1910, Esnault, pop., « hardi ». || **gonfleur** 1930, Lar. || **dégonfler** 1558, L. Joubert, rare jusqu'au XIXe s. (1802, Flick) ; 1913, Esnault, fam., *se dégonfler,* reculer. || **dégonflement** fin XVIIIe s. || **dégonflé** début XXe s., pop. || **dégonflage** début XXe s. || **regonfler** 1530, Palsgrave. || **regonflement** 1566, du Pinet. || **regonflage** v. 1950.

gong 1691, La Loubère ; mot angl., du malais.

gongorisme 1832, Marin, de *Gongora,* poète espagnol (1561-1627) ; affectation et recherche dans le style.

gonio-, gr. *gônia,* angle. || **goniomètre** 1783, Romé. || **goniométrie** 1724, Lagny, mathématicien.

gonocoque 1888, Lar. (*-coccus*) ; gr. *gonos,* semence génitale, et *kokkos,* grain. || **gonorrhée** XIVe s., Gordon (*-rrhoea*) ; 1560, Paré (*gonorrhée*) ; lat. méd. *gonorrhoea,* du gr. *gonorrhoia,* écoulement séminal.

gonze 1628, Chereau (*gonce*), pop., « gaillard, individu » ; 1694, La Fontaine (*gonze*), « badaud » ; 1821, Ansiaume, sens actuel ; argot ital. *gonzo,* lourdaud. || **gonzesse** 1811, Esnault.

gord fin XIe s., *Gloses de Raschi* (*gorg*) ; 1265, J. de Meung (*gort*), pêcherie avec des pieux ; scand. *gardr,* clôture ; souvent nom de lieu.

gordien 1690, Furetière ; bas lat. (*nodus*) *gordius,* nœud gordien, du lat. *Gordius,* n. d'un laboureur phrygien devenu roi.

goret 1297, G. ; dimin. de l'anc. fr. *gore,* truie (XIIIe s.), onom., d'apr. un cri d'appel.

gorfou 1760, Brisson ; danois *goirfugl,* pingouin.

***gorge** 1130, *Eneas ;* lat. pop. **gŏrga,* var. du bas lat. *gŭrga,* tourbillon, du lat. *gŭrges,* onom. ; appliqué à la gorge, d'apr. les bruits de déglutition, d'expectoration, etc. ; vallée étroite, 1675, Widerhold. || **gorgée** 1175, Chr. de Troyes. || **gorge-de-pigeon** 1653, Havard. || **gorger** 1220, Coincy (*gorgier*), « avaler ». || **gorgerette** 1268, É. Boileau ; diminutif de l'anc. fr. *gorgiere,* gorgerin (1278, *Roman du Ham*). || **gorgeret** 1732, Trévoux, chirurgie. || **gorgerin** 1447, G. || **gorget** 1757, *Encycl.* || **dégorger** 1299, G., « se déverser » v. pronominal ; 1501, Cohen, « vomir » ; 1611, Cotgrave, « déboucher ». || **dégorgement** 1547, Mizauld. || **dégorgeoir** 1505, Gonneville. || **égorger** 1539, R. Est. || **égorgement** *id.* || **égorgeur** XVIe s., Delb. || **égorgiller** 1863, Gautier. || **engorger** fin XIIe s., R. de Moiliens, « avaler » ; 1611, Cotgrave, « obstruer ». || **engorgement** XVe s., G. || **regorger** 1360, Froissart, « faire refluer » ; 1580, Montaigne, « vomir » ; XVe s., L., « être plein ». || **rengorger (se)** fin XVe s. || **rengorgement** 1688, La Bruyère.

gorgonzola 1894, Sachs ; du nom de la ville italienne de *Gorgonzola.*

gorille 1759, *Mém. ;* lat. zool. *gorilla,* créé en 1847 par Savages, d'apr. les *gorillai* du *Périple* d'Hannon (texte grec du Ve s. av. J.-C.), désignant des hommes velus, qu'on a identifiés avec les gorilles ; fig. v. 1950, « garde du corps ».

gosier XIIIe s., *D. G.* (*josier*) ; 1530, Palsgrave (*gosier*) ; bas lat. *geusiae,* joues (Ve s., Marcus Empiricus), qui a donné l'anc. fr. *geuse,* gorge, mot gaulois. || **dégoiser** XIIIe s. (*se dégoiser*), « chanter » ; XVIe s., péjor. || **dégosiller** fin XIVe s., E. Deschamps, « vomir ». || **égosiller (s')** 1652, Scarron ; anc. fr. *égosiller* (1488, *Mer des histoires*), égorger.

1. **gosse** 1796, Esnault, fam., enfant ; orig. obscure, p.-ê. forme altér. de *gonse.*

2. **gosse** 1755, abbé Prévost, « anneau de fer », var. de *cosse ;* néerl. *kous,* du fr. *calce,* chausse.

gotha n. m. fin XIXe s. ; du n. de la ville allemande *Gotha* où se publiait depuis 1764 un almanach célèbre.

gothique, gotique 1440, Lorenzo Valla, pour désigner l'écriture manuscrite ; fin XVe s., « relatif aux Goths » ; milieu XVIe s., Ronsard, « sauvage » ; 1615, Binet, « relatif à l'art du Moyen Âge » ; 1802, Chateaubriand, architecture ; ital. *gotico,* d'apr. Raphaël, péjor. alors, du bas lat. *gothicus,* relatif aux Goths. La graphie *gotique* (fin XIXe s.) est réservée à la langue des Goths.

goton 1809, *Médit. d'un hussard,* « fille de la campagne », puis « femme de mauvaise vie » ; de *Goton* (XVIe s.), abrév. de *Margoton,* dimin. de *Margot* (*Marguerite*) ; ces hypocoristiques n'étaient en usage au XIXe s. qu'à la campagne.

gouache 1746, d'après Trévoux ; ital. dialect. *guazzo,* détrempe, du lat. *aquatio,* action d'arroser, de *aqua,* eau. On trouve *peinture à la guazzo* (1685, Brunot). || **gouaché** 1875, *Revue critique.*

gouailler 1732, *Doc.,* de même rac. que *engouer,* d'apr. un sens fig. de *gorge* (cf. *se faire une gorge chaude*). || **goualer** 1837, Vidocq ; var. de *gouailler,* p.-ê. par croisement avec *goéland* (prononcé *goualan*) ; le mot paraît venir de l'Ouest. || **gouaille** 1749, Vadé ; déverbal. || **gouaillerie** 1823, Boiste. || **gouailleur** 1755, Vadé. || **goualante** 1821, Esnault, chanson. || **goualeuse** 1842, *le Charivari,* sobriquet, « chanteuse ».

gouape début XIXe s., « monde des débauchés », puis « ivrogne » ; 1867, Delvau, sens actuel ; prov. mod. *gouapo,* gueux, de l'argot esp. *guapo,* coupe-jarret. || **gouaper** 1835, Esnault, « être sans logis » ; 1849, Besch., « vagabonder ». || **gouapeur** 1827, Granval, *Cartouche,* pop., « fainéant qui fréquente les cabarets ».

goudron 1196, Ambroise (*catran*) ; début XIVe s. (*goudran,* encore chez Ménage) ; 1678, Guillet (*goudron*) ; ar. d'Égypte *qatrān.* || **goudronner** milieu XVe s. (*goutrenner*). || **goudronnerie** 1894, Landais. || **goudronneur** 1532, Rab. (*guoildronneur*). || **goudronnage** 1669, Huet. || **dégoudronner** 1870, Lar.

gouet 1376, G. (*gouy*), serpe de vigneron, var. de *goi* (prononcé *goué,* cf. noms de famille *Legouis, Goy,* etc.) ; 1764, Duchesne, fig., bot., arum. ; lat. pop. **gubius,* var. masc. de *gŭbia,* gouge.

gouffre 1160, Benoît (*gofre*) ; fin XIIe s., R. de Moiliens (*goufre*) ; confondu jusqu'au XVIIe s. avec *golfe ;* bas lat. *colpus,* golfe, du gr. *kolpos,* pli. || **engouffrer** 1165, Marie de France (*engoufler*) ; fin XVe s., J. Lemaire de Belges (*-frer*) ; *s'engouffrer,* 1541, Calvin, sens actuel.

1. ***gouge** XIVe s., outil pour évider ; bas lat. *gŭbia,* gouge (v. GOUET). || **gouger** 1767, Duhamel. || **goujon** 1170, *Fierabras,* petite gouge. || **goujonner** milieu XIVe s. (*goujonnier*) ; 1467, G. (*goujonner*). || **goujonnage** 1930, Lar. || **goujure** 1694, Th. Corn., terme de marine.

2. **gouge** 1493, Coquillart, femme de mauvaise vie ; anc. gascon *gotja,* fille, de l'hébreu *goja,* chrétienne. (V. GOUIN, GOUJAT.)

gouine 1665, *Muse normande,* « salope » ; moyen fr. *goin,* lourdaud (av. 1480, R. d'Anjou), de l'hébreu *goï,* chrétien. || **gougnafier** 1899, Esnault ; avec suffixe expressif.

goujat fin XVe s., O. de La Marche (*gougeas,* pl.), « valet d'armée » ; 1720, Caylus « homme grossier » ; 1676, Félibien, « apprenti maçon » ; anc. gascon *gotja,* garçon, de même rac. que *gouge* 2. || **goujaterie** 1611, Cotgrave ensemble des valets ; 1853, Flaubert, impolitesse.

1. ***goujon** 1392, *Ménagier,* poisson ; lat. *gōbio, -onis.* || **goujonnier** 1845, Besch., épervier

2. **goujon, goujure** V. GOUGE 1.

goulasch 1907, Lar. ; allem. *Gulasch,* du hongrois *gulyas.*

goule 1821, Nodier, génie dévorant les cadavres ; ar. *gūl,* démon.

goulée, goulet, goulot, goulu V. GUEULE.

goum 1845, Besch. ; ar. maghrébin *gum* troupe (ar. *qaum*). || **goumier** milieu XIXe s.

***goupil** début XIIe s., *Voy. de Charl.* (*golpilz*) XIIIe s., *Roman de Renart* (*goupil*) ; lat. pop. **vŭlpīculus,* dér. de *vŭlpes,* renard, avec infl. germ. à l'initiale.

goupille 1439, Delb., cheville ; sans doute du bas lat. *vŭlpīculus* (lat. class. *vulpēcula*). || **goupiller** 1671, le P. Chérubin, fixer avec des goupilles ; 1916, Esnault, pop., « arranger ».

goupillon 1170, Saint-Pair (*guipellon*) ; XIIIe s. (*guipillon*) ; 1460, Villon (*goupillon*) ; anc. fr. *guipon,* même sens, du francique **wisp,* bouchon de paille.

goupiner 1799, *Procès d'Orgères,* « voler » ; de *gouspin,* malotru, var. de *gosse.*

goura 1776, Sonnerat ; mot indigène d'Océanie ; pigeon de Nouvelle-Guinée.

gourami 1827, *Acad. ;* mot indigène des îles de la Sonde ; poisson de l'océan Indien.

gourbi v. 1840, milit. d'abord ; ar. algérien *gurbi,* habitation élémentaire.

***gourd** 1112, *Voy. saint Brendan* (*gort, gorte*), « sans mouvement » ; 1160, *Tristan,* « engourdi » ; 1498, Picot, « maladroit » ; 1691, Hauteroche, « imbécile » ; lat. impér. *gŭrdus,* grossier. || **dégourdir** 1196, Ambroise. || **dégourdissement** 1552, Rab. || **engourdir** XIIIe s., *Vie d'Édouard.* || **engourdissement** 1539, R. Est.

1. ***gourde** XIIIe s., *Antidotaire* (*gorde*), courge ; XIVe s., imbécile ; 1829, Balzac, « récipient » ; altér. de *cohourde, courde* (XIIIe s.) ; même mot que *courge,* du lat. *cucŭrbĭta.*

2. **gourde** 1827, *Acad.,* monnaie de Haïti ; de *piastre gourde* (1721, Trévoux), de l'esp. *gorda,* grosse, même mot que *gourd.*

gourdin début XVIe s., *Stolonomie,* corde de galère servant à frapper les forçats ; XVIIe s., gros bâton ; altér., d'apr. *gourd,* de l'ital. *cordino,* dimin. de *corda,* corde.

gourer XIIIe s., *Romania* (*goré*) ; 1460, Villon (*gouré*) ; p.-ê. de la rac. *gorr-,* péjoratif. (V. GORET.)

gourgandine 1640, Oudin, mot pop. du Centre (Morvan, Bourbonnais) ; orig. obscure, p.-ê. de *gourer,* ou de l'anc. fr. *gore,* truie. || **gourgandiner** 1867, Delvau.

gourgouran 1723, Savary, étoffe ; angl. *gorgoran,* altér. de *grograyn* (XVIe s.), du fr. *gros grain.*

gourmade V. GOURME.

gourmand 1354, Isambert, de même rac. que *gourmet.* || **gourmandise** fin XIVe s., Chr. de Pisan (*gormandise*). || **gourmander** XIVe s., La Tour Landry, « se livrer à la gourmandise » ; XVIe s., « consommer ses biens » ; 1392, E. Deschamps, « tyranniser, réprimander », sens dû à l'infl. de *gourmer.*

gourme XIIIe s., G., écrouelles ; *jeter sa gourme,* fin XVIe s., en parlant du cheval ; 1675, Sévigné, fig. ; francique **worm* (anc. angl. *worm,* pus). || **gourmé** XIIIe s., du Cange, goitreux ; 1732, Destouches, fig. || **gourmer** 1320, G. li Muisis, mettre la gourmette à un cheval ; 1580, Montaigne, « frapper ». || **gourmade** 1599, Montlyard, « coup de poing » ; 1767, d'Alembert, fig. || **gourmette** milieu XVe s., chaînette fixant le mors du cheval (la gourme ayant souvent son siège dans la bouche).

gourmet 1392, du Cange (*groumet*), « valet de marchand de vins » ; 1757, *Encycl.,* « raffiné dans le boire et le manger » ; 1850, Balzac, fig. ; anc. fr. *gromme* (1352, du Cange), de l'anc. angl. *grom.*

gourmette V. GOURME.

gournable 1678, Guillet ; néerl. **gordnagel,* clou de bois, de *gord,* côté de bateau, et *nagel,* clou.

1. **gourou** 1858, Legoarant ; soudanais *gura,* noix de cola.

2. **gourou** 1866, L. ; sanskrit *guru,* vénérable.

goussaut 1615, Binet, cheval court et épais ; de *gousse,* par analogie de forme.

gousse 1200, *Doc.* (*gosse*) ; 1538, R. Est. (*gousse*) ; origine inconnue.

gousset 1278, Sarrazin (*goucet*) ; 1536, M. du Bellay (*gousset*) ; de *gousse,* d'abord creux de l'aisselle, pièce d'armure en croissant sous l'aisselle, avec certains développements techniques (1562, Havard).

***goût** XIIe s. (*gost*) ; XVIIe s. (*goût*) ; lat. *gŭstus.* || ***goûter** 1130, *Eneas* (*goster*) ; XVIIe s. (*goûter*) ; lat. *gŭstare.* || **goûter** n. m. 1538, R. Est. || **goûteur 1932, Céline.** || **arrière-goût** 1798, *Acad.* || **avant-goût** 1610, de Rémond. || **dégoûté** 1360, Froissart. || **dégoûter** 1538, R. Est. || **dégoût** 1560, Paré. || **dégoûtant** 1642, Oudin. || **dégoûtation** 1856, Balzac. || **ragoûter** début XIIIe s., R. de Houdenc, flatter ou réveiller le goût. || **ragoût** XVIe s., « mets qui plaît » ; 1665, Boileau, sens actuel. || **ragoûtant** 1673, Boileau. (V. aussi DÉGUSTER.)

goûter V. GOÛT.

***goutte** 980, *Passion* (*gote*) ; XIIIe s. (*goutte*) ; 1207, Villehardouin, rhumatisme articulaire, d'apr. la croyance à des gouttes d'humeur viciée ; XIIe s., G., *ne ... goutte,* négation ; lat. *gŭtta.* || **gouttelette** XIIIe s., L. || **goutteux** 1190, Garn. (*gutus*) ; 1560, Paré (*goutteux*). || **gouttière** 1120, *Ps. d'Oxford ;* 1962, Lar., méd. || ***goutter** XIIe s. (*goter*) ; lat. *guttare.* || **goutteresau** 1462, G. || **dégoutter** 1120, *Ps. de Cambridge.* || **égoutter** 1265, J. de Meung. || **égout** 1265, *Livre de jostice,* avant-toit et conduit d'évacuation des eaux ; *égout de ville,* XVIe s. || **égoutier** 1842, Mozin, vidangeur. || **égouttement** 1330, Drouart. || **égouttoir** 1564, Liébault. || **égoutture** 1700, Liger.

gouttière V. GOUTTE.

***gouvernail** 1130, *Eneas ;* lat. *gŭbĕrnācŭlum,* de *gubernare,* diriger.

***gouverner** 1050, *Alexis* (*gu-*) ; XIIIe s. (*gouverner*), « administrer » ; 1651, Corn., polit. ; lat. *gŭbĕrnare.* || **gouvernable** 1829, Boiste. || **gouvernant** 1674, La Fontaine, « autoritaire » ; 1866, L., sens actuel. || **gouverneur** 1050, *Alexis,* « qui a le gouvernement milit. d'une province » ; 1580, Montaigne, précepteur. || **gouverne** 1292, G., fait de diriger ; XIVe s., « conduite » ; 1866, L., mar. ; déverbal || **gouvernement** 1190, *Saint Bernard,* « action de diriger » ; 1265, Br. Latini, « direction politique » ; XVIIe s., sens actuel. || **gouvernemental** 1801, Mercier ; par l'angl. || **gouvernementalisme** 1842, *Acad.* || **gouvernementaliste** 1845, Besch. || **gouvernante** 1538, R. Est., gouvernante d'enfants. || **antigouvernemental** XXe s. || **ingouvernable** 1760, Brunot, répandu pendant la Révolution.

goyau 1872, Lar. ; mot picard., d'origine inconnue.

goyave 1525, Fabre (*guau*) ; 1647, *Rel. île de la Guadeloupe* (*goyave*) ; esp. *guyaba,* mot indigène des Caraïbes. || **goyavier** 1601, Champlain.

goye, goï XVIe s., « chrétien chez les Juifs » ; hébreu *goï,* chrétien, proprem. « peuple ».

grabat 1050, *Alexis* (*grabatum*) ; XIIe s. (*grabat*) ; d'abord petit lit sans rideau ; 1560, Paré (*-at*), mauvais lit ; lat. *grabatus,* du gr. *krabbatos,* lit de repos. || **grabataire** 1721, Trévoux, « qui garde le lit ».

graben fin XIXe s., géolog., bande de terrain affaissé ; mot allem. signif. « fosse, fossé ».

grabuge XVe s. (*grabouil*) ; XVIe s. (*gra-, gar-*) ; anc. fr. *garbouler,* discuter, du moyen néerl. *crabbelen,* égratigner, avec finale *-uge,* de *déluge.*

grâce fin Xe s., *Saint Léger* (*gratia*) ; 1050, *Alexis* (*grâce*), « aide de Dieu » ; 1265, J. de Meung, « charme » ; adaptation du lat. *gratia ;* les sens du lat., « faveur, pardon, remerciement », ont disparu aux XVIe-XVIIe s. ; le sens théolog. vient du lat. chrét. || **gracier** 1050, *Alexis,* « rendre grâces, remercier » ; 1336, du Cange, « remettre une amende » ; 1834, Landais, sens actuel d'apr. « pardon ». || **graciable** début XIVe s., « reconnaissant » ; 1690, Furetière, sens mod. || **gracieux** 1160, Benoît (*-cios*), « qui a la grâce divine » ; 1273, Adenet, « qui a du charme » ; lat. *gratiosus,* au sens bas lat. de « aimable ». || **gracieusement** 1302, *D. G.* || **gracieuseté** 1462, *Cent Nouvelles.* || **gracioso** 1845, Besch., musique ; ital. *grazioso.* || **disgrâce** 1539, Huguet, « malheur » ; 1564, Thierry, « perte de la faveur » et « manque de charme » ; ital. *disgrazia.* || **disgracié** 1546, Rab. ; ital. *disgraziato.* || **disgracieux** 1578, Boyssières ; rare jusqu'au XVIIIe s. ; ital. *disgrazioso.* || **disgracieusement** 1752, Trévoux. || **malgracieux** 1382, Cuvelier.

gracile 1545, J. Bouchet ; rare jusqu'à la fin du XIXe s. ; lat. *gracilis,* grêle, mince. || **gracilité** 1488, *Mer des hist.* ; lat. *gracilitas.* (V. GRÊLE 1.)

gradation V. GRADE.

grade 1578, H. Est., « degré de dignité » ; 1809, Boiste, math. ; lat. *gradus,* au sens fig. de « marche, degré », de *gradi,* marcher. || **gradé** 1796, *le Néolog. fr.* || **gradation** milieu XVe s. ; lat. *gradatio.* || **gradin** 1671, Pomey, « étagère » ; 1704, Trévoux, sens actuels ; ital. *gradino,* dimin. de *grado,* marche d'escalier. || **graduel** XIVe s., Ph. de Maizières, n. m., partie de l'office entre l'épître et la prose ; elle se disait sur les degrés de l'ambon ou du jugé ; adj. fin XIVe s., relig. ; 1688, Miege, « par degrés » ; lat. médiév. *gradualis,* de *gradus,* degré. || **graduellement** XIVe s., G., relig. ; 1596, Hulsius, sens actuel. || **graduer** 1404, N. de Baye, « donner un grade universitaire » ; 1690, Furetière, sens actuel ; lat. médiév. *graduare,* de *gradus,* degré. || **graduation** XIVe s., *D. G.,* « dosage » ; 1721, Trévoux, sens actuel. || **dégrader** 1190, Garn., « ôter son grade » ; 1596, du Vair, « endommager » ; bas lat. *degradare.* || **dégradation** 1495, J. de Vignay, « destitution » ; 1690, Furetière, « dommage » ; bas lat. *degradatio,* action de faire perdre sa dignité à un homme.

gradin, graduel V. GRADE.

graffigner 1243, Ph. de Novarre, « gratter », puis « égratigner » ; anc. scand. *krafla,* gratter. (V. aussi GRIFFE.)

graffiti 1856, Garruci ; ital. *graffito,* pl. *graffiti,* du lat. *graphium,* poinçon, d'où « inscription ».

1. ***graille** 1567, Junius, « corneille » ; lat. *grăcŭla.* || **grailler** XIIIe s., « crier en parlant de la poule » ; XVe s., du Cange, « croasser ».

|| **graillement** 1360, Froissart, « croassement » ; 1671, Pomey, son rauque.

2. **graille** V. GRAILLON 2.

1. **grailler** V. GRAILLE 1 et GRAILLON 2.

2. **grailler** 1606, Nicot, vén., sonner du cor ; anc. fr. *graile* (1080, *Roland*), trompette, avec *l* mouillé par infl. de *graille* ; même mot que *grêle,* adj., c.-à-d. « clairon au son grêle ».

1. **graillon** 1808, d'Hautel, mucosité expectorée ; de *grailler,* dér. de *graille* 2, les mucosités ayant l'aspect de restes de nourriture. || **graillonner** *id.,* « expectorer ». || **graillonneur** 1829, Boiste.

2. **graillon** 1642, Oudin, restes d'un repas ; XVIIIe s., « odeur de graisse brûlée » ; mot normand, dér. de *grailler,* griller. || **graillonner** 1866, L., « prendre une odeur de graillon ». || **graille** 1929, Esnault, pop., « nourriture ». || **grailler** 1944, Esnault, « manger ».

***grain** 1160, *Charroi,* « fruit de certaines plantes » ; 1170, *Rois,* « particule » ; 1552, Rab., « bourrasque » (grains de grêle) ; 1606, Nicot, mesure ; lat. *granum.* || **grainage** 1600, O. de Serres. || ***graine** 1175, Chr. de Troyes ; pl. lat. *grana,* pris pour fém. || **grainier** 1636, d'après Trévoux. || **granivore** 1751, Buffon ; lat. *vorare,* dévorer. || **grener** 1190, Gace Brulé. || **grenaille** 1354, du Cange. || **greneté** 1380, Laborde. || **grènetier** 1458, text. de Tournai, « fonctionnaire qui surveille les grains » ; XVIe s., « marchand de grains », devenu *grainetier* (1872, Lar.). || **graineterie** 1344, G., office de *grénetier ;* 1660, Oudin, commerce. || **greneler** 1611, Artus Thomas. || **gréneter** 1297, Gay, enrichir d'ornements. || **grenetis** 1297, Gay. || **grèneture** 1380, Havard. || **grener** fin XIIe s., Couci. || **grenage** 1730, Savary. || **grenette** XVIe s. || **grenure** 1757, *Encycl.* || **grenu** fin XIIIe s., *Roman de Renart.* || **égrener** fin XIIe s., *R. de Cambrai,* « séparer le grain » ; *s'égrener,* XIXe s., sens actuel. || **égrènement** 1627, Crespin. || **engrain** XVe s. || **engrener** 1195, Evrat, « garnir de grain » (spécialement la trémie d'un moulin) ; 1660, Oudin, engrener les dents d'une roue, avec une infl. de *cran.* || **engrenage** 1709, *Acad. des sc.,* a pris un sens dér. || **engrènement** 1730, Réaumur.

graine, *graisse V. GRAIN, GRAS.

gramen 1372, Corbichon ; mot lat. signif. « herbe, gazon ». || **graminée** 1732, Trévoux ; lat. *gramineus,* remplacé en bot. par *graminacée* (1754, Bonnet).

grammaire 1119, Ph. de Thaun ; 1867, Ch. Blanc, ensemble des règles d'un art ; empr. anc. au lat. *grammatica,* du gr. *grammatikê,* art d'écrire et de lire les lettres (*grammata*). || **grammairien** XIIIe s., d'Andeli. || **grammatical** XVe s. ; bas lat. *grammaticalis.* || **grammaticalement** 1529, G. Tory. || **grammaticaliser** 1962, Lar. || **grammaticalité** 1968, Lar. || **grammatiste** 1575, Despence ; lat. *grammatista,* du gr. *grammatistês,* scribe. || **agrammatisme** 1957, Piéron, par l'allemand. || **agrammatique** v. 1950. || **grimoire** XIIe s. (*gra-*) ; XIIIe s., *Fabliau* (*gri-*) ; var. labialisée de *grammaire,* spécialisée au sens de « livre de sorcellerie ».

gramme 1790, *Encycl. méth.,* sens lat. ; sens fr., loi du 3 avr. 1793 ; lat. *gramma,* petit poids (vingt-quatrième partie de l'once), du gr. *gramma,* caractère d'écriture, qui a pris le sens de « poids » par suite d'une traduction erronée de *scripulum* (24e partie de l'once), pris pour un dérivé de *scribere,* écrire ; les composés *milligramme, centigramme, décigramme, décagramme, hectogramme, kilogramme, myriagramme* sont de 1795 (abrév. XIXe s., *hecto, kilo*).

Gramophone fin XIXe s. (*grammophone*) ; nom d'une marque angl., du gr. *gramma,* écrit, et *phônê,* voix.

***grand** fin IXe s., *Eulalie ;* comme n. m. fin XVe s., Commynes ; lat. *grandis,* qui a éliminé *magnus.* || **grandelet** 1398, *Ménagier.* || **grandement** 1160, Benoît (*granment*) ; 1361, Oresme (*grande-*). || **grandesse** 1537, trad. du *Courtisan ;* ital. *grandezza.* || **grandet** 1250, G. || **grandeur** 1160, Benoît. || **grandiloquence** 1544, Mathée ; lat. *grandiloquus,* qui a le style pompeux, de *loqui,* parler. || **grandiloquent** 1888, Lar. || **grandiose** 1798, *Encycl. méth. ;* ital. *grandioso.* || **grandir** 1280, Adenet. || **grandissime** 1530, Daigne ; superl. ital. *grandissimo.* || **grand-mère, grand-père** 1265, J. de Meung, ont remplacé *aïeul, -e.* || **grand-oncle, grand-tante** 1538, R. Est. || **grand-maman** 1674, *Suite du Virgile travesti.* || **grand-papa** 1680, Richelet. || **grands-parents** 1798, *Acad.* || **agrandir** 1265, J. de Meung. || **agrandissement** 1502, Delb.

grandiloquence, grandiose, grandissime V. GRAND.

grange 1160, Benoît ; lat. pop. **granĭca,* de *granum,* grain. || **engranger** 1307, G. ; 1939, Gide, fig.

granit(e) 1611, Cotgrave, « sorte de jaspe » ; 1690, Furetière, sens actuel ; ital. *granito,* grenu. || **granité** 1842, *Acad.* || **graniteux** 1783, Buffon.

|| **granitisation** 1962, Lar. || **granitique** 1783, Buffon. || **granitoïde** *id.*

granivore V. GRAIN.

granule 1842, Mozin, en bot. ; 1866, L., petite pilule ; dimin. lat. *granulum,* de *granum,* grain. || **granuler** 1611, Cotgrave. || **granulé** 1798, *Acad.* || **granulation** 1651, Hellot, fait de réduire en grenaille ; 1845, Besch., sens actuel. || **granuleux** 1560, Paré. || **granulaire** 1845, Besch. || **granulite** 1888, Lar. || **granulome** *id.* || **granulométrie** 1953, Lar. || **granulose** 1907, Lar.

grape-fruit 1910, *Femina ;* mot anglo-américain signif. « pamplemousse ».

graphie 1762, *Acad.,* comme suffixe ; 1877, L., comme n. f. ; gr. *graphein,* écrire. || **graphique** 1757, *Encycl. ;* gr. *graphikos.* || **graphiquement** 1762, *Acad.* || **graphisme** 1875, *Journ. des savants.* || **graphe** 1962, Lar. || **graphème** v. 1950, d'après *phonème.* || **graphite** fin XVIIIe s. || **graphiter** début XXe s. || **graphitique** 1866, L. || **graphologie** 1875, abbé Michon. || **graphologique** 1907, Lar. || **graphologue** 1877, L. || **graphomètre** 1597, Danfrie. || **agraphie** 1877, L., *Suppl.*

graphite V. GRAPHIE.

grappe fin XIe s. (*grape*) ; XVIe s. (*grappe*) ; 1648, Scarron, fig. ; francique **krappa,* crochet (allem. *Krapfen*), d'apr. la forme de la grappe de raisin. || **grappiller** 1549, R. Est., « cueillir » ; 1683, Boursault, « faire de petits gains ». || **grappillage** 1531, de La Grise. || **grappilleur** 1611, Cotgrave. || **grappillon** 1584, Monin. || **égrapper** 1732, Trévoux. || **égrappage** 1845, Besch.

grappin 1382, *D. G. ; jeter le grappin sur,* 1740, *Acad. ;* anc. fr. *grappe,* crochet, du francique **krappa.* || **grappiner** 1722, de Bacqueville.

***gras** 1190, Garnier (*cras*) ; XIIe s. (*gras*) ; lat. pop. **grassus,* du lat. *crassus,* épais, avec infl. de *grossus,* gros. || **gras-double** 1611, Cotgrave ; de *double,* panse de bœuf. || **grassement** 1355, Bersuire. || **grasseyer** 1530, Palsgrave (*grassier*) ; 1660, Oudin (*-eyer*), parler gras. || **grasseyement** 1694, *Acad.* || **grasseyeur** 1743, Trévoux. || **grassouillet** 1680, Richelet. || **gras-fondu** 1615, Binet. || ***graisse** 1120, *Ps. d'Oxford* (*craisse*) ; 1170, *Rois* (*graisse*) ; lat. pop. **crassia,* de *crassus.* || **graissage** v. 1450. || **graisser** XVe s. || **graisseux** 1532, Rab. || **graisseur** *id.* || **graissin** 1583, Gauchet (*gressin*), engrais. || **graissoir** 1802, Flick. || **dégras** 1723, Savary, « préparation pour dégraisser ». || **dégraisser** XIIIe s., Mousket. || **dégraisseur** 1552, Rab. || **dégraissage** 1754, *Encycl.* || **dégraissement** 1752, Trévoux. || ***engraisser** 1050, *Alexis* (*-sier*) ; lat. pop. **incrassiare,* devenu **ingrassiare.* || **engrais** 1510, G. (*à l'engrais*) ; 1690, Furetière, sens actuel ; déverbal. || **engraisseur** 1636, Monet. || **rengraisser** 1160, Benoît.

grasseyer V. GRAS.

graticuler 1671, Chérubin (*craticuler*) ; 1798, *Acad.* (*graticuler*) ; lat. *craticula,* petite grille. Terme de peinture ; « partager un dessin en petits carrés pour une reproduction ». || **graticule** 1701, Furetière.

gratifier 1534, Des Périers ; lat. *gratificari,* complaire, faire une faveur ; spécialisé pour les libéralités en argent (1778, Rousseau). || **gratification** 1362, Delb., « faveur » ; 1679, Kuhn, supplément de salaire ; lat. *gratificatio,* libéralité.

gratin V. GRATTER.

gratiole 1572, Delb. ; bas lat. *gratiola* (Ve s., Diomède), dér. de *gratia,* grâce, d'apr. ses propriétés méd. ; appelée *grâce Dieu* en anc. fr.

gratis 1460, Chastellain, n. m., « gratification » ; adv. milieu XVIe s., Amyot ; adv. lat. *gratis,* contraction de *gratiis,* ablatif pl. de *gratia,* proprement « par complaisance ».

gratitude 1445, G. ; bas lat. *gratitudo,* de *gratus,* reconnaissant. (V. GRÉ.)

gratter 1155, Wace ; 1866, L., « réaliser un petit gain » ; francique **krattôn* (allem. *kratzen*). || **gratte** milieu XVIe s., « gale » ; 1723, *Dict. breton-fr.,* techn. ; XVIIIe s., « coup » ; 1861, Larchey, « profit » ; déverbal. || **grattelle** fin XIIIe s., *Romania,* « gale légère ». || **gratteur** XIIIe s., *Fabliau.* || **grattoir** 1611, Cotgrave. || **gratte-ciel** fin XIXe s. ; calque de l'anglo-américain *sky scraper.* || **gratte-cul** début XVIe s. || **grattement** 1509, *Coutumier.* || **gratte-papier** 1578, *Doc.* || **gratin** 1564, Thierry ; le gratin attaché aux parois doit être gratté pour se détacher ; fig. XIXe s. || **gratiner** 1826, Brillat-Savarin. || **grattouiller** 1895, A. Daudet. || **grattouillement** XVe s., G. ; rare avant le XXe s. || **grattouillis** XXe s. || **égratigner** 1175, Chr. de Troyes (*-tiner*) ; XIIIe s. (*-gner*) ; anc. fr. *esgratiner* (1155, Wace), de *gratiner,* gratter, égratigner. || **égratignure** XIIIe s., trad. de Guill. de Tyr. || **égratigneur** 1588, Vauquelin de La Fresnaye.

|| **égratignoir** 1755, *Encycl.* || **regratter** XIIIe s., G., « faire des profits dans la revente » ; 1538, R. Est., « nettoyer ». || **regrattage** 1680, Richelet.

gratteron 1314, Mondeville ; mot de l'Ouest, altér., d'apr. *gratter,* de l'anc. fr. *gleteron,* dér. de *gleton,* du francique **kletto* (allem. *Klette,* bardane). Nom de plusieurs plantes accrochantes.

gratuit 1519, Barbier, « sans contrepartie » ; 1541, Calvin, « par pure libéralité » ; 1740, *Acad.,* « sans preuves » ; lat. *gratuitus,* de *gratis.* || **gratuité** début XIVe s., G. li Muisis ; lat. *gratuitas.* || **gratuitement** 1400, Delb.

grau 1821, *Conservateur littéraire ;* mot languedocien, du lat. *gradus,* degré.

gravats XIIe s., *Melion* (*gravoi*), avec suffixe *-oi,* issu du lat. *-ētum ;* pl. 1680, Richelet (*gravas* et *gravois*), avec réduction de *wa* à *a ;* 1771, Trévoux (*gravats*) ; dér. anc. de *grève.* || **gravatier** 1762, *Acad.*

grave 1460, Chastellain, « digne » ; XVe s., musique ; 1580, Montaigne, « sérieux » ; lat. *gravis,* qui a donné la forme pop. *grief.* || **gravité** XIIe s., *Grégoire,* fig. ; XVIe s., phys. ; 1680, Richelet, musique ; 1690, Furetière, « importance, austérité » ; lat. *gravitas,* pesanteur ; la forme pop. *grièveté* a été éliminée. || **gravement** 1460, Chastellain, « avec dignité » ; 1872, Lar., « dangereusement ». || **gravimétrie** 1922, Lar., « qui étudie le champ de la pesanteur » ; lat. *gravis,* lourd. || **gravissime** 1962, Lar. (V. GRIEF.)

graveleux V. GRAVELLE.

gravelle 1120, *Ps. d'Oxford,* « gravier » ; XIIIe s., *Romania,* « calcul de la vessie » ; dér. anc. de *grève.* || **graveleux** XIIIe s., « qui contient du gravier » ; 1600, O. de Serres, « qui renferme de la gravelle » ; 1765, Diderot, « licencieux », c.-à-d. pénible pour la conscience comme la gravelle pour le corps. || **gravelure** 1707, Lesage, propos licencieux.

graver début XIIIe s., G., « faire une raie dans les cheveux » ; XIVe s., sens actuel ; francique **graban* (allem. *graben,* creuser, graver). || **graveur** 1335, Digulleville. || **gravois** 1866, L. || **gravure** fin XIIe s., *Loherains,* « rainure d'arbalète » ; 1538, R. Est., sens actuel. || **engraver** 1138, G., entailler.

gravide 1863, Graves ; lat. *gravidus,* « qui est enceinte », de *gravis,* pesant. || **gravidique** 1857, Monneret. || **gravidité** 1872, Lar.

gravier 1130, *Eneas ;* dér. anc. de *grève.* || **gravière** XIIIe s., G. (*gravere*) ; 1385, G. (*gravière*). || **gravillon** fin XVIe s., « caillou ». || **gravillonnage** 1953, Lar. || **gravillonner** v. 1950. || **engraver** fin XVIe s., « s'engager dans le gravier ».

gravillon V. GRAVIER.

gravir 1213, *Fet des Romains ;* 1849, Sainte-Beuve, fig. ; francique **krawjan,* s'aider de ses griffes, de **krawa,* griffe.

gravité V. GRAVE.

graviter 1732, Pluche ; créé d'apr. *gravitas,* lat. mod. *gravitare* (fin XVIIe s., Newton). || **gravitation** 1722, *Journ. des savants ;* créé dans les mêmes conditions, lat. mod. *gravitatio.* || **gravitationnel** 1921, Nordmann. (V. GRAVE.)

gravois V. GRAVATS.

***gré** fin Xe s., *Saint Léger* (*gred*) ; XIIe s. (*gré*) ; lat. *grātum,* neutre de *grātus,* agréable. || **agréer** 1138, *Aiol,* être au gré de, trouver à son gré. || **agréé** n. m. 1829, Boiste, jurid. || **agrément** 1465, Chastellain. || **agrémenter** 1801, Mercier. || **agréable** 1160, Benoît (*agraable*), « qui peut être agréé » (jusqu'au XVIIe s.). || **agréablement** XIVe s. || **désagréer** début XVIIe s. || **désagrément** 1642, Oudin. || **désagréable** 1265, J. de Meung. (V. MALGRÉ, MAUGRÉER.)

grèbe 1557, Belon ; mot savoyard, d'apr. Belon, d'orig. obscure ; oiseau aquatique.

grec 1298, Marco Polo, comme n. m. ; XVIe s., adj. ; 1578, H. Est., « rusé » ; 1732, Trévoux, « tricheur » ; lat. *graecus ;* il a éliminé la forme pop. *grieu.* || **grecque** 1701, Furetière, techn. || **gréciser** XVIe s. || **grécité** 1800, Joubert. || **grecquer** 1701, Furetière ; de *grecque.*

gredin 1640, Oudin, « gueux » ; 1653, Livet, « garnement » ; mot pop. du Nord-Est et de l'Est, du moyen néerl. *gredich,* avide. || **gredinerie** 1690, Furetière.

gréer 1636, Le Grand ; anc. fr. *agréer* (XIIe s., *-eier*), « équiper », du scand. *greida.* || **gréement** 1670, Colbert. || **gréeur** 1834, Landais. || **dégréer** 1672, Colbert.

1\. **greffe** [d'arbre] fin XIe s., *Gloses de Raschi* (*grafie*) ; XIIe s., G. (*grefe*), « poinçon » ; XIIe s., *Vie d'Édouard* (*greife*), pousse ; 1690, La Quintinie, action de greffer un greffon ; adaptation du lat. *graphium,* poinçon, du gr. *grapheion,* de *graphein,* écrire. || **greffer** fin XVe s., Molinet. || **greffage** 1872, Lar. || **greffoir** 1700, Liger.

|| **greffon** XVIe s., Huguet (*gra-*), rare jusqu'au XIXe s. || **greffeur** fin XVe s., G.

2. **greffe** [de justice] V. GREFFIER.

greffier 1378, *Arch. Reims ;* lat. médiév. *graphiarius,* lat. *graphium,* poinçon, du gr. *graphein,* écrire. || **greffe** [de justice] 1278, *Doc. angevin.*

grégaire XVIe s., Huguet, n. m., simple soldat ; adj. 1829, Boiste ; lat. *gregarius,* du lat. *grex, gregis,* troupeau ; le sens lat. vient de *gregarius miles.* || **grégarisme** 1876, d'après L.

grège (*soie*) 1679, Savary ; ital. (*seta*) *greggia,* (soie) brute, du lat. pop. **gredius,* brut.

grégeois (*feu*) fin XIIe s., *Loherains ;* var. altérée de l'anc. fr. *grezeis, -zois,* grec, du lat. pop. **graeciscus* (suffixe germ. *-isk*), de *graecus.* (V. GRIÈCHE.)

grégorien 1410, Gay ; bas lat. *gregorianus,* de *Gregorius,* n. de plusieurs papes, mot gr.

grègues XVe s., G., « haut-de-chausses gascon et esp. » ; prov. *gregou,* grec, *grega,* grecque, du lat. *graecus, -ca ;* l'invention du vêtement était attribuée aux Grecs.

1. ***grêle** 1080, *Roland* (*graisle*) ; XIIIe s. (*grêle*) ; 1361, Oresme, « faible » ; lat. *gracĭlis,* qui a donné aussi *gracile.*

2. **grêle** n. f. 1119, Ph. de Thaun (*gresle*) ; francique **grisilôn* (moyen néerl. *grîselen*). || **grêler** 1175, Chr. de Troyes. || **grêleux** 1550, Ronsard. || **grêlon** XVIe s., G.

grelin 1634, Delb. (*guerlin*) ; 1694, Th. Corn. (*grelin*) ; néerl. *greling,* cordage. Terme de marine.

grelot 1392, G. (pl. *griloz*) ; 1565, Tahureau (*grelot*) ; altér. de *grillot,* du moyen haut allem. *grell,* aigu. || **grelotter** 1566, du Pinet (*grillotter*) ; 1578, d'Aubigné (*grel-*), d'apr. la loc. *trembler le grelot* (XVIe s.). || **grelottement** 1611, Cotgrave (*grillotement*) ; 1859, Hugo (*grelottement*).

greluchon 1750, *Paquet de mouchoirs ;* sans doute du bourguignon *grelu,* pauvre, misérable, de *grêle* 1.

grémial 1542, Delb. ; lat. *gremiale,* de *gremium,* giron ; morceau d'étoffe mis sur les genoux de l'évêque officiant quand il est assis.

grémil XIIIe s., *Antidotaire* (*gromil*) ; 1564, Thierry (*gremil*) ; de *grès* et de *mil,* millet, à cause de la dureté des graines de cette plante herbacée.

grenache XIIIe s., *Romania* (*vernache*) ; 1360, Froissart (*grenache*) ; ital. *vernaccia,* de la ville de *Vernazza.*

grenade 1175, Chr. de Troyes (*pume grenate*) ; fin XVe s. (*grenade*), fruit ; 1520, Gay, projectile ; lat. (*malum*) *granatum,* pomme grenue. || **grenadier** 1425, de La Haye, arbre ; 1671, Pomey, soldat qui lance la grenade. || **grenader** XXe s. || **grenadage** v. 1914. || **grenadière** 1680, Richelet. || **grenadin** apr. 1750, Buffon, oiseau d'Afrique ; v. 1850, *sirop grenadin,* fait avec du jus de grenade. || **grenadine** 1827, *Acad.,* soie grenue ; 1866, L., sirop. || **grenadille** 1598, Acosta ; esp. *granadilla,* de même rac.

grenaille, grener V. GRAIN.

grenat 1130, *Eneas,* adj. « couleur rouge de pierre précieuse » ; n. m. XIVe s., du Cange ; lat. *granatum,* comme *grenade.*

***grenier** XIIe s. « endroit où l'on met le grain », 1627, Crespin « partie haute de la maison » ; lat. *grānārium,* de *granum,* grain. || **grenetier** XIIIe s., *D. G.,* officier du grenier à sel.

grenouille 1165, Marie de France (*renoille, reinouille*) ; XIIIe s. (*grenoille*) ; XVe s., Basselin (*grenouille*) ; lat. pop. **ranucula,* dimin. de *rana,* grenouille ; l'addition du *g* peut être due à une infl. onom., d'apr. le cri. || **grenouiller** début XVIe s., « barboter » ; 1867, Delvau, « intriguer ». || **grenouillage** 1954, Esnault. || **grenouillère** fin XIIIe s. || **grenouillette** 1538, R. Est.

grenu V. GRAIN.

grès 1155, Wace (*grez*) ; 1175, Chr. de Troyes (*gres*), « roche » ; 1330, Gay, « céramique » ; francique **greot,* gravier (allem. *Gries*), spécialisé en fr. à une roche formée de grains agglomérés. || **grésière** 1801, *Encycl.* || **gréseux** 1827, *Acad.* || **grésillon** début XVIe s., « petit caillou » ; 1771, Schmidlin, « petit charbon » ; 1811, Mozin, « farine grossière ».

grésil 1080, *Roland ;* francique **grisilôn,* qui a donné aussi *grêle,* ou dér. de *grès.* || **grésiller** 1120, *Tristan,* faire du grésil.

grésiller 1330, *Baudouin de Sebourg,* « rôtir » ; 1560, Paré, « faire crépiter » ; altér., d'apr. *grésil,* de *gredeller* (XIVe s.), var. dial. de *griller.*

grésillon V. GRÈS.

grève 1165, Marie de France (*grave*) ; 1190, Garnier (*grève*) ; 1805, cessation du travail ; lat. pop. **grava,* sable, gravier, mot d'origine gauloise, par ext. « plage de sable » , d'où, à

Paris, la place de Grève (1283, Beaumanoir), au bord de la Seine, où se réunissaient les ouvriers sans travail (sur l'emplacement actuel de l'Hôtel de Ville). || **gréviste** 1821, Chateaubriand. || **gréviculteur** 1907, Lar. ; formation plaisante, d'apr. le suffixe *-culteur.* || **antigrève** 1955, *Combat.*

***grever** 1130, *Eneas,* « causer du dommage, affliger » ; 1636, Monet, « frapper de charges » ; lat. *gravare,* charger, alourdir, de *gravis,* lourd. || **dégrever** 1319, G. (*dégraver*) ; 1641, Richelieu (*dégrever*), « décharger » ; 1792, Brunot, financier. || **dégrèvement** 1793, Duveyrier.

gribouiller 1611, Cotgrave, « gargouiller » ; 1700, Gherardi, sens actuel ; var. probable de *grabouiller,* de même rac. que *grabuge ;* ou issu du germ. *kriebelen.* || **gribouille** 1548, *Sermon des fous.* || **gribouillage** 1741, Voltaire. || **gribouilleur** 1808, d'Hautel. || **gribouillis** 1532, Rab., nom propre ; 1611, Cotgrave, « borborygme » ; 1826, Celnart, sens actuel.

grièche (*pie-*) 1220, Coincy, bot. ; 1553, *Doc.,* pour la pie ; sans doute anc. fr. *griesche,* grec (1130, *Eneas*), qui a pris un sens péjor., du lat. *graecus.*

***grief** 1080, *Roland,* adj., « dur à supporter » ; XIIe s., G., n. m. ; lat. pop. **grevis,* réfection du lat. *gravis,* lourd, d'après *levis,* léger.

grièvement XIVe s., qui a remplacé l'anc. fr. *griefment* (XIIe s.), et a vu ses emplois restreints par *gravement ;* dér. de l'anc. fr. adj. *grief.* || grièveté 1360, Froissart.

griffe v. 1500, Marot ; féminin de l'anc. fr. *grif,* patte (XIIIe s.) ; 1798, *Acad.,* « signature » ; haut allem. *grîfan* (allem. *greifen*). || **griffer** 1386, du Cange. || **griffonner** 1555, Vaganay. || **griffonneur** XVIe s., Thevet. || **griffonnage** 1657, Gombaud. || **griffonnement** 1609, Camus. || **griffade** 1564, Thierry. || **griffu** milieu XVIe s., Ronsard. || **griffure** 1867, Lar.

1. **griffon** 1080, *Roland,* animal fabuleux ; 1595, *Lettr. Henri IV,* oiseau de proie ; 1660, Oudin, chien anglais ; anc. fr. *grif* (XIIIe s.), du lat. *gryphus,* du gr. *grups, grupos.*

2. **griffon** [de source minérale] 1866, L. ; prov. mod. *grifoun,* qui représente p.-ê. *griffon* 1, d'apr. l'ornementation des anciens robinets.

griffonner V. GRIFFE.

grigner 1170, *Fierabras,* « plisser les lèvres » ; 1900, *D. G.,* techn. ; francique **grînan,* « faire la moue » (allem. *greinen*). || **grigne** fin XIIe s. (*grinne*) ; XIIIe s. (*grigne*), « mécontentement » ; 1694, Ménage, « grignon de pain » ; déverbal. || **grignon** 1564, Thierry, « entame du pain ». || **grignoter** 1532, Rab. || **grignotement** 1863, Gautier. || **grignotage** 1922, Lar. || **grignoteur** milieu XVIe s. || **grignotis** début XVIe s.

grignoter V. GRIGNER.

grigou av. 1650, Molière, mot pop. ; languedocien *grigou,* gredin, sans doute dér. du lat. *graecus,* grec, au sens péjor. de « filou ».

gri-gri 1557, Thevet, « esprit malfaisant », puis « fétiche » ; mot africain, d'orig. inconnue.

***gril** fin XIe s., *Gloses de Raschi* (*gradil*) ; 1165, Marie de France (*grail*) ; XIVe s., Laborde (*gril*) ; forme masc. de *grille.* || ***grille** 980, *Passion* (*gradilie*) ; fin XIe s., *Gloses de Raschi* (*gradille*) ; 1265, J. de Meung (*greïlle*) ; XVe s. (*grille*) ; lat. *cratĭcula,* gril, spécialisé et distingué de *gril* au XVIIe s. || **griller** fin XIIe s., *R. de Cambrai* (*graailler*) ; XVe s. (*griller*), « faire cuire sur le gril » ; XVe s., « fermer avec une grille » ; 1546, Rab., fig., *griller de.* || **grillade** 1623, Tabarin. || **grillage** milieu XIVe s., « treillis » ; 1753, *Hist. Acad. des sc.,* « action de faire griller ». || **grillager** 1845, Besch. || **grilloir** 1827, *Acad.* || **grillure** début XXe s. || **bigrille** 1929, Lar. || **égrilloir** 1690, Furetière (*es-*), clôture de pierre, déversoir d'un étang.

grillage V. GRIL.

grillon 1372, Corbichon ; var. de l'anc. fr. *grillet, grelet* (1165, Marie de France), dér. anc. du lat. *grillus,* grillon.

grill-room 1893, Mackenzie ; mot angl. signif. « restaurant (*room*) où l'on consomme des grillades ».

grimace XIVe s., *Geste de Liège* (*-ache*) ; 1690, Furetière, « faux pli » ; anc. fr. *grimuche* (fin XIIe s.), figure grotesque, du francique **grîma,* masque, spectre (restitué d'apr. l'angl. et le scand.). || **grimaçant** 1694, Boileau. || **grimacer** début XVe s. (*grimacher*) ; 1611, Cotgrave (*grimacer*) ; 1690, Boileau, « faire de faux plis ». || **grimacier** 1580, Trippault, « sculpteur en grimaces » ; XVIIe s., sens mod. || **grimacerie** 1668, La Fontaine.

grimaud 1480, *Recueil Trepperel* (*-mault*) ; emploi fig. du nom propre *Grimaud,* d'orig. germ. (v. GRIME), avec infl. possible de *grimace.*

grime 1694, Ménage (*faire la grime,* la moue) ; 1778, Barbier, mot de théâtre ; abrév. de *grimace.* || **grimer (se)** 1827, *Acad.,* se rider la figure ; 1829, Boiste, sens actuel. || **grimage** 1858, Baudelaire.

grimoire V. GRAMMAIRE.

grimper 1495, J. de Vignay, « se hisser » ; XVIIe s., « monter péniblement » ; forme nasalisée de *gripper.* || **grimpereau** 1555, Belon, oiseau. || **grimpée** 1865, Gasparin. || **grimpement** 1564, Thierry. || **grimpette** fin XIXe s. || **grimpeur** 1596, Hulsius. || **regrimper** milieu XVIe s.

grincer début XIVe s., forme nasalisée de *grisser* (attesté v. 1300) ; francique **krîskjan,* grincer, de **krisân,* craquer. || **grincement** fin XVe s. (*grice-*) ; 1553, *Bible Gérard* (*grincement de dents*) ; XVIe s. (*grince-*) ; 1660, Oudin, « bruit ». || **grincheux** 1844, Baudelaire ; forme picarde de *grinceur* (1611, Cotgrave), « qui grince facilement des dents » ; de *grincher,* forme normanno-picarde de *grincer.*

grinche 1800, Esnault, « voleur » ; déverbal de *grincher,* voler (1800, Esnault), du francique **grîpjan,* saisir, agripper, par l'argot ital. *grancire.*

grincheux V. GRINCER.

1. **gringalet** 1175, Chr. de Troyes (*guingalet*), « sorte de cheval » ; XIIIe s. (*gringalet*) ; gallois *Keinkaled,* nom du cheval de Gauvain, cheval chétif.

2. **gringalet** 1611, Cotgrave, « bouffon » ; 1784, Beaumarchais, « homme chétif » ; suisse alémanique **grängelli,* homme peu considérable.

gringole 1679, Ménage, « gargouille » ; 1812, Mozin, blas. ; moyen néerl. *crinc,* courbure.

gringotter 1458, *Mystère,* « gazouiller » ; anc. fr. *gringot,* chant, origine obscure.

gringue 1901, Bruant ; de *gringue,* pain (1878, Esnault), de *grignon,* croûton, d'après *faire des petits pains,* faire l'aimable.

griot 1637, A. de Saint-Lô (*guiriot*) ; 1688, La Courbe (*griot*) ; sorcier d'Afrique ; orig. inconnue.

griotte 1539, R. Est. ; 1600, O. de Serres (*agriotte*) ; prov. *agriota,* (cerise) aigre (*agre*), avec mauvaise coupure de l'article. || **griottier** 1557, Dodoens.

grippe V. GRIPPER.

gripper 1405, Barbier, « saisir » ; XVIIIe s., « s'arrêter, se bloquer par frottement » ; XXe s., techn. ; francique **grîpan,* saisir (allem. *greifen*). || **grippage** 1869, L. || **grippe** 1307, Guiart, fig., « querelle » ; XVe s., « griffe » ; 1546, Huguet, « vol » ; 1743, *Journal de Barbier,* maladie qui saisit brusquement (avec infl. de l'angl. *gripp*) ; fin XVIIe s., « caprice » ; 1770, Rousseau, *prendre en grippe,* par antiphrase. || **grippal** 1871, *journ.* || **grippé** 1684, Sévigné, « entiché de » ; 1782, Gohin, « qui a la grippe ». || **grippement** 1606, Crespin. || **grippe-sou** 1680, Richelet, commissionnaire chargé de percevoir les rentes d'un sou par livre ; 1778, Voltaire, « avare ». || **agripper** XVe s., G.

gris 1130, *Eneas,* n. m. ; XIIe s., *Roncevaux,* adj. ; XVe s., *faire grise mine ;* 1690, Furetière, « ivre » ; fin XVIIe s., « terne » ; francique **grîs* (allem. *greis*). || **grisaille** 1625, Peiresc. || **grisailler** 1648, Scarron. || **grisant** 1877, Daudet. || **grisard** adj. 1351, G., « gris foncé » ; XVIIIe s., Buffon, peuplier. || **grisâtre** 1525, J. Lemaire. || **griser** 1539, R. Est., devenir de couleur grise ; 1718, Leroux, fig., « enivrer ». || **grisage** 1671, d'après L. || **griserie** 1838, Barbey, « enivrement ». || **griset** 1175, Chr. de Troyes, « un peu gris » ; 1721, Trévoux, « passereau » ; 1791, Valmont de Bomare, « requin ». || **grisette** *id.,* fém. de *griset ;* 1648, Scarron, « étoffe commune » ; 1665, Fléchier, « jeune bourgeoise de galanterie hardie » ; 1791, Valmont, « papillon ». || **grison** XIVe s., adj. ; n. m. milieu XVIe s., Ronsard. || **grisonnant** 1546, Rab. || **grisonner** XVe s., Basselin. || **dégriser** 1771, Schmidlin. || **dégrisement** 1823, Boiste.

grisbi 1896, Delesalle ; de *griset* (1834, Esnault), pièce de six liards, de *gris,* à cause de la couleur.

griser, gris-gris V. GRIS, GRI-GRI.

grisou 1754, Tilly (*feu brisou,* d'apr. *briser*) ; forme picarde de *grégeois.* || **grisoumètre** 1877, L. || **grisouteux** 1876, L.

grive 1280, Bibbesworth, fém. ; anc. fr. *griu* (XIIe s.), grec, c.-à-d. « oiseau de Grèce », la grive étant un oiseau migrateur, du lat. *graecus.* || **griveler** 1620, Delb., par allusion aux menus larcins des pies. || **grivèlerie** XVIe s. || **grivelé** XIIIe s., du Cange, tacheté. || **grivelure** 1545, Guéroult.

griveler V. GRIVE.

griveton 1881, Rigaud, simple soldat ; de *grivet,* fantassin, de *grive,* féminin de l'adj. *grief,* pénible.

grivois 1690, Dominique ; 1690, Furetière, bon drôle ; 1707, Dancourt, égrillard ; anc. fr. *grief,* pénible, du lat. pop. **grevis,* réfection de *gravis.* || **grivoiserie** 1872, Lar.

grivoise 1694, Ménage, tabatière ; altér., d'apr. *grivois,* soldat ; cette tabatière étant usuelle chez les soldats.

grizzly 1860, Depping (*grisly*) ; 1867, Blanchère (*grizzly*), ours gris ; mot anglo-américain signif. « grisâtre », de *grizzle,* gris, de l'anc. fr. *grisel* (XIIe s.), gris, dér. de *gris.*

groenendael 1930, Lar. ; mot flamand.

grog 1776, *Courrier de l'Europe ;* mot angl. (1770), tiré du sobriquet *Old Grog,* d'apr. son vêtement de *grogram* (v. GOURGOURAN), de l'amiral angl. Vernon, qui, en 1740, obligea ses marins à étendre d'eau leur ration de rhum, breuvage qu'ils appelèrent *grog.*

groggy 1926, Esnault, « épuisé par l'effort » ; mot angl. signif. « ivre ».

***grogner** 1190, Garn. (*grunir*), puis *groignir,* d'apr. *groin ;* XIIe s. (*grognier*), par changement de conjugaison ; lat. *grunnire,* var. de *grundire* (v. GRONDER). || **grognard** XIIIe s., Delb. (*groinart*) ; 1560, Paré (*grognard*), « qui a l'habitude de grogner » ; appliqué aux soldats de la Garde sous Napoléon Ier (1812). || **grogne** milieu XIVe s., Machault ; déverbal de *grogner.* || **grognement** XVe s., G. || **grogneur** 1462, *Cent Nouvelles.* || **grognon** 1721, Trévoux (*mère grognon*) ; 1770, Rousseau, sens actuel. || **grognonner** début XVIIe s. || **grognonnerie** 1845, Besch. || **grognasse** 1883, Fustier.

groin 1190, Garn. (*gruing*) ; XVIe s. (*groin*) ; lat. pop. **grŭnium,* de *grunnire,* gronder.

grole XIIIe s., G., « savate » ; 1574, *Inventaire,* dial. (Lyon et Est), « vieux soulier », repris par l'argot au XIXe s. ; lat. pop. **grolla,* d'origine obscure.

grolles 1910, Esnault (*avoir les grolles*) ; déverbal du normand *groler,* trembler, var. de *crouler.*

grommeler 1150, Barbier (*gromer*) ; XIIIe s., *Ysopet* (*grumeler*) ; XIVe s., *Miracles* (*grommeler*) ; flamand *grommelen,* grogner. || **grommellement** XIIe s., *Ysopet.*

***gronder** 1160, *Tristan* (*gondre*) ; XIIe s. (*grondir*) ; début XIIIe s. (*gronder*) ; 1665, Retz, « réprimander », lat. *grŭndīre,* var. de *grŭnnīre,* grogner. || **grondement** 1170, Sully. || **gronderie** 1578, d'Aubigné. || **grondeur** 1586, Vaganay. || **grondin** 1398, *Ménagier* (*grimondin*) ; 1584, J. Bouchet (*grondin*), poisson ; ce poisson gronde quand il est pris.

groom 1669, Chamberlayne, « valet » ; début XIXe s., « petit laquais » ; anc. angl. *grom,* jeune laquais.

***gros** 1080, *Roland ; gros mots,* XIIIe s., Rutebeuf ; n. m. XVIIe s., Sévigné ; lat. impér. *grŏssus,* mot pop. qui a supplanté *crassus,* épais. || **grosse** commerc., milieu XVe s. ; droit, XVe s. || **gros-bec** 1555, Belon. || **gros-cul** 1895, Esnault. || **gros-guillaume** 1642, Oudin. || **gros-grain** XVIe s., étoffe. || **gros-jean** 1678, La Fontaine. || **grossement** 1188, Aimon. || **grosserie** XVIe s., « grossièreté » ; 1554, Havard, techn. || **grossesse** 1155, Wace ; 1283, Beaumanoir, « état d'une femme grosse ». || **grosset** XIIe s., *Parthenopeus.* || **grosseur** XIIe s., Marbode. || **grossier** XIIe s., « non civilisé » ; XVIe s., Amyot, « mufle » ; 1606, Nicot, « de matière rude ». || **grossièrement** 1361, Oresme. || **grossièreté** 1610, Béroalde, « manque de délicatesse » ; 1704, Trévoux, « parole inconvenante ». || **grossir** 1170, *Fierabras.* || **grossissant** 1763, Targe. || **grossissement** 1560, *Alector.* || **grossiste** fin XIXe s. ; p.-ê. par l'allem. || **grosso modo** 1566, G. ; loc. du lat. scolastique signif. « d'une manière grosse ». || **grossoyer** 1335, G., faire la grosse d'un acte. || **dégrossir** 1611, Cotgrave. || **dégrossissage** 1799, *Annales arts et manufactures.* || **engrosser** 1283, Beaumanoir. || **engrossement** XVe s. || **engrois** milieu XVIIIe s. ; anc. fr. *engroissier,* rendre gros, du lat. pop. **ingrŏssiare,* de *grossus.* || **regrossir** 1831, *Acad.*

groseille fin XIIe s., *Loherains* (*grozelle*) ; 1460, Villon (*groseille*) ; francique *krûsil,* premier élément du composé haut-allemand *kruselbere,* baie frisée (allem. *Krauselbeere,* groseille à maquereau). || **groseillier** 1120, *Ps. de Cambridge.*

grossesse, grosseur, grosso modo, grossoyer V. GROS.

grotesque 1532, Gay (*crotesque*) ; milieu XVIe s. (*grotesque*), ornement découvert dans les ruines romaines ; fin XVIe s., « burlesque », d'après le sens italien de « peinture grossière » ; 1657, Pascal, « extravagant » ; ital. *grottesco,* peinture de grotte, de *grotta,* grotte. || **grotesquement** 1632, Sagard Theodat.

grotte XIIIe s., *Geste des Chiprois* (*grote*) ; 1537, trad. du *Courtisan* (*grotte*) ; ital. *grotta,* du lat. pop. *crypta,* du gr. *kruptê,* souterrain ; le mot a remplacé l'anc. fr. *croute* (1080, *Roland*), resté dans les noms de lieux.

grouiller 1460, *Cent Nouvelles nouvelles ;* anc. fr. *grouler* (1280, Bibbesworth), s'agiter, var. de *crouler,* avec l'infl. de *fouiller.* || **grouillant** 1480, *D. G.* || **grouillement** apr. 1750, Buffon. || **grouillis** 1611, Cotgrave. || **grouillot** 1913, Esnault, petit garçon de Bourse ; d'apr. le sens pop. *se grouiller,* se dépêcher (1659, Loret).

ground 1886, E. Rod ; mot angl. signif. « sol, terrain » et désignant le terrain de tennis.

group 1723, Savary, sac d'argent ; ital. *gruppo,* nœud (dans un sens spécial), du germ. **kruppa.*

groupe 1668, R. de Piles ; ital. *gruppo,* var. *groppo,* nœud, assemblage, du germ. **kruppa.* || **groupement** 1801, Reuss. || **grouper** 1680, Richelet. || **groupage** 1866, L. || **groupuscule** 1955, *Journaux.* || **regrouper** 1932, Céline. || **regroupement** *id.* || **groupeur** 1797, Brunot, polit. ; XIXe s., sens mod.

grouse 1771, Buffon (*grou*) ; 1865, L. (*grouse*) ; mot écossais désignant un lagopède.

gruau 1170, *Rois* (*gruel*) ; 1398, *Ménagier* (*gruau*) ; dér. de l'anc. fr. *gru* (1220, Coincy, *gruis*), du francique **grût.* || **gruauter** 1872, Lar.

***grue** début XIIe s., *Voy. de Charl.,* zool. ; XVe s., femme de mœurs légères ; XIIIe s., Tailliar, machine de bois ; puis appareil de levage (1467, Gay), infl. par le néerl. *crane ;* lat. pop. **grua,* du lat. *grūs.* || **gruau** 1547, Haudent (*gruyau*), petit de la grue. || **grutier** fin XIXe s., ouvrier qui manœuvre les grues.

gruger 1482, G. (*-gier*) ; XVIe s. (*gruger*), « écraser, égruger » ; 1660, Oudin, « briser avec les dents » ; 1668, La Fontaine, « tromper » ; moyen néerl. *gruizen,* écraser, de *gruis,* grain. || **grugeoir** 1606, Crespin. || **égruger** 1556, Saliat. || **égrugeoir** 1611, Cotgrave.

grume 1552, Massé, « grain de raisin » ; 1690, Furetière, « écorce laissée sur le bois » et « pièce de bois » ; bas lat. *gruma,* écorce, lat. class. *gluma,* peau, de *glubere,* écorcher.

***grumeau** 1256, Ald. de Sienne (*grumiel*) ; 1690, Furetière (*grumeau*) ; lat. pop. **grūmellus,* lat. class. *grūmulus,* dimin. de *grūmus,* tertre. || **grumeler** XIIIe s., *Conq. de Jérusalem.* || **grumeleux** XIIIe s. || **grumelure** 1668, Mauriceau (*grumeleure*), « caillement de lait » ; 1769, *Encycl.* (*grumelure*), techn. || **grumier** 1962, Lar. || **engrumeler** 1549, Maignan.

grunnir 1885, Huysmans ; lat. *grunnire,* grogner.

grutier V. GRUE.

gruyer XIIIe s., Baude Fastoul, officier s'occupant des forêts ; mot féodal, du gallo-romain **grodarius,* maître forestier, du francique *grôdi,* ce qui est vert (allem. *grün,* vert).

gruyère 1680, Richelet (*grier*) ; XVIIIe s. (*gruyère*) ; nom d'une région de Suisse, pays d'origine de ce fromage (canton de Fribourg).

gryllidé 1866, L. (*gryllide*) ; 1901, Lar. (*-dé*) ; lat. *grillus,* grillon.

gryphée 1808, Boiste ; bas lat. *gryphus,* du gr. *grupos,* recourbé ; huître à coquille allongée et irrégulière.

guanaco 1766, Buffon ; quetchua *huanaco,* lama sauvage.

guano 1598, Acosta ; 1785, Frézier (var. *guana*) ; mot esp., du quetchua *huanacu,* matière résultant de l'accumulation d'excréments d'oiseaux. || **guanier** 1877, L.

***gué** 1080, *Roland* (*guez*) ; francique **wad,* endroit peu profond. || ***guéer** début XIIe s., *Voy. de Charlemagne.* || **guéable** 1160, Benoît (*gaable*) ; fin XVe s., Commynes (*guéable*).

guèbre 1657, La Boullaye (*quebre*) ; persan *gabr,* adorateur du feu.

guède fin XIe s., *Gloses de Raschi* (*wesde*) ; 1268, É. Boileau (*guède*), « plante tinctoriale » ; francique **waizda* (allem. *Waid*).

***guéer** V. GUÉ.

guelfe 1265, Br. Latini ; allem. *Welfe,* nom d'une puissante famille allemande.

guelte 1859, Esnault, « paie » ; 1866, Delvau, sens actuel ; flamand ou allem. *Geld,* argent.

guenille début XVIIe s. (*gnille*) ; 1611, Cotgrave (*guenille*) ; mot de l'Ouest, d'orig. obscure, p.-ê. var. de *guenipe* (v. 1500, J. Marot), femme de mauvaise vie, de l'anc. fr. *chipe,* chiffon, d'orig. germ. ou gauloise. || **guenillon** 1652, Berthod. || **guenilleux** 1766, Diderot. || **déguenillé** 1694, *Acad.*

guenon 1505, Gonneville ; de *guenipe,* guenille, d'orig. gauloise. || **guenuche** 1608, Régnier.

guépard 1637, Dan (*gapard*) ; apr. 1750, Buffon (*gué-*) ; ital. *gattopardo,* chat-léopard, peut-être avec infl. de *guêpe.*

***guêpe** 1165, Marie de France (*wespe*) ; 1636, Monet (*guêpe*) ; *taille de guêpe,* 1840, *Acad.* ; lat. *vĕspa,* devenu **wespa,* par croisement avec l'anc. haut. allem. *wefsa.* || **guêpier** 1354, *Modus,* oiseau mangeur de guêpes ; 1636, Monet, nid de guêpes, a remplacé *guêpière* (1567, Amyot) ; 1775, Beaumarchais, « piège ».

guerdon 1080, *Roland* (*gueredun*) ; 1360, Froissart (*guerdon*) ; francique **widarlôn,* croisé avec le lat. *donum,* don. || **guerdonner** 1050, *Alexis* (*gueredonner*).

guère 1080, *Roland* (*guaire*) ; 1283, Beaumanoir (*gueres*) ; *ne ... guère* (surtout à partir du XVIe s.) ; francique *waigaro,* beaucoup. || **naguère** XIIe s., *Journ. de Blaives* (*n'a gaire*) ; de *n'a guère,* il n'y a guère de temps.

***guéret** 1080, *Roland* (*guaret*) ; fin XIVe s. (*guéret*) ; lat. *vervactum,* jachère, avec infl. germ. sur l'initiale ; la chute du second *v* est inexpliquée.

guéridon 1615, *Harangue ... Mistanguet,* « meuble, souvent en forme de Maure » ; 1626, sonnet de Courval, « chanson » ; de *Guéridon,* personnage de farce (1614), qui tenait les chandeliers pendant que les autres dansaient.

guérilla 1820, Stendhal ; mot esp., dimin. de *guerra,* guerre. || **guérillero** 1825, Mérimée, mot esp. signif. « soldat d'une guérilla ».

guérir 1050, *Alexis* (*guarir*) ; fin XIe s. (*guérir*), « défendre, préserver » ; la forme *garir* se maintient jusqu'au XVIIe s. ; v. pronominal 1080, *Roland,* « recouvrer la santé » ; 1155, Wace, v. t., sens actuel ; francique **warjan* (allem. *wehren,* protéger). || **guérison** 1080, *Roland* (*guarisun*). || **guérissable** 1361, Oresme. || **guérisseur** XIVe s. (*gariseor*), « garant » ; 1526, J. Marot, « celui qui guérit » ; 1735, Lesage, péjor. || **inguérissable** 1460, Chastellain.

guérite 1220, Coincy, *à la garite,* sauve qui peut ; 1223, G., « abri » ; 1360, Froissart (*guérite*) ; de *garir,* protéger, défendre. (V. GUÉRIR.)

guerre 1080, *Roland* ; francique **werra,* qui a éliminé le lat. *bellum,* confondu avec *bellus,* beau. || **guerrier** *id.* n. m. ; adj. 1112, *Voy. saint Brendan,* « hostile ». || **guerroyer** 1080, *Roland.* || **guerroyeur** 1155, Wace. || **aguerrir** 1535, de Selve ; fig. 1665, Graindorge. || **après-guerre** n. m. 1919, M. Tinayre.

guet, guet-apens V. GUETTER.

guêtre XVe s., *Journal d'un bourgeois de Paris* (*guietre*) ; 1636, Monet (*guêtre*) ; francique **wrist,* cou-de-pied, d'où par ext. ce qui couvre la jambe. || **guêtrer** 1549, R. Est. || **guêtrier** 1597, L. || **guêtron** 1808, Boiste.

1. **guette** V. GUETTER.

2. **guette** 1690, Furetière, pièce de charpente ; prononc. pop. de *guêtre.*

guetter 1080, *Roland* (*guaiter*) ; 1538, R. Est. (*guetter*) ; francique **wahtôn* (allem. *wachen,* veiller à). || **guette** 1130, *Eneas* (*guaite*), « action de guetter » ; XIIIe s., Rutebeuf, guet ; déverbal. || **guetteur** fin XIIe s., G. || **guet-apens** fin XVe s., La Curne, dans loc. *de guet apens* ; 1596, Vaganay, *guet-apens* ; altér. d'un plus ancien *de guet apensé, d'aguet pensé,* de *apenser,* former un projet. (V. AGUET, ÉCHAUGUETTE.)

***gueule** 980, *Passion* (*gola*) ; 1175, Chr. de Troyes (*goule*) ; XIIIe s. (*gueule*), « gosier » ; XIe s., en parlant des animaux ; XIVe s., *Modus,* « ouverture » ; fig., *gueules du blason,* d'abord morceaux découpés dans la peau du gosier de la martre, avec infl. possible du persan *gul,* rose ; lat. *gŭla,* gosier. || **goulée** 1175, Chr. de Troyes ; sur l'anc. forme *goule.* || **goulet** 1354, *Modus,* terme de chasse ; 1555, *Journ. de Gouberville,* couloir étroit ; 1743, Trévoux, entrée d'un port. || **goulot** 1596, Guénoys, « conduit d'un égout » ; 1611, Cotgrave, sens actuel. || **goulu** 1493, Coquillart. || **goulûment** 1546, Vaganay. || **gueulard** 1395, G., techn., « grosse cruche », n. m. ; 1567, Junius, « qui a une grosse bouche » ; 1660, Oudin, « qui gueule », adj. pop. || **gueulardise** 1611, Cotgrave (*goulardise*) ; 1867, Delvau (*gueu-*). || **gueulée** 1180, *Alexandre.* || **gueuler** 1660, Oudin. || **gueulante** milieu XXe s. || **gueulement** 1877, Zola. || **gueuleton** 1743, Vadé. || **gueuletonner** 1858, Lachâtre. || **gueuloir** 1880, Flaubert. || **gueule-de-loup** début XIXe s. || **amuse-gueule** XXe s. || **bégueule** 1690, Furetière, de *bée gueule,* gueule béante (XVe s.). || **dégueuler** 1493, Coquillart. || **dégueulasse** 1867, Delvau. || **dégueulée** 1870, Lar. || **dégueulis** 1863, L. || **dégouliner** 1737, Vadé, pop. ; de la forme *goule.* || **dégoulinage** 1880, Huysmans. || **dégoulinement** 1884, A. Daudet. || **engueuler** 1580, *Anc. Théâtre* (*mal engueulé*), mal embouché ; 1754, *Madame engueule,* pièce de Boudin, sens actuel. || **engueulade** 1846, Flaubert. (V. ENGOULEVENT.)

gueuse 1543, Barbier, techn. ; bas allem. *göse,* pl. de *Gans,* oie et gueuse par analogie de forme.

gueux fin XIVe s., Esnault (*prendre à compagnon et à gueux*) ; 1452, Villon (*gueux*) ; 1655, Molière, *courir la gueuse ;* moyen néerl. *guit,* coquin. || **gueuser** début XVIe s. || **gueuserie** 1606, Nicot. || **gueusaille** 1608, L'Estoile. || **gueusailler** 1642, Oudin. || **gueusard** 1808, d'Hautel.

gugusse XXe s. ; abrév. pop. de *Auguste.*

1. **gui** 1390, *Glossaire du Vatican,* plante ; lat. *viscum,* sous l'infl. du francique **wîhsila.* (V. GUIMAUVE.)

2. **gui** 1687, Desroches, vergue ; néerl. *giek,* var. *gijk.*

guibole 1842, Esnault ; altér. probable de *guibonne* (*guibon, gibon* en normand, 1630, *Muse normande*), apparenté à l'anc. fr. *giber,* gigoter.

guibre 1773, Bourdé ; même mot que *guivre.* Terme de marine désignant la forme recourbée de l'étrave.

guiche 1080, *Roland* (*guige*) ; XIIIe s., *Apollonius* (*guiche*), courroie ; francique **withja,* lien d'osier. || **aguicher** 1842, E. Sue, « exciter » ; 1904, *le Temps,* « agacer ». || **aguichant** av. 1860, Gal de Rumigny. || **aguicherie** 1935, V. Margueritte. || **aguicheur** 1900, Willy. || **enguiché** 1313, G., blas. || **enguichure** XVe s., *D. G.,* vénerie.

guiches 1876, Esnault, accroche-cœur ; du n. du marquis de *La Guiche* qui lança la mode v. 1824.

guichet 1130, *Eneas,* « petite porte de prison » ; 1627, Crespin, « ouverture grillagée » ; 1900, *D. G.,* sens actuel ; p.-ê. de l'anc. scand. *vik,* cachette, avec infl. de *uisset,* petite porte, diminutif de *uis,* porte (lat. *ostuim*). || **guichetier** 1611, Cotgrave.

guide 1370, Delb., n. f. ; fin XVIe s., d'Aubigné, n. m., « personne qui guide » ; 1534, Rab., « principe directeur » ; 1615, Régnier, « ouvrage » ; anc. prov. *guida,* du francique **wītan ;* il a remplacé l'anc. fr. *guis, guion ;* masc. ou fém. jusqu'au XVIIe s., comme nom d'agent.

guider 1367, Delb. ; réfection, d'apr. *guide,* de l'anc. fr. *guier* (1080, *Roland*), du francique **witan,* montrer une direction. || **guideau** 1840, *Acad.* || **guidage** 1611, Cotgrave, « passeport » ; 1877, L., action de guider. || **guide-âne** 1721, Trévoux.

guiderope 1855, Baudelaire, aérostation ; mot angl. composé de *guide* et de *rope,* corde.

guidon 1373, Gace de La Bigne ; ital. *guidone,* étendard (qui guide) ; 1680, Richelet, guidon d'une arme ; 1895, A. Daudet, guidon d'une bicyclette.

1. **guigne** 1398, *Ménagier* (*guine*) ; XVe s., Basselin (*guigne*), cerise ; sans doute altér. du germ. **wîhsila* (allem. *Weichsel,* griotte). || **guignier** 1508, *Comptes château Gaillon.* || **guignolet** 1823, Boiste, liqueur.

2. **guigne,** malchance. V. GUIGNER.

guigner XIIe s., *Parthenopeus,* « faire signe » ; 1175, Chr. de Troyes, « faire signe de l'œil, loucher » ; francique **wingjan* (allem. *winken,* faire signe). || **guignon** 1160, Béroul, de *guigner,* regarder de travers, d'où « d'une manière défavorable », d'où « le mauvais œil ». || **guigne** 1811, Esnault ; de *guignon.* || **guignard** 1888, Villatte. || **déguignonner** 1731, Trévoux. || **enguignonner** 1866, Delvau.

guignol 1848, G. Sand ; nom d'un personnage de marionnettes lyonnaises *Guignol* (XVIIIe s.), sans doute nom d'un canut lyonnais, de *guigner,* jeter des regards de côté. || **guignolade** v. 1950. || **guignolesque** 1937, A. Breton. || **grand-guignolesque** 1900, Jarry ; par l'intermédiaire du théâtre *le Grand-Guignol* fondé en 1897.

guignon V. GUIGNER.

guilde, var. **ghilde,** 1788, *Journal de Paris ;* lat. médiév. *gilda,* du moyen néerl. *gilde,* troupe, et par ext. « corporation », du francique **gilda,* réunion de fête. L'anc. fr. *gelde* (1155, Wace), bande de soldats, est de même rac.

guildive 1698, Froger, « tafia » ; orig. antillaise.

guillaume 1600, Havard, « rabot » ; nom propre *Guillaume,* par le provençal.

guilledou V. GUILLER.

guillemet 1677, Miege ; nom propre dimin. de *Guillaume,* imprimeur qui inventa ce signe, d'apr. Ménage. || **guillemeter** 1800, Boiste. || **guillemetage** XXe s.

guillemot 1555, Belon, zool. ; dimin. de *Guillaume,* donné comme surnom à cet oiseau. (V. GEAI, MARTINET, SANSONNET.)

1. **guiller** 1175, Chr. de Troyes, « tromper », de *guille,* ruse (XIIe s.), avec infl. de *Guillaume* (cf. *Tel croit guillet Guillot*) ; francique **wigila,* astuce. || **guilledou** (*courir le*) 1578, d'Aubigné ;

mot de l'Ouest et du Nord-Ouest, de *guille,* tromperie, et de *doux.*

2. **guiller** XVe s., G., pour la bière ; néerl. *gijlen,* fermenter.

guilleret V. GUILLERI.

guilleri v. 1560, Pasquier, chant du moineau ; anc. fr. *guiller,* séduire. || **guilleret** 1460, *Monologue de l'amoureux,* probablement de la même famille.

guillocher 1570, Gay (*guillogé*) ; 1765, *Encycl.* (*guillocher*) ; ital. dial. *ghiocciare,* dégoutter, du lat. *gutta,* goutte. || **guillochage** 1792, Salivet. || **guillochis** 1560, Ronsard. || **guillocheur** 1765, *Encycl.* || **guillochure** 1887, Zola.

guillot 1622, Cyrano, ver du fromage, d'un nom propre ; abrév. de *Guillaume,* avec suffixe *-ot.*

guillotine 1790, *Actes des Apôtres,* de *Guillotin,* médecin qui préconisa cette machine. || **guillotiner** *id.* || **guillotineur** 1792, Frey.

guimauve XIIe s., G., texte du Nord (*widmalve*), var. *ymalve, vimauve,* en anc. fr. ; XIVe s., *Antidotaire* (*guimauve*) ; de *mauve* et du lat. *hibiscus,* mauve, du gr. *hibiskos,* croisé avec *gui.*

guimbarde 1625, *Muse normande,* « danse » ; 1739, Carbassus, « instrument de musique » ; 1723, Savary, « chariot », sans doute à cause de son grincement ; 1862, Hugo, « vieille voiture » ; prov. mod. *guimbardo,* danse, de *guimbá,* sauter, du gotique **wimôn.*

guimpe 1135, G. (*guimple*) ; 1564, Thierry (*guimpe*) ; francique **wimpil* (allem. *Wimpel,* banderole) ; au Moyen Âge, pièce de toile blanche encadrant le visage. || **guimpier** 1494, Jal.

1. **guinche** V. GINCHER.

2. **guinche** 1767, Garsault, outil de bois ; anc. fr. *gueschire,* obliquer, du francique **wenkjan,* vaciller.

guincher 1821, Desgranges, var. de *guenchir,* obliquer ; francique **wenkjan,* vaciller. || **guinche** 1821, Desgranges, « danse » ; déverbal.

guinder 1155, Wace, mar., « soulever un fardeau avec une machine » ; 1573, Du Puys, « lancer d'en haut » ; 1663, Molière, fig., raidir ; scand. *vindu,* hausser, par le normand. || **guindant** 1643, Fournier, mar. || **guindage** 1386, Zeller. || **guindeau** 1155, Wace (*vindas*) ; 1660, Oudin (*guindeau*), cabestan ; norrois *vind-âss,* treuil. || **guinderesse** 1525, Jal, mar. || **guindre** 1600, O. de Serres ; p.-ê. prov. *guindre,* de même rac. techn. || **guinde** XIIe s., coiffure de femme ; milieu XVIIe s., grue à bras pour élever des fardeaux.

guinée 1669, Chamberlayne, monnaie anglaise frappée en 1663 avec l'or de la Guinée ; 1666, Thévenot, toile bleue servant de troc en Guinée.

guingan 1701, Havard, toile de coton qui venait de l'Inde ; port. *guingão,* du malais *ginggang.*

guingois (de) 1442, Delb. ; anc. fr. *ginguer,* sautiller (XVe s.), de *gigue,* mandoline.

guinguette 1697, *D. G.* ; 1750, Trévoux (*maison guinguette*) ; p.-ê. de l'anc. adj. *guinguet,* étroit, var. de *guiguet,* trop court, et de *giguer,* gambader, sauter, à cause de la danse.

guiper 1350, G., « tordre » ; 1845, Besch., « broder » ; francique **wīpan,* entourer de soie, travailler une étoffe utilisée surtout pour les rideaux. || **guipage** 1867, *Moniteur universel.* || **guipoir** 1723, Savary. || **guipon** 1342, G., « goupillon » ; fin XVIIe s., « balai ». || **guipure** 1393, G.

guirlande 1395, Chr. de Pisan (*guerlande*) ; 1552, Ronsard (*guir-*) ; ital. *ghirlanda,* de la même famille que *galandage* (v. ce mot). || **guirlandé** 1611, Cotgrave. || **enguirlander** 1555, Vauquelin de La Fresnaye, « entourer de guirlandes » ; 1922, Lar., « réprimander ».

guisarme fin XIe s., *Gloses de Raschi* ; francique **wîsarm,* sorte d'arme.

guise 980, *Passion* (*wise*) ; 1080, *Roland* (*guise*) ; francique **wîsa* (allem. *Weise,* manière). || **déguiser** 1155, Wace, comme pronominal, sortir de sa guise, de sa manière d'être ; spécialisé pour les mascarades (1611, Cotgrave) ; 1559, Amyot, « dissimuler ». || **déguisé** n. 1845, Besch. || **déguisement** fin XIIe s., *Ysopet de Lyon.*

guitare 1360, Gay ; anc. prov. *guitarra,* du lat. *cithara,* gr. *kithara* ; a remplacé l'anc. fr. *guiterne* (1265, J. de Meung). || **guitariste** 1829, Boiste. || **guitariser** 1646, Scarron.

guiterne 1265, J. de Meung, instrument de musique ; altér. du lat. *cithara.* (V. GUITARE.)

guit-guit 1760, Brisson, passereau d'Amérique ; onom. d'apr. le cri.

guitoune 1842, Mornand ; ar. *gītūn,* petite tente ; tente de campement, puis abri de tranchée (1915-1918).

guivre, givre 1080, *Roland,* « serpent » (jusqu'au XVe s.) ; 1581, Bara, terme de blason ; lat. pop. **wīpĕra,* du lat. *vipera,* avec infl. germ. || **guivré** 1671, Pomey.

gulaire 1842, *Acad. ;* lat. *gula,* gueule.

gulf-stream 1803, Volney ; mot angl., de *gulf,* golfe, et *stream,* courant.

gumène 1552, Rab., « câble d'une ancre » ; lat. médiév. *gumena,* de l'ar. *gommal.*

gunite v. 1940 ; mot angl., de *gun,* arme à feu, en raison de la manière dont le produit est projeté.

gustation 1530, Lefèvre d'Étaples ; bas lat. *gustatio,* de *gustare,* goûter. || **gustatif** 1503, Chauliac. (V. GOÛTER.)

gutta-percha 1845, *Technologiste ;* mot angl., adaptation du malais *getah,* gomme, et *pertcha,* arbre qui donne la gomme (v. GOMME-GUTTE). || **guttifère** 1811, *Encycl. méth.*

guttural 1532, Rab., « du gosier » ; 1772, Duclos, en phonétique ; lat. *guttur,* gosier.

guzla 1791, *Encycl. ;* ital. *guzla,* du serbo-croate *gusle.*

gymkhana 1901, Mackenzie ; mot angl., de *gymnastic,* et de l'hindî *gendkhāna,* salle de jeu de balle.

gymnase fin XIIe s. (*gynnasy*), au sens antique ; 1378, Le Fèvre (*gynaise*) ; 1704, Trévoux (*gymnase*) ; 1772, Rousseau, salle d'exercices ; lat. *gymnasium,* du gr. *gumnasion.* || **gymnaste** 1534, Rab., n. propre d'un écuyer ; 1721, Trévoux, au sens antique ; 1866, L., « qui pratique la gymnastique » ; XXe s., sportif pratiquant les exercices de gymnastique ; lat. *gymnasticus,* du gr. *gumnastês.* || **gymnastique** 1361, Oresme, adj. et n. f. ; lat. *gymnasticus.* || **gymnique** 1542, É. Dolet, au sens antique ; XXe s., sens actuel ; lat. *gymnicus,* du gr. *gumnikos,* de *gumnos,* nu ; les athlètes étaient nus pour leurs exercices.

gymno-, gr. *gumnos,* nu. || **gymnocarpe** 1821, Boiste. || **gymnosperme** av. 1778, Rousseau. || **gymnote** 1771, Schmidlin ; lat. zool. mod. *gymnotus,* du gr. *gumnos,* nu, et *nôtos,* dos, à cause de l'absence de la nageoire dorsale de ces poissons.

gyn(o)-, gynéc(o)-, gr. *gunê, gunaikos,* femme. || **gynandre** 1866, L. ; gr. *anêr, andros,* homme. || **gynécée** 1568, N. de Nicolay ; lat. *gynaeceum,* du gr. *gunaikeion.* || **gynécologie** 1836, Landais. || **gynécologique** 1922, Lar. || **gynécologue** 1845, Besch., « auteur d'un traité de gynécologie » ; 1866, L., médecin.

gypaète 1800, Daudin ; gr. *gups,* vautour, et *aetos,* aigle ; rapace diurne.

gypse 1250, *Enfances Guillaume ;* lat. *gypsum,* du gr. *gupsos,* plâtre, gypse. || **gypseux** 1560, Paré. || **gypsifère** 1811, Mozin.

gyrin 1803, Boiste ; gr. *gûros,* cercle, insecte décrivant des cercles sur l'eau.

gyr(o)-, gr. *gûros,* cercle. || **gyrocompas** 1922, Lar. || **gyromancie** 1361, Oresme ; gr. *manteia,* divination. || **gyroscope** 1852, Lar., créé par L. Foucault ; gr. *skopein,* examiner. || **gyroscopique** début XXe s. || **gyrostat** 1917, Lar. || **gyrovague** XVe s., « moine errant » ; 1689, d'après Trévoux 1732, « vagabond » ; lat. *gyrovagus,* de *gyrare,* tourner, et *vagus,* errant.

h

habanera 1898, Loti ; de *Habana,* nom esp. de l'île de La Havane ; danse populaire au XIXe s.

habeas corpus 1692, Chamberlayne ; loc. angl., du lat. *habeas corpus ad subjiciendum,* que tu aies ton corps pour le présenter au juge, de *subjicere,* exposer à.

habile 1360, Froissart, « agile » ; fin XIVe s., Chr. de Pisan, « compétent », jurid. ; milieu XVIe s., Ronsard, « cultivé » ; 1538, R. Est., « ingénieux » ; lat. *habilis* (qui avait donné *able*), maniable, apte à, de *habere,* avoir, tenir. || **habilement** 1372, Golein. || **habileté** XIIIe s., *Sept Sages de Rome* (*-ité,* orth. latine conservée dans le sens jurid.) ; 1539, R. Est. (*-eté*) ; lat. *habilitas.* || **habiliter** fin XIIIe s., Macé de La Charité ; lat. médiév. *habilitare,* sens jurid. || **habilitation** 1373, G. ; lat. *habilitatio.* || **inhabile** 1361, Oresme ; lat. *inhabilis,* incommode. || **inhabilement** 1596, Hulsius. || **inhabileté** 1380, Conty. || **inhabilité** 1361, Oresme. || **malhabile** fin XVe s., Basselin. || **malhabilement** 1636, Monet. || **réhabiliter** 1234, chez A. Thierry, redonner sa capacité juridique à quelqu'un ; fin XVIIe s., Saint-Simon, « rétablir dans l'estime ». || **réhabilitation** 1401, N. de Baye.

habiller 1307, Guiard (*abillier*), « préparer, équiper » ; XIVe s., « vêtir » ; de *bille :* d'abord « préparer une bille de bois », puis infl. de *habit.* || **habillable** 1845, Besch. || **habillage** milieu XVe s. || **habillement** 1374, G., « équipement » ; 1572, Chesneau, « vêtement ». || **habillé** 1696, La Bruyère, « élégant ». || **habilleur** milieu XVIe s., « corroyeur » ; n. f. 1866, L. || **habillure** 1769, Roubo. || **déshabiller** fin XIVe s. || **déshabillage** 1877, A. Daudet. || **déshabillé** n. m. 1627, Brunot. || **rhabiller** 1464, G. || **rhabillage** 1532, *D. G.* || **rhabillement** début XVIe s. || **rhabilleur** 1549, R. Est.

habit 1155, Wace ; lat. *habitus,* manière d'être, mise, tenue, de *habere,* avoir ; en anc. fr. surtout eccl. ; *habit vert,* 1902, Lar.

habitacle V. HABITER.

habiter début XIIe s., *Ps. de Cambridge ;* lat. *habitare,* même sens, de *habere,* tenir. || **habitable** v. 1160, Benoît. || **habitabilité** 1845, Besch. || **habitacle** 1120, *Ps. de Cambridge,* eccl., « demeure » ; 1643, Fournier, marine ; XXe s., aéron. ; lat. *habitaculum,* petite maison. || **habitant** début XIIe s., R. de Moiliens. || **habitat** 1808, Boiste, «milieu géographique » ; 1925, Roussel, « conditions de logement ». || **habitation** 1120, *Ps. d'Oxford ;* lat. *habitatio.* || **cohabiter** 1355, Bersuire ; bas lat. *cohabitare.* || **cohabitation** XIIIe s., G. ; lat. *cohabitatio.* || **inhabitable** 1360, Froissart. || **inhabité** fin XIVe s.

habitude V. HABITUER.

habituer début XIVe s., « munir » ; 1549, R. Est., « accoutumer » ; une première fois au part. passé, 1361, Oresme ; lat. médiév. *habituare,* de *habitus,* manière d'être. || **habitude** 1361, Oresme, « complexion » ; 1487, Garbin, « manière d'être ordinaire » ; lat. *habitudo,* même origine. || **habitué** n. 1778, Proschwitz. || **habituel** XIVe s. ; lat. médiév. *habitualis.* || **habituellement** 1382, Maizières. || **déshabituer** 1460, Chastellain. || **déshabitude** 1845, Besch. || **inhabituel** 1829, Boiste. || **réhabituer** 1549, R. Est. (*ra-*).

hâbler 1542, de Changy ; sens péjor. dès le XVIIe s. ; esp. *hablar,* parler, du lat. *fabulari.* || **hâbleur** 1555, Vaganay. || **hâblerie** 1628, Sorel.

hache 1138, Gaimar ; francique **hapja.* || **hacher** 1314, Mondeville (*hagier*) ; XIVe s., Laborde (*hacher*). || **hachement** 1606, Nicot. || **hachage** 1873, Lar. || **hache-légumes** 1866, L. || **hache-paille** 1765, Brunot. || **hache-viande** 1902, Lar. || **hachette** XIIIe s., du Cange. || **hachereau** XVe s., G. || **hacheur** XIVe s., Laborde, « ciseleur ». || **hachis** 1280, Bibbesworth (*hagis*) ; 1538, R. Est. (*hachis*). || **hachoir** 1471, G. || **hachotte** 1789, *Encycl. méth.* || **hachure** début XVe s. || **hachurer** 1893, Courteline.

hachisch 1556, Saliat (*aschy*) ; 1847, Besch. (*haschisch*) ; ar. *hachīch,* herbe, chanvre.

hachure V. HACHE.

hacienda 1827, *Revue ;* mot esp. signif. « propriété », du lat. *facienda,* ce qui doit être fait, de *facere,* faire.

hadal 1962, Lar. ; gr. *Hadês,* roi des Enfers.

haddock fin XIIIe s., G. (*hadoc*) ; angl. *haddock,* chair fumée de l'aiglefin.

hadj ou **hadji** 1568, Nicolaï (*hagis*) ; 1839, Boiste (*hadji*) ; 1902, Lar. (*hadj*) ; ar. *hādjdji,* pèlerinage.

hadron 1968, Lar. ; gr. *hadros,* abondant.

hafnium 1923, Hevesy (chimiste suédois) ; du second élément du nom danois de Copenhague (*Kjoeben*) *havn.*

hagard 1398, *Ménagier ;* appliqué d'abord au faucon sauvage ; 1560, Paré, méd. ; v. 1850, fig. ; moyen angl. *hagger,* sauvage.

hagiographe 1455, Fossetier ; bas lat. *hagiographa,* du gr. *hagiographos,* de *hagios,* saint, et *graphein,* écrire. || **hagiographie** 1813, Gattel. || **hagiographique** 1842, *Acad.* || **hagiologie** 1842, Mozin ; gr. *logos,* discours ; ouvrage qui traite des saints. || **hagiologique** 1694, Chastellain. || **hagiologue** 1903, Huysmans.

haha 1684, Corn. ; onomat.

haie 1053, *Cart. Saint-Germain des Prés* (*hayas*) ; francique **hagja* (allem. *Hag,* néerl. *haag*). || **hayon** 1280, Delb., « étal à jour » ; v. 1950, en autom.

haïk 1699, *Mercure ;* ar. *hā'ik,* pièce d'étoffe sans couture.

haillon 1404, *Journ. d'un bourgeois de Paris ;* moyen haut allem. *hadel,* lambeau. || **haillonneux** 1560, Ronsard.

haine V. HAÏR.

haïr 1080, *Roland ;* francique **hatjan* (angl. *to hate,* allem. *hassen*). || **haine** 1155, Wace (*haïne*) ; déverbal. || **haineux** 1155, Wace. || **haineusement** 1350, *Glossaire.* || **haïssable** 1569, Montaigne. || **haïsseur** 1585, du Fail.

haire 980, *Valenciennes ;* francique **harja,* vêtement de poil (allem. *Haar,* cheveu, angl. *hair*).

haje 1827, *Acad. ;* ar. *hayya,* même orig. que *naja ;* désigne une sorte de cobra.

halbi 1771, Trévoux ; néerl. *haalbier,* bière légère.

halbran 1398, *Ménagier* (*halebran*) ; 1636, Monet (*halbran*) ; moyen haut allem. **halberant,* demi-canard (à cause de sa petitesse). || **halbrener** 1538, G. (*-é*) ; se dit d'un faucon dont les pennes sont rompues.

halde 1779, Morand ; allem. *Halde,* colline.

hâle V. HÂLER.

halecret 1489, Gay ; moyen néerl. *halskleedt* (allem. *Halskragen,* tour de cou) ; désigne un corps d'armure articulé.

haleine 1080, *Roland* (*aleine*) ; 1360, Froissart, avec *h,* sur le lat. *halare,* souffler ; déverbal. || **haleiner** 1360, Froissart (*alener*) ; 1560, Paré (*haleiner*), sous l'infl. du lat. *halare,* souffler ; lat. *anhelare,* par métathèse de *n* à *l.* || **haleinée** fin XIIe s., *Raoul de Cambrai.*

haler 1138, *Saint Gilles ;* germ. *halon,* tirer. || **halage** 1488, *Mer des hist.* || **haleur** 1680, Richelet. || **hale-bas** 1721, Trévoux. || **hale-breu** 1773, Bourdé ; de *breu,* var. de *breuil,* poulie. || **déhaler** début XVe s.

hâler 1170, *Fierabras,* « dessécher » ; 1240, G. de Lorris, « brunir la peau » ; lat. pop. **assulare,* griller, de *assare,* avec infl. du néerl. *hael,* desséché. || **hâle** 1175, Chr. de Troyes (*hasle*), déverbal. || **haloir** 1752, Trévoux. || **déhâler** 1690, Furetière.

haleter 1175, Chr. de Troyes ; anc. fr. **haler,* souffler, du lat. *halare,* souffler. || **haletant** 1539, R. Est. || **halètement** 1495, J. de Vignay.

half-track 1948, Lar. ; mot angl., de *half,* demi, et *track,* route.

halichère 1873, Lar. ; lat. scientif. *halichoerus,* du gr. *hals, halos,* mer, et *khoîros,* cochon.

halieutique 1732, Trévoux ; gr. *halieutikos,* de *halieus,* pêcheur ; qui a rapport à la pêche.

haliotide 1827, *Acad. ;* gr. *hals, halos,* mer, et *ous, otos,* oreille ; désigne un mollusque.

haliple 1803, Morin ; gr. *hals, halos,* mer, et *plein,* naviguer ; insecte vivant dans les eaux douces et saumâtres.

hall 1671, Chamberlayne ; rare avant le XIXe s. ; mot angl., de même origine que *halle.*

hallali 1751, *Dict. d'agriculture ;* anc. fr. *haler,* exciter les chiens, var. de *harer,* de *hare,* cri pour exciter les chiens, et de *à lui* (*li*).

halle 1213, *Fet des Romains ;* pl. 1268, É. Boileau ; *fort de la halle,* 1732, Trévoux ; *fort des halles,* 1854, Nerval ; francique **halla.* || **hallage** 1268, É. Boileau.

hallebarde XVe s., du Cange ; moyen haut allem. *helmbarte,* hache à poignée, de *helm,* hampe, et *barte,* hache. || **hallebardier** 1483, Isambert.

hallier 1458, *Mystère (hai-),* « fourré de buissons » ; francique **hasal,* rameau (*Loi ripuaire ;* allem. *Hasel,* noisetier).

halluciné 1611, J. Duval (*-xiné*) ; 1845, Besch. (*halluciné*) ; lat. *hallucinatus,* de *hallucinari,* errer. || **hallucinant** fin XIXe s. || **hallucination** 1660, Fernel ; lat. *hallucinatio,* divagation. || **halluciner** 1862, Hugo. || **hallucinogène** v. 1950.

halo milieu XIVe s., « auréole » ; 1891, *Rev. encycl.,* en photogr. ; lat. *halos,* cercle autour du Soleil, du gr. *halôs,* aire ronde et unie à battre le grain.

hal(o)-, gr. *hals, halos,* sel. || **halogène** 1845, Besch. || **halographie** 1839, Boiste. || **halomorphe** 1962, Lar. || **halophile** 1845, Besch. || **halophyte** 1878, Lar.

halte 1180, *Partenopeus* (*halt*), « lieu où l'on séjourne » ; 1570, Granvelle, temps d'arrêt ; francique **halt ;* 1636, Monet, interj., de l'allem. *Halt.* || **halter** 1690, Pellisson.

haltère 1534, Rab. (*alteres*) ; rare jusqu'au XIXe s. ; lat. *haltēr,* du gr. *haltêr,* balancier pour la danse. || **haltérophile** 1903, *la Vie au grand air.* || **haltérophilie** 1959, Lar.

halva fin XIXe s. ; turc *halvā.*

hamac 1519, *Voy. d'Ant. Pigaphetta* (*amacca*) ; 1640, Bouton (*hamat*) ; 1659, Chevillard (*hamac*) ; esp. *hamaca,* mot arawak.

hamada 1888, Lar. ; ar. *hāmada,* plateau rocheux au Sahara.

hamadryade 1442, Martin Le Franc ; lat. *hamadryas,* gr. *hamadruas,* de *hama,* avec, et *drûs,* arbre ; papillon.

hamamélis 1615, Daléchamp ; gr. *hamamêlis,* néflier, de *mêlon,* pomme ; petit arbre ornemental.

hameau 1170, *Vie de saint Edmond ;* anc. fr. *ham,* village (conservé dans les noms de lieux), du francique **haim,* même sens.

hameçon 1100, *Doc. ;* anc. fr. *haim* (fin XIe s.), du lat. *hamus,* même sens. || **hameçonner** 1611, Cotgrave.

hammam 1655, Olearius ; ar. *hammām,* bain.

hammerless 1878, Lar. ; mot angl., de *hammer,* marteau, et *less,* sans ; fusil de chasse sans chien apparent.

1. **hampe** 1559, Amyot, « manche de lance » ; altér. de l'anc. fr. *hante* (XIIe s.), lance, du lat. *hasta,* avec infl. du germ. **hant,* main.

2. **hampe** fin XIIIe s., *Chace dou cerf,* « poitrine de cerf » ; altér. de *wampe* (XIIIe s., de Garlande), de l'anc. haut allem. *wampa,* sein (allem. *Wamme,* fanon), et du francique **hamma,* partie postérieure de la cuisse.

hamster apr. 1750, Buffon ; mot allem. ; mammifère rongeur d'Europe orientale.

han ! 1307, Guiart ; onomatopée, var. de *ha.*

hanap v. 1100, *Doc. ;* francique **hnapp,* écuelle (allem. *Napf*), latinisé en bas lat. *hanappus* (VIIe s.), vase à boire.

hanche 1130, *Eneas ;* francique **hanka* (allem. *hinken,* boiter). || **hancher** fin XIVe s. (*hanchier*), « donner un croc-en-jambe » ; sens méd. 1835, Gautier. || **hanchement** 1877, Goncourt. || **déhancher** 1564, J. Thierry, « disloquer » ; *se déhancher,* 1673, Molière. || **déhanchement** 1771, Schmidlin.

hand-ball début XXe s. ; mot allem. signif. « balle à la main » (par opposition à l'angl. *football*).

handicap 1827, Th. Bryon ; XXe s., fig. ; mot angl., de *hand in cap,* main dans le chapeau, d'abord jeu de hasard. || **handicaper** 1854, F. Mackenzie, sports ; fin XIXe s., fig. || **handicapeur** 1868, Souviron.

hangar 1135, texte picard (*Hangart*), comme n. propre ; francique **haimgard,* clôture entourant une maison, de **haim,* hameau, et **gard,* clôture.

hanneton fin XIe s., *Gloses de Raschi ;* germ. *hano,* coq (allem. *Hahn,* qui signifie « hanneton » en allem. dialect. ; en Limousin, *poule d'arbre,* hanneton). || **hannetonnage** 1835, *Maison rustique.* || **hannetonner** 1767, Brunot.

hanse 1240, texte de Saint-Omer ; anc. haut allem. *Hansa,* troupe, corporation. || **hanséatique** 1650, Ménage ; allem. *hanseatisch.*

hanter 1138, Gaimar, « fréquenter » ; 1823, Hugo, en parlant de fantômes, avec infl. de l'angl. *haunted,* visité ; 1835, Stendhal, « obséder » ; anc. scand. *heimta,* retrouver. || **hantise** début XIIIe s., Guillaume de Dole,

« compagnie » ; 1883, Maupassant, « obsession ».

haplologie 1908, Lar. ; gr. *haplous,* simple, et *logos,* parole.

happelourde V. HAPPER.

happening 1964, *Journ. ;* mot angl. signif. « actualité, événement », de *to happen,* arriver par hasard.

happer fin XIIe s., *Aiol,* onom. d'origine germ. (néerl. *happen,* mordre). || **happe** 1268, É. Boileau ; déverbal. || **happement** 1330, *Doc.* || **happelourde** 1532, Rab. ; de *lourde,* sotte, c.-à-d. pierre fausse « qui attrape une sotte ». || **happe-chair** 1578, texte de Lille.

happy-end v. 1950 ; angl. *happy,* heureux, et *end,* fin.

haquenée 1370, J. Le Bel ; moyen angl. *haquenei,* cheval dressé au pas ; p.-ê. du nom d'un village des environs de Londres, *Hackney* (chevaux renommés).

haquet 1495, J. de Vignay ; p.-ê. anc. fr. *haquet,* cheval, de même orig. que *haquenée,* c.-à-d. « charrette traînée par un haquet ».

hara-kiri 1873, Lar. ; mot japonais signif. « ouverture du ventre ».

harangue 1395, Chr. de Pisan ; ital. *arenga,* de *aringo,* place publique, du gotique **harihring,* réunion de l'armée, de **hring,* cercle. || **haranguer** 1414, N. de Baye. || **harangueur** début XVIe s.

haras 1130, *Eneas ;* p.-ê. anc. scand. *hârr,* qui a le poil gris. A désigné d'abord l'ensemble des étalons et juments réunis pour la production de jeunes, avant de définir le lieu lui-même (fin XIIe s.).

harasse fin XIIIe s., *Assises de Jérusalem,* « cage en osier » ; var. de *charasse ;* lat. pop. *caracium,* du gr. *kharax,* pieu, échalas, sous l'infl. de *harasser.*

harasser début XVIe s. ; anc. fr. *harace* (*courre a harace,* poursuivre), vén., de *hare* (1204, G.), cri pour exciter, empr. au germ. || **harassant** 1845, J.-B. Richard. || **harassement** 1559, Amyot.

harceler 1493, Coquillart ; le sens fig. « tourmenter » se rencontre en anc. fr. ; de *herser,* frapper (fin XIIe s.), sous la forme dérivée *herceler,* attestée seulement au XVIe s. (v. HERSE). || **harcèlement** 1636, Monet.

1. **harde** 1138, Gaimar (*herde*), « troupe de bêtes » ; francique **herda* (allem. *Herde,* troupeau).

2. **harde,** corde V. HART.

hardes 1539, R. Est. ; altér. de l'anc. fr. *fardes* (1155, Wace), de même rac. que *fardeau ;* p.-ê. var. gasconne d'origine aragonaise. || **harder** 1596, *Vie généreuse des mercelots,* « troquer ».

hardi 1080, *Roland ;* part. passé de l'anc. fr. *hardir,* devenir courageux, du francique **hardjan,* devenir ou rendre dur (allem. *hart,* angl. *hard,* dur). || **hardiment** 1130, *Eneas* (*hardiement*). || **hardiesse** XIIIe s., *Ysopet de Lyon.* || **enhardir** 1155, Wace.

hard labour 1866, L. Blanc ; mot angl. signif. « dur travail » et désignant les travaux forcés.

hardware v. 1960 ; mot angl., de *hard,* dur, et *ware,* marchandise.

harem 1632, Sagard Théodat ; ar. *haram,* sacré, ce qui est défendu, appliqué aux femmes que les étrangers ne doivent pas voir.

hareng XIIe s., G. ; francique **hâring* (allem. *Hering*) ; latinisé en *aringus* dès le IIIe s. || **harengade** 1834, Landais. || **harengaison** milieu XIIIe s. || **harenguet** 1771, Schmidlin. || **harengère** début XIIIe s. || **harenguière** 1727, *Ordonn.*

harfang 1760, Brisson (*harfaong*) ; 1791, Bomare (*harfang*) ; mot suédois désignant une grande chouette à plumage blanc.

hargne XIIIe s. ; déverbal de l'anc. fr. *hargner,* gronder, du francique **harmjan,* tourmenter. || **hargneux** 1160, Benoît (*hergnos*) ; 1398, *Ménagier* (*hargneux*). || **hargneusement** 1876, Daudet. || **hargnerie** 1770, Rousseau.

1. **haricot** 1393, Taillevent (*hericoq de mouton*) ; anc. fr. *harigoter* (1175, Chr. de Troyes), couper en morceaux, du germ. **hariôn,* la viande étant coupée en morceaux.

2. **haricot** 1628, Figuier (*fève d'aricot*) ; 1640, Bouton (*haricot*) ; même mot que le précédent, ce légume entrant souvent dans les ragoûts.

haridelle 1460, Villon, « femme maigre » ; 1558, *Anc. Poés. fr.,* « mauvais cheval » ; anc. scand. *hârr,* au poil gris, d'après la couleur des chevaux.

harloup 1566, Clamorgan (*harlou*) ; altér. de *hareloup,* terme de vénerie dont on se servait dans la chasse au loup.

harmale 1694, Th. Corn. ; lat. bot. *harmala* (Gessner), de l'ar. *harmal ;* plante des régions tropicales.

harmattan 1765, *Encycl.* ; mot africain.

harmonica 1733, Mackenzie, « instrument de musique fait avec des lames de verre » ; angl. *harmonica,* fém. du lat. *harmonicus,* harmonieux ; instrument actuel, 1829, Damian, de l'allem. *Harmonika,* même orig.

harmonie XIIe s., Berger (*armonie*), « sons agréables » ; fin XIIe s., Gautier d'Arras, musique ; 1577, Jamyn, bx-arts ; 1680, Richelet, « accord » ; lat. *harmonia,* mot gr., de *harmozein,* ajuster. || **harmonieux** 1360, Froissart. || **harmonieusement** 1510, J. Lemaire. || **harmoniser** XVe s., Joret (var. *harmonier,* jusqu'au XIXe s.). || **harmonisateur** 1866, L. || **harmonisation** 1873, Lar. || **harmoniste** 1767, Rousseau. || **harmonique** 1361, Oresme ; lat. *harmonicus,* du gr. *harmonikos.* || **harmoniquement** 1579, Lostal. || **enharmonie** 1864, L. || **inharmonieux** 1803, La Harpe. || **inharmonique** 1865, Proudhon. || **philharmonique** 1739, *Académie de Vérone ;* 1797, Gattel, « qui aime la musique » ; 1805, Lunier, sens actuel ; ital. *filarmonico,* du gr. *philos,* ami, et *harmonia.*

harmonium 1840, brevet de Debain, facteur d'orgues, qui a créé le mot d'apr. *harmonie.*

harnacher V. HARNAIS.

harnais fin XIe s., *Gloses de Raschi* (*herneis*) ; XIIe s., G. (*harnois*), « équipement d'homme d'armes » ; 1268, É. Boileau, « harnais de cheval » ; anc. scand. **hernest,* provision d'armée. || **harnacher** fin XIIe s., *Siège de Barbastre* (*-naschier*). || **harnachement** 1494, J. de Paris. || **harnacheur** 1402, du Cange. || **enharnacher** 1253, P. de Fontaines. || **enharnachement** fin XVIe s.

haro 1165, Marie de France (*harou*) ; XIIIe s., La Curne (*haro*) ; *crier haro sur,* 1529, Marot, fig. ; francique **hara,* ici, comme *hare* (v. HARASSER).

harouelle 1769, Duhamel, « ligne de pêche garnie d'avançons » ; altér. du wallon *haveroule,* même rac. que *havet,* crochet (1213, *Fet des Romains*).

harpagon 1696, L'Héritier, personnage de *l'Avare* de Molière (1668) ; lat. *harpago, -onis,* grappin, harpon, du gr. *harpax.*

harpe 1120, *Ps. de Cambridge ;* bas lat. *harpa,* du germ. **harpa* (allem. *Harfe,* angl. *harp*), même rac. que *harpon* (la harpe devait être en forme de crochet). || **harper** 1119, Ph. de Thaun. || **harpiste** 1677, Havard.

1. **harper** V. HARPE.

2. **harper** 1580, Montaigne, « empoigner » ; de *harpe.* || **harpe** 1485, *Ordonn.,* « griffe » ; lat. *harpē,* faucille, du gr. *harpê,* objet crochu. || **harpon** 1170, *Vie de saint Edmond* (*harpun*), « agrafe » ; fin XVe s., sens actuel. || **harponner** 1613, Champlain ; 1850, Balzac, « arrêter ». || **harponneur** *id.* || **harponnage** 1769, Duhamel.

harpie XIVe s. (*arpe*), mythol. ; 1578, d'Aubigné, « femme méchante » ; lat. *harpya,* du gr. *Harpuia,* Harpye, mère des vents.

harpon V. HARPER 2.

hart 1155, Wace, « corde » ; francique **hard,* filasse (moyen néerl. *herde*). || **harde** 1391, du Cange, « corde », forme fém. de *hart.* || **harder** 1561, du Fouilloux, « attacher à la harde ». || **hardillier** 1723, Savary (v. aussi ARDILLON).

haruspice V. ARUSPICE.

hasard 1155, Wace (*hasart*), « coup favorable » ; XVe s., « concours de circonstances inexplicable » ; *au hasard,* 1580, Montaigne ; esp. *azar,* de l'ar. *az-zahr,* jeu de dés, par ext. « jeu de hasard ». || **hasarder** 1389, Isambert (*-é*) ; 1407, du Cange (*-er*), « jouer aux dés » ; XVe s., « exposer à un risque ». || **hasardeux** XIIIe s., Semrau. || **hasardeusement** XVIe s.

hase 1556, Saliat ; allem. *Hase,* lièvre ; spécialisé pour désigner la femelle du lièvre.

hasidim 1866, Lar. ; mot hébreu signif. « les pieux ».

haste 1188, Aimon, « bois de lance » ; lat. *hasta,* lance. || **hasté** fin XVIIIe s. || **hastaire** 1548, G. du Bellay ; lat. *hastarius.*

1. **hâte** fin XIe s. (*haste*), « vivacité » ; XVIIe s. (*hâte*), « promptitude » ; francique **haist,* violence (gotique *haifst,* lutte). || **hâter** 1155, Wace, « inciter » ; 1360, Froissart, « rendre rapide ». || **hâtif** 1080, *Roland* (*hastif*). || **hâtivement** 1138, Gaimar. || **hâtiveau** XIIIe s., *Crierie de Paris* (*hastivel*).

2. **hâte** fin XIIe s., *Aiol* (*haste*), « broche à rôtir » ; croisement entre lat. *hasta,* lance (v. HASTE) et francique **harsta,* gril. || **hâtier** fin XIIe s., *Loherains.* || **hâtereau** 1190, *Saint Bernard* (*hasteriau*) ; 1552, Rab. (*hastereau*). || **hâtelet** 1751, *Dict. agr.* || **hâtelle** 1765, *Encycl.* || **hâture** 1767, Duhamel.

hâtiveau V. HÂTE 1.

hauban 1138, *Saint Gilles* (*hobent*) ; 1676, Félibien (*hauban*) ; scand. *höfudbenda,* lien (*benda*) du sommet [du mât] (*höfud* est le même mot que l'allem. *Haupt*). || **galhauban** début XVIIe s. ; avec un premier élément obscur. || **haubaner** 1676, Félibien. || **haubanage** 1930, Lar.

haubert 1080, *Roland* (*haberc*) ; début XIVe s. (*haubert*) ; francique **halsberg,* ce qui protège (*berg*) le cou (*hals*). || **haubergeon** 1170, Gay.

hausse-col début XVe s. (*houscot, hauscolz, hochecol*) ; 1468, O. de La Marche (*haussecol*), « pièce de fer qui garnit le cou » ; germ. **halskot,* cotte du cou, altér. par attraction de *hausse.*

hausser V. HAUT.

***haussière** 1382, Delb. ; lat. pop. **helciaria,* de *helcium,* corde de halage (origine grecque), avec attraction de *hausser.*

***haut** 1050, *Alexis* (*halt*), adj. ; n. m. 1283, Beaumanoir ; *la haute,* pop., 1821, Ansiaume ; lat. *altus,* avec infl. du francique **hoh,* haut (allem. *hoch*). || **hautain** 1080, *Roland* (*altain*), « élevé » ; XIIIe s., La Curne, « noble » ; 1360, Froissart, sens actuel. || **haute-contre** 1553, *D. G.* || **haut-de-forme** 1888, A. Daudet (*haute forme*) ; 1890, *D. G.* (*haut-de-forme*). || **haut-de-chausses** 1490, *Doc.* || **hautement** 1080, *Roland* (*halt-*). || **hautesse** 1120, *Ps. de Cambridge* (*haltesce*), « hauteur » ; début XIIIe s., fig. || **hauteur** XIIe s., *Adam.* || **haute fidélité** v. 1950. || **haut-le-cœur** 1857, Baudelaire. || **haut-le-corps** début XVIIe s., « bond d'un cheval » ; fin XVIIe s., Sévigné, sens actuel. || **haut-le-pied** 1611, Cotgrave, appliqué d'abord aux chevaux de halage. || **hautin** 1542, du Pinet, agr. || **haut-parleur** 1923, Lar. ; calque de l'angl. *loud speaker.* || **haut-relief** 1669, La Fontaine. || ***hausser** 1130, *Eneas* (*halcier*) ; XVe s. (*hausser*) ; lat. pop. **altiare,* de *altus.* || **hausse** XIIIe s., *Chace dou cerf ;* déverbal. || **haussement** 1465, G. || **hausset** 1836, Landais. || **haussier** 1823, Boiste, en Bourse. || **haussoire** 1752, Trévoux. || **hausse-pied** 1296, Gay. || **contre-haut** 1637, Crespin. || **exhausser** 1119, Ph. de Thaon (*eshalcier*) ; XVIIe s. (*exhausser*) ; préfixe refait d'apr. le lat. (v. EXAUCER). || **exhaussement** fin XIIe s., *Lohe-rains.* || **rehausser** XIIe s., *Floovant* (*reaucier*) ; XIVe s., Cuvelier (*rehausser*) ; 1580, Montaigne, fig. || **rehaussement** 1552, *Doc.* || **rehausse** 1371, G. ; déverbal.

hautbois 1490, *Archives ;* de *haut* et *bois,* c.-à-d. « bois (flûte) dont le son est haut ». || **hautboïste** 1834, Fétis ; d'apr. l'allem. *Hoboist,* de *Hoboe,* adapté du fr. *hautbois.*

hauturier 1632, Champlain ; anc. fr. *hauture,* haute mer, de *haut ;* relatif à la navigation hors de vue des côtes.

havane 1844, Matoré ; de *La Havane,* capitale de Cuba.

hâve 1175, Chr. de Troyes, « sombre » ; 1611, Cotgrave, « décharné » ; 1648, Scarron, « pâle » ; francique **haswa* (moyen haut allem. *heswe,* blême). || **havir** 1307, Guiart, « désirer » ; 1564, *Indice de la Bible,* « brûler, hâler » ; 1680, Richelet, « se dessécher ».

haveneau 1765, *Encycl. ;* var. de *havenet,* de l'anc. scand. **hâfr-net,* filet de pêche, qui a donné aussi *haf* (fin IXe s., *Gloses de Reichenau*).

***haver** 1873, Lar. ; mot wallon, du lat. *excavere,* creuser. || **havage** 1873, Lar. || **haveur** 1873, Lar.

havir V. HAVE.

havre XIIe s., *Mélion ;* moyen néerl. *havene,* port (allem. *Hafen*).

havresac 1672, Ménage (*habresac*) ; 1680, Richelet (*havresac*) ; allem. *Habersack,* sac d'avoine, introduit au cours de la guerre de Trente Ans, pour désigner le sac en toile des soldats.

hayer, hayette, hayon V. HAIE.

hé ! 1050, *Alexis ;* onomat.

heaume fin IXe s., *Gloses de Reichenau* (*helmus*) ; 1080, *Roland* (*helme*) ; XIIe s. (*heaume*) ; francique **helm* (allem. *Helm,* casque). || **heaumier** 1268, É. Boileau.

hebdomadaire 1460, *Doc.,* eccl. ; n. m. 1758, Voltaire, « qui paraît chaque semaine » ; lat. impér. *hebdomadarius* (religieux), semainier, du gr. *hebdomas,* semaine. || **hebdomadier** 1511, *D. G.,* relig.

hébéphrénie fin XIXe s. ; gr. *hêbê,* jeunesse, et *phrên, phrenos,* esprit.

héberge 1050, *Alexis* (*herberge*), « logement » ; XVIe s., Loisel (*héberge*), « ligne de mur mitoyen » ; francique **heriberga,* protection (*berga*) de l'armée (*heri,* après l'*Umlaut a* > *e*), par ext. « abri ». || **héberger** 1050, *Alexis.* || **hébergement** 1155, Wace. (V. AUBERGE).

1. **hébertisme** 1794, *Journal de la liberté et de la presse ;* du nom du révolutionnaire *Hébert* (1757-1794). || **hébertiste** 1796, *Néol. fr.*

2. **hébertisme** XXe s., méthode d'éducation physique ; du nom de *G. Hébert* (1875-1957). || **hébertiste** *id.*

hébéter 1355, Bersuire (*-é*), « émoussé » ; 1586, Du Perron (*-er*), sens actuel ; lat. *hebetare,* au fig., de *hebes,* émoussé, peut-être rapproché de *bête.* || **hébétude** 1535, Selve ; lat. *hebetudo.* || **hébétement** 1586, Du Perron.

hébreu 1119, Ph. de Thaon ; lat. *hebraeus,* du gr. *hebraios.* || **hébraïque** 1495, J. de Vignay ; lat. *hebraicus,* du gr. *hebraikos.* || **hébraïsme** 1570, Hervet. || **hébraïsant** XVIe s. || **hébraïste** 1839, Boiste.

hécatombe 1525, J. Lemaire, antiq. ; 1667, Corn., « massacre » ; lat. *hecatombe,* du gr. *hekatombê,* de *hekaton,* cent, et *boûs,* bœuf.

hectique fin XVe s. ; lat. méd. *hecticus,* du gr. *hektikos,* habituel, de *ekhein,* avoir ; se dit d'une fièvre continue.

hect(o)-, gr. *hekaton,* cent. || **hectare, hectogramme, hectomètre, hectolitre** 1793.

hédéracée 1771, Trévoux ; lat. *hederaceus,* de *hedera,* lierre.

hédonisme 1877, L. ; gr. *hedonê,* plaisir ; doctrine qui fait du plaisir le but de la vie. || **hédoniste** début XXe s.

hégélianisme 1861, *Rev.,* de *Hegel* (1770-1831). || **hégélien** 1848, Proudhon.

hégémonie 1838, Raymond ; gr. *hêgemonia,* de *hêgemôn,* chef, de *hêgeîsthai,* commander.

hégire 1556, *Temporal ;* ital. *hegira,* de l'ar. *hedjra,* fuite (de Mahomet à Médine).

heiduque 1565, Malmidy ; allem. *Heiduck,* du hongrois *hadjuk,* fantassin.

heimatlos 1828, *Doc. ;* allem. *Heimatlos,* sans patrie, de *Heimat,* pays natal ; a été remplacé par *apatride.*

hein XIIIe s., *Roman de Renart* (*ahen*) ; XVe s. (*hen*) ; 1765, Sedaine (*hein*) ; onomatopée.

hélas XIIe s., Conon ; de *hé,* onomat., et de *las,* malheureux.

héler 1374, G., « souhaiter la santé » ; fin XIVe s., « appeler d'un navire » ; XIXe s., « interpeller » ; angl. *to hail,* même sens.

hélianthe 1615, Daléchamp ; lat. bot. *helianthus,* du gr. *hêlios,* soleil, et *anthos,* fleur. || **hélianthème** 1694, Tournefort ; gr. *anthemon,* fleur. || **hélianthine** 1888, Lar.

héliaque 1582, Bodin ; gr. *hêliakos,* de *hêlios,* soleil ; se dit du lever d'un astre.

hélice 1547, J. Martin, « volute d'un chapiteau » ; 1685, Furetière, géom. ; 1803, Brunot, mar. ; 1871, *l'Aéronaute,* aéron. ; lat. *helix,* spirale, du gr. *helix, helikos.* || **hélicoïde** 1704, *Mém. Acad. des sc. ;* gr. *helikoeidês.* || **hélicoïdal** 1862, *Presse scientif.* || **hélicoptère** 1862, Ponton d'Amécourt. || **héliport** 1954, *Ann. géogr. ;* de *hélicoptère* et de *port.* || **héliporté** 1955, *Combat.* || **héliportage** 1962, Lar. || **hélitransporté** v. 1950.

hélicoptère V. HÉLICE.

hélio-, du gr. *hêlios,* soleil. || **héliocentrique** 1721, Trévoux. || **héliographie** 1802, Flick, astron. ; 1866, L., arts graphiques. || **héliographique** 1842, Mozin. || **héliograveur** 1907, Lar. || **héliogravure** 1873, L. || **héliomarin** v. 1950. || **héliomètre** 1747, d'après *Encycl.* || **hélion** 1948, Lar. || **héliothérapie** 1902, Lar. || **héliotrope** XIIe s., Studer (*elyotrope*) ; 1546, Rab. (*héliotrope*), bot. et minerai ; 1372, Corbichon ; lat. *heliotropium,* du gr. *hêliotropos,* de *hêlios,* soleil, et de *trepein,* tourner, qui se tourne vers le soleil. || **héliotropisme** 1828, Mozin. || **hélium** 1868, Jansen et Lockyer.

héliporté V. HÉLICE.

hélix 1714, Vieussens ; saillie la plus excentrique du pavillon de l'oreille ; 1802, Flick (*hélice*), « escargot » ; lat. scientif. *helix,* mot gr. signif. « spirale ». || **héliciculture** 1922, Lar., élevage des escargots.

hellénisme 1580, titre de livre ; gr. *hellenismos,* de *Hellên,* Grec. || **helléniste** 1651, le P. Labbe, « juif parlant grec » ; 1810, Courier, savant en grec ; gr. *hellenistês.* || **helléniser** 1842, *Acad.* || **hellénisation** 1876, *le Temps.* || **hellénique** début XIIIe s. ; gr. *hellênikos.* || **hellénistique** 1679, Bossuet.

helminthe 1538, Canappe (*elmynthe*) ; 1828, Mozin (*helminthe*) ; gr. *helmis, -inthos,* ver. || **helminthique** 1752, Trévoux. || **helminthiase** 1839, Boiste.

helvétique début XVIIIe s., Saint-Simon ; de *Helvetia,* nom latin de la Suisse. || **helvétisme** 1845, Besch.

hem ! XIIIe s. (*ahen*) ; 1530, Marot (*hen*) ; onomatopée.

héma-, hémat-, hémo-, gr. *haima, haimatos,* sang. || **hématémèse** 1808, Boiste ; gr. *emesis,* vomissement. || **hématidrose** 1866, L. ; gr. *hidrôs,* sueur. || **hématie** 1858, Lachâtre. || **hématimètre** 1902, Lar. || **hématine** 1816, Candolle. || **hématique** 1866, L. ; gr. *haimatikos,* sanguin. || **hématite** XIIe s., Studer (*em-*) ; lat. *haematites,* du gr. *haimatitês,* à cause de la couleur. || **hématoblaste** 1877, Hayem ; gr. *blastos,* germe. || **hématocèle** 1732, Trévoux ; gr. *kelê,* tumeur. || **hématode** 1836, Landais ; gr. *haimatodês,* de sang. || **hématologie** 1803, Morin. || **hématome** 1866, L. || **hématopoïèse** 1877, L. ; gr. *poiêsis,* action de faire. || **hématose** 1690, Furetière. || **hématoxyline** 1842, *Acad. ;* gr. *xulon,* bois. || **hématozoaire** 1866, L. || **hématurie** 1771, Schmidlin ; gr. *ouron,* urine. || **hémoculture** 1922, Lar. || **hémoglobine** 1873, Lar. || **hémogramme** v. 1950. || **hémolyse** 1907, Lar. ; gr. *lusis,* rupture. || **hémopathie** 1873, Lar. || **hémophile** 1873, Lar. || **hémophilie** 1866, L. || **hémoptysie** 1694, Th. Corn. ; gr. *ptuein,* cracher. || **hémoptysique** 1845, Besch. || **hémorragie** 1538, Canappe ; gr. *rhêgnunai,* rompre. || **hémorragique** 1795, Cullen. || **hémorroïde** XIIIe s., de Garlande (*emo-*) ; 1560, Paré (*hémo-*) ; lat. *haemorrhois,* du gr. *rhein,* couler. || **hémorroïdal** 1560, Paré. || **hémostase** 1748, James (*-stasie*) ; 1812, Mozin (*-stase*) ; gr. *stasis,* arrêt. || **hémostatique** 1748, James.

hémér(o)-, gr. *hêmera,* jour. || **héméralopie** 1560, Paré (*hemeralopia*) ; 1756, *Encycl.* (*héméralopie*) ; gr. *ops,* œil. || **hémérocalle** v. 1600, Malherbe ; lat. *hēmerocalles,* mot gr. signif. « belle (*kalê*) de jour (*hêmera*) » ; désigne une plante aux fleurs orangées. || **hémérologie** 1866, L., art de faire les calendriers.

hémi-, gr. *hêmi,* à moitié. || **hémialgie** XXe s. || **hémianesthésie** fin XIXe s. || **hémicycle** 1547, J. Martin ; lat. *hemicyclium,* du gr. *hemikukleion.* || **hémicylindrique** 1842, *Acad.* || **hémièdre** v. 1950. || **hémiédrie** 1842, *Acad. ;* gr. *edra,* face. || **hémine** 1671, Pomey ; lat. *hemina,* du gr. *hêmina,* moitié. || **hémione** 1793, Vanderstegen ; lat. zool. *hemionus,* du gr. *hêmionos,* mulet, demi-âne. || **hémiplégie** 1707, Helvétius ; gr. méd. *hêmiplêgia,* qui frappe la moitié ; var. *hémiplexie* (1573, Liébault), du gr. *hêmiplêxia.* || **hémiplégique** 1795, Cullen. || **hémiptère** 1762, Geoffroy ; gr. *pteron,* aile ; insecte dont les ailes forment élytre sur la moitié. || **hémisphère** fin XIIIe s., G. (*em-*) ; lat. *hemisphaerium,* du gr. *hêmisphairion,* demi-sphère. || **hémisphérique** 1568, Nicolay. || **hémisphéroïde** 1716, d'après Trévoux. || **hémistiche** 1548, du Bellay ; lat. *hemistichium,* du gr. *hêmistikhion,* de *stikhos,* vers ; désigne la moitié d'un alexandrin. || **hémitropie** 1801, Haüy ; gr. *tropos,* tour ; groupement régulier de cristaux identiques.

hendéca-, gr. *hendeka,* onze. || **hendécagone** milieu XVIIe s. || **hendécasyllabe** 1549, du Bellay.

henné 1553, *Doc. ;* ar. *hinna.*

hennin 1428, Gay ; p.-ê. néerl. *henninck,* coq, à cause de la forme de la coiffure (haut bonnet de femme du XVe s.).

***hennir** 1080, *Roland ;* lat. *hĭnnīre,* avec un *h* d'origine expressive en fr. || **hennissement** début XIIIe s.

henry 1902, Lar. ; de J. *Henry* (1797-1878).

hep ! 1735, Leroux ; onomatopée (sans doute très antérieure).

hépat(o)-, gr. *hêpar, hêpatos,* foie. || **héparine** 1948, Lar. ; dérivé direct du gr. *hêpar.* || **hépatalgie** 1808, Boiste. || **hépatique** 1377, Lanfranc (*ep-*) ; 1354, *Modus,* bot. ; lat. *hepaticus,* du gr. *hêpatikos.* || **hépatite** 1566, du Pinet, « pierre précieuse », pierre couleur de foie ; 1655, Chauvelot, maladie de foie. || **hépatologie** fin XVIIIe s. || **hépatoscopie** 1721, Trévoux. || **hépatotomie** 1866, L.

hept(a)-, gr. *hepta,* sept. || **heptacorde** XVIe s., G. ; lat. *heptacordus,* du gr. *heptakhordos,* à sept cordes. || **heptaèdre** 1772, Romé ; gr. *edra,* face. || **heptagone** 1542, Bovelle ; bas lat. *heptagonus,* du gr. *heptagônos,* à sept angles. || **heptagonal** 1632, R. de Normant. || **heptamètre** 1827, *Acad.* || **heptarchie** 1866, L. || **heptasyllabe** v. 1750.

héraldique XVe s., G. ; lat. médiév. *heraldicus,* de *heraldus,* héraut. || **héraldiste** 1873, Lar.

héraut 1175, Chr. de Troyes ; francique **heriwald,* qui dirige (*wald*) l'armée (*hari*).

herbage V. HERBE.

***herbe** 1080, *Roland* (*erbe*) ; XIIIe s. (*herbe*) ; pl. début XVe s., « légumes » ; 1640, Oudin, *fines herbes ;* lat. *hĕrba.* || **herbacé** 1542, du Pinet ; lat. *herbacaeus.* || **herbage** 1131, *Couronn. de Loïs.* || **herbager** 1420, G., verbe ; 1792, Liger, n. m. || **herbageux** 1611, Cotgrave. || **herbette** 1398, E. Deschamps. || **herbeux** 1080, *Roland.* || **herbicide** v. 1930. || **herbier** 1160, Benoît, « terrain herbeux » ; XVe s., *Grant Herbier,* « ouvrage botanique ; 1674, Thévenot, « collection de plantes » ; d'apr. le lat. *herbarium.* || **herberie** fin XIIIe s., Rutebeuf. || **herbivore** 1748, James ; lat. *vorare,* dévorer. || **herboriste** 1499, d'après Ménage (*arboliste*) ; 1545, Guéroult (*-oriste*), botaniste, avec assimilation de *l* à *r ;* 1690, Furetière, sens actuel « droguiste » ; dér. méridional du lat. *herbula,* petite herbe, avec attraction de *arbor.* || **herboristerie** 1841, *les Français peints par eux-mêmes.* || **herboriser** 1534, Rab. (*arb-*) ; 1611, Cotgrave (*herb-*). || **herborisation** 1720, *Journ. des savants.* || **herbu** 1160, Benoît. || **désherber** 1874, L. || **désherbage** 1907, Lar. || **désherbant** XXe s.

herboriste V. HERBE.

hercher 1768, Morand (*hier-*) ; forme liégeoise de *herser,* traîner, du lat. pop. **hirpicare,* de *hirpex,* herse. || **hercheur** 1768, Morand ; ouvrier qui pousse les berlines dans les mines. || **herchage** *id.*

hercule 1668, La Fontaine, « forain qui fait des tours de force » ; 1837, Fourier, « homme fort » ; du nom latin *Hercules,* demi-dieu, empr. au gr. *Hêraklês.* || **herculéen** 1520, La Borderie.

hercynien 1842, *Acad. ;* de *Hercynia sylva,* nom latin de la Forêt-Noire.

herd-book 1866, L. ; mot anglais, de *herd,* troupeau, et *book,* livre ; livre généalogique des races bovines.

1. **hère** 1553, Rab. ; de l'adj. *haire* (fin XIIIe s.), malheureux, du francique **harja,* vêtement grossier.

2. **hère** v. 1750, Buffon, « jeune cerf » ; néerl. *hert,* cerf.

héréditaire, hérédité V. HÉRITER.

hérésie 1119, Ph. de Thaon ; lat. chrét. *haeresis,* du gr. *hairesis,* choix, opinion particulière. || **hérésiarque** 1524, Gringore ; lat. chrét. *haeresiarches,* du gr. || **hérétique** XIVe s., *D. G. ;* lat. *haerĕtĭcus,* du gr. *hairetikos.* || **hérécité** 1706, Fénelon.

***hérisser** 1175, Chr. de Troyes (*hericer*) ; XIVe s. (*hérisser*) ; 1648, Scarron, fig. ; lat. pop. **ericiare,* de *ericius,* hérisson, avec *h* expressif. || **hérissement** 1415, A. Chartier. || ***hérisson** 1120, *Ps. de Cambridge* (*heriçun*) ; 1155, Wace, « assemblage de joints de fer » ; lat. pop. **ericio, -ionis,* de *ericius.* || **hérissonner** 1160, Benoît.

hérisson V. HÉRISSER.

***hériter** 1120, *Ps. de Cambridge ;* bas lat. *hērēdĭtare,* de *hērēs, -ēdis,* héritier. || **héritage** 1131, *Couronn. de Loïs* (*er-*). || ***héritier** 1131, *Couronn. de Loïs ;* lat. *hērēdĭtarius,* substitué à *heres.* || **héréditaire** 1495, J. de Vignay ; lat. *here-ditarius.* || **héréditairement** 1323, G. || **hérédité** 1050, *Alexis,* « héritage » ; 1835, *Journ.,* sens actuel ; lat. *hereditas.* || **hérédo-ataxie** 1893, P. Marie ; de *hérédo-,* qui indique le caractère héréditaire d'un état. || **hérédosyphilis** 1907, Lar. ; abrév. *hérédo* (1916, L. Daudet). || **cohériter** 1866, Lar. || **cohéritier** 1411, *Cout. d'Anjou.* || **déshériter** 1130, *Eneas.* || **déshéritement** 1160, Benoît. (V. aussi HOIR.)

hermaphrodite XIIIe s., *Digeste* (*hermefrodis*), n. m. ; 1560, Paré (*herma-*), adj. ; lat. *hermaphroditus,* du gr. *hermaphroditos* (d'abord n. pr. myth., fils bisexué d'Hermès et d'Aphrodite). || **hermaphrodisme** 1765, *Encycl.*

herméneutique 1777, *Encycl. ;* gr. *hermeneutikos,* de *hermeneuein,* expliquer ; qui interprète les livres sacrés.

hermétique 1612, Béroalde ; *science hermétique,* 1690, Furetière ; fig. XVIIe s. ; *fermeture hermétique,* 1845, Besch. ; mot des alchimistes, de *Hermès* Trismégiste, dieu Thot des Égyptiens qui passait pour le fondateur de l'alchimie. || **herméticité** 1866, L. || **hermétiquement** 1608, Chauvelot. || **hermétisme** 1902, Lar. || **hermétiste** 1891, Huysmans.

hermine début XIIe s., *Voy. de Charl. ;* fém. de l'anc. adj. (*h*)*ermin* (XIIe s.), du lat. *armenius,* c.-à-d. (rat) arménien, l'hermine étant abondante en Asie Mineure. || **herminé** 1175, Chr. de Troyes, blas. || **herminette** 1583, Gauchet, hachette au tranchant recourbé comme le museau de l'hermine ; XIVe s., « fourrure ».

hernie 1490, Chauliac ; lat. *hernia ;* il a éliminé la forme pop. *hergne* (1265, J. de Meung). || **herniaire** 1611, Cotgrave, « plante employée contre les hernies » ; 1752, Trévoux, adj. || **hernieux** 1545, Guéroult. || **hernié** 1836, Landais.

héroïde, héroïne, héroïque, héroïsme V. HÉROS.

héron début XIIe s., *Thèbes* (*hairon*) ; 1320, Bevans (*héron*) ; francique **haigiro* (anc. haut allem. *heigir*). || **héronneau** 1542, Rab. || **héronnier** 1354, *Modus.* (V. AIGRETTE.)

héros 1370, Oresme, « demi-dieu gréco-latin » ; 1550, Baïf, fig. ; 1650, Pascal, héros d'une pièce ; lat. *heros,* du gr. *hêrôs.* || **héroïde** 1525, J. Lemaire ; lat. *herois, -idis,* héroïne ; épître composée sous le nom d'un héros ou d'une héroïne. || **héroïne** milieu XVIe s., Ronsard, lat. *heroine,* du gr. *hêrôinê ;* médicament, 1903, Lar., de *héros,* à cause de l'exubérance provoquée par cette drogue (suffixe *-ine*). || **héroïnomane** début XXe s. || **héroïque** 1361, Oresme, antiq. ; 1580, Montaigne, sens actuel ; lat. *heroicus,* du gr. *hêrôikos.* || **héroïsme**

1658, Brunot. || **héroïcité** 1716, suivant Trévoux, 1721. || **héroïquement** 1552, Guéroult. || **héroïsation** 1955, Barthes. || **héroïser** 1873, *Doc.* || **héroï-comique** 1641, Saint-Amant.

herpe 1671, Delb. ; déverbal de *harper,* empoigner ; terme de marine ou d'agriculture.

herpès XVe s., *Grant Herbier ;* lat. *herpes, -etis,* dartre, du gr. *herpês,* dartre, de *herpeîn,* se traîner. || **herpétique** fin XVIIIe s. || **herpétisme** 1866, L.

herpétologie 1789, Bonnaterre ; gr. *herpeton,* reptile, et *logos,* science. || **herpétologiste** 1870, Lar.

***herse** 1170, *Rois,* agric. ; XIIIe s., grille ; lat. pop. **herpex, -icis* (lat. class. *hĭrpex*) ; le *h* est peut-être dû à *houe.* || **herser** XIIe s., *Aliscans.* || **hersage** fin XIIIe s., G. || **herseur** 1175, Chr. de Troyes (*erceeur*) ; 1549, R. Est. (*herseur*). || **hersillon** 1693, *Fr. mod.*

hésiter début XVe s., *Passion d'Autun ;* lat. *haesitare,* de *haerere,* être attaché. || **hésitation** 1220, Coincy ; lat. *haesitatio.* || **hésitant** 1721, Trévoux.

hespérie 1873, Lar. ; gr. *hespera,* soir ; papillon.

hétaïre 1799, *Magasin encycl. ;* gr. *hetaira,* courtisane.

hétairie 1836, Landais ; gr. *hetairia,* association d'amis.

hétéro-, gr. *heteros,* l'autre. || **hétérandre** 1878, Lar. ; gr. *anêr, andros,* mâle. || **hétérocarpe** 1842, *Acad.* || **hétérocère** 1827, *Acad. ;* gr. *keras,* corne. || **hétérocerque** 1876, L. ; gr. *kerkos,* queue. || **hétérochrome** 1873, Lar. ; gr. *khrôma,* couleur. || **hétéroclite** 1490, *Amant rendu cordelier,* « irrégulier » ; 1690, Furetière, sens actuel ; lat. gramm. *heteroclitus,* du gr. *klinein,* fléchir. || **hétérodoxe** 1667, Huet ; 1873, Lar., fig. ; gr. chrét. *heterodoxos,* de *doxa,* opinion. || **hétérodoxie** 1690, Bossuet ; gr. chrét. *heterodoxia.* || **hétérodyne** 1922, Lar. || **hétérogamie** 1842, *Acad.* || **hétérogène** 1578, d'Aubigné (*-genée*) ; 1616, Coton (*hétérogène*) ; lat. scolast. *heterogeneus,* du gr. *heterogenês.* || **hétérogénéité** 1586, Suau ; lat. scolast. *heterogeneitas.* || **hétéromorphe** 1822, Blainville. || **hétéronomie** 1866, L. ; gr. *nomos,* loi. || **hétéronyme** 1866, L. || **hétéroptère** 1839, Boiste. || **hétérosexuel** 1948, Lar. || **hétérosexualité** 1911, Gide. || **hétérozygote** début XXe s. ; gr. *zugôtos,* apparié.

hetman 1725, J. B. Müller ; allem. *Hauptmann,* chef, par l'intermédiaire du tchèque *heftman.* Le mot ukrainien est *ataman.*

hêtre 1210, G. (*hestrum,* dans un texte latin) ; XIIIe s. (*haistre*) ; 1301, Gay (*hestre*) ; francique **haistr,* jeune tronc, puis jeune hêtre, qui a éliminé l'anc. fr. *fou* (lat. *fagus*). || **hêtraie** 1701, Liger.

heu ! 1464, *Pathelin ;* onomatopée.

***heur** 1112, *Voy. saint Brendan* (*eür*) ; fin XIIIe s. (*heur*) sous l'infl. de *heure ;* lat. pop. **agurium,* dissimilation du lat. *augurium,* présage. || **heureux** 1188, C. de Béthune. || **heureusement** 1539, R. Est. || **bienheureux** V. BIEN. || **bonheur** XIIe s., *D. G.* || **malheur** début XIIe s., *Thèbes* (*a mal eür*) ; 1526, Marot (*malheur*). || **malheureux** XIVe s., Cuvelier.

***heure** 1050, *Alexis* (*ore*) ; XIIe s., Couci (*heure*) ; *être à l'heure* 1636, Monet ; lat. *hōra.* || **désheurer** début XVIIe s., Retz, comme v. pron., « changer ses heures ». || **déheurement** 1879, A. Daudet. || **horaire** 1532, Rab., adj., « réglé par les heures » ; 1690, Furetière, « qui marque l'heure » ; début XXe s., relatif à l'heure ; n. m. 1868, *Moniteur,* d'après ital. *orario ;* lat. *horarius.*

heureux V. HEUR.

heuristique 1866, L. ; gr. *heuristikê tekhnê,* art de découvrir, de *heuriskein,* trouver.

heurtequin 1597, Davelourt ; moyen néerl. *ortkijn,* dimin. de *ort,* extrémité, pointe, avec infl. de *heurter.* Désigne la saillie de l'essieu contre laquelle vient buter le moyeu de la roue.

heurter 1130, *Eneas* (*hurter*) ; XIIe s., *Roncevaux* (*heurter*) ; fin XIIIe s., fig. ; francique **hûrt,* bélier, d'apr. le scand. *hrûtr,* c.-à-d. « heurter comme un bélier ». || **heurt** 1120, *Ps. de Cambridge ;* déverbal. || **heurtement** XIIIe s., *Macchabées.* || **heurtoir** 1302, G.

hévéa 1751, La Condamine (*hhévé*) ; 1769, Turgot (*hévé*) ; début XIXe s. (*hévéa*) ; lat. bot., du quetchua *hyeve,* langue indigène du Brésil.

hexa-, gr. *heks,* six. || **hexacorde** 1690, Furetière. || **hexaèdre** 1701, Furetière ; bas lat. *hexahedrum,* du gr. *hexaedros,* de *edra,* face. || **hexagone** 1377, Oresme ; lat. *hexagonus,* du gr. *gonia,* angle. || **hexagonal** 1632, Le Normant. || **hexamètre** 1450, *Romania ;* lat. *hexametrus,* du gr. *metron,* mesure du vers. || **hexapode** fin XVIIIe s. ; gr. *pous, podos,* pied.

hi ! 1670, Molière ; onomat.

hiatus 1521, Fabri, « élision » ; 1690, Furetière, sens actuel ; lat. *hiatus,* ouverture, de *hiare,* être béant.

hibernal, -ner V. HIVER.

hibiscus 1839, Boiste ; lat. *hibiscum,* sorte de mauve, du gr. *hibiskos,* guimauve.

hibou 1530, Palsgrave (*huiboust*) ; 1535, Olivétan (*hibou*) ; orig. obscure, p.-ê. onomatopée, comme *houhou* (cri du hibou).

hic 1690, Furetière ; lat. *hic est questio,* c'est là qu'est la question. || **hiccéité** 1873, Lar., philos.

hickory 1783, Bertholon (*-cco-*) ; mot angl., abrév. de l'algonkin *pohickory ;* arbre d'Amérique du Nord.

hidalgo 1534, Rab. (*indalgo*) ; 1640, Saint-Amant (*hidalgue*) ; 1798, *Acad.* (*hidalgo*) ; mot esp., « gentilhomme », contraction de *hijo de algo,* fils de quelque chose.

hideux début XIIe s., *Voy. de Charl.* (*hisdos*) ; 1273, Adenet (*hideux*) ; anc. fr. *hisde,* peur, frayeur, de l'anc. haut allem. **egisdia,* horreur, de *egisôn,* effrayer. || **hideur** 1120, *Ps. de Cambridge.* || **hideusement** XIIe s., G.

hie V. HIER 2.

hièble 1398, *Ménagier* (*yeble*) ; 1560, Paré (*hèble*) ; lat. *ebulum,* avec un *h* pour éviter la confusion avec [*jè*] ; herbe voisine du sureau.

hiémal 1488, *Mer des histoires* (*hy-*) ; lat. *hiemalis,* de *hiems,* hiver.

1. **hier** 1080, *Roland* (*ier, er*) ; 1240, G. de Lorris (*hier*), adv. ; lat. *hĕri,* hier. || **avant-hier** XIIe s.

2. **hier** 1125, *Doon de Mayence,* « enfoncer avec la hie » ; moyen néerl. *heien,* enfoncer. || **hie** 1190, *Loherains ;* moyen néerl. *heie.* || **hiement** 1549, R. Est.

hiérarchie 1332, J. Corbichon, eccl. ; 1460, Chastellain, ordre dans une société ; lat. eccl. *hierarchia,* du gr. *hieros,* sacré, et *arkhia,* commandement. || **hiérarchique** XIVe s. ; lat. *hierarchicus ;* passé dans le voc. administratif au XVIIIe s. || **hiérarchiquement** 1690, Furetière. || **hiérarchiser** 1845, Besch. || **hiérarchisation** 1840, Pecqueur. || **hiérarchisme** 1870, L. Halévy.

hiérarque 1551, *Vie des saints Pères ;* bas gr. *hierarkhês,* de *hieros,* sacré, et *arkhein,* guider.

hiératique 1566, du Pinet ; lat. *hieraticus,* du gr. *hieros,* sacré. || **hiératiquement** 1855, de Voguë. || **hiératisme** 1868, Goncourt.

hiéro-, gr. *hieros,* sacré. || **hiéroglyphique** 1529, Tory ; bas lat. *hieroglyphicus,* du gr. *gluphein,* graver. || **hiéroglyphe** 1546, Colonna. || **hiérologie** 1866, L. || **hiéromancie** 1878, Lar. || **hiérophante** 1535, de Selve ; lat. *hierophantes,* du gr. *phainein,* révéler.

highlander 1688, Miege ; mot angl. signif. « haut pays » (*High Lands*).

high life 1825, d'apr. Matoré ; mot angl. signif. « haute vie, grand monde ».

hilare XIIIe s. (*-laire*) ; repris au XIXe s. (1857, Flaubert) ; lat. *hilaris,* du gr. *hilaros,* gai, joyeux. || **hilarant** 1805, Fourcroy (*gaz hilarant*), à cause des propriétés de ce gaz qui produit une ivresse douce. || **hilarité** XIIIe s., puis XVIIIe s. (1769, Voltaire) ; lat. *hilaritas,* de *hilarare,* rendre gai.

hile 1602, A. Colin ; lat. *hilum,* point noir en haut de la fève. || **hilaire** 1805, *Encycl. méth.*

hiloire 1643, Morisot, marine ; esp. *esloria,* du néerl. *sloerie.*

hindou 1653, La Boullaye (*indou*) ; 1839, Boiste (*hindou*) ; de *Inde.* || **hindouisme** 1876, L. || **hindouiste** XXe s. || **hindoustani** 1653, La Boullaye (*Indistanni*).

hinterland 1894, Sachs-Villatte ; allem. *hinter,* derrière, et *Lands,* pays.

hip ! fin XIXe s. ; onomat.

hipp(o)-, gr. *hippos,* cheval. || **hipparchie** 1843, Landais ; gr. *hipparkhia,* commandement de cavalerie. || **hippiatre** 1772, Brunot ; gr. *hippiatros,* vétérinaire ; gr. *iatros,* médecin. || **hippique** 1842, *Acad. ;* gr. *hippikos.* || **hippisme** 1907, Lar. || **hippocampe** 1566, du Pinet ; lat. *hippocampus,* du gr. *kampê,* sinuosité. || **hippodrome** 1190, Guill. de Tyr (*yp-*), « cirque romain » ; 1848, Chateaubriand, champ de courses ; lat. *hippodromus,* du gr. *dromos,* course. || **hippogriffe** 1560, Ronsard ; ital. *ippogriffo,* comp. par l'Arioste avec l'ital. *grifo,* griffon. || **hippologie** 1866, L. || **hippomobile** 1896, *Rev.* || **hippophage** 1827, *Acad.* || **hippophagique** 1836, Landais. || **hippopotame** fin XIIe s., *Roman d'Alexandre* (*ipotatesmos*) ; 1265, Br. Latini (*ypotame*) ; 1546, Rab. (*hippopotame*) ; lat. *hippopotamus,* du gr. *hippopotamos,* cheval (*hippos*) du fleuve (*potamos*). || **hippopotamesque** 1874, Goncourt. || **hippotrague** 1922, Lar. ; gr. *tragos,* bouc. || **hippurique** 1845, Besch. ; gr. *ouron,* urine.

hippie 1967, *Journ.* ; arg. américain *hip,* fumeur de marijuana, puis « initié ».

hircin 1458, *Mystère ;* lat. *hircinus,* de *hirx, -icis,* bouc.

hirondelle 1546, Rab. ; anc. prov. *irondela,* du lat. pop. **hirunda,* lat. class. *hĭrŭndo, -inis,* qui a remplacé *arondelle* (XIe s., *Gloses de Raschi*), de *aronde.* || **hirondeau** 1660, Oudin, qui a remplacé *arondeau* (XIIIe s.), dimin. masc.

hirsute 1802, *Acad. ;* lat. *hirsutus,* hérissé. || **hirsuteux** 1829, Boiste. || **hirsutisme** 1922, Lar.

hirudinée 1845, Besch. ; lat. *hirudo, -dinis,* sangsue.

hispan(o)-, lat. *hispanus,* espagnol. || **hispanique** 1836, Landais. || **hispanisant** 1919, Esnault. || **hispanisme** 1771, Trévoux. || **hispano-américain** 1845, Besch.

hispide 1495, J. de Vignay ; lat. *hispidus,* hérissé ; se dit en bot. de ce qui est couvert de poils rudes et épais.

hisser 1552, Rab. (*inse !,* impératif) ; *se hisser,* 1794, Florian ; bas allem. *hissen.* || **hissage** début XXe s.

hist(o)-, gr. *histos,* tissu. || **histamine** 1931, Lar. ; de *amine.* || **histochimie** 1866, L. || **histogenèse** 1863, Graves. || **histogramme** 1956, Romeuf. || **histologie** 1833, Nysten. || **histolyse** 1888, Lar.

histoire 1050, *Alexis* (*historie*) ; 1360, Oresme (*histoire*) ; 1462, *Cent Nouvelles,* « récit » ; *histoire naturelle,* 1551, Belon ; lat. *historia,* du gr. *historia,* information. || **historien** 1213, *Fet des Romains.* || **historier** 1360, Froissart. || **historié** milieu XVIe s., Amyot, orné. || **historiette** 1651, Retz. || **historique** XVe s. || **historicité** 1872, L. || **historiquement** 1617, Crespin. || **historiographe** 1213, *Fet des Romains.* || **historiographie** fin XVe s., Molinet, « histoire ». || **historisant** 1959, Lar. || **historisme** v. 1950. || **historicisme** 1931, Lar. || **préhistoire** 1875, Lar. || **préhistorique** 1869, L. || **préhistorien** 1875, Lar. || **protohistoire** 1910, Dussaud.

histrion 1545, Peletier ; lat. *histrio, -onis,* acteur bouffon.

hitlérien v. 1925 ; de *Hitler.* || **hitlérisme** 1959, Lar.

hit-parade 1965, Gilbert ; mot angl., de *hit,* succès, et *parade,* défilé.

***hiver** fin XIe s., G. (*iver*) ; lat. *hībĕrnum* (*tempus*), temps hivernal. || **hiverner** fin XIIe s., R. de Moiliens. || **hivernage** XIIIe s., du Cange, « saison d'hiver » ; 1636, Monet, « quartier d'hiver » ; 1802, Flick, sens actuel. || **hivernal** 1119, Ph. de Thaun. || **hivernant** 1836, Landais, « qui hiverne ». || **hibernal** 1532, Rab. ; rare jusqu'au XIXe s. (1842, *Acad.*) ; bas lat. *hibernalis.* || **hiberner** fin XVIIIe s. ; lat. *hibernare.* || **hibernant** 1808, Cuvier. || **hibernation** 1829, *Mémoires Acad.*

hobby v. 1950 ; mot angl. signif. « petit cheval, dada », du moyen fr. *hobin,* petit cheval qui va l'amble.

hobereau 1196, Ambroise (*hoberel*), « petit faucon » ; 1539, R. Est., « petit seigneur » ; diminutif de l'anc. fr. *hobe,* faucon, sans doute même mot que *hober,* remuer, sauter, du néerl. *hobben.*

hoc 1640, Voiture, « jeu de cartes » ; mot lat. signif. « ceci ».

hoca 1658, *Traité police,* « jeu de hasard » ; ital. (*giuco dell'*) *oca,* jeu de l'oie ; le *h* est dû à l'infl. de *hoc,* jeu de cartes.

hoche 1175, Chr. de Troyes (*osche*), avec *h* d'apr. *hocher ;* préroman **osca,* entaille. || **hocher** 1160, Benoît, « cocher ».

1. **hocher** 1155, Wace (*hochier*) ; francique **hottisôn,* secouer. || **hochet** 1331, du Cange ; 1756, Voltaire, fig. || **hochement** 1550, *Anc. Théâtre fr.* || **hochepot** fin XIIIe s. || **hochequeue** 1549, R. Est. || **hocheur** 1799, Audebert.

2. **hocher** V. HOCHE.

hockey 1889, Saint-Clair ; mot angl., de l'anc. fr. *hocquet,* bâton. || **hockeyeur** 1928, Lévaque.

***hoir** 1080, *Roland* (*heir*) ; 1273, Adenet (*hoir*) ; lat. pop. **herem,* du lat. class. *heres, -edis,* héritier. || **hoirie** 1318, G. || **déshérence** 1285, G.

holà ! 1410, Ch. d'Orléans ; *mettre le holà,* 1644, Scarron ; onomat. *ho.*

holding 1931, Lar. ; mot angl., abrév. de *holding company,* trust financier.

hold up 1925, Mandelstamm ; angl. *hold up,* arrêter, et *to hold up one's hands,* tenir les mains en l'air.

hôler 1828, Mozin ; anc. fr. *hoiler,* crier (XIIIe s.), de l'onomat. *ho.* || **hôlement** 1770, Buffon.

hollande 1845, Besch., « fromage » fabriqué en *Hollande.*

holmium 1878, créé par l'Anglais Ramsay et le Suédois Cleve ; du second élément latinisé de (*Stock*)*holm*.

holo-, gr. *holos*, entier. || **holocauste** 1170, *Rois*, sacrifice religieux ; 1690, Racine, sacrifice sanglant (n. m. ou f.) ; bas lat. *holocaustum*, brûlé tout entier, du gr. *holokaustos*, de *holos*, entier, et *kaiein*, brûler. || **holocène** 1931, Lar. || **hologramme** v. 1950. || **holomètre** 1690, Furetière. || **holophrastique** 1866, L. || **holothurie** 1572, J. Des Moulins ; lat. *holothurium*, du gr. *holothourion*. || **holotriches** 1888, Lar. ; gr. *thriks*, cheveu ; orchidées à fleurs en épis.

homard 1547, Haudent (*hommar*) ; anc. scand. *humarr* (allem. *Hummer*). || **homarderie** 1907, Lar. || **homardier** *id.*

hombre 1657, Boulan ; esp. *hombre*, homme, celui qui mène la partie.

home 1807, Staël ; mot angl. signif. « maison ».

homélie XIIe s., Éverat ; lat. eccl. *homilia*, réunion, entretien familier, du gr. *homilia*. || **homiliaire** 1866, L.

homéo-, homo-, gr. *homoios* ou *homos*, semblable. || **homéopathie** 1827, Bigel. || **homéopathe** *id.* || **homéostasie** 1962, Lar. || **homéotéleute** 1839, Boiste (*homoïotéleute*) ; gr. *homoioteleutos*, similitude de fin de mots. || **homéotherme** 1931, Lar. || **homocentre** 1827, *Acad.* || **homocerque** 1866, L. ; gr. *kerkos*, queue. || **homochromie** 1922, Lar. || **homogène** 1503, Chauliac ; lat. *homogeneus*, du gr. *homogenês* (*genos*, genre). || **homogénéisation** 1907, Lar. || **homogénéiser** 1845, Besch. || **homogénéité** 1503, Chauliac ; lat. *homogeneitas*, du gr. || **homographie** 1837, Chasles. || **homologue** 1585, Stevin ; gr. *homologos*. || **homologuer** 1461, Bartzsch ; lat. *homologare*, du gr. *homologein*, être d'accord. || **homologation** début XVIe s. (*emologation*) ; 1611, Cotgrave (*homo-*). || **homonyme** XVe s., La Curne, « vers léonin » ; début XVIe s., sens actuel ; lat. *homonymus*, du gr. *onoma*, nom. || **homonymie** 1534, Rab., « calembour » ; 1582, Vaganay, gramm. || **homophone** 1827, *Revue britannique* ; gr. *phônê*, voix. || **homophonie** 1752, Trévoux. || **homoptère** 1873, Lar. ; gr. *pteron*, aile. || **homosexuel** 1901, Garnier. || **homosexualité** 1907, Lar. || **homothermie** 1888, Lar. || **homothétie** 1873, Lar. ; gr. *thêsis*, action de poser. || **homozygote** 1931, Lar.

homérique 1546, Rab. ; *rire homérique*, 1548, Vaganay ; de *Homère*, d'apr. le rire des dieux (*l'Iliade*, I). || **homérisme** 1877, L.

home-trainer 1962, Lar. ; mot angl., de *home*, à la maison, et *to train*, entraîner.

homicide, hommage V. HOMME.

***homme** Xe s., *Saint Léger* (*omne*) ; 842, *Serments* (*om*, cas sujet) ; lat. *hŏmo, -ĭnis*. (V. aussi ON.) || **homicide** 1170, *Rois*, « celui qui tue » ; 1155, Wace, « action de tuer » ; lat. *homicida*, meurtrier, et *homicidium*, meurtre, de *caedere*, tuer. || **hominien** 1878, Lar. || **hominidé** 1845, Besch. || **hommage** 1130, *Eneas* (*homage*), terme de féodalité. || **hommasse** XIVe s. || **homme-grenouille** 1955, *le Monde*. || **homme-mort** 1962, Lar. || **homme-orchestre** 1885, A. Daudet. || **homme-sandwich** 1881. || **hominisation, -ser** 1944, Teilhard de Chardin. || **homuncule** 1611, *Recueil des révélations* ; lat. *homunculus*, petit homme. || **surhomme** 1895, Izoulet, Lar. ; calque de l'allem. *Uebermensch*, de *Mensch*, être humain (chez Nietzsche).

hongre XIVe s. (*ongre*), « Hongrois » ; XVe s., J. de Bueil, ellipse de *cheval hongre*, c.-à-d. *hongrois*, l'usage de châtrer les chevaux venant de Hongrie ; allem. *Ungar*, Hongrois, lat. médiév. *Hungarus*. || **hongrer** XVIe s., Huguet. || **hongreur** 1873, Lar.

hongroyer 1734, Lalande ; de *cuir de Hongrie*, cuir apprêté avec de l'alun et du soufre (1690, Furetière). || **hongroierie** 1790, *Encycl. méth.* || **hongroyage** 1873, Lar.

honnête 1050, *Alexis* (*honeste*) ; *honnête homme*, 1538, R. Est. ; *honnêtes gens*, polit., 1793 ; lat. *hŏnĕstus*, honorable. || **honnêteté** 1260, Br. Latini, a remplacé *honesté* (fin IXe s., *Eulalie*) ; lat. *honestas*. || **honnêtement** 1190, Garn. || **déshonnête** 1283, Beaumanoir. || **déshonnêteté** 1361, Oresme. || **déshonnêtement** 1230, *Antéchrist*. || **malhonnête** 1406, N. de Baye. || **malhonnêteté** 1676, Bonhours. || **malhonnêtement** 1665, Retz.

honneur fin Xe s., *Saint Léger* (*honor*) ; XIIIe s. (*honneur*) ; *garçon d'honneur*, 1866, L. ; *champ d'honneur*, 1756, Voltaire ; *faire honneur*, 1679, Kuhn ; pl. 1080, *Roland*, « éloges » ; lat. *hŏnōs, -ōris*, réfection de la forme pop. *enour* (XIIe s.) d'apr. le lat. || **honorable** 1120, *Ps. d'Oxford*, « digne d'estime » ; 1790, qualification des députés, de l'angl. ; lat. *honorabilis*. || **honorabilité** 1265, Br. Latini (*honorableté*) ; 1845, Besch. (*honorabilité*) ; lat. *honorabilitas*. || **honorablement** 1175, Barbier. || **honoraire** adj.

1496, Delb. ; n. m. sing. fin XVIe s., pl. 1747, Voltaire ; lat. *honorarius,* au neutre, « donné à titre d'honneur », d'où « rétribution ». || **honorariat** 1836, Raymond. || **honorer** fin Xe s., *Saint Léger ;* lat. *hŏnŏrāre,* réfection de *enorer* (XIIe s.). || **honorifique** 1488, *Mer des histoires ;* lat. *honorificus.* || **honoris causa** 1922, Lar. ; loc. lat. signif. « en considération de l'honneur ». || **déshonneur** 1080, *Roland.* || **déshonorer** 1190, Garn. || **déshonorant** 1748, Thomas.

honnir 1080, *Roland* (*honir*) ; francique **haunjan* (allem. *höhnen*). || **honte** 1080, *Roland,* « déshonneur » ; 1273, Adenet, « sentiment de son imperfection » ; 1563, La Boétie, « réserve naturelle » ; 1611, Cotgrave, « manque d'assurance » ; francique **haunita* (même rac. que *honnir*). || **honteux** 1170, *Rois* (*hontous*) ; XVe s. (*honteux*). || **honteusement** 1138, Gaimar. || **éhonté** 1361, Oresme.

honte V. HONNIR.

hop 1828, Vidocq ; onomatopée.

hôpital 1175, Chr. de Troyes, « établissement charitable » ; 1675, Fléchier, « établissement recevant les malades » ; lat. *hŏspĭtalis domus,* maison pour accueillir des hôtes, de *hospes, -itis,* hôte. || **hospice** fin XIIIe s., *Mir. de saint Éloi,* « hospitalité » ; 1690, Furetière, « couvent » ; 1770, Raynal, établissement pour vieillards ; lat. *hospitium,* hospitalité. || **hospitalier** 1206, G. de Provins, n. m., « religieux qui accueille » ; adj. 1488, *Mer des hist.,* « accueillant » ; 1580, Montaigne, sens actuel ; lat. *hospitalarius.* || **hospitaliser** 1801, Mercier ; lat. *hospitalis.* || **hospitalisation** 1866, L. || **hospitalité** 1206, G. de Provins, « charité » ; 1538, R. Est., « droit d'asile » ; 1530, Lefèvre d'Étaples, « fait de recevoir chez soi » ; XXe s., « disposition à accueillir » ; lat. *hospitalitas.* || * **hôte** 1175, Chr. de Troyes (*oste*) ; lat. *hospes, -itis.* || **hôtesse** *id. ; hôtesse de l'air,* v. 1950. || * **hôtel** 1050, *Alexis,* « demeure » ; XIVe s., *Chron. de Boucicaut,* « hôtel particulier » ; 1677, Miege, « hôtellerie » ; lat. *hospitale cubiculum,* chambre pour les hôtes. || **hôtelier** 1138, *Saint Gilles.* || **hôtellerie** 1138, *Saint Gilles.* || **hostellerie** XXe s., reprise de l'anc. orth. avec un sens particulier. || **hôtel-Dieu** 1260, J. de Meung. || **inhospitalité** XIVe s. ; lat. *inhospitalitas.* || **inhospitalier** 1649, Scarron.

hoquet 1314, Fauvel, « heurt » ; XVe s., G., sens actuel ; onomat. || **hoqueter** 1200, *Bueve de Hantone,* « secouer » ; 1538, R. Est., sens actuel.

hoqueton XIIe s., *Roncevaux* (*auque-*), « étoffe de coton » ; 1549, R. Est., « blouse » ; refait sur *huque,* cape ; ar. *al-qutun,* le coton, blouse en coton.

horaire V. HEURE.

horde 1560, Postel ; 1769, Brunot, péjor. ; tartare *horda,* du turc *ordu,* camp.

hordéine 1819, *Dict. sc. méd. ;* lat. *hordeum,* orge.

horion XIIIe s., *Sept Sages ;* p.-ê. anc. fr. *oreillon,* coup sur l'oreille.

horizon XIIIe s., G. (*orizonte*) ; XVIe s. (*horizon*) ; 1820, Lamartine, fig. ; lat. *horizōn,* du gr. *horizein,* borner. || **horizontal** 1545, J. Martin ; au fém. 1883, *l'Illustration,* « fille publique ». || **horizontalement** 1612, Bér. de Verville. || **horizontalité** 1786, Gohin.

horloge 1170, *Rois* (*oriloge*), masc. en anc. fr. ; 1398, *Ménagier* (*horloge*) ; lat. *horolŏgium,* du gr. *hôrologion,* qui dit (*legein*) l'heure (*hôra*). || **horloger** n. m. 1360, Froissart (*orlogier*) ; var. *horlogeur* jusqu'au XVIIe s. ; adj. 1874, L. || **horlogerie** 1660, Oudin, « fabrication » ; 1762, *Acad.,* « pendule » ; 1803, Boiste, « magasin ».

horminum, hormin 1600, O. de Serres ; lat. *horminium,* du gr. *horminon,* plante à fleurs violettes.

hormis V. HORS.

hormone 1905, Starling ; gr. *hormân,* exciter. || **hormonal** 1941, Rostand. || **hormonique** 1738, Lémery (*pilules hormoniques*). || **hormonothérapie** v. 1940.

hornblende fin XVIIIe s. ; mot allem., de *Horn,* corne, et *blenden,* éblouir (ce métal a un éclat de corne).

horo-, gr. *hôra,* heure. || **horodateur** v. 1950. || **horographie** 1644, Bobynet. || **horokilométrique** 1894, Sachs. || **horoscope** 1529, Tory, « observation des astres » ; 1668, La Fontaine, « prédiction » ; lat. *horoscopus,* du gr. *hôroskopos,* qui examine (*skopein*) l'heure de la naissance.

horreur 1160, Benoît (*orror*) ; XIIIe s. (*horreur*) ; pl. 1665, Molière ; lat. *horror.* || **horrible** 1138, *Saint Gilles ;* lat. *horribilis.* || **horriblement** *id.* || **horrifique** 1500, Molinet ; lat. *horrificus.* || **horrifier** 1876, Sand.

horripiler 1843, Gautier, fig. ; lat. *horripilare,* de *horrere,* se hérisser, et *pilus,* poil. || **horripilant** 1806, Restif. || **horripilation** 1495, J. de

Vignay, « hérissement des poils » ; 1862, Flaubert, fig.

hors 1050, *Alexis,* var. de *fors,* avec un *h* sans doute pour mieux marquer l'hiatus dans *de hors.* || **horsain** XIIIe s., « étranger ». || **hormis** v. 1268, É. Boileau (*hors mise la clameur*) ; de *hors* et *mis ;* c.-à-d. « étant mis hors ». || **hors-bord** 1931, Lar. ; calque de l'angl. *out board,* à l'extérieur de la coque (moteur). || **hors-d'œuvre** 1596, Havard, adj., « détaché des murs » ; 1690, Furetière, « mets ». || **hors-jeu** 1931, Lar., sports. || **hors-la-loi** fin XIXe s., A. Daudet ; calque de l'angl. *out law,* hors de la loi. || **hors-ligne** 1869, d'après L. || **hors-texte** 1907, Lar. || **dehors** Xe s., *Saint Léger* (*defors*) ; XIIe s. (*dehors*) ; bas lat. *deforis,* au-dehors de, de *de-* intensif et *foris,* dehors.

horsain V. HORS.

hortensia av. 1773, Commerson (*hortense*) ; 1801, *Courrier des spectacles* (*hortensia*) ; en l'honneur de la femme (*Hortense*) de l'horloger Lepaute.

horticole 1829, *Rev. ;* lat. *hŏrtus,* jardin, sur *agricole.* || **horticulteur** 1829, Boiste. || **horticulture** 1827, *Ann. soc. d'hort.* || **hortillonnage** 1873, L. ; picard *ortillon,* petit jardinier, de *orteil,* jardin (XIIIe s.), du lat. *hortus.*

hosanna 980, *Passion,* hymne catholique ; 1672, Sacy, exclamation ; lat. eccl. *hosanna,* de l'hébreu *hoscha na,* sauvez, je vous prie.

hospice, hospitalier, hospitaliser, hospitalité, hostellerie V. HÔPITAL.

hospodar 1663, *le Français mod. ;* mot ukrainien.

hostie XIIe s., G. (*oiste*) ; XIIIe s. (*hostie*) ; lat. *hostia,* victime expiatoire.

hostile 1525, Crétin ; lat. *hostilis,* de *hostis,* ennemi. || **hostilité** 1353, Barbier, « état de guerre » ; 1606, Crespin, « inimitié » ; lat. *hostilitas.*

hot dog 1962, Lar. ; mot anglo-américain signif. « chien chaud ».

hôte, hôtel V. HÔPITAL.

hotte 1230, *Merlin* (*hote*) ; francique **hotta* (allem. dial. *hotze,* berceau). || **hottée** fin XVe s. || **hotter** 1412, G. || **hottereau** 1359, G.

hottentot 1691, La Loubère ; mot hollandais signif. « bégayeur », et désignant un peuple qui parle une langue à sons claqués.

houari 1773, Bourdé ; angl. *wherry,* même sens.

houblon 1413, ms. de Dijon (*oubelon*) ; 1600, O. de Serres (*houblon*) ; anc. fr. *homblon,* du francique **humilo* et de l'anc. fr. *hoppe,* houblon, du moyen néerl. *hoppe.* || **houblonnière** début XVIe s. || **houblonnier** 1873, Lar. || **houblonner** 1694, *Acad.*

houe 1170, *Rois ;* francique **hauwa* (allem. *Haue*). || **houer** fin XIIe s., *Loherains.* || **hoyau** 1312, G. (*heviaus*).

houille 1502, texte du Creusot (*oille de charbon*) ; 1611, Cotgrave (*houille*) ; wallon *hoye,* mot liégeois signif. « fragment » (*hulhes,* 1278), du francique **hukila,* de *hukk,* bosse, monceau ; la houille fut exploitée d'abord sur les rives de la Sambre et de la Meuse. || **houille blanche** 1906, *l'Illustration,* créé par Cavour. || **houiller** adj. 1793. || **houillère** 1541, Guy Coquille (*oulliere*). || **houilleur** 1360, Froissart. || **houilleux** 1835, *Acad.* || **houillification** 1907, Lar.

houka 1812, Jouy ; hindî *hukka,* d'orig. arabe ; pipe orientale.

houle 1484, Garcie ; XIXe s., fig. ; germ. *hol* (allem. *hohl*), creux, à cause du creux des vagues. || **houleux** 1716, Frézier ; fig. 1859, Hugo. || **antihoule** 1955, *Combat.*

houlette 1278, A. de la Halle ; anc. fr. *houler,* lancer, du francique.

houlque 1789, *Encycl. méth. ;* lat. *holcus,* orge sauvage, du gr. *holkos.*

houp 1652, Richer ; onomat.

houppe début XIVe s., Gilles li Muisis ; francique **huppo,* touffe. || **houpper** *id.* || **houppier** *id.* || **houppette** fin XIVe s.

houppelande 1280, Bibbesworth ; anc. angl. **hoppâda,* pardessus.

hourd XIIIe s., *Fabliau,* « palissade » ; francique **hurd* (allem. *Hürde,* claie). || **hourder** XIIe s., *Chev. Ogier.* || **hourdage** fin XVe s., Molinet. || **hourdis** fin XIIe s., *Loherains* (*hordeïs*).

houret 1661, Molière ; onomat. *hourr-,* cri pour exciter les chiens ; désigne un mauvais chien de chasse.

houri 1654, Duloir ; persan *hoûrî,* jeune fille du paradis, de l'ar. *hāwrā,* plur. *hūr,* qui a le blanc et le noir des yeux très prononcés.

hourque 1326, Mieris (*hulke*) ; moyen néerl. *hulke,* croisé avec *hoeker,* autre type de bateau ; ancien navire de charge hollandais.

hourra 1722, Labat (*huzza*) ; 1824, Brunot (*hourra*) ; 1830, Mérimée (*hurra*) ; angl. *hurra,* onom. Le cri de guerre vient du russe *ura.*

hourvari 1561, du Fouilloux ; croisement entre *hourr-,* cri pour exciter les chiens, et *charivari.*

housard V. HUSSARD.

houseau XIIe s. ; anc. fr. *huese* (fin XIe s.), botte, du francique **hosa* (allem. *Hose,* culotte).

houspiller 1450, du Cange ; altér. de *housse-pignier* (XIIIe s., *Renart*), peigner (c.-à-d. « battre ») la housse, ou de *houx* (frapper avec du houx). || **houspilleur** 1873, Lar. || **houspillement** 1606, Nicot.

housse 1155, Wace, « mantelet » ; 1280, Bibbesworth, « couverture de cheval » ; 1668, La Fontaine, « enveloppe de tissu pour les meubles » ; francique **hulftia* (moyen néerl. *hulfte,* fourreau pour flèches). || **housser** 1268, É. Boileau. || **houssage** 1690, Furetière. || **housset** 1765, *Encycl.*

houssine V. HOUX.

houx 1175, Chr. de Troyes ; francique **hulis* (allem. *Hulst*). || **houssaie** fin XIIe s., G. || **housser** fin XIIIe s., *Renart,* nettoyer. || **houssière** 1341, G. || **houssine** XVe s., *Perceval,* « verge de houx » ; 1904, Loti, « petit houx ». || **houssiner** 1611, Cotgrave. || **houssoir** XVe s., *Grant Herbier.*

hoyau V. HOUE.

hublot 1382, *Compte du clos des galées de Rouen* (*huvelot*) ; 1687, Desroches (*hulot*) ; XVIIIe s. (*hublot*) ; anc. fr. *huve,* bonnet, du francique **huba,* coiffe.

huche 1170, *Rois,* « pétrin » ; 1573, Du Puys, « coffre » ; mot de l'Ouest (lat. du XIe s. *hūtĭca*), d'origine germ. (*hutte* ou *hüten,* garder). || **huchier** 1226, G. (*huchier*). || **hucherie** 1300, G.

hucher 1130, *Eneas ;* lat. pop. **huccare,* d'orig. germ. ; appeler en criant. || **huchée** fin XIIe s., *Moniage Guillaume.* || **huchement** début XIVe s.

hue 1653, Hémard ; onomat.

huer 1130, *Eneas ;* formation expressive, onomat. || **huée** XIIe s., *Roncevaux ;* pl. XVIe s., d'Aubigné. || **huard** 1361, Oresme. || **huette** 1555, Belon. || **huage** 1732, Trévoux. (V. CHAT-HUANT.)

hugolien 1885, Boyer, de *V. Hugo.* || **hugolique** av. 1880, Flaubert. || **hugolesque** XXe s.

huguenot 1483, *Lettre duc René* (*esguenotz*), « espèce de soldat » ; 1526, *Journal du syndic Jean Balard* (*ayguenot*), « patriote hostile au duc de Savoie, à Genève » (le chef étant *Hugues Besançon*) ; 1552, Richard, « protestant » ; altér., sous l'infl. de *Hugues,* de l'allem. *Eidgenossen,* confédérés.

***huile** 1112, *Voy. saint Brendan* (*olie, oile*) ; XIIIe s. (*uile*) ; le *h* évite la lecture *vile ;* lat. *oleum,* huile d'olive, de *olea,* olive. || **huiler** 1361, Oresme. || **huilerie** 1547, *Doc.,* « moulin à huile » ; 1871, L., « usine ». || **huileux** 1474, *Doc.* || **huilage** 1838, *Acad.* || **huilier** v. 1268, É. Boileau, « fabricant » ; 1718, *Acad.,* « ustensile ». || **déshuiler** 1838, *Acad.* || **déshuileur** 1911, Lar.

***huis** 1050, *Alexis* (*us*) ; XIIe s., *Roncevaux* (*uis*) ; 1175, Chr. de Troyes (*huis*), avec un *h* pour éviter *vis ;* bas lat. *ūstium* (Ve s., M. Empiricus) [lat. *ŏstium,* porte]. Ne reste que dans *huis clos* (1549, R. Est.). || **huissier** 1138, *Saint Gilles* (*uisser*), « portier » ; 1538, R. Est., « officier de justice ». || **huisserie** fin XIe s., *Gloses de Raschi.*

***huit** fin XIe s., *Lois de Guill.,* avec un *h* pour éviter *vit ;* lat. *octo.* || **huitain** 1160, Benoît, « huitième » ; fin XVe s., Molinet, *vers huitain.* || **huitante** début XIIe s., *Voy. de Charl. ;* anc. fr. *oitante.* || **huitaine** fin XIIe s. || **huitième** 1080, *Roland.* || **huitièmement** 1480, Vaganay. || **huit-reflets** 1907, Lar.

***huître** 1265, Br. Latini (*oistre*) ; 1538, R. Est. (*huître*), avec *h* qui évite la confusion avec *vitre ;* lat. *ostrea.* || **huîtrier** 1718, *Acad.* || **huîtrière** 1546, R. Est.

hulotte 1530, Lefèvre d'Étaples ; anc. fr. *uler,* hurler, du lat. *ululare.*

humain 1130, *Eneas ;* lat. *humanus,* de *homo,* homme. || **humainement** 1130, *Saint Gilles.* || **humaniser** 1559, Amyot. || **humanisation** 1845, Mollien. || **humanisme** 1765, Brunot. || **humaniste** 1539, Gruget. || **humanité** 1120, *Ps. d'Oxford,* « caractère humain » ; 1170, *Rois,* « bienveillance » ; av. 1528, Bouchet, « études classiques », abrév. de *studia humanitatis* (Cicéron : études littéraires) ; 1458, *Mystère,* « ensemble des humains ». || **humanitaire** 1833, Michel Raymond. || **humanitairerie** 1838, Musset. || **humanitarisme** 1837, Balzac. || **humanitariste** 1837, Balzac. || **déshumaniser**

1647, Vaugelas. || **déshumanisation** 1870, Lar. || **inhumain** 1373, *Cart. Montreuil ;* lat. *inhumanus.* || **inhumainement** 1370, J. Le Bel. || **inhumanité** 1312, *Songe du Vergier.* || **surhumain** 1578, Ronsard.

humble 1080, *Roland* (*humele*) ; 1120, *Ps. de Cambridge* (*humble*) ; lat. *hŭmĭlis,* peu élevé, qui a pris le sens de « humble » en lat. chrét. || **humilité** Xe s., *Saint léger ;* lat. chrét. *humilitas,* modestie (lat. class. « ce qui est bas physiquement »). || **humilier** 1120, *Ps. d'Oxford ;* lat. chrét. *humiliare.* || **humiliant** 1160, Benoît. || **humiliation** 1495, J. de Vignay ; lat. *humiliatio* (IIIe s., Tertullien).

humecter 1503, Chauliac ; lat. *humectare,* mouiller. || **humectation** 1314, Mondeville. || **humectage** 1873, Tolhausen.

humer fin XIe s., *Gloses de Raschi ;* formation expressive, onomat. || **humage** XIVe s., *Miracles N.-D.*

humérus 1560, Paré ; lat. *hŭmĕrus,* épaule. || **huméral** 1541, Canappe ; bas lat. *humeralis.*

humeur 1119, Ph. de Thaon, « liquide » ; 1265, Br. Latini, méd. ; XVe s., Basselin, fig., d'après l'influence attribuée dans l'anc. méd. aux *humeurs cardinales* sur le caractère ; pl. 1580, Montaigne ; lat. *hūmor,* liquide. || **humoral** 1490, Chauliac ; lat. médiév. *humoralis.* || **humour** 1725, *Lettre sur les Anglais,* fém. ; 1693, W. Temple, même sens, avec la graphie *humeur ;* angl. *humour,* du fr. *humeur* au XVIIe s. || **humorisme** 1835, *Acad.* || **humoriste** 1578, Est., « maussade » ; XVIIIe s., sens actuel ; ital. *umorista,* dans le premier sens ; angl. *humorist* dans le second. || **humoristique** 1801, Mercier ; angl. *humoristic.*

humide 1495, J. de Vignay, « constitué d'eau » ; 1559, du Bellay, « chargé d'eau » ; lat. *hūmidus.* || **humidité** 1361, Oresme ; lat. *humiditas.* || **humidifier** 1648, Scarron. || **humidification** 1875, *Almanach.* || **humidificateur** 1895, *Grande Encycl.*

humilier, humilité V. HUMBLE.

hummock 1866, Blanchère ; mot angl. signif. « monticule de glace sur la banquise ».

humoral, humour V. HUMEUR.

humus 1765, *Encycl. ;* mot lat. signif. « terre, sol ». || **humifère** 1931, Lar. || **humification** 1922, Lar. || **humine** 1866, L.

hune 1138, *Saint Gilles ;* anc. scand. *hûn,* tête de mât. || **hunier** 1557, *Hist.*

hunter 1802, *Moniteur ;* mot angl., de *to hunt,* chasser ; cheval de chasse exercé à franchir les obstacles.

***huppe** 1119, Ph. de Thaon, « oiseau » ; 1549, R. Est., « touffe de plumes » ; lat. pop. *ūpupa* (lat. class. *ŭpŭpa*), avec un *h* expressif, ou même rac. que *houppe.* || **huppé** fin XIVe s., *Chron. de Boucicaut.*

hure 1190, Garn., « bonnet de fourrure » ; XIIe s., *Partenopeus,* « tête hérissée » ; lat. pop. **hura,* origine germ. || **huron** 1360, G. ; XIVe s., « paysan de la Jacquerie » ; 1671, Pomey, appliqué à une peuplade du Canada. || **ahurir** 1270, G., « plonger dans la torpeur » ; XVe s., sens actuel ; de *hure,* proprement « à la tête hérissée ». || **ahurissement** 1862, Hugo.

***hurler** 1160, Benoît (*uller*) ; XVe s. (*hurler*), avec *h* expressif ; lat. pop. **urulare* avec dissimilation des deux *l* (lat. class. *ululare*). || **hurlée** 1350, *le Bâtard de Bouillon.* || **hurlement** 1160, Benoît (*usl-*) ; XVIe s. (*hurlement*). || **hurleur** 1350, G., « crieur public » ; 1606, Crespin, « qui hurle ».

hurluberlu 1553, Rab. (var. *-brelu, -burlu,* etc.) ; anc. mot **hurelu,* de *hurel,* aux cheveux hérissés, et *berlu,* homme léger.

huron V. HURE.

hurricane 1885, Hugo ; mot angl. d'une langue des Caraïbes et désignant un cyclone tropical.

hussard 1532, *Lettre* (*houssari*) ; 1690, Furetière (*hussard*) ; var. *housard* (1721, Trévoux) ; allem. *Husar,* du hongrois *huszar,* le vingtième (cavalier de l'armée hongroise). || **hussarder** 1765, *Encycl.*

hutte 1358, Runkewitz ; francique *hutta.*

hyacinthe V. JACINTHE.

hyal(o)-, gr. *hulos,* pierre transparente. || **hyalin** 1450, Milet, « vert » ; 1866, L., sens actuel ; bas lat. *hyalinus,* du gr. *hualinos.* || **hyalite** 1827, *Acad.* || **hyalographe** 1836, Landais. || **hyaloïde** 1541, Vassée.

hybride 1596, Hulsius ; lat. *hibrida,* de sang mêlé, altéré en *hybrida,* sous l'infl. du gr. *hubris,* violence, de *huper,* au-delà. || **hybridation** 1836, Landais. || **hybrider** 1873, Lar. || **hybridité** 1839, *Acad.*

hyd-, hydr(o)-, gr. *udôr, udatos,* eau. || **hydarthrose** 1843, Landais. || **hydatique** 1795, Cullen. || **hydracide** 1831, *Acad.* || **hydraire** 1877, L. || **hydrargyre** 1611, Cotgrave ; gr.

hudrarguros, de *arguros,* argent. || **hydrargyrose** 1765, *Encycl.* || **hydrargyrisme** 1856, Lachâtre. || **hydrate** 1802, *Annales Museum.* || **hydrater** 1836, Landais. || **hydratation** 1845, Besch. || **hydraulique** fin XVe s., Bouchard ; 1690, Furetière, sens actuel ; lat. *hydraulicus,* mû par l'eau, de *hudraulis* (gr. *aulos,* flûte), « orgue hydraulique ». || **hydraulicien** 1803, Boiste. || **hydravion** 1922, Lar. || **hydrazine** 1888, Lar. || **hydre** 1160, *Charroi ;* lat. *hydrus, -a,* du gr. *hudra,* serpent d'eau. || **hydrémie** 1845, Besch. ; gr. *haima,* sang. || **hydrique** 1840, A. Comte. || **hydrobase** 1949, Lar. || **hydrocarbonate** 1842, *Acad.* || **hydrocarbure** 1827, *Acad.* || **hydrocèle** 1538, Canappe ; gr. *kêlê,* tumeur. || **hydrocéphale** 1560, Paré, n. ; adj. 1798, *Encycl. méth. ;* gr. *hudrokephalon* (*kephalê,* tête). || **hydrocharidées** 1816, Candolle. || **hydrocution** 1954, Lar. || **hydro-électrique** 1842, *Acad.* || **hydrofuge** 1829, Boiste. || **hydrogène** 1787, Guyton de Morveau, « qui engendre l'eau » ; n. m. début XIXe s., sens actuel. || **hydrogéné** 1802, *Annales Museum.* || **hydrogénation** 1836, Landais. || **hydroglisseur** 1922, Lar. || **hydrographe** 1548, Mizauld. || **hydrographie** 1551, Finé. || **hydrolat** 1842, *Acad. ;* sur *alcool* et suffixe *-at.* || **hydrolithe** 1827, *Acad.* || **hydrologie** 1614, Landrey. || **hydrologue** 1827, *Acad.* || **hydrolyse** 1902, Lar. || **hydromancie** milieu XIVe s., Digulleville. || **hydromel** 1314, Mondeville ; lat. *hydromeli* (gr. *meli,* miel). || **hydromètre** 1751, Desaguliers. || **hydrométrie** 1710, *Hist. Acad.* || **hydronymie** début XXe s. ; gr. *onoma,* nom. || **hydropathe** 1843, Reybaud. || **hydropathie** 1825, Preissnitz, « hydrothérapie ». || **hydrophile** 1827, *Acad. ;* 1762, Geoffroy, « coléoptère ». || **hydrophobe** 1640, Oudin ; lat. *hydrophobus* (gr. *phobos,* peur). || **hydrophobie** 1314, Mondeville. || **hydropique** 1175, Chr. de Troyes (*ydropite*) ; fin XIVe s., E. Deschamps (*hydropique*) ; lat. *hydropicus* (gr. *hudrôps,* hydropisie). || **hydropisie** 1190, Garn. || **hydroplane** 1931, Lar. || **hydropneumatique** 1803, Mozin. || **hydroquinone** 1866, L. || **hydrosilicate** 1842, *Acad.* || **hydrosphère** 1902, Lar. || **hydrostaticien** 1911, Lar. || **hydrostatique** 1691, Ozanam. || **hydrothérapie** 1845, Besch. || **hydrothérapique** 1844, Boyer. || **hydrothermal** 1877, *J. O.* || **hydrotimètre** 1856, Lachâtre ; gr. *hudrôtes,* qualité d'un liquide. || **hydroxyde** 1842, *Acad.* || **hydrozoaire** 1878, Lar. || **hydrure** 1806, *Encycl. méth.*

hyène 1211, *le Bestiaire ;* lat. *hyaena,* du gr. *huaina.*

hygiène 1560, Paré (*-aine*) ; gr. *hugieinon,* santé, de *hugiês,* sain. || **hygiénique** fin XVIIIe s. || **hygiéniste** 1830, Balzac. || **antihygiénique** 1850, Devergie.

hygro-, gr. *hugros,* humide. || **hygrologie** 1866, L. || **hygroma** 1808, Boiste (*hygrome*) ; 1827, *Acad.* (*hygroma*). || **hygromètre** 1666, *Mém. Acad. des sc.* || **hygrométrie** 1783, Saussure. || **hygrométrique** *id.* || **hygrométricité** 1850, Dorvault. || **hygroscope** 1666, *Journ. des savants ;* gr. *skopein,* examiner.

hylo-, gr. *hulê,* matière. || **hylaste** 1873, Lar., scolyte. || **hylastine** 1962, Lar. || **hylozoïsme** 1765, *Encycl. ;* gr. *zôê,* vie ; doctrine philosophique opposée au mécanisme cartésien. || **hylozoïste** 1902, Lar.

1. **hymen** 1520, Falcon, « mariage » ; lat. *Hymen,* du gr. *Humên,* dieu du Mariage. || **hyménée** 1550, Vaganay ; lat. *hymenaeus,* du gr. *humenaios,* chant nuptial.

2. **hymen** 1560, Paré ; bas lat. *hymen,* du gr. *humên,* membrane. || **hyménium** 1836, Landais. || **hyménomycètes** 1866, L. ; gr. *mukês* champignon. || **hyménoptères** 1765, *Encycl.* gr. *pteron,* aile.

hymne 1120, *Ps. de Cambridge ;* lat. *hymnus* du gr. *humnos.* || **hymnique** 1839, *Acad.* || **hymnologie** 1866, L.

hyoïde 1541, Vassée ; gr. *huoeidês ostoûn,* o à l'aspect d'un *u.* || **hyoïdien** 1654, Gelée || **hyoglosse** 1866, L. ; gr. *glôssa,* langue.

hypallage 1596, Vigenère ; lat. *hypallage,* mo grec signif. « échange, interversion ».

hyper-, préfixe, du gr. *huper,* au-delà, au dessus, employé dès le XVIe s. dans les calque du grec ; développé à la fin du XVIIIe s. e surtout au XIXe s., dans le vocabulaire médica puis dans celui de la psychologie, il s'es répandu au XXe s., dans les lexiques technique et ensuite dans la langue commune, comm préfixe intensif. Les mots composés avec l préfixe *hyper-* sont au mot simple, quand celu ci existe.

hyperacousie 1866, L. ; de *hyper-,* et g *akousis,* action d'entendre.

hyperbate 1584, Vaganay ; lat. *hyperbaton* du gr. *huperbaton,* traversé ; inversion de l'ordr habituel des mots.

hyperbole XIIIe s., Delb., rhétorique ; 164 Huygens, math. ; milieu XIXe s., fig. ; la *hyperbole,* du gr. *hyper,* au-dessus, et *ballei* lancer. || **hyperbolique** 1541, Calvin ; lat. *hyperbolicus,* du gr. *huperbolikos.* || **hyperboliquement** 1541, Calvin. || **hyperboloïde** 1765, *Encycl.*

hyperborée 1372, Corbichon ; lat. *hyperboreus,* du gr. *huperboreos,* de *boreas,* vent du Nord. || **hyperboréen** 1684, *Doc.,* qui habite l'extrême Nord.

hypercapnie 1962, Lar. ; de *hyper-* et gr. *kapnos,* vapeur.

hyperesthésie 1808, Boiste ; de *hyper-* et gr. *aisthêsis,* sensibilité. || **hyperesthésique** 1902, Lar.

hypergueusie 1931, Lar. ; de *hyper-* et gr. *geusis,* action de goûter.

hypericum 1314, Mondeville ; lat. *hypericon,* millepertuis, du gr. *huperikon.*

hypermétrope 1866, Bouchut ; de *hyper-,* gr. *metron,* mesure, et *ops,* vue. || **hypermétropie** 1870, Lar., anomalie de la vision où l'image de l'objet se forme en arrière de la rétine.

hypersialie 1931, Lar. ; de *hyper-* et gr. *sialon,* salive.

hypertrophie 1819, Laënnec ; de *hyper-* et *(a)trophie,* du gr. *trophê,* nourriture. || **hypertrophier** 1833, *Journ. ;* XXe s., fig. || **hypertrophique** 1836, *Acad.*

hypne 1771, Trévoux ; gr. *hupnon,* mousse sur les arbres.

hypn(o)-, gr. *hupnos,* sommeil. || **hypnagogique** 1866, Lar. ; gr. *agein,* conduire. || **hypnose** 1873, Lar. || **hypnotique** 1560, Paré ; 1866, L., « relatif à l'hypnose » ; lat. *hypnoticus,* du gr. *hupnôtikos,* relatif au sommeil. || **hypnotiser** 1866, L. || **hypnotiseur** 1873, Lar. || **hypnotisme** 1845, Besch. ; angl. *hypnotism* (1843, Braid), du gr. *hupnoûn,* endormir. || **hypnotiste** 1888, Lar.

hyp(o)-, gr. *hupo,* sous, dessous, commun dès le XVIe s., dans les mots empruntés au grec ; il fait couple avec *hyper-* dans le langage scientifique, à partir de la fin du XVIIIe s., et ne cesse de se développer au cours du XIXe s.

hypocauste 1547, Martin ; gr. *hupokauston,* de *kaiein,* brûler ; fourneau souterrain pour chauffer les salles de bains.

hypocondre 1398, *Somme Gautier ;* lat. méd. *hypochondrion,* de *hypo,* dessous, et gr. *khondros,* cartilage des côtes. || **hypocondriaque** 1560, Paré ; gr. *hupokhondriakos* (le trouble mental étant attribué au trouble des hypocondres du bas-ventre). || **hypocondre** 1609, Régnier, « atteint d'hypocondrie » ; 1668, La Fontaine, « d'humeur sombre ». || **hypocondrie** 1490, Chauliac.

hypocoristique 1893, *D. G. ;* gr. *hupokoristikos,* caressant, de *korizesthai,* caresser ; se dit d'un mot traduisant un sentiment affectueux.

hypocras 1415, Gréban (*ypocras*) ; altér., d'après le préf. *hypo-,* sous, de *Hippocrate* (*Hippocras* au Moyen Âge), auquel on attribuait l'invention de ce breuvage.

hypocrite 1175, Chr. de Troyes ; lat. *hypocrita,* du gr. *hupokritês,* acteur, fourbe. || **hypocrisie** 1175, Chr. de Troyes ; lat. *hypocrisia,* du gr. *hupocrisia,* jeu de l'acteur, faux-semblant. || **hypocritement** 1584, Vaganay.

hypogastre 1536, G. Chrestien ; gr. *hupogastrion,* bas-ventre, de *hupo,* sous, et *gastêr,* ventre, estomac. || **hypogastrique** 1654, Gelée.

hypogée 1553, Rab. ; bas lat. *hypogeum,* du gr. *hupogeion* (*gê,* terre), tombeau souterrain.

hypoglosse 1752, Trévoux ; gr. *hupoglôssios,* de *hupo,* sous, et *glôssa,* langue ; nerf du cou.

hypophyse 1836, Landais ; gr. *hupophasis,* croissance en dessous, de *phusis,* production (glande située sous l'encéphale et qui produit une hormone de croissance). || **hypophysaire** 1922, Lar.

hypostase 1398, *Somme Gautier ;* lat. eccl. *hypostasis,* ce qui est placé en dessous, c.-à-d. « substance », du gr. *hupostasis,* support. || **hypostasies** 1907, Bergson. || **hypostatique** 1474, *Mystère.*

hypostyle 1824, Champollion ; gr. *hupostulos,* de *hupo,* sous, et *stulos,* colonne ; se dit de la grande salle d'un temple égyptien dont le plafond est supporté par des colonnes.

hypoténuse 1520, E. de La Roche ; lat. *hypotenusa,* du gr. *hupoteinousa,* se tendant sous (les angles), de *hupo,* sous, et *teinein,* tendre.

hypothénar 1560, Paré ; gr. *hupothenar,* creux de la main.

hypothèque XIVe s., Bouthillier ; XXe s., fig. ; lat. jurid. *hypotheca,* du gr. *hupothêkê,* ce qu'on met dessous, gage. || **hypothéquer** 1386, *D. G.* || **hypothécable** 1675, Savary. || **hypothécaire** 1316, G. ; bas lat. *hypothecarius.*

hypothèse 1538, Canappe, philos. ; 1662, Pascal, sens général ; lat. impér. *hypothesis,* du gr. *hupothesis,* ce qui est mis dessous. || hypothétique 1290, Drouart ; lat. *hypotheticus,* du gr. *hupothetikos.* || **hypothétiquement** XVIe s., G.

hypotypose 1555, Peletier ; lat. *hypotyposis,* du gr. *hupotupôsis,* de *hupotupoûn,* ébaucher, de *tuptein,* façonner ; description vivante, imagée, mettant sous les yeux la scène.

hypsomètre 1856, Lachâtre ; gr. *hupsos,* hauteur, et *-mètre.* || **hypsométrie** 1829, Boiste. || **hypsométrique** 1839, *Acad.* || **hypsographie** 1845, Besch.

hysope 1120, *Ps. d'Oxford ;* lat. *hyssōpus,* du gr. *hussôpos,* mot sémitique, vulgarisé par les trad. de la Bible ; plante aromatique.

hystér(o)-, gr. *hustera,* matrice, utérus. || **hystéralgie** 1866, L. || **hystérectomie** 1888, Lar. || **hystérique** 1568, Grévin, méd. (l'attitude des malades est considérée alors comme un accès d'érotisme) ; 1866, Baudelaire, fig. ; lat. *hystericus,* du gr. *husterikos,* de même rac. || **hystérie** début XVIIIe s., méd. ; 1869, Sainte-Beuve, fig. || **hystériforme** 1843, Landais. || **hystérographie** 1962, Lar., exploration de l'utérus. || **hystérotomie** 1721, Trévoux.

i

ïambe 1532, Rab. (*-bus*) ; fin XVIe s., d'Aubigné (*iambe*), mètre gréco-latin ; 1589, Baïf, vers français ; av. 1794, Chénier, « pièce satirique » ; lat. *iambus,* du gr. *iambos.* || **ïambique** 1466, Michault ; lat. *iambicus,* du gr. *iambikos.*

ibéride 1615, Daléchamp (*iberis*) ; 1789, *Encycl. méth.* (*ibéride*) ; lat. *iberis, -idis,* du gr., signif. « cresson ».

ibérique 1767, *Encycl.* ; de *Ibérie,* anc. nom de la péninsule hispanique. || **ibérisme** XXe s.

ibidem fin XVIIe s. ; mot lat. signif. « ici (*ibi*) même (*idem*) ».

ibis 1265, Br. Latini (*ibe*) ; 1537, Saliat (*ibis*) ; mot lat., du gr. *ibis ;* oiseau de grande taille.

icaque 1555, Poleur (*hicaco*) ; 1658, Rochefort (*icaque*) ; esp. *icaco,* mot de la langue des Caraïbes ; arbuste de Guyane.

iceberg 1715, *Descript. de l'île de J. Mayen ;* mot angl., du norvégien *ijsberg,* montagne (*berg*) de glace (*ijs*).

ice-cream 1895, Bonnafé ; mot angl., de *ice,* glace, et *cream,* crème.

icefield v. 1850 ; mot angl., de *ice,* glace, et *field,* champ.

ichneumon 1553, Belon, « rat » ; 1562, du Pinet, « insecte » ; lat. *ichneumon,* mot gr., signif. « fureteur ».

ichnographie 1547, J. Martin ; lat. *ichnographia,* du gr. *ikhnos,* trace, et *graphein,* décrire ; terme d'architecture. || **ichnologie** 1968, Lar.

ichor 1538, Canappe ; gr. *ikhôr,* sang des dieux. || **ichoreux** 1560, Paré.

ichty(o)-, gr. *ikhthus,* poisson. || **ichtyocolle** 1598, R. Est. (*-cola*) ; 1776, Bomare (*-colle*). || **ichtyol** 1890, Lar. || **ichtyologie** 1649, *Doc.* ; lat. zool. *ichtyologia,* fait sur le gr. || **ichtyologiste** 1765, *Encycl.* || **ichtyoïde** 1817, Blainville. || **ichtyodonte** 1765, *Encycl.* || **ichtyophage** 1265, Br. Latini. || **ichtyophagie** 1546, Rab. || **ichtyosaure** 1824, *Ann. de chimie.* || **ichtys** 1765, *Encycl. ;* mot gr.

***ici** Xe s., *Passion ;* lat. pop. *ecce hic,* forme renforcée (*ecce,* voilà) de *hic,* ici, qui a donné *ci* (1080, *Roland*), resté dans *celui-ci, ce ...-ci, ci-dessus,* etc. Le *i* initial vient de *illuec* (lat. **illōc*) ou de *hīc,* ici.

icoglan 1624, Deshayes (*ich-*) ; 1778, Voltaire (*icoglan*) ; turc *îtchoghlân,* page (*oghlân*) de l'intérieur (*îtch*) ; officier du sultan.

icône 1838, *Acad.* ; russe *ikona,* du gr. byzantin *eikona,* image sainte. Il existait en anc. fr. *icoine,* image sainte (1220, Coincy), tiré du gr. || **iconoclasme** 1836, Landais. || **iconoclaste** milieu XVIe s. ; gr. *eikonoklastês,* de *klaein,* briser. || **iconogène** fin XIXe s. || **iconographie** 1701, Furetière. || **iconographe** 1803, Mozin. || **iconographique** 1762, *Acad.* || **iconolâtre** 1701, Furetière ; gr. *latris,* serviteur de Dieu. || **iconologie** 1636, Baudoin. || **iconoscope** 1877, L. || **iconostase** 1786, Coxe (*-sus*) ; 1842, Marmier (*-se*) ; gr. *stasis,* action de poser ; écran à trois portes couvert d'images dans les églises des rites orientaux.

icosaèdre 1377, Oresme (*icocedron*) ; 1551, Loys Le Roy (*icosaedre*) ; lat. *icosaedrum,* du gr. *eikosaedron* (*eikosi,* vingt, et *edra,* face) ; corps solide de vingt faces planes. || **icosagone** 1873, Lar.

ictère fin XVIe s., « coloration jaune de la peau » ; 1902, Lar., maladie ; gr. *ikteros,* jaunisse. || **ictérique** 1560, Paré.

ictus 1861, Trousseau, « coup », méd. ; 1867, L., en métrique ; lat. *ictus,* coup.

idéal V. IDÉE.

idée 1119, Ph. de Thaon, « forme des choses, image » ; 1265, J. de Meung, représentation dans la pensée ; 1656, Pascal, « opinion » ; *se faire une idée,* XVIe s., Ronsard ; *donner une idée,* 1758, Helvétius ; *avoir dans l'idée,* milieu

XVIIe s. ; *idée fixe,* 1830, Balzac ; *idées innées,* av. 1647, Descartes ; *idée noire,* 1740, *Acad.* ; *se faire des idées,* 1873, Lar. ; lat. philos. *idea,* du gr. *idea,* apparence, forme, de *ideîn,* voir. || **idéal** adj. 1551, Du Parc ; n. m. 1765, Diderot, par l'allem. *Ideal ;* bas lat. *idealis* (Ve s., Capella). || **idéation** 1870, Ribot ; d'apr. l'angl. *ideation.* || **idéaliser** 1795, Villeterque. || **idéalisation** 1831, Balzac. || **idéalement** 1551, Pontus de Tyard. || **idéalisme** 1749, Diderot, philos. ; 1869, J. Buzon, polit. || **idéaliste** fin XVIIe s. || **idéalité** v. 1750. || **idéologie** 1796, Destutt de Tracy ; fin XIXe s., système de pensée. || **idéologiste** 1797, Destutt de Tracy. || **idéologique** 1801, Destutt de Tracy. || **idéologue** 1800, Brunot, esprit chimérique ; 1802, Chateaubriand, philos. ; 1935, Lar., doctrinaire. || **idéographie** 1829, Nodier. || **idéogramme** 1859, Renan.

idem 1501, *Jardin de plaisance ;* mot lat. signif. « la même chose ».

identifier 1610, Coton ; bas lat. *identificare,* lat. *idem,* de même, et *facere,* faire. || **identification** *id.* || **identique** *id. ;* lat. médiév. *identicus,* semblable. || **identiquement** 1574, Rab. || **identité** 1327, Varin, « égalité sociale » ; 1370, Oresme, « union » ; 1671, Cotgrave, sens actuel ; *carte d'identité,* 1931, Lar. ; bas lat. *identitas.* || **identifiable** 1845, Richard.

identique, idéologie V. IDENTIFIER, IDÉE.

idiolecte v. 1960 ; anglo-américain *idiolect,* du gr. *idios,* particulier, et *(dia)lect.*

idiome 1527, Dassy (*ydiomat*) ; 1544, Des Périers (*idiome*), « idiotisme » ; 1580, Montaigne, « langue » ; bas lat. *idioma,* idiotisme, du gr. *idiôma,* particularité propre à une langue. || **idiomatique** 1845, Besch.

idiopathie 1586, Suau ; gr. *idiopatheia,* sentiment éprouvé pour soi-même, de *idios,* propre, et *pathos,* maladie. || **idiopathique** 1602, Taxil.

idiosyncrasie 1581, Nancel ; gr. *idiosunkrasia,* tempérament particulier, de *sunkrasis,* mélange, tempérament.

idiot 1180, *Roman d'Édouard* (*idiote*), « illettré » ; 1668, La Fontaine, « irréfléchi » ; 1690, Furetière, « débile mental » ; lat. *idiota, -tes,* sot, du gr. *idiotês,* particulier, puis « homme du commun, ignorant ». || **idiotement** 1845, Richard. || **idiocratie** 1871, E. Blanc. || **idiotie** 1818, Loiseleur ; remplace *idiotisme* (1611, Cotgrave) devenu équivoque. || **idiotiser** 1867, Goncourt.

idiotisme 1558, Des Périers ; lat. *idiotismus,* du gr. *idiotismos,* usage particulier ; expression particulière à une langue.

idoine 1160, Benoît, « capable de, propre à » ; XXe s., « qui convient » ; lat. *idoneus.*

idole 1080, *Roland* (*idele*) ; 1265, J. de Meung (*idole*) ; 1960, vedette ; lat. chrét. *idolum,* du gr. *eidôlon,* image. || **idolâtre** 1265, J. de Meung ; lat. chrét. *idololatres* (IIIe s., Tertullien), du gr. *eidololatres,* de *eidôlon,* image, et *latreuein,* adorer, avec confusion de suffixe (*-astre,* de *douceâtre, verdâtre,* etc.). || **idolâtrer** 1398, E. Deschamps. || **idolâtrie** 1170, *Rois ;* lat. chrét. *idolatria,* du gr. *eidolatria.* || **idolâtrique** 1560, Bonivard.

idylle 1555, Vauquelin de La Fresnaye (*idillie*), poème d'amour ; 1873, Lar., « amour naïf », fig. ; lat. *idyllium,* du gr. *eidullion,* petit poème lyrique (appliqué tardivement aux églogues de Théocrite). || **idyllique** 1845, Besch., littér. ; 1873, Lar., sens actuel.

if 1080, *Roland ;* gaulois **ivos.* || **ive** XVe s., *Grant Herbier,* forme fém. || **ivette** milieu XVIIIe s. || **iveteau** 1690, Furetière.

igame 1953, sigle de Inspecteur Général de l'Administration en Mission Extraordinaire. || **igamie** *id.*

igloo 1880, Hall ; mot angl., de l'esquimau.

igname 1515, Redouer ; port. *inhame,* d'un parler africain *niami.*

ignare 1361, Oresme, « inculte » ; v. 1900, sens actuel ; lat. *ignarus.*

igné XVe s., G. ; lat. *igneus,* de *ignis,* feu. || **ignicole** 1732, Richelet. || **ignifère** 1827, *Acad.* || **ignifuge** 1888, Lar. ; lat. *fugare,* mettre en fuite. || **ignifuger** 1907, Lar. || **ignifugation** 1907, Lar. || **ignition** 1596, Vigenère, « combustion » ; 1765, *Encycl.,* sens actuel. || **ignivome** 1599, Monthyard ; lat. *vomere,* vomir.

ignoble 1398, E. Deschamps (*innoble*) ; 1515, G. (*ignoble*), « non noble » (jusqu'au XVIIe s.) ; le sens fig. « vil » l'a emporté au XVIIe s. (1694, *Acad.*) ; lat. *ignobilis,* de *in-* priv. et *nobilis,* noble. || **ignoblement** 1576, Sasbout.

ignominie 1460, Chastellain ; lat. *ignominia,* de *in-* priv. et *nomen,* nom, réputation. || **ignominieux** 1327, J. de Vignay ; lat. *ignominiosus.* || **ignominieusement** 1400, Gerson.

ignorer 1330, *Girart de Roussillon ;* lat. *ignorare,* de *in-* priv. et *noscere,* connaître. || **ignorance** 1120, *Ps. d'Oxford ;* lat. *ignorantia.* || **ignorant**

1253, Robert Grossetête ; lat. *ignorans.* || **ignorantin** 1752, Trévoux, relig. ; ital. *frati ignoranti* (1604), nom des frères de Saint-Jean-de-Dieu, puis des frères des Écoles chrétiennes (péjor.). || **ignorantissime** 1594, *Sat. Ménippée ;* superlatif repris à l'ital. || **ignorantisme** 1829, Boiste. || **ignorantiste** 1845, Besch.

iguane 1532, A. Fabre (*iuana*) ; 1579, Benzoni (*iguanné*) ; 1658, Rochefort (*iguane*) ; esp. *iguano,* mot arawak ; gros lézard. || **iguanidé** 1907, Lar. || **iguanodon** 1847, Besch. ; gr. *odous, odontos,* dent.

igue 1906, Lar., « aven » ; de *igo, yza,* mot préroman du Quercy.

***il** 842, *Serments ;* lat. pop. **illi,* lat. *ille,* nominatif du démonstratif (celui-là), devenu pronom en lat. pop. || **ils** XIVᵉ s. ; a remplacé au cas sujet l'anc. fr. *il,* du lat. *illi.* || **lui** 980, *Valenciennes ;* cas régime du datif lat. pop. **illui,* d'apr. *cui.* || **eux** 980, *Valenciennes* (*els*) ; de l'accusatif lat. *illos.* || **leur** 980, *Valenciennes* (*lor*) ; génitif pl. *illorum,* devenu adj. possessif et pronom datif atone. (V. OUI.)

il-, im-, in-, ir-, formes diverses du préfixe négatif *in-.* Les mots ainsi construits sont indiqués pour la plupart aux mots simples.

ilang-ilang 1888, Lar., bot. ; nom d'une langue indigène des Moluques.

***île** 1138, Gaimar (*isle*) ; 1207, Villehardouin (*ille*) ; XVIᵉ s. (*île*) ; lat. pop. **isula,* lat. *insula.* || **îlien** 1808, Boiste. || **îlot** 1484, Garcie (*islot*) ; XVIIᵉ s. (*îlot*) ; a éliminé *islet.* || **insulaire** 1516, Delb. ; lat. impér. *insularis.* || **insularité** 1838, *Acad.* || **presqu'île** 1544, Apian ; sur le lat. *paeninsula* (*paene,* presque), calque du gr. *khersonêsos.*

iléon 1398, *Somme Gautier* (*yléon*) ; 1560, Paré (*iléon*) ; lat. méd. *ileum,* du gr. *eilein,* enrouler, tordre. Désigne le gros intestin, à cause des circonvolutions nombreuses de cet organe. || **ileus** XIVᵉ s. (*ylios*) ; 1798, *Encycl. méth.* (*iléus*) ; gr. *ileon,* même rac. ; occlusion intestinale aiguë. || **iléo-cæcal** 1845, Besch. || **iléostomie** 1962, Lar. ; gr. *stoma,* embouchure.

iliaque 1560, Paré (*veine iliaque*) ; 1611, Cotgrave (*os iliaque*) ; lat. *iliacus,* de *ilia,* flancs. || **ilion** 1560, Paré ; bas lat. *ilium.*

ilicacées 1867, L. (*ilicinée*) ; 1902, Lar. (*ilicacée*) ; lat. *ilex, -icis,* houx.

illégal, illégitime, illettré, illicite V. LÉGAL, LÉGITIME, LETTRE, LICITE.

illico 1507, Thierry ; lat. jurid. médiév. signif. « en cet endroit » (*in loco*).

illimité V. LIMITE.

illuminer fin XIIᵉ s., *Grégoire,* « rendre la vue » ; 1361, Oresme, « éclairer » ; lat. *illuminare,* de *lumen,* lumière. || **illuminé** 1653, Brunot, « qui a des visions ». || **illumination** 1361, Oresme, « lumière de Dieu » ; 1559, Amyot, « action de décorer avec des lumières » ; 1662, Bossuet, « révélation » ; lat. *illuminatio.* || **illuminatif** 1429, Gerson. || **illuminateur** 1403, *Internele Consolacion.* || **illuminisme** 1798, Laffon. || **illuministe** 1838, *Acad.*

illusion 1120, *Ps. d'Oxford,* « moquerie » ; XIIIᵉ s., « fausse apparence, fantôme » ; 1690, Furetière, « erreur des sens » ; 1611, Cotgrave, « chimère » ; lat. *illusio,* ironie, de *illudere,* moquer. || **illusionner** 1801, Mercier. || **illusionnisme** 1907, Lar. || **illusionniste** 1888, Lar., « prestidigitateur ». || **illusoire** 1398, E. Deschamps ; lat. *illusorius.* || **illusoirement** début XVIᵉ s. || **désillusion** 1834, M. Masson. || **désillusionner** 1828, H. Raisson, « retirer ses illusions à qqn ». || **désillusionnement** *id.*

illustre 1441, Chastellain ; lat. *illustris,* lumineux, de *lustrare,* éclairer, de *lux,* lumière. || **illustrer** milieu XIVᵉ s., Digulleville, « éclairer » ; 1508, G., « rendre illustre ; 1580, Montaigne, « éclaircir » ; 1836, *Catalogue,* « orner de gravures » ; lat. *illustrare.* || **illustration** XIIIᵉ s., G., « apparition » ; XVᵉ s., G., « lumière de Dieu » ; 1611, Cotgrave, « explication » ; 1829, *Rev. brit.,* « gravure » ; lat. *illustratio.* || **illustré** n. m. v. 1930. || **illustrateur** 1240, *Bible,* « qui rend illustre » ; 1845, Gautier, « graveur » ; lat. *illustrator.* || **illustrissime** 1481, Bartsch.

illuter 1856, Lachâtre ; de *in-,* dans, et *luter,* enduire de boue, de *lut.* || **illutation** 1765, *Encycl.*

ilote 1568, Amyot ; 1823, Boiste, « celui qui est au dernier rang » ; lat. *ilota,* du gr. *heilôtês.* || **ilotisme** 1823, Boiste.

im-, forme du préfixe *in-* devant *m* et *p.* V. les composés aux mots simples.

image 1050, *Alexis* (*imagene*) ; 1160, *Tristan* (*image*), « statue de saint » ; 1175, Chr. de Troyes, « portrait dessiné » ; 1550, Meigret, « symbole » ; lat. *imago, -ginis.* || **imagerie** XIIIᵉ s., G., « art de l'imagier » ; 1829, Boiste, « commerce d'images » ; XIXᵉ s., « ensemble d'images ». || **imagette** 1918, Lar. || **imager** XIIIᵉ s., de Longuyon, « sculpter » ; XVIᵉ s.,

« représenter par l'image » ; 1795, Snetlage, fig., surtout au part. passé. || **imagier** 1268, É. Boileau, « sculpteur » et « peintre ». || **imaginer** 1290, Drouart, « peindre » ; 1460, Chastellain, « combiner habilement » ; 1538, R. Est., « concevoir » ; 1553, Belon, *s'imaginer ;* bas lat. *imaginari.* || **imagination** 1160, Benoît, « hallucination » ; XVe s., « vision » ; 1580, Montaigne, sens actuel ; bas lat. *imaginatio.* || **imaginable** 1377, Oresme. || **imaginaire** fin XVe s. ; comme n. m. 1873, Lar. || **imaginairement** XVIe s., Michel d'Amboise. || **imaginateur** 1578, H. Est. || **imaginatif** 1360, Froissart, « rusé » ; 1563, La Boétie, sens actuel ; bas lat. *imaginativus.*

imaginer V. IMAGE.

iman 1560, Postel ; arabe et turc *imām,* conducteur, chef religieux. || **imanat** 1827, *Acad.*

imbécile 1495, J. de Vignay, « faible physiquement » ; 1587, du Vair, « débile mental » ; 1651, Corn., « stupide » ; lat. *imbecillus.* || **imbécillité** 1355, Bersuire, « faiblesse physique » ; 1525, Lemaire, « faiblesse morale » ; 1613, Régnier, « stupidité » ; lat. *imbecillitas.*

imberbe V. BARBE 1.

imbiber 1503, Chauliac ; 1873, Lar., pronominal, « boire avec excès » ; lat. *ĭmbĭbĕre,* qui a donné *imboire.* || **imbibition** milieu XIVe s., G. ; lat. *imbibitio.*

imboire V. BOIRE.

imbriqué 1584, Thevet ; lat. *imbricatus,* disposé comme des tuiles, de *ĭmbrex,* tuile. || **imbriquer** 1836, Landais, « chevaucher » ; *s'imbriquer,* « s'enchevêtrer », XXe s. || **imbrication** 1836, Landais.

imbroglio 1698, Bossuet ; au théâtre 1775, *Mercure de France ;* mot ital., de *imbrogliare,* embrouiller.

imbu V. BOIRE.

imiter fin XVe s. (*immiter*) ; 1525, Cretin (*imiter*) ; lat. *imitari.* || **imitateur** XIVe s., *Nature a alchimie ;* lat. *imitator.* || **imitation** 1220, Coincy ; lat. *imitatio.* || **imitatif** 1466, Michault ; bas lat. *imitativus.* || **imitable** 1549, R. Est. || **inimitable** fin XVe s., G. ; lat. *inimitabilis.*

immaculé V. MACULER.

immanent 1370, Oresme, « qui demeure dans la pensée » ; 1690, Furetière, philos. ; 1865, Proudhon, *justice immanente ;* lat. scolastique *immanens,* part. prés. de *immanere,* de *manere,* demeurer. || **immanence** 1859, Mozin. || **immanentisme** 1907, Lar.

immarcescible 1482, Flameng ; lat. chrét. *immarcescibilis* (IIIe s., Tertullien), de *marcescere,* se flétrir ; terme eccl., « qui ne peut se flétrir ».

immatériel, immatriculer V. MATÉRIEL, MATRICULE.

immédiat 1382, Delb., « sans intervalle » ; XVIIe s., « saisi directement » et « sans intermédiaire » ; bas lat. *immediatus* (VIe s., Boèce), qui se fait sans intermédiaire. || **immédiatement** 1503, Vaganay. || **immédiateté** 1721, Trévoux.

immémorial V. MÉMOIRE.

immense 1360, G., « sans réserve » ; 1452, A. Gréban, « très grand » ; lat. *immensus,* qui ne peut être mesuré. || **immensité** 1495, J. de Vignay ; lat. *immensitas.* || **immensément** fin XVIIe s., Saint-Simon.

immerger 1501, F. Le Roy, « enfoncer dans la terre » ; 1648, Pascal, « plonger dans l'eau » ; *s'immerger* 1931, Lar., fig. ; lat. *immergere,* de *mergere,* plonger. || **immersion** 1372, Golein ; lat. *immersio.*

immeuble V. MEUBLE.

immigrer 1769, *Éphém. du citoyen* (*-é*) ; 1838, *Acad.* (*-er*) ; lat. *immigrare,* de *in,* dans, et *migrare,* changer de résidence. || **immigrant** 1787, Clavière. || **immigration** 1768, *Éphém. du citoyen ;* lat. *immigratio.* (V. ÉMIGRER, MIGRATION.)

imminent XIVe s., *Chron. de Flandres,* « menaçant » ; 1873, Lar., « très proche » ; lat. *imminens,* part. prés. de *imminere,* menacer. || **imminence** 1787, Féraud ; bas lat. *imminentia.* || **imminer** 1910, Colette.

immiscer (s') 1482, G. ; lat. *immiscere,* de *miscere,* mêler. || **immixtion** 1701, Furetière ; bas lat. *immixtio,* mélange.

immobile, immodéré, immodeste V. MOBILE, MODÉRER, MODESTE.

immoler milieu XVe s., Joret, sens propre ; fin XVIe s., d'Aubigné, fig. ; *s'immoler,* 1640, Corn. ; lat. *immolare.* || **immolateur** début XVIe s. || **immolation** XIIIe s., G. ; lat. *immolatio.*

immonde 1220, Coincy, « impur » ; 1841, Chateaubriand, « ignoble » ; lat. *immŭndus,* de *mŭndus,* propre. || **immondices** *id. ;* lat. *immŭnditiae* (préf. *in-* privatif). || **immondicité** 1525, J. Lemaire.

immortel, immuable V. MORT, MUER.

immunité fin XIIIe s., « sûreté » ; 1474, Bartzsch, « exemption de charge » ; *immunité diplomatique,* 1890, Lar. ; 1866, L., méd. (contre la variole) ; lat. *immunitas,* dispense, exemption, de *munus,* charge. || **immuniser** 1902, Lar., donner l'immunité, en biologie. || **immun** 1431, G., « sans obligation » ; 1931, Lar., en biologie. || **immunisation** 1897, Auscher. || **immunologie** 1938, Garnier. || **immunodépresseur** 1967, *Journaux.* || **immunothérapie** 1952, Lar.

immutabilité V. MUTER.

impact 1827, *Acad.,* « trace d'un projectile » ; XXe s., fig. ; lat. *impactus,* part. passé de *impingere,* heurter. || **impacter** 1620, J. Béguin. || **impaction** 1821, Wailly ; lat. *impactio.*

impair, impalpable, imparfait V. PAIR, PALPER, PARFAIT.

impartir 1374, G., « donner en partage » ; 1800, Boiste, « accorder » ; lat. jurid. *impartiri,* donner une part, accorder comme don ; surtout au part. pass. *imparti.*

impasse, impassible V. PASSER, PASSION.

impastation 1690, Furetière ; de *empâter,* bas lat. *pasta,* pâte ; composition faite de substances broyées et mises en pâte.

impeccable, impécunieux V. PECCABLE, PÉCUNE.

impédance 1904, Hoyer ; angl. *impedance,* résistance, du lat. *impedire,* empêcher.

impedimenta 1878, Lar. ; mot lat. signif. « bagages », de *impedire,* entraver.

impénétrable, impénitent V. PÉNÉTRER, PÉNITENT.

impenses XVe s., Martial d'Auvergne ; lat. *impensa,* dépenses ; spécialisé en vocabulaire juridique.

impératif 1220, d'Andeli, gramm., n. m. ; 1486, G., « impérieux » ; lat. impér. *imperativus,* de *imperare,* commander. || **impérativement** 1584, Thevet.

impératrice, imperceptible V. EMPEREUR, PERCEVOIR.

impérial 1130, *Eneas* (*emperial*) ; XIIe s. (*impérial*) ; bas lat. *imperialis,* de *imperium,* empire. || **impériale** 1648, Brunot (de voiture), parce qu'elle est placée au-dessus ; 1817, A. J. S., *Histoire des moustaches,* « barbiche que mettra à la mode Napoléon III ». || **impérialement** 1207, Villehardouin. || **impérialisme** 1836, *Acad.,* « pouvoir impérial » ; 1880, *le Figaro,* « expansion dominatrice » ; angl. *imperialism.* || **impérialiste** 1525, Barbier, « partisan de l'empire d'Allemagne » ; 1823, Boiste, « partisan du régime napoléonien » ; 1893, *le Temps,* « expansionniste » ; angl. *imperialist.* || **anti-impérialiste** 1896, Ch. de Ricault.

impérieux 1420, A. Chartier ; lat. *imperiosus,* de *imperium,* empire. || **impérieusement** 1512, J. Lemaire.

impéritie XIVe s. ; lat. *imperitia,* de *peritus,* expérimenté ; manque d'expérience, d'habileté.

imperméable, impersonnel, impertinent, imperturbable V. PERMÉABLE, PERSONNE, PERTINENT, PERTURBER.

impétigo 1480, Lanfranc ; mot du lat. méd., de *impetere,* attaquer. Même image que dans *éruption.* || **impétigineux** 1843, Landais ; bas lat. *impetiginosus,* qui a des dartres.

impétrer 1155, Wace (*empetrer*), « réclamer » ; 1268, Espinas (*impétrer*), « obtenir » ; lat. *impetrare,* obtenir. || **impétrant** 1347, Isambert, part. prés. ; celui qui obtient de l'autorité compétente un titre, un diplôme.

impétueux 1220, Coincy ; bas lat. *impetuosus,* de *impetus,* élan. || **impétueusement** 1361, Oresme. || **impétuosité** XIIIe s., G. ; bas lat. *impetuositas.*

impie V. PIEUX.

implacable 1455, Fossetier ; lat. *implacabilis,* de *placare,* apaiser ; qu'on ne peut apaiser, adoucir. || **implacablement** 1552, R. Est. || **implacabilité** 1743, Brunot ; bas lat. *implacabilitas.*

implanter V. PLANTER.

implexe 1660, Corneille ; lat. *implexus,* entremêlé, de *plectere,* tresser ; se dit d'un ouvrage dont l'intrigue est compliquée.

implicite V. IMPLIQUER.

impliquer XIVe s., Delb., « être contradictoire » ; 1596, Hulsius, « entraîner comme conséquence » ; lat. *implĭcare,* envelopper, embarrasser, de *plicare,* plier. || **implication** 1403, *Internele Consolacion,* « embrouillamini » ; 1611, Cotgrave, en droit ; 1718, *Acad.,* relation de conséquence ; lat. *implicatio.* || **implicite** 1488, *Doc.* ; lat. *implicitus,* enveloppé dans le sens, d'où « sous-entendu ». || **implicitement** 1488, Vaganay.

implorer fin XIIIe s. ; lat. *implorare,* de *plorare,* pleurer ; supplier en attirant la pitié. || **imploration** début XIVe s.

1. **importer** 1345, G., « se rapporter à » ; 1536, Rab., « être de conséquence » ; ital. *importare,* du lat. *importare,* porter dans, et par ext. « causer, susciter ». || **importance** 1460, Chastellain ; ital. *importanza,* de *importare,* avoir de l'importance. || **important** fin XVe s., « considérable » ; fin XVIe s., d'Aubigné, en parlant de qqn.

2. **importer** 1396, texte de Dieppe, « faire entrer des marchandises » ; angl. *to import,* du lat. *importare,* porter dans. || **importateur** 1756, marquis de Mirabeau. || **importation** 1734, Brunot ; angl. *importation,* de *to import,* introduire. || **import-export** v. 1950. || **réimporter** 1792, Frey. || **réimportation** 1838, *Acad.*

importun 1327, Isambert, « pressant » ; 1460, Chastellain, « intempestif » ; XVIe s., sens actuel ; lat. *importunus,* difficile à aborder, de *portus,* port. || **importunément** XIIIe s., G. || **importuner** 1462, *Cent Nouvelles.* || **importunité** fin XIIe s., « supplication pressante » ; 1380, *Aalma,* sens actuel ; lat. *importunitas.*

imposer XIIe s., G. de Saint-Pair, « poser sur » ; XIVe s., « contraindre, faire subir » ; XVe s., « assujettir à l'impôt » ; 1596, Hulsius, *en imposer* (par le respect) ; adaptation, d'apr. *poser,* de l'anc. fr. *emposer* (1120, *Ps. d'Oxford*), du lat. *imponere,* placer dans, par ext. « charger, se tromper ». || **imposant** 1715, Lesage, « qui inspire le respect » ; 1887, Loti, « considérable ». || **imposable** 1454, G. || **imposition** 1288, Varin, « impôt » ; 1690, Furetière, en imprimerie ; lat. *impositio ;* sens premier dans *imposition des mains* (1535, Olivétan), repris au lat. eccl. || **impôt** 1399, Bartzsch (*impost*) ; 1680, Richelet (*impôt*) ; adaptation, d'apr. *dépôt,* du lat. *impositum,* part. passé de *imponere.* || **réimposer** 1549, R. Est. || **surimposer** 1674, Brunot. || **surimposition** 1611, Cotgrave.

imposte 1545, Van Aelst ; ital. *imposta,* placée sur, du lat. *impositus,* de *imponere.* (V. IMPOSER.)

imposteur 1532, Rab. (*emposteur*), puis 1534, Rab. (*imposteur*) ; bas lat. *impostor,* de *imponere,* tromper. || **imposture** 1190, Garn. (*emporture*) ; 1546, Rab. (*imposture*) ; bas lat. *impostura.*

impôt V. IMPOSER.

impotent 1308, G. ; lat. *impotens,* impuissant, de *posse,* pouvoir. || **impotence** 1265, J. de Meung ; lat. *impotentia ;* spécialisé en méd. au XIXe s.

imprécation 1355, Bersuire ; lat. *imprecatio,* de *imprecari,* souhaiter du mal à quelqu'un, de *precari,* prier. || **imprécateur** 1867, L. || **imprécatoire** XVIe s., L.

imprégner début XVIIe s., « pénétrer » ; fin XVIIe s., fig. (repris à *empreindre,* par confusion homonymique) ; réfection, d'apr. le lat., de l'anc. fr. *empregnier* (1125, G.), du bas lat. *impraegnari,* de *praegnans,* enceinte. || **imprégnation** 1380, Conty, action de féconder ; 1690, Furetière, « action d'imbiber » ; XIXe s., fig. ; lat. méd. *impraegnatio.*

imprésario 1753, *Correspondance littéraire ;* mot ital., de *impresa,* entreprise, du lat. pop. **imprendere,* entreprendre.

impression V. IMPRIMER.

imprimer fin XIIIe s. (*emprimer*), « presser » ; 1356, Bersuire, « provoquer un sentiment » ; 1580, Montaigne, « marquer », fig. ; 1478, *Doc., imprimer un livre ;* lat. *imprĭmĕre,* presser sur. || **imprimable** 1767, Voltaire. || **imprimé** n. m. 1611, Cotgrave. || **imprimerie** fin XVe s., Delb. || **imprimeur** 1441, G. || **imprimatur** 1873, Lar. ; mot lat. signif. « qu'il soit imprimé ». || **impression** 1259, G., « empreinte » ; 1475, Isambert, en imprimerie ; XVIIe s., fig. ; lat. *impressio,* de *imprimere* (part. passé *impressus*). || **impressionner** 1741, Gauchet ; 1867, L., en photo. || **impressionnable** 1780, Thouvenel. || **impressionnabilité** 1803, Molé. || **impressionnant** XVIIIe s., Restif. || **impressionnisme** 1876, L. || **impressionniste** 1874, Leroy, d'apr. l'*Impression* de Monet. || **impressif** 1828, Mozin, par l'angl. || **réimprimer** 1538, Marot. || **réimpression** 1690, Furetière. || **surimpression** 1908, Babin.

improbation, improbe V. IMPROUVER, PROBE.

impromptu 1651, Loret, n. m., « pièce improvisée » ; 1673, Molière, adj. ; 1767, Rousseau, adv. ; lat. *in promptu,* en évidence, d'où, en fr., « sur-le-champ ».

impropre V. PROPRE.

improuver 1370, Oresme ; adaptation, d'apr. *approuver,* du lat. *improbare,* désapprouver. || **improbateur** 1654, G. de Balzac ; lat. *improbator.* || **improbation** v. 1450, Gréban ; lat. *improbatio.*

improviser 1660, Oudin, v. i. ; 1779, Brunot, v. t. ; ital. *improvvisare,* de *improvviso,* imprévu, du lat. *improvisus.* || **improvisateur** 1787 Féraud ; de *improvister* (1765, *Encycl.*), parler sur-le-champ. || **improvisation** 1807, Staël

|| improviste (à l') 1528, du Bellay ; ital. *improvvisto,* syn. de *improwiso ;* il a remplacé l'anc. fr. *à l'impourvu* (1552, R. Est.).

imprudent, impubère, impudent, impudique V. PRUDENT, PUBÈRE, PUDEUR.

impulsion 1315, G., fait de propulser ; 1361, Oresme, force ; 1686, Bossuet, fig. ; lat. *impulsio,* de *pellere* (*pulsus*), pousser. || **impulsif** 1390, Conty, au sens propre ; fin XIXe s., fig. ; lat. médiév. *impulsivus.* || **impulsivité** 1907, *Revue de philologie.*

imputer fin XIIIe s., Rutebeuf (*emp-*), « attribuer » ; 1361, Oresme (*imputer*) ; 1636, Monet, finances ; lat. *ĭmpŭtare,* porter en compte, de *putare,* compter. || **imputable** 1361, Oresme. || **imputabilité** 1759, Richelet. || **imputation** 1460, Bartzsch ; 1690, Furetière, finances ; bas lat. *imputatio.*

in-, préfixe privatif (du latin *in-*) qui a connu un développement continu jusqu'au XVIIIe s., où le préfixe *non-* a limité son aire d'emploi, comme au XXe s. le préfixe d'origine grecque *a*(*n*)-. Le préfixe lat. signif. « dans » se trouve en composition de nombreux mots d'orig. latine.

inaccessible V. ACCÉDER.

inadvertance 1361, Oresme (*par inavertance*) ; fin XVe s., Commynes (*par inadvertance*) ; 1560, Paré, « faute de celui qui ne prend pas garde » ; lat. scolastique *inadvertentia,* de *advertere,* faire attention, se tourner vers.

inanité 1495, J. de Vignay ; lat. *inanitas,* de *inanis,* vide, vain.

inanition 1240, *Épître Jérôme ;* bas lat. *inanitio,* action de vider, de *inanis,* vide ; spécialisé dans le sens de « privation des aliments ».

inaugurer 1355, Bersuire, « consacrer » ; 1835, *Acad.,* « ouvrir par une cérémonie solennelle » ; 1848, Sand, « introduire du nouveau » ; lat. *inaugurare,* prendre les augures, consacrer. || **inauguration** 1355, Bersuire, « consécration aux dieux » ; 1798, *Acad.,* sens actuel ; lat. *inauguratio.* || **inaugural** 1670, Chapelain, « qui commence » ; 1798, *Acad.,* sens actuel.

incaguer 1552, Rab., « souiller » ; ital. *incacare,* conchier, du lat. *cacare,* chier.

incamérer 1666, Leti ; ital. *incamerare,* incorporer à la chambre (ital. *camera*), symbole des trésors de l'Église romaine.

incandescent 1771, Trévoux ; lat. *incandescens,* de *incandescere,* être en feu. || **incandescence** 1771, Schmidlin.

incantation XIIIe s., G. ; bas lat. *ĭncantātio,* de *incantare,* ensorceler (v. ENCHANTER). || **incantatoire** 1884, Mallarmé. || **incantateur** 1531, J. de Vignay.

incarcérer 1392, du Cange (*en-*) ; rare jusqu'au XVIIIe s. ; lat. médiév. *incarcerare,* de *carcer, -ris,* prison (v. CHARTRE 2). || **incarcération** 1314, Mondeville, « étranglement de hernie » ; XVe s., Juvénal des Ursins, « mise en prison ».

incarnadin 1582, M. de Valois ; ital. dial. *incarnadino,* couleur de chair, de *carne,* chair, lat. *caro, carnis.* || **incarnat** 1532, Rab. ; ital. *incarnato,* couleur de chair.

incarner 1372, Corbichon, méd. ; 1495, J. de Vignay, relig. ; 1937, *Journ.,* fig. au théâtre ; lat. eccl. *incarnare,* de *caro, carnis,* chair. Le sens méd. (*ongle incarné,* 1560, Paré) est refait sur le lat. (anc. fr. *encharné*). || **incarnation** 1119, Ph. de Thaun (*incarnaciun*), relig. ; 1207, Villehardouin (*incarnation*) ; 1854, Lamennais, fig. ; lat. eccl. *incarnatio.* || **désincarné** 1891, Huysmans. || **désincarner** 1922, Proust. || **réincarner** XXe s. || **réincarnation** 1875, Lar.

incartade 1643, Corn. ; ital. *inquartata,* terme d'escrime pris au fig., parade rapide portée à un coup droit en se jetant rapidement de côté.

incendie milieu XIIe s. (*encendi*) ; 1575, *Doc.* (*incendie*) ; lat. *incendium.* || **incendier** fin XVIe s. ; XIXe s., « chauffer » ; 1905, Esnault, « injurier ». || **incendiaire** XIIIe s., G. ; lat. *incendiarius.*

inceste 1130, *Job,* « commerce charnel entre parents » ; fin XIVe s., E. Deschamps, « personne qui commet l'inceste » ; lat. *incestus, -tus,* inceste, n. m. ; lat. *incestus, -i,* adj., de *in-,* préfixe priv., et *castus,* chaste. || **incestueux** XIIIe s., G. ; lat. *incestuosus.*

inchoatif 1380, *Aalma,* « qui est au commencement » ; 1569, R. Est., gramm. ; lat. *inchoativus,* de *ĭnchoare,* commencer.

incident 1468, Bartzsch, adj., « accessoire » ; 1265, J. de Meung, n. m., « circonstance » ; fin XIVe s., E. Deschamps, « difficulté » ; lat. scolast. *incidens,* part. prés. de *incidere,* survenir, tomber sur. || **incidemment** 1310, G. || **incidente** XVIIIe s., gramm. || **incidence** 1360, Froissart, « ce qui survient » ; 1626, *Huetiana,* phys. || **incidenter** 1649, Retz, faire naître des incidents au cours d'un procès.

incinérer 1488, *Mer des hist.*, rare jusqu'au XIXe s. (1832, Raymond) ; lat. *incinerare,* de *cinis, cineris,* cendre. || **incinération** 1380, Conty ; lat. médiév. *incineratio.* || **incinérateur** 1902, Lar.

incise V. INCISER.

inciser 1418, G., réfection de l'anc. fr. *enciser* (XIIe s.), couper ; lat. pop. **incisare,* de *incidere,* couper. || **incise** 1770, Rousseau, mus. ; 1771, Trévoux, gramm. ; lat. *incisa,* coupée. || **incisif** 1314, Mondeville, méd. ; 1831, Stendhal, « mordant » ; lat. méd. *incisivus.* || **incisive** (*dent*) 1560, Paré ; n. f. 1754, *Encycl.* || **incision** 1314, Mondeville ; lat. *incisio.*

inciter 1190, *Saint Bernard* (*enciter*) ; 1360, Froissart (*inciter*) ; lat. *ĭncĭtare,* pousser vivement, de *ciere,* mettre en mouvement. || **incitation** 1360, Froissart ; lat. *incitatio.* || **incitateur** fin XVe s., Bartzsch ; bas lat. *incitator.*

incivil, inclément V. CIVIL, CLÉMENT.

incliner 1213, *Fet des Romains,* « saluer de la tête » ; 1327, Thierry, « rendre enclin » ; 1361, Oresme, au sens propre, v. i. ; 1636, Monet, « évoluer vers » ; 1893, Courteline, *s'incliner,* « se soumettre » ; réfection, d'apr. le lat., de l'anc. fr. *encliner* (1080, *Roland*), issu du lat. *inclinare.* || **inclinaison** 1611, Huet, sens propre ; 1835, Gautier, pour le corps. || **inclination** 1220, Coincy, « mouvement de l'âme » ; lat. *inclinatio,* sens fig. || **inclinable** 1622, Vigenère.

inclure fin XVIe s. ; lat. *includere,* enfermer, de *claudere,* fermer ; usité surtout au part. passé *inclus* [fin XIVe s.] (lat. *inclusus*). || **ci-inclus** 1690, Furetière. || **inclusif** 1688, Miege ; lat. médiév. *inclusivus.* || **inclusivement** fin XIVe s. || **inclusion** fin XVIe s., « fait de déclarer inclus » ; XVIIe s., sens actuel ; lat. *inclusio.*

incognito fin XVIe s. ; mot ital. signif. « inconnu », du lat. *incognitus.*

incomber 1460, Chastellain, « concerner », v. t. ; 1789, *Moniteur universel,* v. i. ; lat. *incumbere,* peser sur.

incombustible, incommensurable, incompatible, incompétent, incongru, inconséquent, inconsidéré, inconstant, incontinence V. COMBUSTIBLE, MESURE, COMPATIBLE, COMPÉTENT, CONGRU, CONSÉQUENT, CONSIDÉRER, CONSTANT, CONTINENT 1.

1. **incontinent** adv. 1332, *Doc.* ; lat. jurid. *in continenti* (*tempore*), dans un temps continu, sur-le-champ.

2. **incontinent** adj. V. CONTINENT 1.

inconvénient 1220, Coincy ; lat. *inconveniens,* qui ne convient pas.

incorporer, incorruptible, incrédule V. CORPS, CORROMPRE, CRÉDULE.

incriminer 1558, Vaganay, rare jusqu'à la Révolution (1791, Malouet) ; lat. *incriminare,* de *crimen, -inis,* accusation. || **incriminable** 1842, *Acad.* || **incrimination** 1839, Boiste.

incruster fin XVIe s. ; 1902, Lar., pronominal, « s'installer durablement » ; lat. *incrustare,* de *crusta,* croûte. || **incrustation** 1553, Vaganay, « ornement » ; 1752, Trévoux, « concrétion » ; lat. *incrustatio.*

incubation 1694, Th. Corn., « action de couver les œufs » ; 1834, Landais, fig. ; lat. *incubatio,* action de couver les œufs ; le sens propre se rencontre d'abord. || **incuber** 1771, Trévoux. || **incubateur** 1847, Duvernoy.

incube 1256, Ald. de Sienne ; bas lat. *incubus,* cauchemar, de *incubare,* coucher sur ; démon qui abuse des femmes pendant leur sommeil.

inculper début XVIe s., qui a remplacé l'anc. fr. *encoulper* (XIIe s.) ; lat. *inculpare,* de *culpa,* faute. || **inculpable** 1829, Boiste. || **inculpé** n. 1810, *Code pénal.* || **inculpation** XVIe s., rare jusqu'au XVIIIe s. ; bas lat. *inculpatio.* (V. COULPE.)

inculquer 1512, J. Lemaire ; lat. *inculcare,* fouler, de *calx, -cis,* talon ; graver, faire entrer dans l'esprit.

inculte V. CULTIVER.

incunable 1802, Peignot, adj. ; 1838, *Acad.,* n. m. ; lat. *incunabula,* pl. neutre, berceau, au fig., « commencement » ; spécialisé pour les toutes premières productions de l'imprimerie Beughem, 1688, Amsterdam (*Incunabula typographiae*).

incurie milieu XVIe s. ; lat. *incūria,* manque de soin, de *cūra,* soin.

incuriosité V. CURIEUX.

incursion 1352, Bersuire ; 1765, *Encycl.,* fig. ; lat. *incursio,* invasion, de *currere,* courir.

incurver 1120, *Ps. d'Oxford* (*encurver*), « ployer », fig. ; 1551, Finé (*-é*), « courbé vers » ; 1838, *Acad.* (*-er*) ; lat. *incurvare,* courber. || **incurvation** 1803, Boiste, « courbure des os ».

incuse 1692, Jobert, en numismatique ; lat. *incusa,* frappée, de *cudere,* forger, frapper.

inde 1160, Benoît, « bleu » ; lat. *indicus,* de l'Inde. (V. INDIGO.)

indécis, indécision, indéclinable, indéfectible, indéfini V. DÉCIDER, DÉCLINER, DÉFICIENT, DÉFINIR.

indélébile 1541, Calvin, « ineffaçable » ; 1835, *Acad.,* pour l'encre ; lat. *indelebilis,* indestructible, de *delere,* détruire.

indemne 1384, Runkewitz (*indamne*) ; XVIe s. (*indemne*) ; lat. *indemnis,* de *in-* priv. et *damnum,* dommage. || **indemniser** 1465, Bartzsch. || **indemnisable** 1845, Richard. || **indemnisation** 1754, Formey. || **indemnité** 1278, texte de Limoux (*endempnitāt*), « compensation » ; 1367, *D. G.* (*indemnité*), terme féodal ; 1549, R. Est., sens actuel ; lat. *indemnitas.*

indescriptible V. DÉCRIRE.

index 1503, Chauliac, « doigt » ; XVIe s., relig., « catalogue des livres interdits par le pape », d'où *mettre à l'index,* 1835, *Acad.,* par abrév. de « doigt indicateur », « table indicatrice » ; 1690, Furetière, « table des matières » ; mot lat. signif. « indicateur ». || **indexer** 1948, Lar. || **indexation** 1948, Lar.

indican 1873, Lar. ; lat. *indicum,* indigo ; terme de chimie.

indicateur, indication V. INDIQUER.

indice 1306, *Doc.,* « dénonciation » ; 1493, *Mer des hist.,* « signe » ; lat. *indicium,* signe révélateur ; du XVIe s. au XVIIIe s. (1532, Rab.) a aussi le sens de « index ». || **indiciaire** n. m. 1500, « chroniqueur » ; adj. XVIe s., « qui révèle ». || **indiciel** 1953, *le Monde.*

indicible V. DIRE.

indiction 1119, Ph. de Thaon, « période de quinze ans » ; 1536, M. du Bellay, « prescription » ; bas lat. *indictio,* de *indicere,* indiquer.

indien XIVe s., de l'Inde ; 1553, Rab., indigène d'Amérique.

indienne 1632, Peiresc ; nom de l'*Inde,* où se fabriquait cette étoffe. || **indianiser** 1942, Auboyer. || **indianiste** 1862, Renan. || **indo-européen** 1845, Besch.

indifférent 1314, Mondeville, « sans préférence » ; 1677, Racine, « insensible » ; 1704, Trévoux, en religion ; lat. *indifferens,* ni bon ni mauvais, de *in-* priv. et *differre,* être différent. || **indifféremment** 1314, Mondeville. || **indifférence** 1377, Oresme, « inertie » ; 1629, Corn., « absence d'intérêt, d'amour » ; 1704, Bourdaloue, relig. ; lat. *indifferentia.* || **indifférencié** 1908, Lar. || **indifférentisme** 1721, Trévoux, relig. ; 1869, J. Amigues, en polit. || **indifférer** 1888, Villatte.

indigène 1532, Rab. ; repris au XVIIIe s. (1743, Geffroy) ; lat. *indigena,* qui est né dans le pays. || **indigénat** 1699, Dalairac.

indigent 1265, J. de Meung ; pendant la Révolution, « ouvrier » ; lat. *indigens,* qui manque de, de *egere,* manquer. || **indigence** 1265, J. de Meung, « manque de nécessaire » ; lat. *indigentia.*

indigeste, -tion, indigne V. DIGÉRER, DIGNE.

indigo 1544, Fonteneau ; port. *indico,* du lat. *indicum,* de l'Inde. || **indigoterie** 1657, Du Tertre. || **indigotier** 1718, Reneaume. || **indigotine** 1843, Landais. || **indium** 1863, Reich et Richter, d'apr. les deux raies bleu indigo de son spectre.

indiquer début XVIe s. ; lat. *ĭndĭcare,* de *index, -icis,* qui montre. || **indicateur** 1490, Tardif, « qui indique un objet, une personne », n. m. ; XVIe s., « objet indiqué » ; XVIIIe s., « brochure donnant des renseignements » ; *indicateur de police,* 1748, Esnault. || **indication** 1333, *Doc.* ; lat. *indicatio.* || **indicatif** 1361, Oresme, « qui indique » ; XIVe s., adj. ; n. m. 1671, Pomey, gramm. ; lat. *indicativus.* || **contre-indiquer** 1836, *Acad.* || **contre-indication** 1697, Verduc.

indiscret, indissoluble, indistinct, indium V. DISCRET, DISSOUDRE, DISTINGUER, INDIGO.

individu 1242, Lanfranc, « être appartenant à une espèce » ; 1684, La Fontaine, « être humain » ; 1654, G. de Balzac, « ce qui constitue la personne physique » ; 1791, Mirabeau, « être humain par rapport à la société » ; lat. *individuum,* indivisible. || **individuel** 1551, Du Parc, qui a remplacé *individual* (XVe s.). || **individuellement** 1551, Rab. || **individualité** 1760, Bonnet ; 1762, Diderot, « caractère original ». || **individualisation** 1803, Boiste. || **individualiser** 1738, d'Olivet. || **individualisme** 1826, *le Globe,* terme polit. opposé à *socialisme* ; 1833, Balzac, sens actuel. || **individualiste** 1836, Raymond. || **individualitaire** 1845, Cabet. || **individuelliste** 1871, Tolain. || **individuation** 1551, D. Sauvage.

indivis, indolent V. DIVISER, DOLÉANCE.

indri 1782, Sonnerat, exclamation malgache, prise pour le nom du singe.

indu, indubitable V. DEVOIR, DOUTER.

induire XIIIe s., « amener » ; 1361, Oresme, « conclure » ; XIXe s., phys. ; lat. *inducere,* de *ducere,* conduire. || **induction** 1290, Drouart, « tentation » ; 1361, Oresme, « raisonnement » ; 1842, *Acad.,* phys., par l'angl. ; lat. *inductio.* || **inductance** fin XIXe s., par l'angl. || **inducteur** 1624, Nostradamus, « qui conduit à faire » ; 1866, L., en phys. || **inductif** fin XIVe s., G., « qui pousse » ; 1832, *Annales de chimie,* phys., par l'angl. ; lat. scolastique *inductivus.*

indulgent 1530, Marot, relig., et sens actuel ; lat. *indulgens,* qui remet une peine. || **indulgemment** 1587, du Vair. || **indulgence** 1190, *saint Bernard,* « rémission des péchés » ; 1611, Cotgrave, sens actuel ; lat. *indulgentia.* || **indult** 1460, Chastellain ; lat. eccl. *indultum,* accordé, de *indulgere,* concéder.

indurer XVe s., P. Michault, « endurcir », rare jusqu'au XIXe s., où il entre dans le voc. méd. (1855, Nysten) ; lat. *indurare,* qui a donné aussi *endurer.* || **induration** 1330, Digulleville, « endurcissement » ; 1560, Paré, méd. ; lat. *induratio.*

indusie 1827, *Acad.* ; lat. *indusium,* chemise ; fourreau fossile de larve de phrygane.

industrie XIIe s., « activité » ; 1356, Bersuire, « habileté » (jusqu'au XVIIIe s.) ; XVe s., « métier » ; 1771, Brunot, sens actuel ; *chevalier d'industrie,* 1633, La Geneste, d'apr. le nom d'une association de malfaiteurs (trad. de *El Buscón,* roman esp. de Quevedo) ; lat. *industria,* activité. || **industriel** adj. 1770, Galiani ; n. m. 1819, Saint-Simon. || **industrieux** milieu XVe s., confondu au XVIIIe s. avec *industriel* ; lat. *industriosus,* actif. || **industrialisation** 1894, Sachs. || **industrialiser** 1827, Fonfrède. || **industrialisme** 1823, Saint-Simon. || **industrialiste** 1838, *Acad.*

industrieux V. INDUSTRIE.

indut 1732, Trévoux ; lat. eccl. *indutus,* habillé.

induvie 1827, *Acad.* ; lat. *induvium,* écorce ; cupule membraneuse qui enveloppe un ou plusieurs fruits.

inédit V. ÉDITER.

ineffable 1460, Chastellain, « qui ne peut être dit » ; XVIIe s., « inexprimable » ; lat. *ineffabilis,* de *in-,* priv., et *fari,* parler. || **ineffabilité** 1577, P. de La Coste. || **ineffablement** 1320, *Roman de Fauvel.*

inégal V. ÉGAL.

inéluctable 1502, O. de Saint-Gelais ; lat. *ineluctabilis,* de *luctari,* lutter ; rare jusqu'à la fin du XVIIIe s. (C. Desmoulins). || **inéluctablement** 1876, L.

inénarrable V. NARRER.

inepte 1460, Chastellain, « inapte » (jusqu'au XVIIe s.) ; 1495, J. de Vignay, « stupide » ; lat. *ineptus* (*in-* priv. et *aptus,* apte). || **ineptie** 1546, *Palmerin,* « maladresse » ; XVIe s., « sottise » ; lat. *ineptia.* || **ineptement** 1380, G.

inerme 1547, A. Du Moulin, « sans défense » ; 1793, Brunot, « sans armes » ; spécialisé en bot. (1798, Richard), « qui n'a ni épines, ni aiguillons » ; lat. *inermis,* sans armes.

inerte 1509, G. (*in herte*), « sans activité » ; 1534, Rab. (*inert*), « ignorant » ; 1783, d'après Féraud, fig. ; 1798, *Acad.,* phys. ; lat. *iners,* incapable, de *ars,* habileté. || **inertement** 1584, Rab. || **inertie** 1370, Oresme, « maladresse » ; 1732, Richelet, phys.

inexorable, inexpiable V. EXORABLE, EXPIER.

inexpugnable 1352, Bersuire, « dont on ne peut s'emparer » ; milieu XVIe s., Amyot, fig. ; lat. *inexpugnabilis,* imprenable, de *in-,* priv., et *expugnare,* prendre d'assaut (lat. *pugnas,* poing). || **inexpugnabilité** 1875, *Gazette des tribunaux.*

in extenso, inextinguible, in extremis V. EXTENSION, EXTINCTION, EXTRÊME.

inextricable 1361, Oresme ; XVIe s., fig. ; lat. *inextricabilis,* de *extricare,* débarrasser. || **inextricablement** 1827, *Acad.*

infaillible V. FAILLIR.

infâme 1348, Varin, « déshonoré » (jusqu'au XVIIe s.) ; 1549, M. de Navarre, « dégoûtant » ; lat. *infamis* (*in-* priv. et *fama,* renommée). || **infamie** XIIIe s., « déshonneur » (jusqu'au XVIIe s.) ; 1549, R. Est., sens actuel ; lat. *infamia.* || **infamant** 1557, Lespinasse ; anc. fr. *infamer* (XIIIe s., *Sept Sages*), du lat. *infamare.*

infant 1407, Lannoy ; esp. *infante,* du lat. *infans,* enfant.

infanterie fin XVe s. (*enfanterie*) ; milieu XVIe s., Ronsard (*infanterie*) ; anc. ital. *infanteria* (auj. *fanteria*), du lat. *infans,* enfant, valet.

infanticide 1553, Rab., « celui qui tue un enfant » ; bas lat. *infanticida* ; 1611, Cotgrave, « meurtre d'un enfant » ; bas lat. *infanticidium,* de *infans, infantis,* enfant, et *caedere,* tuer.

|| **infantile** 1563, Bonivard, qui a remplacé *enfantile* (1190, *Saint Bernard*) ; 1870, *Revue des Deux Mondes,* méd. ; lat. *infantilis,* de *infans, -tis,* enfant. || **infantilisme** 1871, Faneau.

infantile V. INFANTICIDE.

infarctus 1863, Graves ; mot du lat. scientif. ; lat. *infartus,* de *infarcire,* farcir ; lésion localisée qui revêt l'aspect de la farce.

infatigable, infatuer V. FATIGUER, FAT.

infect 1361, Oresme, « perverti [goût] » ; 1363, Isambert, « empesté » ; 1552, R. Est., « puant » ; XVe s., Molinet, « très mauvais » ; lat. *infectus,* de *inficere,* souiller. || **infecter** 1431, Isambert, « souiller moralement » (jusqu'au XVIIe s., confondu avec *infester*) ; 1530, Marot, « contaminer » ; 1530, Palsgrave, « incommoder par l'odeur ». || **infection** 1130, *Job,* « pensée impure » ; 1314, Mondeville, méd. ; 1465, *Medium Aevum,* « puanteur » ; 1857, Baudelaire, fig. || **infectieux** 1838, *Acad.,* qui remplace *infectueux* (XIVe s.). || **désinfecter** 1556, *D. G.* || **désinfectant** 1812, Capuron. || **désinfection** 1630, Tamisier. || **réinfecter** 1549, R. Est.

inféodation, inféoder V. FIEF.

inférer 1340, J. Le Fèvre, « faire naître un sentiment » ; 1450, Gréban, « être la cause de » ; lat. *inferre,* porter dans, puis « alléguer ».

inférieur milieu XVe s., J. de Bueil (*inferiore*) ; 1536, G. Chrestien (*inférieur*) ; lat. *inferior,* comparatif de *inferus,* placé dessous. || **inférieurement** 1584, Rab. || **inférioriser** 1878, Vallès. || **infériorisation** 1968, Lar. || **infériorité** 1580, Montaigne.

infernal V. ENFER.

infester 1390, du Cange, « importuner » ; 1552, R. Est., « ravager » ; 1690, Furetière, « abonder d'animaux nuisibles » ; 1962, Lar., méd. ; lat. *infestare,* de *infestus,* ennemi. || **infestation** milieu XIVe s.

infime XIVe s., *Nature a alchimie,* « situé au plus bas » ; av. 1877, L., « tout petit » ; lat. *infimus,* superlatif de *inferus,* placé dessous. || **infimité** fin XVIIe s., Saint-Simon.

infini 1214, *Bible* (*infinit*) ; XIVe s. (*infini*), « sans bornes » ; 1552, R. Est., « très grande quantité » ; n. m. 1361, Oresme ; lat. *infinitus,* non limité. || **infiniment** 1418, *Doc.* (*infiniement*) ; fin XVe s. (*infiniment*). || **infinitude** fin XVIe s. || **infinité** 1212, Anger ; lat. *infinitas.* || **infinitésimal** 1706, *Nouvelles de la République ;* angl. *infinitesimal.* || **infinitif** 1370, E. Deschamps ; lat. gramm. *modus infinitivus,* mode qui est indéfini (il n'indique ni la personne ni le nombre).

infirme 1265, *Statuts Hôtel-Dieu,* « malade » (jusqu'au XVIIe s.) ; 1673, Molière, sens actuel ; a remplacé l'anc. fr. *enferme* (1050, *Alexis*), du lat. *infirmus.* || **infirmité** 1265, Le Grand, « faiblesse physique et morale » (jusqu'au XVIIe s.) ; 1664, Molière, sens actuel ; il a remplacé *enfermeté* (1050, *Alexis*), du lat. *infirmitas.* || **infirmerie** 1606, Crespin ; sur le sens de *infirme,* malade, a remplacé *enfermerie* (1260, Adam de la Halle). || **infirmier** 1398, Runkewitz, qui a remplacé *enfermier* (1298, Delb.).

infirmer 1361, Oresme, « affaiblir » ; XIVe s., « annuler » ; lat. jurid. *infirmare,* de *firmus,* fort. || **infirmation** fin XVe s. ; lat. *infirmatio.* || **infirmatif** 1501, Isambert.

inflammable, inflammation V. FLAMME 1.

inflation XVe s., *Régime de santé,* méd., « gonflement » ; 1919, Truchy, sens monétaire, de l'angl. ; lat. *inflatio,* enflure, de *flare,* souffler. || **inflationniste** 1894, Sachs ; angl. *inflationist.* || **déflation** 1922, Lar., sur *inflation.* || **déflationniste** 1959, Lar. || **anti-inflationniste** 1959, Lar.

infléchir, inflexible, inflexion V. FLÉCHIR.

infliger 1488, *Mer des histoires ;* rare jusqu'au XVIIe s. ; lat. *infligere,* frapper. || **inflictif** 1611, Cotgrave. || **infliction** 1486, G.

inflorescence V. FLEUR.

influenza 1782, d'Épinay ; mot angl. de l'ital. signif. « influence, épidémie » (grippe venue d'Italie en 1743), du lat. médiév. *influestia.*

influer XIVe s., *Nature a alchimie,* en astrologie, « faire pénétrer » (transitif jusqu'au XVIIe s.) ; 1536, G. Chrestien, intr., « pénétrer » ; 1377, Oresme, *influer sur,* « avoir une action sur » ; lat. *influere,* couler. || **influence** 1240, *Épître saint Jérôme,* « fluide des astres » ; XIVe s., « actes de qqn sur les autres » ; milieu XVe s., phys. ; 1780, Gohin, « autorité » ; lat. *influentia.* || **influencer** 1771, Delolme. || **influençable** 1836, Balzac. || **influent** 1503, Vaganay, en parlant de qqch ; 1791, Malouet, sens actuel. || **influx** 1547, G., « influence des astres » ; 1839, *Acad., influx nerveux ;* bas lat. *influxus,* action de couler dans.

influx, in-folio, informe V. INFLUER, FOLIO, FORME.

informer 1190, Garnier (*enformer*), « donner une forme » ; 1265, J. de Meung, « instruire de qqch » ; 1286, Delb., « interroger » (jusqu'au XVIIe s.) ; 1360, Froissart, « mettre au courant » ; lat. *informare,* instruire. || **informateur** 1354, *Modus,* « rapporteur » ; 1360, Froissart, « juge d'instruction » ; 1838, *Acad.,* sens actuel. || **information** 1274, Delb., jurid. ; 1867, L., renseignement donné au public ; 1966, *Vie du rail,* en informatique. || **informatique** 1962, Gilbert, de *information* et *automatique.* || **informatiser** 1970, *Journ.* || **informatisation** v. 1970. || **informaticien** 1966, *Journ.* || **informatif** 1522, Corbichon.

infortune V. FORTUNE.

1. **infra** 1931, Lar., « ci-dessous » ; adv. lat. signif. « au-dessous ».

2. **infra-,** préf. ; lat. *infra,* au-dessous.

infraction 1250, Delb. ; bas lat. *infractio,* de *frangere,* briser (v. ENFREINDRE). || **infracteur** 1449, G. ; bas lat. *infractor.*

infrangible 1555, Belon ; lat. *in-* priv. et *frangere,* briser.

infructueux V. FRUIT.

infus XIIIe s., *Simples Médicines,* méd., « enduit de » ; fin XVe s., Molinet, fig. (jusqu'au XVIIe s.) ; auj. seulement *science infuse* (d'abord théolog., science infusée par Dieu à Adam) ; lat. *infusus* (*in,* dans, et *fundere,* répandre).

infuser fin XIVe s., *Nature a alchimie,* méd. ; 1690, Furetière, théolog., de *infusion.* || **infusion** XIIIe s., *Simples Médicines,* pharm., « enduit » ; fin XIIIe s., théol. ; lat. *infusio,* action de répandre dans, de *infundere,* répandre (part. passé *infusus*). || **infusoire** 1797, Cuvier ; lat. sc. *infusorius,* créé par Wrisberg en 1765.

ingambe 1536, M. du Bellay (*en gambe*) ; 1585, du Fail (*ingambe*) ; ital. *in gamba,* en jambe, alerte.

ingénier (s') 1395, Chr. de Pisan ; lat. *ingenium,* esprit. || **ingénieur** 1559, Amyot, « constructeur d'*engins,* de machines » ; 1636, Monet, « celui qui en donne le plan » ; 1747, Brunot, « titre » ; réfection de l'anc. fr. *engeignor* (XIIe s.), de *engin,* d'apr. le lat. *ingenium.* || **ingénieux** fin XIVe s., « doué » (jusqu'au XVIIe s.) ; de l'anc. fr. *engeignous* (1155, Wace). || **ingénieusement** fin XIIe s., *Dialogues Grégoire.* || **ingéniosité** début XIVe s.

ingénu XIIIe s., G., « homme libre », « naturel » (jusqu'au XVIIe s.) ; 1611, Cotgrave, « naïf » ; 1829, Boiste, « rôle de théâtre » ; lat. *ĭngĕnuus,* né libre. || **ingénument** XVe s., L., « franchement » (jusqu'au XVIIe s.) ; 1696, La Bruyère, sens actuel. || **ingénuité** 1372, Oresme, puis 1541, Calvin, « état d'homme libre » ; 1611, Cotgrave, « naïveté » ; lat. *ingenuitas.*

ingérer (s') 1370, Oresme ; lat. *ingenere,* porter dans. || **ingérer** 1839, *Acad.,* avaler ; même étym. || **ingérence** 1867, L. || **ingestion** 1407, Isambert, « ingérence » ; 1826, Brillat-Savarin, « fait d'avaler » ; lat. *ingestio,* même rac. (V. DIGÉRER.)

ingrat 1361, Oresme, « non reconnaissant » ; 1525, J. Lemaire, « laid » ; lat. *ingratus* (*in-* priv. et *gratus,* reconnaissant). || **ingratitude** 1265, J. de Meung ; lat. *ingratitudo, -inis.*

ingrédient 1508, Delb. ; lat. *ingrediens,* part. prés. de *ingredi,* entrer dans.

inguinal 1560, Paré, anatomie ; lat. *inguen, -inis,* aine.

ingurgiter 1488, Le Huen, méd., comme pronominal ; transitif 1611, Cotgrave ; rare jusqu'au XIXe s. ; lat. *ingurgitare,* engouffrer, de *gurges, -itis,* gouffre. || **ingurgitation** *id.* ; lat. *ingurgitatio.*

inhabile V. HABILE.

inhaler 1825, Brillat-Savarin ; lat. *inhalare,* souffler sur. || **inhalation** 1760, d'Holbach ; lat. *inhalatio.* || **inhalateur** 1873, Lar.

inhérent 1503, Chauliac ; lat. *inhaerens,* attaché à, durable. || **inhérence** 1377, G., rare jusqu'au XVIIe s. (1688, Miege).

inhiber 1391, Soudet, « défendre », jurid. ; 1888, Lar., psychol. ; lat. *inhibere,* retenir. || **inhibition** XIIIe s., Macé de La Charité, jurid. ; 1888, Lar., méd. ; lat. *inhibitio.* || **inhibiteur** 1539, G. Michel, « celui qui interdit » ; 1922, Lar., physiologie. || **inhibitif** 1584, Goulart.

inhumain V. HUMAIN.

inhumer XIVe s., *Nature a alchimie,* « enfoncé en terre » ; 1408, N. de Baye, sens actuel ; lat. *inhumare,* mettre en terre, de *humus.* || **inhumation** 1417, *Testament de Besançon.*

inimitable V. IMITER.

inimitié v. 1300, G. ; réfection de l'anc. fr. *enemisté* (1145, G.), d'apr. le lat. *inimicus,* ennemi, et *amitié.*

inique 1308, Aimé, « défavorable » ; fin XIVe s., Deschamps, « injuste » ; lat. *ĭnīquus* (*in-*

priv. et *aequus,* égal, juste). || **iniquement** 1355, Bersuire. || **iniquité** 1120, *Ps. d'Oxford,* relig. ; XIIe s., « injustice » ; lat. *iniquitas.*

initial 1130, *Job ;* rare jusqu'au XVIIIe s. ; lat. *initialis,* de *initium,* commencement. || **initiale** adj. 1680, Richelet (*lettre initiale*) ; 1710, d'après Trévoux, n. f. || **initialement** 1867, L. || **initiation** XVe s., G. (*iniciacion*) ; lat. *initiatio.* || **initiateur** 1586, Le Loyer, « qui initie à un mystère » ; 1839, *Acad.,* sens actuel ; lat. *initiator.* || **initiative** 1567, Delb., « première action » ; 1787, Féraud, polit. || **initier** 1355, Bersuire, alchimie ; 1694, *Acad.,* « enseigner » ; lat. *initiare,* commencer, initier aux mystères. || **initiatique** 1951, Gracq.

injection 1377, Lanfranc de Milan, méd. ; XIXe s., « introduction » ; lat. *injectio,* de *jacere,* lancer. || **injecter** 1555, Aneau (*injetter*), méd. ; 1749, Buffon (*injecter*), « introduire un liquide » et *yeux injectés ;* lat. *injectare.* || **injectable** XXe s. || **injecteur** 1838, *Acad.,* « qui injecte » ; 1867, L., techn.

injonction V. JOINDRE.

injure 1190, Garnier (*enjure*), « offense » ; 1232, Boca, « dommage » et « injustice » (jusqu'au XVIIe s.) ; 1535, Olivétan (*injure*), « insulte » ; XVIIe s., *injures de l'âge, du sort ;* lat. *injūria,* injustice. || **injurier** 1188, *Aspremont* (*enjurier*) ; 1266, G. (*injurier*), « endommager » ; 1398, *Ménagier,* « offenser » ; lat. *injuriari.* || **injurieux** 1300, du Cange, « qui cause du tort » ; 1525, J. Lemaire, « injuste » (jusqu'au XVIIe s.) ; 1334, Varin, « offensant ». || **injurieusement** 1333, Delb.

inné, innervation V. NAÎTRE, NERF.

innocent 1080, *Roland,* comme n. m. ; 1120, *Ps. d'Oxford,* « pur, ingénu » ; XIIIe s., « non coupable » ; 1330, *Baudouin de Sebourg,* « simple d'esprit » ; lat. *innocens,* de *nocere,* nuire. || **innocemment** 1349, Espinas (*-çamment*) ; 1538, R. Est. (*innocemment*). || **innocence** 1120, *Ps. d'Oxford,* « pureté » et relig. ; début XIVe s., « non-culpabilité » ; 1611, Cotgrave, « naïveté » ; lat. *innocentia.* || **innocenter** 1530, Marot, « donner le fouet le jour des Innocents » ; 1704, Trévoux, « rendre innocent ».

innocuité 1806, Thouvenel ; lat. *innocuus,* inoffensif, de *nocere,* nuire.

innombrable, innover V. NOMBRE, NEUF 2.

in-octavo 1567, *Papiers Granvelle ;* mots lat. signif. « en huitième ».

inoculer début XVIIIe s. ; 1778, Rousseau, fig. ; angl. *to inoculate* (1714-1722) ; vaccine introduite de Constantinople en Angleterre ; mot repris au lat. *inoculare,* greffer en écusson, de *oculus,* œil. || **inoculable** 1770, Voltaire. || **inoculateur** 1752, Trévoux. || **inoculation** 1722, d'après *Encycl. ;* angl. *inoculation ;* a signifié « greffe » (1580, Landric) et « transfusion » (1667, Huet).

inodore V. ODEUR.

inonder 1120, *Ps. d'Oxford* (*enunder*), « déborder » ; 1265, Br. Latini (*inon-*), « recouvrir d'eau » ; milieu XVIIe s., fig. ; lat. *inundare,* de *unda,* onde. || **inondation** 1265, J. de Meung, « déluge » ; 1380, *Aalma,* « débordement des eaux » ; 1648, Retz, fig. ; lat. *inundatio.*

inopiné XIVe s., puis 1530, Rab. ; lat. *inopinatus,* non pensé, imprévu. || **inopinément** 1491, *Doc.* (V. OPINER.)

inopportun, inouï V. OPPORTUN, OUÏR.

in-pace n. m. fin XVe s. ; mots lat. signif. « en paix », d'apr. la loc. *vade in pace,* prononcée quand on enfermait une personne dans les cachots des couvents.

in partibus 1703, *Mémoires de Trévoux ;* fin XIXe s., sens étendu ; loc. lat. eccl. *in partibus infidelium,* dans les contrées des infidèles (en parlant des diocèses).

in petto 1666, Retz ; loc. ital. signif. « dans sa poitrine » (appliquée d'abord aux nominations de cardinaux non proclamées).

in-plano 1835, *Acad. ;* mots lat. signif. « en plan », c.-à-d. sans pliage.

in-quarto 1567, *Papiers Granvelle ;* mots lat. signif. « en quart ».

inquiet V. QUIET.

inquisition 1160, Benoît, « recherche » ; 1265, *Livre de jostice,* relig. ; 1559, *Papiers Granvelle,* tribunal ; XVIIe s., fig. ; lat. jurid. *inquisitio,* de *quaerere,* chercher. || **inquisiteur** 1294, Espinas, « juge » ; 1321, *Doc.,* relig. ; 1873, Lar., fig. ; lat. *inquisitor.* || **inquisitorial** 1516, Isambert ; lat. eccl. *inquisitorius.*

insalubre V. SALUBRE.

insane début XVe s. (*insané*) ; 1784, *Courrier de l'Europe* (*insane*), par l'angl. ; lat. *insanus* (*in-* priv. et *sanus,* sain). || **insanité** 1784, *Courrier de l'Europe ;* angl. *insanity,* du lat. *insanitas.*

insatiable V. SATIÉTÉ.

inscrire début XIIIe s. (*enscrire*) ; 1474, Bartzsch (*inscrire*), « tracer » ; *s'inscrire en faux,* 1611, Cotgrave ; lat. *inscribere,* refait d'apr. *écrire.* || **inscription** 1444, *Doc.,* « action d'inscrire » ; 1510, Lemaire de Belges, « texte gravé » ; 1721, Trévoux, « inscrire à un cours, une école » ; 1835, *Acad., inscription maritime ;* lat. *inscriptio.* || **inscripteur** av. 1841, Jouy. || **inscriptible** 1691, Ozanam. || **inscrit** n. 1864, *Revue des Deux Mondes.* || **réinscrire** 1878, Lar. || **réinscription** *id.*

insécable V. SÉCABLE.

insecte 1542, du Pinet ; lat. *insecta,* pl. neutre de *insectus,* coupé, calque du gr. *entomos,* même sens, à cause des étranglements des corps des insectes. || **insecticide** 1858, Nysten. || **insectivore** 1778, Buffon. || **insectarium** 1922, Lar.

insensé, insensible, inséparable V. SENSÉ, SENSIBLE, SÉPARER.

insérer 1319, *Coutum. d'Anjou ; s'insérer,* 1560, Paré ; lat. *ĭnsĕrĕre,* introduire, de *serere,* tresser. || **insertion** 1535, Biggar ; bas lat. *insertio,* greffe.

insidieux 1420, Delb. ; repris au XVIIIe s. ; (1765, *Encyl.*) ; lat. *insidiosus,* de *insidiae,* embûches. || **insidieusement** 1525, J. Lemaire.

insigne adj. XIVe s. ; lat. *insignis,* remarquable, de *signum,* signe ; n. m. 1484, La Curne, rare jusqu'au XIXe s. ; neutre lat. substantivé *insigne,* pl. *insignia.*

insinuer 1336, G., jurid., « notifier » ; 1596, Hulsius, fig., *s'insinuer ;* 1580, Montaigne ; lat. *insinuare,* faire pénétrer, de *sinus,* pli, sinuosité. || **insinuant** 1654, La Rochefoucauld. || **insinuation** 1319, G. ; 1606, Crespin, fig. ; lat. *insinuatio.*

insipide 1503, Chauliac ; 1588, Montaigne, fig. ; lat. *insipidus* (*in-* priv. et *sapidus,* qui a du goût). || **insipidité** 1572, Delb.

insister 1336, G., « s'appliquer à » ; 1541, Calvin, « persister » ; 1690, Furetière, sens actuel ; lat. *insistere,* s'appuyer sur. || **insistance** 1556, *Papiers Granvelle,* refait par Mercier (1801). || **insistant** 1553, *Papiers Granvelle.*

insolation 1554, Paré, « exposer au soleil » ; 1867, L., pathologie ; lat. *insolare,* exposer au soleil, de *sol, solis,* soleil.

insolent 1495, J. de Vignay ; lat. *insolens,* qui n'a pas l'habitude de, de *solere,* avoir coutume. || **insolemment** 1355, Bersuire. || **insolence** 1458, *Mystère ;* lat. *insolentia.*

insolite 1495, Barbier ; lat. *insolitus,* de *solere,* avoir coutume.

insoluble V. SOLUBLE.

insomnie 1555, Belon ; lat. *insomnia,* de *insomnis,* qui ne dort pas, de *somnus,* sommeil. || **insomniaque** av. 1935, Bourget.

inspecter 1781, Bohan, « examiner ce dont on a la surveillance » ; 1885, Maupassant, « examiner avec attention » ; lat. *inspectare,* de *spectare,* regarder. || **inspecteur** 1403, *Internele Consolacion,* « qui scrute » ; 1611, Cotgrave, « contrôleur » ; lat. *inspector.* || **inspection** 1290, G., « examen » ; 1611, Cotgrave, « contrôle » ; lat. *inspectio.* || **inspectorat** 1873, Lar.

inspirer 1190, Garn., « enthousiasmer » ; lat. *inspirare,* souffler (v. RESPIRER). || **inspiration** 1120, *Job ;* bas lat. *inspiratio.* || **inspirateur** 1372, Golein, « instigateur » ; fin XIVe s., « faire pénétrer de l'air » ; rare jusqu'au XVIIIe s. ; 1765, *Encycl.,* anatomie ; lat. *inspirator.*

instable V. STABLE.

installer milieu XIVe s., « mettre dans une charge ecclésiastique » ; 1596, Hulsius, « mettre en un endroit » ; 1873, Lar., installer une maison ; lat. médiév. *installare,* mettre un dignitaire dans une stalle d'église ; du lat. médiév. *stallum,* stalle, du francique **stal,* position. || **installation** 1349, G. ; rare jusqu'au XVIIe s. || **installateur** 1863, *Journ. des débats.* || **réinstaller** 1581, Guichard. || **réinstallation** milieu XVIIIe s. (V. STALLE.)

instance 1288, *Doc.,* « insistance » et « sollicitation » (jusqu'au XVIe s.) ; 1361, Oresme, « poursuite judiciaire » ; 1690, Furetière, « juridiction » ; lat. *instantia,* de *in,* dans, et *stare,* se tenir.

instant adj. 1296, *Limoux,* « imminent » ; n. m. 1377, Oresme, « moment » ; *à l'instant,* 1589, Baïf ; *à tout instant,* 1580, Montaigne ; lat. *instans,* qui se tient dans. || **instamment** 1378, *Mandement.* || **instantané** 1604, Brunot. || **instantanément** 1787, Féraud. || **instantanéité** 1737, de Mairan. || **instantanéisme** 1955, Kemp.

instar (à l') 1572, Thierry ; adaptation du bas lat. *ad instar,* à la ressemblance.

instaurer 1355, Bersuire ; rare jusqu'au XIXe s. (1823, Boiste) ; lat. *instaurare.* || **instaurateur** XIVe s., repris au XIXe s. (1836, Landais) ; bas lat. *instaurator.* || **instauration** XIVe s. ; lat. *instauratio.*

instigation 1355, Bersuire ; *à l'instigation de,* 1332, *D. G.* ; lat. *instigatio,* de *instigare,* exciter, qui a donné *instiguer* (1355, Bersuire), disparu. || instigateur 1363, *Ordonn.* ; lat. *instigator.*

instiller 1501, *Jardin de Plaisance* ; 1574, Huguet, fig. ; lat. *instillare,* de *stilla,* goutte. || instillation 1495, J. de Vignay, phys. ; XVIe s., sens moral ; lat. *instillatio.*

instinct 1495, J. de Vignay (*instincte*) ; 1538, R. Est. (*instinct*), « impulsion » (jusqu'au XVIIe s.) ; 1580, Montaigne, « tendance naturelle » ; 1591, Desportes, « impulsion irrationnelle » ; 1660, La Rochefoucauld, « intuition » ; *d'instinct,* 1848, Chateaubriand ; lat. *instinctus,* excitation, de *instinguere,* pousser. || instinctif 1803, Maine de Biran. || instinctivement 1802, Catineau.

instituer début XIIIe s., « établir sur ses terres » ; 1268, Boileau, « établir dans sa charge » ; 1466, Michault, « instruire » (jusqu'au XVIIe s.) ; 1356, Bersuire, « fonder » ; lat. *instituere,* mêmes sens, de *statuere,* établir, décider. || institut fin XVe s., « chose établie » ; milieu XVIe s., « règle d'un ordre religieux » ; 1765, *Encycl.,* « institut savant » ; lat. *institutum,* ce qui est établi. || instituteur 1495, J. de Vignay, « celui qui établit » ; 1734, d'Argenson, « celui qui instruit » ; 1793, *Moniteur universel,* terme officiel des maîtres d'école ; lat. *institutor,* qui établit, enseigne. || institution 1190, *Saint Bernard,* « chose établie » ; milieu XVIe s., Amyot, « instruction » ; 1680, Richelet, « maison d'éducation » ; lat. *institutio.* || institutionnaliser v. 1950. || institutionnel 1939, *Doc.*

instruire 1120, *Ps. d'Oxford* (*en-*) ; 1398, E. Deschamps (*in-*), « former l'esprit » ; 1549, R. Est., jurid. ; *s'instruire,* 1580, Montaigne ; *s'instruire de,* 1696, La Bruyère ; lat. *instruere,* adapté d'apr. *détruire* (*struere,* construire, élever). || instruction 1319, Isambert, « ordre » ; XVe s., « fait d'instruire » ; 1580, Montaigne, « savoir » ; 1636, Monet, instruction judiciaire ; lat. *instructio.* || instructeur 1372, Golein ; lat. *instructor.* || instructif *id.*

instrument 1138, Gaimar (*estrument*) ; 1298, *Livre de Marco Polo* (*instrument*) ; 1672, Sacy, instrument de musique ; 1458, *Mystère,* fig. ; *instruments de production,* 1870, Wolowski ; lat. *instrumentum,* de *instruere,* équiper. || instrumental 1361, Oresme. || instrumenter 1440, *D. G.,* jurid. ; 1845, Besch., musique. || instrumentiste 1810, Fétis. || instrumentation 1824, Stendhal, musique.

insu V. SAVOIR.

insuffler XIVe s., du Cange ; rare jusqu'au XIXe s. ; bas lat. *insufflare,* de *sufflare,* souffler. || insufflation 1398, *Somme Gautier,* « action de souffler » ; 1765, *Encycl.,* méd. ; bas lat. *insufflatio.*

insulaire V. ÎLE.

insuline 1616, Schäfer, chimiste qui appela ainsi cette sécrétion des *îlots* du pancréas, du lat. *insula,* île. || insulinique 1951, Palmade. || insulinothérapie 1933, Sakel.

insulter 1355, Bersuire, « faire assaut » (jusqu'au XVIIe s.) ; 1611, Cotgrave, « proférer des insultes » ; *insulter à,* 1356, Bersuire ; lat. *insultare,* sauter sur, de *saltare,* sauter. || insulte 1380, du Cange (*insult*), n. m. ; 1500, Auton (*insulte*), n. m., « attaque » ; 1534, Affagart, n. m., « affront, outrage » ; 1611, Cotgrave, n. f. ; bas lat. *insultus.* || insulteur 1798, Schwan.

insurger (s') 1474, Bartzsch, v. t., *insurger* ; XVIe s., pronom ; repris fin XVIIIe s., d'apr. l'angl. *insurgent,* appliqué aux insurgés des États-Unis (1775, *Journ. de Bruxelles*) ; lat. *insurgere,* se lever contre. || insurgé 1794, *Journ. de la Montagne* ; d'après angl. *insurgent.* || insurgence 1777, Diderot, un moment en concurrence avec *insurrection,* de l'angl. || insurrection 1361, Oresme ; rare jusqu'au XVIIIe s. ; bas lat. *insurrectio,* de *insurgere.* || insurrectionnel 1798, *Acad.* || insurrectionner (s') 1871, Goncourt.

intact 1460, Chastellain, « indemne » ; 1793, Lavoisien, « sans dommage » ; lat. *intactus,* non touché, de *tangere,* toucher.

intaille 1808, Brard ; ital. *intaglio,* de *intagliare,* graver ; même mot qu'*entaille,* désignant une pierre dure, gravée en creux. || intailler 1889, Barbey.

intégral 1370, Oresme (*parties intégrales*) ; 1640, Oudin, « entier » ; 1696, de l'Hospital, math. ; n. f. 1749, Walmesley, édition complète ; lat. math. *integralis,* créé par Bernoulli, du lat. *integer,* entier. || intégralité 1611, Cotgrave. || intégrer 1340, G., « exécuter » ; 1700, *Mém. Acad. sc.,* math. ; XXe s., « incorporer » ; lat. *integrare.* || intégration 1309, G., « exécution » ; 1700, Varignon, math. ; XXe s., « fusion » et polit. ; lat. *integratio.* || intégrateur 1888, Lar. || intégrationniste 1962, Lar. || intégrant 1503, Chauliac ; lat. *integrans,* qui rend complet. || intègre 1542, Rab., « entier » ; 1671, Pomey, « probe » ; lat. *integer,* complet.

|| **intégrité** 1420, *Passion d'Arras,* « virginité » ; XVe s., Ch. d'Orléans, « probité » ; lat. *integritas.* || **intégrisme, -iste** 1894, Sachs. || **désintégrer** 1878, Lar. || **désintégration** 1871, *Journ. officiel.* || **réintégrer** milieu XIVe s., « rétablir » ; 1532, Rab., « remettre dans un même lieu » ; 1690, Furetière, « rétablir dans ses fonctions » ; lat. médiév. *reintegrare,* de *redintegrare.* || **réintégration** début XIVe s., « remise en état » ; XVIe s., La Curne, « restitution de l'emploi ».

intègre, intégrer V. INTÉGRAL.

intellect 1265, Br. Latini, « entendement » ; lat. *intellectus,* part. passé substantivé de *intelligere,* comprendre. || **intellectuel** adj. 1265, Br. Latini ; n. m. 1886, Bloy, par oppos. à *manuel ;* bas lat. *intellectualis.* || **intellectuellement** 1470, *Livre discipline amour divine.* || **intellectualiser** 1801, Villers. || **intellectualisme** 1853, Amiel. || **intellectualité** 1784, Gohin.

intelligent 1488, *Mer des hist. ;* lat. *intelligens,* part. prés. de *intelligere,* comprendre. || **intelligemment** début XVIIe s. || **intelligence** 1160, Benoît ; fin XVe s., Commynes, « entente secrète » ; 1638, Richelieu, *en bonne intelligence ;* lat. *intelligentia.* || **intelligible** 1265, Br. Latini ; lat. *intelligibilis.* || **intelligiblement** 1521, Fabri. || **intelligibilité** 1713, Fénelon. || **intelligentsia** fin XIXe s. ; mot russe, du lat. *intelligentia.* || **inintelligent** fin XVIIIe s. || **inintelligence** 1791. || **inintelligible** 1640, Chapelain ; bas lat. *inintelligibilis.* || **inintelligiblement** 1622, Fr. de Sales. || **inintelligibilité** 1714, Fénelon. || **mésintelligence** 1772, Villeneuve.

intempérant V. TEMPÉRANT.

intempérie 1534, Rab., « déséquilibre, dérèglement » ; 1794, Saussure, rigueurs du temps, au pl. ; lat. *intemperies,* de *tempus,* temps, au sens de « inclémence du temps ».

intempestif 1474, Chastellain ; rare aux XVIIe-XVIIIe s. ; lat. *intempestivus,* qui arrive mal à propos, de *tempus,* temps, circonstance. || **intempestivement** 1555, Vide.

intendant milieu XVIe s. ; anc. mot *superintendant* (milieu XVIe s.) ; lat. médiév. *superintendeus,* du bas lat. *superintendere,* surveiller, de *intendens,* part. prés. de *intendere,* être attentif à. || **intendance** 1543, Isambert, « fait de diriger » ; 1636, Monet, officier royal ; 1690, Furetière, division du royaume. || **sous-intendant** 1834, Landais. || **sous-intendance** *id.* || **surintendant** 1569, *Doc.,* qui a remplacé *superintendant* (fin XIVe s.), d'apr. *superintendens.* || **surintendance** 1491, G. (*superintendance*) ; 1556, Vaganay (*surintendance*).

intense 1265, J. de Meung ; lat. *intensus,* tendu, part. passé de *intendere.* || **intensif** fin XIVe s., Gordon, « excessif » ; 1845, Besch., sens actuel. || **intensivement** 1380, Conty. || **intensifier** 1868, *Opinion nationale.* || **intensification** 1923, Gide. || **intensément** fin XIVe s. || **intensité** 1740, Demours.

intenter fin XIIIe s., G. ; lat. jurid. *intentare,* diriger, fréquentatif de *intendere,* tendre ; diriger une action judiciaire contre quelqu'un.

intention 1190, G. (*entencion*) ; fin XIIe s. (*intention*) ; lat. *intentio,* de *intendere,* diriger. || **intentionné** 1567, *Papiers Granvelle.* || **intentionnel** 1380, *Aalma* (*intencionnel*) ; 1487, Garbin (*intentionnel*), « qu'on a en vue », en scolastique ; 1798, *Acad.,* sens mod.

inter-, lat. *inter,* entre, parmi, préfixe indiquant la notion de réciprocité. V. les mots suivants.

intercaler 1520, Vaganay, « ajouter un jour » ; 1611, Cotgrave, « insérer » ; lat. *intercalare.* || **intercalaire** 1352, Bersuire, jour, mois qui s'ajoute ; 1660, Oudin, sens actuel ; lat. *intercalarius.* || **intercalation** XVe s., G. ; lat. *intercalatio,* action de placer une chose entre deux autres.

intercéder 1345, G. ; lat. *intercedere,* de *cedere* (v. CÉDER). || **intercesseur** 1212, Angier (*entrecessor*) ; début XIVe s. (*intercesseur*) ; lat. *intercessor,* de *intercessus,* part. passé de *intercedere.* || **intercession** 1220, Coincy ; lat. *intercessio.*

interception XVe s., G. ; lat. *interceptio,* de *capere,* prendre. || **intercepter** 1528, *Papiers Granvelle,* « s'emparer de » ; 1606, Crespin, « arrêter » ; 1770, Raynal, phys. ; de *interception* sur le modèle *excepter, exception.* || **intercepteur** 1757, Genet.

intercostal V. CÔTE.

intercurrent 1741, Col de Vilars ; lat. *intercurrens,* qui survient entre, de *currere,* courir ; se dit d'une maladie qui survient au milieu d'une autre.

interdire 1250, Espinas, qui a remplacé *entredire* (XIIe s.) ; 1662, Corn., fig., « troubler » ; lat. *interdicere.* || **interdit** 1213, *Fet des Romains,* relig. ; 1861, Saint-Beuve, « condamnation absolue » ; adj. 1450, G., « honni » ; 1556, Bonivard, « frappé d'interdiction » ; 1640, Oudin, « paralysé par l'émotion » ; lat. *interdictum.* || **interdiction** 1410, Isambert (*interdi-*

tion) ; 1461, Bartzsch (*interdiction*) ; lat. *interdictio.*

intérêt 1290, G., « dommage » (jusqu'au XVIIe s.) ; XVe s., « ce qui convient » ; 1501, Cohen, « intérêt de l'argent » ; XVIIe s., « attention » ; lat. *interest,* il importe. || **intéresser** 1356, Isambert, « être de l'intérêt de » ; 1666, Molière, « exciter la sympathie » ; 1588, Montaigne, « retenir l'attention » ; *s'intéresser à,* 1660, d'apr. Richelet ; lat. *interesse,* importer (au propre « être entre »), d'apr. *intérêt.* || **intéressant** 1718, *Acad.,* « qui intéresse » ; début XXe s., « qui rapporte de l'argent ». || **intéressement** 1464, Bartzsch, « occupation entreprise » ; v. 1950, sens actuel. || **désintérêt** 1831, Stendhal. || **désintéresser** 1552, Rab. || **désintéressé** XVIe s. || **désintéressement** 1657, Pascal ; 1956, Lar., sens financier.

interférer 1842, Mozin ; francisation de l'angl. *interfere,* s'interposer, du lat. *inter,* entre, et *ferre,* porter. || **interférent** début XIXe s., part. prés. || **interférence** fin XVIIIe s. ; angl. *interference.*

interfolier V. FOLIO.

intérieur 1403, *Internele Consolacion* (*interior*) ; 1556, Bonivard (*intérieur*), « à l'intérieur de qqn » ; 1530, Lefèvre, sens propre ; n. m. pl. XIVe s. (*interiores*), « intérieur des animaux » ; 1589, Cholières, « intérieur de l'âme » ; 1671, Pomey, sens propre ; début XXe s., sports ; lat. *interior,* anc. comparatif lat., « qui est au-dedans ». || **intérieurement** 1460, Chastellain. || **intériorité** 1606, Nicot.

intérim 1492, N. de Baye ; adv. lat. signif. « pendant ce temps », de *inter,* entre. || **intérimaire** 1796, *Néolog. fr.*

interjection fin XIIIe s., Macé de La Charité ; lat. gramm. *interjectio,* intercalation, de *jacere,* lancer, jeter. || **interjectif** XVIIIe s., Brunot.

interjeter V. JETER.

interlocution 1546, Vaganay ; lat. *interlocutio,* interpellation, de *interloqui,* parler entre. || **interlocuteur** 1530, Marot. || **interlocutoire** 1283, Beaumanoir, jurid. ; lat. médiév. *interlocutorius.* || **interloquer** 1450, G., interrompre la procédure par une sentence interlocutoire ; 1787, Féraud, « déconcerter » ; lat. jurid. *interloqui.*

interlope 1685, de Lacourbe, n. m., « navire contrebandier » ; 1772, Voltaire, « auteur qui commet des fraudes » ; adj. 1688, Miege, « en fraude » ; 1841, Balzac, sens actuel ; angl. *interloper,* trafiquant, du néerl. *interlooper,* contrebandier.

interloquer V. INTERLOCUTION.

interlude 1836, Landais ; angl. *interlude,* intermède, du lat. *inter,* entre, et *ludus,* jeu.

intermède 1559, Saint-Gelais (*intermedie*) ; XVIe s. (*-mède*) ; ital. *intermedio,* du lat. *intermĕdius,* de *inter,* entre, et *medium,* milieu. || **intermédiaire** 1678, Bornier, adj. ; n. 1781, Necker, « médiateur » ; lat. *intermedius.*

interminable V. TERMINER.

intermission 1377, Delisle ; lat. *intermissio,* de *intermittere,* laisser un intervalle, mettre entre. || **intermittent** fin XVIe s. ; lat. *intermittens.* || **intermittence** 1660, Oudin, « intervalle » ; 1787, Féraud, sens actuel.

international V. NATION.

interne XIVe s., L., n. m., « ce qui est à l'intérieur » ; adj. 1597, Liébault ; math. 1704, Trévoux ; n. 1829, Boiste, scolaire ; 1818, *Dict. sc. méd.,* médecine ; lat. *internus,* intérieur. || **interner** 1704, Trévoux, « assigner à résidence » ; fin XIXe s., « enfermer ». || **interné** 1867, L. || **internement** 1838, *Bull. des lois.* || **internat** 1829, Boiste, sens scolaire ; 1845, Besch., sens méd.

interpeller 1352, Bersuire, « solliciter » ; 1694, *Acad.,* « adresser la parole » ; 1790, Brunot, sens parlementaire ; lat. *interpellare,* interrompre ; même rac. qu'*appeler.* || **interpellation** 1352, Bersuire, « interruption » ; 1599, Hornkens, jurid. ; 1789, Brunot, polit. ; lat. *interpellatio.* || **interpellateur** 1549, R. Est. ; 1790, Brunot, polit. ; lat. *interpellator.*

interpoler 1355, Bersuire (*-é*), « discontinu » ; 1721, Trévoux (*-er*), sens actuel ; lat. *interpolare,* réparer, falsifier. || **interpolation** 1355, Bersuire, « interruption » ; 1706, d'après Trévoux, sens mod. ; lat. *interpolatio.* || **interpolateur** 1578, Despence, « falsificateur » ; 1611, Cotgrave, « brocanteur » ; 1721, Trévoux, sens actuel ; bas lat. *interpolator.* || **extrapoler** 1876, L. ; avec préfixe *extra-,* hors de. || **extrapolation** 1877, L.

interposer 1356, Bersuire, « promulguer un décret » ; 1538, R. Est., « faire intervenir » ; 1546, R. Est., « placer entre » ; *s'interposer,* 1690, Furetière ; lat. *interponere,* placer entre, refait sur *poser.* || **interposition** 1160, Benoît.

interprète 1321, Lespinasse (*interpreite*), « crieur public » ; 1466, *Doc.,* « qui explique un texte » ; 1596, Hulsius, sens actuel ; 1870, « acteur » ; lat. *interpres, -etis.* || **interpréter** 1155, Wace, « expliquer » ; 1458, *Mystère,* « traduire » ; 1867, L., « jouer » ; lat. *interpretare.* || **interprétable** 1380, *Aalma.* || **interprétatif** 1380, *Aalma.* || **interprétation** 1160, Benoît, « révélation » ; 1487, Garbin, jurid. ; 1573, Du Puys, « traduction » ; lat. *interpretatio.* || **interprétariat** 1888, Lar. || **interprétateur** 1487, Garbin ; bas lat. *interpretator.*

interrègne V. RÈGNE.

interroger 1380, *Aalma* (*-guer*) ; 1460, Chastellain (*-ger*) ; lat. *interrogare,* de *rogare,* demander. || **interrogation** XIIIe s., G. ; lat. *interrogatio.* || **interrogatoire** 1265, *Livre de jostice,* adj. ; 1327, Isambert, n. m. ; bas lat. *interrogatorius.* || **interrogatif** 1507, G. ; bas lat. *interrogativus.* || **interrogateur** 1530, Vaganay ; bas lat. *interrogator.* || **interrogativement** 1823, Boiste.

interrompre 1120, *Ps. d'Oxford* (*entre-*) ; 1501, Le Roy (*inter-*) ; lat. *interrumpere,* rompre par le milieu. || **interruption** 1396, *Comptes La Trémoille ;* bas lat. *interruptio.* || **interrupteur** fin XVIe s., « qui empêche de continuer » ; 1867, L., appareil ; bas lat. *interruptor.*

intersection V. SECTION.

interstice 1495, J. de Vignay, « intervalle de temps » ; 1560, Paré, intervalle entre deux vertèbres ; 1690, Furetière, sens actuel ; bas lat. *interstitium,* de *interstare,* se tenir entre. || **interstitiel** 1836, Landais.

intervalle XIIe s. (*entre-*) ; 1355, Bersuire (*inter-*) ; lat. *intervallum,* espace entre deux palissades. || **intervallaire** 1560, Aneau.

intervenir 1155, Wace (*entre-*) ; 1363, *Arch. de Reims* (*inter-*) ; lat. *intervenire,* survenir, venir entre. || **intervenant** 1680, Richelet. || **intervention** début XIVe s. ; bas lat. *interventio.* || **interventionnisme** 1931, Lar. || **interventionniste** 1837, Lerminier.

intervertir début XVIe s. ; lat. *intervertere,* détourner, de *vertere,* tourner. || **interversion** *id. ;* bas lat. *interversio.*

interview 1884, Daryl ; mot angl. signif. « entrevue », de l'anc. fr. *entrevue.* || **interviewer** 1883, Delvau, n. et v.

intestat XIIIe s., G. ; lat. jurid. *intestatus,* de *in-* priv. et *testari,* faire son testament. || **ab intestat** 1427, *Doc. ;* lat. jurid. *ab intestato.*

intestin adj. 1356, Bersuire, auj. surtout au fém. ; n. m. 1363, Chauliac, anat. ; lat. *intestinus,* intérieur, et subst. neutre *intestinum,* viscères. || **intestinal** fin XVe s.

intime 1390, J. Le Fèvre ; lat. *intimus.* || **intimement** 1679, Retz. || **intimité** 1684, Sévigné. || **intimiste** 1883, Huysmans. || **intimisme** XXe s.

intimer 1325, G., « faire savoir » ; 1332, *D. G.,* jurid. ; lat. jurid. *intimare,* introduire, d'où « faire connaître ». || **intimation** *id. ;* lat. jurid. *intimatio,* accusation.

intituler 1265, J. de Meung (*entituler*) ; 1549, R. Est. (*intituler*), droit, « mettre une formule en tête » ; fin XIIIe s., « pourvoir un livre d'un titre » ; *s'intituler,* fin XVe s., Commynes ; lat. *intitulare.* (V. TITRE.) || **intitulé** 1694, *Acad.*

intonation 1372, Golein ; lat. *intonare,* tonner, faire retentir, rattaché par fausse étymologie à *tonus,* ton.

intra-, lat. *intra,* préfixe signif. « à l'intérieur ».

intrados V. DOS.

intransigeant 1875, L. ; esp. *intransigente,* de même rac. que *transiger,* qui désignait les fédéralistes. || **intransigeance** 1874, d'après Lar.

intrépide 1495, J. de Vignay ; lat. *intrepidus,* non effrayé, de *trepidus,* agité, tremblant. || **intrépidement** 1691, d'après Trévoux. || **intrépidité** 1665, La Rochefoucauld.

intrigue 1578, R. Est., « liaison amoureuse » ; 1640, Oudin, « affaire embarrassante » ; 1648, Sorel, « machination secrète » ; 1648, Livet, théâtre ; déverbal de *intriguer.* || **intriguer** 1572, *Papiers Granvelle* (*-é*), « compliqué » ; 1640, Oudin, « embrouiller » ; 1660, Pascal, « manœuvrer secrètement » ; ital. *intrigare,* embrouiller, du lat. *intricare.* La forme *intriquer* (XVe s.) se trouve jusqu'au XVIIe s. || **intrigant** 1583, A. Thierry ; ital. *intrigante.* || **intrigailler** 1802, Flick.

intrinsèque 1314, Mondeville, anat. ; 1622, Sorel, « intime » ; 1704, Trévoux, sens actuel ; lat. scolast. *intrinsecus,* au-dedans. || **intrinsèquement** 1306, M. du Bellay. (V. EXTRINSÈQUE.)

introduire 1120, *Ps. de Cambridge* (*entre-*), « conduire dans » ; fin XIIIe s. (*in-*) ; *s'introduire,* 1656, Molière ; lat. *introducere,* de *ducere,* mener, adapté d'apr. *conduire.* || **introduction** XIIIe s., « enseignement » ; 1553, *Bible Gérard,* « action de faire entrer » ; lat. *introductio.* || **introductif** 1520, La Roche. || **introducteur** XIIe s., *Naissance du chevalier au cygne* (*introduitor*) ; XVIe s., G. (*introducteur*) ; bas lat. *introductor.*

|| **réintroduire** début XIXe s. || **réintroduction** 1873, L.

introït 1378, J. Le Fèvre (*introïte*), n. f. ; 1660, Oudin (*introït*), n. m. ; lat. *introitus,* entrée, au sens liturgique.

introjection 1951, Palmade ; lat. *intro,* dedans, et (*pro*)*jection.*

intromission 1560, Paré ; lat. *intromissus,* de *intromittere,* mettre dedans.

introniser 1220, Coincy ; 1842, Balzac, fig. ; bas lat. eccl. *inthronizare,* du gr. *enthronizein,* installer sur un trône, de *thronos,* siège épiscopal. || **intronisation** 1372, Golein.

introspection début XIXe s. ; angl. *introspection,* du part. lat. *introspectum,* de *introspicere,* regarder à l'intérieur. || **introspectif** 1840, *Acad.*

introversion 1931, Lar. (1921, Jung, en allem.) ; lat. *introversio,* action de se tourner vers l'intérieur. || **introversif** 1968, Lar. || **introverti** v. 1940.

intrus 1360, Froissart, jurid., « introduit sans droit » ; 1830, Stendhal, sens actuel ; lat. eccl. *intrusus,* part. passé de l'anc. fr. *intrure,* du lat. *intrudere.* || **intrusion** 1304, G., jurid. ; 1835, *Acad.,* sens actuel ; lat. eccl. *intrusus,* part. passé du verbe *intrudere.*

intuition XIVe s., « contemplation » ; 1640, Descartes, sens actuel ; bas lat. *intuitio,* regard, de *intueri,* regarder. || **intuitif** 1480, Delb., « qui est l'objet d'une intuition » ; 1902, Lar., « apte à agir par intuition » ; part. passé *intuitus.* || **intuitivement** 1599, Montlyard, relig. ; 1845, Besch., sens actuel. || **intuitionniste** 1874, Stuart Mill. || **intuitu personae** début XXe s. ; loc. lat. signif. « en considération de la personne ».

intumescence V. TUMEUR.

inule 1771, Schmidlin ; lat. *inula,* plante vivace à fleurs jaunes. || **inuline** 1815, *Ann. de chimie.*

inusité, inutile V. USITÉ, UTILE.

invagination 1765, Brunot, méd. ; de *in-,* dans, et lat. *vagina,* gaine. || **invaginer** 1832, Raymond.

invalide V. VALIDE.

invasion 1155, Wace, « attaque » ; 1588, Montaigne, sens actuel ; bas lat. *invasio,* de *invadere,* envahir. (V. ENVAHIR.)

invective 1404, Chr. de Pisan ; bas lat. *invectivae* (*orationes*), discours agressifs, de *invehi,* s'emporter. || **invectiver** 1549, Huguet.

inventaire 1313, Isambert, *inventaire de meubles ;* 1636, Monet, *inventaire de magasin ;* 1668, La Fontaine, *sous bénéfice d'inventaire ;* bas lat. jurid. *inventarium,* de *invenire,* trouver. || **inventorier** 1373, *Ordonn. ;* anc. fr. *inventoire,* registre ; lat. médiév. *inventorium.* || **inventeur** 1454, *Ordonn. royale,* jurid. ; 1460, Chastellain, sens actuel ; lat. *inventor.* || **invention** 1120, *Ps. d'Oxford,* « ruse » ; 1431, Isambert, « mensonge » ; début XVIe s., « fait d'inventer du nouveau » ; 1431, Isambert, « action de trouver » (1270, *invention de la sainte Croix*) ; lat. *inventio.* || **inventer** 1458, *Mystère.* || **inventif** 1442, G. || **réinventer** 1850, Sainte-Beuve.

invertir 1265, J. de Meung, rare jusqu'au XVIIIe s. ; 1797, Chateaubriand, « renverser » ; 1877, L., techn. ; lat. *invertere,* retourner, intervertir, de *vertere,* tourner. || **inverse** 1611, Cotgrave ; lat. *inversus.* || **inversement** 1752, Courtivron. || **inverser** 1877, L. || **inverseur** 1848, *Annales de chimie.* || **inversion** 1529, Bonivard, « retournement » ; 1889, Beaunis, sexuelle ; lat. *inversio.* || **inverti** 1902, Lar., sexuel.

investigation 1407, Chr. de Pisan ; rare jusqu'au XVIIIe s. (1750, Rousseau) ; lat. *investigatio,* de *vestigium,* trace. || **investigateur** v. 1500, *D. G.,* « qui cherche la pierre philosophale » ; 1699, Massillon, sens actuel ; adj. 1829, Boiste ; lat. *investigator.*

investir début XIIIe s., *Guillaume de Dole* (*envestir*), « revêtir » ; 1320, *Geste des Chiprois* (*en-*), « attaquer » (par ital. *investire*) ; début XIVe s., « entourer » ; XVIe s., « mettre en possession de » ; 1907, Lar., fig. ; 1922, Lar., *investir des capitaux ;* lat. médiév. *investire,* revêtir, entourer. || **investiture** 1460, *Doc.,* relig. et féod. ; jusqu'au XVIIe s., syn. du suivant. || **investissement** 1704, Trévoux, milit. ; 1924, *Revue de Paris,* finances. || **investisseur** v. 1950. || **réinvestir** 1845, Besch.

invétérer milieu XVIe s., « s'habituer à » ; 1606, Crespin, pronominal « s'affermir, s'enraciner » ; lat. *inveterare,* vieillir, de *vetus, -eris,* vieux, au sens de « se fortifier par le temps ».

invincible, invisible V. VAINCRE, VOIR.

inviter 1356, Isambert ; lat. *invitare.* || **invitant** 1873, Lar. || **invité** n. 1825, Courier. || **invite** 1767, Diderot, jeux ; 1875, *J. O.,* « incitation à » ; déverbal. || **invitation** XIVe s., rare en moyen fr. ; lat. *invitatio.* || **désinviter** 1688, Miege. || **réinviter** 1549, R. Est.

involucre 1550, Guéroult ; lat. *involucrum,* enveloppe, de *volvere,* rouler ; terme de bot. || **involucelle** 1778, Jansen.

involution 1314, Mondeville ; lat. *involutio,* développement, de *involvere,* envelopper. || **involutif** 1798, Richard ; lat. *involutus* (part. passé).

invoquer fin XIVᵉ s., relig. ; 1536, Chrestien, « réclamer une aide » ; 1752, Trévoux, « en appeler à » ; lat. *invocare,* de *vox,* voix. Il a remplacé *envochier* (1120, *Ps. d'Oxford*). || **invocation** 1165, Marie de France ; lat. *invocatio.* || **invocatoire** 1622, Fr. de Sales. || **invocateur** XVᵉ s., du Cange ; bas lat. *invocator.*

iode 1812, Gay-Lussac ; gr. *iôdes,* violet, de *ion,* violette, d'apr. la couleur violette de sa vapeur. || **iodé** 1836, *Acad.* || **ioder** 1873, Lar. || **iodeux** 1830, *Annales chimie.* || **iodique** 1892, Gay-Lussac. || **iodisme** 1855, Nysten. || **iodure** 1812, Gay-Lussac. || **ioduré** *id.* || **iodoforme** 1842, *Acad.*

ion 1840, *Acad. ;* mot angl. tiré par Faraday (1834) du gr. *iôn,* part. prés. de *ienai,* aller. || **ionique** 1931, Lar. || **ionisation** 1902, Lar. || **ionosphère** 1935, Lar.

ionien 1738, Rollin ; de *Ionie,* du gr. *Iônia.* || **ionique** 1552, Rab. ; 1669, La Fontaine, architecture.

iota fin XIIIᵉ s., Macé de La Charité ; gr. *iôta,* nom de la lettre *i.* || **iotacisme** 1803, Boiste.

ipécacuana 1640, Laet (*igpecaya*) ; 1802, *Bulletin des sciences* (*ipéca*) ; mot port., du tupi-guarani, langue indigène du Brésil.

ipomée 1827, *Acad. ;* lat. de Linné *ipomœa,* du gr. *ips, ipos,* ver, et *omaios,* semblable.

***ire** fin Xᵉ s., *Saint Léger ;* lat. *ira,* colère. || **irascible** 1160, Benoît ; lat. *irascibilis.* || **irascibilité** 1370, Oresme.

irénique 1867, L. ; lat. eccl. *irenicus,* du gr. *eirênê,* paix. || **irénisme** 1962, Lar.

iridium V. IRIS.

iris XIIIᵉ s., *Simples Médecines,* « fleur » ; XVᵉ s., anat. ; 1529, Bonivard, « arc-en-ciel » ; lat. *iris,* mêmes sens, empr. au gr. || **iridectomie** 1836, Landais. || **iridoscope** 1867, L. || **iridacées** 1803, *Dict. sciences naturelles* (*iridées*) ; 1873, Lar. (*iridacées*). || **iridescent** 1842, Mozin. || **iridescence** 1948, Lar. || **iriser** 1783, Buffon. || **irisation** 1845, Besch. || **iridium** 1805, *Ann. de chimie ;* mot tiré en 1803 par le chimiste anglais Tennant du lat. *iris,* d'apr. les couleurs variées des combinaisons de ce métal. || **iridié** 1872, *J. O.* || **iritis** 1823, Gillet, inflammation de l'iris.

ironie 1370, Oresme (*yronie*) ; lat. *ironia,* du gr. *eironeia,* interrogation ; le sens fig. vient de la méthode socratique. || **ironique** XVᵉ s. ; lat. *ironicus,* du gr. *eironikos.* || **ironiquement** XVᵉ s., G. || **ironiser** 1647, Boisrobert. || **ironiste** fin XVIIIᵉ s., Gohin.

iroquois fin XVIIᵉ s. ; 1718, Leroux, « stupide » ; 1809, Chateaubriand, « langage incompréhensible » ; nom d'une peuplade de l'Amérique du Nord, déformation d'un terme indigène signif. « vraies vipères ».

ir(r)-, les composés formés avec le préfixe *ir-* (*in-* devant *r*) sont à l'ordre alphabétique du mot simple.

irradier 1468, Chastellain, « illuminer » ; 1828, Mozin, « se propager par rayonnement » ; 1867, L., sens général ; 1948, Lar., phys. ; lat. *irradiare,* de *radius,* rayon. || **irradiant** 1480, *Mystère.* || **irradiation** 1390, Conty, « émission de rayons » ; 1541, Calvin, fig.

irrédentisme 1888, Lar. ; ital. *irredentismo,* de *irredento,* non racheté, en parlant des territoires autrichiens de langue italienne. || **irrédentiste** *id. ;* ital. *irredentista.*

irréfragable milieu XVᵉ s. ; bas lat. *irrefragabilis,* de *refragari,* s'opposer, voter contre.

irrégulier, irrémédiable, irrémissible, irrévérent, irrévocable V. RÉGULIER, REMÈDE, REMETTRE, RÉVÉRENCE, RÉVOQUER.

irriguer 1835, *Maison rustique ;* lat. *irrigare,* de *rigare,* arroser. || **irrigable** 1839, Genty de Bussy. || **irrigation** XVᵉ s., G., méd. ; 1764, Bertrand, agr. ; lat. *irrigatio.* || **irrigateur** 1827, Dupin, n. m. ; adj. 1931, Lar.

irriter 1356, Bersuire, « mettre en colère » ; 1536, Chrestien, « enflammer un organe » ; *s'irriter,* 1640, Corn., « se mettre en colère » ; lat. *irritare.* || **irritable** 1520, Vaganay, « qui donne la colère » ; XVIIIᵉ s., phys. ; 1835, *Acad.,* sens actuel. || **irritabilité** 1754, Brunot. || **irritant** 1549, R. Est., « qui provoque la colère » ; 1555, Vide, méd. || **irritation** fin XIVᵉ s., G., « colère » ; 1694, *Acad.,* « excitation d'un organe » ; lat. *irritatio.*

irrorer 1532, Rab., « arroser » ; lat. *irrorare,* couvrir de rosée (*ros, roris*). || **irroration** 1694, Th. Corn. ; bas lat. *irroratio.*

irruption 1495, J. de Vignay ; lat. *irruptio,* de *rumpere,* rompre, lancer.

isabelle 1595, *Archives ;* nom espagnol *Isabel,* altér. de *Élisabeth* (Isabelle la Catholique aurait fait le vœu, au siège de Grenade en 1491, de ne pas changer de chemise avant la fin du siège), ou de l'ar. *hizah,* lion (couleur du lion).

isard 1387, G. Phébus (*bouc izar*) ; 1553, Belon (*isard*) ; mot pyrénéen prélatin signif. « étoile », puis « tache blanche sur le front » et « chamois ».

isatis 1740, Trévoux ; gr. *isatis,* pastel.

isba 1669, Miege (*wisbis,* pl. où la prép. est notée à l'initiale) ; 1813, Breton (*isba*) ; russe *izba,* hutte de paysan.

ischémie 1845, Besch. ; gr. *iskhaimos,* qui arrête le sang, de *iskhein,* retenir, et *haima,* sang.

ischion 1560, Paré ; gr. *iskhion,* hanche.

ischurie 1560, Paré, méd. ; bas lat. *ischuria,* du gr. *iskhouria* (*iskhein,* retenir, *ouron,* urine) ; rétention d'urine.

islam fin XVIIe s. ; mot ar. signif. « soumission à Dieu, résignation ». || **islamique** 1845, Besch. || **islamite** 1784, Diderot. || **islamiser** 1862, Renan. || **islamisation** 1931, Lar. || **islamisme** 1756, Voltaire.

iso-, gr. *isos,* égal. || **isobare** 1877, L. || **isocèle** 1542, Bovelles ; bas lat. *isoceles,* du gr. *skelos,* jambe. || **isochrone** 1675, *Journal des savants ;* gr. *isokhronos,* de *khronos,* temps. || **isochronisme** 1700, *Mémoires Acad. des sciences.* || **isoclinal** 1902, Lar. || **isocline** 1845, Besch. ; gr. *isoklinês,* qui penche également, de *klinein,* incliner. || **isoète** 1839, Boiste ; lat. *isoetes,* joubarbe, du gr. *isoetês,* de durée égale à une année (*etos*). || **isogame** 1902, Lar. ; gr. *gamos,* union. || **isoglosse** 1933, Maronzeau ; gr. *glôssa,* langue. || **isogone** 1682, *Journal des savants ;* gr. *isogônios,* de *gônia,* angle. || **isomère** 1839, *Acad. ;* gr. *meros,* partie. || **isomérie** 1691, Ozanam. || **isomorphe** 1821, *Ann. chimie.* || **isopode** 1827, *Acad.* || **isostasie** 1931, Lar. || **isotherme** 1816, *Ann. chimie ;* gr. *thermos,* chaud. || **isotope** 1922, Lar. ; gr. *topos,* lieu.

isolé 1575, Paradin, « façonné comme une île » ; 1680, Richelet, « détaché du reste » ; 1759, Voltaire, « à l'écart » ; ital. *isolato,* séparé comme une île (*isola,* lat. *insula*). || **isolation** 1765, Brunot. || **isolationnisme** 1946, Lar. ; mot anglo-américain. || **isolationniste** 1953, Lar. ; mot anglo-américain. || **isolement** 1701, Furetière. || **isolateur** 1783, Bertholon. || **isoler** 1653, Saint-Amant ; *s'isoler,* fin XVIIe s. || **isoloir** 1789, *Journ. de Paris,* appareil isolant les corps de l'électricité ; 1914, *Doc.,* « lieu où l'électeur formule son vote ».

israélite fin XVIe s. ; bas lat. *Israelita,* de la race d'Israël. || **israélien** 1948, Lar., d'Israël.

***issu** fin XIIIe s., Joinville, « sorti de » ; part. passé de l'anc. fr. *issir, eisir* (980, *Valenciennes*) ; lat. *exire,* sortir. || ***issue** 1165, Marie de France (*eissue*) ; XIIIe s. (*issue*) ; 1555, Ronsard, fig. ; *à l'issue de,* 1273, Adenet ; pl. 1332, Acart, boucherie ; part. passé féminin.

isthme 1538, Charrière, géogr. ; 1552, Rab., méd. ; lat. *isthmus,* du gr. *isthmos.* || **isthmique** 1636, Monet, antiq. || **isthmien** 1867, L.

itague 1138, *Saint Gilles* (*utange*) ; 1783, *Encycl. méth.* (*itague*) ; anc. scand. **ustag,* sorte de cordage.

italianisme 1578, H. Est. ; ital. *italiano,* italien. || **italianiser** 1578, H. Est. || **italianisant** 1908, Rolland. || **italique** 1525, J. Lemaire (*lettres ytalliques*) ; lat. *italicus,* italique, ces caractères ayant été inventés par l'Italien Alde Manuce († 1515).

item 1294, Deck, adv. ; n. m. v. 1950 ; adv. lat. signif. « de même ».

itératif 1403, G. ; bas lat. gramm. *iterativus,* de *iterare,* recommencer. || **itérativement** 1528, *Doc.* || **itération** 1525, J. Lemaire.

ithos 1672, Molière, rhét. ; gr. *êthos,* mœurs, avec la pron. du gr. byzantin *i* pour *ê.*

itinéraire XIVe s., G., « suite des lieux traversés » ; 1805, Lunier, sens actuel ; lat. impér. *itinerarium,* de *iter, itineris,* chemin. || **itinérant** 1874, Lar., « qui change d'endroit », d'abord relig. « méthodiste ».

itou av. 1628, Héroard ; altér. de l'anc. fr. *atout,* avec, par l'anc. fr. *itel,* pareillement (de *tel*).

iule 1611, Cotgrave ; lat. bot. *iulus,* du gr. *ioulos,* poil follet, duvet.

ive, iveteau V. IF.

ivoire 1130, *Eneas ;* lat. *eboreus,* ivoirin, substantivé au neutre, de *ebur, eboris,* ivoire. || **ivoirin** fin XIIe s., J. Bodel (*ivorin*) ; 1544, Délie (*ivoirin*). || **ivoirier** 1322, Gay. || **ivoirerie** XVIIe s.

***ivraie** début XIIIe s. ; bas lat. **ēbriāca,* fém., ivre, de *ēbriacus, ēbrius,* même sens ; parce que l'ivraie cause une sorte d'ivresse (infl. morphologique de *ivre*).

***ivre** début XIIe s., *Voy. de Charl. ;* lat. *ebrius,* avec infl. de [j] de la syllabe finale. || **ivresse** 1130, *Eneas.* || **enivrer** 1120, *Ps. de Cambridge ;* 1580, Montaigne, fig. || **enivrement** 1131, *Couronn. Loïs.*

***ivrogne** 1190, *Saint Bernard* (*yvroigne*) ; 1283, Beaumanoir (*yvrogne*) ; lat. pop. **ebrionia,* ivresse. || **ivrognesse** 1584, Henri IV. || **ivrogner** 1538, R. Est. || **ivrognerie** fin XVe s.

ixia 1762, *Acad. ;* mot lat., du gr. *ixia,* désignant une plante africaine.

ixode 1806, Latreille ; gr. *ixôdês,* gluant ; insecte parasite du chien.

j

*__jà__ 980, *Passion*, « maintenant » ; 1080, *Roland*, « déjà » ; lat. *jam*, remplacé par *déjà* au XVIe s. || **jaçoit que** XIIe s., G. (*ja seit que*), disparu au XVIIe s. ; de *jà soit* (subj. de *être*). || **jadis** 1130, *Eneas* (*molt a jadis*), « il y a bien longtemps » ; 1112, *Voy. saint Brendan* (*jadis*) ; *ja a dis* (lat. *dies*, jour), il y a déjà des jours. || **jamais** 1050, *Alexis*. || **déjà** 1265, J. de Meung ; de *jà* renforcé par *dès*.

jabiru 1765, *Encycl.* ; angl. *jabiru*, du tupi-guarani ; grand oiseau voisin des cigognes.

jable fin XIIe s., Simund de Freine (*gable*), « pignon » ; 1397, G., « chanlatte » ; 1564, J. Thierry, en tonnellerie ; mot gaulois latinisé en **gabulum*. || **jablière** 1583, Gauchet. || **jabler** 1573, Du Puys. || **jablage** 1931, Lar. || **jabloire** 1604, Gauchet.

jaborandi 1752, Trévoux ; guarani *yaguarandi*.

jabot 1546, Rab., « estomac de l'homme » ; 1555, Belon, en parlant d'un oiseau ; 1680, Richelet, « ornement de dentelle » ; prélatin **gaba*, gorge, d'orig. gauloise (v. aussi GAVER). || **jaboter** 1691, Gherardi. || **jaboteur** 1772, Ritter.

jacamar 1760, Brisson ; mot tupi-guarani ; oiseau d'Amérique.

jacasser 1808, d'Hautel ; altér. de *jaqueter*, d'apr. *coasser*, *agacer*, etc., de *jacque*, nom dialectal du geai, de *Jacques*, n. pr. || **jacasse** 1867, L., « bavarde », Delvau. || **jacasserie** 1842, Mozin. || **jacassement** 1857, Baudelaire. || **jacasseur** 1902, Lar. || **jacassier** 1792, Brunot.

jacée 1611, Cotgrave ; lat. médiév. *jacea*, d'orig. inconnue ; sorte de centaurée.

jacent début XVIe s. ; lat. *jacens*, gisant, de *jacere*, être étendu (V. GÉSIR.) || **sous-jacent** 1872, L.

*__jachère__ 1175, Chr. de Troyes, « terre labourée » ; 1265, J. de Meung, sens actuel ; bas lat. *gascaria*, d'origine gauloise (**gansko*, branche). || **jachérer** XIIIe s., Du Cange.

jacinthe 1080, *Roland* (*jacunce*), « topaze » ; XIVe s. (*jacint*), en ancien provençal, « plante » ; XVIe s. (*jacinthe*) ; lat. *hyacinthus*, aux deux sens, du gr. *Huakinthos*, personnage mythologique changé en fleur par Apollon. || **hyacinthe** XVIe s., « pierre précieuse » ; forme refaite.

jack 1870, L., « appareil de filature » ; 1902, Lar., « commutateur téléphonique » ; mot angl.

jacobée 1615, Daléchamp (*jacobaea*) ; 1680, Richelet (*jacobée*) ; lat. *Jacobus*, Jacques, « herbe de Saint-Jacques ».

jacobin fin XIIIe s., Rutebeuf, « dominicain » (premier couvent de l'ordre, rue Saint-Jacques) ; 1797, Gattel, oiseau ; 1790, Brunot, polit., d'après le club des Jacobins installé dans l'anc. couvent ; lat. *Jacobus*, Jacques. || **jacobinisme** 1791, *La Jacobinière*.

jacobus 1640, *Anc. Théâtre*, monnaie d'or frappée sous Jacques Ier (lat. *Jacobus*) d'Angleterre. || **jabobite** 1720, Caylus ; partisan de Jacques II.

jaconas 1761, Savary (*-at*) ; 1835, *Acad.* (*-as*) ; altér. de *Jaganath*, ville de l'Inde où ce tissu était fabriqué.

jacquard v. 1800 ; de Joseph *Jacquard* (1752-1834), auteur de ce métier à tisser.

*__jacques__ 1357, *Chron. normande*, « paysan » (Jacques Bonhomme) ; lat. *Jacobus*. || **jacquerie** 1360, Froissart, nom d'un soulèvement paysan, avec majuscule ; 1821, Courier, « soulèvement paysan ». || **jacquet** 1827, Lebrun, *Manuel des jeux* ; dimin. de *Jacques* (*jaquet*, laquais, 1559, Amyot). || **jacquot** 1778, Buffon, « perroquet » ; dimin. de *Jacques*.

1. **jactance** V. JACTER.

2. **jactance** 1220, Coincy, « vanterie » ; lat. *jactancia*, de *jactare*, lancer, proférer, fig. vanter.

jacter 1821, Ansiaume, « bavarder » ; contraction de *jacqueter* (*jaqueter*, 1562, Du Pinet), de *Jacques*. || **jactance** 1879, Esnault, « bavardage ».

jaculatoire 1578, d'Aubigné, relig. ; lat. *jaculatorius*, de *jaculari*, lancer ; se dit d'une prière courte et ardente.

jade 1612, *Anc. Théâtre ;* de *ejade* (*e* a été pris pour une partie de l'article) ; esp. *piedra de la ijada*, pierre du flanc (lat. *ilia*), le jade passant pour guérir les coliques néphrétiques. || **jadéite** 1873, L.

jadis V. JÀ.

jaguar 1754, Klein ; port. *jaguarete* ou angl. *jaguar*, du tupi-guarani.

***jaillir** 1112, *Voy. saint Brendan* (*galir*), « jeter, lancer » ; 1175, Chr. de Troyes (*jaillir*), « sortir impétueusement » ; 1559, Amyot, « s'élancer » ; sans doute lat. pop. **galire*, « lancer impétueusement », d'origine gauloise. || **jaillissant** 1680, Richelet. || **jaillissement** 1611, Cotgrave. || **rejaillir** 1539, R. Est. || **rejaillissement** 1557, de Mesmes.

jaïna 1870, Lar. (*djaïna*) ; mot hindî, de *Djina*, « conquérant », fondateur de cette religion. || **jaïnisme** 1873, *Rev. des Deux Mondes*.

***jais** 1268, É. Boileau (*gest*) ; de *jaïet* (XIIe s., Marbode), du lat. *gagātes*, pierre de Gages en Lycie, mot gr.

jalap 1640, Lael (*xalapa*) ; 1654, Boyer (*jalap*) ; esp. *Jalapa*, nom d'une ville du Mexique. || **jalapine** 1836, Landais.

jalon 1613, *Romania*, « perche » ; 1829, Boiste, « point de repère » ; de *jalir*, forme anc. de *jaillir*. || **jalonner** 1690, La Quintinie. || **jalonnement** 1842, *Acad.* || **jalonneur** 1835, *Acad.* || **jalonnage** 1931, Lar.

***jaloux** 1130, *Eneas* (*gelos*) ; XIIIe s. (*jalous*) ; 1487, Garbin (*jaloux*) ; lat. pop. *zelosus*, adaptation de *Deus zelotes*, le Dieu jaloux (Vulgate), lat. *zelus*, ardeur, gr. *zêlos*. Le mot fr. a été repris aux troubadours. || **jalousie** 1170, *Floire et Blancheflor ;* 1549, R. Est., « volet mobile en treillis » ; repris à l'ital. *gelosia*, jaloux. || **jalouser** XIIIe s., *Sainte Thaïs*, « convoiter » ; fin XVIe s., d'Aubigné, sens actuel.

jamais V. JÀ.

***jambe** 1080, *Roland ;* bas lat. *gamba* (IVe s., Végèce), jarret, patte de cheval, du gr. *kampê*, courbure, articulation. || **jambière** 1203, Gay. || **jambier** v. 1560, Paré. || **jambon** fin XIIIe s., G. || **jambonneau** début XVIIe s. || **jambage** milieu XIVe s., « pilier » ; 1538, R. Est., « montant d'une porte » ; 1680, Richelet, jambage d'une lettre. || **jambard** 1305, G. || **jambette** XIIIe s., *Aucassin et Nicolette*. || **jambé** fin XVIe s. || **jamber** fin XIXe s., « importuner », d'apr. *tenir la jambe*. || **enjamber** XIVe s., Cuvelier, « empiéter » ; 1690, Furetière, « franchir un obstacle ». || **enjambement** 1566, Du Pinet ; fin XVIIe s., prosodie. || **enjambé** fin XIIe s., R. de Moiliens, « pourvu de jambes ». || **enjambée** XIIe s., *Naissance du chevalier au cygne*. || **entrejambe** XXe s.

***jamble** milieu XVe s., « patelle » ; lat. pop. *gemmula*, petite perle (*gemma*).

jamboree début XXe s. ; déjà en 1864 en anglo-américain, « grande fête joyeuse » ; d'origine inconnue.

jambose 1602, Colin (*jambos*) ; 1803, Boiste, au sens de « arbre, jambosier » ; port. *jambos*, fruit du jambosier, d'un parler de l'Inde. || **jambosier** 1789, *Encycl. méth.*

janissaire 1457, La Broquière (*jehanicere*) ; ital. *giannizero*, du turc. anc. *yeni tcheri*, nouvelle troupe.

jansénisme milieu XVIIe s. ; *Jansenius*, nom latinisé de Corneille *Jansen*, évêque d'Ypres (1585-1638). || **janséniste** 1656, Pascal.

***jante** 1170, *Rois ;* lat. pop. **cambĭta*, du gaulois **cambo-*, courbe.

***janvier** 1119, Ph. de Thaon ; lat. *jenuarius*, mois de Janus.

japon 1730, Savary, « porcelaine du Japon ». || **japonais** 1667, Robinet. || **japonner** 1730, Savary. || **japonisé** 1829, *Journ. des dames*. || **japonisme** 1876, *J. O.* || **japonaiserie** 1851, Goncourt.

japper fin XIIe s., *Ysopet de Lyon ;* onomat. || **jappement** 1502, O. de Saint-Gelais. || **jappeur** 1546, Vaganay.

jaque 1553 ; trad. de Castanheda (*jaca*), « fruit du jaquier », du malayalam (langue du Malabar) *tsjakka*. || **jaquier** 1687, Choisy.

jaquemart 1534, Rab. ; anc. prov. *jacomart* (XVe s.), de *Jaqueme*, forme anc. de *Jacques ;* figure allégorique frappant les heures sur une cloche.

jaquette 1386, Gay ; de *jaque*, anc. vêtement (XIVe s.), de *jaque*, paysan, du n. propre *Jacques ;* 1951, Lar., « couverture publicitaire d'un livre » ; par l'angl. *jacket*.

jard, jarre 1268, É. Boileau, « poil de loutre » ; francique *gard* (anc. haut allem. *gart,* baguette ; scand. *gaddr,* piquant). || **jarreux** 1268, É. Boileau. || **éjarrer** 1753, *Encycl.* || **éjarreuse** *id.* || **éjarrage** 1845, Besch.

jarde 1516, *P. Crescens* (*zarde*) ; 1678, Guillet (*jarde*), « tumeur » ; ital. *giarda,* de l'ar. *djarad,* enflure. || **jardon** *id. ;* ital. *giardone,* exostose du jarret.

jardin 1138, Gaimar (*gardin*) ; XIIe s., *Thèbes* (*jardin*) ; anc. fr. *jart* (XIIe s.), du francique **gard* (allem. *Garten.*) || **jardinier** XIIe s., *Adam.* || **jardinière** 1694, Ménage, insecte ; fin XVIIIe s., meuble ; 1810, La Reynière, cuisine ; 1948, Lar., *jardinière d'enfants.* || **jardinet** 1280, Adenet. || **jardinage** 1281, G., « terrain en jardins » ; 1564, Thierry, « culture des jardins ». || **jardiner** 1398, E. Deschamps.

1. **jargon** 1180, Marie de France, « langage d'oiseaux » ; XIIIe s., Esnault (*gergon*), « argot des malfaiteurs » ; 1560, Paré, « langage d'initiés » ; fin XVIe s., « langage incompréhensible » ; orig. onomat., de même rac. que *gazouiller.* || **jargonner** fin XIIe s., *Loherains.* || **jargonnesque** 1566, H. Est. || **jargonaphasie** 1965, Hécaen.

2. **jargon** 1664, d'après Savary, « diamant jaune » ; ital. *giargone* apparenté à l'anc. fr. *jagonce, jargonce* (XIe s.), du lat. *hyacinthus,* pierre précieuse.

jarnidieu 1685, La Fontaine ; de *je renie Dieu.* (V. DIEU.)

jarosse 1326, Du Cange, gesse ; mot de l'Ouest, du préroman **gerg.*

jarre 1449, *Comptes du roi René,* « vase de terre » ; prov. *jarra,* de l'ar. *djarra.*

jarret 1170, *Rois* (*garet*) ; XVIe s. (*jarret*) ; gaulois **garrā,* jambe (v. GARROT 2). || **jarretelle** 1893, Courteline. || **jarreter** 1576, Bretin. || **jarretière** 1360, Laborde.

jars 1268, É. Boileau, « aiguillon » ; fin XIIIe s., *Renart,* mâle de l'oie, par comparaison de la verge du jars ; le *s* du pl. est passé au sing. ; francique **gard,* aiguillon.

jas 1643, Fournier, ancre ; mot prov., du lat. pop. **jacium,* gîte, lat. *jacere,* être étendu.

jaser XVe s. (*gaser*) ; 1538, R. Est. (*jaser*) ; onomat. (v. GAZOUILLER). || **jasement** 1538, R. Est. || **jaseur** 1538, R. Est. || **jaserie** *id.* || **jaspiner** 1715, Esnault, « parler » ; croisement de *jaser* et de *japper.*

jaseran 1080, *Roland* (*jaserenc*), « cotte de mailles », « chaînette » ; du nom ar. d'Alger, *al-Djazā'ir,* où étaient fabriquées ces cottes.

jasione 1789, Lamarck ; gr. *iasiônê,* liseron, de *iasis,* guérison.

jasmin XIVe s., Moamin (*jasimin*) ; XVIe s., Ronsard (*jasmin*) ; ar. *yasemin,* d'orig. persane.

jaspe 1119, Ph. de Thaon ; lat. *jaspis,* du gr. *iaspis.* || **jaspé** 1552, Vaganay. || **jaspure** 1617, Crespin.

jaspiner V. JASER.

***jatte** 1165, Marie de France (*gate*) ; lat. pop. **gabita,* de *găbăta,* assiette creuse. || **jattée** XVIe s., Huguet.

jauge 1268, É. Boileau, « capacité d'un récipient » ; XVe s., G., instrument pour évaluer ; francique **galga,* verge (anc. haut allem. *galgo,* treuil). || **jauger** 1268, É. Boileau, « mesurer la capacité » ; 1787, Féraud, « estimer ». || **jaugeur** 1268, É. Boileau. || **jaugeage** 1248, *Doc.*

jaumière 1667, Fournier, « trou pour la tête du gouvernail » ; moyen fr. *haumière,* de *heaume,* barre du gouvernail, du néerl. *helm,* issu de l'anc. scand. *hjalm.*

***jaune** 1080, *Roland* (*jalne*) ; XIIe s. (*jaune*), couleur ; 1748, Montesquieu, ethn. ; *fièvre jaune,* 1834, Landais ; n. m., 1899, au Creusot, « ouvrier briseur de grève » ; *jaune d'œuf,* 1538, R. Est ; lat. *gălbĭnus.* || **jaunasse** XIIIe s., *Lapidaire de Cambridge.* || **jaunâtre** 1530, Palsgrave. || **jaunet** adj., 1125, *Doon de Mayence ;* n. m., pièce d'or, 1660, Oudin. || **jaunir** 1213, *Fet des Romains.* || **jaunisse** fin XIe s., *Gloses de Raschi* (*janlice*) ; XIIe s., Marbode (*jalnice*) ; XIIIe s. (*jaunisse*). || **jaunissage** 1902, Lar. || **jaunissement** 1636, Monet. || **jaunissant** 1550, J. du Bellay. || **jaunissure** 1564, J. Thierry.

java 1928, Colette, danse d'origine exotique ; nom de l'île de *Java.* || **javanais** 1873, Lar., argot.

javart 1398, *Ménagier ;* même rac. que *gaver,* du prélatin **gaba,* gorge : il a dû désigner d'abord l'aphte, l'ulcère dans la gorge, comme le prov. *gabard,* avant d'avoir une valeur particulière en art vétérinaire.

Javel (eau de) 1830, Vidocq (*javelle*) ; nom d'un anc. village, devenu quartier de Paris (XVe arr.), où l'on fabriquait cette eau. || **javelliser** 1931, Lar. || **javellisation** 1916, Garnier.

javeline V. JAVELLE et JAVELOT.

***javelle** 1160, *Moniage Guill.,* « monceau » ; 1283, Beaumanoir, « poignée de blé » ; lat. pop. **gabĕlla,* d'origine gauloise (d'apr. l'irlandais *gabhail,* poignée). || **javeau** XIIe s., *Chev. Ogier,* forme masc. || **javelage** 1793, *Encycl méth.* || **javeler** 1125, *Doon de Mayence.* || **javeleur** 1611, Cotgrave. || **enjaveler** 1352, *Glossaire.*

javelot 1130, *Eneas ;* lat. *gabalus,* potence, du gaulois **gabalaccos,* reconstitué d'apr. le kymrique *gaflach,* avec substitution de finale. || **javeline** 1451, *Doc.,* « petit javelot ».

javotte 1842, *Acad. ;* mot d'orig. gauloise, de même rac. que *javelle.*

jazz 1918, *le Matin ;* anglo-américain *jazz-band,* orchestre, de *jass,* d'origine obscure, et *band,* troupe. || **jazziste** 1970, *journ.*

***je** 842, *Serments* (*eo*) ; *jo* devenu *je* par suite de l'emploi proclitique ; il existait aussi en anc. fr. une forme tonique *gié,* remplacée par *moi ;* lat. *ego.*

jean-foutre V. FOUTRE.

jeannette 1478, J. Molinet, « plante » ; 1782, Bachaumont, « croix attachée au cou », de *croix à la Jeannette.* (*Jeannette,* diminutif de *Jeanne,* symbolisait les paysannes.)

jeannot fin XIVe s., G. (*jehannot*) ; 1550, *Anc. Théâtre français* (*janot*), « niais » ; dimin. de *Jean* (d'apr. le surnom donné aux farceurs faisant la parade dans les foires). || **janotisme** 1779, Proschwitz (*jeannotisme*) ; 1836, Landais (*janotisme*), « niaiserie ».

Jeep 1942 ; mot anglo-américain, tiré des initiales G. P. (*dji pi* dans la pron. anglaise) ; le type, fabriqué chez Ford, était dénommé G. P. W. (G. P., initiales de *general purpose,* c.-à-d. [auto à] usage général) ; nom déposé.

jéjunum 1363, Chauliac ; lat. méd. *jejunum* (*intestinum*), intestin à jeun, parce qu'il contient ordinairement très peu de matières. || **jejunostomie** 1962, Lar. ; gr. *stoma,* embouchure.

je-m'en-fichisme, je-m'en-fichiste 1891, *le Figaro ;* de la phrase *je m'en fiche.* || je-m'en-foutisme, je-m'en-foutiste 1884, *Lutèce ;* même sens ; de *je m'en fous.*

je ne sais quoi fin XIIIe s. (*ne sai quoi*) ; 1534, Rab. (*je ne sais quoi*) ; comme pronom indéfini.

jenny 1762, Brunot, machine à filer ; nom propre anglais *Jenny,* équivalent de *Jeannette,* symbolisant les fileuses.

jérémiade fin XVIIe s., abbé de Choisy ; nom du prophète *Jérémie,* d'apr. ses lamentations (*faire jérémie,* 1660, Scarron).

jerk 1965, *journ. ;* angl. *jerk,* secousse, de *to jerk,* lancer.

jéroboam 1907, Lar. ; mot angl. signif. « grand bol », du nom hébreu *Jeroboam,* roi qui entraîna son peuple au péché.

jerrycan v. 1942 ; angl. pop. *Jerry,* qui désignait les Allemands, et de *can,* récipient.

jersey 1666, Thévenot, « sorte de drap » ; 1881, *Mode illustrée,* « tricot » ; nom de l'île de *Jersey,* où l'on préparait cette laine depuis la fin du XVIe s.

jésuite 1548, Delb. (*jésuiste*) ; 1560, Pasquier (*jésuite*) ; 1656, Pascal, « hypocrite » ; de la Congrégation de *Jésus* (fondée en 1534). || **jésuitique** 1611, Sully ; fin XVIIe s., fig. || **jésuitisme** 1555, Pasquier. || **jésuitiser** 1878, Lar.

jésus 1740, Trévoux, format de papier ; 1835, Raspail, argot ; de *Jésus,* lat. *Jesus,* gr. *Iêsous,* d'orig. hébraïque.

1. **jet** V. JETER.

2. **jet** 1955, *journ. ;* mot angl. signif. « jaillissement » et désignant un avion à réaction.

***jeter** fin IXe s., *Eulalie ;* XIIIe s., « compter, calculer » ; lat. pop. **jĕctāre,* du lat. *jăctāre,* fréquentatif de *jăcio,* d'apr. les composés : *injectare,* etc. || **jet** 1155, Wace (*giet*) ; XVIe s. (*jet*) ; déverbal de *jeter.* || **jetée** 1216, R. de Clari, « action de jeter » ; XIVe s., « môle ». || **jeté** 1704, Trévoux, « pas de danse » ; 1883, Daudet, « étoffe ». || **jetage** 1788, Salmon, « coulage de métal » ; 1867, L., « action de jeter ». || **jeteur** 1180, *Horn,* « qui jette » ; *jeteur de sorts* 1873, Lar. || **jeton** XIIIe s., G., « ce qu'on jette » ; 1317, G., « petite pièce de métal » ; de *jeter,* calculer (1280). || **jetonnier** 1685, Brunot. || **déjeter** 1080, *Roland,* « repousser » ; XIIe s., pronominal, « se contorsionner » ; 1530, Palsgrave, « déranger » ; 1660, Oudin, « déformer ». || **interjeter** 1425, A. Chartier. || **projeter** 1120, *Ps. de Cambridge,* « préparer » (*por-*) ; XVe s. (*pro-*), « avoir l'intention de » ; d'apr. *pourjeter une ville,* se faire une idée précise de la manière de la prendre ; de l'anc. fr. *puer,* en avant, et *jeter.* || **projet** 1460, G. Chastellain (*pourjet*) ; 1549, R. Est. (*projet*) ; déverbal. || **projeteur** 1770, Rousseau. || **avant-projet** milieu XIXe s. || **rejeter** fin XIIe s., *Roman d'Alexandre,* « jeter en sens inverse » ; 1530, Palsgrave, « refuser » ; *rejeter sur,* 1538, R. Est. ; bas lat. *rejectare.* || **rejet** 1241, G., « action de rejeter » ; milieu XIVe s., bot. ; déverbal. || rejeton 1539, R. Est., bot. ; XVIe s., « enfant » ; a remplacé l'anc. fr. *jeton* (XIIIe s.) ; de *jeter* au sens de produire des scions. || **surjeter** XIIIe s., *Évangile de Nicomède, D. G.* || **surjet** 1398, *Ménagier.* || **surjeteuse** 1955, *Dict. des métiers.*

jeton V. JETER.

jettature 1826, Stendhal ; ital. *jettatura,* action de jeter un sort, de *gettare,* jeter. || **jettatore** 1857, Gautier.

***jeu** 1080, *Roland* (*giu*) ; XIIe s. (*jeu*), « pièce » ; *jeu de mots,* 1660, Boileau ; *jeu de société,* 1834, Landais ; *d'entrée de jeu,* 1689, Sévigné ; *faire le jeu de,* 1220, Coincy ; *entrer en jeu,* 1578, d'Aubigné ; *avoir beau jeu,* 1580, Montaigne ; *tirer son épingle du jeu,* 1584, Livet ; *être vieux jeu,* 1892, Lavedan ; lat. *jŏcus,* jeu. || ***jouer** 1080, *Roland,* « badiner » ; fin XIIIe s., « jouer d'un instrument » ; XVe s., « jouer une pièce » ; 1559, Amyot, « avoir un mouvement libre, avoir du jeu » ; lat. *jocari.* || **jouet** XIIIe s., Tobler-Lommatzsch. || **joueur** 1155, Wace. || **jouable** 1741, Voltaire. || **joujou** début XVe s., Ch. d'Orléans (*faire jojo*) ; redoublement expressif. || **déjouer** 1119, Ph. de Thaon, pronominal, « se réjouir » ; XIIIe s., « déconcerter ». || **enjoué** XIIIe s., G. || **enjouement** 1640, Scarron. || **enjeu** 1370, Semrau. || **injouable** 1767, Voltaire. || **rejouer** 1175, Chr. de Troyes.

***jeudi** XIIe s., L. (*juesdi*) ; début XIIIe s. (*jeudi*) ; bas lat. *Jovis dies,* jour de Jupiter ; l'indépendance du premier élément a été sentie jusqu'après la diphtongaison.

***jeun** V. JEÛNER.

***jeune** XIe s., G. (*jovene*) ; XIIIe s. (*jeune*) ; *jeune homme,* XVIe s. ; lat. pop. **jŏvenis* (lat. class. *jŭvĕnis*). || **jeunesse** 1160, Benoît (*joefnesce*) ; XIVe s. (*jeunesse*). || **jeunet** 1155, Wace (*junet*). || **jeunot** 1905, Esnault. || **rajeunir** fin XIIe s. || **rajeunissement** fin XIIe s., *Aliscans.*

***jeûner** 1119, Ph. de Thaon ; lat. chrét. *jējūnāre* (IIIe s., Tertullien). || ***jeun** 1170, *Rois,* adj., « qui n'a rien mangé » ; début XIIIe s., *à jeun* ; lat. *jējūnus,* adj., « à jeun ». || **jeûne** 1112, *Voy. saint Brendan.* || **jeûner** XIVe s., G. || **déjeuner** 1155, Wace, « rompre le jeûne » ; milieu XIXe s., sens actuel ; réfection romane de *dîner ;* l'heure du déjeuner (d'abord « petit repas pris en se levant ») se déplaça à Paris parallèlement à l'heure du dîner, et le déjeuner devint un repas copieux. || **petit déjeuner** XIXe s., repas léger pris au lever. (V. DÎNER.)

jeunesse, jeunet, jeûneur V. JEUNE, JEÛNER.

jigger 1887, Le Fèvre, « cuve pour teinture » ; 1899, Boulanger, « transformateur électrique » ; mot angl. signif. « cribleur ».

jiu-jitsu 1907, Lar. ; mot angl., du japonais *jū-jitsu,* de *ju,* doux, et *jitsu,* science, art de la souplesse.

joaillier V. JOYAU.

job 1831, *Rev. britt.,* « tâche désagréable » ; 1949, Gilbert, « travail rémunéré » ; mot angl. signif. « besogne ».

jobard fin XVIe s. (*joubard*), « qui aime folâtrer » ; 1808, Esnault, « naïf » ; de *jobe,* niais (1547, N. Du Fail), sans doute de *Job,* personnage biblique, d'apr. l'aventure de Job sur son fumier. || **jobelin** 1460, Villon, « argot ». || **jobarder** 1839, Balzac. || **jobarderie** 1836, Souvestre.

jociste v. 1930 ; dér. de J. O. C., *Jeunesse ouvrière chrétienne* (de même *jéciste* [*Jeunesse étudiante chrétienne*]).

jockey 1776, Laus de Boissy (*-ckei*) ; mot angl. dimin. de *Jock,* forme écossaise de *Jack.*

jocko apr. 1750, Buffon ; mot congolais ; orang-outang.

jocrisse 1587, Cholières, déformation de *joque sus,* niais (*juche-toi là-dessus*), de *joque,* impératif de l'anc. fr. *joquer,* jucher.

jodler 1867 (*iouler*) ; allem. dial. *jodeln,* vocaliser, d'orig. onomat.

***joie** 1050, *Alexis ;* lat. *gaudia,* pl. de *gaudium,* passé au fém., de *gaudere,* se réjouir. || **joyeusement** XIIe s. || **joyeux** 1050, *Alexis* (*goius*) ; 1360, Froissart (*joyeux*). || **joyeuseté** fin XIIIe s., Tobler-Lommatzsch.

***joindre** 1080, *Roland ;* lat. *jŭngĕre.* || **joint** XIIIe s., *Romania,* « joug » ; 1397, du Cange, « raccord » ; part. passé subst. || **joigneur** 1280, Bibbesworth, « plaque de fer ». || **jointoyer** fin XIIe s., R. de Moiliens. || **jointif** XVe s., G. ; anc. fr. *jointiz,* uni. || **jointure** 1080, *Roland ;* lat. *jŭnctura.* || **jonction** XIVe s., « union charnelle » ; XVe s., « mise en contact » ; lat. *jŭnctio.* || **joignant** 1240, G. de Lorris, adj. ; 1283, Beaumanoir, adv. ; 1580, Montaigne, prép. || **ajointer** 1842, Mozin. || **disjoindre** 1361, Oresme ; réfection, d'apr. le lat., de *déjoindre* (début XIIe s., *Voy. de Charl.*) ; lat. *disjŭngĕre.* || **disjonction** XIIIe s., G. ; lat. *disjŭnctio.* || **disjoncteur** 1888, Lar. || **disjonctif** 1536, M. du Bellay ; lat. *disjunctivus.* || **rejoindre** XIIIe s., Adenet. || **enjoindre** 1170, *Rois ;* lat. *injungere,* d'apr. *joindre.* || **injonction** 1295, Varin ; bas lat. *injunctio.*

joker 1917, *le Matin ;* mot angl. signif. « farceur ».

joli 1138, Gaimar (*jolif*), « lascif » ; 1175, Chr. de Troyes, « gai » ; 1280, *Clef d'amors,* « beau, distingué » ; p.-ê. du scand. *jôl,* nom d'une fête païenne, sur le modèle des adj. en *-if.* || **joliment** XIIIe s., *Recueil de motets.* || **joliet** fin XIIe s. || **joliesse** XVIe s., « plaisir » ; 1843, Balzac, « agrément ». || **joliveté** 1165, Marie de France. || **enjoliver** début XIVe s., « égayer » ; 1690, Furetière, « orner ». || **enjolivement** 1611, Cotgrave. || **enjolivure** 1611, Cotgrave. || **enjoliveur** début XVIIe s., « qui enjolive » ; 1930, Lar., autom.

***jonc** 1160, Benoît (*junc*) ; 1175, Chr. de Troyes (*jonc*) ; lat. *juncus.* || **jonchaie** 1771, Schmidlin. || **joncher** 1080, *Roland,* fig. || **jonchée** XIIIe s., G. (*jonchie*). || **jonchet** 1483, *Doc.* || **enjoncer** 1922, Lar.

jonction V. JOINDRE.

***jongler** 1360, Froissart, « s'amuser » ; 1546, Vaganay ; XVIe s., « faire des tours » ; lat. *joculari,* d'apr. l'anc. fr. *jongler* (XIIe s.), bavarder, du francique **jangalôn.* || **jonglage** 1962, Lar. || ***jongleur** XIIe s., *Saxons* (*jogleor*), « bateleur, ménestrel » ; XIVe s. (*jongleur*) ; lat. *joculator,* homme qui plaisante. || **jonglerie** 1119, Ph. de Thaon, « métier de jongleur » ; 1596, Hulsius, « tour de passe-passe ».

jonque 1525, *Voy. d'Ant. Pigaphetta ;* du malais (*a*) *jong.*

jonquille 1596, Hulsius ; esp. *junquillo,* dimin. de *junco,* jonc.

joseph 1723, Savary, papier pour filtrer ; du prénom de *Joseph* Montgolfier, directeur de papeterie à Annonay.

***jote** 1120, *Ps. de Cambridge* (*joute*) ; lat. pop. **jutta,* moutarde sauvage ; p.-ê. d'origine gauloise.

jouail V. JOUG.

joual XXe s. ; prononc. canadienne de *cheval.*

***joubarde** fin XIIe s., G. (*jobarbe*) ; lat. *Jovis barba,* barbe de Jupiter.

***joue** 1080, *Roland* (*joe*) ; 1273, Adenet (*joue*) ; *en joue,* 1578, d'Aubigné ; lat. **gauta,* sans doute de **gabita* ou d'une rac. prélatine. || **jouée** 1155, Wace, « épaisseur dans le mur ». || **joufflu** 1569, R. Est. ; croisement de l'anc. fr. *giflu* (1531, G.), de *gifle,* joue, avec *joue.* || **bajoue** 1390, Conty (*bajoe*) ; 1766, Buffon (*abajoue*), par agglutination de l'*a* de *la ;* de *joue* et de *bas* (« joue en bas », joue pendante). || **bajoyer** 1751, *Encycl.* || **bajoire** 1690, Furetière, monnaie à têtes affrontées ou accolées.

jouelle, jouer, joufflu V. JOUG, JEU, JOUE.

***joug** 1120, *Ps. d'Oxford* (*juh*) ; XIIIe s., avec *g* repris au lat. ; lat. *jŭgum.* || **jouail** 1771, Trévoux. || **jouelle** 1551, Cotereau.

***jouir** 1112, *Voy. saint Brendan* (*goïr*), « accueillir joyeusement » ; fin XIIe s., Coucy, « bénéficier heureusement de » ; 1580, Montaigne, « bénéficier d'un avantage » ; 1678, La Fontaine, « avoir un plaisir sexuel » ; lat. pop. **gaudīre* (lat. *gaudēre*). || **jouissance** 1466, Bartzsch ; a remplacé *joiance,* lat. *gaudentia.* || **jouisseur** 1529, G., « qui jouit de ». || **jouissif** XXe s. || **réjouir** 1175, Chr. de Troyes ; itératif de *esjouir* (XIIe s.), disparu au XVIIe s. || **réjouissance** milieu XVe s. ; 1780, Brunot, terme de boucherie.

joujou V. JEU.

joule 1882, Lar. ; nom du physicien angl. *Joule* (1818-1889).

***jour** 1050, *Alexis* (*jorn*) ; fin XIIe s. (*jour*), « clarté du soleil » ; XIIe s., « durée du jour » ; XIVe s., « ouverture » ; lat. *diurnum,* adj., « de jour », substantivé au neutre en lat. pop., où il a éliminé *dies* (resté dans *midi* et les jours de la semaine). || **journée** 1155, Wace (*jornee*) ; fin XIIe s. (*journée*). || **journellement** 1473, G. ; anc. fr. *journel,* journalier. || **ajourer** 1644, Vulson ; de *jour,* ouverture. || **ajour** 1866, Lar. ; déverbal. || **ajourner** 1080, *Roland,* remettre ; XIIIe s., Villehardouin, « faire jour » ; XIIIe s., Ménestrel de Reims, « assigner à jour fixe » ; 1775, *Journ. de Bruxelles,* sens parlementaire. || **ajournement** 1190, *Horn,* « lever du jour » ; 1776, *Courrier de l'Europe,* sens parlementaire. || **contre-jour** 1615, Binet. (V. AUJOURD'HUI, BONJOUR, TOUJOURS.)

journal 1119, Ph. de Thaon, adj., journalier ; 1631, *Gazette de France,* sens actuel par abrév. de *papier journal* (1553, Belon) ; 1355, Bersuire, mesure agraire (ce qu'on peut travailler en un jour). || **journalier** 1550, La Boétie ; de *journal,* adj. || **journaliste** 1704, Trévoux. || **journalisme** 1781, Gohin.

***jouter** 1080, *Roland* (*juster*) ; XIVe s. (*jouter*), « combattre de près, à cheval, avec des lances » ; lat. pop. **jŭxtare,* toucher, être attenant, de *juxta,* « près de ». || **joute** 1130, *Eneas,* déverbal. || **jouteur** 1155, Wace. (V. AJOUTER.)

jouvence fin XIIe s., *Dial. Grégoire ;* altér. de l'anc. fr. *jouvente* (1050, *Alexis*), jeunesse, sous l'infl. de *jouvenceau ;* lat. pop. **jŭventa,* lat. class. *juventus.* || **jouvenceau, -elle** 1120, *Ps. d'Oxford ;* lat. pop. **juvencellus, -cella,* lat. chrét. *juvenculus, -cula,* IIIe s., Tertullien.

jouxte XIIIe s., *Chron. de Rains ;* réfection de l'anc. fr. *joste, jouste* (XIe s.), du lat. *jŭxta,* « auprès de ». (V. JOUTER.)

jovial 1532, Rab. ; ital. *giovale,* « né sous l'influence bénéfique de Jupiter », du lat. impér. *jovialis,* de Jupiter, lat. *Jupiter, Jovis.* || **jovialité** 1622, *Caquets de l'accouchée.* || **jovialement** 1834, Landais.

***joyau** 1131, *Couronn. Loïs* (*joiel*) ; 1273, Adenet (*joyau*) ; forme du pl. refaite d'apr. *joie ;* anc. fr. *joel,* du lat. **jocalis,* « qui réjouit », de *jocus,* jeu. || **joaillier** 1360, Froissart (*joelier*) ; 1675, Widerhold (*joaillier*). || **joaillerie** 1434, G.

joyeux V. JOIE.

jubé 1386, Gay ; mot de la prière en lat. ecclés. *Jube, Domine...,* prononcée au jubé avant l'Évangile.

jubilé 1235, Trénel, « année de rémissions » ; 1398, E. Deschamps, « 50e anniversaire » ; 1873, Lar., « qui a passé cinquante ans » ; lat. ecclés. *jubilaeus,* de l'hébreu *yôbel,* jubilé. || **jubilaire** 1690, Furetière.

jubiler 1190, *Saint Bernard,* « pousser des cris de joie » ; 1752, d'après Boiste, « se réjouir » ; lat. *jūbĭlare.* || **jubilant** 1826, Brillat-Savarin. || **jubilation** 1120, *Ps. d'Oxford ;* lat. *jubilatio.* || **jubilatoire** 1841, *les Français peints par eux-mêmes.*

jucher 1155, Wace (*joschier*) ; XIIIe s., *Roman de Renart* (*jucher*) ; anc. fr. *juc, joc,* du francique **jok,* joug (allem. *Joch*). || **juchoir** 1538, Vaganay. || **déjucher** fin XIIIe s., *Roman de Renart.*

judaïque 1414, Delb. ; lat. *jūdaicus,* « de Juda ». || **judaïsme** 1213, *Fet des Romains,* « terre des Juifs » ; 1220, Coincy, religion. || **judaïser** XIIIe s. || **judéen** av. 1914, Péguy.

judas 1220, Coincy (*juda*), « traître » ; 1788, *les Nuits de Paris,* « ouverture dissimulée par laquelle on voit celui qui frappe à la porte » ; nom de *Judas,* disciple qui trahit le Christ.

judicature, judicieux, judiciaire V. JUGE.

judo 1931, Lar. ; mot japonais signif. « principes de l'art ». || **judoka** 1948, Lar.

jugal 1541, Canappe, anat. ; lat. *jugalis,* de joug.

***juge** fin XIIe s., *Rois,* magistrat ; 1564, *Indice de la Bible,* « qui porte un jugement » ; lat. *jūdex, -ĭcis ; juge de paix,* 1687, Miege (à propos de l'Angleterre), adopté en 1790. || ***juger** 1080, *Roland,* « décider, condamner » ; XVe s., « émettre une opinion » ; lat. *jūdĭcare.* || **jugé** 1155, Wace, n. m., « jugement » ; *au juger,* 1867, L. ; *au jugé,* 1885, Pairault || **jugeur** 1050, *Alexis.* || **jugement** 1080, *Roland.* || **jugeote** 1845, Besch. || **judicature** 1426, G. ; lat. *judicatum,* de *judicare.* || **judicatoire** XIIIe s. ; bas lat. *judicatorius.* || **judiciaire** 1398, E. Deschamps ; lat. *judicarius.* || **judicieux** 1580, Montaigne ; lat. *judicium,* jugement, discernement. || **judicieusement** 1611, Cotgrave. || **déjuger** 1120, *Ps. d'Oxford,* « annuler un jugement » ; *se déjuger,* 1845, Besch. || **extrajudiciaire** 1582, Bodin. || **préjuger** 1460, Chastellain, « juger par conjecture » ; lat. *praejudicare,* juger par avance. || **préjugé** n. m., 1584, Vaganay, « présage » ; début XVIIe s., Malherbe, « opinion par avance ».

jugulaire 1532, Rab. ; adj. (*veine jugulaire*) ; 1835, *Acad.,* « mentonnière militaire » ; lat. *jŭgŭlum,* gorge.

juguler 1213, *Fet des Romains ;* 1811, Wailly, fig. ; lat. *jugulare,* égorger.

***juif** 980, *Passion* (*judeu*) ; XIIIe s. (*juif*) d'apr. le fém. *juive ;* 1268, É. Boileau, « avare » ; 1931, Lar., « le petit doigt » ; lat. *jūdaeus,* du gr. *ioudaios,* de *Juda,* nom de tribu étendu au peuple juif. || **juiverie** XIIe s., G. (*juerie*) ; 1207, Villehardouin (*juierie*) ; XVIe s. (*juiverie*). || **enjuiver** 1920, Benda.

juillet 1213, *Fet des Romains ;* réfection de l'anc. fr. *juignet* (1119, Ph. de Thaon), dér. de *juin,* d'apr. une forme disparue *juil,* lat. *julius,* mois de *Jules* (César).

***juin** 1119, Ph. de Thaon ; lat. *junius,* mois de *Junius* Brutus, premier consul de Rome.

jujube 1256, Ald. de Sienne ; occitan **gigube,* altér. du lat. *zizyphun,* du gr. *zizuphon,* jujubier. || **jujubier** 1553, Vaganay.

juke-box XXe s. ; mot anglo-américain, de *Juke,* n. pr., et *box,* boîte.

julep 1398, *Somme Gautier ;* mot prov., de l'ar. *djulab,* du persan *gul-āb,* eau de rose.

jules 1866, Delvau, « vase de nuit » ; 1947, Esnault, « mari » ; 1957, Simonin, « souteneur » ; du prénom *Jules.* (V. THOMAS.)

julienne milieu XVIIe s. (*juliane*) ; 1680, Richelet (*julienne*), « plante » ; 1691, Massialot, *Cuis. royal,* « potage » ; de *Julien* ou *Julienne ;* évolution sémantique obscure.

jumbo 1953, Lar. ; mot de l'argot anglo-américain signif. « petit éléphant » et désignant une grosse perforatrice.

***jumeau** 1170, *Floire et Blancheflor* (*jumelle,* n. f) ; 1175, Chr. de Troyes (*jumeau,* n. m.) ; adj., 1265, J. de Meung ; lat. *gemellus,* avec *e* labialisé devant *m ;* a remplacé *gémeau.* || **jumelle** début XIVe s., « pièces semblables » ; 1825, *Journal des dames,* « lorgnettes ». || **jumeler** 1660, Oudin (*gemellé*) ; 1680, Guillet (*jumellé*) ; 1721, Trévoux (*jumeler*), « mettre ensemble ». || **jumelage** 1873, Lar. || **trijumeau** milieu XVIIIe s., « muscle ».

***jument** 1120, *Ps. d'Oxford,* « bête de somme » ; 1271, G., « femelle du cheval » ; d'abord dans le Nord où il a remplacé *ive* (lat. *equa*) ; lat. *jūmĕntum,* bête de somme. || **jumenterie** 1867, L. || **jumenteux** 1812, Mozin.

jumping 1948, Lar. ; mot angl. signif. « saut » ; terme de compétition hippique. || **jumper** n. m., 1907, Lar.

jungle 1796, Mackenzie ; mot angl., de l'hindî *jangal,* steppe, du sanskrit *jangala,* désert.

junior 1873, Lar. ; mot lat. comparatif de *juvenis,* jeune.

junker 1402, Girardin (*jungker*) ; 1875, *Revue* (*junker*) ; mot allem. signif. « hobereau ».

junte 1669, Boulan ; esp. *junta,* part. passé lat. *junctus,* joint, réuni, substantivé au fém. au sens de « réunion ».

jupe 1188, *Aspremont ;* ar. *djubba,* long vêtement de laine de dessous. || **jupon** début XIVe s., G. || **jupette** 1894, Sachs. || **jupe-culotte** 1896, *Écho de Paris.* || **juponné** 1800, *journ.* || **enjuponner** 1532, Rab., « vêtu d'un pourpoint ».

jurande V. JURER.

jurassien 1842, *Acad. ;* de *Jura.* || **jurassique** 1829, Brongniart ; ce terrain est particulièrement représenté dans le Jura.

***jurer** 842, *Serments* (*jurat,* 3e pers. ind. prés.), « promettre » ; XIIIe s., « blasphémer » ; lat. *jūrāre.* || **jurande** XVIe s., Levasseur. || **jurat** XVe s., Bartzsch ; lat. *juratus,* « qui a fait serment ». || **juratoire** XIIIe s., Audefroi ; lat. *juratorius.* || **juré** 1190, Garn., « promis » ; XIIIe s., « passé maître » ; 1764, Trévoux, « qui fait partie du jury ». || **jurement** XIIIe s., *Chr. d'Antioche.* || **jureur** 1190, Garn. || **juron** 1599, de Montlyard, « serment » ; 1690, Furetière, « blasphème ». (V. ABJURER, PARJURER.)

juridique 1460, *D. G. ;* lat. *juridicus,* de *jūs, jūris,* droit. || **juridiquement** début XVe s. || **juridiction** début XIIIe s. ; lat. *jurisdictio,* action de dire la justice. || **juridictionnel** 1537, Th. de Bèze. || **juridisme** v. 1950. || **jurisconsulte** fin XIVe s. ; lat. *jurisconsultus,* expert en droit. || **jurisprudence** milieu XVIe s. ; lat. *jurisprudentia,* science du droit. || **juriste** 1361, Oresme ; lat. médiév. *jurista.*

juron V. JURER.

jury 1688, Chamberlayne, en parlant de l'Angleterre ; 1790, en France (Constituante) ; mot angl., de l'anc. fr. *juree,* serment (XIIe s.).

***jus** 1175, Chr. de Troyes, de la vigne ; 1538, R. Est., « sauce » ; lat. *jūs.* || **jusée** 1765, *Encycl.* || **juter** 1844, Flaubert. || **juteux** XIVe s. ; 1907, Esnault, arg. mil., « adjudant ». || **verjus** 1283, Beaumanoir ; de *vert,* aigre et de *jus.*

jusant 1484, Garcie ; anc. fr. *jus* (980, *Passion*) ; mot maritime de l'Ouest, du bas lat. *deorsum,* avec infl. du fr. *sus.*

***jusque** 980, *Passion* (*jusche*) ; 1050, *Alexis* (*josque*) ; XIIe s. (*jusque*) ; de *endusque* (1155, Wace), sans doute renforcement du lat. *usque,* jusque. Le *s* intérieur, amuï au XIIIe s., a été prononcé de nouveau au XVIe s., d'apr. le lat. et la série *lorsque, puisque.* (V. PRESQUE.) Souvent un *s* adverbial (*jusques*) en anc. fr. et dans le style soutenu. || **jusqu'au-boutiste** 1917, R. Rolland.

jusquiame XIIIe s., *Simples Medicines ;* lat. *jusquiamus,* du gr. *huos, kuamos,* fève de porc.

jussion 1559, Amyot ; lat. *jussio,* ordre, de *jubere,* ordonner. || **jussif** 1931, Lar.

justaucorps V. JUSTE.

***juste** 1120, *Ps. d'Oxford,* « qui agit avec justice » ; 1283, Beaumanoir, « exact » ; lat. *jūstus,* juste. || **justaucorps** 1642, Oudin (*juste au corps*). || **juste-milieu** 1662, Pascal, « modération » ; 1755, Montesquieu, polit. || **justement** 1190, Garnier. || **justesse** 1611, Cotgrave. || **justice** 1050, *Alexis* (*-ise*) ; 1080, *Roland* (*jus-*

tice) ; lat. *jūstĭtĭa.* || **justiciable** 1150, *Charroi ;* anc. fr. *justicier,* punir. || **justicier** 1131, *Couronn. Loïs,* adj. et n. || **justifier** 1120, *Ps. de Cambridge ;* lat. impér. *jūstificare,* faire juste. || **justifiable** fin XIIIe s., Macé de la Charité. || **justification** 1120, *Ps. d'Oxford ;* lat. *jūstĭfĭcatio.* || **justificatif** 1558, S. Fontaine, adj. ; n. m. v. 1950. || **justificateur** 1516, Lemaire ; XVIIIe s., typogr. || **injuste** fin XIIIe s. ; lat. *injustus.* || **injustement** 1238, Bouthors. || **injustice** XIIe s., G. ; lat. *injustitia.* || **injustifié** 1842, Mozin. || **injustifiable** 1791, *Doc.* || **ajuster** 1268, É. Boileau (*adjouster*) ; 1480, Chastellain (*ajuster*) ; de *juste,* au sens propre (pron. *ajuté* jusqu'au XVIIIe s.). || **ajustage** 1350, Du Cange. || **ajustement** 1331, Du Cange. || **ajusteur** XVIe s., Du Cange, « qui ajuste les monnaies » ; 1845, Besch., « ouvrier en mécanique ». || **ajustoir** 1676, Félibien. || **rajuster** 1160, Benoît || **rajustement** 1690, Furetière. || **réajuster** 1932, Lar. || **réajustement** 1932, Lar.

jute 1849, *Ann. du comm. ext. ;* angl. *jute,* chanvre de l'Inde, du bengali *jhuto.*

juter, juteux V. JUS.

juvénile 1112, *Voy. saint Brendan (juvenil) ;* 1460, Chastellain (*juvénile*) ; lat. *jŭvĕnilis,* de *juvenis,* jeune homme. || **juvénilement** 1544, *l'Arcadie.* || **juvénilité** 1495, J. de Vignay ; lat. *juvenilitas.* (V. JEUNE.)

juxta, lat. *juxta,* « auprès de ». Les composés de *juxta-* figurent à l'ordre alphabétique du second élément du composé.

kabyle 1761, *Encycl. (Cabille)* ; 1859, Fromentin (*kabyle*) ; ar. *Qabā'il,* proprem. « (pays des) tribus ».

kacha 1902, Lar. (*kache*) ; mot polonais signif. « bouillie ».

kaïnite 1872, L. ; allem. *Kaïnit,* du gr. *kainos,* nouveau, à cause du caractère récent de la découverte.

kaiser 1870 ; mot allem. signif. « empereur ». || **kaiserlick** 1792, Brunot ; nom donné aux Impériaux, de l'allem. *kaiserlich,* impérial.

kakémono 1878, Goncourt ; mot japonais signif. « chose suspendue », de *kakeru,* suspendre ; peinture japonaise suspendue verticalement dans les appartements.

kakerlak début XVIIIe s. ; néerl. *kakkerlak,* blatte.

1. **kaki** 1823, Boiste, « plante » ; mot japonais.

2. **kaki** 1898, Deiss (*khaki*) ; 1902, Lar. (*kaki*) ; angl. *khakee,* de l'hindî *khāki,* couleur de poussière, du persan *khâh,* poussière ; les premiers uniformes kaki furent adoptés dans l'Inde, en 1857, par l'armée anglaise.

kala-azar 1909, Lar., méd. ; mot de l'Assam, de *kala,* noir, et *azar,* maladie.

kaléidoscope 1818, Wailly, créé en angl. par Brewster (1817) ; 1873, Lar., fig. ; gr. *kalos,* beau, *eîdos,* aspect, et *skopeîn,* regarder. || **kaléidoscopique** 1835, Balzac.

kali 1557, Dodoens ; ar. *qali,* soude. (V. ALCALI.) || **kaliémie** 1962, Lar. ; gr. *haima,* sang.

kalmie 1777, *Encycl.* ; lat. bot. *kalmia,* tiré par Linné du nom de son élève, P. *Kalm* (1716-1779).

kalmouk 1743, Trévoux ; mot mongol désignant un peuple mongol ; tissu velu en laine.

kamichi 1741, Barrère ; mot d'une langue indigène du Brésil ; oiseau d'Amazonie.

kamikaze 1948, Lar. ; mot japonais signif. « tempête providentielle ».

kandjar V. ALFANGE.

kangourou 1774, trad. de Hawkesworth ; mot d'une langue indigène d'Australie.

kantisme 1804, Schweighauser ; de *Kant,* philosophe allemand (1724-1804). || **kantien** 1812, Bridel. || **kantiste** 1800, *Doc.*

kaolin 1712, d'Entrecolles ; chinois *kao-ling,* « colline, *ling,* élevée, *kao* » ; du lieu où l'on extrayait le kaolin (près de *King-tö-tchen*). || **kaoliniser** 1867, L. || **kaolinite** 1902, Lar.

kapok 1680, trad. de Montanus (*capok*) ; mot angl., du malais *kapuq.* || **kapokier** 1691, Boulan.

karaté 1960, Gilbert ; mot japonais. || **karateka** *id.*

karité fin XIXe s. ; mot ouolof désignant un arbre d'Afrique tropicale.

karst 1962, Lar. ; de *Karst,* plateau calcaire de Yougoslavie. || **karstique** 1931, Lar.

kart v. 1950 ; mot anglo-américain. || **karting** *id.* ; dér. de *kart.*

kayak 1841, Duponchel ; angl. *kayak,* de l'esquimau. || **kayakiste** 1962, Lar.

keepsake 1829, *Rev. de Paris* ; mot angl., de *keep,* garder, et *sake* (*for my sake,* pour l'amour de moi) ; album-souvenir.

kéfir 1888, Lar. (*képhir*) ; mot caucasien ; sorte de boisson.

kénotron 1926, Lar. ; gr. *kenos,* vide, et suffixe *-tron.*

képi 1809, *Invent. du général Lasalle* ; allem. de Suisse *Käppi,* dimin. de l'allem. *Kappe,* bonnet. || **képisme** 1870, manière de porter le képi de la Garde nationale.

kérat(o)-, gr. *keras, -atos,* matière cornée. || **kératectomie** 1867, L. ; excision de la cornée. || **kératine** 1867, Lar. || **kératite** 1827, *Acad.* || **kératocèle** 1839, Boiste. || **kératoplastie** 1878, Lar. || **kératose** 1888, Lar. || **kératotomie** 1867, L.

kermès V. ALKERMÈS.

kermesse 1391, G. ; fin XIXe s., « fête de bienfaisance » ; mot du Nord, moyen néerl. *kerkmesse,* messe (*messe*) d'église (*kerk*), fête patronale.

kérosène 1877, L. ; gr. *kêros,* cire, et suffixe *-ène ;* liquide pétrolier.

kerrie 1842, *Acad. ;* nom du botaniste angl. *Ker ;* arbuste du Japon.

ketch 1666, Boulan (*cache*) ; 1788, Bonnafé (*ketch*) ; mot angl. désignant un navire à voiles.

ketmie 1694, Tournefort (*ketmia,* lat. bot.) ; 1763, Puisieux (*ketmie*) ; ar. *khatmi,* guimauve ; arbre d'Afrique.

khamsin XVIIIe s., *Lettres édifiantes* (*khamséen*) ; ar. *khamoin,* cinquantaine, parce que ce vent souffle entre Pâques et la Pentecôte.

khan 1298, *Voy. de Marco Polo* (*kaan*) ; 1832, Raymond (*khan*), « seigneur » ; persan *khan,* prince ; 1457, La Broquière (*kan*) ; arabo-persan *khana,* auberge, caravansérail. || **khanat** fin XVIIe s. (*kanat*).

khédive 1869, Mazade ; turco-persan *khediw,* roi. || **khédivial** 1888, Lar.

khôl début XVIIIe s. (*kool*) ; 1838, Gautier (*khol*) ; ar. *kuhul,* collyre d'antimoine pour noircir les paupières. (V. ALCOOL.)

kidnapper v. 1930 ; angl. *to kidnap,* de *kid,* enfant, et *to nap,* enlever, voler. || **kidnapping** 1948, Lar. || **kidnappeur** 1953, Simonin.

kief 1851, Nerval, « repos » ; ar. *kaif,* état agréable.

kieselguhr 1888, Lar. ; mot allem. signifiant « fermentation de gravier », de *Kiesel,* gravier, et *Guhr,* fermentation ; variété de silice.

kieserite 1867, Lar. ; du nom du savant allem. *Kieser ;* minerai de magnésium.

kif-kif 1867, Delvau ; ar. algérien *kīf-kīf,* proprem. « comme-comme ».

kiki 1867, Delvau, « cou de volaille » ; onomat.

kilo-, gr. *khilioi,* mille. || **kilocalorie** XXe s. || **kilocycle** 1931, Lar. || **kilogramme, kilolitre, kilomètre** 1790. || **kilo** fin XVIIIe s. ; abrév. de *kilogramme.* || **kilowatt** 1902, Lar. || **kilowatt-heure** 1907, Lar. || **kilométrer** 1811, *Décret.* || **kilométrage** *id.* || **kilométrique** *id.*

kilt 1792, Chateaubriand ; mot angl. de *to kilt,* retrousser.

kimono 1603, La Borie (*quimon*) ; 1796, Thunberg (*kimona*) ; 1902, Lar. (*kimono*) ; mot japonais signifiant « vêtement, robe ».

Kinescope 1948, Lar. ; gr. *kinêsis,* mouvement, et suffixe *-scope* (gr. *skopeîn,* voir) ; nom déposé.

kinésie 1842, *Acad. ;* gr. *kinêsis,* mouvement. || **akinésie** XXe s. || **kinesthésie** fin XIXe s. ; gr. *aisthêsis,* sensation, d'abord angl. (1880). || **kinesthésique** 1902, Zola.

king-charles 1845, Bonnafé ; mot angl. signif. « roi Charles » ; épagneul d'agrément.

kinkajou 1672, N. Denis ; croisement de l'algonquin *gwing,* glouton, avec *carcajou,* blaireau d'Amérique ; mammifère à queue prenante.

kino 1803, *Annales chimie ;* mot des parlers mandingues d'Afrique ; suc desséché de légumineuse.

kiosque 1608, Cayet, pl. (*chiosque*), mis à la mode au XVIIIe s. par le roi Stanislas ; 1867, L., sens étendu ; ital. *chiosco,* du turc *kiösk,* pavillon de jardin.

kirsch 1843, Balzac ; abrév. de l'allem. *kirschwasser* (1775, Demachy), « eau (*Wasser*) de cerise (*Kirsche*) ».

Klaxon 1914 ; nom déposé de la firme américaine qui, la première, a fabriqué cet avertisseur. || **klaxonner** 1935, Michaux.

klephte 1824, Fauriel (*clephte*) ; gr. mod. *klephthês,* voleur ; montagnard du Pinde.

kleptomane 1872, Maxime du Camp ; gr. *kleptês,* voleur, et *mania,* folie. || **kleptomanie** *id.*

knickerbockers 1863, Mérimée ; nom d'un héros de roman de Washington Irving ; culottes amples et flottantes.

knock-out 1904, *Auto ;* loc. angl. de *knock,* coup, et *out,* dehors. || **knock-outer** début XXe s.

knout 1681, Struys, *Vie en Moscovie ;* mot russe, d'orig. germanique. || **knouter** 1877, L.

koala 1817, *Nouv. Dict. sc. nat. ;* mot d'une langue indigène d'Australie ; mammifère marsupial.

kobold fin XVIIe s. ; allem. *Kobold,* d'orig. inconnue ; génie familier.

Kodak 1889, Bonnafé ; mot créé arbitrairement par l'inventeur américain *Eastman ;* nom déposé.

kola 1610, du Jarric (*cola*) ; mot d'une langue du Soudan.

kolkhoze 1931, Lar. ; mot russe, abrév. de *kollektivnoïe khoziaïstvo,* économie collective. || kolkhozien 1936, Gide.

komintern v. 1920 ; mot russe, contraction de *kom*[*mounistitcheski*] et *Intern*[*atsional*], Internationale communiste.

konzern v. 1920 ; mot allem. signif. « consortium » ; groupe d'entreprises liées financièrement.

kopeck 1607, Margeret (*copek*) ; 1828, Mozin (*kopeck*) ; mot russe.

korrigan 1833, Michelet ; mot breton désignant dans les légendes un lutin.

kouglof 1861, *Revue ;* mot alsacien, de l'allem. *Kugel,* boule ; sorte de gâteau alsacien.

koulak 1931, Lar. ; mot russe, d'orig. tartare ; paysan, riche propriétaire foncier.

koumis 1634, Bergeron (*cosmos*) ; 1836, *Acad.* (*koumis*) ; mot tartare ; boisson acide.

krach 1811, Esnault (*krak*) ; 1888, Lar. (*krach*) ; néerl. *krak,* craquement, puis infl. de l'allem. *Krach,* craquement, employé au fig. à Vienne pour le krach financier du 9 mai 1873.

kraft 1931, Lar. ; allem. *Kraft,* force ; papier d'emballage.

krak 1931, Lar. ; ar. du Levant *karāk,* château fort.

kraken 1808, Boiste ; mot norvégien ; sorte de poulpe fantastique.

kreuzer 1765, *Encycl. ;* mot allem., de *Kreuz,* croix ; désigne une monnaie autrichienne.

kronprinz 1888, Lar. ; mot allem., de *Krone,* couronne, et *Prinz,* prince.

krypton 1898, date de la découverte par Ramsay et Travers ; gr. *kruptos,* caché (gaz rare).

ksar 1857, Fromentin ; mot berbère ; village fortifié.

kummel 1879, Daudet ; allem. *Kümmel,* cumin.

kwas 1540, Boemus (*quassetz*) ; 1656, Olearius (*quas*) ; 1836, *Acad.* (*kwass*) ; mot russe ; boisson alcoolisée.

kymrique 1842, *Acad.* (*kimraeg*) ; 1854, Renan (*kymrique*) ; gallois *cymraeg,* langue du pays de Galles.

kyrielle 1155, Wace (*keriele*) ; XIIIe s., *Roman de Renart* (*kyriele*), « litanie » ; mots grecs *Kurie,* seigneur, et *eleison,* aie pitié ; invocation liturgique, devenue péjor.

kyste 1478, Chauliac (*kiste*) ; 1560, Paré (*kyst*) ; gr. *kustis,* vessie, poche. || **kystique** 1721, Trévoux. || **enkysté** 1703, *Mémoires Acad. sciences.* || **enkystement** 1842, *Acad.* || **enkyster** 1856, Lachâtre.

l

la V. LE (art. et pron.), UT (musique).

***là** 1080, *Roland,* var. *lai ;* lat. *[il]lac,* par là (v. ÇÀ) ; *être là,* fam., « être solide », 1813, *Tabac du Petit Charonne ; par ci par là,* 1538, R. Est. || **delà** 1175, Chr. de Troyes. || **au-delà** n. m. 1883, Elwall. || **là-bas** XVe s., Basselin, « en dessous » ; 1668, La Fontaine, « l'enfer ». || **là-haut** 1573, Du Puys, « dans un lieu élevé » ; 1580, Montaigne, « dans le ciel ».

labadens 1857, Labiche, *l'Affaire de la rue de Lourcine ;* du nom d'un maître de pension dans ce vaudeville.

labarum 1555, Duchoul ; mot lat. ; étendard des empereurs romains depuis Constantin.

label 1906, Bonnafé, « étiquette » ; 1967, *journ.,* « caution » ; angl. *label,* étiquette apposée sur les travaux exécutés par les adhérents ; de l'anc. fr. *label,* ruban, francique **labba.* (V. LAMBEAU.)

labelle 1827, *Acad.* ; lat. *labellum,* petite lèvre ; pétale supérieur de la corolle des orchidées.

labeur 1120, *Ps. d'Oxford ;* 1730, Savary typogr. ; lat. *labor,* travail, peine. || **laborieux** 1370, *Vie saint Eustache,* qui travaille ; 1200, G., qui demande de la peine ; *classe laborieuse,* 1791, Barnave ; lat. *laboriosus,* pénible. || laborieusement 1370, Oresme.

labiacées 1931, Lar. ; lat. *labium,* lèvre.

labial 1605, Delommeau, « fait de vive voix » ; 1632, Sagard, gramm. ; lat. *labium,* lèvre. || **labialiser** 1847, Besch. || **labialisation** 1923, Lar. || **labiodental** début XXe s. || **labiovélaire** 1908, Lar. || **bilabiale** 1908, Lar. || **bilabié** 1842, *Acad.* (lat. *bis,* deux fois).

labile XIVe s., Bouthillier, « peu stable » ; bas lat. *labilis,* glissant, de *labi,* tomber. || **labilité** 1962, Lar. || **labileté** 1530, Marot.

laborantin v. 1917, comme féminin ; vulgarisé en 1934 (roman de P. Bourget) ; a remplacé aide-chimiste ; allem. *Laborantin,* fém. de *Laborant,* du lat. *laborans, -tis,* qui travaille.

laboratoire 1620, J. Béguin, « lieu où l'on prépare les remèdes » ; 1671, Pomey, sens actuel ; lat. *laborare,* travailler. || **labo** début XXe s.

laborieux V. LABEUR.

labourer 980, *Valenciennes,* « travailler » (jusqu'au début du XVIIe s.) ; XIIe s., « cultiver » ; 1555, Ronsard, « taillader » ; lat. *laborare,* travailler, spécialisé pour le travail aratoire. || **labour** 1180, Barbier ; déverbal. || **labourable** 1308, G. || **laboureur** 1112, *Voy. saint Brendan,* « travailleur » ; 1160, Benoît, « cultivateur ». || **labourage** fin XIIe s., R. de Moiliens, « travail », jusqu'au XVIe s. ; 1283, Beaumanoir, « culture ».

labradorite 1842, Mozin ; de *Labrador,* région où ce minéral abonde. || **labrador** 1828, Mozin, *pierre de Labrador ;* 1931, Lar., chien.

labre 1797, Gattel ; lat. *labrum,* lèvre, « poisson à lèvres épaisses » ; 1827, *Acad.,* zool., pièce de la bouche des insectes. || **labridés** 1902, Lar.

labyrinthe 1418, Caumont (*lebarinthe*) ; XVIe s. (*labyrinthe*) ; 1690, Furetière, « partie de l'oreille interne » ; milieu XVIe s., Ronsard, « enchevêtrement » ; lat. *labyrinthus,* du gr. *laburinthos,* palais des haches (*labrys* en carien). || **labyrinthique** milieu XVIe s.

lac 1175, Chr. de Troyes ; il a remplacé la forme pop. *lai ; être, tomber dans le lac,* 1891, Sainéan ; lat. *lacus.* || **lacustre** 1573, Liébault, relatif à un lac ; rare jusqu'au XIXe s. (1842, *Acad.*) ; *cité lacustre* 1867, L. ; lat. *lacustris,* de *lacus,* lac. || **lagon** 1721, Trévoux ; esp. *lagón,* de *lago,* lac ; même origine que *lac.* || **lagune** 1574, Belleforest ; vénitien *laguna,* du lat. *lacuna,* mare, de *lacus.* || **lagunaire** 1931, Lar.

***lacer** 1080, *Roland ;* lat. *laqueare,* serrer au lacet. || **lacis** 1130, *Eneas* (*laceïs*), dentelle ; 1690, d'après Trévoux, réseau. || **laçage** 1320, Watriquet. || **lacerie** 1765, *Encycl. méth.* (*lasserie*). || ***lacs** 1080, *Roland* (*laz*) ; le *c* de *lacs* (XVe s.) est dû à *lacer ;* lat. *laqueus,* nœud coulant. || **lacet** 1315, Delb. (*laccès,* pl.). || **laceur** 1268, É. Boileau. || **lacier** 1360, *Modus* (*lachiere*). || **laçure** XIIe s., G. || **délacer** 1080, *Roland.* || **enlacer** 1119, Ph. de Thaon. || **enlacement** XIIe s., H. de Valenciennes. || **entrelacer** 1190, *Saint Bernard.* || **entrelacement** 1190, *Saint Bernard.* || **entrelacs** XIIe s., G.

lacérer 1356, Bersuire ; lat. *lacerare,* déchirer. || **lacération** *id. ;* lat. *laceratio.* || **dilacérer** 1155, Wace ; du préfixe intensif *dis-.* || **dilacération** 1419, G.

lacertiliens 1817, Cuvier (*lacertiens*) ; 1902, Lar. (*lacertiliens*) ; lat. *lacertus,* lézard.

lacet V. LACER.

***lâche** 1131, *Couronn. Loïs,* « non tendu » et « sans courage » ; de *lâcher.* || **lâchement** 1155, Wace, adv. || **lâcheté** 1131, *Couronn. Loïs.* || ***lâcher** 1080, *Roland ; lâcher le pied,* XVIe s., d'Aubigné ; *lâcher un mot,* XVIe s., Montaigne ; comme n. m. 1873, *J. O. ;* lat. *laxicare.* || **lâcheur** 1858, A. Scholl. || **lâchage** 1867, L. || **relâcher** 1155, Wace, « renoncer » ; 1170, *Rois,* « apporter une certaine négligence » ; 1560, Paré, « rendre le ventre moins tendu » ; 1656, Molière, « laisser s'échapper » ; *se relâcher,* XIIIe s., Tobler-Lommatzch ; de *re,* et *lâcher,* d'apr. lat. *relaxare.* || **relâche** 1175, Chr. de Troyes, « interruption » ; 1538, R. Est., « détente » ; 1798, *Acad.,* sens théâtral ; 1691, Ozanam, marine ; déverbal. || **relâchement** 1160, Benoît. (V. LAISSER.)

lacinié 1676, Dodart ; lat. *laciniatus,* découplé, de *lacinia,* morceau d'étoffe ; en bot., « divisé en lambeaux ». || **laciniure** 1867, L., bot.

lacis V. LACER.

lack 1770, Raynal ; mot hindî, du persan *lak,* cent mille.

laconique début XVIe s. ; lat. *laconicus,* du gr. *lakonikos,* « à la manière des Laconiens (Lacédémoniens) », c.-à-d. « concis ». || **laconisme** 1556, Thevet ; gr. *lakonismos,* façon de parler des Laconiens. || **laconiquement** 1534, Des Périers.

lacrima-christi ou **lacryma-christi** 1534, Rab. ; mots lat. signif. « larme du Christ ».

lacrymal n. m., 1314, Delb. (*lacrimel*) ; adj., 1525, Lemaire de Belges (*lacrymal*) ; lat. *lacryma,* larme. || **lacrymatoire** 1690, Furetière ; bas lat. *lacrimatorius,* qui combat contre les larmes, du lat. *lacrymare,* pleurer. || **lacrymogène** 1915, Lar., « qui fait naître les larmes ».

lacs, lactate, lactation, lacté V. LACER, LAIT.

lacune 1541, Canappe, « cavité » ; 1680, Richelet, « omission » ; lat. *lacuna,* mare (v. LAGUNE). || **lacuneux** fin XVIIIe s., bot. ; 1842, Mozin, « qui a des lacunes ». || **lacunaire** 1723, Veneroni.

lacustre V. LAC.

lad 1854, *Sport ;* mot angl., abrév. de *stable lad,* garçon d'écurie.

***ladre** 1160, *Tristan ;* 1656, Oudin, « avare » ; lat. *Lazarus,* nom du pauvre couvert d'ulcères dans la parabole de saint Luc (XVI, 19) ; d'où « lépreux » en anc. fr. (sens conservé encore pour les animaux). || **ladrerie** 1530, Palsgrave, « lèpre » (*laderye*) ; 1660, Oudin, « avarice ». (V. MALADRERIE.)

lady 1669, Chamberlayne ; mot angl. signif. « madame ».

lagan 1175, Chr. de Troyes, marine ; anc. scand. *lag.*

lago-, gr. *lagôs,* lièvre. || **lagopède** 1770, Buffon ; lat. *pes, pedis,* pied. || **lagophtalmie** 1570, J. Daléchamp ; gr. *lagôphtalmon,* œil de lièvre. || **lagostome** 1836, Landais ; gr. *stoma,* bouche ; mammifère de Patagonie. || **lagotriche** 1873, Lar. ; gr. *thrix, thrikhos,* cheveu.

lagon V. LAC.

laguis 1786, Jal ; lat. *laqueus,* lacs ; cordage terminé par un nœud spécial.

lagune V. LAC.

1. ***lai, laïc** V. LAÏQUE.

2. **lai** milieu XIIe s., *Roman de Thèbes,* « poème des jongleurs bretons » ; breton **laid,* lai, de l'irlandais *laid,* chant.

laîche fin XIe s., *Gloses de Raschi* (*lesche*) ; germ. **lĭska* (allem. dial. *Liesch*), sans doute prélatin.

laid 1080, *Roland ;* francique **laid,* anc. haut allem. *leid,* désagréable, fâcheux. || **laidement** 1080, *Roland.* || **laideron** 1530, Marot. || **laideur** 1160, *Tristan* (*laidor*) ; XIIIe s. (*laideur*). || **laidir** 1131, *Couronn. Loïs* || **enlaidir** XIIe s. || **enlaidissement** 1495, J. de Vignay.

1. **laie** 1130, *Saint Gilles* (*lehe*) ; 1354, *Modus* (*laie*), « femelle du sanglier » ; francique *lêka* (moyen haut allem. *liehe*).

2. **laie** fin XIIe s., « sentier » ; francique **laida* (anc. angl. *lâd*). || **layer** 1307, G., « traverser un sentier ». || **layeur** 1669, *Ordonn.* || **layon** 1865, Parent, « sentier ».

3. **laie** 1676, Félibien, « marteau » ; francique **laida*, au sens de « trace sur la pierre ». || **layer** 1680, Richelet, « dresser avec un marteau ».

***laine** 1120, *Ps. d'Oxford ;* lat. *lana.* || **lainage** fin XIIIe s., Condé. || **lainerie** 1295, G., rare jusqu'au XVIIIe s. || **lainer** 1334, G. || **lainette** XIIIe s., *Doc.* || **laineur** 1262, G., « marchand de laine » ; 1765, *Encycl.,* sens actuel. || **laineux** fin XVe s., G. || **lainier** n. m., fin XIIe s., R. de Moiliens ; adj., 1723, Savary. || **lanice** 1268, É. Boileau. || **lanifère** 1747, James. || **lanigère** XVe s., G. || **lanoline** 1888, Lar.

laïque, laïc XIIIe s., *Doc.,* « qui n'appartient pas au clergé » ; 1690, Furetière, « de la vie civile » ; 1882, Pasteur, « indépendant de la religion » ; n. f., 1901, Zola, « école primaire » ; lat. eccl. *laicus,* du gr. *laikos,* du peuple (*laos*), opposé à *klêrikos,* clerc. || **laïquement** 1951, Gide. || ***lai** 1155, Wace, « ignorant » ; 1190, Garnier, relig. ; même origine ; a été remplacé par *laïque.* || **laïcat** 1877, L. || **laïcité** 1871, L. || **laïcisme** 1842, Mozin. || **laïciser** 1888, Lar. || **laïcisation** 1888, Lar. || **laïcisateur** 1913, Proust.

lais, laisse V. LAISSER.

***laisser** fin IXe s., *Eulalie* (*lazsier*) ; lat. *laxare,* relâcher, puis laisser aller. || **lais** 1220, Coincy, dont **legs** (XVIe s.) est une variante d'après le lat. *legatum ;* déverbal de *laisser.* || **laisse** 1120, *Ps. d'Oxford,* « lien pour mener un animal » ; XIIIe s., « tirade de vers ». || **laissées** 1387, G. Phébus. || **laissé-pour-compte** 1873, Lar. || **laisser-aller** 1786, Mirabeau. || **laisser-faire** 1945, Valéry. || **laissez-passer** 1675, Savary. || **délaisser** 1120, *Ps. de Cambridge.* || **délaissement** 1274, G. || **relaisser** v. 1175, Chr. de Troyes.

***lait** 1155, Wace ; lat. *lac, lactis,* qui a servi ensuite de rad. à des mots savants (*lacté, lactoduc,* etc.) ; *petit-lait,* 1552, R. Est. ; *boire du petit-lait,* 1873, Lar. || **laité** 1398, *Ménagier.* || **laitage** 1376, G. || **laitance** v. 1300, *Traité de cuisine.* || **laite** 1350, *Glossaire de Paris ;* lat. pop. **lactâ,* laitance. || **laiterie** 1315, Dclb. || **laiteron** 1550, Guéroult. || **laiteux** 1400, G. || **laitier** fin XIIe s., R. de Moiliens ; 1676, Félibien, « scorie ». || **lactation** 1623, Bury ; lat. *lactatio.* || **lactaire** fin XVIIe s., Fl. de Rémond. || **lactame** 1923, Lar. || **lactase** 1902, Lar. || **lactate** 1802, Catineau. || **lacté** 1398, *Somme Gautier ;* lat. *lacteus,* laiteux. || **lactéal** 1970, Robert. || **lactescent** 1802, Genard ; lat. *lactescens,* de *lactescere,* « se convertir en lait ». || **lactescence** 1812, Mozin. || **lactifère** 1665, Graindorge. || **lactifier** 1733, Rousseau. || **lactoduc** 1962, Lar. || **lactique** fin XVIIIe s. || **lactose** 1855, Nysten. || ***allaiter** XIIe s. (*alaitier*) ; bas lat. *allactare* (Ve s., Marcus Empiricus) ; il a signifié « téter » jusqu'au XVIe s. || **allaitement** 1375, R. de Presles. || **délaiter** XVIe s., « sevrer » ; 1826, Mozin, « ôter le lait ».

laiton 1213, *Fet des Romains* (*laicton*) ; ar. *lātūn,* cuivre, mot turc. || **laitonner** 1419, Havard (*-é*). || **laitonnage,** 1895, *Grande Encycl.*

***laitue** 1119, Ph. de Thaon ; lat. *lactūca,* de *lac,* lait, la laitue étant lactescente.

laïus 1804 ; mot d'argot scolaire, d'apr. le premier sujet de composition française donné à Polytechnique (discours de *Laïus,* père d'Œdipe). || **laïusser** 1891, Esnault. || **laïusseur** 1894, Esnault.

***laize, laise** 1170, *Rois ;* lat. pop. *latia,* de *latus,* large. (V. ALÉSER, LÉ.)

lakiste 1836, Landais ; angl *lakist,* de *lake,* lac. Les lakistes, poètes anglais du XIXe s., habitaient le *Lake* District au N.-O. de l'Angleterre. || **lakisme** 1873, Lar.

lallation 1808, Boiste ; lat. *lallare,* chanter lalla, de *lalla,* refrain de chanson.

1. **lama** 1629, *Lettres du Tibet,* « prêtre du Tibet » ; mot tibétain. || **lamaïque** 1840, *Acad.* || **lamaïsme** 1829, May (*lamisme*). || **lamaserie** 1857, Denis.

2. **lama** 1598, Acosta, « mammifère des Andes » ; esp. *llama,* du quetchua, langue indigène du Pérou.

lamaneur 1584, Jal, « pilote » ; anc. fr. *laman,* du néerl. *lootsman,* homme à la sonde. || lamanage 1355, G.

lamantin 1532, Martyr (*manati*) ; 1640, Bouton (*lamentin*) ; altér. de l'esp. *manati,* mot caraïbe, par croisement avec *lamenter,* d'apr. le cri de l'animal.

lambeau fin XIIIe s., Adam de la Halle (*lambel,* forme conservée comme terme de blason) ; francique **labba,* morceau d'étoffe (anc. haut allem. *lappa,* allem. *Lappen,* lambeau, chiffon). [V. LABEL.]

lambin 1584, Bouchet ; francique **labba,* « morceau d'étoffe qui pend », donc « mou » (allem. *lappig,* flasque) ; ou du nom propre *Lambin,* var. de *Lambert.* || **lambiner** 1642, Oudin. || **lambinage** 1879, Daudet.

lambourde 1294, G. ; anc. fr. *laon,* planche (anc. haut. allem. *lado*), et *bourde,* poutre, c.-à-d. « poutre soutenant les planches du parquet ».

lambrequin 1458, A. de La Salle ; moyen néerl. *lamperkijn,* dimin. de *lamper,* voile, crêpe ; ornement formé d'une bande d'étoffe pendante.

***lambris** fin XIIe s., *Alexandre* (*lambrus*) ; lat. pop. **lambrŭscus,* de **la(m)brŭsca,* vigne sauvage, d'apr. l'ornementation. (V. VIGNETTE.) || **lambrisser** 1160, Benoît (*lambruschier*) ; 1220, Coincy (*-broisier*). || **lambrissage** 1454, G. || **lambrissement** 1611, Cotgrave.

***lambruche** XVe s., *Grant Herbier* (*lambrusce*) ; 1555, Vaganay (*lambruche*) ; lat. pop. **lambrusca,* autre forme de *labrusca,* vigne sauvage. || **lambrusque** fin XVe s. ; forme méridionale.

***lame** 1112, *Voy. saint Brendan,* « bande mince » ; XVe s., « vague » ; lat. *lamĭna.* || **lamé** 1690, Furetière. || **lamelle** 1160, Benoît (*lemelle*) ; rare jusqu'au XVIIIe s. ; lat. *lamella,* dimin de *lamina.* (V. OMELETTE.) || **lamellé** 1783, Buffon. || **lamelleux** 1777. || **lamellaire** 1812, Hassenfratz. || **lamellibranches** 1842, *Acad.* || **lamellicornes** 1827, *Acad.* || **lamelliforme** 1827, *Acad.* || **lamellirostres** 1842, *Acad.* || **bilame** XXe s. (1951, Lar.). || **laminaire** 1828, Mozin. || **laminer** 1596, Delb. || **laminoir** 1643, L. || **laminage** 1731, suivant Richelet. || **lamineur** 1823, Boiste. || **lamineux** 1798, Richard. || **laminectomie** 1923, Lar., « coupure de lame vertébrale ».

lamelle V. LAME.

***lamenter (se)** fin XIIe s., R. de Moiliens, v. intrans. ; 1080, *Roland,* pron. ; bas lat. *lamentare* (lat. *-ari*). || **lamentable** 1380, Conty. || **lamentablement** 1842, *Acad.* || **lamentation** 1220, Coincy ; lat. *lamentatio.* || **lamento** 1842, Mozin.

lamie 1527, *Doc.,* « vampire » ; 1558, Rondelet, squale ; lat. *lamia.*

lamier 1765, *Encycl. ;* lat. scient. *lamium,* espèce d'ortie.

laminer V. LAME.

lampadaire V. LAMPE.

lampant 1593, Brouzon ; prov. mod. *lampan,* part. prés. de *lampa,* briller (mot appliqué d'abord à l'huile d'olive).

1. **lampas** 1723, Savary (*lampasse*) ; 1787, B. de Saint-Pierre (*lampas*), « étoffe orientale » ; origine obscure, sans doute du germ. **labba,* lambeau.

2. **lampas** fin XIIe s., R. de Moiliens ; de *lampe,* fanon de bœuf, var. de *lape,* du francique **lappa,* lambeau.

***lampe** 1119, Ph. de Thaon ; lat. *lampas, -adis.* || **lampadaire** début XVIe s., « support » ; bas lat. *lampadarium,* « qui porte la lampe ». || **lamparo** 1962, Lar. ; mot prov., de *lampa,* lampe. || **lampion** 1550, Jal ; ital. *lampione,* de *lampa,* lampe (les fêtes de nuit furent organisées par des Italiens). || **lampiste** 1797, *Feuilleton,* « qui fabrique des lampes » ; XXe s., « subalterne ». || **lampisterie** 1845, Besch.

lamper 1665, Colletet ; var. nasalisée de *laper.* || **lampée** 1678, Hauteroche.

***lamproie** fin XIIe s., *R. de Cambrai ;* bas lat. *lamprēda* (VIIe s., glose), d'origine obscure.

lampyre 1553, Rab. (*lampyride*) ; 1803, Boiste (*lampyre*) ; lat. *lampyris,* empr. au gr. (*lampein,* briller) ; ver luisant. || **lampyridès** 1828, Mozin.

***lance** 1080, *Roland ;* lance d'incendie, 1902, Lar. ; *fer de lance,* 1867, L. ; *rompre une lance,* 1718, *Acad. ;* lat. *lancea.* || **lancette** fin XIIe s., *Aliscans* (*lancete*), « petite lance » ; 1256, Ald. de Sienne, « instrument de chirurgie ». || **lançon** XIIIe s., *Bible.* || **lancier** fin XIIe s., *Aymeri,* « cavalier armé d'une lance » ; 1467, Fagniez, « fabricant de lances ». || **lancéole** 1557, G., « plante » ; lat. *lanceola,* petite lance. || **lancéolé** 1783, Bergeret ; lat. *lanceolatus.* || ***lancer** 1080, *Roland,* « envoyer avec force » ; 1825, Courier, *lancer un artiste ;* 1878, *lancer une affaire ;* bas lat. *lanceare,* manier la lance. || **lancis** 1160, Benoît. || **lancer** n. m., début XVIIIe s. || **lancé** n. m., 1701, Liger, vén. || **lancée** 1802, Flick, « comète » ; 1873, Lar., sens actuel. || **lançage** fin XVIIe s., Mantellier. || **lancement** 1300 ; commerce, 1907, Lar. || **lançoir** début XIVe s. || **lanceur** (*d'affaires*) 1865, L. ; « qui sert à lancer une fusée », 1960, *journ.* || **lance-bombes** 1919, Dorgelès. || **lance-flammes** 1923, Lar. || **lance-fusées** 1931, Lar. || **lance-grenades** 1923, Lar. || **lance-missiles** 1960, *journ.* || **lance-pierres** 1894, Sachs-Villatte. || **lance-roquettes** 1959, Robert. || **lance-torpilles** 1890, Ledieu. || **relancer** v. 1283, Beaumanoir. || **relance** XXe s. ; déverbal.

lancinant 1546, Rab. ; fig., 1835, Balzac ; lat. *lancinans,* part. prés. de *lancinare,* déchirer. || **lanciner** 1611, Cotgrave, « déchirer » ; 1616, Duval, sens actuel ; fig., XIXe s.

lançon V. LANCE.

landau 1814, Jouy ; ville du Palatinat où cette voiture fut d'abord fabriquée. || **landaulet** 1836, Landais.

lande 1120, *Ps. de Cambridge ;* gaulois **landa* (cf. breton *lann*).

landgrave 1265, Br. Latini ; all. *Landgraf,* du moyen haut allem., signif. « comte (*graf*) du pays (*land*) ». || **landgraviat** 1575, Belleforest.

landier 1150, *Charroi ;* anc. fr. *andier* (fin XIIe s.), sans doute du gaulois *andero,* taureau, d'apr. l'ornement des anciens landiers (chenets de fer).

landwehr 1819, Boiste ; mot allem. signif. « défense, *Wehr,* du pays, *Land* ».

laneret, langage V. LAINE, LANGUE.

***lange** XIIe s., G., adj., « de laine » ; 1175, Chr. de Troyes, « étoffe de laine » ; 1538, R. Est., sens actuel ; lat. *laneus, lanea,* « de laine ». || **langer** 1869, *Gazette des hôpitaux.*

langouste 1120, *Ps. d'Oxford* (*languste*), « sauterelle » ; 1398, *Ménagier,* sens actuel ; anc. prov. *langosta,* du lat. *locusta,* sauterelle. || **langoustier** 1769, Duhamel. || **langoustine** 1827, *Acad. ;* repris aussi à un dialecte du Midi.

***langue** fin Xe s., *Saint Léger,* « organe de la bouche » ; XIIIe s., *Assises,* « organe servant à articuler les mots » ; Xe s., « langage parlé ou écrit » ; remplacé en anc. fr. par *langage,* le mot reparaît au XVIe s. ; lat. *lingua,* langue. || **langage** 980, *Passion* (*lenguatgue*). || **langagier** 1382, G., « bavard » ; 1941, Paulhan, sens actuel. || **languette** 1193, Hélinant, « langue » ; 1314, Mondeville, sens actuel. || **langueter** XIIIe s., G., « bavarder » ; 1812, Mozin, « découper en languettes ». || **languier** 1353, G. || **langueyer** XIIe s., *Dolopathos.* || **langueyeur** 1378, G. || **langueyage** 1465, G. || **langué** av. 1480, R. d'Anjou. || **langue-de-bœuf** 1441, Gay, outil ; 1851, Landais, champignon. || **langue-de-chat** 1765, *Encycl.,* burin ; 1867, L., biscuit. || **lingual** 1735, Heister ; bas lat. *lingualis,* de *lingua.* || **linguiste** 1660, Chapelain. || **linguistique** 1826, Balbi ; de l'allem. || **linguistiquement** 1877, Lar. || **bilingue** XIIIe s., « menteur » ; 1618, Turrettini, sens actuel ; lat. *bilinguis,* qui a deux langues. || **bilinguisme** 1920, *Société de linguistique.* || **sublingual** 1560, Paré ; de *sub-* et *lingual.*

***langueur** 1125, *Romania,* perte de forces ; 1770, Rousseau, sens actuel ; lat. *languor, -oris.* || **langoureux** 1050, *Alexis* (*languerous*), « malade » ; fin XIVe s., Deschamps, atteint de langueur ; 1530, Marot, sens actuel. || **langoureusement** 1400, G. || **languide** 1523, *Parthénice ;* lat. *languidus.* || ***languir** XIe s., Stengel ; lat. pop. **languire,* lat. *languēre.* || **languissant** 1280, *Clef d'Amors.* || **languissamment** 1573, Pontus de Tyard. || **alanguir** 1539, Cl. Gruget ; *s'alanguir,* 1775, Beaumarchais. || **alanguissement** 1552, François de Sales.

lanice V. LAINE.

lanier 1265, Br. Latini, faucon ; agglutination de l'article et de *anier* (anc. fr. *ane,* cane), oiseau qui chasse les canards. || **laneret** 1373, Gace.

lanière XIIe s., *Parthenopeus ;* anc. fr. *lasne* (XIIe s.), d'orig. obscure ; p.-ê. altér. du francique **nastila* (allem. *Nestel,* lacet).

lanifère, -gère, lanoline V. LAINE.

lansquenet 1480, O. de La Marche ; allem. *Landsknecht,* « serviteur (*Knecht*), du pays (*Land*) ». Le *lansquenet* était d'abord un serf attaché à un reître.

lansquiner 1800, Esnault, pleuvoir ; de *lancer,* uriner, de *lance,* eau, ital. *lenza,* urine, boisson.

lantanier 1611, Cotgrave (*lantane*) ; 1845, Besch. (*lantanier*) ; lat. scient. *lantana,* altér. de *lentana,* viorne (Gessner), de *lentus,* souple.

***lanterne** 1080, Roland ; XVIe s., « réverbère » ; lat. *lanterna ;* 1611, Cotgrave, architecture. || **lanterner** 1392, Du Cange, « envoyer à la lanterne, injurier » ; 1546, Rab., « perdre son temps » ; d'apr. *conter des lanternes* (balivernes). || **lanternement** 1869, Flaubert. || **lanternier** 1268, É. Boileau, « fabricant de lanternes ». || **lanternerie** 1542, Dolet, « action de faire attendre ». || **lanterneau** 1752, Trévoux. || **lanternon** 1803, Boiste.

lanthane 1839, Mosander ; gr. *lanthanein,* être caché ; métal rare, difficile à isoler.

lantiponner 1666, Molière ; de *lent,* croisé avec *lanterner.* || **lantiponnage** *id.*

lanturlu 1629, *Anc. Théâtre français ;* refrain d'une chanson du temps de Richelieu.

lanugo 1839, Guérin ; lat. *lanugo, -inis,* duvet, de *lana,* laine. || **lanugineux** 1553, Belon ; lat. *lanuginosus,* couvert de duvet.

lapalissade 1872, Goncourt ; de M. de La Palice (XVe s.), à qui sont attribués des truismes de ce type.

laparotomie fin XVIIIe s. ; gr. *lapara,* flanc, et *-tomie ;* incision de la paroi abdominale. || **laparoscopie** 1931, Lar.

laper 1165, Marie de France ; lat. **lappare,* onomat. d'orig. germ. (angl. *to lap*), ibère ou méditerranéenne. || **lapement** 1611, Cotgrave.

lapereau V. LAPIN.

lapidaire 1119, Ph. de Thaon, « traité sur les pierres précieuses » ; 1251, *Renart,* « tailleur de pierres » ; 1718, *Acad.,* adj. ; lat. *lapidarius,* « qui a le style des inscriptions sur pierre » ; 1937, Brunschwig, fig. ; de *lapis, -idis,* pierre.

lapider 980, *Passion ;* lat. *lapidare,* de *lapis,* pierre. || **lapidation** début XIIe s., *Thèbes ;* rare jusqu'au XVIIe s. ; lat. *lapidatio.* || **lapidifier** 1560, Paré ; lat. *lapidificare.* || **lapidification** 1690, Furetière.

lapié ou **lapiaz** 1908, Martonne ; vaudois *lapya,* du lat. *lapis, -idis,* pierre ; forme karstique.

lapilli 1827, *Acad. ;* mot ital. pl., de *lapillo,* du lat. *lapillus,* petite pierre ; fragments de projections volcaniques. || **lapilleux** 1842, Mozin.

lapin 1458, *Mystère,* qui a remplacé l'anc. fr. *connil, connin,* du lat. *cuniculus ; pattes de lapin,* 1896, Delesalle ; *poser un lapin, id. ;* de *laper* (*eau*), attesté antérieurement, d'orig. ibère, méditerranéenne ou germ. (lat. *lepus, leporis,* lièvre ; gr. *lebêris,* lapin ; port. *laparo,* lièvre, *lapão,* lapin). || **lapereau** 1320, *Hugues Capet* (*lapriel*) ; 1354, *Modus* (*lapereau*). || **lapiner** 1732, Liger. || **lapinière** fin XVIIIe s. || **lapinisme** 1949, *journ.*

lapis-lazuli XIIIe s., *Simples Medicines ;* lat. médiév. *lapis* et *azurum,* du persan *lâzawar.* (V. AZUR.) || **lazulite** 1795, Delamétherie.

laps (*de temps*) 1266, G. ; lat. *lapsus,* « écoulé », de *labi,* s'écouler, glisser. || **laps** 1314, Mondeville, méd. ; XVe s., sens relig. ; lat. *lapsus,* tombé. || **lapsus** 1833, Nodier, fig., « faute sur les mots ».

laptot 1765, *Encycl. ;* orig. obscure ; matelot africain.

laquais 1470, G., valet d'armée ; 1549, R. Est., sens actuel ; catalan *alacay* ou esp. (*a*)*lacayo,* valet d'armes, du gr. médiév. *oulakês,* mot turc signif. « courrier à pied ».

laque XVe s., *Grant Herbier* (*lacce*) ; lat. médiév. *lacca,* de l'arabo-persan *lakk,* mot hindî. || **laquer** 1830, *la Mode.* || **laqueur** 1875, *J. O.* || **laqueux** 1765, *Encycl.* || **laquier** 1907, Lar.

larbin 1827, *Cartouche,* arg., « mendiant, domestique » ; altér. de *habin,* chien (argot, 1596, *Vie généreuse*), de *happer,* avec agglutination de l'article. || **larbinisme** 1962, Lar.

larcin XIIe s., *Lois de Guill.* (var. *larrecin*) ; lat. *latrocinium,* de *latrocinari,* voler à main armée. (V. LARRON.)

***lard** XIIe s., *Roman d'Alexandre ;* lat. *larĭdum* (*lardum,* Ier s.). || **larder** 1175, Chr. de Troyes. || **lardoire** début XIVe s. || **lardon** 1175, Chr. de Troyes ; 1878, Esnault, « enfant ». || **lardure** 1530, Lefèvre d'Étaples, « morceau de lard » ; 1785, *Encycl. méth.,* sens actuel. || **délarder** 1676, Félibien. || **entrelarder** 1175, Chr. de Troyes.

lare 1488, *Mer des hist. ;* lat. *lar,* pl. *lares.*

***large** 1050, *Alexis ;* lat. *largus,* avec un masc. refait sur le féminin. || **largement** fin XIIe s., R. de Moiliens. || **largesse** 1155, Wace, « largeur » ; puis fig., « générosité ». || **largeur** 1170, *Floire et Blancheflor.* || **élargir** 1160, *Eneas ;* 1333, Varin, jurid. || **élargissement** 1314, Mondeville ; 1333, Varin, jurid. || **rélargir** 1272, Joinville.

largo 1750, Prévost ; mot ital. signif. « large ». || **larghetto** 1765, *Encycl.,* spécialisé en musique.

largonji 1881, Esnault ; de *jargon* suivant le procédé de cet argot où *j* est devenu *l* et *j*(*i*) postposé, comme pour *lonbem,* bon (1821, Esnault).

largue 1559, Du Bellay ; prov. mod. *largo,* large (rendre large la voile). || **larguer** fin XVIe s., d'Aubigné, « s'étendre » ; 1678, Guillet, mar. ; 1899, Esnault, « abandonner » ; prov. mod. *larga,* élargir. || **largable** 1931, Lar.

laricio 1213, *Fet des Romains* (*larice*) ; 1836, *Maison rustique* (*laricio*) ; toscan *laricio,* du lat. *larix, -icis,* mélèze.

larigot 1403, Chr. de Pisan (dans un refrain) ; 1534, Rab., « flûte » ; 1560, Paré, *à tire-larigot,* « d'un trait » ; orig. obscure.

***larme** 1050, *Alexis* (*lairme*) ; 1196, J. Bodel (*larme,* refait sur le lat.) ; lat. *lacrĭma.* (V. aussi LACRYMAL.) || **larmer** XIIe s., G., « pleurer ». || **larmier** 1321, Fagniez, arch. ; 1834, Balzac, « angle de l'œil ». || **larmière** XVe s., Tilander. || **larmille** 1789, *Encycl. méth.* || **larmoyer** XIIe s., Raimbert de Paris. || **larmoyant** 1470, *Livre de* *la discipline d'amour divine ; comédie larmoyante,* 1759, Richelet. || **larmoiement** 1538, R. Est. || **larmoyeur** 1693, Regnard.

***larron** 980, *Passion* (*ladron*) ; XIe s. (*larron*) ; lat. *latro, -onis* (cas sujet *lerre* en anc. fr.). || **larronner** 1534, Rab. || **larronneau** 1420, A. Chartier. || **larronnerie** 1453, Monstrelet.

larve 1495, Vaganay, « masque » ; 1762, Geoffroy, entomol., la larve étant le masque de l'insecte parfait ; lat. *larva,* même sens. || **larvaire** 1873, Lar. || **larvé** 1836, Raymond, méd. ; fig., « masqué », 1931, Lar. || **larvicide** 1962, Lar.

larynx 1532, Rab. (*laringue*) ; 1538, Canappe (*larynx*) ; gr. *larugx, -uggos,* gosier. || **laryngal** 1909, Lar. || **laryngé** 1743, Lalouette. || **laryngectomie** 1888, Lar. || **laryngien** 1793, Lavoisien. || **laryngite** début XIXe s. || **laryngologie** 1793, Lavoisien. || **laryngophone** 1931, Lar. || **laryngotomie** 1620, Habicot. || **laryngoscope** 1867, L. || **laryngoscopie** 1867, L.

***las** 980, *Valenciennes,* « malheureux » ; 1080, *Roland,* « fatigué » ; exclamation, 1050, *Alexis ;* lat. *lassus,* fatigué. (V. HÉLAS.) || ***lasser** 1080, *Roland ;* lat. *lassare.* || **lassitude** 1380, E. de Conty ; lat. *lassitudo.* || **délasser** XIVe s. || **délassement** 1475, *D. G.* || **inlassable** 1624, C. de Nostredame. || **inlassablement** 1907, Lar.

lasagne milieu XVIe s. ; ital. *lasagna,* du lat. pop. **lasania,* pâte, lat. *lasanum,* support à pied pour marmite.

lascar 1553, Grouchy (*lascarin*) ; 1610, Pyrard de Laval (*lascar*), « matelot des Indes » ; 1834, *Rev. de Paris,* « gaillard » ; persan *lachkar,* soldat, de l'ar. *'askar.*

lascif 1488, *Mer des hist. ;* lat. *lascivus,* même sens. || **lascivement** 1542, Vaganay. || **lascivité** 1512, Lemaire, forme refaite de *lasciveté* (XVe s.) ; lat. *lascivitas.*

1. **laser** fin XIe s., *Gloses Raschi* (*lazre*) ; 1567, Grévin (*laser*) ; mot lat. ; plante.

2. **laser** 1960, *journ. ;* mot anglo-américain, de *Light,* léger, *Amplification,* amplification, *by,* par, *Stimulated,* stimulé, *Emission,* émission, *of,* de, et *Radiations,* radiations.

lasser, lassitude V. LAS.

lasso 1829, *Rev. des Deux Mondes ;* esp. d'Amérique *lazo,* lacs, en un emploi spécialisé.

Lastex 1962, Lar. ; n. déposé, de *latex* et *élastique.*

lasting 1830, *Nouveauté* (*lastaing*) ; mot angl. signif. « durable », de *to last,* durer.

latanier 1645, Coppier, « palmier » ; caraïbe *alatani,* palmier.

latent 1370, Oresme ; lat. *lātens, -entis,* de *lātēre,* être caché. || **latence** 1878, *Acad.*

latéral 1315, G. ; lat. *lateralis,* de *latus, lateris,* côté. || **latéralement** 1521, *Violier des histoires romaines.* || **latéralité** 1951, Piéron. || **bilatéral** 1812, Mozin. || **bilatéralement** 1829, Boiste. || **collatéral** XIIIe s., *Chron. de Saint-Denis ;* lat. médiév. *collateralis.* || **équilatéral** début XVIe s. || **trilatéral** 1721, Trévoux. || **unilatéral** 1778, Vergennes.

latérite 1867, L. ; lat. *later,* brique. || **latéritique** 1908, Lar. || **latérisation** 1908, Lar. || **latérodorsal** 1878, Lar.

latex 1706, Le Peletier ; mot lat. signif. « liqueur » ; suc spécifique de certains végétaux. || **laticifère** 1845, Besch.

lathyrus 1608, Cl. Dariot (*-tuis*) ; lat. *lathyrus,* du gr. *lathuros,* mollusque. || **lathyrisme** fin XIXe s., intoxication par ingestion de gesse.

laticlave 1595, Fl. Rémond ; lat. *laticlava* (*tunica*), large bande.

latifundia 1888, Lar. ; lat. *latifundia,* grands domaines.

latin 1160, *Eneas ;* 1566, H. Est., *y perdre son latin ; c'est du latin* 1867, L. ; *latin de cuisine* 1634, Cramail ; lat. *latīnus.* || **latineur** 1580, Montaigne. || **latiniser** 1558, Des Périers ; bas lat. *latinizare.* || **latinisant** 1842, Mozin. || **latinisation** 1720, *Huetiana.* || **latinisme** 1584, trad. d'Horace. || **latiniste** 1464, Chastellain. || **latinité** 1355, Bersuire, caractère latin ; 1835, *Acad.,* civilisation latine ; bas lat. *latinitas.* || **latino-américain** 1931, Lar.

latitude 1314, Mondeville, largeur ; 1585, Cholières, géogr. ; 1762, Bonnet, liberté d'action ; lat. *latitudo, -inis,* largeur, de *latus,* large. || **latitudinaire** 1704, Trévoux, relig. ; 1696, Jurieu, secte anglaise.

latomies 1600, Seyssel ; lat. *latomia,* du gr. *las,* pierre, et *temnein,* couper ; carrière de pierre ou de marbre.

latrie 1376, Golein ; lat. chrét. *latria,* du gr. *latreia.* (V. IDOLÂTRE.)

latrines 1437, *Coutumes d'Anjou ;* lat. *latrina,* de *lavatrina,* lavabo.

***latte** 1155, Wace ; bas lat. *latta* (VIIIe s.), du francique. || **latter** 1288, G. || **lattage** 1507, *Comptes Gaillon.* || **lattis** 1449, Guérin (*lacteys*). || **chanlatte** fin XIIIe s., Rutebeuf ; de *chant* 2.

laudanum 1579, Prébonneaux ; réfection de *lădanum* (repris au XIXe s. avec sens lat.), mot lat. signif. « résine du ciste », du gr. *ladanon.* || **laudanisé** 1831, Foy.

laudatif 1787, Féraud ; lat. *laudativus,* de *laudare,* louer. || **laudateur** début XVIe s.

laudes 1112, *Voy. saint Brendan ;* pl. lat. de *laus, laudis,* louange (partie de l'office où l'on chante des psaumes à la louange de Dieu).

laure 1670, Ritter, « cellule » ; gr. *laura ;* 1873, Lar., « grand monastère ».

lauré V. LAURIER.

lauréat 1530, Palsgrave ; lat. *laureatus,* couronné de laurier (on couronnait de laurier, arbre d'Apollon, les vainqueurs des jeux, des concours).

laurier 1080, *Roland* (*lorier*) ; anc. fr. *lor,* du lat. *laurus.* || **lauré** 1556, G., rare jusqu'au XIXe s. || **lauréole** XIVe s., *Antidotaire Nicolas.* || **laurier-rose** 1617, Crespin. || **laurier-tin** 1667, P. Morin. || **lauracées** 1867, L.

lavabo V. LAVER.

lavallière 1874, *J. O.,* « reliure brun clair » ; 1875, à Angers, d'abord « cravate de femme » ; du nom de *La Vallière* (1644-1710), favorite de Louis XIV.

lavande fin XIIIe s., *Doc. ;* ital. *lavanda,* « qui sert à laver » (parce qu'elle parfume l'eau de toilette). || **lavandier** 1664, Fermanel. || **lavandin** 1962, Lar.

lavandière V. LAVER.

lavaret 1552, Rab., « poisson » ; savoyard *lavarè,* du bas lat. *levarĭcĭnus* (Ve s., Pol. Silvius), d'origine sans doute gauloise.

lavatory 1902, Bonnafé, « boutique de coiffeur » ; 1907, Lar., « cabinet de toilette » ; mot angl., du lat. *lavare,* laver.

1. **lave** 1285, Bretel (*laive*) ; 1619, G., pierre ; lat. médiév. *lapida,* dalle, de *lapis, -idis,* pierre.

2. **lave** 1739, de Brosses, sens actuel ; ital. de Naples *lava,* du lat. *labes,* chute, éboulement. || **lavique** 1842, *Acad.*

***laver** 980, *Passion ; se laver* milieu XVIe s., Amyot ; lat. *lavare.* || **lavable** 1373, Gace. || **lavabilité** 1962, Lar. || **lavage** 1432, G. || **lavandière** 1165, Thomas. || **lavasse** milieu XVe s., « pluie » ; 1803, Boiste, « mauvais liquide ». || **lavement** 1190, *Saint Bernard,* « action de se laver » ; XVIe s., « clystère ». || **lavabo** 1560, Vizet, « linge avec lequel le prêtre s'essuie les mains après l'offertoire » ; 1801, *Journal des dames,* « meuble de toilette » ; mot lat. signif. « je laverai » (premier mot d'un psaume prononcé par le prêtre quand il se lave les mains). || **laverie** 1555, *Journal du sire de Gouberville,* « lavage ». || **lavette** 1636, Monet, « torchon » ; fig., 1862, Esnault. || **laveur** XIIIe s., *D. G.* || **lavis** 1676, Félibien. || **lavoir** 1170, *Rois* (*laveür*), « vase » ; 1360, Froissart (*lavoir*) ; 1611, Cotgrave, sens actuel ; bas lat. *lavatorium.* || **lavure** 1050, *Alexis* (*lavadure*). || **lave-glace** 1950, *journ.* || **lave-mains** 1471, G. || **lave-pieds** 1775, Liger. || **lave-vaisselle** 1969, *journ.* || **délaver** 1398, E. Deschamps, « purifier » ; XVIe s., « détremper ». || **relaver** 1175, Chr. de Troyes.

lawn-tennis V. TENNIS.

laxatif XIIIe s., *Simples Médecines ;* lat. *laxativus,* de *laxare,* lâcher ; purgatif.

laxisme 1912, Lar. ; lat. *laxus,* relâché. || **laxiste** 1908, Sorel.

layer V. LAIE 2 ou 3.

layette 1360, G. de Machaut, « tiroir » ; 1684, Maintenon, « trousseau mis dans le tiroir » ; de *laie,* boîte, du moyen néerl. *laeye.* || **layetier** 1582, Lespinasse. || **layetterie** 1765, *Encycl.*

layon V. LAIE 2.

lazaret 1567, Junius ; vénitien *lazareto,* plus anc. *nazareto* (XVe s.), d'apr. l'hôpital Santa Maria de Nazareth (l'*l* est dû à l'infl. de *lazaro,* mendiant).

lazariste 1721 ; de Saint-*Lazare,* nom d'un prieuré.

lazulite V. LAPIS-LAZULI.

lazzarone 1781, Mercier (*lazzaron*) ; napolitain *lazzarone,* augmentatif d'un plus anc. *lazzaro* (1647), de l'anc. esp. *lazaro,* mendiant. || **lazzaronisme** 1841, *les Français peints par eux-mêmes.*

lazzi 1690, Gherardi ; mot ital., pl. de *lazzo,* jeu de scène bouffon, puis « plaisanterie piquante ».

***le, la, les** art. et pr. pers., fin IXe s., *Cantilène de sainte Eulalie* (*lo, la, les ;* le cas sujet masc. *li* avait disparu au XVe s.) ; formes proclitiques, atones, du démonstratif lat. (*il*)*lum,* (*il*)*lam,* (*il*)*los,* devenu aussi article ; par contraction avec prép., on a : *ès* (en les), *des* (de les), *au[x]* (à le, à les), *du* (de le).

***lé** adj., 1080, *Roland* (*lét*) ; n. m., 1131, *Couronn. Loïs,* largeur ; lat. *latus,* large.

leader 1829, d'Herbelot, « article de journal » ; 1822, Chateaubriand, « chef de parti » ; angl. *leader,* celui qui conduit, de *to lead,* conduire. || **leadership** 1878, Lar.

***léans** début XIIe s., *Pèlerinage Charlemagne* (*laenz*) ; lat. pop. *illac-intus,* « là, à l'intérieur ». (V. LÀ et CÉANS.)

leasing milieu XXe s. ; angl. *to lease,* louer.

lebel 1886 ; du nom de l'officier qui fit adopter ce fusil.

lécanore 1836, Landais ; gr. *lekanê,* bassin ; lichen des régions arides.

1. **lèche** XIIIe s., *Miracles de saint Éloi* (*leske*), « tranche mince » ; origine obscure, p.-ê. de *lécher.* || **lichette** 1821, Desgranges ; avec *i* dû à l'infl. de *licher.*

2. **lèche** V. LÉCHER.

lécher 1120, *Ps. d'Oxford ;* francique **lekkon* (allem. *lecken*) ; 1680, Richelet, « finir, parfaire ». || **licher** 1486, G. Alexis ; var. de *lécher.* || **lichade** 1877, Zola. || **liche** 1876, Huysmans, « bombance ». || **lichette** 1821, Desgranges. || **licheur** XIIe s., *Doc.* || **lèche** XIVe s., La Tour-Landry, « gourmandise » ; fin XIXe s., Huysmans, « basse flatterie ». || **léchage** 1910, Colette. || **lécheur** 1138, G., « homme impudique » ; 1845, Besch., « flatteur ». || **lèche-bottes** XXe s. || **lèche-cul** fin XVIe s., G. || **lèche-doigts** (*à*) 1226, *Courtois d'Arras.* || **lèchefrite** 1193, Hélinant ; altér. de *lèche-froie* (XIIIe s., G.), des impér. *lèche* et *froie,* « frotte » (même mot que *frayer*). || **lécherie** 1155, Wace, « luxure ». || **lèche-vitrines** v. 1950. || **pourlécher** (*se*) 1767, Diderot.

lécithine 1867, L. ; gr. *lekithos,* jaune d'œuf.

***leçon** 1131 *Couronn. Loïs,* « partie de l'office » ; XIIe s., *Saxons,* « lecture », et sens actuel ; lat. *lĕctio,* action de lire, « ce qui est lu », de *legere,* lire. || **lecteur** XIIe s., *Voy. saint Brendan* (*litur*) ; 1549, R. Est. (*lecteur*) ; lat. *lĕctor ; lecteur d'Université,* 1836, Landais ; allem. *Lektor.* || **lecture** 1352, J. de Preis, « récit » ; fin XVe s., « déchiffrement » ; 1679, Bossuet, « leçon magistrale » ; *comité de lecture* 1787, Féraud ; lat. médiév. *lectura ;* 1856, Baudelaire, « conférence », sens repris à l'angl. || **relecture** 1611, Cotgrave.

lécythe 1771, Trévoux ; gr. *lekuthos,* vase destiné à contenir l'huile.

lède 1611, Cotgrave, « plante » ; lat. *leda,* du gr. *lêdos.*

légal XIIIe s., *Chronique de Rains,* n. m., « homme de loi » ; adj., 1370, Oresme ; lat. *legalis,* « relatif ou conforme aux lois » (V. LOYAL). || **légalement** début XIVe s., La Curne. || **légaliser** 1668, Aranton. || **légalisation** 1690, Furetière. || **légalisme** 1877, Darmesteter. || **légaliste** fin XIXe s. || **légalité** 1370, Oresme, « loyauté » (jusqu'au XVIIIe s.) ; 1606, Crespin, sens actuel. || **illégal** 1370, Oresme. || **illégalement** 1789, *Doc.* || **illégalité** 1361, Oresme.

légat 1155, Wace, *légat a latere ;* lat. *lēgātus,* de *lēgāre,* envoyer en ambassade. || **légation** 1138, Gaimar, « charge de légat » ; 1160, Benoît, « mission » ; 1798, *Acad.,* « mission diplomatique » ; lat. *legatio,* ambassade.

légataire V. LÉGUER.

lège 1681, Isambert ; néerl. *leeg,* vide, sans charge ; navire qui n'a pas sa charge.

légende XIIe s., *Prise d'Orange ;* lat. médiév. *legenda,* adj. verbal de *legere,* lire, propr. « ce qui doit être lu » ; 1598, Bouchet, « explication d'un dessin ». || **légendaire** 1588, d'Argentré, « compilateur de légendes » ; adj., 1841, Chateaubriand. || **légender** 1884, Vallès.

***léger** 1080, *Roland,* « de peu de poids, souple » ; XIIe s., « frivole » ; 1778, Buffon, « de faible densité » ; lat. pop. **lĕviarius* (lat. *levis,* léger). || **légèrement** 1131, *Couronn. Loïs.* || **légèreté** XIIe s., G. (V. ALLÉGER.)

legging 1803, Volney ; mot angl. signif. « jambières, molletières » ; de *leg,* jambe.

leghorn 1888, Bonnafé ; nom angl. de *Livourne,* d'où cette race de poules fut importée en 1835 dans les pays anglo-saxons, où elle fut transformée.

légiférer 1796, *Néologiste fr. ;* lat. *legifer,* législateur, de *lex, legis,* loi.

légion 1155, Wace, unité de l'armée romaine ; 1587, La Noue, corps d'infanterie ; *légion d'honneur* 1802, *Décret ; légion étrangère,* 1792, Brunot ; lat. *legio.* || **légionnaire** 1213, Tobler-Lommatzsch, hist. romaine ; 1798, membre de la légion ; lat. *legionarius.*

législateur 1361, Oresme ; lat. *legislator,* de *lex, legis,* loi, et *lator,* rac. *latus,* part. passé de *ferre,* porter, proposer. || **législation** 1361, Oresme, « création de lois » ; 1721, Trévoux, sens actuel ; lat. *legislatio.* || **législatif** 1361, Oresme, n. f., « science du législateur » ; adj., 1718, *Acad.* || **législature** 1745, abbé Leblanc ; d'après l'angl. || **légiste** 1206, Guiot de Provins ; lat. médiév. *legista.* (V. LOI.)

légitime fin XIIIe s., G. ; 1770, Diderot, n. f., pop., « femme légitime » ; *légitime défense,* milieu XIXe s. ; lat. *lēgĭtĭmus,* de *lex, legis,* loi. || **légitimement** fin XIIIe s. || **légitimaire** 1602, Charondas. || **légitimer** 1350, *Chronique de Flandre.* || **légitimation** 1340, *Songe du Vergier.* || **légitimisme** 1839, Baudelaire. || **légitimiste** 1834, Landais. || **légitimité** 1694, *Acad.* || **illégitime** XIVe s. ; lat. jurid. *illegitimus* (IIe s., *Gaius*). || **illégitimement** 1460, Chastellain. || **illégitimité** 1752, Trévoux.

legs V. LAISSER.

léguer 1477, Bartzsch ; lat. *lēgāre,* laisser en testament. || **légataire** 1368, *Comptes de Macé Darne ;* lat. jurid. *lēgātarius.*

légume XIVe s., *Cart. de Louviers* (*lesgum*), n. m., « grain, graine » ; 1170, *Rois,* « plante potagère » ; fém. au XVIIe s. ; lat. *lĕgūmen, -minis ;* il a remplacé la forme pop. *leün ;* fém., fam., « personnage important », 1832, Esnault. || **légumier** 1715, La Quintinie, « jardin » ; 1873, Lar., « plat ». || **légumineux** 1611, Cotgrave ; n. f., 1775, Valmont. || **légumiste** 1767, Schabol.

leishmanie 1922, Lar. ; de *Leishman,* qui découvrit ces parasites en 1903. || **leishmaniose** 1910, Lar. || **leishmanide** 1962, Lar.

leitmotiv 1852, *Revue musicale ;* mot allem. signif. « motif dominant », de *leiten,* diriger.

lemme 1629, A. Girard ; lat. *lemma,* majeure d'un syllogisme, du gr. *lêmma.* || **lemmatique** 1867, L.

lemming 1765, *Encycl. ;* mot norvégien ; sorte de rongeur.

lemnacées 1845, Besch. ; gr. *lemna,* lentille d'eau. || **lemna** 1858, Legoarant (*lemne*).

lemnisque 1539, A. Le Pois (*-ique*) ; lat. *lemniscus,* du gr. *lêmniskos,* bandelette. || **lemniscate** 1765, *Encycl. ;* lat. *lemniscatus ;* math.

lémure XIVe s. ; lat. *lemures,* spectres. || **lémuriens** 1804, Desmarest, ainsi nommés parce qu'ils sont nocturnes. || **lémuridés** 1962, Lar.

lendemain V. DEMAIN.

lendit 1120, *Ps. de Cambridge,* anc. foire de la plaine Saint-Denis ; forme, avec article agglutiné, de *l'endit,* du lat. médiév. *indictum,* ce qui est fixé.

lendore 1534, Rab., « personne lente, endormie » ; germ. *landel,* et de *endormir.*

lénitif 1314, Mondeville ; lat. *lēnitivus,* de *lēnis,* doux. || **lénifier** XIVe s. ; lat. médiév. *lenificare.* || **lénification** XIVe s. || **lénition** 1933, Marouzeau.

***lent** adj., 1080, *Roland ;* lat. *lĕntus,* tenace, visqueux, lent. || **lentement** 1170, *Rois.* || **lenteur** 1355, Bersuire. || **ralentir** 1588, Montaigne ; de *alentir* (début XIIe s., R. de Moiliens). || **ralentissement** 1584, Vaganay. || **ralenti** n. m., 1907, *Locomotion autom. ;* 1921, Giraud, cinéma.

***lente** fin XIe s., *Gloses de Raschi* (*lentre*) ; 1265, J. de Meung (*lente*) ; lat. pop. **lendis, -itis* (lat. *lens, lendis*), œuf de pou.

lentigineux 1583, Bretonnayau ; lat. *lentiginosus,* couvert de taches de rousseur, de *lentigo, -ginis,* lentille. || **lentigo** 1851, Landais.

***lentille** 1170, *Rois,* graine de la plante ; 1690, Furetière, en optique ; lat. *lentĭcula,* dimin. de *lens, lentis,* lentille. || **lentillon** 1835, *Maison rustique.* || **lenticelle** 1842, *Acad.* || **lenticulé** 1539, Canappe ; lat. *lenticulatus.* || **lenticulaire** 1314, Mondeville ; n., 1560, Paré ; lat. *lenticularis.*

lentisque XIIIe s., *Simples Médecines ;* mot d'anc. prov., du lat. *lĕntĭscus.*

lento fin XVIIIe s., mus. ; mot ital.

1. **léonin** V. LION.

2. **léonin** 1175, Chr. de Troyes, terme de prosodie ; du nom d'un chanoine *Léon* (de Saint-Victor de Paris), qui aurait mis à la mode ces vers latins.

léopard 1080, *Roland* (*leupart*) ; début XIVe s., réfection sur le latin ; lat. *leopardus,* de *leo,* lion, et *pardus,* panthère mâle, du gr. *pardos,* léopard. || **léopardé** 1589, Le Rocquez.

lepas 1606, Gesner (*lepada*) ; lat. *lepas,* du gr. ; anatife.

lépidier 1615, Daléchamp (*-ion*) ; lat. *lepidium,* du gr. *lepidion,* sorte de crucifère.

lépido-, gr. *lepis, -idos,* écaille. || **lépidodendron** 1873, Lar. ; gr. *dendron,* arbre. || **lépidolithe** 1808, Boiste ; gr. *lithos,* pierre. || **lépidophylle**

1873, Lar. ; gr. *phullon,* feuille. || **lépidoptère** 1765, *Encycl. ;* gr. *pteron,* aile.

lépiote 1839, Boiste ; gr. *lepion,* petite croûte ; champignon à chapeau couvert d'écailles.

lépiste 1827, *Acad. ;* gr. *lepion,* petite écaille. || **lépisme** 1808, Boiste.

léporide 1842, *Acad. ;* lat. *lĕpus, -ŏris,* lièvre. || **léporin** 1827, *Acad.*

lèpre 1120, *Ps. de Cambridge* (*liepre*) ; lat. *lĕpra,* mot gr. || **lépreux** 1050, *Alexis ;* bas lat. *leprosus.* || **léprome** 1888, Lar. || **léproserie** 1568, Pardoux du Prat.

lepte 1827, *Acad. ;* gr. *leptos,* mince ; larve du trombidion. || **leptocéphale** 1802, Linné. || **leptospire** 1873, Lar. || **lepture** 1770, Duchesne.

lequel, lérot V. QUEL, LOIR.

lesbien 1660, d'Ablancourt (*lesbin*), « mignon » ; n. f., 1787, *Corresp. litt. secrète,* par allusion aux mœurs attribuées à Sapho, poétesse du VIe s. av. J.-C. ; de *Lesbos,* île de la mer Égée. || **lesbianisme** 1951, Gide.

léser 1538, R. Est. ; lat. *laesus,* part. passé de *laedere,* léser, blesser, qui a remplacé *laisier* (du lat. **laesiare,* faire tort). || **lèse-**, élément issu de *crime de lèse-majesté* (1344, *Actes*), calque du lat. jurid. *crimen laesae majestatis,* crime de majesté lésée, et qui a pris au XVIIe s. le sens actif « qui blesse » ; *lèse-humanité,* XVIIIe s., d'Alembert ; *lèse-nation,* 1777, Mirabeau ; *lèse-patrie,* 1794, *Néologiste fr.*

lésine 1604, *la Fameuse Compagnie de la lésine,* titre traduit de l'ital. (1550, Florence) : la compagnie avait pour emblème une alêne (ital. *lesina*) ; fig., 1610, Deimier, d'apr. l'avarice des personnages. || **lésiner** *id.* || **lésinerie** 1604, *la Contre-Lésine ;* d'apr. l'ital. *lesineria.* || **lésineur** 1650, Tallemant. || **lesineux** 1770, Voltaire.

lésion 1160, Benoît, « dommage » ; 1314, Mondeville, méd. ; lat. *laesio,* blessure au pr. et au fig. || **lésionnel** 1931, Lar.

***lessive** XIIIe s., *Conquête de Jérusalem* (*lissive*), « dissolution de soude » ; milieu XVe s., « action de laver » et « linge lavé » ; 1850, Balzac, « liquidation des biens » ; 1907, Lar., « élimination de qqn » ; fin XVIIe s., Saint-Simon, « perte au jeu » ; lat. pop. *līxīva,* adj. substantivé fém., de *lixivus,* dérivé de *lix, -icis,* cendre, lessive. || **lessivage** 1779, *Recueil des lois.* || **lessiver** 1300, Th. de Cantimpré ; 1867, Delvau, « ruiner ». || **lessiveur** 1845, Besch. || **lessiveuse** 1893, *D. G.* || **lessiviel** 1962, Lar.

lessonia 1842, *Acad. ;* du nom du naturaliste *Lesson* (1794-1849).

lest 1208, *Liège* (*last*), « poids » ; XVIe s., d'Aubigné, « charge d'un navire » ; *lâcher du lest,* 1907, Lar. ; néerl. *last.* || **lester** 1366, Finot. || **lesteur** *id.* || **lestage** *id.,* « droit payé pour le poids » ; 1611, Cotgrave, « action de lester ». || **délestage** milieu XVIIe s. || **délestement** *id.* || **délester** 1593, *D. G.* (*délaster*).

leste XVe s., « bien équipé, bien habillé » ; 1578, H. Est., « qui va avec légèreté » ; 1662, Loret, « élégant » ; 1765, *Encycl.,* « indécent » ; ital. *lesto,* même sens, du langobard **list,* artifice. || **lestement** 1605, H. de Santiago.

létal 1458, *Mystère ;* lat. *letalis,* mortel. || **létalité** 1828, Mozin.

léthargie XIIIe s., *Simples Médecines* (*litargie*) ; 1538, R. Est. (*léthargie*), état morbide ; 1652 Guez de Balzac, fig. ; lat. *lethargia,* du gr. *lêthê,* oubli, et *argia,* paresse. || **léthargique** 1325, Delb. ; lat. *lethargicus,* du gr. *lêthargikos ;* 1611, Cotgrave, fig.

léthifère 1584, de Barraud ; lat. *letifer,* « qui donne (*fert*) la mort (*letum*) » ; 1836, Landais, « serpent » ; l'*h* est dû à une confusion avec la rac. du mot précédent.

***lettre** XIe s., G., « écrit » ; XIIe s., « élément graphique » ; *à la lettre,* 1265, J. de Meung ; au pl., ouvrage, fin Xe s., *Saint Léger ; homme de lettres,* 1580, Montaigne ; *belles-lettres,* 1671 ; lat. *littera,* caractère, et pl. *litterae,* missive. || **lettré** 1125, Gormont ; d'apr. lat. *litteratus.* || **lettrer** fin XIIe s., *Huon de Bordeaux,* « rédiger une lettre » ; 1830, Hugo, « éduquer ». || **lettrage** 1873, Lar. || **lettrique** 1873, Lar. || **lettrisme** 1945, théorie littéraire. || **lettriste** *id.* || **lettrine** 1625, Stoer ; ital. *letterina,* petite lettre. || **littéraire** 1527, Dassy ; lat. *litterarius,* « relatif aux lettres » ; adj. et n., 1775, Beaumarchais. || **littérairement** 1835, *Acad.* || **littéral** XIIIe s., *Règle de saint Benoît ;* bas lat. *litteralis,* « relatif aux lettres de l'alphabet » (Ve s., Diomède) ; 1453, Monstrelet, « conforme à la lettre ». || **littéralement** 1465, Godefroy. || **littéralité** 1740, d'après Trévoux. || **littéralisme** 1866, *Revue des Deux Mondes.* || **littérarité** 1968, Lar. || **littérature** 1119, Ph. de Thaon, « écriture » ; 1468, Chastellain, « connaissance scientifique » ; 1764, Voltaire, sens actuel ;

lat. *litteratura,* écriture. || **littérateur** 1460, Chastellain ; bas lat. *litterator.* || **contre-lettre** XIIIe s., Delb. || **illettré** 1560, Pasquier ; lat. *illiteratus.*

lettrine V. LETTRE.

leuco-, gr. *leukos,* blanc. || **leucanie** 1842, *Acad.* || **leucémie** 1855, Nysten. || **leucémique** 1856, *journ.* || **leucite** 1801, Fourcroy, géol. ; 1888, Lar., biol. || **leucoblaste** 1962, Lar. || **leucocyte** 1855, Nysten. || **leucocytose** 1863, Graves. || **leucopénie** 1902, Lar. || **leucorrhée** fin XVIIIe s. ; gr. méd. *leukorrheia,* écoulement (*rheia*) blanc.

leude XIVe s. (*leudien*) ; 1621, Pasquier ; bas lat. *leudes,* du francique *leudi,* pl., gens (allem. *Leute*), spécialisé en « gens du chef » sous les Mérovingiens.

leur V. IL.

leurre fin XIIe s., R. de Moiliens (*loire*), « appât pour le faucon » ; 1580, Montaigne (*leurre*), « artifice » ; francique **lôder,* appât (moyen haut allem. *luoder*). || **leurrer** v. 1220, Coincy (*loirier*), « faire revenir le faucon » ; début XVe s., A. Chartier (*leurrer*), « tromper » ; *se leurrer,* 1808, d'Hautel.

levain V. LEVER.

***lever** 980, *Passion ; se lever,* XIIe s., Roncevaux ; *au pied levé,* 1549, R. Est. ; lat. *lĕvāre.* || **lever** n. m., 1175, Chr. de Troyes. || **levage** 1289, G., « droit sur les bestiaux » ; 1660, « action de lever » ; début XXe s., *engin de levage.* || **levade** XXe s., équitation. || **lève** 1242, G. ; déverbal. || **lève-tard** 1968, *Journ.* || **lève-tôt** 1967, *Journ.* || ***levain** 1130, *Job ;* lat. pop. **lĕvāmen,* levure. || **levant** adj., 1080, *Roland ;* n. m., 1265. || **levantin** 1575, Thevet. || **levé** 1534, Rab. || **levée** fin XIIe s., R. de Moiliens. || **leveur** 1253, Runkewitz. || **levier** 1130, *Eneas.* || **levis** XIIe s., « qui se lève », resté dans *pont-levis.* || **levure** XIIe s., *Parthenopeus* (*leveüre*). || **levurer** 1909, Lar. || **enlevage** 1842, *Acad.* || **enlever** 1131, *Couronn. Loïs.* || **enlèvement** 1551, G. || **relever** 1080, *Roland,* « remettre debout » ; *relever de,* 1573, Du Puys ; lat. *relevare ; se relever,* XIIe s., *Pèlerinage Charlemagne.* || **releveur** 1560, Paré, méd. || **relève** 1872, *J. O.* || **relèvement** 1190, *Dial. Grégoire,* « action de soulager » ; *relèvement des prix,* 1922, Lar. || **relevé** 1740, *Acad.* || **soulever** 1050, *Alexis* (*soslever*). || **soulèvement** fin XIIe s., G. (V. aussi ÉLEVER.)

léviger 1680, Richelet ; lat. *levigare,* rendre lisse, de *levis,* léger. || **lévigation** 1741, Col de Vilars. || **lévigateur** 1839, d'après L.

lévirat 1672, Sacy ; bas lat. *levir,* beau-frère.

lévitation fin XIXe s., A. Daudet ; lat. *levitas,* légèreté ; action de s'élever dans l'espace en échappant aux lois de la pesanteur. || **léviter** 1938, H. Michaux.

lévite 1170, *Rois ;* lat. chrét. *levita,* de l'hébreu *lêvî,* membre de la tribu de Lévi (destiné au culte) ; 1782, Genlis, fém., vêtement, d'apr. la robe des lévites au théâtre. || **lévitique** 1541, Calvin.

lévogyre 1867, L. ; lat. *laevus,* gauche, et *gyrare,* tourner. || **lévulose** 1873, Lar.

levraut V. LIÈVRE.

***lèvre** fin Xe s., *Vie saint Léger ;* pl. lat. **labra,* de *labrum,* passé au fém. sing. || **balèvre** XIIe s., *Chevalier Vivien* (*baulèvre*), « les deux lèvres » (*ba-* est une altér. de *bis,* deux fois).

lévrier, lévulose, levure V. LIÈVRE, LÉVOGYRE, LEVER.

lexique 1560, Ronsard (*lexicon*), « liste de mots » ; 1721, Trévoux (*lexique*), « dictionnaire » ; gr. *lexicon,* de *lexis,* mot. || **lexical** fin XIXe s. || **lexicographe** 1578, H. Est. ; gr. *lexicographos.* || **lexicographie** 1765, *Encycl.* || **lexicographique** 1827, *Acad.* || **lexicologie** 1765, *Encycl.* || **lexicologique** 1827, *Acad.* || **lexicologue** 1842, Mozin. || **lexicaliser, lexicalisation** 1927, Rarcevski. || **lexème** 1962, Lar. || **lexie** milieu XXe s.

***lez** 1050, *Alexis,* « à côté de » ; emploi prép. de l'anc. *lez,* côté, du lat. *latus,* flanc. Usité seulement dans les noms de lieux : *Plessis-lez-Tours,* etc.

***lézard** XIIe s., L. (fém. *leisarde*) ; 1460, Villon (*lesar*) ; 1560, Paré (*lézard*) ; anc. fr. *laiserde* (fin XIe s., *Gloses de Raschi*), du lat. *lacĕrtus, -a,* avec substitution de finale. || **lézarde** 1676, Félibien, « fente de muraille », par analogie de forme. || **lézardé** 1770, Raynal, « qui a des fentes ». || **lézarder** 1829, Boiste, « couvrir de lézardes » ; début XIXe s., Sue, « faire le lézard, paresser ».

liais 1112, *Voy. saint Brendan* (*liois*), « calcaire » ; de *lie,* par analogie de couleur.

liaison V. LIER.

liane 1640, P. Bouton ; fr. des Antilles ; de *lier* ou *liener* (parler de l'Ouest), lier des gerbes ; du lat. *ligare.*

liard XVe s., G. (*liart*) ; 1867, L., « poire grise » ; anc. adj. *liart,* gris, de *lie,* par analogie de couleur (les noms de couleur ont servi à désigner les monnaies, *blanc, jaunet*). || **liarder** 1611, Cotgrave, « payer son écot ». || **liardeur** 1800, Boiste.

lias 1822, Cuvier ; mot angl., du fr. *liais*. || liasique 1840, *Acad.*

liasse V. LIER.

libage 1676, Félibien ; anc. fr. *libe* (1385, G.), bloc de pierre, d'origine gauloise.

libation 1488, Vaganay, hist. ; au pl. 1823, Boiste, « action de boire largement » ; lat. *libatio*.

libelle 1265, Br. Latini, « petit livre » ; 1283, Beaumanoir, « requête » ; 1462, Bartzsch, « écrit diffamatoire » ; lat. *lĭbellus,* petit livre ou écrit, dimin. de *liber,* livre. || **libellé** 1451, *Cout. de Touraine,* d'apr. le sens jurid. || **libeller** *id.* || **libelliste** 1640, Chapelain, « auteur de pamphlets ».

libellule 1803, Boiste ; lat. entom. mod. *libellula,* de *libella,* niveau, d'apr. le vol plané de la libellule. || **libellulidés** 1873, Lar.

liber 1758, Duhamel ; mot lat. signif. « écorce d'arbre ».

libera 1648, Scarron, « prière » ; impér. du lat. *liberare,* délivrer, premier mot du psaume *Libera me, Domine.*

libéral, libérer, liberté, libertin V. LIBRE.

libido v. 1920 ; mot employé en allem. par Freud, du lat. *libido,* désir. || **libidineux** XIIIe s., Delb., rare jusqu'au XVIIIe s. ; lat. *libidinosus.* || **libidinal** 1948, Spitz.

libitum (ad) 1771, *Corr. litt. ;* formule de lat. mod. signif. « à volonté » (le lat. n'a que le plur. *libita,* de *libet,* il plaît).

libouret 1690, Furetière ; orig. obscure ; ligne à main pour pêcher en mer.

libraire 1268, É. Boileau, « copiste, auteur » ; 1530, Palsgrave, « marchand de livres » ; lat. *librarius,* qui a les trois sens. || **librairie** 1119, Ph. de Thaon (*librarie*), « bibliothèque » ; 1540, Dolet, « commerce des livres » ; 1596, Hulsius, « magasin ».

libration 1547, J. Martin ; lat. *libratio,* de *librare,* équilibrer ; balancement apparent de la lune.

libre fin XIIe s., Le Roux (*livre*) ; 1339, G. (*libre*), opposé à esclave ; 1538, R. Est, « sans contrainte » ; XVIe s., « non fixé », en parlant de qqch ; *enseignement libre,* 1864, L. ; *union libre,* 1902, Lar. ; *vers libres,* 1569, du Bellay ; *donner libre cours,* 1851, Sainte-Beuve ; *libre pensée,* 1870, *journ. ; libre-penseur,* 1763, Brunot, calque de l'angl. *free-thinker ;* lat. *liber,* de condition libre, indépendant. || **librement** 1339, G. || **libre-échange** 1840, Proudhon ; calque de l'angl. *free trade.* || **libre-échangisme** v. 1845. || **libre-échangiste** 1847, Besch. || **libre-service** 1950, *journ.* || **libéral** 1160, Benoît, « généreux » ; 1750, d'Argenson, « favorable aux libertés » ; 1834, Béranger, polit. ; *arts libéraux,* XIIIe s. ; *profession libérale,* 1845, Besch. ; lat. *liberalis.* || **libéralement** XIIIe s., G. || **libéraliser** 1570, Carloix, « rendre libéral » ; 1785, Brunot, polit. || **libéralisation** 1842, Richard. || **libéralisme** 1819, Anon. || **libéralité** 1213, *Fet des Romains,* « générosité » ; pl. fin XVe s., Commynes, « dons » ; lat. *liberalitas.* || **antilibéral** 1815, *Nain jaune.* || **antilibéralisme** 1842, J.-B. Richard. || **illibéral** 1361, Oresme. || **illibéralisme** 1841, Fourier. || **ultra-libéral** 1842, Mozin. || **ultra-libéralisme** 1842, Mozin. || **libérer** 1495, G., « exempter » ; 1541, J. Balard, « mettre en liberté » ; 1688, Miege, fig. ; 1834, Landais, milit. ; XXe s., économie ; lat. *liberare.* || **libérable** 1842, Mozin. || **libérateur** 1500, Molinet ; 1644, Corn., polit. ; lat. *liberator.* || **libération** 1398, *Somme Gautier ;* 1878, *Acad.,* polit. ; lat. *liberatio.* || **libératoire** 1873, Lar. || **liberté** fin XIIe s., « libre arbitre » ; 1266, G., pl., « les franchises » ; *liberté des cultes,* 1834, Landais ; *liberté individuelle,* 1787, Brunot ; *liberté de pensée,* 1765, *Encycl. ; liberté politique,* 1748, Montesquieu ; *liberté de réunion,* 1873, Lar. || **libertaire** 1858, Proudhon, « anarchiste ». || **liberticide** 1791, Babeuf. || **libertin** 1524, Lefèvre d'Étaples, « affranchi » ; 1587, F. de la Noue, « irréligieux » ; 1568, Bunyon, « qui suit sa fantaisie » ; 1677, Livet, « de mœurs dissolues » ; lat. class. *libertinus,* (esclave) affranchi, d'apr. un passage mal interprété des *Actes des Apôtres,* VI, 9, où il est question d'une secte juive de ce nom. || **libertinage** 1603, Peleus, « irréligiosité » ; 1603, Cayet, « débauche ». || **libertiner** 1734, La Chaussée. || **liberty ship** 1949, Lar. ; mot anglo-américain, de *liberty,* liberté, et *ship,* bateau.

libretto 1837, Balzac ; mot ital. signif. « petit livre ». || **librettiste** 1844, Gautier.

1. **lice** 1155, Wace, « barrière » ; *entrer en lice contre qqn,* 1656, Pascal ; francique **listja,* barrière, var. de **lista,* bord.

2. ***lice** (*de tissage*) fin XIe s., *Gloses de Raschi ;* lat. *licia,* pl. de *licium,* fil de trame, passé au fém. || **basse lice** 1690, Furetière. || **haute lice** 1398, *Ménagier.*

3. ***lice** 1165, Marie de France, « femelle du chien de chasse » ; lat. **licia*, altér. de *lyciscus*, chien-loup, du gr. *lukos*, loup.

licence 1190, Garn., « liberté, permission » ; 1647, Rotrou, « liberté excessive » ; début XVIe s., « dérèglement, excès de liberté » ; début XVIe s., « licence d'enseigner » (*licentia docendi*), titre universitaire ; *licence poétique*, 1521, Fabri ; XVIIIe s., « autorisation d'exercer un métier, d'importer, etc. » ; lat. *licentia*, de *licet*, « il est permis ». || **licencié** 1349, G., « qui a licence d'enseigner » ; d'apr. le lat. *licenciatus*. || **licenciement** 1569, Castelnau. || **licencier** 1360, Froissart, « congédier » ; 1920, Duhamel, sens actuel ; lat. médiév. *licentiare*. || **licencieux** 1537, trad. du *Courtisan* ; lat. *licentiosus*. || **licencieusement** 1541, Calvin.

lichen 1545, Guéroult ; lat. *lichen*, maladie de la peau et plante, du gr. *leikhên*, lécher, parce que toutes deux semblent lécher la peau ou les écorces. || **lichénification** 1902, Lar.

licher, lichette V. LÉCHER, LÈCHE 1.

licite fin XIIIe s. ; lat. *lĭcĭtus*, permis. || **licéité** 1907, Lar. || **illicite** 1359, Barbier ; lat. *illicitus*. || **licitement** fin XIIIe s. || **liciter** début XVIe s. ; lat. jurid. *licitari*, mettre une enchère, fréquentatif de *liceri*. || **licitation** début XVIe s. ; lat. jurid. *licitatio*. || **liciter** *id.* || **licitatoire** 1828, Mozin.

licorne 1385, *Doc.*, animal fabuleux ; altér. sous infl. de l'ital. *licorno*, issu de l'agglutination de l'article et de *unicorno*, licorne, bas lat. *unicornis*, qui a donné l'anc. fr. *unicorne* (1120, *Ps. d'Oxford*), de *unus*, un et *cornu*, corne.

licou 1333, G. (*liecol*) ; 1668, La Fontaine (*licou*) ; de *lier* et de *col, cou*. || **délicoter** 1690, Furetière.

licteur 1355, Bersuire ; lat. *lictor*.

1. **lie** (*du vin*) 1120, *Ps. de Cambridge* (déjà *lias*, VIIIe s., *Gloses Raschi*) ; sans doute du gaulois **liga* ; *jusqu'à la lie*, 1460, Villon. || **lie-de-vin** 1865, Taine, rouge violacé.

2. **lie** 1050, *Alexis* (*liee*), adj. fém., « joyeuse » ; seulem. dans *chère lie* ; de l'anc. adj. *lié*, lat. *laetus*, heureux. (V. LIESSE.)

lied 1833, Weckerlin ; mot allem. signif. « chant », réservé d'abord à la musique allem.

***liège** 1180, *Girart de Roussillon* ; lat. pop. **lĕvius*, de *lĕvis*, léger, spécialisé pour l'écorce du chêne-liège. || **liéger** fin XVe s. || **chêne-liège** 1600, O. de Serres.

***lien** 1130, *Job* (*loien*) ; lat. *ligamen*, de *ligare*. (V. LIER.)

lienterie XIVe s., Gordon ; lat. méd. *lienteria*, gr. *leienteria*, flux de ventre, de *leîos*, doux, et *enteron*, intestin.

***lier** fin Xe s., *Saint-Léger* (*leier, loier*) ; 1672, Racine, *se lier d'amitié* ; lat. *ligare*. || **liage** 1249, G. || **liant** 1398, *Ménagier*, adj. ; 1611, Cotgrave, n. m. || **liaison** 1190, Bertrand de Born, « façon de s'habiller » ; 1538, R. Est., « action de lier » ; 1580, Montaigne, « alliance » ; 1704, Bourdaloue, « attachement » ; 1902, Lar., *avoir une liaison*. || **liasse** 1170, *Rois*. || **liement** XIIe s., « lien ». || **lierne** 1296, Tobler-Lommatzsch ; avec une finale d'orig. inconnue. || **lieur** 1280, G. (*lieor*). || **lieuse** 1902, Lar. || **délier** 1160, *Tristan ; avoir la langue déliée*, 1673, Sévigné ; *sans bourse délier*, 1690, Furetière. || **déligation** 1821, Wailly ; bas lat. *deligatio*, de *ligare*, lier. || **relier** 1185, *Aliscans*, « assembler » ; 1834, Boiste, « mettre en rapport » ; 1842, Mozin, « mettre en communication ». || **reliement** 1606, Crespin. || **relieur** fin XIIe s. || **reliure** 1549, R. Est.

***lierre** 980, *Valenciennes* (*edre*) ; 1372, Gay (*lyere*), avec agglutination de l'article ; lat. *hĕdera*.

***liesse** 1050, *Alexis* (*ledece*) ; 1207, Villehardouin (*liesse*) ; lat. *laetitia*, avec infl. de l'adj. *lié*, lat. *laetus*. (V. LIE 2.)

1. ***lieu** 980, *Valenciennes* ; pl. 1642, Corn., « endroit » ; *lieu commun*, 1563, Bonivard, calque du lat. *locus communis* ; *au lieu de*, 1538, R. Est., qui a remplacé *en lieu de* (1207, Villehardouin) ; lat. *lŏcus*. || **lieu-dit** 1874, Peigné-Delacourt. || **non-lieu** XIXe s. (V. LIEUTENANT, MILIEU.)

2. **lieu** 1431, *Archives de Bretagne* (*lief*) ; 1553, *Journ. de Gouberville* (*lieu*) ; anc. scand. *lyr*, lieu.

***lieue** 1080, *Roland* ; bas lat. *leuca* (var. *leuga*), d'origine gauloise. (V. BANLIEUE.)

lieutenant 1170, *Rois* ; de *lieu* et *tenant*, c.-à-d. « tenant lieu de » ; d'abord terme admin., puis grade milit., 1538, R. Est. || **lieutenance** 1364, Delisle. || **lieutenant-colonel** 1669, Widerhold. || **sous-lieutenant** 1625, Peiresc.

***lièvre** 1080, *Roland* (*levre*) ; XIIe s. (*lievre*) ; lat. *lĕpus, -ŏris*. || **levraut** 1306, Guiart (*levrot*). || **levretter** 1387, G. Phébus. || **lévrier** 1131, *Couronn. Loïs*, chien qui chasse le lièvre. ||

levrette XVe s. ; dimin. de *lévrier.* || **levreteau** 1573, Du Puys. || **levretté** 1611, Cotgrave. || **levron** 1361, Oresme.

lift 1904, *le Matin,* « ascenseur » ; 1962, Lar., « brosser la balle (fait de) » ; mot angl., de *to lift,* élever. || **liftier** 1919, Proust, « garçon d'ascenseur ». || **lifter** 1930, *journ.,* sports.

lifting 1970, Robert ; mot angl., de *to lift,* hausser. || **lifter** 1971, Gilbert.

ligament 1363, Chauliac ; lat. méd. *ligamentum,* de *ligare,* lier ; il a remplacé en ce sens *liement.* (V. LIER.) || **ligamenteux** 1503, Chauliac.

ligature 1308, Aimé ; bas lat. *ligatura ;* il a remplacé *liure.* (V. LIER.) || **ligaturer** 1842, Mozin.

***lige** 1080, *Roland ;* bas lat. *letus, litus,* vassal, devenu en lat. pop. **leticus,* adj., du francique **let,* libre.

***ligne** 1119, Ph. de Thaon ; *ligne à plomb,* 1606, Nicot ; *vaisseau de ligne,* 1694, *Acad. ; avoir de la ligne,* 1835, Gautier ; *ligne politique,* 1869, J. Buzon ; *troupe de ligne,* 1835, *Acad. ;* lat. *lǐnea,* fil de lin. || **lignage** 1050, *Alexis,* « descendance » ; 1968, Lar., « race ». || **lignard** 1863, Huysmans, « soldat de ligne ». || **lignée** 1120, *Ps. de Cambridge.* || **ligner** 1206, Guiot de Provins. || **ligneur** 1543, G. || **lignerolle** 1786, *Encycl. méth.,* repris au prov. || **aligner** 1155, Wace ; *s'aligner,* 1841, Balzac. || **alignement** 1387, Langlois. || **linéaire** XIVe s., G. ; fait sur lat. *linea.* || **linéairement** 1531, Vignay. || **linéal** XIVe s., *D. G.* || **linéament** 1532, Rab. ; bas lat. *lineamentum.* || **délinéation** 1549, R. Est. ; bas lat. *delineatio,* de *linea.* || **forligner** 1160, Benoît. || **interligne** fin XIVe s. (*entre-*) ; 1612, Béroalde de Verville (*interligne*). || **interlignage** 1873, Lar. || **interligner** 1800, Boiste. || **souligner** 1579, Huguet. || **interlinéaire** 1382, Ph. de Maizières. || **soulignement** 1831, *Acad.* || **soulignage** 1964, Robert. || **tire-ligne** 1680, Richelet. || **juxtalinéaire** 1867, L. ; lat. *juxta,* auprès de.

***ligneul** fin XIe s., *Gloses de Raschi* (*linoel*) ; XIIIe s., G. (*ligneul*) ; lat. pop. **lineolum,* de *linea,* fil de lin ; assemblage de fils tordus.

ligneux 1528, Desdier ; lat. *lignum,* bois. || **lignicole** 1842, *Acad.* || **lignifier** 1699, d'après Trévoux. || **lignification** 1842, Mozin. || **lignite** 1765, *Encycl.* || **ligniteux** 1962, Lar. || **lignine** 1842, *Acad.*

ligoter 1600, O. de Serres (*ligoter la vigne*) ; 1815, Esnault, « garrotter » ; de *ligote* (corde, fin XIIe s.), du prov. *ligot,* lien, de *ligà,* lier (*ligots,* 1596, *Vie généreuse,* pl. jarretières). || **ligotage** 1879, Vallès.

ligue fin XIIIe s., Aimé, « union » ; polit., 1863, d'après Lar. (la Ligue de l'enseignement fut fondée en 1866) ; anc. ital. *liga,* de *legare,* lier, avec réfection sur le lat. || **liguer** 1564, Thierry. || **ligueur** 1579, P. de L'Estoile, « membre d'une cabale » ; polit., 1931, Lar.

ligule 1562, Du Pinet ; lat. *ligula,* languette. || **ligulacé** 1873, Lar. || **ligulé** 1803, Boiste. || **liguliflore** 1842, *Acad.*

liguline 1931, Lar. ; lat. *ligusteum,* troène, sur le modèle de *aniline.*

lilas 1600, O. de Serres (*lilac*) ; ar. *lilâk,* du persan *lilag.*

liliacé V. LIS.

lilliputien 1727, trad. de Gulliver ; 1779, *Doc.,* fig. ; angl. *lilliputian,* de *Lilliput,* pays imaginaire du roman de Swift (1726).

***limace** 1175, Chr. de Troyes, limaçon ; 1538, R. Est., sens actuel ; lat. pop. **limacia,* de *lǐmax, -acis,* limace, colimaçon. || **limaçon** XIIe s., Marbode (*limacium, limaçon*). || **limaçonner (se)** 1611, Cotgrave. (V. COLIMAÇON.)

limaille V. LIME.

limande XIIIe s., G. ; anc. fr. *lime,* de même sens ; 1319, G., pièce de bois ; p.-ê. métaphore du gaulois **lēm,* planche, c.-à-d. « poisson plat ».

limbe XIVe s., G., théolog. ; 1679, Dodart, astron. ; fin XVIIe s., Saint-Simon, fig. ; lat. *lǐmbus,* bord, spécialisé au pl. en lat. eccl. : « séjour au bord du paradis ».

1. ***lime** 1175, Chr. de Troyes, outil ; lat. *lima.* || ***limer** XIIIe s. ; lat. *limare.* || **limage** XVe s., Molinet. || **limaille** XIIIe s., Delb. || **limeur** 1330, Digulleville. || **limure** XIIIe s., Tobler-Lommatzsch. || **relimer** apr. 1550, Ronsard, « ronger ». || **élimer** 1220, Coincy (*eslimer*), « user ses vêtements ».

2. **lime** 1555, Poleur, « citron » ; prov. mod. *limo.* (V. LIMON 3.) || **linette** 1782, *Encycl.*

limier 1130, *Eneas* (*liemier*) ; début XVe s., Ch. d'Orléans (*limier*), « chien tenu en laisse » ; 1707, Lesage, limier de la police ; de *liem,* anc. forme de *lien.*

liminaire 1548, Vaganay ; bas lat. *limĭnaris,* de *limen, -ĭnis,* seuil. || **liminal** 1962, Lar. ;

d'après angl. *liminal.* || **préliminaire(s)** 1671, Pomey, adj. et n. || **préliminairement** 1757, Gohin.

limite XIVe s. ; 1538, R. Est., fig. ; lat. *limes, -ĭtis,* masc. || **limiter** 1310, Delb. ; lat. *limitare.* || **limitatif** 1547, G. || **limitation** 1304, G. ; lat. *limitatio.* || **limitativement** 1819, Boiste. || **limiteur** 1606, Crespin. || **délimiter** 1773, D. Clément ; lat. *delimitare.* || **délimitation** *id. ;* lat. *delimitatio.* || **illimité** 1611, Cotgrave. || **illimiter** 1792, Brunot. || **illimitation** 1622, Fr. de Sales.

limitrophe 1467, Bartzsch ; lat. jurid. *limitrophus,* adj. (var. *limitotrophus*), de frontière ; de *limes,* limite, et du gr. *trepheîn,* nourrir (à l'origine, territoire assigné aux soldats des frontières pour leur subsistance).

limnée 1798, Lamarck ; lat. zool. *limnaea,* du lat. impér. *limne,* du gr. *limnê,* marais.

limnologie 1902, Lar. ; gr. *limnê,* marais, et *logos,* science. || **limnophore** 1873, Lar., mouche des marais.

limoger 1914, d'apr. les généraux qui avaient été destitués et envoyés à *Limoges.* || **limogeage** v. 1950.

1. ***limon** fin XIe s., *Gloses de Raschi,* « terre d'alluvion » ; lat. pop. **limo, -onis,* du lat. *limus,* boue. || **limoner** 1750, *Doc.* || **limonage** 1868, *Moniteur universel.* || **limonite** 1842, Mozin. || **limoneux** 1330, Digulleville.

2. **limon** 1130, *Eneas,* « support d'un cercueil » ; 1160, Benoît, « brancard » ; gaulois **lēm,* planche. || **limonier** 1150, *Charroi.* || **limonière** 1798, *Acad.*

3. **limon** 1314, Mondeville, « citron » ; ital. *limone,* de l'arabo-persan *leimoūn, līmoūn.* || **limonier** 1555, Poleur, « citronnier ». || **limonade** 1640, Oudin (*limounade*). || **limonadier** 1676, Lespinasse. || **limonène** 1902, Lar.

limoselle 1778, Linné ; lat. *limosus,* limoneux ; plante de rivages limoneux.

limousin XVe s. (*limosin*) ; 1690, Furetière (*limousin*), « maçon faisant le gros travail » ; du nom de la province d'où venaient beaucoup de maçons à Paris. || **limousine** XVIIIe s., « voiture » ; 1907, Lar., « manteau ». || **limousinage** 1694, Th. Corn. (*limosinage*). || **limousiner** 1801, Mercier.

limpide 1500, O. de Saint-Gelais ; 1826, Lamennais, fig. ; lat. *līmpĭdus.* || **limpidité** 1690, Furetière ; 1845, Besch., fig. ; lat. *limpiditas.*

limule 1801, Lamarck ; lat. *limulus,* créé par Fabricius.

***lin** 1155, Wace ; lat. *linum.* || **linacé** 1836, Landais. || **linaire** XVe s., *Grant Herbier ;* lat. médiév. *linaria.* || **linière** fin XIIe s., *Ysopet.* || **linier** 1268, É. Boileau, n. m. ; adj., 1530, Palsgrave. || **linette** 1360, Machaut. || **linon** 1566, G. (*lignon*) ; 1606, Nicot (*linon*) ; altér. de *linomple* (XVe s.) ; le deuxième élément, obscur, signifie « uni ». || **linaigrette** 1789, *Encycl. méth.,* bot., à cause de son aigrette plumeuse. || **linoléine** 1931, Lar. ; d'après l'angl. *linolein.*

***linceul** 1050, *Alexis* (*linçuel*), « drap de lit » (jusqu'au XVIIe s.) ; 1220, Coincy, sens actuel, avec pronon. pop. *euil,* d'apr. les finales en *-euil ;* lat. *līnteŏlum,* linge, de *linum,* lin. (V. LINGE.)

lindor 1842, *Acad. ;* nom d'un amoureux de la comédie espagnole.

linéaire, linéament V. LIGNE.

***linge** adj., XIIe s., G., « de lin » ; n. m., 1268, É. Boileau, « toile de lin » ; lat. *lineus,* de lin. || **lingère** 1292, *Rôles de la taille,* « qui fabrique du linge » ; 1680, Richelet, sens actuel. || **lingerie** 1485, *Ordonn.* || **lingette** XVe s., G.

lingot fin XIVe s. ; anc. prov. *lingot,* de *lingo,* langue, par analogie de forme. || **lingoter** 1931, Lar. || **lingotage** *id.* || **lingotier** 1902, Lar. || **lingotière** 1606, Crespin.

linguet 1636, Cleirac, mar. ; moyen néerl. *hengel,* crochet, qui a donné l'anc. fr. *hinguet,* de même sens.

linguiste, linguistique V. LANGUE.

liniment 1363, Chauliac ; lat. *linimentum,* enduit, de *linire,* oindre.

links 1897, *Tous les sports ;* mot angl., forme écossaise de *linch,* bord.

linoléine V. LIN.

linoléum 1874, *Nature ;* mot angl. créé par l'inventeur Walton, en 1863 ; de *linum,* lin, et *oleum,* huile.

linon V. LIN.

linotte fin XIIIe s., Rutebeuf ; de *lin,* l'oiseau étant friand des graines de lin ; *tête de linotte,* 1611, Cotgrave.

Linotype 1889, *Gutenberg-Journal ;* mot anglo-américain, nom de marque formé de *line of* *types,* ligne de caractères typographiques. || **linotypie** 1911, Mackenzie. || **linotypiste** fin XIXe s.

***linteau** fin XIIe s., *Dial. Grégoire (lintel),* « seuil » ; XIIIe s., *Apollonius,* « traverse supérieure d'une porte » ; var. de l'anc. fr. *lintier,* du lat. pop. **lĭmĭtaris,* croisement de *limĭnaris* (v. LIMINAIRE) et de *limes, -ĭtis,* avec changement de suffixe.

linter 1936 ; mot anglo-américain, de *lint,* lin ; fibre restant fixée sur les graines de certains cotonniers après l'égrenage.

lion 1080, *Roland (leon)* ; lat. *leo, -onis. ;* (fém. *lionesse,* jusqu'au XVIIe s. ; *lionne,* 1539, R. Est) ; 1840, *Acad.,* « dandy » ; *lionne,* 1830, Musset, « élégante », repris à l'angl. || **lionceau** 1160, Benoît. || **léonin** 1130, *Eneas ;* 1680, Richelet, fig., d'apr. les fables ; lat. *leoninus,* « de lion ».

lioube 1694, Th. Corn. ; mot poitevin, du germ. *globa,* perche fourchue.

lip(o)-, gr. *lipos,* graisse. || **lipase** 1902, Lar. || **lipémie** *id.* || **lipide** 1931, Lar. || **lipogenèse** 1907, Lar. || **lipogramme** 1620, Certon, ouvrage littéraire dans lequel on évite une ou deux lettres. || **lipoïde** 1867, L. || **lipolyse** 1907, Lar. || **lipome** 1749, Col de Vilars ; lat. sc. *lipoma.* || **lipovaccin** 1931, Lar.

lipothymie 1546, Rab. ; gr. *lipothumia,* de *leipein,* laisser, et *thumos,* esprit ; premier degré de la perte de connaissance.

lippe fin XIIIe s., *Renart ;* moyen néerl. *lippe,* lèvre. || **lippée** 1316, Maillart. || **lippu** 1539, R. Est.

liquation 1576, A. Thierry, « action de fondre » ; 1757, *Encycl.,* sens industr. ; lat. *liquatio,* de *lĭquāre,* rendre liquide. || **liquater** 1842, Mozin.

liquéfier 1398, *Somme Gautier ;* lat. *liquĕfacĕre,* d'apr. les verbes en *-fier.* || **liquéfiable** 1580, Palissy. || **liquéfaction** 1314, Mondeville *(facion)* ; bas lat. *lĭquĕfactio,* de *lĭquēre,* être liquide. || **liquéfacteur** 1962, Lar.

liquette 1878, Esnault, « chemise » ; altér. de *limace* (1725, *Cartouche*), même sens ; de *lime* (XVe s.), d'orig. obscure.

liqueur 1160, *Tristan (licur),* « liquide » ; 1635, Corn., « solution » ; 1680, Richelet, « boisson alcoolisée » ; lat. *liquor,* liquide. || **liquoreux** 1519, M. de Tours, « qui produit un liquide » ; 1718, *Acad.,* « sucré et alcoolisé ». || **liquoriste** 1753, Déjean *(-euriste).*

liquidambar 1602, Colin ; mot esp. signif. « ambre liquide ».

liquide adj. 1265, Br. Latini ; XVIe s., Loisel, « libéré de toute charge » ; 1666, *Roman bourgeois,* sens actuel ; n. m. 1549, Du Bellay, « caractère liquide » ; 1695, d'après Trévoux, « corps liquide » ; lat. *liquidus.* || **liquider** 1539, Isambert, « régler des dettes » ; 1714, Fénelon, « vendre » ; 1870, Aroux, « régler une question » ; 1931, Lar., « éliminer ». || **liquidien** 1962, Lar. || **liquidation** 1416, Delb. ; 1869, Molinari, *liquidation sociale ;* 1893, *D. G.,* « vente au rabais ». || **liquidable** XVIIIe s., Brunot. || **liquidateur** 1777, Beaumarchais. || **liquidité** 1525, Lemaire de Belges, « état liquide » ; 1873, Lar., « finances » ; lat. *liquiditas.*

1. ***lire** 1050, *Alexis ;* lat. *lĕgĕre.* || **lisage** 1776, Paulet. || **liseur** 1130, *Job (leisor).* || **liseuse** 1867, L., « couteau de papier » ; 1889, Havard, « meuble ». || **lisible** milieu XVe s. || **lisibilité** 1829, Nodier. || **lisiblement** 1543, Ouin-Lacroix. || **illisible** fin XVIIe s. || **relire** 1160, Benoît.

2. **lire** 1842, *Acad.,* monnaie ital. ; de l'ital. *lira,* même mot que *livre* (poids).

liron 1606, Nicot ; anc. prov. signif. « loir », de *lir,* même sens, lat. *glis, gliris,* loir. (V. LOIR.)

lis, lys 1175, Chr. de Troyes, pl. ; lat. *lilium,* même sens. || **liseron** 1538, R. Est. || **liset** 1538, R. Est. (V. FLEURDELISER.) || **liliacé** 1694, Tournefort ; bas lat. *liliaceus.* || **lilial** 1490, G., rare jusqu'au XIXe s. || **lilium** 1873, Lar.

lise, liser, liset V. ENLISER, LISIÈRE, LIS.

lisette 1873, Lar., soubrette de comédie, d'apr. un nom propre de servante ; 1834, Béranger, jeune femme insouciante.

lisière 1244, Fagniez, « bord d'étoffe » ; 1606, Nicot, « bord de terrain », 1767, Diderot, fig. ; ancien français *lis,* forme masc. (assez rare) de *lice,* fil de trame. || **lisérer** 1525, Havard. || **liséré** 1743, Trévoux. || **liser** 1611, Cotgrave, « ourler » ; 1723, Savary, « tirer par les lisières un drap ». || **lisage** 1785, *Encycl. méth.*

lisser fin XIe s., *Gloses de Raschi (lischier),* « repasser » ; 1180, *Aiquin,* « rendre lisse » ; lat. *lĭxare,* extraire par lavage, de *lix,* lessive. || **lisse** 1188, *Aspremont ;* déverbal. || **lissage** 1762, Duhamel, « action de rendre lisse ». || **lisseur** milieu XVe s., *Ordonn.* || **lissoir** début XVIIe s.

liste début XIIe s., *Thèbes,* « bord » ; 1567, Espinas, « suite de noms » ; XVIIe s., *liste civile ; liste électorale,* 1893, *D. G. ; liste noire,* 1839, Stendhal ; germ. *lista.* || **liston** 1581, N. de Montand, « bordure » ; 1840, *Acad.,* mar. || **colistier** 1922, Lar.

listel 1247, G., « bordure » ; 1615, Binet (*listeau*), « moulure plate d'un chapiteau » ; ital. *listello,* petite bande, de même rac. que *liste.*

listera 1873, Lar. (*listère*) ; lat. scient. *listera,* du nom du naturaliste anglais *Lister.* || **listériose** 1962, Lar.

***lit** 1050, *Alexis,* « meuble » ; 1190, Benoît, « matelas » ; XIIIe s., « couche d'une matière quelconque » ; 1265, Br. Latini, « chenal d'un cours d'eau » ; *lit de camp,* fin XVe s., Commynes ; *lit de mort,* 1760, Voltaire ; *mourir dans son lit,* 1690, Furetière ; *faire lit à part,* 1660, Oudin ; *aller au lit,* 1690, Furetière ; *être au lit,* XIIIe s. ; *lit de justice,* XIVe s. ; lat. *lĕctus.* || **litière** 1155, Wace. || **litée** XIIe s., G. || **literie** 1615, Yves d'Évreux ; rare jusqu'au XIXe s. (1834, N. Landais). || **liter** 1723, Savary. || **aliter** fin XIIe s. || **alitement** 1549, R. Est. || **déliter** XIVe s., « s'écailler » ; 1567, Ph. Delorme, sens actuel. || **délitation** fin XIXe s. || **délitage** 1845, Besch. || **délitement** 1907, Lar.

litanie 1155, Wace (*letanie,* jusqu'au XVIe s.) ; pl. 1680, Richelet, fig. ; lat. chrét. *litanĭa,* prière publique, du gr. *litaneia,* supplication.

litchi 1588, La Porte (*lechia*) ; chinois *li-chi* par l'intermédiaire du port. ; arbre des régions chaudes de l'Ancien Continent.

liteau 1229, Poerck (*listel*), « tringle » ; de *liste,* bord.

liter V. LIT.

lith(o)-, gr. *lithos,* pierre. || **litharge** 1314, Mondeville ; lat. *lithargyrus,* du gr. *litharguros,* pierre d'argent, de *arguros,* argent. || **lithargé** 1762, Rousseau. || **lithiase** 1611, Cotgrave ; gr. *lithiasis.* || **lithine** 1827, *Acad.* || **lithiné** 1878, Joanne. || **lithium** début XIXe s. || **lithochromie** 1838, Balzac. || **lithodome** 1817, Cuvier ; gr. *domos,* demeure. || **lithologie** milieu XVIIIe s. || **lithographie** 1750, Prévost, « impression » ; 1830, Balzac, « gravure ». || **lithographe** 1752, Trévoux. || **lithographier** 1819, Gattel. || **lithographique** 1819, Charpentier || **lithophage** 1694, Th. Corn. || **lithosphère** 1907, Haug. || **lithotome** 1610, Girault. || **lithotomie** 1612, Duval ; bas lat. méd. *lithotomia.* || **lithotriteur** 1835, *Acad. ;* lat. *tritor,* broyeur.

litière V. LIT.

litige XIVe s., Bouthillier ; lat. jurid. *litĭgium,* de *lis, -itis,* procès. || **litigieux** 1331, G. ; lat. *litĭgiosus.* || **litispendance** XVIe s., Mart. du Bellay ; bas lat. *litispendentia,* de *pendens,* pendant ; état d'un procès pendant.

litorne 1555, Belon, zool. ; var. du picard *lutrone,* du moyen néerl. *loteren,* hésiter, tarder.

litote 1521, Fabri (*liptote*) ; 1765, *Encycl.* (*litote*) ; bas lat. *litotes,* du gr. *litotês,* simplicité.

1. **litre** 1793, loi du 7 avr., de *litron* (1606, Nicot) ; lat. médiév. *litra,* mesure de capacité, du gr. *litra,* poids de onze onces.

2. **litre** début XIIe s., *Thèbes,* « bande noire sur les églises » ; var. de l'anc. fr. *liste, lite,* bord. (V. LISTE.)

littéral, littérature V. LETTRE.

littoral adj., 1752, Bertrand, « qui vit près du rivage » ; n. m., 1828, Mozin ; lat. *littoralis,* de *litus, -oris,* rivage. || **littorine** 1867, L., petit mollusque des rivages.

liturgie 1579, Bodin ; lat. eccl. *liturgia,* du gr. *leitourgia,* service public. || **liturgique** 1718, Moléon ; gr. *leitourgikos.* || **liturgiste** 1752, Trévoux.

livarot 1845, Besch. ; du nom d'une commune du Calvados.

livêche XIIIe s., L. (*liuvesche*) ; XIVe s., *Antidotaire* (*livesche*), bot ; lat. pop. **levistica,* pl. neutre, passé au fém., de *levisticum ;* altér. de *ligusticus,* originaire de Ligurie.

livide 1314, Mondeville ; lat. *livĭdus,* bleuâtre, plombé. || **lividité** XIVe s., G.

living-room 1922, *Doc. ;* mot angl., pièce de séjour, de *to live,* vivre.

1. ***livre** 1080, *Roland ; livre de classe,* 1893, *D. G. ; livre de comptes,* 1598, Canal ; *livre d'or,* 1740, *Acad. ; parler comme un livre,* 1665, Molière ; lat. *liber, libri,* aubier (sur lequel on écrivait avant la découverte du papyrus), puis livre. || **livret** 1200, *Règle de saint Benoît.* || **livresque** 1580, Montaigne ; repris au XIXe s. || **ex-libris** 1870, Lar. ; mots latins signif. « tiré des livres ».

2. ***livre** 980, *Passion,* « unité de poids » ; 1080, *Roland,* « monnaie » ; lat. *libra,* mesure de poids.

***livrer** 980, *Passion,* « délivrer » ; 1080, *Roland,* « remettre à qqn » ; lat. *liberare,* laisser partir, puis remettre, livrer. || **livrable** XIVe s. ; rare jusqu'au XVIIIe s. || **livraison** 1155, Wace (*livrison*) ; 1630, Kuhn (*livraison*). || **livrée** 1290, *Livre Roisin,* vêtement fourni par les seigneurs aux gens de leur suite ; XVe s., Basselin, livrée de valet. || **livreur** XIIe s., G., « libérateur » ; XIVe s., G., sens actuel.

lixiviation 1699, Hauberg, chimie ; lat. *lĭxivium,* lessive. || **lixivier** 1893, *D. G.*

lob 1907, Lar. ; mot angl. signif. « coup au-dessus de l'adversaire ». || **lober** 1931, Lar.

lobby 1857, *Revue ;* mot anglo-américain désignant les couloirs du Congrès, puis les groupes de pression ; du germ. *laubja,* tonnelle.

lobe 1363, Chauliac, « lobe de poumon » ; 1611, Cotgrave, « lobe de l'oreille » ; gr. *lobos,* lobe. || **lobé** 1797, Bulliard. || **lobule** 1690, Dionis. || **lobulaire** 1803, Besch. || **lobulé** 1836, Landais. || **lobuleux** 1867, L. || **lobite** 1953, Lar. || **lobaire** 1827, *Acad.* || **lobectomie** 1953, Lar. ; gr. *ektomê,* coupure, amputation. || **lobotomie** 1953, Lar. ; gr. *tomê,* coupure, ablation. || **trilobé** 1783, Bulliard.

lobélie fin XVIIIe s. ; lat. bot. *lobelia,* créé par Linné sur le nom du botaniste flamand *Lobel* (1538-1616).

local adj., 1314, Mondeville, « situé en un lieu » ; n. m., 1743, d'après Trévoux, « lieu » ; 1867, L., « pièce » ; 1699, Brunot, *couleur locale ;* bas lat. *localis,* de *locus,* lieu. || **localité** 1590, Marnix, « lieu » ; 1799, *Procès d'Orgères,* « partie d'une région » ; 1892, Rosier, « ville ». || **localement** 1330, Digulleville (*locaument*) ; XVe s. (*localement*). || **localiser** 1798, Schwan, « adapter » ; 1826, Broussais, « circonscrire ». || **localisable** 1873, Lar. || **localisateur** 1870, Taine. || **localisation** 1803, Boiste.

locanda, locataire V. LOUER 2.

1. **locatif** V. LOUER 2.

2. **locatif** 1836, Landais, gramm. ; lat. *locus,* lieu, d'apr. *accusatif,* etc.

location, locatis V. LOUER 2.

loch 1683, Le Cordier ; néerl. *log,* poutre, bûche ; pièce de bois dont on se sert pour mesurer la vitesse d'un navire.

loche fin XIIIe s., *Renart ;* lat. pop. **laukka,* loche, du gaulois *leuka,* blancheur, à cause de la couleur de ce poisson.

locher fin XIIe s., *R. de Cambrai* (*lochier*), « secouer » ; anc. haut allem. *luggi,* qui branle.

lochies 1694, Th. Corn. ; gr. *lokheia,* accouchement, de *lokhos,* même sens ; terme d'obstétrique.

lock-out 1865, *Journ. des chemins de fer ;* mot angl., de *to lock out,* mettre à la porte. || **lock-outer** 1908, Mackenzie.

loco-, lat. *locus,* lieu, avec la voyelle *o* de composition. || **locomobile** 1808, Boiste. || **locomotif** 1583, Du Bartas (*faculté locomotive*) ; lat. de la Renaissance *loco motivum,* faculté de changer de place. || **locomotive** 1834, *Journ. des femmes ;* de l'adj. *locomotif.* || **loco** 1878, Esnault ; abrév. de *locomotive.* || **locomoteur** 1690, Furetière. || **locomotrice** 1950, *Doc.* || **locomotion** 1771, Brunot. || **locorégional** 1962, Lar. || **locomotif** 1583, Du Bartas. || **locotracteur** 1923, Lar.

locule 1611, Cotgrave, « petite bourse » ; 1765, *Encycl.,* bot. ; lat. *loculus,* compartiment. || **loculaire** 1799, Richard. || **biloculaire** 1771, Trévoux ; sur lat. *bis,* deux fois. || **triloculaire** 1797, Bulliard.

locuste 1120, *Ps. d'Oxford ;* lat. *lŏcŭsta,* sauterelle. || **locustelle** 1794, *Encycl.,* zool., « qui se nourrit de sauterelles ». (V. LANGOUSTE.)

locution 1330, Tobler-Lommatzsch, « paroles » ; 1392, Deschamps, « manière de parler » ; 1680, Richelet, « groupe de mots » ; lat. *locutio,* de *loqui,* parler. || **locuteur** 1933, Damourette et Pichon.

loden 1904, *Illustration ;* mot allem. ; lainage épais et feutré.

lods 1130, *Eneas,* droit de mutation dû au seigneur (approbation donnée par le seigneur) ; réfection de l'anc. fr. *los* (1050, *Alexis*), louange, du lat. *laus, laudis,* avec un *d* graphique.

lœss 1845, Besch. ; allem. *Löss,* limon fin.

lof 1138, *Vie de saint Gilles ;* néerl. *loef,* mar., « côté frappé par le vent ». || **lofer** 1771, Trévoux. || **auloffée** 1777, Lescalier ; de la loc. *aller au lof.* || **louvoyer** 1524, Crignon (*louvier*) ; 1762, Rousseau, fig. || **louvoiement** 1923, Lar., au propre et au fig.

logarithme 1627, *Traité de logarithmes ;* lat. sc. *logarithmus,* créé par l'Écossais Neper (1614), du gr. *logos,* rapport, et *arithmos,* nombre. || **logarithmique** 1690, Huygens.

logatome 1968, Lar. ; gr. *logos,* parole, et *tomos,* morceau coupé.

loge 1138, Gaimar, « abri des animaux » ; 1165, Thomas, « local de gardien » ; XIIIe s., « tribune » ; XVIe s., Havard, théâtre ; XVIIIe s., « pièce » ; *loge maçonnique,* 1740, d'Argenson (la première fut créée à Paris en 1725 ; repris à l'angl.) ; 1845, Besch., « atelier des candidats au prix de Rome » ; *aux premières loges,* 1826, Brillat-Savarin ; francique **laubja* (allem. *Laube,* tonnelle). || **loger** 1138, Gaimar, intr. ; milieu XVe s., transitif. || **logette** 1165, Marie de France. || **logeable** 1460, Chastellain. || **logement** 1260, G. || **logeur** milieu XVe s., J. de Bueil. || **logis** début XIVe s. ; *maréchal des logis,* XVe s. || **déloger** fin XIIe s., *R. de Cambrai.* || **délogement** XIVe s., Duquesne. || **reloger** 1191, *Vengement Alixandre.* || **relogement** 1952, Lar.

loggia 1789, Dutens ; mot ital. signif. « loge ».

logging 1968, Lar. ; mot angl., de *to log,* repérer.

logique n. f., 1265, J. de Meung ; adj., 1536, Chrestien ; lat. *logica, -cus,* du gr. *logikê, -kos,* relatif à la raison (*logos*). || **logicien** XIIIe s., d'Andeli. || **logicisme** 1931, Lar. || **logiquement** 1798, *Acad.* || **logistique** 1598, Bouchet, « qui pense logique » ; 1611, Cotgrave, « partie des math. » ; 1842, *Acad.,* milit. ; 1904, *Rev. de métaphysique,* philos. ; lat. *logisticus,* du gr. *logistikos.* || **logisticien** 1908, Lar. || **alogique** 1611, Cotgrave. || **illogique** 1829, Boiste. || **illogiquement** 1845, Besch. || **illogisme** 1867, L. || **métalogique** 1951, Lalande. || **prélogique** 1910, Lévy-Bruhl.

logo-, gr. *logos,* discours, parole. || **logoclonie** 1968, Lar. ; gr. *klonos,* trouble. || **logographe** 1580, Montlyard ; gr. *logographos,* de *graphein,* écrire. || **logogriphe** 1623, Naudé ; gr. *griphos,* filet de jonc, énigme. || **logomachie** XVIe s., Delb. ; gr. *logomakheia,* de *makhê,* combat. || **logopédie** 1962, Lar. ; gr. *paideia,* éducation. || **logorrhée** 1823, Boiste ; gr. *rheîn,* couler. || **logotype** 1873, Lar.

***loi** 980, *Passion* (*lei*) ; XVIIe s., *loi de nature ; loi martiale,* 1789, Frey ; *homme de loi,* 1718, *Acad. ;* lat. *lex, legis.* (V. LÉGAL.) || **loi-cadre** 1959, Robert.

***loin** 1050, *Alexis ;* lat. *lŏngē ; au loin,* 1050, *Alexis.* || **lointain** début XIIe s., *Voy. de Charl. ;* lat. pop. **longitanus ;* n. m., 1640, Oudin. || **lointainement** 1138, Gaimar. || **éloigner** 1050, *Alexis.* || **éloignement** milieu XIIe s. (V. SOUDAIN.)

***loir** fin XIIe s., Gui de Cambrai ; lat. pop. **līs, -ris,* lat. class. *glīs, gliris ; dormir comme un loir,* XIIIe s. || **lérot** 1530, Palsgrave ; dimin.

***loisir** 1130, *Eneas,* « possibilité de faire ce qu'on veut » ; 1138, Gaimar, « temps libre » ; 1740, *Acad.,* « distraction » ; *à loisir,* 1080, Roland ; anc. verbe *loisir,* être permis (980, *Passion*), du lat. *lĭcēre,* être permis. || **loisible** XIVe s., Foulechat.

lollards XIVe s., G., membres d'une congrégation du Nord ; de l'allem. *lullen,* chantonner à voix basse, à cause de leurs psalmodies.

lolo 1511, Gringore ; redoublement expressif sur la première consonne de *lait.*

lombard début XIIe s., *Roman de Thèbes,* « rustre » ; 1268, É. Boileau, « changeur, usurier » ; de *Lombard* (1190, Garn.), relatif à la Lombardie, les Italiens étant nombreux parmi les prêteurs à gages.

lombes 1120, *Ps. d'Oxford* (*lumbes*) ; 1560, Paré (*lombes*) ; lat. *lŭmbus,* rein, bas du dos. || **lombaire** 1488, *Mer des hist.* || **lombarthose** 1962, Lar.

lombric fin XIIIe s., *Mépris du siècle ;* lat. *lŭmbrīcus.* || **lombricoïde** 1836, Landais.

londrès 1849, *Moniteur universel ;* esp. *londres,* d'après la ville de *Londres ;* cigares fabriqués d'abord à Cuba pour l'Angleterre.

londrin 1510, *Archives ;* drap fabriqué à Londres.

***long** fin Xe s., *Vie de saint Léger* (*lonc*), adj. ; 1188, Aimon, n. m. ; 1700, Leroux, adv. ; *au long,* 1256, Ald. de Sienne ; *de long en large,* fin XVIIe s., Sévigné ; *longue,* n. f., Sévigné, « syllabe longue » ; *scieur de long,* XIVe s. ; lat. *longus* (le fém. a été refait sur le masc.). || **longe** 1175, Chr. de Troyes ; anc. fém. de *long,* du lat. *longa.* || **long-courrier** 1867, L. || **longer** 1170, *Floire et Blancheflor,* « tresser les cheveux » ; 1655, Salnove, vénerie ; 1721, Trévoux, « aller le long ». || **longeron** 1280, *Romania,* « poutre » ; 1873, Lar., « pièce de charpente ». || **longévité** 1777, *Courrier de l'Europe ;* bas lat. *longaevitas* (Ve s.), de *aevum,* âge. || **longicorne** 1827, *Acad.* || **longiligne** 1923, Lar. || **longimétrie** 1632, R. de Normant. || **longitude** 1314, Mondeville, « longueur » ; 1377, Oresme, géogr. ; lat. *longitudo, -inis,* longueur. || **longitudinal** 1314, Mondeville. || **longitudinalement** 1732, d'après Trévoux. || **long-jointé**

1664, Solleysel. || **longotte** 1873, Lar., « drap ». || **longtemps** 980, *Passion.* || **longuement** 1050, *Alexis.* || **longue-vue** 1667, Fournier. || **longuet** adj., 1160, Benoît ; n. m., 1765, *Encycl.,* « marteau » ; 1923, Lar., « pain » ; pl. fin XVIe s., « passages trop longs ». || **longueur** 1119, Ph. de Thaon. || **allonger** XIIe s. ; XXe s., « tuer ». || **allongé** n. m. 1928, Esnault, « mort », argot. || **allonge** XIIIe s. ; déverbal. || **allongeable** 1580, Montaigne. || **allongement** début XIIIe s., d'Herbonnez. || **balonge** début XIVe s. (*baslongue*), « cuveau allongé pour les vendanges » ; avec préf. *bes.* || **élonger** 1131, *Couronn. Loïs.* || **élongation** 1377, Oresme, « éloignement » ; 1538, Canappe, méd. ; lat. *elongatio.* || **rallonger** 1266, G. || **rallonge** 1418, G. || **rallongement** 1453, Monstrelet. (V. BARLONG.)

longanimité fin XIIe s. ; bas lat. *longanimitas* (*Vulgate*) ; de *longus,* patient, et *anima,* âme. || **longanime** 1487, Garbin.

***longe** (*de veau*) 1175, Chr. de Troyes ; lat. pop. **lumbea,* région des reins, de *lumbus,* lombe, reins.

longeron, longévité, longitude V. LONG.

longrine 1716, H. Gautier (*longueraine*) ; ital. *lungarina,* terme de charpente, de *lungo,* long.

longtemps V. LONG.

looch 1530, Gœurot (*lohot*) ; ar. *la'ūq,* petite dose, de *la'aq,* lécher ; potion à base de gomme.

looping 1911, *Écho de Paris ;* ellipse de *looping the loop* (1903, *Nature,* d'apr. un spectacle d'acrobate faisant à bicyclette un tour vertical) ; loc. angl. signif. « action de boucler la boucle ».

lope 1889, Esnault ; abrév. de *lopaille,* inverti, forme de largonji, de *copaille,* même sens, altér. de *copain.* || **lopette** *id.*

lophophore 1813, Temminck ; gr. *lophos,* aigrette, et suffixe *-phore ;* faisan à queue courte.

lopin XIIIe s., Rutebeuf, « petit morceau de nourriture » ; XVe s., Du Cange, « morceau de terre » ; anc. fr. *lope.* (V. LOUPE.)

loquace 1764, Voltaire ; lat. *loquax, -acis,* bavard, de *loqui,* parler. || **loquacité** 1466, G. ; rare jusqu'au XVIIIe s.

loque 1274, Poerck, « mèche de cheveux » ; 1468, Chastellain, « chiffon » ; 1893, Courteline, « individu sans énergie » ; moyen néerl. *locke,* boucle de cheveux. || **loqueteux** 1530, *Contredit de Songecreux.*

loquet 1210, R. de Houdenc ; anc. fr. *loc,* serrure (1190 Garnier), du germ. *loc,* même sens. || **loqueter** XIVe s., Du Cange.

loran 1958, Merrien ; sigle de « LOng Range Aid to Navigation » ; mots angl. signif. « aide à la navigation à grande distance ».

lord 1558, Perlin ; mot angl. signif. « seigneur ». || **lord-maire** 1721, Trévoux ; angl. *lord-mayor.*

lordose 1765, *Encycl. ;* gr. *lordôsis,* courbure ; cambrure anormale de la colonne vertébrale.

lorette 1836, Parent ; du nom de N.-D. de *Lorette,* dans un quartier où habitaient beaucoup de femmes légères.

lorgner 1450, *Romania,* « loucher » ; anc. fr. *lorgne,* louche (1175, Chr. de Troyes), du francique **lurni,* guetter. || **lorgnade** 1713, Hamilton. || **lorgnette** 1694, Ménage, « éventail avec ouverture » ; 1718, *Acad.,* « petite lunette » ; d'apr. *lunette.* || **lorgneur** fin XVIe s., G. || **lorgnon** 1820, Hugo.

lori 1525, A. Fabre (*nori*) ; malais *nori ;* perroquet d'Océanie.

loricaire 1803, Linné ; lat. *lorica,* cuirasse.

loriot 1398, E. Deschamps ; anc. prov. *auriol,* du lat. *aureolus,* adj., couleur d'or, par agglutination de l'article et changement de suffixe. || **compère-loriot** 1606, Nicot ; mot picard ; lyonnais *perloryo,* loriot, du gr. marseillais *purros,* couleur de feu, et *khlôrion,* loriot, de *khlôros,* vert, *per* a été confondu avec *père,* en picard ; s'est substitué à *leurieul,* orgelet, lat. *hordeolus.* (V. ORGELET.)

loris 1765, Buffon ; anc. néerl. *loeris,* clown ; lémuridé.

lorry 1877, L. ; mot angl. d'origine inconnue ; chariot à quatre roues.

***lors** fin XIe s., *Chanson Guillaume ; depuis lors,* 1677, Miege ; *lors même que,* 1710, Fléchier ; lat. *illā horā* (ablatif), à cette heure. (V. OR 2.) || **alors** XVe s. || **lorsque** 1175, Chr. de Troyes ; écrit longtemps en deux mots, le *s* se prononçant tardivement.

losange fém., 1265, J. de Meung ; 1398, *Ménagier,* géométrie ; masc., XVIIIe s. ; gaulois **lausa,* pierre plate, proprem. « en forme de dalle ». || **losangé** fin XIIe s., *l'Escoufle.* || **losanger** 1842, Mozin. || **losangique** 1867, L.

lot 1138, Gaimar, « partie d'un travail » ; XVIe s., Mantellier, « lot d'objets » ; 1680, Richelet, « ce qu'on gagne à la loterie » ;

francique *hlot (gotique *hlauts*), héritage, sort. || **lotir** XIIe s., *Naissance chevalier au cygne*, « présager par sorts » ; XIIIe s., Tobler-Lommatzsch, « partager en lots » ; 1907, Lar., « diviser par des lotissements » ; *bien loti*, 1666, La Fontaine. || **lotissement** v. 1300, « tirage au sort » ; 1724, d'après Trévoux, « répartition par lots » ; 1935, *Acad.*, « parcelle ». || **lotisseur** fin XIIIe s., Géraud. || **allotir** 1611, Cotgrave.

loterie 1538, G. ; ital. *lotteria* ou néerl. *loterije* ; du germ. **hlot*.

lotier 1582, Agneaux, bot. ; lat. *lotus*, mélilot. (V. LOTUS.)

lotion 1372, Golein ; lat. impér. *lotio*, action de laver ; de *lavare*, laver, part. *lautus*, lavé. || **lotionner** 1835, *journ.*

lotir V. LOT.

loto 1732, Trévoux ; ital. *loto*, lot, sort. (V. LOTERIE.)

lotte 1553, Belon ; bas lat. du Xe s., *lota*, du gaulois **lotta*, sorte de poisson.

lotus 1512, Lemaire de Belges (*lote*) ; 1538, Canappe (*lotus*) ; lat. *lotus*, du gr. *lôtos*. || **lotiforme** 1873, Lar.

1. ***louche** adj., 1175, Chr. de Troyes (*lois*) ; le masc. a été refait sur le fém. *losche*, du lat. *lūscus*, borgne. || **loucher** 1608, Régnier. || **louchement** 1611, Cotgrave. || **loucherie** fin XVIIe s., Saint-Simon. || **louchir** 1867, L. || **louchon** 1867, Delvau. || **loucheur** 1829, Boiste.

2. **louche** fin XIIe s., *Geste des Loherains* (*loche*), « bêche » ; XIIIe s., G. (*louce*), « cuiller à long manche » ; francique **lôtja*. || **louchet** 1342, G., « bêche ».

1. ***louer** 980, *Passion* (*laudar*) ; 1080, *Roland* (*loer*) ; lat. *laudare*, faire l'éloge. || **louable** 1120, *Ps. de Cambridge.* || **louange** 1120, *Ps. d'Oxford.* || **louanger** 1155, Wace (*loengier*). || **louangeur** 1570, Thevet. || **loueur** 1190, *Saint Bernard.*

2. ***louer** 1080, *Roland* (*luer*), « avoir, prendre en location » ; lat. *locare*, de *locus*, lieu. || **louage** 1170, *Rois*, « action de prendre en location » ; 1552, R. Est., *de louage*, de location ; 1804, *Code civil*, contrat de louage. || **louée** 1931, Lar., « foire ». || **loueur** 1283, Beaumanoir. || **locanda** 1834, Musset, « maison garnie en Italie » ; mot ital. signif. « maison à louer. || **locataire** XVe s., « personne à gages » ; 1566, Paradin, sens actuel. || **locatif** 1282, Gauchi, « qui est à gages » ; 1636, Monet, jurid. || **location** 1219, G. ; rare jusqu'au XVIIIe s. ; lat. *locatio*. || **locatis** 1680, Richelet (*locati*) ; bas lat. *locaticius*, donné à louer. || ***loyer** 1080, *Roland* (*luer*) ; 1160, Benoît (*loier*) ; lat. *locarium*, loyer d'un emplacement. || **relouer** 1211, *le Bestiaire.* || **sous-louer** 1557, *Doc.* || **sous-location** 1804, *Code Napoléon.* || **sous-locataire** XVIe s.

loufoque 1873, *Gazette des tribunaux* ; de *lof*, nigaud, ital. *loffa* (1790, *Rat du Châtelet*) ou forme de *fou* en largonji avec suffixe emphatique. || **louf** 1848, Esnault. || **louftingue** 1885, Esnault. || **loufoquerie** 1879, *Petite Lune.*

lougre 1781, Mackenzie ; angl. *lugger*, petit bateau de la Manche.

louis 1640, Livet ; abrév. de *louis d'or*, du nom de Louis XIII, qui a cette date fit frapper cette monnaie.

louise-bonne 1690, La Quintinie, d'apr. Ménage (témoignage de Merlet) ; le mot viendrait d'une dame *Louise*, de la terre des Essarts (Poitou).

1. ***loup** 1080 *Roland* (*leu*, forme conservée dans *à la queue leu leu*, *Saint-Leu*, etc.) ; XIe s. (*lou*) ; 1180, *Girart de Roussillon* (*loup*) ; XVe s., *loup marin* ; *à pas de loup*, 1680, Richelet ; lat. *lŭpus* ; *loup* est refait sur le fém. **louve*, où le *v* a empêché le passage de *ou* à *eu* (cf. *Louvre*, du lat. pop. *lŭpăra*). || **loulou** 1678, Rolland, « pou » ; 1867, Delvau, « chien » ; 1793, Hébert (*loup-loup*), « personne aimée » ; redoublement expressif. || **loup-cervier** 1119, Ph. de Thaon ; d'apr. le lat. *lupus cervarius*, loup qui chasse le cerf. || **loup-cerve** XVe s., *Romania.* || **loup-garou** v. GAROU 1. || **louvet** XIIIe s., *Isopet*, « louveteau » ; 1660, Oudin, « de la couleur du loup ». || **louveteau** 1331, *Archives.* || **louveter** XVIe s., Amyot. || **louveterie** XIVe s. (*loveterie*). || **louvetier** 1516, Desrey.

2. **loup** 1858, Gautier, « défaut » ; de *loup* 1. || **louper** 1865, Esnault, « saboter un travail » ; 1916, Barbusse, sens actuel. || **loupeur** 1920, Bauche.

loupe début XIVe s., « pierre précieuse d'une transparence imparfaite » ; XVIe s., méd. ; XVIIe s., optique ; sans doute francique *luppa*, masse informe d'un liquide caillé.

loupiot 1875, Esnault ; var. de *loupiat*. || **loupiat** 1866, Esnault, « flemmard » ; de *louper*, saboter.

***lourd** 1160, *Tristan* (*lort*), « niais, stupide » ; 1556, Thevet, « pesant » ; lat. pop. *lurdus* (VIIe s.), altér. du lat. *luridus*, jaunâtre, blême. || **lourdaud** 1445, Picot ; anc. fr. *lourdel* (XIIIe s.).

|| **lourdement** fin XIIe s., « gauchement » ; 1502, O. de La Marche, « de tout son poids ». || **lourdeur** 1769, Delille. || **lourderie** 1512, Cretin. || **lourdise** XVIe s., G. || **lourdingue** 1940, Esnault. || **alourdir** 1219, G. ; rare jusqu'au XVIIe s. ; a remplacé *alourder.* || **alourdissement** début XIVe s., G.

loure XVe s., « musette » ; 1702, Dufresny, « danse » ; mot de l'Ouest ; bas lat. *lura,* sacoche. || **louré** 1867, L. || **lourer** 1605, Vauquelin de la Fresnaye.

loustic 1762, Voltaire (*loustig*) ; allem. *lustig,* gai ; il a dû être introduit par les régiments suisses, où le *lustig* était le bouffon.

loutre 1112, *Voy. saint Brendan* (*lutre*) ; lat. *lutra ;* il a éliminé la forme pop. *lorre, leurre.* || **loutrerie** 1931, Lar. || **loutrier** XIIIe s., G.

louvoyer V. LOF.

lovelace 1766, Bonnafé ; nom d'un personnage (sens en angl. : « lacs d'amour ») de *Clarisse Harlowe,* roman de Richardson (1749).

lover 1678, Guillet, mar., « mettre un câble en cerceau » ; *se lover,* 1722, Labat ; bas allem. *lofen,* tourner.

loxodromie 1667, G. Fournier ; gr. *loxodromos,* de *loxos,* oblique, et *dromos,* course ; terme de géodésie. || **loxodromique** *id.*

***loyal** 1080, *Roland* (*leial*), « fidèle » ; début XVe s., « conforme à la loi » (sens du lat.) ; lat. *lēgālis* (v. LOI), sens conservé jusqu'au XVIIe s. || **loyauté** fin XIe s., *Lois de Guill.* || **loyalement** 1160, *Tristan.* || **loyalisme** 1839, Boiste ; angl. *loyalism.* || **loyaliste** 1717, de Cize ; angl. *loyalist.* || **déloyal** 1175, Chr. de Troyes. || **déloyauté** fin XIe s., *Lois de Guill.* || **déloyalement** fin XIIe s., Gace Brulé.

loyer V. LOUER 2.

L.S.D. 1961, Galli et Leluc ; sigle de *LySergamiDe.*

lubie 1636, *Muse normande ;* dér. burlesque du lat. *lubere, libere,* faire plaisir.

lubrifier 1363, Chauliac ; lat. *lubricus,* glissant. || **lubrification** 1842, Mozin.

lubrique 1450, *Romania,* qui a remplacé *lubre* (fin XIVe s.) ; lat. *lubricus,* glissant. || **lubricité** 1361, Oresme. || **lubriquement** 1360, Froissart.

lucane 1763, Scopoli ; lat. *lucanus,* cerf-volant.

lucarne 1335, G. (*luquarne*) ; 1398, *Ménagier* (*lucarne*) , prov. *lucana,* lucarne, du francique **lûkinna,* même sens, avec infl. de l'anc. fr. *luiserne,* lumière, du lat. *lucerna,* lampe.

lucernaire 1721, Trévoux, « office du soir » ; lat. *lucerna,* lampe.

lucide 1488, *Mer des hist.,* « qui luit » ; 1787, Féraud, « qui a l'esprit clair » ; lat. *lūcĭdus,* lumineux, de *lux, lucis,* lumière. || **lucidement** XVe s., G., « nettement » ; 1842, Mozin, sens actuel. || **lucidité** 1480, Molinet, « éclat » ; XVIIIe s., « esprit clair ». || **élucider** 1480, *D. G. ;* rare jusqu'au XVIIIe s. ; bas lat. *elucidare,* rendre clair. || **élucidation** 1512, J. Lemaire.

lucilie 1873, Lar. ; lat. scient. *lucilia,* du lat. *lux, lucis,* lumière.

luciole 1704, Trévoux ; ital. *lucciola,* de *luce,* lumière.

lucre 1460, Chastellain, « récompense » ; 1862, Baudelaire, « profit. » ; lat. *lucrum,* profit. || **lucratif** 1265, J. de Meung ; lat. *lucrativus.* || **lucrativement** 1829, Boiste.

ludion 1787, Sigaud de Lafond ; lat. *ludio,* baladin ; appareil de physique.

ludique 1910, Claparède ; lat. *ludus,* jeu. || **ludisme** 1968, Lar.

***luette** fin XIIIe s., *Antidotaire ;* de *l'uette,* du lat. pop. **ūvitta,* dimin. du lat. *ūva,* grappe de raisin. (V. UVAL.)

***lueur** 1112, *Voy. saint Brendan* (*leiur*) ; XIIe s., *Roncevaux* (*luor*) ; lat. pop. **lūcor, -oris,* de *lucere,* luire. || ***luire** 1080, *Roland* (*luisir*) ; 1112, *Voy. saint Brendan* (*luire*) ; lat. *lūcēre,* briller. || **luisant** 1080, *Roland.* || **luisance** 1525, J. Lemaire de Belges. || **luisie** 1902, Lar., bot. || **reluire** 1080, *Roland.*

luge 1902, Lar. ; mot savoyard ; bas lat. *sludia* (IXe s., *Gloss.*), mot prélatin de même rac. que l'angl. *slide,* glisser, et l'allem. *Schlitten,* traîneau ; *luge* est une forme apocopée de **éluge.* || **luger** 1923, Lar.

lugubre 1300, G. ; lat. *lugubris,* de *lugēre,* être en deuil. || **lugubrement** 1606, Crespin.

lumachelle apr. 1750, Buffon ; ital. *lumachella,* dimin. de *lumaca,* limace (ce marbre contient des coquilles fossiles).

lumbago milieu XVIIIe s. ; bas lat. *lumbago* (IVe s., Festus), de *lumbus,* rein.

***lumière** 1080, *Roland,* « embouchure du cor » ; 1170, *Rois,* « clarté » ; 1240, G. de Lorris, « clarté du soleil » ; au pl. XVIIe s., Livet ; lat. *lūmĭnaria,* de *lūmen, -inis,* lumière, pl. de *luminar,* astre, flambeau, passé au fém.

en lat. pop., où il a éliminé *lux* et *lumen.* || ***lumignon** 1155, Wace (*limegnon*), refait en *lumignon* sur *lumière ;* lat. pop. **luminio, -onis,* de *lumen.* || **luminaire** 1120, *Ps. de Cambridge,* « astre » ; 1962, Lar., « moyen d'éclairage » ; lat. chrét. *luminare.* || **luminance** milieu XXe s. || **lumination** fin XIVe s., Deschamps. || **luminescent** 1907, Lar. || **luminescence** fin XIXe s. || **lumineux** 1265, J. de Meung, « qui émet de la lumière » ; fig., 1675, Sévigné ; lat. *luminosus.* || **lumineusement** 1470, *Livre disc.* || **luminisme** 1962, Lar. || **luminosité** 1200, *Règle de saint Benoît.*

lump 1873, Lar. ; mot angl.

lunatique V. LUNE.

lunch 1820, Surr ; mot angl. signif. « morceau, grosse tranche », abrév. de *luncheon* (en fr. 1823, d'Arcieu). || **luncher** 1856, Dumanoir et Biéville.

lundi V. LUNE.

***lune** 1080, *Roland ; lune de miel,* 1805, Senancour, calque de l'angl. ; *vieilles lunes,* 1873, Lar. ; lat. *lūna.* || **lunaison** 1119, Ph. de Thaon ; d'apr. le bas lat. *lunatio.* || **lunaire** 1408, *D. G. ;* 1884, Verlaine, fig. ; lat. *lunaris.* || **lunatique** fin XIIIe s. ; bas lat. *lunaticus* (IVe s., saint Jérôme), « soumis à l'influence de la lune » ; 1611, Cotgrave, « bizarre ». || **luné** 1589, A. de Baïf, « en forme de lune » ; 1867, L., fig. || ***lundi** 1119, Ph. de Thaon ; lat. pop. **lunis dies* (lat. *lunae-*), jour de la lune. || **lunule** 1694, Ozanans ; lat. *lunula,* petite lune. || **lunure** 1842, Mozin. || **lunulite** 1817, *Dict. hist. nat.* || **demi-lune** 1550. || **alunir** 1921, Nordmann. || **alunissage** v. 1960. || **sublunaire** 1548, Rab. ; bas lat. *sublunaris.*

lunette fin XIIe s., *Escoufle,* « objet rond » ; 1280, *Vie sainte Paule,* « verre de miroir » ; 1637, Descartes, « instrument d'optique » ; 1398, Gay, pl., lunettes faites avec des verres ronds (à Florence) ; diminutif de *lune.* || **lunetier** 1508, *Anc. Poésies.* || **lunetterie** 1872, Lar. || **lunetière** 1789, *Encycl.*

lupanar 1532, Rab. ; lat. *lupanar,* lieu de débauche, dér. de *lupa,* louve, prostituée.

lupin XIIIe s., *Simples Médecines ;* lat. *lupinus,* (pois) de loup ; plante cultivée comme fourrage. || **lupinose** 1931, Lar.

lupuline 1789, *Encycl. méth.* (*luzerne lupuline*) ; lat. bot. mod. *lupulus,* houblon (petit loup).

lupus 1363, Chauliac ; mot du lat. méd., où *lupus,* loup, avait pris le sens de « ulcère » dès le Xe s.

lurette 1877, L., dans *il y a belle lurette,* altér. de *il y a belle heurette,* dimin. de *heure* (1119, Ph. de Thaon).

luron XVe s., Martial de Paris ; var. de *lureau,* bélier, mot du Centre, origine onomat. || **luronerie** 1867, Sainte-Beuve.

lustral 1355, Bersuire ; rare jusqu'au XVIIIe s. ; lat. *lustralis,* de *lustrare,* purifier. || **lustration** *id.*

1. **lustre** 1213, *Fet des Romains,* « sacrifice tous les cinq ans » ; 1611, Cotgrave, « période de cinq ans » ; lat. *lustrum,* sacrifice expiatoire qui avait lieu tous les cinq ans.

2. **lustre** fin XVe s., « éclat des étoffes » ; fin XVe s., « éclat de qqn » ; 1668, La Fontaine, « lampadaire » ; ital. *lustro,* de *lustrare,* éclairer, d'une autre rac. que *lustrare,* purifier. || **lustrage** 1670, Depping. || **lustrer** fin XVe s., « rendre brillant ». || **lustreur** 1671, Pomey. || **lustrier** 1802, *Acad.* || **lustroir** 1723, Savary. || **lustrine** 1730, Savary ; ital. *lustrina,* de *lustro.* || **délustrer** XVIIe s.

lustrine V. LUSTRE 2.

lut XIIIe s., G. ; lat. *lutum,* limon. || **luter** 1560, Paré ; lat. *lutare,* enduire de terre. || **lutage** 1931, Lar. || **lutation** 1752, Trévoux. || **déluter** milieu XVIIe s.

lutéine 1888, Lar. ; lat. *luteus,* jaune, de *lutum,* sarrette. || **lutéinique** v. 1950.

luth 1265, J. de Meung (*leüt*) ; ar. *al-'ūd,* peut-être par l'intermédiaire du prov. || **lutherie** 1767, *Encycl.* || **luthier** 1649, Delb. || **luthiste** 1895, *Grande Encycl.*

luthérien 1594, *Ménippée ;* du nom de Luther. || **luthéranisme** 1704, Bourdaloue.

lutin 1564, J. Thierry ; sans doute altér. de *nuitum* (fin XIe s., *Gloses de Raschi*), du lat. *Neptunus,* dieu de la mer, rangé ensuite parmi les démons ; devenu *nuiton* (XIIe s.), d'apr. *nuit,* et *luiton* (1160, Benoît), d'apr. *luitier,* lutter, puis *luton, lutin* par changement de suffixe. || **lutiner** 1585, N. Du Fail. || **lutinerie** 1772, Dorat.

lutrin 1131, *Couronn. Loïs* (*letrin,* encore au XVIIe s.) ; 1606, Nicot (*lutrin*) ; lat. eccl. *lēctrinum,* dimin. de *lēctrum,* pupitre (pour lire), d'après Isid. de Séville (VIIe s.) de *legere,* lire.

***lutter** 1080, *Roland* (*loitier, luitier*) ; lat. *lūctare.* || **lutte** 1155, Wace (*luite*) ; XVIe s. (*lutte*) ; déverbal. || **lutteur** 1120, *Job* (*luiteor*) ; 1530, Marot (*lutteur*).

lux 1923, Lar. ; mot lat. signif. « lumière ». || **luxmètre** 1931, Lar.

luxe 1581, L'Estoile ; lat. *luxus.* || **luxueux** 1771, *Année litt.* || **luxueusement** 1845, Richard. || **luxure** 1119, Ph. de Thaon (*luxurie*) ; 1131, *Couronn. Loïs* (*luxure*) ; lat. *luxuria,* surabondance, débauche, de *luxus,* luxe. || **luxurieux** 1119, Ph. de Thaon ; lat. *luxuriosus.* || **luxuriant** 1540, Doré ; lat. *luxurians,* de *luxuriari,* surabonder. || **luxuriance** 1752, Trévoux.

luxer 1560, Paré ; lat. *luxare.* || **luxation** 1538, Canappe ; bas lat. *luxatio.* || **subluxer** 1964, Lar. || **subluxation** 1855, Nysten.

luxure, luxuriant V. LUXE.

luzerne 1566, Du Pinet (*lauserne*) ; 1600, O. de Serres (*luzerne*) ; prov. mod. *luzerno,* ver luisant, du lat. *lucerna,* lampe, parce que les graines de luzerne sont brillantes. || **luzernière** 1600, O. de Serres.

luzule 1827, *Acad.* ; lat. scient. *luzula,* de l'ital. *luzuola.*

lycanthrope V. LYC(O)-.

lycaon 1552, Rab. ; lat. *lycaon,* gr. *lukaôn,* loup d'Éthiopie.

lycée 1534, Des Périers (*lyceon*), sens hist. ; 1798, *Acad.,* « lieu consacré à l'instruction » ; 1807, Brunot, « établissement scolaire » ; remplacé en 1815 par *collège royal,* rétabli en 1848 ; lat. *lyceum,* du gr. *Lukeion,* gymnase où Aristote tenait son école. || **lycéen** 1819, Béranger.

lychnis 1562, Du Pinet ; lat. *lychnis,* du gr. *lukhnis,* de *lukhnos,* flambeau. || **lychnide** 1789, *Encycl. méthod.*

lyciet 1751, *Encycl.* (*lycium*) ; lat. bot. *lycium,* du gr. *lukion,* nerprun.

lyc(o)-, gr. *lukos,* loup. || **lycanthrope** 1558, Boaistuau ; gr. *lukanthrôpos* (*anthrôpos,* homme). || **lycanthropie** 1564, Marcouville ; gr. *lukanthrôpia.* || **lycope** 1762, *Acad.* (*lycopus*), bot. ; gr. *pous, podos,* pied. || **lycoperdon** 1803, *Dict. hist. nat.* ; gr. *perdeîn,* péter ; champignon dit « vesse-de-loup ». || **lycopode** 1750, Geoffroy ; lat. bot. *lycopodium,* du gr. *pous, podos,* pied ; plante velue comme une patte de loup.

lymphe fin XVe s., G., « eau » ; 1673, Barles, anat. ; lat. *lympha,* eau claire. || **lymphadénie** 1902, Lar. ; gr. *adên, adenos* ; glande. || **lymphangite** début XIXe s. ; gr. *aggeion,* vaisseau. || **lymphatique** 1546, Rab., « fou » ; 1671, Rohault, anat. ; 1838, Balzac, « sans énergie » ; lat. *lymphaticus,* délirant. || **lymphatisme** 1852, *journ.* || **lymphocèle** 1962, Lar. ; gr. *kêlê,* tumeur. || **lymphocyte** 1907, Lar. || **lymphocytose** 1907, Lar. ; gr. *kutos,* cellule. || **lymphoïde** 1878, Lar. || **lymphome** 1878, Lar. || **lymphorragie** 1867, Lar.

lynch 1837, Stendhal (*loi de Lynch*) ; calque de l'angl. *lynch-law,* du nom d'un fermier de Virginie (1736-1796), qui avait institué un tribunal privé. || **lynchage** 1883, d'Haussonville. || **lyncher** 1861, *le Charivari.* || **lyncheur** 1892, *Rev. brit.*

lynx XIIe s., G. (*linz*) ; XIVe s. (*lynx*) ; mot lat., du gr. *lunx.*

lyo-, gr. *luein,* dissoudre. || **lyocyte** 1931, Lar. ; gr. *kutos,* objet creux. || **lyophile** 1931, Lar. || **lyophiliser** 1953, Lar.

lyre 1155, Wace (*lire*) ; 1548, Forcadel (*lyre*) ; lat. *lyra,* du gr. *lura.* || **lyrique** 1495, J. de Vignay, litt. ; 1751, Voltaire, mus. ; XIXe s., fig. ; lat. *lyricus,* du gr. *lurikos.* || **lyriquement** 1959, Robert. || **lyriser** 1862, Mallarmé. || **lyrisme** 1834, Boiste.

lyrique V. LYRE.

lysi-, gr. *lusis,* action de délier. || **lysigène** 1888, Lar. || **lysine** 1962, Lar. || **lysogène** 1968, Lar. || **lysosome** *id.*

lysimachie 1550, Guéroult. || **lysimaque** 1803, *Dict. hist. nat.,* « plante » ; lat. *lysimachia,* du gr. *lusimakhia,* dér. du nom d'un médecin grec, *Lusimakhos.*

m

maboul 1830, Esnault ; ar. algérien *mahboûl,* mot de la « langue franque » d'Algérie ; passé dans l'argot militaire, puis dans le lexique populaire. || **maboulisme** 1902, Lar.

mac V. MAQUEREAU 1.

macabre 1832, Jacob, qui évoque la mort ; de *danse macabre* (1832), altér. de *danse macabré* (XVe s.), la danse des morts (déjà J. Le Fèvre, 1376 : « Je fis de Macabré la danse »), avec une forme *macabré,* var. de *macabé,* du nom des *Macchabées,* héros bibliques dont le culte était rattaché à celui des morts ; à rapprocher p.-ê. de la racine arabo-hébraïque *qbr,* enseveli. || **macabrement** 1887, Goncourt.

macach(e) 1861, Esnault (*makach*) ; ar. d'Algérie *mâ-kânch,* il n'y a pas ; passé dans l'argot militaire, puis dans le lexique populaire.

macadam 1830, Coste-Perdonnet (*route à la Mac Adam*) ; 1839, Bonnafé (*macadam*) ; du nom de l'Écossais *Mac Adam* (1756-1836), son inventeur. || **macadamiser** 1828, *Journ. des haras.* || **macadamisage** 1827, Tollenare. || **macadamisation** 1830, Tissot.

macaire fin XIVe s., Deschamps ; du héros de la chanson de geste *Macaire,* traître.

macaque 1654, Boyer (*mecou*) ; 1680, Richelet (*macaque*) ; port. *macaco,* mot africain importé au Brésil ; singe d'Afrique.

macareux 1770, Buffon ; origine inconnue, p.-ê. de *macreuse.*

macaron 1552, Rabelais, gâteau ; ital. du Nord *macarone,* quenelles, du gr. *makaria,* potage d'orge. || **macaroni** 1650, Ménage ; vulgarisé au XVIIIe s. ; plur. de l'ital. *macarone,* devenu un nom collectif.

macaronique 1546, Rabelais ; ital. *macaronico,* de *macaronea,* pièce de vers en style macaronique, dér. de *macarone.* (V. MACARON.)

macchabée 1856, F. Michel, cadavre, arg. médic., puis pop. ; du patronyme *Macchabée* (v. MACABRE). || **macabe** 1856, Esnault ; altération commune de *Macchabée* et de *macabre,* qui a p.-ê. facilité un croisement de leurs sens.

macédoine 1742, Marin, mets ; 1771, Bachaumont, litt. ; du nom de l'empire d'Alexandre, composé de pays très divers.

macérer 1403, *Internele Consolacion,* « mortifier la chair » ; 1560, Paré, faire tremper ; lat. *macerare,* faire tremper, d'où en lat. eccl. « consumer moralement ». || **macération** 1495, J. de Vignay ; lat. *maceratio.* || **macérateur** 1873, Lar., techn.

maceron 1549, R. Est., bot. ; ital. *macerone,* probablem. altér. du lat. *macedonicum,* (persil) de Macédoine.

macfarlane 1859, *Monde illustré ;* du nom de *Mac Farlane,* l'inventeur présumé de cette sorte de manteau.

machaon 1842, *Acad.,* zool. ; lat. scient. *machaon,* de *Machaon,* nom mythol. ; papillon d'une grande beauté.

mâche 1611, Cotgrave, variété de salade ; probablem. altér., par attraction de *mâcher,* de *pomache* (XVIe s., *Romania*), p.-ê. d'un dér. en *-asca* du lat. *pomum.*

mâchefer 1206, Guiot de Provins ; p.-ê. de *mâche,* déverbal de *mâcher,* écraser, et de *fer* (à cause de sa dureté).

mâchelier 1120, *Ps. de Cambridge* (*mascheleres,* fém.) ; 1611, Cotgrave (*mâchelier*), anat. ; altér., d'après *mâcher,* de l'anc. fr. *maisseler,* lat. *maxillaris,* de *maxilla,* mâchoire. (V. MAXILLAIRE.)

***mâcher** 1190, G. (*maschier*), broyer ; 1611, Cotgrave, fig. ; lat. impér. *mastĭcare* (IIe s., *Apulée*) ; *papier mâché,* 1773, Voltaire. || **mâche-bouchon** 1873, Lar. || **mâcheur** 1560, Paré. || **mâchoire** fin XIIe s., *Roman de Renart* (*machouere*) ; 1680, Richelet, mâchoire d'un étau. || **mâchonner** 1520, Gringore. || **mâchon-**

nement 1832, Raymond. || **mâchonneur** 1842, *Acad.* || **mâchiller** XIIIe s. || **mâchouiller** 1894, Sachs-Villatte. || **remâcher** 1538, R. Est. || **remâchement** *ibid.* (V. MÂCHEFER, MÂCHURE.)

machiavélique 1578, Marnix ; du nom de *Machiavel,* écrivain et homme d'État florentin (1469-1527). || **machiavéliquement** 1836, *Acad.* || **machiavélisme** 1611, Cotgrave.

machicot 1391, G., « mauvais chantre » ; de *machicoter,* mâcher lentement. || **machicotage** 1694, Ménage.

mâchicoulis 1402, G. (*machecolis*) ; de *machicop,* mâchicoulis (1358, G.) ; var. de **machicol,* écrase col, de *mâcher* et de *col.*

machine 1361, Oresme, assemblage de l'univers ; 1559, Amyot, sens mod. ; lat. *machina,* du gr. dorien *makhana,* invention ingénieuse. || **machine-outil** 1867, L. || **machiner** XIIIe s., *les Sept Sages.* || **machination** fin XIIe s., *Roman d'Alexandre.* || **machinateur** 1460, Chastellain. || **machinal** fin XVIIe s., Fontenelle, relatif aux machines ; 1731, Voltaire, sens actuel. || **machinalement** 1718, *Acad.* || **machineur** 1884, Zola ; remplacé par *mécanicien.* || **machinerie** XIVe s., G., ensemble de moyens ; 1805, Struve, construction de machines ; 1867, L., ensemble de machines. || **machin** 1808, d'Hautel, pop. || **machinisme** 1742, Mairan, combinaison de machines ; 1931, Lar., sens actuel. || **machiniste** 1643, Delb., constructeur de machines ; 1678, La Fontaine, théâtre ; 1694, *Acad.,* conducteur.

mâchoire, mâchonner, mâchouiller V. MÂCHER.

mâchure 1472, Du Cange (*macheüre*) ; de l'anc. fr. *macher,* écraser, d'orig. obsc., écrit *-â-,* d'après *mâcher.* || **mâchurer** 1842, Mozin, fouler, techn.

1. **mâchurer** V. MÂCHURE.

2. **mâchurer** fin XIIe s., *Aliscans* (*mascurer*), barbouiller ; en anc. fr., var. *mascherer ;* lat. pop. **mascarare,* noircir avec de la suie, postulé par le catalan *mascarar,* du rad. **mask,* d'orig. obscure (v. MASQUE 1, MASCARADE, etc.). || mâchurat 1690, Furetière.

macis 1256, Ald. de Sienne (*macie*) ; 1358, G. (*macis*), bot. ; bas lat. *macis,* du lat. class. *macir,* écorce aromatique de l'Inde.

mackintosh 1842, E. Sue ; mot angl., du nom de l'inventeur, *Mac Intosh* (1766-1843).

macle 1293, G., maille de filet ; fin XIIIe s., blas. ; 1690, Furetière, minér. ; francique **maskila,* dimin. de **maska,* même sens. || **maclé** 1795, Delambre. || **macler (se)** 1807, Brongniart.

maçon 1155, Wace ; lat. médiév. *machio* (VIIe s., Isid. de Séville ; pl. *mationes,* VIIIe s., *Reichenau*) ; francique **makjo,* de **makôn,* préparer l'argile pour la construction (cf. all. *machen*) ; adj., 1752, Trévoux. || **maçonner** XIIe s., *Huon de Bordeaux.* || **maçonnage** 1240, Delb. || **maçonnerie** 1280, Villard de Honnecourt. || **maçonnique** V. FRANC-MAÇON.

macquer 1723, Savary ; var. de *mâcher,* outil. || **macque** 1732, Liger. || **macquage** 1867, L.

macre 1220, Coincy (*macle*), bot. ; orig. inconnue.

macreuse 1642, Oudin, ornith. ; 1893, *D. G.,* viande maigre de l'épaule ; adapt. du norm. *macroule,* var. *macrolle* (XIIIe s.), probabl. du frison *markol* ou du néerl. *meerkol,* issu du néerl. *meerkot* (cf. angl. *coot*).

macro-, gr. *macros,* grand. || **macrocéphale** 1556, Delb. ; gr. *makrokephalos,* de *kephalê,* tête. || **macrocéphalie** 1840, *Acad.* || **macrocole** 1867, L. ; gr. *makrokôlos,* de *kôlon,* membre. || **macrocontexte** 1972, Lar. || **macrocosme** 1265, J. de Meung ; d'après *microcosme.* || **macrocyste** 1959, Robert. || **macroéconomie** 1958, Romeuf. || **macroglosse** 1828, Mozin. || **macrographie** 1923, Lar. || **macromolécule** 1953, Lar. || **macromoléculaire** 1953, Lar. || **macrophage** 1902, Lar. || **macropode** 1827, *Acad. ;* sur *-pode.* || **macroscopique** 1874, *le Progrès médical ;* d'après *microscopique.* || **macrospore** 1842, *Acad.* || **macrospore** 1842, *Acad.* || **macroure** 1802, Latreille ; gr. *oura,* queue.

maculer 1120, *Ps de Cambridge ;* lat. *maculare,* de *macula,* tache. || **macula** 1900, *Grande Encycl.* || **macule** fin XIIIe s., Aimé ; lat. *macula.* || **maculature** 1567, Junius. || **maculage** 1820, Lesné. || **maculation** *id.* || **immaculé** 1400, *Passion d'Arras,* eccl. ; lat. *immaculatus.*

madame V. DAME 1.

madapolam 1823, Boiste ; du nom d'une ville de l'Inde où cette étoffe était fabriquée.

madéfier 1765, *Encycl. ;* lat. *madefacere,* macérer, de *madēre,* être mouillé. || **madéfaction** *id.*

madeleine 1845, Besch., sorte de gâteau ; orig. inconnue, d'après Besch. du nom de *Madeleine* Paulmier, cuisinière de Mme de Barmon. || **pêche-madeleine** 1715, La Quintimie, nom donné à diverses variétés précoces de fruits qui mûrissent vers la Sainte-Madeleine (22 juillet). || **madelonnette** 1690, Furetière, femme de mauvaise vie.

mademoiselle V. DEMOISELLE.

madone 1643, Oudin ; ital. *madonna,* dénomination de la Vierge.

madrague 1679, Colbert, enceinte de filets ; prov. *madrago,* de l'ar. *mazraba,* enceinte.

madras fin XVIIIe s. ; du nom de *Madras,* ville de l'Inde, où l'on fabriquait cette étoffe.

madré XIVe s., Cuvelier, veiné, moucheté ; de l'anc. fr. *masdre, madre* (XIIIe s.), bois veiné, d'après l'anc. haut all. *masar ;* 1591, L'Estoile, fig., par comparaison avec l'aspect varié du bois madré. || **madrure** 1555, Belon.

madrépore 1671, Boccone ; ital. *madrepora,* de *madre,* mère, et *poro,* pore (a désigné d'abord les canaux de cet agrégat de polypes). || **madréporique** 1812, Breislak. || **madréporaire** 1873, Lar.

madrier 1382, Delb. (*madret*) ; 1578, d'Aubigné (*madrier*) ; altér. du prov. *madier,* couvercle de pétrin, du lat. **materium,* de *materia,* bois de construction. (V. MATÉRIAUX, MATIÈRE, MERRAIN.)

madrigal 1541, Aneau (*madrigale*) ; ital. *madrigale,* morceau de musique à plusieurs voix, du bas lat. *materialis,* formé de matière. Jusqu'au XVIIe s., a désigné un morceau de musique vocale. || **madrigalesque** 1767, Rousseau. || **madrigaliser** 1851, Murger.

maestro 1824, Stendhal, compositeur ; 1935, *Acad.,* chef d'orchestre ; mot ital. signif. « maître ». || **maestria** 1848, Gautier, beaux-arts ; 1873, Lar., fig. ; mot ital. signif. « maîtrise ».

maffia 1875, L. (*mafia*) ; mot sicilien, d'orig. obscure, désignant une association secrète de malfaiteurs. || **maffioso** 1968, Lar.

mafflu 1666, Furetière (*mafflé*) ; 1668, La Fontaine (*mafflu*) ; issu des parlers du Nord ; du moy. fr. *mafler,* manger beaucoup ; du néerl. *maffelen,* mâchonner.

magasin XIVe s., *Chron. de Boucicaut ;* ital. *magazzino,* de l'ar. *makhâzin,* dépôts, bureaux. A remplacé *boutique* au XIXe s. (1806, Millin, *Dict.*). || **magasinage** 1675, Savary. || **magasinier** fin XVIIe s., Saint-Simon. || **emmagasiner** 1762, *Acad.*

magazine 1776, *Journal anglais* (au fém.) ; mot angl., lui-même du fr. *magasin,* avec changem. de sens.

mage 1131, *Couronn. Loïs ;* 1487, Pansier, en provençal, roi mage ; lat. *magus,* gr. *magos,* d'orig. iranienne ; XVIe s., Amyot, sorcier. || **magie** 1535, de Selve ; lat. *magia,* du gr. *mageia,* religion des mages. || **magicien** XIVe s., « qui pratique la magie » ; 1690, Furetière, « qui fait des choses extraordinaires ». || **magique** 1265, J. de Meung ; lat. *magicus,* gr. *magikos.* || **magiquement** 1521, *Violier des histoires romaines.* || **magisme** 1697, d'Herbelot.

maghrébin 1873, Lar. (*maugrabin, magrabin*), habitant de la Barbarie, donné comme vieux ; 1955, *journ.* (*maghrebin, maghrebien*). || **Maghreb** 1842, *Acad.,* nom arabe de l'Afrique du Nord, proprem., « le Couchant ».

maghzen 1866, L. ; ar. *makhzan,* dépôt, bureau, puis « trésor ».

magicien, magique V. MAGE.

magister XVe s., La Curne ; lat. *magister,* qui commande, enseigne. || **magistère** 1170, *Rois ;* lat. *magisterium,* de *magister,* maître. || **magistral** 1265, Br. Latini ; lat. *magistralis,* de *magister,* maître. || **magistralement** 1395, Chr. de Pisan. || **magistrat** 1355, Bersuire, fonction publique ; 1538, R. Est., officier civil ; 1549, R. Est., sens actuel ; lat. *magistratus* aux deux sens de *magister,* maître. || **magistrature** 1472, Bartzsch, fonction administrative ; 1636, Monet, fonction judiciaire.

magistral, magistrat V. MAGISTER.

magma 1694, Th. Corn., pharm. ; 1879, Fouqué, géol. ; 1931, Lar., « masse informe » ; lat. *magma,* du gr. *magma,* de *mattein,* pétrir. || **magmatique** 1931, Lar.

magnanerie 1823, Bonafous ; provençal mod. *magnanarié,* de *magnan,* ver à soie (1771, Trévoux) ; élevage de vers à soie. || **magnanier** 1839, Boiste.

magnanime 1265, Br. Latini ; lat. *magnanimus,* « qui a une grande âme », de *magnus,* grand, et *animus,* esprit. || **magnanimement** 1525, J. Lemaire de Belges. || **magnanimité** 1265, Br. Lar. ; lat. *magnanimitas,* grandeur d'âme.

magnat 1547, Du Fail, grand de Pologne ou de Hongrie ; mot polonais, du lat. de la Vulgate *magnates,* les grands ; 1895, P. Bourget, financier important, repris en ce sens de l'angl.

magnate, lui-même issu du premier emploi français (1760, Brunot).

magnésie 1555, Aneau, magnésie noire ou peroxyde de manganèse ; 1762, *Acad.*, magnésie blanche ou oxyde de magnésium ; lat. médiév. *magnesia,* du lat. *magnes* (*lapis*), pierre d'aimant, gr. *magnes* (*lithos*), pierre de Magnésie, région d'Asie Mineure riche en aimants naturels, auxquels ressemble, par sa forme et sa couleur, la magnésie noire. || **magnésien** 1620, Lamperière. || **magnésique** 1840, *Acad.* || **magnésite** 1795, Delamétherie. || **magnésium** 1818, Riffault.

magnétique 1617, de La Noue ; lat. *magneticus,* de *magnes,* aimant (v. le préc.) ; 1835, Balzac, fig. || **magnétiquement** 1634, Stevin. || **magnétisme** 1666, *Journ. des savants ; magnétisme* (*animal*), 1775, Beaumarchais, pouvoir d'endormir quelqu'un ; 1787, Galiani, attrait mystérieux. || **magnétiser** 1784, Beaumarchais, endormir par magnétisme ; 1835, Vigny, fig. || **magnétiseur** 1784, Beaumarchais. || **magnétisation** 1784, Gohin. || **magnétite** 1878, Lar. || **antimagnétisme** 1818. || **antimagnétique** 1866, Lar. || **magnéto-**, premier élém. de composé depuis 1784, *Journ. de méd.* || **magnéto** n. f., 1891, Laboulaye ; abrév. de (*machine*) *magnéto-électrique.* || **magnétomètre** 1780, Saussure. || **magnétophone** 1888, Lar. || **magnétoscope** 1950, *journ.* || **magnétostriction** 1949, Lar. || **magnétron** 1949, Lar.

magnificat fin XIIIe s., Condé ; lat. *magnificat,* 3e pers. sing., indic. prés. de *magnificare,* magnifier ; cantique de la Vierge chanté aux vêpres.

magnifier 1120, *Ps. de Cambridge ;* lat. *magnificare,* de *magnus,* grand. || **magnificence** 1265, Br. Latini ; lat. *magnificentia,* de *magnus,* grand. || **magnifique** 1265, Br. Latini, généreux ; fin XVe s., splendide ; lat. *magnificus.* || **magnifiquement** 1355, Bersuire. || **magnitude** 1372, Corbichon, grandeur, désuet après le XVIe s. ; 1915, Lar., repris en astr. ; lat. *magnitudo,* de *magnus,* grand.

magnolia 1752, Trévoux ; lat. scient. *magnolia* (1703, Ch. Plumier) ; du nom du botaniste *Magnol* (1638-1715). || **magnolier** fin XVIIIe s. || **magnoliées, magnoliacées** 1817, Gérardin.

magnum 1907, Lar., bouteille de deux litres ; lat. *magnum,* grand, au neutre.

1. **magot** 1549, R. Est. (*magault*), argent en réserve ; de l'anc. fr. *mugot* (var. *musgode,* 1050, *Alexis*), lieu où l'on conserve les fruits, germ. **musgauda,* provision (à rapprocher de *mijoter*).

2. **magot** 1476, Molinet (plur. *magos*), singe ; 1517, Picot, fig. ; mot tiré par plaisanterie, à cause de la laideur, de *Magog,* nom propre hébreu, associé à *Gog,* pour désigner dans l'Apocalypse, XX, 8, puis au Moyen Âge, des peuples orientaux hostiles aux chrétiens.

mahaleb 1530, Rab. (*maguelet*) ; 1561, Du Pinet (*mahaleb*) ; ar. *mahleb,* espèce de cerisier.

maharadja 1758, Lokotsch (*marrajah*) ; mot hindî, de *maha,* grand, et *raja,* roi.

mah-jong 1926, Giraudoux ; mots chinois signif. « je gagne » ; jeu chinois.

mahométan 1594, *Satire Ménippée* (*mahumétan*) ; 1662, Pascal (*mahométan*) ; de *Mahomet,* forme francisée de l'ar. *Mohammed.* || **mahométisme** fin XVIe s., d'Aubigné.

mahonia 1829, Boiste ; lat. scientif. *mahonia,* de *Port-Mahon,* port des Baléares.

mahonne 1553, Belon, bateau turc ; 1873, Lar., chaland ; esp. *mahona,* de l'ar. *ma'on,* vase.

***mai** 1080, *Roland ;* lat. *maius* (*mensis*) ; 1572, Peletier, arbre de mai.

***maie** fin XIe s., *Gloses de Raschi* (var. *mait, mai, mée, met*), huche, pétrin ; de l'acc. lat. *magidem,* de *magis,* empr. au grec.

maïeutique 1873, Lar. ; gr. *maieutikê,* au sens socratique de « art d'accoucher l'esprit ».

***maigre** 1160, Benoît ; fin XVe s., Commynes, peu important ; fin XIVe s., n. m., poisson ; lat. *macer,* acc. *macrum.* || **maigrelet** 1579, Ronsard. || **maigrement** 1273, Adenet. || **maigreur** 1373, *Trad. de P. Crescens.* || **maigriot** 1876, Daudet. || **maigrichon** 1869, Vallès. || **maigrir** début XVIe s. || **amaigrir** XIIe s. || **amaigrissement** début XIVe s.

***mail** 1080, *Roland,* masse, marteau ; 1636, Monet, jeu de croquet ; 1680, Richelet, promenade publique où l'on jouait au mail ; lat. *mallĕus,* marteau. || **mailloche** 1409, Du Cange. || **maillotin** 1380, G. || **mailler** XIIe s., G., techn. || **maillage** 1962, Lar. || **maillet** fin XIIIe s., *Renart.* || **mailleter** milieu XIVe s., Digulleville. || **mailleton** 1551, Cotereau. || **mailloir** 1751, *Encycl.* (V. CHAMAILLER.)

mail-coach 1802, *Moniteur ;* mot angl. signif. « coche transportant le courrier ».

1. ***maille** 1080, *Roland,* boucle de fil ou de métal ; lat. *macŭla,* maille (et aussi « tache » ; v. MACULER, MAILLURE, MAQUILLER). || **mailler**

XIIe s., *Parthenopeus.* || **maillon** 1551, Cotereau. || **maillure** 1671, Pomey. || **démailler** 1080, *Roland.* || **démaillage** 1907, Lar. || **remailler** ou **remmailler** 1660, Oudin. || **remaillage** ou **remmaillage** 1836, Landais. || **remailleur, -euse** 1932, Lar. || **maillot** XIIe s., G. (*maillol, mailloel*) ; 1580, Montaigne (*maillot*). || **démailloter, emmailloter** XIIe s., *Naissance chevalier au cygne.* || **emmaillotement** 1580, Montaigne.

2. ***maille** 1138, Gaimar, demi-denier, employé auj. dans les loc. *ni sou ni maille* (1778, Voltaire), *avoir maille à partir* (à partager, 1665, Molière) ; lat. pop. *medalia,* altér. de *medialia,* plur. neut., pris comme fém. sing., de *medialis,* dér. de *medius,* demi.

maillechort 1829, Boiste (*maillechorl*) ; du nom des inventeurs, *Maillot* et *Chorier,* ouvriers lyonnais.

mailler, maillet, mailloche, maillon, maillot, maillure V. MAIL, MAILLE.

***main** 980, *Passion ;* lat. *manus.* || **manette** 1215, Pean Gatineau, petite main ; 1803, Boiste, techn. || **maneton** 1893, *D. G.* || **menotte** fin XVe s. (*manotte*), « petite main » ; 1474, *Mystère,* pl., « entraves » ; dimin. de *main.* || **main-forte** 1360, Froissart. || **mainlevée** fin XIVe s. || **mainmise** 1342, *Cartulaire,* droit féodal ; 1904, Lar., prise de possession. || **mainmorte** 1252, Bevans ; d'après l'empl. jurid. de *main* au sens de « possession ». || **mainmortable** 1372, *Ordonn.* || **main-d'œuvre** 1706, Boislisle. || **sous-main** 1872, L. (V. MANIER.)

mainate 1867, L. ; mot malais.

maint début XIIe s., *Voy. de Charl. ;* germ. *manigipô-,* grande quantité.

maintenant V. MAINTENIR.

***maintenir** 1130, *Eneas ;* lat. pop. **manutenēre,* « tenir avec la main », de *manu,* abl. de *manus,* main, et de *tenere* (v. TENIR). || **maintenant** adv., XIIe s., G., aussitôt ; XIIIe s., à présent. || **maintenance** 1155, Wace, soutien ; 1962, Lar., sens actuel. || **maintien** XIIIe s., A. de La Halle. || **mainteneur** 1155, Wace, protecteur ; début XVe s., dignitaire des jeux Floraux. || **maintenue** 1466, Michault.

maintien V. MAINTENIR.

***maire** 1080, *Roland,* comme comparatif de *grand ;* 1283, Beaumanoir, magistrat municipal ; 1789, *Moniteur,* maire de Paris ; lat. *major,* comparatif de *magnus.* || **mairesse** XIIIe s., *Romans et pastourelles.* || **mairie** 1265, *Livre de jostice* (*meerie*) ; fin XIIIe s. (*mairie*).

***mais** 980, *Passion,* plus (cf. auj. *n'en pouvoir mais*) ; 1080, *Roland,* cependant ; lat. *magis,* davantage, qui a remplacé *sed* dans le parler pop. || **désormais** 1175, Chr. de Troyes. || **jamais** 1050, *Alexis.*

maïs 1519, *Pigaphetta* (*maiz*) ; esp. *mais,* de l'arawak (langue d'Haïti) ; a remplacé *blé de Turquie, d'Espagne, d'Italie, mil* et ses dérivés. || **maïserie** 1931, Lar. || **Maïzena** milieu XIXe s. ; n. dépos., angl. *maizena,* de *maize,* maïs.

***maison** 980, *Passion ;* lat. *mansio, -onis,* de *mansus,* part. passé de *manere,* rester ; a remplacé en France le gallo-romain *casa,* qui subsiste dans divers toponymes et anthroponymes : *La Chaise-Dieu, Lacaze, Sacaze.* || **maisonnette** 1160, Benoît. || **maisonnée** 1611, Cotgrave. || **maisonnage** 1265, G.

***maître** 1080, *Roland* (*maiestre*), qui a pouvoir sur qqn ; 1155, Wace, qui dirige et qui enseigne ; lat. *magister.* || **maîtresse** XIIe s., G. (*maistresse*). || **maîtrise** 1175, Chr. de Troyes. || **maîtriser** fin XIIe s., *Renaut de Montaubon,* dominer ; XVIe s., Amyot, dominer ses états affectifs. || **maîtrisable** 1867, L. || **maistrance** 1559, Amyot. || **contremaître** début XVe s. || **contremaîtresse** 1866, Lar. || **maître-à-danser** 1765, *Encycl.* || **maître queux** 1538, R. Est., cuisinier ; sur *queux.* || **petit-maître** milieu XVIIe s.

majesté 1120, *Ps. d'Oxford ;* lat. *majestas.* || **majestueux** 1589, A. de Baïf (*magesteux*) ; 1605, H. de Santiago (*majestueux*) ; it. *maestoso ;* réfection, d'après les adj., du type *somptueux.* || **majestueusement** 1609, P. Camus.

***majeur** 1080, *Roland,* plus grand ; 1690, Furetière, essentiel ; 1549, R. Est., capable de se diriger ; début XXe s., qui a la majorité légale ; lat. *major, -oris,* comp. de *magnus,* grand. || **majeur** n. m., 1907, Lar., doigt du milieu. || **majeure** 1354, Modus, prémisse. || **majorer** 1869, L., déclarer majeur ; 1870, L., sens mod. || **majoration** 1867, L. || **majoral** adj., XIIIe s. ; n. m., 1888, Daudet, félibre. || **majoralat** 1902, Lar. || **majorité** 1270, Mahieu le Vilain, supériorité ; 1510, *Doc.,* âge civil ; lat. méd. *majoritas,* de *major ;* 1751, Levis-Mirepoix, pol. ; angl. *majority.* || **majoritaire** 1923, Lar., pol.

majolique 1447, Gay (*mailloreque*) ; 1556, Gay (*maiolique*) ; ital. *majorica, majolica,* de l'île Majorque ; faïence commune italienne.

major 1453, *Débat des hérauts,* « plus grand » ; lat. *major,* comparatif de *magnus,* grand ; 1660,

Oudin, milit. ; esp. *mayor ;* 1721, Trévoux, sens médical.

majorat 1679, Boulan (*majorasque*) ; 1701, Furetière (*majorat*) ; esp. *mayorazgo,* du lat. *major.*

majordome 1512, A. de Conflans ; ital. *maggiordomo,* ou esp. *mayordomo,* du lat. *major domus,* chef de la maison.

majorer, majoritaire, majorité V. MAJEUR.

majuscule XVe s., d'apr. Guérin, adj. ; 1718, *Acad.,* n. f. ; lat. *majusculus,* un peu plus grand.

maki 1751, Pluche ; malgache *maky,* lémurien.

***mal** IXe s., *Eulalie,* adj. ; 980, *Passion,* n. m. ; 1080, *Roland,* adv. (var. *mel* en anc. fr.) ; lat. *malus* (adj.), *malum* (n. m.), *male* (adv.). L'adj. n'existe plus qu'en locution figée (*bon gré mal gré*), ou dans des mots construits ; *mal de mer,* XVIe s. ; *mal du siècle,* 1820, P.-L. Courier ; *mal du pays,* 1810, Staël ; *prendre mal,* 1669, Widerhold. Le nom a donné diverses expressions, dans la médecine ancienne : *mal des ardents,* XIVe s., sorte de charbon pestilentiel ; *haut mal,* 1372, Corbichon, épilepsie ; *mal caduc,* 1671, Pomey ; *mal de Naples,* XVIe s., La Curne, syphilis, etc. L'adv. est un préfixe, *mal* ou *mau* (vocalisation de *l* en *u* à une époque ancienne : *malaise, maugré,* etc.). || **malement** XIIe s. (V. MALGRÉ, MALHEUR, MALEMORT.)

malabar 1903, Esnault, pop., « grand, fort » ; du nom géogr. *Malabar.*

malachite XIIe s., Marbode (*melochite*) ; 1562, Du Pinet (*molochite*) ; 1690, Furetière (*malachite*) ; lat. *malachites,* var. *molochites* (gr. *molokhê,* mauve) ; minerai de cuivre.

malacologie 1814, Rafinesque ; lat. *malacus,* mou, gr. *malakos ;* partie de la zool. traitant des mollusques. || **malacostracés** 1802, Latreille ; gr. *ostrakon,* coquille.

***malade** 980, *Passion ;* lat. *male habitus,* « qui se trouve en mauvais état » ; a remplacé le lat. *aeger.* || **maladie** 1150, Barbier. || **maladif** 1256, Ald. de Sienne. || **maladivement** 1842, Mozin.

maladrerie 1160, Benoît ; altér. de *maladerie,* de *malade,* avec infl. de *ladrerie* (v. ce mot).

malaire 1765, *Encycl. ;* lat. *mala,* mâchoire.

malandre 1398, *Ménagier,* vétér. ; bas lat. *malandria* (Ve s., M. Empiricus) ; pourriture. || **malandreux** 1723, Savary.

malandrin 1360, Froissart ; ital. *malandrino,* voleur de grands chemins, lépreux, de *malandre.*

malard fin XIIe s., *Chev. Ogier,* canard sauvage mâle ; du fr. *mâle.*

malaria 1833, *Magasin pittoresque ;* ital. *malaria,* mauvais air, de *aria,* air.

malaxer 1377, Gordon, pharm. ; 1600, O. de Serres, pétrir ; lat. *malaxare,* amollir, de l'aoriste gr. *malaxai* (infin. *malassein*). || **malaxage** 1873, Lar. || **malaxation** début XVIIe s. || **malaxeur** 1868, Souviron, techn.

***mâle** début XIIe s., *Voy. de Charlemagne* (*masle*) ; XVIe s. (*mâle*) ; 1678, Guillet, techn. ; lat. *masculus,* dimin. de *mas.* (V. MALARD, MASCULIN.)

malédiction V. MAUDIRE.

maléfice 1213, *Fet des Romains ;* lat. *maleficium,* méfait. || **maléficier** 1525, J. Lemaire de Belges. || **maléfique** 1488, *Mer des hist. ;* lat. *maleficus.*

malement V. MAL.

malemort 1220, Coincy ; anc. adj. *mal,* au fém., et *mort.*

malencontreux 1400, Gerson ; anc. fr. *malencontre* (adj. *mal* et nom *encontre*), rencontre (XIIe s., G.), inus. depuis le XVIIIe s. || **malencontreusement** 1690, Furetière.

malentendu, malfaçon, malfaire, malfaisant V. ENTENDRE, FAÇON, FAIRE.

malfaiteur 1283, Beaumanoir (*malfeteur*) ; réfection de *maufaitour, -eur* (1160, Benoît), adaptation du lat. *malefactor,* qui agit mal.

malfrat fin XIXe s. ; mot dial. du Languedoc, de *malfar,* faire mal.

malgré 1175, Chr. de Troyes (*maugré*) ; XIVe s., Cuvelier (*malgré*), contre son gré ; 1650, Corn., en dépit de ; *malgré que,* fin XVIIIe s. ; de *mal,* et *gré.*

malheur, malheureux V. HEUR.

***malice** 1131, *Couronn. Loïs,* méchanceté, jusqu'au XVIIe s. ; 1667, Boileau, sens actuel ; lat. *malitia,* méchanceté. || **malicieux** 1155, Wace (*malicios*) ; lat. *malitiosus,* méchant. || **malicieusement** 1190, G.

malignité 1120, H. Berger, « méchanceté » ; lat. *malignitas ;* 1650, Pascal, « caractère astucieux ». || **malin** adj., 1460, Chastellain, « porté à nuire » ; réfection de *maligne* (1120, *Ps de Cambridge*), lat. *malignus,* méchant ; 1669, Boileau, malicieux ; n. m., 1530, Lefèvre d'Étaples, le diable.

malin V. MALIGNITÉ.

malines 1752, Trévoux, dentelle ; du nom de *Malines,* ville de Belgique.

malingre début XIIIe s., *Guillaume le Maréchal* (*malingros*), « chétif » (encore *malingreux,* 1831, Hugo) ; XIIIe s. (*malingre*), comme nom propre ; adj., 1598, Bouchet ; du croisement de l'adj. *mal* et de l'anc. adj. *haingre,* décharné, d'orig. obscure.

malique (*acide*) 1787, Fourcroy ; lat. *malum,* pomme ; découvert par Scheele en 1785.

malle fin XIe s., *Gloses de Raschi* (*male*) ; francique **malha,* sacoche. || **mallette** XIIIe s., *Miracles saint Éloi.* || **malletier** 1379, Fragniez. || **malle-poste** 1793, *Décret.*

malléable XIVe s., *Nature à l'alchimie,* « qui se laisse façonner » ; 1829, Boiste, fig. ; lat. *malleus,* marteau. || **malléabilité** 1676, Glaser. || **malléabiliser** 1801, Mercier. || **malléolaire** 1827, *Acad.*

malléine 1931, Lar. ; lat. *malleus,* marteau, morve. || **malléiner** 1931, Lar.

malléole 1546, Ch. Est., anat. ; lat. *malleolus,* dimin. de *malleus,* marteau.

***malotru** 1160, Benoît (*malostruz,* pl.), chétif, malheureux ; 1211, *le Bestiaire,* mal bâti ; 1613, Régnier, grossier ; altér. de **malastru,* du lat. pop. **male astrūcus,* né sous un mauvais astre, de *astrum,* astre.

malpighie 1752, Trévoux (*malpighia*) ; 1765, *Encycl.* (*malpighie*), bot. ; du nom de l'anatomiste ital. Marcello *Malpighi* (1628-1694).

malséant V. SÉANT.

malstrom, maelström 1765, *Encycl. ;* néerl. *maelström,* de *malen,* broyer, et *ström,* courant ; 1862, Hugo, fig.

malt 1745, Brunot ; angl. *malt,* d'orig. germ. (cf. l'all. *Malz*). || **maltage** 1834, Boiste, || **malter** 1808, *Annales chimie.* || **malteur** 1840, *Acad.* || **maltose** 1872, Bouillet. || **malterie** 1873, Lar. || **maltase** 1902, Lar.

malthusien 1861, *Doc. ;* du nom de l'économiste anglais *Malthus* (1766-1834), qui recommanda la limitation des naissances. || **malthusianisme** 1869, Goncourt.

maltôte 1262, Giry (*mautoste*) ; 1330, Baudoin (*maletote*) ; v. 1350, *Romania* (*maltôte*) ; anc. adj. *mal* et anc. nom *tolte,* imposition, part. passé, substantivé au fém., de l'anc. v. *toldre,* enlever, du lat. *tollĕre* (part. passé pop. **tollita,* au fém.). || **maltôtier** fin XVIe s.

malvacée V. MAUVE.

malveillant 1160, Benoît (*mauvoillant*) ; début XVIe s. (*malveillant*) ; de l'adv. *mal* et de *vueillant,* anc. part. prés. de *vouloir.* || **malveillance** 1160, Benoît.

malversation 1387, G. ; anc. verbe *malverser* (XVIe s.), du lat. *male versari,* se comporter mal (*versari,* se comporter). || **malverser** 1535, Coyecque.

malvoisie 1393, Du Cange (*malvesy*) ; 1360, Froissart (*malvoisie*) ; de *Mal(e)vesie,* nom d'un îlot grec (sud-est de la Morée), d'où vient ce cépage (par l'intermédiaire de l'ital. *malvasia,* d'abord vénitien).

mamamouchi 1670, Molière ; d'après l'ar. *ma menou schi,* propre à rien.

***maman** 1256, Ald. de Sienne ; lat. *mamma,* même empl., formation enfantine par redoublement ; 1584, P. de Brach (*mamma*) ; formes voisines dans de nombreuses langues (gr., ital., esp., etc.). || **bonne-maman** 1835, *Acad.* || **belle-maman** 1673, Molière. || **mamy** XXe s. ; de *grand-maman* (1690, Furetière).

***mamelle** 1119, Ph. de Thaon (*mamele*) ; lat. *mamilla,* dimin. de *mamma,* mamelle, même mot que *mamma,* maman. || **mamellé** fin XVIIIe s. || **mamelon** XVe s. (*memellon*), anat. ; fin XVIIIe s., B. de Saint-Pierre, géogr. || **mamelonné** 1753, *Dict. anat. ;* 1872, Gautier, géogr. || **mamelonner (se)** 1850, Flaubert. || **mamelu** 1549, R. Est. || **mamillaire** 1503, G. de Chauliac ; bas lat. *mamillaris.*

mameluk ou **mamelouk** 1192, *Récit de croisade* (*mamelos*) ; 1460, Chastellain (*mameluz*) ; 1611, Cotgrave (*mameluk*) ; ar. d'Égypte *mamlūk,* désignant un esclave blanc (part. passé de *malak,* « posséder »).

mammaire 1654, Gelée ; lat. *mamma,* mamelle. || **mammectomie** 1963, Lar. || **mammite** 1836, *Acad.* || **mammalogie** 1803, *Nouv. Dict. d'hist. nat.* || **mammifère** 1791, *Bull. Soc. des sciences.* || **mammographie** 1953, Lar. || **mammoplastie** 1963, Lar.

mammea 1532, A. Fabre (*mameis*), bot. ; esp. *mamei,* de l'arawak, langue indigène d'Amérique du Sud.

mammifère V. MAMMAIRE.

mammouth 1705, Isbrants (*mammut*) ; russe *mamout,* mot ostiaque (Sibérie de l'Ouest) ; var. *mamant, mammont,* 1727, G.-F. Muller, d'après une var. russe.

mamour V. AMOUR.

manade fin XIXe s. ; prov. *manado,* de l'esp. *manada,* troupeau.

manager 1868, *Événement illustré ;* mot angl. (de *to manage,* manier, diriger), de l'ital. *maneggiare.* || **management** 1921, Fayol. || **manager** verbe 1927, Esnault.

***manant** 1160, Benoît, habitant ; 1610, Huguet, paysan ; 1668, La Fontaine, homme ignorant ; part. prés. substantivé de l'anc. v. *maneir,* demeurer (fin IXe s., *Eulalie*), du lat. *manēre.* (V. MANOIR, MÉNAGE, etc.)

***mancelle** fin XIVe s. (*manselles*) ; 1680, Richelet (*mancelle*), techn. ; lat. pop. **manĭcĕlla,* du bas lat. **manicŭla,* dimin. de *manus,* main.

mancenille début XVIe s. ; esp. *manzanilla,* dimin. de *manzana,* pomme, du lat. *Mattiānum mālum,* « pomme de Mattius » (du nom de Caius Mattius, agronome romain du I[e] s. av. J.-C.). || **mancenillier** 1658, Rochefort ; arbre des Antilles.

1. ***manche** n. f., 1150, Rathbone ; 1617, d'Aubigné, tour de cartes ; 1803, Boiste, une des parties du jeu ; *manche à air,* 1845, Besch. ; lat. *manĭca,* de *manus,* main. || **manchette** 1193, Hélinant, manche d'habit ; 1606, Crespin, parement d'étoffe fixé au bout de la manche ; 1878, Lar., journalisme ; diminutif. || **manchon** XIIIe s., *Conq. de Jérusalem.* || **mancheron** 1217, G., garniture de manche. || **emmancher** 1578, d'Aubigné. || **emmanchure** fin XVe s.

2. ***manche** n. m., 1180, Marie de France ; 1920, Bauche, maladroit, de *manchot ;* lat. pop. **manicus,* ce qu'on tient avec la main, de *manus,* main. || **mancheron** (*de charrue*) 1265, J. de Meung. || **démancher** v. 1200. || **emmancher** 1155, Wace. || **emmanchement** 1636, Monet. || **remmancher** 1549, R. Est.

3. **manche** n. f., 1532, Rab., pourboire ; 1790, Esnault, mendicité ; ital. *mancia,* gratification, du français *manche* 1.

manchot 1502, O. de La Marche ; anc. adj. fr. *manc, manche* (1138, *Vie saint Gilles*), estropié, manchot, du lat. *mancus.* (V. MANQUER.)

mancie milieu XVIe s. ; gr. *manteia,* prédiction, de *mantis,* devin.

mancipation 1546, Delb., jurid. ; lat. jurid. *mancipatio.* (V. ÉMANCIPER.)

mandarin 1581, Goulart, conseiller du roi ; 1586, Loyer, fonctionnaire chinois ; 1833, Musset, argot universitaire ; mot portugais, altération (d'après *mandar,* mander) du malais *mantarî,* du sanscrit *mantrin,* « conseiller d'État ». || **mandarinat** 1732, Trévoux, dignité de fonctionnaire chinois ; 1873, *J. O.,* autorité arbitraire. || **mandarinal** 1776, Voltaire. || **mandarinisme** 1838, Enfantin.

mandarine 1773, Bernardin de Saint-Pierre ; esp. (*naranja*) *mandarina,* orange mandarine (soit qu'elle fût appréciée des mandarins, soit par comparaison facétieuse avec leur visage). || **mandarinier** 1867, L.

mandat XVe s., *Perceforest,* message ; 1765, *Encycl.,* pouvoir donné ; 1867, L., postes ; du lat. jurid. *mandatum,* part. passé substantivé de *mandare,* mander. || **mandataire** 1528, *Recueil des lois ;* 1792, Frey, polit ; *mandataire des halles,* 1896, *Bull. lois.* || **mandater** 1829, Boiste. || **mandatement** 1873, Lar.

mander 980, *Passion,* commander ; fin XIIe s., *Moniage Guillaume,* convoquer ; lat. *mandare ;* 1080, *Roland,* faire savoir. || **mandement** 1120, G. || **mandant** n. m., 1789, *Doc.* || **contremander** 1175, Chr. de Troyes.

mandibule 1314, Mondeville ; bas lat. *mandibula,* mâchoire (Ve s., Macrobe), de *mandere,* mâcher. || **mandibulaire** 1812, Mozin. || **démantibuler** 1552, Rab. (*démandibulé*), rompre la mâchoire ; 1611, Cotgrave (*démantibuler*) ; 1640, Oudin, mettre hors d'usage ; d'après *démanteler.*

mandille 1570, Gay (*mandil*) ; 1611, Cotgrave (*mandille*), manteau de laquais ; esp. *mandil* (lat. *mantile,* avec infl. arabe.)

mandoline 1759, Lacombe ; ital. *mandolino,* dimin. de *mandola,* même mot que le fr. *mandore.* || **mandoliniste** 1882, Goncourt.

mandore 1280, Adenet (*mandoire*) ; XVIe s. (*mandore*) ; altér. mal expliquée du lat. *pandura,* du gr. *pandoûra ;* instrument de mus. de la famille des luths. || **mandole** 1680, Richelet ; altér. de *mandore.*

mandorle 1949, Lar. ; ital. *mandorla,* amande, du lat. *amygdala ;* gloire en forme d'amande enveloppant le corps du Christ.

mandragore 1170, *Floire et Blancheflor* (*mandegloire*) ; 1265, Br. Latini (*mandragore*) ; lat. *mandragoras,* n. m., mot gr. L'altér. anc. *en main de gloire, mandegloire,* est due à une étym. populaire.

mandrill 1744, Mackenzie ; mot angl., de *man,* homme, et *drill,* singe, d'une langue de la Guinée ; singe d'Afrique.

mandrin 1676, Félibien, techn. ; prov. *mandrin,* poinçon du serrurier, de *mandre,* fléau de balance (fin XVe s.), du bas lat. *mamphur,* arbre du tour du tourneur, avec infl. du germ. **manduls* (cf. l'anc. normand *mondull,* « manivelle de moulin à main »). || **mandriner** 1765, *Encycl.* || **mandrinage** 1931, Lar.

manducation 1495, J. de Vignay ; bas lat. *manducatio* (IVe s., saint Augustin), de *manducare.* (V. MANGER.)

manécanterie 1836, Landais ; de l'adv. lat. *mane,* « le matin », et de *cantare,* chanter ; école de chant de la paroisse. Le mot a été choisi en 1907 par P. Martin et P. Berthier pour nommer une maîtrise populaire et ambulante.

manège XVIe s., *Chron. bordeloise,* équit. ; 1688, Sévigné, fig. ; 1963, Lar., techn. ; ital. *maneggio,* de *maneggiare,* manier. || **manéger** XVIe s., de Montlyard, équit. ; fin XVIIe s., Saint-Simon, fig.

mânes 1564, J. Thierry, à Rome ; fin XVIe s., Brantôme, « âmes des morts » ; lat. *manes,* ombres des morts.

maneton, manette V. MAIN.

manezingue 1837, Vidocq (*malzingue*) ; 1844, Esnault (*mannezingue*) ; de *maltais,* par substitution de suffixe, marchand de vin.

manganèse 1578, Vigenère, magnésie noire ; 1774, corps simple découvert par Scheele ; orig. obscure. || **manganésifère** 1840, *Acad.* || **manganeux** 1831, Berzélius. || **manganique** 1840, *Acad.* || **manganite** 1953, Lar. || **manganine** 1922, Lar. || **manganate** 1840, *Acad.* || **permanganate** 1848, Allain. || **permanganique** *id.*

***manger** 1080, *Roland* (*mangier*) ; n. m., 980, *Passion ;* lat. pop. *mandŭcare,* mâcher, puis à basse époque « manger », de *mandere,* mâcher. || **mangeable** fin XIIe s., *Sept Dormants.* || **immangeable** 1600, O. de Serres. || **mangeaille** 1264, G. (*mangeille*) ; 1398, *Ménagier* (*mengeaille*). || **mangeoire** fin XIe s., *Gloses de Raschi* (*mangedure*) ; 1175, Chr. de Troyes (*mangeoire*). || **mangerie** XIIe s., *Macchabées.* || **mangeur** fin XIIe s., R. de Moiliens (*mangiere*) ; 1380, *Aalma* (*mangeur*) ; début XIIIe s. (*mangiere*) ; — *de peuples,* XVIIe s., Guy Patin ; — *de curé,* 1790, Brunot. || **mangeure** 1354, *Modus,* vén. || **mangeotter** 1787, Féraud. || **mange-tout** adj., 1550, Ronsard ; 1812, Mozin, bot. ; 1834, Landais, fig. || **démanger** fin XIIIe s. ; 1798, *Acad.,* fig. || **démangeaison** 1549, R. Est ; 1622, Livet, fig.

mangle 1555, Poleur, bot. ; mot esp., tiré d'une langue des Antilles. || **manglier** 1716, Frézier.

mangoustan 1598, *Premier Livre de l'hist.,* bot. ; port. *mangustão,* du malais. || **mangouste** 1733, Lémery, fruit du mangoustan. || **mangoustanier** XXe s.

1. **mangouste** V. MANGOUSTAN.

2. **mangouste** 1696, Comte (*mangouze*), zool. ; 1703, Biron (*mangouste*) ; esp. *mangosta,* de *mungus,* mot d'une langue de l'Inde (cf. marathe *mangus*).

mangrove 1902, Lar. ; mot angl., d'origine malaise.

mangue 1540, Balarin (*manga*) ; 1604, F. Martin (*mengue*), bot. ; portugais *manga,* mot de la langue de Malabar. || **manguier** 1688, Gervaise.

manichéen 1688, Bossuet ; bas lat. *manichaeus,* sectateur de Manès, de *Manikhaios,* nom gr. du Persan *Mani* ou *Manès.* || **manichéisme** *id.*

manicle ou **manique** 1160, Benoît ; lat. *manĭcula,* dimin. de *manus,* main, manchon de cuir des bourreliers.

manicorde ou **manichordion** 1155, Wace (*monacorde*) ; 1160, Benoît (*monocorde*) ; 1694, Th. Corn. (*manichordion*) ; gr. *monochordon,* instrument à une corde, par attraction du lat. *manus,* main.

manie 1398, *Somme Gautier,* folie, méd. ; XVIe s., obsession ; début XVIIe s., passion pour qqch ; 1750, Staal de Lauzay, habitude ridicule ; lat. méd. *mania,* folie, mot grec. || **maniaque** XIIIe s., *Cart. de Dijon ;* 1803, Boiste, qui a un goût excessif pour qqch ; lat. médiéval *maniacus ; -manie* et *-mane* sont des suffixes depuis le XVIIIe s. || **maniaco-dépressif** 1963, Lar. || **maniaquerie** 1888, Goncourt.

manier fin XIe s., *Chanson de Guillaume,* manœuvrer ; 1190, Garn. (*manier*), faire fonctionner avec la main ; 1690, Furetière, palper ; de *main.* || **maniable** 1155, Wace, agile ; 1240, G. de Lorris, qu'on peut faire fonctionner. || **maniabilité** 1876, de Parville. || **maniage** 1694, Th. Corn. || **maniement** 1237, Du Cange. || **manieur** 1392, E. Deschamps. || **maniotte** 1873, Lar., agric. || **remanier** 1250, Mousket.

|| **remaniement** 1690, Furetière, typogr. ; 1706, Richelet, sens actuel. || **remanieur** 1832, Marin. || **remaniable** 1870, L.

manière 1119, Ph. de Thaon ; fém. substantivé de l'anc. adj. *manier,* fait avec la main, d'où « souple, habile » ; de *main ;* pl., 1670, Molière. || **maniéré** 1679, Testelin, affecté. || **maniérisme** 1823, Boiste. || **maniériste** 1684, Brunot.

1. **manifeste** adj., 1190, *Saint Bernard ;* lat. *manifestus,* de *manus,* main, que l'on peut saisir par la main. || **manifestement** fin XIIe s., *Dial. Grégoire.* || **manifester** 1380, *Aalma,* faire connaître publiquement ; *se manifester,* 1387, G. Phébus ; lat. *manifestare ;* 1868, Vallès, polit., faire une démonstration publique. || **manifestant** n., 1849, Proudhon, polit. || **manifestation** fin XIIe s., *Grégoire ;* bas lat. *manifestatio ;* 1865, Proudhon, démonstration publique, polit. || **contre-manifester** v. 1870. || **contre-manifestant** *id.* || **contre-manifestation** 1863, Proudhon.

2. **manifeste** n. m., 1574, Barbier, écrit public ; 1623, Naudi, sens actuel ; ital. *manifesto,* issu du lat. *manifestus* (v. le préc.).

manigance 1541, Calvin, orig. obscure, p.-ê. en rapport avec le prov. mod. *manego,* manche, au sens de « tour de bateleur » (v. MANCHE). || **manigancer** 1691, Dancourt.

maniguette 1544, Fonteneau, graine poivrée ; ital. *meleghetta,* de *melega,* sorgho, du bas lat. *melica.*

1. **manille** milieu XVIIe s. (*malille*) ; 1696, Boisfranc (*manille*), jeu de cartes ; esp. *malilla* (avec dissimil. de *l*), dimin. de *mala,* même sens, fém. de *malo,* méchant. || **manillon** 1893, Courteline. || **manilleur** XXe s.

2. **manille** 1611, Cotgrave, anse ; 1680, Jal, anneau du rameur de galère ; anc. prov. *manelha,* lat. *manĭcŭla,* dimin. de *manus,* main. (V. MANICLE.)

3. **manille** 1543, G., bracelet ; esp. *manilla,* diminutif de *mano,* main.

manioc 1555, Denis ; tupi *manioch* (Brésil).

manipule 1380, *Arch. de Reims,* liturg. ; 1534, Des Périers, poignée de blé, de fleurs, etc. ; 1660, Oudin, hist. milit. ; lat. *manĭpŭlus,* poignée, de *manus,* main. || **manipuler** 1765, *Encycl.,* faire jouer entre les doigts ; 1873, Lar., sens actuel. || **manipulation** 1716, Frézier. || **manip** 1880, Esnault ; abrév. de *manipulation.* || **manipulateur** 1762, Guyton.

manipuler V. MANIPULE.

manitou 1627, Champlain ; mot algonquin (Canada occidental) signif. « le Grand Esprit » ; 1842, Fortunatus, personnage important, par l'homonymie *manie-tout.*

***manivelle** fin XIe s., *Chanson de Guillaume* (*manevelle*) ; 1325, G. (*menivelle*) ; 1560, Paré (*manivelle*) ; cinéma, *tour de manivelle,* 1896, M. Corday ; lat. pop. **manabella,* altér. de *manĭbŭla,* var. de *manĭcŭla,* dimin. de *manus,* main.

1. **manne** (*du ciel*) 1120, *Ps. de Cambridge ;* XIVe s., Trénel, fig. ; XIVe s., *Mir. de Notre-Dame,* victuailles ; lat. eccl. *manna* (*Vulgate*), de l'hébreu *man.*

2. **manne** XIIIe s., Taillar, panier en osier ; moy. néerl. *manne,* var. de *mande* (d'où l'anc. fr. *mande,* 1202), mot du Nord et du Nord-Est. || **mannette** milieu XVe s. || **mannequin** *id.,* panier en forme de hotte (var. *mandequin,* XVe s.) ; moy. néerl. *mannekijn,* dimin. de *manne.*

1. **mannequin** V. MANNE 2.

2. **mannequin** 1467, Laborde, figurine ; 1806, Delille, en mode ; 1896, Goncourt, jeune femme présentant un modèle de couture ; moyen néerl. *mannekijn,* dimin. de *man,* homme. || **mannequiner** 1678, Guillet (*-é*) ; 1762, *Acad.* (*-er*). || **mannequinage** 1564, J. Thierry.

***manœuvre** n. f., 1180, *Girart de Roussillon* (*manevre*) ; 1409, Runkewitz (*manœuvre*) ; lat. pop. *manuopera* (VIIIe s., *Capit. de Charlemagne*), de *opera,* travail, et *manu,* avec la main, abl. de *manus ;* n. m., 1449, texte de Blois. || ***manœuvrer** 1080, *Roland* (*manuvrer*), placer avec la main ; 1283, Beaumanoir (*manœuvrer*), travailler ; 1690, Furetière, mar. ; 1732, Richelet, milit. ; 1873, Lar., mettre en action ; 1752, Trévoux, fig. ; lat. pop. *manuoperare,* de *operare,* travailler. || **manœuvrable** 1902, Lar. || **manœuvrabilité** 1934, *Auto.* || **manouvrier** n. m., 1180, *Loherains.* || **manœuvrier** n. m., fin XVIe s., homme rusé ; 1678, Guillet, chef militaire habile ; adj., 1765, *Encycl.*

***manoir** 1155, Wace ; anc. infin. substantivé de *maneir,* habiter (fin IXe s., *Eulalie*) ; lat. *manēre,* demeurer. (V. MANANT.)

manomètre 1705, *Hist. de l'Acad. des sc. ;* tiré par Varignon (1654-1722) du gr. *manos,* rare (c.-à-d. peu dense), et *metron,* mesure. || **manométrique** 1836, *Acad.* || **manométrie** *id.*

manoque 1700, Liger, proprem. « poignée » ; mot du Nord (Hainaut), dér. de *main.* || **manoquer** 1893, *D. G.*

manouche 1898, Esnault ; mot tzigane signif. « homme ».

manquer 1398, E. Deschamps, intr. ; 1652, La Rochefoucauld, transitif ; ital. *mancare,* être insuffisant, de *manco,* défectueux, du lat. *mancus, id.* (v. MANCHOT). || **manqué** adj., 1560, Paré ; n. m., XXe s., culin. || **manquant** 1609, Daléchamp, adj. || **manque** n. m., 1360, Froissart (*à manque de*) ; 1594, Henri IV, offense ; 1606, Crespin, privation ; *à la manque,* 1791, Esnault, pop. ; déverbal. || **manquement** fin XIIIe s., Aimé. || **immanquable** milieu XVIIe s.

mansarde 1676, Félibien (d'abord *comble à la mansarde*) ; du nom de l'architecte *Mansard* (1598-1666). || **mansardé** 1844, Balzac.

manse 1732, *Maison rustique,* droit féod. ; lat. *mansa,* part. passé, subst. au fém., de *manēre,* demeurer. (V. MANOIR, MAS.)

mansion 1155, Wace, demeure ; XIIIe s., *Résurrection du Sauveur,* théâtre ; lat. *mansio.* (V. MAISON.)

mansuétude 1170, *Rois* (*mansuetudine*) ; 1265, Br. Latini (*-tude*) ; lat. *mansuetudo,* de *mansuetus,* apprivoisé, doux.

1. **mante** 1404, Du Cange, manteau ; prov. *manta,* du lat. pop. **manta,* du bas lat. *mantum.* (V. MANTEAU.)

2. **mante** 1734, Valmont ; *mante religieuse,* 1845, Besch. ; lat. des naturalistes *mantis,* du gr. *mantis,* devineresse, d'après la position de l'insecte, les pattes antérieures repliées et jointes.

***manteau** 980, *Passion* (*mantel*) ; 1300, G. (*manteau*) ; *manteau de cheminée,* début XIVe s. ; *sous le manteau,* 1671, Pomey ; lat. *mantellum,* dimin. de *mantum* (VIIe s., Isid. de Séville). || **mantelet** 1138, Gaimar. || **manteline** XIVe s., *D. G.* || **mantelure** 1655, Salnove, vén. || **démanteler** 1563, *Mém. de Condé ;* anc. fr. *manteler* (XIIIe s., *Ysopet*), abriter, d'où « fortifier ». || **démantèlement** 1587, La Noue.

mantille 1726, d'après Trévoux ; esp. *mantilla,* du lat. *mantellum* (fém. d'après *capa,* cape). (V. MANTEAU.)

mantique 1887, *Doc. ;* gr. *mantikê,* art de la divination.

manucure 1877, L. ; lat. *manus,* main, et *curare,* soigner.

manuel adj., 1200, *Règle saint-Benoît,* qui se fait avec la main ; 1532, *Doc.,* qui exerce un métier manuel ; lat. *manualis,* de *manus,* main ; n. m., 1539, *Doc.,* livre, repris à l'adj. neutre *manuale,* substantivé en bas lat. pour traduire le gr. *egkheiridion* (de *kheir,* main), désignant d'abord le manuel d'Épictète. || **manuellement** 1334, G.

manufacture début XVIe s., « travail manuel » ; lat. médiéval *manufactura,* « travail fait à la main », de *manu,* « à la main », abl. de *manus,* et de *factura,* de *facere,* faire ; milieu XVIe s., fabrication ; début XVIIe s., fabrique. || **manufacturer** 1601, *Doc. hist. ; produit manufacturé,* début XIXe s., Desttut de Tracy. || **manufacturable** 1877, L. || **manufacturier** 1664, Colbert.

manu militari 1888, Lar. ; loc. lat. signif. « par la force militaire », de *manu,* par la main, et *militari,* ablatif de *militaris,* militaire.

manumission 1324, G., jurid. ; lat. jurid. *manumissio,* de *manu,* « avec la main », et *mittere,* envoyer.

manuscrit adj. et n. m., 1594, Fl. Rémond ; 1690, Furetière, original d'un ouvrage ; lat. *manuscriptus,* adj., « écrit à la main », de *manu,* abl. de *manus,* main, et *scribere,* écrire.

manutention 1478, G., conservation ; 1578, d'Aubigné, gestion ; 1820, d'après L., préparation pour l'emmagasinage ; lat. médiév. *manutentio,* de *manu tenere,* tenir avec la main (*manu,* abl. de *manus*). || **manutentionner** 1820, L. || **manutentionnaire** 1788, Brunot.

manuterge 1847, d'Ayzac ; lat. *manutergium,* de *manutergere,* essuyer avec la main ; linge avec lequel le prêtre s'essuie les doigts pendant le *Lavabo* de la messe.

maous 1895, Esnault, arg. ; yiddisch alsacien *moaus,* gros, de l'hébreu *maot,* monnaie.

mappemonde début XIIe s., *Thèbes* (*mapamonde*), carte ; XIIIe s. (*mappemonde*) ; 1835, Gautier, globe représentant la sphère terrestre ; lat. médiév. *mappa mundi,* la nappe du monde. (V. NAPPE.)

1. **maquereau** XIIIe s., Rutebeuf (*maqueriau*) ; XVe s., Basselin (*maquereau*), entremetteur ; moy. néerl. *makelaer,* courtier, de *makeln,* trafiquer, de *maken,* faire. || **mac** 1835, Esnault ; abrév. || **maquerelle** 1265, J. de Meung. || **maquereller** 1549, R. Est. || **maquereauter** 1867, Delvau. || **maquerellage** XIIIe s., G.

2. **maquereau** 1138, G. (*makerel*) ; 1268, É. Boileau (*maquereau*), poisson ; probablem. même mot que le préc. || **maqueraison** 1873, Lar. || **maquereautier** 1940, *journ.*

maquette 1752, Trévoux ; ital. *macchietta,* ébauche, proprement « petite tache » ; dimin. de *macchia,* tache (lat. *macula,* tache). || **maquettiste** 1959, Robert.

maquignon 1279, G. (*maquignon de chevaus*) ; 1538, R. Est. (*maquignon*) ; 1541, Calvin, entremetteur vénal ; déform. probable de *maquereau* 1, avec substitution de suffixe. || **maquignonner** 1511, *Recueil Trepperel.* || **maquignonnage** début XVIe s., sens propre ; 1585, Cholières, procédés indélicats.

maquiller 1460, Villon, faire travailler ; 1628, Cherau, arg., « voler » ; 1827, Esnault, jouer aux cartes ; 1840, Esnault, théâtre, « farder » ; 1880, Huysmans, « travestir, altérer » ; anc. picard *makier,* faire, du moy. néerl. *maken, id.* || **maquis** 1827, « fard ». || **maquillage** 1628, Cherau, travail ; 1858, Esnault, action de travestir. || **maquilleur** 1561, Esnault (*macquilleux*), contrefacteur ; 1847, Esnault, arrangeur ; XXe s., faussaire ; 1868, L., qui maquille les acteurs (au fém.). || **démaquiller** 1837, Vidocq, « défaire » ; fin XIXe s., théâtre.

1. **maquis** V. MAQUILLER.

2. **maquis** 1775, *Causes célèbres* (*makis*) ; 1791, Barère (*machie*) ; corse *macchia,* lat. *macula,* cette végétation formant des taches sur la montagne. (V. MAQUETTE.) || **maquisard** v. 1942.

marabout 1560, *Doc.* (*moabite*) ; fin XVIe s. (*morabuth*) ; 1617, Mocquet (*marabou*) ; ar. *murābit,* ermite ; 1820, Laveaux, métaph., oiseau (au port majestueux). [V. MARAVÉDIS.] || **maraboutique** 1877, *Gazette des tribunaux.* || **maraboutage** 1873, Lar.

marais 1086, G. (*maresc*) ; 1138, Gaimar (*mareis*) ; 1459, La Curne (*marais*) ; av. 1850, Balzac, fig. ; *marais salant,* 1580, B. Palissy ; lat. *mariscus* (textes mérovingiens et carolingiens), du francique **marisk* (germ. **mari-,* « mer, lac »). || **maraîcher** XIIIe s., G., adj., qui vit dans les marais ; 1497, texte d'Abbeville (*marequier*), qui cultive les légumes ; 1660, Oudin (*mareschier*) ; 1690, Furetière (*maraîcher*). || **maraîchin** 1840, *Acad.* || **marécage** 1213, *Fet des Romains,* adj., dér. de l'anc. n. *maresc,* forme anc. de *marais ;* n. m., 1360, Froissart. || **marécageux** 1398, E. Deschamps (*marcageus*) ; 1532, R. Est. (*maresquageux*) ; 1636, Monet (*marécageux*).

marante 1693, Plumier ; du nom de B. *Maranta,* botaniste ital. du XVIe s.

marasme 1538, Canappe, méd., maigreur extrême ; 1790, Mirabeau, fig. ; gr. *marasmos,* consomption.

marasquin 1739, De Brosses ; ital. *maraschino,* mot de Zara, de *(a)marasca,* (cerise) aigre, de *amaro,* amer.

marathon 1896, date de l'épreuve aux jeux Olympiques ; du nom de la ville grecque de *Marathon.* || **marathonien** 1930, *journ.*

***marâtre** 1138, Gaimar (*marastre*), seconde femme du père ; lat. pop. **matrastra* (même sens), qui a éliminé le lat. class. *noverca ;* fin XIIe s., *Roman d'Alexandre,* mère dénaturée ; rempl. par *belle-mère* au sens propre.

maraud XVe s., *Repues franches,* probablem. métaph., d'abord au sens de « vagabond », de *maraud,* nom du matou dans le Centre et l'Ouest, d'orig. onomatop., « imitant le ronron, ou le miaulement des chats en rut ». (V. MARLOU, MARMOTTE.) || **marauder** 1549, R. Est. ; 1865, Esnault, pour un cocher de fiacre. || **maraude** 1690, Furetière. || **maraudeur** 1679, Brunot. || **maraudage** 1775, Démeunier.

maravédis fin XVe s., Molinet (*malavedis*) ; 1555, Poleur ; esp. *maravedi,* de l'ar. *murābitī,* monnaie d'or frappée sous la dynastie des Almoravides (*almorâbitîn*), de l'ar. *morâbit,* attaché à la garde d'un poste-frontière. (V. MARABOUT.)

***marbre** 1050, *Alexis ;* 1424, A. Chartier, fig., « insensible » ; lat. *marmor ;* début XVIIe s., imprim. || **marbré** 1050, *Alexis* (*marbret*). || **marbrer** 1640, Oudin, peint. || **marbrage** 1959, Robert. || **marbrerie** 1765, *Encycl.* || **marbreur** début XVIIe s., marbrier ; 1680, Richelet, ouvrier qui marbre du papier. || **marbrier** 1311, G. || **marbrière** 1562, Du Pinet, carrière de marbre. || **marbrure** 1680, Richelet, décoration en marbre ; 1829, Boiste, marque sur la peau.

1. **marc** 1138, Gaimar, ancien poids ; 1273, Adenet, monnaie ; francique **marka* (haut all. *mark*), demi-livre d'or ou d'argent (all. *Mark*).

2. **marc** (*de raisin*) XVe s. (*march*) ; 1538, R. Est. (*marc*) ; déverbal de *marcher,* au sens ancien de « écraser ».

marcassin 1496, texte de Lille (*marquesin*) ; 1549, R. Est. (*marcassin*) ; de *marquer* (les marcassins portant des rayures le long du corps pendant leurs cinq premiers mois), p.-ê. d'après *bécassin, agassin.*

marcassite 1490, Vaganay (*marcasite*) ; lat. médiév. *marchasita,* de l'arabe *marqachitā,* mot d'orig. persane.

marcescible XIVe s. (*marcezible*) ; 1519, G. Michel (*marcessible*) ; lat. *marcescibilis,* de *marcescere,* se flétrir. || **marcescent** 1799, Ventenat ; lat. *marcescens,* part. prés. de *marcescere.* || **marcescence** 1812, Boiste.

* **marchand** 980, *Passion* (*marchedant*) ; 1050, G. (*marchaant*) ; 1150, Wace (*marcheand*) ; 1486, Bartzsch (*marchand*) ; lat. pop. **mercātantem,* acc. du part. prés. de **mercātāre* (lat. class. *mercāri*), commercer, de *mercatus,* marché, ou *merx, mercis,* marchandise. || **marchandise** 1130, *Eneas ;* « commerce » jusqu'au XVIe s. ; *train de marchandises,* début XXe s. || **marchander** intr., début XIIIe s., faire du commerce ; 1502, O. de la Marche, transitif ; 1646, Du Ryer, fig. || **marchandage** 1848, *Décret ;* début XXe s., fig. || **marchandeur** 1836, *Acad.*

1. **marche** 1080, *Roland,* pays frontière ; francique **marka,* frontière.

2. **marche** V. MARCHER.

* **marché** 980, *Passion* (*marched*) ; 1080, *Roland* (*marchiet*), lieu public où l'on vend ; 1080, *Roland,* convention ; *marché noir,* 1940, *journ. ; à bon marché,* XIIIe s., *Roman de Renart ; par-dessus le marché,* 1735, Marivaux ; lat. *mercatus,* de *merx, mercis,* marchandise. || **supermarché** 1960, *journ.*

marcher 1155, Wace (*marchier*), « fouler aux pieds » ; XIIIe s., *Romania,* « parcourir à pied » ; 1354, *Modus* (*marcher*), « laisser une trace » ; début XVe s., sens actuel ; 1538, R. Est., milit. ; n. m., 1538, R. Est. ; francique *markôn,* marquer, « imprimer le pas » (v. MARC 2, MARQUER). || **marche** 1354, *Modus,* trace d'un animal, ou d'un homme ; début XVIe s., action de marcher ; 1528, Laborde, marche d'escalier ; 1736, Voltaire, déplacement d'un véhicule ; 1781, Condorcet, fonctionnement ; *fermer la marche,* 1690, Furetière ; déverbal. || **marchette** 1532, Rab. || **contremarche** 1626, milit. || **marchage** 1530, Palsgrave, techn. || **marcheur** 1669, Widerhold. || **marcheuse** 1838, Esnault, figurante. || **marchepied** 1279, *Ordonnance,* engin de pêche ; 1302, Gay, tapis de pied ; XIVe s., banc. || **démarche** milieu XVe s. ; déverbal de l'anc. *démarcher* (1120, *Ps. de Cambridge*), fouler aux pieds et, au XVe s., « commencer à marcher, marcher » ; 1671, Pomey, « efforts en vue d'une affaire ». || **démarchage** 1948, Lar. || **démarcher** 1940, *journ.,* sens actuel ; de *démarche,* tentative. || **démarcheur** 1922, Lar.

marcotte 1398, Du Cange (*marquos,* pl.) ; 1538, R. Est (*marquotte*) ; XVIe s. (var. *margotte*) ; de *marcus* (Ier s., Columelle), nom d'un cep de la Gaule. || **marcotter** 1551, Cotereau. || **marcottage** 1835, *Maison rustique.*

* **mardi** 1119, Ph. de Thaon (*marsdi*) ; fin XIIe s. (*mardi*) ; lat. pop. *martis dies,* « jour de Mars » ; *mardi gras,* 1552, Rab.

mare 1180, Marie de France, surtout norm. et angl.-norm. jusqu'au XVIe s. ; anc. scand. *marr,* mer.

marécage, marécageux V. MARAIS.

maréchal fin XIe s. (*marescal*), maréchal-ferrant ; 1155, Wace (*mareschal*), officier chargé du soin des chevaux ; 1213, *Fet des Romains,* grand officier commandant une armée ; franc **marhskalk* (cf. le lat. *mariscalcus, Loi salique*) ; *maréchal des logis,* 1549, R. Est. : abrév. pop. *margis,* 1888, Esnault ; *maréchal de France,* fin XVIe s., d'Aubigné. || **maréchal-ferrant** 1611, Cotgrave. || **maréchale** n. f., 1617, d'Aubigné (a éliminé *maréchaude,* 1250, La Curne). || **maréchalerie** 1533, *La Mareschalerie.* || **maréchalat** 1840, *Acad.* || **maréchaussée** fin XIe s., *Gloses Raschi (marechaussie*), écurie ; 1282, La Curne, office de maréchal ; 1718, *Acad.,* gendarmerie à cheval.

marée 1268, É. Boileau ; dér. anc. de *mer ;* 1398, E. Deschamps, poisson de mer frais. || **mareyeur** 1612, Béroalde de Verville. || **mareyage** 1907, Lar. || **maréographe** 1845, Besch. ; rempl. par **marégraphe** 1868, L. || **maréomètre** 1868, L. || **marémoteur** 1923, Lar.

marelle fin XIe s., *Gloses de Raschi* (*merele*) ; 1190, Bodel (*marrele*) ; la var. *mérelle* est la forme la plus usitée du Moyen Âge au XVIIIe s. ; anc. fém. de *merel, mereau* (XIIe s.), « jeton, palet, petit caillou » ; rad. préroman **marr-,* pierre (cf. *merelle,* mauvais charbon, déchets de charbon, 1855, Zola, *Germinal*).

maremme XIVe s., Moamin (*mareme*), côte ; 1554, *Doc.,* pl., terrains près de la côte ; ital. *maremma.* || **maremmatique** 1868, L.

marengo 1840, *Acad.,* sorte de drap ; 1840, *Acad.,* brun-rouge ; *à la marengo,* 1836, *Acad.,* culin ; du nom de Marengo, localité ital. où Bonaparte remporta une victoire en 1800.

maréyeur, margarine V. MARÉE, MARGARIQUE.

margarique 1816, *Ann. chim.* ; gr. *margaron,* perle, à cause de la couleur de l'acide margarique (v. MARGUERITE). || **margarine** 1813, *Annales de chimie ;* nom créé par Chevreul (1786-1889), sur le rad. du préc. et le suff. de *glycérine.* || **margarinerie** 1961, Calan. || **margarinier** 1963, Lar.

margay 1575, Thevet (*margaia*) ; 1765, Buffon (*margay*), chat-tigre ; d'une langue de l'Amérique centrale.

***marge** début XIIIe s., bord, bordure ; XIIIe s., d'après L. (*marce*), marge d'une feuille ; début XXe s., bénéfice ; 1971, *journ.*, limite ; *en marge,* 1906, Léautaud ; lat. *margo, marginis,* bord. || **margé** 1390, Froissart (*margiet*). || **marger** 1549, R. Est. || **margeur** 1730, Savary. || **marginé** 1738, Voltaire. || **marginal** XVe s., au pr. ; 1964, *journ.,* fig. || **marginalement** 1967, Gilbert. || **marginalisme** 1953, Lar., écon. || **émargé** 1611, Cotgrave, noté en marge. || **émarger** 1721, Trévoux, sens mod. || **émargement** *id.*

***margelle** 1160, Benoît (*marzelle*) ; fin XIIe s., *Alexandre* (*margelle*) ; lat. pop. **margella,* dimin. de *margo.* (V. le précédent.)

marginal, marginé, margot, margoter, margotin V. MARGE, MARGUERITE.

margouillis 1630, Brunot, boue ; de l'anc. fr. *margouiller* (1120, *Ps. d'Oxford*), salir, auj. dial. ; du lat. *marga,* terre, d'orig. gauloise.

margoulette 1756, Vadé, bouche ; de *gueule* (*goule* dans l'Ouest), avec infl. probable du précédent.

margoulin 1840, *les Français peints par eux-mêmes,* pop., marchand forain ; 1873, Lar., sens péjor. ; à l'orig. mot de l'Ouest, de *margouliner,* « aller vendre de bourg en bourg » (se disant pour des femmes), proprem. « aller en margouline », de *margouline,* bonnet de femme, var. de *margoulette* (v. le précéd.), d'après *gouline,* sorte de bonnet, de *goule,* var. de *gueule* dans l'Ouest.

margrave 1495, Molinet (*marckgrave*) ; 1732, Richelet (*margrave*) ; all. *Markgraf,* comte d'une marche. (V. MARCHE 1.) || **margravial** 1840, *Acad.* || **margraviat** 1752, Trévoux.

marguerite début XIIIe s., Pannier (*margarite*), perle, sens inus. depuis le début du XVIIe s. ; XIIIe s., *Aucassin* (*margerite*), variété de fleur, par analogie de couleur ; lat. *margarita,* perle, du gr. *margaritês,* d'orig. sémitique. || **reine-marguerite** 1715, La Quintinie. || **margot** 1350, Gilles li Muisis, pie ; 1550, *Anc. Théâtre,* fille de mauvaise vie ; 1803, Boiste, femme bavarde ; du nom de femme *Margot,* dimin. de *Marguerite.* || **margoter** 1680, Richelet, pousser un cri (de la caille). || **margotin** 1803, Boiste, fagot ; 1902, Lar., marionnette ; de *Margot* au sens de « poupée ».

***marguiller** 1131, *Couronn. Loïs* (*marreglier*) ; 1510, *Coutumier gén.* (*marguillier*) ; bas lat. *mātrīculārius* (*Digeste*), qui tient les registres (v. MATRICULE). || **marguillerie** XIIIe s. (*marreglerie*) ; XIVe s. (*marguillerie*).

***mari** 1155, Wace ; lat. *marītus* (de *mas, maris,* mâle), qui a éliminé *vir.* || **marital** 1495, J. de Vignay, « conjugal » ; fin XVIe s., sens actuel ; lat. *maritalis.* || **maritalement** 1694, *Acad.* || ***marier** 1155, Wace, trouver un mari (pour une fille) ; 1220, Coincy, unir par le mariage ; 1559, Du Bellay, techn. ; *se marier,* 1223, G. ; lat. *maritāre* (nom contracté, sous l'infl. de *mari*). || **marié** n. m., 1155, Wace. || **mariée** n. f., fin XIIIe s., *Apollonius ;* 1752, Trévoux, jeu de cartes. || **mariable** fin XIIe s., *Dial. Grégoire.* || **immariable** 1611, Cotgrave. || **mariage** 1130, *Eneas.* || **marieur** 1220, Coincy (*mariere*) ; 1585, Du Fail (*marieur*). || **remarier** 1160, Benoît ; *se remarier,* 1280, Adenet. || **remariage** 1278, G.

marial 1578, d'Aubigné, n. m., eccl. ; du byzantin *mariale,* de *Maria ;* 1923, Lar., repris comme adj., eccl. ; dér. de *Marie.* || **marianisme** 1878, Lar., eccl. ; dér. de *Marie.* || **marianiste** 1935, *Acad.* || **mariste** 1907, Lar.

marie-couche-toi-là 1867, Delvau ; du prénom *Marie.* || **marie-galante** 1868, L., quinquina ; de l'île des Antilles. || **marie-jeanne** 1969, *journ.,* marijuana. || **marie-louise** 1963, Lar.

marigot 1655, Du Tertre ; orig. inconnue ; peut-être de *mare.*

marijuana ou **marihuana** v. 1950 ; mot hispano-américain, d'orig. obscure.

***marin** adj., 1155, Wace ; n. m., 1718, *Acad. ; marin-pêcheur, marin-pompier,* XXe s. ; adj. lat. *marinus,* de *mare,* mer. || **marine** 1138, Gaimar, plage ; fin XVIe s., d'Aubigné, flotte de guerre ; 1669, Brunot, peint. ; *marine marchande,* 1765, *Encycl. ;* adj., 1883, Loti, bleu foncé. || **marina** 1968, *journ. ;* ital. *marina,* plage. || **marinier** n. m., 1138, Gaimar, homme de mer ; 1524, spéc. pour la navig. d'eau douce ; adj., 1577, Belleau ; *à la marinière,* 1836, *Acad.,* culin. || **marinière** n. f., 1923, Lar., vêtement fém.

|| **sous-marin** adj., 1555, Delb., qui habite sous la mer ; 1729, Bourguet, sens actuel ; n. m., 1870, Verne. || **sous-marinier** 1934, Quillet.

mariné 1546, Rab., trempé dans la saumure ; de *marine,* au sens ancien de « eau de mer ». || **mariner** 1636, Monet. || **marinade** 1651, Guégan. || **marinage** 1868, L.

maringouin 1566, Le Challeux (*maringon*) ; 1615, Yves d'Évreux (*maringouin*) ; tupi-guarani *mbarigui* (Brésil).

mariol ou **mariolle** n. m., 1578, H. Est., filou ; adj., 1827, Granval, arg., roublard, rusé ; ital. *mariuolo,* filou, de *far la Marie,* faire l'innocent, du n. propre *Marie ; faire le mariol,* 1878, A. Gill.

marionnette 1479, Molinet, « ducat portant l'image de la Vierge » ; 1517, *Sotie* (*maryonete*), sens mod. ; diminutif de *Marion,* prénom de femme, lui-même dimin. de *Marie.* || **marionnettiste** 1852, Gautier.

marital V. MARI.

maritime 1336, *Actes normands ;* lat. *maritimus,* de *mare,* mer.

maritorne 1642, Oudin (*malitorne*) ; 1798, *Acad.* (*maritorne*) ; du nom de *Maritorne,* fille d'auberge laide, dans *Don Quichotte* (en esp. *Maritornes*).

marivauder 1760, Diderot ; du nom de *Marivaux* (1688-1763), en raison du raffinement de ses dialogues. || **marivaudage** *id.*

marjolaine 1398, *Ménagier* (*mariolaine*) ; XVIe s. (*marjolaine,* par faute de lecture) ; altér. graphique de l'anc. *maiorane* (XIIIe s., *Simples Médecines*), par croisem. avec *Marion,* dimin. de *Marie ;* du lat. médiév. *maiorana,* d'orig. obscure.

mark 1723, Savary ; mot allem., du francique **marka,* marc.

marketing 1966, *journ. ;* mot angl., de *market,* marché.

marli 1765, *Encycl.,* techn. ; du n. de *Marly,* localité des Yvelines, dont le château est réputé ; le nom a servi à dénommer des objets de luxe.

marlou 1821, Ansiaume, pop., rusé ; 1829, Esnault, souteneur ; emploi fig. de *marlou,* rég. du Nord, « matou », d'orig. onomatop. || **marle** 1884, Esnault ; abrév. de *marlou.* (V. MARAUD.)

marmaille 1560, Viret, petit garçon ; 1611, Cotgrave, sens actuel ; de *marmot,* avec changement de suffixe.

marmelade 1573, Paradin (*mermelade*) ; 1602, Lhermite (*marmelade*) ; portug. *marmelada,* cotignac, de *marmelo,* coing (lat. *melimelum,* sorte de pomme douce, du gr. *melimêlon*).

marmenteau 1501, *Coutumier* (*marmentau*), techn. ; de l'anc. adj. *marmental,* dér. de *merrement* (1308, *Archiv. de Montbéliard*), du lat. pop. **materiāmentum,* bois de construction, de **materiāmen.* (V. MERRAIN.)

marmite adj., 1220, Coincy, hypocrite ; amalgame du rad. de *marmouser,* « murmurer » (v. MARMOTTER) avec *mite,* nom de la chatte dans *le Roman de Renart,* d'orig. onomatop. (v. CHATTEMITE) ; 1313, de Laborde, substantivé au fém. (parce que la marmite cache son contenu), a remplacé l'anc. fr. *oule, eule,* du lat. *olla ;* 1637, *Doc.,* bombe d'artillerie. || **marmiton** 1523, Delb. || **marmitée** 1590, L'Estoile. || **marmiter** 1894, Sachs, milit. ; de *marmite,* bombe. || **marmitage** 1919, Dorgelès. || **marmiteux** XIIe s., *Garin le Loherins,* hypocrite ; auj. misérable, chétif ; de l'anc. adj. *marmite.*

marmonner V. MARMOTTER.

marmoréen 1832, Balzac, sens propre ; 1862, Hugo, fig. ; lat. *marmoreus,* adj., de *marmor,* marbre.

marmot 1432, Baudet Herenc, singe ; 1548, Havard, « figure grotesque servant d'ornement archit. » ; 1640, Voiture, petit enfant ; anc. fr. *marmote,* guenon, dér. de *marmotter ; croquer le marmot,* 1690, Furetière, d'orig. obsc.

marmotte v. 1200, *Mort d'Aymeri,* zool. ; sans doute de même orig. que *marmotter ;* 1827, Mme Celnart, coiffure de femme, à cause des deux coins semblables aux oreilles des marmottes. || **marmottier** 1868, L. ; de *huile de marmotte.*

marmotter 1480, *Doc. ;* d'un rad. *mar-, marm-,* d'orig. onomatop., exprimant le murmure (avec de nombreux correspondants dans les langues indo-européennes). || **marmotterie** fin XVIe s. || **marmotteur** 1605, Le Loyer. || **marmottage** fin XVIIe s., Saint-Simon. || **marmonner** 1534, Rab., dire à voix peu distincte ; var. de *marmotter,* avec changem. de suff. || **marmonnement** fin XVIe s. (V. MARAUD, MARLOU, MARMAILLE, MARMITE, MARMOT, MARMOTTE, MARMOUSET, MAROUFLE 1, MARONNER.)

marmouset XIIIe s., *rue des Marmousets,* « figure grotesque servant d'ornement d'archit. » ; 1460, Villon, petit garçon ; var. de *marmot,* d'après *marmouser* (XVe s.), lui-même var. de *marmotter.*

marne 1266, Du Cange (*marna*) ; 1287, Bevans (*marne*) ; altér. mal expliquée de l'anc. *marle* (auj. dial.), du lat. pop. **margĭla,* mot gaulois. || **marnière** XIIIe s., *Roman de Renart* (*marliere*). || **marner** 1207, Marnier (*marler*) ; 1564, Thierry (*marner*), mettre de la marne. || **marnage** 1641, Barbier. || **marneur** 1275, *Romania* (*marnerez*) ; début XVIe s. (*margneux*) ; 1845, Besch. (*marneur*). || **marneux** adj., 1570, Liébault.

1. **marner** V. MARNE.

2. **marner** 1716, Frézier, mar. ; dér. de **marne,* bord, var. non attestée de *marge,* issu du lat. *margo, marginis ;* monter au-dessus du niveau ordinaire, en parlant de la mer. || **marnage** 1910, Lar.

maronner 1743, Trévoux (*marronner*) ; 1808, d'Hautel (*maronner*), maugréer ; mot du Nord-Ouest, signif. « miauler », dér. d'un nom du chat, d'un rad. onomatop. *mar-* (v. MARAUD, MARMITE, MARMOTTER). || **maronnant** adj., 1923, Lar.

maronite 1525, Thénaud, relig. ; du nom de saint *Maron,* anachorète du IVe siècle.

maroquin 1490, Gay (*marroquin*) ; de *Maroc* (où se fabriquait ce cuir). || **maroquiner** 1701, Furetière. || **maroquinier** 1562, Du Pinet. || **maroquinerie** 1636, Monet. || **maroquinage** 1840, *Acad.*

marotique 1585, Feu-Ardent ; du nom du poète Cl. *Marot* (1496-1544). || **marotisme** 1803, Laharpe. || **marotiser** 1840, *Acad.* || **marotiste** 1840, *Acad.*

marotte 1468, J. Castel, image de la Vierge ; 1530, Palsgrave, attribut de la folie ; 1623, Naudé, idée folle ; dimin. de *Marie.* (V. MARIOLE, MARIONNETTE.)

1. **maroufle** n. m., 1534, Rab., fripon ; autre forme de *maraud.*

2. **maroufle** 1688, *Comptes bâtiments du roi* (*marouf,* n. m.), colle forte ; 1762, *Acad.* (*maroufle,* n. f.) ; probabl. forme fém. du préc., par plaisanterie. || **maroufler** 1746, d'après Trévoux. || **marouflage** 1787, Brunot. || **maroufleur** 1955, *Dict. des métiers.*

marquer 1155, Wace (*merchier*), faire une marque ; 1538, R. Est., faire une trace, affecter d'une marque ; 1669, Boileau, souligner ; à l'orig. forme normanno-picarde, issue de l'anc. scand. *merki,* marque ; le *a* est dû à l'infl. de *marcher,* au sens « fouler, presser » (v. MARCHER). || **marqué** 1661, Molière, accentué. || **marquant** adj., 1762, *Acad.* || **marque** n. f., 1483, Bartzsch, droit d'entrée ; 1530, Palsgrave, signe pour marquer la propriété, et aussi trace laissée sur le corps ; 1538, R. Est., flétrissure ; 1553, *Bible Gérard,* trace matérielle ; déverbal. || **contremarque** 1463, Villon. || **marquage** 1669, Widerhold. || **marqueur** 1582, *D. G.,* personne qui marque ; 1970, Robert, crayon. || **marquoir** 1771, *Encycl.* || **marqueter** 1386, G. || **marqueterie** 1416, Delb. || **marqueteur** 1576, Havard. || **démarquer** 1550, Ronsard, ôter la marque de ; 1878, Larchey, imiter ; *se démarquer,* 1948, Lar., sports. || **démarcation** 1700, d'après Trévoux ; peut-être esp. *demarcacion.* || **démarqueur** 1867, Delvau. || **démarcatif** 1863, L. || **remarquer** 1354, *Modus* (*remerquier*). || **remarque** 1505, G. (*remerche*) ; 1580, Montaigne (*remarque*), action de noter ; 1690, Furetière, opinion. || **remarquable** milieu XVIe s., G.

marquette 1714, Trévoux ; esp. *marqueta,* de même rac. que le précédent ; pain de cire.

marquis 1080, *Roland* (*marchis*) ; de *marche* 1 ; début XIIIe s. (*marquis*) ; réfection, d'après l'ital. *marchese.* || **marquise** 1472, Bartzsch, femme d'un marquis ; 1718, *Acad.,* mar., toile de tente ; 1839, Balzac, auvent vitré. || **marquisat** 1474, Bartzsch ; adapt. de l'ital. *marchesato.*

***marraine** 1080, *Roland* (*marrene*) ; XIIIe s., Galeran (*marraine*) ; var. de l'anc. fr. *marrine* (v. 1200), du lat. pop. *mātrīna,* de *mater,* mère (v. *parrain* et *commère* pour le sens). || **marrainage** 1896, Goncourt.

marre 1896, Delesalle, dans *en avoir marre,* en avoir assez ; déverbal de l'anc. fr. *se marrir,* s'ennuyer (v. MARRI). || **se marrer** 1883, Esnault, « s'ennuyer » et « se tordre de rire » ; par antiphrase. || **marrant** 1901, Esnault.

marri 1155, Wace ; part. passé de l'anc. français *marrir* (XIIe s.), affliger, du francique **marrjan,* fâcher.

1. **marron** n. m., 1532, Rab., châtaigne ; 1765, *Encycl.,* couleur, adj. et n. m. ; 1881, Rigaud, pop., coup de poing ; *marrons glacés,* 1690, Furetière ; *marron d'Inde,* 1718, *Acad. ; tirer les marrons du feu,* 1640, Oudin ; terme lyonnais, du rad. préroman **marr-,* « caillou » (v. MARELLE). || **marronnier** 1560, Gouberville.

2. **marron** 1640, Bouton, esclave nègre fugitif ; altér. de l'esp. d'Amér. *cimarron* (on trouve *cimaroni,* 1579, Benzoni), « réfugié dans un fourré » ; de l'anc. esp. *cimarra,* fourré ; 1832, Barthélemy, péjor., en parlant d'une personne qui exerce un métier sans titre. || **marronnage** 1735, Richelet.

marrube fin XIe s., *Gloses de Raschi* (*marrubje*) ; 1387, Phébus (*marrube*), bot. ; lat. *marrubium.*

***mars** 1234, G. (*march*) ; lat. *martius* (*mensis*), mois du dieu Mars.

***marsault** XIIIe s., saule mâle ; lat. *marem salicem.* (V. SAULE.)

marsouin 1464, *Maistre Pierre Pathelin ;* scand. *marsvin,* « porc (*svin*) de mer » ; 1858, Esnault, soldat de l'infanterie coloniale.

marsupial 1736, *Mémoires Acad. sciences,* zool. ; lat. *marsupium,* bourse, du gr. *marsipion.* || **marsupialiser** 1963, Lar.

martagon fin XIVe s., Delatte, bot. ; esp. *martagon ;* lis de montagne.

***marteau** début XIIe s., *Voy. de Charl.* (*martel*) ; 1380, Havard (*marteau,* refait d'après le pl. *-eaus*) ; l'anc. forme est restée dans *martel en tête* (1578, d'Aubigné) ; lat. pop. **martellus* (lat. impér. *martulus,* altér. de *marcŭlus,* sur le modèle de *vertulus,* v. VIEUX) ; 1882, Chautard, adj., pop., « fou ». || **marteau-pilon** 1873, Lar. || **marteau-piqueur** 1963, Lar. || **marteler** 1175, Chr. de Troyes. || **martèlement** 1579, Feu-Ardent. || **martelage** 1530, G. || **marteleur** XIIIe s., L. (*martellour*) ; 1361, Oresme (*marteleur*). || **martelière** 1600, O. de Serres ; anc. prov. *marteliera.* || **marteline** 1611, Cotgrave ; ital. *martello,* marteau.

martial 1511, J. Lemaire de Belges, valeureux ; 1694, Th. Corn., pharm., ferrugineux ; *loi, cour martiale,* 1765, *Encycl.,* 1789, Frey, d'apr. l'angl. *martial law, court ;* lat. *martialis,* de *Mars, Martis,* nom du dieu de la Guerre. || **martialement** 1842, Richard.

martien 1530, Marot ; du nom de la planète *Mars* (1380) ; 1923, Lar., habitant de Mars.

martin-chasseur 1775, Buffon, zool. ; du nom propre *Martin,* d'empl. obscur, et de *chasseur.* || **martin-pêcheur** 1555, Belon (*martinet-pêcheur*) ; 1573, E. Rolland (*martin-pêcheur*).

1. **martinet** 1530, Palsgrave, oiseau ; du nom propre *Martin,* d'empl. obscur.

2. **martinet** 1315, Du Cange, marteau à bascule ; 1369, Gay, machine de guerre, pour lancer des pierres ; 1677, Dassié, mar., cordage ; 1743, Trévoux, fouet à lanières ; du nom propre *Martin,* d'empl. obscur, avec diverses filiations de sens métaphoriques. || **martin-bâton** 1534, B. des Périers.

martingale 1520, Gringore (*chausses à Martingale,* dont le fond s'attachait par-derrière) ; 1762, *Acad.* (*à la martingale*), de manière absurde ; 1802, Picard, combinaison de jeu ; prov. *martegalo,* de *martegal,* de Martigue, les chausses à la martingale étant originaires de cette région. || **martingaler** 1834, Landais.

martre 1080 (*Rolland*) ; var. *marte,* depuis le XVIe s. ; germ. **marthor* (all. *Marder*).

martyr 1050, *Alexis* (*martir*) ; XIIIe s. (*martyr*) ; 1690, Furetière, fig. ; lat. eccl. *martyr,* du gr. *martur,* plus fréquemment *martus,* « témoin », d'où « témoin de Dieu ». On trouve en anc. fr. *martre,* d'où *Montmartre,* de *mons Martyrum* (IXe s., Hilduin), en souvenir de saint Denis et de ses compagnons. || **martyre** 1080, *Roland* (*martire*), relig. ; 1190, Garnier, souffrances ; lat. eccl. *martyrium,* du gr. *martyrion.* || **martyriser** 1138, Gaimar ; lat. médiév. *martyrizare.* || **martyrologue** début XIVe s., Gilles li Muisis ; lat. médiév. *martyrologium* (sur le modèle de *eulogium,* v. ÉLOGE). || **martyrologie** 1611, Cotgrave.

marumia 1762, *Acad. ;* mot lat., gr. *maron ;* arbrisseau d'Asie tropicale.

marxisme 1880, *journ. ;* du nom de Karl *Marx,* philosophe et économiste allemand (1818-1883). || **marxiste** 1902, Lar.

maryland 1762, Mackenzie ; du nom d'un État des U.S.A. qui produisait ce tabac.

mas 1390, G. ; prov. *mas* (début XIIe s.), popularisé après 1860 par Mistral et Daudet ; lat. *ma*(*n*)*sum,* part. passé substantivé au neutre, de *manēre,* demeurer. (V. MAISON, MANOIR, MASURE.)

mascarade 1554, O. de Saint-Gelais ; ital. *mascarata,* var. de *mascherata,* de *maschera,* masque. (V. MASQUE 1.)

mascaret 1580, B. Palissy, géogr. ; mot gascon, proprem. « (bœuf) tacheté », d'empl. métaph. pour désigner le soulèvement et l'ondulation des flots ; de *mascara,* mâchurer, sur le rad. *mask-,* « noir », d'orig. obsc. (V. MASQUE 1.)

mascaron 1633, Peiresc ; ital. *mascherone,* augmentatif de *maschera,* masque. (V. MASQUE 1.)

mascotte 1867, Zola ; popularisé en 1880 par *la Mascotte,* opérette d'Audran ; prov. mod. *mascoto,* sortilège, porte-bonheur, de *masco,* sorcière.

masculin fin XIIe s., Gui de Cambai ; 1550, Meigret, gramm. ; lat. *masculinus,* de *masculus* (v. MÂLE). || **masculinité** 1265, Br. Latini ; rare jusqu'au XVIIIe s. || **masculiniser** début XVIe s. (*se masculiniser*), gramm. ; 1774, *Année littér.*, transitif, fig. || **masculinisation** 1918, de Roux. || **émasculer** XIVe s., rare jusqu'en 1707, P. Dionis. || **émasculation** 1755, *Encycl.*

masochisme fin XIXe s. ; du nom du romancier autrichien Sacher *Masoch* (XIXe s.), d'après l'érotisme pathologique de ses personnages. || **masochiste** *id.*

1. **masque** n. m., fin XVe s., mascarade ; 1511, Gringore, sens mod. ; *demi-masque,* 1826, Mozin ; *masque à gaz,* 1915, Lar. ; ital. *maschera,* du rad. *mask-,* « noir », d'orig. obsc. || **masqué** 1538, R. Est. ; *bal masqué,* 1746, La Morlière. || **masquer** 1550, Ronsard, couvrir d'un masque ; 1718, *Acad.,* milit. || **masquage** 1963, Lar. || **démasquer** 1554, Wind, enlever le masque ; 1680, Richelet, fig.

2. **masque** n. f., 1562, La Curne, injure ; 1640, Oudin, maquerelle ; prov. mod. *masco,* sorcière. (V. MASCOTTE.)

massacre fin XIe s., *Gloses de Raschi* (*macecre*), abattoir ; milieu XIIe s., *Roman de Thèbes* (*maçacre*), action de tuer des gens ; déverbal de *massacrer.* || **massacrer** 1185, *Moniage Guillaume* (*macecler*) ; 1307, Guiart (*maçacrer*) ; lat. pop. **matteuculare,* tuer, de **mattenca,* massue. || **massacreur** 1573, J. de La Taille. || **massacrant** adj., 1777, Voltaire.

1. ***masse** 1050, *Alexis,* amas ; 1175, Chr. de Troyes, grande quantité ; 1810, Staël, peuple, pl. ; fin XVIIIe s., classes populaires ; *en masse,* 1781, *Année littér. ; masse salariale,* 1963, Lar. ; lat. *massa,* masse de pâté. || **masser** XIIIe s., *Garin de Monglane,* ramasser, entasser. || **massif** adj., fin XIIe s., *Roman de Thèbes* (*massis*) ; 1480, *Barathre* (*massif*) ; n. m., 1360, Froissart (*massis*) ; 1580, Montaigne (*massif*). || **massivement** 1583, Du Monin. || **massiveté** 1538, R. Est. || **massier** 1775, Duhamel, mar. ; 1907, Lar., scol. || **massifier** 1780, Mercier. || **massification** 1963, *journ.* || **massique** 1923, Lar. || **mass media** 1966, *journ. ;* mot angl., lat. *media,* milieu. || **amasser** 1175, Chr. de Troyes. || **amas** 1360, Froissart. || **ramasser** 1213, *Fet des Romains,* regrouper ; 1539, R. Est., resserrer ; 1750, Buffon, prendre à terre ; 1789, Brunot, appréhender ; *se ramasser,* faire une chute, 1920, Bauche. || **ramas** 1549, R. Est. || **ramassis** XVIIe s., Sévigné. || **ramasseur** 1500, Auton. || **ramassement** milieu XVIe s. || **ramasse-miettes** 1876, *J. O.*

2. ***masse** 1131, *Couronn. Loïs* (*mace*), marteau ; lat. pop. **mattea,* de *mateola,* outil agricole (Caton). || **masser** 1868, L., billard. || **massette** 1778, Lamarck, bot. || **massier** XIVe s., *Miracles* (*macier*).

masselotte XIIIe s., *Fabliau* (*machelotte*) ; 1704, Trévoux (*masselotte*), techn. ; de *masse* 1.

massepain 1534, Des Périers (*marsepain*) ; 1546, Rab. (*massepain*), pâtisserie ; ital. *marzapane,* « roi assis », nom d'une monnaie représentant le Christ assis (pendant les croisades), puis « boîte contenant un dixième de muid, boîte de luxe ».

1. **masser** V. MASSE 1 et 2.

2. **masser** 1779, Le Gentil, *Voy. dans l'Inde,* soumettre au massage ; ar. *massa,* toucher, palper (la pratique du massage venant d'Orient). || **masseur** *id.* || **massage** 1812, Mozin.

massette V. MASSE 2.

1. **massicot** 1480, texte creusois, oxyde de plomb ; ital. *marzacotto,* vernis de potier, de l'esp. *mazacoet,* soude, puis « mortier », de l'ar. *schabb-qubtî,* alun d'Égypte.

2. **massicot** 1877, L., machine à rogner le papier ; du nom de l'inventeur, G. *Massicot* (1797-1870). || **massicoter** *id.* || **massicotage** 1963, Lar.

massier, massif V. MASSE 1.

***massue** fin XIe s., *Gloses de Raschi* (*maçugue*) ; 1380, *Aalma* (*massue*) ; lat. pop. **matteuca,* dér. de **mattea.* (V. MASSE 2.)

mastaba 1888, Lar. ; mot ar. signif. « banc ».

mastic 1256, Ald. de Sienne (*mastich*) ; bas lat. *mastichum,* var. de *mastichē* (gr. *mastikhê,* « gomme du lentisque ») ; 1867, Delvau, arg. typogr. || **mastiquer** 1560, Paré. || **masticage** 1830, Grouvelle. || **démastiquer** 1699, *Mém. Acad. sciences.* || **démastiquage** 1863, L.

mastiff 1611, Cotgrave (*mestif*), sorte de chien anglais ; rare jusqu'en 1835 ; mot angl., luimême issu de l'anc. fr. *mastin.* (V. MÂTIN.)

1. **mastiquer** V. MASTIC.

2. **mastiquer** 1363, Chauliac, mâcher ; 1425, O. de La Haye, bien étudier ; début XXe s., assimiler avec lenteur ; lat. méd. *masticare.* || **mastication** XIIIe s., *Simples Méd. ;* lat. méd. *masticatio.* || **masticatoire** 1552, Rab. || **masticateur** 1817, Blainville.

mastite 1814, Nysten, méd. ; gr. *mastos,* mamelle.

mastoc 1834, Balzac (*mastok*) ; all. *Mastochs,* « bœuf (*Ochs*) à l'engrais (*Mast*) ».

mastodonte 1812, Cuvier ; gr. *mastos,* mamelle, et *odous, odontos,* dent, à cause des molaires mamelonnées de ce fossile.

mastoïde 1560, Paré ; gr. *mastoeidês,* « à l'apparence (*eidos*) de mamelle (*mastos*) ». || **mastoïdien** 1654, Gelée. || **mastoïdite** 1855, Nysten. || **mastopexie** 1931, Lar. ; gr. *pexis,* action d'ajuster. || **mastoptôse** 1923, Lar.

mastroquet 1849, Esnault, marchand de vins, pop. ; 1862, Hugo, débit de boissons ; mot picard, du flamand *maesterke,* petit patron. || **troquet** XXe s. ; abrév.

masturber 1800, Boiste ; lat. *masturbare,* de *manus,* main, et *stuprare,* souiller. || **masturbation** 1580, Montaigne ; lat. *masturbatio.* || **masturbatoire** 1970, Robert.

***masure** fin XIIe s., *Roman d'Alexandre ;* lat. pop. **mansūra,* demeure, sens de l'anc. fr. ; 1611, Cotgrave, péjor. (V. MAISON, MAS.)

1. **mat** 1130, *Eneas,* échecs ; ar. *mât,* mort, dans la loc. *shâh mat,* francisée en *échec et mat.* (V. ÉCHEC.) || **mater** 1155, Wace, vaincre, dompter.

2. **mat** XIe s., G., abattu, affligé, jusqu'au XVIe s. ; 1424, G., sans éclat, sombre, en parlant du temps ; 1621, Binet, terne ; lat. *mattus* (Pétrone), de **maditus,* part. passé de *madēre,* être humide. || **mater** 1764, *Encycl. domestique,* rendre mat, techn. || **matage** 1873, Lar. || **mateur** 1727, Furetière. || **matir** XIIe s., se flétrir, se faner. || **matité** 1836, *Acad.,* en parlant d'un son ; 1842, Mozin, en parlant de la peinture. || **matoir** 1676, Félibien, techn.

mât 1080, *Roland* (*maz,* pl.) ; francique **mast* (cf. all. *Mast*). || **mâter** 1382, Delb. || **mâtereau** 1529, Crignon (*masterel*). || **mâture** 1638, Bréard. || **démâter** fin XVIe s. || **démâtage** 1783, *Encycl. méthod.* || **trois-mâts** 1698, Froger.

matador 1660, Oudin, terme du jeu d'hombre ; 1782, Peyron, tauromachie ; mot esp., proprem. « tueur », de *matar,* tuer. (V. MAT 2.)

mataf 1908, Esnault ; abrév. de *matafian* (1880, Esnault), de *matafion,* petite corde, d'orig. italienne ; matelot.

matamore 1578, d'Aubigné ; esp. *Matamoros,* faux brave de la comédie esp., proprem. « tueur de Maures », de *matar,* tuer. (V. MATADOR.)

matassin 1542, Rab. (*matachin*) ; ital. *matachin,* sorte de danse, de *matto,* fou, lat. *mattus.*

match 1827, *Journ. des haras ;* vulgarisé à la fin du XIXe s. ; mot angl., de *to match,* rivaliser avec. || **matcher** 1902, Lar.

matchiche v. 1904, Lar. ; portugais du Brésil *maxixe,* nom indigène de cette danse.

maté 1633, Baudoin (*mati*) ; début XVIIIe s. (*maté*) ; mot esp., du quichua, langue du Pérou, proprem. « vase pour la boisson » ; 1873, Lar., infusion de maté.

matelas 1272, Joinville (*materas*) ; 1464, J. Chartier (*mathelas*) ; ar. *matrah,* tapis pour dormir, de *tarah,* jeter, d'après l'usage oriental du coussin étendu sur le sol, en guise de couche. || **matelasser** 1678, *Doc.* || **matelassage** 1963, Lar. || **matelassier** 1615, Fougasses (*materassier*).

matelot XIIIe s., *Hist. des Trois Maries,* var. *matenot* en anc. fr. ; moy. néerl. *mattenoot,* proprem. « compagnon de couche », de *matte,* couche, et *noot,* camarade. || **matelote** 1660, Oudin (*à la matelote,* à la manière des matelots) ; 1674, Guégan, n. f., culin. || **matelotage** XVIe s.

mater, mâter, matérialiser, matérialité V. MAT 2, MÂT, MATÉRIEL.

matériaux 1510, J. Lemaire de Belges ; cristallisation, comme n. pl., de l'anc. fr. *material,* adj., du bas lat. *materialis,* éliminé par *matériel.* || **matériau** 1867, *Moniteur universel,* sing., techn.

matériel adj., 1270, Mahieu le Vilain, opposé à *formel ;* 1350, J. Le Bel, formé de matière ; 1678, Molière, attaché à la matière, fig. ; n. m., 1373, *Traduction de P. Crescens,* substance ; 1822, *Encycl. méth.,* sens actuel ; bas lat. *materialis* (IVe s., Macrobe), de *materia,* matière. || **matérialité** 1470, *Livre disc. ;* rare jusqu'en 1690, Furetière. || **matérialiser** 1754, Gohin. || **matérialisation** 1833, Balzac. || **dématérialiser** 1803, Boiste. || **matérialisme** 1702, Leibniz. || **matérialiste** 1553, Belon, marchand de drogues ; 1698, *Doc.,* sens actuel. || **immatériel** début XIVe s. ; lat. *immaterialis.* || **immatérialiser**

1803, Boiste. || **immatérialisme** 1753, Le Camus. || **immatérialité** 1647, Pascal.

maternel 1361, Oresme, au sens propre ; 1690, Furetière, fig. ; lat. *maternus,* de *mater,* mère. || **maternelle** n. f., 1887, *J. O.* || **maternellement** XIVe s., *Miracles.* || **maternité** 1460, Chastellain ; lat. *maternus,* sur le modèle de *paternité, fraternité ;* 1834, Boiste, établissement d'hospitalisation pour les femmes en couches. || **materner** 1956, Racamier. || **maternage** *id.* || **materniser** 1743, Trévoux, tenir de sa mère ; 1907, Lar., sens actuel.

mathématique adj. et n. f., XIIIe s., *Algorisme ;* pl., 1564, Forcadel ; lat. *mathematicus,* du gr. *mathêmaticos,* de *mathêma,* science, sur la rac. de *manthanein,* apprendre ; *mathématiques élémentaires,* 1867, L., scol. ; *mathélem,* XXe s., abrév. ; *mathématiques spéciales,* 1867, L., scol. || **maths** 1880, Larchey ; abrév. || **mathématicien** 1370, Oresme. || **matheux** 1929, Esnault. || **mathématiser** 1585, Cholières, faire des calculs ; 1966, *journ.,* sens actuel. || **mathématisation** 1959, Meynaud.

matière 1112, *Voy. saint Brendan* (*mateire*) ; 1160, Benoît (*matire*) ; 1175, Chr. de Troyes (*matière*) ; bas lat. *matĕria,* en lat. class. *materies,* pris au fig., proprem. « bois de construction ». (V. MATÉRIAUX, MATÉRIEL, MERRAIN, etc.)

***matin** 980, *Passion ;* lat. impér. *matutinum,* matinée, adj. neutre substantivé (de *mātūtīnum tempus*), qui a éliminé *mane* (v. DEMAIN). || **matinal** 1120, *Ps. d'Oxford* (*matinel*) ; 1120, *Ps. de Cambridge* (*matinal*). || **matinalement** 1800, Boiste. || **matinée** 1119, Ph. de Thaon. || **matineux** début XIVe s., Gilles li Muisis. || **matinier** 1312, G. || **matines** 1080, *Roland,* eccl. (V. MATUTINAL.)

***mâtin** 1155, Wace (*mastin*) ; lat. pop. **mansuētīnus,* devenu **masetinus* (class. *mansuētus*), apprivoisé, de *manus,* main, et *suere,* avoir coutume. || **mâtiner** XIIe s., G., traiter de chien, maltraiter ; 1561, du Fouilloux, couvrir une chienne de race. || **mâtiné** 1865, Parent, pour les animaux ; 1931, Lar., mêlé de.

matir, matité, matoir V. MAT 2.

matois 1573, M. de l'Hospital, voleur, proprem. « enfant de la *mate* » (« place des exécutions », et par ext. « ville », empl. au XVe s., dans Villon) ; 1613, Régnier, sens actuel, adj. et n. ; all. dial. *Matte,* prairie. || **matoiserie** fin XVIe s., La Curne.

1. **maton** fin XIe s., *Gloses de Raschi ;* même rac. que l'allem. dial. *Matte,* lait caillé, d'orig. obscure.

2. **maton** 1926, Esnault, mouchard ; 1946, Esnault, gardien ; de *mater,* observer, mot du français d'Alger, de l'esp. *matar,* tuer.

matou XIIIe s., Le Roux (*matoue*) ; 1571, G. (*matou*) ; orig. onomat.

matraque 1669, Havard, instrument de musique pour réveiller les gens ; 1861, Esnault, sens actuel ; ar. d'Algérie *matraq,* gourdin. || **matraquer** 1927, Esnault. || **matraqueur** 1949, Lar. || **matraquage** *id.*

matras début XIVe s. (*matheras*), vase à long cou, pharm. ; soit de l'ar. *matara,* « outre, vase », soit empl. métaph. de l'anc. fr. *materas,* fin XIIIe s. (var. *mattras,* XVe s.), long dard lancé par une arbalète, du lat. pop. **mattara,* de *matara,* sorte de javeline, mot gaulois.

matriarcal 1894, *Grande Encycl. ;* lat. *mater,* mère, d'après *patriarcal.* || **matriarcat** *id. ;* d'apr. *patriarcat.* || **matrilocal** 1955, Lévi-Strauss. || **matrilinéaire** 1967, *journ. ;* lat. *linearis,* de ligne.

matricaire 1539, Rolland, bot. ; lat. *matrix, -icis,* matrice (v. MATRICE), parce que cette plante était employée comme emménagogue.

matrice fin XIe s., *Gloses de Raschi* (*madriz*) ; 1265, Br. Latini (*matrice*), anat. ; lat. *mātrīx,* de *mater,* mère, d'après *nutrix, genetrix ;* milieu XVIe s., typog. ; 1949, Lar., en math. ; 1835, *Acad.,* registre. || **matrissage** 1840, *Acad.,* techn. || **matriçage** 1907, Lar., *id.* || **matricer** 1930, Lar. || **matriciel** 1853, d'après L.

matricule 1460, *Des droits de la couronne ;* bas lat. *matricula,* de *mātrīx* au sens de « registre ». (V. MATRICE et MARGUILLIER.) || **matriculer** 1550, Germain. || **matriculier** 1721, Trévoux. || **immatriculer** 1485, Planiol. || **immatriculation** 1636, Monet.

matrimonial XIVe s., G. ; bas lat. *matrimonialis,* de *matrimonium,* mariage, de *mater,* mère.

matrone XIIe s., *Vie d'Édouard le Conf.,* femme d'âge mûr ; XIVe s., *Mir. de N.-Dame,* sage-femme, pop. ; 1718, *Dict. comique,* entremetteuse ; lat. *matrona,* mère de famille, dame, augmentatif de *mater,* mère.

matte 1627, Savot, métall. ; moyen français *matte,* lait caillé, lat. *mattus,* humecté ; métal résultant d'une première fonte de minerai.

maturation v. 1300, G. ; lat. *maturatio,* de *maturare,* mûrir, de *maturus* (v. MÛR). || **maturité** 1485, Molinet ; lat. *maturitas ;* a éliminé la forme pop. de l'anc. fr. *meüreté* (1120, *Ps. d'Oxford*). || **mature** milieu XIIIe s., sensé ; fin XVe s., mûr ; 1963, Lar., sens actuel. || **maturer** fin XVe s., faire aboutir.

matutinal 1190, *Saint Bernard ;* bas lat. *matutinus,* matinal. (V. MATIN.)

maudire 1080, *Roland* (*maldire*) ; 1175, Chr. de Troyes (*maudire*) ; lat. *maledicere,* au sens chrét. (IVe s., saint Jérôme), proprem. « dire du mal, injurier ». || **malédiction** 1375, R. de Presles ; lat. *maledictio ;* a éliminé l'anc. forme pop. *maudisson.* || **maudit** adj., 1080, *Roland* (*maldit*) ; n., XVIe s., d'Aubigné. || **maudisseur** XIIe s., *Dial. Grégoire.*

maugréer 1279, Frère Laurent ; anc. fr. *maugré,* chagrin (1160, *Tristan*), de *mau-,* mal, et *gré.* (V. GRÉ.)

mauresque 1379, Gay (*morisque*) ; 1534, Sainéan (*moresque*) ; esp. *morisco,* de *moro,* maure, lat. *Maurus.*

mausolée fin XIVe s., Chr. de Pisan (*mausole*) ; 1544, M. Scève (*mausolée*) ; lat. *mausoleum,* du gr. *Mausôleion,* tombeau de Mausole, roi de Carie.

maussade 1370, Oresme (*malsade*) ; de *mal* et de l'anc. adj. *sade* (1175, Chr. de Troyes), « agréable », du lat. *sapidus,* « savoureux », de *sapere,* avoir de la saveur. (V. SAPIDE, SAVEUR, SAVOIR.) || **maussaderie** 1740, *Acad. ;* a éliminé *maussadeté* (XVIe s.)

***mauvais** 1080, *Roland* (*malvais*), nuisible, méchant ; 1050, *Alexis,* défectueux ; bas lat. pop. *malifatius,* proprem. « qui a un mauvais sort », de *malum,* mal, et *fatum,* sort (cf. le nom propre *Boniface,* de *Bonifatius,* et l'évol. sémant. de *méchant*). || **mauvaisement** 1080, *Roland.* || **mauvaiseté** 1120, *Ps. de Cambridge* (*malvaistié*) ; 1155, Wace (*mauvaisté*).

mauve 1256, Ald. de Sienne, bot. ; 1862, Hugo, adj. de couleur ; lat. *malva.* || **mauvette** 1789, *Encycl. méth.,* bot. || **mauvéine** 1878, Lar., chim. || **malvacée** 1747, Guettard.

mauvis 1250, Gautier d'Épinal, zool. ; anc. fr. *mauve* (1119, Ph. de Thaon), de l'anglo-saxon *maew,* mouette. (V. MOUETTE.) || **mauviette** 1694, Ménage, zool. ; 1808, d'Hautel, péj., pop.

maxillaire 1363, Chauliac (*maxillere*) ; 1488, *Mer des hist.* (*maxillaire*), adj. ; lat. *maxillaris,* de *maxilla,* mâchoire ; 1845, Besch., n. m. || **maxillite** 1873, Lar. || **sous-maxillaire** 1745, Günz.

maxime 1330, J. Lefèvre, « expression d'une idée » ; 1538, R. Est., « règle morale, jugement général » ; v. 1660, La Rochefoucauld, genre litt. ; lat. médiév. *maxima,* ellipse de *sententia maxima,* « sentence la plus grande », d'où « de portée générale ».

maximum 1718, *Mém. Ac. sciences,* n. m. ; *au maximum,* v. 1950 ; 1893, *D. G.,* adj. ; neutre substantivé du lat. *maximus,* superlatif de *magnus,* grand ; 1840, *Acad.,* n. pl. *maxima.* || **maximal** 1877, L. || **maximaliser** 1963, Lar. || **maximalisme** *id.* || **maximaliste** 1910, Guelliot. || **maximiser** 1834, Laroche. || **maximer** 1850, *Doc.*

maxwell 1900, Congrès d'électr. de Paris ; du nom du physicien *Maxwell* (1831-1879).

mayonnaise 1807, Viard ; p.-ê. du nom de *Port-Mathon,* capitale de Minorque, en souvenir de la prise de la ville par le duc de Richelieu en 1756.

mazagran 1866, Delvau, café mêlé d'eau-de-vie ; 1963, Lar., gobelet de faïence servant à boire le « mazagran » ; de *Mazagran,* nom d'un village d'Oranie ; souvenir du siège soutenu par le capitaine Lelièvre en 1840.

mazdéen 1845, Besch., relig. ; avestique *mazdah,* sage. || **mazdéisme** *id.*

mazer 1842, *Acad.,* techn. ; orig. obscure. || **mazéage** 1846, Besch.

mazette 1622, Garasse, mauvais cheval ; 1640, Oudin, joueur inhabile ; 1648, Scarron, sans énergie ; empl. métaph. de *mazette,* mésange, en normand et en franc-comtois.

mazout 1907, Lar. ; russe *mazout,* probabl. de l'ar. *makhzulat,* déchets. || **mazouter** 1967, *journ.,* mar. || **mazoutage** 1963, Lar.

mazurka 1829, *Rev. de Paris* (*mazourka*) ; polonais *mazurkha,* nom d'une danse nationale de Pologne.

***me** 842, *Serments ;* forme atone, de l'acc. *me* du pron. pers. lat. (cf. JE, dont MOI, XIe s. [*mei*], est la forme tonique).

mé-, préfixe (anc. fr. *mes-*), représentant la particule francique **missi,* négative et péjorative (all. *miss-*). V. au mot simple correspondant les mots commençant par *mé-.*

mea-culpa 1560, Viret ; loc. lat., signif. « par ma faute », empr. au *Confiteor,* prière catholique de repentir.

méandre 1552, Paradin ; lat. *Maeander,* du gr. *Maiandros,* nom d'un fleuve sinueux d'Asie

Mineure. || **méandreux** 1609, Courval-Sonnet. || **méandrique** 1845, Besch.

méat 1502, O. de Saint-Gelais (*meate*), « passage » ; 1560, Paré (*méat*), méd. ; lat. *meatus,* passage, canal, de *meare,* passer. || **méatotomie** 1931, Lar.

mec 1821, Ansiaume, arg., « maître, roi » ; puis, pop., « souteneur » et « individu » ; orig. ital. ou abrév. de *maquereau,* par l'intermédiaire de *mac.* || **mecton** 1896, Esnault.

mécanique adj., 1265, Br. Latini, qui comporte l'action de la main ; XIVe s., qui fait un travail manuel ; 1680, Richelet, relatif aux lois du mouvement ; 1786, Havard, mû par un agencement artificiel ; n. m., XVe s., travailleur manuel ; n. f., 1559, Amyot, théorie mathém. du mouvement ; 1690, Furetière, système des pièces et des mouvements d'une machine ; lat. impér. *mechanicus,* adj., et comme n. *mechanica* (s.-e. *ars*), du gr. *mêkhanikos, mêkhanikê* (s.-e. *tekhnê*), de *mêkhanê,* machine. || **mécaniquement** XVe s., Commynes. || **mécanicien** 1696, *Furetieriana,* au sens scientif., d'après *mathématicien ;* évol. sémant. parallèle à celle de *mécanique ;* 1834, Wexler, conducteur de locomotives. || **mécano** 1923, Lar. ; abrév. pop. de *mécanicien.* || **mécanisme** 1701, Trévoux. || **mécaniste** 1687, Duncan, médecin organiciste ; 1876, *J. O.,* philos. || **mécaniser** 1580, B. Palissy, ravaler, avilir ; 1834, Landais, tourmenter ; 1931, Lar., sens actuel. || **mécanisation** 1870, Goncourt, transformer en mécanisme ; 1931, Lar., sens actuel.

mécano-, gr. *mêkhanê,* machine. || **mécanographe** 1911, Lar. || **mécanographie** 1911, Lar. || **mécanographique** 1911, Lar. || **mécanothérapie** 1907, Lar.

mécène 1526, Marot (*mécénas*) ; 1680, Richelet (*mécène*) ; lat. *Mecenas,* nom du ministre d'Auguste protecteur des arts (déjà pris comme nom commun en lat.). || **mécénat** 1868, L.

méchant XIIe s., G. (*mescheant*), malchanceux, misérable ; début XIVe s., porté à faire du mal ; fin XVe s., « sans valeur », avant le nom ; anc. part. prés. du verbe *mescheoir* (1160, *Eneas*), du préf. *mes-* (v. MÉ-), et de *choir.* || **méchamment** 1361, Oresme. || **méchanceté** XIVe s., Cuvelier (*meschanceté*) ; anc. fr. *mescheance* (1160, Benoît), dér. de l'adj. (V. CHANCE.)

1. ***mèche** 1130, *Eneas* (*mece*), cordon ; 1398, *Ménagier,* cordon pour le feu ; 1453, Monstrelet, touffe de cheveux ; 1676, Félibien, tige d'acier ; *vendre la mèche,* 1868, L. ; lat. pop. **micca,* altér., d'après *muccus,* « mucus nasal » (v. MOUCHER), du lat. class. *myxa,* « mèche de lampe » (gr. *muxa, id.*) ; cf. CHANDELLE, dans son empl. pop., au sens de « morve ». || **mécher** 1743, Trévoux. || **méchage** 1873, Lar. || **mécheux** 1845, Besch. || **éméché** 1859, Monselet, proprem. « qui a les cheveux en mèche sous l'effet de l'ivresse ».

2. **mèche** 1791, Boulard (*à mèche d'affut,* à partage égal) ; *être de mèche,* 1793, Esnault, pop., « être de moitié » ; 1808, Esnault (*pas mèche*) ; ital. *mezzo,* aux deux sens de « moyen » et de « demi », du lat. *medius.* (V. MI 1.)

méchoui 1923, Lar. ; mot ar.

méconium 1549, Maignan, suc de pavot ; mot lat., du gr. *mêkôn,* pavot. || **méconial** 1873, Lar.

mécréant 1080, *Roland* (*mescréant*) ; anc. part. prés. du verbe *mescroire* (1112, *Voy. saint Brendan,* encore au XVIIIe s., Voltaire), du préf. *mes-* (v. MÉ-), et de *croire.*

médaille 1496, Commynes ; ital. *medaglia,* de même orig. que MAILLE 2. || **médaillon** milieu XVIe s. ; ital. *medaglione,* augmentatif de *medaglia.* || **médaillé** 1611, Cotgrave, adj. ; 1845, Besch., n. || **médailler** 1873, Lar. || **médaillier** adj., fin XVIe s. ; n. m., 1671, Pomey, tablier pour mettre les médailles. || **médailliste** 1609, L'Estoile. || **médailleur** 1812, Boiste.

médecine 1119, Ph. de Thaon, médicament, remède ; 1314, Mondeville, art de guérir ; a éliminé la forme pop. *mecine* (1050, *Alexis*) ; lat. *medicina,* art de soigner, remède, de *medicus,* médecin. || **médecin** 1320, *Hugues Capet* (*medechin*) ; 1392, E. Deschamps (*médecin*) ; a éliminé l'anc. fr. *mire* (1155, Wace), du lat. *medicus.*

medersa 1876, *J. O. ;* mot de l'ar. algérien et marocain signif. « collège ».

media 1965, *journ. ;* abrév. de *mass media.* (V. MASSE.) || **médiatiser** 1970, *journ.*

médian 1425, O. de La Haye (*mediaine*), méd. ; bas lat. *medianus.* || **médiane** n. f., XVIIIe s., géom. (V. MEZZANINE, MISAINE, MOYEN.)

médianoche 1671, Sévigné ; esp. *media noche,* minuit.

médiante 1556, Le Blanc, mus. ; lat. *medians, -antis,* part. prés. de *mediare,* être au milieu.

médiastin 1363, Chauliac, n. m., région médiane ; adj., 1721, Trévoux ; lat. médiév.

mediastinum, de l'adj. lat. *mediastinus,* qui se tient au milieu, sur le rad. de *stare,* se tenir. || médiastinal 1963, Lar.

médiat 1478, Bartzsch ; de *immédiat.* || médiatiser 1827, *Acad.*, intégrer dans un État intermédiaire ; 1893, *D. G.*, en logique. || médiatisation 1832, Besch.

médiateur 1265, J. de Meung (*mediatour*), théol. ; 1355, Bersuire (*médiateur*), droit ; 1314, Mondeville, « chose intermédiaire » ; bas lat. *mediator,* de *mediare,* s'interposer, de *medius,* qui est au milieu. || médiatrice 1611, Cotgrave, fém. de *médiateur* au gén. ; 1923, Lar., géom. || médiation XIIIe s., *Algorisme,* division par deux ; 1561, Calvin, intervention ; bas lat. *mediatio.* || médiator 1907, Lar., mus.

médical 1534, Rab. ; lat. *medicus,* médecin. || médicalement 1606, Pallet. || médicament 1314, Mondeville ; lat. *medicamentum.* || médicamenter 1518, trad. de Platina. || médicamentaire milieu XVIe s. ; lat. *medicamentarius.* || médicamenteux 1549, Maignan ; lat. *medicamentosus.* || médication 1314, Mondeville (*medication*) ; lat. *medicatio.* || médicinal 1160, Benoît (*medecinal*) ; fin XIIe s., R. de Moiliens (*medicinal*) ; lat. *medicinalis ;* a éliminé l'anc. fr. *mecinnel, mecinal.* || medicine-ball 1931, Lar. ; mots angl.

médicastre 1560, B. Aneau (*médicastrie*) ; 1812, Mozin (*médicastre*) ; ital. *medicastro,* péjor., de *medico,* médecin.

médico-, lat. *medicus,* médecin. || médico-chirurgical 1808, Répiquet. || médico-légal 1826, Chaussier. || médico-psychologique 1843, *Annales.* || médico-social 1959, Robert. || médico-vétérinaire 1845, Besch.

médiéval 1874, Delaunay ; lat. *medium aevum,* Moyen Âge, âge du milieu. || médiéviste 1868, L. || médiévisme *id.*

médio-, lat. *medius,* intermédiaire. || médio-dorsal 1840, *Acad.* || médiopalatal 1933, Marouzeau. || médiopassif 1902, Lar.

médiocre 1495, J. de Vignay, moyen ; 1588, Montaigne, au-dessous de la moyenne ; lat. *mediocris,* modéré, de *medius,* qui est au milieu. || médiocrement 1542, Changy. || médiocrité 1314, Mondeville ; lat. *mediocritas.* || médiocratie 1844, Balzac ; d'après *aristocratie.* || médiocrate 1870, Goncourt.

médire V. DIRE.

méditer 1495, J. de Vignay ; lat. *meditari,* s'exercer, réfléchir ; *méditer sur,* 1664, Richelet. || méditation 1120, *Ps. d'Oxford ;* lat. *meditatio.* || méditatif XIVe s., *Romania ;* bas lat. *meditativus.*

méditerranéen 1569, J. Le Frère, situé au milieu des terres ; 1840, *Acad.,* sens actuel ; de *méditerranée,* lat. *mediterraneum* (*mare*), (mer) qui est au milieu des terres.

1. **médium** fin XVIe s., Brantôme, juste milieu ; 1701, *Mém. Acad. sciences ;* lat. *medium,* milieu, neutr. substantivé de l'adj. *medius.*

2. **médium** 1854, *Comment l'esprit vient aux tables ;* mot anglo-amér., de même origine que le précéd. ; empl. en ce sens par Swedenborg (1688-1772). || médiumnique 1905, *Doc.* || médiumnité 1873, Lar.

médius 1520, Falcon, anat. ; lat. *medius,* ellipse de *medius digitus,* doigt du milieu.

médullaire 1503, Chauliac ; lat. *medullaris,* de *medulla* (v. MOELLE). || médulleux début XVIe s. || médullectomie 1963, Lar.

méduse 1754, La Chesnaye-Dubois, zool. ; du nom propre *Méduse* (v. MÉDUSER), par comparaison des tentacules avec les serpents de la chevelure de Méduse (gr. *Medousa*).

méduser 1607, Montlyard, rare jusqu'en 1840, *Acad. ;* de *Méduse,* du lat. *Medusa* (gr. *Medousa,* myth.), une des trois Gorgones, qui changeait en pierre celui qui la regardait.

meeting 1733, Voltaire (*mitine*) ; mot angl., de *to meet,* « se rencontrer, se réunir ».

méfait 1120, *Ps. d'Oxford* (*mesfait*) ; part. passé substantivé du verbe *méfaire* (1130, *Eneas*), du préf. *mé-* et de *faire.*

méfiance, méfiant, méfier V. FIER 1.

még-, méga-, prem. élém. de noms comp. désignant des unités de mesure (multiplication par un million) ; du gr. *megas,* proprem. « grand ». || mégabarye 1968, Lar. || mégacycle 1931, Lar. || mégadyne 1905, Lar. || mégajoule 1922, Lar. || mégohm 1925, Lar. || mégahertz 1963, Lar. || mégatonne milieu XXe s.

méga-, mégalo-, gr. *megas, megalos,* grand. || mégalithe 1877, L. || mégalithique 1868, L. || mégaphone 1892, Guérin. || mégaptère 1872, Bouillet. || mégathérium 1797, Cuvier, paléont. || mégalocéphale 1878, Lar. || mégalomanie 1873, Nysten. || mégalomane 1896, Ribot. || mégalopole 1966, *journ.* || mégalosaure 1826, *Dict. hist. nat.*

mégarde *(par)* 1138, Gaimar (*mesgarde*) ; de l'anc. v. *mesgarder,* se mal garder, du préf. péjor. *mé-,* et de *garder.* (V. GARDER.)

mégathérium V. MÉGA.

mège 1190, *Saint Bernard,* médecin ; lat. *medicus.*

mégère 1480, *Baratre infernal,* au propre ; 1510, J. Lemaire de Belges, harpie ; lat. *Megaera,* du gr. *Megaira,* myth., une des Furies.

mégis 1260, G. (*megeis*) ; 1268, Boileau (*megis*) ; anc. fr. *megier,* soigner, du lat. *medicāre,* de *medicus,* médecin ; spécialisé pour la préparation des peaux. || **mégissier** 1205, Ilvonen (*megucier*) ; 1268, É. Boileau (*mégissier*). || **mégisserie** 1300, G. || **mégie** 1630, Roy. || **mégir** 1720, Huet. || **mégissage** 1959, Robert.

mégot 1872, Larchey ; du verbe tourangeau *mégauder,* par métaph., proprem. « sucer le lait d'une femme enceinte », en parlant d'un nourrisson, de *mégaud,* jus qui sort du moule à fromage, de *megue,* petit-lait, du gaulois **mesigu-*. || **mégoter** 1902, Esnault, parier un cigare ; 1932, Esnault, sens actuel. || **mégotage** 1960, Esnault.

méhari 1637, Davity (*mahari*) ; 1822, *Voy. dans l'Afrique* (*méherry*) ; 1853, Flaubert (*méhari*) ; ar. d'Algérie *mehri,* proprem. « de la tribu de Mahara (Arabie) ». || **méhariste** 1902, Lar.

***meilleur** 1050, *Alexis* (*mieldre*) ; 1080, *Roland* (*meillor*) ; lat. *meliōrem,* acc. de *melior* (d'où est issu le cas sujet *meldre,* en anc. fr.), comparatif de *bonus,* bon. || **améliorer** 1160, Benoît (*ameillorer*) ; XVIe s. (*ameilleurer*) ; 1677, *Dict. fr.-it.* (*améliorer*). || **amélioration** début XVe s. ; rare jusqu'au XVIIe s. || **amélioratif** 1877, L.

méïose 1842, *Acad.* ; gr. *meiosis,* décroissance ; première division cellulaire.

mélampyre 1615, Daléchamp (*melanopyron*) ; 1795, *Encycl. méthod.* (*mélampyre*), bot. ; gr. *melampuron,* de *melas,* noir, et *puros,* grain.

mélan(o)-, gr. *melas, melanos,* noir. || **mélanémie** 1867, L. ; sur *-émie.* || **mélanine** 1855, Nysten. || **mélanique** *id.* || **mélanisme** 1840, *Acad.,* méd. || **mélanocyte** 1931, Lar. || **mélanoïde** 1878, Lar. || **mélanome** 1868, L. || **mélanose** 1824, Nysten. (V. MÉLAMPYRE, MÉLANCOLIE, MÉLANÉSIEN, MÉLASTOME.)

mélancolie 1175, Chr. de Troyes, méd., humeur noire ; 1664, La Fontaine, tristesse ; lat. *melancholia* (IIIe s., C. Aurelius, méd.), du gr. *melagkholia,* de *kholê,* bile, et *melas,* noire, une des quatre humeurs cardinales (avec la bile jaune, le sang et la pituite), qui passait pour la cause de l'hypocondrie. || **mélancolique** 1265, Br. Latini, méd. ; 1534, Des Périers, triste ; lat. *melancholicus,* du gr. *melagkholikos.* || **mélancoliquement** 1549, Tagault. || **mélancoliser** 1767, Brunot.

mélanésien XIXe s. ; de *Mélanésie,* nom d'un archipel d'Océanie ; du gr. *melas,* noir, et *nêsos,* île.

mélange 1380, *Aalma* (*meslinge*) ; 1420, A. Chartier (*meslenge*) ; XVIIe s. (*mélange*) ; de *mêler,* avec un suffixe germanique. || **mélanger** 1539, R. Est. || **mélangeable** 1845, Richard. || **mélangeur** 1611, Cotgrave, qui mélange ; 1868, L. (*mélangeuse*), techn. ; 1902, Lar., appareil. || **mélangeoir** 1842, *Acad.*

mélasse 1508, Delb. (*meslache*) ; 1664, d'après L. (*mélasse*) ; anc. prov. *melessa* (XVe s.), du bas lat. *mellaceum,* vin cuit, de *mel,* miel. (V. MIEL.)

mélastome 1816, Candolle, bot. ; gr. *melas,* noir, et *stoma,* bouche (les fruits de l'arbre noircissant la bouche).

melba début XXe s. ; du n. de la cantatrice Nellie *Melba,* en l'honneur de qui ce fruit poché a été fait.

***mêler** 980, *Passion* (*mescler*) ; 1080, *Roland* (*mesler*) ; lat. pop. *miscŭlāre* (IXe s.), du lat. class. *miscēre.* || **mêlée** 1080, *Roland ;* 1931, Lar., rugby. || **mêlé-cassis, mêlé-casse** 1755, Vadé (*mêlé*) ; 1876, Richepin, *Ch. Gueux* (*mêlé-cas*). || **méli-mélo** 1841, *les Français peints par eux-mêmes* (*méli-méla*). || **démêler** 1155, Wace (*desmedler*). || **démêlé** 1474, Bartzsch, contestation. || **démêlement** XVIe s., G. || **démêloir** 1771, *Encycl.* || **emmêler** 1170, *Fierabras.* || **emmêlement** XIIIe s., L. || **entremêler** 1130, *Eneas.* || **remêler** 1549, R. Est. (V. MÉLANGE, PÊLE-MÊLE.)

mélèze 1552, R. Est. ; anc. dauphinois *meleze* (1336, Du Cange), de **melatio,* dér. du préroman **melicem* désignant cet arbre (d'où est issue la var. *melze,* XVIe s., Rab.) || **mélézin** 1931, Lar.

mélilot 1330, *Roman de Renart le Contrefait ;* lat. *melilotum,* du gr. *melilôtos,* de *meli,* miel, et *lôtos,* lotus.

méli-mélo V. MÊLER.

mélinite 1884 ; créé par l'inventeur de cette poudre, Turpin, d'après l'adj. lat. *melinus,* couleur de coing, du gr. *mêlinos,* de *mêlon,* pomme.

mélisse XIIIe s., *Simples Méd.* ; lat. médiév. *melissa,* abrév. du lat. *melissophyllon,* mot gr., de *melissa,* abeille, et *phullon,* feuille (les abeilles aiment cette plante).

melli-, lat. *mel, mellis,* miel. || **mellifère** 1523, Vaganay, rare jusqu'au XIXe s. ; lat. *mellifer,* de *ferre,* porter. || **mellifique** 1529, Marot ; lat. *mellificus.* || **mellifier** 1611, Cotgrave. || **mellification** 1619, Hardy. || **melliflu** 1480, Molinet ; bas lat. *mellifluus,* de *fluere,* couler. || **mellite** 1808, Boiste, médicament.

mélodie 1112, *Voy. saint Brendan,* chant des chœurs ; 1120, *Ps. d'Oxford,* composition vocale ; 1765, *Encycl.,* sens actuel ; bas lat. *melodia,* du gr. *melôidia,* de *melôidos,* qui chante mélodieusement, de *melos,* membre, d'où « cadence », et *odê,* chant. || **mélodieux** 1280, *Clef d'Amors.* || **mélodieusement** 1354, *Modus.* || **mélodique** 1607, de Montlyard. || **mélodiste** 1834, Fétis. || **mélodium** XIXe s., premier nom de l'harmonium.

mélodrame 1771, *Année littér.* ; de *mélo-* (gr. *melos,* « chant cadencé »), et de *drame.* || **mélo** 1872, *Paris-Journal* ; abrév. du préc. || **mélodramatique** 1833, Th. Gautier. || **mélodramatiquement** 1833, Gautier. || **mélodramatiser** 1876, *J. O.*

mélomane 1781, Mme Roland ; gr. *melos,* cadence, et de *-mane.* || **mélomanie** 1781, Grenier.

melon XIIIe s., *Simples Méd.* ; lat. *melo, -onis,* même sens. || **melonnière** 1537, La Grise. || **melonné** 1827, *Acad.*

mélongène ou **mélongine** 1615, Des Moulins (*melongena*) ; 1667 (*melongène*) ; lat. bot. *melongena,* altér. du rad. de *aubergine.* (V. AUBERGINE.)

mélopée 1578, Vigenère ; bas lat. *melopoeia,* du gr. *melopoiia,* de *melos,* mélodie, et *poieîn,* faire.

membrane 1363, Chauliac, anat. ; 1903, Lar., techn. ; lat. *membrana,* « peau qui recouvre les membres », de *membrum,* membre. || **membraneux** 1538, Canappe. || **membraniforme** 1836, *Acad.* || **membranule** 1532, *Anat. de maître Mundin.*

***membre** 1080, *Roland,* anat. ; milieu XIIIe s., partie d'une phrase ; lat. *membrum.* || **membru** 1131, *Couronn. Loïs.* || **membrure** XIIe s., *Athis.* || **membré** 1131, *Couronn. Lois.* || **démembrer** 1080, *Roland* (*desmembrer*). || **démembrement** 1265, *Livre de jostice.* || **remembrer** 1964, Lar. || **remembrement** 1907, Lar.

***même** 1050, *Alexis* (*medisme*) ; 1160, Benoît (*meesme*) ; XIIIe s. (*mesme*) ; lat. pop. **metĭpsĭmus,* forme à suff. de superlatif, dér. de **metipse,* tiré de la loc. class. *egomet ipse,* moi-même, de *egomet,* moi (*ego,* je, avec la particule de renforcement *met*), et *ispe,* même, en personne. || **mêmement** XIIe s., G.

mémento 1354, *Modus,* mémoire ; 1373, Gace, liturg. ; 1798, *Acad.,* carnet ; lat. *memento,* « souviens-toi », impér., de *meminisse,* se souvenir.

mémère 1833, Balzac ; redoublement enfantin de *mère,* devenu péjor. (V. PÉPÈRE.)

mémoire 1050, *Alexis* (*memorie*) ; lat. *memoria* ; n. m., 1160, Benoît, écrit pour mémoire ; 1834, Stendhal, exposé ; XIVe s., La Curne, jurid. || **mémorable** 1587, de La Noue ; lat. *memorabilis.* || **mémorablement** milieu XVe s., René d'Anjou. || **mémorandum** 1777, *Courrier de l'Europe* ; neutre substantivé de l'adj. lat. *memorandus,* qui doit être rappelé, de *memorare,* rappeler. || **mémoration** 1335, *Restor du paon,* souvenir ; 1501, *Destrees,* action de rappeler ; 1958, Garnier, sens actuel ; bas lat. *memoratio.* || **mémorer** XIIIe s., G., se rappeler. || **mémorial** XIIIe s., Fr. Laurent ; bas lat. *memoriale,* neutr. substantivé de l'adj. *memorialis* (*liber memorialis,* livre de notes). || **mémorialiste** 1726, Desfontaines. || **mémoriel** 1969, *journ.* || **immémorial** 1547, Du Fail ; lat. médiév. *immemorialis.* || **mémoriser** 1907, Binet ; dérivé savant du lat. *memoria,* mémoire. || **mémorisation** 1848, Töpffer. || **remémorer** fin XIVe s., faire la commémoration ; fin XVe s., sens actuel ; bas lat. *rememorari,* se souvenir.

***menace** fin IXe s., *Eulalie* (*manatce*) ; lat. pop. *mĭnacia* (Plaute), qui élimina le lat. class. *minae.* || ***menacer** 1120, *Ps. de Cambridge* (*menacier*) ; lat. pop. **mĭnāciare,* de *minācia,* qui a éliminé le lat. class. *minārі.* (V. MENER.) || **menaçant** 1120, *Ps. de Cambridge.*

ménade 1553, Rab., mythol. ; lat. *menas, -adis,* du gr. *mainas, -ados,* bacchante, de *mainesthai,* être fou.

***ménage** 1130, *Eneas* (*manage*) ; XIIIe s. (*mesnage, menage,* sous l'infl. de l'anc. fr. *maisnie,* famille), logis ; 1210, *Estoire d'Eustachius,* administration du foyer ; XIIIe s., L., cohabitation ; milieu XVe s., soins matériels de l'intérieur ; *faire le ménage,* 1659, Duez ; *femme de ménage,* 1874, L. ; de l'anc. fr. *maneir, manoir,* demeurer, habiter, du lat. *manēre,* rester. || **ménager** adj., fin XVe s., Commynes, médiocre ; milieu XVIe s., qui a le goût du ménage ; n. m., 1281, G., personne de petit état ; 1474, Bartzsch, administrateur ; v., 1309, Morice, habiter ; XVe s., L., arranger ; XVIe s., gérer ; milieu XVIIe s., Retz, traiter avec indulgence ; 1611, Cotgrave, employer avec mesure. || **ménageable** 1448, G. || **ménagement** 1551, Cotereau, disposition ; XVIe s., d'Aubigné, économie dans la gestion ; 1655, La Rochefoucauld, prévenance. || **ménagère** n. f., 1462, *Cent Nouvelles.* || **ménagerie** 1530, Palsgrave, administration des biens domestiques ; 1546, Rab., colombier ; 1662, sens mod., avec la création de la ménagerie royale de Versailles. || **ménagiste** 1963, Lar. || **aménager** XIIIe s. (*amanagier*) ; de *ménager,* au sens de « administrer ». || **aménagement** 1495, J. de Vignay. || **déménager** milieu XIIIe s., Rutebeuf (*desmanagier*), porter hors de la maison ; intr., 1668, La Fontaine ; 1798, Rœderer, *déménager la tête,* perdre la raison, fam. || **déménagement** 1611, Cotgrave. || **déménageur** 1863, L. || **emménager** début XVe s. || **emménagement** 1495, Jal. (V. MAISON.)

menchevick 1931, Lar. ; mot russe signif. « minoritaire ».

***mendier** 1080, *Roland* (*mendeier*) ; lat. *mendicāre.* || **mendiant** 1170, *Floire et Blancheflor ;* part. prés. substantivé ; a éliminé l'anc. fr. *mendi,* du lat. *mendicus.* || **mendicité** 1265, J. de Meung ; lat. *mendicitas.* || **mendigot** 1876, J. Richepin ; de *mendiant,* avec substitution de suffixe. || **mendigoter** 1878, Esnault.

meneau 1398, de La Borde (*mayneaulx,* pl.), archit. ; probabl. contraction de *meienel,* de l'anc. fr. *meien,* « qui est au milieu », du bas lat. *medianus,* de *medius.* (V. MÉDIAN.)

***mener** 980, *Passion ;* lat. pop. *mināre* (IIe s., Apulée), « pousser des animaux devant soi en criant, en les menaçant ; les conduire » ; lat. class. *mĭnāri,* menacer. || **menable** 1198, G. || **menée** n. f., 1080, *Roland,* son de trompe ; 1160, *Tristan,* vén., chemin de la bête traquée ; 1460, Chastellain, pratiques secrètes. || **meneur** 1155, Wace (*meneeur*) ; 1669, Widerhold, spécialisé en « meneur de cabale, celui qui excite les autres ». || **amener** 1080, *Roland.* || **démener** 1080, *Roland,* mener, agiter (jusqu'au XVIe s.) ; *se démener,* 1130, *Eneas.* || **emmener** 1080, *Roland.* || **malmener** 1130, *Eneas.* || **malmenage** 1960, *journ.* || **ramener** 1120, *Ps. de Cambridge.* || **remener** 1180, Marie de France. || **remmener** XIVe s. (V. SURMENER.)

***ménestrel** 1050, *Alexis,* serviteur ; 1175, Chr. de Troyes, musicien, sens repris au XIXe s. ; bas lat. *ministerialis,* chargé d'un service (*ministerium*). || **ménétrier, ménestrier** 1272, Joinville, musicien ; 1680, Richelet, musicien de village ; même mot que le précédent, avec substitution de suffixe.

menhir 1834, Boiste ; mot breton signif. « pierre (*men*) longue (*hir*) ».

menin, -e 1606, Fr. de Sales, hist. ; esp. *menino, -a* (même rac. que *mignon*).

méninge 1478, Chauliac ; lat. méd. *meninga,* gr. *mêninga,* acc. de *mêninx.* || **méningiome** 1953, Lar. || **méningite** 1829, Boiste. || **méningé** 1803, Boiste. || **méningitique** 1875, *Progrès médical.* || **méningocoque** 1907, Lar.

ménisque 1671, P. Chérubin ; gr. *mêniskos,* petite lune.

ménologe 1633, Peiresc ; lat. *menologium,* du gr. *menologion,* tableau des mois ; recueil de vies de saints de l'Église grecque.

menon 1723, Savary ; mot prov. signif. « bouc châtré », de même racine que *mener,* ou du lat. *minus,* moins (« amoindri », d'où « châtré »).

ménopause 1823, *Doc. ;* gr. *mên,* mois, d'où menstrues, et *pausis,* cessation. || **ménorragie** 1793, Lavoisien ; sur *rhagie.* || **ménorragique** 1836, *Acad.*

menotte V. MAIN.

***mensonge** 1080, *Roland* (*mençunge*) ; fém. jusqu'au XVIIe s. ; lat. pop. **mentionica,* de *mentio,* attesté dans les gloses, forme contractée de *mentitio,* sur *mentitus,* part. passé de *mentiri,* mentir. || **mensonger** 1120, *Ps. de Cambridge.* || **mensongèrement** 1120, *Ps. de Cambridge.*

menstrues 1560, Paré ; lat. *menstrua,* pl. neut. de *menstruus,* mensuel. || **menstruation** 1761, Astruc. || **menstruel** 1265, Br. Latini ; lat. *menstrualis.*

mensuel 1795, *Journ. des Mines ;* n. m., début XXe s., « journal mensuel » ; bas lat. *mensualis,* de *mensis,* mois. || **mensuellement** 1835, Balzac. || **mensualité** 1874, *Gazette des tribunaux.* || **mensualiser** 1970, *journ.* || **mensualisation** 1968, *journ.* || **bimensuel** 1847, *Revue.*

mensuration 1502, Nicholay ; rare jusqu'en 1802, Chateaubriand ; lat. *mensuratio,* mesure. || **mensurer** XIIIe s., arpenter ; 1935, *Acad.,* sens actuel ; lat. *mensurare,* mesurer. || **mensurable** 1611, Cotgrave. || **mensurabilité** 1765, *Encycl.* || **mensurateur** 1868, L.

mental fin XIVe s. (*mentel*) ; lat. *mentalis,* de *mens, mentis,* esprit. || **mentalement** XVe s., G. || **mentalité** 1845, Radonvilliers ; angl. *mentality.* || **mentalisme** 1845, Richard. || **mentaliste** 1951, Lalande.

menterie, menteur V. MENTIR.

menthe 1240, G. de Lorris (*mente*) ; lat. *mentha,* du gr. *minthê.* || **menthol** 1874, Lar. || **mentholé** 1930, Lar.

mention 1167, Gautier d'Arras ; lat. *mentio,* de *mens, mentis,* esprit. || **mentionner** 1432, *Doc.* || **susmentionné** XVe s. ; avec adv. *sus,* au-dessus.

***mentir** 980, *Passion ;* lat. pop. *mentīre,* en lat. class. *mentīri.* || **menteur** 1155, Wace (*menteür*) ; 1174, E. de Fougères (*menteor*). || **menterie** 1214, Tobler-Lommatzsch. || **démentir** 1080, *Roland.* || **démenti** n. m., XVe s.

***menton** 980, *Passion ;* lat. pop. **mento, -onis,* en lat. class. *mentum,* menton. || **mentonnet** fin XIVe s., petit menton ; 1660, Oudin, techn. || **mentonnier** fin XVIe s. || **mentonnière** 1373, *Mandement.*

mentor début XVIIIe s., Saint-Simon ; du nom de *Mentor,* guide de Télémaque, dans l'œuvre de Fénelon (1699).

***menu** adj., 1050, *Alexis (menud),* de petite taille ; *par le menu,* 1538, R. Est. ; lat. *minūtus,* part. passé de *minuere,* diminuer ; n. m., 1718, *Acad.,* liste de mets. || **menuet** adj., XIIe s., *Parthenopeus,* fin, délicat ; n. m., XVIIe s., sorte de danse. || **menuaille** 1193, Guiart ; lat. *minūtalia,* menus objets, pl. neut. de *minūtalis,* dér. de *minutus.* || ***menuise** 1193, Hélinant, menu poisson ; XVIIIe s., techn. ; lat. *minutia,* petite parcelle. || **menu-vair** XIIIe s., Gay, fourrure. (V. le suivant.)

***menuiser** fin XIe s., *Gloses de Raschi,* couper en morceaux ; 1120, *Ps. d'Oxford,* diminuer ; lat. pop. **minutiare,* de *minūtus* (v. le préc.) ; 1483, Havard, faire de la menuiserie. || **menuisier** début XIIIe s., ouvrier employé à des ouvrages délicats ; XVIe s., sens mod. (par oppos. à *charpentier*). || **menuiserie** 1411, Du Cange. || **amenuiser** 1120, *Ps. d'Oxford.* || **amenuisement** XIIIe s., Guiot de Provins.

méphistophélique 1833, Gautier ; de *Méphistophélès,* nom du diable dans la légende de Faust, popularisé par le *Faust* de Goethe. || **méphistophélisme** 1860, G. Sand.

méphitique 1550, Rab. ; bas lat. *mephiticus,* de *mephitis,* exhalaison pestilentielle. || **méphitisme** 1782, Gohin. || **méphitiser** 1827, *Acad.*

méplat, méprendre, méprise, mépriser V. PLAT, PRENDRE, PRISER 1.

***mer** 1050, *Alexis ;* lat. *mare* (neutre, devenu fém. en gallo-roman, p.-ê. d'après *terre*). || **amerrir** v. 1910 ; d'apr. *atterrir.* || **amerrissage** *id.*

mercanti début XIXe s. (var. *mercantiste,* 1842, Mozin) ; mot du sabir d'Algérie, du pl. ital. de *mercante,* marchand, avec sens péjor., de *mercare,* acheter. || **mercantile** 1551, Isambert (*mercantil*) ; 1611, Cotgrave (*mercantil*) ; 1776, Rousseau, var. péjor. ; ital. *mercantile,* dér. de *mercante.* || **mercantilisme** 1811, Prince de Ligne, qui remplace *mercantisme* (1790). || **mercantiliste** 1865, Proudhon.

mercenaire XIIIe s., Berger (*mercennere*) ; 1360, Froissart (*mercenaire*) ; lat. *mercenarius,* de *merces,* salaire.

mercerie V. MERCIER.

merceriser fin XIXe s., *Doc. ;* de *Mercer* (1791-1866), nom de l'inventeur de cette opération chimique appliquée aux textiles. || **mercerisage** 1903, Lar. || **mercerisette** 1903, Lar.

***merci** fin IXe s., *Eulalie* (*mercit*) ; fin XIe s., *Chanson Guillaume* (*merci*), n. f., pitié ; *à merci,* 1283, Beaumanoir ; *à la merci de,* 1538, R. Est. ; *sans merci,* 1175, Chr. de Troyes ; 1131, *Couronn. Loïs,* parole de remerciement, n. f. ; comme n. m., 1530, Marot ; lat. *mercedem,* acc. de *merces,* salaire, d'où en lat. pop. « prix » ; en gallo-rom., « faveur ». || **remercier** 1174, E. de Fougères ; anc. fr. *mercier* (disparu fin XVIIe s.), de *merci.* || **remerciement** XVe s., Delb.

mercier fin XIe s., *Gloses de Raschi,* marchand ; 1497, La Curne, colporteur, puis sens actuel ; de l'anc. fr. *merz,* marchandise, du lat. *merx,* même sens. || **mercerie** 1187, *Itinéraire* (*mercherie*) ; XIIIe s., G. (*mercerie*).

***mercredi** 1119, Ph. de Thaon (*mercresdi*) ; lat. pop. *Mercoris dies,* jour de Mercure (class. *Mercurii dies*).

mercure XIVe s., *Nature à l'alchimie ;* lat. *Mercurius,* nom du messager de Jupiter, en même temps dieu du Commerce (à cause de la mobilité du mercure, dont le nom vulgaire est VIF-ARGENT ; v. ce mot). || **mercurage** 1963, Lar. || **mercureux** 1840, *Acad.* || **mercurial** 1546, Rab., fantasque ; 1874, Lar., sens actuel ; lat.

mercurialis. || **mercuriel** 1675, *Journ. des savants.* || **mercurique** 1840, *Acad.* || **Mercurochrome** 1930, Lar., pharm. ; n. dépos.

mercuriale XIIIe s., *Romania,* plante ; lat. *mercurialis* (*herba*), plante de Mercure ; 1535, Isambert, assemblée des parlements (siégeant le *mercredi*) ; 1672, Brunot, remontrance ; 1793, Brunot, tableau des prix d'un marché ; lat. *mercurialis,* l'assemblée se tenant le premier mercredi après les vacances.

***merde** fin XIIIe s., *Renart,* pop. ; lat. *merda.* || **merdaille** 1175, Chr. de Troyes. || **merdaillon** 1808, d'Hautel. || **merdeux** 1392, E. Deschamps. || **merdier** fin XIIe s., *Geste des Loherains,* au propre ; 1951, Esnault, désordre. || **merdoyer** 1884, Esnault. || **emmerder** XIVe s., G. || **emmerdeur, -euse** 1873, Lar. || **emmerdement** 1842, Flaubert. || **démerder (se)** 1897, Lar. || **démerdard** fin XIXe s.

1. ***mère** 980, *Passion* (*madre*) ; 1050, *Alexis* (*medre*) ; fin Xe s., *saint Léger* (*mere*) ; lat *mater, matris.* || **dure-mère** 1314, Mondeville ; lat. méd. *dura mater,* mère dure. || **pie-mère** XIIIe s. (*pieve mere*) ; lat. méd. *pia mater,* mère pieuse, cette membrane entourant le cerveau avec attention.

2. **mère** 1369, G. ; réfection, d'après le lat., de l'adj. *mier,* pur, lat. *merus.*

méridien 1120, *Ps. d'Oxford,* de midi ; milieu XVIe s., astron. ; comme n. m., XIIe s., *Aye d'Avignon,* habitant du Midi ; 1546, Rab., sens actuel ; lat. *meridianus,* de *meridies,* midi. || **méridienne** 1680, Richelet, sieste vers midi ; 1750, Havard, sorte de canapé ; lat. *meridiana* (*hora*) ; a remplacé la forme pop. *mérienne* (Ouest et Centre) et la forme sav. *méridiane* XIIIe-XVIIe s.

méridional 1314, Mondeville ; lat. *meridionalis,* de *meridies,* midi. || **méridionalisme** XXe s.

meringue 1691, *Doc.* ; polonais *marzynka,* meringue au chocolat. || **meringuer** 1739, Menon (*-é*). || **meringage** 1931, Lar.

mérinos av. 1781, Turgot ; mot esp., plur. (cristallisé en fr.) de *merino,* mouton à laine fine importé par Colbert (en Roussillon), puis par Daubenton (à Montbard, 1776).

merise 1265, J. de Meung ; forme déglutinée de **amerise,* croisem. entre *amer* et *cerise.* || **merisier** 1350, *Glossaire de Conches.*

mérite 1119, Ph. de Thaon, n. f., récompense ; 1611, Cotgrave, n. m. ; XIVe s., *Songe du Verger,* sens actuel ; lat. *meritum,* chose méritée, mérite, de *merēre,* mériter. || **mériter** fin XIIIe s., Aimé, récompenser. || **immérité** 1455, Fossetier. || **méritoire** 1265, J. de Meung ; lat. *meritorius,* qui rapporte un gain. || **méritant** 1460, G. Chastellain. || **déméritер** début XVIe s., J. Bouchet.

merlan 1268, É. Boileau ; dér. de *merle* avec le suff. *-enc., -anc,* du germ. *-ing* ; 1744, *Journ. de Barbier,* pop., « coiffeur ». || **merlu, merlus** 1285, Fagniez ; prov. *merlus* (var. *merlusso*), dér. de *merle* ; ou croisement de *merle* et de l'anc. fr. *lus,* brochet (1175, Chr. de Troyes), du lat. *lucius.* || **merluche** 1664, Brunot ; ital. *merluccio,* même étymologie.

***merle** 1160, Benoît, parfois fém. en anc. fr. ; bas lat. *merulus,* en lat. class. *mĕrŭla* (qui désignait aussi un poisson de mer). || **merleau** 1840, *Acad.* || **merlette** 1360, Froissart.

merlin 1624, *Nouv. Coutumier* ; mot lorrain, dér. anc. du lat. *marculus,* marteau.

merlon 1642, Oudin, archit. ; ital. *merlone,* partie de la muraille comprise entre deux créneaux, du lat. *merulus,* merle, employé métaphoriquement.

merluche, merlus V. MERLE.

***merrain, mairain** 1155, Wace (*mairien, merrien,* jusqu'au XVIe s.) ; lat. pop. **materiamen,* bois de construction, de *materia,* matière. || **maronage** 1199, *Doc.,* techn. (V. MATÉRIAUX, MATIÈRE.)

***merveille** 1050, *Alexis,* phénomène étrange ; 1130, *Eneas,* sens actuel ; lat. pop. **mirībilia* (class. *mirābilia*), pl. neut., pris comme fém., de *mirabilis,* admirable. || **merveilleux** 1080, *Roland* (*merveillus*), étonnant ; fin XIIIe s., *Doon de Mayence,* magique. || **merveilleusement** 1080, *Roland.* || **émerveiller (s')** 1112, *Voy. saint Brendan.* || **émerveillement** 1170, *Rois.*

mérycisme 1827, *Acad.* ; gr. *mêrukismos,* rumination.

més-, préfixe. V. MÉ.

mésange 1180, Marie de France (*masenge*) ; francique **mēsinga,* en lat. médiév. *misinga* (all. *Meise*). || **mésangette** 1788, *Encycl. méthod.* || **mésangère** 1767, Salerne.

mésaventure V. AVENTURE.

mésentère 1363, Chauliac ; gr. *mesenterion,* de *mesos,* médian, et *enteron,* intestin. || **mésentérique** 1541, Canappe. || **mésentérite** 1812, Mozin.

mesmérisme 1782, Mercier, *Tableau ;* de *Mesmer,* nom d'un méd. all. (1734-1815). || **mesmérien** *id.*

méso-, du gr. *mesos,* « médian, au milieu ». || **mésocarpe** 1842, *Acad. ;* gr. *carpos,* jointure. || **mésocéphale** 1822, *Nouveau Dict. de méd.* || **mésocôlon** 1560, Paré. || **mésoderme** 1868, L. || **mésodermique** 1896, Le Dantec. || **mésogastre** 1868, L. || **mésolithique** 1909, Robert. || **mésophyte** 1842, *Acad.* || **mésosphère** 1963, Lar. || **mésothorax** 1842, *Acad.* || **mésozoïque** 1868, L.

méson v. 1935, d'après Lar. ; gr. *mesos,* médian, avec le suff. *-on,* d'emploi répandu en physique contemporaine.

mesquin 1611, Cotgrave ; ital. *meschino,* pauvre, chétif, de l'ar. *meskin,* pauvre ; représenté une première fois en anc. fr., XIIe s., par les formes *meschin, meschine,* « jeune homme, jeune fille ». || **mesquinement** 1608, D. de Flurance. || **mesquinerie** 1636, Monet.

mess 1838, Stendhal ; mot angl., issu de l'anc. fr. *mes,* mets ; salle où les officiers et sous-officiers prennent leurs repas.

message 1050, *Alexis ;* de l'anc. fr. *mes,* envoyé, du lat. *missus,* part. passé de *mittere,* envoyer ; 1704, Clarendon, polit., d'après l'angl. ; 1922, Proust, « leçon adressée aux hommes ». || **messager** 1080, *Roland.* || **messagerie** XIIIe s., G., mission ; 1680, Richelet, transport de bagages.

***messe** fin Xe s., *saint Léger ;* lat. chrét. *missa* (IVe s., saint Ambroise), part. passé fém. substantivé de *mittere,* envoyer, d'après la formule qui termine la messe : *ite, missa est,* « allez [la prière] a été envoyée [à Dieu] ».

messidor 1793, Fabre d'Églantine, mois d'été ; lat. *messis,* moisson, et du gr. *dôron,* offrande. || **messicole** 1963, Lar. ; sur *-cole.*

messie 1220, Coincy ; lat. chrét. *messias* (*Vulgate*), issu, par le gr., de l'araméen *meschîkhâ,* oint (du Seigneur), traduit en gr. par *khristos.* || **messianisme** 1831, Wronski, croyance en la venue du Christ ; 1936, R. Martin du Gard, fig. || **messianique** 1845, Besch.

messire V. SIRE.

***mesure** 1080, *Roland,* évaluation d'une grandeur ; 1662, Corn., moyen ; *à mesure,* 1221, *Romania ; au fur et à mesure,* 1835, *Acad. ; outre mesure,* 1190, Garnier ; lat. *mensūra,* de *metiri,* mesurer. || **mesurer** 1080, *Roland ;* bas lat. *mensurare* (IVe s., Végèce), qui a éliminé *metiri.* || **mesuré** XIIIe s., *Proverbe,* pondéré. || **mesurément** début XIVe s. || **mesureur** 1180, Marie de France. || **mesurable** 1120, *Ps. d'Oxford.* || **mesurage** 1268, É. Boileau. || **contre-mesure** 1897, Lar. || **démesure** 1131, *Couronn. Loïs ;* repris au XIXe s., 1842, *Acad.* || **démesuré** 1130, *Eneas.* || **demi-mesure** 1580, Montaigne.

mét(a)-, préfixe exprimant la participation, la succession, le changement ; du gr. *meta,* préposition et préfixe, mêmes sens.

métabolisme 1868, L. ; gr. *metabolê,* changement. || **métabolique** 1855, Nysten. || **métabolite** 1954, Guillerme ; produit de transformation d'un corps chimique.

métacarpe 1546, Ch. Est. ; gr. *metakarpion* (*meta,* avec, *karpos,* carpe 2). || **métacarpien** 1752, Trévoux.

métairie V. MÉTAYER.

métal début XIIe s., *Voy. de Charl. ;* lat. *metallum,* mine, minerai, métal, du gr. *metallon.* Divers comp. sav. en *métallo-,* d'après le gr. *metallon.* || **métallographie** 1548, Mizauld. || **métallographique** 1828, Mozin. || **métalloïde** 1828, Berzélius, adj. et n. || **métallique** XIVe s., *Nature à alchimie ;* lat. *metallicus,* du gr. *metallikos.* || **métalliser** fin XVIe s., Palissy. || **métallisation** 1753, Pott. || **métallifère** 1828, Mozin. || **bimétallique** 1875, H. Cernuschi. || **métallurgie** 1611, Cotgrave, exploitation d'une mine ; 1666, *Journ. des savants,* sens actuel ; gr. *metallourgein,* exploiter une mine. || **métallurgique** 1752, *Lettres sur la minéralogie.* || **métallurgiste** 1719, *Mém. Acad. sciences.* || **métallo** 1921, Esnault, fam. ; abrév. de *métallurgiste.*

métamère 1874, Lar. ; gr. *meta,* et *meros,* partie. || **métamérie** 1874, Lar. ; division primitive du mésoderme. || **métamérisé** 1903, Lar.

métamorphisme 1823, Humboldt ; gr. *meta,* et *morphê,* forme. || **métamorphique** 1823, Humboldt. || **métamorphiser** 1931, Lar.

métamorphose 1488, *Mer des hist.,* nom de l'ouvrage d'Ovide ; fin XVe s., nom commun ; lat. *metamorphōsis,* du gr. *metamorphôsis,* changement de forme. || **métamorphoser** 1571, Mizauld ; *se métamorphoser,* 1665, La Fontaine, au propre ; 1841, Chateaubriand, fig. || **métamorphosable** 1836, *Acad.*

métaphore 1265, J. de Meung ; lat. *metaphora,* transfert, d'où « transposition », du gr. *pherein,* porter. || **métaphorique** 1361, Oresme. || **métaphoriquement** 1486, Alexis. || **métaphoriser** milieu XVIe s.

métaphysique n. f., XIIIe s., Tobler-Lommatzsch, partie de la philosophie qui traite des premiers principes de la connaissance ; 1647, Descartes, partie de la philosophie qui a pour objet la connaissance de Dieu et de l'âme ; adj., 1598, Marnix ; lat. scolast. *metaphysica,* du gr. *meta ta phusika* (« après la physique »), titre d'un traité d'Aristote. || **métaphysicien** 1361, Oresme. || **métaphysiquer** 1737, *Mémoires de Trévoux.*

métapsychologie 1963, Lar. ; gr. *meta,* changement, et *psychologie.* || **métapsychique** 1907, Lar.

métastase 1586, Suau, méd. ; gr. *metastasis,* changement de place. || **métastatique** 1793, Lavoisien.

métayer début XIIe s., *Thèbes* (*meiteier*), qui participe de moitié ; début XIIIe s., sens actuel ; de *meitié,* anc. forme de *moitié* (v. ce mot). || **métairie** 1180, *Mort d'Aymeri* (*moitoierie*). || **métayage** 1840, *Acad.*

métazoaire 1877, Littré ; gr. *meta,* avec, et *zôon,* animal ; animal pluricellulaire.

***méteil** XIIIe s., A. Du Chesne ; lat. pop. **mĭstilium,* mélange, de *mixtus,* part. passé de *miscēre,* mélanger.

métempsycose 1553, Rab. (*-osis*) ; 1561, Vaganay (*-ose*) ; bas lat. *metempsychosis,* mot gr., de *meta,* après, et *empsukhoun,* faire vivre, de *psukhê,* âme. || **métempsycosiste** 1787, Galiani.

météore 1270, Mahieu le Vilain ; lat. médiév. *meteora,* mot gr., pl. neut. de *meteôros,* élevé dans les airs. || **météorique** XVe s. || **météoriser** fin XVIe s., méd. vétér., prendre la forme d'un météore, gonfler l'abdomen ; gr. *meteôrizeîn,* gonfler (proprem. « élever »). || **météorisme** 1560, Paré ; gr. *meteôrismos.* || **météorisation** 1811, Tessier, méd. || **météorite** 1822, *Nouveau Dict. méd.* || **météorographe** 1803, Boiste. || **météorologie** 1547, Mizauld ; abrév. *météo,* 1931, Saint-Exupéry. || **météorologique** 1550, Roussat. || **météorologue** 1775, *Journ. pol. litt.,* appareil ; 1783, Gohin, spécialiste. || **météorologiste** 1821, J. de Maistre. || **météoromancie** 1765, *Encycl.*

métèque 1743, Geoffroy, hist. ; a remplacé *métœcien* (1827, *Acad.*) ; 1894, Ch. Maurras, péjor. ; gr. *metoikos,* qui change de résidence, de *oîkos,* maison.

méthane V. MÉTHYLÈNE.

méthode 1537, Canappe, méd. ; 1546, Rab., sens actuel ; lat. *methodus* (Vitruve, Celse), du gr. *methodos,* poursuite, d'où « recherche », de *hodos,* chemin. || **méthodique** 1488, *Mer des hist.* ; lat. *methodicus.* || **méthodiquement** milieu XVIe s. || **méthodologie** 1842, *Acad.* || **méthodologique** 1877, L. || **méthodisme, -iste** 1760, J. Des Champs ; angl. *methodism, -ist,* secte chrétienne, d'après l'angl. *method.*

méthylène 1834, *Doc.* ; gr. *methu,* boisson fermentée, et *hulê,* bois, dit « esprit de bois ». || **méthyle** 1839, Regnault ; sur *éthyle* (v. ÉTHER). || **méthane** 1882, *Bull. Soc. chim.,* par substit. de suff. || **méthanier** v. 1950. || **méthanol** 1931, Lar. || **méthylique** 1866, L. || Nombreux comp. sav. en *méthyl-* et *méthylo-,* depuis la fin du XIXe s.

méticuleux 1547, Budé, jurid. ; lat. *meticulosus,* craintif, de *metus,* crainte, sur *periculosus.* || **méticuleusement** 1831, Lamartine. || **méticulosité** 1828, Villemain.

***métier** fin IXe s., *sainte Eulalie* (*menestier*) ; fin Xe s., *saint Léger* (*mistier*) ; 1050, *Alexis* (*mestier*) ; lat. pop. **misterium* (class. *ministerium*), besoin, puis « service, fonction », de *minister,* serviteur, prêtre de Dieu.

***métis** 1180, *Girart de Roussillon* (*mestis*) ; *s* prononcé d'après une variante *métice,* adaptation du port. *mestigo,* sang-mêlé ; bas lat. *mixticius* (IVe s., saint Jérôme), de *mixtus,* mélangé. || **métissage** 1834, Boiste (*métisage,* 1842, *Acad.*). || **métisser** 1874, Lar.

métonomasie 1690, Baillet, syn. ancien de *calque* en gramm. ; gr. *metonomasia,* changement de nom, de *onoma,* nom.

métonymie 1521, Fabri ; bas lat. *metonymia* (IVe s., Festus), du gr. *metônumia,* changement de nom, de *meta,* et *onoma,* nom. || **métonymique** av. 1844, Nodier.

métope 1520, Sagredo, archit. ; lat. *metopa,* du gr. *metopê,* de *meta,* après, et *opê,* ouverture.

1. **mètre** 1220, Coincy, versif. ; lat. *metrum* (gr. *metron*), mesure. || **métrique** 1495, J. de Vignay ; lat. *metricus,* du gr. *metrikos* ; n. f., 1672, G. Patin. || **métricien** 1836, *Acad.* || **métromanie** 1738, Piron. || **métromane** 1771, Trévoux.

2. **mètre** 1791, Brunot, unité de mesure ; gr. *metron,* mesure ; composés en *-mètre,* pour les multiples et sous-multiples du mètre, 1791. || **métrique** 1795, *Lois.* || **métrage** 1829, Boiste, « action de mesurer » ; 1907, Pathé, cinéma ; *long métrage,* 1911, *Ciné-Journal ; court métrage,* 1924, *Lyon-Républicain.* || **métrer** 1834, Balzac. || **métreur** 1845, Besch. || Nombreux composés en *-mètre,* désignant les instruments de mesure.

métrite 1803, Boiste (*metritis*) ; 1807, Salviat (*métrite*) ; lat. méd. *metritis,* du gr. *mêtra,* matrice, de *mêtêr,* mère ; inflammation de la matrice.

1. **métro-,** gr. *metron,* mesure. || **métrologie** 1780, Paucton. || **métrologique** 1802, Mallet. || **métrologiste** 1840, *Acad.* || **métronome** 1815, *Brevet* (a remplacé *métromètre,* 1732, d'après Trévoux).

2. **métro-,** gr. *mêtra,* matrice. || **métropathie** 1878, Lar. || **métrorrhagie** 1810, Capuron ; gr. *rhagê,* rupture. || **métrorragique** 1874, Lar. || **métrosalpingite** 1907, Lar.

3. **métro** V. MÉTROPOLE.

métropole XIVe s., *Chron. de Saint-Denis,* eccl. ; 1679, Fléchier, capitale, hist. ; 1671, Pomey, sens actuel ; bas lat. jurid. *metropolis,* du gr. *polis,* ville, et *mêtêr,* mère. || **métropolitain** adj., XIIIe s., *Miracles,* eccl. ; fin XVe s., qui appartient à une capitale ; 1873, *Année industrielle,* adj. et n. m., par abrév. de *chemin de fer métropolitain ;* lat. *metropolitanus.* || **métro** abrév., 1891, *Charivari.* || **métropolite** 1771, Trévoux.

***mets** 1130, *Eneas* (*mes*) ; 1360, Froissart (*mets*), d'après *mettre ;* lat. pop. *missum,* « ce qui est mis sur la table », part. passé de *mittere* (v. METTRE). || **entremets** 1180, Marie de France, divertissement ; 1668, La Fontaine, préparation culinaire.

***mettre** 980, *Valenciennes ;* lat. *mĭttĕre,* envoyer, en bas lat. « mettre », empl. à la place de *ponere* (Ve s., M. Empiricus, Palladius). [V. PONDRE.] || **mettable** 1160, Benoît. || **immettable** 1845, Richard. || **metteur** 1270, *Doc.,* en fauconnerie ; 1350, *Glossaire Conches,* qui met en place ; *metteur en œuvre,* 1680, Richelet ; *metteur en pages,* 1819, Boiste ; *metteur en scène,* 1874, Lar. ; 1908, cinéma ; *metteur au point,* 1868, L., sculpture ; 1930, Lar., mécanique ; *metteur en ondes,* 1959, Robert. || **démettre** XIIIe s., *D. G.,* déplacer ; 1407, Deschamps, révoquer. || **entremettre** fin XIe s., *Gloses de Raschi.* || **entremise** 1130, *Eneas.* || **entremetteur** 1387, G., métayer ; XVIe s., qui s'entremet, péjor. || **remettre** 1155, Wace, rétablir dans la situation antérieure ; *se remettre,* 1160, Benoît ; *être remis,* 1645, Corn. || **remise** 1311, *Doc.,* jurid. ; 1793, Schwan, réduction de prix ; 1659, Duez, local. || **remiser** 1761, Rousseau, mettre à l'abri ; 1893, *D. G.,* mettre à l'écart. || **remisage** 1867, *Revue des Deux Mondes.*

***meuble** adj., 1160, *Tristan,* bien meuble (*mueble*), et n. m., objet mobile servant à un usage de la maison ; 1672, Molière, sens actuel ; 1903, Lar., terre meuble ; lat. pop. *mŏbilis,* en lat. class. *mōbilis* (*ŏ* d'après *mŏvere,* mouvoir). || **meubler** XIIIe s., La Curne, enrichir ; 1538, R. Est., garnir de meubles ; 1844, Balzac, fig. || **meublant** XIIIe s., *Établissement Saint Louis,* adj. || **meublé** n. m., 1923, Lar. || **ameublement** 1598, Delb. ; de *ameubler* (XVIe s.), jurid. ; 1845, Besch., agric. || **ameublir** XIVe s. ; de *meuble,* adj., jurid. ; 1578, Liébault, agric. || **ameublissement** 1573, M. de l'Hospital, jurid. ; 1827, *Acad.,* agric. || **démeubler** XIIIe s., G. (*desmobler*), priver de ses biens ; 1515, *Doc.,* sens mod. || **démeublement** 1636, Monet. || **immeuble** 1275, G.. (*-oble*), adj. ; lat. *immobilis,* d'apr. *meuble ;* 1867, Delvau, n. m., maison. || **remeubler** 1280, Adenet, pourvoir ; XVIe s., sens actuel.

meugler 1539, R. Est. ; lat impérial *mugilare,* de *mugire,* beugler. || **meuglement** 1539, R. Est.

1. ***meule** (*à moudre*) 1170, *Rois ;* lat. *mŏla.* || **meuler, meulage** 1903, Lar. || **meulière** fin XVe s. (*pierre meulière*). || **molette** milieu XIIIe s. || **moleter** 1582, *D. G.* || **moletoir** 1765, *Encycl.* (V. MOLAIRE 1.)

2. **meule** (*de foin,* etc.) 1170, *Rois ;* empl. métaph. de *meule* 1. || **meulette** 1611, Cotgrave. || **meulon** 1530, Palsgrave ; croisem. de *meule* et de *mulon* (XIIIe s., R. de Houdenc), lui-même croisem. de l'anc. fr. *muele* et de l'anc. fr. *muillon,* du lat. pop. **mutulio, -ōnis,* dér. de *mutulus,* pierre en saillie, d'où tas de pierres. (V. MOREAU, MUTULE.)

meunier 1190, Garnier (*molnier*) ; 1268, É. Boileau (*meunier*) ; réfection, d'après *meule* 1, du lat. *molinarius,* de *mola,* meule (v. MOULIN). || **meunière** 1573, Rolland, mésange. || **meunerie** 1767, Malouin.

meurette 1614, Hulsius (*à la murette*) ; 1903, Lar. (*meurette*) ; mot bourguignon, de l'anc. fr. *muire,* eau salée, lat. *muria,* saumure.

meurtre V. MEURTRIR.

meurtrir 1131, *Couronn. Loïs* (*mortrir*) ; 1382, G. (*meurtrir*), tuer ; franc. **murthrjan,* assassiner ; 1538, R. Est., contusionner ; 1690, Furetière, cotir. || **meurtre** XIIe s., *Lois de Guill.* (*murtre*) ; 1273, Adenet (*meurtre*). || **meurtrier** 1175, Chr. de Troyes (*murtrier*) ; XIIIe s., *Roman de Renart* (*meurtrier*). || **meurtrière** 1573, Du Puys, archit. (a remplacé *archière*). || **meurtrissure** 1535, Olivétan

***meute** 1140, Tobler-Lommatzsch. (*muete*), soulèvement, jusqu'au XVIe s. (v. ÉMEUTE) ; XIIe s., vén., sens mod. ; lat. pop. **mŏvĭta,* part. passé refait (class. *mōtus, -a*) de *mŏvēre,* « mouvoir », et substantivé au fém. (v. MUTIN). L'anc. orth. *muete* a été conservée en fr. mod., avec le sens spécial de « logis pour les chiens de chasse », figé en toponymie : 1740, *Acad.* (*muette*), et le quartier de *la Muette,* à Paris. || **ameuter** 1375, *Modus,* réunir les chiens en meute ; 1578, d'Aubigné, réunir ; XVIIIe s., attrouper. || **ameutement** 1636, Monet.

mézigue 1628, Chereau (*meziguand*) ; 1827, Esnault (*mézigue*) ; de *mes,* pluriel de *mon,* avec suffixe obscur.

mezzanine 1676, Félibien, archit. ; ital. *mezzanino,* entresol, de *mezzo,* qui est au milieu.

mezza voce milieu XVIIIe s., mus. ; loc. ital., de *mezza,* moyen, demi, et *voce,* voix. || **mezzo-soprano** 1834, Fétis, mus., a éliminé l'anc. *bas-dessus ;* loc. ital., de *mezzo,* moyen, et *soprano.* || **mezzo-tinto** 1688, Miege, gravure ; loc. ital. signif. « moyenne teinte ».

1. ***mi** 1080, *Roland,* « demi, milieu » ; lat. *mĕdius,* qui est au milieu ; éliminé par *demi* et *milieu ;* conservé comme premier élément de composé : *mi-carême* (1250, Mousket), *à mi-chemin* (1507, *Coutumier*), *à mi-course* (1968, Lar.). || **midi** 1080, *Roland ;* de l'anc. fr. *di* (842, *Serments*), du lat. *dies* (v. LUNDI). || **après-midi** début XVIe s., n. m. ; 1836, Landais, n. m. et n. f. ; souvent n. f. au XIXe s. || **milieu** début XIIe s., *Voy. de Charl.,* espace entre deux ; 1639, Descartes, milieu physique ; 1799, Marmontel, conditions sociales ; 1850, Balzac, groupe social ; de *mi-* et *lieu.* || **minuit** 1130, *Eneas* (*mie nuit,* avec le fém. de *mi,* maintenu jusqu'au XVIIe s.) ; 1530, Palsgrave, n. m. || **mitan** XIIe s., *Floire et Blanchefor* (*maitan*) ; XIIIe s., Du Cange (*mitan*) ; concurrence encore avec *milieu* dans les parlers régionaux ; d'orig. obsc., problem. comp. de *mi* et *tant.* (V. *parmi,* à PAR.)

2. **mi** V. UT.

miaou début XVIIe s. ; onomatopée.

miasme 1695, Raynaud, méd., effluves de la maladie ; 1806, Lunier, sens actuel ; gr. *miasma,* souillure, de *miainein,* souiller. || **miasmatique** 1797, Thouvenel.

miauler XIIIe s., *Renart le Nouvel* (*miauwer*) ; 1549, R. Est. (*miauler*) ; d'orig. onom. (cf. l'ital. *miagolare,* l'all. *miauen*). || **miaulement** 1557, J. Du Bellay (*mijaudement*) ; 1564, J. Thierry (*miaulement*). || **miauleur** XVIe s., Le Roux de Lincy. || **miaulard** 1840, *Acad.,* mouette.

mica 1735, Woodward ; lat. *mica,* parcelle (v. MIE 1). || **micacé** 1755, Dezallier d'Argenville. || **micaschiste** 1817, Gérardin.

micelle 1903, Lar. ; dimin., créé par Naegeli, du lat. *mica,* « parcelle » (v. MIE 1). || **micellaire** 1923, Lar.

miche 1175, Chr. de Troyes, miette ; XIIIe s., Rutebeuf, sorte de pain ; lat. **micca,* forme renforcée de *mīca,* « parcelle » (v. MIE 1). || **miches** 1875, Esnault, seins.

miché 1739, Esnault, celui qui entretient une femme ; anc. pronon. de *Michel.* || **micheton** 1810, Esnault ; diminutif. || **michetonner** 1898, Esnault.

micheline 1934, G. Thierry, autorail ; du nom de la firme *Michelin.*

micmac 1640, Oudin, n. f. ; n. m., 1680, Richelet ; altér. du moy. fr. *mutemaque* (1453, Monstrelet), rébellion, et XVIe s., « confusion, désordre » ; moy. néerl. *muetmaken,* faire une rébellion, de *maken,* faire, et *muit,* issu du fr. *meute.*

micocoulier 1547, Ch. Est. (*micacoulier*) ; 1600, O. de Serres (*mycacoulier*) ; mot prov., du gr. mod. *mikrokoukouli.* || **micocoule** 1611, Cotgrave.

1. **micro-,** gr. *mikros,* petit ; pour indiquer la millionième partie d'une unité. || **microhm** 1888, Lar. || **micromillimètre** 1890, Lar. || **microseconde** 1931, Lar. || **microvolt** 1888, Lar.

2. **micro-,** même étymol., pour indiquer des quantités très petites ou pour signifier « très petit ». || **micro-analyse** 1953, Lar. || **microbalance** 1923, Lar. || **microbiologie** 1888, Lar || **microcéphale** 1803, Boiste ; gr. *mikrokephalos,* petite tête. || **microcéphalie** 1855, Nysten. || **microchimie** 1868, L. || **microcoque** 1878, Sédillot (*-coccus*) ; 1903, Lar. (*-coque*). || **microcosme** 1320, Fauvel ; bas lat. *microcosmus,* du gr. *mikrokosmos,* de *kosmos,* monde. || **microcosmique** 1842, *Acad.* || **microcristal** 1949, Lar. || **microdissection** 1931, Lar. || **microfilm** 1931, Lar. || **microfilmer** *id.* || **microfilmage** 1970, Robert. || **micrographie** 1665 ; sur l'élém.

-*graphie.* || **micrographe** 1771, Trévoux. || **micrographique** 1834, Landais. || **micromélie** 1842, *Acad. ;* gr. *mêlos,* membre. || **micromère** 1874, Lar. ; gr. *meros,* part. || **micromètre** 1572, Bessard, compas ; 1640, Gascoigne, instrum. d'astron. || **micrométrie** 1842, *Acad.* || **micron** 1890, Lar. || **micro-onde** 1931, Lar. || **micro-organisme** 1876, L. || **microphone** 1721, Trévoux. || **microphonique** 1886, Figuier. || **microphotographie** 1888, Lar. || **microphysique** 1910, Lar. || **micropyle** 1808, Cuvier ; gr. *pulê,* porte. || **microscope** 1663, Monconys. || **microscopique** 1700, Fontenelle. || **microscopie** 1836, *Acad.* || **microsillon** 1950. || **microspore** 1846, Besch. || **microsporange** 1888, Lar. || **microthermie** 1920, Lar. || **microtome** 1827, *Acad.* || **microzoaire** 1842, *Acad. ;* gr. *zôarion,* animalcule.

3. **micro-,** même étymol. ; en français contemporain, préfixe de substitution à l'adjectif *petit, très petit.* || **microbus** 1963, Lar. || **microcentrale** 1963, Lar. || **microcircuit** 1961, *journ.* || **microclimat** 1953, Lar. || **microdécision** 1963, Lar., géogr. || **micro-États** mai 1963, *journ.* || **microfiche** 1963, Lar. || **microglossaire** 1970, Robert. || **micrométéorite** septembre 1962, *journ.* || **microminiaturisation** 1961, *journ.* || **micromodule** 1961, *journ.* || **micropinces** mai 1963, *journ.* || **microplancton** v. 1950. || **microporosité** 1968, Lar. || **microprix** mai 1963, *journ.* || **microsonde** 1968, Lar.

4. **micro** 1915, Esnault ; abrév. de *microphone.* || **microcravate** mars 1963, *journ. ;* de *micro(phone).*

microbe 1878, Sédillot ; gr. *microbios,* de *micros,* petit, et *bios,* vie. || **microbien** 1889, *Répertoire pharm.* || **microbicide** 1903, Lar.

miction 1618, Guillemeau ; bas lat. *mictio,* var. de *minctio,* de *mingere,* uriner.

midi V. MI 1.

midinette fin XIXe s., G. Charpentier ; de *midi,* et *dînette* (« qui fait la dînette à midi »).

midship 1853, Mackenzie, mar. ; abrév. de *midshipman,* 1785, trad. de Cook ; mot angl., de *midship,* milieu du bateau, et *man,* homme.

1. ***mie** (*de pain*) 1119, Ph. de Thaon, miette de pain ; 1160, *Moniage Guillaume,* partie intérieure du pain ; *pain de mie,* 1959, Robert ; lat. *mīca,* parcelle ; a servi, jusqu'au XVIIe s., de renforcement de la particule négative *ne,* concurremment à *pas, point.* || **miette** 1200, *Romania* (*miate*) ; début XIIIe s. (*miette*), parcelle de pain ; 1562, Du Pinet, petite quantité ; *en miettes,* fin XVIIe s. ; *pas une miette,* 1690, Furetière ; à partir du XVIe s., ne conserve que le sens actuel et, au XVIIe s., élimine *mie* dans cet emploi. || **émietter** fin XVIe s., réduire en miettes ; 1839, Balzac, morceler. || **émiettement** 1611, Cotgrave. || **émier** 1170, Chr. de Troyes. (V. MIOCHE, MITONNER.)

2. **mie** V. AMI.

***miel** 980, *Passion ;* lat. **mĕl.* || **miellé** XIIe s., G. || **miellée** 1732, Liger. || **miellaison** 1868, L. || **mielleux** 1265, J. de Meung ; 1581, Du Bartas, doucereux. || **mielleusement** 1566, H. Est. || **emmieller** XIIIe s., adoucir ; 1808, d'Hautel, emmerder. (V. MÉLASSE, MÉLÈZE, MELLI-.)

mien, *miette V. MON, MIE 1.

***mieux** fin IXe s., *Eulalie* (*melz*) ; lat. *mĕlius,* neutre, pris adverbialement, de *mĕlior,* meilleur, comparatif de *bonus.* || **mieux-disant** 1778, Rousseau. || **mieux-être** 1750, Féraud.

mièvre 1210, Ilvonen (*esmievre*), alerte ; XIIIe s., G. (*mievre*), malicieux, vif ; 1650, Livet, sens mod. ; probablem. même mot que le norm. *nièvre,* « vif », du scand. *snœfr,* même sens. || **mièvrerie** 1458, *Mystère* (*mivrerie*), bagatelle ; 1718, *Acad.,* espièglerie ; 1850, Balzac, grâce recherchée. || **mièvreté** 1440, Chastellain.

mignard V. le suivant.

mignon 1160, *Tristan,* amant facile ; 1462, *Cent Nouvelles,* fin et délicat ; 1673, Molière, gentil ; n. m., 1460, Chastellain, favori ; mot de même rac. que *minet.* || **mignonnement** 1495, *Roman Jean de Paris.* || **mignonnerie** 1835, Balzac. || **mignoter** début XVe s., A. de La Sale ; de la var. *mignot* (XIIe s.), mignon. || **mignotise** XIIIe s., A. de la Halle. || **amignoter** 1220, Coincy. || **mignonet** 1493, Coquillart. || **mignonnette** 1718, d'après Trévoux, dentelle. || **mignonnerie** 1843, Gautier || **mignard** 1538, R. Est. ; par substitution de suff. || **mignarder** 1418, G. || **mignardise** 1539, R. Est.

migraine 1155, Wace, dépit ; fin XIVe s., Deschamps (*migraigne*), sens actuel ; lat. méd. *hemicrania* (IIIe s., C. Aurelius), du gr. *hêmikrania,* douleur dans la moitié (*hêmi*) du crâne (*kranion*). || **migraineux** 1890, Goncourt, qui donne la migraine ; 1923, Lar., sens actuel. || **antimigraineux** 1907, Lar.

migration 1495, J. de Vignay ; lat. *migratio,* de *migrare,* changer de séjour. || **migrateur** 1843, Gérard ; bas lat. *migrator.* || **migratoire**

1840, *Acad.* || **migrant** 1961, *journ.*, adj. || **migrer** 1546, Rab. ; lat. *migrare.*

mijaurée 1640, Oudin, jeune fille sotte ; 1660, Oudin, sens actuel ; mot rég. (Ouest), d'orig. obsc., de *mijolée,* de *migeoller* (XVIe s.), cuire à petit feu, puis « cajoler », p.-ê. altéré par *mijot* (v. le suivant).

mijoter 1583, *Maison rustique,* faire mûrir (les fruits) ; 1767, Menon, cuire doucement ; 1808, d'Hautel, fig. ; mot de l'Ouest, de *mijot,* lieu où l'on conserve les fruits, var. probable de l'anc. fr. *musgode* (1050, *Alexis*), var. *migoe, mujoe,* provision de vivres, du germ. **musgauda* (v. MAGOT 1). || **mijotage** 1961, *journ.*

mikado 1827, *Acad.* (*mikaddo*), souverain pontife de la religion au Japon ; 1874, Lar. (*mikado*), empereur du Japon ; mot japonais.

1. **mil** V. MILLE.

2. ***mil** fin XIe s., *Gloses de Raschi,* millet ; lat. *mĭlium.* || **millet** 1256, Ald. de Sienne. || **millade** 1858, Legoarant ; anc. prov. *milhada,* bouillie de mil. || **millerandage** 1868, L. || **grémil** XIIIe s. (*gromil*) ; 1564, J. Thierry (*gremil*) ; de *grès* et *mil,* à cause de la dureté des graines de cette plante ; var. *grenil,* XVIe s., d'après *grain.*

milady 1727, Bonnafé ; angl. *my lady,* madame.

milan 1500, *Anc. Poésies ;* mot prov., du lat. pop. **mīlānus,* altér. de *milvinus* (class. *miluus,* milan) ; a remplacé l'anc. fr. *escoufle* (1120, *Ps. de Cambridge*), du bas breton **skouvl.*

mildiou 1874, *Doc. ;* angl. *mildew,* proprem. « rouille (des plantes) ». || **mildiousé** 1903, Lar.

miliaire 1560, Paré, méd. ; lat. *miliarius,* de *milium,* millet.

milice 1308, Aimé (*milicie*) ; fin XVIe s., Brantôme (*milice*), armée ; jusqu'au XVIIe s., surtout dans *les milices célestes ;* 1636, Monet, troupes locales formées de bourgeois et de paysans ; 1937, Malraux, formation paramilitaire ; v. 1950, police auxiliaire ; lat. *militia,* service militaire, corps de troupe, de *miles,* soldat. || **milicien** 1725, Guignard ; 1943, *journ.*, membre de la Milice de Vichy.

milieu V. MI 1.

militaire 1355, Bersuire, adj. ; 1658, Bossuet, n. m. ; lat. *militaris,* de *miles, militis* soldat. || **militairement** 1552, Vaganay. || **militarisme** 1815, Brunot. || **militariste** 1870, *Drapeau rouge,* adj. ; n., 1892, Guérin. || **militariser** 1843, *le Charivari.* || **militarisation** 1877, L. || **antimilitariste** fin XIXe s. || **démilitariser** 1871, *J. O.* || **démilitarisation** fin XIXe s. || **paramilitaire** v. 1935 ; avec le préf. *para,* à côté. || **prémilitaire** 1935, Sachs-Villatte ; de *pré-,* avant.

militer XIIIe s., H. de Méry, combattre ; 1669, Widerhold, sens mod. || **militant** XIVe s., *Miracles ;* début XVe s. (*église militante*) ; n., 1893, *D. G.*, polit. || **militance** 1938, François. || **militantisme** 1963, Lar.

milk-bar 1959, Robert ; de *bar,* et de l'angl. *milk,* lait.

mille 1112, *Voy. saint Brendan* (*mile*) ; lat. *milia,* pl. de *mille,* mille. || **mil** 1050, *Alexis ;* lat. *mille.* || **milliard** 1549, Peletier ; de *million,* par changem. de suff. || **milliardaire** 1877, Daudet. || **milliardième** 1923, Lar. || **milliasse** fin XVe s. ; de *million,* par changem. de suff. || **millier** 1080, *Roland ;* d'après le lat. *milliarius.* || **millième** 1213, *Fet des Romains* (*milliesme*) ; 1377, Oresme (*millième*) ; lat. *millesimus.* || **million** 1266, *le Garçon et l'Aveugle* (*milon*), 1359, Cosneau (*million*) ; ital. *milione,* un grand mille. || **millionième** 1550, Meigret. || **millionnaire** 1740, Lesage. || **millépore** 1752, Trévoux, zool. || **millefeuille** XIVe s., *Doc.* (*milfoille*) ; 1542, Gesner (*millefeuille*), plante ; 1931, Lar., gâteau. || **mille-fleurs** XVIIe s., pharm. (*eau de mille-fleurs*), parfum à la mode. || **mille-pattes** 1562, Du Pinet (*mille-pieds*) ; XVIe s. (*mille-pattes*), zool. || **millepertuis** 1539, R. Est., bot. || **millépore** 1742, Dezallier. || **milleraies** 1903, Lar. (V. BILLION, MILLÉNAIRE, MILLÉSIME, MILLIAIRE, MILLI-, TRILLION, etc.)

millénaire 1495, J. de Vignay, n. m., qui commande mille hommes ; 1584, Benedicti, sens actuel ; adj., 1617, Crespin ; bas lat. *millenarius,* de *mille,* mille. || **millénarisme** 1840, *Acad.* || **millénariste** 1877, Darmesteter. || **bimillénaire** 1844, Nerval.

millerandage V. MIL.

millésime 1515, Lortie ; lat. *millesimus,* millième. || **millésimer** 1754, *Encycl.*

millet V. MIL 2.

milli-, élém. de comp. indiquant la millième partie d'une unité ; lat. *mille,* mille. || **milliampère** 1881, *Congrès électriciens.* || **millibar** 1923, Lar. || **milligrade** 1923, Lar. || **milligramme, millilitre, millimètre** 1795, loi du 18 germinal an III. || **millimicron** 1923, Lar. || **millithermie** 1923, Lar. || **millivolt** 1923, Lar.

milliaire 1240, La Curne, n. f., hist. ; 1694, Th. Corn., distance de mille pas ; lat. *miliarius*, de *milia*. (V. MILLE.)

millier V. MILLE.

milord XIVe s., *Mir. de N.-D.* (*millour*) ; 1578, H. Est. (*milord*) ; angl. *mylord*, mon seigneur.

milouin 1791, Valmont, zool. ; lat. *miluus*, milan ; canard sauvage.

mime début XVIe s., hist. ; 1783, S. Mercier, sens mod. ; lat. *mimus* (gr. *mimos*). || **mimer** 1840, *Acad.* ; 1857, Baudelaire, péjor. || **mimique** adj., 1570, Hervet, hist. ; n. f., 1828, Mozin, sens mod. ; lat. *mimicus*, du gr. *mimikos*. || **mimodrame** 1820, V. Hugo. || **mimographe** milieu XVIe s. || **mimographie** 1829, Boiste. || **mimologie** 1721, Trévoux, art, science des mimes.

mimétisme 1874, Lar. ; gr. *mimeisthai*, imiter. || **mimétique** 1954, Bauchot.

mimi XVIIe s., coiffure de dame ; 1837, Balzac, chat, terme enfantin ; redoublement enfantin de la prem. syll. de *minet* (v. ce mot).

mimosa 1602, A. Colin, fém. jusqu'en 1878, *Acad.* ; lat. bot. *mimosa*, de *mimus*, c.-à-d. « qui se contracte comme un mime ». || **mimosées** 1842, *Acad.* || **mimosacées** 1963, Lar.

minable milieu XVe s., Juvenal des Ursins, qu'on peut miner ; 1819, Boiste, miné par la maladie ; 1945, Sartre, pitoyable ; de *miner*.

minaret 1606, Palerne (*mineret*) ; 1654, *Doc.* (*minaret*) ; turc *mĕnarĕ*, pop. *mĭnarĕ*, de l'ar. *manāra*, proprem. « phare ».

minauder V. MINE 3.

mince 1398, *Ménagier* ; anc. fr. *mincier* (XIIIe s.), couper en menus morceaux (encore d'empl. rég., sous la forme *mincer*), var. anc. de *menuiser*, du lat. pop. **minutiare*, rendre menu, de *minūtus*, part. passé de *minuere*, diminuer ; interj., 1878, Esnault. (V. MENU, MENUISER.) || **minceur** 1782, *Encycl. méth.* || **mincir** 1963, Lar. || **amincir** XIIIe s., rare jusqu'en 1752, Trévoux. || **amincissement** XVIIIe s., Buffon. || **émincer** 1560, Paré. || **émincé** 1798, *Acad.*, tranche mince.

1. **mine** 1190, Garnier ; bas lat. *mina*, altér. du lat. *hemīna*, mesure de capacité (28 centilitres), du gr. *hêmina*, *id.* (*hémine*, 1718, *Acad.*). || **minot** 1268, É. Boileau, mesure d'une demi-mine, puis baril ; 1690, Furetière, farine fine, mise en barils (pour traverser les mers). || **minotier** 1791, *Doc.*, qui prépare la farine fine ; 1842, Mozon, sens actuel. || **minoterie** 1834, Landais.

2. **mine** XIIIe s., Tanquerey, minerai ; XIIIe s., gisement de minerai ; 1778, Voltaire, fig. ; 1636, Monet, *mine de plomb* ; du gallo-roman **mīna*, probablem. d'orig. celt. (cf. irl. *mein*, minerai). || **mineur** fin XIIe s., R. de Moiliens. || **minette** 1325, Runkewitz, minerai médiocre. || **minière** 1206, Guiot. || **minier** adj., 1859, Mozin. || **minerai** 1314, G. (*minerois*, avec le suff. *-ois*) ; 1721, Trévoux (*minerai*).

3. **mine** 1360, Froissart, galerie ; 1577, Belleau, excavation creusée pour faire sauter un bloc de rochers ; 1943, Gide, charge explosive ; de *mine* 2. || **miner** XIIe s., *Aiol*, creuser dessous ; 1680, Richelet, sens actuel. || **minage** 1903, Lar. || **contre-mine** XIVe s., milit. || **contre-miner** 1404, Chr. de Pisan, milit. || **déminer, déminage, démineur** XXe s., milit.

4. **mine** XIIIe s., Tobler-Lommatzsch, aspect du visage ; breton *min*, bec, museau. || **minois** 1498, *Vengeance de J.-C.* || **minauder** 1645, *Muse normande*, se moquer ; 1680, Richelet, sens actuel. || **minauderie** 1580, Alcripe. || **minaudeur** 1953, Sarraute. || **minaudier** 1694, *Acad.*

5. **mine** 1564, *Indice de la Bible*, monnaie antique ; lat. *mina*, du gr. *mnâ*.

minerai V. MINE 2.

minéral 1265, J. de Meung, adj. ; n. m., 1538, R. Est. ; lat. médiév. *mineralis*, de *minera*, minière, de même rac. que MINE 2. || **minéraliser** 1751, *Journ. écon.* || **minéralisation** *id.* || **minéralisateur** 1787, *Société sc. physiques.* || **minéralogie** 1649, *Rymaille*, étude des sels minéraux ; 1753, d'Holbach, sens mod. || **minéralogique** 1751, *Journ. écon.* ; 1931, Lar., *numéro minéralogique.* || **minéralogiste** 1753, d'Holbach. || **déminéraliser** fin XIXe s. || **déminéralisation** 1890, Pouchet.

minerve 1626, d'Aubigné, cerveau, esprit, vx ; 1840, *Acad.*, chir. ; 1903, Lar., typogr. ; lat. *Minerva*, déesse de la sagesse. || **minerval** 1530, La Curne ; relatif à Minerve. || **minerviste** 1903, Lar., typogr.

minestrone 1931, Lar., culin. ; mot italien ; soupe épaisse.

minet 1560, Baïf (*minette*, fém.) ; de *mine*, nom pop. du chat dans divers parlers gallo-romans ; d'orig. onomatop. || **minou** 1398, E. Deschamps, bot. ; avec changem. de suff. , 1560, Pasquier, petit chat. (V. CHATON 1.)

1. **mineur** n. m. V. MINE 2.

2. ***mineur** adj., 1265, Br. Latini ; 1437, *Coutum. Anjou,* jurid., adj. et n. ; 1690, Furetière, *ordres mineurs,* relig. ; lat. *minor, minoris,* comparatif de *parvus,* petit. || **minoratif** 1503, Chauliac ; lat. scolast. *minorativus,* qui diminue, du lat. *minorare,* diminuer. || **minoration** 1363, Chauliac, purgation ; 1806, Lunier, sens actuel. || **minorer** 1361, Oresme, diminuer l'importance. || **minorité** 1374, *Ordonn. royale,* jurid. ; lat. médiév. *minoritas,* de *minor ;* 1727, Mackenzie, polit. ; de l'angl. *minority* (v. MAJORITÉ). || **minoritaire** 1920, *Congrès de Tours.* (V. MINIME, MOINDRE, MAJEUR, etc.)

miniature 1645, Corneille (*migniature*) ; 1653, Oudin (*miniature*) ; *en miniature,* fin XVIIe s., Sévigné ; ital. *miniatura,* de *minio,* minium. || **miniaturiste** 1748, Caylus. || **miniaturer** 1843, Gautier. || **miniaturiser, miniaturisation** 1963, Lar.

minier, minière V. MINE 2.

minime 1361, Oresme, très petit ; 1606, Crespin, relig. ; lat. *minimus,* superlatif de *parvus,* petit. || **minimiser** 1842, Radonvilliers. || **minimisation** 1845, Besch. || **minimum** 1705, Parent ; neutre du lat. *minimus ; minimum vital,* 1949, Lar. ; *au minimum,* 1874, Lar. || **a minima** 1706, Richelet, jur. ; lat. jurid. *a minima poena,* à partir de la plus petite peine. || **minimal** 1877, L. || **minimalisme** 1970, *journ.* || **minimaliste** 1923, Lar. || **mini-**, prem. élém. de composé. || **minibus** 1966, *journ.* || **minigolf** 1970, Robert. || **minibasket** 1967, *journ.* || **miniski** 1965, Gilbert.

ministre 1175, Chr. de Troyes, ministre de Dieu ; 1611, Cotgrave, polit. ; lat. *minister,* serviteur. || **ministère** fin XIIe s., *Dial. Grégoire,* eccl. ; 1690, Furetière, polit. ; lat. *ministerium,* service, fonction (v. MÉTIER). || **ministériel** 1580, Marnix, qui gouverne ; 1595, *Doc.,* relig. ; 1766, Proschwitz, polit. ; lat. *ministerialis* (Ve s., *Code Théodosien*). || **ministrable** 1894, Sachs-Villatte. || **antiministériel** 1740, d'Argenson, polit.

minium 1560, Paré (*minion*) ; mot lat., qui a éliminé l'anc. forme francisée *minie* (fin XIe s., *Gloses de Raschi*).

minois, minoratif, minorité V. MINE 4, MINEUR 2.

1. **minot, minoterie, minotier** V. MINE 1.

2. **minot** 1673, Guillet, mar. ; breton *min,* bec, pointe. V. MINE 4.

minou, minuit V. MINET, MI 1.

minuscule 1634, Delb., adj., écriture ; 1874, Lar., très petit ; lat. *minusculus,* assez petit, dimin. de *minor.* (V. MAJUSCULE, MINEUR 2.)

minus habens 1836, Stendhal ; loc. lat., propr. « ayant moins ». || **minus** n. m., 1934, Montherlant ; abrév.

1. **minute** XIIIe s., *Comput* (*minuce*) ; 1360, Froissart (*minute*), division du temps ; lat. médiév. *minuta,* de l'adj. lat. class. *minutus,* menu. || **minuterie** 1786, Berthoud. || **minuter** 1909, Lar. || **minutage** 1934, Aragon. || **minuteur** 1842, *Acad.,* procéd. ; 1963, *journ.,* techn.

2. **minute** 1412, G., écrit original, acte notarié ; lat. médiév. *minuta,* au sens de « écriture menue » (v. le précédent). || **minuter** 1382, *D. G.,* rédiger un brouillon ; 1552, Rab., rédiger une minute ; milieu XVIe s., combiner. || **minutaire** 1588, G. || **minutier** 1893, *D. G.*

minutie 1627, P. Dupuy, menus détails ; 1761, d'Alembert, sens actuel ; lat. *minutia,* parcelle, de *minutus,* menu. || **minutieux** 1750, Brunot. || **minutieusement** 1812, Mozin.

miocène 1843, Mackenzie, géol. ; angl. *miocene* (1833, Lyell), du gr. *meion,* moins, et *kainos,* récent. (V. ÉCOCÈNE, PLIOCÈNE.)

mioche 1567, Junius, mie de pain ; 1628, Chereau, fils ; 1786, Esnault, novice ; 1809, Boiste, sens actuel ; de *mie* 1, avec le suff. arg. *-oche.* || **mion** 1649, Oudin, miette, enfant ; avec un autre suff.

mir 1859, Dumas, hist. ; mot russe ; communauté villageoise.

mirabelle XVIIe s., Liger ; lat. *myrobalanus,* myrobolan, sorte de fruit des Indes, du gr. *myrobalanos,* de *myron,* sorte de parfum, et *balanos,* gland (v. MIROBOLANT, MYROBOLAN). || **mirabellier** 1907, Lar.

miracle 1050, *Alexis,* relig. ; 1265, J. de Meung, fait extraordinaire ; lat. *miraculum,* prodige, au sens eccl., de *mirari,* s'étonner. || **miraculeux** 1314, Mondeville. || **miraculeusement** 1377, Lanfranc. || **miraculé** 1798, *Acad.*

mirador v. 1830 (*miradore*) ; 1843, Gautier (*mirador*), belvédère ; 1903, Lar., poste d'observation ; esp. *mirador,* de *mirar,* regarder.

miraillé 1644, Vulson ; anc. fr. *mirail,* miroir (1265, J. de Meung), du lat. pop. *miraculum,* objet où l'on se mire ; terme d'héraldique. (V. MIRER.)

***mirer** fin XIe s., *Chanson de Guillaume,* regarder ; *se mirer,* 1175, Chr. de Troyes ; 1570, Carloix, viser avec une arme ; 1752, Trévoux, joaillerie ; *mirer des œufs,* 1690, Regnard ; lat. pop. *mirare,* regarder attentivement, class. *mirari,* s'étonner (v. ADMIRER). || **mire** 1460, Chastellain, but ; milieu XVIe s., action de viser ; 1789, Brisson, *ligne de mire ; point de mire,* fig., 1812, Boiste ; déverbal. || **mirette** 1903, Lar., techn. ; 1837, Vidocq, yeux. || **mireur** 1842, *Acad.,* milit. ; 1874, Lar., *mireur d'œufs.* || **mirage** 1753, *Hist. de l'Acad. des sciences ;* 1841, Chateaubriand, fig. || **mire-œufs** 1907, Lar. || **miroir** 1119, Ph. de Thaon (*mireür*) ; 1268, É. Boileau (*miroir*). || **miro** 1928, Esnault, myope. || **miroiter** 1595, Vigenère (*-é*), qui a des taches variées ; 1836, Lamartine, jeter des reflets ; 1874, Lar., fig. || **miroitement** 1622, Delb. || **miroitier** 1564, J. Thierry. || **miroiterie** 1701, Furetière.

mirifique fin XVe s., Molinet ; lat. *mirificus,* admirable, de *mirari,* admirer. || **mirifiquement** début XVIe s. (V. ADMIRER, MIRER.)

mirlicoton v. 1600, O. de Serres (*mirécouton*) ; 1611, Cotgrave (*mirelicoton*) ; altér. de l'esp. *melocoton,* pomme-coing.

mirliflore 1765, Collé (*mirliflor*) ; var. *mirlifleur,* Faublas ; altér., par croisem. avec *mirlifique,* déformation de MIRIFIQUE (1430, G.), de *millefleurs,* de *mille* et *fleurs* (lat. scientif. *mille flores*).

mirliton 1752, Trévoux ; paraît être un anc. refrain (cf. l'anc. *mirely,* XVe s., mélodie). || **mirlitonner** 1833, P. Borel. || **mirlitonnade** XXe s., G. Duhamel. || **mirlitonesque** 1948, Koechlin.

mirmillon 1732, Trévoux, hist. ; lat. *mirmillo,* gladiateur armé d'un bouclier gaulois.

mirobolant 1838, de Launay ; empl. plaisant de *myrobolan,* XIIIe s., qui désignait diverses espèces de fruits desséchés, utilisés en pharmacie. (V. MIRABELLE, MYROBOLAN.)

miroir, miroiter V. MIRER.

miroton 1691, Guégan, culin. ; orig. inconnue.

misaine 1382, *Inv. de l'arsenal de Rouen* (*migenne*) ; 1500, Auton (*mizenne*) ; 1573, J. du Puys (*misaine,* d'après l'ital. *mezzana*) ; *mât de misaine,* 1636, Monet ; catalan *mitjana,* fém. substantivé de l'adj. *mitjan,* (voile) moyenne, artimon ; lat. *medianus.*

misanthrope 1552, Rab. ; gr. *misanthrôpos,* de *misein,* haïr, et *anthrôpos,* homme. || **misanthropie** 1550, Pontus de Thyard. || **misanthropique** 1771, Trévoux.

miscellanées 1570, *Cité de Dieu ;* pl. neutre lat. *miscellanea,* choses mêlées, de *miscere,* mêler.

miscible 1757, Macquer ; lat. *miscere,* mêler. || **miscibilité** 1753, *Encycl.*

mise 1160, Benoît, dépense ; 1233, G., action de mettre ; 1611, Cotgrave, au jeu ; 1794, Brunot, façon de s'habiller ; *de mise,* 1534, Des Périers ; part. passé de *mettre,* substantivé au fém. || **miser** 1669, Widerhold.

misère 1120, *Ps. d'Oxford* (*miserie*), état digne de pitié, pauvreté ; 1662, Pascal, pl., souffrances ; lat. *miseria,* de *miser,* malheureux. || **miséreux** fin XIVe s., Chr. de Pisan. || **misérable** fin XIIe s., *Prise d'Orange,* qui blesse ; début XVe s., A. Chartier, qui est dans le dénuement ; 1656, Molière, av. le nom, « de peu d'importance » ; 1690, Furetière, insuffisant ; lat. *miserabilis.* || **misérablement** 1370, Oresme. || **misérabilisme** 1928, A. Breton, état misérable ; 1937, *N.R.F.,* sens actuel. || **misérabiliste** 1964, *journ.*

miséréré 1546, Ch. Est., colique (pour laquelle il faut dire son *miserere*) ; lat. *miserere,* « aie pitié », impér. de *misereri,* et premier mot du psaume 51, empl. pour désigner ce psaume (1112, *Voy. saint Brendan*).

miséricorde 1120, *Ps. d'Oxford,* relig. ; lat. *misericordia,* de *misericors,* de *cor,* cœur, et *miseria,* détresse, de *miser,* malheureux. || **miséricordieux** 1160, Benoît. || **miséricordieusement** 1160, Benoît.

miso-, gr. *misein,* haïr. || **misologie** 1874, Lar. ; gr. *logos,* science. || **misonéisme, misonéiste** 1892, R. de Gourmont ; gr. *neos,* nouveau.

misogyne 1559, Amyot ; rare jusqu'en 1757, *Journ. étranger ;* gr. *misogunês,* de *misein,* haïr, et *gunê,* femme. || **misogynie** 1812, Boiste.

miss 1713, Hamilton (*misse*), comme terme angl. ; 1923, Lar., institutrice angl. ; mot angl. signif. « mademoiselle », abrév. de *mistress,* madame, de l'anc. fr. *mestresse,* maîtresse. (V. MAÎTRE.)

missel 1180, *R. d'Alexandre ;* réfection, d'après le lat., de l'anc. fr. *messel* (1119, Ph. de Thaon), du lat. *missalis* (*liber*), livre de messe. (V. MESSE.)

missile XVIe s., arme de jet ; 1949, Lar., sens actuel ; lat. *missile,* de *missus,* part. passé de *mittere,* envoyer. || **antimissile** 1960, *journ.*

mission 1188, Aimon (*meission*) ; 1260, G. (*mission*), dépenses ; début XIVe s., relig., délégation de Jésus ; fin XVIe s., d'Aubigné, charge confiée à qqn ; 1671, Pomey, opération d'évangélisation, relig. ; réfection de l'anc. fr. *mession* (XIIe s., *Florimont*), du lat. *missio,* action d'envoyer, de *mittere,* envoyer. || **missionnaire** 1631, saint Vincent de Paul. || **missionnariat** 1874, Lar.

missive adj., 1454, *Cartulaire* (*lettre missive*) ; n. f., 1580, Montaigne ; lat. *missus,* part. passé de *mittere,* envoyer.

mistelle 1903, Lar. ; mot venu par l'Algérie ; esp. *mistela,* de *misto,* mélangé ; moût de raisin muté à l'alcool.

mistenflûte 1642, Oudin, jeune garçon trop délicat ; altér. facétieuse du prov. mod. *mistouflet,* poupin, de *misto,* mioche, de même rac. que l'anc. fr. *miste,* joli, et que *mite,* nom pop. du chat. (V. MISTON, MISTOUFLE, MISTIGRI.)

mistigri 1827, Lebrun, *Manuel des jeux,* valet de trèfle ; 1867, Delvau, jeu de cartes ; 1840, *Acad.,* nom pop. du chat ; de l'adj. *gris* et de *miste* (1354, *Modus*), var. de *mite,* dénomin. pop. du chat, d'orig. onomatop. (V. CHATTEMITE, MARMITE, le préc. et les suivants.)

miston 1790, Sainéan, jeune homme, de l'anc. et moy. fr. *miste.* (V. MISTENFLÛTE, MISTIGRI, MISTOUFLE.)

mistoufle 1866, Esnault, misère, avanie ; de *misère,* avec suffixe argotique, ou de *emmistoufler* (début XIXe s.), envelopper de fourrures, altér. de *emmitoufler* d'après l'anc. *miste,* élégant, attesté encore aux XVIe-XVIIe s. (v. les préc. et MITAINE).

mistral 1519, Pigaphetta (*mestral*) ; 1694, Ménage (*mistral*) ; rare avant 1798, *Acad.* (*maëstral,* prononcé *mystral*) ; mot prov. mod., de l'anc. prov. *maestral,* vent maître, de *maistre, maestre.* (V. MAÎTRE.)

mistress V. MISS.

mitaine 1180, *Parthenopeus ;* de l'anc. fr. *mite,* chatte, la *mitaine* étant comparée à la fourrure du chat, d'orig. onom. (V. CHATTEMITE, MARMITE.) || **miton** XVe s., G., gantelet ; 1636, Monet, manchette ; de *mite.* || **mitoufle** 1534, Rab., mitaine ; sous l'infl. de *moufle.* || **emmitonné** 1580, Montaigne. || **emmitoufler** milieu XVIe s. (V. MISTOUFLE.)

mitard 1884, Esnault ; de *mite,* cachot (1800, Esnault), abrév. de *cachemitte,* de *cacher* (jeu de main chaude), pris au sens de « cachot ».

mite XIIIe s., Tilander, insecte ; moy. néerl. *mite.* || **mité** 1743, Trévoux. || **se miter** 1931, Lar. || **miteux** 1808, d'Hautel, qui laisse couler un liquide visqueux ; fin XIXe s., misérable. || **antimite** 1935, Sachs.

mithriacisme 1842, *Acad.,* var. *mithracisme* (1903, Lar.) ; du nom de *Mithra,* dieu de la mythol. perse. || **mithriaque** 1765, *Encycl.*

mithridate 1425, O. de la Haye (*metridat*) ; 1636, Corn (*mithridate*), pharm. ; du nom de *Mithridate,* roi du Pont (Ier s. av. J.-C.), qui se serait immunisé contre les poisons. || **mithridatiser, mithridatisation** 1931, Lar. || **mithridatisme** 1903, Lar.

mitiger 1355, Bersuire, adoucir ; 1850, Balzac, varier ; lat. *mitigare,* adoucir, de *mitis,* doux. || **mitigé** 1893, Courteline, mélangé, entre deux extrêmes. || **mitigation** XIVe s., Gordon ; lat. *mitigatio.*

mitonner 1552, Rab., faire cuire longtemps ; 1651, Livet, choyer ; 1649, Retz, combiner ; mot de l'Ouest, de *mitonnée,* panade, de *miton,* mie de pain, dér. de *mie* 1.

mitose 1903, Lar., biol. ; gr. *mitos,* filament. || **mitotique** 1963, Lar.

mitoyen XIVe s. (*mittoyenne*), qui est au centre ; 1571, *Coutumier,* qui est commun à deux ; altér., d'après *mi,* demi, de l'anc. fr. *blé moiteen* (1257, G.), dér. de *moitié.* || **mitoyenneté** 1804, *Code civil.*

mitraille 1375, R. de Presles (*mistraille*) ; 1667, Fournier (*mistraille*), menue monnaie, menue ferraille, puis ferraille servant à charger les canons ; altér. de l'anc. *mitaille* (1295, G.), d'orig. germ. signif. « couper en morceaux ». || **mitrailler** 1794, *Gazette hist. et polit.* || **mitraillage** 1949, Lar. || **mitrailleur** 1795, Aulard, *Réaction thermidorienne.* || **mitraillade** 1794, Ranft. || **mitrailleuse** 26 mars 1867, brevet déposé. || **fusil mitrailleur** V. FUSIL. || **mitraillette** 1935, *journ.*

mitre 1175, Chr. de Troyes ; lat. *mitra,* du gr. *mitra,* bandeau. || **mitré** XIIe s., *Chevalier aux deux épées.* || **mitral** 1673, *Journ. des savants,* anat., qui est en forme de mitre. || **mitron** 1610, Béroald ; d'après la forme de l'anc. bonnet des garçons boulangers.

mixer ou **mixeur** 1949, Lar., culin. ; mot angl., « mélangeur ». || **mixer** 1968, *journ. ;* angl. *to mix,* mélanger. || **mixage** 1935, Lar. ; d'après l'angl. *to mix,* mélanger.

mixte 1120, *Ps. d'Oxford,* mêlé ; 1343, *D. G.,* qui a plusieurs fonctions ; fin XVe s., qui comprend des personnes différentes ; XIXe s., qui comporte les deux sexes ; lat. *mixtus,* part. passé de *miscēre,* mélanger. || **mixité** 1842, Richard ; altér. de **mixtité,* d'après des mots comme *fixité.* || **mixture** 1190, *Saint Bernard* (*misture*) ; 1560, Paré (*mixture*) ; lat. *mixtura.* || **mixtion** 1265, J. de Meung ; lat. *mixtio.* || **mixtionner** 1265, J. de Meung. || **mixtiligne** 1732, Richelet ; formé de lignes droites et de lignes courbes. || **mixtinerve** 1817, Gérardin.

mnémonique 1800, Naudin ; gr. *mnêmôn,* qui se souvient, de *mnêmê,* mémoire. || **mnémotactisme** 1968, Lar. || **mnémotaxie** 1968, Lar. || **mnésique** 1938, Lalande ; gr. *mnêsis.* || **mnémotechnie** 1823, Boiste. || **mnémotechnique** 1827, *Journ. de Genève.*

mobile n. m., 1301, *Ordonn. de Bretagne,* bien meuble ; adj., 1377, Oresme, qui n'est pas fixe ; n. m., 1671, Richelet, mécan. ; 1677, Bossuet, psychol. ; 1949, Sartre, ensemble décoratif ; n. m., 1830, Delvau, soldat de l'anc. garde nationale mobile, abrégé en *moblot* (1848, Esnault) ; lat. *mobilis,* de *movere,* mouvoir. || **mobilité** XIIe s., *Dial. Grégoire* (*mobiliteit*) ; lat. *mobilitas.* || **mobiliaire** début XVe s. || **mobilier** début XVIe s., *Doc.,* relatif au biens meubles ; 1673, Kuhn, ensemble de meubles. || **mobiliser** 1765, *Encycl.,* jurid. ; 1834, Landais, milit. ; début XXe s., méd. || **mobilisable** 1842, *Acad.,* milit. || **mobilisation** 1771, Trévoux, jurid. ; 1834, Landais, milit. || **mobilisme** 1903, Lar. || **démobiliser** 1826, Mozin, jurid. ; 1870, Lar., milit. || **démobilisation** 1870, Lar., milit. || **immobile** 1265, J. de Meung, n. m., « immobilité » ; adj., *id,* qui ne se meut pas ; 1580, Montaigne, qui ne change pas ; lat. *immobilis.* || **immobilier** 1453, *Coutumes* (*immobiliaire*) ; XVIe s. (*immobilier*), pour servir de dér. à *immeuble.* || **immobiliser** 1771, Schmidlin ; *s'immobiliser,* 1896, Goncourt. || **immobilisation** 1823, Boiste, banque ; 1875, Joret, sens actuel. || **immobilité** 1314, Mondeville ; lat. *immobilitas.* || **immobilisme** 1836, Fourier. || **immobiliste** 1836, Fourier.

mocassin 1615, *Doc.* (*mekezen*) ; 1707, *Doc.* (*mocassin*) ; algonquin *mockasin,* par l'angl. *mocassin.*

moche n. f., 1723, Savary, écheveau, pelote, grappe ; mot de l'Ouest ; francique **mokka,* masse informe (cf. allem. *Mocke*) ; 1880, Larchey, adj., laid ; de *amocher.* || **mochard** 1898, Esnault. || **mocheté** 1936, Esnault. || **amocher** 1867, Delvau, pop., abîmer, défigurer ; empl. dér. d'un sens anc. « arranger grossièrement », d'après *moche,* n. f. || **amochage** fin XIXe s.

1. **mode** n. f., 1458, *Mystère,* manière de vivre ; 1549, R. Est., sens actuel ; *à la mode,* 1549, R. Est. ; lat. *modus,* n. m., manière ; l'emploi au fém. est dû à la finale *-e.* || **modiste** 1636, Monet, qui affecte de suivre la mode ; 1777, Beaumarchais, sens mod. || **démodé** début XIXe s. || **démoder** 1856, Lachâtre.

2. **mode** n. m., 1598, d'Aubigné, mus. ; 1647, Descartes, philos. ; 1611, Cotgrave, gramm., même orig. que le préc. ; masc. d'après le lat., pour des empl. techn. (où il a éliminé l'anc. fr. *meuf,* 1370, Oresme). || **modal** 1546, Sainéan, logique ; 1893, *D. G.,* mus. || **modaliser** 1972, Lar. || **modalisation** *id.* || **modalité** 1546, Rab., philos. ; 1840, *Acad.,* mus.

modèle 1549, R. Est. (parfois fém. au XVIe s.), moule ; XVIIe s., sens actuels, fig. et techn. ; ital. *modello,* du lat. pop. **modellus,* en lat. class. *modulus,* mesure (v. MODULE, MOULE 1). || **modeler** 1583, Huguet, façonner ; 1738, Piron, fig. || **modeleur** 1590, Marnix. || **modelage** 1834, Landais. || **modéliste** v. 1800, qui fait des modèles ; 1903, Lar., couture ; d'après l'ital.

modénature 1752, Trévoux ; ital. *modanatura,* de *modano,* modèle, de même rac. que *modello.* (V. MODÈLE.)

modérer 1370, Oresme ; *se modérer,* XVe s. ; lat. *moderari,* de *modus,* mesure. || **modéré** fin XVe s. ; 1704, Bossuet, relig. ; 1790, Brunot, polit. || **modérément** 1370, Oresme. || **modération** 1355, Bersuire ; lat. *moderatio.* || **modérateur** 1416, Delb. ; lat. *moderator.* || **modérantisme** 1793, *Républicain,* polit. || **modérantiste** 1796, Frey. || **moderato** 1834, Fétis, mus. ; mot ital. || **immodéré** XVe s., *D. G.* ; lat. *immoderatus.*

moderne XIVe s., *Moamin,* n. m., homme de l'époque moderne ; adj., 1460, Chastellain ; bas lat. *modernus* (VIe s., *Cassiodore*), de *modo,* récemment, de même rac. que *modus,* mesure. || **moderniste** 1769, J.-J. Rousseau. || **modernisme** 1889, Huysmans. || **moderniser** 1754, Mackenzie. || **modernisation** 1876, *Revue britannique.* || **modernité** 1823, Balzac. || **ultramoderne** 1891, Huret. || **modern style** 1896, *le Figaro* ; mots angl.

modeste milieu XIVe s., modéré ; 1695, Fénelon, peu exigeant ; 1642, Corn., réservé ; lat. *modestus,* modéré, de *modus,* façon. || **modestement** 1355, Bersuire. || **modestie** 1354, Bersuire ; lat. *modestia.* || **immodeste** 1541, Calvin ; lat. *immodestus.* || immodestie 1546, Vaganay.

modicité V. MODIQUE.

modifier 1355, Bersuire ; lat. *modificare,* de *modus,* mesure. || **modification** 1385, Douet d'Arcq ; lat. *modificatio.* || **modificateur** 1797, *Rapport.* || **modifiable** 1611, Cotgrave. || **modificatif** 1490, Molinet. || **immodifiable** 1830, A. Comte.

modillon 1545, Van Aelst (*modiglion*), archit. ; ital. *modiglione,* du lat. pop. **mutulĭōnem,* acc. de **mutulĭō,* de *mutulus.* (V. MULE 2, MUTULE.)

modique 1461, Chartier ; rare jusqu'en 1675, Huet ; lat. *modicus,* de *modus* (v. MODE 1). || modicité 1584, Duret ; lat. *modicitas.*

module 1547, J. Martin, archit. ; lat. *modulus,* archit., de *modus* (v. MODE 1). || **modulaire** 1845, Besch.

moduler 1488, *Mer des hist.,* mus. ; lat. *modulari,* de *modulus,* cadence, de *modus,* mesure ; depuis le XVIIe s., plus courant, d'après l'ital. *modulare,* lui-même issu du lat. *modulari ;* 1931, Lar., radio ; 1963, *journ.,* adapter. || **modulation** 1495, J. de Vignay, harmonie ; 1626, Mersenne, mus. ; d'après l'ital. *modulazione ;* 1931, Lar., radio ; lat. *modulatio.* || **modulant** adj., 1875, *Rev. critique.* || **modulateur** 1840, *Acad.*

modus vivendi 1869, Mazade ; mots lat. signif. « manière de vivre », de *modus,* manière, et du gérondif de *vivere,* vivre.

***moelle** 1119, Ph. de Thaon (*meüle*) ; 1265, Br. Latini (*moele,* par métathèse) ; lat. *medŭlla.* || **moelleux** 1478, Chauliac, de la moelle ; 1669, Molière, doux au toucher. || **moellier** 1170, *Fierabras.* (V. MÉDULLAIRE.)

***moellon** XIIe s., *Robert le Diable* (*moulon*) ; XIVe s. (*moilon*) ; 1508, *Comptes Gaillon* (*moellon,* déform. graphique de *moilon*) ; lat. pop. **mutulionem,* acc. de **mutulio,* de *mutulus,* modillon. || **moellonnage** 1400, G. || **moellonnier** 1723, Savary. (V. MOYEU.)

***mœurs** 1112, *Voy. saint Brendan* (*murs*) ; 1283, Beaumanoir (*meurs*) ; XIVe s. (*mœurs*) ; lat. *mōres,* masc. pl. (V. MORAL, MOROSE.)

mofette ou **moufette** 1741, Col de Vilars ; ital. *moffetta,* exhalaison fétide, de *muffa,* moisissure, du germ. **muff-,* forme expressive exprimant l'action de flairer.

mohair 1860, *le Figaro ;* mot angl., désignant le poil de la chèvre angora. (V. MOIRE.)

moi V. ME.

moignon fin XIe s., *Chanson Guillaume* (*moinun*) ; 1155, Wace (*moignon*) ; mot de même famille que l'anc. fr. *moignier, esmoignier,* mutiler, l'anc. prov. *monhon,* moignon, et l'esp. *muñon,* muscle du bras.

***moindre** 1112, *Voy. saint Brendan* (*meindre*) ; lat. *mĭnor,* nominatif du comparatif de *parvus,* petit (v. MINEUR 2, issu de l'acc., avec spécialisation de sens). || **moindrement** fin XIVe s., Deschamps (*mainvrement*) ; 1726, Desfontaines (*moindrement*). || **amoindrir** XIIe s., G. (*amanrir*) ; XIVe s. (*amoindrir*). || **amoindrissement** XIIe s., G. (*amanrissement*) ; XVe s. (*amoindrissement*).

moine 1080, *Roland* (*munie*) ; début XIIe s. (*monie,* puis *moine* par métathèse) ; 1840, *Acad.,* phoque ; lat. pop. **monĭcus,* altér. du lat. chrét. *monachus* (IVe s., saint Jérôme), du gr. *monakhos,* solitaire, de *monos,* seul. || **moinerie** fin XIIe s., *Dial. Grégoire.* || **moinesse** 1276, G. || **moinaille** XVIe s. || **moinillon** 1612, Béroalde de Verville. (V. MOINEAU.)

moineau 1180, Marie de France (*moinel*) ; de *moine,* d'après la couleur du plumage.

***moins** 1130, *Eneas* (*meins*) ; *au moins,* 1131, *Couronn. Loïs ; du moins,* début XVIe s. ; lat. *mĭnus,* neutre, pris adverbialement, de *minor,* comparatif de *parvus,* petit. || **moins-disant** 1970, *journ.* || **moins-perçu** 1838, *Acad.* || **moins-value** 1765, *Encycl. ;* anc. fr. *value,* valeur. (V. MINEUR 2, MOINDRE.)

moire 1650, Ménage (*mouaire*), espèce de camelot (étoffe de laine) ; 1690, Furetière, sens mod. ; angl. *mohair,* de l'ar. *mukhayyar,* « camelot grossier ». A éliminé *moncayar,* 1608, Malherbe, forme issue de l'ar. par l'ital. *mocajarro.* || **moiré** 1540, *Anc. Poésies fr.* || **moirer** 1765, Savary (*mohérer,* d'après la forme angl.). || **moirage** 1763, Macquer. (V. MOHAIR.)

***mois** 1080, *Roland* (*meis*) ; lat. *mensis.*

***moise** 1328, G., techn. ; lat. *mensa,* table. || **moiser** 1694, Th. Corn. || **moisage** 1963, Lar.

moïse 1889, Havard, petite corbeille pour nouveau-nés ; du nom de *Moïse,* par analogie avec la corbeille dans laquelle il fut exposé sur le Nil.

***moisir** 1200, *Poème moral ;* 1580, Montaigne, fig. ; lat. pop. **mŭcīre,* du lat. class. *mūcēre* (avec *ŭ* p.-ê. issu de **mŭscidus,* v. MOITE). || **moisi** n. m., début XVe s., Ch. d'Orléans. || **moisissure** 1380, *Aalma.* (V. MUCUS.)

moissine XIIIe s., G., vitic. ; orig. inconnue.

***moisson** 1130, *Eneas,* céréales coupées ; 1170, *Rois,* récolte ; fin XIIe s., fig. ; lat. pop. **messio, -onis,* dér. du lat. *messis.* || **moissonner** fin XIIe s., R. de Moiliens. || **moissonneur** *id.* || **moissonnage** 1450, Gréban (*messonnage*) ; 1875, *J. O.* (*moissonnage*). || **moissonneuse** n. f., 1860, Lar., machine à moissonner. || **moissonneuse-lieuse** 1931, Lar. || **moissonneuse-batteuse** *id.*

***moite** 1190, *saint Bernard* (*muste*) ; 1213, *Fet des Romains* (*moite*) ; lat. pop. *mŭscĭdus,* moisi, d'où « humide » ; croisement de *mūcĭdus,* moisi (v. MOISIR, MUCUS) et de *mŭsteus,* juteux (de *mustum,* moût). || **moiteur** 1265, Br. Latini. || **moitir** 1265, Br. Latini.

***moitié** 1080, *Roland* (*meitiet*) ; XIIe s., *Floovant* (*moitié*) ; *à moitié,* XIIIe s., Tobler-Lommatzsch ; lat. *medietās, -ātis,* milieu, puis en bas lat. « moitié », de *medius* (v. MI 1) ; 1636, Corn., épouse. (V. MÉTAYER, MITOYEN.)

moka 1771, Trévoux (*mocha*) ; 1798, *Acad.* (*moka*) ; du nom de *Moka,* ar. *Muha,* port du Yémen où l'on embarquait le café d'Arabie.

1. **molaire** 1478, Chauliac ; lat. (*dens*) *molaris,* dent en forme de meule, de *mola.* (V. MEULE 1.)

2. **molaire** V. MOLÉCULE.

mole V. MOLÉCULE.

1. **môle** n. m., 1546, Rab., mar. ; ital. *molo,* du bas gr. *môlos,* issu lui-même du lat. *moles,* masse, môle.

2. **môle** n. f., 1372, Corbichon, méd. ; lat. méd. *mola,* meule.

molécule 1674, Gallois ; dimin. du lat. *moles,* masse. || **moléculaire** 1797, Bertrand. || **molécularité** 1963, Lar. || **mole** 1949, Lar. ; abrév. de *molécule-gramme.* || **molaire** 1963, Lar., adj. ; de *mole.* || **macromolécule** 1953, Lar. || **macromoléculaire** *id.*

molène XIIIe s., G. (*moleine*), bot. ; p.-ê. de *mol,* mou. (V. MOU.)

moleskine 1838, *Musée des modes* (*mole-skin,* forme angl.) ; 1857, *Petit Journal pour rire* (*moleskine*) ; angl. *mole-skin,* de *mole,* taupe, et *skin,* peau.

molester fin XIIe s., R. de Moiliens, incommoder ; XIIIe s., *Chronique de Rains,* brutaliser ; lat. impér. *molestare* (Pétrone), de *molestus,* importun. || **molestation** XIVe s., *Girart de Roussillon.*

moleter, molette V. MEULE 1.

moliéresque 1867, P. Lacroix ; nom de *Molière.* || **moliériste** 1875, *Journ. des débats.*

moliniste 1656, Pascal ; du nom de Luis *Molina,* jésuite espagnol (1535-1601). || **molinisme** 1656, Pascal.

mollah 1790, Bernardin de Saint-Pierre ; mot ar. signif. « seigneur, maître ».

mollasse, mollet, molletière, molleton, mollifier, mollir V. MOU.

mollusque 1763, E. Bertrand ; mot créé par Johnson (1650), repris par Linné, du lat. (*nux*) *mollusca,* (noix) à écorce molle.

moloch 1874, Lar. ; du nom de *Moloch,* dieu des Ammonites, célèbre par sa cruauté.

molosse 1555, Ronsard ; lat. *molossus,* du gr. *molossos,* chien du pays des Molosses (Épire).

molto XIXe s., mus. ; mot. ital. signif. « beaucoup ».

molybdène 1562, Du Pinet, plombagine ; lat. *molybdaena,* veine d'argent mêlée de plomb, du gr. *molubdaina,* de *molubdos,* plomb ; 1782, appliqué au corps découvert par Hjelm dans des roches contenant du plomb. || **molybdique** fin XVIIIe s. || **molybdénite** 1818, *Dict. hist. nat.* || **molybdomancie** 1840, *Acad.*

môme 1821, Desgranges ; orig. inconnue, p.-ê. du rad. *mom-,* indiquant la petitesse. || **momichon** 1920, Montherlant. || **mômignard** 1829, Esnault. || **môminette** 1898, Esnault.

moment 1119, Ph. de Thaon, petite division du temps, rare jusqu'au XVIIe s. ; 1762, *Acad.,* mécan. ; *moment psychologique,* 1870, E. de Goncourt ; *à ce moment,* 1687, Bossuet ; *dans ce moment,* 1695, Fénelon ; *dans un moment,* 1664, Molière ; *par moments,* milieu XVIIIe s. ; *sur le moment,* 1708, Féraud ; *du moment que,* 1655, Retz ; lat. *momentum,* contraction de *movimentum,* mouvement, d'où « pression d'un poids », puis « poids léger, parcelle », et spécial. « parcelle de temps ». || **momentané** XIVe s., *Ordonnance* (*momentené*) ; milieu XVIe s. (*momentané*) ; bas lat. *momentaneus.* || **momentanément** 1787, Féraud.

momerie 1440, Ch. d'Orléans, mascarade ; 1673, Molière, sens mod. ; de l'anc. et moy. fr. *momer* (1263, G.), se déguiser, de *momon,* mascarade, sans doute d'origine expressive (p.-ê. enfantine). Cf. l'esp. *momo,* « grimace », l'all. *Mumme,* « masque ». (V. MÔME.)

momie XIIIe s., *Simples Méd.,* drogue médicinale ; 1560, Paré, cadavre embaumé ; 1735, Lesage, fig. ; lat. médiév. *mumia,* de l'ar. *moûmîya,* de *moum,* cire (le bitume dont on enduisait les cadavres embaumés, en Égypte, servait aussi de remède). || **momifier, momification** 1789, Thouret.

momordique 1765, *Encycl. ;* lat. bot. *momordica.*

***mon** 842, *Serments* (*mo*) ; Xe s., *Eulalie* (*meon*) ; 1050, *Alexis* (*mon*) ; adj. possessif de 1re personne, masc. sing., de *meum,* acc. du poss. lat. *meus,* mon, mien, en empl. atone ; fém. *ma,* du fém. lat. *mea, id. ;* pl. atone *mes,* masc. et fém., des acc. pl., masc et fém., *meos* et *meas, id.* || ***mien** 842, *Serments* (*meon*) ; 1050, *Alexis* (*mien*), masc. ; de *mĕum* en empl. accentué. || **mienne** fém., analog. du masc. ; a remplacé l'anc. fr. *meie, moie,* issu du fém. lat. *mea* en empl. accentué.

monacal XVe s. ; lat. *monachalis,* de *monachus,* moine (v. MOINE, MONIAL). || **monachisme** 1554, Thevet ; lat. *monachus* (v. MOINE).

monade 1547, J. Martin, philos., unité ; 1738, Voltaire, au sens de Leibnitz ; bas lat. *monas, monadis,* unité (IIIe s., Tertullien), mot gr., de *monos,* seul. || **monadologie** 1788, Ch. Bonnet ; d'après Leibnitz. || **monadiste** 1771, Trévoux. || **monadisme** 1842, *Acad.*

monarque 1370, Oresme (*monarche*) ; 1530, Palsgrave (*monarque*) ; bas lat. *monarcha,* du gr. *monarkhês,* de *monos,* seul, et *arkheîn,* commander. || **monarchie** 1265, Br. Latini. || **monarchique** fin XVe s. || **monarchisme** 1738, Brunot. || **monarchiste** 1550, Bonivard, rare avant le XVIIIe s. (1738, d'Argenson). || **antimonarchique** 1714, *Rép. au « Traité du pouvoir ».* || **antimonarchisme** 1751, d'Argenson.

monastère XIVe s., Gilles li Muisis ; lat. eccl. *monasterium,* du gr. *monastêrion,* de *monastês,* moine. || **monastique** 1200, *Règle saint Benoît ;* lat. eccl. *monasticus,* du gr. *monastikos.* (V. MOUTIER.)

***monceau** 1120, *Ps. de Cambridge* (*muncel*) ; 1380, *Aalma* (*monceau*) ; bas lat. *monticellus,* dimin. de *mons, montis,* montagne (v. MONT). || **amonceler** XIIe s. || **amoncellement** 1190, *Saint Bernard.* || **amonceleur** 1300, Boèce.

monde 980, *Passion* (*mund*) ; 1131, *Couronn. Loïs* (*monde*) ; lat. *mundus,* univers, et en lat. eccl. « siècle » (opposé à la vie religieuse) ; a remplacé la forme pop. *mont ;* 1265, J. de Meung, gens, d'où l'expression *tout le monde ;* XIIIe s., Rutebeuf, société civile ; 1662, Pascal, société ; fin XVIe s., Brantôme, hautes classes. || **mondain** fin XIIe s., R. de Moiliens, qui appartient au monde, profane ; fin XVIe s., Brantôme, spécialisé à la vie des salons ; *police mondaine,* 1925, Esnault ; lat. eccl. *mundanus,* du monde, de *mundus,* monde. || **mondanité** 1398, E. Deschamps, attachement aux biens du monde ; 1460, Chastellain, sens actuel. || **mondainement** XIIIe s. || **mondaniser** fin XVIe s., Brantôme. || **mondial** début XVIe s., du monde terrestre ; 1903, Lar., sens actuel ; bas lat. *mundialis.* || **mondialement** 1959, Robert. || **mondialiser** 1950, *journ.* || **mondialisation** 1953, Perret. || **mondovision** 1963, Lar. ; sur *vision,* d'après *télévision.* || **demi-monde** 1789, Mme d'Arblay. || **demi-mondaine** 1889, A. Barrère.

monder fin XIIe s., R. de Moiliens, techn., nettoyer ; lat. *mundare,* de *mundus,* pur. || **mondation** fin XIVe s. (V. ÉMONDER.)

Monel 1931, Lar., métall. ; du nom d'un ancien président de la *Canadian Copper Company ;* nom déposé.

monétaire 1596, Le Caron ; lat. *monetarius,* de *moneta,* monnaie. || **monétiser, monétisation** 1823, *Doc.* || **démonétiser** 18 nivôse an III (1794), séance de la Convention. || **démonétisation** 1795, *Rapport.*

mongolisme 1866, d'après Garnier, pathol. ; de *mongol,* à cause du faciès.

monial adj., 1150, G. ; anc. dér. de *moine,* sous sa forme anc. *monie* (v. MONACAL.) || **moniale** n. f., début XVIe s. ; lat. eccl. *sanctimonialis* (*virgo*), religieuse.

monisme 1875, *Rev. des cours scientif. ;* mot créé par Wolf au XVIIIe s., du gr. *monos,* seul. || **moniste** 1877, L.

moniteur milieu XVe s., conseiller ; 1960, *journ.,* sens actuel ; lat. *monitor,* de *monere,* avertir. || **monition** 1283, Beaumanoir, eccl. ; lat. *monitio.* || **prémonition** 1842, *Acad.* || **monitoire** 1414, Premier-fait, adj., « qui sert à avertir » ; n. m., XVIe s., L. ; lat. *monitorius.* || **monitorat** 1950, *journ.* || **monitoring** 1972, Domart. || **prémonitoire** 1858, Nysten, méd.

1. **monitor** 1842, *Acad.,* sorte de lézard ; mot esp., du lat. *monitor,* guide.

2. **monitor** 1864, *Dict. de la conversation,* mar., croiseur ; mot anglo-amér., du lat. *monitor.* (V. MONITEUR.)

***monnaie** 1175, Chr. de Troyes (*monoie*) ; 1549, R. Est. (*monnaie*) ; lat. *monēta,* la conseillère, surnom de Junon, et par ext. « monnaie », parce que la monnaie se fabriquait dans le temple de Junon. || **monnayer** fin XIe s., *Chanson Guillaume,* au propre ; 1670, Molière, fig. || **monnayable** 1886, L. Bloy. || **monnayage** 1296, G. || **monnayeur** XIVe s., G. (*monoieor*) ; 1530, Palsgrave (*monnayeur*). || **faux-monnayeur** fin XVe s. || **monnaie-du-pape** 1845, Besch. ; à cause des silicules argentées. (V. MONÉTAIRE.)

mon(o)-, gr. *monos,* seul. || **monaural** 1951, Piéron ; lat. *auris,* oreille. || **monoacide** début XXe s. || **monobase** 1868, L. || **monobloc** 1907, Lar. || **monochrome** 1752, Trévoux ; gr. *monokhrômos,* de *monos,* seul, et *khrôma,* couleur. || **monochromie** 1870, Bürger, *Salons.* || **monocoque** 1923, Lar. || **monocotylédone** 1868, L. || **monoculture** 1842, *Acad.* || **monocyte** 1949, Lar. ; gr. *kutos,* cellule. || **monoïdéisme** 1887, Binet. || **monoïque** 1799, Philibert ; gr. *monos,* seul, et *oikos,* maison. || **monokini** 1964, *journ. ;* de *bikini.* || **monolingue** 1963, Lar. || **monolinguisme** 1968, Lar. || **monomoteur** 1927, *Doc.* || **mononucléaire** 1903, Lar., biol. || **monophonie** 1963, Lar. || **monophtongue** 1933, Marouzeau ; d'après *diphtongue.* || **monoplace** 1923, Lar. || **monorail** 1907, Lar. || **monoski** 1967, *Guide des sports.* || **monosyllabe** XVe s. ; bas lat. *monosyllabus.* || **monosyllabique** fin XVIIe s., Saint-Simon. || **monozygote** 1963, Lar.

monocle XIIIe s., G. (*monougle*) ; 1596, Hulsius (*monocle*), borgne (jusqu'au début du XVIIe s.) ; 1671, P. Chérubin, lunette pour un œil ; 20 mai 1827, *Journ. des dames,* sens mod. ; bas lat. *monoculus,* borgne, du gr. *monos,* seul, et du lat. *oculus,* œil. || **monoculaire** 1800, Boiste.

monocorde 1155, Wace (*monacorde*) ; 1160, Benoît (*monocorde*) ; lat. *monochordon,* du gr. *monokhordon,* instrument à une seule corde.

monodie 1576, Chapuis ; lat. *monodia,* mot gr., de *monos,* seul, et *ôdê,* chant. || **monodique** 1874, Lar.

monœcie 1787, Gouan ; lat. bot. mod. *monœcia,* du gr. *monos,* seul, et *oîkos,* demeure.

monogame 1495, J. de Vignay ; rare jusqu'en 1808 ; bas lat. *monogamus,* du gr. *monos,* seul, et *gamos,* mariage. || **monogamie** 1529, Lassere ; lat. *monogamia,* mot gr. || **monogamique** 1823, Richard. || **monogamiste** 1903, Lar.

monogénie 1842, *Acad.,* biol. ; gr. *monos,* seul, et *-génie.* || **monogénisme** 1868, L. || **monogéniste** *id.*

monogramme milieu XVIe s. ; bas lat. *monogramma,* du gr. *monos,* seul, et *gramma,* lettre.

monographie 1793, *Doc. ;* gr. *monos,* seul, et *-graphie.* || **monographique** 1840, *Acad.*

monolithe 1532, G., adj. ; rare jusqu'au XVIIIe s. ; n. m., 1813, Gattel ; bas lat. *monolithus,* mot gr. ; de *monos,* seul, et *lithos,* pierre. || **monolithisme** 1864, Renan. || **monolithique** 1868, Souviron.

monologue fin XVe s. (*menologue*) ; 1521, Fabri (*monologue*) ; gr. *monos,* seul, et *-logue,* d'après *dialogue.* || **monologuer** 1851, H. Murger. || **monologueur** ou **monologuiste** 1876, *l'Opinion nationale.*

monomanie 1823, Boiste ; gr. *monos,* seul, et *mania,* folie. || **monomane** 1829, Boiste.

monôme 1691, Ozanam, math. ; 1878, Esnault, défilé d'étudiants ; gr. *monos,* seul, et *nomos,* division, part.

monopole 1314, G., cabale ; 1318, Du Cange, privilège exclusif ; 1830, Constant, fig. ; lat. *monopolium,* du gr. *monopôlion,* (droit de) vendre seul, de *monos,* seul, et *pôlein,* vendre. || **monopoliser** 1599, Huguet, conspirer ; 1783, Beaumarchais, sens actuel. || **monopolisateur, monopolisation** 1845, Besch. || **monopoleur** 1552, R. Est. || **monopolistique** 1964, *journ.* || **monopololiste** 1829, Vidocq.

monothéisme 1836, Landais ; gr. *monos,* seul, et *-théisme,* du gr. *theos,* dieu. || **monothéiste** 1828, Eckstein. || **monothéique** 1844, A. Comte.

monotone 1732, Richelet ; bas lat. *monotonus,* du gr. *monotonos,* de *monos,* seul, et *tonos,* ton. || **monotonement** 1845, Besch. || **monotonie** 1671, Pomey.

Monotype n. f., 1903, Lar., imprim., n. dépos. ; mot anglo-américain, fait d'après *Linotype,* par substitution de l'élém. *mono-,* du gr. *monos,* seul.

monseigneur V. SEIGNEUR.

monsieur début XIIIe s., *Guillaume de Dole ;* 1314, Mondeville (*messiours,* pl.), titre donné à de grands personnages jusqu'au XVIIIe s. ; dès le milieu du XVe s., simple terme de politesse ; comp. de *mon,* pl. *mes,* et de *sieur* au sens de *sire* (v. SIEUR, SIRE).

monsignor 1769, Voltaire ; ital. *monsignore,* monseigneur.

monstre 1120, *Ps. d'Oxford,* prodige ; 1230, *Merlin,* être fantastique ; 1280, Saint-Pathus, personne laide ; 1541, Calvin, personne cruelle ; lat. *monstrum.* || **monstrueux** 1330, Digulleville ; lat. *monstruosus.* || **monstrueusement** XIVe s., G. || **monstruosité** 1488, *Mer des hist.,* anomalie ; XVIe s., La Curne, caractère abominable.

***mont** 980, *Passion ;* lat. *mons, montis,* montagne ; ne subsiste plus qu'en géogr., ou dans des loc., *monts et merveilles* (1580, Montaigne), *par monts et par vaux* (1530, Marot). || **mont-de-piété** 1576, Bodin ; calque de l'ital. *monte di pietà,* crédit de pitié, *monte* pouvant signifier en ital., au XVIe s., « établissement de prêt sur gage ». || **amont** 1080, *Roland,* en haut ; spécialisé ensuite pour indiquer la position par rapport au cours de la rivière. (V. MONTAGNE, MONTER.)

***montagne** 1080, *Roland* (*montaigne*) ; XIVe s., G. (*montagne*) ; lat. pop. *montanea,* adj. substantivé au fém., dér. de *mons, montis.* (V. MONT.) || **montagneux** 1265, J. de Meung. || **montagnard** 1512, J. Lemaire de Belges. || **montagnette** fin XIVe s., *Chron. de Boucicaut.*

***monter** 980, *Passion ;* XIIIe s., Villard de Honnecourt, tr., assembler ; lat. pop. **montare,* de *mons, montis.* montagne, qui a éliminé *ascendere* (v. ASCENSION). || **montant** 1155, Wace, adj. ; n. m., XIIe s., *Partenopeus,* mouvement ; 1208, H. de Valenciennes, total ; fin XIIIe s., pièce de bois verticale ; 1694, *Acad.,* saveur relevée. || **montaison** 1546, Rab. || **montée** fin XIIe s., *Floire.* || **monteur** 1120, *Ps. de Cambridge* (*montedur*) ; 1577, Belleau (*monteur*), cavalier ; 1765, *Encycl.,* assembleur ; XIXe s., divers sens techn. || **monte** 1131, *Couronn. Loïs,* montant d'une somme ; XVIe s., sens mod. || **montoir** 1130, *Eneas.* || **monture** 1360, Froissart, cheval ; 1718, *Acad.,* en bijouterie. || **montage** début XVIIe s., action de porter en haut, ou de s'élever ; XIXe s., assemblage ; 1914, Coustet, cinéma. || **monte-charge** 1868, L. || **monte-plats** 1893, *D. G.* || **monte-en-l'air** 1885, Larchey. || **monte-sac** 1903, Lar. || **démonter** fin XIIe s., R. de Moiliens, jeter à bas ; 1501, Destrées, déconcerter ; 1560, Paré, défaire. || **démontage** 1838, *Acad.* || **démontable** 1870, *Gazette des tribunaux.* || **démonte-pneu** 1929, Lar. || **remonter** début XIIe s., *Voy. de Charl.,* « remonter à cheval » ; 1549, R. Est., revigorer. || **remontage** 1543, Jal. || **remonte** fin XIIe s., *l'Escoufle,* retard ; 1424, Espinas, techn. || **remontée** 1119, Ph. de Thaon. || **remonte-pente** XXe s. || **remontoir** 1642, *Doc.* (V. SURMONTER.)

montgolfière 1783, Zastrow ; du nom des frères *Montgolfier,* qui ont inventé l'aérostat (1782).

monticule 1488, Le Huen ; lat. *monticulus,* dimin. de *mons,* mont.

montjoie 1080, *Roland* (*munjoie*), cri de guerre ; au Moyen Âge, égalem., monticule de pierres bordant les chemins ; altér., par attraction de *mont* et *joie,* du francique *mundgawi,* proprem. « protection du pays », ces monticules ayant dû servir de postes d'observation.

***montrer** Xe s., *Valenciennes* (*mostrer*) ; début XIIIe s., Villehardouin (*monstrer*) ; lat. *monstrare.* || **montre** 1120, *Ps. d'Oxford* (*mostre*), action de montrer ; 1360, Froissart, ostentation ; *faire montre de,* 1549, R. Est. ; 1354, *Modus,* revue d'hommes de guerre ; 1474, Gay, cadran d'horloge ; 1579, Gay, montre de poche. || **montre-bracelet** ou **bracelet-montre** 1935, *Acad.* || **montreur** fin XIIe s., *Roman d'Alexandre.* || **montrable** XIIe s. || **remontrer** XIIIe s. (*remoutrer*), XIVe s., G. (*remontrer*), montrer de nouveau ; fin XVe s., Commynes, faire des remontrances. || **remontrance** 1194, *Cartulaire.* (V. DÉMONTRER.)

montueux 1355, Bersuire ; rare avant 1488, Le Huen ; lat. *montuosus,* de *mons,* mont.

monument 980, *Passion,* tombeau ; XIIIe s., *Macchabées,* ouvrage d'architecture ; 1690, Furetière, sens actuel ; lat. *monumentum.* || **monumental** 1806, Chateaubriand. || **monumentalité** 1845, Richard. || **monumentaire** 1961, *journ.* || **monumentalisme** 1900, Lar.

1. **moque** 1678, Guillet, mar. ; du néerl. *mok,* bloc de bois.

2. **moque** fin XVIIIe s. ; mot de l'Ouest, du bas allem. *mokke,* cruche.

moquer fin XIIe s., *Ysopet de Lyon,* tr. ; *se moquer de,* 1180, Barbier ; orig. obsc., p.-ê. d'une onomatop. expressive. || **moquable** 1534, Des Périers. || **moquerie** début XIIIe s., *Sept Sages de Rome.* || **moqueur** fin XIIe s. || **moqueusement** 1531, J. de Vignay. || **moquoiseau** 1751, *Dict. d'agric. ;* cerise blanche.

1. **moquette** 1585, Havard (*mosquette*), tapis du Levant ; 1615, Havard, étoffe pour tapis ; 1928, Martin du Gard, sens actuel ; orig. inconnue.

2. **moquette** 1763, Le Verrier de la Conterie, fumée de chevreuil ; anc. francique **mokka*, masse informe (v. MOCHE), peut-être par l'anc. fr. *moque*, motte, et le dimin. *moquet*.

moraille 1285, Bretel, visière ; 1606, Crespin, tenaille ; prov. *mor(r)alha*, pièce de fer, de *mor(re)*, museau, du lat. pop. **murrum*, peut-être d'orig. expressive. || **morailler** 1674, Thevenot. || **moraillon** 1360, *Comptes de Tours* (*morillon*) ; 1429, G. (*moraillon*). [V. MORION.]

moraine 1779, Saussure ; savoyard *morĕnă*, bourrelet de terre en bas de la pente d'un champ, du prov. *mor(re)*, museau (v. MORAILLE). || **morainique** 1875, *Rev. des Deux Mondes*.

moral 1212, Anger, conforme aux bonnes mœurs, adj. ; n. m., 1755, Rousseau ; lat. *moralis*, de *mores* (v. MŒURS). || **moralité** fin XIIe s., *Ysopet de Lyon ;* bas lat. *moralitas*. || **morale** n. f., 1637, Descartes. || **moralement** 1325, *Loi du Sarrazin*. || **moraliser** 1375, *Modus*. || **moralisant** 1778, Proschwitz. || **moraliseur** 1375, R. de Presles ; rare avant 1611, Cotgrave. || **moralisateur** 1846, Besch. || **moralisation** 1823, Boiste. || **moralisme** 1771, Trévoux, moralité ; 1836, *Acad.*, philos. || **moraliste** 1690, Furetière. || **amoral** 1885, Guyau. || **amoralité** *id.* || **amoralisme** 1907, Lar. || **démoraliser** 1795, Frey. || **démoralisant** 1863, L. || **démoralisation** 1795, Babeuf. || **démoralisateur** 1795, Frey. || **immoral** 1662, d'après Besch. || **immoralité** 1777, *Courrier de l'Europe*. || **immoralisme** 1845, Richard. || **immoraliste** 1874, Barbey d'Aurevilly.

morasse 1867, Delvau, typogr. ; p.-ê. ital. *moraccio*, noiraud, augmentatif de *moro*, noir (comme un Maure), et substantivé au fém. ; dernière épreuve d'une page de journal.

moratoire 1765, *Encycl.*, adj. ; n. m., 1931, Lar., francisation de *moratorium ;* lat. jurid. *moratorius*, de *morari*, s'attarder, s'arrêter. || **moratorium** 1923, Lar. ; neutre substantivé de *moratorius*.

morbide XVe s., *Règle de saint Benoît*, malade ; 1810, Capuron, méd. ; lat. *morbidus*, malade, de *morbus*, maladie ; 1690, Furetière, artist. ; d'après l'ital. *morbido*, délicat, souple. || **morbidement** 1868, L. || **morbidesse** 1580, Montaigne (*morbidezza*) ; 1676, Félibien (*morbidesse*), artist. ; ital. *morbidezza*, au fig. || **morbidité** av. 1850, Balzac. || **morbifique** 1560, Paré ; lat. *morbificus*.

morbilleux fin XVIIIe s. ; angl. *morbillous*, du lat. médiév. *morbilli*, rougeole, de *morbus*, maladie.

morbleu V. DIEU.

morceau 1120, *Ps. d'Oxford* (*morsel*) ; 1480, Du Cange (*morceau*) ; anc. fr. *mors* (XIIe-XVe s.), morceau. (V. MORS.) || **morceler** 1574, R. Garnier. || **morcellement** 1789, Brunot.

mordache 1560, G., techn. ; lat. *mordax*, *mordacis*, tranchant, de *mordere*, entamer.

mordacité 1478, Chauliac ; lat. *mordacitas*, de *mordere*. (V. MORDRE.)

mordication 1314, Mondeville, méd. ; lat. *mordicatio*, de *mordicare*, dimin. de *mordĕre* (v. MORDRE). || **mordicant** adj., 1314, Mondeville ; *mordicans*, part. présent de *mordicare*.

mordicus adv., 1690, Regnard ; mot lat., signif. « en mordant », d'où « sans démordre ».

mordienne, mordieu, mordoré V. DIEU, DORER.

***mordre** 1080, *Roland*, serrer avec les dents ; 1690, Furetière, entamer ; *mordre à*, fin XVIe s., d'Aubigné ; lat. pop. **mordĕre*, en lat. class. *mordēre*. || **mordant** adj., 1190, Garnier, qui mord ; XVIIIe s., qui entame ; n. m., XIIIe s., agrafe de la ceinture ; XVIe s., sens mod. || **mordeur** XIIIe s., Rutebeuf (*mordeor*), caustique ; fin XVe s. (*mordeur*), qui mord. || **mordancer** 1830, d'après Besch. || **mordançage** 1845, Besch., techn. || **mordailler** 1803, Boiste. || **mordiller** 1574, Tahureau. || **morgeline** XVe s., *Grant Herbier*, bot. ; de *mords*, impér. de *mordre*, et *geline*, « poule » (plante recherchée des poules). || **démordre** XIVe s., *Traité d'alchimie*.

***moreau** XIIe s., *Fierabras* (*morel*), brun de peau, spécialisé au sens de « brun de poil », pour les chevaux ; lat. pop. **maurellus*, brun comme un Maure (lat. médiév. *Maurus*, Maure). || **morelle** XIIIe s., *Simples Méd. ;* lat. pop. **morella*, fém. substantivé du préc. || **morillon** 1283, Beaumanoir, variété de raisin noir ; 1723, Savary, sorte de canard au plumage noir. (V. MORESQUE, MORICAUD.)

moresque 1360, Froissart, pour qualifier une monnaie d'Espagne ; XVe s., pour une danse ; esp. *morisco*, du lat. médiév. *mauriscus*, de *Maurus* (v. le préc.). || **morisque** 1379, Gay ; éliminé en raison de la fréquence du suff. *-esque*.

morfaler 1951, Esnault, manger ; var. de *morfailler* (1834, Esnault), de *morfier* (1566, Esnault), orig. germ. || **morfal** 1935, Esnault ; var. de *morfaloux* (1902, Esnault). || **morfler** 1926, Esnault.

1. **morfil, marfil** 1545, Delb., ivoire brut ; esp. *marfil,* de l'ar. *azm-al-fil,* défense de l'éléphant.

2. **morfil** 1611, Cotgrave, bord ténu du tranchant ; de l'adj. *mort* et de *fil.* || **morfiler** 1874, Lar. || **morfilage** 1931, Lar.

morfondre 1360, Froissart, intr., contracter un catarrhe, en parlant des chevaux ; *se morfondre,* 1549, R. Est., prendre froid ; 1611, Cotgrave, attendre ; prov. *mourre,* museau, et *fondre.*

morganatique 1609, Victor ; 1834, Balzac, union illégitime ; lat. *morganaticus,* d'après le francique *morgangeba* (*Lois barbares,* Grégoire de Tours), don du matin, d'où « douaire donné par le nouveau marié à sa femme ».

morgue 1460, du Clercq, mine ; 1538, R. Est., attitude hautaine ; XVIe s., endroit où les prisonniers, longuement dévisagés, étaient fouillés à leur entrée ; 1694, Ménage, endroit où l'on expose les cadavres inconnus (depuis 1923, *Institut médico-légal*) ; anc. fr. *morguer* (fin XVe s., A. de La Vigne, jusqu'au XVIIIe s.), traiter avec arrogance ; lat. pop. **murricāre,* faire la moue, de **mŭrrum,* museau. (V. MORAILLE, MORFONDRE.)

morguié, morguienne V. DIEU.

moribond fin XVe s., adj. ; n. m., 1784, Diderot ; 1731, Marivaux, fig. ; lat. *moribundus,* de *mori,* mourir.

moricaud fin XVe s., Brézé, nom de chien ; 1583, Du Préau, sens actuel ; adj., de *More,* Maure. (V. MOREAU, MORESQUE, MORILLON.)

morigéner début XIVe s., Gilles li Muisis (*moriginé*) ; 1578, d'Aubigné (*morigéner*), former les mœurs ; 1718, *Acad.,* réprimander ; lat. médiév. *morigenatus* (class. *morigeratus*), complaisant pour, d'où « rendu docile, éduqué ».

morille fin XVe s., Molinet, p.-ê. lat. **maurĭcŭla,* de *maurus,* brun foncé (v. MOREAU), à cause de la couleur sombre de ce champignon. || **morillon** 1903, Lar., variété de morille.

morillon V. MOREAU, MORILLE.

morio 1827, *Acad.,* entom. ; lat. *morio,* topaze enfumée, à cause de la couleur de ce papillon.

morion 1546, Rab. (*mourion*), hist. ; 1553, *Ordonn.* (*morion*) ; esp. *morrion,* de *morra,* sommet de la tête, du masc. *morro,* objet rond, et aussi « lippe », du lat. pop. **mŭrrum,* museau. (V. MORAILLE, MORFONDRE, MORGUE, MORNE 2.)

1. **morne** 1130, *Eneas,* adj., triste ; 1549, R. Est., maussade ; francique **mornan,* être triste (cf. angl. *to mourn*).

2. **morne** n. m., 1640, P. Bouton, géogr. ; mot créole des Antilles, altér. de l'esp. *morro,* monticule, du lat. pop. **murrum.* (V. MORAILLE, MORFONDRE, MORGUE, MORION, MORNIFLE.)

3. **morne** V. MORNER.

morner XVIe s., *Chron. de Fr. Ier,* blas. ; de *morné,* émoussé (XVe s.), dér. de *morne,* orig. inconnue. || **morne** 1478, Douët d'Arcq, virole de fer ; 1578, d'Aubigné, anneau de fer de lance.

mornifle 1530, Palsgrave, groupe de quatre cartes semblables ; 1549, R. Est., coup de la main sur le visage ; 1821, Ansiaume, monnaie (*bailler mornifle sur les lèvres du roi,* faire de la fausse monnaie, « gifler le roi ») ; probablem. de **mornifler,* gifler le museau, comp. d'un rad. issu du lat. pop. **mŭrrum,* museau, et de l'anc. fr. *nifler,* renifler. || **morlingue** 1878, Rigaud, porte-monnaie. (V. MORAILLE, MORFONDRE, MORGUE, RENIFLER.)

1. **morose** 1615, Delb., rare jusqu'au XVIIIe s. ; lat. *morosus,* sévère, de *mores,* mœurs. || **morosité** 1486, G. ; lat. *morositas.*

2. **morose** 1343, G. ; qui retarde ; 1863, L. (*délectation morose,* qui s'attarde dans la tentation) ; bas lat. *morosus,* lent.

morphème 1921, J. Vendryes ; gr. *morphê,* forme, avec le suff. *-ème.* || **morphématique** 1968, Lar. (V. PHONÈME.)

morphine 1818, Riffault ; du nom de *Morphée,* dieu du sommeil ; lat. *Morpheus,* empr. au gr., d'après les propriétés soporifiques de cette substance. || **morphinomane** 1883, Daudet ; gr. *mania,* folie. || **morphinomanie** 1888, Lar.

morpho-, gr. *morphê,* forme. || **morphogénie** 1868, L. || **morphogenèse** 1903, Lar. || **morphologie** 1822, Blainville, étude de la forme des êtres vivants ; 1868, L., gramm. || **morphologique** 1836, *Acad.,* biol. ; 1868, L., gramm. || **morphologue** 1968, L. || **morphophonologie** 1968, Lar. || **morphoscopie** 1963, Lar. ; gr. *morphoskopia.* || **morphosyntaxe** 1962, Pottier.

morpion 1532, Rab., pou ; 1660, Oudin, gamin ; 1924, Esnault, jeu ; de *mords,* impér. de *mordre,* et de *pion,* au sens anc. « fantassin ».

***mors** 1112, *Voy. saint Brendan,* morsure ; 1573, Du Puys, spécialisé dans des sens techn. ;

lat. *morsus,* morsure, de *mordere,* mordre. (V. MORCEAU.)

1. **morse** 1540, Boemus (*mors*), zool. ; russe *morj,* lui-même du lapon *morssa,* onomatopée.

2. **morse** 1856, Becquerel, techn. ; mot anglo-amér., du nom de l'inventeur, *Morse* (1791-1872).

morsure 1213, *Fet des Romains ;* de *mors* au sens ancien. (V. ce mot.)

1. ***mort** n. f., fin IXe s., *Eulalie ; être entre la vie et la mort,* 1690, Furetière ; *à l'article de la mort,* 1549, R. Est. ; lat. *mors, mortis.* || **mortaille** XIIIe s., *Livre de jostice,* hist. (v. TAILLE). || **mortaillable** 1346, G. || **malemort** 1220, Coincy (v. MAL, dans son empl. archaïque d'adj.). || **mort-aux-rats** 1594, *Satire Ménippée.* || **mortinatalité** 1878, Lar. || **mortinaissance** 1963, Lar. (V. MORTEL, MORTIFÈRE.)

2. ***mort** adj., fin IXe s., *Eulalie* (*morte,* f.) ; lat. pop. **mortus,* en lat. class. *mortuus,* part. passé de *mori,* mourir ; *ne pas y aller de main morte,* 1640, Oudin. || **mort-bois** fin XIVe s. || **morteeau** 1484, Garcie. || **mort-gage** 1283, Beaumanoir, jurid. || **mort-né** 1283, Beaumanoir (*morné*) ; 1408, N. de Baye (*mort-né*). || **mortepaie** 1475, Bartzsch, hist., invalide qui continue à recevoir la paie. || **morte-saison** fin XIVe s., *Chron. de Boucicaut.* || **morts-terrains** 1875, *Revue des Deux Mondes.* || **morvolant** 1765, *Encycl.,* techn. || **mainmorte** 1213, *Fet des Romains.* (V. AMORTIR, MORTUAIRE.)

3. **mort** n., 980, *Passion ;* adj. substantivé (v. le préc.). || **morticole** 1894, L. Daudet ; formation péjor. et humoristique, sur *-cole,* lat. *colere,* cultiver, honorer, en parlant des médecins. || **croque-mort** fin XVIIIe s.

mortadelle XVe s. Guégan ; ital. *mortadella,* farce avec des baies de myrte, du lat. *murtātum,* de *murtus.* (V. MYRTE.)

mortaise 1196, J. Bodel (*mortaisse*) ; 1380, *Aalma* (*mortaise*) ; p.-ê. ar. *murtazza,* part. passé de *razza,* introduire une chose dans une autre. || **mortaiser** 1302, G. (*mortissier*) ; milieu XVIe s. (*mortaiser*). || **mortaiseur** 1903, Lar.

mortel 1080, *Roland ;* lat. *mortalis,* de *mors* (v. MORT 1). || **mortalité** 1190, *Saint Bernard ;* lat. *mortalitas.* || **immortel** début XIVe s., *Ovide moralisé,* adj. ; n. m., XVIe s., Ronsard ; 1834, Landais, académicien ; lat. *immortalis.* || **immortaliser** 1550, Ronsard. || **immortalisation** 1580, Montaigne. || **immortalité** fin XIIe s., *Dial. Grégoire ;* lat. *immortalitas.*

***mortier** 1130, *Eneas,* amas de sable et de chaux ; 1170, *Rois,* récipient ; 1470, Gay, artill. ; 1460, Villon, toque de magistrat, d'après la forme ; lat. *mortārium,* auge de maçon, mortier (contenu de l'auge).

mortifère 1491, Orose ; lat. *mortifer,* de *mors* (v. MORT 1) et *ferre,* apporter. || **mortifier** 1120, *Ps. d'Oxford,* relig., faire sortir de la vie ; XIIIe s., Rutebeuf, mortifier la chair ; 1636, Monet, froisser ; 1874, Lar., cuisine ; lat. eccl. *mortificare,* faire mourir (IIIe s., Tertullien). || **mortification** 1170, *Rois,* relig., anéantissement ; XIVe s., privation ; 1560, Paré, mort d'un tissu ; 1630, Brunot, vexation ; lat. *mortificatio.*

mortuaire 1213, *Fet des Romains,* n. m., épidémie ; XVe s., adj., sens actuel ; lat. *mortuarius,* de *mortuus.* (V. MORT 2.)

morue 1036, Fagniez (*moluel*) ; 1268, É. Boileau (*morue*) ; var. *molue* jusqu'au XVIIe s. ; 1849, Esnault, prostituée ; orig. obscure, p.-ê. du celt. *mor,* mer, et de l'anc. fr. *luz,* brochet, du lat. *lūcius.* || **moruyer** 1611, Cotgrave. || **morutier** 1874, *journ.*

morula 1877, L., biol. ; mot lat. sav. mod., dimin. de *morum,* mûre. (V. BLASTULA, GASTRULA.)

morve 1378, J. Le Fèvre, maladie de l'homme ; 1495, *Doc.,* maladie du cheval ; 1530, Palsgrave, humeur du nez ; probablem. altér. méridionale du mot d'où est issu le fr. *gourme* (v. ce mot). En prov. mod., var. *gormo, vormo, morvo.* || **morveux** 1220, Coincy, qui a la morve au nez ; XVe s., L., n. m., petit garçon.

1. **mosaïque** n. f., 1498, Havard (*musaïque*) ; 1529, G. Tory (*mosaïque*) ; adj., début XVIe s. ; ital. *mosaico,* du lat médiév. *musaicum,* altér., par changement de suff., du lat. *musivum* (*opus*), ouvrage en mosaïque, de *museus,* du gr. *mouseios,* qui concerne les Muses. || **mosaïste** 1812, Boiste.

2. **mosaïque** adj., 1505, N. de la Chesnaye ; du nom de *Moïse.* || **mosaïsme** 1845, Besch.

mosquée 1351, G. (*musquette*) ; fin XIVe s., J. Le Fèvre (*mesquite*) ; 1423, G. de Lannoy (*mousquaie*) ; 1553, Belon (*mosquée*) ; ital. *moschea,* altér. de *moscheta* (d'où le moy. fr. *musquette*), de l'esp. *mezquita* (d'où le moy. fr. *mesquite*), lui-même de l'ar. *masdjid,* endroit où l'on adore.

***mot** 980, *Passion ;* 1680, Richelet, billet ; *bon mot,* XIIIe s. ; *mot de passe,* 1868, L. ; *mot d'ordre,* 1825, Le Couturier ; *mot d'esprit,* 1904,

R. Rolland ; *mot à mot,* 1160, Benoît, d'abord terme de procéd. ; *mots croisés,* début XXe s. ; lat. pop. *mŏttum, altér. du bas lat. *muttum,* son émis. || **mots-croisiste** 1931, Lar. || **motet** 1265, J. de Meung ; de *mot,* pièce chantée (1225, *Galeran*). || **motus** 1560, *Anc. Théâtre fr.* ; latinisation facétieuse de *mot,* au sens de « pas un mot », parce que *mot* était souvent employé dans des phrases négatives, notamment avec *dire : ne dire mot.*

motard V. MOTO 2.

moteur fin XIVe s., adj., philos. ; 1559, J. Du Bellay, qui donne le mouvement ; n. m., 1744, Bonnier ; 1855, Nysten. adj., anat. ; lat. *motor,* « qui met en mouvement », de *mŏvēre,* mouvoir. || **motricité** 1825, Flourens, physiol. || **motorisé** 1923, Lar. || **motoriser** 1923, Lar. || **motorisation** 1931, Lar. || **motoriste** 1966, *journ.* || **motrice** 1931, Lar., n. f. ; abrév. d'*automotrice* ou de *locomotrice,* fém. des précédents.

motif adj., 1314, Mondeville, qui met en mouvement ; n. m., 1370, Oresme ; 1765, *Encycl.,* mus., d'après l'ital. *motivo ;* 1824, *Doc.,* thème, d'après l'allem. *Motiv.* ; 1923, Larousse, arts déco, bas lat. *motivus,* mobile, de *mŏvēre,* mouvoir. || **motiver** 1723, Trévoux. || **motivant** 1955, Lagache. || **motivation** 1845, Richard. || **motivationnel** 1959, Meynaud. || **immotivé** 1877, L.

motilité 1812, Mozin ; lat. *motus,* part. passé de *movere,* mouvoir.

motion 1220, Coincy, mise en mouvement ; lat. *motio,* de *motus,* part. passé de *mŏvēre,* mouvoir ; 1775, *Journ. de Bruxelles ;* repris à l'angl. *motion,* polit., du même mot latin. || **motionnaire** 1789, Beaumarchais. || **motionnel** 1968, Lar.

1. **moto-,** élém. tiré de *moteur,* avec la finale *-o.* || **motobatteuse** 1923, Lar. || **motocross** XXe s. || **motoculteur** 1923, Lar. || **motoculture** 1920, *Omnium agricole.* || **motocycle** 1903, Lar. || **motocyclette** 1896, M. Werner, constructeur à Levallois-Perret (à l'époque, var. *motocycle*) ; d'après *bicyclette.* || **motocycliste** 1897, *le Figaro ;* d'après *cycliste.* || **motogodille** 1907, Lar. || **motonautique** 1948, Lar. || **motonautisme** *id.* || **motopompe** 1931, Lar.

2. **moto** n. f., début XXe s. ; abrév. de *motocyclette.* || **motard** 1937, Esnault ; abrév. de *motocycliste.* || **motoball** 1963, Lar. || **motocyclable** 1955, *journ.*

motrice, motricité V. MOTEUR.

motte 1155, Wace (*mote*), levée de terre, château bâti sur la hauteur (cf. nombreux toponymes avec *Motte-*) ; 1213, *Fet des Romains,* morceau de terre ; 1635, Isambert, motte de beurre ; probablem. d'une rac. prélatine *mŭtt(a). || **motter** 1550, Ronsard (*motté*). || **motteux** adj., début XVIe s. ; 1750, Buffon, ornith. || **mottereau** 1842, *Acad.,* ornith. || **motton** 1868, L. || **émotter** 1564, Liébault.

motu proprio 1559, Du Bellay ; loc. lat. signif. « de son propre mouvement », empr. à la chancellerie papale.

motus V. MOT.

***mou** 1130, G. (*mol*) ; XIIIe s. (*mou,* d'après les formes avec *s, mous*) ; n. m., 1398, *Ménagier,* poumon des animaux ; 1920, Bauche, cerveau ; lat. *mollis.* || **mollasse** adj., 1551, Du Parc (*mollace*) ; p.-ê. d'apr. l'ital. *mollacio.* || **molard** ou **mollard** 1865, Larchey, crachat. || **molarder** ou **mollarder** 1865, Esnault, cracher. || **mollement** XIIIe s., *Roman de Renart.* || **mollesse** 1190, *Saint Bernard* (*molece*). || **mollet** adj., fin XIIe s. ; *œuf mollet,* début XIVe s. ; n. m., 1560, Paré, gras de la jambe ; 1611, Cotgrave, sens actuel. || **molleton** 1664, *Tarif.* || **molletonné** 1845, Richard. || **molletière** 1903, Lar. || **mollifier** 1425, O. de La Haye, techn. ; lat. méd. *mollificare,* rendre mou. || **mollification** 1560, Paré. || **mollir** 1460, Villon. || **amollir** 1190, *Rois* (*amolir*). || **amollissement** 1539, R. Est. || **amollisseur** 1788, Mercier. || **ramollir** 1448, Miélot ; 1360, Froissart, fig. ; *se ramollir,* 1549, R. Est. || **ramolli** 1867, Delvau ; d'apr. *ramollissement cérébral.* || **ramollissement** 1398, *Ménagier,* fait de devenir plus doux ; 1855, Nysten, *ramollissement cérébral.*

***mouche** 1120, *Ps. d'Oxford (musche)* ; XIIIe s. (*mouche*), insecte ; *mouche à miel,* 1487, Garbin ; fin XIVe s., fig., espion ; lat. *mŭsca.* || **moucheron** fin XIIIe s., Macé de La Charité. || **moucherolle** 1555, Belon, ornith., gobe-mouches. || **moucheter** 1483, *Doc.* || **mouchetis** 1903, Lar. || **moucheture** 1539, R. Est. || **démoucheter** 1838, *Acad.,* pour un fleuret. || **démouchetage** 1905, Lar. || **mouchard** 1567, Junius ; 1963, Lar., appareil de contrôle ; de *mouche,* au sens d'« espion ». || **moucharder** fin XVIe s., A. Richart. || **mouchardage** fin XVIIIe s., Babeuf. || **émoucher** 1200, Renart, s'escrimer ; 1460, Villon, débarrasser des mouches. || **émoucheur** 1678, La Fontaine. || **émouchoir** XIIIe s., *Roman de Renart.* || **émouchette** 1549, R. Est. || **émouchet** 1558, Boistuau, petit rapace ; altér. de l'anc. fr. *moschet* (1160, Benoît), dimin. de *mouche,* d'après l'initiale de *épervier, émerillon.* || **émoucheter** 1838, *Acad.* || **émouchetage** 1845, Besch.

***moucher** fin XIe s., *Gloses de Raschi* (*mochier*) ; XIVe s. (*moucher*), enlever les mucosités nasales ; *moucher la chandelle,* 1220, Coincy ; lat. pop. **mŭccare,* de *mŭccus,* morve, forme redoublée de *mucus.* (V. MUCUS.) || **mouchage** 1904, Frapié. || **mouchoir** XIIIe s., G. (*moucheur*) ; XIVe s., Tobler-Lommatzsch (*moschoir*) ; 1549, R. Est. (*mouchoir*). || **mouchure** 1690, Furetière. || **moucheron** 1170, Sully (*moicheron*) ; 1409, Du Cange (*moucheron*), bout de mèche qui charbonne. || **moucheronner** 1903, Lar. || **moucheronnage** 1963, Lar. || **mouchette** 1399, texte bourguignon (*miochote*) ; début XVIe s. (*mouchette*). || **moucheur** fin XVIe s., qui mouche les chandelles.

moucheron V. MOUCHE, MOUCHER.

***moudre** 1175, Chr. de Troyes (*moldre*) ; XIIIe s. (*moudre*) ; lat. *mŏlere.* || **moulu** (*de coups*) XIIIe s., Tobler-Lommatzsch. || **remoudre** 1549, R. Est. (V. MEULE 1, MOUTURE, VERMOULU, VERMOULURE.)

moue 1175, Chr. de Troyes, grimace faite avec les lèvres ; *faire la moue,* fig., 1648, Scarron ; francique **mauwa,* orig. onomat., restitué d'après le néerl. *mouwe,* moue.

mouette XIVe s., Delb. (*moette*) ; dimin. de l'anc. fr. *mave,* de l'anc. angl. *maew,* du francique **mauwe.*

moufette V. MOFETTE.

moufle XIIe s., Guil. de Dole, gros gant ; bas lat. *muffala,* mitaine (début IXe s.), orig. obscure ; probablement du germ. *muffel,* museau rebondi, d'où « enveloppe », et du germ. *vël,* peau d'animal ; 1596, Hulsius, assemblage de poulies ; 1536, Picot, pop., visage rebondi. || **mouflé** 1743, Brunot, techn. || **mouflette** 1475, Molinet. || **mouflet** 1867, Delvau, pop., enfant ; du sens pop. de *moufle.* (V. CAMOUFLET, MUFLE.)

mouflon 1562, Du Pinet (*muffle*) ; 1611, Cotgrave (*muifle, muifleron*) ; 1660, Oudin (*mufleron*) ; 1764, Buffon (*mouflon*) ; ital. dial. *muflone* (corse *muffolo*), du bas lat. dial. *mufrō.*

***mouiller** 1050, *Alexis* (*moillier*) ; fin XIVe s., Deschamps (*mouiller*) ; 1671, Pomey, mar. ; 1886, Esnault, compromettre ; lat. pop. **molliare,* amollir en trempant (le pain), de *mollis,* mou. (V. SOUPE.) || **mouillé** 1721, Trévoux, linguistique. || **mouillable** 1963, Lar. || **mouillabilité** 1963, Lar. || **mouillage** 1654, Du Tertre, mar. ; 1845, Besch., action d'ajouter de l'eau ; 1868, L., action de mouiller des mines. || **mouillant** v. 1950. || **mouillance** 1963, Lar. || **mouille** 1529, G., tourbillon ; XIXe s., techn. || **mouillère** 1845, Besch. || **mouillement** 1553, Alberti, *Archit.,* trad. J. Martin. || **mouillette** 1690, Furetière. || **mouilleur** 1840, *Acad.,* techn. || **mouilloir** 1452, Gay. || **mouillure** 1215, Gatineau (*moilleüre*) ; fin XIXe s., linguist. || **remouiller** 1549, R. Est. (V. PATTE-MOUILLE.)

mouise 1821, Ansiaume, soupe du pauvre ; 1895, Esnault, dèche ; all. dial. du S.-O. *mues,* bouillie. (Pour le sens pop., v. PURÉE.)

moujik 1727, Deschisaux, *Voy. de Moscou* (*mousique*) ; 1794, Chamfort (*moujik*) ; mot russe signif. « paysan ».

moujingue 1915, Esnault, enfant ; de *mouchachou* (1830, Esnault), de l'esp. *muchacho,* gamin, pop., d'orig. obsc.

moukère ou **mouquère** 1830, Esnault, femme ; 1878, Esnault, femme de mauvaise vie, vulgarisé après l'Exposition de 1889, auj. vieilli ; esp. *mujer,* femme, venu par la langue franque d'Algérie, et issu lui-même du lat. *mulier.*

1. ***moule** n. m., fin XIe s., *Gloses de Raschi* (*modle*) ; 1559, Amyot (*moule*), type, modèle ; 1160, Benoît, techn. ; lat. *mŏdŭlus,* mesure, de *modus* (v. MODE 1, MODÈLE, MODULE, etc.). || **mouler** 1080, *Roland ;* 1767, Diderot, fig. || **moulage** 1415, G. (*mollage*). || **moulée** XIVe s., Du Cange, techn. ; 1872, *J. O.,* bois. || **moulerie** XVIe s., B. Palissy. || **mouleur** 1268, É. Boileau. || **moulure** 1423, Houdoy (*molleüre*). || **mouluré** 1872, *J. O.* || **démouler** 1534, Rab., disloquer ; 1611, Cotgrave, casser le moule. || **surmoulage, surmouler** XVIIIe s., Falconet.

2. ***moule** n. f., 1260, Condé (*moulle*) ; 1887, Larchey, fig., personne sans énergie ; lat. *mŭscŭlus,* petite souris, coquillage, de *mus, muris,* souris (v. MUSCLE). || **moulière** 1681, *Ordonn.*

***moulin** XIIe s., *Th. le Martyr* (*molin*) ; fin XIIe s. (*moulin*) ; bas lat. *molinum* (VIe s., Cassiodore), de *mola,* meule. || **mouliner** fin XVe s., Molinet, tourner (ailes du moulin) ; 1611, Cotgrave, écraser, moudre ; 1834, Landais, ronger, en parlant des vers du bois ; 1667, *Ordonnance,* techn. textile. || **moulinerie** 1875, *J. O.* || **moulinure** 1283, Beaumanoir, vermoulure. || **moulinage** fin XVe s., droit sur la mouture, techn., textile. || **moulineur** 1615, Montchrestien. || **moulinet** 1360, Froissart, petit moulin ; 1418, Du Cange, sorte de bâton ; *faire le moulinet,* 1594, *Sat. Ménippée.*

***moult** 980, *Valenciennes* (*mult*), XIIIe s. (*mout*) ; éliminé au XVIe s. par *beaucoup ;* lat. *mŭltum.*

moumoute 1845, Besch. ; de *moute,* chatte, avec redoublement de l'initiale, d'orig. onomat.

***mourir** 980, *Passion* (*morir*) fin XIIe s. (*mourir*), en parlant de qqn ; 1556, Beaugué, en parlant de qqch ; lat. pop. **morīre* (lat. class. *mori*). || **mourant** 1380, *Aalma,* adj. ; milieu XIIIe s., n. || **meurt-de-faim** n. m., 1604, Certon. || **meurt-de-soif** 1877, L.

mouron XIIe s. (*morun*) ; 1398, *Ménagier* (*mouron*), bot. ; *se faire du mouron,* 1948, Esnault ; moyen néerl. *muer,* mouron.

mourre 1475, Gay (*morre*), jeu ; ital. dial. *morra,* troupeau, par métaph., du lat. pop. **mŭrrum,* museau, tas. (V. MORAINE, etc.)

mousmé 1887, P. Loti ; japonais *musume,* jeune femme.

mousquet 1550, Ronsard (*mousquette*) ; 1568, *Doc.* (*mousquet*) ; ital. *moschetto,* flèche lancée par une arbalète, de *mosca,* mouche, du lat. *musca.* || **mousquetade** 1568, *Doc.* || **mousquetaire** 1580, Montaigne. || **mousqueterie** 1578, d'Aubigné. || **mousqueton** 1578, d'Aubigné ; 1949, Lar., système d'accrochage (de *porte-mousqueton*) ; d'après l'ital. *moschettone.*

moussaka 1938, Montagné ; mot turc.

1. **mousse** fin XIe s., *Gloses de Raschi* (*molse*) ; fin XIIe s., R. de Moiliens (*mousse*), bot. ; franc. **mossa* (dér. lat. *mussula,* VIe s., Grégoire de Tours), p-ê. avec une infl. du lat. *mulsa,* hydromel, vin mousseux, fém. substantivé de *mulsus,* miellé, de *mel,* miel. || **moussu** 1130, *Eneas* (*mossu*) ; XIIIe s. (*moussu*). || **mousseux** 1545, Guéroult, moussu. || **moussier** milieu XVIIIe s., J.-J. Rousseau. || **émousser** 1552, Ch. Est., enlever la mousse.

2. **mousse** 1680, Richelet, écume ; empl. métaph. du précédent. || **mousser** 1680, Richelet ; *faire mousser,* fig., 1798, *Acad.* || **moussant** adj., 1713, Hamilton. || **mousseux** 1671, Quatroux, écumeux. || **moussoir** 1743, Geffroy.

3. **mousse** XVe s., *Chanson,* n. f., jeune fille ; 1515, Conflans, n. m., mar. ; ital. *mozzo,* de l'esp. *mozo,* garçon. || **moussaillon** 1842, *Acad.*

4. ***mousse** XVe s., R. d'Anjou (*mosse*) ; 1534, Des Périers (*mousse*), adj., qui n'est pas tranchant ; lat. pop. **muttius,* tronqué, du rad. préroman **mŭtt-.* (V. MOTTE.) || **émousser** 1370, Oresme, enlever le tranchant.

mousseline 1298, *Marco Polo* (*mosolin*) ; 1656, La Mesnardière (*mousseline*) ; *pommes mousseline,* 1938, Montagné ; *verre mousseline,* 1868, L. ; ital. *mussolina* (*tela*), de l'adj. ar. *mausilî,* de Mossoul (ville de Mésopotamie où l'on fabriquait ce tissu). || **mousseliner** 1874, Lar., verrerie. || **mousselinage** *id.* || **mousselinette** 1794, Brunot.

***mousseron** fin XIIe s., *Girart de Roussillon* (*moisseron*) ; fin XIVe s. (*mouceron*) ; bas lat. **mussiriōnem,* acc. de *mussiriō* (VIe s., Anthimus), mot prélatin, avec *ou* par attraction de *mousse.*

mousson 1598, Lodewijksz (*mouçone*) ; 1602, Van Noort (*mouson*) ; 1622, *Relation* (*mousson*) ; port. *monçâo,* de l'ar. *mausim,* saison, vent de saison.

moustache 1525, J. Lemaire de Belges, adj. ; 1549, R. Est., n. f. ; ital. *mostaccio, mostacchio,* venu de Venise avec la mode de la moustache, du bas gr. *mustaki,* en gr. class. *mustax,* lèvre supérieure. || **moustachu** 1845, Th. Gautier.

moustérien 1883, Mortillet, paléont. ; du nom de *Le Moustier,* village de la Dordogne.

moustique 1611, Pyrard (*mousquite*) ; 1654, Du Tertre (*moustique,* par métathèse, sous l'infl. de *tique*) ; esp. *mosquito,* dimin. de *mosca,* mouche, du lat. *musca.* || **moustiquaire** 1768, Valmont ; d'après l'esp. *mosquitera.* || **démoustiquer** milieu XXe s.

***moût** 1112, *Voy. saint Brendan ;* lat. *mŭstum.* (V. MOUTARDE.)

moutard 1827, *Cartouche,* enfant ; orig. obsc., p.-ê. du franco-provençal *moutte,* chèvre, ou du lyonnais *moté,* petit garçon, du préroman **mutt-,* tas arrondi. (V. MOTTE, MOUSSE 4.)

moutarde milieu XIIe s., Bartzsch (*moustarde*), grains de sénévé broyés avec du moût de vin ; de *moût* (v. ce mot). || **moutardier** 1313, G., fabricant de moutarde ; 1312, G., pot à moutarde. || **moutardelle** 1550, Guéroult, raifort.

***moutier** fin Xe s., *saint Léger* (*monstier*) ; 1050, *Alexis* (*moustier*) ; lat. pop. **monisterium,* lat. class. *monasterium.* Conservé en toponymie. (V. MONASTÈRE.)

mouton fin XIe s., *Chanson de Guillaume* (*motun*) ; 1160, Benoît (*mouton*) ; fin XVe s., machine de construction ; 1611, Cotgrave, personne douce ; 1764, Esnault, compagnon de cellule ; gaulois *multo (à l'acc. -ōnem en lat. pop.), gallois *mollt,* breton *maout,* « mâle châtré ». || **moutonné** 1694, *Acad.,* frisé. || **moutonnier** n. m., 1303, *Archives de Reims,* boucher ; adj., 1546, Rab., fig. || **moutonner** 1502, *Comptes Gaillon,* enfoncer des pieux avec le mouton. || **moutonnement** n. m., 1868, Goncourt. || **moutonneux** 1783, *Corresp. litt.*

***mouture** XIIIe s., action de moudre ; 1935, *Acad.,* nouvelle présentation ; lat. pop. **molitūra,* de *molere,* moudre (V. MOUDRE.)

***mouvoir** 1080, *Roland* (*muvrai,* futur de l'indic.) ; lat. *movēre ;* rare auj., sauf à l'infin., au prés. de l'indic., et au part. passé. || **mouvant** adj., 1130, *Eneas,* vif, rapide ; 1551, *Journ. de Gouberville,* instable, changeant. || **mouvance** 1495, *Coutumier,* terme féodal. || **mouvement** fin XIIe s., *Dial. Grégoire* (*movement*). || **mouvementé** 1845, Besch. || **mouvementer** 1833, Gautier.

moxa 1694, Pomet, méd. ; mot de Batavia, du japonais *mogusa,* bourre végétale et procédé thérapeutique, par l'anglais.

moye 1694, Th. Corn., techn., portion tendre d'une pierre ; déverbal de l'anc. v. *moyer* (XIIIe s.), du lat. *mediare,* de *medius.* (V. MI 1.)

***moyen** adj., 1120, *Ps. d'Oxford* (*meien*) ; début XIVe s. (*moyen*) ; *moyen terme,* 1732, Richelet ; *verbe moyen,* 1530, Palsgrave ; *classe moyenne,* début XIXe s. ; *moyen français,* fin XIXe s., *D. G. ;* lat. impér. *medianus ;* n. m., 1361, Oresme, ce qui sert pour parvenir à quelque fin ; fin XVe s., Commynes, richesse, bien, au pl. ; 1580, Montaigne, au pl., capacités. || **moyenner** 1190, *Saint Bernard,* atteindre le milieu de sa vie ; fin XIVe s., Deschamps, négocier. || **moyennant** prép., 1377, Oresme. || **moyenne** n. f., 1360, Froissart, milieu ; 1690, Furetière, math. ; *en moyenne,* 1864, Fustel de Coulanges. || **Moyen Âge** 1640 ; probablem. d'après l'angl. *Middle Ages.* || **moyenâgeux** 1865, Goncourt.

moyette 1842, *Acad.,* agric. ; dimin. de l'anc. fr. *moie* (1160, Benoît), meule de blé, lat. *meta,* borne, cône.

***moyeu** 1150, *Charroi de Nîmes ;* lat. *mŏdiolus,* petit vase, dimin. de *mŏdius* (v. MUID), d'où, par métaph., partie centrale d'une roue dans laquelle s'emboîte l'essieu.

mozarabe 1690, Furetière (*musarabe*) ; 1732, Trévoux (*mozarabe*) ; anc. esp. *moz'arabe,* de l'ar. *musta'rib,* « arabisé ». || **mozarabique** 1690, Furetière.

mozette, mosette 1653, Oudin, eccl. ; ital. *mozzetta,* apocope d'*almozetta.* (V. AUMUSSE.)

muche-pot (à), à musse-pot XVIIe s., Huet, en cachette ; anc. normanno-picard *mucher,* var. *musser* (XIIe s.), cacher, du lat. pop. **mūciare,* d'orig. gauloise.

mucilage 1314, Mondeville, bot. ; bas lat. *mucilago,* de *mucus.* || **mucilagineux** XVIe s., Lanfranc ; bas lat. *mucilaginosus.*

mucor 1775, Bomare, bot. ; lat. *mucor,* moisissure. || **mucoracées** 1842, *Acad.* (*mucorées*) ; 1868, L. (*mucoracées*).

mucre XIIIe s., *Évangile de Nicomède ;* anc. scand. *mjûkr,* mou.

mucron 1842, *Acad.* (*mucrone*) ; 1874, Lar. (*mucron*), bot. ; lat. *mucro, -onis,* pointe. || **mucroné** 1778, Lamarck. || **mucronule** 1875, *Revue horticole.*

mucus 1721, Trévoux ; mot lat. signif. « morve ». (V. MOISIR, MOUCHER, MUCILAGE.) || **mucigène** 1931, Lar. || **mucine** 1840, *Acad.* || **mucocèle** 1878, Lar. ; gr. *kêlê,* tumeur. || **muscite** 1806, Lunier. || **muqueux** 1560, Paré ; adj. lat. *mucosus.* || **mucosité** XIVe s., Moamin (*muschosité*) ; 1539, Canappe (*mucosité*). || **muqueuse** n. f., 1825, Broussais.

***muer** 1050, *Alexis* (*muder*) ; 1080, *Roland* (*muer*), changer ; lat. *mūtare,* changer ; XVIIe s., sens spécialisé. || **muable** 1080, *Roland.* || **muance** 1155, Wace, changement. || **mue** 1180, Marie de France, déjà au sens spécialisé ; déverbal. || **immuable** 1327, Lefranc ; d'après le lat. *immutabilis.* || **immuabilité** 1787, Féraud. (V. MUTATION, REMUER.)

muet XIIe s., *Dolopathos ;* 1559, Du Bellay, fig. ; 1903, Lar., *la grande muette ;* dimin. de l'anc. fr. *mu,* lat. *mutus,* qu'il a éliminé au XVIe s. || **muettement** 1615, G. || **sourd-muet** 1564, *Doc.* (*sourd-muet*) ; 1694, *Acad.* (*sourd-et-muet*). || **mutacisme** 1968, Lar. ; dérivé savant du lat. *mutus,* muet. || **mutisme** 1741, Desfontaines, état de muet ; 1841, Chateaubriand, silence volontaire. || **mutité** 1803, Boiste ; bas lat. *mutitas.*

muette V. MEUTE.

muezzin 1568, Nicolay (*maizin*) ; début XVIIe s. (*muessim*) ; 1654, Duloir (*muezim*) ; 1823, Boiste (*muezzin*) ; turc *muezzin,* de l'ar. *mo'adhdhin,* celui qui appelle à la prière.

mufle 1542, H. des Essars, anat., var. de *moufle* (v. ce mot), gros visage rebondi, par infl. de *museau ;* 1830, Esnault, lourdaud ; 1836, Landais, personnage grossier. || **muflier** 1778, Lamarck, bot. ; par anal. de forme. || **muflerie** 1843, Nerval, manque de délicatesse. || **muflée** 1881, Rigaud, pop., soûlerie.

mufti ou **muphti** 1546, Geuffroy (*mofty*) ; 1628, Brèves (*mufti*) ; ar. *mufti,* juge.

muge 1396, G. (*muglhe*) ; 1546, Vaganay (*muge*), zool. ; prov. *muge,* du lat. *mugil.*

mugir 1280, Bibbesworth ; réfection, d'après le lat. *mugīre,* de l'anc. fr. *muir* (1112, *Voy. saint Brendan*), de *mugīre.* || **mugissant** 1493, G. || **mugissement** 1211, *le Bestiaire ;* a remplacé *muiement.*

muguet fin XIIe s., *Moniage Guillaume,* bot. ; 1458, *Mystère,* jeune élégant, à cause du parfum de la plante ; 1769, *Journ. de médecine,* mycose, d'après l'aspect ; anc. fr. *mugue* (fin XIe s., *Gloses de Raschi*), musc. || **mugueter** XVe s., *Aresta amorum ;* de *muguet,* au sens de « jeune élégant ».

***muid** 1130, *Eneas* (*mui*), mesure de capacité ; 1175, Chr. de Troyes, futaille ; lat. *mŏdius,* désignant une grande mesure de blé. Le *d* a été repris au latin.

***muire** 1249, texte franc-comtois ; lat. *muria,* saumure. (V. MURIATE.)

mulâtre 1544, Fonteneau (*mullatre*) ; 1681, Satineau (*mulâtre*) ; altér., d'après le suff. *-âtre,* de l'esp. *mulato,* de *mulo,* mulet (le mulâtre étant métis comme le mulet). || **mulâtresse** 1681, Satineau.

1. ***mule** 1080, *Roland,* femelle du mulet ; *têtu comme une mule,* 1690, Furetière ; anc. fr. *mul* (éliminé par le diminutif *mulet* 1), du lat. *mūlus,* fém. *mūla.* || **mulet** 1080, *Roland.* || **mulassier** 1471, G. ; anc. fr. *mulasse* (XIIIe s.), jeune mulet, jeune mule. || **muletier** n. m., 1325, Du Cange, conducteur de mulets ; adj., 1577, Jamyn, chemin propre aux mulets. || **mulard** 1840, *Acad.,* variété de canard.

2. **mule** 1314, Mondeville, engelure au talon ; 1556, Leon, pantoufle ; *mule du pape,* 1680, Richelet ; lat. *mulleus* (*calceus*), soulier rouge (couleur du rouget, *mullus*). [V. MULET 2.]

mule-jenny 1803, Mackenzie ; loc. angl., de *mule,* mule, et *jenny,* de *Jean.*

1. **mulet** V. MULE 1.

2. **mulet** 1185, *Moniage Guillaume,* poisson ; lat. *mullus,* rouget, avec attraction de *mūlus,* mulet 1, en lat. pop. || **surmulet** 1170, *Doc.* (*sormulet*) ; 1554, Rondelet (*surmulet*).

muleta 1840, Gautier, tauromachie ; esp. *muleta,* jeune mule, béquille, de *mula,* mule.

1. **mulette** 1803, Boiste, coquillage ; altér. de *moulette,* dimin. de MOULE 2.

2. **mulette** 1827, *Acad.,* bateau ; port. *muleta,* voile.

mulle 1505, Desdier, nom savant du mulet, poisson ; lat. *mullus,* rouget, d'où est issu également MULE 2.

mulon V. MEULE 2.

mulot XIIe s., Du Cange (*mulotes,* au pl.) ; XIIIe s. (*mulot*), rat ; bas lat. *mullus,* taupe (VIIIe s., *Gloses Reichenau*), du francique **mull,* même sens (néerl. *mol*). Le *u* est probablem. analog. de *mul, mulet* (v. MULE 1). || **surmulot** 1758, Buffon.

multi-, lat. *multi,* nombreux. || **multicaule** 1808, Boiste ; lat. *multicaulis,* de *caulis,* tige. || **multicolore** 1525, J. Lemaire de Belges ; rare avant 1823, Boiste ; lat. *multicolor.* || **multidimensionnel** 1963, Lar. || **multidisciplinaire** 1966, Cloutier. || **multiflore** 1798, Richard ; lat. *multiflorus.* || **multiforme** 1460, Chastellain ; lat. *multiformis.* || **multilatéral** 1931, Lar. || **multilingue** 1674, Chapelain. || **multimillionnaire** 1907, Lar. || **multinational** 1963, Lar. || **multipare** 1808, Boiste. || **multiparité** 1842, *Acad.* || **multiplace** 1937, Malraux. || **multiparti** 1874, Lar. || **multiprise** 1975, Lar. || **multiracial** 1965, *journ.* || **multirisque** 1960, *journ.*

multiple 1380, Conty (*multiplice*) ; 1572, *Doc.* (*multiple*), adj. ; rare avant le début du XVIIe s. ; n. m., 1618, Trenchant ; lat. *multiplex.* || **multiplier** 1120, *Ps. de Cambridge ;* lat. *multiplicare ;* a éliminé les anc. formes *moltepleier, moutepleier.* || **multipliable** 1120, *Ps. d'Oxford.* || **multiplication** XIIIe s., *Comput ;* bas lat. *multiplicatio.* || **multiplicande** 1552, J. Peletier ; lat. *multiplicandus,* qui doit être multiplié. || **multiplicateur** 1515, Lortie ; bas lat. *multiplicator.* || **multiplicatif** 1550, Roussat. || **multiplicité** 1190, *Saint Bernard ;* bas lat. *multiplicitas.* || **multiplet** 1963, Lar. || **démultiplier** 1929, Lar. || **démultiplication** *id.* || **démultiplicateur** *id.* || **sous-multiple** 1552, J. Peletier.

multiplex 1888, Lar., terme de télécommunication ; mot lat. signif. « multiple ». || **multiplexage** 1968, Lar. || **multiplexeur** 1963, Lar.

multitude 1120, *Ps. d'Oxford* (*multitudine*) ; lat. *multitudo, multitudinis,* de *multum,* beaucoup. (V. MOULT.)

municipe 1765, *Encycl.* ; lat. *municipium,* de *munus,* charge, et *capere,* prendre. || **municipal** 1474, *Doc.,* hist. antique ; 1527, Dassy, appliqué aux institutions modernes ; lat. *municipalis,* qui appartient à un municipe. || **municipalité** 1756, V. de Mirabeau. || **municipaliser** 1798, *Acad.* || **municipalisation** 1936, Capitant.

munificence 1354, Bersuire ; lat. *munificentia,* de *munificus,* libéral, de *munus,* cadeau, et *facere,* faire. || **munificent** 1840, *Acad.*

munir 1350, G. Li Muisis, fortifier, défendre ; 1580, Montaigne, équiper, pourvoir ; *se munir de,* 1501, Destrees ; lat. *mūnire.* || **démunir** 1564, J. Thierry. || **munition** XIVe s., *D. G.,* fortification ; 1636, Monet, approvisionnements (d'ou *pain de munition*) ; 1553, Rab., sens actuel ; lat. *munitio, -onis,* rempart. || **munitionnaire** 1572, Huguet. || **munitionner** fin XVIe s., d'Aubigné.

muqueux, muqueuse V. MUCUS.

***mur** 1160, Benoît ; lat. *mūrus.* || **murer** 1175, Chr. de Troyes. || **murage** XIIIe s., G. (*muraige*) ; XIVe s. (*murage*). || **mureau** 1120, *Ps. de Cambridge.* || **muraille** 1200, *Bueve de Hantone.* || **murailler** 1451, G. || **muraillement** 1773, Monnet. || **mural** 1355, Bersuire (*murail*) ; milieu XVIe s. (*mural*) ; rare avant le milieu du XVIIIe s., Buffon ; lat. *muralis.* || **muret** XIIe s., *Chevalier aux deux épées.* || **murette** XVIIe s., G. ; diminutif. || **muretin** XXe s. ; diminutif. || **avant-mur** 1495, Vignay. || **contre-mur** 1160, Benoît. || **contremurer** XVIe s. || **démurer** fin XIIe s., R. de Moiliens. || **emmurer** milieu XIIe s. || **emmurement** XXe s. || **passe-muraille** v. 1945, M. Aymé.

***mûr** 1175, Chr. de Troyes (*meür*) ; 1220, Coincy, en parlant de qqn ; 1206, Guiot, fig. ; lat. *matūrus.* || **mûrement** 1680, Richelet. || **mûrir** 1350, J. Le Bel (*meürir*) ; a remplacé l'anc. fr. *meürer,* du lat. *maturare,* devenu homonyme de *murer.* || **mûrissant** adj., 1813, Delille. || **mûrissement** fin XVIe s. || **mûrisserie** 1959, Robert.

***mûre** 1167, Gautier d'Arras (*meure*) ; 1240, *Miracle* (*mure*) ; lat. *mora,* pl. neut., devenu fémin., de *morum,* à la fois fruit du mûrier et baie de la ronce. L'*u* est dû à l'attraction du dér. *mûrier.* || **mûrier** 1120, *Ps. de Cambridge.* || **mûron** XIVe s. (*moron*) ; 1549, R. Est. (*meuron*). || **mûreraie** v. 1600, O. de Serres. || **mûraie** 1845, Besch.

murène 1100, *Doc. (morayne)* ; 1538, R. Est. (*murène*) ; lat. *muraena,* du gr. *muraina.*

murex 1505, Platine, zool. ; lat. *murex,* coquillage ; a remplacé *murique* (1265, Br. Latini) ; mollusque fournisseur de pourpre.

muriate 1782, Guyton de Morveau, chim. ; lat. *muria,* saumure. (V. MUIRE, SAUMURE.) || **muriatique** 1714, Astruc.

muridés 1834, Boiste (*murides*) ; 1903, Lar. (*muridés*) ; lat. *mus, muris,* souris.

murmel XXe s. ; all. *Murmel,* marmotte. On trouve le verbe *murmeler,* marmotter, en 1842, *Acad.* (qui le donne pour vx).

murmure 1175, Chr. de Troyes ; déverbal de *murmurer.* || **murmurer** 1120, *Ps d'Oxford ;* lat. *murmurare,* du lat. *murmur,* bruit sourd (mot expressif) ; le changement de sens en fr. paraît dû au changement de pron. de l'*u* (*ou* en latin). || **murmurant** XIIIe s., *Statuts d'hôtels-Dieu ;* av. 1525, J. Lemaire de Belges, fig. || **murmurateur** XVIe s., Calvin ; lat. *murmurator.*

murrhe 1556, Du Choul, hist. ; lat. *murrha,* mot gr. || **murrhin** *id. ;* lat. *murrhinus.*

musacées 1817, Gérardin ; lat. scientif. *musa,* bananier.

musagète 1552, Pontus de Tyard, mythol. ; lat. *musagetes,* du gr. *mousagetês,* conducteur des muses, de *ageîn,* conduire. (V. MUSE.)

***musaraigne** XVe s., Albert le Grand ; lat. pop. *mūsarānea,* du bas lat. *mūsarāneus* (VIIe s., Isidore de Séville), de *mūs,* souris, rat, et *arānea,* araignée.

musc fin XIe s., *Gloses de Raschi* (*mugue*) ; XIIIe s., *Simples Méd. (musc)* ; bas lat. *muscus* (IVe s., saint Jérôme), orig. orientale (ar. *misk*). || **musqué** début XVe s.

muscade 1175, Chr. de Troyes (*nois muscade*) ; 1798, *Acad.,* petite boule des escamoteurs ; anc. prov. (*notz*) *muscada,* noix musquée, de *musc.* || **muscadier** 1610, L. Guyon. || **muscadelle** XVe s., *Vaux de Vire,* poire.

muscadet V. MUSCAT.

muscadin 1578, d'Aubigné, pastille parfumée au musc (var. *moscardin, muscardin,* XVIIe s.) ; ital. *moscardino,* pastille au musc, de *moscado,* musc ; 1747, La Mettrie, nom propre de petit-maître ; 1795, *Magasin pittoresque,* jeune élégant. (Pour le développement du sens, v. MUGUET.)

muscardin 1753, Buffon, zool. ; var. spécialisée de *muscadin* pour désigner un petit rongeur.

muscardine 1827, *Acad.,* maladie des vers à soie ; prov. *muscardino,* de *muscardin,* ver à soie, du précédent.

muscari 1752, Trévoux, bot. ; lat. savant *muscari,* du bas lat. *muscus,* musc.

muscarine 1877, L., bot. ; lat. scientif. *muscaria* (*amanita*), de *musca,* mouche.

muscat 1372, Corbichon ; prov. *muscat,* musqué, de *musc* (v. ce mot). || **muscadet** 1360, Froissart, vin muscat ; prov. mod. *muscadet,* nom d'un cépage du Languedoc, de *muscat.*

muscidés 1827, *Acad.* (*muscides*) ; 1903, Lar. (*muscidés*), entom. ; lat. *musca,* mouche.

muscinées 1868, L., bot. ; bas lat. *muscus,* mousse.

muscle 1314, Mondeville ; lat. *musculus,* petite souris, de *mus, muris,* souris (cf. la *souris,* partie charnue du gigot). || **musclé** 1553, Vaganay ; rare jusqu'au début du XVIIIe s. || **musculeux** 1314, Mondeville ; lat. *musculosus,* de *musculus,* muscle. || **musculaire** 1698, Dionis. || **musculation** 1868, L. || **musculature** 1798, Pommereul.

muse XIIIe s., trad. de Boèce, mythol. ; 1552, Pontus de Tyard, inspiratrice ; lat. *musa,* du gr. *moûsa.*

museau 1211, *Bestiaire* (*musel*) ; XVe s. (*museau*) ; anc. fr. **mus,* du lat. pop. *musum* (VIIIe s.), d'orig. inconnue. || **museler** 1387, G. Phébus. || **muselet** 1903, Lar. || **musellement** 1848, *Doc.* || **démuseler** 1832, Boiste. || **muselière** XIIIe s., *Règle du Temple.* || **musoir** 1757, Choquet, techn. (V. MUSER.)

musée XIIIe s., G., temple des Muses ; lat. *museum* (gr. *mouseion*) ; 1721, Trévoux, pour désigner le centre d'études scientifiques des Ptolémées, à Alexandrie (d'un emploi partic. de *mouseion* à l'époque des Ptolémées) ; 1762, *Acad.,* sens actuel ; 1781, Brunot, lieu destiné à l'étude des arts. Au XVIIIe s., var. *museum* (1746, Saint-Yenne), désignant un musée, puis en 1778, Condorcet, appliqué au *Muséum d'histoire naturelle* (auparavant *Jardin des Plantes,* 1635, Guy de La Brosse). || **muséographie** 1829, Boiste. || **muséologie** 1931, Lar.

muser 1155, Wace ; anc. fr. **mus* (v. MUSEAU), proprem. « rester le museau en l'air ». || **musard** 1086, G., étourdi ; XVIe s., paresseux. || **musarder** 1220, *la Petite Philosophie* (*musardier*). || **musarderie** 1546, Rab. || **musardie** 1175, Chr. de Troyes. || **musardise** 1834, Boiste. || **musette** XIIIe s., La Curne, instrum. de musique ; 1812, Mozin, petit sac qui se porte en bandoulière ; *bal musette,* 1942, Queneau ; d'un anc. *muse* (fin XIIe s., R. de Moiliens), de *muser.* || **amuser** 1175, Chr. de Troyes. || **amusant** 1694, *Acad.* || **amuse-gueule** milieu XIXe s. || **amusement** XVe s., Martial d'Auvergne. || **amusette** 1653, G. Patin. || **amuseur** 1545, J. Bouchet. || **amusoire** 1588, Montaigne.

muserole 1593, de La Broue, équit. ; ital. *museruola,* de *muso,* de même rac. que *museau.*

musette V. MUSER.

music-hall 1862, Malot ; mot angl., de *music,* musique, et *hall,* salle.

musique 1130, *Eneas ;* lat. *musica,* du gr. *mousikê* (*tekhnê*), art des Muses. || **musical** milieu XIVe s. || **musicalement** 1380, Conty. || **musicalisme** 1922, Lar. || **musicalité** début XXe s. || **musicastre** 1857, Adam. || **musicien** XIIIe s. (*musecien*) ; 1361, Oresme (*musicien*) ; abrév. pop. *musico,* XVIIIe s., Voltaire. || **musiquette** 1875, *J. O.* || **musiquer** 1583, Gaudet. || **musicographe** 1845, Besch., instrument pour écrire la musique ; 1868, L., sens actuel ; sur le suff. *-graphe.* || **musicographie** 1907, Lar. || **musicologie** 1931, Lar. || **musicologue** 1889, Bénédictins. || **musicothérapie** 1907, Lar.

mussif, var. **musif** 1792, *Bull. des sciences ;* lat. *musivus,* de mosaïque, gr. *mouseios,* des Muses. (V. MOSAÏQUE 1.)

mussitation 1375, R. de Presles, murmure ; 1810, Capuron, méd. ; lat. *mussitatio,* de *mussitare,* parler à voix basse.

mustang 1840, Leclerc ; mot anglo-américain, de l'anc. espagnol *mestengo,* sans maître, vagabon ; cheval à demi sauvage de la pampa.

mustélidés 1827, *Acad.* (*mustélins*) ; 1872, Bouillet (*mustélidés*), zool. ; lat. *mustella,* belette.

musulman XVIe s. (*mussulman*) ; 1680, Richelet (*musulman*) ; ar. *muslim,* fidèle, croyant.

mutation 1265, J. de Meung, bouleversement ; 1835, *Acad.,* administratif ; 1809, Lamarck, biol. ; lat. *mutatio,* de *mutare,* changer (v. MUER). || **mutabilité** 1160, Benoît ; lat. *mutabilitas,* de *mutare.* || **mutable** milieu XIVe s. || **immutabilité** XIVe s. ; lat. *immutabilitas,* pour servir de subst. à *immuable* (v. MUER). || **muter** fin XVe s., vendre ; 1874, Lar. (*muté,* part. passé), admin. ; lat. *mutare.* || **mutant** adj., 1931, Lar. ; n. m., v. 1950, biol. || **mutationnisme** 1931,

Lar., biol. || **mutatis mutandis** fin XVIIe s. ; loc. lat. signif. « les choses qui doivent être changées étant changées ». (V. PERMUTATION, PERMUTER, TRANSMUTER.)

1. **muter** V. MUTATION.

2. **muter** (*le vin*) 1761, Lacombe ; probablem. dér. de *muet.* || **mutage** 1836, *Acad.*

mutiler 1334, *Songe du Verger ; se mutiler,* 1868, L. ; lat. *mutilare.* || **mutilé** n. m., 1334, *Songe du Verger.* || **mutilant** adj., 1877, *le Progrès médical.* || **mutilation** 1245, *Ordonn. ;* bas lat. *mutilatio.* || **mutilateur** 1525, J. Lemaire de Belges.

mutin 1460, Chastellain (*meutin*) ; 1478, Bartzsch (*mutin*) ; de *meute* (v. ce mot), au sens anc. de « émeute ». || **se mutiner** XIVe s. (*se meutiner*). || **mutinerie** 1332, *Ordonn.*

mutisme, mutité V. MUET.

mutuel XIVe s., Bouthillier ; lat. *mutuus,* réciproque, mutuel. || **mutuelle** n. f., 1868, L. ; de (*société*) *mutuelle.* || **mutuellement** début XVe s. || **mutualité** 1599, Huguet ; rare avant 1784, Gohin. || **mutualiste** 1824, Raymond. || **mutuelliste** 1828, *Société des mutuellistes,* à Lyon. || **mutualisme** 1840, L. Reybaud ; a éliminé *mutuellisme,* 1828, d'après Lar., 1874. || **mutualisation** 1949, Lar.

mutule 1546, J. Martin, archit. ; lat. *mutulus,* tête de chevron. || **mutulaire** 1878, Lar.

mycé-, myco-, gr. *mukês,* champignon. || **mycélium** 1842, *Acad.* (*mucélion*) ; 1868, L. (*mycélium*). || **mycélial, mycélien** 1878, Lar. || **mycoderme** 1845, Besch. || **mycologie, mycologue** 1842, *Acad.* || **mycophage** 1903, Lar. || **mycose** 1842, *Acad.* || **mycosique** 1966, Lar.

myél(o)-, gr. *muelos,* moelle. || **myélémie** 1931, Lar. || **myéline** 1868, L., méd. || **myélinisation** 1903, Lar. || **myélite** 1831, Foix || **myéloblaste** 1931, Lar. || **myélographie** 1963, Lar. || **myéloïde** 1868, L. || **myélome** 1868, L. || **myélopathie** 1931, Lar. (V. POLIOMYÉLITE.)

mygale 1568, G., musaraigne ; 1809, Wailly, araignée, zool. ; gr. *mugalê,* musaraigne, de *mus,* rat, et *galê,* belette.

my(o)-, gr. *mus, muos,* muscle. || **myalgie** 1868, L., méd. ; gr. *algos,* douleur. || **myasthénie** 1878, Garnier. || **myatonie** 1931, Lar. || **myoblaste** 1903, Lar. || **myocarde** 1877, L. || **myocardite** 1855, Nysten. || **myogène** 1903, Lar. || **myographie** 1750, Prévost. || **myographe** 1827, *Acad.* || **myologie** 1628, Constant ; lat. méd. mod. *myologia.* || **myolyse** 1931, Lar. || **myopathie** 1888, Lar. ; gr. *pathos,* souffrance. || **myopathe** 1970, *journ.* || **myosclérose** 1878, Lar. || **myosine** 1878, Lar. || **myosis** 1808, Boiste. || **myotomie** 1724, Garengeot.

myope 1578, Papon ; bas lat. *myops,* du gr. *muôps,* qui cligne les yeux. || **myopie** 1650, Robert ; gr. *muôpia.*

myosotis 1545, Guéroult ; lat. *myosotis,* du gr. *muosôtis,* de *mus, muos,* souris, et *oûs, ôtos,* oreille (à cause de la forme des feuilles).

myria-, myrio-, gr. *murias,* « dix mille ». || **myriagramme, myriamètre** 1795, *Bull. des lois* (v. GRAMME, MÈTRE 2). || **myriapode** 1807, Duméril, zool. (V. MILLE-PATTES.) || **myrionyme** 1868, L. ; gr. *onoma,* nom. || **myriophylle** 1827, *Acad.* (*myriophyllum*).

myriade 1525, Barbier ; bas lat. *myrias,* mot gr. signif. « dix mille ».

myrméco-, gr. *murmêks, murmekos,* fourmi. || **myrmécophage** 1793, Lavoisien. || **myrmécophile** 1931, Lar. || **myrmécologie** 1931, Lar.

myrmidon 1586, Bounyn. ; lat. *Myrmidon,* mot gr., peuple de Thessalie.

myrobolan, myrobalan XIIIe s., *Simples Méd.* (*mirobolanz,* pl.) ; lat. *myrobalanus,* du gr. *murobalanos,* de *muron,* parfum, et *balanos,* gland. (V. MIRABELLE, MIROBOLANT.)

myrosine 1850, Dorvault ; gr. *muron,* parfum ; enzyme de la graine de moutarde.

myroxyle 1842, *Acad.,* bot. ; 1903, Lar. (*myroxylon*) ; gr. *muron,* parfum, et *xulon,* bois.

myrrhe 980, *Passion* (*mirra*) ; 1080, *Roland* (*mirre*) ; 1579, H. Est. (*myrrhe*) ; lat. *myrrha,* mot gr. || **myrrhé** XIIIe s., *Évangiles.*

myrte XIIIe s., *Simples Méd.* (*mirte*) ; 1600, O. de Serres (*myrte*) ; lat. *myrtus,* du gr. *murtos.* || **myrtiforme** 1704, Trévoux. || **myrtacées** 1840, *Acad.,* bot. || **myrtées** 1812, Mozin. || **myrtaie** 1640, *Anc. Théâtre français.* || **myrtidane** 1874, Lar.

myrtille XIIIe s., *Simples Méd. ;* rare jusqu'au XVIIIe s. ; lat. *myrtillus,* de *myrtus.* (V. MYRTE.)

mystagogue 1553, Rab., hist. ; 1868, L., initiateur ; lat. *mystagogus,* du gr. *mustagôgos,* qui conduit dans les lieux réservés aux initiés, de *mustês,* initié, et *agein,* conduire (v. MYSTÈRE). || **mystagogie** 1660, Bossuet. || **mystagogique** 1874, Lar.

mystère 1167, Gautier d'Arras (*mistere*), manière intime de penser ; XIIIe s., Bartzsch, rite secret ; 1180, Marie de France, relig. ; 1561, Calvin, ce qui n'a pas d'explication ; 1657, Pascal, discrétion ; lat. *mysterium,* du gr. *mustêrion,* de *mustês,* initié ; dès le latin, idée de « secret » ; 1453, Monstrelet, représentation théâtrale à sujet religieux, par confusion avec le lat. *ministerium,* office, cérémonie. || **mystérieux** 1460, Chastellain. || **mystérieusement** 1460, Chastellain.

mystifier 1760, *Doc.,* à propos d'un auteur crédule, Poinsinet ; dérivé avec le rad. du préc., sur le modèle des verbes en *-fier.* || **mystifiable** 1850, Balzac. || **mystificateur, mystification** 1768, Diderot. || **démystifier** XXᵉ s.

mystique fin XIVᵉ s. (*misticque*), qui a une signification cachée ; 1704, Trévoux, sens actuel ; n. f., 1601, Charron ; lat. *mysticus,* relatif aux mystères, au sens eccl., du gr. *mūsticos,* de *mustês,* initié. (V. MYSTAGOGUE, MYSTÈRE.) || **mystiquement** 1470, *Livre discipline d'amour divine.* || **mysticité** 1718, *Acad.* || **mysticisme** 1804, B. Constant.

mythe 1803, Wailly, récit fabuleux ; 1842, *Acad.,* représentation abstraite ; bas lat. *mythus,* du gr. *muthos,* récit, légende. || **mythique** 1375, R. de Presles, hist. ; 1831, Michelet, qui relève du mythe. || **mythifier** 1929, Valéry. || **mythographe** 1840, *Acad.* || **mythologie** fin XIVᵉ s., Chr. de Pisan (*mithologia*), ensemble des mythes ; 1680, Richelet, sens actuel ; bas lat. *mythologia* (gr. *muthologia*). || **mythologique** 1480, *Baratre infernal ;* lat. *mythologicus* (gr. *muthologikos*). || **mythologue** 1546, Rab. || **mythologiste** 1697, *l'Enterrement du dict. de l'Acad.* || **mythomanie, mythomane, mythomaniaque** 1905, Dupré.

mytilicole 1923, Lar. ; gr. *mutilos,* moule. || **mytiliculteur** 1903, Lar. || **mytiliculture** 1888, Lar.

myx(o)-, gr. *muxa,* morve, mucosité. || **myxobactérie** 1931, Lar. || **myxœdème** 1888, Lar. ; gr. *oidêma,* gonflement. || **myxomatose** 1953, Lar. || **myxomycètes** 1877, L. ; gr. *mukês,* champignon.

n

nabab 1614, Du Jarric (*navabo*) ; 1653, La Boullaye (*nabab*) ; XVIIIe s., personne qui s'est enrichie aux Indes, d'après l'angl. *nabob ;* 1777, *Courrier de l'Europe,* personnage fastueux ; popularisé au XIXe s. (1867, Delvau) ; cf. *le Nabab,* d'A. Daudet (1877) ; mot hindoustani, de l'ar. *nawwâb,* pl. de *naïb,* lieutenant. || **nababie** 1765, Targe.

nabi 1883, Renan, prophète ; mot hébreu.

nable XVIIe s., Jal, mar., bouchon pour le trou d'écoulement d'un canot ; néerl. *nagel,* cheville.

nabot 1549, R. Est. ; sans doute altér. de *nimbot,* nain-bot, de *nain* et de *bot,* crapaud (fin XIe s., *Gloses Raschi*), p.-ê. sous l'infl. de *navet,* servant parfois pour désigner un homme de très petite taille.

nabuchodonosor 1917, Sachs-Villatte, bouteille de champagne ; nom d'un roi de Babylone.

nacaire fin XIIIe s., Joinville, timbale ; ital. *nacchera,* nacre, d'où castagnettes faites avec des coquilles ; var. *gnacare* (1666, Molière) d'une var. ital. *gnaccara.*

nacarat 1578, d'Aubigné (*nacarade*) ; 1640, Oudin (*nacarat*) ; esp. *nacarado,* nacré.

***nacelle** 1050, *Alexis ;* bas lat. *navĭcella* (*Digeste*), de *navis,* bateau. (V. NAVIRE, NEF.)

nacre 1347, du Cange (*nacrum,* dans un texte lat.) ; fin XIVe s. (*nacle*) ; 1560, Paré (*nacre*) ; ital. *naccaro* (auj. *nacchera*), de l'ar. *naqqâra ;* d'abord, *coquille* qui produit la nacre, puis, au XVIIe s., nacre. || **nacré** 1667, Rochefort. || **nacrer** 1845, Besch. || **nacreux** 1891, Rimbaud. || **nacrier** 1874, Lar.

nadir 1370, Oresme (*nador*) ; 1690, Furetière (*nadir*) ; ar. *nadîr,* opposé, d'où « opposé au zénith ».

nævus 1611, Cotgrave (*neve*) ; début XIXe s. (*nævus maternus*) ; 1836, *Acad.* (*nævus*) ; mot lat. signif. « tache, verrue ».

naffe (*eau de*) 1505, d'après Ménage ; ar. *nafha,* odeur.

***nager** 1080, *Roland* (*nagier*) ; 1160, *Tristan* (*nager*), « naviguer » ; 1280, Bibbesworth, « ramer », encore usité en mar. ; 1350, *Glossaire de Paris,* se soutenir sur l'eau ; 1916, Esnault, être embarrassé ; lat. *navigare,* naviguer ; il a éliminé, dans son sens usuel, l'anc. fr. *nouer,* du lat. pop. **notāre* (lat. class. *natare*), nager (à cause de l'homonymie avec *nouer,* faire un nœud) ; a été remplacé, dans son sens premier, par *naviguer,* forme savante. || **nage** 1130, *Eneas,* « navigation » ; 1552, Ch. Est., action de nager ; 1572, Peletier, *être à nage,* être en sueur. || **nageoire** 1450, Gréban (*nageouere*), bassin de natation ; 1555, Belon (*nageoire*), membre des poissons. || **nageoter** 1868, L. || **nageur** 1112, *Voy. saint Brendan,* matelot ; 1350, *Glossaire de Paris,* celui qui nage.

naguère V. GUÈRE.

naïade 1491, Vaganay ; lat. *naias,* gén. *naiadis,* mot gr.

***naïf** 1130, *Eneas,* natif, originaire ; milieu XIIe s., *Roman de Thèbes,* sauvage ; XIIIe s., Tobler-Lommatzsch, sot ; 1607, Hulsius, ingénu ; 1642, *Satires,* niais ; lat. *nativus,* naturel, de *natus.* || **naïvement** 1265, Condé. || **naïveté** 1265, Condé, naturel ; début XVIIe s., Malherbe, ingénuité.

***nain** 1160, *Tristan ;* lat. *nanus* (v. NABOT) ; *nain jaune,* 1838, *Acad.* || **nanisme** 1838, *Acad.* || **naniser** 1875, *Revue horticole.* || **nanocéphale** 1903, Lar. || **nanomélie** 1868, L. ; gr. *melos,* membre. || **nanosomie** 1878, Lar. ; gr. *sôma,* corps.

***naître** 980, *Passion ;* lat. pop. **nascĕre,* class. *nasci.* || **naissance** 1112, *Voy. saint Brendan.* || **naissain** 1868, L., jeune huître. || **naissant**

adj., 1581, Bara, héraldique ; 1690, Furetière, commençant. || **naisseur** 1911, Lar., éleveur. || **inné** 1611, Cotgrave ; lat. philos. *innatus.* || **innéité** 1810, Gall. || **dernier-né** fin XIIe s. || **mort-né** 1285, Beaumanoir (*mornés*) ; 1408, N. de Baye (*mort-né*). || **nouveau-né** fin XIIe s., *Huon,* adj. ; n. m., 1680, Richelet. || **premier-né** XIIIe s. || **puîné** 1155, Wace (*puisné*) ; de *né* et de l'adv. *puis ;* remplacé par *cadet.* || **renaître** 1175, Chr. de Troyes (*renestre*). || **renaissant** adj., 1550, Vaganay. || **renaissance** XIVe s., *Miracles de N.-D.* (V. AÎNÉ.)

naja 1525, *Voy. A. Pigaphetta* (*nagha*) ; 1693, Knox (*naïa*) ; 1734, Seba (*naja*) ; hindoustani *nagha ;* la graphie *naja* vient du lat. scient. *naïa.*

nana 1949, Esnault ; du prénom *Anna.*

nanan 1650, *Mazarinades ;* mot enfantin.

nandou 1614, Cl. d'Abbeville (*yandou*) ; 1827, *Acad.* (*nandu*), autruche d'Amérique ; guarani *nandu.*

nankin 1759, Brunot ; du nom de *Nankin,* ville de Chine où était fabriquée cette toile. || **nankinette** 1812, Mozin.

nansouk 1771, Trévoux (*nansouque*) ; 1829, *Courrier des dames* (*nansouk*) ; hindoustani *nansuk.*

nantir 1285, Beaumanoir ; anc. fr. *nant,* gage, fait sur le pl. plus usuel *nans* (XIe s., *Lois de Guill.*), de l'anc. scand. *nām,* prise de possession. || **nanti** n., début XXe s. || **nantissement** 1283, Beaumanoir. || **dénantir** XVe s.

napalm 1949, Lar. ; de *Na,* symbole du sodium, et de *palmitate.* (V. PALMITINE.)

napel 1560, Paré, variété d'aconit ; bas lat. *napellus,* dimin. de *napus,* navet (d'après la forme de la racine).

naphte 1213, *Fet des Romains* (*napte*) ; 1557, *Trésor de Evonime* (*naphte*) ; lat. *naphta,* du gr. *naphtha,* bitume, d'orig. orientale. || **naphta** 1963, Lar. || **naphtalène** 1903, Lar. || **naphtaline** 1821, *Ann. chim. phys.* || **naphtol** 1873, Wurtz.

napoléon 1807, Stendhal ; du nom de *Napoléon Ier,* dont l'effigie était représentée sur ces pièces. || **napoléonien** 1839, Balzac. || **napoléonisme** 1836, Raymond.

napolitain 1587, La Noue ; ital. *napoletano,* de *Napoli,* nom italien de Naples.

***nappe** début XIIe s., *Voy. de Charl.* (*nape*) ; 1273, Adenet (*nappe*) ; *en nappe,* 1932, Lar. ; lat. *mappa* (dissimilation de *m* par *p* suivant). [V. NÈFLE.] || **nappage** 1839, Balzac. || **napper** 1895, A. Daudet. || **napperon** 1391, du Cange.

narcisse 1363, du Cange (*narciz*) ; 1538, R. Est (*narcisse*) ; 1648, Voiture, homme amoureux de sa propre figure ; lat. *narcissus,* du gr. *narkissos,* du nom d'un personnage mythol. qui s'était épris de lui-même en se regardant dans une fontaine, et qui fut métamorphosé en narcisse. || **narcissisme** 1894, Sachs-Villatte. || **narcissique** 1959, Robert.

narco-, gr. *narkê,* engourdissement. || **narcoanalyse** 1949, Lar. || **narcolepsie** 1880, *Gazette des hôpitaux ;* gr. *lepsis,* prise. || **narcose** 1823, *Dict. méd. ;* 1907, Lar., sens actuel ; gr. *narkôsis,* torpeur. || **narcotine** 1819, *Dict. méd.* || **narcotique** 1314, Mondeville ; lat. médiév. *narcoticus* (gr. *narkôtikos*). || **narcotiser** 1874, Lar.

nard 1219, *Fet des Romains* (*narde*), n. f. ; XVe s. (*nard*), n. m. ; lat. *nardus,* du gr. *nardos,* d'orig. orientale (hébreu *nerd*). || **nardet** fin XVIIIe s., chiendent.

narguer 1450, Gréban, « être désagréable à » ; orig. provenç., du lat. pop. **naricāre,* nasiller, de *naris,* narine (v. NARINE) ; 1572, *Lettres A. de Bourbon,* v. intr., se moquer de ; fin XVIIe s., Saint-Simon, v. tr. || **nargue** 1552, Rab. ; déverbal.

narguilé 1823, Boiste (*narguillet*) ; 1839, Lamartine (*narghilé*) ; persan *narguileh,* de *narguil,* noix de coco (servant de flacon pour contenir l'eau que traverse la fumée).

***narine** 1112, *Voy. saint Brendan ;* lat. pop. **nārīna,* de *nāris,* narine.

narquois 1582, Tabourot, « rusé » ; 1842, Stendhal, malicieux ; 1640, Oudin, n. m., argot des filous, sens mod. par infl. de *narguer ;* mot d'argot désignant d'abord le « soldat maraudeur » (1590, Esnault), p.-ê. var. de *narquin* (XVIe s., *Saint Christophe*), de *arquin* (avec le *n* de *un* agglutiné, XVIe s., *id.*), « archer », de *arc.* || **narquoiserie** 1866, Veuillot.

narrer 1388, Runkewitz ; lat. *narrare.* || **narrateur** 1500, Molinet ; lat. *narrator.* || **narratif** 1440, Ch. d'Orléans ; lat. *narrativus.* || **narration** XIIe s., *Ysopet de Lyon ;* lat. *narratio.* || **narrativité** 1969, *l'Homme.* || **narratologie** 1972, Genette. || **inénarrable** XVe s. ; lat. *inenarrabilis* (*enarrare,* raconter en détail).

narthex 1721, Trévoux ; gr. eccl. *narthex,* portique en avant de la nef, dans la basilique latine ; au sens propre « férule », puis « cassette faite avec des tiges de férule », puis architectural.

narval 1625, Davity (*nahrval*) ; 1690, Furetière (*narval*) ; danois *narhval.*

nasal adj., 1363, Chauliac ; lat. *nasus.* || **nasaliser** 1868, L. || **nasalisation** *id.* || **nasalité** 1760, Thurot. || **dénasaliser** 1838, *Acad.* || **dénasalisation** début XXe s.

nasarde, nase, naseau, nasiller, nasitort V. NEZ.

***nasse** 1193, Hélinant ; XIIIe s., fig. ; lat. *nassa.*

natal XIIIe s., G., n. m., fête de l'année ; 1525, J. Lemaire de Belges ; lat. *natalis,* de *natus,* né (v. NOËL). || **natalité** 1868, L. || **nataliste** 1939, *Journ.* || **dénatalité** 1908, Roux. || **mortinatalité** V. MORT. || **néonatal** 1963, Lar. || **prénatal** 1907, Lar.

natation 1571, H. Fierabras ; lat. *natatio,* de *natare,* nager. || **natatoire** fin XIIe s., Herman de Valenciennes, « où l'on peut nager » ; 1581, Du Choul, « qui concerne la natation » ; bas lat. *natatorius.*

natif 1360, Froissart, adj. ; 1556, Bonivard, n. ; lat. *nativus* (v. NAÏF). || **nativité** 1120, *Ps. d'Oxford* (*nativited*), génération ; 1138, Gaimar (*nativité*), fête anniversaire, et naissance du Christ ; lat. *nativitas ;* aussi « naissance », jusqu'au XVIIIe s., puis spécialisé dans le lexique ecclésiastique. (V. NAÏF.) || **nativisme** 1888, Lar.

nation 1120, *Ps. d'Oxford* (*naciuns*), peuple infidèle ; 1160, Benoît (*nation*), « naissance, extraction » ; 1220, *Saint-Graal,* sens actuel ; lat. *natio,* de *natus,* né. || **national** 1534, *Doc.* (*nacionnal*) ; 1550, Meigret (*national*). || **nationale** n. f., 1947, *Doc.,* route nationale. || **nationalement** 1739, Brunot. || **nationaliser** 1793, *l'Ami du peuple ;* 1842, Pecqueur, écon. || **nationalisation** fin XVIIIe s., Frey. || **nationalisme** 1798, Brunot ; probablem. d'après angl. *nationalism.* || **nationaliste** 1874, Lar. ; d'après angl. *nationalist.* || **national-socialisme** 1932, Lar. ; allem. *Nationalsozialismus.* || **national-socialiste** *id.* || **nationalité** 1778, Rousseau, sentiment national ; 1868, L., sens actuel. || **nazi** 1932, Lar. ; mot allem., abrév. de *national-sozialist,* du nom du parti fondé en Allemagne par Adolf Hitler. || **nazisme** *id.* || **antinational** 1743, Trévoux. || **dénationaliser** début XIXe s. || **international** 1801, Mackenzie, adj. ; 1871, Frankel, n. m. || **internationale** n. f., 1871, Noblet. || **internationalement** 1870, Testut. || **internationaliser** 1845, Radonvilliers. || **internationalisation** 1845, Radonvilliers. || **internationalisme** 1845, Radonvilliers. || **internationaliste** 1871, B. Malon. || **internationalité** 1845, Radonvilliers.

natron 1665, Colbert ; mot esp., de l'ar. *natroûn.* || **natrium** 1842, *Acad.,* forme lat. de *natron.*

***natte** 1050, *Alexis* (*nate*) ; bas lat. *natta* (VIe s., Grég. de Tours), altér. de l'hébreu *mittah,* couverture. || **natter** 1344, *Actes normands.* || **nattier** 1292, Géraud. || **dénatter** 1680, Richelet.

naturaliser, naturalisme V. NATUREL.

nature 1119, Ph. de Thaon ; lat. *natura ; nature morte,* 1752, Brunot ; adj., 1808, *Doc.* || **naturante** 1253, Grosseteste. || **naturé** *id.* || **naturisme** 1778, Planchon, philos. ; 1845, Besch., hygién. ; 1896, M. Le Blond, litt. || **naturiste** 1840, Sainte-Beuve, philos. ; 1845, Besch., hygién. ; 1855, Goncourt, « réaliste » ; 1896, M. Le Blond, litt. || **dénaturer** 1190, *saint Bernard,* s'altérer, v. intr. ; 1752, Trévoux, v. tr. || **dénaturé** adj., XIIIe s. || **dénaturant** 1873, *Gazette des tribunaux.* || **dénaturation** 1859, Mozin.

naturel 1119, Ph. de Thaon (*natural*) ; 1130, *Eneas* (*naturel*) ; XVe s., Bassompierre, n. m., « complexion, tempérament » ; 1587, La Noue, habitant du pays. ; lat. *naturalis* || **naturellement** 1130, *Eneas,* d'une manière naturelle ; 1681, Sévigné, bien entendu. || **naturaliser** 1471, Bartzsch. || **naturalisation** 1566, *Mémoires Acad.* || **naturalisme** 1584, J. Bodin, philos. ; 1847, Didron, beaux-arts ; 1858, *Journ. des débats,* litt. || **naturaliste** 1527, Dassy, hist. nat. ; 1580, Montaigne, philos. ; 1675, Testelin, beaux-arts, « réaliste » ; 1868, Zola, litt. || **antinaturel** 1789, *Doc.* || **extranaturel** XIXe s., Th. Gautier. || **supernaturel** 1375, R. de Presles. || **supernaturalisme** 1845, Besch. || **supernaturaliste** 1854, Nerval. || **supranaturalisme** 1845, Besch. || **supranaturaliste** 1845, Besch. || **surnaturel** 1552, Vaganay. || **surnaturellement** 1554, Rab. || **surnaturalisme** 1855, Baudelaire. || **surnaturaliste** 1846, Baudelaire.

naufrage début XVe s. (*naffrage*) ; 1461, G. (*nauffraige*) ; 1549, R. Est. (*naufrage*) ; lat. *naufragium,* de *navis,* bateau, et *frangere,* briser. || **naufrager** 1530, Palsgrave. || **naufragé** XIIIe s., *Apollonius.* || **naufrageur** 1874, Lar.

naumachie 1520, trad. de Suétone ; lat. *naumachia,* mot gr., de *naûs,* navire, et *makhê,* combat.

naupathie 1878, Lar. ; gr. *naûs,* navire, et *pathos,* ce qu'on éprouve.

nausée 1495, G. ; lat. *nausea,* mal de mer, du gr. *nausia,* de *naûs,* bateau (v. NOISE). || **nauséabond** 1761, Valmont ; lat. *nauseabundus.* || **nauséeux** 1793, *Bull. des sciences.*

nautile 1562, du Pinet ; lat. *nautilus,* du gr. *nautilos,* matelot, de *naûs,* bateau.

nautique 1502, O. de Saint-Gelais ; lat. *nauticus,* du gr. *nautikos,* de *nautês,* matelot, sur *naûs,* bateau. || **nautisme** 1963, Lar. || **motonautique, motonautisme** v. MOTO 1.

nautonier 1119, Ph. de Thaon (*notuner*) ; 1155, Wace (*notonier*) ; XVe s. (*nautonier,* d'après l'orth. lat.) ; anc. prov. *nautonier,* matelot, de *noton,* du lat. pop. **nauto, nautonis,* en lat. class. *nauta,* gr. *nautês.*

navaja 1843, Gautier, couteau à lame effilée ; mot espagnol.

naval 1300, *Antidotaire Nicolas ;* lat. *navalis,* de *navis* (v. NEF, NAVIRE). || **navalisation** 1963, Lar.

navarin 1837, Balzac, culin. ; sans doute d'après le nom de la bataille de *Navarin* (1827).

navet XIIe s., de Audigier ; 1867, Delvau, mauvais tableau ; diminutif de l'ancien français *nef* (1190, Garnier), n. m., navet, du lat. *napus,* éliminé à cause de l'homonymie avec *nef,* n. f., navire. || **navette** 1323, *D. G.*

1. **navette** V. NAVET.

2. **navette** (*de tisserand*) XIIIe s., *D. G.,* empl. fig. de *navette,* dér. de *nef* (v. ce mot) ; XIVe s., Laborde, vase d'église ayant la forme d'un petit navire ; *faire la navette,* v. 1750, Saint-Simon.

navicule fin XVe s., « petite barque » ; 1827, *Dict. hist. nat.,* bot. ; lat. *navicula,* dimin. de *navis,* navire (v. NEF). || **naviculaire** 1363, Chauliac. || **navicelle** 1688, *Doc. ;* ital. *navicella,* petit bateau.

naviguer 1308, Aimé (var. *naviger,* XVIIe-XVIIIe s.) ; fig., début XXe s. ; lat. *navigare.* || **navigable** 1448, *Doc.* || **navigabilité** 1823, Boiste. || **navigant** n. m., 1525, J. Lemaire de Belges, « navigateur » ; 1923, Lar., aéron. || **navigateur** 1557, Vaganay, marin. || **navigation** 1265, J. de Meung. (V. CIRCUMNAVIGATION, NAGER.)

navire 1080, *Roland* (*navilie*) ; 1130, *Eneas* (*navire*) ; genre hésitant du XVe s. au XVIIe s. ; bas lat. **navilium,* altér. de *navigium,* embarcation (qui a donné en anc. fr. *navoi, navie*) ; le terme a dû être refait sur les mots en *-lium* plus nombreux en lat. ; en anc. fr., « flotte » et « bateau » ; a remplacé dans ce sens l'anc. fr. *nef.* (V. NAVAL, NEF.) || **navire-citerne** 1949, Lar. || **navire-hôpital** 1932, Lar.

navrer 1080, *Roland* (*nafrer*) ; fin XIe s., *Chanson Guillaume* (*navrer*), « blesser physiquement » ; 1538, R. Est., sens moral ; anc. norrois *nafarra,* « percer » (*nafarr,* tarière). || **navrant** 1787, Féraud. || **navrance** 1885, Adam. || **navrement** 1831, *Némésis.*

nazi V. NATION.

***ne** 842, *Serments* (non) ; fin IXe s., *Cantilène sainte Eulalie* (*no*) ; 980, *Valenciennes* (*ne*) ; forme proclitique du lat. *non* (v. NON). || **nenni** 1130, *Chanson de Guillaume* (*nenil*) ; XVe s., G. (*nenny*) ; de *nen il* (forme atone de *non*), avec le verbe *faire* sous-ent., phrase servant de réponse négative. (V. OUI.)

néanmoins V. NÉANT.

***néant** 1050, *Alexis* (*neient*) ; 1175, Chr. de Troyes (*néant*) ; lat. pop. **ne gentem,* de *ne,* particule négative, et de *gens, gentis,* ensemble d'êtres vivants. || **anéantir** 1120, *Ps. d'Oxford* (*aniantir*) ; v. 1580, Montaigne (*anéantir*). || **anéantissement** 1309, G. || **néantise** 1500, *Doc.* || **néantiser** 1936, Berdiaeff. || **néanmoins** 1160, Benoît (*naient moins*) ; 1549, Marguerite de Navarre (*néanmoins*) ; de *néant,* en rien, et *moins.*

nébuleux 1270, Mahieu le Vilain (*nébuleus*) ; lat. *nebulosus,* de *nebula,* brouillard. || **nébuleuse** n. f., 1642, Blaeu, astron. || **nébulisation** 1970, *Journ.* || **nébuliseur** 1963, Lar. || **nébulosité** 1488, *Mer des hist. ;* lat. *nebulositas.*

nécessaire 1119, Ph. de Thaon ; lat. *necessarius ;* n. m., 1530, Palsgrave. || **nécessairement** XIIIe s., G. || **nécessité** 1120, *Ps. d'Oxford,* « détresse » ; 1212, Anger, obligation ; 1155, Wace, caractère inéluctable ; lat. *necessitas.* || **nécessiter** XIVe s., contraindre ; lat. médiév. *necessitare.* || **nécessitant** 1544, M. Scève. || **nécessiteux** 1308, Aimé, dénué de ; 1422, A. Chartier, qui manque du nécessaire.

nec plus ultra 1652, Scarron (*non plus ultra*) ; 1728, Marivaux (*nec plus ultra*) ; loc. lat. signif. « (et) pas plus outre ».

nécro-, gr. *nekros,* mort. || **nécrobie** 1785, Olivier ; gr. *bios,* vie. || **nécrologe** 1646, *D. G. ;* lat. médiév. *necrologium,* du lat. *eulogium,* épitaphe (v. ÉLOGE). || **nécrologie** 1704, Trévoux.

|| **nécrologique** 1784, *Journ. de méd.* || **nécrologue** 1828, Mozin. || **nécromancie** 1119, Ph. de Thaon (*nigromancie*) ; XIVe s., Mondeville (*nécromancie*) ; lat. impér. *necromantia* (Ier s., Pline), du gr. *nekromanteia,* sur *manteia,* prédiction. || **nécromancien** milieu XIIIe s. (*nigremanchien*) ; 1360, Froissart (*nigromancien*) ; 1512, Lemaire (*nécromancien*) ; 1547, R. d'Anjou (*nécromant*) ; 1560, Paré (*nécromancien*). || **nécrophage** 1802, Latreille. || **nécrophile** 1963, Lar. || **nécrophilie** 1861, Monneret. || **nécrophore** 1790, Olivier (*nicrophore*) ; 1802, Walckenaer (*nécrophore*) ; gr. *nekrophoros,* qui porte les morts. || **nécropole** 1834, *Revue britannique* (*nécropolis*) ; 1836, Landais (*nécropole*) ; gr. *nekropolis,* ville des morts, qui désigna, selon Strabon, la nécropole souterraine d'Alexandrie. || **nécropsie** 1830, *Dict. méd. ;* gr. *opsis,* vue. || **nécrose** 1695, Le Clerc ; gr. *nekrôsis,* mortification, avec un sens différent. || **nécroser** 1780, *Hist. soc. royale de méd.*

nectar 1525, J. Lemaire de Belges, « breuvage des dieux » ; lat. *nectar* (gr. *nektar*) ; 1550, Ronsard, fig. || **nectaire** 1749, Dalibard (*nectarium*) ; 1768, Bomare (*nectaire*) ; lat. bot. *nectareum.* || **nectarifère** 1842, *Acad.* || **nectarine** 1907, Lar.

***nef** 1050, *Alexis,* « navire » (jusqu'au XVIe s.) ; lat. *navis ;* 1155, Wace, nef d'église. (V. NAVETTE 2, NAVIRE.) || **avant-nef** 1752, Trévoux. || **contre-nef** 1831, V. Hugo. (V. NAVIRE.)

néfaste 1355, Bersuire (*nefauste,* par confusion avec le lat. *faustus,* heureux) ; 1535, G. de Selve (*néfaste*), d'abord hist. romaine ; 1762, *Acad.,* « funeste » ; lat. *nefastus,* interdit par la loi divine, spécialisé pour les jours où il était défendu de rendre la justice ou de tenir des assemblées. (V. FASTES.)

***nèfle** fin XIe s., *Gloses de Raschi* (*nesple*) ; 1240, G. de Lorris (*nèfle*) ; lat. pop. *mespila,* pl. neutre., devenu fém. sing., de *mespilum,* du gr. *mespilon* (avec *n* dû à une dissimilation, et passage de *p* à *f,* obscur). || **néflier** XIIIe s., *Renart.*

négateur, négatif, etc. V. NIER.

négliger 1355, Bersuire ; lat. *negligere.* || **négligé** adj., 1640, Oudin ; n. m., 1687, Dancourt. || **négligeable** 1843, Landais (*négligible,* 1836, Landais). || **négligence** 1120, *Ps. de Cambridge,* insuffisance ; 1640, Richelet, manque de travail ; 1657, Tallemant, sens actuel ; lat. *negligentia.* || **négligent** 1180, *Girart de Roussillon ;* lat. *negligens.* || **négligemment** fin XIIe s., *Dial. Grégoire.*

négoce 1190, *Dial. Grégoire* (*négoces,* n. m. pl.), « activité, affaires » ; début XVIe s. (*négoce*), « affaire, chose à faire » ; 1617, *Coutumes,* trafic, commerce ; lat. *negotium,* occupation, négoce, de *otium,* loisir, et du préf. négatif *neg-.* || **négocier** 1370, Oresme, faire du commerce ; 1559, Amyot, débattre, discuter ; XXe s., *négocier un virage ;* lat. *negotiare.* || **négociable** 1675, Savary. || **négociabilité** 1771, Trévoux. || **négociant** 1550, *Arch. ;* lat. *negotians,* peut-être d'après l'ital. *negoziante.* || **négociateur** XIVe s., du Cange, « régisseur » ; lat. *negociator ;* 1578, d'Aubigné, sens mod. || **négociation** 1323, Fagniez, « affaire » ; 1330, Digulleville, occupation ; milieu XVIe s., action de s'entremettre ; lat. *negociatio.*

nègre 1529, Parmentier ; esp. ou port. *negro,* noir (repris sous la forme orig. au XIXe s., fam.) ; 1611, Cotgrave, adj. de couleur ; 1757, Brunot, « collaborateur », fam. ; *petit-nègre,* n. m., 1877, *le Charivari.* || **négresse** 1637, Saint-Lô. || **négrillon** 1714, M. de Saint-Rémy. || **négrerie** 1681, Struys. || **négrier** 1685, *Ordonn.* || **négrille** 1677, Solleysel. || **négroïde** 1874, Lar. || **négritique** 1949, Lar. || **négritude** 1556, R. Le Blanc. || **négro** 1842, Stendhal. || **negro-spiritual** v. 1935 ; angl.-amér. *negro-spiritual* (1870), de *negro,* nègre, et *spiritual,* (chant) spirituel.

negundo ou **négondo** 1602, A. Colin ; mot port., du malais *ningud ;* sorte d'érable.

négus 1556, Temporal ; éthiopien *negûs,* roi.

***neiger** 1175, Chr. de Troyes (*negier*) ; 1538, R. Est. (*neiger*) ; lat. pop. **nīvĭcare,* en lat. class. *nivere.* || **neige** 1320, Watriquet (*naige*) ; 1921, Esnault, héroïne ; a remplacé l'anc. fr. *neif, noif* (1080, *Roland*), du lat. *nix, nivis ;* 1680, Richelet, fig., pâtisserie ; *neige éternelle,* 1585, Ronsard ; *neige fondue,* fin XVIe s., Haton ; *boule de neige,* 1607, Hulsius. || **neigeoter** 1861, Goncourt. || **neigeux** 1552, R. Est. || **enneigé** 1160, Benoît. || **enneigement** 1873, Tolhausen.

nelumbo 1765, *Encycl. ;* mot cinghalais ; plante aquatique.

némat(o)-, gr. *nêma, nêmatos,* fil. || **némathelminthes** 1888, Lar. || **nématoblaste** 1903, Lar. || **nématocyste** 1888, Lar. ; gr. *kustis,* vessie. || **nématodes** 1837, Raciborski ; gr. *nêmatôdes.*

némoral 1570, Liébault ; lat. *nemoralis,* de *nemus, nemoris,* forêt.

nemrod 1861, Scribe ; de *Nemrod,* personnage biblique.

néné 1842, Esnault, sein de femme ; rad. expressif. || **nénette** 1955, Ikor.

nénies XVIe s., Huguet (*naenies*) ; 1639, Chapelain (*nénie*) ; lat. *nenia,* lamentation.

nenni V. NE.

nénuphar XIIIe s., *Simples Méd.* (*nénufar*) ; 1560, Paré (*nénuphar*) ; mot du lat. médiév., de l'ar. *nīnūfar.*

néo-, gr. *neos,* nouveau ; les composés formés avec un mot français ont eu longtemps le second radical séparé de *néo* par un trait d'union. || **néocomien** 1836, Thurmann ; de *Neocomium,* nom lat. de *Neuchâtel,* ville de Suisse. || **néodyme** 1923, Lar., sur *didyme.* || **néolithique** 1866, Lubbock ; gr. *lithos,* pierre. || **néologisme** 1735, *Pour et contre ;* gr. *logos,* discours, parole. || **néologique** 1726, Desfontaines. || **néologue** *id.* || **néologiste** 1823, Boiste. || **néologie** 1759, Richelet. || **néoménie** 1495, J. de Vignay ; lat. eccl. *neomenia,* du gr. *neomênia, noumênia,* de *mên,* mois. || **néon** 1898, Ramsay ; gr. *neon,* neutre de *neos.* || **néophyte** 1495, Vignay (*neofite*) ; 1639, Chapelain (*néophyte*) ; lat. eccl. *neophytus* (IIIe s., Tertullien), du gr. *neophutos,* proprem. « nouvellement engendré », de *phueîn,* faire naître. || **néoplasie** 1863, Graves ; gr. *plasis,* formation. || **néozoïque** 1868, L. ; gr. *zôon,* être vivant. || **néo-capitalisme** 1965, *Journ.* || **néo-catholicisme, néo-catholique** 1833, Buchez. || **néo-celtique** 1874, Lar. || **néo-classicisme, néo-classique** fin XIXe s. || **néo-colonialisme, néo-colonialiste** 1963, Lar. || **néo-cor** 1874, Lar. || **néo-criticisme** 1854, Renouvier. || **néo-grec** 1845, Besch. || **néo-latin** 1836, Raynouard. || **néo-platonicien, néo-platonisme** 1836, Landais. || **néo-positivisme** 1908, Lar. || **néo-réalisme, néo-réaliste** 1935, litt. ; 1945, cinéma. || **néo-thomisme** 1897, Lar.

néolithique, néologisme, néon, néophyte V. NÉO-.

nèpe 1762, E. L. Geoffroy ; lat. *nepa,* scorpion, mot africain.

népenthès 1552, Ronsard (*népenthe*) ; 1555, Belon (*nepenthes*) ; 1721, Trévoux (*népenthès*) ; gr. *nêpenthês,* « drogue qui dissout les maux » ; d'abord sens étym., puis XVIIIe s., bot.

népète XIIIe s. (*nepte*) ; 1694, Th. Corn. (*népéta*) ; 1827, *Acad.* (*népète*), bot. ; lat. *nĕpĕta.*

néphélion 1765, *Encycl. ;* gr. *nephelion,* petit nuage. || **néphélémétrie** 1932, Lar.

néphr(o)-, gr. *nephros,* rein. || **néphrectomie** 1888, Lar. || **néphrétique** 1398, *Somme Gautier* (*nefretique*) ; 1560, Paré (*néphrétique*) ; lat. méd. *nephriticus,* du gr. *nephritikos.* || **néphridie** 1924, Poiré ; gr. *nephridios,* « qui concerne le rein ». || **néphrite** 1802, *Dict. sciences méd. ;* gr. *nephritis* (*nosos*), (maladie) des reins ; a remplacé le moyen fr. *néphrésie* (1557) et le fr. *néphrétie* (1772, *Dict. méd.*). || **néphropexie** 1932, Lar. || **néphrose** 1953, Lar. || **néphrostomie** 1932, Lar.

néphrétique, néphrite V. NÉPHR(O)-.

népotisme 1653, Guez de Balzac, faveur dont jouissent les neveux des papes ; 1800, Brunot, sens mod. ; ital. *nepotismo,* var. de *nipotismo,* de *nipote,* neveu, du lat. *nepos, nepotis.*

***nerf** 1080, *Roland,* « ligament des muscles » ; 1559, Amyot, techn. et « vigueur du style » ; 1314, Mondeville, filament nerveux, d'après le lat. ; 1534, Rab., vigueur ; *avoir ses nerfs,* 1850, Balzac ; lat. *nervus,* ligament, tendon, et au fig. « force ». || **nervé** 1351, G. || **nervation** 1800, Bulliard. || **nervure** 1388, Froissart, lien de cuir ; 1719, *Mém. Acad. sciences,* pour une feuille. || **nervuré** 1875, L. || **dénerver** XVe s. || **innervation** 1826, Broussais, « effets nerveux » ; 1907, Lar., répartition des nerfs. || **innerver** 1877, L., sens propre ; fig. 1833, *journ.* || **nervin** n. m., fin XIVe s., corde ; adj., 1710, Trévoux, méd. ; lat. *nervinus,* « relatif aux nerfs ». || **nerf de bœuf** XVe s. || **nerveux** 1256, Ald. de Sienne, « fort physiquement » ; 1678, Lamy, « qui a rapport aux nerfs » ; 1788, Buchan, « qui a les nerfs irritables » ; lat. *nervosus,* au pr. et au fig. || **nervosité** 1553, Vaganay, force ; 1838, *Acad.,* sens mod. ; lat. *nervositas* || **nervosisme** 1858, Nysten. (V. ÉNERVER.)

nérinée 1842, *Acad. ;* gr. *Nereos,* dieu de la Mer.

néritique 1932, Lar. ; gr. *nêritês,* coquille de mer.

néroli 1672, Colbert, essence d'oranger ; du nom d'Anne-Marie de La Trémoille, femme de Flavio Orsini, prince de *Nerola,* qui a souvent adopté ce parfum.

***nerprun** 1206, Guiot de Provins (*noirbrun*) ; 1501, Delb. (*nerpruin*) ; lat. pop. *niger prunus,* prunier noir (en lat. class. *nigra prunus,* les noms d'arbres étant fém.).

nerveux, nervosité, nervure V. NERF.

nervi 1804, rapport du préfet des Bouches-du-Rhône, arg. marseillais ; v. 1950, tueur à gages ; ital. *nervi,* pl. de *nervo,* tendon, vigueur, d'où « homme vigoureux » (v. le même processus dans *mercanti*).

nestor fin XVIe s., Brantôme ; du nom d'un vieillard de *l'Iliade,* réputé pour sa sagesse.

nestorien XIIIe s., Ernoul (*nestorin*) ; 1868, L. (*nestorien*) ; du nom de *Nestorius,* patriarche de Constantinople au Ve s. || **nestorianisme** 1827, *Acad.*

***net** 1120, *Ps. de Cambridge ;* 1690, Furetière, pur ; lat. *nĭtĭdus.* || **nettement** 1190, Garnier, purement ; 1680, Richelet, sens actuel. || **netteté** 1120, *Ps. de Cambridge.* || ***nettoyer** 1175, Chr. de Troyes (*netoiier, netteier*) ; lat. pop. **nitidiare ; se nettoyer,* XIIIe s., R. de Houdenc. || **nettoyage** 1344, *Actes normands* (*nestiage*) ; 1420, G. (*nettoyage*). || **nettoiement** 1190, *saint Bernard* (*nattiement*) ; 1377, Lanfranc (*nettoiement*). || **nettoyeur** fin XVe s. || **nettoyant** n. m., 1960, Simenon.

1. ***neuf** numéral, 1119, Ph. de Thaon (*nof*) ; 1175, Chr. de Troyes (*nuef*) ; XIIIe s. (*neuf*) ; lat. *nŏvem.* || ***neuvième** fin XIIe s. (*nuevieme*) ; 1213, *Fet des Romains* (*noviesme*) ; 1550, Meigret (*neuvvieme*) ; a remplacé l'anc. fr. *noefme* (1080, *Roland*), du lat. pop. **nŏvĭmus,* qui, par analog. de *decimus* sur *decem,* dix, ou de *septimus* sur *septem,* sept, avait remplacé le lat. class. *nōnus.* || **neuvièmement** 1479, Vaganay. || **neuvaine** 1138, Gaimar (*nofaine*) ; 1364, Coyecque (*nouvenne*) ; 1611, Cotgrave (*neuvaine*). [V. NONAGÉNAIRE, NONANTE, NOVEMBRE.]

2. ***neuf** adj., 980, *Passion* (*nous*) ; XIIe s. (*nuef*) ; XIIIe s. (*neuf*) ; fin XVIIe s., sans préjugés ; 1360, Froissart, sans expérience ; lat. *nŏvus,* nouveau, neuf. || **novation** 1307, G. (*novacion*), jurid. ; lat. *novatio,* de *novare,* renouveler. || **novateur** 1578, Despence ; lat. *novator,* de *novare.* || **innover** 1315, Soudet ; lat. *innovare.* || **innovation** 1297, Delb. ; lat. *innovatio.* || **innovateur** 1500, Molinet. || **nova** 1923, Lar., astron., fém. de *novus* (s.-e. *stella,* étoile). || **rénover** XIIIe s. ; lat. *renovare.* || **rénovateur** 1555, Vaganay (*rénovatrice*) ; 1660, Oudin (*rénovateur*) ; bas lat. *renovator.* || **rénovation** fin XIIIe s. ; lat. *renovatio.* (V. NOUVEAU.)

neume XIIIe s., Tobler-Lommatzsch, mus. ; lat. médiév. *neuma,* altér. de *pneuma,* du gr. *pneuma,* souffle.

neur(o)-, névr(o)-, gr. *neuron,* nerf. || **neural** 1888, Lar. || **neurasthénie** 1888, Lar. (1859, Mozin, *névrasthénie*). || **neurasthénique** 1888, Lar. || **neurinome** 1963, Lar. || **neuroblaste** 1932, Lar. || **neurochirurgie** 1953, Lar. || **neurogène** 1843, Landais. || **neuroleptique** 1961, Delay ; gr. *lêptos,* qu'on peut saisir. || **neurologie** 1691, Burnet (1690, Furetière, *névrologie*). || **neurologique** 1932, Lar. || **neurologue** 1907, Lar. (1838, *Acad., névrologue*). || **neurologiste** 1896, Guinon. || **neuronal** 1966, Vic-Dupont. || **neurone** 1896, *Archives.* || **neurophysiologie** 1967, Robert. || **neuropsychiatrie** 1957, Piéron. || **neuropsychologie** 1957, Piéron. || **neurotonie** 1953, Lar. || **neurotoxine** 1932, Lar. || **neurovégétatif** 1963, Lar. || **neurula** 1963, Lar. || **aneurine** 1953, Lar. || **névralgie** 1801, Chaussier. || **névralgique** *id. ;* fig., 1932, Lar. || **antinévralgique** 1850, Dorvault. || **névrilème** 1822, *Nouveau Dict. méd. ;* gr. *eilêma,* enveloppe. || **névrite** 1824, *Dict. abrégé méd.* || **névritique** 1694, Th. Corn., remède contre les affections nerveuses ; 1903, Lar., « qui a rapport à la névrite ». || **polynévrite** 1894, Charcot. || **névroglie** 1869, Virchow. || **névropathie** 1845, Besch. || **névropathique** 1834, Broussais. || **névropathe** 1877, L. || **névroptères** 1764, Valmont. || **névrose** 1785, Pinel. || **névrosé** 1857, Monneret. || **névrosique** 1842, *Acad.* || **névrotique** 1793, Lavoisien. || **névrosisme** 1878, Lar. || **névrotomie** 1745, James, dissection des nerfs ; 1803, Wailly, section d'un nerf.

neutre 1360, Froissart, qui ne prend pas parti ; 1370, Oresme, qui passe inaperçu ; 1743, *Mém. Acad. sciences,* chim. ; 1420, *Doc.,* gramm. ; 1821, *Mém. Acad. sciences,* électr. ; lat. *neuter,* ni l'un ni l'autre. || **neutraliser** 1564, J. Thierry, « rester neutre » ; 1606, Crespin, « déclarer neutre » ; 1776, *Encycl.,* chim. ; début XIXe s., électr. ; lat. *neutralis.* || **neutralisation** 1778, Montmorin ; 1795, polit. ; début XIXe s., électr. || **neutralisant** 1812, Mozin, n. m., chim. || **neutraliste** 1916, Lar. || **neutralisme** 1939, *Journ.* || **neutralité** 1360, Froissart ; XIXe s., chim. ; adj. lat. *neutralis* (qui a donné au XVIe s. *neutral,* inus. après 1600). || **neutrino** v. 1940. || **neutron** 1932, Joliot. || **neutronique** 1963, Lar. || **neutrophile** 1903, Lar.

névé 1842, *Un million de faits ;* savoyard *névi,* n. m., amas de neige, du lat. *nix, nivis,* neige.

***neveu** 1080, *Roland* (*niés,* cas sujet ; *nevout,* cas oblique) ; 1175, Chr. de Troyes (*neveu*) ; lat. *nĕpos, nepōtis,* petit-fils, puis en lat. impér. « neveu » (IIe s. apr. J.-C., Suétone). || **arrière-neveu** 1570, Montaigne. || **petit-neveu** 1598, *Coutumes.* || **arrière-petit-neveu** 1751, *Encycl.* (V. NÉPOTISME, NIÈCE.)

névr(o)- V. NEUR(O)-.

new-look 1947, Gilbert ; mot anglo-américain, de *new,* nouveau, et *look,* aspect.

***nez** 1080, *Roland* (*nes*) ; 1314, Mondeville (*nez*) ; lat. *nasus.* || **nase** 1835, Raspail, pop. ; sans doute ital. *naso.* || **nasal** n. m., 1080, *Roland* (*nasel*) ; 1155, Wace (*nasal*), partie du casque protégeant le nez ; adj., 1363, Chauliac (v. ce mot). || **nasarde** 1532, Rab. (*nazarde*). || **nasarder** 1537, Marot. || **nasard** 1519, G., mus. || **naseau** 1540, Marot. || **nasiller** 1575, Baïf (distinct de l'anc. fr. *narillier, nasillier,* se moucher, de *narille,* du lat. pop. **naricem,* de *naris,* v. NARINE) ; dér. de *nez* ou du lat. *nasus.* || **nasillard** 1654, Brunot. || **nasillement** 1799, Marmontel. || **nasilleur** 1680, Richelet. || **nasillonner** 1720, *Recueil Clairambault.* || **nasique** 1789, Lacépède. || **nasonner** 1743, Trévoux. || **nasonnement** 1834, Landais. || **énaser** 1160, Benoît. || **nasitort** 1536, Rab. (*nasitord*) ; lat. *nasus,* nez, et *tortus,* tordu (le goût fort de ce cresson fait froncer le nez).

***ni** 842, *Serments* (*ne*) ; début XIIIe s. (*ni*) ; lat. *nec,* « et... ne... pas », empl. à l'atone ; *ni* s'est développé d'abord devant *icelui, icelle,* etc.

***niais** 1175, Chr. de Troyes (*nies*), naïf, sot ; 1265, Br. Latini (*niais*), « qui a été pris au nid, qui ne sait pas encore voler (faucon) » ; lat. pop. **nīdax, nidacis,* de *nidus,* nid. || **niaisement** 1596, Hulsius. || **niaiserie** 1550, G. || **niaiser** 1549, R. Est. (*niezer*) ; 1580, Montaigne (*niaiser*), agir en niais. || **déniaiser** 1549, R. Est., tromper ; 1596, Hulsius, « faire perdre sa niaiserie à » ; 1558, Des Périers, « faire perdre son innocence à ». || **déniaisement** 1636, Monet, même évol. de sens. || **déniaiseur** 1560, Paré.

nib 1800, Esnault ; abrév. de *nibergue,* rien, mot fourbesque d'orig. obscure.

nicaise 1675, La Fontaine ; du nom de *Nicaise,* rapproché par jeu de mots de *nigaud.*

niche V. NICHER.

***nicher** 1155, Wace (*nichier*) ; 1498, Commynes (*nicher*) ; lat. pop. **nīdĭcare,* de *nidus,* nid. || **niche** (*de statue*) 1395, *D. G.* ; déverbal de *nicher ;* 1697, Havard, réduit du chien. || **niche** début XIIIe s., *Roman de Renart,* « malice faite à quelqu'un » (pour d'autres, forme francisée de *nique,* dans *faire la nique,* v. ce mot). || **nichée** 1330, *Baudouin de Sebourg* (*nicee*) ; 1552, R. Est. (*nichée*). || **nichet** 1752, Trévoux. || **nichoir** 1680, Richelet. || **nichons** 1858, Larchey, pop., seins, nichés dans la chemise. || **dénicher** fin XIIe s., *Couronn. Loïs* (*desnichier*) ; 1552, R. Est. (*dénicher*). || **dénicheur** 1628, Auvray.

nickel 1753, *Encycl. ;* all. *Nickel,* nom donné par le Suédois Cronstedt au métal qu'il isola en 1751 ; d'après l'all. *Kupfernickel,* sulfure de nickel, de *Kupfer,* cuivre, et de l'all. dial. *Nickel,* « petit génie hantant les mines ». || **nickelage** 1844, *Annales des mines.* || **nickelé** 1845, Besch. ; *avoir les pieds nickelés,* 1894, Esnault, refuser de marcher. || **nickeler** 1852, Laboulaye. || **nickelure** 1875, *J. O.* || **nickélifère** 1818, *Dict. hist. nat.*

nicodème 1662, Brunot ; du nom d'un pharisien dans l'Évangile (Jean, III), devenu dans les mystères le type de l'homme borné. (V. NIGAUD.)

nicotine 1818, Riffault ; transformation, par changement de suff., de *nicotiane* (1564, Liébault), du lat. bot. mod. (*herba*) *nicotiana,* herbe de Nicot, tabac, du nom de *Nicot,* ambassadeur à Lisbonne, qui envoya cette plante à Catherine de Médicis en 1560. || **nicotinique** 1878, Lar. || **nicotique** 1845, Besch. || **nicotiniser** 1868, L. || **nicotinisme** 1867, *Doc.* || **dénicotiniser** fin XIXe s. || **dénicotinisation** 1905, *l'Illustration.* || **dénicotiniseur** XXe s.

nictation ou **nictitation** 1814, Nysten ; lat. *nictare,* clignoter, qui a donné l'anc. fr. *nicter,* cligner des yeux. || **nictitant** adj., 1868, L.

***nid** 1155, Wace (*ni*) ; XVe s., *Évangiles des quenouilles* (*nid*) ; *nid d'abeilles,* text., 1890, *D. G. ;* lat. *nīdus* || **nidation** 1932, Lar. || **nid-de-poule** 1932, Lar. || **nid-d'hirondelle** 1868, L. || **nidifier** 1190, Garn. ; lat. *nidificare,* sur *facere,* faire. || **nidification** 1778, Buffon. || **nidifuge** 1963, Lar. || **nidulaire** début XIXe s. || **nidulant** 1838, *Acad.* || **nitée** 1668, La Fontaine.

nidoreux 1611, Cotgrave ; lat. *nidorosus,* de *nidor.*

***nièce** 1155, Wace ; lat. pop. *neptia,* en lat. class. *neptis,* fém. de *nepos.*

1. ***nielle** n. f., fin XIe s., *Gloses de Raschi* (*neelle*) ; XIIIe s. (*nielle,* d'après le lat.), nom de plante ; 1538, R. Est., maladie du blé (dont les épis noircissent) ; lat. *nigella,* fém. substantivé de *nigellus,* noirâtre, de *niger,* noir (d'après la couleur des graines). || **niellé** 1538, R. Est. (*niellé*), céréale gâtée. || **niellure** 1558, Ch. Morel. || **énieller** 1907, Lar.

2. **nielle** V. NIELLER.

***nieller** fin XIe s., *Gloses de Raschi* (*neeler*), décorer de nielles ; 1611, Cotgrave (*nieller*) ; de *neel* (XIe s.), émail noir ; lat. *nigellus,* noirâtre, de *niger,* noir. || **nielle** n. m., 1823, Boiste, gravure ; ital. *niello.* || **niellure** 1170, *Floire et Blancheflor* (*neeleure*) ; 1611, Cotgrave (*nelleure*) ; 1812, Mozin (*niellure*). || **nielleur** 1826, J. Duchesne.

***nier** 980, *Passion* (*neier*) ; 1265, Br. Latini (*nier*), renier ; 1130, *Eneas,* déclarer qu'une chose n'est pas vraie ; 1175, Chr. de Troyes, « refuser » (jusqu'au XVIIe s.) ; lat. *nĕgare :* le *i* est une généralisation des formes toniques, évitant la confusion avec *noyer.* || **niable** 1662, *Logique de Port-Royal.* || **négation** 1190, Garn. ; lat. *negatio ;* 1370, Oresme, gramm. || **négateur** 1752, Trévoux ; lat. *negator.* || **négatif** XIIIe s., « qui sert à nier » ; bas lat. *negativus ;* 1550, Meigret, « qui exprime la négation » ; 1638, Beaugrand, math. ; 1852, Laboulaye, n. m., phot. || **négative** n. f., 1283, Beaumanoir ; bas lat. *negativa* (IVe s., Donat). || **négativement** 1380, Conty. || **négativité** 1838, *Acad.* || **négativisme** 1869, Blanqui. || **négaton** 1939, *Annales chimie ;* de *négatif,* par anal. avec *électron.* || **négentropie** 1967, Piaget. || **renier** fin IXe s., *Cantilène sainte Eulalie* (*raneier*), apostasier ; 1160, Benoît (*renier*), rejeter ; *se renier,* XIIIe s. || **reniement** 1160, Benoît. (V. DÉNIER.)

nigaud 1500, La Curne ; dim. fam. de *nicodème* (v. ce mot), avec la prononc. *nigodème.* || **nigauderie** 1548, Sibilet. || **niquedouille** 1654, Cyrano, var. *niguedouille* (1763, Panard), avec le suff. péjor. *-ouille,*.

nigelle 1538, R. Est. ; lat. *nigella,* qui a donné aussi *nielle* (v. ce mot).

night-club 1935, *Journ. ;* mot anglo-américain, de *night,* nuit, et *club.*

nigritique V. NOIR.

nihiliste 1761, Crevier, hérétique qui ne croit pas à l'existence humaine de Jésus-Christ ; 1793, Brunot, polit. ; lat. *nihil,* rien. || **nihilisme** 1787, *Corresp. litt.,* philos. ; 1871, Delpit, polit.

nilgaut 1670, Bernier ; persan *nilgâw,* « bœuf (*gao*) bleu (*nil*) ». (V. ANILINE.)

nille début XIVe s., G. (*neille*), déglutination de *anille,* du lat. *anaticula,* petit canard.

nimbe 1692, d'après Trévoux ; lat. *nimbus,* nuage, au sens fig. d'« auréole ». || **nimbé** 1874, Lar. || **nimber** 1876, *J. O.* || **nimbus** 1868, L., météor. || **cumulo-nimbus** 1891, Angot. || **nimbo-stratus** 1932, Lar.

ninas fin XIXe s. ; esp. *niñas,* fém. pl. de *niño,* enfant.

niobium 1868, L. ; all. *Niobium,* mot créé en 1844 par le chimiste H. Rose, du nom de *Niobé,* fille de Tantale, dans la mythol. gr. ; a remplacé le mot *colombium.* || **niobique** 1868, L.

nippe 1605, H. de Santiago ; altér. de *guenipe,* forme dial. de *guenille* (v. ce mot). || **nipper** 1718, *Acad.*

nique (*faire la*) 1340, J. Le Fèvre ; d'une rac. *nik-,* d'orig. onomat., et qui, en moy. fr. et dans les parlers régionaux, apparaît souvent en alternance avec *naque, noque.* || **niquer** 1792, *Encycl.* (V. FLIC-FLAC, RIC-RAC, TIC-TAC, etc.)

niquedouille V. NIGAUD.

nirvâna 1844, E. Burnouf ; mot sanscrit signif. « extinction ».

nitescence 1835, Balzac ; lat. *nitescere,* briller. || **nitescent** 1845, Besch.

nitouche *(sainte)* 1534, Rab. ; comp. plaisant de *sainte* et *n'y touche* (*pas*).

nitre 1256, Ald. de Sienne ; lat. *nitrum,* du gr. *nitron.* || **nitrate** 1787, Guyton de Morveau. || **nitratation** 1838, *Acad.* || **nitrater** 1878, Lar. || **nitration** 1903, Lar. || **nitraté** 1803, Boiste. || **nitreux** 1265, Br. Latini ; lat. *nitrosus.* || **nitrière** 1562, Du Pinet. || **nitrile** 1874, Lar. || **nitrifier, nitrification** 1797, Thouvenel. || **nitrificateur** 1877, L. || **nitrique** 1787, Guyton de Morveau. || **nitrite** 1803, Boiste. || **nitré** 1600, O. de Serres. || **nitrobactérie** 1903, Lar. || **nitrosité** 1560, Paré. || **nitrosation** 1907, Lar. || **nitrogène** 1827, *Acad.* || **nitromètre** 1838, *Acad.* || **nitrophile** 1963, Lar. || **nitrobenzine** 1838, *Acad.* || **nitrocellulose** 1908, *Encycl.* || **nitroglycérine** 1868, L. || **nitrophosphate** 1797, *Ann. chim.* || **nitrotoluène** fin XIXe s. || **nitrure** 1836, *Acad.*

nival 1956, Lar. ; lat. *nivalis,* adj., de *nix, nivis,* neige. || **nivation** 1909, Martonne. || **nivéal** 1838, *Acad. ;* bas lat. *nivealis.* || **nivéole** 1796, *Encycl. méth. ;* lat. *niveus,* « de neige ». || **nivôse** 1793, Fabre d'Églantine ; lat. *nivosus,* « neigeux », mois d'hiver. || **nivo-glaciaire** 1963, Lar. || **nivo-pluvial** XXe s.

***niveau** 1339, *Cartulaire* (*nyvial*) ; 1530, Palsgrave (*niveau*) ; altér., par dissimil. de *l* initial, de *livel* (XIIIe-XVIe s.), du lat. pop. **libellus,* en lat. class. *libella,* niveau (instrument), de *libra,* balance (v. LIVRE 2). || **niveler** 1339, *Cartulaire ;*

1795, Frey, polit. ; on trouve encore *liveler* au XVIe s. || **niveleur** 1546, Vaganay, géomètre ; 1767, Mackenzie, polit., d'apr. l'angl. *leveller.* || **niveleuse** n. f., 1949, Lar. || **nivellement** 1538, R. Est. || **déniveler, dénivellation** 1845, Besch. || **dénivellement** *id.*

nixe 1836, Landais (*nix*) ; 1852, Nerval (*nixe*) ; all. *Nixe,* nymphe des eaux.

nô 1892, *Grande Encycl.* ; mot japonais.

nobélium 1963, Lar. ; du Suédois A. *Nobel.*

***noble** 1050, *Alexis,* privilégié par la naissance ; 1080, *Roland,* « qui l'emporte par ses mérites » ; XIVe s., n. d'une classe privilégiée ; lat. *nobilis,* « connu, célèbre », d'où « bien né » (de même rac. que *noscere,* connaître). || **nobiliaire** 1690, Furetière, n. m., registre ; 1812, Mozin, adj. || **nobilité** 1050, *Alexis.* || **nobilissime** milieu XVIIe s., hist. || **noblesse** 1138, Gaimar (*noblesce*) ; XIVe s. (*noblesse*). || **nobliau** 1850, Balzac. || **noblaillon** 1874, Lar. (1823, Boiste, *noblaille*). || **ennoblir** fin XIIIe s., passé au fig., et remplacé au sens propre par **anoblir,** début XIVe s. || **ennoblissement** milieu XIVe s. || **anoblissement** *id.*

***noce** XIe s. (*noces,* f. pl.) ; 1578, d'Aubigné (*noce*) ; *faire la noce,* « se débaucher », 1834, Landais. ; lat. pop. **nŏptiae,* altér. du lat. class. *nuptiae,* par croisem. avec **novius,* nouveau marié, de *novus,* nouveau (v. NUPTIAL) || **nocer** 1160, Benoît, épouser ; 1836, Landais, faire la noce. || **noceur** 1834, Esnault.

nocher XIIIe s., *Assises de Jérusalem* (*nochier*) ; 1530, Marot (*nocher*) ; ital. *nocchiero,* du lat. *nauclerus* (gr. *nauklêros*), « patron de bateau », de *naûs,* navire.

nocif XIVe s., Gordon (*noxif*) ; début XVIe s. (*nocif*) ; rare jusqu'au XIXe s., 1869, *J. O.* ; lat. *nocivus,* de *nocere* (V. NUIRE). || **nocivité** 1876, *J. O.*

noctambule, nocturne V. NUIT.

noctuelle 1792, *Bull. sciences,* entom. ; lat. *noctua,* chouette, de *nox, noctis,* nuit. || **noctuélien** 1874, Lar. || **noctuidés** 1903, Lar.

noctule 1760, Buffon ; lat. *noctula,* de *noctua,* chouette (v. le précédent).

nocuité 1823, Boiste, « culpabilité » ; 1842, Mozin, « nocivité » ; lat. *nocuus,* nuisible, de *nocere* (v. NUIRE). || **innocuité** 1806, Thouvenel ; lat. *innocuus.*

nodal, nodosité, nodule, etc. V. NŒUD.

***noël** 1112, *Voy. de saint Brendan* (*nael*) ; 1175, Chr. de Troyes (*noël*) ; *bûche de Noël,* 1701, Furetière ; *arbre de Noël,* 1845, Besch. ; *Père Noël,* 1935, *Acad.* (l'enregistrement est très postérieur à la date réelle) ; *Bonhomme Noël,* 1932, Lar. ; lat. eccl. *natalis* (*dies*), (jour) de naissance (de J.-C.), de *natus,* né ; avec *o* par dissimil. du premier *a*

noème 1845, Besch. ; gr. *noêma,* intelligence, de *noeîn,* penser. || **noèse** 1943, Sartre. || **noétique** 1943, Sartre.

***nœud** 1119, Ph. de Thaon (*nu*) ; 1175, Chr. de Troyes (*neu*) ; XIIIe s., *Renart* (*nout*) ; 1530, Palsgrave (*neud*) ; 1606, Crespin (*nœud*) ; spécialem. 1721, Trévoux, mar., mesure de longueur ; lat. *nōdus.* || **nouet** 1200, *Poème moral* (*nuet*) ; 1391, *Reg. du Châtelet* (*nouet*). || **noueur** 1560, Paré. || **noueux** XIIIe s., G. (*noous*) ; 1530, Palsgrave (*noueux*) ; lat. *nodosus.* || **nodal** 1503, Huguet ; bas lat. *nodalis.* || **nodosité** XIVe s., Br. de Long-Borc ; bas lat. *nodositas,* de *nodosus.* || **nodus** 1560, Paré, anat. ; mot lat. || **nodulaire** 1842, *Acad.* || **nodule** 1478, Chauliac. || **noduleux** 1812, Mozin.

***noir** adj., 1080, *Roland* (*neir*) ; 1130, *Eneas* (*noir*) ; *caisse noire,* XXe s. ; *liste noire,* 1839, Stendhal ; 1175, Chr. de Troyes, n. m., couleur noire ; 1669, La Fontaine, homme de race noire ; *noir animal,* 1839, *Dict. industr. et manufactures ; noir de fumée,* 1660, Oudin ; lat. *nĭger.* || **noire** n. f., note de musique, 1633, Mersenne. || **noirâtre** 1395, Anglure. || **noiraud** 1538, R. Est. || **noirceur** 1160, Benoît (*nerçor*) ; 1314, Mondeville (*nerceur*) ; 1487, Garbin (*noirceur*) ; 1662, Pascal, fig. ; a remplacé l'anc. fr. *noireté,* alors plus usité. || ***noircir** 1130, *Eneas* (*nercir*) ; 1185, *Aliscans* (*noircir*) ; XVIIe s., fig. ; lat. pop. **nigricire,* lat. class. *nigrescere.* || **noircissage** 1963, Lar. || **noircissure** 1538, R. Est. || **noircissement** 1350, *Glossaire de Conches.* || **noircisseur** 1671, d'après L. || **nigritique** 1876, *J. O.*

***noise** 1050, *Alexis,* bruit, tapage ; 1175, Chr. de Troyes, querelle ; *chercher noise,* 1611, Cotgrave ; lat. *nausea,* « mal de mer », pris dans un autre sens en lat. pop. (v. NAUSÉE).

noisette 1240, G. de Lorris ; de *noix.* || **noisetier** 1530, Palsgrave (*noisettier*) ; 1546, R. Est. (*noisetier*). || **noisetterie** 1874, Lar. || **noisettine** 1938, Montagné.

***noix** 1155, Wace (*noiz*) ; XIIIe s. (*noix*) ; 1690, Furetière, en boucherie ; lat. *nŭx, nucis* || **terre-noix** 1694, Tournefort ; d'après l'all. *Erdnuss.* || **noiseraie** 1812, Mozin.

noli-me-tangere XIVe s., *Doc.,* méd. ; 1704, Trévoux, bot. ; loc. lat. signif. « veuille ne pas me toucher », de *nolle,* ne pas vouloir, et *tangere,* toucher.

noliser 1520, G., mar. (*nauliser*) ; 1669, Colbert (*noliser*) ; ital. *noleggiare,* de *nolo,* affrètement, du lat. *naulum,* frais de transport (gr. *naulon*). || **nolis** 1541, *Correspondance Guillaume Pelicier.* || **nolisement** 1337, *Chronique normande* (*nolesemens*) ; XVIIe s. (*nolisement*) ; ital. *noleggiamento.* || **naulage** 1527, à Rouen (*noleage*) ; 1549, du Bellay (*naulage*) ; béarn. *naulage,* de *naul,* même étym. que *noliser.*

***nom** fin IXe s., *Eulalie ;* 1155, Wace, gramm. ; *nom propre,* 1155 (*propre nun*) ; 1520, Fabri (*nom propre*) ; *nom commun,* 1550, Meigret ; *nom de baptême,* XIIIe s., Tuschen ; *nom de famille,* 1538, R. Est. ; *petit nom,* 1862, Hugo ; *nom de nombre,* 1550, Meigret ; lat. *nomens, nominis.* || **surnom** 1119, Ph. de Thaon (*sournom*), « dénomination », en gén. ; 1175, Chr. de Troyes, appellation ajoutée au nom d'une personne. || **nominal** adj., 1503, Chauliac, gramm. ; 1770, Buffon, qui concerne le nom ; lat. *nominalis,* « relatif au nom ». || **nominalement** 1800, Saladin. || **nominaux** 1500, *Anc. Poésies,* philos. || **nominaliste** 1590, Marnix. || **nominalisme** 1752, Trévoux. || **nominaliser** 1968, Lar. || **nominalisation** 1972, Lar. || **adnominal** 1908, Lar.

nomade 1540, Ch. Richer, jurid. ; 1730, Rollin, qui change souvent de résidence ; pl. lat. *nomades,* mot grec, proprem. « pasteurs », de *nemein,* faire paître. || **nomadiser** 1874, *Revue des Deux Mondes.* || **nomadisme** 1876, *Revue critique.*

no man's land 1917, Bonnafé ; expression angl. signif proprem. « terre d'aucun homme », répandue pendant la guerre de 1914-1918.

***nombre** 1120, *Ps. de Cambridge ;* 1549, du Bellay, « harmonie » ; *sans nombre,* XIIIe s., Tobler-Lommatzsch ; lat. *numerus.* || **nombreux** 1350, *Glossaire de Paris,* sens actuel ; 1550, Pléiade, harmonieux, bien cadencé. || **nombrer** 1080, *Roland* (*numbrer*) ; 1130, *Eneas* (*nombrer*) ; lat. *numerare.* || **nombrable** 1120, *Ps. de Cambridge* (*numbrable*). || **innombrable** 1341, *Ordonn. ;* d'après lat. *innumerabilis.* || **dénombrer** 1530, Palsgrave. || **dénombrable** XXe s. || **dénombrement** 1329, G., jurid. ; 1538, R. Est., sens actuel. || **surnombre** 1872, L.

***nombril** 1155, Wace (*nomblil*) ; 1160, Benoît (*nombril*) ; lat. pop. **umbilĭculus,* de *umbilicus :* *r* est dû à une dissimilation et *n* représente la dissimilation d'un *l,* de *lomblil, lombril* (1175, Chr. de Troyes).

nome 1730, Rollin, province égyptienne ; gr. *nomos,* portion de territoire. || **nomarque** *id.* || **nomarchie** 1827, *Acad.*

nomenclature 1559, Vaganay, énumération des marchandises ; 1714, Fénelon, sens actuel ; lat. *nomenclatura,* « désignation par le nom », de *nomen,* nom, et *călare,* appeler. || **nomenclateur** 1615, Pasquier ; 1749, Buffon, « celui qui s'occupe d'une nomenclature » ; lat. *nomenclator,* esclave chargé de dire le nom des visiteurs.

***nommer** 980, *Passion* (*nomner*) ; XIIIe s. (*nommer*) ; lat. *nomĭnare.* || **nommé** n., fin XVe s., Commynes. || **susnommé** début XVIe s., jurid. || **innommé** 1370, Oresme. || **nommément** 1155, Wace (*nomeement*) ; fin XVe s., Commynes (*nommément*). || **nomination** 1305, Delb. ; lat. *nominatio.* || **nominatif** n., 1170, *Vie Édouard le Confesseur,* gramm. ; lat. *nominativus ;* 1789, Brunot, « qui dénomme » ; 1868, L., finance. || **innommable** 1584, G. Bouchet, au pr. ; 1838, *Acad.,* fig. || **dénommer** 1160, Benoît, « décrire » ; XIIIe s., « donner un nom à ». || **dénomination** XIIIe s., G., « proposition » ; 1377, Oresme, désignation d'une personne. || **dénominateur** 1484, Chuquet, math. || **dénominatif** milieu XVe s., G., gramm. || **renommé** 1080, *Roland,* « célèbre ». || **renommée** 1119, Ph. de Thaon (*renumée*) ; XIIIe s. (*renommée*). || **renom** 1175, Chr. de Troyes. || **surnommer** 1155, Wace.

nomo-, gr. *nomos,* loi. || **nomogramme** 1932, Lar. || **nomographe** 1827, *Acad. ;* gr. *nomographos,* de *grapheîn,* écrire. || **nomographie** 1819, Boiste. || **nomothète** 1605, Le Loyer ; gr. *nomothetês,* « qui établit la loi ».

***non** 842, *Serments ;* lat. *non* en position accentuée ; *non pas,* fin XIIe s., Conon de Béthune ; *non que,* fin XVIe s. ; *non pas que,* 1640, Corn. ; *non seulement,* 1553, Rab.

nonagénaire 1378, J. Le Fèvre, « qui comprend quatre-vingt-dix unités » ; 1660, Oudin, qui a quatre-vingts ans ; lat. *nonagenarius.* (V. NONANTE.)

***nonante** 1112, *Voy. saint Brendan ;* lat. *nonaginta,* quatre-vingt-dix ; remplacé en français par *quatre-vingt-dix* au XVIe s. ; subsiste en Suisse romande et en Belgique. || **nonantième** 1200,

Règle saint Benoît (*nounantisme*) ; v. 1400, G. (*nonantième*).

nonce 1521, Barbier (*nunce*) ; v. 1550 (*nonce*) ; *nonce apostolique,* 1607, Hulsius ; ital. *nunzio,* ambassadeur, du lat. *nuntius,* messager. || **nonciature** 1623, Du Perron ; ital. *nunziatura.* || **internonce** milieu XVIIe s. || **internonciature** 1752, Trévoux.

nonchaloir n. m., 1130, *Eneas* (*nonchaleir*) ; repris, au milieu du XIXe s., par Baudelaire, Mallarmé, etc. ; anc. infinitif substantivé, de *non* et *chaloir* (v. CHALANT 2). || **nonchalant** 1265, J. de Meung ; sur le part. prés. de *chaloir.* || **nonchalamment** XVe s., A. Chartier. || **nonchalance** 1150, Barbier.

none 980, *Passion* (*nona*) ; 1130, *Eneas* (*none*), « trois heures de l'après-midi » ; de *nona,* « neuvième heure », fém. de l'adj. lat. *nonus,* neuvième. || **nones** 1119, Ph. de Thaon, « neuvième jour avant les ides » ; du pl. *nonae.* || **nonidi** 1793, Fabre d'Églantine, neuvième jour de la décade (calendrier républicain). || **nonuple** 1550, Meigret (d'après *quadruple,* etc.). [V. NONAGÉNAIRE, NONANTE.]

***nonne** 1155, Wace (*nune*) ; 1167, Gautier d'Arras (*none*) ; 1273, Adenet (*nonne*), « religieuse » ; lat. eccl. *nonna,* en bas lat. « nourrice » (IVe s.). || **nonnain** 1080, *Roland* (*nunein*) ; anc. cas régime (v. PUTAIN). || **nonnette** fin XIIIe s., J. de Condé, « jeune religieuse » ; 1803, Boiste, petit pain d'épice anisé. || **pet-de-nonne** V. PET.

nonobstant XIIIe s., *Sept Sages de Rome,* jurid. ; de *non* et de l'anc. fr. jurid. *obstant,* faisant obstacle, du lat. *obstans,* part. prés. de *obstare,* de *stare,* se tenir, *ob,* devant.

noologique 1834, Ampère ; gr. *noos,* var. de *noûs,* esprit. || **noologie** 1842, *Acad.* Remplacés par *psychologique* et *psychologie.*

nopal 1587, Fumée ; mot esp., de l'aztèque mexicain *nopalli ;* nom de l'opuntia.

nope ou **noppe** 1350, Poerck, nœud du drap qui vient d'être fabriqué ; flam. *noppe,* nœud (cf. l'all. *Knopf*). || **noper** 1300, Poerck. || **nopeur** milieu XVe s. (n. f., *noperesse*) ; 1723, Savary (*nopeuse*). || **nopage** 1723, Savary. || **énoper** 1864, L.

nord 1138, Gaimar (*north*) ; 1155, Wace (*nort*) ; 1549, R. Est. (*nord*) ; anc. angl. *north.* || **nord-est** 1160, Benoît (*nordest*) ; 1596, Hulsius (*nord-est*). || **nord-ouest** 1155, Wace (*northwest*) ; 1677, Miege (*nord-ouest*). || **noroît** 1823, Boiste (*norouê*) ; 1907, Lar. (*norois*) ; 1949, Lar. (*noroît*) ; pron. normande du préc. || **nordique** 1903, Lar. || **nordiste** v. 1865, hist. (guerre de Sécession, aux États-Unis). || **norrois** 1155, Wace (*noreiz*) ; repris au XIXe s. en linguistique.

noria 1792, Brunot, machine ; 1968, *journ.,* navette ; esp. *noria,* de l'ar. *nā'ūra,* machine élévatoire pour l'irrigation.

normand 1155, Wace ; lat. médiév. *nortmannus* (IXe s.), du francique *nortmann,* homme du Nord ; 1640, Oudin, fig. || **normande** n. f., 1903, Lar., typogr. || **anglo-normand** 1874, Lar.

norme 1160, Benoît ; lat. *norma,* « équerre », règle. || **normal** début XVe s., Ch. d'Orléans, gramm. ; 1753, Savérien, math. ; 1793, *École normale ;* 1820, Laveaux, conforme à la règle, au modèle. || **normale** n. f., milieu XVIIIe s., math. ; milieu XXe s., règle habituelle. || **normalien** 1868, L., élève de l'École normale. || **normaliser** 1922, *Revue critique.* || **normalisation** 1873, Tolhausen. || **normalité** 1834, Siguier. || **normatif** 1868, L. || **normativité** 1967, *Journ.* || **anormal** début XIIIe s. || **anormalité** 1845, Besch.

norvégien 1771, Trévoux ; de *Norvège.* || **norvégienne** n. f., 1874, A. Daudet, sorte de petit bateau.

nos V. NOTRE.

noso-, gr. *nosos,* maladie. || **nosographie** 1798, Pinel. || **nosographique** 1803, *Annales chimie.* || **nosologie** 1747, Arbathnot. || **nosophobie** 1878, Lar.

nostalgie 1759, Lieutaud, regret du pays natal ; 1857, Baudelaire, mélancolie ; gr. méd. *nostalgia* (créé en 1678 par le médecin suisse Harder), de *nostos,* retour, et *algos,* souffrance. Au sens propre, concurrencé par *mal du pays* (1827, Scribe). || **nostalgique** 1800, Brunot. || **nostomanie** 1793, Lavoisien.

nostoc XVIIe s., Liger (*nostoch*), bot. ; mot créé par Paracelse ; orig. inconnue.

nota bene 1764, Voltaire ; expression lat., proprem. « notez bien », plus usitée que le simple *nota* (XIe s.), 2e pers. de l'impér. de *notare,* noter, remarquer ; abrév. *N.B.*

notable adj., 1265, J. de Meung, « bien connu » ; 1355, Bersuire, « qui mérite une mention particulière » ; n. m., 1355, Isambert, personnage important d'une ville ; adj. lat. *notabilis,* de *notare* (v. NOTER). || **notablement** 1250, *Statuts d'hôtels-Dieu.* || **notabilité** 1270,

Mahieu le Vilain, caractère de ce qui est notable ; 1800, *Constitution de l'an VIII,* personne occupant un rang distingué.

notaire 1197, *Rois* (*notarie*) ; fin XIIe s., *Dial. Grégoire* (*notaire*), « scribe, secrétaire » ; 1298, G., sens mod. ; lat. *notarius,* de *notare* (v. NOTER). || **notairesse** 1730, Caylus (*notaresse*) ; 1850, Balzac (*notairesse*). || **notarié** 1453, Monstrelet. || **notarial** 1669, Widerhold. || **notariat** 1482, G. ; lat. médiév. *notariatus.* || **protonotaire** fin XIVe s.

note 1155, Wace, mus. ; 1530, Palsgrave, marque inscrite sur un livre ; 1636, Monet, observation ou exposé succincts ; 1664, d'après Richelet, remarque en bas de page ; 1845, Besch., évaluation chiffrée ; lat. *nota,* marque, note de mus., etc. || **notule** XVe s., minute de notaire ; 1495, Vignay, annotation ; bas lat. *notŭla* (Ve s., Capella), dimin. de *nota.*

noter 1119, Ph. de Thaon, « remarquer » ; 1538, R. Est., marquer d'un trait dans un livre ; 1874, Lar., évaluer ; lat. *notare.* || **notation** 1370, Oresme, désignation ; lat. *notatio ;* 1765, *Encycl.,* manière de représenter par des signes. || **notamment** 1458, *Mystère.* || **noteur** XIIIe s., G., « celui qui épie », et mus. || **annoter** début XVe s., « inventorier » ; XVIe s., « remarquer » ; XVIIIe s., « accompagner de notes » ; lat. *annotare.* || **annotateur** 1552, Ch. Est. || **annotation** 1375, R. de Presles. || **connoter** début XVIe s. ; 1877, Lar., linguistique. || **connotation** 1863, L. || **dénoter** 1160, Benoît, « noter, remarquer » ; 1370, Oresme, indiquer, montrer. || **dénotation** 1460, Chastellain.

notice 1372, *Ordonn.,* « connaissance » ; 1721, Trévoux, « préface » ; 1780, Diderot, « compte rendu succinct » ; lat. *notitia,* connaissance, et en bas lat. « liste » (cf. la *Notitia dignitatum*), de *notus,* part. passé de *noscere,* connaître.

notifier 1314, Mondeville, « faire connaître » ; lat. *notificare.* || **notification** *id.* || **notificatif** 1868, L.

notion 1570, Vaganay, connaissance ; 1690, Bossuet, concept ; lat. *notio,* connaissance, de *notus,* part. passé de *noscere,* connaître. || **notionnel** 1701, *Mém. de Trévoux.*

notoire début XIIIe s. (*notore*) ; 1283, Beaumanoir (*notoire*) ; lat. *notorius,* « qui fait connaître », de *notus,* part. passé de *noscere,* connaître. || **notoirement** 1283, Beaumanoir. || **notoriété** 1411, *Ordonn.*

***notre** 842, *Serments* (*nostro*) ; 980, *Passion* (*nostre*) ; lat. *noster ;* l'adj. *notre* (*o* bref et ouvert) est issu de la forme proclitique, qui a donné au pl. **nos,** 1080, *Roland ;* le pron. **(le) nôtre,** XIe s., est issu de la forme tonique. || **les nôtres,** « nos parents, amis, etc. », 1080, *Roland.*

nouba 1897, Sainéan, « musique des tirailleurs algériens » ; *faire la nouba,* 1897, Esnault, faire bombance ; ar. algérien *nūba,* tour de rôle (la musique se faisait devant les maisons des officiers, à tour de rôle).

1. **noue** XIIIe s., G. (*noe*) ; XIVe s. (*noue*), terre marécageuse (conservé en toponymie et anthroponymie) ; bas lat. *nauda* (IXe s.), d'orig. gauloise.

1. ***noue** 1223, à Tournai (*nohe*), gargouille ; 1471, en Poitou (*noue*) ; 1611, Cotgrave, angle rentrant formé par deux combles ; lat. pop. **nauca,* contraction de **navica,* de *navis,* bateau, par métaph. (v. NEF, NACELLE, NAVETTE 2). || **nouette** 1782, *Encycl.,* tuile à arête. || **noulet** début XIVe s., techn.

***nouer** 1175, Chr. de Troyes (*noer*) ; XIIIe s. (*nouer*) ; lat. *nŏdare.* (v. NŒUD). || **noué** adj., XIVe s., Moamin, musculeux ; 1718, *Acad.,* rachitique. || **nouement** milieu XVe s. (*neuement*) ; 1538, R. Est. (*nouement*). || **nouage** 1874, Lar., techn. || **nouaison** 1948, *Vie à la campagne,* bot. || **noueux** XIIIe s., G. (*noous*) ; 1530, Palsgrave (*noueux*). || **nouure** 1611, Cotgrave (*nouëure*) ; 1803, Boiste, rachitisme. || **dénouer** 1160, Benoît ; 1549, R. Est., résoudre. || **dénouement** 1580, Montaigne, au pr. ; 1636, Monet, résolution d'une intrigue. || **renouer** milieu XIIe s., sens propre ; 1578, d'Aubigné, « se réconcilier ». || **renouement** 1440, Chastellain. || **renouée** 1545, Guéroult, bot. || **ennouer (s')** 1660, Oudin.

nougat 1694, Pomet, mot prov. mod., signif. « tourteau de noix » ; *c'est du nougat* 1928, Esnault, c'est excellent, pop. ; au plur., 1926, Esnault, pieds, pop. ; lat. pop. **nucatum,* de *nux* (v. NOIX). || **nougatine** 1938, Montagné.

nouille 1655, *les Délices de la campagne* (*nulle*) ; 1765, *Encycl.* (pl. *noudles*) ; 1767, Malouin (*nouilles*) ; all. *Nudel.* || **nouillettes** 1932, Lar.

noumène 1823, Boiste ; mot créé par Kant, du gr. *noumenon,* « ce qui est pensé », part. passif neutre de *noeîn,* penser (par oppos. à *phénomène*). || **nouménal** 1874, Lar.

nourrice V. NOURRIR.

***nourrir** Xᵉ s., *Saint Léger* (*norir*) ; 1080, *Roland* (*nurrir*) ; fin XIIᵉ s. (*nourrir*) ; lat. *nūtrīre.* ‖ **nourrissant** adj., 1314, Mondeville. ‖ **nourrissage** 1482, G., agric. ‖ **nourriture** fin XIᵉ s., *Chanson Guillaume* (*nurreture*) ; 1160, Benoît (*norreture*), « éducation » ; 1180, *Folie Tristan* (*norriture*) ; 1370, Oresme (*nourriture*) ; fin XIVᵉ s., aliments ; 1562, Bonivard, alimentation ; bas lat. *nutritura* (VIᵉ s., Cassiodore). ‖ **nourrisseur** 1160, Benoît (*norisseor*) ; fin XIVᵉ s. (*nourrisseur*) ; 1803, Boiste, agric. ‖ **nourricerie** 1334, Havard, pièce pour les petits enfants ; 1829, Boiste, agric. ‖ ***nourrice** 1138, Gaimar (*nurice*) ; 1155, Wace (*nourrice*) ; *nourrice sèche,* 1876, *J. O.* ; lat. *nutricia.* ‖ **nounou** 1867, Delvau, forme enfantine. ‖ ***nourricier** 1190, *Grégoire* (*norrecier*), celui qui élève un enfant ; 1530, Palsgrave (*nourricier*) ; *père nourricier,* 1680, Richelet ; lat. pop. **nutriciarius.* ‖ ***nourrisson** n. f., milieu XIIᵉ s. (*nurrezon*), éducation ; fin XIIIᵉ s., *Aiol* (*nourrisson*), famille ; n. m., 1538, R. Est., enfant allaité ; 1893, *D. G.,* sens actuel ; lat. *nutritio,* nourriture. ‖ ***nourrain** début XIVᵉ s., Tobler-Lommatzsch (*norrin*), alevin ; 1381, Prost, petit cochon ; lat. pop. **nutrimen,* action de nourrir. (V. NUTRITIF.)

***nous** fin IXᵉ s., *Cantilène sainte Eulalie* (*nos*) ; fin XIIᵉ s. (*nous*) ; lat. *nos* (*o* non diphtongué, le mot étant employé surtout atone) ; *nous autres,* 1050, *Alexis.*

***nouveau** 1050, *Alexis* (*novel*) ; fin XIIᵉ s., Couci (*nouveau*) ; *de nouveau,* 1119, Ph. de Thaon ; *à nouveau,* 1835, *Acad.* ; lat. *nŏvellus,* de *nŏvus* (v. NEUF 2). ‖ **nouvelet** XIIIᵉ s. ‖ **nouvellement** 1130, *Eneas.* ‖ **nouvelle** n. f., 1050, *Alexis* (*novele*) ; XIIIᵉ s. (*nouvelle*) ; pl. neut. *novella,* pris comme n. f. ; 1462, *Cent Nouvelles,* litt., d'après l'ital. *novella,* information, nouvelle littéraire. ‖ **nouvellement** 1130, *Eneas.* ‖ **nouvelliste** 1620, Binet, personne curieuse de nouvelles ; 1640, Oudin, litt. ; a remplacé l'anc. fr. *nouvellier* (XIIIᵉ s.). ‖ **nouveauté** début XIVᵉ s. ; a remplacé *noveleté,* XIIIᵉ s. (d'où est issu *nouvelleté,* 1283, Beaumanoir, jurid.) ; 1268, É. Boileau, mode, au pl. ; 1666, Molière, livre ; 1558, Ronsard, bouleversement. ‖ **renouveau** n. m., fin XIᵉ s., Gace Brulé. ‖ **renouveler** 1080, *Roland.* ‖ **renouvellement** 1130, *Eneas.*

nova, novateur, novation V. NEUF 2.

novelle 1585, Cholières (*nouvelle*) ; 1680, Richelet (*novelles*), hist. ; bas lat. *novellae,* du lat. *novellus,* nouveau.

novembre 1119, Ph. de Thaon ; lat. *novembris,* de *novem* (v. NEUF 1), à l'origine neuvième mois de l'année.

novice 1175, Chr. de Troyes, inexpérimenté ; lat. *novicius,* nouveau, de *nŏvus* (v. NEUF 2) ; n. m. et f., 1265, J. de Meung, eccl. ‖ **noviciat** 1535, *Doc.*

novocaïne 1908, Gilbert, pour *novococaïne* ; lat. *nŏvus,* nouveau.

***noyau** 1170, Sully (*noiel*) ; 1530, Palsgrave (*noyau*) ; 1794, Brunot, groupe de personnes ; lat. pop. **nōdellus,* de *nōdus,* nœud. ‖ **noyauter** 1920, *Congrès de Tours.* ‖ **noyautage** *id.* ‖ **noyauteur** 1932, Lar. ‖ **dénoyauter** 1922, Lar. ‖ **dénoyautage, dénoyauteur** 1929, Lar. ‖ **énoyauter, énoyautage, énoyauteur** 1910, Lar.

1. ***noyer** n. m., 1170, *Floire et Blancheflor* (*noier*) ; 1487, Garbin (*noyer*) ; lat. pop. **nŭcarius,* de *nux.* (V. NOIX.)

2. ***noyer** Xᵉ s., *Valenciennes* (*neier*) ; 1175, Chr. de Troyes (*noier*) ; lat. *nĕcare,* tuer, spécialisé en bas lat. dans le sens « tuer par noyade », de *nex, necis,* mort violente. ‖ **noyade** 1794, Babeuf. ‖ **noyage** 1949, Lar. ‖ **noyé** n., fin XIIᵉ s., J. Bodel. ‖ **noyure** 1772, *Encycl.,* techn. ‖ **noyon** 1655, *Satires,* techn.

***nu** 1080, *Roland* ; lat. *nūdus.* ; n. m., 1676, Félibien, bx-arts ; *à nu,* 1534, B. Des Périers. ‖ **nue-propriété** 1765, *Encycl.* ‖ **nu-propriétaire** 1845, Besch. ‖ **nûment** ou **nuement** XIIᵉ s., *Dolopathos.* ‖ **nudité** 1190, *Saint Bernard* (*nuditeit*) ; XIVᵉ s. (*nudité*) ; bas lat. *nuditas* (IIIᵉ s., Arnobe) ; a éliminé l'anc. fr. *nueté.* ‖ **nudiste** 1924, Robert. ‖ **nudisme** 1932, Lar. ‖ **nudibranches** 1817, Cuvier. ‖ **dénuer** 1120, *Ps. de Cambridge* ; lat. *denudare.* ‖ **dénuement** milieu XIVᵉ s., G., action de se découvrir ; XVᵉ s., *Perceforest,* privation. ‖ **dénuder** 1120 *Ps. d'Oxford* ; lat. *denudare.* ‖ **dénudation** 1374, G.

nuage, nuaison, nuance V. NUE, NUER.

nubienne fin XIXᵉ s. ; lat. *Nubaeus,* Nubien, l'étoffe ainsi désignée étant présumée originaire de Nubie.

nubile 1505, *Doc.* ; lat. *nubilis,* de *nubere,* se marier, en parlant de la femme. ‖ **nubilité** 1750, Prévost d'Exiles.

nucelle 1838, *Acad.* ; lat. *nucella,* dimin. de *nux.* (V. NOIX.)

nucléaire 1838, *Acad.,* biol. ; 1903, Lar., atome ; 1965, *Journ.,* bombe ; lat. *nucleus,* noyau. ‖ **nucleus** 1845, Besch., bot., nucelle.

|| **nucléé** 1855, Nysten. || **nucléine** 1896, Carlet. || **nucléique** 1897, *Grande Encycl.* || **nucléole** 1855, Nysten. || **nucléolaire, nucléolé** 1877, Lar. || **nucléon** 1949, Lar. || **nucléonique** *id.* || **nucléoprotéide** 1932, Lar. || **énucléation** 1493, Coquillart, « éclaircissement » ; 1793, Lavoisien, bot. ; 1836, *Acad.,* chir. || **énucléer** 1836, Raymond ; lat. *enucleare,* ôter le noyau. || **dénucléariser** 1960, *Journ.* || **dénucléarisation** *id.*

***nue** 1112, *Voy. saint Brendan,* nuage ; *porter aux nues,* 1763, Marivaux ; *mettre jusqu'aux nues,* 1538, R. Est. ; *tomber des nues,* 1640, Oudin ; lat. pop. **nūba,* en lat. class. *nūbēs.* || **nuage** 1564, J. Thierry, a éliminé *nue ;* fig., XVIIe s. || **nuageux** 1549, Maignan. || **nuée** XIIe s., *Alexandre.* || **nuaison** 1529, Parmentier, mar., durée d'un vent. || **ennuager** 1611, Cotgrave.

nuer 1356, G., nuancer ; 1765, *Encycl.,* techn. ; de *nue,* nuage. || **nué** 1200, Barbier, nuancé. || **nuance** 1380, *Inventaire.* || **nuancer** 1578, d'Aubigné. || **nuancé** 1680, Richelet, a évincé *nué.*

***nuire** 1130, *Eneas ;* lat. pop. **nŏcēre,* du lat. class. *nocere* (d'où la var. *nuisir,* en anc. fr.). || **nuisance** 1120, *Ps. de Cambridge ;* au pl., 1863, *Revue des Deux Mondes.* || **nuisible** 1370, Oresme. || **nuisibilité** fin XVIIIe s., Restif.

***nuit** 980, *Passion* (*noit*) ; 1050, *Alexis* (*nuit*) ; *bonnet de nuit,* XVIe s., Brantôme ; *chemise de nuit,* 1632, Roy ; *table de nuit,* début XVIIIe s. ; *vase de nuit,* début XIXe s. ; *oiseau de nuit,* 1636, Monet ; lat. *nox, nŏctis.* || **minuit** 1130, *Eneas* (*mie nuit*) ; XVe s. (*minuit*). || **nuitée** milieu XIIIe s. (*nuitie*) ; XIVe s. (*nuytée*). || **nuitamment** 1328, A. Thomas ; altér., d'après les adv. en *-ment,* de l'anc. fr. *nuitantre* (XIIe s., G.), du bas lat. *noctanter,* en lat. class. *nocte* ou *noctu.* || **anuiter** XIIe s. || **noctambule** 1701, Furetière, « somnambule » ; 1720, d'après Trévoux, sens mod. ; lat. médiév. *noctambulus,* sur *ambulare,* marcher. || **noctambulisme** 1765, *Encycl.,* « somnambulisme » ; 1888, A. Daudet, sens mod. || **noctiflore** 1812, Mozin ; lat. *flos, floris,* fleur. || **noctiluque** 1678, *Journ. des savants* (*noctiluca*), n. m., produit chimique lumineux ; 1722, Trévoux, adj. et n. f. ; lat. *noctilucus,* « qui luit pendant la nuit », de *lux, lucis,* lumière. || **nocturne** 1355, Bersuire, adj. ; 1868, L., mus. ; lat. *nocturnus.*

***nul** 842, *Serments ;* 1292, Runkewitz, « sans valeur » , *nulle part,* 1190, Garnier ; lat. *nūllus,* aucun. || **nullard** 1953, *Doc.* || **nullement** fin XIIe s. || **nullité** 1405, *Archives Bretagne ;* lat. médiév. *nullitas.* || **nullivalent** 1968, Lar. || **nullivariant** 1968, Lar. || **annuler** fin XIIIe s., Monier ; bas lat. *annullare* (fin IVe s., *Vulgate*). || **annulation** 1320, G., abolition ; 1780, *Courrier de l'Europe,* jurid.

numéraire, numéral V. NUMÉRATION.

numération XIVe s. ; lat. *numeratio,* de *numerare,* compter, de *numerus,* nombre (v. NOMBRE). || **numérateur** 1487, Garbin ; bas lat. *numerator.* || **numérable** 1606, Crespin. || **numéral** 1474, Delb. ; 1550, Meigret, gramm. ; bas lat. *numeralis.* || **numératif** 1823, Boiste. || **numéraire** adj., 1561, Collange, concernant les nombres ; XVIIIe s., n. m., espèces en or et en argent ; bas lat. *numerarius.* || **numérique** 1617, Coton. || **numériquement** 1697, Lagny. || **surnuméraire** adj., 1636, Monet ; n. m., 1718, *Acad.* || **surnumérariat** fin XVIIIe s. || **alphanumérique** XXe s. (V. ÉNUMÉRER.)

numéro 1560, Pasquier, nombre ; 1723, Savary, partie d'un spectacle ; 1901, Esnault, personne ; ital. *numero,* du lat. *numerus,* nombre. || **numéroter** 1680, *Anciennes Lois.* || **numérotage** 1793, *l'Ami du peuple.* || **numérotation** 1836, Landais. || **numéroteur** 1871, *Almanach Didot-Bottin,* techn. || **numerus clausus** 1932, Lar. ; lat. *numerus,* nombre, et *claudere,* former.

numismatique adj., 1579, A. Le Pois ; n. f., 1803, Wailly, science des médailles, des monnaies ; lat. *numisma,* var. de *nomisma,* mot grec signif. « monnaie, médaille ». || **numismate** 1823, Boiste.

nummulaire 1550, Guéroult ; lat. *nummulus,* petite monnaie (à cause de la forme de la graine, le lat. *nummularius* ne signifiant que « changeur »). || **nummulite** 1803, *Dic. sciences nat.,* foraminifère fossile.

nuncupation 1355, Bersuire (*noncoupacion*) ; fin XIVe s. (*noncupation*) ; 1569, Mathée (*nuncupation*) ; lat. jurid. *nuncupatio,* appellation, de *nomen,* nom, et *capere,* prendre. || **nuncupatif** 1308, du Cange ; lat. *nuncupativus.*

nuptial début XIIIe s., Tobler-Lommatzsch ; lat. *nuptialis,* de *nuptiae* (v. NOCE). || **nuptialité** 1879, *la Nature.* || **prénuptial** 1932, Lar.

nuque 1314, Mondeville, « moelle épinière » ; lat. médiév. *nucha* (XIe s., Constantin l'Africain), de l'ar. *nuha,* moelle épinière ; milieu XVIe s., Amyot, sens actuel ; par infl. de l'ar. *nukra,* et par substitution de *medulla* à *nucha,* en lat. médiév., pour le sens primitif.

nurse 1872, Taine, nourrice ; 1896, Mackenzie, bonne d'enfant ; angl. *nurse,* lui-même issu du fr. *nourrice.* || **nursery** 1763, Mackenzie ; dér. anglais.

nutation 1748, de Chabert, astron. ; lat. *nutatio,* balancement.

nutritif 1314, Mondeville ; lat. médiév. *nutritivus,* de *nutrire* (v. NOURRIR). || **nutritif** 1314, Mondeville ; lat. médiév. *nutritivus.* || **nutrition** 1361, Oresme ; lat. médiév. *nutritio.* || **nutricier** adj., 1838, *Acad.* || **nutritionnel** 1958, *journ.* || **nutritionniste** 1958, *journ.* || **dénutrition** 1870, Lar. || **malnutrition** 1956, *journ.*

nyctalope 1363, Chauliac (*noctilupa*) ; 1562, du Pinet ; lat. méd. *nyctalops* (gr. *nuktalôps*), qui voit la nuit. || **nyctalopie** 1668, Martinière. || **nyctipériodique** 1963, Lar. ; gr. *nux, nuktos,* nuit. || **nictophonie** 1968, Lar. || **nycturie** 1932, Lar. ; gr. *oûron,* urine.

nycthémère n. m., 1813, Delambre, astron. ; gr. *nux, nuktos,* nuit, et *hêmera,* jour ; espace de temps comprenant un jour et une nuit. || **nycthéméral** 1908, Lar.

Nylon v. 1935, nom déposé, orig. amér. ; mot arbitraire, de *vinyle* et suffixe *-on.*

nymphe 1265, J. de Meung (*nimphe*) ; fin XVe s., Molinet (*nymphe*) ; fin XVIe s., d'Aubigné, « fille galante » ; 1599, Hornkens, anat. ; 1671, La Fontaine, belle jeune fille ; 1682, *Journ. des savants,* entom., du sens propre en gr. ; lat. *nympha,* divinité des bois, du gr. *numphê,* proprem. « jeune mariée ». || **nymphette** 1525, J. Lemaire de Belges ; repris au XXe s., jeune adolescente, iron. || **nymphée** fin XVe s., Molinet. || **nymphal** 1530, *Anc. Poésies.* || **nymphose** 1874, Lar., entom. || **nymphomanie** 1732, Trévoux. || **nymphomane** 1819, *Dict. sciences méd.*

nymphéa XIIIe s., *Médicinaire liégeois* (*nimpheie*) ; 1538, Canappe (*nymphea*) ; lat. *nymphea,* du gr. *numphaia.* || **nymphéacées** 1817, Gérardin.

nystagmus 1823, *Dict. méd.* (*nystagme*) ; 1903, Lar. (*nystagmus*) ; gr. *nustagma,* assoupissement, de *nustazein,* baisser la tête, de *neuein,* faire un signe de la tête. || **nystagmique** 1877, L.

O

ô 980, *Passion,* interj. d'appel ; orig. onom. || **oh** 1659, Molière. || **oho** 1538, R. Est., interj. de surprise, d'admiration. || **ohé** début XIIIe s., Raoul de Houdenc (*oé*) ; 1838, *Acad.* (*ohé*) ; interj. d'appel. || **holà** 1440, Ch. d'Orléans ; *mettre le holà,* XVIIe s.

oaristys 1721, Trévoux (*oariste*) ; 1794, A. Chénier (*oarystis*) ; gr. *oaristus,* commerce intime, de *oar,* épouse.

oasis 1561, J. Millet, n. propre ; 1761, d'Anville, n. m. ; 1823, Boiste, n. f. ; bas lat. *oasis* (*Digeste*), tiré de l'égyptien. || **oasien** 1865, *le Moniteur.*

obédience 1155, Wace, eccl. ; lat. *oboedientia,* obéissance (v. OBÉIR). || **obédiencier** 1240, *Mir. de la Vierge,* eccl. || **obédientiel** 1636, Dereyroles, eccl.

obéir 1112, *Voy. saint Brendan ;* transitif aussi jusqu'au XVIIe s. ; lat. *oboedire,* de *audire,* écouter. || **obéissant** adj., fin XIIe s. || **obéissance** 1270, *Ordonn.* || **désobéir** 1265, J. de Meung. || **désobéissant** adj., 1283, Beaumanoir. || **désobéissance** *id.*

obel 1689, Simon, *Hist. crit. du Nouv. Test.* (*obèle*) ; 1935, *Acad.* (*obel*) ; signe manuscrit en forme de broche ; bas lat. *obelus,* broche.

obélisque 1552, Gruget ; lat. *obeliscus,* du gr. *obeliskos,* pyramide allongée, proprem. « broche à rôtir ».

obéré fin XVIe s. ; lat. *obaeratus,* endetté, de *aes, aeris,* monnaie. || **obérer** 1680, Richelet.

obèse 1826, Brillat-Savarin ; lat. *obesus,* gras, bien nourri, de *edere,* manger. || **obésité** milieu XVIe s. ; lat. *obesitas.*

obit 1155, Wace, « trépas » ; 1238, Espinas, « messe anniversaire pour un mort » ; lat. eccl. *obitus,* en lat. class. « mort », part. passé de *obire,* mourir, de *ire,* aller. || **obituaire** XIVe s., dans La Morlière (*obitaire*) ; 1671, Pomey (*obituaire*) ; lat. eccl. *obituarius.*

objectal 1946, Mounier, psychol. ; lat. scolast. *objectum,* objet.

objecter 1288, Delb. (*objeter*) ; 1541, Calvin (*objecter*) ; lat. *objectare,* proprem. « jeter devant », sur la rac. de *jacere,* jeter. || **objecteur** 1777, Beaumarchais ; *objecteur de conscience,* 1933, Gide ; angl. *conscientious objector.* || **objection** fin XIIe s. ; bas lat. *objectio.*

objectif adj., XIVe s., philos. ; 1838, *Acad.* (*point objectif*), milit. ; 1803, Boiste, impartial ; lat. *objectivus,* de *objectum* (v. OBJET). || **objectif** n. m., 1666, *Journ. des savants,* optique ; 1857, Flaubert, but à atteindre ; 1868, L., milit. || **objectivement** 1460, Chastellain. || **téléobjectif** 1949, Lar. || **objectivation** 1845, Besch. || **objectiver** 1835, Raymond. || **objectivisme** 1900, *Grande Encycl.* || **objectiviste** 1901, Péguy. || **objectivité** 1803, Boiste, caractère de ce qui est indépendant ; 1932, Lar., impartialité.

objet 1370, Oresme (*object*), philos. ; 1662, Pascal, matière d'une science ; 1784, Brunot, chose concrète ; XVIe s., Ronsard, but ; lat. scolast. *objectum,* part. passé subst. de *objicere,* « jeter devant », de *jacere,* jeter. (V. OBJECTAL.)

objurgation XIIIe s., G. ; lat. *objurgatio,* réprimande, de *jurgare,* quereller, proprem. « plaider », de *jus, juris,* droit. || **objurgateur** 1546, R. Est. || **objurguer** 1546, R. Est. ; lat. *objurgare.*

oblat 1549, R. Est. ; lat. eccl. *oblatus,* offert, part. passé de *offerre* (v. OFFRIR), l'oblat donnant ses biens au couvent où il venait vivre. || **oblature** 1903, Huysmans. || **oblation** 1120, *Ps. d'Oxford* (*oblatiun*), relig. ; lat. eccl. *oblatio,* offrande.

obliger 1246, *Chartres,* donner en caution ; fin XIIIe s., « assujettir à » ; 1507, *Coutumier,* « mettre dans la nécessité de » ; 1538, R. Est., rendre service ; lat. *obligare,* au sens jurid. « lier par contrat », de *ligare,* lier. || **obligataire** 1867, L. (v. *donataire,* à DONNER). || **obligation** 1235, *D. G.,* jurid. ; lat. jurid. *obligatio.* || **obligatoire** 1330, G., d'abord jurid. ; lat. jurid. *obligatorius.*

|| **obligatoirement** 1845, Besch. || **obligé** adj., fin XIIIe s., A. de la Halle, engagé d'amour ; 1354, *Modus,* lié juridiquement ; 1559, Amyot, redevable. || **obligeance** 1250, G. || **obligeant** adj., 1370, J. le Bel. || **obligeamment** 1662, Pascal. || **désobliger** 1307, G., jurid. ; 1636, Monet, sens actuel. || **désobligeance** 1798, *Acad.* || **désobligeant** 1658, Pascal. || **désobligeamment** 1688, Miege.

oblique adj. et n. f., XIIIe s. (*oblike*) ; 1355, Bersuire (*oblique*) ; lat. *obliquus.* || **obliquer** 1282, Gauchi, placer obliquement ; 1825, Le Couturier, se diriger à droite ou à gauche. || **obliquité** 1370, Oresme ; lat. *obliquitas.*

oblitérer 1512, J. Lemaire de Belges, effacer par l'usure ; 1798, *Acad.,* méd. ; 1892, Renan, faire disparaître ; 1863, L., postes ; lat. *oblitterare,* proprem. « effacer la lettre », de *littera,* lettre. || **oblitérateur** 1877, L. || **oblitération** 1777, Linguet ; 1863, L., postes.

oblong 1363, Chauliac ; lat. *oblongus,* de *longus,* long.

obnubiler 1175, Chr. de Troyes (*obnubler*), couvrir de nuages ; 1330, Digulleville (*obnubiler*), sens mod. ; lat. *obnubilare,* de *nubes,* nuage. || **obnubilation** 1486, *Règle de saint Bernard ;* lat. *obnubilatio.*

obole 1268, É. Boileau, petite pièce de monnaie ; 1668, La Fontaine, petite somme d'argent ; fig., 1903, Lar. ; lat. *obolus* (gr. *obolos*).

obombrer 1119, Ph. de Thaon ; lat. *obumbrare,* couvrir d'ombre, de *umbra,* ombre.

obscène 1534, *Bataille Rodilardus ;* lat. *obscenus,* proprem. « de mauvais présage ». || **obscénité** 1512, Delb. ; lat. *obscenitas.*

obscur fin XIe s., *Chanson de Guillaume* (*oscur*) ; fin XIIe s. (*obscur*), sens propre ; 1559, Amyot, sans renom ; 1560, Paré, fig. ; lat. *obscurus.* || **obscurantisme** 1819, *le Constitutionnel ;* de *obscurant* (1781, Turgot), opposé à la connaissance. || **obscurantiste** 1832, *Revue.* || **obscurcir** 1120, *Ps. de Cambridge* (*oscurcir*) ; 1265, J. de Meung (*obscurcir*), d'après *éclaircir, noircir,* au sens propre ; 1538, R. Est., fig. || **obscurcissement** XIIIe s., *D. G.* (*oscurcissement*) ; 1538, R. Est. (*obscurcissement*). || **obscurité** 1119, Ph. de Thaon (*obscurtet*) ; XIIIe s. (*obscurité*) ; lat. *obscuritas.*

obsécration XIIIe s., prière ; 1737, Dumarsais, rhétor. ; lat. *obsecratio,* de *obsecrare,* adjurer, de *sacer,* sacré.

obséder av. 1613, Mathurin Régnier ; lat. *obsidere,* assiéger, de *sedere,* se tenir, et *ob,* devant. || **obsédant** adj., 1857, E. Sue. || **obsédé** 1632, Sagard. || **obsesseur** 1546, R. Est., qui assiège ; 1866, Verlaine, fig. || **obsession** 1460, Chastellain, « siège » ; lat. *obsessio ;* 1590, P. Crespet, relig. ; 1799, Laharpe, sens actuel. || **obsessionnel** 1952, Porot.

obsèques début XIIe s., *Thèbes* (*osseque*) ; 1160, Benoît (*obseque*) ; 1398, E. Deschamps (*obseques*) ; lat. *obsequium,* service funèbre, de *sequi,* suivre.

obséquieux 1502, O. de Saint-Gelais ; lat. *obsequiosus,* de *obsequium,* complaisance, de *sequi,* suivre. || **obséquieusement** 1819, Boiste. || **obséquiosité** 1504, J. Lemaire de Belges ; lat. *obsequiositas.*

observer Xe s., *Saint Léger,* eccl. ; lat. *observare ;* 1490, Commynes, remarquer ; 1607, Hulsius, « regarder avec attention » ; 1690, Furetière, en sciences. || **observable** XVe s., Fossetier. || **observabilité** 1967, Piaget. || **observance** 1265, Br. Latini, eccl. et jurid. ; lat. *observantia.* || **inobservance** 1521, Granvelle ; lat. *inobservantia.* || **observation** 1200, « loi observée » ; 1370, Oresme, « examen attentif » ; fin XVIIe s., Saint-Simon, milit. ; 1868, L., en sciences ; pl., 1636, Monet, commentaires ; lat. *observatio.* || **observateur** 1495, Vaganay, « celui qui accomplit ce qui est prescrit » ; 1555, Belon, « celui qui regarde attentivement » ; 1916, Barbusse, milit. ; 1932, Lar., en diplomatie ; lat. *observator.* || **observatoire** 1667, Graindorge. || **inobservable** 1754, Gohin. || **inobservé** 1845, Besch. || **inobservation** 1550, *Négociation avec le Levant.*

obsidienne 1522, *Romania* (*obsianne*) ; 1600, Gay (*obsidiane*) ; 1752, Trévoux (*obsidiane*), n. f. ; 1765, *Encycl.* (*obsidienne*) ; lat. *obsidiana* (*petra*), var. de *obsiana,* du nom d'*Obsius,* qui aurait découvert ce minéral.

obsidional XVe s., G., qui concerne le siège d'une ville ; 1690, Furetière (*couronne obsidionale*) ; lat. *obsidionalis,* de *obsidio,* siège (*obsidere,* assiéger). [V. OBSÉDER.]

obsolète 1596, Hulsius (*obsolet*) ; 1755, Prévost d'Exiles (*obsolète*) ; lat. *obsoletus.* || **obsolescence** 1958, Romeuf ; lat. *obsolescere,* sortir de l'usage, de *solēre,* avoir coutume. || **obsolescent** 1966, *journ.*

obstacle 1220, Coincy ; lat. *obstaculum,* de *obstare* (*stare,* se tenir, *ob,* devant).

obstétrique adj., 1803, Sterne ; n. f., 1834, Boiste ; lat. *obstetrix,* sage-femme, proprem. « qui se tient devant », de *stare* et *ob* (v. OBSTACLE). || **obstétrical** 1836, Landais. || **obstétricien** XXe s.

obstiner (s') 1535, Olivétan ; *s'obstiner à,* 1538, R. Est. ; lat. *obstinare,* vouloir avec opiniâtreté. || **obstiné** 1180, *Girart de Roussillon,* adj. ; 1220, Coincy, adj. et n. || **obstinément** 1355, Bersuire. || **obstination** 1190, *Saint Bernard ;* lat. *obstinatio.*

obstruer milieu XVIe s., méd. ; lat. *obstruere,* de *struere,* construire, *ob,* devant ; 1780, Buffon, boucher. || **obstructif** 1539, Canappe, méd. || **obstruction** 1538, Canappe, méd. ; lat. *obstructio ;* 1721, Trévoux, engorgement. || **obstructionnisme** 1892, Guérin, polit. || **obstructionniste** 1888, Lar., *id.* || **désobstructif** début XVIIIe s., méd. || **désobstruction** 1845, Besch. || **désobstruer** 1798, *Acad.*

obtempérer 1378, J. Le Fèvre ; lat. *obtemperare,* proprem. « se contenir devant ». (V. TEMPÉRER.)

obtenir 1283, Beaumanoir (*optenir*) ; 1355, Bersuire (*obtenir*) ; lat. *obtinere,* occuper, maintenir ; francisé d'après *tenir.* || **obtention** 1360, *Doc.* (*obtencion*) ; 1516, *Anciennes Lois* (*obtention*) ; lat. *obtentus,* part. passé de *obtinere.* || **obtenteur** 1868, L.

obturer 1538, G. (*opturer*) ; 1544, G. (*obturer*) ; lat. *obturare,* boucher. || **obturateur** adj., 1560, Paré, méd. ; n. m., 1790, *Annales chimie,* techn. ; 1868, L., phot. || **obturation** 1507, N. de La Chesnaye (*obturacion*) ; bas lat. *obturatio.*

obtus 1363, Chauliac, « émoussé » ; 1542, Bovelles, géom. ; 1580, Montaigne, fig. ; lat. *obtusus,* part. passé de *obtundere,* de *tundere,* frapper. || **obtusion** 1605, Le Loyer. || **obtusangle** 1671, Pomey ; bas lat. *obtusiangulus* (VIe s., Boèce).

obus 1515, à Metz (*hocbus*) ; 1697, Surirey (*obus*), à propos de la bataille de Neerwinden, « obusier » ; 1797, Gattel, « obus » ; all. *Haubitze,* obusier, du tchèque *houfnice,* machine à lancer (des pierres). || **obusier** 1762, *Acad.*

obvenir 1369, G., jurid. ; lat. *obvenire,* de *venire,* venir.

obvie 1889, Bénédictins ; lat. *obvius.*

obvier 1180, Barbier, « résister » ; 1370, Oresme, « prévenir, faire obstacle » ; lat. *obviare,* proprem. « aller au-devant », de *via,* chemin (v. VOIE).

oc XIIe s., « oui » ; *langue d'oc,* fin XIIIe s. ; lat. *hoc,* neutre de *hic,* celui-ci.

ocarina 1888, Lar. ; diminutif dialectal ital. *oca,* oie.

occasion 1190, Garn. (*occasiun*), cause, motif ; début XIIIe s., *Ysopet de Lyon* (*occasion*), ce qui se présente à propos ; XIVe s., circonstance en général ; lat. *occasio,* « ce qui échoit », de *cadere,* tomber (v. CHOIR) ; a remplacé la forme pop. *ochaison.* || **occase** n. f., pop., 1841, Esnault. || **occasionnalisme** 1845, Besch., philos. || **occasionnaliste** 1859, Mozin. || **occasionnel** 1674, Malebranche (*occasionnel*), philos. ; 1836, *Acad.,* sens actuel. || **occasionnellement** 1306, du Cange. || **occasionner** 1305, du Cange, chercher querelle ; 1596, Hulsius, sens actuel ; d'après le bas lat. *occasionare.*

occident 1112, *Voy. saint Brendan ;* lat. *occidens,* proprem. « tombant », s.-e. « le soleil », adj. verbal de *occidere,* tomber. || **occidental** 1308, Aimé, a remplacé *occidentel* (1314, Mondeville) ; lat. *occidentalis.* || **occidentaliser** 1877, *Rev. britannique.* || **occidentalisation** 1963, Lar. || **occidentalisme** 1963, Lar. || **occidentalité** 1951, Gide.

occiput 1372, Corbichon ; mot lat., de *caput,* tête. || **occipital** adj., 1363, Chauliac ; 1546, Ch. Est., n. m. ; lat. médiév. *occipitalis.* || **occipito-**, élément de composés savants, dans le lex. méd., depuis 1752, Trévoux.

***occire** 980, *Passion* (*aucidre*) ; 1080, *Roland* (*ocire*) ; 1165, Thomas (*occire* avec *-cc-,* d'après le latin) ; lat. *occidere,* altéré en **auccidere* en lat. pop. de Gaule. || **occiseur** 1138, *Saint Gilles.* || **occision** 1080, *Roland.*

occlure milieu XVe s., investir (une ville) ; 1858, Nysten, méd. ; lat. *occludere,* fermer, de *claudere* (v. CLORE). || **occlusif** 1876, *le Progrès médical.* || **occlusion** 1808, Wenzel, méd. ; lat. médiév. *occlusio.* || **occlusive** n. f., 1903, Lar., linguistique.

occlusion, occlusive V. OCCLURE.

occulte 1120, *Ps. d'Oxford ;* lat. *occultus,* caché, secret. || **occulter** 1324, G., « cacher » ; 1829, Boiste, sens actuel ; lat. *occultare.* || **occultement** 1155, Wace. || **occultation** 1488, *Mer des hist. ;* lat. *occultatio.* || **occultateur** 1546, R. Est. || **occultisme** 1893, Bosc. || **occultiste** 1891, Huysmans.

occuper XIIe s., *Grégoire,* « employer à » ; 1314, Mondeville, remplir un espace ; 1355, Bersuire, se saisir de ; lat. *occupare,* « s'emparer de », de *capere,* prendre. || **occupant** n. m., 1480, *Doc.* || **occupation** 1160, Benoît, emploi ; XIVe s., action de s'emparer ; 1690, Furetière, action de remplir un espace. || **désoccupé** 1579, Delb. || **désoccupation** 1660, Oudin. || **inoccupé** 1544, *l'Arcadie.* || **inoccupation** 1771, Trévoux. || **réoccuper** 1808, Boiste. || **réoccupation** début XIXe s. (V. PRÉOCCUPER.)

occurrent 1475, G., « qui survient » ; lat. *occurrens,* part. prés. de *occurrere,* de *currere,* courir, et *ob,* au-devant. || **occurrence** 1460, Chastellain, occasion ; milieu XXe s., ling. ; d'après angl. *occurrence,* incident.

océan 1112, *Voy. de saint Brendan* (*occean*) ; 1160, Benoît (*océan*) ; lat. *oceanus* (gr. *ôkeanos*), d'abord divinité marine. || **océane** adj. f., 1265, Br. Latini. || **océanien** 1721, Trévoux. || **transocéanien** 1845, Besch. || **océanide** 1721, Trévoux ; bas lat. *Oceanis, -idis,* fille de l'Océan. || **océanique** 1548, Mizauld ; lat. *oceanicus.* || **transocéanique** 1872, L. || **interocéanique** 1855, Squier. || **océanographie** fin XVIe s. ; rare avant 1876, *Rev. crit.* || **océanographe** 1899, *Grande Encycl.* || **océanographique** 1894, Sachs-Villatte.

ocelle 1825, Latreille ; lat. *ocellus,* petit œil, de *oculus, œil.* || **ocellé** 1804, *Bull. des sciences.* || **ocellaire** 1801, *Dic. sciences naturelles.*

ocelot 1640, Laet (*ocelotl*) ; 1765, Buffon (*ocelot*) ; esp. *ocelote,* de l'aztèque du Mexique *ocelot,* tigre.

ocre 1307, Delb. ; lat. *ochra* (Ier s., Celse, Vitruve), du gr. *ôkhra,* de *ôkhros,* jaune. || **ocré** fin XVIe s. || **ocrer** 1959, Robert. || **ocreux** 1762, Valmont (*ochreux*) ; 1787, Chaptal (*ocreux*).

oct-, octa-, octo-, lat. *octo,* huit, ou gr. *oktô,* signifiant « huit » ou « huitième ». || **octacorde** 1788, Barthélemy, mus. || **octaèdre** 1377, Oresme (*octocedron*) ; 1562, Scève (*octehedre*) ; 1572, Amyot (*octaèdre*), géom. ; bas lat. *octaedros,* mot grec, de *edros,* face. || **octaédrique** 1799, *Bull. des sciences.* || **octandrie** 1749, Delibard ; lat. bot. *octandria,* créé par Linné, du gr. *anêr,* mâle : « à huit étamines ». || **octane** 1888, Lar. || **octidi** 1793, Fabre d'Églantine ; lat. *dies,* jour. || **octil** 1690, Furetière, astron. || **octogénaire** 1578, Despence ; lat. *octogenarius,* de *octoginta* (v. OCTANTE). || **octogone** 1520, E. de La Roche, géom. ; lat. *octogonos* (Ier s., Vitruve), mot gr., de *oktô* et de *gônia,* angle. || **octopode** 1721, Trévoux, divisé en huit languettes ; 1838, *Acad.,* zool. ; gr. *pous, podos,* pied. || **octostyle** fin XVIe s. || **octosyllabe** 1611, Cotgrave. || **octosyllabique** 1907, Lar. || **octuor** 1878, Lar. ; d'après *quatuor.* || **octuple** 1377, Oresme ; lat. *octuplus,* multiplié par huit.

octant 1619, G. Macé, astron. ; lat. *octans,* huitième partie. || **octante** fin XIIIe s., rég. (Suisse, Belgique) ; réfection, d'après le lat., de l'anc. fr. *oitante,* du lat. *octoginta,* quatre-vingts. || **octantième** 1530, Palsgrave.

octave 1180, Gautier d'Arras, eccl. ; 1534, Lefèvre d'Étaples, mus. ; lat. *octava,* fém. subst. de *octavus,* huitième, de *octo,* huit. || **octavier** 1765, *Encycl.* || **octavine** 1703, Brossard, mus. || **octavin** 1803, Boiste ; ital. *ottavino.* || **in-octavo** 1567, Granvelle ; n. m., 1752, Trévoux. || **octavon** 1780, d'après Besch.

octobre 1213, *Fet des Romains ;* lat. *october,* de *octo,* huit (à l'origine le huitième mois de l'année) ; a éliminé la forme pop. de l'anc. fr. *uitovre, oitovre.* || **octobriste** 1905, hist.

***octroyer** 1080, *Roland* (*otreier*) ; XIIe s. (*octroïer*) ; lat. pop. **auctoridiare,* accorder, en lat. impér. *auctorare* (Quintilien, etc.), de *auctor,* « garant » (v. AUTORISER). || **octroi** 1112, *Voy. saint Brendan* (*otreid*) ; 1138, Gaimar (*otrei*) ; début XIIIe s. (*octroi*), d'abord action d'octroyer, puis taxe municipale (*octroyée*) en anc. fr. ; 1836, Landais, sens mod.

oculaire n. m., 1478, Chauliac, méd. ; 1671, Chérubin, astron. ; lat. *ocularius,* de *oculus,* œil. || **oculariste** milieu XIXe s. || **binoculaire** 1671, Chérubin ; n. f., 1948, Lar. || **interoculaire** 1838, *Acad.* || **monoculaire** 1812, Mozin.

oculi 1405, *Doc.,* eccl. ; lat. *oculus.*

oculiste 1503, Chauliac, n. ; 1560, Paré, adj. ; lat. *oculus.* || **oculistique** XVIIIe s., remplacé auj. par *ophtalmologie.*

odalisque 1624, Deshayes (*odalique*) ; 1664, Fermassel (*odalisque*) ; turc *odaliq,* chambrière, de *oda,* chambre.

ode 1491, Vaganay ; gr. *ôdê* (bas latin *oda,* ode), proprem. « chant » (contraction de *aoidê,* v. AÈDE). || **odelette** 1554, Ronsard.

odéon 1547, J. Martin (*odéum*) ; 1755, Aviler (*odéon*) ; lat. *odeum* (gr. *ôideion*), édifice destiné aux concours de musique.

odeur 1112, *Voy. saint Brendan* (*udur*) ; 1130, *Eneas* (*odor*) ; 1380, *Aalma* (*odeur*) ; lat. *odor.* || **odorant** début XIIIe s., Tobler-Lommatzsch ; lat. *odorans,* part. prés. de *odorare.* || **odorat** 1551, Sauvage ; lat. *odoratus.* || **odorer** 1120, *Ps. d'Oxford,* avoir de l'odorat ; 1314, Mondeville, percevoir une odeur ; XIIe s., répandre une odeur. || **odoriférant** 1380, *Aalma ;* lat. médiév. *odoriferens* (lat. class. *odorifer*). || **odorisant** 1963, Lar. || **odoriseur** 1963, Lar. || **désodoriser** 1922, Lar. || **désodorisant** n. m., 1929, Lar. || **désodorisation** 1922, Lar. || **déodorant** 1961, *journ.* || **inodore** fin XVIIe s. ; lat. *inodorus.* || **subodorer** 1636, Richelieu, se douter ; 1782, d'Alembert, sentir une odeur.

odieux 1376, G. ; lat. *odiosus,* de *odium,* haine. || **odieusement** 1541, Calvin.

odomètre 1678, Barbier ; gr. *hodometron,* de *hodos,* route, et *metron,* mesure. || **odographe** 1888, Lar. || **odométrie** 1842, Mozin.

odontalgie 1694, Th. Corn. ; gr. *odontalgeia,* de *odous, odontos,* dent, et *algeîn,* souffrir. || **odontalgique** 1620, Béguin. || **odontoblaste** 1892, *Grande Encycl.* || **odontogenèse** 1903, Lar. || **odontologie** 1771, Trévoux. || **odontoïde** 1541, Canappe ; gr. *odontoeides,* sur *eidos,* aspect. || **odontorrhagie** 1843, Landais.

odynophagie 1932, Lar. ; gr. *odunê,* douleur, et *phagein,* manger.

odyssée 1814, Lamartine, *Lettres ;* du nom du poème d'Homère, décrivant les aventures d'Ulysse (*Odusseus* en grec).

œcuménique 1590, Marnix ; lat. eccl. *oecumenicus,* du gr. *oikoumenikos,* de *oikouménê,* l'univers, proprem. « (la Terre) habitée ». || **œcuménicité** 1752, Trévoux. || **œcuménisme** 1927, *Confér. œcum. de Lausanne.*

œdème 1550, Guéroult ; gr. *oidêma,* tumeur. || **œdémateux** 1549, Maignan, d'après le mot grec. || **œdématier** 1812, Mozin.

œdipe 1721, Trévoux ; du nom d'*Œdipe,* personnage des légendes grecques, qui devina l'énigme proposée par le sphinx de Thèbes ; *complexe d'Œdipe,* 1929, Lar. || **œdipien** v. 1930.

* **œil** 980, *Passion* (*ol*) ; 1050, *Alexis* (*oil*) ; 1155, Wace (*ueil*) ; fin XIIe s. (*oel*) ; 1342, Bruyant (*oeil*) ; lat. *ŏcŭlum,* acc. sing. de *oculus,* œil ; le pluriel *yeux* (Xe s., *Saint Léger, ols ;* XIIe s., *ieus*) représente l'acc. plur. *ŏcŭlos.* || **œil-de-bœuf** 1530, *Doc.,* archit. || **œil-de-chat** 1416, Havard, pierre précieuse. || **œil-de-crapaud** 1840, Esnault. || **œil-de-perdrix** 1600, O. de Serres, vin teinté de rouge ; 1839, *Journ. méd.* || **œil-de-serpent** 1718, *Acad.,* petite pierre. || **œillade** 1493, Coquillart. || **œillard** 1554, Gouberville. || **œillère** fin XIIe s., *Loherains* (*oillière*), pl., 1841, Chateaubriand, étroitesse d'esprit. || **œillet** XIIe s., Studer (*ollet*) ; XIVe s. (*oeillet*), petit œil, puis ouverture ; fin XVe s., bot. || **œilleton** 1530, Crescens, bouton d'arbre ; 1554, Darces, rejeton. || **œilletonner** 1652, Mollet. || **œilletonnage** 1874, Lar.

œillet V. ŒIL.

œillette XIIIe s., J. de Condé (*oliette*) ; 1732, Liger (*euillette*) ; 1765, *Encycl.* (*œillette*) ; de *olie* (1120, *Ps. d'Oxford*), anc. forme de *huile,* du lat. *oleum* (v. HUILE).

œn(o)-, gr. *oînos,* vin. || **œnilisme** 1903, Lar. || **œnolique** 1845, Besch. || **œnologie** 1636, Brunot. || **œnologique** 1823, *Doc.* || **œnologue** 1836, *Acad.* || **œnométrie** 1836, Landais. || **œnométrique** 1836, Landais. || **œnophile** 1836, Landais. || **œnotechnie** 1923, Lar. || **œnotechnique** 1923, Lar. || **œnothère** fin XVIIIe s. ; gr. *oinothêra,* plante à la saveur vineuse. || **œnothéracées** 1842, *Acad.* (*œnothérées*).

œnanthe 1562, Du Pinet, bot. ; lat. *œnanthe,* du gr. *oînanthê,* fleur de vigne. || **œnanthique** 1868, L.

œrsted 1923, Lar., phys. ; du nom du physicien danois *Œrsted* (1777-1851).

œsophage 1314, Mondeville (*ysophague*) ; 1562, Du Pinet (*oesophage*) ; gr. *oisophagos,* de *oisein,* porter, et *phageîn,* manger. || **œsophagien** 1701, Furetière. || **œsophagite** 1822, *Dict. méd.* || **œsophagoscope** 1932, Lar. || **œsophagoscopie** 1903, Lar.

œstre 1519, G. Michel ; lat. *oestrus* (gr. *oistros*), proprem. « taon », au fig. « aiguillon de la douleur, ou du désir ». || **œstral** 1953, Lar. || **œstrogène** 1953, Lar. || **œstrone** 1964, Lar. || **œstrus** 1953, Lar.

* **œuf** 1119, Ph. de Thaon (*of*) ; XIIe s. (*uef*) ; v. 1160, *Charroi* (*oef*) ; XIVe s. (*oeuf*) ; 1578, R. Le Blanc, techn. ; *œuf dur,* 1308, La Curne ; *œuf à la coque,* milieu XVIIe s. ; *œuf au plat,* 1718, *Acad. ; œuf sur le plat,* 1798, *Acad. ; œuf de Pâques,* 1594, Des Périers ; lat. *ōvum* (*o* ouvert en lat. pop.). || **œuvé** fin XIIe s., R. de Moiliens (*ové*), plein d'œufs ; 1398, *Ménagier,* sens actuel. || **œufrier** 1838, *Acad.*

* **œuvre** 1120, *Ps. d'Oxford ;* 1155, Wace (*uevre*) ; 1250, La Curne (*oeuvre*) ; *à l'œuvre,* fin XIVe s. ; *mettre à l'œuvre,* 1655, La Rochefoucauld ; *mise en œuvre,* 1854, Nerval ; *maître d'œuvre,* 1678, La Fontaine ; *maistre des œuvres,* architecte, XIVe s. ; *maistre des basses, des hautes œuvres,* bourreau, XIVe s. ; *chef-d'œuvre,* 1268, É. Boileau ; *bois d'œuvre,* 1611, Cotgrave ; *œuvres vives,* 1559, Amyot, mar. ; *hors-d'œuvre,*

fin XVIe s., archit. ; 1690, Furetière, culin. ; *sous-œuvre,* 1694, Th. Corn. ; *à pied d'œuvre,* 1798, *Acad.,* archit. ; 1935, *Acad.,* fig. ; lat. *ŏpĕra.* || œuvrer 980, *Passion* (*ovrer*) ; XIIIe s., G. (*ouvrer*) ; 1530, Palsgrave (*œuvrer*) ; bas lat. *operare ;* a éliminé l'anc. fr. *ouvrer,* par influence de *œuvre.* || œuvrette XIIIe s. || **désœuvré** 1692, Caillières. || **désœuvrement** 1748, Crébillon.

offense 1230, Coincy ; lat. *offensa,* part. passé substantivé au fém. de *offendere,* heurter. || **offenser** 1450, Lannoy, sens actuel ; 1530, Marot, blesser (au physique) ; *s'offenser,* 1559, Amyot. || **offensant** adj., 1643, *Recueil des lois.* || **offenseur** XVe s., celui qui contrevient à la loi ; 1606, Crespin, sens actuel.

offensif 1491, Vaganay, « qui constitue une offense » ; 1549, R. Est., milit. ; anc. fr. *offendre,* attaquer (lat. *offendere,* heurter), d'après *défensif,* sur *défendre.* || **inoffensif** 1777, Vergennes. || **offensive** n. f., 1587, F. de La Noue. || **offensivement** 1718, *Acad.,* milit.

office n. m., 1155, Wace, eccl. ; 1190, Garn., « fonction » ; 1907, Lar., service public ; 1863, d'après L., agence ; *d'office,* 1338, G. ; n. f., 1320, *Hugues Capet,* garde-manger ; 1536, Havard, sens actuel ; lat. *officium,* de *facere,* faire.

official 1180, Barbier, eccl. ; lat. *officialis,* « relatif à une fonction », et, subst., serviteur, de *officium* (v. OFFICE). || **officialité** 1285, G.

officiel 1778, *Courrier de l'Europe ;* angl. *official,* du lat. *officialis,* de *officium* (v. OFFICE). || **officiellement** *id.* (*officialement*). || **officialiser** 1959, Robert. || **officialisation** 1963, Lar.

1. **officier** v., fin XIIIe s., Végèce, exercer sa fonction ; lat. médiév. *officiare ;* 1534, B. Des Périers, eccl. || **officiant** n. m., 1671, Pomey. || **officiante** 1762, *Acad.*

2. **officier** n. m., 1320, *Hugues Capet,* « celui qui a une fonction » ; *id.,* serviteur de grande maison ; XVIe s., *Coutumier,* titulaire d'une charge ; 1564, *Doc.,* milit. ; 1721, Trévoux, dignitaire de certains ordres ; *officier ministériel,* 1836, Landais ; *officier de police,* 1655, Molière ; *officier de santé,* 1680, Richelet ; lat. *officiarius.* || **officière** 1330, Digulleville, religieuse ; 1949, Lar. (Armée du salut). || **sous-officier** 1771, Trévoux. || **sous-off** 1867, Delvau.

officieux adj., 1534, Rab., « qui rend service » ; 1789, n. m., serviteur à gages ; adj., 1868, L., « qui, sans être officiel, exprime plus ou moins la pensée du gouvernement » ; lat. *officiosus,* obligeant, de *officium,* au sens de « service rendu » ; le sens premier a subsisté jusqu'au XIXe s. || **officieusement** 1555, Damhoudere, obligeamment ; 1874, Lar., sens actuel. || **inofficieux** 1495, Delb. ; lat. *inofficiosus.* || **inofficiosité** 1611, Cotgrave.

officine 1160, Benoît, boutique (*offecine*) ; 1180, Marie de France (*officine*) ; 1812, Mozin, pharmacie ; lat. *officina,* fabrique (v. USINE). || **officinal** 1530, *D. G. ;* 1732, Lémery, pharm.

offrande 1080, *Roland* (*offrende*) ; 1112, *Voy. saint Brendan ;* lat. médiév. *offerenda,* part. futur passif, substantivé au féminin, de *offerre.*

***offrir** fin XIe s., *Chanson de Guillaume ;* lat. pop. **offerire,* en lat. class. *offerre.* || **offre** 1138, Gaimar, n. m. ; fin XIIe s., n. f., action d'offrir ; 1690, Furetière, prix offert. || **offrant** n. m., dans *au plus offrant,* 1365, Runk. || **offerte** 1317, G., eccl. ; part. passé subst. || **offertoire** 1350, *Glossaire ;* lat. *offertorium.*

offset 1920, Lar. ; mot angl. pris au sens de « report », de *set,* placer, *off,* dehors. || **offsettiste** 1955, *Dict. des métiers.*

offusquer 1458, *Mystère,* éblouir ; milieu XIVe s., E. Deschamps (*obfusquer*), « porter préjudice à », et aussi « obscurcir » ; 1766, Brunot, « choquer » ; lat. *offuscare,* obscurcir, de *fuscus,* sombre. || **offuscation** XIVe s., affaiblissement de la vue ; 1559, Amyot, astron.

oflag 1940, *journ. ;* abrév. de l'all. *Offizierlager,* camp pour officiers.

ogive 1250, Villard de Honnecourt (var. *oegive,* 1325 ; *augive,* jusqu'au XIIIe s.) ; origine incertaine, p.-ê. bas lat. *obviata,* disposée en croisée, de *obviare,* aller à l'encontre (pour obvier à la poussée des murs), avec le suffixe lat. *-ivus.* || **ogival** 1823, Boiste. || **ogivette** 1845, Besch.

ogre 1175, Chr. de Troyes, païen féroce ; début XIVe s., sens actuel ; probablem. altér. d'un anc. **orc,* du lat. *Orcus,* « dieu de la Mort », « enfer » (cf. l'ital. *orco,* « croquemitaine »). || **ogresse** 1697, Perrault ; a remplacé *ogrine.* || **ogrerie** 1845, Besch.

oh V. Ô.

ohm 1881, *Congrès d'électricité ;* du nom du physicien allemand *Ohm* (1789-1854). || **ohmique** 1907, Lar. || **ohmmètre** 1888, Lar.

oïdium 1825, *Dict. sciences nat. ;* lat. sc. *oidium,* du gr. *ôon,* œuf, et *-idium,* terminaison contenant le suff. sav. *-id(e).* || **oïdié** 1874, Lar.

***oie** 1155, Wace (*oe, oue,* resté dans la *rue aux Oues,* à Paris, altérée en *rue aux Ours* au XVIIe s., et chez La Fontaine, *Lettres*) ; milieu XIIe s. (*oie*), forme de l'Est, refaite d'après *oiseau, oison ; patte d'oie,* 1560, Paré, déformation des orteils ; 1826, Leclercq, sens actuel ; *oie blanche,* 1894, M. Prévost ; lat. pop. **auca,* contract. de **avica* (de *avis,* oiseau), qui a remplacé le lat. class. *anser.*

***oignon** début XIIIe s. (*hunion*) ; 1265, J. de Meung (*oignon*) ; 1538, R. Est., hortic. ; 1611, Cotgrave, *oignon du pied ;* 1834, Esnault, pop., montre ; XIXe s., pop., coup, meurtrissure, d'où l'abrév. *gnon* (1651, *Mazarinades*) ; 1590, Esnault, pop., anus ; 1855, Rigaud, *aux petits oignons ;* lat. pop. **unio, unionis* (Ier s., Columelle), qui a éliminé *caepa* en Gaule. || **oignonade** 1552, Rab. (*ognonnade*). || **oignonière** 1546, Vaganay.

oïl V. OUI.

oille V. OLLA-PODRIDA.

***oindre** 1120, *Ps. d'Oxford,* relig. ; lat. *unguĕre.* || **oint** XVe s., Trénel, relig. || ***oing** 1260, Rutebeuf (*oint*) ; fin XVe s. (*oing*) ; lat. *unctum,* de *unguĕre.*

***oiseau** 1080, *Roland* (*oisel*) ; lat. pop. **aucellus,* contract. de **avicellus,* dimin. du lat. class. *avis,* oiseau. || **oiselet** 1119, Ph. de Thaon. || **oiseleur** 1145, Evrart. || **oiselier** 1558, G. Morel. || **oiselle** 1211, *le Bestiaire* (*oisele*) ; 1562, Rab. (*oiselle*) ; repris en 1854 par Nerval. || **oisellerie** XIVe s., G. || **oisillon** début XIIIe s.

***oiseux** 1175, Chr. de Troyes (*oiseus*), fainéant ; 1265, J. de Meung, « inutile » ; lat. *otiosus,* de *otium,* loisir. || **oiseusement** XIVe s., G. || **oisif** milieu XIIe s., G. (*beste wisive*) ; 1538, R. Est. (*oisif*) ; a remplacé l'anc. *oidif* (XIIe s.), « qui n'est pas en fonction » ; 1265, J. de Meung, « qui ne s'occupe à rien ». || **oisivement** début XVIe s. || **oisiveté** 1330, *Girart de Roussillon.*

***oison** XIIIe s., *Renart ;* lat. pop. **aucio, *aucionis,* de *avis,* oiseau, avec *oi* (pour *o*) dû à l'infl. de *oiseau.*

okapi 1903, Lar. ; mot bantou.

okoumé 1932, Lar. ; mot du Gabon.

oléacée 1858, Nysten, bot. ; lat. *oleum,* huile. || **oléagineux** 1314, Mondeville ; lat. *oleaginus.* || **oléiculture, oléiculteur** 1907, Lar. || **oléifère** 1812, Mozin. || **oléfiant, oléifiant** 1823, *Dict. méd.* || **oléiforme** 1907, Lar. || **oléine** 1825, *Dict. sciences nat.* || **oléique** 1822, *Dict. classique d'hist. nat.* || **oléolat** 1838, *Acad.* || **oléomètre** 1858, Nysten. || **oléorésine** 1868, L. || **oléostéarate** 1903, Lar. || **oléum** 1923, Lar. (V. OLÉODUC.)

oléandre 1314, Mondeville, bot. ; lat. médiév. *oleander,* d'orig. obsc.

olécrane 1560, Paré, anat. ; gr. *ôlenokranon,* de *ôlenê,* bras, et *karênon,* tête. || **olécranien** 1822, *Nouveau Dict. méd.*

oléoduc 1894, Sachs ; lat. *oleum,* huile, et *ducere,* conduire, sur le modèle de *aqueduc.*

olfactif 1503, Chauliac ; lat. méd. *olfactivus,* de *olfactus,* odeur, odorat. || **olfaction** début XVIe s., odeur ; 1836, *Acad.,* sens actuel ; lat. *olfactio.*

oliban 1314, Mondeville (*olimban*) ; bas lat. *olibanus,* du gr. *libanos* et de l'article défini *ho.*

olibrius 1537, Des Périers ; du nom d'un empereur d'Occident (472), incapable et vaniteux, devenu, dans la légende, le persécuteur de sainte Marguerite.

olifant 1080, *Roland ;* forme altérée de *éléphant* (v. ce mot).

olig(o)-, gr. *oligos,* peu, *oligoi,* peu nombreux. || **oligarchie** 1370, Oresme (*olygarchie*) ; gr. *arkhein,* commander. || **oligarchique** 1370, Oresme. || **oligarque** 1562, Bonivard (*olygarche*). || **oligiste** 1801, Haüy, minér. ; gr. *oligistos,* très peu (parce que ce minerai contient peu de métal). || **oligocène** 1881, *Archives des sc. phys.,* géol. ; gr. *kainos,* récent. || **oligochètes** 1888, Lar. ; gr. *khaitê,* chevelure. || **oligo-élément** 1949, Lar. || **oligophrénie** 1953, Lar. || **oligopole** milieu XXe s. || **oligurie** 1877, *le Progrès médical.*

olive 1080, *Roland ;* prov. *oliva,* du lat. *oliva,* olive, olivier ; aussi « olivier » en anc. fr. ; 1650, d'après Richelet, techn. || **olivacé** 1838, *Acad.* || **olivaison** 1636, Monet. || **olivâtre** 1525, *Voy. Pigafetta ;* ital. *olivastro.* || **olivaie** 1636, Monet. || **olivaire** XIVe s., G. || **oliveraie** 1196, Ambroise (*oliveroie*) ; 1606, Crespin (*oliveraie*). || **olivette** début XIIIe s., *Guillaume de Dole* (*olivete*). || **olivier** 980, *Passion* (*oliver*) ; 1120, *Voy. de Charl.* (*olivier*). || **olivine** 1798, Reuss. || **oliveur** 1874, Lar.

ollaire 1752, Trévoux ; lat. *ollarius,* de *olla,* marmite en terre ; pierre facile à tailler dont on fait des pots.

olla-podrida 1590, Hariot, ragoût ; mot esp. signif. « marmite pourrie ». || **oille** 1673, Sévigné ; francisation du mot.

olographe début XVIIe s., jurid., pour *holographe* ; bas lat. *holographus* (IVe s., saint Jérôme), du gr. *holos,* entier, et *graphein,* écrire ; écrit en entier de la main du testateur. || **olographie** 1874, Lar.

olympe 1525, J. Lemaire de Belges, séjour des dieux ; 1678, La Fontaine, endroit élevé ; 1690, Furetière, ciel ; lat. *Olympus,* gr. *Olumpos,* du nom d'une montagne de la Grèce ancienne, résidence légendaire des dieux. || **olympien** 1550, Ronsard, « qui réside sur l'Olympe » ; 1835, *Acad.,* majestueux ; lat. *olympius.*

olympiade XIIIe s., Tobler-Lommatzsch ; lat. *olympias,* gr. *olumpias,* de *Olumpia* (v. le suivant).

olympique 1525, J. Lemaire de Belges, relatif à Olympie ; 1894, *Revue de Paris,* sens mod. ; lat. *olympicus,* du gr. *olumpikos,* du nom de *Olumpia,* ville d'Élide où se célébraient tous les quatre ans les jeux Olympiques. || **olympisme** 1894, *Revue de Paris.*

ombelle 1558, J. Du Bellay (*umbelle*) ; 1685, Furetière (*ombelle*) ; lat. *umbella,* ombrelle, de *umbra,* ombre. || **ombellifère** 1698, Tournefort. || **ombelliféracées** 1959, Robert.

ombilic XIVe s., Foix (*ombelic*) ; 1503, Chauliac (*ombilic*) ; lat. *umbilicus* (v. NOMBRIL). || **ombilical** 1490, Chauliac ; *cordon ombilical,* 1762, *Acad.* || **ombiliqué** 1765, *Encycl.* || **ombilicaire** 1584, du Fail.

omble 1553, Belon (*humble*) ; 1874, Lar. (*omble*) ; altér. de *amble,* même sens, du bas lat. *amulus* (Ve s., Polemius Sivius, à Lyon).

ombrageux V. OMBRE.

1. ***ombre** 980, *Valenciennes* (*umbre*) ; 1160, Benoît (*ombre*) ; lat. *ŭmbra ; à l'ombre de,* 1613, Régnier, fig. || ***ombreux** 1175, Chr. de Troyes ; lat. *umbrosus.* || **ombrage** 1160, Benoît, sens propre ; fin 1587, Du Vair, « jalousie » ; *porter ombrage,* 1784, *Correspondance litt.* || **ombrager** 1112, *Voy. saint Brendan* (*umbrajier*) ; milieu XIIIe s. (*ombrager*). || **ombrageux** 1265, J. de Meung, où il y a peu de lumière ; 1300, à propos d'un cheval ; 1589, Baïf, soupçonneux. || **ombrer** 1265, J. de Meung, « mettre à l'ombre » ; 1555, Belon, « marquer d'ombres » (un dessin) ; lat. *umbrare.* || **obombrer** 1119, Ph. de Thaon ; lat. *obumbrare.* || **pénombre** milieu XVIIe s. ; sur le lat. *paene,* presque. || **ombromanie** 1932, Lar., jeu d'ombres. || **ombrophile** 1963, Lar.

2. ***ombre** fin XIVe s., Delatte (*umbre*) ; 1562, Du Pinet (*ombre*) ; lat. *umbra,* ombre, proprem. « poisson de couleur sombre ».

ombrelle 1588, Montaigne, n. m. ; 1611, Cotgrave, n. f. ; ital. *ombrello,* n. m., du lat. *umbella* (v. OMBELLE), avec *r* analogique de *umbra,* ombre ; devenu fém. d'après les mots en *-elle.*

oméga XIIe s., G., *alfa et omega,* « le commencement et la fin » ; 1535, Olivétan, nom de la dernière lettre de l'alphabet grec ; du nom grec de l'*o* long (avec *mega,* grand), opposé à *omikron, o* bref (avec *mikron,* petit).

omelette 1548, Rab. (*homelaicte*) ; altér. sous l'influence des mots issus du lat. *ovum,* de *amelette* (1398, *Ménagier*), de **alemette,* var. de *alumette* (1480, G.), lui-même issu de *alumelle* (1398, *Ménagier*), de l'anc. fr. *lemelle* (avec agglutination du *a* de l'article *la*), var. de *lamelle* (v. LAME). L'omelette a été comparée à une lame, à cause de sa minceur.

omettre 1337, G. ; lat. *omittere,* de *mittere,* envoyer, d'après *mettre.* || **omission** 1350, Gilles li Muisis ; bas lat. *omissio* (IVe s., Symmaque).

omni-, lat. *omnis,* tout. || **omnicolore** 1827, *Acad.* || **omnidirectionnel** 1949, Lar. || **omnipotent** 1080, *Roland ;* lat. *omnipotens,* de *potens,* puissant. || **omnipotence** 1387, La Curne ; lat. *omnipotentia.* || **omnipraticien** 1963, Lar. || **omniprésence** 1829, Boiste. || **omniprésent** 1838, *Acad.* || **omniscience** 1734, Voltaire ; lat. *omniscientia.* || **omniscient** 1737, Voltaire. || **omnisports** 1958, *journ.* || **omnivore** 1749, Buffon ; lat. *omnivorus,* de *vorare,* dévorer.

omnibus début XIXe s., ellipse de *voiture omnibus* (1835, *Acad.*), où *omnibus,* datif pl. du lat. *omnis,* tout, signifie « pour tous » ; XXe s., train desservant toutes les stations, de *train omnibus,* 1838, Wexler ; 1874, Lar., adj., qui convient à tous. La finale *-bus* est devenue suffixe pour des véhicules de transport en commun, et même pour des mots indiquant l'idée de circulation. (V. AÉROBUS, AUTOBUS, BIBLIOBUS, TROLLEYBUS.)

omnium 1776, Franklin ; 1872, *J. O.,* compagnie commerciale faisant indistinctement toutes les opérations ; 1872, Pearson, sorte de course de chevaux ; 1932, Lar., épreuve sportive ; mot angl., du lat. *omnium,* gén. pl. de *omnis,* tout ; formule d'un emprunt lancé en Angleterre en 1760, pour désigner la totalité des effets publics reçus par l'emprunteur.

omophage 1771, Trévoux ; gr. *ômophagos,* qui mange de la chair crue, de *ômos,* cru, et *phageîn,* manger.

omoplate 1363, Chauliac (*homoplate*) ; 1534, Rab. (*omoplate*) ; gr. *ômoplatê,* de *ômos,* épaule, et *platê,* chose plate.

omphalectomie 1963, Lar. ; gr. *omphalos,* nombril, et *ektomê,* amputation, excision.

***on** 842, *Serments* (*om,* cas sujet ; aussi 1080, *Roland*) ; 1155, Wace (*on,* affaiblissement du préc.) ; lat. *homo,* par évolution en position atone.

1. **onagre** 1119, Ph. de Thaon, zool. (*onager*) ; fin XIIe s. (*onagre*) ; lat. *onager, onagrus,* du gr. *onagros,* âne sauvage.

2. **onagre** 1615, Daléchamp, bot. (*onagra*) ; 1778, Lamarck (*onagre*) ; gr. *onagra,* onagre, œnothère. || **onagracées** 1874, Lar. || **onagrariées** 1838, *Acad.*

onanisme 1760, Tissot ; du nom de *Onan,* personnage biblique, fils de Juda, à qui est attribué ce plaisir sexuel solitaire (v. *Genèse,* XXXVIII). || **onaniste** 1828, Mozin.

1. ***once** 1112, *Voy. saint Brendan,* petite quantité ; 1130, *Eneas,* unité de poids ; 1131, *Couronn. Loïs,* monnaie ; lat. *uncia,* mesure d'un douzième. || **oncial** 1587, Vigenère ; lat. *uncialis,* lettre capitale (d'un pouce), du sens de *pouce,* le douzième du pied. || **onciaire** 1355, Bersuire ; lat. *unciarius.*

2. ***once** 1265, Br. Latini, zool. ; de *lonce,* par déglutination de l'article, du lat. pop. *luncea, lyncea,* de *lynx* (v. LYNX).

oncirostre 1839, Boiste, zool. ; lat. *uncus,* crochu, et *rostrum,* bec.

***oncle** 1080, *Roland* (*uncle*) ; lat. *avunculus,* oncle maternel, de *avus,* aïeul. || **grand-oncle** 1538, R. Est.

onction 1190, *Saint Bernard ;* lat. *unctio,* de *unctus,* part. passé de *ungere,* oindre. || **extrême-onction** 1558, B. Des Périers.

onctueux 1314, Mondeville ; lat. médiév. *unctuosus,* de *ungere,* oindre. || **onctuosité** 1314, Mondeville ; lat. médiév. *unctuositas.* || **onctueusement** 1582, Agneaux.

***onde** 1112, *Voy. saint Brendan ;* 1765, *Encycl.,* phys. ; *longueur d'onde,* 1903, Lar. ; *ondes radioélectriques,* XXe s. ; lat. *unda.* || **ondé** 1360, Froissart. || **ondée** fin XIIe s., *Dial. Grégoire.* || **onder** 1138, *Saint Gilles.* || **ondin** milieu XVIe s., Ronsard (*ondine*) ; 1704, Trévoux (*ondin*). || **ondomètre** 1923, Lar. || **ondoiement** 1160, Benoît (*undeiement*). || **ondoyer** 1138, *Saint Gilles,* flotter ; 1215, Gatineau, v. tr., relig. || **ondoyant** 1160, Benoît, adj.

onduler 1746, Nollet ; bas lat. *undulare* (Ier s., Pline, *undulatus*), de *unda* (v. ONDE). || **ondulé** adj., 1767, Grouner. || **ondulant** adj., 1761, Levret, méd. || **ondulation** 1680, Perrault ; 1765, *Encycl.,* phys. ; 1799, Marmontel, mouvement musical ; 1900, Colette, coiffure. || **ondulement** 1883, A. Daudet. || **ondulatoire** 1765, *Encycl.* || **onduleux** 1735, Heister. || **onduleur** 1963, Lar.

onéreux 1370, Oresme (*honereus*) ; début XVIe s. (*onéreux*), lourd ; lat. *onerosus,* lourd ; début XVIe s., « qui est à charge » ; 1678, Racine, « qui coûte beaucoup ».

one-step 1923, Lar. ; mot anglo-américain signif. « un pas » ; danse américaine.

***ongle** 1112, *Voy. saint Brendan* (*ungle*), n. m. et f. ; 1130, *Eneas,* n. f., serre, ergot, griffe ; fém. jusqu'au XVIe s., et encore chez La Fontaine ; lat. *ungula,* fém., griffe, qui a éliminé *unguis,* ongle, d'où l'anc. et moy. fr. *ongle.* || **onglé** adj., 1400, G. || **onglée** 1456, Villiers. || **onglet** 1304, G., crochet ; 1538, R. Est., petit ongle ; 1690, Furetière, sens actuel. || **onglette** 1572, Baïf, petit ongle ; 1615, Binet, techn. || **onglon** début XIVe s., G. || **onglier** 1874, Lar. || **ongulé** adj., 1756, Brunot ; n. m., 1827, *Acad.,* zool. || **onguicule** 1845, Besch. ; lat. *unguiculus,* dim. de *unguis.* || **onguiculé** 1756, Brunot ; lat. scient. *unguiculus.* || **onguligrade** 1839, Robert (*ongulograde*).

onguent début XIIIe s. (*onguen*) ; fin XVe s. (*onguent*) ; lat. *unguentum,* parfum, et sens spécialisé en pharm.

onguiculé, ongulé V. ONGLE.

onirique 1903, Lar. ; gr. *oneiros,* rêve. || **onirisme** 1923, Lar. || **onirogène** 1961, Delay. || **onirologie** XXe s. || **oniromancie** 1623, Ferrand (*oniromance*) ; 1827, *Acad.* (*oniromancie*). || **oniromancien** 1827, *Acad.*

onomasiologie 1904, *Romania ;* gr. *onoma,* nom, d'après *sémasiologie.* || **onomasiologique** v. 1950.

onomastique 1578, d'Aubigné (*onomastic*), n. m. ; 1868, L. (*onomastique*), n. f. ; gr. *onomastikos,* « du nom propre ».

onomatopée 1585, Vaganay ; bas lat. *onomatopoeia* (IVe s., Charisius), mot gr. signif « création de mot », de *onoma,* gén. *onomatos,* mot, nom, et *poieîn,* faire. || **onomatopéique** XVIIIe s. (*-ique*) ; 1838 (*-éi-*).

***onques, onc** fin IXe s., *Eulalie* (*omque*) ; 1130, *Eneas* (*onc*) ; 1175, Chr. de Troyes (*onques*) ; lat. *unquam,* quelquefois ; a signifié « jamais » (disparu depuis le XVIe s.).

ontogenèse 1903, Lar. ; gr. *ôn, ontos,* être, part. prés. de *einai,* être, et *genesis,* genèse. || **ontogénique** 1932, Lar. || **ontogénétique** 1932, Lar.

ontologie 1696, *Journ. des savants ;* lat. philos. *ontologia,* employé par Clauberg en 1646, d'après le gr. *ôn,* gén. *ontos* (v. le préc.). || **ontologique** 1765, *Encycl.* || **ontologiquement** 1874, Lar. || **ontologisme** 1868, Souviron.

onyx XIIe s., Marbode (*onix*) ; 1560, *Bible Estienne* (*onyx*) ; mot lat., du gr. *onux,* ongle (d'après la transparence de la pierre). || **onychophagie** 1903, Lar. ; gr. *onuchos,* gén. de *onux,* et *phagie.* || **onychogène** 1903, Lar. || **onychomycose** 1903, Lar. || **onyxis** 1845, Besch.

***onze** 1080, *Roland ;* lat. *undecim,* de *unus,* un, et *decem,* dix. || **onzième** 1119, Ph. de Thaon (*unzime*) ; XIIe s., G. (*onzième*). || **onzain** XIIIe s., Macé de La Charité. || **onzièmement** 1552, Peletier du Mans.

oo-, gr. *ôon,* œuf. || **oogone** 1888, Lar. || **oolithe** 1752, Trévoux, f. ou m. ; lat. *oolithus,* calque de l'allem. *Rogenstein ;* 1762, *Acad.,* m. || **oolithique** 1818, Breislak. || **oologie** 1868, L. || **oomancie** 1874, Lar. || **oosphère** 1888, Lar. || **oothèque** 1842, *Acad. ;* gr. *thêkê,* coffre.

opale 1120, Studer (*optal*) ; 1560, Belleau (*opalle*) ; 1562, Du Pinet (*opale*), n. m. ; 1611, Cotgrave, n. f. ; lat. *opalus.* || **opalin** 1783, Buffon. || **opaline** 1874, Lar., zool. ; 1907, Lar., sorte de verre. || **opalisé** 1838, *Acad.* || **opaliser** 1877, A. Daudet. || **opalisation** 1874, Mallarmé. || **opalescence** 1868, L. || **opalescent** 1866, L.

opaque XIVe s., *Nature à alchimie,* sombre ; v. 1570, Montaigne, sens mod. ; lat. *opacus.* || **opacité** 1525, J. Lemaire de Belges, ombre épaisse ; lat. *opacitas ;* 1680, Richelet, sens mod. || **opacifier** 1868, L. || **opacification** 1810, Fourmy. || **opacimétrie** 1949, Lar. || **opacimètre** 1923, Lar.

opéra v. 1646, introduit par Mazarin ; ital. *opera,* au sens musical, proprem. « œuvre » (v. ŒUVRE). || **opéra bouffe** 1810, d'après Besch. || **opéra-comique** 1747, Lesage. || **opérette** 1825, Castil-Blaze ; ital. *operetta,* dimin. de *opera.*

opercule 1736, *Catalogue ;* lat. *operculum,* couvercle, de *operire,* couvrir ; spécialisé en zool. || **operculaire** 1803, *Nouv. Dict. d'hist. nat.* || **operculé** 1768, Valmont de Bomare.

opérer 1470, *Livre discipline d'amour divine,* eccl., agir (Dieu, grâce) ; XVIe s., produire (un effet) ; *id.,* agir, au sens étendu ; début XVIIe s., math. ; 1690, Furetière, chir. ; 1694, *Acad.,* exécuter, au sens étendu ; début XIXe s., milit. ; lat. *operari,* travailler, de *opus, operis,* ouvrage. || **opéré** n. m., 1845, Besch., chir. || **opérable** XVe s., « qui pousse à agir » ; 1845, Besch., sens mod. || **inopérable** début XIXe s. || **opérant** 1560, Calvin. || **opérande** 1968, Lar., math. || **inopérant** 1859, Mozin. || **opérateur** 1370, Oresme, artisan ; 1606, Crespin, qui accomplit une action ; XIXe s., manipulateur ; 1923, Lar., phot. ; 1928, Saint-Exupéry, radio ; lat. *operator.* || **opération** 1130, *Job,* ouvrage ; lat. *operatio ;* 1613, Bassantin, math. ; 1680, Richelet, méd. ; 1701, Furetière, milit. || **opératoire** 1784, *Journ. méd.,* chir. || **postopératoire** 1952. || **opérationnel** v. 1950, *journ. ;* angl. *operational.* || **coopérer** fin XIVe s. ; bas lat. *cooperari.* || **coopérateur** 1516, Delb. ; 1762, Bachaumont, relig. ; 1798, *Acad.,* qui coopère. || **coopératif** 1550, H. Fierabras, méd. ; milieu XIXe s., écon., repris à l'angl. || **coopérative** milieu XIXe s. || **coopération** fin XIVe s. ; lat. *cooperatio ;* 1828, J. Rey, écon.

ophi(o)-, gr. *ophis,* serpent. || **ophidien** 1800, *Bull. des sciences.* || **ophiolâtrie** 1721, Trévoux ; gr. *latreia,* culte. || **ophioglosse** 1694, Th. Corn. (*ophioglossum*) ; 1762, *Acad.* (*ophioglosse*) ; gr. *glôssa,* langue. || **ophiologie** 1823, Boiste. || **ophite** 1495, J. de Vignay, minér. ; lat. *ophites* (gr. *ophitês*), « ressemblant à un serpent ». || **ophitique** 1903, Lar. || **ophiure** 1808, Boiste ; gr. *oura,* queue.

ophicléide 1811, *le Moniteur ;* gr. *ophis,* serpent, et *kleis, kleidos,* clef (cet instrument de musique en a remplacé un autre, appelé *serpent*).

ophrys 1549, Maignan (*ophris*) ; 1701, Furetière (*ophrys*) ; mot lat., du gr. *ophrus,* sourcil.

ophtalmie 1370, Oresme (*obtalmie*) ; 1538, Canappe (*ophtalmie*) ; lat. *ophthalmia,* mot gr. (*ophthalmos,* œil). || **ophtalmique** 1495, J. de Vignay (*obthalmique*) ; 1555, Vide (*ophtalmique*) ; lat. *ophthalmicus.* || **ophtalmologie** 1753, *Dict. anat.* || **ophtalmologique** 1808, Wenzel. || **ophtalmologiste** 1838, *Acad.* || **ophtalmologue** *id.* || **ophtalmomètre** 1747, Mairan.

|| ophtalmoscope 1858, Nysten. || **ophtalmoscopie** XVIIe s., Naudé. || **exophtalmie** 1752, Trévoux ; lat. médiév. *exophtalmia,* du gr. *exophtalmos,* « qui a les yeux en dehors ». || **exophtalmique** 1836, *Acad.*

opiat V. OPIUM.

opimes (dépouilles) 1571, Gohory ; lat. *opima spolia,* de *opimus,* riche, copieux.

opiner fin XIVe s., *Vie de saint Eustache ;* lat. *opinari,* émettre une opinion. || **opinant** n. m., 1470, *Anciennes Lois ;* adj., 1549, R. Est. || **préopiner** 1718, *Acad.* || **préopinant** n. m., 1690, Furetière.

opiniâtre 1431, Isambert (*oppiniastre*) ; 1636, Monet (*opiniâtre*), sur *opinion.* || **opiniâtrement** 1431, Isambert. || **opiniâtrer (s')** 1538, R. Est. || **opiniâtreté** 1528, Jean Du Bellay.

opinion fin XIIe s., *Dial. Grégoire ;* lat. *opinio,* de même rac. que *opinari* (v. OPINER).

opistho-, gr. *opisthen,* derrière. || **opisthobranche** 1888, Lar. || **opisthodome** 1752, Trévoux. || **opistographe** 1546, Rab.

opium XIIIe s., *Simples Méd. ;* fin XVIIe s., Saint-Simon, fig. ; mot lat., du gr. *opion,* suc de pavot, de *opos,* suc. || **opiacé** 1812, Mozin. || **opiacer** 1845, Besch. || **opiat** 1336, La Curne (*opiate,* n. f.) ; milieu XVIe s. (*opiat,* n. m.). || **opiomane** 1897, Claisse. || **opiomanie** fin XIXe s., A. Daudet. || **opiophage** 1868, L.

oponce 1562, du Pinet (*opuntia*), n. f. ; 1903, Lar. (*oponce*), n. m. ; lat. *opuntius,* de la ville de *Oponte,* en Locride ; genre de cactus.

opopanax XIIIe s., *Simples Méd.* (*opopanac*) ; 1664, d'après L. (*opopanax*) ; lat. *opopanax,* mot gr., de *opos,* suc, et *panax,* plante médicinale.

opossum 1640, Laet (*opassum*) ; début XVIIIe s. (*opossum*) ; mot anglo-amér., de l'algonquin *oposon ;* mammifère et fourrure.

opothérapie 1898, Littré ; gr. *opos,* suc, et *-thérapie.* || **opothérapique** 1903, Lar.

oppidum 1765, *Encycl. ;* mot lat.

opportun 1355, Bersuire ; lat. *opportunus.* || **opportunément** 1422, A. Chartier. || **opportunité** 1220, Coincy. || **opportunisme** 1869, E. Deschamps. || **opportuniste** 1874, Verlaine. || **inopportun** fin XIVe s. ; bas lat. *inopportunus.* || **inopportuniste** 1870, Ségur d'Aguesseau. || **inopportunité** 1433, *Arch. de Bretagne.*

opposer 1175, Chr. de Troyes, répliquer ; début XIVe s., objecter ; 1580, Montaigne, faire obstacle ; *s'opposer,* 1330, Digulleville ; lat. *opponere,* francisé d'après *poser.* || **opposant** n., 1336, Fréville, jurid. || **opposable** 1845, Besch., anat. || **opposabilité** 1865, C. Vogt. || **opposé** 1549, R. Est., placé en face ; *à l'opposé,* 1845, Besch. || **opposite** adj., XIIIe s., *Sept Sages ;* lat. *oppositus,* part. passé de *opponere ;* XIVe s., Tobler-Lommatzsch, *à l'opposite.* || **opposition** 1175, Chr. de Troyes ; lat. *oppositio ;* 1265, J. de Meung, astron. ; 1474, Bartzsch, jurid. ; 1745, abbé Le Blanc, polit., repris à l'anglais. || **oppositionnel** 1955, Ikor.

oppression 1160, Benoît, « violences » ; 1180, Marie de France, tâche accablante ; XIIIe s., *Antéchrist,* autorité tyrannique ; XIIIe s., « contrainte » ; 1659, Huygens, physiol. ; lat. *oppressio,* de *oppressus,* part. passé de *opprimere.* || **oppressant** XVe s., tyrannique. || **oppresseur** milieu XIVe s., Gilles li Muisis ; lat. *oppressor.* || **oppressé** fin XIIe s., Villehardouin. || **oppresser** XIIe s., *Naissance du chevalier.* || **oppressif** 1480, *Baratre infernal.*

opprimer 1330, Digulleville, surcharger ; 1355, Bersuire, écraser sous le joug ; 1541, Calvin, fig. ; lat. *opprimere,* proprem. « comprimer, écraser », de *premere,* presser.

opprobre 1120, *Ps. d'Oxford ;* lat. *opprobrium,* de *probrum,* infamie.

optatif milieu XIVe s., qui souhaite ; lat. *optativus,* de *optare,* souhaiter (v. le suivant) ; 1550, Meigret, mode exprimant le souhait.

opter 1411, N. de Baye, sens actuel ; lat. *optare ;* XVIe s., « souhaiter », d'après le sens lat. || **option** fin XIIe s., *Dial. Grégoire.* || **optionnel** 1967, *journ.* || **coopter** XVIIe s. ; lat. *cooptare.* || **cooptation** 1639, Chapelain ; lat. *cooptatio.*

optimisme 1737, *Mém. de Trévoux ;* lat. *optimus,* superlatif de *bonus,* bon. || **optimiste** 1752, Trévoux.

optimum n. m., 1771, Trévoux ; adj., 1931, Valéry ; neutre lat. *optimum,* le meilleur. || **optimal** 1963, Lar. || **optimaliser** 1968, *journ.* || **optimalisation** 1969, *journ.* || **optimiser** 1964, *journ.* || **optimisation** 1967, *journ.*

optique 1314, Mondeville (*obtique*) ; 1503, Chauliac (*optique*) ; gr. *optikos ;* 1605, Le Loyer, n. f. ; lat. *optice,* n. f. (Ier s. av. J.-C., Vitruve), du gr. *optikê* (s.-e. *tekhnê*), art de la vision. || **opticien** 1642, Comenius. || **optomètre** 1855, Nysten ; gr. *opsomai,* voir. || **optométrie** 1874, Lar.

opulent 1355, Bersuire ; lat. *opulentus,* de *opes,* ressources, richesse. || **opulence** 1464, G., prospérité, richesse ; lat. *opulentia.* || **opulemment** 1513, Isambert, avec opulence ; 1896, Goncourt, sens actuel.

opuntia V. OPONCE.

opuscule 1488, *Mer des hist.* ; lat. *opusculum,* dimin. de *opus,* ouvrage.

1. ***or** n. m., fin IXe s., *Eulalie* ; lat. *aurum.*

2. ***or** conj., fin Xe s., *Valenciennes* (*ore, or*), « maintenant » ; lat. *hāc horā,* « à cette heure » ; XIIe s., comme coordination (v. DÉSORMAIS, LORS). || ***encore** 1080, *Roland* (var. *uncor[e]*) ; lat. pop. *hinc ad horam,* à cette heure. || **d'ores et déjà** 1877, L.

oracle 1160, Benoît, « lieu de culte » ; 1370, Le Fèvre, « vérités de l'Église » ; 1530, Palsgrave, réponse des dieux ; 1546, R. Est., décision infaillible ; 1696, La Bruyère, personne infaillible ; lat. *oracŭlum,* de *orare,* prononcer une parole rituelle. || **oraculaire** 1596, Hulsius. || **oraculeux** 1580, M. de La Porte. (V. ORAISON.)

orage 1112, *Voy. saint Brendan,* surtout « souffle du vent » ; anc. fr. *ore,* vent, du lat. *aura,* brise. || **orageux** 1200, *Règle saint Benoît,* querelleur ; XVIe s., G., qui annonce l'orage ; XIIIe s., G., violent.

***oraison** 1050, *Alexis,* prière (var. en anc. fr. *oroison, orison,* etc.) ; lat. eccl. *oratio,* prière (IIIe s., Tertullien), de *orare* ; XIIIe s., discours ; *oraison funèbre,* 1654, Guez de Balzac.

oral 1610, Coton (*manducation orale*), sens propre ; 1674, Richelet, de bouche en bouche ; 1765, *Encycl.,* phonét. ; n. m., 1868, L. ; lat. *os, oris,* bouche.

-orama, gr. *orama,* vue (v. PANORAMA), devenu *-rama* dans de nombreuses formations de la publicité dès le XIXe s.

orange 1200, Tobler-Lommatzsch (*pume orenge*) ; 1314, Mondeville (*pomme d'orenge*) ; 1515, Du Redouer (*orange*) ; *pume orenge,* calque de l'anc. ital. *melarancia,* de l'ar. *nārandj,* mot d'orig. persane ; avec *o* par influence du nom de la ville d'Orange, par où ces fruits parvenaient dans le Nord. || **orangeade** 1642, Oudin ; ital. *aranciata.* || **orangeat** 1369, Prost. || **oranger** 1389, G., arbre ; XVIIe s., marchand d'oranges ; v. 1845, Besch. || **orangeraie** 1962, Robert. || **orangerie** 1603, Henri IV. || **orangette** 1847, Besch.

orang-outang 1680, trad. de Montanus (déjà en 1635 chez le Hollandais Bontius) ; malais *orang-outan,* homme des bois ; le 2e *g* est donc fautif.

orant 1874, Lar. ; part. prés. de l'anc. fr. *orer,* du lat. *orare,* prier.

orateur 1180, *Vie saint Évroult (oratour)* ; 1355, Bersuire (*orateur*) ; lat. *orator,* de *orare,* au sens de « parler ». || **oratrice** 1666, Chapelain. || **oratoire** adj., 1460, Chastellain ; lat. *oratorius.* || **oratoire** n. m., 1190, Garnier (*oratar*) ; fin XIIe s., *Dial. Grégoire* (*oratoire*) ; lat. eccl. *oratorium,* de *orare* au sens de « prier ». Voir les toponymes de même orig. et d'évol. pop. : *Ozouer, Ozoir* (dans le Nord), *Oradour, Loradoux* (dans le Sud), etc. || **oratorien** 1721, Trévoux ; du nom de la société de l'Oratoire (1680, Richelet). || **oratorio** 1739, Ch. de Brosses ; mot ital., d'après l'église de l'Oratoire de Rome, où saint Philippe Neri organisa, à la fin du XVIe s., des intermèdes musicaux.

1. **orbe** adj., 1050, *Alexis* (*orbs*) ; 1170, *Floire et Blancheflor* (*orbe*), « aveugle » ; 1249, Runkewitz, techn., « sans ouverture » ; lat. *orbus,* « privé de », en lat. pop. « aveugle ».

2. **orbe** 1265, Br. Latini, n. f. ; 1527, G. Crétin, n. m. ; lat. *orbis,* cercle. || **orbicole** 1858, Legoarant. || **orbiculaire** 1378, J. Le Fèvre ; lat. impér. *orbicularis* (IIe s., Apulée).

orbite 1314, Mondeville, anat. ; 1676, *Journ. des savants,* astron. ; lat. *orbita,* « ligne circulaire », de *orbis* (v. le préc.). || **orbitaire** 1560, Paré. || **orbital** 1874, Guillemin. || **orbiter** 1965, Colin. || **exorbité** 1787, Féraud. (V. EXORBITANT.)

orcanette V. ARCANNE.

orchestre 1547, J. Martin, n. f., théâtre grec ; 1694, *Acad.,* n. m., hist. ; 1665, Retz, partie d'un théâtre réservée aux musiciens, d'abord fém. ; 1694, *Acad.,* comme n. m. ; 1754, *Année littéraire,* ensemble des musiciens ; 1825, Raymond, places les plus rapprochées des musiciens ; *chef d'orchestre,* 1834, Fétis ; gr. *orkhêstra,* partie du théâtre où évoluait le chœur, de *orkheisthai,* danser. || **orchestral** 1845, F. Wey. || **orchestration** 1836, Landais. || **orchestrer** 1838, *Acad.* ; XXe s., fig. || **orchestrion** v. 1787, inventé par l'abbé Vogler. || **réorchestrer** 1877, L. || **orchestique** 1721, Trévoux ; gr. *orkhêstikê,* art de la danse.

orchis 1546, G. ; mot lat., du gr. *orkhis,* testicule (d'après la forme des racines tuberculeuses de l'orchidée). || **orchidée** 1766, Rozier ; lat. *orchis,* orchidée. || **orchialgie** 1858,

Nysten. || **orchidectomie** 1932, Lar. || **orchite** 1562, Du Pinet, bot. ; 1823, *Dict. méd.* || **orchidotomie** 1963, Lar. || **orchidothérapie** 1903, Lar.

ordalie 1721, Trévoux ; lat. médiév. *ordalium,* jugement, du francique *urdeili,* passé en anglo-saxon, de même rac. que l'all. *Urteil.*

ordinaire XIIIe s., *Livre de jostice,* n. m., jurid. ; XIVe s., adj., sens mod. ; 1460, Villon, « ce qu'on sert ordinairement au repas » ; *d'ordinaire,* 1601, *Coutumier ; à l'ordinaire,* 1607, Hulsius ; lat. *ordinarius,* « rangé par ordre », de *ordo* (v. ORDRE). || **ordinairement** XIIIe s., *Purgatoire saint Patrice.* || **extraordinaire** XIIIe s. ; lat. *extraordinarius.* || **extra** n. m., 1732, Trévoux, jurid., « audience extraordinaire » ; 1877, L., « domestique engagé exceptionnellement » ; 1842, *Acad.,* adj., fam. ; abrév. du précéd.

ordinal 1370, Oresme, « ordinaire » ; 1550, Meigret ; lat. gramm. *ordinalis* (Ve s., Priscien), de *ordo* (v. ORDRE).

ordination fin XIIe s., *Dial. Grégoire,* eccl. ; lat. eccl. *ordinatio* (Ve s., Sid. Apoll.), de *ordo, ordinis,* rang. || **ordinand** n. m., 1642, *Doc.* || **ordinant** n. m., 1690, Furetière. || **ordinateur** n. m., 1491, Vaganay, « celui qui institue quelque chose » ; 1954, J. Perret, machine à calculer.

ordo 1752, Trévoux, eccl. ; mot lat. signif. « ordre ».

ordonnance, ordonnancer, ordonnateur, ordonnée V. ORDONNER.

ordonner 1119, Ph. de Thaon (*ordener*) ; v. 1190 (*ordiner*), commander ; 1120, *Ps. de Cambridge* (*ordener*), eccl. ; 1352, Bartzsch (*ordonner*), par attraction de *donner,* « investir d'une charge » ; XIIe s., eccl., « régler, disposer » ; XIVe s., eccl. (*ordonner*) ; lat. *ordinare,* mettre en ordre, de *ordo* (v. ORDRE). || **ordonnance** 1180, Barbier (*ordenance*) ; 1380, *Aalma* (*ordonnance*), prescription ; XIIIe s., disposition ; 1752, Trévoux, militaire à la disposition d'un officier. || **ordonnancer** 1571, Barbier, donner ordre de payer. || **ordonnancement** 1493, *D. G.* || **ordonnateur** 1160, Benoît (*ordeneor*) ; 1504, J. Thierry (*ordonnateur*). || **ordonné** adj., milieu XIIIe s., « mis en ordre » ; 1559, Amyot, « qui a de l'ordre ». || **ordonnée** n. f., 1658, Pascal, math. || **désordonné** début XIIe s., débauché ; 1538, R. Est., « où il n'y a pas d'ordre » ; XIVe s., *Nature à alchimie,* « qui manque d'ordre ». || **réordonner** milieu XVIe s. || **coordonner** 1754, *Encycl.* || **coordonnées** n. f. pl., 1754, *Encycl.,* math., d'après l'emploi fait par Leibniz (1690). || **coordonné** adj., 1863, L., gramm. || **coordination** 1370, Oresme ; 1762, Rousseau, gramm. || **incoordination** 1866, L. || **incoordonné** 1882, Cadet. (V. SUBORDONNER.)

ordre 1080, *Roland,* eccl. ; 1155, Wace, disposition régulière ; fin XIIe s., R. de Moiliens, acte de commandement ; 1690, Furetière, « ce qui est commandé » ; fin XVe s., qualité d'organisateur ; 1220, Coincy, rapport ; milieu XVIIe s., discipline ; 1679, Savary, finance ; *ordre du jour,* milieu XVIIIe s. ; 1835, *Acad.,* milit. ; *rappeler à l'ordre,* 1828, Mozin ; *rappel à l'ordre,* 1835, *Acad. ; ordre public,* 1835, *Acad. ; jusqu'à nouvel ordre,* 1694, *Acad. ;* lat. *ordo, ordinis.* || **désordre** 1377, Varin, querelles ; 1530, Palsgrave, sens mod. || **contrordre** 1680, Richelet (*contre-ordre*) ; 1932, *Acad.* (*contrordre*). || **sous-ordre** 1690, Furetière, finance ; 1762, *Acad.,* n. m., « celui qui travaille sous un autre ».

ordure 1119, Ph. de Thaon ; *boîte à ordures,* 1903, Lar. ; anc. fr. *ord* (1112, *Voy. saint Brendan*), « d'une saleté repoussante », du lat. *horridus,* « qui fait horreur ». || **ordurier** 1680, Richelet, n. m., boîte à ordures ; 1718, *Acad.,* adj., grossier.

orée 1310, La Curne, rive, bord ; 1354, *Modus,* « lisière d'un bois » ; vieilli au XVIIe s., repris par la langue littér. au XIXe s. ; anc. fr. *ore* (1160, Benoît), du lat. *ora,* bord, lisière.

***oreille** 980, *Passion* (*aurelia*) ; 1080, *Roland* (*oreille*) ; lat. *auricula,* dér. qui a remplacé *auris ; avoir de l'oreille,* 1690, Furetière. || **oreillard** 1642, Oudin. || **oreiller** début XIIe s., *Voy. de Charl.* || **oreillette** XIIe s., *Fierabras,* petite oreille ; 1654, Gelée, anat. || **oreillon** XIIIe s., Tobler-Lommatzsch, « coup sur l'oreille » ; 1549, Tagault, pl., méd. || **oreille-d'âne** 1690, Furetière. || **oreille-de-mer** 1868, L. || **oreille-de-souris** 1690, Furetière. || **essoriller** 1303, Du Cange. (V. AURICULE, et les mots composés du rad. gr. *oto-, ot-.*)

orémus n. m., 1648, Scarron ; mot lat., subj., 1re pers. du pl. de *orare :* « prions ».

ores V. OR.

***orfèvre** XIIe s., *Dolopathos ;* lat. pop. **aurifaber,* « forgeron d'or », réfection du lat. *aurifex* (de *facere,* faire), d'après l'anc. fr. *fevre,* artisan, lat. *faber.* || **orfèvrerie** 1170, *Rois* (*orfaverie*). || **orfévré** 1868, Goncourt.

orfraie 1373, Gace (*orfres*) ; fin XVe s. (*orfraie*) ; altér. de *osfres*, du lat. *ossifraga*, « qui brise les os », de *os, ossis*, et *frangere*, briser.

***orfroi** fin XIe s., *Chanson Guillaume* (*orfreis*) ; fin XIIe s., *Aiol* (*orfroi*) ; probablem. du lat. **aurum phrygium*, « or de Phrygie », à cause de la renommée des Phrygiens dans l'art de broder les étoffes avec de l'or.

organdi 1723, Savary ; de *Ourgandj*, nom d'une ville du Turkestan.

organe 1120, *Ps. d'Oxford*, instrument de musique ; 1480, *Mystère*, organe du corps, et voix ; 1782, Gohin ; 1868, L., partie d'une machine ; lat. *organum* (gr. *organon*), instrument, surtout de musique (v. ORGUE). || **organeau** 1382, à Rouen (*orgueneaul*) ; 1752, Trévoux (*organeau*). || **organisé** adj., XIVe s., *Nature à alchimie*. || **inorganisé** 1769, Diderot. || **organisable** 1835, Lamartine. || **organiser** 1380, Conty, « disposer de manière à rendre apte à la vie » ; 1794, Brunot, sens mod. ; *s'organiser*, 1694, *Acad.* || **organisateur** 1793, *Bull. des « Amis de la vérité »*. || **organisation** fin XIVe s. || **inorganisation** fin XVIIIe s. || **désorganisé** milieu XVIe s. || **désorganiser** fin XVIe s. || **désorganisateur** 1792, Robespierre. || **désorganisation** 1764, Duhamel. || **réorganiser** 1795. || **réorganisateur** 1838, *Acad.* || **réorganisation** 1791. || **organique** 1314, Mondeville, anat. ; 1378, Le Fèvre, jurid. ; lat. *organicus* (gr. *organikos*). || **organiquement** 1547, Rab. || **inorganique** 1579, Joubert. || **organicisme** 1846, Lalande. || **organiciste** 1858, Nysten. || **organigramme** 1945, Gilbert. || **organisme** 1729, Bourguet. || **organite** 1858, Nysten. || **organologie** 1834, Boiste. || **organothérapie** 1897, Metchnikov.

organeau, organiser, organiste V. ORGANE, ORGUE.

organsin milieu XIIe s. (*orcassin*) ; 1667, L. (*organsin*), de *Ourgandj*, ville du Turkestan. || **organsiner** 1755, *Mémoires Acad.* || **organsinage** 1829, Boiste. || **organsineur** 1842, *Acad.*

orgasme 1611, Cotgrave, accès de colère ; 1623, Ferrand, sens actuel ; gr. *orgasmos*, de *orgân*, « avoir le sang en mouvement ». || **orgastique** 1873, Nysten. || **antiorgastique** 1803, Boiste.

***orge** 1119, Ph. de Thaon ; adapt. anc. du lat. *hordĕum*. || **orgeat** XVe s., *Gordon* ; prov. *orjat*, dér. de *orge*.

***orgelet** 1570, Daléchamps (*orgeolet*) ; XVIIe s. (*orgelet*) ; du moy. fr. *ordeole* (1363, Chauliac), *horgeol* (1538, R. Est.) ; bas lat. *hordĕolus* (IVe s., Priscien), « grain d'orge », de *hordĕum*. (V. *compère-loriot*, à LORIOT.)

orgie 1520, de Seyssel, pl., chant des Bacchantes ; 1715, Voltaire, sens mod. ; lat. *orgia*, pl. neut., fête de Bacchus (mot gr. : fêtes de Dionysos). || **orgiaque** 1847, Besch. || **orgiaste** 1752, Trévoux ; gr. *orgiastês*. || **orgiastique** 1838, *Acad.*

orgue 1155, Wace, n. f., instrument de mus. (auj. fém. au pl. seulement) ; n. m., XIVe s. ; 1483, Gay, artillerie ; *orgue de Barbarie*, 1702, *Hist. Acad. sciences* ; lat. *organum*, qui a désigné l'orgue hydraulique, puis l'orgue pneumatique (qui existait au VIIIe s.), du gr. *organon*, instrument (v. ORGANE). || **organiste** 1220, Coincy (*orguenistre*) ; 1493, Coquillart (*organiste*) ; lat. médiév. *organista*.

orgueil 980, *Passion* (*orgolz*) ; 1080, *Roland* (*orgoill*) ; 1130, *Eneas* (*orgueil*) ; francique **urgôli*, fierté (anc. haut all. *urguol*, remarquable) ; par métaphore, XIVe s., techn., « cale qui fait dresser la tête d'un levier ». || **orgueilleux** 1080, *Roland* (*orgoillus*). || **orgueilleusement** 1080, *Roland*. || **enorgueillir (s')** 1160, Benoît.

orient 1080, *Roland* ; lat. *oriens, -entis* (*sol*), (soleil) levant, part. prés. de *oriri*, surgir, se lever. || **orienté** fin XVe s. || **orienter** 1680, Richelet. || **orientable** 1949, Lar. || **orientation** 1834, Landais ; 1865, Proudhon, fig. || **orientement** 1831, Balzac. || **orienteur** 1836, *Acad.* ; 1949, Lar., pour l'orientation professionnelle. || **désorienter** 1617, Brunot. || **désorienté** adj., 1636, Monet. || **désorientation** 1877, L. || **oriental** 1130, *Eneas* ; lat. *orientalis* ; *à l'orientale*, 1854, Nerval. || **orientaliste** 1799, *Magasin encyl.* || **orientalisme** 1838, *Acad.* || **orientaliser** 1801, Mercier.

orifice 1370, Le Fèvre, ouverture ; 1398, *Somme Gautier*, anat. ; lat. *orificium*, de *os, oris*, bouche, et *facere*, faire.

oriflamme 1080, *Roland* (*orie flambe*) ; XIVe s., La Curne (*oriflamme*) ; de *flamme* 1, et de l'adj. d'anc. fr. *orie*, doré (1050, *Alexis*), « d'or », du lat. *aureus* (v. OR 1).

origan XIIIe s., *Simples Médecines* ; lat. *origanum*, du gr. *origanon*.

origine 1138, Gaimar (*orine*) ; 1460, Chastellain (*origine*) ; lat. *origo, originis*. || **original** début XIIIe s., Tobler-Lommatzsch, de par son origine ; 1594, *Ménippée*, sens actuel ; n., 1672,

Sévigné, personne bizarre ; n. m., 1276, G., rédaction primitive ; lat. impér. *originalis* (IIe s., Apulée). || **originalement** 1380, *Aalma.* || **originaire** 1365, G. ; bas lat. *originarius.* || **originairement** 1532, Vaganay. || **originalité** 1380, *Aalma,* lignage ; début XVIIIe s., sens actuel. || **originel** XIVe s., même orig. que *original,* et spécialisé dans un autre sens, 1690, Furetière. || **originellement** 1369, G.

orignal 1605, Palma Cayet ; basque *oregnac,* pl. de *oregna,* cerf, importé au Canada par des immigrants.

orin 1484, Garcie, mar. ; moyen néerl. *oorring,* « anneau qui tient le câble », de *ring,* anneau. || **oringuer** XVIIe s.

oripeau XIIe s., *Chev. Ogier* (*oripel,* fém.) ; XIVe s. (*oripeau*), ornement de bouclier ; devenu masc. par oubli de la composition et par infl. des mots en *-eau ;* 1671, Sévigné, péjor. ; *oripeaux,* 1834, Béranger ; de l'anc. fr. *orie,* doré (v. ORIFLAMME) et de *peau.*

orle V. OURLER.

orléans 1860, d'après L. ; du nom de la ville où se fabriquait cette étoffe. || **orléanisme** fin XVIIIe s., Frey. || **orléaniste** *id.*

orlet 1842, Mozin, archit. ; ital. *orletto,* dimin. de *orlo,* ourlet ; petite moulure plate.

Orlon 1950, *L. M.,* techn., sur le suff. *-on ;* n. déposé ; fibre synthétique. (V. NYLON.)

***orme** fin XIe s., *Gloses de Raschi* (*olme*) ; 1160, Benoît (*orme*) ; lat. *ŭlmus,* avec *r* dû à une dissimilation du *l* de *olmel,* ormeau. || **ormeau** 1180, Horn (*olmel*) ; XIIe s. (*ormel*) ; 1546, R. Est. (*ormeau*). || **ormille** 1762, *Acad.,* d'après *charmille.* || **ormaie** 1307, Guiart (*ormoie*) ; 1600, O. de Serres (*ormaie*) ; bas lat. *ulmētum,* de *ŭlmus.*

1. **orne** début XVIe s., bot. ; lat. *ornus ;* frêne à fleurs.

2. ***orne** 1155, Wace (*a orne*), à la file ; XIIIe s., *Renart,* rangée de ceps ; 1611, Cotgrave, sillon, fossé ; lat. *ordo, ordinis,* rang, ordre (cf. en sylviculture, *faire orne,* 1868, L., abattre des arbres en droite ligne).

orner XIIIe s., *Isopet ;* lat. *ornare ;* a remplacé l'anc. fr. *aorner,* du lat. *adornare.* || **ornement** 1050, *Alexis ;* lat. *ornamentum.* || **ornemental** 1838, *Acad.* || **ornementation** 1838, *Acad.* || **ornementer** 1532, G. || **ornemaniste** 1800, Boiste.

ornière début XIIIe s., *Renart ;* anc. fr. *ordière* (v. 1190), du lat. pop. **orbitaria,* de *orbita,* au sens de « ornière » (v. ORBITE), par attraction de *orne* 2.

ornitho-, gr. *ornis, ornithos,* oiseau. || **ornithogale** 1553, Belon, bot. (*ornitogalon*) ; 1680, Richelet (*ornitogale*) ; gr. *gala,* lait. || **ornithoïde** 1868, L. || **ornithologie** 1690, Furetière ; lat. des naturalistes *ornithologia,* mot gr. || **ornithologiste** 1721, Trévoux. || **ornithologue** 1765, *Encycl.* || **ornithomancie** 1717, *Mém. Acad. sciences ;* gr. *manteia,* divination. || **ornithophile** 1755, Bonnet. || **ornithoptère** 1963, Lar. ; gr. *pteron,* aile. || **ornithorynque** 1803, Faujas (*ornithorinque*) ; 1827, *Acad.* (*ornithorynque*) ; gr. *runkhos,* bec. || **ornithose** 1963, Lar.

oro-, gr. *oros,* montagne. || **orogenèse** 1911, Haug. || **orogénie** 1868, L. || **orogénique** 1911, Haug. || **orographie** 1823, Boiste. || **orographique** 1836, Landais. || **orométrie** 1932, Lar.

orobe 1256, Ald. de Sienne (*orbe*) ; 1545, Guéroult (*orobe*) ; lat. *orobus* (gr. *orobos*). || **orobanche** 1546, Rab. ; lat. *orobanche,* du gr. *orobagkhê,* sur *agkheîn,* étouffer.

oronge 1776, Bomare ; prov. *ouronjo,* var. de *orange,* d'après la couleur de ce champignon.

orpailleur 1762, *Acad. ;* altér., par attraction de *or* 1, du moy. fr. *harpailleur* (1532, Rab.), de l'anc. verbe *harpailler,* saisir, empoigner, de même rac. que *harpon.* (V. HARPER.)

orphelin 1120, *Ps. d'Oxford* (*orfenin*) ; 1190, Garn. (*orphenin*) ; 1130, *Couronn. de Loïs* (*orfelin*) ; 1380, *Aalma* (*orphelin*), par dissimil. de *n,* de l'anc. fr. *orfene ;* lat. eccl. *orphanus* (VIe s., Fortunat), du gr. *orphanos,* et qui a éliminé le lat. class. *orbus* (v. ORBE 1). || **orphelinat** 1842, *Acad.*

orphéon 1767, *Encycl.,* instrument de mus. ; du nom *Orphée* (personnage de la mythologie gr., célèbre comme musicien), d'après *Odéon ;* 1837, Bocquillon-Wilhem, pour désigner des chœurs scolaires. || **orphéoniste** 1842, *Acad.* || **orphéonique** 1855, *Rev. anecdotique.*

orphie 1549, *Gouberville* (*orfie*), zool. ; gr. *orphos.*

orphique 1750, *Nouvelle Bibl. germanique ;* du nom *Orphée.* || **orphisme** 1863, Renan.

orpiment 1160, Benoît, minér., sulfure naturel d'arsenic ; lat. *auripigmentum,* de *aurum,* or, et *pigmentum,* couleur. || **orpin** 1185, *Moniage Guillaume,* bot. ; XIIIe s., abrév. de *orpiment.*

orque 1559, du Bellay, zool. ; lat. *orca ;* cétacé appelé aussi *épaulard.*

orseille 1440, Marquant ; catalan *orxella,* du mozarabique *orchella,* issu peut-être de l'arabe ; lichen.

***orteil** 1160, Benoît ; altér. de *arteil* (1160, Benoît, encore au XVIIe s.), du lat. *articulus,* « jointure », par ext. « doigt », de *artus,* « articulation », avec *o* peut-être dû au gaulois *ordiga,* gros orteil (*Gloses de Cassel*).

ortho-, gr. *orthos,* droit. || **orthocentre** 1903, Lar. || **orthochromatique** 1903, Lar. || **orthodontie** 1878, Lar. || **orthodontiste** 1951, Rousseau. || **orthodoxe** 1431, *Anciennes Lois ;* lat. eccl. *orthodoxus* (IVe s., saint Jérôme), du gr. *orthodoxos,* sur *doxa,* opinion. || **orthodoxie** 1580, Vaganay (v. HÉTÉRODOXE). || **orthodromie** 1691, Ozanam ; gr. *orthodromos,* « qui court en ligne droite », sur *dromein,* courir. || **orthodromique** 1765, *Encycl.* || **orthoépie** 1868, L. || **orthogenèse** 1903, Lar. || **orthogone** XVe s. ; lat. *orthogonus,* « à angle droit » (gr. *orthogônos,* de *gônia,* angle). || **orthogonal** 1554, Peletier. || **orthogonalité** 1963, Lar. || **orthographe** XIIIe s., d'Andeli (*ortografie*) ; 1529, Tory (*orthographe*) ; lat. *orthographia,* mot gr., sur *graphein,* écrire. || **orthographier** 1426, *D. G.* || **orthographie** début XVIIe s., archit. || **orthographique** 1691, Ozanam, archit. ; 1762, *Acad.,* gramm. || **orthopédie** 1741, Andry ; gr. *pais, paidos,* enfant (a été ensuite compris comme formé sur le lat. *pes, pedis,* pied). || **orthopédique** 1771, Trévoux. || **orthopédiste** 1771, Trévoux. || **orthophonie** 1828, d'après Lar. || **orthophoniste** 1966, *journ.* || **orthoptère** 1789, Brunot ; gr. *pteron,* aile. || **orthorhombique** 1868, L. ; de *rhombe* (v. ce mot). || **orthoscopie** 1932, Lar. || **orthoscopique** 1878, Lar. || **orthose** 1801, Haüy. || **orthostatique** 1901, Garnier. || **orthosympathique** XXe s. || **orthotrope** 1838, *Acad.*

***ortie** 1120, *Voy. de saint Brendan* (*ortrie*) ; 1165, Gautier d'Arras (*ortie*) ; lat. *ŭrtica.* || **ortier** 1265, J. de Meung.

ortolan 1552, Rab. (*hortolan*) ; 1668, La Fontaine (*ortolan*) ; prov. *ortolan,* jardinier, du bas lat. *hortulanus,* de *hortus,* jardin (cet oiseau fréquente les jardins).

orvale fin XIIe s., *Roman Alexandre,* bot. ; peut-être altér., d'après *or* et *valoir,* du lat. *auris galli,* oreille de coq.

orvet 1354, *Modus* (*orver*) ; fin XVIe s. (*orvet*) ; dimin. de l'anc. fr. *orb,* aveugle (1050, *Alexis*), du lat. *orbus* (v. ORBE 1), l'orvet passant pour être aveugle.

orviétan 1625, Le Paulmier ; ital. *orvietano,* de *Orvieto,* ville où s'était vendu d'abord cet électuaire.

orycto-, gr. *oruktos,* creusé, de *orussein,* fouiller. || **orycte** 1903, Lar., entom. || **oryctérope** fin XVIIIe s., zool. ; gr. *ôps,* vue.

oryx 1530, Lefèvre ; lat. *oryx,* gazelle, du gr. *orux,* pioche.

***os** 1080, *Roland ;* lat. *ossum,* var. pop. de *os, ossis.* || **osselet** 1190, Garn. || **ossement** 1170, *Rois,* squelette ; XIIIe s., Rutebeuf, os ; pl., début XVIe s. ; lat. eccl. *ossamentum.* || **ossu** XIIe s., *Roman Thèbes.* || **osseux** 1380, Conty (*oiseus*) ; 1537, Canappe (*osseux*). || **ossature** 1801, Mercier. || **ossifier** 1697, Verduc. || **ossification** 1701, *Mém. Acad. sciences.* || **ossuaire** 1775, *Dict. de la Suisse ;* bas lat. *ossuarium,* coffre renfermant l'urne funéraire. || **osséine** 1865, Nysten. || **désosser** milieu XIVe s., G. || **désossement** 1798, *Acad.* || **suros** 1160, Benoît (*soros*) ; XIVe s. (*suros*), vétér.

osciller 1746, *Nouvelle Bibl. germanique* (*oscillant*), adj. ; 1752, Trévoux (*osciller*) ; lat. *oscillari,* de *oscillum,* balançoire. || **oscillation** 1605, Le Loyer ; lat. *oscillatio.* || **oscillateur** 1898, *l'Illustration.* || **oscillatoire** 1729, Vaux ; lat. scient. *oscillatorius* (Huygens). || **oscillogramme** 1949, Lar. || **oscillographe** 1876, *J. O.* || **oscillomètre** 1877, L. || **oscilloscope** 1962, Robert.

oscle XIIe s., « présent de noces » ; lat. *osculum,* « baiser », proprem. « petite bouche », de *os, oris,* bouche. || **oscule** 1830, *Dict. sciences nat.,* zool., au sens de « orifice ». || **osculateur** 1752, Courtivron, géom. || **osculation** 1525, J. Lemaire de Belges, baiser ; 1765, *Encycl.,* géom.

oseille fin XIe s., *Gloses de Raschi ;* altér., par attraction du lat. *oxalis,* oseille (gr. *oxus,* aigre), du lat. pop. *acidŭla,* fém. substantivé de l'adj. *acidŭlus,* aigrelet, dimin. de *acidus.*

***oser** 980, *Passion* (*auser*) ; 1080, *Roland* (*oser*) ; lat. pop. **ausare,* de *ausus,* part. passé du lat. class. *audere,* oser. || **osé** adj., 1155, Wace, audacieux ; 1893, Taine, grivois. || **oseur** 1488, G.

***osier** fin XIe s., *Gloses de Raschi* (*osiere*) ; fin XIIe s. (*osier*) ; lat. pop. **ausarium* (var. *auseria,* VIIIe s.), d'un rad. francique *hals-* (cf. l'all. *Halster,* variété de saule). || **oseraie** 1280, du Cange. || **osiériculture** 1907, Lar.

osmium 1804 ; tiré par le chimiste angl. Tennant du gr. *osmê,* odeur, à cause de la forte odeur de son oxyde. || **osmique** 1842, *Acad.*

osmonde XIIe s., *Naissance chevalier au cygne,* bot. ; orig. inconnue. || osmondacée 1871, Gérardin.

osmose 1868, Souviron ; abrév. de endosmose, exosmose, créés par le physicien Dutrochet en 1826, sur le gr. *ôsmos,* impulsion, et *endon,* dedans, *exô,* dehors. || osmotique 1858, Nysten. || osmomètre 1868, Moigno. || osmométrie 1923, Lar. || osmotrophe 1968, Lar. || endosmomètre 1836, *Acad.* || endosmotique milieu XIXe s. || exosmotique 1873, L.

osso buco XXe s. ; mots ital., de *osso,* os, et *bucco,* trou.

***ost** 1050, *Alexis ;* lat. *hostis,* ennemi, et par ext. « armée ennemie », puis « armée ».

ost-, osté(o)-, gr. *osteon,* os. || ostéine 1855, Nysten. || ostéalgie 1823, *Dict. méd.* || ostéalgique 1836, Landais. || ostéite 1840, Nysten. || ostéoblaste 1878, Lar. || ostéocolle 1694, Th. Corn. ; gr. *osteokolla,* colle d'os. || ostéogène 1868, L. || ostéogenèse 1903, Lar. || ostéogénie 1754, Bertin. || ostéographie 1753, Tarin. || ostéolite 1874, L. || ostéolithe 1765, *Encycl.* || ostéologie 1594, Cabrol. || ostéologique 1803, Cuvier. || ostéologue 1838, *Acad.* || ostéolyse 1845, Besch. || ostéomalacie 1808, Boiste ; gr. *malakia,* mollesse. || ostéomyélite 1858, Nysten. || ostéophyte début XIXe s. || ostéopathie 1903, Lar. || ostéoplastie 1858, Nysten. || ostéosarcome 1822, *Dict. méd.* || ostéosynthèse 1932, Lar. || ostéotomie 1560, Paré, coupe d'os ; 1753, Tarin, sens actuel. || exostose 1560, Paré. || énostose 1836, Landais.

ostensible 1740, *Acad. ;* lat. *ostensus,* part. passé de *ostendere,* montrer. || ostensiblement 1370, Oresme. || ostensif XIVe s., *D. G. ;* lat. médiév. *ostensivus.* || ostension 1265, J. de Meung, eccl. ; lat. eccl. *ostensio.* || ostensoire 1551, G., style de cadran solaire ; XVIe s., eccl. || ostensoir 1762, *Acad.,* eccl. ; a remplacé *ostensoire.*

ostentation 1366, *Ordonn.* (*ostentacion*) ; lat. *ostentatio,* de *ostentare,* « montrer avec affectation », fréquentatif de *ostendere* (v. le préc.). || ostentateur 1535, de Selve ; lat. *ostentator.* || ostentatoire 1527, Bouchet.

ostiole 1817, Gérardin, bot. ; lat. *ostiolum,* dimin. de *ostium,* porte, ouverture (v. HUIS).

ostracé début XVIIIe s. ; gr. *ostrakon,* coquille.

ostracisme 1535, de Selve, hist. grecque ; 1694, Boileau, exclusion, extension de sens ; lat. *ostracismus,* du gr. *ostrakismos,* de *ostrakon,* coquille, terre cuite sur laquelle, à Athènes, on inscrivait le nom de celui qu'on voulait bannir.

ostréiculture 1868, L. ; lat. *ostreum,* huître. || ostréiculteur 1875, *J. O.* || ostréicole 1874, Lar. || ostréidés 1903, Lar. ; gr. *eidos,* forme.

ostrogoth 1668, Th. Corn. (*ostrogote*), déjà au sens fig. ; 1690, Furetière (*ostrogot*) ; bas lat. *Ostrogothus,* nom d'une des tribus des *Goths* (proprem. « Goth de l'Est »).

ot(o)-, gr. *oûs, ôtos,* oreille. || otalgie 1701, Furetière, méd. ; gr. *otalgia.* || otalgique 1495, Vignay ; lat. *otalgicus* (gr. *ôtalgikos*). || otique 1812, Mozin ; gr. *ôtikos.* || otite 1810, Capuron. || otocyon 1847, d'Orbigny ; gr. *kuôn,* chien. || otolithe 1827, *Acad.* || otologie 1793, Lavoisien. || otomycose 1903, Lar. || oto-rhino-laryngologie 1884, Chauveau. || oto-rhino-laryngologiste *id. ;* abrév. *oto-rhino* (XXe s.). || otorragie 1863, *Journ. méd.* || otorrhée 1803, Boiste. || otoscope 1855, Nysten. || otoscopie 1867, *Journ. méd.*

otage 1080, *Roland* (*ostage*) ; XVIe s. (*otage*) ; de *hôte ;* l'anc. fr. signifie également « logement, demeure », peut-être sens primitif du mot. Les otages séjournaient généralement dans la demeure de celui qui les tenait captifs ; de là l'emploi du mot pour les désigner.

otarie 1810, *Ann. du Muséum,* tiré par Péron du gr. *ôtarion,* petite oreille (*oûs, ôtos,* oreille), ce phoque ayant l'oreille petite et apparente.

***ôter** fin XIe s., *Chanson de Guillaume* (*oster*) ; 1636, Monet (*ôter*) ; *s'ôter de,* 980, *Passion,* se retirer d'un lieu ; lat. *obstare,* de *stare,* se tenir, et *ob,* devant, en bas lat. « empêcher », « retenir (une chose) », d'où est p.-ê. issu le sens de « enlever ».

ottomane 1729, Havard, lit ; de *ottoman,* ar. *Outhman,* n. d'un souverain arabe.

***ou** 980, *Valenciennes* (*u*) ; lat. *aut.*

***où** 980, *Passion* (*u*) ; lat. *ŭbi.*

ouabaïne 1900, Lar., pharm. ; somali *ouabaïo,* pour désigner un végétal, l'*acokanthera,* et son extrait.

***ouaille** 1120, *Ps. d'Oxford* (*oeille*), « brebis » ; 1170, M. de Sully (*ooille*) , 1280, *Clef d'amors* (*ouaille*) ; bas lat. *ovĭcŭla,* dimin. de *ovis,* brebis ; dès l'anc. fr., sens fig., eccl., d'après les paraboles de Jésus (par ex. celle du mauvais berger, *Jean,* X), seul usité depuis 1540, Marot (au pluriel).

ouais 1553, B. Des Périers (*ouay*) ; altér. de *oui.*

ouate fin XIVe s. (*wadda*) ; fin XVe s. (*ouate*) ; origine douteuse, p.-ê. ital. *ovatta,* de l'ar. *bata'in* (pl.), « fourrure de vêtements » ; a d'abord désigné le coton d'Égypte. || **ouater** 1680, Sévigné ; 1765, Diderot, fig. || **ouateux** 1803, Boiste. || **ouatine** 1903, Lar. || **ouatiner** 1860, Duval.

oublie fin XIe s., *Gloses de Raschi* (*oblede*) ; 1170, *Floire et Blancheflor* (*oublée*) ; 1360, Froissart (*oublie*), par attraction de *oubli ;* bas lat. eccl. *oblata,* offrande, hostie, part. passé subst. au fém. de *offerre,* offrir (v. OFFRIR). || **oublieur** XIIe s., Digulleville, rare avant 1350, pâtissier.

***oublier** 980, *Passion* (*oblider*) ; 1050, *Alexis* (*oblier*) ; XIIIe s. (*oublier*) ; *s'oublier,* 1196, Bodel, manquer aux convenances ; 1887, Zola, faire ses besoins naturels ; lat. pop. **oblitare,* de *oblitus,* part. passé de **oblivisci.* || **oubli** 1080, *Roland* (*ubli*) ; XIIIe s. (*oubli*). || **oubliable** 1398, E. Deschamps. || **inoubliable** 1838, *Acad.* || **oublieux** 1175, Chr. de Troyes (*oblieus*) ; milieu XIIIe s. (*oublieux*). || **oublieur** 1487, Garbon. || **oubliette** 1360, Froissart ; 1838, *Acad.,* fig. || **ne-m'oubliez-pas** début XVe s. (*ne m'oubliez mie*), myosotis.

oued 1874, Lar., géogr. ; mot ar. signif. « cours d'eau ».

ouest 1138, Gaimar (*west*) ; 1379, J. de Brie (*ouest*) ; angl. *west.* || **ouestir** 1903, Lar.

ouf 1642, Oudin (*ouff*) ; onomatopée.

ougrien 1868, L. (*ougro-finnois*) ; 1874, Lar. (*ougrien*) ; de *Ougre,* nom de peuple.

***oui** 1080, *Roland* (*oïl*) ; XVIe s. (*oui*) ; comp. de l'anc. fr. *o,* « cela » (842, *Serments*), du lat. *hŏc* (en prov. *oc*) et de *il,* pron. pers. 3e pers. ; probablem. condensation de *hoc ille fecit,* phrase de réponse, « il a fait cela », où *fecit* remplaçait le verbe de la question et pouvait être supprimé ; *o il* l'a emporté sur *o je, o tu,* et s'est cristallisé en *oui ; pour un oui ou pour un non,* fin XVIe s., d'Aubigné. || **ouiche** XVe s., *Farce nouvelle du pasté... ;* altér. de *oui.* || **oui-da** 1534, Des Périers (*oui-dea*) ; 1636, Monet (*oui-da*) ; comp. sur *da* (var. *dia,* XVe-XVIe s.), altér. de *diva,* XIIe s., des deux impér. *di* (de *dire*) et *va* (de *aller*).

ouiller fin XIIIe s. (*aeuller*), remplir un tonneau ; 1750, Ménage (*ouiller*) ; de *œil,* au sens de bonde de tonneau, proprem. « remplir le tonneau jusqu'à l'œil ». || **ouillage** 1322, du Cange (*eullage*).

***ouïr** Xe s., *Saint Léger* (*audir*) ; 1080, *Roland* (*oïr*) ; lat. *audire ;* éliminé par *entendre* au XVIIe s. || **ouï-dire** fin XIIIe s., Condé ; *par ouï-dire,* début XIIIe s. (*par ouïr-dire,* encore le plus fréquent aux XVIe et XVIIe s.) ; XVe s., *par ouï-dire,* par amuïssement de *r* final ; de *ouïr* et *dire.* || **inouï** v. 1500, Fossetier. || **ouïe** 1080, *Roland* (*oïe*), « action d'entendre » ; 1560, Paré (*ouïes* de poisson) ; XVIIe s., restreint à « sens de l'audition ».

ouistiti 1767, Buffon ; onomat., d'après le cri de l'animal.

oullière ou **ouillère** 1842, *Acad. ;* anc. fr. *ouiller,* creuser, du lat. médiév. *ouliare.*

ouragan 1533, A. Fabre (*furacan*) ; 1553, Postel (*huracan, uracan, houragan*) ; 1640, Bouton (*ouragan*) ; esp. *huracan,* tornade, d'une langue des Caraïbes.

***ourdir** 1120, *Ps. d'Oxford* (*ordir*) ; fin XIIe s. (*ourdir*) ; d'abord « préparer le tissage en tendant les fils » ; XIIe s., *Parthenopeus,* tramer, fig. ; lat. pop. **ordire,* de *ordiri,* entamer. || **ourdissoir** 1410, G. || **ourdisseur** *id.* || **ourdissage** 1765, *Encycl.*

***ourler** 1130, *Eneas* (*orler*) ; 1268, É. Boileau (*ourler*) ; lat. pop. **orŭlare,* de *orŭlus,* dimin. de *ora,* bord (v. ORÉE). || **ourlet** début XIIIe s. (*orlet*), bord ; 1487, Garbin (*ourlet*) ; XVe s., spéc. en couture ; dérivé de l'anc. fr. *orle,* 1120, *Ps. d'Oxford* (*urle*), 1160, Benoît (*orle, ourle*), « bord », spéc. comme terme de blason au XVe s. ; déverbal de *ourler.* || **ourlien** 1885, Éloy, « relatif aux oreillons » ; de *ourle,* au pl. (XVIIIe s., Liger, *Maison rustique*), « oreillons ».

***ours** 1080, *Roland* (*urs*) ; fin XIIe s. (*ours*) ; 1665, La Fontaine, adj., fig., farouche, d'où le subst. avec le même sens (1762, *Acad.*) ; lat. *ŭrsus.* || **ourse** 1160, Benoît (*orse*) ; fin XIIe s (*ourse*) ; 1544, M. Scève, constellation ; *Grande Ourse,* 1562, Du Pinet ; lat. *ursa.* || **ourserie** 1800, B. Constant. || **ourser** 1880, L. Larchey, pop. || **ourson** 1540, Marot. || **oursin** 1552, Rab.

oust, ouste 1893, Courteline ; onomatopée.

out 1891, G. Mourey ; mot angl. signif. « dehors ». (V. KNOCK-OUT, OUTLAW.)

***outarde** XIVe s., Tobler-Lommatzsch ; lat. pop. **austarda,* contraction de *avis tarda,* oiseau lent (Ier s., Pline). || **outardeau** 1552, Rab. (*otardeau*).

***outil** 1112, *Voy. saint Brendan* (*ustil*) ; 1538, R. Est. (*outil*) ; début XVIe s., fig. ; bas lat. *usitilium* (VIIIe s.), altér., d'après *usare,* de **utesilium,* pl. *-ia,* du lat. class. *ūtensilia,* de *uti,* « se servir de » (v. USTENSILE) ; *ou,* pour *u,* est obscur. || **outillé** 1138, *Saint Gilles* (*osteillé*) ; 1760 (*outillé*). || **outiller** XVe s., A. de La Sale, se munir ; 1798, *Acad.,* v. tr. || **outillage** 1829, Clark. || **outilleur** 1845, Besch.

outlaw 1783, *Courrier de l'Europe ;* mot angl., proprem. « hors (*out*) la loi (*law*) » , du saxon *utlagh,* « hors la loi ».

outrage 1080, *Roland* (*ultrage*) ; 1175, Chr. de Troyes (*outrage*), excès ; 1535, Olivétan, offense ; de *outre* 1. || **outrageant** 1660, Bossuet. || **outrageux** 1160, Benoît (*outrajos*) ; 1175, Chr. de Troyes (*outrageus*). || **outrageusement** 1250, Mousket, avec offense ; 1283, Beaumanoir, avec excès. || **outrager** XIVe s., *Lancelot.*

1. ***outre** prép., 1050, *Alexis* (*ultra*) ; 1080, *Roland* (*outre*) ; *en outre,* 1160, Benoît ; lat. *ŭltra,* adv. et prép. ; égalem. adv. en anc. et moy. fr. || **outrer** 1155, Wace, « dépasser (quelqu'un) en marchant ou à cheval » ; 1160, Benoît, vaincre ; 1170, *Rois,* tuer ; XIIIe s., *Renart,* « passer outre » ; XIVe s., *Miracles de N.-D.,* « passer la mesure de ». || **outré** XIIIe s., G., « vaincu » ; 1250, Mousket, excessif ; XVIe s., « chargé à l'excès » ; 1580, Montaigne, « indigné ». || **outre-Atlantique** 1962, Robert. || **outre-Manche** 1848, Chateaubriand. || **outrance** 1230, *Merlin,* action de pousser à bout ; XVe s., action excessive ; *à outrance,* début XVe s., Ch. d'Orléans. || **outrancier** 1870, d'apr. Guérin.

2. ***outre** n. f., 1400, La Curne ; lat. *ŭter, utris,* sac de peau de bouc.

outrecuidance 1175, Chr. de Troyes ; anc. fr. *outrecuidier,* de *cuidier,* penser, et de *outre* 1. || **outrecuidant** 1160, Benoît, présomptueux ; XIIIe s., sens actuel.

outremer, outrepasser V. MER, PASSER.

outsider 1859, *Sport ;* mot angl., de *outside* (*out,* dehors, et *side,* côté), proprem. « celui qui se tient dehors ».

***ouverture** fin XIe s., *Gloses de Raschi* (*ouvredure*) ; début XIIe s. (*ouverture*) ; lat. pop. **opertura,* altér. du lat. class. *apertura,* de *aperire,* ouvrir ; au pl., 1460, Chastellain, aperçu ; fin XVe s., sens actuel. || **réouverture** 1823, Boiste.

ouvrage début XIIIe s., Tobler-Lommatzsch, « besogne » ; de *œuvre ;* a remplacé l'anc. *ovraigne* (1130, *Eneas*) ; XVe s., « ce qui résulte du travail ». || **ouvragé** 1360, Froissart. || **ouvrager** 1540, Yver, façonner.

***ouvrer** 980, *Passion* (*obrer*) ; 1119, Ph. de Thaon (*uvrer*) ; 1225, G. (*ouvrer*), « agir, opérer », puis « travailler » ; bas lat. *operare,* en lat. class. *operari,* travailler de ses mains ; XVIe s., techn., éliminé de l'empl. courant par *travailler,* à cause de l'homonymie de *ouvrir* dans plusieurs de leurs formes respectives (v. ŒUVRE, OPÉRER, etc.). || **ouvré** 1170, Havard. || **ouvrable** 1170, *Rois* (*jour uverable*), jour où l'on peut travailler. || **ouvrée** début XIVe s. (*ovrée*), mesure agraire. || **ouvraison** 1845, Besch. || **ouvroir** 1130, *Eneas* (*ovreor*) ; XIIIe s. (*ouvroer*) ; XVe s. (*ouvroir*), « atelier » ; 1851, Heuzé, établissement de bienfaisance.

***ouvrier** 1120, *Ps. de Cambridge* (*ovrer*) ; 1130, *Eneas* (*overier*) ; 1273, Adenet (*ouvrier*) ; fin XIIIe s. (*ouvrière*) ; 1112, *Voy. saint Brendan,* adj. ; *classe ouvrière,* 1789, Brunot ; lat. *operiarius,* de *operari* (v. OUVRER). || **ouvriérisme** 1935, Bloch. || **ouvriériste** 1935, Bloch.

***ouvrir** 1080, *Roland* (*uvrir*) ; lat. pop. **operīre,* altér. du lat. class. *aperire,* ouvrir, sous l'influence de *cooperīre,* couvrir. || **ouvreau** 1723, Savary, ouverture. || **ouvrant** 1611, Cotgrave. || **ouvreur** 1611, Cotgrave. || **ouvreuse** fin XVIIe s., Regnard, ouvreuse de loges ; 1837, Balzac, sens actuel. || **ouvre-boîte** 1925, Langenscheidt. || **ouvre-huîtres** 1855, Audot. || **entrouvrir** 1120, *Voy. de Charl.* || **rouvrir** 1395, Chr. de Pisan.

ovaire 1673, Denis ; lat. méd. mod. *ovarium,* de *ovum,* œuf. || **ovarien** 1838, *Acad.* || **ovarite** 1832, Raymond. || **ovariotomie** 1858, Nysten. || **ovariectomie** 1901, Comby.

ovale 1370, Oresme, adj. ; 1562, Bullant, n. f. ; 1660, Oudin, n. m. ; lat. *ovum,* œuf. || **ovalaire** 1690, Dionis. || **ovaliser** 1845, Besch. || **ovalisation** 1923, Lar. || **ovaliste** 1845, Besch.

ovation 1520, Vaganay, hist. ; lat. *ovatio,* de *ovare,* « célébrer le petit triomphe » ; 1767, Diderot, acclamation. || **ovationner** 1892, *l'Indép. belge.*

ove 1622, Bergier, archit. ; lat. *ovum,* œuf. || **ové** 1798, Ventenat, en forme d'œuf.

ovi-, lat. *ovum,* œuf. || **ovibos** 1825, *Dict. sciences nat.,* zool. || **ovicelle** 1963, Lar. || **oviducte** 1676, Barbier, zool. (*oviductus*) ; 1771, Buffon (*oviducte*) ; 1803, Wailly (*oviduc*) ; lat. *ductus,* conduit. || **ovipare** 1558, Thevet (*ovipere*) ; 1700, *Journ. des savants* (*ovipare*) ; lat. *oviparus,* de *parere,* engendrer. || **oviparité** 1838, *Acad.* || **ovoïde** 1768, Valmont ; gr. *eidos,* forme. || **ovologie** 1868, L. || **ovoscope** 1932, Lar. || **ovovivipare** 1806, Duméril.

ovin 1834, Bauchimont ; bas lat. *ovinus,* de *ovis,* brebis.

ovo (ab) 1610, Pasquier ; loc. empr. à *l'Art poétique* d'Horace, où Homère est loué de ne pas commencer le récit de la guerre de Troie par l'œuf de Léda (d'où naquit Hélène).

ovule 1798, Ventenat ; diminutif du lat. *ovum,* œuf. || **ovulaire** 1838, *Acad.* || **ovulation** 1858, Nysten.

oxalide 1559, trad. de Dioscoride, bot. ; lat. *oxalis,* mot gr., oseille. || **oxalique** 1787, Guyton de Morveau. || **oxalate** *id.* || **oxalurie** 1855, Nysten.

oxycrat 1363, Chauliac ; gr. *oxucraton,* boisson d'eau et de vinaigre.

oxyde 1787, Guyton de Morveau ; gr. *oxus,* au sens de « acide ». || **oxyder** *id.* || **oxydant** adj., 1806, Thouvenel. || **oxydable** 1789, *Ann. chimie.* || **inoxydable** 1867, L. || **oxydation** 1785, *Ann. chimie.* || **oxydoréduction** 1966, Lar. || **oxydase** 1908, Lar. || **bioxyde** 1838, *Acad.* || **désoxyder** 1797, *Bull. des sciences.* || **désoxydation** 1794, *Journ. des mines.* || **désoxydant** 1864, L. || **peroxyde** 1827, *Acad.* || **peroxyder** 1869, L. || **protoxyde** 1813, Thénard.

oxygène 1783, Lavoisier (corps découvert en 1774 par Priestley) ; gr. *oxus,* au sens de « acide », et *-gène.* On a hésité, à l'époque, entre *oxygène* et *oxygine* (du lat. *gignere,* engendrer). || **oxygéner** 1787, Guyton de Morveau ; *s'oxygéner,* 1962, Robert. || **oxygénation** 1789, *Ann. chimie.* || **oxygénable** 1816, Candolle. || **oxygénée** (*eau*) début XXe s. || **oxygénothérapie** 1917, Lar. || **désoxygéner** 1789, *Ann. chimie.* || **désoxygénation** 1797. || **oxyhémoglobine** 1903, Lar. || **oxhydrique** 1867, L. ; avec le suff. *-hydrique.* || **oxhydrile** 1903, Lar. || **oxacide** 1836, Landais. || **oxyacétylénique** 1923, Lar. || **oxycarboné** 1879, Duval. || **oxychlorure** 1822, *Nouveau Dict. méd.* || **oxycoupage** 1949, Lar. || **oxycoupeur** 1955, *Dict. métiers.* || **oxylite** 1923, Lar. || **oxymétrie** 1858, Nysten. || **oxysulfure** 1822, *Nouveau Dict. méd.*

oxymel 1220, Coincy, breuvage ; lat. *oxymeli,* du gr. *oxumeli,* de *oxus,* aigre, et *meli,* miel.

oxymoron 1765, *Encycl.,* rhétor. ; gr. *oxus,* piquant, et *môros,* sot.

oxyton 1570, G. Hervet, linguistique, « ton aigu » ; gr. *oxus,* aigu, et *tonos,* ton ; n. m., 1868, L. || **oxytonisme** fin XIXe s. || **paroxyton** adj., 1570, G. Hervet ; n. m., 1868, L. || **proparoxyton** n. m., 1868, L.

oxyure 1803, *Dict. sc. nat. ;* gr. *oxus,* aigu, et *oura,* queue, « à la queue pointue ». || **oxyurose** 1911, Lar.

oyat 1415, à Boulogne-sur-Mer (*oïak*) ; 1810, *Bull. des lois* (*oyat*) ; orig. inconnue.

ozène 1478, Chauliac, méd. ; lat. *ozaena,* du gr. *ozaina,* de *ozein,* exhaler une odeur. || **ozéneux** 1903, Lar.

ozocérite ou **ozokérite** 1858, Nysten ; gr. *ozein,* exhaler une odeur, et *keros,* cire.

ozone 1840, Schönbein ; gr. *osein,* exhaler une odeur. || **ozoné** 1858, Nysten. || **ozoniser** 1857, Figuier. || **ozonisation** 1868, L. || **ozoniseur** 1874, Lar. || **ozonométrie** 1868, L.

paca 1578, J. de Léry (*pague*) ; 1603, La Borie (*paca*) ; du quechua (langue du Brésil) ; désigne un rongeur d'Amérique.

***pacage** 1330, *Baudouin de Sebourg* (*pascuage*) ; 1611, Cotgrave (*pacage*) ; lat. pop. **pascuaticum,* pâturage, de *pascuum,* sur *pascere,* paître. || **pacager** 1596, Guenoys (*pascagier*). || **pâquis** XIIIe s. (*pasquis*), croisem. de l'anc. fr. *pasquier* (1251, G.), n. m., du lat. pop. **pascuarium,* avec *pâtis.*

pacemaker 1960, *journ. ;* mot angl., de *pace,* allure (français *pas*), et *to make,* faire.

pacfung 1836, Landais (*packfond*) ; 1923, Lar. (*pacfung*) ; attesté en angl., 1775, sous la forme *paaktong ;* mot dial. chinois.

pacha 1457, La Broquière (*bacha*) ; 1670, La Fontaine (*bassa*) ; XVIIe s. (*pacha*) ; turc *pasha,* du persan *padischāh,* souverain. || **pachalik** 1811, Chateaubriand (*pachalic*).

pachyderme 1578, d'Aubigné (*pachiderme*), adj., au sens pr. ; 1795, Cuvier, n. m., zool. ; gr. *pakhudermos,* de *pakhus,* épais, et *derma,* peau. || **pachydermie** 1878, Lar.

pacifier 1250, G. (*pacefier*) ; 1290, G. (*pacifier*), en anc. fr., v. intr., « faire la paix » ; lat. *pacificare,* de *pax, pacis,* paix ; 1487, Garbin, v. tr. || **pacifiant** 1880, Huysmans. || **pacification** 1450, Gréban ; lat. *pacificatio.* || **pacificateur** 1500, Fossetier, n. m. ; adj., 1764, Voltaire ; lat. *pacificator.*

pacifique 1308, Aimé (*pacifice*) ; fin XVe s. (*possesseur pacifique*), « qui ne peut pas être troublé dans sa possession » ; fin XVe s., Commynes, « qui aime la paix » ; *mer Pacifique,* milieu XVIe s. ; *océan Pacifique,* 1765, *Encycl.* (du sens premier de l'adj.) ; lat. *pacificus.* || **pacifiquement** 1308, Aimé. || **pacifisme** 1907, Lar. || **pacifiste** *id.*

pack 1866, J. Verne, géogr. ; mot angl., ellipse de *pack-ice,* glace en paquet ; 1912, *journ.,* rugby ; angl. *pack,* ballot. (V. PAQUET.)

pacotille 1711, Doublet, « quantité de marchandise dont les marins peuvent faire commerce pour leur compte » ; esp. *pacotilla,* de *paca,* ballot, du moyen fr. *pakke ;* 1835, *Acad.,* péjor. (V. PAQUET.) || **pacotilleur** 1724, Durand-Molar.

pacquer 1341, Jal, « mettre en paquet » ; 1596, Hulsius, « entasser en baril du poisson salé » ; néerl. *pak,* ballot (v. PAQUET). || **pacquage** fin XVIe s.

pacte 1355, Bersuire (*pact*) ; 1461, Bartzsch (*pacte*) ; lat. *pactum,* part. passé substantivé de *pacisci,* faire un pacte, de *pax, pacis,* paix. || **pactiser** 1481, du Cange. || **pactisation** 1795, Babeuf.

pactole 1698, Boileau, fig. ; du nom de *Pactole,* rivière de Lydie qui roulait des paillettes d'or.

paddock 1828, *Journ. des haras ;* mot angl. signif. « enclos » ; 1929, Esnault, « lit ». || **paddocker (se)** 1939, Esnault.

padine 1823, Boiste, « varech » ; orig. inconnue.

padischah 1725, Weber ; mot persan, de *pâd,* protecteur, et *schah,* roi.

padou 1642, Oudin (*padoue*) ; du nom de *Padoue,* où se fabriquait cette sorte de ruban. || **padouage** 1963, Lar.

paella 1938, Montagné ; esp. *paella,* poêle.

1. **paf** 1718, Leroux, exclam. ; 1755, Vadé, « eau-de-vie » ; 1837, Vidocq, arg., « gros souliers » ; onomat.

2. **paf** 1821, Esnault, « ivre » ; du part. passé *paffé,* de *s'empaffer,* se gaver, variante de *s'empiffrer.*

pagaie 1686, Chaumont, *Ambass. de Siam* (*pagais*) ; malais *pengajoeh.* || **pagayer** *id.* || **pagayeur** fin XVIIe s.

pagaille ou **pagaye** 1836, Landais (*en pagale*), mar. ; v. 1850, Esnault (*pagaille*) ; 1903, Lar. (*pagaïe*), sens mod. ; prov. mod. (*en*) *pagaio*, « (en) désordre » ; orig. obsc., p.-ê. à rapprocher du précéd., parce qu'au mouillage les marins jettent à la hâte et en désordre les rames dans la cale. || **pagailleux** XXe s.

paganiser, paganisme V. PAÏEN.

1\. **page** n. m., 1220, Coincy, « valet », sens gén. ; 1307, Guiart, « valet d'armée » ; orig. obsc., p.-ê. gr. *paidion*, romanisé en **paidius*, diminutif de *pais, paidos*, enfant.

2\. **page** n. f., 1155, Wace ; lat. *pagina ; être à la page*, 1914, Esnault. || **paginer** 1811, *Bull. des sciences*. || **pagination** 1801, Mercier.

pagel 1552, Rab. (*pageau, pagel*), zool. ; lat. *pagellus*, dimin. de *pager*, du gr. *phagros* (*pagre*, milieu XVIe s., zool.).

pageot 1895, Esnault, « lit » ; orig. incertaine, p.-ê. de *paillot*, paillasse (1856, Esnault), de *paille*. || **pageoter (se)** 1895, Esnault. || **page** 1929, Esnault ; abrév. de *pageot*. || **pager (se)** 1915, Esnault.

pagne 1637, A. de Saint-Lô (*paigne*), n. f., puis n. m. ; esp. *paño*, « pan d'étoffe ».

pagnon 1755, *Français moderne ;* du nom d'un fabricant de Sedan, qui obtint ses lettres patentes en 1646.

pagnoter (se) 1859, Mozin, d'abord arg. mil., « manquer de courage » ; puis, 1881, Rigaud (*se paniotter*), pop., « se coucher » ; de l'anc. *pagnote* (1552, Boyvin), « mauvais soldat, poltron », usité du XVIe s. au XVIIIe s. dans *soldat de la pagnotte*, surnom donné en Piémont par les Espagnols aux soldats nécessiteux qui se débandaient pour chercher une miche de pain, ital. *pagnotta*, petit pain, dimin. de *pane* (v. PAIN). || **pagnoterie** 1688, Miege, « lâcheté ».

pagode 1545, François Xavier (*paxode*) ; 1553, Grouchy (*pagode*) ; port. *pagoda*, mot tamoul, du sanscrit *bhagavat*, « saint, divin ». || **pagodite** 1828, Mozin, « pierre à magots », qui servait à façonner les figurines dénommées *pagodes*.

pagre 1554, Rondelet, poisson ; mot prov., du lat. *phagrus*, gr. *phagros*, poisson vorace, de *phagein*, manger.

pagure 1552, J. Massé, crabe ; lat. *pagurus*, du gr. *pagouros*, de *pagos*, corne, et *oura*, queue.

***païen** fin IXe s., *Eulalie* (*pagien*) ; 1080, *Roland* (*paien*) ; lat. *paganus*, paysan (de *pagus*, pays) ; dès le IIIe-IVe s. (Tertullien, saint Augustin) sens eccl., parce que les paysans conservèrent le paganisme plus longtemps que les citadins. || **paganiser** milieu XVe s., intr., « se conduire en païen » ; 1660, Bossuet, tr., sens mod. || **paganisation** 1902, Lar. || **paganisme** 1546, Vaganay ; lat. eccl. *paganismus ;* a remplacé *païennisme* (1155, Wace).

paillard 1220, Coincy (*paillart*), n. m., qui couche sur la *paille*, « fripon, vaurien » ; 1430, *Quinze Joyes du mariage*, adj., « débauché, luxurieux » ; de *paille* avec suffixe péjor. *-ard*. || **paillardise** fin XIVe s., E. Deschamps. || **paillarder** 1461, Villon.

***paille** 1175, Chr. de Troyes ; XIIIe s., Rutebeuf, « couche rudimentaire » ; 1546, R. Est., défaut dans un métal ou une pierre ; 1867, Delvau, *une paille*, pop., « un rien » ; *vin de paille*, 1835, *Acad. ; paille de fer*, 1877, L. ; *sur la paille*, 1690, Furetière, « dans une extrême misère » ; lat. *palea*. || **paillasse** 1250, n. f., « sac » ; de *paille ;* XVIIIe s., techn. ; 1680, Richelet, fig., femme de mauvaise vie ; 1781, Gohin, n. m., bateleur ; ital. *Pagliaccio*, personnage du théâtre italien, l'habit du personnage étant fait de toile à matelas. || **paillasson** 1376, Prost, petite paillasse ; 1750, sens mod. || **paillassonner, paillasonnage** 1874, Lar. || **paille-en-queue** 1708, Leguat, zool. || **paillé** 1611, Cotgrave, adj., « de couleur paille ». || **pailler** v. tr., 1364, G. ; de *paille*. || **pailler** n. m., XIIIe s., *Roman Renart*, meule de paille dans la cour de ferme ; lat. *palearium*. || **paillet** 1130, Studer, « balle de blé » (var. dial. *paillot*) ; fin XIIIe s., vin clairet ; XVIIIe s., mar., natte, cordage. || **paillette** 1119, Ph. de Thaun, « ballot » ; début XIVe s., sens actuel. || **pailleté** fin XIVe s. || **pailleter** 1606, Nicot. || **pailleteur** *id.* || **pailleur** 1680, Richelet. || **pailleux** fin XIIe s., R. de Moiliens (*paillous*), au pr. ; 1611, Cotgrave, « qui a des défauts dans la masse ». || **paillis** XIIe s., *Roman Alexandre*, lit de paille ; 1842, Mozin, techn., agric. || **paillole** fin XIe s., *Gloses de Raschi*. || **paillon** 1534, *Poème français*, sens techn. divers, en agric. et en orfèvrerie. || **paillot** 1334, Havard, petite paillasse pour un lit d'enfant. || **paillote** 1617, Mocquet (*paillotte*), hutte de paille. || **empaillé** 1867, Delvau, pop., « maladroit ». || **empailler** 1543, A. Pierre (*-é*), « mêlé de paille » ; 1611, Cotgrave, fourni de paille ; 1660, Oudin, remplir de paille la peau d'un animal ; 1680, Richelet, garnir de paille une chaise, etc. || **empailleur** 1680, Richelet (de sièges) ; 1802, Flick (d'animaux). || empaillage 1811, Mozin (d'animaux) ; 1829, Boiste (de sièges). || **empaillement** 1838, *Acad.* || **rempailler** début XVIIIe s. || **rempailleur** 1723, Savary (une chaise). || **rempaillage** 1775, d'après Boiste.

***pain** 980, *Passion* (*pan*) ; 1050, *Alexis* (*pain*) ; *petit pain,* XVIe s. ; *pain d'épice,* 1372, Gay ; *pain à cacheter,* 1718, *Acad. ; pain bénit,* début XIIIe s., hostie consacrée ; *c'est du pain bénit,* 1549, R. Est. ; *cela ne mange pas de pain,* 1690, Furetière ; lat. *panis.* || **panade** 1548, Barbier ; 1878, Esnault, pop., fig., « misère ». || **panaire** 1756, *Encycl.,* adj. || **panetier** 1150, G. || **panetière** 1175, Chr. de Troyes, sac à pain ; 1546, R. Est., armoire à pain. || **panifier** 1600, O. de Serres. || **panification** 1782, Mercier. || **panifiable** 1823, Boiste. || **paner** 1540, Yver. || **panure** 1875, Lar.

***pair** 980, *Valenciennes* (*peer*) ; 1080, *Roland* (*per*) ; XVe s. (*pair*), adj. et n. Titre de dignité, et nombre divisible par deux, dès 1080, *Roland ; au pair,* 1840, Balzac ; *aller de pair,* 1600, Livet ; *hors de pair,* 1718, *Acad.* (*hors du pair,* 1530, Marot) ; lat. *par,* égal. || **pairage** 1963, Lar., techn. || **pairement** 1120, *Ps. d'Oxford.* || **pairie** 1259, Langlois (*perie*) ; 1498, Commynes (*pairie*). || **pairesse** 1698, *Voy. en Angleterre ;* angl. *peeress,* fém. de *peer,* lui-même empr. à l'anc. fr. *per.* || **parage** 1050, *Alexis,* « extraction, lignée ». || **pariage** 1290, G., jurid. ; lat. *pariare,* faire aller de pair. || **parisyllabique** 1812, Mozin. || **parité** 1345, *Doc. ;* lat. *paritas.* || **paritaire** 1923, Lar. || **paritarisme** 1877, L. || **disparité** v. 1300. || **impair** 1484, Chuquet (*-par*) ; 1580, Montaigne (*-per*) ; lat. *impar,* refait d'apr. *pair.* || **imparité** XIIIe s., Gauchy ; lat. *imparitas.* (V. PAIRE, PARIER.)

***paire** 1130, *Eneas ;* lat. pop. **paria,* pl. neut. de l'adj. *par,* devenu fém. (V. PAIR.)

***paisseau** XIe s., G. (*paissel*) ; lat. pop. **paxellus* (lat. class. *paxillus*) ; petit rondin soutenant les sarments de vigne. || **paisseler** 1213, G. || **paisselure** 1743, Trévoux.

***paître** 1050, *Alexis* (*paistre*) ; lat. *pascere.* || **paissance** fin XIIe s., R. de Moiliens. || ***paisson** XIIIe s., G., « pâture » ; lat. *pastio, pastionis,* de *pascere.* || **repaître** 1175, Chr. de Troyes. || **repu** adj., fin XIIe s., Couci, « rassasié » ; 1845, Flaubert, fig. || **repue** XVe s., La Curne (*repues franches*). || ***pâtis** 1119, Ph. de Thaon (*pastiz*) ; lat. pop. **pasticium,* de *pastus,* pâture, de *pascere.* (V. APPÂT, PACAGE, PÂQUIS, REPAS.)

***paix** fin Xe s., *Vie saint Léger* (*pais*) ; puis *x* d'après le lat. (1155, Wace) ; lat. *pax, pacis.* || **paisible** 1112, *Voyage saint Brendan.* || **apaiser** XIIe s. (*apaisier*). || **apaisement** XIIe s.

pal fin XIe s., *Gloses de Raschi ;* lat. *palus* (v. PIEU 1). || **empaler** fin XIIe s., *Roman Alexandre,* « fixer sur pieux » ; 1360, Froissart, « transpercer » ; 1515, Du Redouer, sens actuel. || **empalement** fin XVIe s.

palabre 1601, Feu-Ardent, n. f. ; 1888, Lar., n. m., d'après *entretien,* discours ; esp. *palabra,* parole. || **palabrer** 1888, Lar. || **palabreur** 1611, Cotgrave.

palace 1905, *l'Écho de Paris ;* mot angl. signif. « palais » ; spécialisé pour désigner un hôtel de grand luxe.

paladin 1552, Ronsard, « chevalier errant » ; 1578, Le Fèvre de La Borderie (*palladin*), « seigneur de la suite de Charlemagne » ; 1606, Crespin, sens mod. ; ital. *paladino,* du lat. médiév. *palatinus,* « officier du palais », de *palatium* (v. PALAIS 1). || **paladiner** début XVIe s., Médicis.

palafitte 1865, Delsor ; ital. *palafitta,* du pl. neut. lat. *palaficta* (lat. class. *pali ficti,* masc. pl.), de *palus,* pieu, et *fingere,* façonner.

1. ***palais** [château] 1050, *Alexis* (*paleis*) ; 1160, Benoît (*palais*) ; lat. *palatium,* proprem. « le Palatin », colline de Rome où Auguste fit construire son palais ; XVe s., Villon (*gens de palais*), siège du tribunal, d'après le *Palais* de Paris, ancien palais des Capétiens. || **palatial** 1647, Vaugelas. || **palatin** 1131, *Couronn. Loïs ;* lat. médiév. *palatinus,* de *palatium* (v. PALADIN). || **palatinat** 1567, Granvelle. || **palatine** 1680, Richelet, pèlerine de fourrure mise à la mode en 1676 par la princesse *Palatine,* belle-sœur de Louis XIV.

2. ***palais** [de la bouche] 1120, *Ps. de Cambridge ;* lat. pop. de Gaule **palatium* (par attraction du précéd.), en lat. class. *palatum.* || **palatal** 1694, Dangeau. || **palatalisation** 1890, Meyer-Lübke. || **palataliser** 1949, Lar. || **palatalité** milieu XXe s. || **palatin** adj., 1611, Cotgrave. || **palatite** 1836, Landais. || **palato-,** premier élém. de composé méd., depuis 1805, Lunier, *Dict. des sciences.* || **palatogramme** 1963, Lar. || **palatoplastie** 1903, Lar. || **palatorrhaphie** 1888, Lar. ; gr. *raphê,* couture.

palan 1553, Grouchy (*palenc*) ; ital. *palanco,* masc. de *palanca,* « palis, etc. », du lat. pop. **palanca* (lat. class. *palanga*), rouleau de bois servant pour déplacer de lourds fardeaux, du gr. *phalanga,* acc. de *phalanx,* « gros bâton » (v. PHALANGE, PLANCHE). || **palanquer** XVIe s., d'Aubigné, se servir d'un palan. || **palanquée** 1948, Cendrars, ensemble des marchandises soulevées par un palan. || **palanque** 1624, Deshayes, milit. ; ital. *palanca.* || **palanquer** 1836, *Acad.,* munir de palanques.

palangre 1765, *Encycl.,* « sorte de corde » ; prov. *palangre,* du lat. pop. **palangrum,* du gr. **panagron,* grand filet, de *pan, pantos,* tout, et *agra,* proie. || **palangrer** 1769, Duhamel du Monceau.

palanquin 1571, trad. du P. Organtino ; port. *palanquim,* de l'hindi *pâlakî* (sanskrit *paryanka,* litière).

palastre ou **palâtre** fin XIe s., *Gloses de Raschi,* sens techn. divers ; notamment 1457, boîtier de serrure ; lat. *pala,* pelle.

palatal, palataliser V. PALAIS 2.

palatial, palatin, palatine V. PALAIS 1.

1. **pale** 1330, *Baudouin de Sebourg,* partie plate de l'aviron ; 1845, Besch., aube (-des roues à aubes) ; 1932, Lar., partie d'hélice ; lat. *pala,* pelle (v. PELLE). || **bipale** 1960, Lar. || **empalement** 1775, Grignon, « vanne d'écluse ». || **paleron** milieu XIIIe s., G. || **palet** 1307, Guiart. || **palette** XIIIe s., a désigné divers ustensiles plats, en métal ou en bois ; 1615, Binet, peinture. || **palot** 1628, Chereau. || **paluche** 1940, Esnault, arg., « main » ; de *palette.*

2. **pale** ou **palle** 1690, Furetière, eccl. ; lat. *palla,* robe flottante, tenture. || **palléal** 1838, *Acad.,* zool.

pâle 1080, *Roland* (*pale*) ; 1606, Crespin (*pasle*) ; 1677, Miege (*pâle*) ; lat. *pallĭdus.* || **pâlement** 1540, G. || **pâleur** 1120, *Ps. d'Oxford* (*pallor*) ; XIVe s. (*paleur*). || **pâlir** 1155, Wace (*palir*). || **pâlot** XVIe s. (*pallaud*) ; 1774, Mercier (*pâlot*). || **palotin** 1888, A. Jarry ; création plaisante, infl. par *pâlot,* ou *falot.* || **pâlichon** 1867, Delvau.

pale-ale 1856, *Rev. des Deux Mondes ;* mot angl., de *pale,* pâle, et *ale,* bière.

palefrenier XIIIe s., *Chron. de Saint-Denis ;* anc. prov. *palafrenier,* de *palafren,* « palefroi », ital. *palafreno* (avec une finale infl. par *fren,* frein). || ***palefroi** 1080, *Roland* (*palefreid*) ; XIIe s. (*palefroi*), « cheval de marche », opposé à *destrier,* « cheval de combat » ; bas lat. *paraveredus* (*Code Théodosien,* Cassiodore), « cheval de renfort », du gr. *para,* « auprès de », et de *veredus* (Ier s. apr. J.-C., Martial), « cheval de poste », d'orig. celt. (cf. gallois *gorwydd,* « coursier »). L'all. *Pferd* est empr. au lat. *veredus.*

palémon 1808, Boiste, zool. ; du nom de *Palaimon,* personnage de la mythol. gr., changé en dieu marin.

paléo-, gr. *palaios,* ancien. || **paléoasiatique** 1923, Lar. || **paléobotanique** 1923, Lar. || **paléoclimat** 1963, Lar. || **paléocytologie** 1963, Lar. || **paléogéographie** 1874, Lar. || **paléographie** 1708, B. de Montfaucon. || **paléographe** 1827, *Acad.* (1760, de Brosses, *palaiographe*). || **paléographique** 1836, *Acad.* || **paléolithique** 1866, Lubbock. || **paléontologie** 1830, *Bull. Société géologique* (*paléonthologie*) ; 1834, Boiste (*paléontologie*) ; gr. *ôn, ontos,* être. || **paléontologique** 1836, Landais. || **paléontologiste, paléontologue** 1838, *Acad.* || **paléothérium** 1830, Cuvier ; gr. *thêrion,* bête sauvage. || **paléozoïque** 1859, Madinier.

paleron, palet V. PALE 1.

palestre 1130, *Eneas,* « lutte » ; 1547, J. Martin, sens actuel ; lat. *palaestra,* du gr. *palaistra.*

paletot 1370, Skeat (*paltoke*), sorte de justaucorps ; 1403, G. (*paletot*) ; 1550, Ronsard (*paletoc*) ; 1694, Borel, manteau de guerre ; 1690, Furetière, casaque de paysan ; 1819, Boiste, pop., habit-veste ; moyen angl. *paltok,* jaquette. || **paltoquet** 1546, Rab. (*palletoque*), « vêtu d'un justaucorps » ; 1704, Trévoux, forme et sens mod.

1. **palette** V. PALE 1.

2. **palette** 1460, Villon, vase pour la saignée ; altér., d'après *palette* 1, de l'anc. *paelette* (XIIIe s.), dimin. de *paele,* forme anc. de *poêle* 1 (v. PALIER, POÊLE 1).

palétuvier 1614, C. d'Abbeville (*apparituriér*) ; milieu XVIIe s. (*parétuvier*) ; 1722, Labat (*palétuvier*) ; tupi-guarani (langue du Brésil) *apareiba,* de *apara,* courbé, et *iba,* arbre.

pali 1826, Burnouf ; du nom hindi de cette anc. langue religieuse de l'Inde.

palicinésie 1932, Lar. ; de *pali-,* gr. *palin,* en sens inverse, et gr. *kinêsis,* mouvement.

palier 1287, Bevans (*paelier*), pièce de métal facilitant le mouvement horizontal d'une pièce sur une autre, d'où divers sens techn. en fr. mod. ; 1547, J. Martin, plate-forme où se termine un étage, d'où divers emplois fig. ; *par paliers,* 1923, Lar. ; 1934, J. Romains,

« période stationnaire » ; anc. fr. *paele,* « poêle » (n. f.) et « en forme de poêle » (v. PALETTE 2, POÊLE 1). || **palière** 1770, Roubo, adj. et n. f.

palifier 1611, Cotgrave (*palifié*), fortifier avec des pieux ; ital. *palificare,* du lat. *palus,* pieu, et *facere,* faire (v. PAL, PALIS). || **palification** 1765, *Encycl.* ; ital. *palificazione.*

palikare 1828, Hugo (*palicare*) ; gr. mod. *pallikari,* gaillard, brave, du gr. anc. *pallêks, pallêkos,* jeune homme.

palilalie 1932, Lar. ; de *pali-,* en sens inverse, et gr. *lalos,* bavard.

palimpseste 1542, Dolet ; rare jusqu'en 1823, Boiste ; lat. *palimpsestus,* du gr. *palimpsestos,* de *psân,* gratter, et *palin,* de nouveau.

palindrome 1765, *Encycl.* ; gr. *palindromos,* de *palin,* de nouveau, et *dromos,* course.

palingénésie 1546, Rab. ; bas lat. *palingenesia,* du gr. *paliggenesia,* de *palin,* de nouveau, et *genesis,* naissance. || **palingénésique** 1836, *Acad.*

palinodie 1512, J. Lemaire de Belges, pièce de vers où l'on rétracte des sentiments exprimés précédemment ; 1566, *Tragédie du sac de Cabrière,* sens mod. ; bas lat. *palinodia,* du gr. *palinôidia,* de *ôdé,* chant, et *palin,* de nouveau (« sur un autre ton »). Le sens mod. se rattache à une légende sur Stésichore rapportée par Isocrate. (Variantes : *palinode,* XVIe s., « refrain », et *palinod,* 1521, Fabri, « pièce de vers en l'honneur de la Vierge ».) || **palinodique** 1845, Besch. || **palinodier** *id.*

palis fin XIe s., *Chanson de Guillaume* (*paliz*) ; fin XIIe s. (*palis*), « pieu » ; de *pal.* || **palisser** 1417, G. || **palissage** 1690, La Quintinie. || **dépalisser** fin XVIe s. || **palissade** 1460, Le Fèvre. || **palissader** 1585, Marnix. || **palissadement** 1842, Mozin. || **palissadique** 1949, Lar., bot. || **palisson** XIIIe s., *Renart* (*paleszon*) ; XVe s. (*palisson*), pieu ; 1723, Savary, techn. || **palissonner** 1382, G. || **palissonneur** 1907, Lar.

palissandre début XVIIIe s. (*palixandre ;* encore en 1878, *Acad.*) ; néerl. *palissander,* d'un dial. de Guyane.

paliure 1615, Daléchamp, bot. ; lat. *paliurus,* du gr. *paliouros.*

1. **palladium** 1160, Benoît (*palladion*) ; 1562, du Pinet (*palladium*), statue de Pallas ; 1748, Montesquieu, fig. ; lat. *palladium,* du gr. *palladion,* statue de Pallas, considérée à Troie comme assurant la sauvegarde de la ville.

2. **palladium** 1804, H. Constant, métal ; mot tiré par l'Anglais Wollaston (1803) du nom de la planète *Pallas,* qu'on venait de découvrir. || **palladique** 1868, L.

palléal 1838, *Acad.* ; lat. *palla,* manteau.

pallidum 1963, Lar., anat. ; lat. *pallidus,* pâle. || **pallidectomie** 1963, Lar. || **pallidal** 1961, Galli et Leluc.

pallier début XIVe s., « donner une couleur favorable à » ; lat. *palliare,* couvrir d'un manteau, de *pallium ;* 1560, Paré, apaiser, guérir ; XVIIe s., *pallier à,* « remédier à ». || **palliatif** 1314, Mondeville, adj. ; 1729, d'Olivet, n. m., fig. ; lat. médiév. *palliativus.* || **palliation** 1314, Mondeville. || **palliateur** 1739, Brunot.

pallium 1190, Garn., eccl. ; 1963, Lar., anat. ; mot lat. signif. « manteau » (v. POÊLE 1).

palma-christi, palmaire, palmi-, etc. V. PAUME.

palmarès 1842, *Acad.,* liste des lauréats ; XXe s., liste des succès ; pl. du lat. *palmaris,* « digne de la palme », de *palma,* palme.

1. **palme** n. f., XIIe s., *Pèlerinage Charlemagne* (*paume*) ; XIIIe s. (*palme*), rameau de palmier ; fin XIIe s., symbole de la victoire ; 1538, R. Est., prix remporté ; 1866, Lar., insigne, décoration ; 1963, Lar., nageoire de nage sous-marine ; lat. *palma,* paume. || **palmier** 1119, Ph. de Thaon. || **palmier-dattier** 1765, *Encycl.* || **palmeraie** 1607, N. Trigaut. || **palmette** 1694, Th. Corn., motif d'architecture. || **palmé** début XVIe s., orné de palmes. || **palmer** 1970, Robert, nager avec des palmes. || **palmarium** 1903, Lar. || **palmifide** 1875, Lar. ; de *-fide,* lat. *findere,* diviser. || **palmiforme** 1868, Lar. || **palmilobé** 1845, Besch. || **palmiparti** 1845, Besch ; lat. *partitus,* divisé. || **palmipède** 1555, Belon ; lat. *palmipedes, -pedis,* sur *pes, pedis,* pied. || **palmiséqué** 1875, Lar. ; lat. *sectus,* coupé. || **palmure** 1845, Besch.

2. **palme** n. m., 1080, *Roland,* paume ; 1553, *Bible Gérard,* mesure d'une largeur de main, hist. ; lat. *palmus,* même racine que *palme* 1.

palmer 1877, L., n. m., instrument de mesure ; du nom de l'inventeur.

palmiste 1601, Champlain ; mot créole des Antilles, altér. probable de l'esp. *palmito,* petit palmier. || **palmite** 1599, Vigenère, moelle de palmier ; esp. *palmito,* pris au XVIe s. dans ce sens. || **palmitine** 1865, Nysten, produit tiré de l'huile de palme. || **palmitique** 1868, L. || **palmitate** 1874, Lar. (V. NAPALM.)

palombe 1265, Br. Latini, pigeon ; 1752, Trévoux, techn. ; languedocien et gascon *palomba,* du lat. *palumba* (Ier s., Celse), var. de *palumbus.* || **palombière** 1794, *Encycl. méth.* (*palomière*) ; début XXe s. (*palombière*), endroit aménagé pour la chasse aux palombes. || **palombin** 1818, *Dict. sciences naturelles* (*palombino*) ; 1823, Boiste (*palombin*), espèce de marbre ; ital. *palombino.*

palonneau 1383, du Cange (*palonnel*), pièce à laquelle on attache les traits des chevaux ; altération de **paronnel,* de l'anc. fr. *paronne,* même sens, de même racine que *épar* (1175, Chr. de Troyes), germ. *sparro,* poutre. || **palonnier** 1694, *Acad.,* même sens.

***palourde** XIIIe s. (*palorde*) ; 1484, Garcie (*palourde*) ; lat. pop. **pelorĭda* (lat. class. *peloris, -idis*), du gr. *peloris,* huître.

palper 1488, *Mer des hist.,* toucher ; 1765, Féraud, recevoir de l'argent ; XVIIIe s., toucher de l'argent ; lat. *palpare.* || **palpe** 1802, Latreille, entom. || **palpable** fin XIVe s., Chr. de Pisan, qu'on peut toucher ; début XVIe s., fig. ; bas lat. *palpabilis* (IVe s., saint Jérôme). || **palpabilité** 1769, Bonnet. || **impalpable** XVe s. ; bas lat. *impalpabilis.* || **palpation** 1833, *Transactions méd.* || **palpiste** 1803, Boiste, entom. || **palpeur** 1827, *Acad.,* entom. ; 1923, Lar., techn. || **palpicorne** 1838, *Acad.,* entom. || **palpigère** 1834, Boiste, entom.

palpiter 1488, *Mer des hist.* ; lat. *palpitare,* fréquentatif de *palpare* (v. PALPER). || **palpitant** adj., 1519, Michel de Tours, au pr. ; adj., 1838, *Acad.,* passionnant ; n. m., 1725, Granval, arg., « cœur ». || **palpitation** 1538, Canappe ; lat. *palpitatio.* || **palpitement** 1621, Courval-Sonnet.

palsambleu 1694, Regnard, juron, euphém. pour « par le sang de Dieu » ; var. *palsangué, palsanguienne.* (V. DIEU.)

paltoquet V. PALETOT.

palud, palus, palude 1112, *Voy. saint Brendan* (*palu*) ; 1564, Liébault (*palud*) ; 1895, A. Gide (*paludes*) ; 1690, Furetière (*palus*) ; lat. *palus, paludis,* marais. || **paludier** 1731, Th. Corn. || **paludéen** 1837, *Journ. méd.* || **paludisme** 1869, Verneuil. || **paludine** 1842, *Acad.* || **palustre** 1505, Platine ; lat. *palustris.* || **paludothérapie** 1913, Legrain.

***pâmer** fin XIe s., *Alexis (pasmer)* ; lat. pop. **pasmare,* altér. de **spasmare,* de *spasmus,* déjà, en bas lat. *pasmus* (Ve s., M. Empiricus) [v. SPASME]. || **pâmoison** 1080, *Roland* (*pasmeisun*).

pampa 1716, Frézier ; mot hispano-amér., du quechua (langue du Pérou). || **pampero** 1771, Bougainville.

pamphlet 1653, Boullaye ; mot angl., altér. de *Pamphilet,* nom d'une comédie pop. en vers lat. du XIIe s., puis d'un écrit satirique de la fin du XVIe s. || **pamphlétaire** 1735, Voltaire (*pamfletier*), d'après l'angl. ; 1790, Condorcet (*pamphlétaire*).

pampille 1530, Rab. (*pampillete*) ; 1872, Gautier (*pampille*), passementerie ; formation expressive, ou dér. de l'anc. fr. *pampe.* (V. PAMPRE.)

pamplemousse 1665, Le Carpentier (*pompelmoes*) ; 1687, Choisy (*pamplemouse*) ; néerl. *pompelmoes,* de *pompel,* épais, gros, et *limoes,* citron. || **pamplemoussier** 1899, *Grande Encycl.*

pampre 1270, G. (*pampe*), pétale ; 1534, Rab., branche de vigne avec ses feuilles ; lat. *pampinus,* rameau de vigne. || **pampré** 1564, J. Thierry ; 1690, Furetière, blas. || **pampiniforme** 1743, Demours.

1. **pan** 1080, *Roland ;* lat. *pannus,* morceau d'étoffe ; 1155, Wace, pan de mur ; *pan coupé,* 1561, Delorme ; 1885, Hugo, fig. || **panard** 1750, Bourgelat, adj., « (cheval) aux pieds de devant tournés en dehors » ; 1898, Esnault, « soulier » ; 1910, Esnault, arg., pieds. (V. PANTIN.)

2. **pan** 1834, Béranger, interj. ; onomat.

pan-, pant(o-), gr. *pan, pantos,* tout. || **panafricain** 1966, *journ.* || **panaméricain** 1907, *l'Illustration.* || **panaméricanisme** 1903, Lar. || **panarabe** 1950, *journ.* || **panarabisme** 1932, Lar. || **panathénées** 1760, Monchablon ; gr. *panathênaia,* du nom de la déesse *Athéna.* || **panchromatique** 1903, Lar. || **panclastite** 1889, Villiers ; gr. *klastos,* brisé. || **pancosmisme** XXe s., philos. ; angl. *pancosmism,* du gr. *kosmos,* monde. || **pangermanisme** 1846, Besch. || **pangermanique** 1903, Lar. || **panhellénique, panhellénisme** 1868, L. || **panislamique, panislamisme** 1906, Lar. || **panlogisme** 1901, Couturat, philos. ; all. *panlogismus.* || **panmixie** 1903, Lar. || **panoptique** 1836, Landais. || **panpsychisme** 1904, Strong. || **panslavisme** 1846, Besch. || **panslaviste** 1875, Lar. || **panspermie** 1949, Lar. ; gr. *sperma,* semence. || **pantographe** 1743, *Hist. de l'Acad. des sciences,* géom. ; 1932, Lar., appareil de traction ferroviaire électrique.

|| pantomètre 1675, Bullet, géom. || pantophobie 1808, Boiste.

panacée 1560, Ronsard, remède universel ; 1823, Boiste, solution miraculeuse ; lat. *panacea,* du gr. *panakeia,* sur *pan,* tout, et *akos,* remède.

panache XVe s., *Vaux de Vire* (*pennache*) ; 1888, Lar., fig. ; ital. *pennacchio,* du lat. *penna,* plume. || **panacher** fin XIVe s. (*pannaché*). || **panachage** 1912, Lar., polit. || **panachure** 1758, Duhamel. || **empanacher** 1500, Auton. || **empanachage** 1870, Lar.

panade V. PAIN.

* **panage** 1196, G. (*paasnaige*) ; 1272, G. (*pasnage*), droit de pâture ; lat. pop. **pastionaticum,* de *pastio,* pâturage, de *pascere* (v. PAÎTRE).

* **panais** fin XIIe s. (*pasnaie*) ; 1562, Du Pinet (*panais*), bot. ; lat. *pastinaca.*

panama 1842, Roseval ; du nom du pays où pousse l'arbuste qui sert à fabriquer ce chapeau.

panard V. PAN 1.

panaris 1363, Chauliac (*panarice*) ; 1503, Chauliac (*panaris*) ; lat. *panaricium* (Pseudo-Apulée), altér. de *paronychium* (Ier s., Pline), du gr. *parônuchia,* de *para,* près, et *onux,* ongle.

panatella milieu XIXe s. ; esp. *panatela,* proprem. « sorte de biscuit ».

panax 1560, Paré ; gr. *panax,* arbrisseau.

panca ou **panka** 1841, Jacquemont (*punka*) ; 1875, *J. O.* (*panka* ou *punka*) ; mot angl., de l'hindi *pankha ;* écran pour éventer les appartements.

pancalisme 1915, Lalande, philos. ; gr. *pan,* tout, et *kalos,* beau ; doctrine qui admet le beau comme valeur suprême.

pancarte 1440, Ch. d'Orléans (*pencarte*), « carte marine » ; 1611, Cotgrave, affiche, écriteau ; XXe s., carton brandi dans les manifestations ; lat. médiév. *pancharta,* du gr. *pan,* tout, et du lat. *charta,* charte.

pancrace 1583, Vigenère ; lat. *pancratium* (gr. *pankration,* de *pan,* tout, et *kratos,* force). || **pancratiaste** 1579, Joubert.

pancréas 1560, Paré ; gr. *pankreas,* de *pan,* tout, et *kreas,* chair, « pour ce qu'il a partout similitude de chair » (Paré). || **pancréatique** 1671, Chapelain. || **pancréatite** 1810, Capuron. || **pancréatectomie** 1932, Lar.

panda 1824, Cuvier, zool. ; mot du Népal.

pandanus 1827, *Acad.* (*pandan*) ; lat. scient. *pandanus,* du malais *pandang ;* arbre tropical.

pandectes 1538, B. Des Périers ; bas lat. *pandectae,* du gr. *pandektai,* du gr. *pan,* tout, et *dekhesthai,* recevoir.

pandémie 1771, Trévoux ; de *pan,* tout, et *épidémie.* || **pandémique** milieu XVIIIe s.

pandémonium 1714, *le Spectateur,* enfer ; 1835, *Acad.,* fig. ; angl. *pandemonium,* créé par Milton pour désigner l'enfer, sur le gr. *pan,* tout, et *daimôn,* démon.

pandiculation 1560, Paré ; lat. *pandiculari,* s'étendre, de *pandere,* au sens d'« étendre » ; action de s'étirer.

pandit 1525, *Voyage A. Pigaphetta* (*pandita*) ; 1614, Du Jarric (*pandites*) ; 1827, *Acad.* (*pandit*) ; sanskrit *pandita,* savant.

1. **pandore** n. f., 1519, Havard, mus. ; lat. *pandura,* du gr. *pandoura.* (V. MANDOLINE, MANDORE.)

2. **pandore** n. m., milieu XIXe s., gendarme ; du nom d'un gendarme dans la chanson de G. Nadaud, *Pandore ou les Deux Gendarmes,* 1857.

pandour 1746, Voltaire (*pandoure*), soldat irrégulier ; du nom d'un village hongrois, *Pandur,* où furent levées des milices au XVIIe s.

panégyrique 1512, J. Lemaire de Belges ; lat. *panegyricus,* du gr. *panêgurikos,* de *panêguris,* assemblée de tout le peuple (*panégyrie,* 1838, *Acad.*), de *ageirein,* rassembler. || **panégyriste** fin XVIe s. ; bas lat. *panegyrista.*

panel 1963, Lar. ; mot angl. signif. « liste du jury », du français *panel,* panneau.

paner, panerée, panetier, paneton V. PAIN, PANIER.

pangolin 1761, Buffon, zool. ; malais *panggoling,* « celui qui s'enroule ».

panicaut fin XIVe s., *Livre des secrets de nature* (*pain de caulde*) ; 1456, Villiers (*panicaut*), bot. ; lat. *panis* (v. PAIN) et *cardus,* chardon, altér. en *calidus, caldus.*

panicule 1550, Guéroult ; lat. *panicula,* dimin. de *panus,* au sens de « épi ». || **paniculé** 1778, Lamarck.

* **panier** 1170, *Rois ; anse de panier,* début XVIIe s., fig. ; *panier à salade,* 1822, Cuisin ; *panier percé,* 1680, Richelet, fig. ; lat. *panarium,*

corbeille à pain, de *panis* (v. PAIN). || **panière** XIIIe s., *Renart* (*pennière*) ; XIVe s. (*panière*). || **panerée** 1398, *Ménagier.* || **paneton** 1812, Mozin.

panifier V. PAIN.

panique XVe s., L., adj. (*terreur panice*) ; 1787, Louvet, n. f. ; gr. *panikos,* du nom du dieu *Pan,* qui passait pour troubler violemment les esprits. || **paniquard** 1962, Robert. || **paniquer** 1966, Sarrazin.

1. ***panne** 1080, *Roland* (*penne*) ; 1175, Chr. de Troyes (*pane*), peau couvrant le bouclier ; même évol. vocal. que *femme ;* 1130, *Eneas,* « fourrure » ; 1268, Boileau, « graisse » (du ventre), empl. fig. ; lat. *penna,* plume, qui a désigné la panne, étoffe douce comme de la plume. || **panner** XIXe s., bourrer de graisse.

2. **panne** 1515, Jal (*penne*), mar., pièce latérale d'une vergue latine, empl. fig. de *penne,* plume, du lat. *penna ;* 1611, Cotgrave, *mettre en panne,* disposer les voiles pour que le navire reste immobile ; XVIIIe s., *rester en panne,* d'où le sens mod. ; 1842, La Bédollière, « misère » (arrêt de l'activité) ; 1843, Esnault, arg. des théâtres ; 1903, Lar., mécan. || **panné** 1835, Esnault, arg., décavé. || **empanner** 1703, *Hist. de l'Acad. des sciences,* mar. || **dépanner** 1922, Lar. ; 1948, Lar., fig. || **dépannage** 1918, *l'Illustration.* || **dépanneur** 1916, *L. M.* || **dépanneuse** n. f., 1929, Lar. ; abrév. de *voiture-dépanneuse.*

3. ***panne** 1170, *Rois,* terme de charpente ; lat. pop. **patena,* du gr. *pathnê,* « crèche », autre forme de *phatnê.*

4. ***panne** [d'un marteau] 1680, Richelet ; lat. *penna,* plume. || **panner** 1765, *Encycl.*

***panneau** 1155, Wace (*panel*), coussinet de selle ; XIIIe s. (*penel*), filet à gibier ; 1392, E. Deschamps (*panneau*), même sens, d'où *tomber dans le panneau ;* fin XIIIe s., Villard de Honnecourt (*penel*), pièce de menuiserie encadrée ; 1546, R. Est. (*panneau*), avec divers sens techn. ; lat. pop. *pannellus,* de *pannus.* || **panneauter** 1798, *Acad.* || **panneauteur** 1867, *le Moniteur.* || **panneautage** 1875, Lar.

pannequet 1808, La Reynière ; angl. *pancake,* de *cake,* gâteau, et *pan,* poêle.

panonceau 1160, Benoît (*panoncel*), « écusson d'armoirie » ; XVIe s., sens mod. ; anc. fr. *penum,* étendard, de *penne.*

panoplie 1551, Aneau, armure, équipement ; gr. *panoplia,* armure de l'hoplite, de *pan,* tout, et *hoplon,* arme ; 1838, *Acad.,* ensemble d'armes servant d'ornement ; 1932, Lar., jouet.

panorama 1799, Fulton ; mot angl. créé par Barker en 1787, du gr. *pan,* tout, et *orama,* vue. || **panoramique** 1815, Delbare, adj. ; 1906, Bonnaffé. || **panoramiquer** 1912, Giraud.

panorpe 1839, Boiste, entom. ; gr. *pan-* et *horpêx,* rejeton.

panoufle 1265, J. de Meung (*panufle*), haillon ; 1821, Desgranges, sens mod. ; anc. fr. *pane,* chiffon, du lat. *pannus* (v. PAN, PANNEAU).

***panse** 1155, Wace (*pance*) ; 1360, Froissart (*panse*), « ventre » ; 1566, du Pinet, spécialisé aux bêtes (cheval, ruminants) ; lat. *panticem,* acc. de *pantex.* || **pansu** 1330, Digulleville (*pançu*). || **pansière** fin XIIIe s. (*panciere*), pièce d'armure.

panser 1280, Adenet (*panser d'un cheval*) ; 1314, Mondeville (*penser de la plaie*) ; 1460, Chastellain (*penser de*) ; 1636, Monet, soigner une blessure ; 1546, R. Est., soigner quelqu'un ; spécialisation d'une var. orthogr. de *penser,* au sens de « s'occuper de » (1138, *Saint Gilles*). [V. PENSER.] || **pansage** 1798, *Acad.* || **pansement** début XVIe s., méd. || **panseur** 1932, Lar.

pantagruélique 1552, Rab. ; repris en 1829, Boiste ; du nom de *Pantagruel,* personnage de Rabelais, doué d'un énorme appétit. || **pantagruélisme** 1552, Rab.

pantalon 1550, *Chronique bordelaise,* personnage de la comédie italienne, vêtu d'un habit tout d'une pièce, du col aux pieds, à la manière vénitienne ; ital. *Pantaleone, Pantalone ;* 1650, Ménage, « haut-de-chausses étroit qui tient avec les bas » ; 1802, Brunot, sens mod. || **pantalonnade** fin XVIe s., danse burlesque ; 1692, Fénelon, subterfuge pitoyable.

pantelant V. PANTOIS.

pantenne 1571, Belleforest (*pantène*), mar. ; anc. prov. *pantena,* de *pantière,* avec chang. de finale.

panthéisme 1709, *Journ. des savants ;* angl. *pantheism,* du gr. *pantheos,* de *pan,* tout, et *theos,* dieu. || **panthéiste** 1712, E. Benoist ; angl. *pantheist.* || **panthéistique** 1832, Matoré.

panthéon 1491, Vaganay ; lat. *Pantheon,* du gr. *Pantheion,* temple de tous les dieux, de *pan, pantos,* tout, et *theos,* dieu. || **panthéoniser** fin XVIIIe s. || **panthéonisation** 1801, Mercier.

panthère 1119, Ph. de Thaon (*pantere*) ; lat. *panthera,* du gr. *panthêr,* de *pan,* tout, et *thêr,* animal.

pantière fin XIIe s., *Roman Alexandre,* filet pour prendre les oiseaux ; lat. *panthera,* du gr. *panthêr,* de *pan,* tout, et *thêr,* animal.

pantin 1747, *Journ. de Barbier,* figurine ; 1829, Boiste, fig. ; masc. de *pantine,* écheveau de soie (fin XVIe s.), du lat. *pannus,* morceau d'étoffe.

pantoire V. PENTE.

pantois XIVe s. (*pantais*), adj., fauconnerie, « asthmatique », et n. m., « oppression » ; 1546, Rab., adj., « suffoqué » ; 1648, Scarron, « ahuri » ; anc. fr. *pantaisier, pantoisier* (1130, *Eneas*), « haleter », du lat. pop. **pantasiare,* « avoir des visions », d'où « faire un cauchemar » et « être suffoqué d'émotion », du gr. *phantasieîn,* même sens (v. FANTAISIE). || **pantelant** 1578, d'Aubigné, part. adj. de l'anc. v. *panteler* (XVIe s.), réfection de *pantoiser,* par substit. du suff. *-eler.*

pantomime 1501, *Jardin de plaisance,* adj. ; 1570, Hervet, n. m., « acteur de mime » ; 1752, Lacombe, n. f., art du pantomime ; lat. *pantomimus,* du gr. *pantomimos,* de *pan, pantos,* tout, et *mimos,* mime. || **pantomimer** 1784, Diderot. || **pantomimique** fin XVIIIe s.

pantoufle 1465, Gay ; orig. obsc., p.-ê. issu des parlers du Midi, et se rattachant à la famille de *patte ;* pour d'autres, de l'ital. *pantofola,* napolitain et sicilien, représentant le comp. bas-grec *pantophellon,* « tout (*pan*) liège (*phellon*) ». || **pantouflard** 1883, Gréville. || **pantouflier** XVIe s. || **pantoufler** 1676, Sévigné, converser familièrement ; 1880, Esnault, arg. des grandes écoles de l'État, entrer dans l'industrie privée. || **pantouflerie** 1680, Sévigné, conversation familière.

pantoum 1829, Hugo ; mot malais.

panty 1967, *journ. ;* angl. *panties,* culotte.

panurge 1549, R. Est. ; du nom de *Panurge,* personnage de Rabelais, du gr. *panourgos,* apte à tout faire.

***paon** début XIIe s. (*poun, poon*) ; lat. *pavo, pavonis.* || **paonneau** v. 1200 (*paonel*) ; XVe s., *Myst. Vieil Test.* (*paonneau*). || **paonner (se)** milieu XVIe s. || **paonnier** 1292, *Taille de Paris.* (V. PAVANER.)

papa 1256, Ald. de Sienne ; mot enfantin, comme le lat. *pappus,* aïeul, et *pappa, papa,* père, de *pappare,* manger, forme enfantine par redoublem. de labiale (gr. *pappa, pappos*) ; *à la papa,* 1808, d'Hautel. || **grand-papa** 1680, Richelet. (V. BON-PAPA.)

papaïne, papaver, papavéracée, papavérine V. PAPAYE, PAVOT.

papaye 1579, Benzoni, bot. ; esp. *papaya,* du caraïbe des Antilles. || **papayer** 1658, de Rochefort. || **papaïne** 1888, Lar., pharm.

pape 1050, *Alexis ;* lat. eccl. *papa,* du gr. eccl. *pap(p)as,* titre d'honneur des évêques (IIIe s., Tertullien), puis spécialisé peu à peu pour l'évêque de Rome (VIe s.), auquel il est finalement réservé (IXe s.). || **papesse** milieu XVe s. ; lat. médiév. *papissa.* || **papal** 1308, Aimé ; lat. médiév. *papalis.* || **papauté** XIVe s., du Cange ; sur le modèle de *royauté, principauté ;* a éliminé *papalité* (XIVe s.). || **papable** 1590, Marnix ; ital. *papabile.* || **papalin** 1672, G. Patin, adj. ; 1625, Bassompierre, n. m. ; ital. *papalino.* || **papiste** 1525, Farel. || **papisme** 1553, Granvelle. || **antipape** 1320, *Dit des patenôtres ;* lat. médiév. *antipapa.* || **papegaut** 1536, Havard, formation plaisante. || **papimane, papefigue** 1552, Rab.

papegeai 1155, Wace ; anc. prov. *papagai,* de l'ar. *babaghâ.*

1. **papelard** 1220, Coincy (*papelart*) ; XIIIe s. (*papelard*), « faux dévot » ; 1611, Cotgrave, « flatteur » ; 1668, La Fontaine, « hypocrite » ; anc. fr. *papeler,* marmonner, mot expressif, comme le lat. *pappare* (onomat., par redoublem. de labiale). || **papelardise** début XIVe s., *Ovide moralisé.* || **papelarder** 1260, Rutebeuf. (V. PAPOTER, SOUPAPE.)

2. **papelard** V. PAPIER.

papier XIIIe s., Delb. ; adaptation, avec changement de finale, du lat. *papyrus* (« papyrus », jusqu'au VIIIe s., puis « papier de chiffon » à partir du Xe s., époque où les Arabes introduisent cette invention en Europe méditerranéenne), gr. *papuros,* roseau d'Égypte ; papier fait avec ce roseau ; *papiers,* 1835, *Acad.,* pièces d'identité ; *papier timbré,* 1690, Furetière ; *papier de verre,* 1843, Gautier ; *papier-monnaie,* 1727, Brunot, sur l'angl. *paper-money.* || **papelard** n. m., pop., 1821, Esnault, « papier ». || **paperasse** 1553, Belon (*paperas*), n. m. ; 1588, Montaigne (*paperasses*), f. pl. || **paperasser** 1546, Rab. || **paperassier** 1798, *Acad.* || **paperasserie** 1845, Besch. || **papetier** 1507, Havard ; lat. *papeterius* (1414, du Boulay). || **papeterie** 1423, Fagniez, fabrication du papier ; 1845, Besch., magasin de détail.

papille 1372, Corbichon ; lat. *papilla,* « mamelon du sein ». || **papillacé** 1875, Lar. || **papillaire** 1665, *Journ. des savants.* || **papilleux** 1770, Gouan. || **papillifère** 1838, *Acad.* || **papilliforme** 1817, Gérardin. || **papillite** 1884, Bouchut. || **papillome** 1858, Nysten (*papilloma*). || **papillectomie** 1963, Lar. || **papillotomie** *id.*

papillon 1170, *Floire et Blancheflor* (*paveillon*) ; 1265, J. de Meung (*papillon*) ; 1893, *D. G.,* morceau de papier ; *nœud papillon,* 1907, Lar. ; 1845, Besch., techn. ; lat. *papilio,* de formation expressive. (V. PARPAILLOT, PAVILLON.) || **papillonner** milieu XIVe s., « palpiter » ; 1608, *Requête,* sens mod. || **papillonnage** 1742, *Bibliothèque britannique.* || **papillonnant** adj., fin XVIIIe s. || **papillonneur** 1924, P. Hamp. || **papillonnement** 1843, Balzac. || **papilionacées** 1700, Tournefort. || **papelonné** fin XIIIe s., dentelé.

papillote début XVe s., paillette (d'or) ; XVIIe s., pour la coiffure ; moyen fr. *papillot,* petit papillon, avec changement de suffixe. || **papilloter** 1400, Chr. de Pisan, parsemer de paillettes ; 1680, Richelet, mettre (les cheveux) en papillotes ; 1762, *Acad.,* cligner (des yeux) ; 1858, Gautier, étinceler. || **papillotant** 1767, Diderot. || **papillotage** 1611, Cotgrave. || **papillotement** 1606, Crespin, fait d'être crotté ; 1611, Cotgrave, fait d'être pailleté ; 1872, Gautier, éclat fatiguant la vue.

papion 1766, Buffon ; lat. mod. *papio ;* sorte de singe.

papoter 1220, Coincy (*papeter*) ; 1611, Cotgrave (*papoter*), dimin. de *paper,* « ouvrir et rapprocher les lèvres à plusieurs reprises », notamment en parlant des tout petits enfants ; onomat. par redoublement de labiale, comme lat. *pappare,* manger (v. PAPA, PAPELARD, SOUPAPE). || **papotage** 1837, Engelgom. || **papotier** 1877, Daudet.

papouille 1923, Lar., fam. ; formation expressive, ou p.-ê. déform. de *palpouille,* attesté à Mâcon au sens de « pelotage », de *palpouiller,* dér. de *palper.*

paprika 1836, Landais, « soupe au poivre » ; 1922, Morand, sens actuel ; mot hongrois.

papule 1555, Aneau, anat. ; lat. *papula,* var. de *papilla* (v. PAPILLE). || **papuleux** 1810, Alibert.

papyrus 1562, du Pinet, bot. ; lat. *papyrus,* roseau d'Égypte, mot gr. ; 1838, *Acad.,* feuille pour écrire. || **papyrologie** 1907, Lar. || **papyrologue** 1907, Lar.

***pâque, paques** 980, *Passion* (*pasches*) ; 1131, *Couronn. Loïs* (*pasques*) ; 1680, Richelet (*pâques*) ; *Pâques fleuries,* v. 1170, dimanche des Rameaux ; *faire ses pâques,* 1606, Nicot ; lat. pop. **pascua,* altér. du lat. eccl. *Pascha* (avec infl. de *pascua,* nourriture, de *pascĕre,* v. PAÎTRE), gr. *Paskha,* remontant à un mot hébreu signif. « passage », désignant la fête qui commémorait la sortie d'Égypte. A désigné la fête chrét., par coïncidence de dates. Du Xe au XVIe s., sing. et pl. s'emploient indifféremment, puis le sing. désigne la fête juive, et le pl. la fête chrét. || **pâquerette** 1553, Belon (*pasquerette*) ; var. *pasquette* (au XVIe s.), bot., de l'adj. *pasqueret,* de Pâques à cause de l'époque de floraison. || **pascal** 1112, *Voy. de saint Brendan ;* lat. eccl. *paschalis.*

paquebot 1647, Clérac (*paquebouc*) ; 1665 (*paquebôt*) ; angl. *packet-boat,* bateau (*boat*) qui transporte les paquets (*packet,* lui-même du fr. *paquet*).

pâquerette V. PÂQUE.

paquet 1368, G. (*pacquet*) ; 1538, R. Est. (*paquet*) ; de l'anc. *pacque,* n. f., attesté en 1410, G. (*pakke*), du néerl. *pak ; mettre le paquet,* XXe s. (V. PACOTILLE, PACQUER.) || **paqueter** fin XVe s. || **paquetage** 1836, Landais, milit. || **paquetaille** 1875, Lar. || **paqueteur** 1562, Delb. || **empaqueter** fin XVe s. || **empaquetage** 1813, B. Constant. || **empaqueteur** 1611, Cotgrave. || **dépaqueter** 1487, G.

pâquis V. PACAGE.

***par** 842, *Serments* (*per*) ; 980, *Passion* (*par*) ; lat. *per ; de par* (*le roi,* etc.), XIIIe s., est une altér. de *de part* (1080, *Roland*), de la part de ; *par trop,* 1050, *Alexis.* || **parmi** 1050, *Alexis ;* sur *mi, milieu* (v. MI 1). || **parce que** 1200, *Poème moral ;* a éliminé au XVIIe s. *pour ce que,* loc. conj. de cause, usuelle en anc. fr.

1. **para-,** gr. *para-,* « à côté de », préfixe entrant dans des mots empruntés au gr., ou de formation française.

2. **para-,** préfixe exprimant l'idée de « protection contre », tiré du lat. *parare,* parer, à partir des mots *parasol, paravent,* etc., et servant à former *parachute, parados, parafoudre, paragrêle, parapluie, paratonnerre :* v. les mots simples correspondants. (V. égalem. PARAPET.)

parabase 1823, Boiste ; gr. *parabasis,* « action de s'avancer », sur *bainein,* marcher.

parabellum 1932, Lar. ; mot allem., d'après le proverbe lat. *Si vis pacem para bellum,* « Si tu veux la paix, prépare la guerre » (*para,* impér. de *parare,* préparer, et *bellum,* guerre).

1. **parabole** 1265, J. de Meung, eccl., « allégorie » ; début XVIIe s., Malherbe, sens général ; lat. eccl. *parabola* (IIIe s., Tertullien, et *Vulgate*), « comparaison », du gr. *parabolê* (v. PALABRE, PARLER, PAROLE). || **parabolique** XIVe s., L. ; lat. eccl. *parabolicus.*

2. **parabole** 1555, Aneau, géom., spécialis. du mot précéd., repris au gr. mathém. || **parabolique** 1505, *Doc.* || **parabolicité** 1869, L. || **paraboliser** 1868, *le Moniteur.* || **paraboloïde** 1660, Huygens. || **paraboloïdal** 1751, Brunot. || **parabolisme** 1691, Ozanam.

paracentèse 1560, Paré ; gr. *parakentêsis,* « ponction » ; opération chirurgicale consistant à opérer une ponction.

parachute 1777, Bauchaumont ; de *para-,* qui protège, et *chute,* appareil inventé par Blanchard. || **parachuter** 1939, *journ.* || **parachutage** *id.* || **parachutisme** 1928, Nyrop. || **parachutiste** 1928, Nyrop ; abrév. *para* (1944, Esnault).

paraclet 1265, J. de Meung (*paraclist*) ; 1464, Molinet (*paraclet*) ; lat. eccl. *paracletus,* du gr. *paraklêtos,* « qu'on appelle à son secours » ; nom donné au Saint-Esprit.

1. **parade** début XVIe s. (*faire parade*), terme de manège, « action d'arrêter un cheval » ; esp. *paradar,* de *parar,* « arrêter un cheval court », du lat. *parare* (v. PARER 3) ; fin XVIe s., Brantôme, « carrousel, défilé » ; 1594, *Ménippée,* « exhibition », sens infl. par *parer* 1, au sens de « arranger » ; 1680, Richelet, parade de foire. || **parader** 1573, Le Frère (*se parader*) ; 1599, La Popelinière (*parader*). || **paradeur** 1845, Radonvilliers, « écuyer de cirque » ; 1890, Maupassant, fig. || **paradiste** 1836, Landais, bateleur.

2. **parade** terme d'escrime V. PARER 2.

paradigme 1584, Thevet, gramm., « exemple » ; 1752, Trévoux, ensemble de formes ; lat. gramm. *paradigma* (gr. *paradeigma*), exemple, de *deiknumi,* montrer. || **paradigmatique** 1960, Martinet.

paradis 980, *Passion ;* var. pop. *pareis* (1080, *Roland*) ; lat. eccl. *paradisus* (*Vulgate*), « parc (réservé aux bienheureux) », du gr. *paradeisos,* de l'iranien *paridaiza,* enclos du seigneur ; 1606, Nicot, théâtre. || **paradisiaque** 1553, Postel ; rare jusqu'au XIXe s. (1838, *Acad.*) ; lat. eccl. *paradisiacus.* || **paradisier** 1806, *Dict. hist. naturelle,* zool. (V. PARVIS.)

parador 1840, Gautier ; mot esp. signif. « auberge », du lat. *parare,* préparer.

paradoxe 1485, Trepperel (*paradoce*) ; 1495, Vaganay (*paradoxe*) ; gr. *paradoxos,* sur *doxa,* opinion. || **paradoxal** 1584, Bouchet. || **paradoxalement** 1588, Sainct-Julien. || **paradoxisme** 1797, Gattel.

paraffine 1552, Rab. (*parafine*), « poix résine » ; 1611, Cotgrave (*parrafine*), « résine minérale » ; repris en 1830 par Reichenbach, qui découvrit l'hydrocarbure ainsi désigné ; lat. *parum affinis,* « qui a peu d'affinité ». || **paraffiné** 1867, *le Moniteur.* || **paraffiner** 1875, *J. O.* || **paraffinage** 1875, *J. O.* || **paraffineux** 1932, Lar.

1. **parage** « extraction » V. PAIR.

2. **parage** 1544, Cartier, « région », d'abord mar., au pl. (1643, Fournier), « lieu où se trouve un vaisseau » ; esp. *paraje,* « lieu de station », de *parar,* s'arrêter, du lat. *parare ;* 1835, *Acad.,* sens étendu.

3. **parage** techn. V. PARER 1.

paragoge 1340, J. Le Fèvre ; lat. gramm. *paragoge,* du gr. *paragôgê,* « addition ». || **paragogique** 1721, Trévoux.

paragrammatisme 1863, L., « allitération » ; 1963, Lar., trouble du langage ; bas lat. *paragramma,* faute de copiste.

paragraphe 1220, Coincy ; lat. médiév. *paragraphus,* signe de séparation, du gr. *paragraphos,* « écrit à côté », sur *graphein,* écrire. || **paragrapher** 1660, Oudin.

***paraître** 980, *Passion* (*pareistre*) ; bas lat. *parescere,* dér. inchoatif du lat. class. *parēre,* paraître, apparaître (d'où est issu l'anc. fr. *pareir, paroir,* disparu à la fin du XVIe s.). || **parution** 1923, Lar., du part. passé *paru,* et sur le modèle de *comparution.* || **disparaître** 1606, Crespin. || **disparu** 1907, Lar., n., « mort ». || **disparition** 1559, Amyot, sur le modèle de *apparition.* || **reparaître** 1208, H. de Valenciennes. || **reparution** XXe s. || **transparent** 1370, Oresme, adj. ; 1664, Brunot, plaque de verre ; lat. médiév. *transparens,* de *trans,* à travers, et *parens,* part. prés. de *parēre.* || **transparence** 1372, Corbichon. || **transparaître** 1640, Oudin. (V. APPARAÎTRE, COMPARAÎTRE.)

paralipomènes 1690, Furetière ; bas lat. *paralipomena,* du gr. *paraleipomena* (*biblia*), « livres laissés de côté », sur *leipein,* laisser.

paralipse 1732, Richelet, figure de rhét. ; gr. *paraleipsis,* action de passer sous silence, de *leipein,* laisser.

parallaxe 1557, de Mesmes, astron., genre incertain jusqu'au XVIIe s. ; 1690, Furetière, petit angle ; gr. *parallaxis,* « changement ». || **parallactique** 1691, Ozanam.

parallèle XIIIe s., math. ; 1544, Apian, adj. ; 1552, Rab., n. m., géogr. ; 1559, Amyot, n. m., fig., « comparaison » ; lat. *parallelus,* du gr. *parallêlos,* sur *allêlôn,* « l'un l'autre ». || **parallèlement** 1583, Monin. || **paralléliser** 1875, Lar. || **paralléliseur** 1903, Lar. || **parallélisme** 1647, Pascal ; bas grec *parallêlismos.* || **parallélogramme** 1542, Bovelles ; bas lat. *parallelogrammum,* mot gr., sur *grammê,* ligne. || **parallélépipède** 1570, Finé (*parallélipipède*) ; 1690, Furetière (*parallélépipède*) ; bas lat. *parallelepipedum,* du gr. *parallêpipedos,* sur *epipedon,* surface unie.

paralogisme 1380, *Aalma* ; gr. *paralogismos,* « contre la logique ».

paralysie 1190, *Grégoire* (*paralisin*) ; 1256, Ald. de Sienne (*paralisie*) ; 1380, *Aalma* (*paralysie*) ; lat. *paralysis,* du gr. *paralusis,* sur *lusis,* « relâchement ». || **paralytique** 1256, Ald. de Sienne (*paralitike*) ; lat. *paralyticus,* du gr. *paralutikos.* || **antiparalytique** 1732, Richelet. || **paralysé** adj., 1560, Paré. || **paralyser** 1765, *Encycl.* ; fig., 1789, Brunot. || **paralysant** adj., 1845, Radonvilliers. || **déparalyser** 1870, Lar.

paramécie 1836, Landais, zool. ; lat. *paramecium,* du gr. *paramêkês,* oblong.

parangon XVe s., G. (*parangonne,* n. f.) ; 1525, J. Lemaire de Belges (*parangon*) ; esp. *parangon,* altér. de l'ital. *paragone,* pierre de touche, par ext. « modèle, comparaison », du gr. *parakonê,* pierre à aiguiser. || **parangonner** 1542, G., comparer ; 1800, typogr. || **parangonnage** 1835, *Acad.*

paranoïa 1822, *Nouveau Dict. méd.* ; mot créé en allem. par Vogel en 1772, du gr. *paranoia,* folie, sur *noûs,* esprit. || **paranoïaque** 1932, Lar. || **paranoïde** 1946, Baruk.

paranymphe XVe s. ; bas lat. *paranymphus,* du gr. *paranumphê,* sur *numphê,* jeune mariée. (V. NYMPHE.)

parapet 1546, Rab. (*parapete*) ; 1611, Cotgrave (*parapet*) ; ital. *parapetto,* « qui protège la poitrine (*petto*) ».

paraphe milieu XIVe s., « chiffre ajouté au nom » ; 1564, Calvin, « signature abrégée » ; lat. médiév. *paraphus,* altér. de *paragraphus,* du gr. *paragraphos,* signe marquant les parties du chœur (v. PARAGRAPHE). || **parapher** 1467, Bartzsch.

paraphernal XVe s., *Coutumier* (*biens parafernals*) ; 1575, Papon (*paraphernal*), jur. ; lat. médiév. *paraphernalis,* du gr. *parapherna,* sur *phernê,* dot.

paraphrase 1524, Le Fèvre ; lat. *paraphrasis,* mot gr., de *paraphragein,* expliquer. || **paraphraser** 1547, Martin. || **paraphraseur** XVIe s., G. || **paraphrastique** 1542, Campensis.

paraplégie 1560, Paré ; gr. *para,* à côté de, et *plêgê,* coup ; paralysie des membres inférieurs. || **paraplégique** 1822, *Nouveau Dict. méd.*

parascève début XIVe s. (*jour de paraceuve*) ; bas lat. *parasceue,* veille de sabbat, du gr. *paraskeuê,* préparation.

parasite 1500, *Térence en français,* n. m., « celui qui fait métier de divertir un riche » ; 1721, Trévoux, zool. et bot. ; 1932, Lar., techn. ; lat. *parasitus,* du gr. *parasitos,* commensal, sur *sitos,* nourriture. || **parasitaire** 1855, Nysten. || **parasiter** 1599, La Popelinière. || **parasitisme** 1719, Gueudeville. || **parasiticide** milieu XVIIe s. || **parasitique** 1500, *Térence en français.* || **parasitologie** 1907, Lar. || **parasitose** 1932, Lar. || **antiparasite** 1928, Lar. || **antiparasiter** XXe s.

parasol 1548, *Chron. bordelaise* ; rare jusqu'au XVIIIe s. ; ital. *parasole,* proprem. « contre (du lat. *parare,* parer) le soleil (*sole*) ».

parataxe 1838, *Acad.* ; gr. *parataxis,* ordre de bataille ; 1903, Lar., ling., d'après *syntaxe.*

***parâtre** 1080, *Roland* (*parastre*), beau-père, jusqu'au XVIe s. ; bas lat. *patraster,* second mari de la mère, de *pater,* père. (V. MARÂTRE.)

parbleu V. DIEU.

***parc** 1155, Wace ; 1949, Lar., milit. ; bas lat. *parricus* (VIIIe s., *Loi des Ripuaires*), d'un prélatin **parra,* « perche ». || **parquer** fin XIVe s., G., dans les parcs à huîtres ; début XVIe s., La Curne, enfermer des personnes ; XXe s., autom. || **parqueur** 1868, Lar., éleveur d'huîtres. || **parquement** 1873, *J. O.* || **parcage** fin XIVe s., J. Le Fèvre. || **parking** XXe s., autom. ; mot angl., de *to park,* parquer. || **parquet** 1354, *Modus,* « petit parc » ; XIVe s., « partie d'une salle de justice où se tiennent les juges », d'où divers empl. judic. et financ. ; 1664, *Doc.,* plancher. || **parqueter** 1382, Delb. || **parquetage** fin XVIe s., Palissy. || **parqueteur** 1691, *Doc.* || **parqueterie** 1835, *Acad.* || **parqueteuse** 1932, Lar.

***parcelle** milieu XIIe s., petite partie ; fig., 1379, J. de Brie ; lat. pop. **particella,* du lat. class. *particula,* dimin. de *pars, partis* (v. PART 1, PARTICULE). || **parcellaire** 1791, Ranft. || **parceller** 1458, Gay (*parsellé*). || **parcellement** 1845, Besch., n. m. || **parcelliser** 1964, *journ.* || **parcellisation** 1965, *journ.*

parce que V. PAR.

***parchemin** 1050, *Alexis* (*parchamin*) ; 1130, *Eneas* (*parchemin*) ; 1835, *Acad.,* en parlant de la peau ; bas lat. *pergamena* (*pellis*), du gr. *pergamenê,* « peau de Pergame », avec une altér. sous l'infl. de *Parthica* (*pellis*), « (peau) du pays des Parthes » (d'où est issu l'anc. fr. *parche, parge*). || **parcheminier** XIIIe s., Fr. Laurent. || **parcheminerie** 1394, G. || **parcheminer** 1836, Balzac (*se parcheminer*). || **parchemineux** 1858, *Rev. des Deux Mondes.*

parcimonie 1495, J. de Vignay ; rare avant le XVIIIe s. ; lat. *parcimonia,* var. *parsimonia,* de *parsus,* part. passé de *parcere,* épargner. || **parcimonieux** 1773, Beaumarchais. || **parcimonieusement** 1831, Balzac.

parcourir XVe s. ; adaptation, d'après *courir,* de l'anc. fr. *parcorre* (1155, Wace), du lat. *percurrere.* || **parcours** 1286, du Cange ; bas lat. *percursus,* sur *cours.* (V. COURIR.)

pardessus XVe s., surplus ; 1810, Brunot, vêtement ; forme substantivée de *par-dessus.* (V. SUS.)

pardi V. DIEU.

pardonner 980, *Passion* (*perdoner*) ; 1050, *Alexis* (*pardoner*) ; bas lat. *perdonare,* accorder, du préf. intensif *per-,* « complètement », et *donare,* donner. || **pardon** 1130, *Eneas.* || **pardonnable** 1120, *Ps. de Cambridge* (*perdunable*), « miséricordieux » ; fin XIIe s., *Grégoire,* sens actuel. || **impardonnable** 1360, Froissart.

parégorique 1560, Paré, adj. ; bas lat. méd. *paregoricus,* du gr. *parêgorikos,* « qui calme » ; *élixir parégorique,* 1795, Cullen.

***pareil** milieu XIIe s., *Roman Thèbes ; sans pareil,* fin XIIe s. ; *rendre la pareille,* fin XIVe s. ; lat. pop. **pariculus,* de *par,* égal (v. PAIR). || **pareillement** XIIIe s., *Chron. de Rains.* || **appareiller** 1175, Chr. de Troyes. || **appareillement** 1827, *Acad.* || **dépareiller** fin XIIe s., *Escoufle.* || **dépareillé** adj., milieu XIVe s., « séparé » ; 1718, *Acad.,* sens actuel. || **nonpareil** milieu XIVe s. || **rappareiller** 1160, Benoît, rendre en nombre pair ; 1690, Furetière, sens actuel.

parélie ou **parhélie** 1547, Mizauld (*parahele*) ; 1611, Cotgrave (*parélie*) ; 1671, Pomey (*parhélie*) ; lat. *parelion,* du gr. *parêlios,* de *para,* à côté, et *hêlios,* soleil. || **parélique** ou **parhélique** 1845, Besch.

parelle XIIe s., bot. ; lat. médiév. *paratella,* dimin. de *parada ;* nom de la patience, dans l'Ouest.

parémiologie 1842, *Acad. ;* gr. *paroimia,* proverbe, et *-logie.* || **parémiographe** 1842, *Acad.*

parenchyme 1546, Ch. Est. ; gr. *pareghkuma,* de *para,* à côté, et *egkheîn,* répandre ; d'après les théories gr., il était formé par le sang répandu dans les veines. || **parenchymateux** 1764, Ch. Bonnet.

parénèse 1585, Scaliger (*paraenesis*) ; 1587, Crespet (*parénèse*), rhét. ; bas lat. *paraenesis,* du gr. *parainesis,* de *aineîn,* recommander, exhorter. || **parénétique** 1574, Tigeon ; gr. *parainetikos.*

***parent** Xe s., *Saint Léger,* m. pl., le père et la mère ; fin XIIe s., au sing., membre de la famille ; *proche parent,* fin XIIe s. (*prochain parent*) ; 1594, *Coutum.* (*proche parent*) ; *grands-parents,* 1798, *Acad. ;* adj., 1963, Lar. ; lat. *parens, parentis,* père, mère, et par ext. aïeul, puis en bas lat. membre de la famille, part. prés. de *parĕre,* engendrer. || **parentage** 1080, *Roland.* || **parenté** 1050 *Alexis* (*parentet,* n. m.) ; 1155, Wace (*parenté*) ; 1190, Bartzsch, n. f. ; lat. pop. **parentatus,* de *parens.* || **parentèle** fin XIVe s. ; lat. impér. *parentela.* || **parentales** 1721, Trévoux, f. pl., hist. || **parental** adj., début XVIe s. || **parentaille** v. 1820, P.-L. Courier, péjor. || **apparenter** 1180, *Eracle,* « traiter comme parent » ; XVe s., *être bien* (*ou mal*) *apparenté,* avoir des parents riches (ou pauvres) ; 1660, Oudin, *s'apparenter à,* sens mod. || **apparentement** 1912, Lar., polit.

parentèle V. PARENT.

parenthèse 1493, Coquillart (*parenteze*) ; 1546, Est. (*parenthèse*) ; lat. *parenthesis,* mot gr., de *para,* à côté, et *enthesis,* action de mettre. || **parenthétiser** 1968, Lar. || **parenthétisation** 1968, Lar.

paréo 1907, Lar. ; mot italien.

1. **parer** 980, *Passion,* préparer ; 1170, *Rois,* orner ; 1552, Rab., mar. ; lat. *parāre,* préparer, apprêter, qui a pris divers sens dans les langues romanes (v. PARER 2 et 3). || **parure** XIIe s. || **parement** fin IXe s., Eulalie (*parament*) ; XIIe s. (*parement*). || **parementé** 1557, Joüon des Longrais. || **parementure** 1925, *journ.* || **paré** adj., 1702, Aubin, prêt. || **pareur** 1250, G. || **paroir** n. m., 1611, Cotgrave, techn. || **parage** 1494, A. Thierry, text. ; 1732, *Maison rustique,* vitic. ; 1763, Fougeroux, tonnellerie ; 1842, Mozin, charp. mar. || **paraison** 1765, *Encycl.* || **paraisonnier** 1700, *Mém. au contrôleur gén. des fin.,* vitic. || **pareur** 1250, techn. || **déparer** 1050, *Alexis* (*desparer*), ôter de ce qui pare ; 1660, Retz, enlaidir.

2. **parer** (*un coup*) 1559, Rab., escrime ; 1640, Corn., fig. ; *parer à,* 1549, R. Est. ; ital. *parare,* se garder d'un coup, s'opposer à, lat. *parāre.* || **imparable** 1615, Montchrestien. || **parade** 1630, Thibault. || **pare-balles** 1873, L. (*paraballes*). || **pare-boue** 1909, *Vie autom.* || **parebrise** 1905, *id.* || **pare-chocs** 1885, Pers. || **pare-clous** 1932, Lar. || **pare-éclats** 1903, Lar. || **pare-étincelles** 1880, Thurston. || **pare-feu** 1875, Lar. || **pare-fumée** 1677, Dassié. || **pare-pierres** 1932, Lar. || **pare-soleil** 1935, Sachs. (V. EMPARER, REMPART.)

3. **parer** 1598, Grisone, « retenir un cheval » ; esp. *parar,* du lat. *parāre* (v. PARADE 1).

parère n. m., 1688, Savary, jur. ; ital. *parere,* avis, du lat. *parēre,* paraître, assister ; acte précisant un point de droit étranger.

parésie 1694, Th. Corn. (*paresis*) ; 1741, Col de Vilars (*parésie*) ; gr. *paresis,* relâchement ; diminution de la force musculaire. || **parétique** 1878, Lar.

paresse 1155, Wace (*perece*) ; 1130, *Eneas* (*parece*) ; altér., sous l'infl. de *par,* ou sous l'action ouvrante du *r,* du lat. *pigritia,* de *piger,* paresseux. || **paresser** 1160, Benoît (*parecer*). || **paresseux** 1119, Ph. de Thaon (*pereçus*). || **paresseusement** fin XIIe s., *Dial. Grégoire.*

paresthésie 1878, Lar. ; gr. *para,* à côté, et *aisthesis,* sensibilité.

parfaire 1119, Ph. de Thaon, compléter ; 1138, Gaimar, achever complètement ; de *par-,* lat. *per-,* et *perficere,* accomplir. || **parfait** adj., 1050, *Alexis* (*perfit*) ; 1155, Wace (*parfait*) ; lat. *perfectus ;* n. m., 1596, Hulsius, gramm. ; lat. gramm. *perfectum.* || **imparfait** adj., 1372, Corbichon, d'après le lat. *imperfectus ;* XVe s., gramm. (*prétérit imparfait*) ; n. m., 1606, Nicot, d'après le lat. gramm. *imperfectum.* || **plus-que-parfait** 1550, Meigret ; d'après le lat. *plus quam perfectum.*

parfois V. FOIS.

parfumer XIVe s., Moamin, méd. ; 1532, Sainéan, sens actuel ; anc. prov. *perfumar,* exhaler une odeur, de *fumar,* fumer, du lat. *fumus,* fumée. || **parfum** 1528, Gay ; d'après l'ital. *perfumo.* || **parfumeur** *id. ;* var. *parfumier* (XVIe s.). || **parfumerie** 1802, Flick. || **brûle-parfum** 1840, Gautier.

pari V. PARIER.

paria 1575, Belleforest (*parea*) ; 1692, Pouchot (*paria*) ; 1821, Delavigne, fig. ; mot port., du tamoul *pareyan.*

parian 1869, *Tarif des douanes,* porcelaine ; mot angl., proprem. « de Paros ».

paridés 1874, Lar. (*parinés*), zool. ; bas lat. *parus,* lat. class. *parra,* mésange.

parier milieu XIVe s., Machaut, « égaler » ; 1466, Michault, « s'accoupler » ; 1534, Des Périers, parier quelque chose contre quelqu'un, « mettre en balance » ; 1549, R. Est., mettre une somme dans un pari ; lat. *pariare,* aller de pair, de *par ;* a éliminé l'anc. *pairier* (XIIIe s., Adam de la Halle), « égaler », dér. de *pair.* || **pari** 1642, Oudin ; *pari mutuel,* 1872, Pearson ; déverbal. || **parieur** 1640, Oudin. (V. PAIR.)

pariétaire XIIIe s., *Simples Méd.* (*paritaire*) ; milieu XVIe s. (*pariétaire*) ; lat. (*herba*) *parietaria,* de *paries, parietis,* paroi.

pariétal 1363, Chauliac (*os pariétaux*) ; lat. *paries, parietis,* paroi (v. PARIÉTAIRE).

parisien XIVe s., G. (*parisin*) ; 1460, Villon (*parisien*) ; de *Paris.* || **parisianisme** 1840, Balzac (*parisiénisme*) ; 1845, Besch. (*parisianisme*). || **parisianiser** 1867, Baudelaire. || **parigot** 1886, Esnault, fam. || **parisette** 1778, Lamarck, bot. ; dimin. ; herbe rustique.

parisis XIIe s., *Moniage Guillaume,* hist. ; XIIIe s., *livre parisis,* nom de monnaie ; lat. médiév. *parisiensis,* de *Parisiis,* Paris, proprem. ablatif du nom de peuple *Parisii.*

parisyllabique, parité V. PAIR.

parjurer (se) 1080, *Roland ;* lat. *perjurare,* de *jurare.* || **parjure** 1138, Gaimar, « celui qui se parjure » ; lat. *perjurus.* || **parjure** fin XIe s., *Chanson de Guillaume,* faux serment ; lat. *perjurium.* (V. JURER.)

parka 1960, Gilbert ; mot anglo-américain, de l'esquimau des îles Aléoutiennes.

parking V. PARC.

parlement 1080, *Roland,* conversation (encore XVIIe s., Racine) ; de *parler ;* 1160, Benoît, assemblée des grands du royaume ou d'une région ; 1207, Villehardouin, assemblée souveraine de justice ; fin XIIIe s., assemblée législative en Angleterre ; 1825, Lamennais, les deux assemblées législatives en France (l'emploi judiciaire du mot ayant alors disparu), de l'angl. *parliament,* lui-même de l'anc. fr. *parlement.* || **parlementer** XIIIe s., Apollonius, conférer ; XIVe s., Cuvelier, milit. || **parlementaire** 1792, Brunot, milit., n. m. ; 1644, Mackenzie, jurid., porte-parole du parlement ; adj. et n. m., XVIIe s., polit., s'agissant de l'Angleterre ; adj., 1789, Brunot, « relatif à l'Assemblée législative » ; 1824, Jouy, n. m., membre des assemblées législatives. || **parlementairement** 1785, *Courrier de l'Europe.* || **parlementarisme** 1852, Louis Napoléon Bonaparte. || **antiparlementaire** début XXe s. || **antiparlementarisme** 1912, Alexinsky. || **interparlementaire** 1894, Sachs-Villatte.

***parler** fin Xe s., *Saint Léger* (*parlier*) ; 980, *Passion* (*parler*) ; 1155, Wace, n. m., fait de parler ; milieu XVIIe s., façon de parler propre à un individu ou à une région ; lat. eccl. *parabolare,* devenu **paraulare* en lat. pop., du class. *parabola* (v. PARABOLE, PAROLE). || **parlant** adj., 1210, Herbert de Duc ; fin XIXe s., techn. ; XXe s., *cinéma parlant.* || **parlé** adj., 1798, *Acad.,* par oppos. à *écrit* (*langue*). || **parlage** 1770, *Corr. phil. et crit.* || **parlerie** 1285, Bretel. || **parlote** 1829, *la Mode,* péjor. || **parleur** 1170, Thomas ; *beau parleur,* XVe s. || **parloir** 1130, *Eneas* (*parleor*) ; 1268, Boileau (*parloir*). || **parlure** 1155, Wace (*parleure*). || **déparler** 1160, Benoît (*soi desparler,* se dédire) ; début XIIIe s., « cesser de parler ». || **pourparler** v. intr., 1080, *Roland* (*purparler*), discuter ; n. m., milieu XIIe s., *Roman Thèbes,* entretien ; au pl., 1587, La Noue, sens actuel. || **reparler** milieu XIIe s.

parloir V. PARLER.

parme XXe s., couleur violette ; du nom de la ville de *Parme.*

parmélie 1839, Boiste, bot. ; lat. *parmelia,* de *parma,* petit bouclier rond.

parmesan adj., XVe s. (*permigean*) ; n. m., 1596, Hulsius, fromage ; ital. *parmigiano,* « de Parme ».

parmi V. PAR.

parnasse 1660, Boileau, séjour des poètes ; 1866, *le Parnasse contemporain,* école littéraire, du nom du *Parnasse,* montagne de Phocide consacrée à Apollon et aux Muses dans la mythol. gr. ; lat. *Parnassus,* du gr. *Parnassos.* || **parnassien** 1718, Leroux, « relatif à la poésie » ; 1808, Boiste, entom. ; 1866, *Journ.,* hist. litt.

parodie 1615, A. de Nesmond ; gr. *parôdia,* de *para,* à côté, et *ôdê,* chant. || **parodier** 1615, Pasquier. || **parodiste** 1738, Piron. || **parodique** 1800, Boiste.

parodonte 1963, Lar. ; de *para,* à côté, et gr. *odous, odontos,* dent. || **paradontite** 1875, Lar.

***paroi** 1080, *Roland* (*pareit*) ; 1175, Chr. de Troyes (*paroi*) ; lat. pop. **paretem,* du lat. class. *parietem,* acc. de *paries,* mur, paroi (v. PARIÉTAIRE, PARIÉTAL).

paroir V. PARER 1.

***paroisse** fin XIe s. (*parosse*) ; 1155, Wace (*paroisse*) ; bas lat. *parochia,* altér. du lat. eccl. *paroecia* (IVe s., saint Augustin), gr. eccl. *paroikia,* « groupement d'habitations voisines », de *para,* à côté, et *oikia,* maison. Pour certains, en raison du sens primitif de *parochia,* « diocèse d'un évêque », il faut rattacher *paroikia* à *paroikos,* étranger, « qui habite à côté », les chrétiens se tenant pour étrangers sur cette terre. || **paroissien** fin XIIe s., R. de Moiliens (*parochien*) ; 1220, Coincy (*paroissien*) ; 1803, Boiste, livre de messe ; fin XVIe s., du Fail, fam., « individu suspect » ; lat. eccl. *parochianus.* || **paroissial** fin XIIe s., R. de Moiliens (*parochial*) ; 1265, J. de Meung (*paroissial*) ; lat. eccl. *parochialis.*

***parole** 1080, *Roland ;* lat. pop. **paraula,* altér. de *parabla,* du bas lat. eccl. *parabola,* en lat. impér. « comparaison » (Quintilien), puis « parabole du Christ », d'où « parole du Christ », et simplement « parole », suivant la même évolution que *verbum* (« parole de Dieu », puis « parole » en général) [v. PALABRE, PARABOLE 1, PARLER]. || **parolier** adj., 1584, trad. d'Horace, « riche en paroles » ; n. m., 1842, *Acad.,* sens mod.

paroli 1640, Oudin ; ital. *paroli,* probabl. du mot napolitain *paro,* égal, du lat. *par ;* somme double de celle qu'on a jouée précédemment.

paronomase 1546, Rab. (*paronomasie*) ; 1701, Furetière (*paronomase*) ; lat. *paronomasia,* mot gr., de *para,* à côté, et *onomazein,* nommer, *onoma,* nom.

paronyme 1805, Lunier ; gr. *paronumos,* même rad. que le précédent. || **paronymique** 1836, Landais. || **paronymie** 1845, Besch.

paronyque 1562, du Pinet, bot. (*paronychia*) ; 1838, *Acad.* (*paronyque*) ; gr. *parônuchis,* de *para,* à côté, et *onux,* ongle.

parosmie 1907, Lar., méd. ; de *para-,* à côté de, et *-osmie,* du gr. *osmê,* odorat.

parotide 1363, Chauliac (*perotide*) ; 1537, Canappe (*parotide*), anat. ; lat. *parotis, -idis,* gr. *parôtis, -idos,* de *para,* à côté, et *oûs, ôtos,* oreille. || **parotidien** 1818, Alibert. || **parotidite** 1830, *Dict. termes de méd.* || **parotidectomie** 1953, Lar. ; de *-ectomie,* du gr. *ektomê,* coupure.

parousie 1903, Lar., théol. ; gr. *parousia,* présence ; retour glorieux du Christ.

paroxysme 1314, Mondeville (*peroxime*) ; 1478, Chauliac (*paroxisme*) ; 1552, Rab. (*paroxysme*) ; gr. méd. *paroxusmos,* de *oxunein,* aiguiser, exciter, de *oxus,* pointu. || **paroxystique** 1822, *Nouveau Dict. de médecine.* || **paroxysmique** 1836, *Acad.*

paroxyton V. OXYTON.

parpaillot fin XVIe s., d'Aubigné, surnom donné aux calvinistes, d'abord dans le Sud-Ouest (siège de Clairac, 1621) ; issu, par changem. de suff., de l'occitan *parpailhol* (Languedoc, Gascogne), « papillon » : altér. de *papillon* par insertion de *r,* du lat. *papilio* (v. PAPILLON, PAVILLON). Le surnom s'explique p.-ê. par comparaison de l'infidélité des calvinistes au vol des papillons passant de fleur en fleur.

***parpaing** 1291, *Doc.,* « direction de la longueur » ; 1304, G., pierre ; 1935, *Acad.,* sens actuel ; en anc. fr., var. *parpaigne ;* bas lat. **perpetaneus,* du lat. class. *perpes, -ĕtis,* « ininterrompu ». On a proposé aussi un lat. pop. **perpendium,* « qui pend sur », de *pendere* [G. Paris], ou un lat. pop. **perpaginem,* acc. de **perpago,* de *pangere,* enfoncer [A. Thomas].

parque 1529, Rab. (*parce*) ; 1564, J. Thierry (*parque*) ; lat. *Parca,* déesse des Enfers, dans la mythol. antique.

parquer, parquet et dér. V. PARC.

***parrain** 1112, *Voy. saint Brendan* (*parain*) ; 1155, Wace (*parrain*) ; bas lat. *patrinus,* de *pater,* père. || **parrainage** début XIIIe s., *Amis et Amiles* (*parrinaiges*), « parrain et marraine » ; 1829, Vidocq (*parrainage*) ; 1935, *Acad.,* fig. || **parrainer** XXe s., fig.

parricide fin XIIe s., *Dial. Grégoire,* meurtrier d'un proche parent ; 1213, *Fet des Romains,* meurtrier de son père ou de sa mère ; 1160, Benoît, meurtre du père ou d'un proche parent ; lat. *parricida* (meurtrier) et *parricidium* (meurtre), d'un premier élément obscur (compris par les Romains comme rattaché à *pater, parens*) et de *caedere,* tuer.

parsec 1932, Lar., astron. ; des premières syllabes de *par*(*allaxe*) et de *sec*(*onde*) ; unité de distance.

parsemer V. SEMER.

parsi ou **parse** 1653, La Boulaye ; persan *parsi.* || **parsisme** 1872, *Rev. des Deux Mondes.*

1. ***part** 842, *Serments,* « côté » ; 980, *Passion,* « participation » ; 1115, Wace, « portion » ; lat. *pars, partis.* Le sens « participation » subsiste dans des loc. figées : *nulle part,* 1190, Garn. ; *quelque part,* 1530, Palsgrave ; *de part en part,* 1493, Coquillart ; *d'une part..., d'autre part,* XIIe s. ; *de part et d'autre,* 1668, Racine ; *de toutes parts,* 980, *Passion ; à part,* 1283, Beaumanoir ; *à part* (suivi d'un pronom), XIIIe s., *Renart,* « en soi-même », altér. de *à par* (suivi d'un pronom), XIIIe s. ; *à part* (suivi d'un nom), 1787, Féraud, « excepté » ; *avoir part,* 1155, Wace ; *faire la part,* 1835, *Acad. ; faire part de,* fin XIIe s., R. de Moiliens ; *prendre part à,* 1636, Corneille, sur *part* au sens de « participation » ; *la plupart,* milieu XVe s. || **partiaire** début XIIIe s. (*parciaire*), « copropriétaire », ou « métayer » (colon *partiaire*), jur. ; lat. *partiarius,* de *pars.* || **faire-part** n. m., 1868, L. (auparavant, *part,* v. 1785) ; *billet de part,* 1798, *Acad. ; billet de faire part,* 1835, *Acad.* || **in partibus** 1703, *Mémoires de Trévoux ;* lat. *in partibus infidelium,* dans les contrées des infidèles.

2. **part** 1170, Sully, « accouchement » ; lat. *partus,* de *parere,* enfanter. (V. PARTURITION.)

partage 1283, Beaumanoir ; de *partir,* au sens de « partager ». || **partager** 1398, *Ordonn.* || **partageable** début XVIe s. || **partageant** n. m., 1612, Le Proust, jur. || **partagé** adj., 1669, Molière, « incertain ». || **partageur** 1544, *Coutumier,* celui qui partage ; 1567, Amyot, jur. ; 1868, L., « partisan de la communauté des biens ». || **partageux** 1850, Blanqui, polit. || **départager** 1690, Furetière. || **repartager** 1559, Amyot.

partance, partant V. PARTIR 2, TANT.

partenaire 1767, Deffand (*partner*) ; 1784, Beaumarchais (*partenaire*) ; angl. *partner,* altér., d'après *part,* de *parcener,* de l'anc. fr. *parçonier* (1155, Wace), de *parçon* (1160, Benoît), partage, butin, du lat. *partītiō, -onis.*

parterre fin XIVe s., E. Deschamps ; 1541, *Palmerin d'Olive,* sol ; 1563, Palissy, « partie d'un jardin » ; 1547, Martin, théâtre ; de *par* et *terre.*

parthénogenèse 1868, L., biol. ; gr. *parthenos,* vierge, et *genèse.* || **parthénogénétique** 1868, L. (*parthenogénésique*) ; 1903, Lar. (*parthénogénétique*). || **parthénologie** 1868, L.

parti adj. et n. m. V. PARTIR 1.

partial 1395, Chr. de Pisan (*parcial*), « attaché à un parti » ; 1540, La Curne, prévenu contre ; lat. médiév. *partialis,* de *pars,* partie (v. PARTIEL). || **partialement** 1660, Oudin. || **partialité** 1360, Froissart, « faction » ; 1611, Cotgrave, sens mod. || **impartial** 1576, Sasbout. || **impartialement** 1740, *Acad.* || **impartialité** 1576, Sasbout.

participe 1220, d'Andeli (*participle*) ; XIVe s., Thurot (*participe*) ; *participe passé,* 1721, Trévoux ; *participe présent,* 1562, Ramus (*participe du présent*) ; 1798, *Acad.* (*participe présent*) ; lat. gramm. *participium,* de *pars,* part, et *capere,* prendre. || **participial** 1380, *Aalma.*

participer fin XIIIe s., R. Lulle ; lat. *participare,* de *particeps,* « qui prend part », de *pars,* part, et *capere,* prendre. || **participant** adj., 1321, *Doc.* ; n., 1802, Flick. || **participation** 1160, Benoît ; bas lat. *participatio.* || **participationniste** 1932, Lar.

particulariser, particularisme V. PARTICULIER.

particule 1478, Chauliac ; début XVIe s., gramm. ; 1838, *Acad., particule nobiliaire* ; lat. *particula,* dimin. de *pars, partis,* partie. || **particulaire** 1877, L.

particulier 1265, Br. Latini, « propre à » ; fin XVe s., Commynes, « réservé à un individu » ; 1622, Fr. de Sales, « spécial » ; n. m., 1460, Bartzsch, « personne privée » ; *en particulier,* XVe s., *Mir. de Notre-Dame* ; bas lat. *particularis,* de *pars,* partie. || **particulièrement** 1370, Oresme, « en détail » ; début XVIIe s., Malherbe, de manière intime. || **particularité** 1265, J. de Meung. || **particularisme** 1689, Bossuet, théol. ; 1772, Duclos, sens actuel. || **particulariste** 1701, Furetière, théol. ; 1796, sens actuel. || **particulariser** 1412, Juvénal des Ursins. || **particularisation** 1575, FEW.

partie V. PARTIR 1.

partiel 1370, Oresme (*parcial*) ; 1692, *Mémoires Acad. sciences* (*partiel*) ; lat. médiév. *partialis,* de *pars,* partie. || **partiellement** 1370, Oresme (*parcialement*) ; 1800, Boiste (*partiellement*). [V. PARTIAL, PARTIR 1.]

1. ***partir** 980, *Passion,* partager (inus. à partir du XVIIe s.) ; lat. pop. **partire,* partager, en lat. class. *partiri,* de *pars, partis,* part. N'a subsisté que dans : *avoir maille à partir* (1655, Molière). || **parti** adj., 1210, *Doc.,* blas. || **parti** n. m., 1360, Froissart, « conditions faites à quelqu'un », proprem. « ce qui est partagé », d'où *faire un mauvais parti à* (1549, R. Est.) et *tirer parti de* (1694, *Acad.*) ; 1360, Froissart, « résolution », d'où *prendre un parti* (*id.*), « se décider », et *prendre parti* (1360, Froissart), *parti pris* (1798, *Acad.*), *prendre son parti,* « se résigner » (1664, Molière), « se déterminer » (1670, Molière) ; début XVe s., « union de plusieurs personnes contre d'autres », d'où *tenir le parti de* (milieu XVe s.), puis *prendre le parti de* (1636, Corneille) ; 1538, R. Est., « personne à marier ». || **partie** fin XIe s., *Chanson de Guillaume,* « fraction d'un tout » ; 1248, Varin, jur. ; 1611, Cotgrave, jeu ; 1631, Bassompierre, partie de plaisir ; 1648, Scarron, mus. ; 1825, Courier, profession ; *être de la partie,* 1875, Lar. ; *faire partie de,* v. 1800, Staël ; *partie civile,* 1549, R. Est. ; *parties,* milieu XVIe s. ; *prendre à partie,* 1611, Cotgrave ; *en partie,* 1225, Barlaham. || **contrepartie** milieu XIIIe s., partie s'opposant à une autre ; 1948, Lar., « ce que l'on fournit en échange d'autre chose ». || **partouze** 1907, Esnault, « partie de cartes » ; 1919, Esnault, sens actuel. || **partouzard** 1925, Esnault. || **partouzer** 1966, Perry. || **partition** 1160, Benoît, « part » ; 1371, Oresme, « division » ; lat. *partitio* ; 1690, Furetière, mus. ; d'après l'ital. *partizione.* || **partiteur** début XVIe s., math. ; 1875, Lar., techn. || **partitif** 1380, *Aalma* (*partitis*) ; 1530, Palsgrave (*partitif*) ; lat. *partitus,* part. passé de *partire.* || **partita** 1963, Lar. ; mot ital., du lat. *partitus,* partagé. || **départir** 1050, *Alexis,* « partager, disperser » ; *se départir de,* XIIe s., « se séparer de » ; 1646, « s'écarter de, manquer à ». || **départie** 1050, *Alexis,* « partage ». || **département** 1120, *Ps. d'Oxford,* « groupe de personnes détaché » ; XIIIe s., Tobler-Lommatzsch, « assiette de la taille » : le mot a été remplacé au XVIIe s. par *répartition* ; XVIe s., lieu assigné à un officier pour sa tâche ; 1690, Furetière, ensemble des affaires confiées à un ministre ; 1765, Brunot, division administrative. || dé-

partemental 1792, *D. G.* || interdépartemental 1871, Lar. || **miparti** adj., 1190, Garn. ; part. passé de l'anc. *mipartir,* diviser en deux. || **répartir** 1155, Wace (*repartir* quelque chose à quelqu'un), donner en partage ; 1559, Amyot (*répartir,* pour distinguer de *repartir,* de *partir* 2). || **répartition** fin XIVe s. (*repartition*) ; 1662, Colbert (*répartition*). || **répartiteur** 1749, *Mercure de France.* || **répartitif** 1849, Proudhon. || **triparti** 1460, FEW (*trisparti*). || **tripartite** 1690, Furetière, adj. f. ; 1935, *Acad.,* adj. m. et f. || **tripartisme** 1949, Lar. || **tripartition** 1765, *Encycl.* (V. aussi BIPARTITE.)

2. ***partir** 1138, Gaimar, quitter un lieu (développement de sens du précédent) ; lat. pop. **partire,* class. *partiri,* « partager » ; *à partir de,* 1787, Féraud, a remplacé *au partir de,* XVIe s. || **partance** 1395, Chr. de Pisan, « départ » ; 1610, Jal, mar. ; *en partance,* 1869, Hugo. || **partant** 1836, Lamartine, n. m. || **départ** 1213, *Fet des Romains* (*depart*) ; 1552, Ch. Est. (*départ*) ; anc. fr. *départir,* s'en aller. || **repartir** 1273, Adenet, « regagner le lieu » ; 1588, Montaigne, « répliquer ». || **repartie** XIIIe s., La Curne, « compagnie » ; 1611, Cotgrave, « prompte réponse ».

partisan 1483, Commynes, polit. ; 1560, Pasquier, finance. ; ital. *partigiano,* de *parte,* du lat. *pars, partis* (v. PART 1).

partitif, partition, partouze V. PARTIR 1.

partout V. TOUT.

parturition 1787, Leroux (*parturation*) ; 1823, Boiste (*parturition*) ; lat. *parturitio,* de *parturire,* accoucher (v. PART 2). || **parturiente** fin XVIe s. ; repris au XXe s. (1923, Lar.).

parulidé 1963, Lar. ; bas lat. *parrus,* loriot, et *-idé.*

parulie 1741, Villars, méd. ; gr. *paroulis,* de *para,* à côté, et *oulon,* gencive ; abcès à la gencive.

parure, parution V. PARER 1, PARAÎTRE.

***parvenir** 980, *Passion ;* lat. *pervenire,* de *venire* (v. VENIR). || **parvenu** n. m., 1721, *Doc.*

***parvis** 1131, *Couronnement de Loïs* (*parevis*), « paradis » ; 1220, Coincy (*parvis*), sens mod., du nom de la place qui se trouvait devant la grande entrée des églises de Rome (qui tenait ce nom du sens primitif du gr. *paradeisos,* enclos) ; var. de *pareis* (1080, *Roland*), « paradis », du lat. *paradisus.* (V. PARADIS.)

1. ***pas** n. m., Xe s., sens actuel ; lat. *passus ;* 1080, *Roland,* « passage, défilé » (v. PASSER). || **pas-d'âne** 1497, Gay. || **pas-de-géant** 1901, Lar., techn. || **pas-de-porte** 1893, *D. G.* || **pas-de-souris** 1691, Ozanam. || **contre-pas** 1606, Crespin.

2. ***pas** 1080, *Roland,* particule de négation combinée avec *ne ;* emploi spécialisé d'après des phrases comme *il n'avance pas,* il n'avance même pas d'un pas ; a éliminé *mie* depuis le XVIe s.

pascal V. PÂQUE.

paso doble v. 1919 ; mot esp. signif. « pas redoublé », du lat. *passus,* pas.

pasquin 1534, B. Des Périers, « écrit satirique » (var. *pasquil,* 1541, G. Pellicier ; *pasquille,* 1596, Hulsius) ; ital. *Pasquino,* nom plaisant donné par les habitants de Rome à une statue antique sur laquelle on affichait des placards satiriques. || **pasquinade** 1566, Granvelle. || **pasquinage** 1850, Balzac. || **pasquiner** XVIe s., Brantôme.

passable, passager V. PASSER.

passacaille 1640, *Ancien Théâtre* (*pasecalle*) ; 1718, *Acad.* (*passacaille*) ; esp. *pasacalle,* de *pasa,* impér. de *pasar,* passer, et *calle,* rue.

passade 1454, Sidrac, « partie de jeu » ; 1563, *Coutumier,* « passage rapide » ; 1570, Carloix, équit. ; fin XVIIe s., Saint-Simon, liaison passagère ; ital. *passata,* de *passare,* passer, du lat. pop. **passare* (v. PASSER).

passement 1196, Ambroise, « passage » ; 1538, R. Est., bordure de dentelle ; tissu fait en passant ; dér. de *passer.* || **passementier** 1552, Vaganay. || **passementerie** 1539, *Doc.* || **passementer** 1542, Guiffrey.

***passer** 1050, *Alexis ; se passer de,* 1265, J. de Meung, « se contenter de » ; 1340, Machaut, « se priver de » ; lat. pop. **passare,* de *passus,* pas. || **passant** adj., XIIe s., *Roncevaux ;* n. m., 1250, *Vie de saint Jean,* personne qui passe ; 1347, G., anneau. || **passable** 1195, *Renaut de Montauban,* « possible » ; 1265, J. de Meung, « qui peut se glisser » ; 1398, *Ménagier,* admissible. || **passablement** 1495, J. de Vignay. || **passage** 1080, *Roland,* lieu par où l'on passe ; 1155, Wace, action de passer ; 1611, Cotgrave, équit. ; ital. *passegio.* || **passager** n. m., 1355, *Restor du paon,* passeur d'eau ; 1559, Amyot, voyageur. || **passager** adj., 1564, J. Thierry, « qui dure peu ». || **passation** 1360, Froissart, « qui prend des passagers » ; 1564, Thierry,

« qui dure peu ». || **passagèrement** 1609, Camus. || **passavant** v. 1200, sorte de bannière ; 1680, Richelet, laissez-passer ; 1773, Bourdé, mar. || **passe** 1383, du Cange, « but au jeu de javelines », puis divers emplois dans le lexique des jeux, d'où *être en passe de,* 1648, Scarron, et *être dans une bonne passe,* 1704, Trévoux ; 1691, Ozanam, mar., chenal ; 1835, *Acad.,* mouvement des mains d'un magnétiseur ; 1835, *Acad.,* imprim. ; 1885, Esnault, passe de prostituée ; *mot de passe,* 1874, Lar. ; déverbal de *passer.* || **passe-balle** 1701, Furetière. || **passe-bande** 1948, Devaux. || **passe-boules** 1903, Lar. || **passe-carreau** 1765, *Encycl.* || **passe-crassane** 1875, Lar. || **passe-debout** 1723, Savary. || **passe-droit** 1549, Ch. Est. || **passefiler** 1611, Cotgrave. || **passe-fleur** XVe s. || **passe-lacet** 1827, Celnart. || **passe-montagne** 1859, Gautier. || **passe-partout** 1564, J. Thierry, homme que rien n'arrête ; XVIe s., d'Aubigné, clé ; 1765, *Encycl.,* scie. || **passe-passe** 1420, *Passion d'Arras ; tour de passe-passe,* 1530, Palsgrave. || **passe-pied** 1532, Matignon. || **passe-pierre** 1664, *Tarif.* || **passe-plat** XXe s. || **passe-poil** 1603, Gay. || **passepoiler** 1907, Lar. || **passeport** 1420, *Doc.* || **passe-rage** 1549, Maignan ; de *passer* et *rage,* qui guérit la rage. || **passe-rivière** 1907, Lar. || **passerose** début XIIIe s., Huon de Méry ; de *passer* au sens de « surpasser ». || **passe-temps** 1413, Ch. d'Orléans, « joie » ; milieu XVe s., Juvénal, sens mod. || **passe-thé** 1903, Lar. || **passe-tout-grain** 1816, Jullien. || **passe-velours** 1538, R. Est. || **passe-volant** 1515, Conflans, artill. ; 1570, Carloix, soldat supplémentaire. || **passé** n. m., 1549, R. Est., temps passé ; 1550, Meigret, gramm. || **passée** fin XIIIe s., Végèce (*pessée*) ; fin XIVe s., E. Deschamps (*passée*). || **passéiste** 1914, Coquiot. || **passerelle** 1835, *Acad.* || **passette** 1765, *Encycl.* || **passeur** 1160, Benoît. || **passoire** XIIIe s., *Gloses,* crible ; 1660, Oudin, cuisine. || **dépasser** 1155, Wace. || **dépassant** 1922, Lar. || **dépassement** 1856, Lachâtre. || **impasse** 1761, Voltaire ; 1730, *Ac. jeux.* || **outrepasser** 1155, Wace (*ultrepasser*) ; fin XIIe s. (*outrepasser*) ; de *outre,* au-delà, et *passer.* || **repasser** 1160, Benoît, « retourner » ; XIIIe s., « franchir » ; 1635, Corneille, se remémorer ; 1669, Widerhold (*du linge*) ; 1680, Richelet (*des couteaux*). || **repassage** 1340, G., nouveau passage ; 1810, Genlis (*du linge*) ; 1835, *Acad.* (*des couteaux*). || **repasseuse** 1753, *Encycl.* (*de linge*). [V. SURPASSER, TRÉPASSER.]

passereau 1206, Guiot (*passerel*) ; 1532, Rab. (*passereau*) ; altér., par changem. de suff., des anc. *passeron, passerat,* du lat. *passer, -eris,* « moineau » (*passere,* 1120, *Ps. d'Oxford*). || **passériforme** 1962, Robert. || **passerine** 1615, Daléchamps.

passible 1112, *Voy. saint Brendan,* « agité, en parlant de la mer » ; 1130, *Eneas,* doué de sensibilité ; 1552, *Ancien Théâtre,* jur. ; lat. eccl. *passibilis* (IIIe s., Tertullien), de *passus,* part. passé de *pati,* souffrir. || **impassible** début XIVe s. ; bas lat. *impassibilis.* || **impassibilité** XIIIe s. ; bas lat. *impassibilitas.*

passif adj., 1220, Coincy, « qui subit l'action » ; fin XVe s., « qui n'agit pas » ; *obéissance passive,* 1751, Voltaire ; *citoyen passif,* 1791, *le Moniteur,* polit. ; *résistance passive,* 1854, Lamennais ; *défense passive,* XXe s. ; lat. *passivus,* de *pati,* souffrir, subir. || **passif** 1370, Oresme, « contraire de l'action » ; début XVe s., n. m., gramm. ; 1789, fin. || **passivement** 1370, J. Le Fèvre. || **passivité** milieu XVIIIe s., a éliminé *passiveté* (1697, Bossuet). || **passiver** 1801, Mercier, « rendre passif ».

passiflore 1808, *Journ. de bot.* ; lat. bot. mod. *passiflora,* de *passio,* passion, et *flos,* fleur (parce que ses organes rappellent les instruments de la passion du Christ).

passim 1868, L. ; mot lat. signif. « partout », du lat. *passus,* de *pandere,* étendre.

passion 980, *Passion,* « passion du Christ » ; lat. impér. *passio,* « souffrance », de *passus,* part. passé de *pati,* souffrir ; 1155, Wace, « souffrance physique », usuel jusqu'au XVIe s. ; 1265, Br. Latini, « affection vive ». || **passionner** fin XIIe s., « tourmenter » (jusqu'au XVIe s.) ; 1220, Coincy, « affliger » ; 1570, Montaigne, « exciter l'intérêt, l'émotion ». || **passionnant** 1867, L., adj. || **passionné** adj., 1220, Coincy, « affligé » ; fin XVe s., Commynes, qui réagit avec passion ; 1549, R. Est., « sujet aux passions ». || **passionnément** 1578, Witart. || **passionnette** 1892, Goncourt. || **passionnel** 1282, Gauchy ; lat. *passionalis,* peu usité en anc. fr. ; refait en 1808, Fourier. || **passionniste** 1838, *Acad.,* hist. eccl. || **dépassionner** XVIe s., Huguet.

1. **pastel** 1675, Félibien, « crayon » ; 1694, *Acad.,* « dessin » ; ital. *pastello,* « pâte », du bas lat. **pastellus,* altér., par changem. de suff., du lat. class. *pastillum,* dimin. de *panis,* pain (v. PASTILLE). || **pastelliste** début XIXe s. || **pasteller** 1871, Goncourt (*-é*) ; 1903, Lar.

2. **pastel** XIVe s., bot. ; prov. *pastel,* du bas lat. *pasta* (v. PÂTE). || **bleu pastel** 1928, Lar. || **orangé** pastel 1578, d'Aubigné.

pastenade 1372, Corbichon, bot. ; prov. *pastenaga,* carotte, du lat. *pastinaca,* panais.

pastenague 1562, du Pinet, zool., raie ; prov. *pastenago,* du lat. *pastinaca* (v. PANAIS).

pastèque 1525, Thénaud (*patèque*) ; 1619, Pyrard (*pastèque*) ; forme altérée du port. *pateca,* d'un mot hindi, de l'ar. *battiha.*

pasteur V. PÂTRE.

pasteuriser 1872, E. Perrier ; du nom de *Pasteur,* inventeur du procédé. || **pasteurisation** 1888, Lar. || **pasteurisateur** 1903, Lar. || **pasteurien** ou **pastorien** 1890, Nocard. || **pasteurella** 1903, Lar. || **pasteurellose** 1907, Lar.

pastiche 1677, Brunot, beaux-arts ; ital. *pasticcio,* « pâté », du lat. pop. **pasticium,* de *pasta,* pâte (v. PÂTISSIER). || **pasticher** 1845, Besch. || **pastichage** 1874, *journ.* || **pasticheur** 1778, Rousseau.

pastille 1539, Canappe, « pâte » ; esp. *pastilla,* du lat. *pastillum,* dimin. de *panis,* pain (en raison de la forme de ces petits pains de pâte odorante, brûlés pour parfumer l'air) ; 1690, Furetière, bonbon ; 1812, Mozin, méd. || **pastillage** 1803, Boiste. || **pastilleur** 1808, *Almanach des gourmands.*

1. **pastis** XIVe s. (*pastitz*) ; 1928, Lacassagne, boisson alcoolisée à l'anis ; anc. prov. *pastitz,* « pâté ».

2. **pastis** 1915, Esnault, pop., « désagrément » ; prov. *pastoun,* gâchis, du lat. *pasta,* pâte.

pastoral, pastourelle V. PÂTRE.

pat 1689, *Jeu des eschets,* échecs ; ital. *patta,* quitte (dans *essere pari e patta,* être à égalité), fém. de *patto,* « accord », du lat. *pactum* (v. PACTE).

patache 1566, Le Chaleux, « navire léger, pour la douane » ; 1762, *Acad.,* « voiture » ; esp. *patache,* bateau, probablem. de l'ar. *batās,* « bateau à deux mâts ». || **patachier** 1858, d'après L., douanier. || **patachon** 1836, Landais, « conducteur de patache », d'où *mener une vie de patachon,* 1842, Mozin, pop.

patafioler XVIIe s., pop., rég. ; formation plaisante, du rad. expressif *patt-* et de l'anc. verbe dial. *fioler,* enivrer, de *fiole.*

pataphysique 1911, Jarry ; formation plaisante, de *métaphysique* et élément inventé *pata.*

patapouf V. POUF.

pataquès 1784, *Théâtre de la reine ;* formation plaisante, d'après la fausse liaison *pas-t-à-qu'est-ce.*

pataras 1551, *les Galères,* mar. ; mot prov. mod., sur le rad. *patt- :* proprem. « sorte de patte ».

patarasse 1687, Desroches ; prov. *patarasso,* guenille, de *pato,* chiffon, du germ. *paita,* « morceau d'étoffe ». (V. PATTEMOUILLE.)

patard début XIVe s., menue monnaie ; mot prov., altér. de *patac,* de l'esp. *pataca,* pièce d'argent, de l'ar. *bâ-tâqa.*

patate 1525, *Voyage de Pigaphetta* (*batate*) ; 1582, Gapparel (*patatte*) ; 1601, Champlain (*patate*) ; d'abord « patate douce » ; 1768, Valmont, pomme de terre, d'après l'angl. *potato ;* 1893, Chautard, individu stupide ; esp. *batata, patata,* de l'arawak d'Haïti.

patati-patata 1524, *Anc. Poésies* (*patatin, patata*) ; autres var. : XVIe s., Collerye, *patic-patac ;* 1650, Dassoucy, *patatin-patatac ;* XIXe s., Béranger, forme mod. ; onomat.

patatras 1650, Dassoucy ; onomat.

pataud 1458, *Mystère,* nom de chien ; adj., 1612, *Anc. Théâtre français ;* proprem. « chien à grosses pattes » ; dérivé de *patte.*

patauger 1655, Cyrano ; anc. fr. *patter,* emporter de la terre avec ses pattes, de *patte.* || **pataugeage** 1881, Daudet. || **pataugement** 1896, Goncourt. || **patаugeur** 1907, Lar.

patchouli 1826, *Journ. de pharmacie ;* angl. *patch-leaf,* du tamoul (langue dravidienne), peut-être de *patch,* vert, et *ilai,* feuille.

patchwork 1964, *journ. ;* mot angl. signif. « rapiéçage », de *patch,* pièce, et *work,* travail.

***pâte** 1174, E. de Fougères (*paste*) ; 1636, Monet (*pâte*) ; 1524, Havard, pharmacie ; *pâtes,* 1778, Parmentier (*pâtes d'Italie*), « macaroni » ; 1875, Lar. (*pâtes alimentaires*) ; bas lat. *pasta* (Ve s., M. Empiricus), du gr. *pastê,* « sauce mêlée de farine ». || **pâté** 1170, *Floire et Blancheflor* (*pasté*) ; 1606, Crespin, tache d'encre ; *chair à pâté,* début XVIe s. ; 1935, *Acad., pâté de sable.* || **pâtée** fin XIe s., *Gloses de Raschi* (*pastede*) ; 1332, G. (*pastee*), pâté ; 1680, Richelet, soupe. || **pâton** 1483, G. || **pâteux** 1220, *Queste du Graal* (*pasteus*). || **pâteusement** 1925, Gide.

|| empâter 1268, É. Boileau (*empaster*). || empâté adj., 1690, Furetière, peinture. || empâtement 1355, Bersuire, action de mettre dans l'embarras ; début XVIIe s., sens techn. divers. || empâtage 1838, *Acad.,* chim. || empâteur 1838, *Acad.*

1. **patelin** adj., 1464, *Farce ;* du nom de *Maître Pathelin,* personnage de farce célèbre, lui-même tiré du verbe *pateliner* (XVe s.), déformation de *patiner.* || **patelinage** XVe s., *D. G.* || **patelineur** 1546, Rab. || **patelinerie** XVIe s., d'Aubigné.

2. **patelin** n. m., 1628, Chereau (*pâquelin*) ; 1847, Esnault (*patelin*), pop., « village » ; altér. de l'anc. fr. *pastiz,* « pacage » (v. *pâtis,* à PAÎTRE).

patelle 1555, Belon ; lat. *patella,* petit plat. || **patelliforme** 1842, *Acad.* || **patellectomie** 1953, Lar. ; lat. *paletta,* au sens de « rotule ». || **patellaire** 1868, L.

patène 1380, Laborde ; lat. *patena,* var. de *patina,* bassin, vase.

patenôtre 1155, Wace (*patrenostre*) ; 1175, Chr. de Troyes (*pattenostre*) ; 1636, Monet (*patenôtre*) ; 1534, Des Périers, péjor ; altér. du lat. *Pater Noster,* « Notre Père », début de l'Oraison dominicale. A pris très tôt, au pl., le sens de « prières ». || **patenôtrier** 1268, Boileau.

patent 1307, G. (*lettres patentes*), terme de chancellerie, « ouvert » ; 1370, Oresme (*patent*), « évident » ; lat. *patens,* part. prés. de *patēre,* être ouvert.

patente n. f., fin XVIe s., Brantôme (*pattante*) ; 1631, Bassompierre (*patente*), hist. ; abrév. de *lettre patente,* « certificat, brevet » ; 1787, *Courrier de l'Europe,* brevet acheté à l'État pour exercer un commerce ou une industrie ; 1791, impôt spécial aux commerçants. || **patenté** 1750, Anon. || **patentable** 1791, Linguet.

pater 1578, d'Aubigné (*Pater*), Oraison dominicale, premier mot lat. de la prière ; fin XVIe s. (*pater*), grain. || **pater-noster** XIIIe s., Oraison dominicale ; XIXe s., bot., plante dont les grains servent à faire des chapelets ; XXe s., sens actuels. (V. PATENÔTRE.)

patère 1502, Saint-Gelais ; rare jusqu'en 1680, Richelet ; lat. *patera,* coupe.

paterfamilias 1960, Daninos ; mot lat. signif. « père de famille ».

paterne 1080, *Roland,* « paternel » ; repris en 1778, Voltaire, sens moderne ; lat. *paternus,* paternel ; n. f., « Dieu le Père » ; lat. *paterna imago,* image de Dieu le Père. || **paternité** 1160, Benoît, en parlant de Dieu, « état de créateur » ; 1380, *Aalma,* sens mod. || **paternel** 1190, *Saint Bernard ;* lat. *paternus ;* n. m., 1880, Larchey, pop., père. || **paternellement** 1492, *les Sept Sages.* || **paternalisme** 1910, Delpy ; angl. *paternalism.* || **paternaliste** 1910, Delpy ; d'après l'angl.

pathétique adj., fin XVIe s. ; bas lat. *patheticus* (Ve s., Macrobe), du gr. *pathêtikos,* « relatif à la passion », de *pathos,* affection ; n. m., 1666, Boileau. || **pathétiquement** 1611, Cotgrave. || **pathétisme** 1740, Brunot. || **pathétiser** XXe s.

patho-, gr. *pathos,* maladie, affection. || **pathogène** 1887, Binet. || **pathogénie** 1822, *Nouveau Dict. de médecine.* || **pathogénique** 1838, *Acad.* || **pathognomonique** 1560, Paré ; gr. *pathognômonikos,* de *gnômonikos,* « qui connaît ». || **pathologie** milieu XVIe s. ; gr. *pathologia.* || **pathologique** 1552, Paradin ; gr. *pathologikos.* || **pathologiste** 1765, *Encycl.* || **pathomimie** 1932, Lar.

pathos 1672, Molière, rhét. ; mot grec (v. PATHO-) ; début XVIIIe s., Saint-Simon, emphase.

patibulaire 1395, *Cartulaire,* « du gibet » ; 1660, Scarron, « malfaisant » ; 1675, Bussy-Rabutin, « louche » ; lat. *patibulum,* gibet sur lequel on étendait les esclaves pour les battre de verges, de *patere,* être ouvert, étendu ; digne de la potence.

1. **patience** V. PATIENT.

2. **patience** 1547, Ch. Est., bot. ; altér., par attraction du précéd., et déglutination de *l,* de *lapacion* (XVIe s.), du lat. *lapathium,* var. de *lapāthum,* du gr. *lapathon.*

patient 1120, *Ps. d'Oxford ;* lat. *patiens,* part. prés. de *pati,* souffrir, supporter. || **patiemment** fin XIIe s., *Dial. Grégoire.* || **patience** fin XIIe s., *Dial. Grégoire ;* lat. *patientia ;* 1867, Delvau, jeu. || **patienter** 1560, Brantôme. || **impatient** fin XIIe s., *Dial. Grégoire ;* lat. *impatiens.* || **impatiemment** XIVe s., G. || **impatienter** fin XVIe s. || **impatientant** 1704, Maintenon. || **impatience** 1190, *Saint Bernard ;* lat. *impatientia.*

1. **patin** 1268, Boileau, « chaussure » ; XVe s., Laborde, patin à glace, et divers sens techn. ; dér. de *patte.* || **patiner** 1732, Trévoux. || **patineur** 1728, Marin. || **patinage** 1829, *Journal des dames.* || **patinoire** 1922, Mottaz. || **patinette** 1922, Duhamel.

2. **patin** 1927, Esnault, baiser ; de *patte,* chiffon. || **patiner** XVe s., caresser. || **patineur** 1651, Scarron.

patine 1765, Buffon ; ital. *patina,* du lat. *patina,* « poêle » et « contenu d'une poêle ». || **patiner** 1867, Ch. Garnier, techn. || **patinage** 1962, Robert, techn.

patio 1840, Th. Gautier ; mot esp., d'orig. obscure.

pâtir 1546, Rab., « supporter » ; lat. *pati,* subir ; XVIIe s., « éprouver de la souffrance ». || **pâtiras** 1564, J. Thierry, n. fam., « souffre-douleur », de la 2e pers. sing. du futur.

pâtis V. PAÎTRE.

***pâtissier** 1278, G. (*pasticier*) ; 1546, R. Est. (*pastissier*) ; anc. fr. *pastitz,* du lat. pop. **pastīcium,* « pâté », de *pasta,* pâte (v. PASTICHE, PASTIS, PÂTE). || **pâtisserie** 1328, Varin. || **pâtisser** 1395, G. (*pasticier*). || **pâtissage** 1611, Cotgrave. || **pâtissoire** 1798, *Acad.*

pâtisson milieu XVIIIe s., bot. ; prov. *pastisson,* petit pâté, de l'anc. fr. *pastitz.* (V. le précédent.)

patois 1240, G. de Lorris, « jargon » ; 1285, J. Bretel, sens ling. ; de *patte,* avec le suff. *-ois.* Le rad. exprimait le caractère grossier de ce langage (v. PATAUD). || **patoiser** 1834, Boiste. || **patoisant** 1864, Barbey. || **patoiserie** 1832, Nodier.

patouiller 1213, *Fet des Romains,* « patauger » ; de *patte,* avec le suff. *-ouiller,* de *barbouiller.* || **patouille** 1776, *Encycl.,* instrument ; 1963, Lar., pâte. || **dépatouiller (se)** XVIIe s., fam. || **tripatouiller** 1870, E. Bergerat ; croisem. de *patouiller* et *tripoter.* || **tripatouillage** 1888, Lar.

patraque 1743, Trévoux ; prov. *patraco,* « monnaie usée », de l'esp. *pataca,* pièce d'argent d'une once (v. PATARD).

***pâtre** 1112, *Voy. saint Brendan ;* lat. *pastor, pastōris,* au nominatif ; litt. depuis le XVIIIe s. || ***pasteur** fin 1050, *Alexis ;* 1541, *Ordonnance,* ministre du culte protestant ; lat. *pastōrem,* acc. de *paster ;* d'abord « berger », et aussi « pasteur spirituel ». || **pastorat** 1611, Cotgrave. || **pastoral** fin XIIe s., *Dial. Grégoire ;* lat. *pastoralis.* || **pastorale** n. f., fin XVIe s., Brantôme. || **pastoralement** 1512, Lemaire de Belges. || **pastoureau** 1119, Ph. de Thaon (*pasturel*) ; XIVe s., du Cange (*pastoureau*). || **pastourelle** 1165, Thomas (*pasturelle*), chanson de bergère ; milieu XIIIe s., jeune bergère ; 1700, Pomey, théâtre.

patriarche 1080, *Roland,* titre d'évêque ; 1190, Trénel, « chef de famille » ; fin XVIIe s., Sévigné, sens actuel ; lat. eccl. *patriarcha* (IIIe s., Tertullien), en gr. eccl. *patriarkhês,* calque de l'hébreu *rôchê aboth,* chef de famille. || **patriarcal** 1400, G. ; lat. *patriarchalis.* || **patriarcat** XIIIe s. (*patriarchat*), dignité de patriarche ; XVIe s., fonction de patriarche ; lat. *patriarcatus.*

patrice fin XIIe s., *Grégoire ;* repris au XVIe s. ; lat. *patricius,* de *pater* au sens de « chef de famille noble, sénateur ». || **patricien** 1355, Bersuire, hist. ; 1770, Rousseau, « privilégié » ; de *patricius,* avec le suff. *-ien.* || **patriciat** 1565, Pasquier ; lat. *patriciatus.* || **patricial** 1575, Belleforest.

patrie 1464, J. Chartier ; lat. *patria,* de *pater.* || **apatride** v. 1920, a remplacé *heimatlos* (celui à qui on donnait le passeport Nansen). || **expatrier** XIVe s., Bouthillier ; rare jusqu'au XVIIIe s. || **expatriation** XIVe s. || **rapatrier** 1462, *Cent Nouvelles* (*repatrier*), rentrer dans sa patrie ; 1477, Bartzsch (*rapatrier*), même sens ; souvent « réconcilier », aux XVIe-XVIIe s. ; lat. médiév. *repatriare,* rentrer dans sa patrie. || **rapatriement** 1670, Th. Corn. || **rapatriage** 1668, Molière, « réconciliation ». || **sans-patrie** fin XIXe s.

patrilinéaire 1939, Caillois ; lat. *pater, patris,* père, et *-linéaire.*

patrimoine milieu XIIe s., *Roman Thèbes* (*patremone*) ; 1160, Benoît (*patrimoine*) ; lat. *patrimonium,* de *pater.* || **patrimonial** 1380, G. ; lat. *patrimonialis.*

patriote 1464, J. Chartier, « compatriote », sens lat. ; bas lat. *patriota,* du gr. *patriôtês ;* 1570, Carloix, sens mod. || **patriotique** 1532, Rab., « paternel » ; 1750, d'Argenson, sens mod. || **patriotiquement** 1793, Brunot. || **patriotisme** 1750, d'Argenson. || **patriotard** 1904, Huysmans. || **compatriote** 1495.

patristique 1813, Gattel ; gr. *patêr, patros,* « père », au sens de « Père de l'Église ». || **patrologie** 1706, *Journ. des savants ;* gr. *patêr,* et *-logie.*

patrociner 1367, *Ordonnance,* exhorter ; lat. *patrocinari,* patronner. (V. le suivant.)

patron 1119, Ph. de Thaon, « saint protecteur » ; début XIVe s., « modèle » ; 1690, Furetière, spécialem. en couture ; 1357, La Curne, mar., d'après l'ital. *padrone ;* 1611, Cotgrave, fam., maître d'une maison ; 1832, Balzac, chef d'entreprise ; lat. *patronus,* protecteur, défenseur, de *pater,* père. || **patronage** XIIe s., *Parte-*

nopeus de Blois, hist. ; 1874, Lar., « association de bienfaisance ». || **patronner** fin XIVe s., reproduire d'après un patron ; XVIe s., « protéger » ; rare en ce sens jusqu'en 1838, *Acad.* || **patronnesse** 1575, J. des Caurres, fém. de *patron,* rare ; 1893, *Doc., dame patronesse ;* angl. *patroness.* || **patronal** XVIe s. || **patronat** 1578, Morise, « protection » ; 1832, Raymond, « pouvoir du patron » ; 1914, Péguy, collectif. || **impatroniser (s')** 1560, Pasquier.

patron-minet 1821, Desgranges (*patronminette*) ; altér., par attraction de *patron,* de *potron-minet,* 1835, *Acad. ;* de *minet* (v. ce mot) et *poitron,* du lat. pop. *posterio,* cul : « dès que le chat montre son derrière », « dès le petit matin ». || **potron-jaquet** 1640, Oudin (*poitron-*) ; sur *jaquet,* rég., « écureuil ».

patronymique 1220, d'Andeli (*patrenomique*), n. m. ; XVe s. (*patronomique*), adj. ; 1611, Cotgrave (*patronymique*) ; bas lat. *patronymicus,* en gr. *patrônumikos,* de *patêr,* père, et *onoma,* nom. || **patronyme** n. m., 1932, Lar.

patrouiller milieu XVe s., *Quinze Joies du mariage,* « piétiner dans la boue », var. de *patouiller,* avec *r* issu de mots rég. semblables (*gadrer, gadrouiller, vadrouiller*) ; XVIe s., aller en patrouille ; dér. de *patte.* || **patrouille** 1539, R. Est., « écouvillon » ; 1559, Amyot, ronde. || **patrouillage** 1694, Th. Corn. || **patrouilleur** début XVIIe s., « pétrisseur » ; 1923, Lar., milit.

patte 1220, Coincy (*pate*), d'orig. onomat. (bruit de deux objets qui se heurtent sur toute leur largeur) ; a éliminé l'anc. fr. *poe* (cf. l'anc. prov. *pauta*), d'orig. préceltique. Nombreuses formes sur le radical onomat. *pat-.* || **patoche** 1856, *Rev. des Deux Mondes,* main. || **pattu** 1480, *Mystère.* || **patte-d'araignée** 1816, *Encycl.* || **patte-de-chat** 1611, Cotgrave. || **patte-de-coq** 1875, Lar. || **patte-d'oie** 1560, Paré, anat. ; 1624, Savot, carrefour. || **patte-pelue** 1548, Rab. || **patte-fiche** 1868, L. || **patter** 1655, Salnove. || **empatter** 1495, J. de Vignay, « fixer avec des pattes ». (V. ÉPATER, PATELIN, PATIN, PATOIS.)

pattemouille 1931, Brun, de *patte* (XVIIe s.), « chiffon » ; germ. *paita,* morceau d'étoffe (v. PATARASSE), et de *mouiller* (v. ce mot).

pattern 1968, Lar. ; mot angl. signif. « modèle ».

pattinsonage 1868, L., techn. ; du nom de *Pattinson,* chimiste anglais.

***pâture** 1170, *Rois* (*pasture*) ; bas lat. *pastura,* de *pastus,* pâture, de *pascĕre* (v. PAÎTRE). || **pâturer** 1160, *Eneas.* || **pâturable** XVIe s., *Coutumier.* || **pâturage** 1155, Wace. || **pâtureur** 1740, *Acad.* || **pâturin** 1775, Boiste, bot.

paturon 1320, *Roman de Fauvel ;* anc. fr. *pasture* (XIIIe s.), « corde attachant l'animal par la jambe », du lat. *pastoria,* « (corde) de pâtre », avec changement de suffixe (v. PÂTRE).

pauciflore 1795, Lamarck, bot. ; lat. *pauci,* « un petit nombre de », et *flos, floris,* fleur.

paucité 1493, Coquillart, faible nombre.

paulette 1612, Sully, hist. fin. ; du nom de *Paulet,* premier fermier de cet impôt (1604).

paulien XVIIIe s., jur. ; lat. *pauliana,* du nom d'un préteur appelé *Paulus.*

paulinien 1868, L. ; du nom de l'apôtre *Paul.* || **paulinisme** 1875, Lar.

paulownia 1868, L., bot. ; lat. scient. *pawlonia,* du nom d'*Anna Pavlovna* (1754-1801), fille du tsar Paul Ier, à qui cet arbre fut dédié.

***paume** 1050, *Alexis* (*palme*) ; 1155, Wace (*paume*), dedans de la main ; 1080, *Roland,* mesure de longueur ; 1964, Lar., nageoire ; *jeu de paume,* début XIVe s. (*jouer à la paume*) ; lat. *palma.* || **paumée** fin XIIe s., *Moniage Guillaume.* || **paumier** fin XIIIe s., maître d'un jeu de paume. || **paumelle** fin XIIIe s., Joinville, « coup » ; XIVe s., divers sens techn., agric., mar., etc. || **paumure** fin XIVe s. || **paumer** XIIIe s., toucher de la main ; XVIe s., arg., prendre ; 1827, Larchey, arg., perdre. || **paumoyer** 1080, *Roland* (*palmeier*) ; 1190, G. (*paumoier*), tenir à pleines mains ; 1732, Trévoux, divers sens var. || **empaumer** 1440, Chastellain, saisir avec la paume ; 1659, Tallemant, enjôler ; 1867, Delvau, « voler ». || **empaumeur** 1808, d'Hautel, fam. || **empaumure** 1550, Ronsard. || **palmaire** 1560, Paré. || **palmé** début XVIe s., « orné de palmes » ; 1754, Klein, « qui a des cornes garnies d'une empaumure aplatie » ; 1758, Duhamel, semblable à une main ouverte ; lat. *palmatus.* || **palmure** 1845, Besch. || **palmature** 1858, Nysten. || **palmer** 1611, Cotgrave, polir avec la paume ; 1723, Savary, aplatir l'extrémité d'une aiguille ; 1970, Robert, nager avec des palmes. || **palmeur** 1751, *Encycl.* || **empalmer** 1907, Lar., prestidigitation. || **palma-christi** milieu XVIe s., « paume du Christ ». (V. aussi PALME 1 et 2.)

paupérisme 1823, Boiste ; angl. *pauperism,* du lat. *pauper.* || **paupériser** 1963, Lar. || **paupérisation** 1962, Robert.

paupière 1120, *Ps. d'Oxford* (*palpere*) ; fin XIIe s. (*paupiere*) ; lat. *palpetra* (Varron), var. de *palpebra.* || **palpébral** 1748, James.

paupiettes fin XVIIe s. (*poupiettes*) ; 1735, *le Cuisinier moderne* (*paupiettes*) ; anc. fr. *poupe* (fin XIe s., *Gloses de Raschi*), « partie charnue », du lat. *pulpa* (v. PULPE). *Paupiettes,* de *poupiettes,* peut-être sous l'infl. du rég. *paupier* (Est), pour *papier* (en raison de l'enveloppe de papier des paupiettes).

pause 1360, Froissart ; lat. *pausa,* du gr. *pausis ;* 1671, Pomey, mus., repris à l'ital. *pausa,* de même étym. || **pauser** 1690, Furetière, mus. (*se pauser,* XVe s., A. de La Salle, vient de l'anc. fr. *pose,* repos, avec une graphie infl. par le lat. *pausa*).

***pauvre** 1050, *Alexis* (*povre*) ; XVIe s. (*pauvre,* avec *-au-* repris au lat.) ; lat. *pauper.* || **pauvrement** 1155, Wace. || **pauvret** XIIIe s., *Vie de saint Thibaut* (*povret*). || **pauvresse** 1788, Féraud. || **pauvreté** 1050, *Alexis* (*poverte*) ; 1155, Wace (*pauvreté*) ; lat. *paupertas, -tatis.* || **appauvrir** 1119, Ph. de Thaon (*apovrir*). || **appauvrissement** début XIVe s.

pavane début XVIe s. (*pavenne*) ; 1538, R. Est. (*pavane*), danse ; ital. dial. *pavana,* pour *danza pavana,* « danse padouane » (*Pava,* Padoue, dans le dial. rég.). || **pavaner (se)** 1611, Cotgrave ; croisem. entre *pavane* et *se paonner* (XVIe s.), de *paon.*

***paver** 1130, *Eneas ;* lat. pop. **pavare,* en lat. class. *pavire,* niveler le sol. || **pavement** 1112, *Voy. saint Brendan ;* de *paver,* d'après le lat. *pavimentum.* || **pavimenteux** 1838, *Acad.* || **pavage** 1331, du Cange, « péage pour l'entretien de la chaussée » ; 1389, du Cange, sens mod. || **pavé** 1312, *Olim.* || **paveur** 1292, *Rôle de la taille de Paris.* || **paveton** 1927, Esnault. || **dépaver** XIIIe s. || **repaver** début XIVe s.

pavie 1577, R. Belleau (var. *pavi,* XVIIe s.) ; du nom de *Pavie,* localité du Gers renommée pour ses pêches.

***pavillon** 1112, *Voy. saint Brendan* (*paveilun*) ; 1130, *Eneas* (*paveillon*), tente ; lat. *pāpĭlio, -onis* (proprem. « papillon », d'où, par métaph., « tente », IIIe-IVe s., Lampridias, Végèce) ; 1508, *Comptes Gaillon,* « corps de bâtiment » ; 1541, Jal, « étendard », mar., d'où *baisser pavillon,* 1669, Sévigné ; 1636, Mersenne, grande ouverture d'un instrument de mus. ; 1810, Capuron, pavillon de l'oreille. || **pavillonnerie** 1868, L. || **pavillonnaire** XXe s. (V. PAPILLON.)

pavois 1210, Folque de Candie (*hiaume paviois*) ; 1336, Jal (*pavois*) ; ital. *pavese,* « de Pavie », ville où ces sortes de boucliers auraient été d'abord fabriqués ; *élever sur le pavois,* 1576, du Haillan ; 1671, Jal, bouclier de protection d'un navire, tenture (remplaçant le bouclier et devenue ornement de parade) ; 1887, Loti, ensemble des pavillons. || **pavoiser** 1360, Froissart (*paveschier*), « protéger avec des pavois » ; XVIIe s., garnir de tentures ; 1884, Maupassant, orner de drapeaux. || **pavoisement** 1845, Besch., mar.

pavot 1175, Chr. de Troyes (*pavo*) ; 1268, É. Boileau (*pavot,* par attraction du suff. *-ot*) ; lat. pop. **papavus,* altér. du lat. class. *papaver.* || **papavéracée** 1798, Jolyclerc. || **papavérine** 1842, *Acad.*

***payer** fin Xe s., *Saint Léger* (*paier*), « se réconcilier avec, apaiser » ; 1175, Chr. de Troyes, « donner à quelqu'un l'argent qu'on lui doit » ; 1360, Froissart (*payer*) ; lat. *pacare,* pacifier, puis « apaiser » (IVe s.), de *pax, pacis,* paix. || **payable** 1255, G. (*paiavle*), « qui satisfait » ; XIVe s. (*paiable*) ; 1481, Bartzsch, « qui doit être payé ». || **payant** adj., milieu XIIIe s., « qui doit être payé » ; 1690, Furetière, « qui paye ». || **payeur** 1244, Huon le Roi de Cambrai. || **paie** 1175, Chr. de Troyes. || **paye** fin XIVe s., E. Deschamps. || **paiement** 1175, Chr. de Troyes. || **payement** 1360, Froissart. || **impayable** 1376, G., « qu'on ne peut payer » ; XVIIe s., « de grande valeur » ; début XVIIIe s., « très plaisant ». || **impayé** 1838, *Acad.* || **surpayer** 1570, Montaigne. || **surpaiement** XXe s.

***pays** Xe s., *Saint Léger* (*païs*) ; fin XIe s., « pays natal » ; 1360, Froissart (*pays*), « région, contrée » ; 1640, Oudin, n. m., « personne du même pays » ; n. f., 1765, Rousseau ; bas lat. *page(n)sis* (VIe s., Grég. de Tours), « habitant d'un *pagus* », puis « territoire d'un *pagus* », subdivision de la cité, canton. || **paysage** 1493, Molinet, « tableau représentant un pays » ; 1556, Beaugué, coin de pays. || **paysager** 1845, Besch., adj. || **paysagiste** 1651, Chambray, peint. || **dépayser** 1210, Delb., faire sortir de son pays ; XVIIe s., déguiser ; 1690, Furetière, sens mod. || **dépaysement** 1560, Pasquier ; 1838, *Acad.,* sens mod.

paysage V. PAYS.

paysan 1138, Gaimar (*païsant*) ; fém. *païsante, païsande,* jusqu'au XVIe s. ; de *pays ;* « homme d'un pays », en anc. fr. || **paysannerie** 1547, du Fail (*païsanterie*) ; 1668, Molière (*paysannerie*). || **paysannat** milieu XXe s.

***péage** 1150, *Charroi* (*paaige*) ; lat. pop. **pedāticum,* « droit de mettre le pied » (lexique de l'admin. carolingienne), de *pes, pedis,* pied. || **péager** 1180, *Enfances Vivien* (*paiagier*) ; 1268, É. Boileau (*peagier*).

péan 1765, *Encycl.* ; lat. *paean,* du gr. *paian,* chant de victoire.

***peau** 1080, *Roland* (*pel*) ; début XVe s. (*peau*), refait sur le pl. *pels, peals, peaus* ; 1130, *Eneas,* vie ; 1538, R. Est., enveloppe de fruit ; lat. *pellis,* « peau d'animal », qui a éliminé *cutis,* « peau humaine », en lat. pop. || **pelletier** 1160, Benoît ; anc. fr. *pel.* || **pelleterie** 1150, *Charroi.* || **peaucier** adj., 1560, Paré, anat. ; de *peau.* || **peaussier** n. m., 1292, *Rôle de la taille,* techn. || **peausserie** 1723, Savary. || **peaufiner** 1865, Esnault. || **peau-rouge** XVIIe s. || **dépiauter** 1866, Lar. ; de la forme dial. *piau,* peau.

1. **peautre** XIIe s., paillasse ; orig. obscure.

2. ***peautre** XIIe s., Evrat, étain ; lat. pop. **peltrum,* mot d'orig. ligure.

pébrine 1859, Quatrefages ; prov. mod. *pebrino,* de *pebre,* poivre, à cause des petites taches sombres caractérisant cette maladie des vers à soie.

pec adj. m., 1391, *Chartes de Liège* ; néerl. *peckel* (*haring*), « (hareng) en saumure ».

pécaïre XIIIe s. (*pechiere*) ; 1784, Beaumarchais (*pécaïre*), exclamation méridionale ; forme cristallisée de l'anc. cas sujet prov. *pecaire,* « hélas ! mon Dieu ! », proprem. « pécheur ! ». Francisé en *péchère, peuchère.* (V. PÉCHER.)

pécan 1963, Lar. ; mot angl.

pécari 1640, Laet (*pacquire*) ; fin XVIIe s. (*pécari*) ; mot caraïbe (Venezuela, Guyanes).

peccable 1050, *Alexis* ; lat. *peccare,* pécher ; rare jusqu'en 1762, *Acad.* || **peccabilité** 1875, Lar., théol. || **impeccable** XVe s. ; lat. chrét. *impeccabilis* ; 1900, Colette, ext. d'emploi. || **impeccabilité** 1578, Despence.

peccadille 1549, Marg. de Navarre (*peccatile*) ; XVIIe s. (*peccadille*) ; esp. *pecadillo,* petit péché.

peccant 1314, Mondeville (*humeurs peccantes*) ; lat. méd. *peccans,* empl. spécial. du part. prés. de *peccare,* pécher.

pechblende 1790, *Annales chimie* ; mot allem., de *Pech,* poix, et *Blende,* sulfure de zinc.

1. ***pêche** XIe s., *Gloses de Raschi* (*pesche*), bot. ; *avoir la pêche,* 1960, Esnault ; lat. pop. **persĭca,* pl. neut., passé au fém., de *persicum* (*pomum*), « fruit du pêcher », de *persica arbor,* « pêcher », proprem. « arbre de Perse », en raison de sa provenance. || **pêcher** n. m., 1170, *Floire et Blancheflor* (*peskier*).

2. **pêche** V. PÊCHER.

***péché** 980, *Passion* (*peched*) ; 1150, *Charroi* (*péchié*) ; lat. *peccatum,* « faute », sens spécial. en lat. eccl. || ***pécher** 1050, *Alexis* (*pechier*) ; lat. *peccāre,* commettre une faute ; même évol. de sens que le précéd. || **pécheur** 980, *Passion* (*pechedor*) ; 1155, Wace (*pescheor,* fém. *pécheresse,* qui a éliminé *pecheriz,* de *peccatrix, -icis*) ; lat. eccl. *peccātōr, -oris,* dér. de *peccāre.* (V. PECCABLE.)

***pêcher** 1138, Gaimar (*pescher*) ; lat. pop. **piscāre,* en lat. class. *piscāri.* || **pêche** milieu XIIIe s. (*pesche*) ; déverbal. || **pêcheur** début XIIe s. || **pêcherie** 1155, Wace (*pescherie*). || **pêchette** 1773, Duhamel, « petit filet » ; 1868, L., sens mod. || **repêchage** 1850, Balzac ; 1935, *Acad.,* épreuve supplémentaire. || **repêcher** XIIIe s. ; 1875, Lar., recevoir à l'examen en ajoutant des points.

pécoptéris 1875, Lar., bot. ; gr. *pekos,* du gr. class. *pokos,* « toison », et *pteris,* « fougère » ; fougère fossile. || **pécoptéridée** 1963, Lar.

pécore 1512, Crétin ; ital. *pecora,* « brebis », d'où « bête sotte » (La Fontaine), et « femme sotte » (Molière) ; lat. pop. *pecora,* pl. neut., passé au fém., de *pecus, pecoris,* bétail. (V. le suivant.)

pecque 1611, Cotgrave (*peque*) ; 1630, Chapelain (*pecque*), fam. ; prov. *peco,* « sotte », fém. de l'adj. *pec,* du lat. *pecus.* (V. le précéd.)

pecten 1710, Trévoux, zool. ; mot lat. (v. PEIGNE). || **pectiné** 1363, Chauliac ; lat. *pectinatus,* « en forme de peigne ».

pectine 1827, *Acad.* ; gr. *pêktos,* « coagulé ». || **pectique** 1838, *Acad.* || **pectinidé** 1875, Lar. (*pectinides*). || **pectiser** 1932, Lar.

pectoral n. m., 1355, du Cange, liturg. ; 1363, Chauliac, adj., anat. ; lat. *pectoralis,* de *pectus, pectoris,* poitrine (v. PIS 1, POITRINE).

pécule 1273, Ibn Ezra, « bétail » ; début XIVe s., hist. ; 1611, Cotgrave, sens actuel ; lat. *peculium,* de *pecus,* « bétail ». || **péculat** 1530, Isambert ; lat. *peculatus,* de *peculari,* « être concussionnaire », de *peculium.*

pécune 1120, *Ps. de Cambridge* (*pecunie*) ; lat. *pecunia,* argent, fortune, proprem. « avoir en bétail », de *pecus,* bétail. || **pécuniaire** 1300,

Coutumes d'Artois, n. m., avoir en argent ; adj., XIVe s. ; lat. *pecuniarius,* « relatif à l'argent ». || **pécuniairement** 1495, *Coutumier.* || **pécunieux** 1370, Oresme ; lat. *pecuniosus,* « qui a beaucoup d'argent ». || **impécunieux** 1677, Miege.

pédagogue 1370, Oresme (*pédagoge*) ; lat. *paedagogus,* en gr. *paidagôgos,* de *pais, paidos,* enfant, et *agein,* conduire. || **pédagogie** 1495, *Mir. hist.* ; gr. *paidagôgia.* || **pédagogique** 1701, Huet ; gr. *paidagôgikos.* || **pédagogiquement** 1801, Mercier.

pédale milieu XVIe s., « pédale d'orgue » ; 1893, *D. G.* ; 1935, Esnault, pédéraste, cyclisme ; ital. *pedale,* du lat. pop. *pedāle,* neutr. substantivé de l'adj. *pedalis,* « relatif au pied », de *pes, pedis,* pied. || **pédaler** 1893, *D. G.,* cyclisme. || **pédaleur** 1907, Lar. || **pédalier** 1877, *J. O.,* « clavier d'orgue » ; 1903, Lar., cyclisme. || **Pédalo** n. déposé, milieu XXe s. ; sur *mécano.*

pédant 1566, H. Est., « celui qui enseigne », et aussi péjor. ; ital. *pedante,* du gr. *paideueîn,* enseigner aux enfants, de *pais, paidos,* enfant. || **pédanter** 1645, G. || **pédantiser** 1762, *Acad.* || **pédantesque** 1558, chez Montaiglon, « magistral » ; 1580, Montaigne, sens actuel ; ital. *pedantesco.* || **pédanterie** 1560, Pasquier ; ital. *pedanteria.* || **pédantisme** 1580, Montaigne, « état de professeur » ; 1654, G. de Balzac, péjor.

pédéraste 1584, Tabourot ; gr. *paiderastês,* de *pais, paidos,* enfant, et *erân,* aimer. || **pédé** 1836, Vidocq. || **pédérastie** 1579, Bodin ; gr. *paiderasteia.* || **pédérastique** 1881, Goncourt.

pédestre n. m., 1470, Bartzsch, « soldat à pied » ; adj., XVIe s. ; lat. *pedestris,* de *pes, pedis,* pied. || **pédestrement** 1762, *Acad.*

pédiatrie 1872, L., méd. ; gr. *pais, paidos,* enfant, et *-iatrie,* du gr. *iatros,* médecin. || **pédiatre** 1907, Lar.

pedibus 1903, Lar. ; lat. macaronique *pedibus cum jambis,* à pied avec les jambes.

pédicelle 1799, Philibert ; lat. *pedicellus,* dimin. de *pes, pedis.* || **pedicellaire** 1839, Boiste.

pédiculaire 1550, Guéroult, méd. ; lat. *pedicularius,* de *pediculus,* pou. || **pédiculose** 1923, Lar.

pédicule 1534, Vaganay, bot. ; lat. *pediculus.* || **pédiculé** 1763, Adanson.

pédicure 1781, Laforest ; lat. *pes, pedis,* pied, et *curare,* soigner.

pedigree 1828, *Journ. des haras* ; mot angl., probablem. altér. du fr. *pied de grue,* d'après une marque de trois petits traits rectilignes dans les registres anglais pour les degrés généalogiques.

pédiluve 1738, Lémery (*pédilave*) ; lat. *pediluvium,* bain de pieds, sur *luere,* laver.

pédimane 1797, Cuvier, zool. ; lat. *pes, pedis,* pied, et *manus,* main.

pédiment 1963, Lar. ; angl. *pediment,* fronton, du lat. *pedimentum,* échalas, de *pedare,* échalasser.

1. **pédologie** 1903, Lar., « science de l'enfant » ; gr. *pais, paidos,* enfant, et *-logie.* || **pédologue** début XXe s. || **pédophilie** 1968, Lar. || **pédophile** *id.* (V. PÉDAGOGUE, PÉDANT, PÉDÉRASTE.)

2. **pédologie** 1932, Lar., géol. ; gr. *pedon,* sol, et *-logie.* || **pédologue** 1962, Robert. || **pédologique** 1932, Lar. || **pédogenèse** 1963, Lar.

pédoncule 1748, *Mém. de l'Acad. des sciences,* anat. ; lat. *pedunculus,* dimin. de *pes, pedis.* || **pédonculé** 1778, Lamarck, bot. || **pédonculaire** 1800, Bulliard.

pedzouille 1800, Esnault (*pezouille*) ; 1876, Zola (*pedzouille*) ; 1945, Cendrars (*petzouille*), pop., « paysan » ; altér., par attraction de *pet* (*pet-de-zouille*), du prov. *pezouil,* « pou », d'où « gueux couvert de poux » (v. POU). Pour d'autres, croisem. de *pétard,* pop., « cul », et de *vezouille,* même sens.

peeling milieu XXe s. ; mot angl., de *to peel,* peler.

pégase 1564, J. Thierry, « cheval fabuleux », nom propre ; lat. *Pegasus,* en gr. *Pegasos,* nom du cheval ailé qui fit jaillir d'un coup de pied la source d'Hippocrène, où l'on puisait l'inspiration poétique ; 1788, zool.

pegmatite 1836, Landais ; gr. *pêgma,* conglomération ; granite à minéraux de grande taille.

pègre 1797, Mercier (*paigre*), n. m., « voleur » ; 1829, Esnault (*pègre*), n. f., mot collectif ; arg. marseillais *pego,* « voleur des quais », proprem. « poix » (le voleur étant censé avoir de la poix aux doigts), ou ital. dialectal *pegro,* paresseux. || **pégriot** 1829, Vidocq, voleur.

pehlvi 1827, *Acad.,* ling. ; de *pahlavik,* « des Parthes », mot pehlvi.

***peigne** XIIe s., *la Charrette ;* réfection, d'après *peigner,* de *pigne* (1175, Chr. de Troyes), du lat. *pĕcten, -inis* (v. PECTEN, PIGNON). || **peigner** milieu XIIe s., *Roman de Thèbes* (*peignier*) ; lat. *pectinare ;* aussi *pignier,* d'après *pigne.* || **peignoir** 1416, Havard (*pignoer*), étui à peigne ; 1534, Rab. (*peignouoir*), linge protégeant les habits quand on se peigne ; 1814, Jouy, peignoir de bain. || **peignure** 1665, Quinault. || **peigneur** 1243, G. (fém. *pinerece*) ; 1410, G. (*peigneur*) ; 1800, Boiste (fém. *peigneuse*), techn. || **peignage** 1765, *Encycl.,* techn. || **peignier** 1268, É. Boileau, techn. ; lat. *pectinarius.* || **peigné** n. m, 1842, *Acad.,* techn. || **peignée** 1808, d'Hautel, pop. ; de l'anc. *pigner,* « donner des coups de griffe ». || **peigne-cul** 1793, Brunot, pop. || **dépeigner** 1883, A. Daudet.

peille 1174, E. de Fougères ; prov. *pelha,* du lat. *pilleum,* bonnet de feutre ; vieux chiffons.

***peindre** 1080, *Roland ;* lat. *pingere.* || **dépeindre** 1212, Anger, « peindre » ; XVIe s., sens mod. ; lat. *depingere.* || **peintre** 1188, Aimon (*paintor*) ; 1212, Anger (*peintre*) ; lat. pop. *pinctor,* réfection du lat. class. *pictor* d'après *pingere.* || **peintraillon** 1869, Daudet. || **peinture** 1119, Ph. de Thaon ; lat. pop. **pinctura* (class. *pictura*). || **peinturer** début XIIe s., *Voy. de Charl.* || **peinturage** 1589, Baïf. || **peintureur** 1268, É. Boileau. || **peinturlurer** 1628, Olivier (*peinturluré*) ; 1743, Trévoux (*peinturlurer*) ; déform. plais. d'après *turelure.* || **peinturlurage** 1872, Gautier. || **peinturlureur** 1867, Delvau. || **repeindre** fin XIIIe s.

***peine** 980, *Passion* (*penas*) ; 1050, *Alexis* (*peine*), « tourments du martyre » ; XIe s., fatigue, difficulté ; lat. *poena,* « châtiment », du gr. *poinê,* en lat. impér. « chagrin » ; *à peine,* 1080, *Roland.* || **peiner** 980, *Valenciennes,* « causer du chagrin » ; 1564, Thierry, « se fatiguer ». || **pénible** 1112, *Voy. saint Brendan,* « fait avec peine » ; 1160, Benoît, « dur à la peine ». || **penaud** 1544, B. Des Périers, proprem. « qui est en peine ». || **peinard** 1578, d'Aubigné (*penard*), « vieillard usé et grincheux » ; 1793, Esnault, fam., sens mod., par antiphrase. || **peinardement** 1918, Esnault. || **peineux** 1080, *Roland.*

peintre, peinture V. PEINDRE.

péjoratif 1784, Rivarol ; bas lat. *pejorare,* rendre pire, de *pejus* (v. PIRE). || **péjoration** XVIe s. || **péjorativement** 1962, Robert.

pékan 1765, Buffon (*pekan*), zool. ; mot algonquin ; marte du Canada.

1. **pékin** 1564, Gay ; du nom de la ville où cette étoffe se fabriquait. || **pékiné** 1907, Lar.

2. **pékin** 1776, Esnault (*péquin*), « bourgeois » ; 1797, Brunot (*pékin*), sens actuel ; probablem. prov. *pequin,* « maigre », d'un rad. *pekk-,* alternant avec *pikk-,* « petit » (cf. l'ital. *piccolo*).

pékinois 1923, Lar., sorte de chien ; du nom de *Pékin,* la ville chinoise.

pelade, pelage, pelard V. POIL.

1. **pélagien** 1655, Bossuet, théol. ; du nom de *Pélage,* moine breton du Ve s., dont les idées sur la grâce s'opposaient à celles de saint Augustin. || **pélagianisme** 1689, Bossuet.

2. **pélagien** XVIIIe s., Buffon, zool. ; gr. *pelagos,* haute mer. || **pélagique** 1834, Lacépède.

pélamide 1552, Massé, poisson ; lat. *pelamys, -ydis* (gr. *pêlamus*), « bonite ». || **pélamidière** 1771, Duhamel.

pélargonium 1808, Boiste (*pélargon*), bot. ; gr. *pelargos,* cigogne, à cause de la forme du fruit de cette plante.

pélasgien 1732, Trévoux ; gr. *Pelasgoi,* nom de peuple.

pêle-mêle 1175, Chr. de Troyes (*pesle-mesle*) ; altér. de l'anc. fr. *mesle-mesle,* forme redoublée de l'impér. de *mêler* (v. ce mot).

peler V. POIL.

pèlerin 1050, *Alexis ;* lat. eccl. *pelegrinus,* dissimil. du lat. *peregrinus,* étranger, d'où « voyageur », spécialisé en lat. eccl. || **pèlerinage** début XIIe s., *Pèlerinage Charlemagne.* || **pèlerine** 1765, *Encycl.,* fichu ; XIXe s., sens actuel. (V. PÉRÉGRINATION.)

péliade 1868, L., zool. ; gr. *pelios,* noirâtre.

pélican 1119, Ph. de Thaon (*pellicanus*) ; 1120, *Ps. d'Oxford* (*pelican*) ; lat. *pelicanus,* var. de *pelecanus,* du gr. *pelekan,* tailler à la hache.

***pelisse** 1155, Wace (*pelice*) ; bas lat. *pellicia,* fém. substantivé de l'adj. *pellicius,* de *pellis,* peau. || **pelisson** début XIIe s., *Pèlerinage de Charlemagne.*

pellagre 1810, Capuron ; lat. *pellis,* peau, sur le modèle du lat. *podagra,* goutte aux pieds.

***pelle** XIe s. (*pele*) ; XIIIe s. (*pelle*) ; lat. *pala* (v. PALE 1). || **pelle-bêche** 1903, Lar. || **pelle-pioche** 1932, Lar. || **pelleron** 1419, N. de Baye. || **pelletée** 1680, Richelet ; a éliminé les anc. *pellée* (XIe s.), *palerée* (1534, Rab.), *paletée* (1408,

G.) *pellerée* (1611, Cotgrave). || **pelleter** 1845, Besch. ; a remplacé *peltrer* (1776, *Encycl.*). || **pelleteur** 1836, Reybaud. || **pelletage** 1842, *Un million de faits.* || **pelleteuse** n. f., 1936, pelle mécanique.

pelleterie, pelletier V. PEAU.

pelleverser 1838, *Acad. ;* occitan *palaversa,* de *pala,* pelle, et *versa,* retourner. || **pelleversoir** *id.*

pellicule 1503, G. de Chauliac, anat. ; lat. *pellicula,* dimin. de *pellis,* peau ; 1903, Lar., phot. || **pelliculeux** 1611, Cotgrave. || **pelliculaire** 1834, *Journ. méd.* || **pelliculage** 1903, Lar., phot.

pélobate 1875, Lar. ; gr. *pêlos,* boue, et *-bate.* || **pélodyte** 1875, Lar., zool. ; gr. *dutês,* plongeur. || **pélogène** 1876, L. ; sur *-gène.* || **pélophage** 1968, Lar.

***pelote** 1119, Ph. de Thaon (*pelute*) ; début XIIe s. (*pelote*) ; lat. pop. *pilotta,* dimin. de *pĭla,* « balle à jouer ». || **peloton** 1435, Eurialus, « petite pelote » ; 1578, d'Aubigné, « groupe de soldats ». || **pelotonner** 1617, Crespin. || **pelotonnement** 1845, Radonvilliers. || **peloter** 1280, Bibbesworth (*peluter*), « jouer à la balle » ; 1489, Gogain, « lancer les dés » ; 1549, R. Est., « jouer à la paume » ; 1780, Rétif de La Bretonne, « caresser sensuellement ». || **pelotage** fin XVIIe s., Saint-Simon ; XIXe s., « mise en pelote » ; 1866, Goncourt, « caresses sensuelles ». || **peloteur** 1803, Boiste, « joueur de pelote » ; 1875, Lar., « qui aime à caresser ». || **pelotari** 1897, Loti ; mot basque, du rad. *pelot-* et du suff. *-ari,* du lat. *-arius.*

***pelouse** 1611, Cotgrave, « monticule » ; 1660, Saint-Amant, sens mod. ; anc. fr. *peleus,* gazon (1220, Coincy), de l'adj. lat. *pĭlosus,* couvert de poils, par métaph. (v. POIL). || **pelousard** 1903, Esnault, habitué de la pelouse des courses.

pelte 1732, Trévoux ; lat. *pelta,* gr. *peltê.* || **peltaste** 1808, Boiste.

peluche 1591, Gay ; anc. fr. *pelucher,* « éplucher », du bas lat. **pilūccare,* syncope de **pilūcicare,* fréquentatif de **pilūcare,* dér., sur le modèle de *manducare,* de *pilare* (v. POIL). || **pelucher** 1798, *Acad.,* sens mod. || **pelucheux** 1823, Boiste ; 1834, *Annales chimie* (*plucheux*).

pelvis 1666, *Journ. des savants,* anat. ; mot lat. signif. « bassin (à laver) », appliqué par métaph. au bassin humain. || **pelvien** 1812, Mozin. || **pelvimètre** 1814, Nysten. || **pelvitomie** 1878, Lar.

pemmican 1836, *Acad. ;* mot angl., de l'algonquin *pimekan,* de *pime,* graisse ; préparation de viande séchée.

penaille XIIIe s., Montaiglon ; anc. fr. *pene,* plume (1150, G.), du lat. *pinna.* || **penaillon** 1540, La Curne. || **dépenaillé** 1546, Rab. || **dépenaillement** 1734, Voltaire.

pénal 1190, *Grégoire* (*poinal liu,* « le purgatoire ») ; 1536, M. du Bellay, sens actuel ; lat. jurid. *poenalis,* de *poena* au sens jurid. (v. PEINE). || **pénalement** 1570, Rab. || **pénalité** début XIVe s., « souffrance », jusqu'au XVIe s. ; 1803, Boiste, sens mod. || **pénaliser** fin XIXe s. ; d'après l'angl. (*to*) *penalize,* lexique du sport. || **pénalisation** 1907, Lar. || **penalty** 1932, Lar. ; mot angl. signif. « pénalisation ».

pénates 1491, Vaganay ; lat. *penates,* de *penus,* « intérieur de la maison », en lat. archaïque.

penaud V. PEINE.

***pencher** 1256, Ald. de Sienne, v. intr. (*pengier*) ; 1283, Beaumanoir (*pencher*) ; v. tr., 1530, Palsgrave ; *se pencher,* 1679, Fléchier ; lat. pop. **pendicare,* du lat. class. *pendere,* pendre. || **penchant** 1532, *Coutumier,* qui penche ; 1538, R. Est., n. m., « versant, partie inclinée » ; 1642, Oudin, « inclination ». || **penchement** 1538, R. Est.

pendant V. PENDRE.

pendeloque 1640, Oudin ; altér., d'après *breloque,* de *pendeloche,* XIIIe s., Montaiglon, de l'anc. fr. *pendeler,* pendiller, dimin. de *pendre.*

***pendre** 980, *Passion ;* d'abord v. intr. ; XIIe s., mettre à mort par pendaison ; lat. pop. **pendĕre,* en lat. class. *pendēre.* || **pendant** 1138, Gaimar, adj. ; fin XIe s., *Gloses de Raschi,* n. m. ; part. prés. de *pendre ;* début XVe s., prép., d'après les locutions *le terme pendant, ce temps pendant* (1265, Br. Latini), conformément à l'emploi de *pendens* en procédure. || **cependant** 1272, Joinville (*tout ce pendant*) ; début XIVe s. (*cependant*). || **pendable** 1283, Beaumanoir. || **pendaison** 1644, Saint-Amant. || **pendeur** 1260, G. ; 1677, Dassié, mar. || **pendage** 1776, Brunot, techn. || **penderie** 1539, R. Est. || **pendard** 1380, du Cange, « bourreau » ; 1549, R. Est., sens mod. || **pendoir** XIIIe s., *Ordonnance* (*pendouer*). || **pendentif** 1561, Ph. Delorme, d'abord archit. ; lat. *pendens, -entis,* part. prés. de *pendere.* || **pendiller** 1215, Gatineau. || **pendillon** 1690, Grignan. || pendouiller 1949, Lar. || **pendu** n. m., XIIIe s. || **rependre** début XIVe s. (V. APPENDRE, PENDELOQUE, PENTE, SOUPENTE, SUSPENDRE.)

pendule 1646, Mersenne (*funependule*), corps mobile oscillant ; 1658, Huygens (*pendule*), n. m. ; 1664, *Compte des bât. du roi,* n. f., horloge ; lat. scient. *funependulus,* « suspendu à un fil », du lat. *funis,* corde, et de *pendulus,* « qui est suspendu », de *pendere* (v. PENDRE). || **penduler** 1963, Lar. ; 1941, Frison-Roche, alpinisme. || **pendulette** 1893, *D. G.* || **pendulier** 1808, Boiste. || **penduliste** 1803, Gattel. || **pendulaire** 1867, Faye.

***pêne** 1175, Chr. de Troyes ; altér. de *pesle* (XIIe-XVIIe s.), du lat. *pessŭlus,* verrou (gr. *passalos,* cheville).

pénéplaine 1903, Lar. ; angl. *peneplain,* de *péné,* presque, lat. *paene,* et *plaine,* de *plain,* lat. *planus,* plat.

pénétrer 1314, Mondeville ; lat. *penetrare.* || **pénétrant** adj., 1314, Mondeville ; n. f., 1953, Lar. || **pénétré** 1686, Fénelon, « convaincu ». || **pénétrable** 1370, Oresme ; lat. *penetrabilis.* || **pénétrabilité** 1501, F. Le Roy. || **impénétrable** fin XIVe s. ; lat. *impenetrabilis.* || **impénétrabilité** 1650, Pascal. || **pénétration** XIVe s., Gordon ; lat. *penetratio.* || **pénétrance** 1963, Lar. || **pénétratif** XIIIe s., *Simples Médecines.*

péniche 1803, *Mercure de France ;* angl. *pinnace,* du fr. *pinasse,* milieu XVe s. (*pinace*), de l'esp. *pinaza,* de *pino,* pin.

pénicillium 1817, Gérardin (*penicillion*), bot. ; lat. *penicillum,* pinceau. || **pénicillé** 1798, Richard. || **pénicilline** 1949, Lar. ; angl. *penicillin* (1929, Fleming). || **pénicillinémie** 1963, Lar.

***pénil** XIIe s., *Escoufle ;* lat. pop. **pectinĭculum,* de *pecten,* peigne ; par comparaison des poils du pénil (Juvénal).

péninsule 1544, Apian ; lat. *paeninsula,* de *paene,* presque, et *insula,* île. || **péninsulaire** 1556, Saliat ; rare jusqu'en 1836, *Acad.*

pénis 1618, Guillemeau ; lat. *penis,* queue (des quadrupèdes).

pénitence 1050, *Alexis ;* lat. *poenitentia,* de *poenitens,* au sens chrét., part. prés. de *poenitere,* se repentir. || **pénitent** 1370, Oresme, adj. ; XVe s., Basselin, n. ; lat. *poenitens.* || **pénitentiel** XVIe s., Pithou, eccl., même étym. || **pénitentiaire** 1806, Thouvenel, n. m., « pénitencier » ; 1828, Lucas, adj. || **pénitentiaux** 1374, G. (*pénitential*) ; lat. eccl. *poenitentialis.* || **pénitencier** XIIIe s., n. m., prêtre ; lat. *poenitentiarius ;* XVe s., adj. (*maison pénitencière*) ; 1842, *Acad.,* n. m., sens mod., admin. judic. || **pénitencerie** XVe s., « maison de pénitence » ; 1690, Furetière, eccl., fonction de pénitencier. || **impénitent** fin XIVe s. ; lat. eccl. *impoenitens.* || **impénitence** 1488, *Mer des hist. ;* lat. eccl. *impoenitentia.*

pénitencier V. PÉNITENCE.

***penne** 1050, *Alexis,* « plume, aile », et « plume pour écrire » ; réfection d'une forme pop. *panne,* du lat. *penna,* plume (v. PANNE 1 et 2). || **pennage** 1525, Crétin. || **penné** XIIIe s., Tobler-Lommatzsch (*panné*) ; 1774, Brunot (*pinné*) ; 1814, Nysten (*penné*) ; lat. *pennatus.* || **pennon** 1130, *Eneas* (*penon*), « drapeau triangulaire ». || **penon** 1773, Bourdé, mar. || **penniforme** 1768, Bomare. || **empenner** 1080, *Roland,* garnir de plumes. || **empennage** 1836, *Acad.* || **empenne** 1701, Furetière. || **empennelle** 1691, Ozanam. || **paripenné** 1838, *Acad. ;* lat. *par,* pareil. || **pennatifide** 1814, Nysten ; lat. *pennatus,* qui a des pointes, et *findere,* fendre.

penny 1558, Perlin (*penni*) ; 1765, *Encycl.* (*penny*) ; mot angl.

pénombre V. OMBRE.

***penser** 980, *Passion ;* bas lat. *pensāre,* « penser », en lat. class. « peser, juger », fréquentatif de *pendere,* peser (v. PANSER, PESER). || **pensée** 1120, *Ps. de Cambridge,* « ce qu'on pense ». || **arrière-pensée** 1587, La Noue, rare avant 1798, *Acad.* || **pensée** 1512, J. Lemaire de Belges, espèce de fleur (symbole du souvenir). || **pensement** 1188, Aimon. || **penser** n. m., 1160, *Roman de Tristan.* || **penseur** XIIIe s., G., devenu usuel seulem. au XVIIIe s. || **pensif** 1050, *Alexis.* || **pensant** XIIIe s., *R. de Cambrai,* « pensif » ; XVIIe s., sens mod. || **pense-bête** 1949, Lar. || **pensable** XIIIe s., G. || **impensable** fin XIXe s. || **repenser** fin XIIe s. (V. BIENPENSANT.)

pension 1212, Anger, « paiement » ; 1679, Retz, « gages » ; XVe s., annuité versée par l'État ; XVIIe s., somme versée pour l'entretien d'un enfant ; 1606, Crespin, hôtel ; 1740, *Acad.,* maison d'éducation ; lat. *pensio,* « paiement », proprem. « pesée », de *pensus,* part. passé de *pendere,* peser, d'où « payer ». || **pensionner** 1340, *Tombel de Chartrose,* rare avant le XVIIIe s. || **pensionnaire** 1323, Varin, qui reçoit une pension ; 1596, Hulsius, commensal ; 1680, Richelet, élève ; même évol. de sens que *pension.* || **pensionnat** 1788, Féraud. || **demi-pension, demi-pensionnaire** XIXe s.

pensum 1740, *Acad ;* mot lat. signif. « poids » (de la laine filée chaque jour), d'où « tâche, devoir » ; puis sens actuel de « punition ».

pent(a)-, gr. *pente,* « cinq ». || **pentacorde** 1721, Trévoux (*pentachorde*) ; lat. *pentachordus,* du gr. *pentachordon.* || **pentacrine** 1842, *Acad. ;* gr. *krinon,* « lis ». || **pentadécagone** 1765, *Encycl.* || **pentaèdre** 1803, Morin. || **pentagone** XIIIe s., *Comput ;* 1377, Oresme ; bas lat. *pentagonum,* gr. *pentagonon,* de *gônia,* angle. || **pentagonal** 1553, *Doc.* || **pentagramme** 1615, Montlyard ; gr. *pentagrammon,* de *grammê,* trait. || **pentamère** 1817, Latreille, zool. || **pentamètre** 1491, Vaganay ; lat. *pentameter,* gr. *pentametros.* || **pentane** 1874, Lar. || **pentapétale** fin XVIIIe s. || **pentapole** 1732, Trévoux ; gr. *pentapolis.* || **pentarchie** 1839, Boiste ; gr. *pentarkhiai,* conseil d'amirauté. || **pentasyllabe** 1838, *Acad.* || **pentatonique** 1962, Robert. || **pentode** ou **penthode** 1949, Lar. (1919, en angl.).

pentateuque XVe s. (*penthateucon*) ; gr. *pentateukhos,* de *penta,* cinq, et *teukhos,* « instrument », d'où « livre ».

pentathlon 1581, Du Choul (*pentathle*) ; début XXe s., forme mod. ; lat. *pentathlum,* en gr. *pentathlon,* de *athlos,* combat.

***pente** 1358, G. ; lat. pop. **pendita,* part. passé, substantivé au fém., de **pendere* (v. PENDRE). || **penture** 1294, G., techn. ; lat. pop. **penditura.* || **contrepente** 1694, Th. Corneille. (V. SOUPENTE.)

pentecôte 980, *Passion* (*pentecostem*) ; 1138, Gaimar (*pentecoste*) ; lat. eccl. *pentecoste* (*Vulgate*), du gr. *pentekostê,* cinquantième (jour après Pâques).

penthémimère 1842, *Acad. ;* lat. *penthemimeres,* du gr. *penthêmimerês,* de *penta,* cinq, *hemi,* « demi », et *meros,* « partie ».

Penthotal n. déposé, 1949, Lar. ; de *penthiobarbital,* de *penta, thio-* (gr. *theîon,* soufre) et *-barbital,* de *barbiturique.*

pénultième VIIIe s., *Algorisme* (*penultime*) ; 1268, É. Boileau (*pénultième*) ; lat. *paenultimus,* de *paene,* presque, et *ultimus,* dernier, et avec *-ième* d'après *deuxième, troisième,* etc. || **antépénultième** 1760, Voltaire.

pénurie 1468, Lebègue ; vulgarisé au XVIIIe s. ; lat. *penuria.*

péon fin XIIe s., *Roman d'Alexandre,* « fantassin » ; lat. *pedo, pedonis ;* 1875, Lar., repris à l'esp. *peón,* « journalier ».

péotte 1687, Desroches ; vénitien *peotta,* pilote, gr. *pêdôtes,* en ital. commun *pedotta,* grande gondole légère.

pépée 1867, Delvau, pop. ; réalisation enfantine du mot *poupée.*

pépère V. PÈRE.

pépérin 1694, Th. Corn., géol. ; ital. *peperino,* du bas lat. *piperinus* (*lapis*), de *piper* (v. POIVRE).

pépettes 1867, Delvau, pop., « pièces de monnaie » ; orig. inconnue.

***pépie** 1279, *le Castoiement,* méd. ; *avoir la pépie,* 1580, Montaigne ; lat. *pituita,* proprem. « humeur, coryza » et « pépie » (v. PITUITE), devenu en lat. pop. **pītīta,* puis **pīppīta,* par assimilation.

pépier XIVe s., du Cange (*pipier*) ; 1540, Yver (*pépier*) ; lat. *pippare,* sur un rad. onomat. **pipp-/pepp-.* || **pépiement** 1611, Cotgrave.

1. **pépin** 1160, Benoît ; 1883, Esnault, inclination ; 1897, Esnault, ennui ; d'une rac. **pipp-,* exprimant l'exiguïté (v. PETIT, PÉPITE). || **pépinière** XIVe s., du Cange ; 1647, Vaugelas, fig. || **pépiniériste** 1690, La Quintinie.

2. **pépin** 1862, Larchey, fam., « parapluie » ; du nom de *Pépin,* personnage qui entrait en scène avec un grand parapluie, dans *Romainville ou la Promenade du dimanche,* vaudeville joué aux Variétés en 1807.

pépite 1648, Vincent Le Blanc (*pepitas,* pl.) ; 1714, L. Feuillée (*pépite*) ; esp. *pepita,* pépin.

péplum 1551, G. (*peple*) ; début XVIIe s. (*péplum*) ; mot lat., du gr. *peplon,* tunique.

pépon fin XVe s., Molinet, « melon » ; 1791, Valmont, « courge » ; lat. *pepo, -onis,* courge, du gr. *pepôn.*

peppermint 1903, Lar. ; mot angl. signif. « menthe poivrée », de *pepper,* poivre, et *mint,* menthe.

pepsine 1855, Nysten, de *pepsie* (1765, *Encycl.*), digestion ; gr. *pepsis,* cuisson, digestion, de *pessein,* « cuire » et « faire digérer ». || **peptique** 1694, Th. Corneille. || **peptide** 1932, Lar. || **peptination** 1932, Lar. || **peptogène** 1878, Lar. || **peptone** 1868, Souviron. || **peptonification** 1878, Lar. || **peptoniser** 1884, Bouchut. || **peptonurie** 1903, Lar. ; gr. *oûron,* urine. (V. DYSPEPSIE.)

péquenaud 1905, Esnault (*péquenot*) ; de *pékin,* bourgeois.

per-, préfixe intensif ; lat. *per-.* || **perborate** 1923, Lar. || **peroxyde** 1827, *Acad.* || **peroxyder** 1869, L.

percale 1666, Thevenot (*percalen*) ; 1701, Furetière (*percale*) ; persan *pārgālā,* par l'intermédiaire de l'Inde. || **percaline** 1829, Boiste.

percepteur, perceptible, perception V. PERCEVOIR.

***percer** 1080, *Roland* (*percier*) ; lat. pop. **pertūsiare,* de *pertūsus* (v. PERTUIS), part. passé de *pertundere,* trouer, percer. || **perçant** adj., 1342, Bruyant. || **percée** 1750, Schlutter, techn. ; 1798, *Acad.,* action de passer malgré un obstacle ; 1845, Besch., mil. || **percement** 1500, *Bronnem.* || **perçage** XVe s., G., techn. || **perceur** XVIe s. || **perceuse** 1903, Lar., techn. || **perçoir** 1196, J. Bodel. || **percerette** 1671, Pomey, techn. || **perce** 1494, A. Thierry (*mettre à perce*) ; fr. mod. *mettre en perce ;* déverbal de *percer.* || **perce-bois** 1751, *Encycl.* || **perce-carte** 1842, *Acad.* || **perce-muraille** 1768, Valmont. || **perce-neige** 1660, Oudin. || **perce-oreille** 1530, Palsgrave (*persoreille*). || **perce-pierre** 1550, Guéroult, zool. ; 1690, Furetière, bot. || **transpercer** début XIIe s.

***percevoir** 1120, *Ps. de Cambridge* (*parceivre*) ; 1175, Chr. de Troyes (*percevoir*) ; lat. *percĭpere,* « saisir par les sens » ; 1370, Oresme, « recueillir les impôts » (a remplacé dans ce sens *apercevoir*), empl. repris au lat. impér. || **perceptible** 1372, Corbichon ; lat. *perceptibilis,* d'empl. philos. || **perceptiblement** 1660, Oudin. || **imperceptible** XIVe s., *Nature à alchimie ;* lat. médiév. *imperceptibilis.* || **perceptibilité** 1760, Ch. Bonnet. || **perceptif** 1370, Oresme, « qui reçoit » ; 1754, Gohin, psychol. || **perception** 1170, *Rois,* « fait de recevoir le Saint-Esprit » ; lat. *perceptio,* action de recueillir ; 1611, Cotgrave, « modification de la monade chez Leibnitz » ; 1762, Rousseau, psychol. ; 1370, Oresme, fin. ; d'après d'autres sens du lat. *perceptio.* || **perceptionnisme** 1882 ; de l'angl. || **perceptionniste** 1963, Lar. || **percepteur** 1432, *Doc.,* fin. ; lat. *perceptus,* part. passé de *percipere,* recueillir ; rare avant 1789, *le Moniteur.* || **aperception** fin XVIIe s., Leibniz. || **apercevoir** 1080, *Roland,* « reprendre connaissance » (sens disparu au XVe s.). || **aperçu** 1760, V. Mirabeau ; part. passé substantivé. || **apercevable** 1349, *Ordonn.* || **inaperçu** 1789, Necker.

1. ***perche** 1175, Chr. de Troyes, zool. ; lat. *perca* (gr. *perkê*).

2. ***perche** [de bois] 1112, *Voy. saint Brendan ;* lat. *pertĭca.* || **percher** 1314, Mondeville, « se mettre debout » ; 1354, *Modus,* sens mod. || **perchette** 1240, G. de Lorris. || **percheur** 1827, *Acad.,* ornith. || **perchoir** début XVe s. (*percheur*), étagère ; 1584, Du Monin (*perchoir*), sens mod. || **perchis** 1701, Furetière, sylvic. || **perchée** 1553, Rab., ensemble d'oiseaux ; 1836, *Acad.,* vitic. || **perchiste** 1896, Goncourt, cirque ; 1973, *J. O.,* sport.

percheron 1837, *Maison rustique,* race de chevaux originaire du Perche.

perclus 1440, Ch. d'Orléans ; lat. méd. *perclusus,* perclus, du part. passé de *percludere,* « obstruer », de *claudere* (v. CLORE).

percnoptère 1803, Boiste, zool. ; gr. *perknopteros,* de *perknos,* noirâtre, et *pteron,* aile.

percolateur 1856, *Petit Journal pour rire ;* lat. *percolare,* filtrer, de *colare* (v. COULER). || **percolation** 1932, Lar.

percussion V. PERCUTER.

percuter 980, *Valenciennes,* « transpercer » ; lat. *percutere,* « frapper violemment » ; XVIIe s., sens mod., rare avant XIXe s. || **percutant** adj., 1875, Lar. || **percussion** fin XIIe s., *Renaut de Montauban,* souffrance ; 1314, Mondeville, action de frapper ; lat. *percussio.* || **percuteur** 1265, J. de Meung, oppresseur ; 1868, L., techn.

***perdre** IXe s., *Eulalie ;* lat. *perdĕre.* || ***perte** 1050, *Alexis ;* lat. pop. **perdĭta,* part. passé, subst. au fém., de *perdĕre.* || **perdant** 1288, J. de Journy, n. ; v. 1950, d'après l'angl. *looser.* || **perdable** XIIIe s. || **imperdable** 1721, Trévoux. || **perdeur** XIVe s. || **perdition** 1080, *Roland* (*perdiciun*), sens moral ; lat. eccl. *perditio* (Ve s., saint Avit) ; XIIIe s., perte, ruine, d'après le sens de *perdre.* || **déperdition** 1314, Mondeville ; lat. *deperdere,* d'après *perdition.* || **reperdre** 1160, Benoît. (V. ÉPERDU.)

perdreau 1373, Gace de La Buigne (*perdriel*) ; 1534, B. Des Périers (*perdreau*) ; forme francisée de *perdrial* (XIIe s.) ; forme parallèle à l'anc. prov. *perdigal,* du lat. *perdix,* perdrix, et *gallus,* coq.

perdrigon 1538, J. de Matignon (*perdrigonne*) ; 1577, Belleau (*perdigoine*) ; 1605, V. de La Fresnaye (*perdrigon*) ; altér., d'après *perdrix,* du prov. *perdigon,* perdreau

***perdrix** 1170, *Rois* (*perdriz*) ; anc. fr. *perdix,* du lat. *perdis, -icis,* avec un deuxième *r,* peut-être dû à l'attraction de *perdre,* et *x* graphique repris au latin.

perdurer 1120, *Ps. de Cambridge* (*pardurer*) ; lat. *perdurare,* subsister.

***père** 980, *Passion* (*paire*) ; 1050, *Roland* (*pere*) ; lat. *patrem,* acc. de *pater.* || **pépère** 1833, Balzac, redoublem. enfantin de *père ;* 1920, Bauche, fam., « gros homme », et, adj., « important, confortable », etc. || **pérot** 1465, G., sylvic., dimin. de *père.* (V. PATERNE, PATERNEL, etc.)

pérégrination 1120, *Ps. de Cambridge* (*peregrinatiun*), « pèlerinage » ; lat. *peregrinatio,* de *peregrinari,* « voyager à l'étranger ». || **pérégrin** 1120, *Ps. d'Oxford,* voyageur ; lat. *peregrinus.* || **pérégriner** XIVe s., Gilles li Muisis ; lat. *peregrinari.* || **pérégrinité** 1552, Rab., chose inconnue ; 1765, *Encycl.,* sens hist. ; lat. *peregrinitas.* (V. PÈLERIN.)

péremptoire 1283, Beaumanoir, jur. ; 1354, *Modus,* sens mod. ; lat. jur. *peremptorius,* de *perimere* (v. PÉRIMER). || **péremptoirement** 1349, Varin. || **péremption** 1546, R. Est. ; lat. jur. *peremptio.*

pérennité 1160, Benoît ; lat. *perennitas,* de *perennis,* « qui dure toute l'année », de *per* et *annus* (v. *année* à AN). || **pérenne** 1588, Montaigne ; lat. *perennis.* || **pérenniser** milieu XVIe s., Ronsard.

péréquation 1442, *Doc.,* « répartition équitable de l'impôt » ; lat. jur. *peraequatio,* de *peraequare,* « égaliser », de *aequus,* égal.

perfectible 1765, Voltaire ; lat. *perfectus* (v. PARFAIT, PERFECTION). || **perfectibilité** 1755, Rousseau. || **imperfectible** 1803, Boiste. || **imperfectibilité** 1823, Boiste.

perfectif 1458, *Mystère,* parfait ; 1933, Marouzeau, ling. ; lat. *perfectus,* achevé, de *perficere.*

perfection 1155, Wace ; XIVe-XVe s., égalem. « achèvement » ; lat. *perfectio,* de *perfectus,* part. passé de *perficere,* « achever », de *facere,* « faire ». || **perfectionner** milieu XVe s. || **perfectionnement** 1725, abbé de Saint-Pierre. || **perfectionnisme** 1955, Lagache. || **perfectionniste** 1845, Besch. || **imperfection** 1120, *Ps. d'Oxford ;* bas lat. *imperfectio.*

perfide Xe s., *Saint Léger ;* rare jusqu'en 1606, Nicot ; lat. *perfidus,* proprem. « qui viole sa foi », de *fides* (v. FOI). || **perfidement** 1642, Oudin. || **perfidie** 1308, Aimé ; lat. *perfidia.*

perfolié 1755, Duhamel ; lat. *per* et *folium,* feuille.

perforer 1170, *Rois ;* lat. méd. *perforare.* || **perforation** 1398, *Somme Gautier ;* lat. *perforatio.* || **perforage** 1876, *J. O.,* techn. || **perforant** 1765, *Encycl.,* anat. || **perforateur** 1847, Besch. || **perforatrice** 1813, Gérard. || **perforeuse** 1962, Robert, techn.

performance 1839, *Journal des haras ;* angl. *performance,* de l'anc. fr. *parformance* (XVIe s.), de *parformer,* « accomplir », de *former.*

perfusion fin XIVe s., « action de répandre » ; 1923, Lar., méd., sur le modèle de *transfusion.* (V. *fusion* à FUSER.)

pergola 1903, Lar. (*pergole*) ; 1923, Lar. (*pergola*) ; ital. *pergola,* du lat. *pergula,* treille, berceau ; sorte de tonnelle.

1. **péri** 1697, d'Herbelot, d'abord masc. et fém., puis seulement fém., mythol. ; persan *perî,* ailé.

2. **péri-,** gr. *peri,* autour. || **péricolite** 1932, Lar. || **péricycle** 1882, Van Tieghem. || **péricystite** 1869, L. || **périderme** *id.* || **périglaciaire** 1953, Cailleux. || **périhépatite** 1903, Lar. || **périnatal** 1963, Lar. || **périnéphrite** 1869, L. || **périnévrite** 1903, Lar. || **périphlébite** 1903, Lar. || **péripneumonie** 1363, Chauliac. || **périscolaire** 1957, *journ.* || **périsplénite** 1877, L. ; gr. *splên, splênos,* rate. || **péri-urbain** 1966, *journ.*

périanthe 1765, *Encycl.* (*perianthum*) ; 1797, Richard (*perianthe*) ; lat. bot. mod. *perianthum,* du gr. *anthos,* fleur, et *peri,* autour ; ensemble des enveloppes de la fleur.

péribole 1690, Furetière, « galerie d'un navire » ; 1752, Trévoux, sens mod. ; lat. *peribolus,* en gr. *peribolos* (*peri,* autour).

péricarde 1363, Chauliac (*pericade*) ; 1560, Paré (*péricarde*), anat. ; gr. *perikardion,* « autour du cœur », de *peri,* autour, et *kardia,* cœur. || **péricardite** 1806, Capuron. || **péricardique** 1842, *Acad.*

péricarpe 1556, R. Le Blanc ; gr. *perikarpion.* (V. CARPE 2.)

périchondre 1765, *Encycl.,* anat. ; gr. *perikhondrion,* de *peri,* autour, et *khondrion,* cartilage. || **périchondrite** 1869, L.

péricliter 1320, *Poème français,* « faire naufrage, périr » ; 1649, Scarron, « être en danger » ; lat. *periclitari,* de *periculum* (v. PÉRIL).

péridot XIIe s., Studer (*peridon*) ; 1220, du Cange (*péritot*) ; 1634, G. (*péridot*), minér. ; orig. inconnue.

périgée 1557, de Mesmes ; gr. *perigeios,* de *peri,* autour, et *gê,* terre ; point de l'orbite d'un astre le plus voisin de la Terre.

périhélie 1690, Furetière, astron. ; gr. *peri,* autour, et *helios,* soleil.

***péril** 980, *Valenciennes* (*l* mouillé jusqu'au XIXe s.), malheur ; 1080, *Roland,* « danger » ; lat. *perīcŭlum,* « épreuve ». || **périlleux** XIIe s., *Roman de Thèbes* (*perillos*) ; lat. *periculōsus.* || **périlleusement** 1196, J. Bodel.

périmer 1464, G. (*perimir*) ; 1493, G. (*périmer*), jur. ; lat. jur. *perimere,* proprem. « détruire » (v. PÉREMPTOIRE). || **périmé** 1841, Chateaubriand, fig.

périmètre 1538, Chauliac ; gr. *perimetros,* de *peri,* autour, et *metron,* mesure.

périnée 1534, Rab., anat. ; gr. *perineos* (*peri,* autour). || **périnéal** 1812, Mozin.

période 1270, Mahieu le Vilain (*peryode*), en parlant du temps ; n. m., 1588, Montaigne ; 1596, Hulsius, rhét. ; bas lat. *periodus* (gr. *periodos*), « circuit », appliqué au mouvement des astres, de *peri,* autour, et *hodos,* chemin. || **périodique** 1398, *Somme Gautier,* à intervalles réguliers ; 1671, Pomey, rhét. ; XIXe s., revue ; bas lat. *periodicus.* || **périodiquement** 1611, Cotgrave. || **périodicité** 1665, Chapelain.

périœciens milieu XVIe s. (*perieciens*), géogr. ; gr. *perioikoi,* de *peri,* autour, et *oikein,* habiter.

périoste 1538, Chauliac (*periostion*) ; 1560, Paré (*périoste*), anat. ; gr. *periosteon,* de *peri,* autour, et *osteon,* os. || **périostose** 1803, Boiste. || **périostite** 1823, *Dict. méd.*

péripatétique 1370, Oresme ; lat. *peripateticus,* du gr. *peripatêtikos,* de *peri,* autour, et *peripateîn,* se promener, en raison de l'habitude qu'avait Aristote d'enseigner en se promenant. || **péripatéticien** 1370, Oresme ; n. f., milieu XIXe s., Baudelaire, fam., « prostituée », par ironie. || **péripatétisme** 1660, G. Patin.

péripétie 1605, Vauquelin, dernier événement d'une pièce ; 1740, *Acad.,* événement imprévu ; gr. *peripeteia,* « événement imprévu », de *peri,* autour, et *piptein,* tomber.

périphérie 1270, Mahieu le Vilain (*peryfere*) ; 1544, Apian (*périphérie*) ; bas lat. *peripheria* (Ve s., *Capella*), gr. *peripheria,* « circonférence », de *pherein,* porter. || **périphérique** 1838, *Acad.*

périphrase 1529, Bonivard ; lat. *periphrasis,* mot gr., de *periphrazein,* « parler par circonlocutions », de *phrazein,* parler. || **périphrastique** 1555, Aneau (*periphrastic*). || **périphraser** fin XVIe s.

périple 1629, Bergeron ; lat. *periplus,* du gr. *periplous,* de *peri,* autour, et *pleîn,* naviguer.

périptère 1559, J. Gardet ; lat. *peripteros,* du gr. *peri,* autour, et *pteron,* aile.

***périr** 1050, *Alexis* (*perir*) ; lat. *perīre,* « aller à travers », de *ire,* aller, d'où « disparaître, mourir » ; prononc. de l'*é* refaite plus tard sur celle du latin. || **périssable** XIVe s., E. Deschamps, « ce qui fait périr » ; XVe s., sens mod. || **impérissable** début XVIe s. || **périssoire** 1867, à l'Exposition universelle ; formation iron. || **dépérir** 1235, G. ; lat. *deperire.* || **dépérissement** début XVIe s.

périsciens 1576, Le Roy ; gr. *periskioi,* de *peri,* autour, et *skia,* ombre ; peuple légendaire des régions où le Soleil fait tourner l'ombre autour du corps en un jour.

périscope 1875, Lar., reptile ; 1907, Lar., mar., d'après *télescope ;* gr. *periskopein,* « regarder autour ». || **périscopique** 1814, Wollaston.

péristaltique début XVIIe s. ; gr. *peristaltikos,* de *peristellein,* « envelopper, comprimer » ; se dit des contractions qui font progresser les matières digestives. || **péristaltisme** 1903, Lar.

péristyle 1547, J. Martin ; lat. *peristylum,* du gr. *peristulon,* de *peri,* autour, et *stulos,* colonne.

péritoine 1363, Chauliac (*peritoneum*) ; 1538, Chauliac (*péritoine*) ; lat. méd. *peritonaeum,* du gr. *peritonaion,* « ce qui est tendu autour », de *teineîn,* tendre. || **péritonite** 1802, *Journ. méd. ;* lat. méd. *peritonitis.* || **péritonéal** 1814, Nysten. || **péritonisation** 1902, Landouzy.

perle 1140, Studer ; 1549, R. Est., personne remarquable ; ital. *perla,* du lat. *perna,* « pinne marine, coquillage perlier ». || **perlé** 1360, Froissart. || **perler** 1610, La Curne, v. tr. ; 1835, Raymond, exécuter avec soin ; v. intr., 1844, Dumas. || **perlage** 1963, Lar. || **perlette** fin XIVe s. || **perlière** adj., 1686, Exmelin. || **perlite** 1812, Mozin. || **perlure** 1578, Ronsard, vén. || **perlot** 1877, *J. O.,* petite huître.

perlimpinpin (*poudre de*) 1690, Richelet ; formation plaisante.

Perlon 1948, Lar., nom déposé ; de *perle* et suffixe *-on* (v. NYLON).

1. **perlot** V. PERLE.

2. **perlot** 1866, Delvau, arg., « tabac » ; orig. douteuse, peut-être de *perle*.

permanent 1370, Oresme ; début XXe s., personne, n. m. ; lat. *permanens*, part. prés. de *permanere*, durer ; a remplacé l'anc. fr. *parmanant* (XIIe s.), de *parmaindre*, rester, du lat. *permanere*. || **permanence** 1370, Oresme ; début XXe s., local ; lat. médiév. *permanentia*. || **permanencier** 1963, Lar. || **permanente** 1949, Lar.

perméable milieu XVIe s. ; bas lat. *permeabilis* (IIIe s., Solinus), de *per*, à travers, et *meare*, passer. || **perméabilité** 1624, Béguin, « qualité de ce qui coule facilement » ; 1743, Brunot, sens mod. || **perméabiliser** 1949, Lar. || **imperméable** 1546, Rab., rare avant 1770 ; n. m., 1838, Töpffer. || **imperméabiliser** 1858, Legoarant. || **imperméabilité** 1803, Wailly.

permettre 980, *Passion*, rare jusqu'au début du XVe s. ; lat. *permittere*, adapté d'après *mettre*. || **permis** XVIe s., autorisé ; 1667, Boileau, *se croire tout permis*, part. passé. || **permission** 1180, Barbier (*par la Dieu permission*, « par la liberté qu'a Dieu de faire ce qu'il lui plaît », formule eccl. issue de saint Augustin) ; XVe s., sens mod. ; lat. *permissio*, de *permissus*, part. passé de *permittere*. || **permissionnaire** 1680, Richelet, « qui a la permission » ; 1836, *Acad.*, sens mod. || **perm** 1885, Esnault ; abrév. de *permission*. || **permissif** fin XIVe s., *Songe du Verger*, qui permet ; 1949, Lar., laxiste. || **permissivité** 1967, *journ.*

permien 1842, *Acad.* ; du nom de *Perm*, ville russe.

permuter milieu XIVe s., « faire du troc » ; 1570, Carloix, intervertir ; 1835, *Acad.*, faire échange de postes ; lat. *permutare*, de *mutare*, changer. || **permutable** fin XVe s., Molinet (*parmutable*). || **permutabilité** 1834, Landais. || **permutation** 1180, Barbier (*permutacion*), « changement de résidence » ; lat. *permutatio*, changement. || **permutatif** 1972, Lar. || **impermutable** 1370, Oresme (*-muable*) ; 1827, *Acad.* (*-mutable*) ; lat. *impermutabilis*.

perne 1806, Wailly, zool. ; lat. *perna*, « cuisse, jambon ». || **pernette** 1756, *Encycl.*

pernicieux 1314, Mondeville ; lat. *perniciosus*, de *pernicies*, « destruction », de *nex*, *necis*, mort violente (v. NOYER 2). || **pernicieusement** 1516, Desrey. || **perniciosité** 1543, R. Fame, méd.

péroné 1541, Canappe ; gr. *peronê*, « cheville ». || **péronier** 1679, Bourdon.

péronnelle XIVe s. (*Perronnelle*), d'abord nom propre, héroïne de chanson populaire ; 1640, Oudin, *chanter la perronnelle*, « dire des sottises » ; 1658, Scarron, sens mod. ; fém. de *Perron*, dér. de *Pierre*, ou forme fr. du bas lat. *Petronilla*.

pérorer 1380, *Aalma* ; lat. *perorare*, exposer jusqu'au bout, de *orare*, parler, de *os*, *oris*, bouche. || **péroraison** 1580, Montaigne ; lat. *peroratio*, au sens rhét., avec francisation d'après *oraison*, de *perorare* au sens de « conclure un discours ». || **péroreur** 1775, Rousseau. (V. ORAISON.)

pérot V. PÈRE.

pérou 1688, Regnard, « trésor » ; 1793, Larchey, *ce n'est pas le Pérou*, loc. fam. ; du nom du *Pérou*, contrée jadis très riche en mines d'or et d'argent.

perpendiculaire 1380, *Aalma* (*perpendiculer*) ; 1520, La Roche (*perpendiculaire*), « vertical » ; 1637, Descartes, sens mod. ; bas lat. *perpendicularis* (Ier s., Frontin), de *perpendiculum*, fil à plomb, de *perpendere*, « peser, apprécier exactement », de *pendere*. || **perpendiculairement** début XVIe s. || **perpendicularité** 1700, *Hist. Acad. sciences*.

perpétrer 1232, G. (*parpetrer*) ; 1360, Froissart (*perpétrer*) ; lat. *perpetrare*, accomplir, de *patrare*, *id.* || **perpétration** XIVe s. ; lat. eccl. *perpetratio* (IIIe s., Tertullien).

perpétuer 1340, J. Le Fèvre ; *se perpétuer*, 1549, R. Est. ; lat. *perpetuare*, de *perpetuus*, perpétuel, proprem. « qui s'avance de manière continue », de *petĕre*, « se diriger vers ». || **perpétuel** 1236, G. (*perpetual*). || **perpétuellement** 1120, *Ps. de Cambridge*. || **perpétuation** 1422, A. Chartier. || **perpétuité** 1236, Runkewitz ; lat. *perpetuitas*, de *perpetuus*. || **perpète (à)** ou **perpette (à)** 1836, Vidocq, pop.

perplexe 1354, Bersuire (var. *perplex*, jusqu'au XVIIe s.) ; lat. *perplexus*, embrouillé, de *plectere*, tresser. || **perplexité** XIIIe s., G., « ambiguïté de la pensée » ; 1370, Oresme, sens mod. ; bas lat. *perplexitas* (IVe s., Amm. Marcellin).

perquisition XVe s., « action de rechercher » ; XVe s., « recherche judiciaire » ; 1643, *Recueil des lois*, sens mod. ; bas lat. *perquisitio*, recherche, de *perquirere*, rechercher, de *quaerere*, chercher (v. INQUISITION, RÉQUISITION). || **perquisiteur** 1370, Oresme. || **perquisitionner** 1836, Landais.

perré, perron V. PIERRE.

perroquet 1395, Th. de Saluces (*paroquet*) ; 1693, *Doc.,* mar. ; a éliminé en fr. *papegai ;* d'abord nom propre, dimin. de *Pierre,* empl. comme n. propre de l'oiseau à côté du terme générique *papegaut.* || **perruche** 1968, trad. de Dampier ; anc. fr. *perrique,* petit perroquet, de l'esp. *perico,* d'orig. inconnue.

perruque 1465, Picot, « chevelure » ; 1530, Gay, sens mod. ; 1856, Esnault, fraude de l'ouvrier ; ital. *parrucca, perruca,* chevelure. || **perruquier** 1564, J. Thierry. || **perruquer** 1875, Lar.

***pers** 1080, *Roland ;* bas lat. *persus* (VIIIe s., *Reichenau*), persan, sans doute parce qu'on importait de Perse des matières colorantes ou des objets colorés.

perse 1730, Savary ; parce qu'on croyait cette toile peinte (en réalité venue de l'Inde) fabriquée en Perse.

persécuter fin Xe s., *Saint Léger ;* de *persécuteur.* || **persécuteur** 1190, Garn. ; lat. eccl. *persecutor,* « persécuteur des chrétiens », de *persequi,* poursuivre. || **persécution** 1155, Wace ; lat. eccl. *persecutio.*

persévérer 1120, *Ps. de Cambridge ;* lat. *perseverare,* de *severus,* sévère. || **persévérant** adj., 1190, *Saint Bernard.* || **persévérance** 1160, Benoît, continuité ; XIIIe s., sens actuel ; lat. *perseverantia.*

persicaire XIIIe s., *Simples Méd.,* bot. ; lat. *persicaria,* de *persicus,* pêcher, arbre (v. PÊCHE 1). || **persicot** 1694, Ménage (*persico*), « liqueur de pêche » ; de *persicus.*

persienne 1737, Duchêne ; de l'adj. *persien,* (XIVe s.), dér. de *perse,* « persan », cette sorte de volet passant pour venir de la Perse.

persifler V. SIFFLER.

persil XIIe s., Tobler-Lommatzsch (*perresil*) ; XIVe s. (*persil,* avec *l* mouillé en anc. fr.) ; lat. pop. **petrosilium,* lat. class. *petroselinum,* du gr. *petroselinon,* de *petra,* roche, et *selinon,* persil. || **persillade** 1690, Furetière. || **persillé** 1694, *Acad.*

persique 1676, Félibien ; lat. *persicus,* « de Perse ». (V. PÊCHE 1, PERS, PERSE, PERSICAIRE, PERSIENNE.)

persister 1321, *Doc. ;* lat. *persistere,* de *sistere,* placer. || **persistant** 1321, *Doc.,* adj. || **persistance** 1460, G. Chastellain (*persistence*).

personne fin XIe s., *Chanson Guillaume ;* lat. *persona,* d'orig. étrusque, « masque de théâtre », puis « personnage », et, dès le lat. class., « personne » ; XIIIe s., pron. négatif. || **persona grata** 1888, Lar., loc. ; de *persona,* personnage, et *grata,* bienvenu. || **personnage** 1226, G., « charge eccl. » et « dignitaire eccl. » ; XVe s., Commynes, sens mod. || **personnifier** 1673, Boileau. || **personnification** 1772, Piron. || **personnel** adj., 1190, Garn., gramm. ; 1283, Beaumanoir, sens gén. ; fin XVIIe s., Saint-Simon, « égoïste » ; bas lat. *personalis,* gramm., jur. et eccl. || **personnel** n. m., 1835, *Acad.,* peut-être d'après l'all. *Personal.* || **personnellement** 1212, Anger. || **personnalité** 1495, Vignay ; lat. *personalitas,* de *personalis.* || **personnalisme** 1737, Brunot, « égoïsme » ; de *personnel ;* 1903, Renouvier, philos. ; d'après l'angl. *personalism.* || **personnaliste** 1887, Paul Janet, philos. || **personnaliser** 1704, Trévoux, « personnifier » ; 1768, Rousseau, « se livrer à des attaques personnelles » ; XXe s., « donner un caractère personnel à ». || **personnalisation** 1845, Radonvilliers. || **dépersonnaliser, dépersonnalisation** 1898. || **impersonnel** 1190, Garnier (*-nal*), gramm. ; 1863, Renan, philos. ; fin XIXe s., impartial ; XXe s., sans originalité ; lat. gramm. *impersonalis.* || **impersonnellement** XVe s., G. || **impersonnalité** 1765, *Encycl. méth.*

perspectif 1270, Mahieu le Vilain, relatif à la réfraction ; 1545, J. Martin, en peinture ; 1665, A. Bosse, sens mod. ; bas lat. *perspectivus,* de *perspectus,* part. passé de *perspicere,* « pénétrer par le regard ». || **perspective** 1270, Mahieu le Vilain, « réfraction » ; 1547, J. Martin, peinture, d'après l'ital. *prospettiva ;* 1676, Sévigné, fig. || **perspectivisme** 1963, Lar. || **perspectiviste** *id.*

perspicace 1495, Vignay (*perspicax*) ; rare jusqu'en 1788, Féraud ; lat. *perspicax,* de *perspicere* (v. le précéd.). || **perspicacement** 1970, Robert. || **perspicacité** milieu XVe s. ; bas lat. *perspicacitas.*

perspicuité fin XIVe s., « transparence » ; 1538, R. Est., empl. mod. ; lat. *perspicuitas,* de *perspicere* (v. le précéd.).

perspiration 1538, Canappe, méd. ; lat. *perspiratio.* (V. RESPIRATION.)

persuader 1370, Oresme ; lat. *persuadere,* de *suadere,* conseiller. || **persuasion** 1315, *Doc. ;* lat. *persuasio.* || **persuasif** milieu XIVe s. ; bas lat. *persuasivus.*

perte V. PERDRE.

pertinace 1265, Br. Latini ; lat. *pertinax,* tenace, de *tenere,* tenir. || **pertinacité** 1419, *Ordonn. ;* bas lat. *pertinacitas.*

pertinent 1300, Langlois, jur. ; lat. *pertinens,* part. prés. de *pertinere,* concerner, de *tenēre,* tenir ; fin XIVe s., approprié ; 1943, Marouzeau, ling. || **pertinence** 1320, G. ; 1963, Lar., ling. || **pertinemment** milieu XIVe s. || **impertinent** 1327, Isambert, droit ; 1564, Livet, choquant ; 1707, Lesage, sens actuel ; bas lat. *impertinens,* qui ne convient pas (sens fr. jusqu'au XVIIIe s.). || **impertinence** 1460, Martial d'Auv.

pertuis début XIIe s., *Voy. Charlemagne ;* anc. fr. *pertuisier* (fin XIe s., *Gloses de Raschi*) encore au XVIe s., d'après *pertuise,* forme accentuée de l'indic. prés. ; du lat. pop. **pertusium,* du verbe **pertusiāre* (v. PERCER).

pertuisane 1468, du Cange (*pourtisaine*) ; 1564, J. Thierry (*pertuisane*) ; ital. *partigiana,* de *parte,* part, du lat. *pars, partis* (v. PART 1). || **pertuisanier** 1680, Richelet.

perturber 1130, *Job ;* rare entre le XVIIe s. et le XIXe s. ; lat. *perturbare,* troubler fortement, de *turbare* (v. TROUBLER). || **perturbation** fin XIIIe s. ; lat. *perturbatio.* || **perturbateur** 1283, Beaumanoir (*perturbeor*) ; 1418, G. (*perturbateur*) ; bas lat. *perturbator* (Ve s.). || **imperturbable** 1403, *Internele Consolacion ;* bas lat. *imperturbabilis.* || **imperturbablement** 1548, Rab. || **imperturbabilité** 1682, Bossuet.

pervenche 1240, G. de Lorris ; lat. *pervinca.*

pervers 1120, *Ps. de Cambridge* (*purvers*) ; 1190, Garn. (*pervers*) ; lat. *perversus,* part. passé de *pervertere,* renverser, retourner, de *vertere,* tourner. || **perversement** milieu XIIe s. || **pervertir** *id. ;* lat. *pervertere.* || **perversité** 1190, *saint Bernard ;* lat. *perversitas.* || **perversion** 1308, Aimé ; lat. *perversio.* || **pervertissement** milieu XVe s. || **pervertisseur** milieu XIIe s.

pesade fin XVIe s. (*posade*) ; 1611, Cotgrave (*pesade*), équit. ; ital. *posata,* action de se poser, du bas lat. *pausare,* s'arrêter.

***peser** 1050, *Alexis,* « être pénible à » (formes accentuées *peis-, pois-* jusqu'au XVIe s.) ; fin XIIe s., sens actuels ; lat. pop. **pesare,* class. *pensare,* de *pendere,* peser, d'après le part. passé *pensus* (v. PENSER, POIDS). || **pesant** 1080, *Roland,* pénible, adj. ; 1370, Oresme, alourdissant ; fin XIIIe s., accablant ; *son pesant d'or,* 1155, Wace (*acheter son pesant d'or*) ; XVe s. (*valoir son pesant d'argent*) ; 1538, R. Est. (*valoir son pesant d'or*). || **pesamment** XIIe s., *Chevalier aux deux épées.* || **pesanteur** 1160, Benoît. || **apesanteur** 1957, *journ.,* absence de pesanteur. || **appesantir** 1119, Ph. de Thaon. || **appesantissement** 1570, G. Hervet. || **peseur** 1252, G. || **pesage** début XIIIe s., « droit payé pour les marchandises pesées » ; début XIVe s., action de peser ; 1854, *Guide de Paris* (Hachette), courses. || **pesée** 1344, *D. G.,* part. passé substantivé au fém. || **peson** milieu XIIIe s., petit poids ; XVIIe s., sorte de balance. || **pesette** 1569, *Romania ;* anc. fr. *peise,* balance, de *peis,* poids. || **pèse-acide** 1838, *Acad.* || **pèse-alcool** 1850, Dorvault. || **pèse-bébé** 1875, *journ.* || **pèse-grains** 1873, Tolhausen. || **pèse-lait** 1838, *Acad.* || **pèse-lettre** 1873, Tolhausen. || **pèse-liqueur** 1673, Denis. || **pèse-moût** 1838, *Acad.* || **pèse-sel** 1838, *Acad.* || **pèse-sirop** 1850, Dorvault. || **pèse-vin** 1838, *Acad.* || **soupeser** 1200, J. Bodel (*sozpeser, soupeser*).

peseta 1903, Lar. ; mot esp.

***pessaire** XIIIe s., *Simples Méd. ;* bas lat. *pessarium* (IVe s., Th. Priscien), de *pessum,* du gr. *pessos,* « jeton en forme de gland », d'où « tampon de charpie ».

***pesse** XVIe s., Amyot (*pece*), bot., mot rég. (Franche-Comté, Savoie) ; lat. *picea,* de *pix, picis,* poix (v. ÉPICÉA et POIX).

pessimisme 1759, *Année litt.,* dû à la querelle entre Fréron et Voltaire ; lat. *pessimus,* très mauvais, par oppos. à *optimisme.* || **pessimiste** 1789, *Journ. de Paris.*

peste 1425, O. de La Haye ; 1460, G. Chastellain, personne désagréable ; lat. *pestis,* épidémie. || **pester** 1617, Gournay, v. tr., « traiter de peste » ; XVIIe s., sens mod., v. intr. || **pesteux** milieu XVIe s., Ronsard. || **pesticide** 1963 Lar. || **pestifère** 1355, Bersuire ; lat. *pestifer,* « qui porte la peste », de *ferre,* porter. || **pestiféré** 1503, Chauliac ; de *pestifère.* || **pestilence** 1120, *Ps. d'Oxford* (*chaere de pestilence*) ; lat *pestilentia,* de *pestis.* || **pestilent** 1370, Oresme || **pestilentiel** fin XIVe s. || **antipesteux** 1907, Lar || **empester** 1584, Du Monin (*empesté*). || **malepeste** 1651, Scarron.

***pet** 1260, Rutebeuf ; lat. *pēdĭtum.* || **péter** 1380, *Aalma ;* a éliminé l'anc. *peire, poir* (encore XVe s., Villon) ; lat. *pēdĕre ;* 1835, Raspail, abrév. de *pétard,* scandale. || **péteur** 1380 *Aalma.* || **péteux** XIIIe s. ; 1803, Boiste, « honteux, timide ». || **pétoire** 1743, Trévoux (*canne pétoire*) ; 1903, Lar. (*pétoire*). || **pétoche** 1949 Sartre, pop. || **canepetière** 1534, Rab. (*canne* *petières*) ; *pétière* est une altér. de *péteuse,* par substit. euphémique de suff. || **pet-d'âne** 1778, Lamarck, bot. || **pet-de-loup** 1888, Daudet ; d'après un personnage créé par Nadar en 1849. || **pet-de-nonne** 1795, Guégan (*pet d'Espagne,* 1398, *Ménagier,* même sens ; *pet,* 1718, *Acad.*). || **pète-sec** 1866, Esnault. || **pet-en-gueule** 1534, Rab. || **pet-en-l'air** 1729, *Mercure de France,* « robe de chambre ». || **pétard** 1495, *Doc.* (*pétart*) ; 1869, Larchey, scandale, bruit ; 1847, Esnault, revolver. || **pétarade** XVe s., d'après le prov. *petarrada,* d'abord « série de pets de certains animaux ruant » ; 1648, Scarron, explosions. || **pétarader** 1560, La Curne. || **pétaradant** adj., 1962, Robert. || **pétarder** XVIe s., d'Aubigné. || **pétiller** milieu XVe s. || **pétillement** XVe s., « chatouillement » ; 1636, Monet, sens mod. || **pétaudière** 1694, *Acad.* ; de *Pétaud* (*la cour du roi Pétaud,* 1546, Rab.), nom fantaisiste tiré de *pet, péter.*

pétale 1718, Jussieu ; lat. bot. mod. *petalum* (1649), du gr. *petalon,* feuille.

pétaloïde 1778, Rousseau. || **pétalisme** 1611, Cotgrave, ostracisme.

pétanque 1932, Lar. ; prov. *ped tanco,* « pied fixe » (au sol), d'où *jouer à pétanque,* puis *jouer à la pétanque.* || **pétanqueur** 1970, Robert.

pétarade, pétard V. PET.

pétase 1701, Furetière ; lat. *petasus,* du gr. *petasos.*

pétauriste 1614, Nostredame ; gr. *petauristein,* danser sur la corde ; 1827, *Acad.,* zool.

pétéchie 1564, Liébault (*pétèche*), méd. ; ital. *petecchia,* d'orig. obsc. ; ensemble de petites hémorragies cutanées. || **pétéchial** 1732, Trévoux.

pétiole 1749, Dalibard ; lat. *petiolus,* « queue d'un fruit », proprem. « petit pied ». || **pétiolé** 1766, Rozier.

***petit** 980, *Passion ;* lat. pop. **pittittus* (775, *pititus*), sur un rad. expressif **pitt-* du langage enfantin exprimant la petitesse (cf. le bas lat. *pitinnus,* « petit », et l'ital. *piccolo*). || **petitement** 1265, J. de Meung. || **petitesse** XIe s., *Chanson de Guillaume* (*petitece*). || **petiot** 1379, Delb. || **petit-fils** XIIIe s., *Renart ;* d'après la forme de *grand-père ;* a éliminé *petit-neveu, arrière-neveu* en ce sens. || **arrière-petit-fils** V. ARRIÈRE. || **petite-fille** 1636, Monet. || **petits-enfants** milieu XVIe s. || **petit-beurre** 1934, Montherlant. || **petit-bois** 1765, *Encycl.* || **petit-bourgeois** 1844, Balzac. || **petit-gris** 1621, Oudin. || **petit-maître** fin XVIe s., Brantôme, jeune seigneur ; 1695, La Fontaine, sens actuel. || **petit-suisse** début XXe s. || **gagne-petit** V. GAGNER (où *petit* est adverbe au sens de « peu »). || **rapetisser** milieu XIVe s. (*rapetichier*) ; de l'anc. verbe *apetisser,* XIIe s. || **rapetissement** milieu XVIe s.

pétition 1120, *Ps. d'Oxford,* jur., « action de demander » ; lat. jur. *petitio,* de *petitus,* part. passé de *petere,* « chercher à atteindre, demander » ; 1661, *Logique de Port-Royal, pétition de principe,* log. ; 1704, Clarendon, polit., de l'angl. *petition,* de même étym. || **pétitionnaire** 1603, L'Estourbeillon. || **pétitionner** 1697, Saint-Evremond, de l'angl. *to petition ;* repris v. 1784, Necker. || **pétitionnement** 1697, Saint-Evremond. || **pétitoire** 1378, J. Le Fèvre ; bas lat. *petitorius.*

peton V. PIED.

pétoncle 1555, Belon, zool. ; lat. *pectunculus,* dimin. de *pecten,* peigne.

pétrarquiser 1558, du Bellay, litt. ; du nom de *Pétrarque,* poète italien du XIVe s. || **pétrarquisme** 1842, *Acad.* || **pétrarquiste** 1580, Montaigne.

pétrel 1699, Dampier, zool. ; angl. *pitteral* (1676), pétrel, d'orig. obsc.

pétrifier V. PIERRE.

***pétrin** 1170, *Rois* (*pestrin*) ; 1867, Delvau, ennui ; lat. *pistrinum,* « moulin à blé, boulangerie », puis « pétrin » en gallo-roman. (V. le suiv.)

***pétrir** 1175, Chr. de Troyes (*pestrir*) ; bas lat. *pistrire,* de *pistrix,* « celle qui pétrit », sur le modèle de *nutrix, nutrire* (v. NOURRIR). || **pétrisseur** 1268, É. Boileau (*pestrisseur*). || **pétrissable** 1749, Brunot. || **pétrissage** 1767, Malouin ; a remplacé *pétrissement* (XVe s.). || **repétrir** 1549, R. Est.

pétrole XIIIe s., *Simples Méd. ;* lat. médiév. *petroleum,* de *petra,* pierre, et *oleum,* huile ; *bleu pétrole,* v. 1950. || **pétrolerie** 1867, *le Moniteur universel.* || **pétroleur, -euse** 1871, à propos des incendies de mai 1871 à Paris. || **pétroler** 1871, *le National.* || **pétrolage** 1906. || **pétrolier** 1903, Lar., mar. ; début XXe s., adj., « du pétrole ». || **pétrolifère** 1867, *le Moniteur universel.* || **pétrolette** 1895, *Locomotion autom.* || **pétrochimie** 1963, Lar. || **pétrodollar** 1975, Lar. || **pétrolisme** 1963, Lar.

pétulant début XIVe s., Gilles li Muisis ; lat. *petulans,* « querelleur », de *petere,* chercher à atteindre (v. PÉTITION). || **pétulance** 1372, Oresme, et 1529, L. Lassere, « insolence » ; 1676, Maucroix, sens mod. ; lat. *petulantia.*

petun 1555, Barré ; port. *petum,* du tupi *petyma* (Brésil). || **pétuner** 1603, Champlain. || **pétunia** 1823, Boiste (*pétunie*) ; 1868, L. (*petunia*), lat. bot. mod.

***peu** 1050, *Alexis* (*pou, poi*) ; 1170, *Floire et Blancheflor* (*peu*) ; lat. pop. *paucum,* neutre adverbial, du class. *pauci,* « peu nombreux ».

peucédan 1213, *Fet des Romains* (*phecedan*) ; 1549, Maignan (*peucédane*), bot. ; lat. *peucedanum,* du gr. *peukedanon,* amer, de *peukê,* résine ; plante vivace cultivée pour ses fleurs.

peuchaire V. PÉCAÏRE.

peuh 1831, Hugo, onom.

***peuple** 842, *Serments* (*poblo*) ; 980, *Passion* (*pueble, pueple, pople,* avec *p* repris au lat., assimilé à *p* initial : v. PEUPLIER) ; lat. *pŏpŭlus.* || **peuplade** 1564, J. Thierry, « colonie », d'après l'esp. *poblado ;* 1578, d'Aubigné, action de peupler ; 1690, Furetière, citoyens ; 1679, Retz, classe pauvre. || **peupler** 1155, Wace (*popler*) ; fin XIIIe s. (*peupler*). || **peuplement** 1260, *Ordonn.* || **dépeupler** 1364, *Ordonn.* || **dépeuplement** milieu XVe s., dévastation ; 1584, G., sens actuel. || **repeupler** 1210, Delb. || **repeuplement** 1559, Amyot. || **surpeupler** 1876, L. || **surpeuplement** 1904, Lar. (V. POPULATION.)

peuplier 1160, Benoît (*pouplier*) ; anc. fr. *peuple* (XVe s.), du lat. *pōpŭlus.* || **peupleraie** 1600, O. de Serres.

***peur** 980, *Passion* (*pavor*) ; 1080, *Roland* (*paor, poür*) ; fin XIIIe s. (*peur*) ; lat. *pavor, -ōris.* || **peureux** 1130, *Eneas* (*peoros*) ; 1370, Oresme (*peureux*). || **peureusement** 1175, Chr. de Troyes. || **apeuré** 1854, Erdan. || **épeuré** XIIIe s. (*épeurer*) ; XVIe s. (*épeuré*) ; repris au XIXe s. (1877, A. Theuriet).

peut-être V. POUVOIR.

peyotl 1932, Lar. ; mot angl., du nahuatl (langue du Mexique).

pèze 1813, Esnault, pop. ; p-ê. de *peser,* à cause du poids de la monnaie.

pezize 1803, Boiste, bot. ; gr. *pezis ;* sorte de champignon.

phacochère 1842, *Acad.,* zool. ; gr. *phakos,* lentille, et *khoiros,* petit cochon.

phacomètre 1898, Littré, opt. ; gr. *phakos,* lentille, et suffixe *-mètre.*

phaéton 1668, La Fontaine, cocher ; 1723, Savary, voiture ; du nom de *Phaéton* (gr. *Phaethôn*), fils du Soleil, qui périt en voulant conduire le char de son père.

phagédénique 1545, Guéroult, méd. ; lat. méd. *phagedaenicus,* du gr. *phagêdainikos,* de *phagêdaina* (*phagédène,* 1550, Guéroult), faim dévorante, et au fig. « ulcère rongeur », de *phageîn,* manger. || **phagédénisme** 1858, Nysten.

phagocyte 1888, Lar. ; gr. *phagein,* manger, et *kutos,* cellule. || **phagocyter** 1899, *Grande Encycl.* || **phagocytose** 1884, Metchnikoff. || **phagocytaire** 1949, Lar. || **phagotrophe** 1963, Lar.

phalange 1213, *Fet des Romains,* mil. ; lat. *phalanx,* mot gr. signif. « bâton », et au fig. « ordre de bataille », « corps de fantassins » (v. PALAN) ; 1690, Furetière, os des doigts ; 1808, Fourier, polit. || **phalangette, phalangine** 1810, Capuron, anat. || **phalangien** 1822, *Dict. méd.* || **phalangiste** 1752, Trévoux, mil., hist. ; 1808, Boiste, entom. ; 1937, Malraux, polit. esp. || **phalangisation** 1963, Lar. (V. PLANCHE.)

phalanstère 1816, mot créé par Ch. Fourier (1772-1837) ; de *phalange* (v. le précéd.) et de la finale de *monastère.* || **phalanstérien** 1833, Cormenin.

phalène milieu XVIe s., entom. ; gr. *phalaina,* baleine, et au fig. « papillon de nuit ».

phalère 1875, Lar. (*phalérie*), entom. ; gr. *phaleros,* « tacheté de blanc ».

phallus 1570, G. Hervet (*fallot*) ; 1615, Daléchamp (*phallus*) ; mot lat. || **phallique** 1520, Chauliac ; lat. *phallicus.* || **phalloïde** 1823, Boiste. || **phalloïdien** 1963, Lar. || **phalline** 1949, Lar., bot. || **phallisme** 1923, Lar. || **ithyphalle** 1553, Rab. ; gr. *ithus,* droit. || **ithyphallique** 1803, Boiste.

phanère 1823, Boiste ; gr. *phaneros,* apparent.

phanérogame 1791, *Journ. des sciences,* bot. ; gr. *phaneros,* apparent (v. le précéd.), et *-game.* || **phanérogamie** 1791, Boudon. || **phanéroglosse** 1839, Boiste. || **phanérophore** 1869, L.

phantasme, pharamineux V. FANTASME, FARAMINEUX.

pharaon 1190, Bartzsch, n. propre (*pharao*) ; 1597, Liébault (*pharaon*) ; 1691, Gay, jeu de cartes ; lat. *pharao,* gr. *pharaô,* altér. d'un mot égyptien, titre des anciens rois d'Égypte. || **pha-**

raonique 1822, Champollion. || pharaonesque 1872, Gartier.

phare 1553, Rab., foyer de lumière ; autom., 1899, *France autom.* ; lat. *pharus,* du gr. *pharos,* du nom d'une île voisine d'Alexandrie, célèbre par son phare, élevé au IIIe s. av. J.-C. par Ptolémée Philadelphe.

pharisien fin XIIe s., Herman de Valenciennes ; 1662, Pascal, péjoratif ; 1611, Cotgrave, adj., « hypocrite » ; lat. *pharisaeus,* du gr. *pharisaios,* de l'araméen *parschî,* nom d'une secte juive contemporaine de J.-C., à laquelle l'Évangile reproche un zèle religieux affecté. || **pharisaïque** 1541, Calvin ; lat. eccl. *pharisaicus* (IVe s., saint Jérôme), de *pharisaeus.* || **pharisaïsme** *id.*

pharmacie 1314, Mondeville (*farmacie*), « remède purgatif » ; 1560, Paré (*pharmacie*) ; 1680, Richelet, sens mod. ; lat. méd. *pharmacia,* du gr. *pharmakeia,* de *pharmakon,* remède. || **pharmacien** 1620, Béguin, égalem. adj. au XVIIe s. || **pharmaceutique** 1547, Flesselles ; lat. *pharmaceuticus,* du gr. *pharmakeutikos.* || **pharmacodynamie** 1860, *Journ. méd.* ; gr. *dunamis,* force. || **pharmacologie** 1738, *Bibliothèque britannique.* || **pharmacologique** 1808, Boiste. || **pharmacomanie** 1968, Lar. || **pharmacopée** 1571, Besson ; gr. *pharmako poiia,* « confection de remèdes », de *poieîn,* faire. || **pharmacothérapie** 1882, Hayem.

pharynx 1478, Chauliac (*faringua*) ; 1538, Canappe (*pharynx*) ; gr. *pharunx, pharungos,* gorge. || **pharyngien** 1745, Günz. || **pharyngite** 1823, *Dict. méd.* || **pharyngé** 1765, *Encycl.* || **pharyngisme** 1878, Lar. || **pharyngo-laryngite** 1836, Beugnot. || **pharyngoscope** 1877, L. || **pharyngotomie** 1793, Lavoisien.

phascolome 1808, Cuvier, zool. ; gr. *phaskolos,* poche, et *mus,* rat.

phase 1544, M. Scève, fig. ; 1661, Huygens, astron. ; XXe s., techn. ; gr. *phasis,* « lever d'une étoile », de *phainein,* apparaître. || **phasemètre** 1907, Lar. || **déphaser** 1929, Lar. || **déphasage** 1929, Lar. || **monophasé** début XXe s., électr. || **polyphasé** *id.* || **triphasé** 1906, Lar., électr.

phasianidé 1842, *Acad.* ; gr. *phasianos,* oiseau de Phase, de *Phasis,* fleuve de Colchide.

phasme 1808, Boiste, entom. ; gr. *phasma,* « fantôme », de *phaineîn,* apparaître. || **phasmidés** 1903, Lar.

phébus 1629, Corn., litt., vx ; du nom de *Phoebus,* du gr. *Phoibos,* « celui qui brille », autre nom d'Apollon, dieu du Soleil et de la Poésie.

phelloderme 1888, Lar. ; gr. *phellos,* liège, et *derme* (v. ce mot). || **phellogène** 1888, Lar. ; sur *-gène.*

phénakistiscope 1842, *Acad.* ; gr. *phenakizein,* tromper.

phénicoptère 1520, trad. de Suétone, zool. ; gr. *phoinikopteros,* de *phoinix,* pourpre, et *pteron,* aile ; nom du flamant. || **phénicoptéridé** 1875, Lar.

phénix 1119, Ph. de Thaon ; lat. *phoenix,* du gr. *phoinix,* oiseau mythol. qui passait pour être seul de son espèce, et renaître de ses cendres ; 1544, M. Scève, fig. ; 1875, Lar., zool. ; 1791, Valmont, papillon.

phénol 1843, *Annales chimie* ; gr. *phainein,* bulle, et (*alco*)*ol.* || **phénolate** 1903, Lar. || **phénique** 1841, *Annales chimie.* || **phéniqué** 1875, Lar. || **phénate** 1969, L. || **phénacétine** 1911, Lar.

phénomène 1554, Ronsard, astron. ; gr. *phainomena,* plur. neutre de *phainomenon,* part. passé signif. « ce qui apparaît », de *phaineîn,* apparaître ; 1737, Brunot, sens actuel, en raison de l'empl. du mot pour les manifestations extraordinaires de l'atmosphère. || **phénoménal** 1803, Boiste, didact. ; 1827, *Acad.,* « se dit de l'effet d'une chose merveilleuse ». || **phénoménalisme** 1823, *Dict. méd.* || **phénoménisme** 1844, *Dict. sciences,* philos. || **phénoménalité** 1865, Proudhon. || **phénoménologie** 1823, *Dict. méd.,* traité des sens ; 1840, *Revue des Deux Mondes,* philos. || **phénoménologique** 1835, Raymond. || **phénoménologue** 1855, Mozin. || **épiphénomène** 1755, *Encycl.* ; fin XIXe s., philos.

phénotype XXe s., scient. ; de *phaineîn,* paraître, et *-type.* || **phénotypique** XXe s.

phényle 1837, *Annales chimie* ; gr. *phaineîn,* briller, et suff. chim. *-yle.* || **phénylique** 1903, Lar. (V. PHÉNOL.)

phi 1869, L. ; gr. *phî,* lettre de l'alphabet grec.

philanthrope 1370, Oresme ; rare jusqu'au XVIIe s., Fénelon ; gr. *philanthrôpos,* de *philos,* ami, et *anthrôpos,* homme. || **philanthropie** 1551, Aneau ; gr. *philanthrôpia.* || **philanthropique** 1780, Mirabeau ; gr. *philanthrôpikos.*

philatélie 1864, Herpin, *le Collectionneur de t.-p.* ; gr. *ateleia,* « exemption d'impôts », d'où « franchise de port, affranchissement », de *philos,* ami, et *telos,* charge, impôt. || **philatéliste** *id.* || **philatélique** 1962, Robert.

philharmonique 1739, de Brosses ; ital. *filarmonico,* du gr. *harmonia,* harmonie. || **philharmonie** 1845, Besch.

philhellène 1823, Boiste ; gr. *philhellen,* de *philos,* ami, et *hellên,* grec. || **philhellénique** 1842, *Acad.* || **philhellénisme** 1838, *Acad.*

philippine 1869, L. ; altér., par attraction de *Philippe,* de l'all. *Vielliebchen,* « bien aimé » (empl. comme formule de salutation de ce jeu), lui-même altér. de l'angl. *Valentine,* « saint Valentin » (patron des amoureux). [V. VALENTIN.]

philippique 1621, Vaganay, « satire politique » ; début XVIIe s., sens mod. ; gr. *philippikai,* n. f. pl., harangues célèbres de Démosthène contre Philippe de Macédoine.

philistin 1832, Matoré ; all. *Philister,* bourgeois (hostile à l'esprit), du lat. eccl. *philistinus,* de l'hébreu *phelichtî,* nom d'un peuple de Palestine hostile aux Juifs. || **philistinisme** 1869, L.

philodendron 1875, Lar. ; gr. *philodendros,* de *philos,* ami, et *dendron,* arbre

philologie XIVe s., « amour des lettres, érudition » ; lat. *philologia,* de *philos,* ami. || **philologue** 1534, Rab. (*philologe*), « érudit en matière d'antiquité ». || **philologique** 1666, *Journ. des savants,* « relatif aux belles-lettres » ; 1836, Landais, sens mod.

philosophe 1160, Benoît ; lat. *philosophus,* gr. *philosophos,* de *philos,* ami, et *sophos,* sage ; XIVe s., « alchimiste » ; 1637, Descartes, « savant » ; XVIIIe s., « penseur » ; fin XVIe s., sens actuel. || **philosophie** 1160, Benoît ; lat. *philosophia,* mot grec ; égalem. « science », jusqu'au XVIIIe s. || **philosophique** 1380, *Aalma ;* bas lat. *philosophicus* (Ve s., Macrobe), gr. *philosophikos.* || **philosopher** 1380, *Aalma ;* lat. *philosophari.* || **philosophiquement** 1380, *Aalma* (*philosophiement*) ; 1487, Garbin (*philosophiquement*). || **philosophisme** 1377, *Doc.* || **philosophal** XIVe s. ; de *philosophe,* au sens de « alchimiste ». || **philotechnique** 1795, d'après Lar. ; gr. *tekhnê,* art.

philtre fin XIVe s. (var. *filtre,* par confusion avec *filtre*) ; lat. *philtrum,* du gr. *philtron,* de *phileîn,* aimer.

phimosis 1560, Paré ; gr. *phimôsis,* « rétrécissement », de *phimoûn,* « serrer fortement ».

phlébite 1818, mot créé par Breschet ; gr. *phleps, phlebos,* veine. || **phlébographie** 1869, L. || **phlébologie** 1793, Lavoisien. || **phléborragie** 1822, *Nouveau Dict. méd.* || **phlébotome** XVIe s., méd. ; lat. méd. *phlebotomus,* gr. *phlebotomos,* de *temneîn,* couper ; 1923, Lar., entom. || **phlébotomie** XIIIe s., G., méd. ; lat. *phlebotomia,* mot grec. || **phlébotomiste** 1714, d'après Trévoux.

phlegmon 1314, Mondeville ; lat. médiév. *phlegmon,* class. *phlegmone,* du gr. méd. *phlegmonê,* chaleur brûlante, de *phlegeîn,* brûler. || **phlegmoneux** 1538, Canappe. || **phlegmasie** 1380, Conty ; gr. *phlegmasia,* de *phlegmaineîn,* « être enflammé », de *phlegeîn.* || **phlegmasique** 1842, *Acad.*

phlogistique 1747, Menon ; lat. scient. mod. *phlogisticum,* tiré par le chim. all. Becker (1628-1685) du gr. *phlogistos,* inflammable, de *phlox,* flamme, d'après *phlegeîn,* brûler. || **antiphlogistique** 1783, Bertholon.

phlox 1794, Gouan, bot. ; mot gr., proprem. « flamme », d'après la couleur rouge d'une variété répandue de cette plante.

phlyctène 1586, Suau (var. *phlystène,* 1732, Trévoux) ; gr. méd. *phluktaina, de phluzeîn,* bouillonner. || **phlycténoïde** 1869, L. || **phlycténule** 1878, Lar.

phobie 1896, Ribot ; mot tiré du deuxième élém. de composés en *-phobie* (ex. *hydrophobie*), du gr. *phobos,* frayeur. || **phobique** 1910, Lar.

phocéen 1732, Rollin, de Phocide ; 1875, Lar., de Marseille ; lat. *Phoceus,* de Phocide, gr. *Phôkeus.*

phocidé 1875, Lar. ; lat. *phoca,* phoque et *-idé.* || **phocomélie** 1845, Besch., malformation.

pholade 1555, Belon, zool. ; gr. *phôlas, phôlados,* « qui habite dans des trous ».

phonique 1751, *Encycl. ;* gr. *phônê,* voix. || **phone** 1949, Lar., phys. || **phonétique** 1822, Champollion, adj. ; gr. *phônêtikos,* relatif à la voix ; 1869, L., n. f. || **phonétisme** 1824, Champollion. || **phonéticien** 1903, Lar. || **phonème** 1873, *Revue critique ;* gr. *phônêma,* son de voix. || **phonémique** 1968, Lar. || **phonateur** 1836, Colombat. || **phonation** 1834, Boiste. || **phonatoire** 1916, Saussure. || **phoniatre** 1953, Lar. || **phoniatrie** 1945, Garde. || **phonie** 1949, Lar. || **phonothèque** 1949, Lar.

phono-, gr. *phônê,* voix. || **phonasthénie** 1932, Lar. || **phonogénie** 1935, E. Vuillermoz, *Encycl. fr.* || **phonogénique** 1937, *Doc.* || **phonogramme**

1921, Vendryes. || **phonographe** 1864, Nadar ; mot proposé par l'abbé Lenoir pour l'appareil imaginé par Ch. Cros et réalisé par Édison ; sur l'élém. *-graphe.* Ch. Nodier, dans le *Voc. de la langue fr.* (1836), avait créé le mot pour désigner celui qui orthographiait en mettant d'accord la lettre et le son. || **phonographie** 1842, *Acad.* || **phonographique** 1842, *Acad.,* transcription de l'oral ; 1892, Guérin ; transcription des sons. || **phonolithe** 1812, Mozin, géol. (cette roche résonne sous le marteau). || **phonolithique** 1842, *Acad.* || **phonologie** 1845, Besch., « traité des sons » ; v. 1925, sens actuel. || **phonologique** 1845, Besch., relatif aux sons ; 1929, *Doc.,* sens actuel. || **phonologisation** 1972, Lar. || **phonologue** 1962, Robert. || **phonomètre** 1820, *Annales musique.* || **phonométrie** 1842, *Acad.* || **phonométrique** 1836, *Acad.* || **phonoscope** 1888, Lar. || **phonothèque** 1929 ; sur *-thèque.* (V. les composés à second élém. *-phone :* MICROPHONE, POLYPHONIE, etc.)

phoque 1532, *Rec. des isles* (*focque*) ; lat. *phoca,* du gr. *phôkê.*

phormion ou **phormium** 1804, *Encycl. méth.,* (*phormium*) ; gr. *phormion* (nom de plante), « petite natte ».

phosgène 1823, *Dict. méd. ;* gr. *phôs,* lumière, et *-gène.*

phosphate V. PHOSPHORE.

phosphène 1838, Venzac, physiol. ; gr. *phôs,* lumière, et *phaineîn,* paraître.

phosphore 1677, *Journ. des sav. ;* gr. *phôsphoros,* « lumineux », de *phôs,* lumière, et *pherein,* porter. || **phosphorique** 1753, Pott. || **phosphorisme** 1788, Buffon, « phosphorescence » ; 1869, L., intoxication par le phosphore. || **phosphorescence** 1784, Brunot. || **phosphorescent** 1789, *Ann. de chimie.* || **phosphoreux** 1787, Guyton de Morveau. || **phosphorer** 1792, *Ann. de chim. ;* 1944, Queneau, fig., fam., réfléchir sur un problème. || **phosphoré** 1808, Cabanis. || **phosphorisation** 1842, *Acad.* || **phosphoriser** 1842, *Acad.* || **phosphorite** 1842, *Acad.* || **phosphorogène** 1932, Lar. || **phosphorite** 1842, *Acad.* || **phosphate** 1782, Guyton de Morveau. || **superphosphate** XXe s. || **phosphatage** 1903, Lar. || **phosphaté** 1803, Boiste. || **phosphater** XXe s. || **phosphatique** 1836, Landais. || **phosphaturie** 1877, *Journ. méd.* || **phosphite** 1787, Guyton. || **phosphure** 1787, Guyton.

1. **photo** n. f., 1878, Larchey ; abrév. de *photographie* (v. le suiv.). || **téléphoto** n. f., XXe s. || **photo-roman, roman-photo** milieu XXe s. || **photostop, photostoppeur** 1950, *journ.*

2. **photo-,** gr. *phôs, phôtos,* lumière. || **phot** 1903, Lar., phys. || **photocalque** 1903, Lar. || **photochimie** 1875, Lar. || **photochimique** 1877, L. || **photochromie** 1868, Souviron. || **photochromique** 1877, *J. O.* || **photocollographie** 1903, Lar. ; gr. *kolla,* colle, avec l'élém. *-graphie.* || **photocomposeuse** 1966, *journ.* || **photocomposition** 1963, Lar. || **photoconducteur** 1953, Lar. || **photoconductibilité** v. 1950. || **photocopie** 1903, Lar. || **photocopier** 1907, Lar. || **photocopieur** et **photocopieuse** 1960, n. m. et n. f. || **photoélectrique** 1856, *Almanach.* || **photoélectricité** 1962, Robert. || **photofinish** v. 1950 ; sur angl. (*to*) *finish,* finir. || **photogénique** 1839, Arago, « qui produit de la lumière » ; sur *-génique ;* 1869, L., « qui donne une image nette, en photographie » ; 1920, Delluc, vulgarisé par le cinéma au sens « dont le visage produit sur la photo ou sur l'écran un effet égal ou supérieur à l'effet naturel ». || **photogène** 1836, *Acad.* || **photogénie** 1851, *la Lumière.* || **photoglyptie** 1872, *J. O. ;* de *glyptos,* gravé. || **photographie** 1839, Arago ; de l'angl. *photograph,* tiré en 1839 par Herschel du gr. *phôs, phôtos,* et *graphein,* écrire. || **photographique** 1840, Soleil. || **photographiquement** 1869, L. || **photographe** 1842, *Acad.* || **photographier** 1860, Blum et Huart. || **chronophotographie, microphotographie, téléphotographie** XXe s. || **photogravure** 1868, Negrin. || **photograveur** 1923, Lar. || **photolithographie** 1869, L. || **photolyse** 1923, Lar. || **photomagnétique** 1842, *Acad.* || **photomètre** 1792, *Annales chimie* || **photométrie** 1812, Mozin. || **photomontage** 1935, Sachs-Villatte. || **photopériode** 1968, Lar. || **photophobie** 1812, Mozin. || **photophore** 1803, Boiste, || **photopile** 1965, Pérès. || **photorésistant** 1932, Lar. || **photorobot** 1954, Lar. || **photosphère** 1842, *Acad.* || **photostat** 1953, Lar. ; sur le lat. *stare,* se tenir. || **photosynthèse** 1907, Lar. || **phototactisme** 1903, Lar. || **photothèque** 1950, Lar. (v. DISCOTHÈQUE, PHONOTHÈQUE). || **photothérapie** 1903, Lar. || **phototropisme** 1903, Lar. || **phototypie** 1877, L., *brevet d'invention.* || **phototype** 1903, Lar.

photon 1923, L. de Broglie ; gr. *phôs, phôtos,* lumière, et suff. *-on.* || **photonique** 1953, Lar.

phragmite 1818, *Nouveau Dict. sc. nat.,* bot. ; gr. *phragmitês,* qui sert à faire une clôture.

phrase 1546, Vaganay ; lat *phrasis,* mot gr., de *phrazein,* expliquer ; pl., 1695, Courtin, boniments. || **phraser** 1755, Fréron. || **phrasé** 1778, Rousseau, mus. || **phraseur** 1736, Gresset (*phrasier*) ; 1788, Féraud (*phraseur*). || **phraséologie** 1778, Beaumarchais. || **phraséologique** 1839, Girault. || **antiphrase** 1534, Rab. (V. PARAPHRASE.)

phratrie 1842, *Acad.*, hist. ; gr. *phratria,* de *phratêr,* frère.

phréatique 1887, Daubrée, géol. ; gr. *phreas, phreatos,* puits.

phrénique 1654, Gelée, anat. ; gr. *phrên,* diaphragme. || **phrénicectomie** 1932, Lar. || **phrénicotomie** 1963, Lar. (V. le suiv.)

phrénologie 1810, Spurzheim ; gr. *phrên,* au pl. « intelligence » ; a éliminé *craniologie,* créé par Gall. || **phrénologique** 1828, *Revue britannique.* || **phrénologiste** 1829, Vidocq. || **phrénologue** 1842, *Acad.*

phrygane milieu XVIIe s., entom. ; lat. *phryganius,* du gr. *phruganion,* proprem. « petit bois sec » ; insecte ressemblant à un papillon de nuit.

phrygien 1562, Du Pinet, de Phrygie ; lat. *Phrygia,* Phrygie, gr. *Phrugia ; bonnet phrygien,* 1789, Brunot.

phtalique 1869, L., chim. ; d'un rad. *phtal-,* tiré de *naphtalène* (v. NAPHTE). || **phtaléine** 1875, Lar. || **phtaline** 1875, L.

phtiriasis 1560, Paré, n. m. ; 1810, Capuron, n. f., méd. ; lat. *phtiriasis,* mot gr., de *phteir,* pou ; ensemble des troubles causés par les poux.

phtisie XIVe s. (*tesie*) ; 1550, Guéroult (*phtisie*) ; lat. *phtisis,* mot gr., signif. « dépérissement, consomption », de *phthineîn,* dépérir ; a remplacé l'anc. fr. *tesie, tisie,* de même étym. || **phtisique** XIIIe s. (*tisike*) ; 1363, Chauliac (*ptisique*) ; 1478, Chauliac (*phtisique*) ; lat. *phthisicus,* gr. *phthisikos.* || **phtisiologie** 1715, Trévoux. || **phtisiologique** 1836, *Acad.* || **phtisiologue** début XXe s.

phyco-, gr. *phukos,* algue. || **phycoïdées** 1841, *Acad.* || **phycologie** 1868, Souviron. || **phycomycètes** 1846, Besch. (*phycomyce*) ; 1903, Lar. (*phycomycète*).

phylactère 1155, Wace (*filatière*) ; XVIe s. (*phylactère*) ; lat. eccl. *phylacterium,* amulette, fragment de parchemin sur lequel étaient inscrits les versets de la Bible, du gr. *phulaktêrion,* calque de l'hébreu *thephîlîn,* sur la rac. de *phulatteîn,* préserver.

phylactique 1963, Lar. ; gr. *phulaktikos,* qui préserve, de *phulatteîn, préserver.*

phyll-, phyllo-, gr. *phullon,* feuille. || **phyllade** 1827, *Acad.,* minér. ; gr. *phullas, phullados,* feuillage. || **phyllanthe** 1765, *Encycl.* (*phyllanthus*), bot. ; lat. *phyllanthes,* sur le gr. *anthos,* fleur. || **phyllie** 1827, *Acad.,* entom. || **phyllobie** 1875, Lar. || **phyllopodes** 1823, Boiste, zool. ; sur *-pode.* || **phylloxéra** 1834, Boyer de Fonscolombe, entom. ; gr. *phullom,* feuille, et *xeros,* sec, « qui dessèche la feuille » ; mot créé pour désigner un insecte vivant sur le chêne, et auquel Planchon, de Montpellier, en 1869, assimila le petit aphidien des racines de la vigne. || **philloxéré** 1873, H. de Parville. || **phylloxérien** 1871, *J. O.* || **phylloxérique** 1875, *Bull. Soc. agric.*

phylogenèse 1876, Ch. Martins, *Rev. des Deux Mondes* (var. *phylogénie*) ; mot créé par Haeckel, du gr. *phulon,* race, et de *-genèse, -génie.* || **phylogénétique** 1927, Valéry. || **phylum** 1903, Lar.

physalis 1839, Boiste (*physalide*) ; gr. *phusalis, -idos,* plante.

physio-, gr. *phusis,* nature. || **physiocratie** 1758, Dupont de Nemours. || **physiocrate** *id.* || **physiocratique** *id.* || **physiognomonie** 1562, Ronsard ; lat. scient. *physiognomonia,* mot gr., de *gnômôn,* « qui sait », de *gnônai,* connaître. || **physiognomonique** 1721, Trévoux. || **physiognomoniste** 1803, Boiste. || **physiographie** 1784, Bergman. || **physiographe** 1803, Boiste. || **physiologie** 1547, J. Martin, « étude des choses naturelles » ; 1611, Cotgrave, sens mod. ; lat. *physiologia,* mot gr. || **physiologique** 1547, Budé ; lat. *physiologicus,* gr. *phusiologikos.* || **physiologiste** 1669, Widerhold. || **physionomie** 1256, Ald. de Sienne (*phisonomie*), « physiognomonie » ; 1354, *Modus,* sens mod. ; lat. *physiognomia,* altér. de *physiognomonia.* || **physionomique** 1549, *Doc.* || **physionomiste** 1537, trad. du *Courtisan.* || **physiopathologie** 1962, Robert. || **physiopathologique** 1955, Vannier. || **physiothérapie** 1903, Lar.

physique n. f., 1130, *Eneas* (*fusique*), médecine ; XIIe s. (*fisique*), connaissance des choses de la nature ; 1487, Garbin, science des choses naturelles ; 1708, Fontenelle, sens mod. ; lat. *physica,* connaissance de la nature, du gr. *phusikê,* fém. substantivé de l'adj. *phusikos,* de *phusis,* nature ; *physique expérimentale,* 1708, Fontenelle ; *physique mathématique,* 1893, *D. G. ; physique nucléaire,* 1949, Lar. || **physique** adj., 1487, Garbin, naturel, rare avant le milieu du XVIIe s., Pascal ; n. m., 1721, Montesquieu, aspect physique d'un pays ; 1762, Rousseau, constitution naturelle d'un homme. || **physicien** 1155, Wace (*fisicien*), médecin ; 1538, R. Est., « qui s'occupe des choses naturelles » ; 1680, Richelet, « qui s'occupe de physique scientifique ». || **physico-chimie** 1845, Barbier. || **physico-chimique** 1750, Barbier. || **physico-mathématique** adj., 1630, Barbier ; n. f., 1749, Diderot. || **physico-théologique** 1917, Lalande.

phyt(o)-, gr. *phuton,* plante. || **phytéléphas** 1842, *Acad.* ; gr. *elephas,* ivoire. || **phytobiologie** 1830, *Dict. méd.* || **phytogéographie** 1842, *Acad.* || **phytologie** 1649, *Doc.* || **phytoparasite** 1963, Lar. || **phytopathologie** 1858, Peschier. || **phytophage** 1808, Boiste. || **phytopharmacie** 1949, Lar. || **phytotron** 1954, Guillerme. || **phytozoaire** 1842, *Acad.*

piaculaire 1752, Trévoux ; lat. *piacularis,* sacrifice expiatoire, de *piare,* rendre propice, de *puis,* pieux.

piaf 1896, Esnault, moineau ; onomat.

piaffer 1586, Ronsard (*paroles piaffées*), prétentieux ; 1677, Solleysel, pour les chevaux ; 1879, France, piétiner ; mot expressif. || **piaffe** 1574, Boissereau, morgue. || **piaffeur** 1570, Carloix, fanfaron ; 1678, Guillet, pour le cheval. || **piaffement** 1842, Mozin.

piailler 1607, Hulsius ; onomat. *pi-* (v. PIAULER). || **piaillement** 1782, Mercier. || **piailleur** 1611, Cotgrave. || **piaillerie** 1642, Oudin. || **piaillard** 1746, Voltaire.

pian 1575, Friederici ; mot tupi-guarani (Brésil).

1. **piano** adv., 1565, *Anc. Théâtre fr.* (*pian pian*), mus. ; 1618, *D. G.* (*pian piano*) ; 1752, Lacombe (*piano*) ; ital. *piano,* doucement, du lat. *planus,* uni, égal. || **pianissimo** 1775, Beaumarchais ; mot ital., superlatif de *piano.*

2. **piano** n. m., 1761, Weckerlin ; abrév. de *piano et forte,* ital. *pianoforte* (1774, Voltaire), parce que les marteaux de cet instrument permettaient de jouer à volonté fort ou doux, à la différence du clavecin ; *piano à queue,* 1806, *Catalogue ; piano mécanique,* 1851, *Revue.* || **pianiste** 1807, *Journ. des gourmands.* || **pianistique** 1900, Letoucher. || **Pianola** 1896, *le Français mod.* ; n. dépos., création de E. S. Votey. || **pianoter** 1841, Flaubert. || **pianotage** 1866, *Vie parisienne.* || **pianotement** 1927, Valéry

piastre 1595, Villamont ; ital. *piastra,* lame de métal, de *impiastro,* emplâtre, lat. *emplastrum.* (V. EMPLÂTRE.)

piaule 1628, Chereau (*piolle*), taverne (encore en ce sens chez Vidocq, 1837) ; de l'anc. fr. *pier,* boire (1292, *Rôles de la Taille*), de *pie* ; 1835, Raspail (*piaule*), sens actuel.

piauler 1540, *Sainte Aldegonde* (*pioler*) ; d'un rad. onomat. *pî-* (v. PIAILLER). || **piaulement** 1570, Liebault (*piolement*).

1. **pic** 1546, Ch. Est., oiseau ; lat. pop. **piccus,* du lat. class. *picus,* pivert (v. PIE 1). || **pivert** 1488, *Arch. Bretagne* ; de *pic verd,* lat. *viridis,* vert. || **picidés** 1875, Lar. || **piciformes** 1903, Lar.

2. **pic** 1155, Wace, outil ; empl. fig. du précéd. || **picot** 1170, *Fierabras.*

3. **pic** v. 1350, pointe de montagne ; anc. prov. *pic,* sommet, d'un préroman *pikk-.* (V. PIQUER 1.)

4. **pic** fin XIVe s., coup porté avec un objet pointu, d'où « pointe, objet pointu » ; déverbal de PIQUER 1 ; *à pic,* 1611, Cotgrave.

picador 1788, Bourgoing ; mot esp., proprem. « piqueur », de *picar,* piquer.

picaillon 1750, Vadé (au pl.), pop., mot des parlers savoyards désignant la « petite monnaie » du Piémont, de l'anc. prov. *piquar,* sonner, tinter, du lat. **pikkare.* (V. PIQUER 1.)

picaresque 1845, Besch. ; esp. *picaresco,* de *Picaro,* « coquin », nom d'un type d'aventurier espagnol.

piccolo 1828, *Revue musicale,* petite flûte ; mot ital., proprem. « petit » ; 1874, Lar., terme de jeu ; 1876, Larchey, pop., vin léger. || **piccoler** ou **picoler** 1901, Lacassagne.

pichenette 1820, Scribe ; p.-ê. altér. du prov. mod. *pichouneto,* petite (s.-e. *chiquenaude*), diminutif de *pichou,* petit.

pichet XIIIe s. ; mot dial. (Centre, Ouest), var. de *pichier* (1170, *Rois*), altér., p.-ê. d'après *pot,* de *bichier,* lat. pop. **biccarius,* en bas lat. *becarius* (IXe s., *Gloses*), du gr. *bikos,* vase (cf. l'ital. *bicchiere,* verre, et l'all. *Becher,* coupe).

picholine 1723, Savary ; prov. mod. *pichoulino,* olive, de l'ital. *picciolino,* dimin. de *picciolo,* petit.

pickles 1823, d'Arcieu, *Diorama* ; mot angl., peut-être du néerl. *pekel,* saumure.

pickpocket 1726, Saussure, comme mot angl. ; 1784, Brissot, comme mot fr. ; mot angl. signif. « cueille-poche ».

pick-up n. m., 1932, Lar., en fr., techn. (1867 en angl.) ; de l'angl. *(to) pick up,* ramasser, recueillir.

picoler V. PICCOLO.

picorer XVIe s., Haton, « marauder » ; 1648, Scarron, prendre avec son bec ; probablem. formé sur *piquer,* avec un suff. issu de *pécore,* « pièce de bétail ». || **picorée** 1571, Belleforest (*pécorée*) ; 1587, La Noue (*picorée*), maraude. || **picoreur** 1588, Montaigne, maraudeur.

picot (1 et 2), **picoter** V. PIC 2 et PIQUER 1.

picotin 1367, Prost ; orig. obscure (cf. l'anc. fr. *picot, picote,* XIVe s., mesure de vin), p.-ê. dér. de *picoter,* « butiner, becqueter ». (V. PIQUER 1.)

picpoul 1611, Cotgrave (*pique-poule*) ; anc. prov. *piquapol,* de *piquar,* piquer, lat. **pikkare.*

picr-, picro-, du gr. *pikros,* amer. || **picrate** 1836, *Annales chimie,* chim. ; fin XIXe s., pop., mauvais vin. || **picride** 1778, Lamarck, bot. || **picrique** 1836, *Annales chimie,* chim. || **picris** 1779, Buisson, bot. || **picrotoxine** 1816, Candolle.

picter, picton V. PIQUER.

pictographie 1877, L. ; lat. *pictus,* peint, et *-graphie.* || **pictographique** 1923, Lar. || **pictogramme** 1953, Cohen.

pictural 1845, F. Wey ; lat. *pictura,* peinture.

pidgin 1902, *À travers le monde* (*pudgin*) ; mot angl., altération par les Chinois de *business,* commerce, affaires.

1. ***pie** 1175, Chr. de Troyes ; lat. *pīca,* fém. de *pīcus* (v. PIC 1) ; adj., 1549, R. Est., couleur d'un cheval. || **pie-grièche** 1553, Belon ; comp. avec *grièche,* fém. de l'anc. adj. *griois,* grec (v. GREC), *grégeois.* (Les Grecs passaient depuis le Moyen Âge pour avares et querelleurs.) || **piot** v. 1290, petit de la pie. || **piette** 1553, Belon. || **piat** 1611, Cotgrave.

2. ***pie** 1160, Benoît, adj. ; lat. *pius,* pieux (v. PIEUX). Auj., seulem. dans *œuvre pie* (1544, Scève).

***pièce** 1080, *Roland,* morceau, fragment ; 1534, Rab., artill. ; XIVe s., monnaie ; 1580, Montaigne, théâtre ; 1625, Stœr, ouvrage d'art (peinture, sculpture, littér.) ; 1694, Th. Corn., chambre d'un logement ; *mettre en pièces,* 1534, Rab. ; *travailler aux pièces,* 1845, Besch. ; *de toutes pièces,* 1440, Chastellain (*armé de toute pièce*) ; *pièces détachées,* 1678, Guillet, fortif. ; *pièce montée,* 1807, *Almanach des gourmands ;* lat. pop. **pettia* (postulé par le fr., le prov., l'esp. et l'ital.), orig. probablem. celtique (cf. le gallois *peth,* chose). || **piéça** 1155, Wace (*pièce a*) ; proprem. « il y a une pièce de temps ». || **piécette** 1247, G. || **dépecer** 1080, *Roland.* || **dépècement** 1160, Benoît. || **dépeceur** XIIIe s., G. || **dépiécer** XIVe s., réfection de DÉPECER. || **rapiécer** 1360, Froissart. || **empiècement** 1870, L.

***pied** Xe s., *saint Léger ;* 1080, *Roland,* mesure ; XIIIe s., pied de verre, de meuble, etc. ; 1580, Montaigne, versif. ; lat. *pes, pĕdis,* pied ; *à pied,* 1080, *Roland ; mettre à pied,* 1685, Furetière, « faire vendre à quelqu'un son équipage » ; *aux pieds de,* 1080, *Roland ; de pied ferme,* 1587, La Noue ; *haut le pied,* 1611, Cotgrave (*s'en aller haut le pied,* « très vite ») ; *pied à pied,* 1196, Ambroise ; *pied de nez,* 1640, Oudin ; *prendre pied,* XVIe s. ; *perdre pied,* 1549, R. Est. ; *sur pied,* 1636, Monet ; *de plain-pied,* 1611, Cotgrave (*à plein-pied,* avec altér. orthogr., de *plain,* du lat. *planus,* plan, égal). || **peton** 1532, Rab. ; dimin. || **piéter** XIIIe s., *Roman de Renart ;* bas lat. *peditare,* aller à pied. || **piéton** 1300, *Hugues Capet,* fantassin ; 1538, R. Est., sens mod. ; de *piéter.* || **piétin** 1570, G., gros bâton ; 1770, Corbier, vétér. || **piétiner** 1621, Oudin. || **piétinement** 1770, Raynal. || **piétement** XVIe s., G., socle. || **pied-droit** 1408, Barbier. || **pied-fort** 1671, Pomey. || **pied-plat** 1660, Oudin. || **pied-de-biche** 1574, Gay, serrure ; 1812, Mozin, ciseau ; XXe s., sens techn. || **pied-à-terre** n. m., 1636, Monet, milit., sonnerie pour la descente de cheval ; 1752, Trévoux, sens mod. || **pied-de-poule** 1765, *Encycl.* || **pied-noir** 1901, Esnault, indigène ; 1917, Esnault, pour les Européens d'Algérie (d'abord surnom donné aux Algérois, parce qu'ils marchaient pieds nus). || **bipied** XXe s. || **cale-pieds** XXe s. || **casse-pieds** XXe s. || **contre-pied** 1561, Du Fouilloux, chasse. || **empiéter** début XIVe s., chasse, « prendre dans ses serres » ; XVIe s., « s'emparer de » ; 1636, Monet, sens mod. || **empiétement** 1611, Cotgrave. || **mille-pieds** 1562, Du Pinet, zool. || **nu-pieds** 1360, Froissart. || **sous-pied** 1477, G. || **va-nu-pieds** 1615, Binet.

piédestal XVe s. (*pied d'estrail*) ; 1520, Sagredo (*pédestal*) ; ital. *piedestallo,* de *piede,* pied, et *stallo,* support. (V. ÉTAL.)

piédouche 1676, Félibien ; ital. *pieduccio,* dimin. de *piede,* pied. (V. PIED, PIÉDESTAL.)

* **piège** n. m., 1155, Wace ; 1160, Benoît, n. f. ; lat. *pĕdĭca,* « liens pour les pieds », de *pes, pedis,* pied (v. les précéd.). || **piéger** 1220, Coincy ; rare avant 1875, L. || **piégeage** 1900, *Illustration.* || **piégeur** début XXe s. || **empiéger** 1380, *Aalma.*

pie-mère XIIIe s. (*pieue mere*), anat. ; lat. médiév. *pia mater,* « pieuse mère » (c.-à-d. « qui enveloppe le cerveau comme la mère son fils »), calque de l'arabe.

piémont 1953, Lar. ; de *pied* et *mont.*

* **pierre** 980, *Passion ; pierre à feu,* 1562, Du Pinet ; *pierre à fusil,* 1606, Crespin ; *pierre d'attente,* 1636, Monet, au pr. ; 1690, Furetière, fig. ; lat. *petra,* gr. *petra,* qui a éliminé *lapis* en lat. pop. || **âge de pierre** 1867, Lar. || **pierrette** XIIe s., G. ; var. *perrette.* || **pierrier** XIIe s. (*perere*) ; XIIIe s. (*peirier*) ; XVIe s. (*pierrier*), hist. milit. || **pierreries** 1265, J. de Meung (*perrerie*) ; 1380, Havard (*pierreries*). || **pierraille** XIVe s., Deschamps. || **pierrée** 1297, G. (*perree*), mesure de capacité ; 1431, G., « dalle » ; 1694, Th. Corn., « conduit de pierres sèches ». || **pierrure** 1561, Du Fouilloux (*pierreure*), vén. || **pierreux** 1190, *saint Bernard* (*pierous*) ; réfection de l'anc. fr. *perros, -eus,* du lat. *petrosus,* de *petra.* || **pierreuse** n. f., 1808, d'Hautel, pop., prostituée. || **perré** 1180, *Vie saint Évroult,* « de pierre » ; XIVe s., G., n. m., « gué pavé » ; 1767, Perronet, sens mod. || **perreyer** XIIIe s. (*peroyer*) ; 1875, Lar. (*perreyer*). || **perron** 1080, *Roland* (*perrun*), « gros bloc de pierre » ; 1196, J. Bodel, sens mod. || **pétré** 1550, Guéroult ; lat. *petraeus,* gr. *petraios,* de *petra.* || **pétreux** 1314, Mondeville ; lat. *petrosus.* || **pétricole** 1803, Boiste, zool. || **pétrifier** 1503, Chauliac, transformer en pierre ; 1741, Marivaux, fig. ; lat. *petra,* sur les v. en *-fier.* || **pétrification** 1503, Chauliac. || **pétrifiant** 1580, Montaigne, adj. || **pétrogale** 1874, Lar., zool. ; gr. *petros,* pierre, et *galê,* belette. || **pétrographie** 1842, *Acad. ;* gr. *petros.* || **pétrographe, pétrographique** *id.* || **pétrosilex** 1753, d'Holbach, minér. || **épierrer** 1546, Ch. Est. || **épierrement** 1836, *Acad.* || **épierrage** 1907, Lar. || **empierrer** 1323, texte du Cotentin. || **empierrement** 1750, Gautier. (V. PÉTROLE.)

pierrot 1691, Racine, surnom des gardes-françaises, à cause de leur uniforme blanc, *Pierrot* étant un personnage de l'anc. comédie ital. ; trad. de l'ital. *Pedrolino ;* 1694, La Fontaine, nom propre d'oiseau, de *Pierrot,* dimin. de *Pierre* (V. MARTIN-CHASSEUR, SANSONNET, etc.). || **pierrette** 1800, Boiste, femelle du moineau ; 1836, Landais, fillette habillée en pierrot.

* **piétaille** 1131, *Couronn. Loïs ;* lat. pop. **peditalia,* de *pedes, peditis,* fantassin, de *pes, pedis,* pied.

piété 980, *Passion* (*pietad*) ; lat. *pietas, pietatis ;* aussi sens de « pitié », en anc. fr. || **pietà** XVIIe s., Brunot ; mot ital. || **piétiste** 1699, Bayle ; all. *Pietist,* du lat. *pietas.* || **piétisme** 1743, Trévoux. || **impiété** 1120, *Ps. d'Oxford,* rare avant le XVIIe s. ; lat. *impietas.*

* **piètre** 1196, Ambroise (*paestre*) ; 1220, Coincy (*peestre*) ; lat. *pedestris,* « piéton » (de *pes, pedis,* pied), devenu péjor. (opposé à *chevalier*). || **piètrement** 1220, Coincy. || **piètrerie** 1611, Cotgrave.

1. **pieu** fin XIe s., *Chanson de Guillaume* (*pel*) ; 1175, Chr. de Troyes (*peus*) ; 1287, Bevans (*pieu*), « piquet » ; forme picarde, généralisée au sing., du pl. du cas régime sing. *pel,* du lat. *palus.* (V. PAL, PALIS.)

2. **pieu** fin XVIIIe s., Esnault, arg., puis pop., « lit » ; orig. obscure. || **pieuter (se)** 1888, Esnault, pop. (V. PIONCER.)

* **pieuvre** 1866, Hugo ; forme dial. des îles Anglo-Normandes ; du lat. *pŏlypus,* par les stades *pueuve, pieuve* (comme *yeux*), et avec *r* dû à une fausse régression.

pieux fin XIVe s., E. Deschamps ; réfection, d'après le suff. *-eux,* de l'anc. fr. *pius, pieus* (980, *Passion*), au fém., *pieue, pive,* du lat. *pius.* (V. PIE 2.) || **pieusement** 1611, Cotgrave. || **impie** XVe s. ; lat. *impius.*

pièze 1923, Lar. ; gr. *piezein,* presser. || **centipièze, hectopièze, myriapièze** XXe s. || **piézomètre** 1842, *Acad.* || **piézo-électricité** 1888, Lar. || **piézo-électrique** *id.* || **piézographe** 1949, Lar. || **piézomètre** 1842, *Acad.*

1. **pif** 1718, Ph. Leroux (*pif-paf*) ; onomat.

2. **pif** 1821, Ansiaume, arg., nez ; d'un rad. onomat. et expressif *piff-.* || **piffer** 1846, Esnault, *ne pas pouvoir piffer* (v. BLAIREAU). || **piffard** 1831, Esnault. || **pifomètre** 1928, Esnault, pop. ; formation plaisante imitée des noms d'instruments de mesure. || **piffre** 1250, Mousket (*piffe*), hérétique ; 1606, Sully, gros individu. || **piffrer (se)** 1680, Richelet. || **empiffrer (s')** XVIe s.

1. **pige** 1836, Vidocq, année ; 1852, Esnault, dial., mesure de longueur ; lat. *pi(n)sare,* fouler ; 1878, Boutmy, typogr. || **piger** 1869, L., dial., mesurer avec une pige. || **pigiste** 1952, Lar., journaliste rémunéré à la pige.

2. **pige** 1808, d'Hautel, *faire la pige à quelqu'un,* le surpasser ; de PIGER 2.

***pigeon** 1170, Sully (*pijon*), « pigeonneau » ; XIIIe s., « pigeon » ; fin XVe s., fig., « dupe » ; bas lat. *pīpiō, -ōnis,* « pigeonneau », de *pipire,* piauler, d'un rad. onomatop. *pi-* (v. PIAILLER, PIAULER) ; a éliminé au sens de « pigeon » l'anc. *coulon,* du lat. *colombus.* || **pigeonne** XVIe s. || **pigeonneau** 1534, B. Des Périers. || **pigeonnier** 1549, R. Est. || **pigeonner** 1553, Belon, plumer comme un pigeon ; 1680, Richelet, techn. || **pigeonnage** 1869, L. || **pigeon vole** 1839, Pommier.

1. **piger** V. PIGE 1.

2. **piger** 1808, d'Hautel, terme de jeu ; 1845, Balzac, « attraper » ; 1841, Esnault, pop., « comprendre » ; de l'adj. lat. **pedicus,* de *pes, pedis,* pied. (V. PIGE 2.)

pigment 1170, *Rois,* « épice, baume » ; 1813, *Ann. de chim.,* sens mod. ; lat. *pigmentum,* matière colorante (v. PIMENT). || **pigmentation** 1869, L. || **pigmentaire** 1842, *Acad.* || **pigmenté** 1878, Lar. || **pigmentogène** 1907, Lar.

pignade, pigne V. PIN.

pignocher 1640, Oudin, « manger du bout des dents » ; 1875, Lar., « peindre à petits coups » ; altér. de l'anc. v. *épinocher* (XVIe s.), d'*épinoche,* petit poisson que les pêcheurs rejettent à cause de ses aiguillons. || **pignochage** 1935, *Acad.* || **pignocheur** 1640, Oudin, qui mange du bout des dents ; 1870, Burger, peinture.

1. ***pignon** 1190, Garnier (*pinnon*) ; début XIIIe s., *Guillaume de Dole,* archit. ; lat. pop. **pinniō, -ōnis,* de *pinna,* pinacle.

2. **pignon** 1350, *Romania,* amande de la pomme de pin ; prov. *pinhon,* de *pinha,* pomme de pin, du lat. *pinea,* de *pinus,* pin.

3. **pignon** XIIIe s., Tobler-Lommatzsch (*peignon*) ; XVIe s. (*pignon*), mécan. ; de *peigne.*

pignoratif, pignoration 1568, Papon, jurid. ; lat. *pignorare,* mettre en gage, de *pignus, pignoris,* gage.

pignouf 1857, Vallès, pop. ; du verbe de l'Ouest *pigner* (1215, Pean Gatineau), « crier, grincer », ou *pignier,* « geindre », du rad. onomatop. *pi-* (v. PIAULER) et du suff. péjor. *-ouf.* || **pignouffisme** 1961, *journ.*

pilaf 1654, Duloir (*pilau*) ; 1834, Boiste ; var. *pilaw* (1853, Th. Gautier) ; mot turc, du persan *pilaou.*

pilaire 1835, Raymond ; lat. *pilus,* poil. (V. PILEUX.)

pilastre XIIIe s., « pilier » ; rare jusqu'en 1545, Van Aelst, sens mod. ; ital. *pilastro,* de *pila,* colonne. (V. PILE 1.)

pilchard 1803, Boiste ; mot angl., d'orig. obscure.

1. ***pile** XIIIe s., « pilier » ; lat. *pīla,* colonne ; 1812, Mozin, électricité, repris à l'ital. || **pilot** 1360, Froissart, « poteau ». || **pilotis** 1360, Froissart. || **piloter** 1321, Fagniez, garnir de pilots. || **pilotage** 1491, G., construction de pilotis. || **empiler** fin XIIe s., R. de Moiliens, mettre en pile ; 1889, Esnault, fam., tromper, voler. || **empilage** 1679, Savary. || **empilement** 1548, G. || **empileur** 1715, *Ordonn.* || **rempiler** début XIVe s., *soi rempiler,* se joindre à un groupe ; 1923, Lar., milit., se rengager.

2. **pile** 1155, Wace (*pille*), revers d'une monnaie ; empl. fig. du précéd., proprem. « coin servant à frapper le revers d'une monnaie » ; *jouer à pile ou face,* 1842, Mozin (1836, Landais, *jouer à croix ou à pile*) ; adv., 1866, Esnault.

3. ***pile** milieu XIIe s., *Roman de Thèbes,* mortier à piler, etc. ; lat. *pīla,* mortier. || ***piler** 1170, *Rois,* réduire en petits morceaux, écraser ; bas lat. *pīlare,* de *pīla,* mortier ; 1821, Desgranges, pop., battre. || **pilage** 1755, Liger. || **pile** 1821, Desgranges, pop., rossée. || **pileur** début XIVe s. || **piloir** 1600, O. de Serres. || **pilon** XIIe s. ; *mettre au pilon,* 1723, Savary ; 1847, Boyer, jambe de bois ; 1907, Lar., fam., cuisse de volaille cuite. || **pilonner** 1723, Savary. || **pilonnage** 1803, Boiste. || **pilonnement** début XXe s.

pileux XVe s., garni de poils ; 1835, Raymond, anat. ; lat. *pīlosus,* de *pīlum,* poil. || **piloselle** 1300, G., bot. || **pilosité** 1842, *Acad.* || **pilosisme** 1858, Nysten. || **pilifère** 1839, Boiste ; lat. *pilum* et *-fère.* || **pilomoteur** 1932, Lar.

***pilier** fin XIe s., *Gloses de Raschi* (*piler*) ; 1155, Wace (*pilier,* avec chang. de suffixe) ; fin XIVe s., habitué d'un endroit ; *pilier de cabaret,* 1656, Oudin ; lat. pop. **pilare,* de *pila* (v. PILE 1).

piller XIIIe s., « houspiller, malmener » ; fin XIIIe s., sens mod., répandu pendant la guerre de Cent Ans ; anc. fr. *peille* (1174, Fougères), du lat. *pīlleum,* chiffon, ou du bas lat. *pīlare,* voler, devenu **piliare.* || pillage XIIIe s., *Apollonius,* butin ; 1352, Bersuire, action de piller. || **pilleur** milieu XIVe s., Machaut. || **pillerie** XIIIe s., L. || **pillard** 1360, Froissart.

pilocarpe 1804, *Encycl. bot.* ; lat. *pilocarpus.* || **pilocarpine** 1875, *J. O.*

piloir, pilon, pilonner V. PILE 3.

pilori 1168, Delb. (*pellori*) ; lat. médiév. *pilorium,* de *pīla,* pilier, ou du prov. *espelori,* d'orig. obscure ; 1845, Besch., *mettre au pilori,* fig. || **pilorier** 1349, Varin.

pilotage, piloter, pilotis V. PILE 1, PILOTE.

pilote 1369, Jal (*pilot,* jusqu'en 1641) ; 1529, Parmentier (*pilote*) ; mot d'un parler sicilien *pidotu,* de l'ital. *piloto, pilota,* gr. byzantin **pēdōtês,* du gr. *pedon,* gouvernail. || **piloter** 1484, Garcie, diriger un bateau ; 1615, Pasquier, fig. || **pilotage** XVe s. ; XXe s., fig. || **pilotin** 1771, Trévoux, apprenti pilote ; 1761, Duhamel, petit poisson.

pilou 1903, Lar., tissu ; corse *pelone,* de *pelo,* poil, lat. *pilus.* (V. PILEUX.)

pilule 1314, Mondeville (*pillule*) ; lat. méd. *pĭlŭla,* « boulette », dimin. de *pĭlă* au sens de « balle, boule ». || **pilulaire** 1739, *Encycl.,* n. m., bot. ; adj., 1756, Geffroy. || **pilulier** 1763, *Encycl.*

pimbêche 1545, A. Le Maçon ; p.-ê. altér. d'un anc. *pince-bêche,* impér. de *pincer* et de *bêcher,* donner des coups de bec.

piment 980, *Passion,* « baume, épice » ; 1664, Savary, bot., sens mod. ; lat. *pigmentum* au sens bas lat. d'« aromate » (v. PIGMENT). || **pimenter** 1825, Brillat-Savarin. || **pimentade** 1741, Savary.

pimpant 1500, *Doc.* ; part. prés. du moy. fr. *pimper,* d'un rad. expressif *pimp-* (cf. l'anc. prov. *pimpar,* parer). || **pimpesouée** XVe s., femme prétentieuse ; sur l'anc. fr. *souef,* doux, du lat. *suavis.*

pimprenelle XIIe s., *Gloses de Tours* (*piprenelle*) ; XVe s. (*pimprenelle*) ; lat. médiév. *pipinella* (VIIe s.), p.-ê. dér. de *piper,* poivre (à cause du goût aromatique de la pimprenelle).

***pin** 1080, *Roland* ; lat. *pīnus.* || **pinière** milieu XVIe s. || **pineraie** 1873, Lar. || **pinède** 1842, *Acad.* ; prov. *pinedo,* du lat. pop. *pinetus,* de *pinus,* pin. || **pigne** 1460, Villon, cône de pomme de pin ; 1869, L., sens actuel. || **pignade** 1841, *les Français peints par eux-mêmes* (*pignada*), forêt de pins ; 1869, L. (*pignade*) ; occitan *pinada.* || **pinifère** 1842, *Acad.* || **pinique** 1842, *Acad.* || **pinicole** 1827, *Acad.* || **pinastre** 1562, Du Pinet. || **pinatelle** 1877, *Revue des Deux Mondes,* forêt de pins.

pinacle 1261, Delb. ; fin XVIIe s., Saint-Simon, *porter au pinacle* ; XIXe s., architecture ; lat. eccl. *pinnaculum,* faîte du temple de Jérusalem, de *pinna* (v. PIGNON 1).

pinacothèque 1606, *Doc.* ; lat. *pinacotheca,* gr. *pinakothêkê,* de *pinax, pinakos,* tableau, et *thêkê,* boîte. || **pinacologie** 1932, Lar. ; gr. *pinax, pinakos,* planche, tableau.

pinailler 1934, Arveiller, pop., ergoter ; orig. obscure, p.-ê. var. de PIGNOCHER. || **pinailleur** 1934, Arveiller. || **pinaillage** v. 1950.

pinard V. PINEAU.

pinasse ou **pinace** milieu XVe s. (*pinace*), mar. ; 1596, Hulsius (*pinasse*) ; var. anc. *espinace,* v. 1450, Monstrelet ; esp. *pinaza,* du lat. pop. **pinācea,* (canot) en bois de pin, du lat. *pinus,* pin. (V. PÉNICHE.)

***pinceau** XIIe s., *Rom. de Troie* (*pincel*) ; XVe s. (*pinceau*) ; lat. pop. **pēnīcellus,* en lat. class. *pēnīculus,* de *penis,* queue (v. PÉNIS). Le *i* peut être dû à une assimil. de *e* à *i* suivant. || **pincelier** 1621, Binet. || **pinceauter** 1806, *Annales chimie.*

***pincer** 1160, Benoît (*pincier*) ; lat. pop. **pinctiare,* croisement entre **punctiare,* de *punctus,* point, et **pīccare,* piquer, ou d'un rad. expressif **pints-.* || **pincé** adj., 1544, M. Scève, « bien reproduit » ; 1695, Regnard, « raide, dédaigneux ». || **pincée** 1642, Oudin. || **pinçon** début XVIe s., « onglée » ; 1640, Oudin, marque sur la peau où l'on a pincé. || **pincement** 1554, Ronsard. || **pinçure** 1170, *Rois* (*pinchure*), tenailles ; 1530, Palsgrave (*pinçure*), action d'enlever les nœuds d'un drap ; 1560, Paré, sens actuel. || **pinçard** 1772, Lafosse. || **pince** 1354, *Modus* (*pinche*), extrémité de sabot du cheval ; 1398, E. Deschamps, « endroit où se séparent les doigts » ; 1382, texte de Rouen, outil de fer ; 1660, Oudin, patte des crustacés, et aussi pli en pointe, terme de couture. || **épincer** 1262, texte de Douai (*espinchier*), techn. || **pincettes** 1321, *Notices.* || **pinceter** 1564, J. Thierry. || **épinceter** 1509, Tilander, aiguiser les serres (d'un oiseau) ; 1829, Boiste, techn. || **pince-cul** 1867, Delvau. || **pince-maille** fin XVe s. || **pince-monseigneur** 1834, Balzac. || **pince-nez** 1856, Furpille. || **pince-notes** 1903, Lar. || **pince-sans-rire** 1774, d'Audinot. || **pince-fesse** 1949, Lar., pop. || **pinçoter** 1569, Du Tronchet.

pindarique 1550, Ronsard ; de *Pindare,* nom du poète lyrique grec. || **pindariser** 1502, O. de Saint-Gelais. || **pindarisme** fin XVIe s.

pinéal 1503, Chauliac, anat. ; lat. *pinea,* pomme de pin (d'après la forme de la glande pinéale).

pineau 1398, E. Deschamps (*pinot*) ; début XVe s. (*pineau*), petit raisin blanc ; XVe s., *Quinze Joyes,* vin fait avec le pineau ; de *pine* (XVe s.), mot régional désignant une pomme de pin (d'après la forme de la grappe). || **pinard** 1616, Sainéan, pop., vin ordinaire ; 1886, Esnault, vin en général ; vulgarisé pendant la guerre de 1914-1918. || **pinardier** 1953, *journ.*

pinède V. PIN.

pingoin 1598, Lodewijcksz (*penkuyn*) ; néerl. *pinguin,* d'orig. obscure || **pingouinère** 1876, *J. O.*

Ping-Pong 1901, *l'Illustration ;* n. déposé, onomat.

pingre 1757, Vadé (auparavant nom propre, *Le Pingre,* 1406, N. de Baye) ; orig. inconnue. (Voir aussi *les pingres,* XVe-XVIe s., jeu d'osselets.) || **pingrerie** 1873, Verlaine.

pinguicule 1875, Lar. ; lat. *pinguiculis,* grassouillet.

pink 1932, Lar. ; mot angl. signif. « couleur de rose ».

pinne 1611, Cotgrave, zool. ; lat. *pinna,* mot gr. ; mollusque à coquille triangulaire.

pinnipèdes 1827, *Acad.,* zool. ; lat. *pinna,* nageoire, et *pes, pedis,* pied. || **pinne** 1558, Rondelet, nageoire.

pinnule 1528, Finé, techn. ; lat. *pinnula,* dimin. de *pinna* au sens « aile ».

pinque 1634, Delb (dimin. *pinquet*) ; 1688, Miege (*pinque*) ; moy. néerl. *pink,* grand bateau de pêche.

***pinson** 1180, Marie de France (*pinçun*) ; lat. pop. **pinciō, -onis,* d'orig. gauloise.

pintade 1637, A. de Saint-Lô ; port. *pintada,* oiseau peint, de *pintar,* peindre, lat. pop. **pinctare.* || **pintadeau** XVIIIe s., Buffon. || **pintadine** 1842, *Acad.,* huître perlière, c.-à-d. « coquillage tacheté ».

***pinte** 1260, Havard ; probablem. lat. *pincta,* part. passé de *pingere* (v. PEINDRE), au sens de « pourvu d'une marque », pour désigner une mesure de capacité étalonnée. || **pinter** 1265, J. de Meung, boire ; v. pr., XXe s., « s'enivrer ».

pin-up XXe s. ; mot angl., de *to pin up,* épingler.

pioche milieu XIVe s. (*pioiche*) ; de pic 2, prononcé *pi,* avec le suff. pop. *-oche.* || **piocher** 1360, Froissart ; 1788, Féraud, fig., travailler avec ardeur. || **piocheur** 1534, Rab. ; fig., 1808, d'Hautel. || **piochage** 1752, Trévoux. || **piochement** 1869, L.

piolet 1869, L. ; du valdôtain *piolet,* petite hache, de l'anc. prov. *piola,* hache, dimin. de *apia,* avec déglutination de *a* initial, francique **happia.* (V. HACHE.)

***pion** fin XIIe s., *Roman d'Alexandre (peon),* « fantassin » ; 1180, *Raoul de Cambrai* (*poon*), aux échecs ; début XVe s. (*pion*) ; XVe s., pauvre diable ; 1833, Baudelaire, surveillant de collège ; fig., 1928, Martin du Gard ; *damer le pion,* 1661, Chapelain ; lat. *pedo, -onis* (de *pes, pedis,* pied), « qui a de grands pieds », puis « qui va à pied ». || **pionne** 1878, Esnault, surveillante. || **pionnicat** XXe s. || **pionner** 1798, *Acad.,* au jeu de dames. || **pionnier** XIe s., *Chanson de Guillaume* (*peünier*), fantassin ; XIVe s., Cuvelier, ouvrier d'artillerie ; 1478, d'après Guérin, défricheur ; 1860, Dochez, défricheur dans les pays coloniaux ; 1875, Lar., fig.

pioncer 1827, Vidocq, pop., dormir ; peut-être altér., d'après *ronfler,* de *piausser* (1628, Chereau), de *peausser,* dormir sur des peaux, de *peau,* au sens de « couverture, lit ». (V. PIEU 2.)

pioupiou 1611, Cotgrave, cri des poussins ; 1838, Varner, *le Pioupiou,* comédie (donnée au Palais-Royal, le 31 mars), d'une onom. enfantine désignant les poussins, empl. par ironie pour les jeunes soldats.

pipe V. PIPER.

pipelet 1854, Esnault, pop., concierge ; du nom de *Pipelet,* personnage des *Mystères de Paris* (1842), d'Eugène Sue. || **pipelette** 1963, Lar., « personne bavarde ».

pipe-line 1887, Lami ; angl. *pipe-line,* de l'anc. fr. *pipe,* « tuyau », et *ligne.* Concurrencé auj. par *oléoduc.* || **pipelinier** 1973, *J. O.*

***piper** 1180, Marie de France, « pousser un petit cri pour attirer les oiseaux » ; lat. pop.

pippāre*, du lat. class. *pīpāre*, « glousser », et à basse époque « pépier » ; 1375, *Modus*, « prendre les oiseaux à la pipée » ; 1455, Sainéan, tromper ; 1868, L., escamoter ; *ne pas piper*, 1616, *Anc. Théâtre*, « ne pas dire mot » ; *piper les dés*, 1636, Monet. || **pipe fin XIIe s., J. de Bruges, chalumeau, pipeau ; XIIIe s., chalumeau pour boire, d'où « tuyau, tige à divers usages » ; 1626, *Traité du tabac*, pipe pour fumer ; *casser sa pipe*, 1649, *Mazarinades*, fig. ; *tête de pipe*, 1888, Sachs-Villate, pop., individu ; déverbal. || **piper** 1856, Esnault, fumer une pipe. || **pipette** XIIIe s., tuyau ; XIVe s., mesure de liquides ; 1836, Landais, tube de verre pour transvaser des liquides. || **pipeau** 1537, G., goulot ; milieu XVIe s., Ronsard, mus. || **pipée** 1354, *Modus*, chasse où l'on imite le cri des oiseaux pour les attirer ; 1909, Farrère, contenu d'une pipe. || **piperie** XIIIe s., Bartzsch, action de jouer du pipeau ; 1460, Villon, tromperie. || **pipeur** 1455, *Coquillards*, trompeur.

pipéracées 1816, Candolle ; lat. *piper*, poivre. || **pipérin** n. m. et **pipérine** n. f., 1827, *Acad.* || **pipéronal** 1875, Lar. || **piperade** 1938, Montagné ; mot béarnais. || **pipérique** 1875, Lar.

1. **pipi** 1692, Dufresny (*faire pipi*) ; redoublement enfantin ou euphémique de la première syllabe de *pisser*.

2. **pipi, pipit, pitpit** 1683, trad. de Ludolf, zool. ; onomat., d'après le cri de cet oiseau. (V. PÉPIER.)

pipistrelle 1812, Mozin, zool. ; ital. *pipistrello*, chauve-souris, déform. de l'anc. ital. *vipistrello*, du lat. *vespertilio*.

1. **pique** n. f., 1330, *Baudoin de Sebourg*, arme ; néerl. *pike*.

2. **pique** n. m., 1552, Ch. Est., une des couleurs noires des cartes, empl. métaph. du précéd., à cause de sa forme en fer de pique ; masc. d'après le genre des trois autres noms de couleurs.

3. **pique** V. PIQUER 1.

1. **piquer** 1130, *Saint-Gilles*, « percer d'une pointe » ; 1546, Ch. Est., « démanger » ; 1671, Pomey, méd., percer avec la lancette, d'où les sens mod. ; 1844, Balzac, plonger ; 1866, Parent, s'élever verticalement ; 1949, Lar., aéron., descendre presque à la verticale ; *se piquer a*, 1580, Montaigne, s'irriter ; 1835, *Acad.*, s'aigrir ; lat. pop. **piccāre*, d'une rac. onomat. exprimant un mouvement rapide suivi d'un bruit sec (v. PIC 1). || **piquant** n. m., 1372, Du Cange, projectile ; XVe s., épine ; adj., 1398, *Ménagier* (*eau piquante*) ; 1546, Ch. Est., qui pique la peau ; 1559, Amyot, fig. || **piqué** adj., 1560, Paré, marqué de trous ; début XIXe s., marqué par un insecte ; 1899, Esnault, fou ; n. m., 1806, Brunot ; *en piqué*, 1937, Malraux. || **piqûre** XIe s., *Gloses de Raschi* ; 1586, Havard, couture ; XVIIe s., morsure d'insecte. || **piqueur** 1360, Froissart, « qui pique » ; 1572, Budé, écuyer ; 1780, Brunot, mines. || **piquage** 1803, Boiste. || **piquade** 1803, Boiste. || **pique** 1460, Chastellain, altercation. || **piquet** 1390, G. (*pichet*) ; 1660, Oudin (*piquet*) ; 1718, *Acad.*, pieu tenant les chevaux à l'attache, d'où, milit., détachement, et *piquet de grève*, XIXe s. ; XVIIIe s., punition militaire (deux heures un pied sur le piquet), d'où, 1842, Mozin, punition scolaire. || **piqueter** 1347, G., « faucher », avec une faux appelée « piquet » ; XVIe s., G., sens mod. || **piquetage** 1869, *les Primes d'honneur.* || **picoter** 1379, J. de Brie ; anc. fr. *picot*, pointe ferrée. || **picote** milieu XVIe s., variole. || **picotement** 1552, Ch. Est. || **piquette** 1583, Liébault, boisson de prunelles ; 1660, Oudin, mauvais vin. || **picter** 1628, *Jargon*, boire. || **picton** 1790, *Rat du Châtelet*, arg., « piquette ». || **pique-assiette** 1807, Michel. || **pique-bœuf** 1534, B. des Périers, zool. || **pique-bois** 1818, *Dict. sc. naturelles.* || **pique-feu** 1877, L. || **pique-fleurs** 1972, *journ.* || **pique-nique** 1694, Ménage ; de *piquer*, au sens de « picorer », et de l'anc. fr. *nique*, chose sans valeur, du germ. *nik.* || **pique-niquer** 1875, Lar. || **pique-niqueur** 1875, Lar. || **pique-notes** 1877, L. || **dépiquer** XIIIe s., « piquer » ; 1648, Voiture, sens mod. || **repiquer** 1508, Gaillon, agric. || **repiquage** début XIXe s.

2. **piquer** V. PIC 2.

piranha, piraya 1795, d'après Robert ; mot tupi (Brésil).

pirate 1213, *Fet des Rom.* ; lat. *pirata*, du gr. *peiratēs*, de *peiran*, « essayer », d'où « tenter la fortune sur mer ». || **pirater** 1578, d'Aubigné. || **piraterie** 1505, *Voy. de Gonneville.*

***pire** 1155, Wace ; lat. *peior*, comparatif de *malus*, mauvais : cas sujet cristallisé, dont le cas régime, *peior, pieur*, a disparu au XVe s. (v. PIS 2). || **empirer** XIIe s. ; réfection, d'après *pire*, d'*empeirier* (1080, *Alexis*), du lat. pop. **impejorāre* (bas lat. *pejorare*).

piriforme 1690, Dionis ; lat. *pirus*, poire, et *-forme.*

pirogue 1555, J. Poleur (*piragne*) ; 1638, *Gazette de France* (*pirogue*) ; esp. *piragua,* mot caraïbe. || **piroguier** 1859, Peschier.

pirouette 1364, Machaut (*pirouelle*) ; 1450, Gréban (*pirouet*) ; 1510, *Test. de Ruby* (*pirouette*), « sabot, toupie » ; XVIe s., cabriolet ; d'un rad. *pir-,* entrant dans la composition de mots signif. « piquet » (ital. *pirolo,* cheville, toupie, et le fr. rég. *piron,* gond). || **pirouetter** 1530, Palsgrave, faire tourner une toupie ; milieu XVIe s., sens mod. || **pirouettement** fin XVIe s.

1. ***pis** 980, *Passion* (*peiz*) ; 1080, *Roland* (*piz*), n. m., poitrine ; XIIe s., mamelle de bête laitière ; lat. *pĕctus,* poitrine. (V. PECTORAL, POITRINE.)

2. ***pis** fin Xe s., *Saint Léger* (*peis*), adj. ; 1130, *Eneas* (*pis*), adv. ; lat. *peius,* neutre de *peior,* comparatif de *malus,* mauvais (v. PIRE). || **pis-aller** 1643, Corn.

pisci-, lat. *piscis,* poisson. || **pisciculture** 1850, Coste. || **pisciculteur** 1857, Haxo. || **piscicole** 1876, *J. O.* || **pisciforme** 1776, Bomare. || **piscivore** 1772, Brunot.

piscine fin XIIe s., Herman de Valenciennes ; 1877, L., sens actuel ; lat. *piscina,* « vivier », « bassin pour le bain » (Ier s., Sénèque), de *piscis,* poisson (v. le précéd.).

pisé n. m., 1562, Du Pinet, techn. ; part. passé substantivé de l'anc. fr. *piser* (1555, Aneau), « broyer », et par ext. « battre la terre à bâtir », du lat. *pi(n)sare,* piler, broyer (v. PIGE 1). || **piseur** 1803, Boiste. || **pisoir** ou **pison** 1575, *Doc.,* pilon ; 1803, Boiste, sens mod., techn.

pisiforme 1765, *Encycl.* ; lat. *pisum,* pois. || **pisolite** 1765, *Encycl.* || **pisolitique** 1812, Mozin.

pissalat 1539, *Romania* ; mot niçois, de l'anc. prov. *peis,* poisson, et *salat,* salé. || **pissaladière** 1938, Montagné.

pissenlit V. PISSER.

***pisser** 1180, Marie de France ; lat. **pissāre,* de formation expressive ; devenu vulgaire en fr. mod. || **pissat** début XIIIe s., Tobler-Lommatzsch (*pissace*) ; 1314, Mondeville (*pissat*). || **pisse** 1611, Cotgrave, pop. ; déverbal || **pissée** 1869, L. || **pissement** 1565, Vallambert. || **pisseur** XIIIe s., La Curne (*pisseres*) ; 1482, Flameng (*pisseur*). || **pisseux** 1580, B. Palissy. || **pissoir** 1489, G. || **pissoter** 1560, Paré. || **pissotière** 1534, Rab., vessie ; 1611, Cotgrave, urinoir. || **pissenlit** 1536, H. Est., bot. ; par allusion à ses vertus diurétiques. || **pissette** 1838, *Annales chimie.* || **pisse-froid** 1609, Sigogne. || **pisse-sang** 1600, O. de Serres, méd. et vétér. || **pisse-vinaigre** 1640, Oudin, « esprit chagrin ». || **compisser** 1924, Mac Orlan.

pistache XIIIe s., *Simples Méd.* (*pistace*) ; lat. *pistacium,* du gr. *pistakion,* mot d'Orient ; repris au XVIe s., 1546, J. Martin (*pistache*), de l'ital. *pistaccio.* || **pistachier** 1557, de Lécluse (*pistacier*) ; 1606, Crespin (*pistachier*).

piste 1562, du Pinet, empreinte de pied d'animal ; 1611, Cotgrave, suite d'empreintes ; fin XVIe s., ligne de manège de chevaux ; 1860, *journ.,* chemin ; cinéma, 1923, Florey ; ital. *pista* (auj. *pesta*), de *pestare,* broyer, piler, du bas lat. *pistāre, id.* || **pister** 1775, abbé Prévost, broyer ; 1859, Mozin, sens mod. || **pistage** 1907, Lar. || **pistard** 1913, Esnault. || **pisteur** 1850, H. Murger. || **dépister** 1737, *Mémoires de Trévoux,* retrouver la piste ; 1828, Vidocq, détourner de la piste.

pistil 1685, Grew (*pistille*) ; 1690, Furetière (*pistil*), bot. ; lat. *pistillus,* « pilon », en raison de la forme du pistil. || **pistillaire** 1842, *Acad.*

pistole 1544, Gay, « petite arquebuse » ; 1560, Pasquier, monnaie valant dix francs, par comparaison plaisante ; all. *Pistole,* pistolet, du tchèque *pistala,* sifflet. || **pistolet** 1534, Des Périers, monnaie ; 1546, *Anc. Lois fr.,* arme à feu courte et portative ; milieu XVIe s., poignard ; 1932, Lar., techn. ; du nom de *Pistoja,* ville où se fabriquait cette arme ; 1842, *Acad.,* individu, péjor. ; dimin. || **pistolade** 1559, Petiot, coup de pistolet. || **pistoleur** 1969, *journ.*

piston 1534, Rab., « pilon » ; 1648, Pascal, sens mod. ; 1836, Landais, mus. ; 1857, Esnault, fig., sens dér. de *pistonner* ; ital. *pistone,* du lat. *pistare,* fouler, écraser (v. PISTE). || **pistonner** 1857, Esnault, fig., recommander, appuyer.

pistou 1931, Brun ; mot marseillais, de l'anc. prov. *pestar,* broyer, bas lat. *pistare.*

pitance 1120, *Ps. d'Oxford,* « pitié, piété » ; début XIIIe s., *Roman de Renart,* « portion donnée à chaque moine pour son repas », les distributions de vivres étant assurées par des fondations pieuses ; XIIIe s., Rutebeuf, nourriture ; auj., péjor. ; même mot que *piété, pitié,* avec changem. de suff. || **pitancier** 1287, Bevans.

pitchpin 1875, Sachot ; angl. *pitchpine,* de *pine,* pin, et *pitch,* résine.

1. **pite** 1462, G., hist., monnaie de cuivre ; lat. médiév. *picta,* d'un rad. *pitt-,* pointe, bout pointu. (V. PITON.)

2. **pite** 1599, Champlain (*pitte*), agave ; esp. *pita,* mot d'une langue amérindienne.

piter 1963, Lar., toucher ; prov. *pitá,* becqueter.

***piteux** 1120, *Ps. de Cambridge* (*pitus*), « qui éprouve de la pitié » ; 1165, Thomas, digne de pitié ; 1648, Scarron, malheureux, gauche ; bas lat. *pietosus,* de *pietas.* (V. PITIÉ.) || **piteusement** 1165, Thomas.

pithécanthrope 1903, Lar. ; mot allem. créé par Haeckel, du gr. *pithêkos,* singe, et *anthrôpos,* homme.

pithiatisme 1901, Babinski, méd. ; gr. *peithô,* persuasion, et *iatos,* guérissable. || **pithiatique** 1901, Babinski.

***pitié** 1050, *saint Alexis* (*pitet*) ; 1080, *Roland* (*pitié*) ; lat. *pietas, -atis,* piété ; en anc. fr. « pitié » et « piété » ; resté en fr. mod. au premier sens. || **pitoyable** 1120, *Ps. de Cambridge* (*piteable*) ; XVIe s. (*pitoyable*). || **apitoyer** fin XIIIe s., *Marco Polo.* || **apitoiement** 1842, J.-B. Richard. || **impitoyable** XVe s.

piton 1382, Delb., clou à crochet ; 1640, P. Bouton, pointe de montagne ; d'un rad. *pitt-,* signif. « pointe ». || **pitonner** 1963, Lar. || **pitonnage** 1956, Trombe.

pitre 1660, Saint-Amant (*bon pitre,* « brave homme ») ; 1828, Vidocq, sens mod. ; mot dialectal de Franche-Comté, de même orig. que le fr. *piètre.* || **pitrerie** 1876, *J. O.*

pittoresque 1708, Piles, « qui fait de l'effet dans un tableau » ; 1721, Coypel, « qui rend une œuvre d'art bien caractérisée, en peinture ou en littérature » ; 1865, Taine, sens actuel ; ital. *pittoresco,* de *pittore,* peintre, du lat. *pictor.* (V. PICTURAL.) || **pittoresquement** 1732, *Mercure de France.*

pituite 1541, Beaufilz ; lat. *pituita* (v. PÉPIE). || **pituiteux** 1538, Canappe ; lat. *pituitosus.* || **pituitaire** 1560, Paré.

pityriasis fin XVIIIe s., *D. G.* (*pityriase*), méd. ; gr. *pituriasis,* de *pituron,* son du blé, d'après l'aspect des taches de cette dermatose. || **pityriasique** 1878, Lar.

piveit ou **picvert** V. PIC 1.

pivoine fin XIIe s., *Roman d'Alexandre* (*peone*) ; 1360, Froissart (*pione*) ; 1539, Duchesne (*pivoine*) ; lat. *paeonia,* du gr. *paiônia.*

pivot 1174, E. de Fougères ; du prélatin non attesté **puga,* pointe, correspondant à l'angl. *pue,* « dent de peigne de tisserand, de herse », à l'anc. prov. *pua,* même sens, et à l'esp. *pua,* « pointe ». || **pivoter** 1508, La Curne, « se trémousser » ; 1823, Boiste, sens mod. || **pivotant** milieu XVIe s., adj. || **pivotement** 1923, Lar.

pizza XXe s. ; mot ital. || **pizzeria** 1954, Beauvoir.

placard 1410, G. (*plackart*), « enduit pour revêtir les murs » ; 1444, *Doc.,* affiche sur les murs ; fin XVIIIe s., armoire dans un mur ; 1835, *Acad.,* épreuve d'imprimerie ; de *plaquer.* || **placarder** 1586, Pasquier, « publier dans un libelle » ; 1611, Cotgrave, afficher. || **placardage** 1963, Lar.

***place** 1080, *Roland ;* 1417, *Arch. de Bret.,* milit. ; 1538, R. Est., situation, rang ; *place forte,* 1553, trad. de la Bible ; *place d'armes,* 1740, *Acad. ; sur place,* 1845, Besch. ; *faire place nette,* 1694, *Acad. ; à la place de,* XVIIe s. ; *place !,* 1652, Scarron ; *remettre à sa place,* 1690, Furetière ; *prendre place,* 1373, Gace de la Buigne ; *demi-place,* fin XIXe s., *D. G. ;* lat. pop. **plattea,* forme redoublée, d'après **plattus* (v. PLAT), du lat. class. *platea,* « large rue », du gr. *plateîa,* fém. substantivé de l'adj. *platus,* large. || **placette** milieu XIVe s. || **placer** 1564, J. Thierry. || **placement** 1578, d'Aubigné ; *bureau de placement,* 1834, Landais. || **placier** 1690, Furetière, fermier des places d'un marché ; 1845, Besch., représentant de commerce. || **placeur** 1765, *Encycl.* || **biplace** v. 1917. || **déplacer** début XVe s. || **déplacé** adj., 1701, Furetière ; 1944, *journ., personne déplacée.* || **déplacement** XVIe s., G. || **emplacement** début XVe s., « donation » ; 1611, Cotgrave, sens mod. || **remplacer** 1549, R. Est. ; anc. fr. *emplacer,* employer, mettre en place. || **remplaçant** n. m., 1792, milit. || **remplacement** 1535, *Doc.* || **remplaçable** 1845, Besch. || **irremplaçable** 1876, L. || **replacer** 1669, Widerhold.

placebo XIIIe s., G., « flatterie » ; XVIe s., « intrigant » ; 1875, Lar., méd. ; mot lat. signif. « je plairai », 1re pers. du fut. de l'indic. de *placere,* plaire.

placenta 1540, Michel de Tours (*placente*), « gâteau, galette » ; 1654, Gelée (*placenta*), anat. ; mot lat. signif. « gâteau », auquel les naturalistes ont donné une acception métaph.

|| **placentaire** 1817, Gérardin. || **placentation** *id.* || **placentographie** 1963, Lar.

1. **placer** V. PLACE.

2. **placer** n. m., 1849, Lireux, gisement d'or ; mot esp., var. de *placel,* dérivé du verbe *placer,* plaire, du lat. *placēre.*

placet 1365, texte de Valenciennes (*lettre de placet*), « assignation à comparaître » ; 1479, Bartzsch (*placet*), requête ; mot lat., 3e pers. de l'indic. prés. de *placēre,* plaire : « il plaît, il est jugé bon ».

placide 1525, J. Lemaire de Belges ; lat. *placidus.* || **placidement** 1611, Cotgrave. || **placidité** début XIXe s., Staël ; lat. *placiditas.*

plafond 1559, Gardet (*platfond*) ; comp. de *plat* et *fond,* « fond plat » ; *bas de plafond,* fig., 1875, Lar. ; « altitude », XXe s. || **plafonner** 1690, Furetière (*platfonner*), garnir d'un plafond ; 1920, Lainé, atteindre sa plus grande altitude. || **plafonneur** 1800, Boiste. || **plafonnage** 1835, *Acad.* || **plafonnement** 1874, *J. O.,* bx-arts ; 1963, Lar., sens actuel. || **plafonnier** 1906, *Omnia.* || **déplafonner** XXe s.

plagal 1620, d'Aubigné, mus. ; lat. eccl. *plaga,* qui désigne ce mode.

plage 1298, *Livre de Marco Polo,* « pente douce vers la mer » ; début XIXe s., sens mod. ; 1909, Farrère, pont d'un navire ; ital. *piaggia,* « coteau », du gr. *plagios,* « oblique », substantivé au pl. neut. et interprété comme fém. || **plagiste** 1965, *journ.*

plagiaire 1555, Ch. Fontaine ; lat. *plagiarus,* proprem. « débaucheur et receleur des esclaves d'autrui », de *plagium,* « détournement », du gr. *plagios,* oblique, fourbe (v. le précéd.). || **plagiat** 1697, Bayle. || **plagier** 1801, Mercier.

plagio-, gr. *plagios,* oblique. || **plagiocéphalie** 1877, L. || **plagioclase** 1903, Lar. || **plagiotrope** 1903, Lar.

1. **plaid** V. PLAIDER.

2. **plaid** 1667, Bonnafé, étoffe de laine ; 1708, Miege, manteau ; 1869, L., Proust, couverture de voyage ; mot angl., de l'écossais *plaide.*

***plaider** 1080, *Roland* (*plaidier*), tenir ses assises ; de l'anc. n. m. *plaid* (842, *Serments*), « convention » ; 1131, *Couronn. Loïs,* soutenir en justice ; lat. *placitum,* « conforme à la volonté », part. passé substantivé de *placēre,* plaire. || **plaidable** fin XIIIe s. || **plaidant** 1278, Langlois. || **plaideur** 1206, Guiot (*plaideor*).

plaidoyer 1283, Beaumanoir (*pledoyé*) ; *plaidoyé* sera usité jusqu'au XVIIe s. ; XIVe s. (*plaidoyer*) ; anc. v. fr. *plaidoier,* plaider, devenu nom ; de *plaid.* (V. PLAIDER.) || **plaidoirie** XIIIe s., Tobler-Lommatzsch.

plaie 1080, *Roland ;* lat. *plaga,* coup.

1. ***plain** 1112, *Voy. saint Brendan* (*a plain,* sans obstacle) ; 1130, *Eneas,* « plan, uni » ; lat. *planus ;* éliminé par PLAN 1, à cause de l'homonymie de *plein.* || **plaine** 1080, *Roland* (*pleine*), fém. substantivé, a éliminé le masc. substantivé *plain* et le n. f. *plaigne,* 1080, *Roland,* usités en anc. fr., du dér. lat. pop. **planea.* || **plain-chant** 1636, Monet. || **plain-pied (de)** 1654, La Rochefoucauld ; fig., XXe s. || **aplanir** XIVe s. ; réfection, par changem. de conjug., de l'ancien *aplanier* (XIIe s.) ; du XIVe au XVIe s., aussi « flatter » ; XVIIe s., fig. || **aplanissement** 1361, Oresme, « flatterie » ; 1539, R. Est., sens mod. || **aplanisseur** XVIIIe s., Voltaire, polit. (V. PÉNÉPLAINE.)

2. **plain** ou **pelain** n. m., fin XIIe s., R. de Moiliens (*pelain*) ; 1585, *Édit* (*plain*), techn., bain de chaux vive ; de *peler,* avec un suff. *-ain,* du lat. *-amen* (« qui fait peler la peau »). || **plamer** ou **pelamer** XVIe s. (*pellamer*) ; 1723, Savary (*plamer*), préparer les peaux avec le *plain.* || **plamée** ou **pelamée** 1752, Trévoux.

***plaindre** 1050, *Alexis ; se plaindre,* 1080, *Roland ;* lat. *plangĕre.* || **plaignant** 1259, Varin, n. m. ; XIIIe s., jurid. || **plainte** fin XIe s., *Gloses de Raschi* (*plonte*) ; XIIe s. (*plainte*), gémissement ; XIIe s., *Guillaume,* jurid. || **plaintif** 1130, *Job.* || **plaintivement** 1558, Rab.

***plaire** 1080, *Roland ;* réfection, d'après le prés. de l'indic. et sur le modèle de *faire, traire,* de l'anc. inf. *plaisir,* du lat. *placēre.* || **plaisant** adj., 1175, Chr. de Troyes. || **plaisamment** XIIe s. || **plaisance** 1265, J. de Meung, « plaisir » ; du part. prés. *plaisant ;* 1460, Chastellain, *de plaisance,* qui est agréable (lieu, maison, etc.). || **plaisancier** 1959, Giordan. || **plaisanter** 1531, Le Doyen. || **plaisanterie** 1279, Fr. Laurent ; rare jusqu'en 1538, R. Est. || **plaisantin** 1534, Des Périers, rare jusque v. 1850. || **complaire** début XIIe s. ; lat. *complacēre,* plaire beaucoup. || **complaisant** milieu XVIe s. || **complaisance** 1361, Oresme. || **déplaire** 1130, *Eneas* (*des-*) ; lat. pop. **displacere.* || **déplaisant** 1190, *saint Bernard,* souvent « mécontent » en anc. fr. (et jusqu'à la fin du XVIIe s., Saint-Simon). || **déplaisance** 1265, J. de Meung.

***plaisir** n. m., 1080, *Roland,* anc. infin. utilisé comme tel jusqu'au XIIIe s. ; lat. *placēre,* plaire ; 1829, Boiste, « oublie », emploi spécialisé. || **déplaisir** XIIIe s., *les Sept Sages.*

1. **plan** adj. et n. m., 1553, J. Martin, « surface plane », forme savante de *plain* 1, qu'elle a éliminé ; lat. *planus.* Empl. techn. dans les mathém., le dessin, le théâtre et le cinéma (*gros plan,* 1918, *le Film ; premier plan,* 1923, *Mon Ciné*) ; *plan calcul,* 1967, *journ.* || **arrière-plan** 1811, Chateaubriand, peint. || **biplan, monoplan** début XXe s. (v. PLANER 1 et 2). || **plan-convexe** 1691, Ozanam, optique. || **plan-concave** 1765, *Encycl.,* optique. || **planaire** n. m., 1803, Boiste, zool. || **planeter** 1765, *Encycl.,* techn. || **planette** 1765, *Encycl.* || **planéité** 1953, Lar. || **planimétrie** début XVIe s. || **planimètre** 1812, Mozin. || **planimétrie** 1520, Verney. || **planimétrique** 1836, Landais. || **planimétrage** 1923, Lar. || **planisphère** 1555, Delb. || **planisphérique** milieu XVIe s. || **planirostre** 1812, Mozin, zool. ; sur *rostre,* du lat. *rostrum,* bec. || **planitude** 1875, Lar. || **planorbe** 1765, *Encycl.* (*plan-orbis*) ; 1776, Valmont (*planorbe*), zool. ; de *orbis,* boule.

2. **plan** 1545, Van Aelst, « dessin d'une contrée » ; début XVIIe s., Malherbe, « projet élaboré » ; 1875, Lar., écon. ; *laisser en plan,* 1821, Desgranges, d'après *planter là quelqu'un* (XVe s.) ; fausse graphie du n. m. *plant* (fin XVe s.), « action de planter », d'où « ce qui est planté », de *planter,* confondu avec *plan* 1 pour la graphie, et développant des emplois particuliers sous l'infl. de l'ital. *pianta,* « espace occupé » et « dessin d'une contrée ». || **planifier, planification, planificateur** 1938, Hamon. || **planifiable** 1966, *journ.* || **planisme** 1939, Vermeil. || **planiste** 1949, *journ.* || **planning** 1953, Lar. ; mot angl.

***planche** 1155, Wace (*plance*) ; fin XIIe s. (*planche*) ; 1585, Cholières, gravure ; 1784, Diderot, scène de théâtre ; bas lat. *planca* (Ve s., Palladius), altér. de **palanca* (v. PALAN), sous l'infl. de *planus* (v. PLAN 1). || **planchette** XIIIe s., *Doon de Mayence.* || **planchéier** 1330, *Roman de Renart (planchoier)* ; 1539, R. Est. (*plancheer*). || **planchéiage** 1845, Besch. || **planchéieur** 1672, Isambert, employé d'un port ; 1827, *Acad.,* qui pose les planchers. || **plancher** n. m., 1160, Benoît ; aux XVI-XVIIe s., aussi « plafond » ; 1963, Lar., niveau minimal. || **plancher** 1905, Esnault, arg. des écoles, « subir une interrogation », par allusion à la « planche » du tableau.

***plançon** 1120, *Ps. d'Oxford ;* lat. pop. **plantio, -onis,* de *plantāre,* planter.

plancton 1903, Lar. ; mot créé en 1887, en all., par Hansen, du gr. *plagkton,* neutre de l'adj. *plagktos,* errant. || **planctonique** 1911, Lar. || **planctonologie** 1970, Robert. || **planctophage** 1954, Vivier.

1. **plane** 1174, E. de Fougères ; forme rég. (Est) de *platane.*

2. **plane** fin XIe s., *Gloses de Raschi* (*plaine*), « outil tranchant » ; XIVe s., Deschamps (*plane,* réfection d'après *planer* 1), « rabot » ; bas lat. *plāna* (IIIe s., Arnobe), de *plānāre,* rendre uni.

1. ***planer** 1160, Benoît, techn., « aplanir » ; bas lat. *plānāre* (VIe s., Corippe), de *plānus,* plan (v. PLAIN 1). || **planeur** 1680, Richelet, instrument techn. || **planure** 1668, Sorel, « copeaux ». || **planoir** 1765, *Encycl.*

2. **planer** XIIIe s., « baisser le haut du corps sur le cheval » ; 1373, Gace, « se soutenir en l'air », en parlant d'un oiseau ; fin XVIIIe s., *planer sur,* menacer ; fin XIXe s., aéron. ; dér. de l'anc. adj. *plain,* du lat. *planus,* uni. || **planeur** 1866, *journ.,* oiseau ; 1876, *journ.,* aéron.

planète 1119, Ph. de Thaon ; bas lat. *planeta* (IVe s., Ausone), du gr. *planêtês,* « (astre) errant ». || **planétaire** adj., 1553, Belon, astron. ; 1869, L., mécan. ; n. m., fin XIXe s., mécan. autom. || **planétarium** 1740, *Acad.* (*planétaire,* n. m.) ; fin XIXe s. (*planétarium*). || **planétarisé** 1971, Gilbert. || **interplanétaire** 1912, Esnault-Pelterie.

planimétrie, planisphère V. PLAN 1.

planquer 1445, *Coquillards* (*planter*), « cacher » ; 1790, *le Rat du Châtelet* (*planquer*), arg. et pop. ; var. de *planter.* || **planque** 1829, Esnault, cachette ; 1941, *le Français mod.,* situation tranquille.

***plantain** fin XIIIe s., Rutebeuf ; lat. *plantagĭnem,* acc. de *plantago,* de même rac. que *planta.*

1. ***plante** 1190, *Saint Bernard,* plante du pied ; lat. *planta,* même sens (v. PLANTER). || **plantigrade** 1795, Cuvier ; lat. *gradi,* marcher.

2. **plante** 1500, J. Lemaire de Belges (dimin. *plantelette*) ; 1542, Gesner (*plante*), « végétal » ; reprise tardive pour désigner d'un terme unique le règne végétal ; lat. médiév. *planta,* « rejeton, pousse », sans doute déverbal de *plantare,* planter. || **plantule** 1700, *Mémoires*

Acad. sciences, bot. ; lat. scientif. *plantula,* petite plante.

***planter** milieu XIIe s. ; lat. *plantare,* probablem. dér. de *planta,* plante des pieds, au sens primitif de « enfoncer avec le pied ». || **plant** XIVe s., E. Deschamps, action de planter ; 1551, G., tige nouvelle à planter. || **plantage** début XVe s. || **plantation** 1190, *Saint Bernard* (*planteson*) ; XIVe s. (*plantation*) ; rare jusqu'au XVIe s. ; lat. *plantatio.* || **planteur** fin XIIIe s. (*plantierres*), « celui qui établit une chose » ; XVe s., agric. ; 1667, Du Tertre, aux colonies ; d'après l'angl. *planter,* de (*to*) *plant,* planter, du fr. || **plantoir** 1640, Oudin. || **planton** 1584, G., jeune plant ; fin XVIIIe s., milit. || **déplanter** début XIVe s. || **déplantoir** 1640, Oudin. || **déplanteur** début XVIIIe s., La Motte. || **s'implanter** 1539, Canappe ; lat. *implantare ;* d'où *implanter,* 1611, Cotgrave. || **implantation** 1538, Canappe. || **replanter** fin XIIe s. || **transplanter** milieu XIVe s. || **transplantation** milieu XVIe s.

plantigrade V. PLANTE 1.

plantureux 1160, Benoît (*plenteüros*) ; 1207, Villehardouin (*plantureus,* avec *a* dû à l'attraction de *plante*) ; 1265, Br. Latini (*plantureux*) ; altér., sous l'infl. de *heureux,* de l'anc. fr. *plenteïveus* (XIIe s.), de l'anc. adj. *plentif,* dér. de l'anc. fr. *plenté,* « abondance », du bas lat. *plēnitās, -atis,* de *plēnus,* plein. || **plantureusement** XIIIe s.

plaquemine 1682, Friederici (*piakimina*) ; 1875, Lar. (*plaquemine*) ; algonquin, *piakimin.* || **plaqueminier** 1720, Read, bot.

plaquer XIIIe s., J. Bretel (*plaquier*), « appliquer quelque chose sur » ; 1564, Calvin, « abandonner », devenu d'empl. pop. ; moy. néerl. *placken,* « rapiécer, enduire ». || **plaque** XVe s., sorte de monnaie flamande (du moy. néerl. *placke*) ; 1549, R. Est. (*plaques,* au pl.), « crépi » ; 1562, Du Pinet (*plaque*), feuille de métal rigide. || **plaquette** début XVIe s., petite plaque ; 1835, *Acad.,* petit livre ; 1963, Lar., plaquette sanguine. || **plaqué** n. m., 1798, *Acad. ;* part. passé substantivé. || **placage** 1317, textes wallons. || **Placoplâtre** 1963, Lar. ; n. déposé. || **plaqueur** 1239, G., ouvrier en placage. || **plaquis** 1694, Th. Corn. || **contreplaqué, contre-placage** fin XIXe s. (v. PLACARD).

plasma 1752, Trévoux (*plasme*), pharm., « émeraude brute broyée » ; 1846, Besch. (*plasma*), même sens ; 1875, Lar., partie liquide du sang ; créé en all., dans ce sens, par Schultz, en 1836, du gr. *plasma,* « chose façonnée, modelée » ; 1962, Robert, gaz. || **plasmagène** 1963, Lar. || **plasmatique** 1858, Nysten. || **plasmatron** 1963, Lar. || **plasmolyse** XXe s. || **cytoplasme** 1890, Lar. || **néoplasme** 1868, L. || **protoplasme** 1869, L. (*protoplasma*) ; 1890, Lar. (*protoplasme*). || **protoplasmique** 1869, L. (V. CATAPLASME, ECTOPLASME.)

plaste 1962, Robert, bot. ; gr. *plassein,* façonner.

plastic 1949, Lar., explosif ; mot angl., de *plastique.* || **plastiquer, -age** 1960, *journ.*

plastique 1553, Vaganay, adj., bx-arts, esthétique ; 1765, *Encycl.,* n. f., *id. ;* 1875, Lar., adj., et n. m., substance quelconque qui peut être moulée ; 1949, Lar., substance de synthèse ; bas lat. *plasticus,* adj. (Ier s., Vitruve), et *plastica,* n. f. (IIIe s., Tertullien), du gr. *plastikos,* relatif au modelage, *plastikê* (*tekhnê*), art de modeler. || **plasticité** 1785, Fourcroy. || **plastifiant** n. m., 1963, Lar. || **plastifier** 1932, Lar. || **plastification** 1932, Lar. || **plastiquement** 1846, Lamennais.

plastron 1492, Gay, armure protégeant la poitrine ; XVIIe s., pièce de protection ; fin XIXe s., plastron de chemise ; ital. *piastrone,* « haubert », de *piastra,* « armure du dos » (v. PIASTRE). || **plastronner** 1611, Cotgrave, couvrir de plastron ; fin XIXe s., fanfaronner.

***plat** adj., 1080, *Roland ;* lat. pop. *plattus,* du gr. *platus,* plat, étendu ; *à plat,* 1942, Queneau ; *à-plat,* n. m., 1877, L., techn. ; *pied-plat,* 1560, Paré, méd. ; 1660, Oudin, rustre (chaussé sans talons, à la différence des gentilshommes) ; *plat de côtes,* 1869, L. || **platement** fin XVe s. || **plat-bord** 1573, Du Puys, mar. || **plate-bande** XIIIe s., *Bibl. Ec. chartes.* || **plate-forme** XVe s., G. ; 1869, L., idées essentielles ; d'après l'angl. *platform,* plan. || **plate-longe** 1690, Furetière, techn. || **platitude** 1694, *Acad.,* au propre et au fig. || **plat** n. m., 1119, Ph. de Thaon, plateau. || **plate** n. f., 1690, Furetière, bateau plat. || **chauffe-plats** XXe s. || **couvre-plat** 1827, *Acad.* || **dessous-de-plat** XXe s. || **monte-plats** XXe s. || **plateau** 1175, Chr. de Troyes (*platel*), « bassin, écuelle » ; XIIIe s., grand plat ; 1694, *Acad.,* géogr. ; 1907, Lar., théâtre. || **platelage** 1845, Besch., techn. ; dér. de *plateau.* || **platelet** 1364, Prost. || **platerie** 1802, Fourmy. || **platine** XIIe s., *Chevalier aux deux épées,* plaque de métal ; 1220, Coincy, cuirasse ; XVIIe s., techn. || **platée** 1798, *Acad.* || **platière** 1765, *Acad.* || **platodes** 1963, Lar. ; gr. *platus,* plat, et *eidos,* forme. || **aplatir** milieu XIVe s. ; fig., 1864, Goncourt. || **aplatissement** 1600, O. de Serres.

|| aplatisseur 1819, Beurard, mines. || aplatissoire 1771, Trévoux. || **replat** n. m., v. 1300. || **méplat** adj., 1432, Baudet Herenc. ; n. m., 1691, Ozanam ; préf. négatif *me(s)*.

platane 1535, de Selve ; lat. *platanus,* gr. *platanos.* || **platanaie** 1775, d'après Boiste. || **platanées** 1803, Boiste. (V. PLANE 1.)

1. **platée** V. PLAT.

2. **platée** 1694, Th. Corn., archit. ; lat. *platea,* du gr. *plateîa.*

plateresque 1872, Th. Gautier (*plateresco*) ; 1877, Lar. (*plateresque*), adj. ; esp. *plateresco,* de *plata,* argent. (V. PLATINE 2.)

plathelminthes 1886, Claus, zool. ; gr. *platus,* large, et *helmins, -inthos,* ver.

1. **platine** V. PLAT.

2. **platine** 1752, Mauvillon, métal ; esp. *platina* (auj. *platino*), tiré par Ulloa de *plata,* argent, « petit argent » (le platine a l'éclat de l'argent et se trouve en petites quantités), de même rac. que *plat ;* masc. en fr., 1772, Havard, d'après les autres noms de métaux. || **platiné** début XXe s. || **platineux** 1838, *Acad.* || **platinique** 1828, Mozin. || **platinifère** 1828, Mozin. || **platinite** 1932, Lar. || **platiner** 1845, Besch. || **platinage** 1838, *Acad.* || **platineur** 1834, Boiste. || **platinoïde** 1888, Lar. || **platinotypie** 1888, Lar.

platitude V. PLAT.

platonicien 1370, Oresme ; du nom de *Platon,* philosophe grec de la fin du Ve s. av. J.-C. || **platonique** XIVe s. ; lat. *platonicus,* du gr. *platonikos ; amour platonique,* 1723, Rousseau. || **platoniquement** fin XVIe s., philos. ; 1831, Balzac, fig. || **platonisme** 1672, Molière. || **platoniser** 1587, G.

plâtre 1160, Benoît (*plastre*) ; *battre comme plâtre,* XVe s. ; *plâtres,* 1869, L., murs ; de *emplâtre,* par comparaison du plâtre gâché avec un emplâtre. || **plâtrier** 1268, É. Boileau. || **plâtrière** 1282, *Miracles.* || **plâtrer** 1160, Benoît (*plastrir*) ; 1538, R. Est. (*plastrer*). || **plâtrerie** 1334, *Doc.,* « ouvrage en plâtre ». || **plâtrage** 1718, *Acad.* || **plâtreur** 1661, Chapelain. || **plâtreux** 1564, Liébault. || **plâtras** 1371, Delb. || **déplâtrer** fin XVIe s. || **replâtrer** 1549, R. Est. || **replâtrage** 1762, *Acad.*

platy-, gr. *platus,* large. || **platycéphale** 1869, L. ; gr. *kephalê,* tête. || **platycerque** 1839, Boiste, zool. ; gr. *platukerkos,* de *kerkos,* queue. || **platyrhiniens** 1827, *Acad.,* zool. ; gr. *platurrhin,* de *rhin, rhinos,* nez.

plausible 1552, Ch. Est. ; lat. *plausibilis,* digne d'approbation, de *plaudere,* applaudir. || **plausibilité** 1684, B. Gracian.

play-back 1944, *journ. ;* mot angl., de *to play,* jouer, et *back,* en arrière.

plèbe 1355, Bersuire, à Rome ; lat. *plebs, plebis ;* 1801, Mercier, ext. de sens. || **plébéien** 1355, Bersuire, hist. ; lat. *plebeius ;* fin XIVe s., populaire (déjà en lat.). || **plébéianisme** 1795, Babeuf. || **pléban** ou **plébain** 1347, G., eccl. || **plébiscite** 1355, Bersuire, hist. ; lat. *plebiscitum,* de *scitum,* décision ; 1776, Voltaire, polit. || **plébisciter** 1907, Lar. || **plébiscitaire** 1870, *Annales du Sénat.*

plectognathes 1827, *Acad.,* zool. ; gr. *plektos,* soudé, et *gnathos,* mâchoire. (V. PROGNATHE.)

plectre XIIIe s., *Roman Table ronde* (*plectrum*) ; XIVe s., *Légende dorée* (*plectre*) ; lat. *plectrum,* du gr. *plektron,* de *plêssein,* frapper.

pléiade 1220, *la Petite Philosophie* (*Pliades*), astron. ; gr. *pleias, pleiados,* constellation de sept étoiles ; 1556, Ronsard, littér., d'après les sept poètes de la Pléiade d'Alexandrie (IIIe s. av. J.-C.) ; 1860, Poitevin, littér., ext. de sens.

***pleige** 1080, *Roland* (*plege*) ; bas lat. *plebuim,* caution, du francique **plegan.*

***plein** 1080, *Roland ;* XIIIe s., fém. *pleine,* en parlant d'une femelle ; 1112, *Voy. saint Brendan,* prép. ; 1640, Oudin, pop., « ivre » ; *pleins pouvoirs,* 1690, Furetière ; *battre son plein,* rester stationnaire à sa plus grande hauteur (marée), 1851, Barbey ; 1888, Sachs-Villatte, sens usuel ; *faire le plein* (*de*), 1876, Daudet ; lat. *plēnus.* || **pleinement** 1190, Garnier. || **plein-emploi** 1962, Robert. || **plein-temps** 1963, Lar. || **trop-plein** 1671, Sévigné. || **plénitude** fin XIIIe s. ; lat. *plenitudo.* || ***plénier** 1080, *Roland* (*plener*) ; bas lat. *plenarius ;* empl. surtout au fém. (*réunion plénière*). || **plénum** n. m., 1877, Lar. (V. PLANTUREUX.)

pléistocène 1903, Lar. (1839 en angl.), géol. ; gr. *pleistos,* beaucoup, et *kainos,* nouveau, c'est-à-dire « qui contient beaucoup de formes actuelles ». (V. ÉOCÈNE, etc.)

plénipotentiaire 1620, Guez de Balzac ; lat. *plenus,* plein, et *potentia,* puissance.

pléonasme 1571, G., « mot allongé d'une syllabe » ; 1610, Coton, sens usuel ; bas lat. *pleonasmus,* du gr. *pleonasmos,* de *pleon,* davantage. || **pléonastique** 1842, *Acad.* ; gr. *pleonastikos.*

plésiosaure 1825, Cuvier (*plésiosaurus*) ; 1869, L. (*plésiosaure*) ; mot tiré par l'Anglais Conybeare du gr. *plêsios,* voisin, et *sauros,* lézard.

plessimètre 1830, *Dict. méd.* ; gr. *plessein,* frapper, et *-mètre.*

plessis XIIe s. (*plesseis*) ; dérivé de l'anc. fr. *plesce, plesse,* du lat. *plexus,* plié ; il a servi pour des noms de lieux.

pléthore 1363, Chauliac (*plectorie*) ; 1538, Canappe (*pléthore*), méd. ; 1791, Mirabeau, fig. ; gr. méd. *plêthôrê,* plénitude. || **pléthorique** 1314, Mondeville (*plectorique*) ; 1611, Cotgrave (*pléthorique*), méd.

pleural V. PLÈVRE.

***pleurer** 980, *Passion* (*plorer*), intr. ; 1050, *Alexis,* transitif et *pleurer qqn* ; lat. *plorare,* crier, d'où « pleurer en criant ». || **pleurant** adj., 1538, R. Est. || **pleur** 1119, Ph. de Thaon (*plur*) ; 1130, *Eneas* (*plors,* pl.) ; XVIe s. (*pleurs*). || **pleurage** 1963, Lar. || **pleureur** adj., 1050, *Alexis* (*plurus*) ; n. m., 1462, Haigneré (*ploureur*). || **pleureuse** n. f., XIIIe s. (*ploreresse*), femme qu'on payait pour pleurer aux funérailles ; 1575, Gay (*pleureuse*). || **pleurard** 1552, Rab. || **pleure-misère** 1798, *Acad.* || **pleurnicher** 1739, *le Porteur d'eau* ; du norm. *pleurmicher,* comp. de *pleurer* et *micher,* même sens, orig. inconnue (v., pour le type de comp., TOURNEVIRER). || **pleurnichage** fin XIXe s. || **pleurnichard** 1899, Boylesve. || **pleurnicheur** 1774, Diderot. || **pleurnicherie** 1845, Besch. || **éploré** XIIe s., *Fierabras* (*esplouré*) ; part. passé de l'anc. fr. *esplorer,* mouiller de pleurs. (V. DÉPLORER.)

pleurésie, pleurite V. PLÈVRE.

pleuro-, gr. *pleuron,* côté, et plèvre, d'après *pleura* (v. PLÈVRE). || **pleurectomie** 1888, Lar. ; gr. *ektomê,* amputation. || **pleurobranche** 1804, Cuvier, zool. || **pleurodonte** 1875, Lar. ; gr. *odous, odontos,* dent. || **pleurodynie** 1810, Capuron. || **pleuronecte** 1798, Lacépède ; gr. *nektos,* qui nage. || **pleuropneumonie** 1560, Paré. || **pleurote** 1875, Lar., bot. ; gr. *ous, ôtos,* oreille. || **pleurotomie** 1903, Lar.

pleutre 1750, Ménage ; p.-ê. du flam. *pleute,* mauvais drôle, proprem. « chiffon ». || **pleutrerie** 1879, *le Cri du peuple.*

***pleuvoir** 1120, *Ps. de Cambridge* (*pluveir*) ; XIVe s. (*pleuvoir*) ; lat. pop. *plovĕre* (déjà chez Pétrone), class. *pluĕre,* avec changem. de conjug. || **pleuvasser** 1962, Robert. || **pleuviner** fin XIIe s., *Roman d'Alexandre* ; avec un suffixe diminutif. || **pleuvoter** 1949, Lar. || **repleuvoir** 1549, R. Est.

plèvre 1552, Rab., anat. ; gr. *pleura,* côté (avec la prononc. du gr. bysantin). || **pleural** 1845, Besch. || **pleurésie** XIVe s., *Antidotaire* (*pleurisie*) ; lat. méd. médiév. *pleuresis,* en lat. class. *pleurisis,* mot gr., de *pleura.* || **pleurétique** 1240, *Vie d'Éd. le Confesseur* (*pleuretic*) ; lat. méd. médiév. *pleureticus.* || **pleurite** 1836, Landais ; lat. méd. *pleuritis,* mot gr.

plexus 1560, Paré, anat. ; bas lat. *plexus,* « entrelacement », part. passé substantivé de *plectere,* tresser. || **plexulaire** 1963, Lar.

pleyon V. PLOYER.

***plie** 1185, *Moniage,* poisson (*plaïs*) ; 1530, Palsgrave (*plie*) ; lat. pop. **platicem,* de **platix, -ticis,* altér. du bas lat. *platessa* (IVe s., Ausone), d'orig. obscure, avec changem. de suffixe.

***plier** Xe s., *Eulalie* (*pleier*) [v. PLOYER] ; 1530, Palsgrave (*plier*) ; spécialisation de sens au XVIIe s. (avec sens fig.), par oppos. à *ployer,* « courber », littér. ; *plier bagage,* XVIe s., serrer les tentes ; 1580, Montaigne, mourir ; 1643, Corn., s'en aller ; lat. *plĭcare.* || **pli** 1190, J. Bodel (*ploi*) ; 1220, Coincy (*pli*) ; 1640, Oudin, paquet de lettres ; 1798, *Acad.,* lettre avec son enveloppe ; *faux pli,* 1690, Furetière ; *ne pas faire un pli,* 1690, Furetière. || **pliable** 1559, Amyot. || **pliage** 1611, Cotgrave. || **pliement** 1538, R. Est. || **plié** 1840, Rochefort, danse. || **pliure** 1314, Mondeville. || **plieur** 1534, Des Périers. || **plieuse** 1903, Lar., machine à plier. || **plioir** 1637, Peiresc (*pleyoir*) ; 1660, Oudin (*plioir*). || **pliant** n. m., 1665, Molière ; de *siège pliant* (début XVIIe s.). || **déplier** 1538, R. Est. || **déplié** n. m., 1882, Zola, comm. || **replier** 1213, *Fet des Romains.* || **repli** 1539, R. Est., anat. ; 1916, *journ.,* milit. || **repliement** 1611, Cotgrave. (V. PLISSER.)

plinthe 1544, M. Scève ; lat. *plinthus* (Vitruve), du gr. *plinthos,* proprem. « brique ».

pliocène 1857, Bonnafé ; angl. *pliocene* (1833, Lyell), du gr. *pleion,* plus, et *kainos,* récent. (V. ÉOCÈNE, PLÉISTOCÈNE, etc.)

plique 1679, *Journ. des sav.,* méd. ; lat. méd. mod. *plica,* de *plĭcāre,* plier : dans cette maladie, les cheveux s'agglutinent et se replient.

plisser 1538, R. Est. ; de *pli,* d'après les mots en *-is* (v. PLIER). || **plissement** 1636, Monet, sens gén. ; 1903, Lar., géol. || **plissage** 1836,

Landais. || **plisseur** 1625, Stœr. || **plissure** 1600, O. de Serres. || **déplisser** 1611, Cotgrave. || **replisser** 1550, Jodelle.

1. **ploc** début XXe s., onomat.

2. **ploc** 1335, texte picard (*ploich*) ; 1621, Jal (*ploc*), matière textile ; moy. néerl. *plock,* de *ploken,* cueillir. || **ploquer** 1736, Aubin, mar., mettre en bourre de la laine. || **ploque** 1765, *Encycl.*

***plomb** 1119, Ph. de Thaon (*plum*) ; 1360, Froissart (*plomb*) ; 1538, techn., morceau de plomb suspendu à une ficelle ; 1606, Desportes, projectile ; 1690, Furetière, méd. ; 1812, Mozin, typogr. ; 1890, Lar., électr. ; *fil à plomb,* 1751, *Encycl ; avoir du plomb dans l'aile,* 1878, *Acad. ;* lat. *plŭmbum.* || **aplomb** 1547, J. Martin, de *à plomb* (XIIe s.), « perpendiculairement » (en maçonnerie) ; *d'aplomb,* 1762, *Acad.* || **plombier** milieu XIIIe s. (*plunmier*) ; 1508, Gaillon (*plombier*). || **plomberie** 1304, texte de l'Artois, objet en plomb ; 1401, Beaurepaire (*plommerie*), métier ; 1723, Savary (*plomberie*), travail du plombier. || **plomber** fin XIe s., *Gloses Raschi* (*plomer*) ; 1538, R. Est. (*plomber*) ; 1752, Trévoux, *plomber une dent.* || **plombage** 1427, texte de Tournai (*plommage*) ; 1845, Besch. (d'une dent). || **plombeur** 1723, Savary. || **plombée** 1155, Wace (*plomée*). || **plombeux** 1549, R. Est. || **plombifère** 1842, Mozin. || **plombe** 1811, Esnault, arg., « heure » ; 1690, Furetière, « contrepoids d'une horloge » ; de *plomber,* frapper. || **plombure** 1409, Runkewitz. || **déplomber** 1838, *Acad.* || **surplomber, surplomb** 1691, d'Aviler ; dér. de *plomb* dans *à plomb.*

plombagine 1556, R. Leblanc (*plombage*) ; 1559, Amyot (*plombagine*) ; lat. *plumbago, plumbaginis,* de *plumbum* (v. le précéd.). || **plombaginacées** 1812, Mozin (*plombaginées*) ; 1903, Lar. (*plombaginacées*).

plombières 1821, *Journ. of a tour in France,* pâtisserie ; de *Plombières.*

1. ***plongeon** 1170, *Floire et Blancheflor,* oiseau ; bas lat. *plumbio, -onis* (Ve s., Polemius Silvius), de *plumbum* (le plongeon disparaît sous l'eau comme du plomb).

2. **plongeon** 1466, P. Michault, « plongeur » ; XVIe s., La Curne, sens mod. ; d'après le précédent et le verbe *plonger.*

***plonger** 1120, *Ps. d'Oxford* (*plongier*) ; lat. pop. **plumbĭcare,* de *plumbum,* plomb (d'après le plomb des filets de pêche). || **plongeant** adj., 1798, *Acad.* || **plonge** 1373, Gace Brulé, action de s'enfoncer dans l'eau ; 1962, Robert, pop., action de laver la vaisselle, d'après un empl. pop. de *plongeur.* || **plongée** fin XVe s. || **plongement** 1350, *Glossaire.* || **plongeur** 1260, Joinville ; 1867, Delvau, laveur de vaisselle, « qui plonge ses mains dans l'eau ». || **plongeoir** 1869, L., terme de broderie ; 1932, Lar., tremplin pour plonger. || **replonger** fin XIIe s., *Garin le Loherain,* « se retirer » ; 1302, texte de Valenciennes, sens mod.

plot 1290, G., billot (Bourgogne, Franche-Comté) ; var. de *blot,* forme anc. de *bloc ;* 1836, *Acad.,* horlogerie ; 1859, Nanquette, sciage des bois ; 1888, Lar., électr.

plouc 1880, Esnault ; abrév. plaisante de habitant de *Ploug-,* localité bretonne commençant ainsi.

ploutocrate 1848, Leroux ; gr. *ploutos,* richesse, et *kratein,* commander (d'après *aristocrate, démocrate*). || **ploutocratie** 1831, *Rev. britannique.* || **ploutocratique** 1877, L. (*plutocratique*).

***ployer** Xe s., *Eulalie* (*pleier*) ; lat. *plĭcāre.* Spécialisé au XVIIe s. dans un sens distinct de celui de *plier,* de même étym. Deux séries verbales complètes se sont constituées au XVIe s., sur les formes d'anc. fr. à radical accentué (3e pers. sing. prés. indic. *plie*), et à radical inaccentué (infin. *ployer*). || **ployon** 1120, *Ps. d'Oxford* (*ploion*) ; 1600, O. de Serres (*pleyon*), arboric. || **ployable** fin XIIe s., *Dialogues Grégoire.* || **ploiement** XVe s. || **ployage** 1772, *Encycl.* || **déployer** 1155, Wace. || **déploiement** 1538, R. Est. || **éployé** adj., v. 1500, Le Baud. || **reployer** 1130, *Job.* || **reploiement** fin XIIe s.

pluche, plucher, plucheux V. PELUCHE.

***pluie** 1080, *Roland ;* lat. pop. **plŏia,* réfection du lat. class. *pluvia* d'après *plŏvere,* pleuvoir. || **parapluie** 1622, Tabarin ; d'après *parasol.* (V. PLUVIAL, PLUVIEUX.)

plumage, plumard, plumassier V. PLUME.

plum-cake 1824, A. Blanqui, *Voy. en Angl.* (*plumb-cake*) ; 1850, Audot (*plum-cake*) ; comp. angl. de *cake,* gâteau, et *plum,* raisin sec. Abrégé en *plum,* fin XIXe s., puis en *cake,* XXe s.

***plume** 1130, *Eneas ;* 1487, Garbin, plume (d'oie) pour écrire ; début XVIIIe s., plume métallique, d'usage répandu seulement au début du XIXe s. ; 1879, Esnault, pop., « lit » ; lat. *plūma,* « duvet », qui a éliminé *penna* (v. PENNE). || **plumage** 1265, Br. Latini, ensemble des plumes ; 1611, Cotgrave, action de plumer. || **plumeux** fin XIIe s. || **plumail** 1460, Villon, « plumet ». || **plumassier** 1480, *D. G.* ; anc. fr. *plumas.* || **plumasserie** 1505, Gonneville. || **plumet** 1622, Sorel, chapeau orné d'une plume. || **plumeté** 1364, G. || **plumetis** 1498, Gay. || **plumeau** 1640, *Mém. Soc. hist. Paris.* || **plumer** 1150, G. || **plumée** 1625, Stoer, encre sur la plume ; 1845, Besch., quantité de plumes. || **plumaison** 1847, Balzac. || **déplumer** 1265, Br. Latini. || **remplumer** XIIIe s. || **plumard** 1480, *Doc.,* « panache » ; 1636, Monet, « petit balai de plumes » ; 1881, Esnault, pop., « lit ». || **plumule** 1764, Bonnet. || **plumier** 1875, L. || **porte-plume** 1725, Havard. (V. PLUMITIF.)

plumitif fin XVIe s., *Coutumier* (*plumetis,* var. *plumetif*), « registre d'audience » ; 1680, Verville (*plumitif*), même sens ; 1767, Voltaire, sens mod., par rapprochement avec *plume ;* altér., dans le langage des clercs, de *plumetis,* de l'anc. fr. *plumeter* (XVIe s.), « prendre des notes », par croisement avec *primitif* au sens de « original d'un écrit ».

plum-pudding, plupart (la) V. PUDDING, PART 1.

pluralité XIIIe s., Thurot, « pluriel » ; 1370, Oresme, « multiplicité » ; 1559, Amyot, « majorité », éliminé v. 1790 par *majorité* dans ce sens ; bas lat. *pluralitas* (IVe s., Charisius), de *pluralis,* multiple. || **plural** 1874, *J. O.* || **pluraliser** fin XVIe s. || **pluralisation** 1845, Besch. || **pluralisme, pluraliste** 1909, Lalande.

pluri-, lat. *plures,* plusieurs (v. MULTI-, POLY-). || **pluriannuel** 1932, Lar. || **pluricellulaire** 1897, Bataillon. || **pluridisciplinaire** 1966, *journ.* || **pluriflore** 1842, *Acad.* || **plurilingue** 1972, Lar. || **pluripartisme** 1966, *journ.* || **plurivalent** 1907, Lar.

pluriel 1440, Chastellain ; réfection, d'après le lat., de *plurier* (1282, G. ; usuel jusqu'à la fin du XVIIIe s.), altér., d'après *singulier,* de l'anc. fr. *plurel* (1190, Garn.), du lat. *pluralis,* « multiple » et « pluriel », de *plus, pluris.* (V. le suiv.)

***plus** 980, *Passion ; ne... plus,* 1080, *Roland,* négation marquant la cessation ; 1354, *Modus,* marque d'addition ; *au plus,* 1196, Ambroise ; *de plus en plus,* fin XIIe s., *Chevalerie Ogier ; qui plus est,* 1453, Monstrelet. ; *de plus,* 1636, Monet ; lat. *plus,* plus, davantage. || **surplus** fin XIe s.

***plusieurs** 1050, *Alexis* (*pluisur*) ; 1273, Ibn Ezra (*plusieurs*) ; lat. pop. **plūsiōrēs,* altér., d'après *plūs,* de *plūriōres,* forme de comparatif ayant remplacé en bas lat. le class. *plūres.*

plus-que-parfait, plus-value V. PARFAIT, VALOIR.

plutonien 1816, *Ann. de chim.* ; nom de *Pluton,* dieu lat. des Enfers. || **plutonique** 1550, Jodelle, « de l'enfer » ; 1836, Landais, géol. || **plutonisme** 1842, *Acad,* théorie géol. || **plutoniste** 1827, *Acad.*

plutonium 1842, *Acad.,* « baryum » ; 1939, sens actuel, du bas lat. *Pluto, -tonis.* || **plutonigène** 1963, Lar.

plutôt V. TÔT.

pluvial 1170, E. de Fougères, n. m., vêtement eccl. ; 1521, G., adj. ; lat. *pluvia,* pluie.

***pluvier** début XIIe s., *Thèbes* (*plovier*) ; 1530, Palsgrave (*pluvier,* d'après *pluvia,* v. PLUIE), oiseau (qui arrive dans la saison des pluies) ; lat. pop. **plovarius,* de *plovere,* pleuvoir.

pluvieux 1112, *Voy. saint Brendan (pluius)* ; 1213, *Fet des Romains* (*pluvieus*) ; lat. *pluviosus,* de *pluvia,* pluie. || **pluviosité** 1923, Lar. || **pluviôse** 1793, Fabre d'Églantine, 5e mois du calendrier républicain. || **pluviomètre** 1788, Cotte. || **pluviométrie** 1853, Maille. || **pluviométrique** 1864, Raulin.

pneumat(o)-, gr. *pneuma, pneumatos,* souffle. || **pneumatocèle** 1560, Paré ; gr. *kêlê,* tumeur. || **pneumatolyse** 1932, Lar. || **pneumatologie** 1751, *Encycl.* || **pneumatose** 1869, L. || **pneumatothérapie** 1962, Robert.

pneumatique 1520, Verney, « subtil », sens gr. ; 1547, J. Martin, phys. ; 1903, Lar., *bandage pneumatique,* puis *pneumatique,* n. m., selon un procédé inventé par l'Angl. Dunlop ; 1903, Lar., lettre pneumatique ; gr. *pneumatikos,* proprem. « relatif au souffle », de *pneuma,* souffle. || **pneu** 1903, Lar. ; abrév. de *pneumatique,* n. m., pour les automobiles ; 1923, Lar., postes. (V. les suivants.)

pneumo- gr. *pneumôn,* poumon. || **pneumectomie** 1888, Lar. || **pneumocoque** 1888, Lar. || **pneumogastrique** 1820, *Dict. méd.* || **pneumographie** 1806, Capuron. || **pneumologie** ou **pneumonologie** 1806, Capuron. || **pneumologue** 1962, Robert. || **pneumonectomie** 1888, Lar. || **pneumopéritoine** 1932, Lar. || **pneumothorax** 1803, Itard, pathol. ; 1923, Lar., chirurg. ; abrév. *pneumo,* XXe s.

pneumonie 1707, Helvétius ; gr. *pneumonia,* de *pneumôn,* poumon. || **pneumonique** 1694,

Th. Corn. || **broncho-pneumonie** XIXe s. (V. BRONCHE.)

pochade V. POCHE.

pochard début XVIIIe s., pop., « ivrogne » ; de *poche ;* proprem. « rempli comme une poche » (cf., pour le sens, *sac à vin*). || **pocharder (se)** 1850, Flaubert. || **pochardise** 1875, Lar.

poche 1180, Marie de France (*puche*) ; XIVe s., G. (*poche*), « bourse, petit sac » ; 1573, Du Puys, « petit sac cousu à un vêtement » ; XIVe s., cavité ; *livre de poche,* milieu XXe s. ; francique **pokka*. || **pochette** 1180, Marie de France (*puchette*). || **pocher** 1155, Wace, « crever un œil » ; 1398, *Ménagier,* cuisine, « le faire gonfler comme une poche » ; 1587, Cholières, représenter par un dessin ; 1665, Stœr, tirer une figure sur les contours d'une autre ; 1552, Rab., meurtrir l'œil. || **pochade** 1828, Montabert, peint. || **pochage** 1938, Montagné, cuisine. || **pochon** XIIIe s., *Roman Renart,* piège ; XVIe s., sac ; 1862, Hugo, coup. || **pochoir** 1875, Lar. || **pocheuse** 1875, L. (*pocheux ;* auj. *pocheuse*), culin. || **pocheter** 1604, L. Guyon, laisser dans sa poche. || **pochetée** 1888, Sachs-Villatte, bêtise (*en avoir une pochetée*), proprem. « contenu d'une poche » ; 1888, Sachs-Villatte, pop., « imbécile ». || **empocher** 1580, Montaigne.

podagre 1215, Gastineau, n. f., « goutte aux pieds » ; lat. *podagra,* mot gr. signif. « piège » ; 1354, *Livre des Seyntz Medecines,* adj. et n., goutteux ; lat. *podager,* gr. *podagros.* (V. POUACRE.)

podaire 1903, Lar., math. ; gr. *poûs, podos,* pied.

podestat 1240, *Miracles* (*potestat*) ; ital. *podestà,* magistrat du nord et du centre de l'Italie ; appellation supprimée au XIXe s., et reprise sous le fascisme pour les maires (nommés par le pouvoir central) ; lat. *potestat, -tatis,* pouvoir.

podium 1765, *Encycl.,* à Rome ; mot lat., du gr. *podion,* petit pied ; début XXe s., en sports.

podo-, gr. *pous, podos,* pied. || **podomètre** 1690, Furetière. || **podencéphale** 1869, L. || **podologie** 1836, *Acad.* || **podolite** 1932, Lar.

pœcile 1765, *Encycl.,* hist. ; gr. *poikilê* (*stoa*), (portique) peint de couleurs variées ; auj., sorte de mésange.

1. ***poêle** n. m., 980, *Passion* (*palis*) ; 1138, Gaimar (*paile*) ; 1530, Palsgrave (*poêle*) ; étoffe, voile, drap noir recouvrant le cercueil, auj. seulem. dans la loc. *cordons du poêle ;* lat. *pallium,* manteau. (V. PALETTE 2, PALIER, PALLIER.)

2. ***poêle** n. m., 1351, *Doc.* (*poille*), chambre chauffée, encore en ce sens au XVIIe s., Descartes ; 1545, Havard (*poêle*), fourneau ; lat. *pē(n)silis,* « suspendu » (de *pendĕre,* suspendre), substantivé par ellipse de *balnea pensilia* (Ier s., Pline), bains suspendus (et chauffés par-dessous. || **poêlerie** 1842, *Acad.* || **poêlier** 1412, *Archives.*

3. ***poêle** n. f., 1160, *Charroi* (*paielle*) ; fin XIIe s. (*paele*) ; 1636, Monet (*poêle*) ; lat. *patella* (v. PATELLE). || **poêlée** 1268, É. Boileau (*pae-*). || **poêlon** 1332, Havard (*paa-*). || **poêler** 1806, *Cuisinier.*

poème 1213, *Fet des Romains ;* lat. *poema,* du gr. *poiema,* de *poieîn,* faire ; *poème en prose,* 1751, Voltaire.

poésie 1350, Zumthor, « art de la fiction littéraire » ; 1511, J. Lemaire de Belges, sens mod. ; lat. *poesis,* gr. *poiêsis,* action de faire ; *poésie pure,* v. 1860.

poète 1155, Wace ; lat. *poeta,* gr. *poiêtês* (v. les précéd.). || **poétereau** 1639, *Rondeaux.* || **poétesse** XVe s. (*poétisse*) ; début XVIe s. (*poétesse*). || **poétastre** milieu XVIe s. || **poétaillon** 1808, d'Hautel. || **poétique** adj., 1548, Sebillet ; lat. *poeticus,* gr. *poiêtikos ;* n. f., 1639, La Mesnadière, d'apr. la *Poétique* d'Aristote. || **poétiquement** 1460, Chastellain. || **poétiser** 1372, Oresme, « faire des vers » ; 1848, Chateaubriand, « donner un caractère poétique à ». || **poétisation** 1852, Flaubert. || **dépoétiser** 1810, Staël.

pogne 1821, Esnault, pop. ; variante de *poigne.*

pognon 1840, Larchey, pop., argent ; mot rég., sans doute du v. pop. *poigner,* empoigner. (V. *jeton,* à JETER.)

pogrom 1907, Lar. ; mot russe, de *po-,* entièrement, et *gromit-,* détruire. || **pogromiste** 1955, Ikor.

***poids** 1155, Wace (*peis, pois*) ; XVIe s. (*poids,* avec *d,* d'après le lat. *pondus*) ; lat. *pēnsum,* « ce qui est pesé », part. passé de *pendere,* peser ; *poids lourd,* 1896, *France autom.* || **contrepoids** fin XIIe s., *R. de Cambrai.* || **surpoids** 1580, Montaigne.

poignant 1080, *Roland,* au galop, adv. ; 1119, Ph. de Thaon, « piquant » ; XIIIe s., Condé, fig. ; anc. part. prés. de *poindre,* au sens de « piquer ».

poignard 1512, d'Estrées (*pongnard*) ; 1538, R. Est. (*poignard*) ; réfection, par changem. de suff., de l'anc. fr. *poignal,* du lat. pop. **pugnalis,* de *pugnus,* poing : proprem. « arme de poing ». ‖ **poignarder** 1556, Allègre.

poigne, poignée, poignet V. POING.

poïkilotherme 1903, Lar. ; gr. *poikilos,* varié, et *thermos,* chaud.

***poil** 1080, *Roland* (*peil*) ; lat. *pĭlus.* ‖ **poilu** XVᵉ s. ; réfection, d'après *poil,* de l'anc. fr. *pelu* (XIIᵉ s.) ; 1833, Balzac, fam., « fort, brave » ; 1875, Lar., arg. milit., « homme robuste », puis « soldat », 1910, Esnault ; « combattant », 1915, Esnault. ‖ **poiler (se)** 1893, Esnault, pop., rire aux éclats ; altér. de *s'époiler* (1889, Esnault), pop., même sens, « s'arracher les poils ». ‖ **poilant** adj., 1901, Esnault, pop., « très drôle ». ‖ **poileux** XIVᵉ s., Du Cange ; anc. fr. *pelous,* garni de poils. ‖ **peler** 1080, *Roland ;* lat. *pĭlare ;* pour le sens, infl. de *pel,* anc. forme de *peau.* ‖ **pelade** milieu XVIᵉ s. ‖ **pelage** 1469, La Curne ; anc. dér. de *poil.* ‖ **pelure** XIIᵉ s., *Roman de Thèbes.* ‖ **dépiler** 1560, Paré ; lat. *depilare.* ‖ **dépilage** 1842, Mozin. ‖ **dépilatif** 1732, Trévoux. ‖ **dépilation** XIIIᵉ s., G. ‖ **dépilatoire** fin XIVᵉ s. ‖ **épeuler** fin XIIIᵉ s., G. (*espeler*), techn., enlever les fils. ‖ **épiler** 1762, *Acad. ;* de *pilus,* poil. ‖ **épilation** 1864, L. ‖ **épilatoire** 1771, Trévoux. ‖ **épilure** 1788, Salmon ; de *épiler l'étain.* (V. PILEUX.)

***poinçon** 1220, texte picard (*poinchon*) ; 1380, *Aalma (poinsson*) ; lat. *punctio, -onis,* de **punctiāre,* piquer, d'après *punctus,* part. passé de *pungere.* ‖ **poinçonner** 1324, Delb. (*penchonner*), orner de dessins avec un poinçon ; 1834, Landais, sens mod. ‖ **poinçonnage** 1402, texte de Tournai (*poinchenage*) ; 1809, *Doc.,* contrôle. ‖ **poinçonneur** 1919, P. Hamp, ouvrier. ‖ **poinçonneuse** 1878, *la Nature,* machine.

***poindre** XIᵉ s., G., « piquer », « faire souffrir » ; 1130, *Eneas,* aiguillonner ; 1240, G. de Lorris, commencer à pousser (*plantes*) ; 1559, Amyot, commencer à paraître (en parlant du jour) ; lat. *pŭngĕre,* piquer (jusqu'au XVIIᵉ s., et dans le proverbe *Oignez vilain, il vous poindra*). Usité seulement à l'infin., et à la 3ᵉ pers. du prés. et du fut. de l'indic. (V. POIGNANT, POURPOINT.)

***poing** fin XIᵉ s., *Alexis* (*puing*) ; lat. *pŭgnus.* ‖ **poigne** 1174, E. de Fougères (*vivre par sa poigne*) ; 1373, G., poignet ; 1807, Michel (*pogne*), pop. ; altér. du précéd. par changem. de genre sous l'infl. des autres mots en *-gne ; avoir de la poigne,* 1867, Delvau, fig. ‖ **poignet** 1209, Du Cange (*pugnet*), mesure de grain ; 1315, Richard (*poignet*), pièce d'étoffe ; 1488, texte de Tournai, anat. ‖ **poignée** 1160, *Charroi* (*puinnie*) ; 1180, *Horn* (*poignée*). ‖ **poigner** 1837, Soulié, étreindre. ‖ **empoigner** 1175, Chr. de Troyes. ‖ **empoignade** 1861, Goncourt. ‖ **empoigne** (*foire d'*) 1773, *les Porcherons.* (V. POGNON.)

***point** 1050, *Sponsus,* adv. de négation, avec *ne ;* 1155, Wace, endroit déterminé ; XIIᵉ s., *Moniage Guillaume,* état, situation d'une affaire ; XIIIᵉ s., « piqûre » ; 1573, Du Puys, « douleur piquante, lancinante » ; XIIIᵉ s., A. de La Halle, « question débattue » ; XIIIᵉ s., « marque sur un dé », unité de jeu ; 1529, Jal, mar. ; 1530, Palsgrave, couture ; 1550, Meigret, signe de ponctuation ; *à point,* 1273, Adenet ; *au point de,* 1220, *Queste de Saint Graal. ; point d'appui,* 1691, Ozanam ; *point de vue,* 1651, Brunot ; *point noir,* 1836, Stendhal, comédon ; *mettre au point,* 1869, L. ; *mal en point,* XVᵉ s. ; *faire le point,* 1811, Chateaubriand, mar ; 1935, *Acad.,* fig. ; lat. *pŭnctus,* piqûre, et par ext. point géom., part. passé substantivé de *pungere* (v. POINDRE) ‖ **pointer** 1180, *Horn,* piquer ; XIIIᵉ s., *Assises de Jérus.,* marquer d'un point ; fin XVIᵉ s., d'Aubigné, artill. ; *se pointer,* 1715, Fontenelle, se diriger vers ; 1898, Esnault, sens actuel. ‖ **pointage** 1628, Bry, action d'orienter une arme ; 1932, Lar., action de marquer la présence. ‖ **pointeur** 1499, Delb., « qui marque d'un point » ; même évol. sémantique que le verbe. ‖ **contrepoint** 1398, E. Deschamps, mus. (c'est-à-dire « contre-note » ; les notes étaient alors représentées par des points). ‖ **contrapuntique** 1929, Lar. ‖ **contrepointiste** fin XVIIIᵉ s. ‖ **contrapuntiste** 1820, Laveaux ; var. *contrapontiste,* 1835, *Acad.* ‖ **rond-point** 1375, *Modus,* demi-cercle ; 1836, Landais, sens mod. (V. APPOINTER, DÉSAPPOINTÉ, EMBONPOINT, POINTILLÉ, PONCTUEL, PONCTUER.)

***pointe** fin XIᵉ s., *Chanson Guillaume,* extrémité ; 1155, Wace, attaque de soldats ; 1360, Froissart, géogr. ; 1530, Palsgrave, habill. ; 1538, R. Est., outil servant à tracer, à couper ; 1842, *Acad.,* danse ; bas lat. *pŭncta* (IVᵉ s., Végèce), « coup de pointe », part. passé, substantivé au fém., de *pungere,* piquer (v. POINDRE). ‖ **pointu** 1377, Oresme. ‖ **pointeau** XVIᵉ s., Mantellier (*poincteau*), construction de pieux ; 1765, *Encycl.,* pièce d'acier à pointe conique ; 1932, Lar., autom. ‖ **pointer** milieu XVᵉ s., frapper de la pointe ; 1658, Scarron, s'élever brusquement, en parlant d'un oiseau ; fin XVIIe s., Saint-Simon, commencer à se manifester ; 1848, Chateaubriand, se dresser en pointe. || **pointe-sèche** 1903, Lar. || **pointement** 1803, *Dict. sc. nat.* || **pointeuse** 1842, *Acad.*, ouvrière. || **pontil** 1723, Savary (*pointil, pontil*). || **pontiller** *id.* || **appointer** fin XIIe s., tailler en pointe. || **épointer** fin XIe s.

pointeau V. POINTE.

1. **pointer** V. POINT et POINTE.

2. **pointer** n. m., 1834, Magendie (*Spanish pointer*), chien d'arrêt ; mot angl., signif. « indicateur », de (*to*) *point,* montrer, issu de l'anc. fr. *point.*

pointillé adj., 1414, Gay ; n. m., 1765, *Encycl.* ; dér. de *point.* || **pointiller** 1611, Cotgrave, tr. ; 1676, Félibien (*pointiller*), intr. || **pointillage** 1694, *Acad.* || **pointillisme, pointilliste** 1903, Lar. || **pointillure** 1637, Peiresc. || **entrepointiller** 1765, *Encycl.*

pointilleux 1587, La Noue ; ital. *puntiglioso,* de *puntiglio,* petit point ; qui a donné l'anc. *pointille,* 1560, Pasquier, « minutie », ital. *puntiglio,* et l'anc. *pointiller* (fin XVIe s.), « chicaner ». || **pointillage** 1664, Testelin, contestation.

***pointure** fin XIe s., *Gloses de Raschi,* « piqûre » ; lat. *pŭnctūra,* piqûre (V. POINT, POINTE) ; 1765, *Encycl.,* dimension du soulier.

***poire** 1175, Chr. de Troyes ; lat. *pira,* pl. de *pĭrum,* devenu fém. en lat. pop. (v. POMME, PRUNE, CERISE, etc.) ; *poire d'angoisse,* fin XIe s., sorte de poire, de *Angoisse,* nom d'un village de Dordogne et, en 1454, Gay, fig., par homonymie incomprise. || **poiré** 1220, Coincy (*peré*) ; 1529, Parmentier (*poiré*). || **poirier** 1170, *Floire et Blancheflor* (*perier*) ; 1409, Runkewitz (*poirier*).

poireau 1268, É Boileau ; altér. par attraction de *poire,* de *porel* (fin XIe s.), *porreau* (encore rég. auj.), dér. anc. du lat. *porrum.* || **poirée** 1256, Ald. de Sienne (*porrée*), blette ; autre dér. anc. de *porrum.* || **poireauter** 1883, Esnault, pop., « attendre » ; de *faire le poireau.*

***pois** 1155, Wace (*peis, pois*) ; *petits pois,* XVIIIe s. ; lat. *pisum.*

***poison** fin XIe s., *Gloses de Raschi,* n. f., « potion, breuvage » ; 1130, *Eneas,* « breuvage empoisonné » ; XVIIe s., n. m. ; lat. *potiō, -ōnis,* n. f., proprem. « breuvage », d'où « breuvage médical », et en bas lat. « breuvage empoisonné » ; n. f., 1808, d'Hautel, courtisane crapuleuse ; 1842, *Acad.,* « méchante femme ». || **empoisonner** 1155, Wace (*empuisoner*) ; 1920, Bauche, fam., importuner. || **empoisonnement** fin XIIe s. ; XXe s., ennui. || **empoisonneur** XIIIe s., G. || **contrepoison** fin XVe s.

poissard, poisse, poisser, poisseux V. POIX.

poisson 980, *Passion* (*pescion*) ; *poisson d'avril,* 1767, Voltaire ; *en queue de poisson,* 1833, Balzac ; *comme un poisson dans l'eau,* 1680, Richelet ; dér. anc. du lat. *pĭscis,* poisson, qui a donné l'anc. fr. *peis.* || **poissonneux** 1555, Ronsard. || **poissonnier** fin XIIe s., *Aymeri.* || **poissonnerie** 1285, Bevans. || **poissonnaille** 1466, *Romania.* || **poissonnière** 1600, O. de Serres, ustensile de cuisine. || **poisson-chat** 1907, Lar. || **poisson-épée** 1903, Lar. || **poisson-lune** 1776, Valmont. || **empoissonner** milieu XIIIe s. || **empoissonnement** 1351, *Cout. de Lorris.* || **rempoissonner** début XVe s. || **rempoissonnement** 1664, Colbert.

***poitrail** 1130, *Eneas* (*peitral*), partie du harnais touchant la poitrine ; début XIIIe s. (*peitrail*), par changem. de suff. ; 1508, *Archives,* sens mod. ; lat. *pĕctorale,* cuirasse, de *pectus, pectoris,* poitrine. (V. le suivant.)

***poitrine** 1050, *Alexis* (*peitrine*), sens mod. ; aussi, en anc. fr., « cuirasse, harnais » ; a éliminé *pis* 1 au XVIe s., dans le sens actuel ; lat. pop. **pectorīna,* fém. substantivé de l'adj. **pectorīnus,* de *pectus, pectoris,* poitrine. || **poitrinaire** 1743, Trévoux. || **poitriner** 1874, Barbey, bomber le torse. || **poitrinière** début XVe s., pièce de harnais.

***poivre** début XIIe s., *Voy. de Charl.* (*peivre*) ; lat. *pĭper.* || **poivrer** début XIIIe s., G. (*pevrer*) ; 1896, Delesalle, enivrer ; 1669, Widerhold, communiquer une maladie vénérienne. || **poivrier** 1206, Guiot, marchand de poivre ; 1562, Du Pinet, bot. || **poivrière** 1718, *Acad.,* récipient ; 1842, *Acad.* fortif. || **poivron** 1785, Rozier. || **poivrade** 1505, Desdier. || **poivrot** 1867, Delvau, ivrogne (parce que le poivre entrait dans des boissons alcooliques).

***poix** 1050, *Roland* (*peiz*) ; lat. *pĭx, picis.* || **poisseux** 1577, Jamyn. || **poisser** fin XIVe s., enduire de poix ; 1800, Esnault, voler, d'où « prendre ». || **poissard** 1531, Esnault, « voleur », proprem. « qui a de la poix aux doigts pour voler » ; 1743, Vadé, *Bouquets poissards,* d'où *poissard,* adj., « vulgaire ». || **poissarde** 1640, Oudin, n. f., marchande de poissons ; 1835, *Acad.,* femme vulgaire. || **poisse** n. m., 1800, *Chauffeurs,* arg.,

« voleur » ; fin XIXe s., pop., souteneur ; n. f. 1723, Savary, fagot enduit de poix ; 1920, Bauche, pop., malchance, misère ; déverbal de *poisser.* || **empeser** 1268, É Boileau ; anc. fr. *empoix,* poix. || **empois** *id.* (*-poit*) ; d'apr. la forme tonique *j'empoise.* || **empesage** milieu XVIIe s.

poker 1855, Grandfort ; mot angl., d'orig. obscure. || **poker dice** 1932, Lar. ; mots angl., de *die,* dé.

polacre 1600, Toselli, mar. ; ital. ou esp. *polacra,* orig. obscure.

1. **polar** 1970, Robert ; de *roman policier.*

2. **polar** V. PÔLE.

polatouche n. m., 1761, Buffon, zool. ; du russe *polatouka ;* sorte d'écureuil volant.

polder 1269, texte flam. (*polre*) ; 1805, *Bull. des lois* (*poldre*) ; 1829, Boiste (*polder*) ; néerl. *polder.*

pôle début XIIIe s. ; lat. *polus,* gr. *polos.* || **polaire** 1555, Vaganay ; lat. médiév. *polaris ;* 1868, L., électr. ; 1874, Lar., mathém. ; début XXe s., très froid ; *étoile polaire,* 1611, Cotgrave. || **polarité** 1765, *Encycl.* || **polariser** 1810, *Mémoires Acad. sciences,* phys. ; de *polaire,* compris comme ayant pour rad. le v. gr. *poleîn,* tourner : pour les premières expériences de polarisation, on a fait tourner un cristal biréfringent. || **polarisé** adj., 1868, L., phys. ; 1949, Lar., fig., « orienté vers une activité déterminée », d'où *polar,* fou (1952, Esnault). || **polarisation** 1810, *Mémoires Acad. Sciences.* || **polarisant** adj., 1803, *Annales museum.* || **polarisateur** 1858, Nysten. || **polariseur** 1872, Bouillet. || **polarisable** 1962, Robert. || **polarimètre** av. 1862, Biot. || **polariscope** 1845, Besch. || **polarographie** 1952, Lar. || **polarographe** 1963, Lar. || **Polaroïd** n. déposé, 1953, Lar. || **bipolaire** 1864, L. || **dépolariser** 1842, *Acad.*

polémarque 1738, Rollin ; gr. *polemarkhos,* de *polemos,* guerre, et *arkheîn,* commander. (V. le suivant.) || **polémarchie** 1869, L.

polémique 1578, d'Aubigné, adj. et n. f., gr. *polemikos,* « relatif à la guerre », de *polemos,* guerre. || **polémiser** 1845, Besch. || **polémiquer** fin XIXe s. || **polémiste** 1845, Besch.

polémologie 1949, Lar. ; gr. *polemos,* guerre, et *-logie.*

polenta 1800, Stendhal ; mot ital., lat. *polenta,* farine d'orge.

polhodie 1851, Poinsot, phys. ; gr. *polos,* pivot, et *hodos,* route.

poli V. POLIR.

polianthes 1875, Lar. ; gr. *polios,* gris, et *anthos,* fleur.

1. **police** 1250, *Espinas* (*pollice*) ; 1370, Oresme (*policie*) ; encore *politie,* XVIIIe s., J.-J. Rousseau ; XVe s. (*police*), administration publique, gouvernement ; 1606, Nicot, sens spéc. mod. ; bas lat. *politia* (IVe s., saint Ambroise), du gr. *politeia,* « art de gouverner la cité », de *polis,* cité (v. POLITIQUE). || **contre-police** fin XVIIIe s. || **police-secours** 1932, Lar. || **policer** 1461, G. ; de *police* au sens ancien. || **policier** 1611, Cotgrave, de l'anc. sens de *police ;* 1790, Brunot, sens mod. || **policeman** 1839, Bonnafé, mot angl.

2. **police** 1371, Du Cange, « certificat » ; 1606, Ruhn, *police d'assurance ;* ital. *polizza,* du lat. médiév. *apodixa,* reçu, du gr. *apodeixis,* preuve, de *deiknunai,* montrer.

polichinelle 1649, *Mazarinades* (*Polichinel*) ; 1680, Richelet (*Polichinelle*) ; napolitain *Pulecenella,* nom d'un personnage de farce, paysan lourdaud, du bas lat. *pullicenus,* jeune poulet, de *pullus,* poulet.

policlinique 1875, *J. O. ;* gr. *polis,* ville, et du mot fr. *clinique.*

poliomyélite 1892, Guinon ; gr. *polios,* gris, et *muelos,* moelle. || **poliomyélitique** adj. et n., 1962, Robert. || **polio** n. m., 1962, Robert ; abrév. des deux précédents.

poliorcétique 1842, *Acad.,* hist. ; gr. *poliorkhêtikos,* de *polis,* ville et *orkheisthai,* assiéger.

polir 1180, Bartzsch, « rendre uni et luisant » ; fin XIIe s., *l'Escoufle,* soigner, embellir ; lat. *polire.* || **poli** 1130, *Eneas,* lisse ; 1175, Chr. de Troyes, élégant ; 1580, Montaigne, cultivé ; 1678, La Rochefoucauld, qui a des égards pour autrui ; n. m., 1612, Brunot. || **polisseur** 1389, *D. G.* || **polissage** 1749, Plumier. || **polissoir** 1536, M. Du Bellay. || **polissoire** 1411, Saulcy. || **polissure** 1525, J. Lemaire de Belges. || **dépolir** début XVIIe s. || **impoli** fin XIVe s., peu orné ; 1580, Montaigne, inculte ; 1679, Brunot, sens mod. || **repolir** fin XIVe s. (V. POLITESSE.)

polisson 1616, Monluc, n. m., arg., gueux, vagabond ; 1680, Richelet, galopin ; 1718, *Acad.,* personne folâtre ; 1685, Fatouville, adj., licencieux ; dérivé de l'arg. *polisse,* début

XVIIe s., action de voler ; p.-ê. du gr. *pôleîn,* vendre, puis voler. || **polissonner** 1718, *Dict. commercial.* || **polissonnerie** 1695, Leroux.

polit-buro 1932, Lar. ; mot russe, de *bureau,* et *politique.*

politesse 1585, N. Du Fail, « qualité de ce qui est net » ; 1665, La Rochefoucauld, culture, et bonnes manières ; anc. ital. *politezza* (auj. *pulitezza,* « propreté »), de *polito,* même mot que le fr. *poli* (v. POLIR). || **impolitesse** 1646, Vaugelas.

politique n. f., 1265, Br. Latini, « science du gouvernement des États » ; 1675, Flécher, sens actuel ; 1671, Sévigné, manière d'agir ; lat. *politice* (IIe s.), gr. *politikê* (s.-e. *tekhnê*), de *polis,* cité (v. POLICE 1) ; adj., 1370, Oresme, « qui a rapport aux affaires publiques, au gouvernement de l'État » ; 1636, Monet, prudent, adroit ; lat. *politicus,* gr. *politikos ;* 1552, Ch. Est., « qui s'occupe des affaires de l'État » ; n. m., 1596, Hulsius, « homme politique ». || **politiquement** début XVe s., A. Chartier. || **impolitique** 1738, Brunot. || **apolitique** 1926, Duhamel. || **apolitisme** 1950, *journ.* || **politiquer** 1689, Sévigné. || **politicard** 1881, *Cri du peuple,* adj. ; n. m., 1898, Daudet. || **politicailler** 1904, Guillaumin. || **politicaillerie** 1887, Vallès. || **politicailleur** XXe s. || **politicien** 1779, Beaumarchais, déjà péjor. ; rare avant 1850 ; angl. *politician.* || **politiqueur** 1779, Proschwitz. || **politiser** 1370, Oresme, gouverner ; 1965, *journ.,* sens actuel. || **politisation** 1929, Koyré. || **politique-fiction** 1971, *Doc.* || **dépolitiser** 1950, de Gaulle. || **dépolitisation** 1958, *journ.*

poljé 1962, Robert, géogr. ; mot slave, « plaine ».

polka 1842, d'après Rozier, *les Bals publics,* 1855 ; polonais *polska,* de *polski,* polonais.

pollakiurie 1888, Lar., méd. ; gr. *pollakis,* souvent, et *oureîn,* uriner. (V. URINE.)

pollen 1766, Rozier ; lat. bot. *pollen,* du lat. class. « farine, poussière fine ». || **pollinie** 1836, Landais. || **pollinique** 1836, Landais. || **pollinisation** 1812, Boiste (*pollination*) ; 1879, *la Nature* (*pollinisation*).

pollex 1932, Lar., pouce ; lat. *pollex, pollicis.* || **pollicisation** 1963, Lar.

pollicitation fin XVe s., G., promesse ; 1731, *Ordonn.,* jurid. ; lat. jurid. *pollicitatio,* de *pollicitari,* fréquentatif de *polliceri,* offrir, promettre.

polluer 1290, *Livre Roisin,* profaner ; XXe s., souiller ; lat. *polluere,* souiller, de *luere,* laver. || **polluant** 1880, Huysmans. || **pollueur** 1970, *journ.* || **pollution** 1170, *Rois,* fait d'être souillé ; 1874, *J. O.,* sens actuel ; lat. eccl. *pollutio.*

polo 1882, L. Halévy, jeu (introduit en Angleterre vers 1871) ; 1895, A. Hermant, calotte (des joueurs de polo) ; 1962, Robert, chandail léger ; angl. *polo,* d'un dial. tibétain. (V. WATER-POLO.)

polochon 1840, Larchey, arg. milit. ; origine douteuse, peut-être néerl. *poluwe,* traversin.

polonaise n. f., 1809, Wailly, vêtement ; 1797, *Feuilleton,* danse ; de *Polonais,* nom de peuple.

polonium 1898, phys. ; du nom de la *Pologne,* pays d'origine de Marie Curie, qui découvrit cette première substance radioactive avec P. Curie.

poltron 1509, J. Marot ; ital. *poltrone,* « poulain », « peureux comme un poulain », de *poltro,* poulain, du lat. pop. **pulliter,* de *pullus,* « petit d'un animal » (v. POUTRE). || **poltronnerie** 1589, *Doc.*

poly-, gr. *polus,* nombreux. || **polyacide** 1869, L. || **polyakène** 1903, Lar., bot. || **polyalcool** 1946, Quillet. || **polyandre** 1842, *Acad.* || **polyandrie** 1787, Gouan, bot. ; 1842, *Acad.,* sociol. || **polyarthrite** 1868, *journ.* || **polybase** 1953, Lar. || **polybasique** 1869, L. || **polybie** 1875, Lar. || **polycentrique** 1968, Lar. || **polyarticulaire** 1869, L. || **polychètes** 1842, *Acad. ;* gr. *khaitê,* soie. || **polychroïsme** 1842, *Acad. ;* gr. *khroa,* teinte. || **polychrome** 1788, Barthélemy ; gr. *polukhromos,* de *khrôma,* couleur. || **polychromie** 1842, *Acad.* || **polyclinique** 1864, *journ.* || **polycopie** 1903, Lar. || **polycopier** XXe s. || **polycopiste** 1903, Lar. || **polyculture** 1908, Lar. || **polycyclique** 1875, Lar. || **polydactyle** 1809, Lamarck. || **polydactylie** 1820, *Dict. méd.* || **polyèdre** 1690, Furetière ; gr. *poluedros,* de *hedra,* face. || **polyédrique** 1836, *Acad.* || **polyembryonie** 1888, Lar. || **polyester** 1962, Robert. || **polyéthylène** 1962, Robert. || **polygale** 1562, Du Pinet ; gr. *gala,* lait. || **polygame** 1580, *Doc. ;* gr. *polugamos,* de *gamos,* mariage. || **polygamie** 1558, Alvarez. || **polygénisme** 1869, L. || **polygéniste** 1869, L. || **polyglotte** 1639, Chapelain ; gr. *poluglôttos,* de *glôtta,* langue. || **polyglottisme** 1967, Aragon. || **polygonacées** 1869, L., bot. ; gr. *polugonaton,* de *gonu,* genou. || **polygone** milieu XVIe s. ; lat. *polygonus,* gr. *polugônos,* de *gonia,* angle. || **polygonal** milieu XVIe s. || **polygonation** 1953, Lar. || **polygraphe** 1536,

D. G. ; gr. *polugraphos,* qui écrit beaucoup. || **polygraphie** 1561, Collange. || **polygynie** 1869, L. ; gr. *gunê,* femme. || **polymère** 1842, *Acad.* || **polymérie** 1827, *Acad.* || **polymérisation** 1878, Lar. || **polymériser** 1953, Lar. || **polymorphe** 1824, Raymond. || **polymorphisme** 1842, *Acad.* || **polynévrite** 1889, Déjerine. || **polynôme** 1691, Ozanam. || **polynucléaire** 1903, Lar. || **polyopie** 1869, L. ; gr. *ôps, ôpos,* vue. || **polypeptide** 1932, Lar. || **polyphone** 1829, Boiste ; gr. *poluphônos.* || **polyphonie** 1869, L. ; lat. *polyphonia,* du gr. *phônê,* voix. || **polyphonique** 1876, *J. O.* || **polypode** 1256, Ald. de Sienne (*polipode*) ; lat. *polypodium,* du gr. *polupodion.* || **polypore** 1816, Candolle. || **polyptère** 1808, Cuvier. || **polyptyque** 1721, Trévoux ; gr. *poluptukhon,* de *ptux, ptukhos,* pli, feuille d'un livre. || **polysaccharide** 1953, Lar. || **polysarcie** 1795, Cullen (*-sarcia*) ; 1806, Capuron (*-sarcie*) ; gr. *polusarkhia,* de *sarx, sarkhos,* chair. || **polysémie** 1897, Bréal. || **polysémique** début XXe s. || **polysoc** 1845, Besch. || **polystyle** 1819, Boiste ; gr. *polustulos,* de *stulos,* colonne. || **polysulfure** 1842, *Acad.* || **polysyllabe** milieu XVe s. ; gr. *polusullabos,* de *sullabê,* syllabe. || **polysyllabique** 1550, Meigret. || **polysyndète** 1765, *Encycl.* ; gr. *polusundeton,* qui contient beaucoup de conjonctions. || **polysynthétique** 1829, Eckstein. || **polytechnique** 1795, Décret (*École polytechnique*) ; gr. *polutekhnos,* « qui possède plusieurs arts », de *tekhnê,* art. || **polytechnicien** 1840, *Acad.* || **polythéisme** 1579, Bodin ; gr. *polutheos,* de *theos,* dieu. || **polythéiste** 1762, *Acad.* || **polytonalité** 1963, Lar. || **polytraumatisé** 1965, *journ.* || **polytric** XIIIe s., *Médicinaire liégeois* (*-tricum*) ; XVe s. (*politric*), bot. ; lat. bot. *polytrichum,* du gr. *trix, trikhos,* cheveu. || **polyurie** 1823, *Dict. méd.* ; gr. *oûron,* urine. || **polyvalent** fin XIXe s. ; lat. *valens, valentis,* part. prés. de *valere,* valoir. || **polyvalence** 1956, *journ.*

polype 1265, Br. Latini (*polipe*), poulpe ; 1363, Chauliac, méd. ; 1550, Ronsard, zool. ; lat. *polypus,* gr. *polupous,* de *polus,* nombreux, et *poûs, podos,* pied. || **polypeux** 1552, R. Est., méd. || **polypier** 1752, E. Bertrand.

pommade 1598, Wind. ; ital. *pomata,* cosmétique parfumé à la pulpe de pomme d'api, de *pomo,* fruit. || **pommader** fin XVIe s., Sibilet. || **pommadier** 1878, Larchey, coiffeur.

***pomme** 1080, *Roland* (*pume*) ; 1155, Wace (*pome*) ; *pomme de discorde,* 1578, d'Aubigné ; *pomme de pin,* 1256, Ald. de Sienne ; *pomme d'Adam,* 1640, Oudin, anat. ; *aux pommes,* 1867, Delvau, délicieux ; lat. *pōma,* pl. neutre, passé au fém. en lat. pop., de *pōmum,* fruit, et en bas lat. de Gaule « pomme » (Ve s., M. Empiricus, à la place du lat. class. *mālum*). || **pomme de terre** milieu XVIIe s., topinambour ; milieu XVIIIe s., sens mod., vulgarisé par Parmentier entre 1770 et 1780 ; calque du néerl. *aardappel,* ou de l'allem. dial. *Erdapfel* (la pomme de terre, introduite d'Amérique en Europe au XVIe s., a été cultivée d'abord en Allemagne). [V. PATATE.] || **pommette** 1138, Gaimar, petite pomme ; 1560, Paré, anat. || **pommé** 1398, *Ménagier* ; fin XVIIe s., Saint-Simon, fig., « achevé ». || **pommeraie** XIIIe s., G. || **pommelé** 1160, Benoît. || **pommer** 1545, Guéroult. || **pommier** 1080, *Roland* (*pumier*) ; XIIIe s. (*pommier*). || **se pommeler** 1611, Cotgrave. || **pomaison** 1907, Lar. || **pomiculteur** 1869, L. ; lat. *pomum,* « fruit ». || **pomoculture** 1949, Lar. || **pomologie** 1828, Mozin. || **pomologique** 1842, *Acad.* || **pomologue** 1828, Mozin. || **pomologiste** 1875, Lar.

pommeau 1130, *Eneas* (*pomel*) ; de l'anc. fr. *punt,* « poignée d'épée », forme masc. de *pomme,* par métaph. du lat. *pomum.* (V. POMME.)

pompadour XVIIIe s., étoffe multicolore ; 1778, Buffon, zool. ; 1834, Boiste, style de mobilier ; du nom de la marquise de *Pompadour.*

1. **pompe** 1160, Benoît, magnificence ; au pl., XIVe s., vanités ; 1530, Palsgrave (*pompe funeralle*) ; 1552, Ch. Est. (*pompe funèbre*) ; lat. *pompa,* proprem. « cortège pompeux », du gr. *pompê.* || **pompeux** XIVe s., Gilles li Muisis ; bas lat. *pomposus* (Ve s., Sid. Apoll.). || **pompeusement** 1340, J. Le Fèvre. || **pompier** adj., 1888, Sachs-Villatte, fam., péjor., en esthét. || **pompiérisme** *id.*

2. **pompe** 1517, *D. G.,* machine pour élever ou refouler un liquide ; *pompe à incendie,* 1722, *Mém. Acad. sc.* ; milieu XXe s., gymnastique ; néerl. *pompe,* d'orig. onomat. || **pompier** 1517, *D. G.,* fabricant de pompes ; 1750, *Arrêt du parl. de Grenoble,* sens mod. || **sapeur-pompier** V. SAPEUR. || **pomper** milieu XVIe s., se servir de la pompe ; fin XVIIIe s., fig. || **pompage** 1867, Delvau, action de boire ; 1920, Lar., techn. || **pompant** milieu XXe s., épuisant. || **pompé** adj., 1913, Esnault, pop., « épuisé ». || **pompiste** 1933, A. Thérive.

pompette 1808, d'Hautel, pop., « ivre » ; moy. fr. *pompette* (XVe s.), touffe, nœud de ruban, var. de *pompon* (v. le suiv.), et par métaph. « nez d'un ivrogne » : *nez à pompettes,* 1532, Rab.

pompon 1556, *Doc. ; avoir le pompon de,* 1830, Stendhal ; *avoir son pompon,* 1888, Sachs-Villatte, être légèrement ivre (v. POMPETTE) ; *rose pompon,* milieu XIXe s. ; d'un rad. onomat. *pomp-,* var. de *pimp-* (v. PIMPANT). || **pomponné** 1757, Brunot. || **pomponner** 1768, Carmontelle.

ponant 1240, Ph. de Novare (*ponent*), couchant ; anc. prov. *ponen,* du lat. pop. (*sol*) *ponens,* « (soleil) couchant », de *ponere,* « se coucher », en lat. class. « poser ». || **pomantais** 1696, Jal (*-ois*) ; 1708, Furetière (*-ais*).

***ponce** 1240, Huon le Roi ; bas lat. *pōmex, pōmĭcis,* forme osque du lat. class. *pūmex ;* auj. seulem. *pierre ponce,* 1361, Oresme. || **poncer** 1265, J. de Meung. || **ponçage** 1812, Boiste. || **ponceux** début XIIIe s. || **ponceuse** 1903, Lar. || **poncif** milieu XVIe s., « dessin piqué sur lequel on passait la pierre ponce » ; 1828, Montabert, « mauvais dessin fait de routine » ; 1833, Gautier, péjor., idée toute faite.

1. **ponceau** XIIe s. (*pouncel*), coquelicot ; 1669, Widerhold, couleur rouge ; dér. de *paon,* par comparaison avec l'éclat du plumage de cet oiseau.

2. **ponceau** V. PONT.

poncho fin XVIIIe s., tissu ; 1875, Lar., manteau ; mot esp. d'Amér. du Sud. ; manteau des gauchos.

ponction XIIIe s., *D. G. ;* lat. *punctio,* piqûre, de *punctum,* point. || **ponctionner** 1837, *Journ. méd.*

ponctuel 1380, Conty ; rare avant le XVIIe s. ; lat. médiév. *punctualis,* « qui fait ce qu'il doit à point nommé », du lat. *punctum,* point. || **ponctuellement** début XVIe s. || **ponctualité** 1629, Peiresc.

ponctuer fin XVe s., J. Lemaire de Belges, discerner ; 1550, Meigret, sens actuel ; lat. médiév. *punctuare,* proprem. « mettre les points », du lat. *punctum.* || **ponctuation** 1521, Fabri.

pondérer 1355, Bersuire, examiner ; 1787, Brunot, équilibrer ; lat. *ponderare,* peser, de *pondus, ponderis,* poids. || **pondéré** adj., 1771, Rousseau. || **pondérable** milieu XVe s., « qui accable » ; rare avant 1798, *Ann. chim.,* scient. ; bas lat. *ponderabilis.* || **pondéral** 1842, *Acad.* || **pondération** 1440, Chastellain ; bas lat. *ponderatio.* || **pondérateur** n. m., 1522, Merval, jurid. ; 1845, Besch., adj., polit. || **pondéreux** milieu XIVe s., Chr. de Pisan, pesant. || **impondérable** 1795, *Journ. des mines.*

***pondre** 1119, Ph. de Thaon ; lat. *ponĕre,* poser, avec spécialisation rurale du sens, ellipse de *ponere ova* (Ier s., Ovide), déposer ses œufs (pour l'évolution sémantique, v. COUVER). || **ponte** 1570, Liebault ; anc. part. passé substantivé au fém. || **pondeuse** 1580, M. de La Porte (*ponneuse*) ; 1785, Sade (*pondeuse*). || **pondeur** 1678, La Fontaine ; 1893, *D. G.,* fig. || **pondoir** 1806, Parmentier.

poney 15 mai 1824, *Journal des dames* (*ponet*) ; 1828, Lamartine (*poney*) ; angl. *pony.* || **ponette** 26 mars 1899, *Journal des haras ;* par confusion avec le suff. *-et, -ette.*

pongé 1903, Lar. ; angl. *pongee,* p.-ê. du chinois *pun-gi,* métier à tisser.

***pont** 1080, *Roland* (*punt*) ; *pont suspendu,* 1765, *Encycl. ; pont roulant,* 1903, Lar. ; *pont arrière,* 1898, *France autom. ; ponts et chaussées,* début XVIIIe s. ; *pont aux ânes,* fin XVIe s. ; lat. *pons, pontis.* || **entrepont** milieu XVIIe s. || **pont-levis** fin XIIe s., *Dolopathos ;* de l'anc. *levis,* « qui se lève » (v. LEVER). || **pontet** XIIIe s. || **ponter** 1500, Auton, « jeter un pont sur » ; milieu XVIe s., mar. || **pontage** milieu XIIIe s. || **pontée** 1836, Landais. || **pontier** 1875, Lar. || **ponceau** 1112, *Voy. saint Brendan* (*poncel*) ; lat. pop. *pontĭcellus,* du lat. *ponticulus,* petit pont. || **ponteau** 1547, Jal. || **pontelet** milieu XVe s. || **ponteler** milieu XVIe s., techn. || **pontet** 1536, G. || **appontement** 1789, *Archives.* || **apponter** 1948, Lar.

ponte V. PONDRE, PONTER.

ponter 1718, *Acad.,* jeu ; de *pont,* anc. part. passé de *pondre,* du lat. *ponĕre,* poser, mettre. || **ponte** n. m., 1682, *Nouv. Jeu de l'hombre,* jeu ; 1764, Voltaire, membre d'une mutuelle sur la vie ; 1883, Esnault, pop., « personnage important ».

pontife 980, *Passion* (*pontifex*) ; 1480, Fossetier (*pontif*) ; lat. *pontifex,* repris par le lexique chrét. || **pontifical** 1269, *Gr. Chron. de France ;* lat. *pontificalis.* || **pontificat** 1368, Thierry ; lat. *pontificatus.* || **pontifier** 1340, J. Le Fèvre, eccl. ; 1801, Mercier, fig. || **pontifiant** 1876, A. Daudet, adj.

pontil V. POINTE.

***ponton** 1245, *Arch. du Nord ;* lat. *pontōnem,* acc. de *pontō,* « bac ». || **pontonnier** 1170, *Floire et Blanchefor.*

pontuseau 1765, *Encycl.,* techn. ; altér. de *pontereau,* petit pont.

pool fin XIXe s. ; mot angl., du fr. *poule,* jeu (v. POULE) ; entente de producteurs.

pop 1964, *journ. ;* mot angl., abrév. de *popular.*

pop-corn 1950, *journ. ;* mot angl., de *to pop,* partir comme un pétard, et *corn,* maïs.

pope 1606, La Rivière (*popi*) ; milieu XVIIe s. (*pope*) ; russe *pop,* du gr. eccl. *pappos,* en gr. class. « grand-père ». (V. PAPE.)

popeline 1667, d'après L. ; angl. *poplin,* du fr. *papeline (*XVIIe s.), d'où est issu le mot angl. ; du nom de *Poperinghe,* ville de Flandre où se fabriquaient des draps célèbres au Moyen Âge.

poplité 1560, Paré, anat. ; lat. *poples, poplitis,* jarret.

popote 1847, Balzac, arg. étudiant ; 1857, Esnault, arg. milit. ; adj., 1877, Zola, routinier ; 1885, Maupassant, sens actuel ; d'un mot enfantin désignant la soupe (pour d'autres, mot vosgien, « soupe »). || **popotier** 1917, Esnault, arg. milit.

populace 1555, Pasquier, n. m. ; ital. *popolaccio,* n. m., dér. péjor. de *popolo,* peuple ; 1572, Amyot, n. f., par influence de la terminaison. || **populacier** 1571, J. Lebon.

populage 1752, Trévoux (*populago*) ; 1778, Lamarck (*populage*), bot. ; lat. bot. *populago* (XVIe s.), en lat. class. *pōpulus,* peuplier.

populaire fin XIIe s., *Grégoire* (*populeir*), « qui appartient au peuple » ; 1559, Amyot, « qui a la faveur du peuple » ; 1640, Corn., démocratique ; 1696, La Bruyère, accessible au peuple ; lat. *popularis,* proprem. « relatif au peuple », de *pŏpulus,* peuple. || **populairement** début XVIe s. || **popularité** XVe s., G., populace ; 1725, d'après Trévoux, sens mod. ; lat. *popularitas.* || **populariser** 1622, Bergier (*se populariser*). || **populo** 1867, Delvau, pop. ; sur le modèle des abrév. en *-o : aristo, proprio,* etc. || **impopulaire** 1780, *Courrier de l'Europe.* || **impopularité** *id.*

population XIVe s. (*populacion*) ; 1682, A. Le Maître (*population*) ; bas lat. *populatio,* de *populus,* peuple ; rare jusqu'au milieu du XVIIIe s., où il est repris de l'angl. *population,* de même étymol. || **dépopulation** XIVe s., « dévastation » ; 1721, Montesquieu, sens actuel, d'après *dépeupler ;* lat. *depopulatio.*

populéum XIVe s., *Antidotaire* (*populeon*), pharm. ; lat. méd. *populeum* (*unguentum*), onguent de peuplier, de *pōpulus,* peuplier.

populeux début XVIe s. (*populos*) ; 1553, Vaganay (*populeux*) ; bas lat. *populosus,* de *pŏpulus,* peuple.

populisme, populiste 1929, L. Lemonnier, litt. ; lat. *pŏpulus,* peuple.

poquer 1544, G. (*pocquer*), frapper ; du flam. *pokken ;* 1731, Trévoux ; terme de jeu.

poquet 1849, Dudesert, hortic. ; dimin. de *poque,* forme pic. de *poche* (v. ce mot) ; pour d'autres, dér. de *poquer* (v. le précéd.).

***porc** 1080, *Roland ;* fig., fin XIIe s. ; lat. *porcus.* || **porcelet** 1211, *le Bestiaire.* || **porcin** fin XIe s., *Chanson de Guillaume,* surtout au fém. ; 1611, Cotgrave ; lat. *porcinus.* || **porchaison** 1389, *Doc.,* vén. || ***porcher** 1138, Gaimar (*porker*) ; 1265, J. de Meung (*porchier*) ; bas lat. *porcarius* (IVe s., Maternus). || **porcherie** milieu XIIe s., *Roman de Thèbes,* troupeau de porcs ; début XIVe s., toit à porcs. (V. PORC-ÉPIC, POURCEAU.)

porcelaine 1298, *Voy. de Marco Polo* (*pourcelaine*), sorte de coquillage, et aussi sens mod. (rare avant 1523, Gay) ; ital. *porcellana,* coquillage, de *porcella,* truie, par comparaison avec la vulve de la truie. || **porcelainier** 1836, Landais. || **porcelainé** 1894, Goncourt. || **porcelané** 1950, Lambert.

porc-épic début XIIIe s., *Guillaume de Dole* (*porc espin*) ; XIIIe s., Villart de Honnecourt (*porc-eppi*) ; 1508, *Doc.* (*porc espic,* altér. d'après *piquer*) ; 1671, Pomey (*porc-épic*) ; anc. prov. *porc-espin,* de l'ital. *porcospino,* proprem. « porc-épine ».

porche fin XIe s., *Gloses de Raschi ;* lat. *porticus,* n. f., devenu masc. en lat. pop. à cause de sa terminaison.

porcher, porcin V. PORC.

pore 1314, Mondeville (*porre*) ; lat. *porus,* passage, conduit, du gr. *poros.* || **poreux, porosité** *id.*

porion 1775, à Aniche (Saint-Léger, *les Mines,* 1936) ; vulgarisé par *Germinal,* de Zola, 1885 ; mot du Borinage, de l'anc. fr. *porion,* poireau, le contremaître restant planté longtemps au même endroit.

porisme 1691, Ozanam, math., théorème incomplet ; gr. *porisma,* corollaire, de *porizein,* se frayer un passage, et fournir, se procurer.

pornographe 1769, Restif de La Bretonne, « auteur qui traite de la prostitution » ; 1842, *Acad.,* auteur d'écrits obscènes ; gr. *pornographos,* de *pornê,* prostituée, et *grapheîn,* écrire. || **pornographie** 1803, Boiste, « traité de la prostitution » ; 1842, *Acad.,* sens mod., d'abord en peinture. || **pornographique** 1835, Raymond.

porphyre XIIe s., *Aye d'Avignon* (*porfire* ; var. *porfie,* XIIIe s.) ; 1546, Rab. (*porphyre,* d'après le gr. *porphura,* pourpre) ; ital. *porfido, porfiro,* du lat. *porphyrites,* du gr. *porphuritês* (*lithos*), « pierre pourprée ». || **porphyriser** 1728, Fauchard. || **porphyrisation** 1765, *Encycl.* ; || **porphyrion** 1380, *Aalma* (*porphire*), zool. ; lat. *porphyrio,* du gr. *porphuriôn,* oiseau au bec et aux pattes pourpres. || **porphyroïde** 1803, Morin.

porphyrogénète 1690, Furetière ; gr. *porphurogenetos,* « né dans la pourpre », de *porphura,* pourpre.

porque 1382, *Doc.,* mar., au sens propre « truie », d'où, aux XVIe-XVIIe s., d'Aubigné, Scarron, « femme malpropre » ; ital. *porca,* truie, du lat. *porca,* fém. de *porcus,* porc. || **porquer** 1792, Romme.

porracé 1560, Paré, méd. ; lat. *porrum,* poireau ; qui a la couleur verdâtre du poireau.

porreau V. POIREAU.

porrection 1604, G., eccl. ; lat. *porrectio,* de *porrigere,* tendre.

porridge 1901, *À travers le monde ;* mot angl., d'origine inconnue.

1. ***port** (*maritime,* etc.), 1050, *Alexis ; aller, venir, arriver à bon port,* 1268, Joinville, au pr. ; 1627, Richelieu, fig ; lat. *portus.* || **portuaire** 1949, Lar. || **portulan** 1577, *D. G.,* carte côtière ; ital. *portolano, portulano,* « pilote », de *porto,* port. || **avant-port** 1782, Romme.

2. **port** 1080, *Roland,* col (dans les Pyrénées) ; anc. occitan *port,* empl. en ce sens, du lat. *portus* (v. le précéd.).

3. **port** V. PORTER 1.

portage, portant, portatif, portail V. PORTER, PORTE.

1. ***porte** 980, *Passion* (*porta*) ; 1080, *Roland* (*porte*), « porte de ville, de maison » ; lat. *porta,* « porte de ville, de monument », qui a éliminé en lat. pop. *fores,* puis *ostium* (v. HUIS), au sens de « porte de maison ». || **portail** 1160, Benoît (*portal*) ; 1170, *Floire et Blancheflor* (*portail,* d'après le plur. *portaus*). || **portillon** 1578, d'Aubigné ; 1929, R. Martin du Gard, métro. || **portière** 1539, R. Est., panneau, tenture. || **contre-porte** fin XVIe s. || **porte-fenêtre** 1676, Félibien.

2. **porte** 1314, Mondeville (*veine porte*), anat. ; même mot que le précéd.

3. **porte-,** V. PORTER 1. || **porte-à-faux** 1836, Landais. || **porte-aéronefs** 1963, Lar. || **porte-aigle** début XIXe s. || **porte-aiguille** milieu XVIIIe s., chir. || **porte-aiguilles** 1827, *Acad.,* couture. || **porte-allumettes** 1845, Besch. || **porte-amarre** 1857, Figuier. || **porte-autos** 1967, *journ.* || **porte-avions** 1923, Lar. || **porte-bagages** 1923, Lar. || **porte-baïonnette** 1842, *Acad.* || **porte-bébé** 1969, *journ.* || **porte-billets** 1828, Mozin. || **porte-bonheur** 1876, L. || **porte-bouquet** 1680, Richelet. || **porte-bouteilles** 1790, Havard. || **porte-broche** 1723, Savary. || **porte-cartes** 1875, Lar. || **porte-chapeaux** 1776, Valmont. || **porte-chéquiers** 1972, *journ.* || **porte-cigares** 1845, Besch. || **porte-cigarettes** 1887, *Rev. des Deux Mondes.* || **porte-clefs** 1581, Vaganay, qui porte les clefs d'un domaine ; 1835, *Acad.,* sens actuel. || **porte-conteneurs** 1973, *Doc.* || **porte-copie** 1962, Robert. || **porte-coton** 1777, Voltaire. || **porte-couteau** 1803, Boiste. || **porte-crayon** début XVIIe s. || **porte-croix** 1578, d'Aubigné. || **porte-crosse** 1680, Richelet. || **porte-dais** 1767, Diderot. || **porte-documents** 1962, Robert. || **porte-drapeau** 1578, H. Est. || **porte-étendard** 1680, Richelet. || **porte-étriers** 1611, Cotgrave. || **portefaix** 1270, *Romania* (*portefays*). || **portefeuille** 1544, Delb. || **porte-glaive** 1740, Trévoux. || **porte-greffe** 1877, *Revue des Deux Mondes.* || **porte-haubans** 1552, Rab., mar. || **porte-jarretelles** 1935, Sachs-Villate. || **porte-malheur** 1604, Certon. || **porte-manteau** 1558, G., officier portant le manteau d'un grand personnage ; 1660, Oudin, sens mod. || **porte-mesure** 1842, *Acad.* || **portemine** 1893, *D. G.* || **porte-monnaie** 1856, Furpille. || **porte-parapluies** 1856, Furpille. || **porte-parole** milieu XVIe s. || **porte-plume** 1725, Havard. || **porte-queue** 1465, Bartzsch (*portecoue*). || **porte-savon** 1903, Lar. || **porte-serviettes** 1890, Havard. || **porte-vent** 1588, *Doc.* || **porte-voix** 1680, Richelet.

1. ***porter** 980, *Passion,* « être enceinte » ; 1050, *Alexis,* sens gén. ; *se porter bien, mal,* 1360, Froissart ; *être porté à,* début XVIIe s. ; lat.

pop. *portāre* (lat. class. *ferre*). || **port** 1160, Benoît, approvisionnement ; 1265, G., action de porter, et aussi, jusqu'au XVIe s., « aide, faveur » ; début XIVe s., allure, maintien. || **porter** n. m., 1850, Balzac. || **portée** n. f., fin XIIe s., *Prise d'Orange,* enfant, progéniture ; en anc. fr. « charge », et terme de mesure ; milieu XVe s., petits d'un animal ; milieu XVIe s., balist. ; 1752, Trévoux, mus. ; *à portée de, à la portée de,* milieu XVIIe s., Sévigné, Bossuet. || **portant** n. m., XIIIe s., qui porte le faucon, a pris divers sens techn. ; 1841, *les Français peints par eux-mêmes,* théâtre ; *à bout portant,* 1671, Pomey. || **portance** fin XIVe s., action de porter, ce qui sert à porter ; devenu arch., puis repris vers 1940, en aéron. || **portage** 1265, *Livre de jostice.* || **portatif** 1328, Varin. || **portable** 1265, J. de Meung. || **portement** 1265, Br. Latini. || **porteur** 1120, *Ps. d'Oxford ;* cas régime de *portere,* lat. *portator.* || **portière** adj. fém., 1326, G. (*brebis portière*), en âge de porter des petits. || **portereau** 1765, *Encycl.* || **déporter** V. ce mot. || **déport** v. 1830, financ. || **emporter** 980, *Passion* (*en porter*) ; 1080, *Roland* (*emporter*), « porter hors d'un lieu » ; 1549, R. Est., « causer la mort rapide de » ; *l'emporter,* début XIVe s., vaincre ; *s'emporter,* 1633, Corn. || **emporté** adj., 1633, Corn. || **emportement** XIIIe s., G., fait d'être entraîné ; 1636, Corneille, fig. || **emporte-pièce** 1611, Cotgrave (*cautère emporte-pièce*) ; 1690, Furetière, techn. ; *à l'emporte-pièce,* 1700, Liger, techn. ; 1870, Lar., fig. || **remporter** milieu XVe s., au pr. ; 1538, R. Est., gagner. || **exporter** début XVIe s. ; rare avant le milieu du XVIIIe s. ; repris d'après l'angl. (*to*) *export.* || **exportable** 1870, Lar. || **exportation** XVIe s., action d'emporter ; 1734, Melon, sens mod. || **exportateur** 1756, Mirabeau. || **réexporter** milieu XVIIIe s. || **réexportation** 1755, Forbonnais. || **importer** V. ce mot. || **reporter** fin XIe s., *Alexis.* || **report** fin XIIIe s., « récit » ; 1826, J. Bresson. || **reporteur** milieu XIXe s., financ. || **transporter** 1180, Barbier, au pr. ; fin XIIIe s., mettre quelqu'un hors de lui ; 1748, Montesquieu, pénal. || **transport** XIVe s., jurid. ; 1538, R. Est., au pr. ; 1614, d'Urgé, mouvement de passion. || **transportation** 1519, Michel de Tours ; 1836, *Acad.,* pénal. || **transporteur** fin XIVe s. || **transportable** 1574, Jodelle. || **intransportable** 1775, Condillac. || **triporteur** 1900, *Vie au grand air.* (V. SUPPORTER.)

2. **porter** n. m., 1726, C. de Saussure, bière ; angl. *porters'ale,* « bière de portefaix ».

porterie V. PORTIER.

porteur V. PORTER 1.

***portier** fin XIe s. (*porter*) ; 1155, Wace ; bas lat. *portarius* (*Vulgate*), de *porta,* porte. || **porterie** 1460, Chastellain, loge d'un portier.

portière, portillon V. PORTE 1, PORTER 1, PORTIER.

portion 1160, Benoît ; lat. *portio,* part, portion. || **portionnaire** 1442, G., adj. ; 1829, Boiste, jurid.

portique 1544, *l'Arcadie,* galerie ouverte ; 1869, L., gymnast. ; lat. *porticus* (v. PORCHE). || **cryptoportique** 1561, Delorme.

portland 1868, Lar. (*pierre de Portland*) ; 1922, Lar. (*portland*), sorte de ciment ; du nom d'une presqu'île anglaise.

porto 1759, Voltaire (*vin de Porto*) ; 1806, *Journ. des gourmands* (*porto*) ; du nom de *Porto,* ville du Portugal.

portor 1676, Félibien, veiné d'or ; ital. *portoro,* contraction de *porta oro,* « porte-or ».

portrait 1175, Chr. de Troyes (*portret*) ; part. passé substantivé de *portraire* (1130, *Eneas*), « dessiner, représenter » ; de *traire,* au sens anc. de « tirer ». || **portrait-robot** 1964, *journ.* || **portraiture** 1160, Benoît. || **portraiturer** 1540, Havard. || **portraitiste** 1693, Havard.

portuaire V. PORT 1.

portulan 1577, *le Portulan,* carte nautique ; ital. *portolano,* pilote.

portune 1827, *Acad.,* zool. ; lat. *portunus,* de *Portunus,* dieu des ports.

posada 1660, Oudin (*posade*) ; 1826, Vigny (*posada*) ; mot esp. désignant une auberge.

pose V. POSER.

***poser** 980, *Passion,* « ensevelir » ; 1050, *Alexis,* sens mod. ; lat. pop. *pausāre* (Plaute), s'arrêter, cesser, de *pausa,* pause ; d'où, en lat. des inscriptions chrét., « se reposer », et en bas lat. « poser », avec élimination de *ponere* en ce sens (v. PONDRE), et élimination du sens primitif de *pausare,* repris en fr. par REPOSER (v. ce mot). || **posage** 1532, *D. G.* || **poseur** 1641, *Doc.,* au pr. ; 1842, Mozin, fig., « fat ». || **pose** 1112, *Voy. saint Brendan,* relâche ; 1694, *Acad.,* au pr. ; 1792, Watelet, beaux-arts ; 1835, *Acad.,* fig., attitude affectée ; 1874, Lar., photogr. || **posemètre** 1949, Lar. || **antéposer** XIXe s. ; lat. *ante,* avant, devant. || **déposer** XIIe s., destituer. || **dépôt** XIVe s., G. (*depost*) ; lat. jurid. *depositum.* || **dépositaire**

XIVe s., G. ; lat. jurid. *depositarius.* || **entreposer** 1119, Ph. de Thaon, intercaler ; début XIIe s., *Grégoire,* poser entre ; sur le modèle du lat. *interponere ;* XVIe s., commerce. || **entrepôt** 1600, O. de Serres ; d'après *dépôt.* || **entrepositaire** 1814, Duvergier ; d'après *dépositaire.* || **exposer** début XIIe s., *Grégoire ;* a remplacé la forme pop. *espondre.* || **exposant** n. m., 1385, *D. G.,* jurid. ; 1658, Pascal, math. ; fin XVIIe s., qui expose des marchandises dans une exposition. || **exposé** n. m., 1638, Richelieu. || **interposer** 1356, Bersuire ; lat. *interponere,* d'après *poser.* || **interposition** 1160, Benoît. || **juxtaposer** 1835, *Acad. ;* lat. *juxta,* près de. || **postposer** 1446, Isambert. || **superposer** 1762, Rousseau ; lat. *superponere,* d'après *poser,* de *super,* au-dessus. || **transposer** XIIe s. ; lat. *transponere,* d'après *poser.* (V. COMPOSER, DISPOSER, REPOSER, POSITION.)

positif 1265, J. de Meung, « certain, réel », sens répandu seulem. au XVIIe s. ; 1370, Oresme, « établi par institution » ; 1807, Staël, qui a le sens pratique ; 1647, Descartes, par oppos. à *négatif,* en divers sens ; 1810, Saint-Simon, philos. ; bas lat. *positivus,* « qui repose sur quelque chose », de *positus,* part. passé de *ponere,* mettre. || **positivisme** 1830, A. Comte. || **positiviste 1834, Boiste.** || **positivité** 1840, A. Comte. || **positon** 1932, Lar., phys. ; sur *position.* || **diapositive** fin XIXe s., photogr.

position fin XIIe s., *l'Escoufle,* manière de poser un argument ; 1265, J. de Meung, place ; 1835, *Acad.,* attitude du corps ; lat. *positio,* de *ponere,* placer, mettre. || **antéposition** 1841, Proudhon ; sur le lat. *ante,* avant, devant. || **déposition** XIIe s. ; lat. jurid. *depositio.* || **exposition** 1119, Ph. de Thaon, « action d'exposer », puis fig. ; lat. *expositio.* || **interposition** 1160, Benoît. || **juxtaposition** 1664, *le Monde de M. Descartes ;* sur le lat. *juxta,* près de. || **postposition** XIXe s., gramm. || **superposition** 1613, Dounot ; lat. médiév. *superpositio.* || **transposition** début XVe s..

posologie 1820, *Dict. méd. ;* gr. *posos,* « combien », et *-logie.* || **posologique** 1835, Raymond

posséder 1120, *Ps. d'Oxford* (*pursedeir*) ; 1170, Sully (*porseoir*) ; XIIIe s. (*possider*) ; 1364, Fagniez (*posséder*) ; lat. *possidēre,* de *potis,* capable de, et *sedere,* être assis (v. SEOIR) ; forme *posséder* d'après *possesseur, possession.* || **possédant** 1617, Crespin. || **possédé** 1169, Widerhold, possédé du diable. || **possédable** 1553, Rab. || **possession** 1120, *Ps de Cambridge ;* lat. *possessio.* || **possessionné** XVe s., rare avant 1776, Voltaire. || **dépossession** 1690, Furetière. || **possesseur** fin XIIIe s. (*possessor*) ; 1355, Bersuire (*possesseur*) ; lat. *possessor.* || **possessif** 1380, *Aalma,* gramm. ; 1501, Destrée, « dominant » ; 1970, Robert, qui accapare ; lat. *possessivus.* || **possessionnel** 1836, *Acad.* || **possessivité** 1946, Mounier. || **possessoire** 1398, E. Deschamps, jurid. ; lat. *possessorius.*

possible 1265, Br. Latini ; n. m., 1673, Retz, philos. ; lat. impér. *possibilis* (II-IIIe s.), du v. *posse,* pouvoir. || **possibilité** 1212, Anger ; *possibilités,* début XXe s. ; lat. impér. *possibilitas.* || **possibiliste** 1881, *journ.,* polit., socialiste partisan des réformes « possibles ». || **impossible** fin XIIIe s., G. ; lat. *impossibilis.* || **impossibilité** XIVe s.

post-, préfixe ; lat. *post,* après. || **postclassique** 1932, Lar. || **postcommunion** 1215, Pean Gatineau. || **postdater** 1752, Trévoux. (etc., v. le mot de base.)

1. **poste** n. f., XIIe s., *Jeu d'Adam,* « position » ; auj., mar. ; anc. part. passé substantivé de *pondre,* au sens anc. de « poser », lat. *ponĕre.*

2. **poste** n. f., 1480, Bartzsch., relais de chevaux ; par ext., transport public des correspondances, créé en 1475 ; *courir la poste,* 1573, Chesneau ; *maître de poste,* 1636, Monet ; *poste restante,* 1793, Staël ; ital. *posta,* part. passé, substantivé au fém., de *porre,* poser, du lat. *ponere,* placer (v. PONDRE). || **postal** 1835, Raymond ; *carte postale,* 1872, *journ.* || **postier** 1841, *les Français peints par eux-mêmes,* employé de la poste. || **poster** 1907, Lar. || **postage** 1875, Lar. (V. MALLE, TIMBRE).

3. **poste** n. m., 1500, J. d'Authon, au féminin ; 1636, Monet, au masc. ; *poste de police,* 1879, Loti ; *poste de secours,* 1949, Lar. ; *poste de travail* 1963, Lar. ; ital. *posto,* forme masc. de *posta* (v. le précéd.). || **poster** début XVIe s., mettre à un poste. || **avant-poste** 1800, Brunot. (V. APOSTER.)

postérieur adj., fin XVe s. ; n. m., 1566, H. Est. ; lat. *posterior,* comparatif de *posterus,* « qui vient après », de *post,* après (V. PATRON-MINET). || **postérieurement** 1660, Oudin. || **postériorité** milieu XVe s., Ferget.

postérité 1320, *Roman de Fauvel ;* lat. *posteritas,* de même rad. que le précéd.

postface 1736, Voltaire ; sur le lat. *post,* d'après *préface.* (V. PRÉFACE.)

posthite 1823, *Dict. méd.,* méd. ; gr. *posthê,* prépuce, et suff. *-ite.*

posthume XIVe s. (*postume*) ; 1491, Vaganay, « né après la mort du père » ; 1680, Richelet, « publié après la mort de l'auteur » ; 1727, Fontenelle, « qui existe après la mort » ; bas lat. *posthumus,* altér. orthogr. du lat. class. *postumus,* dernier, de *post,* après, par attraction de *humus,* terre, *humare,* inhumer.

postiche 1585, L., ornement ; 1690, Furetière, faux cheveux ; ital. *posticcio,* dér. de *posto,* part. passé de *porre,* mettre, du lat. *ponere.* || **posticheur** 1923, Lar. (V. PONDRE, POSTE 1 et 2.)

postillon 1530, Marot ; ital. *postiglione,* de *posta* (v. POSTE 2) ; 1867, Delvau, goutte de salive projetée. || **postillonner** 1611, Cotgrave, courir la poste ; 1867, Delvau, fam., sens mod.

post-scriptum 1512, La Curne (*postcripte*) ; 1701, Furetière (*post-scriptum*) ; loc. lat., de *post,* après, et *scriptum,* ce qui est écrit, part. passé, substantivé au neutre, de *scribere,* écrire.

postulat 1752, Trévoux, math. ; 1842, *Acad.,* ext. de sens ; lat. *postulatum,* part. passé neutre de *postulare,* demander.

postuler XIIIe s., jurid. ; 1355, Bersuire, solliciter ; lat. *postulare,* demander. || **postulant** 1495, Vignay. || **postulation** 1265, *Livre de jostice ;* lat. *postulatio.*

posture 1588, Montaigne ; ital. *postura,* de *posto.* || **postural** 1962, Robert. (V. POSTE 2.)

***pot** 1155, Wace ; *pot de chambre,* 1542, *Doc. ; pot aux roses,* XIIIe s. ; *tourner autour du pot,* 1538, R. Est., fig. ; *avoir du pot,* 1925, Esnault, pop. ; *pot d'échappement,* 1892, *Portefeuille éco. ;* lat. pop. *pŏttus* (réduit à *potus,* Ve s., Fortunat), probablem. d'un rad. préceltique *pott-.* || **pot-de-vin** 1501, Cohen, gratification ; 1586, Pasquier, pourboire. || **pot-au-feu** 1673, Sévigné. || **pot-bouille** n. f., 1838, Balzac (v. BOUILLIR). || **pot-pourri** 1553, Rab., culin. ; 1803, Boiste, mus. ; calque de l'esp. *olla podrida.* || **potée** XIIe s. || **potelle** 1875, Lar. || **potier** 1120, *Ps. de Cambridge,* fabricant de pots. || **poterie** 1268, É. Boileau. || **potin** 1655, *Muse normande,* commérage ; 1888, Sachs-Villate, pop., tapage ; mot d'orig. norm., de *potiner,* dér. de *potine,* chaufferette (qu'apportaient avec elles les femmes se réunissant pour causer). || **potiner** 1867, Delvau. || **potinier** 1871, Goncourt. || **potinage** 1861, Goncourt. || **potinière** n. f., 1890, Maupassant. || **potard** 1867, Delvau, pop., « pharmacien ». || **popotin** 1896, Esnault, pop. ou enfantin, derrière rebondi. || **dépoter** début XVIIe s. || **dépotage, dépotement** 1842, Mozin. || **dépotoir** 1836, Raymond. || **empoter** XVIIe s., *Ragotin,* mettre en pot. || **rempoter** 1835, *Acad.*

potable 1270, Mahieu le Vilain ; mot d'alchimie jusqu'au XVIIe s. ; 1756, *Léandre grosse,* fam., acceptable ; bas lat. *potabilis,* qui peut être bu, de *potare,* boire.

potache 1840, Esnault, arg. scolaire ; abrév. de *potachien,* mot issu de *potagiste,* demi-pensionnaire, de *potage,* par infl. de *collégien.*

potage milieu XIIIe s., Rutebeuf, « ce qui se met dans le pot » ; 1268, É. Boileau, « bouillon, soupe » ; *pour tout potage,* XVe s. ; de *pot.* || **potager** n. m., 1373, Du Cange, « cuisinier » ; adj., 1555, Ronsard ; 1570, Liebault, n. m., sens mod., où l'on cultive des plantes potagères.

potamo-, gr. *potamos,* fleuve. || **potamochère** 1903, Lar., zool. ; gr. *khoiros,* petit cochon. || **potamogéton** ou **potamot** 1701, Furetière, bot. ; gr. *geitôn,* voisin. || **potamologie** 1875, Lar.

potasse 1577, texte de Liège (*pottas*) ; néerl. *potasch ;* 1690, Furetière (*potasse*) ; all. *Potasche,* de *Pot,* pot, et *Asche,* cendre. || **potassé** 1814, Brunot (*potassié*) ; 1834, Landais (*potassé*). || **potassique** 1831, Berzélius. || **potassium** 1808, Davy (en anglais) ; par latinisation de l'angl. *potass,* du fr. *potasse* (v. SODIUM).

potasser 1838, Esnault, arg. scol., cuisiner, préparer le pot, la nourriture ; de *pot.* || **potasseur** 1867, Delvau.

1. **pote** fin XIe s., *Gloses de Raschi,* adj. fém. (*main pote*), « enflée, engourdie » ; 1759, Voltaire, adj. m. ; orig. obscure. || **potelé** XIIIe s., *Galeran.* || **poteler** 1841, Balzac, v. tr., rare. || **empoté** 1870, Lar.

2. **pote** n. m. V. POTEAU.

poteau 1155, Wace (*postel*) ; 1538, R. Est. (*poteau*) ; 1400, *Lettre de rémission,* pop., « ami », d'où l'abréviation *pote* (1898, Esnault) ; de l'anc. fr. *post,* du lat. *postis,* jambage, poteau. || **potelet** 1407, G. (*postielet*).

potelé V. POTE 1.

potence 1120, *Ps. d'Oxford,* « puissance » ; 1160, *Tristan,* « béquille », d'où divers sens techn. en anc. et moy. fr ; XVe s., Bartzsch, gibet ; lat. *potentia,* « puissance, appui », qui a pris un sens concret en lat. médiév. || **potencé** 1456, La Sale, blas.

potentat 1370, Oresme, « souveraineté » ; 1554, *Granvelle,* prince souverain, d'où le sens fig. ; lat. médiév. *potentatus,* souveraineté, de *potens,* puissant, lat. pop. *potēre,* pouvoir.

potentiel adj., XIVe s., G. (*cautère potenciel*), méd. ; 1525, J. Lemaire de Belges, philos., puis gramm. ; 1869, L., phys. ; n. m., 1830, Gauss (en allem.), math. ; 1869, L., phys. ; 1931, P. Valéry, ensemble de ressources ; lat. médiév. *potentialis,* de *potens,* puissant. || **potentiellement** fin XVe s. || **potentialiser** 1961, Delay. || **potentialité** 1869, L. || **potentiomètre** 1883, Jacquez. || **équipotentiel** XXe s. ; lat. *aequus,* égal.

potentille 1605, Du Pinet, bot. ; lat. bot. *potentilla,* proprem. « petite vertu (médicinale) », dimin. de *potentia,* puissance.

poterne fin XIe s., *Gloses de Raschi* (*posterne*) ; altér. de *posterle* (XIIe-XIIIe s.), du bas lat. *posterula* (IVe s., Amm. Marcelin), « porte dérobée », « (porte) de derrière », de *posterus.* (V. POSTÉRIEUR.)

potestatif 1595, Champeynac, « capable de » ; 1804, *Code civil,* jurid. ; bas lat. *potestativus,* de *potestas,* puissance.

potiche 1746, Savary, « pot à saindoux » ; 1833, Th. Gautier, sens mod. ; dér. de POT.

potin, potiner V. POT.

potion fin XIIe s., *Dialogues Grégoire,* « breuvage » ; 1549, R. Est., méd. ; lat. *potio.* (V. POISON.)

potiron 1520, Vaganay, « gros champignon » ; milieu XVIIe s., sens mod. ; ar. *futur,* morille.

potlatch 1962, Robert (1883, en angl.) ; mot indien d'Amérique du Nord.

potorou 1827, *Acad.* (*potoroo*), zool. ; mot indigène de Nouvelle-Galles du Sud (Australie) ; kangourou-rat.

potron-minet V. PATRON-MINET.

***pou** 1120, *Ps. de Cambridge* (*puil*) ; 1265, J. de Meung (*peoil,* puis *pouil*) ; 1360, Froissart (*poux*) ; lat. pop. **pĕdŭculus,* en lat. class. *pēdiculus,* de *pēdis,* pou. || **pouilleux** 1175, Chr. de Troyes (*poeilleus*) ; de *pouil,* forme anc. || **pouiller** XIIIe s., *Renart,* « enlever les poux » ; 1636, Monet, injurier. || **pouilles** 1574, Cosmopolite (*dire des pouilles*), n. f. pl. ; de *pouiller,* au sens de injurier. || **pouillerie** 1354, *Modus* (*poueillerie*), « gens pleins de poux ». || **épouiller** 1375, *Modus.* || **pédiculaire** 1550, Guéroult ; dérivé savant du lat. *pediculus.*

pouacre 1160, Benoît (*poacre*), « goutteux » ; lat. *podager* (v. PODAGRE) ; 1445, Picot, « rogneux », sale, laid ; p.-ê. par attraction de *pouah ;* 1750, Ménage, avare.

pouah XVIe s. (*pouac*) ; 1673, Molière (*pouah*) ; onomat.

poubelle 1888, Lar. ; du nom de *Poubelle,* préfet de la Seine, qui imposa l'usage de cette boîte à ordures par ordonnance du 15 janvier 1884.

***pouce** début XIIe s., *Pèlerinage de Charlemagne* (*polz*), mesure de longueur ; XIIIe s., anat. ; *mettre les pouces,* 1819, Boiste ; *coup de pouce,* 1875, Lar ; lat. *pollĭcem,* acc. de *pollex.* || **pouce-pied** 1558, *D. G.,* zool. (fausse graphie : *pousse-pied*). || **poucier** 1530, Palsgrave, techn. || **poucettes** 1823, Boiste.

pou-de-soie ou **poult-de-soie** 1389, G. (*pout-de-soie*), textile ; d'orig. inconnue.

pouding V. PUDDING.

poudingue 1753, Brunot, géol. ; francisation et ellipse de l'angl. *puddingstone* (1765, *Encycl.*), « pierre-pudding ». (V. PUDDING.)

***poudre** 1080, *Roland* (*puldre*), « poussière », 1160, Benoît (*poudre*) ; fin XIIe s., substance finement broyée et pilée ; XIIIe s., poudre de toilette ; 1360, Froissart, explosif ; *jeter la poudre aux yeux,* 1578, d'Aubigné ; *poudre de riz,* 1845, *le Moniteur de la mode ;* lat. *pulvĕrem,* acc. de *pŭlvis.* || **poudrette** 1119, Ph. de Thaon (*puldrete*), poussière. || **poudrer** 1210, *Folque de Candie,* « dégager de la poussière » ; 1398, *Ménagier,* « répandre sur » ; XIVe s., « couvrir de poudre de toilette ». || **poudrage** 1932, Lar. || **poudreux** 1080, *Roland* (*puldrus*) ; XIIIe s. (*poudreus*). || **poudreuse** 1923, Lar., techn. ; 1948, Frison-Roche, neige. || **dépoudrer** 1398, *Ménagier.* || **poudroyer** 1377, Lanfranc, « se réduire en poussière » ; 1550, Ronsard, « s'élever en poussière ». || **poudroiement** 1606, Crespin, couvrir de poussière ; 1872, Gautier, scintillement. || **poudrin** fin XIIe s., *Aliscans,* embrun. || **poudrier** 1170, *Rois,* « tourbillon de poussière » ; 1561, Isambert, « fabricant de poudre à canon » ; 1570, Havard, « boîte à poudre » ; 1690, Furetière, « marchand de poudre de cheveux ». || **poudrière** 1155, Wace, « nuage de poussière » ; 1550, *Mémoires François de*

Lorraine, « lieu où se fabrique la poudre à canon » ; 1788, Féraud, « magasin où se conserve la poudre à canon ». || **poudrerie** XVe s., Fagniez, marchandises en poudre ; 1732, Richelet, fabrique de poudre à canon. || **poudrederizé** 1887, Maupassant. || **poudrerizé** 1902, G. Kahn, recouvert de poudre de riz.

poudroyer V. POUDRE.

pouf 1458, G. ; 1775, Quicherat, sorte de bonnet de femme, par méthaph. ; 1829, Boiste, tabouret bas et rembourré ; 1842, Mozin, déconfiture ; onomat. exprimant la chute. || **pouffer** 1530, Palsgrave, souffler (du vent) ; fin XVIIe s., Saint-Simon, *pouffer de rire.* || **pouffiasse** 1875, Lar., pop., « prostituée ». || **patapouf** fin XVIIIe s., Restif de la Bretonne ; p.-ê. par croisem. avec *pataud.*

pouillard 1875, *J. O.,* jeune perdreau ; de l'anc. fr. *pouil,* coq, du bas lat. *pullius.* (V. POULE, POUILLOT.)

pouillé milieu XVe s. (*pueillé*) ; 1624, Peiresc (*poullier*), hist. eccl. ; de l'anc. fr. *pouille, pueille,* rente, registre de comptes, du pl. lat. *polyptycha,* du gr. *poluptukha,* « (livres) formés de plusieurs feuilles », de *polus,* nombreux, et *ptux, ptukhos,* pli. (V. POLYPTYQUE.)

pouiller, pouilles, pouilleux V. POU.

pouillot fin XIIe s. (*poillot*), petit d'un oiseau ; repris au milieu du XVIIIe s., Buffon, variété d'oiseau ; de l'anc. fr. *pouil* (1155, Wace), coq, du bas lat. *pullius.* (V. POUILLARD, POULE.)

***poulain** 1119, Ph. de Thaon (*pulain*) ; lat. pop. **pullanus,* ou bas lat. *pullamen* (*Mulomedicina*), d'abord collectif, dér. du lat. *pŭllus,* petit d'un animal (v. POULE). || **pouliner** milieu XVIe s. || **poulinière** 1671, Molière. (V. POULICHE, POUTRE.)

poulaine 1354, *Modus* (*souliers à la poulaine*) ; 1573, Du Puys, mar. ; fém. de l'anc. fr. *poulain,* « polonais », parce que ce type de soulier, ou la peau qui recouvrait la pointe, venait de Pologne.

***poule** XIIIe s., Clopinel ; 1923, Lar., pop., maîtresse ; 1867, Delvau, prostituée ; *poule d'eau,* 1530, Palsgrave ; *poule mouillée,* 1648, Scarron, fig. ; *cul de poule,* 1660, Oudin, moue. || **poule** milieu XVIIe s., jeu ; développem. sémant. obscur ; 1903, Lar., compétition sportive. || **poulet** début XIIIe s., *Guillaume de Dole ;* 1622, Sorel, terme affectueux ; 1556, *Sotties,* « missive », puis spécialem., 1592, Montaigne, « billet doux » (p.-ê., d'après Furetière, parce que les pointes du billet, rabattues, rappelaient les ailes d'un poulet) ; lat. *pŭlla,* fém. de *pullus,* petit d'un animal (v. POULAIN) ; a éliminé l'anc. fr. *géline,* du lat. *gallīna* (v. GELINE). || **poulette** XIIIe s., *Renart ;* 1679, Sévigné, jeune femme. || **poulailler** 1261, Fagniez, « éleveur de volailles » ; 1389, *Registre du Châtelet,* abri des poules ; 1834, Landais, pop., au théâtre ; de l'anc. fr. *poulaille* (1268, É. Boileau), « ensemble de poules, volailles ». || **poularde** 1562, G. (*pollarde*). || **poulard** 1606, Crespin (*blé poulart*), le grain étant comparé à un poulet engraissé. || **époularder, époulardage** 1762, *Encycl.* || **poulot, poulotte** 1719, Trévoux, fam., terme d'affection.

pouliche 1589, Baïf ; forme norm. ou pic., altér. de *pouline,* XVIIIe s., Buffon, fém. de *poulain* (v. ce mot), par croisement avec la forme dial. *geniche,* génisse, à suff. issu du lat. *-īcia.*

poulie 1130, *Eneas ;* bas gr. **polidia,* pl. de *polidion,* de *polos,* pivot. || **poulieur** 1671, Seignelay. || **pouliot** 1382, *Compte du clos des Galées de Rouen,* mar.

1. **pouliot** fin XIe s., *Gloses de Raschi* (*poliol*) ; XIIIe s. (*poeliol, pouillol*) ; XVe s. (*pouliot*), bot. ; lat. pop. **pŭleium,* en lat. class. *pūleium.* (V. SERPOLET.)

2. **pouliot** V. POULIE.

poulpe 1538, R. Est. (*poupe*), polype du nez ; 1546, Rab., zool. ; adaptation, d'après le prov. *poupre,* du lat. *pŏlypus.* (V. PIEUVRE, POLYPE.)

***pouls** 1155, Wace (*pulz*) ; 1175, Chr. de Troyes (*pous*) ; 1549, R. Est. (*pouls,* avec *l* d'après le lat.) ; lat. *pulsus,* « battement » (des artères), de *pulsus,* part. passé de *pellĕre,* pousser.

***poumon** 1080, *Roland* (*pulmun*) ; 1155, Wace (*pomon*) ; 1160, Benoît (*poumon*) ; lat. *pŭlmōnem,* acc. de *pŭlmo.* || **s'époumoner** 1725, Grandval. (V. PULMONAIRE.)

poupard 1220, Coincy (*poupart*) ; lat. pop. **pŭppa,* de *pūpa,* petite fille, poupée, mot enfantin, avec redoublement expressif. || **poupine** début XIIIe s. (*popine*) ; XVe s. (*poupine*) ; même rad., avec var. de suff. || **poupin** 1210, Tobler-Lommatzsch, au féminin, « amie intime » ; 1530, C. Marot, n. m. et adj. || **poupon** 1534, Rab., n. m. et adj. || **pouponner** 1903, Lar. || **pouponnière** 1851, Heuzé.

poupe milieu XIIIe s. (*pope*) ; XIVe s. (*poupe*) ; de l'anc. prov. ou de l'ital. *poppa,* du lat. *pŭppis* (avec changem. de finale).

poupée fin XIe s., *Gloses de Raschi* (*popede*) ; 1265, J. de Meung (*poupée*) ; 1690, Furetière, petit pansement au doigt ; lat. pop. **pŭppa,* au sens de « poupée » (v. POUPARD). || **poupelin** 1220, Coincy. || **poupette** fin XVIe s.

***pour** 842, *Serments* (*pro*) ; fin IXe s., *Eulalie* (*por*) ; 1080, *Roland* (*pur*) ; XIIIe s. (*pour*) ; lat. *prō,* « devant », d'où « à la place de, selon », et par ext. « pour, en faveur de », devenu *pōr* en lat. pop., par métathèse, et, en composition, par analogie avec *per.* || **pour que** 1247, Runkewitz ; d'abord provincialisme venu du Sud-Ouest ; a éliminé *pour ce que.* || **pourquoi** 1050, *Alexis* (*poqueit*). *Pour* sert de préfixe, avec valeur d'adv. ou de prép., à de nombreux mots construits, soit issus du lat., soit de formation française. (V. ci-après.)

pourboire V. BOIRE.

pourceau 1119, Ph. de Thaon (*porcel*) ; lat. *porcellus,* dimin. de *porcus.* (V. PORC.)

pourcentage 1839, Boiste (*percentage*) ; 1875, Lar. (*pourcentage*) ; dér. de *pour cent* (1845, Besch.) [V. CENT.]

pourchasser 1080, *Roland* (*porchacier*) ; de *por,* pour, et de *chasser.* || **pourchas** 1138, Gaimar (*purchad*).

pourfendre, pourfendeur, pourlécher, pourparler V. FENDRE, LÉCHER, PARLER.

pourpier XIIIe s., Tobler-Lommatzsch (*porpié*) ; anc. fr. *polpier* (fin XIe s., *Gloses de Raschi*) ; lat. pop. *pulli pes,* à l'acc. *pulli pedem,* « pied de poulet » (cf. *pied-poul,* XVIe s., en Anjou, auj. *piépou*).

pourpoint 1200, G., proprem. « piqué, brodé » ; part. passé de l'anc. *pourpoindre,* du bas lat. *perpunctus,* percé de part en part, lat. *pungere,* piquer. || **à brûle-pourpoint** milieu XVIIe s., Scarron.

***pourpre** 980, *Passion* (*purpure*) ; 1130, *Eneas* (*porpre*), n. f. ; fin XIIe s., Marbode (*purpre*), adj. ; XIIIe s., *Évangile de Nicomède,* n. m., couleur rouge ; début XVe s., mollusque ; lat. *pŭrpŭra,* gr. *porphura.* || **pourpré** XIIe s., Marbode (*porpré*) ; a remplacé l'anc. *pourprin* (1119, Ph. de Thaon). || **pourprier** 1752, Trévoux. || **empourprer** 1550, Ronsard.

pourpris 1155, Wace (*porpris*), « enclos, jardin » ; part. passé substantivé de l'anc. fr. *pourprendre,* « enclore », de *pour* et *prendre.*

pourquoi V. POUR.

***pourrir** 1050, *Alexis* (*purir*) ; lat. pop. **pŭtrīre,* en lat. class. *putrescere.* || **pourrissant** adj., XIIe s., *Dialogues Grégoire.* || **pourriture** 1120, *Ps. d'Oxford* (*purreture*). || **pourrissable** XVe s. || **pourrissage** 1793, *Cours d'agriculture,* techn. ; de *pourrir* au sens de « faire macérer des chiffons », 1680, Richelet. || **pourrissement** XIVe s. ; XXe s., fig. || **pourrissoir** fin XVIIe s., Saint-Simon. || **pourridié** 1874, L., bot.

poursuite, poursuivre, pourtant, pourtour V. SUIVRE, TANT, TOUR.

pourvoir 1112, *Voy. saint Brendan* (*purveeir*), prévoir ; 1155, Wace, munir de ; 1130, *Eneas,* fournir à ; fin XIVe s., veiller à ; lat. *providēre,* voir en avant, organiser d'avance. || **pourvoi** XIVe s., *Miracles,* prévoyance ; 1804, *Code civil,* jurid. || **pourvoyeur** 1248, G. || **pourvu que** 1396, *Romania ;* du part. passé *pourvu.*

poussah, poussa 1670, Hooge (*pussa*) ; 1782, Sonnerat (*poussa*), idole chinoise ; rare jusqu'au XIXe s. (1841, *les Français peints par eux-mêmes*) ; chinois *pou-sa,* idole bouddhique.

***pousser** 1360, Froissart (*poulser*), v. tr. jusqu'au XVIe s. ; moins usuel que *bouter ;* XVIe s., croître ; lat. *pŭlsāre,* frapper, repousser, de *pulsus,* pouls. || **pousse** 1453, Monstrelet, action de pousser ; 1611, Cotgrave (*pousse de blé*), ce qui pousse. || **poussage** 1957, *journ.* || **poussard** 1875, Lar., mines. || **poussée** 1530, Palsgrave. || **poussette** 1717, Trévoux, terme de jeu ; 1903, Lar., voiture d'enfant. || **poussoir** 1258, G. || **poussif** 1220, Coincy ; de *pousser,* « respirer péniblement » (XVe s.). || **pousseur** 1660, Scarron. || **repousser** XIVe s., Cuvelier. || **pousse-au-crime** 1916, Esnault. || **pousse-café** 1854, Nerval. || **pousse-cailloux** 1806, Esnault. || **pousse-cul** milieu XVIIe s., pop. || **pousse-pousse** 1896, Delesalle. || **repoussoir** 1429, G., techn. ; 1827, Balzac, fig. (V. PULSATION.)

poussière 1190, *Saint Bernard ;* anc. fr. *pous* (Centre et Est), du lat. pop. **pulvus,* en lat. class. *pulvis* (v. POUDRE). || **poussier** 1399, J. des Preis (*pulsier*), forme masc., spécialisée auj. au sens de « charbon en poussière » (1690, Furetière). || **poussiéreux** 1786, de Ligne. || **épousseter** 1492, G. (*esp-*). || **époussetage** XVIIIe s. || **époussette** fin XIVe s.

***poussin** 1120, *Ps. de Cambridge* (*pulcin*) ; lat. pop. **pŭllicīnus,* en bas lat. *pullicēnus,* dér. de *pullus.* || **poussinière** adj. fém., 1196, Ambroise, « qui a des poussins » ; 1372, Corbichon, en parlant de la constellation des Pléiades (formant un groupe comme des poussins) ; n. f., 1741, Brunot, cage à poussins.

***poutre** XIIIe s., Tobler-Lommatzsch, jeune jument, pouliche ; 1280, Bibbesworth (*poustre*), sens mod., par méthaph. (v. BÉLIER, CHEVALET, CHEVRON, etc.) ; lat. pop. **pullitra,* fém. de **pulliter* (cf. *pulletrus,* n. m., dans un capitulaire de Charlemagne), de *pullus,* petit d'un animal (v. POULE, POLTRON). A éliminé l'anc. fr. *tref* (v. ENTRAVER 1, TRAVÉE). || **poutrelle** 1676, Félibien. || **poutrage** milieu XIXe s. || **poutraison** 1874, *J. O.*

pouture XIIIe s., « légume » ; XVIIIe s., agric. ; lat. *puls, pultis,* bouillie de céréales.

***pouvoir** v. 842, *Serments* (*podir*) ; fin Xe s., *Saint Léger* (*poeir*) ; 1130, *Eneas,* n. m. ; lat. pop. **potēre,* réfection du lat. class. *posse* d'après les formes à rad. *pot-* (*potui, poteram,* etc.). || **peut-être** 1119, Ph. de Thaon (*puet cel estre*) ; 1130, *Eneas* (*puet estre*). [V. POSSIBLE, PUISSANT.]

pouzzolane 1670, Colbert ; ital. *pozzolana,* proprem. « (sable) de Pouzzoles », de *Pozzuoli,* nom d'une ville voisine de Naples.

pragmatique 1441, Isambert (*pragmatique sanction*) ; 1842, *Acad.,* qui a une valeur pratique ; lat. jurid. *pragmatica sanctio,* rescrit impérial, du gr. *pragmatikos,* relatif aux faits, de *pragma,* fait. || **pragmatisme** 1878, Lar., philos. ; angl. *pragmatism* (W. James), lui-même issu de l'all. *Pragmatismus* (fin XVIIIe s.), de même rad. || **pragmatiste** 1928, Martin du Gard.

praire 1873, *J. O.,* coquillage ; prov. *preire,* prêtre, lat. pop. **prebiter,* bas lat. *presbyter.*

prairie début XIIe s., *Thèbes* (*praerie*) ; de *pré,* ou d'un lat. pop. **prataria,* de *pratum,* pré. || **prairial** 1793, Fabre d'Églantine, mois du calendrier révolutionnaire (20 mai-19 juin).

prâkrit 1845, Besch. ; sanscrit *prakr(i)ta,* dénué d'apprêt, vulgaire ; terme de linguistique.

praline 1680, Richelet ; du nom du maréchal du Plessis-*Praslin* (1598-1675), dont le cuisinier inventa ce bonbon. || **praliné** 1748, Menon. || **praliner** 1715, Rouvier. || **pralin** 1869, L., agric. || **pralinage** 1869, L., agric. ; 1875, Lar., fabrication des pralines.

prandial fin XIXe s., méd. ; lat. *prandium,* repas. || **postprandial** XXe s., méd.

prase 1755, Prévost d'Exiles, quartz vert ; lat. *prasius,* du gr. *prason,* poireau. || **praséodyme** 1923, Lar., chim. ; gr. *prasinos,* couleur vert de poireau, et *didumos,* double.

praticulture 1869, L. ; lat. *pratum,* pré, et *culture.*

pratique n. f., 1256, Ald. de Sienne, application des règles ; fin XIVe s., exercice ; 1530, Palsgrave, expérience ; 1588, Montaigne, clientèle commerciale ; 1651, Scarron, client ; 1681, Bossuet, n. pl., actes extérieurs du culte ; lat. médiév. *practica,* bas lat. *practice,* gr. *praktikê,* adj. substantivé, « science pratique », par opposition à la science spéculative, dans la philos. de Platon, de *pratteîn,* agir. || **pratique** adj., 1370, Oresme, « qui tend à l'action » ; XVe s., La Curne, « versé dans » ; 1869, Sainte-Beuve, « qui a le sens des réalités » ; 1907, Lar., « qui peut être mis en pratique », d'où « commode » ; lat. médiév. *practicus.* || **pratiquer** 1370, Oresme ; même évol. sémantique que *pratique,* n. f. || **pratiquant** 1370, Oresme, qui use habituellement de ; 1869, L., sens actuel. || **praticien** 1314, Mondeville, méd. || **praticable** adj., milieu XVIe s., Loisel ; n. m., 1835, *Acad.,* théâtre. || **praticabilité** 1719, Brunot. || **impraticable** XVIe s. || **impraticabilité** 1794, Brunot.

praxinoscope 1877, brevet d'invention ; gr. *praxis,* mouvement, et *-scope.*

praxis 1969, Foulquié, philos. ; par l'interm. de l'allem., mot gr., de *pratteîn,* agir. || **praxéologie** 1968, Lar. ; gr. *praxis, praxeos,* action.

***pré** 1080, *Roland* (*pred*) ; lat. *pratum* (v. PRAIRIE). || **pré-bois** 1842, *Acad.* || **pré-gazon** 1869, L. || **pré-salé** 1732, Liger. || **préau** 1080, *Roland* (*prael*), « petit pré » ; sens conservé jusqu'au XVIe s. ; 1160, Benoît, espace carré dans les monastères pour la promenade ; 1549, R. Est., cour d'une prison ; 1845, Besch., école.

pré-, préfixe ; lat. *prae,* devant, en avant. Pour les mots construits avec *pré-,* voir ci-après ou à la place alphabétique du mot simple correspondant.

préalable XIVe s., Bouthillier (*préallable*) ; de *pré-* et de l'anc. adj. *allable* (1314, Mondeville), « où l'on peut aller », d'après le lat. *praeambulus,* « qui marche devant » ; *au préalable,*

1669, Molière. || **préalablement** 1477, Du Cange.

préambule 1314, Mondeville ; bas lat. *praeambulus,* « qui marche devant », de *ambulare,* marcher, et *prae,* devant.

préau V. PRÉ, n. m.

prébende XIIIe s. (*prevende*) ; 1398, E. Deschamps (*prébende*), eccl. ; 1935, *Acad.,* fig. ; lat. eccl. *praebenda,* fém. substantivé de l'adj. verbal *praebendus,* « qui doit être fourni », de *praebere* (v. PROVENDE). || **prébendé** début XIVe s., Gilles li Muisis. || **prébendier** 1365, G.

précaire 1336, G. (*précoire*), jurid. ; fin XVIe s., d'Aubigné, instable ; lat. jurid. *precarius,* proprem. « obtenu par prières », de *prex, precis,* prière (v. PRIER). || **précarité** 1823, Boiste.

précaution fin XVe s. ; lat. impér. *praecautio* (IIIe s., Coelius Aurelius), de *prae,* devant, et *cavere,* prendre garde (v. CAUTION). || **précautionner** 1640, Richelieu. || **précautionneux** 1788, Féraud. || **précautionneusement** 1834, Balzac.

précéder 1353, *Chartes de Saint-Bertin ;* lat. *praecedere,* marcher devant, de *prae* et *cedere.* || **précédent** adj., XIIIe s., *Sept Sages ;* du part. prés. *praecedens ;* n. m., XVIIIe s., de Lolme ; repris de l'angl. || **précédemment** 1439, G. || **précession** 1690, Furetière, astron. ; bas lat. *praecessio,* action de précéder.

préceinte 1638, Delb., mar. ; réfection de l'anc. fr. *pourceinte,* « enceinte », d'après lat. *praecinctus,* de *praecingere,* entourer. (V. CEINDRE.)

précellence 1420, Isambert ; lat. *praecellens, -entis,* de *praecellere,* exceller, d'après *excellence.* || **précellent** 1160, Benoît.

précepte 1119, Ph. de Thaon (*precept*), « commandement, ordre », puis « enseignement, règle » ; lat. *praeceptum,* part. passé substantivé de *praecipere,* « enseigner », proprem. « prélever, prescrire », de *capere,* prendre. || **précepteur** 1460, Chastellain ; lat. *praeceptor.* || **préceptoral** 1788, Féraud. || **préceptorat** 1688, Miege.

précession 1690, Furetière ; lat. *praecessus,* de *praecedere,* précéder.

***prêcher** Xe s., *Saint Léger* (*prediat,* 3e pers. du passé simple) ; 1138, Gaimar (*precher*) ; lat. eccl. *praedicare,* en lat. class. « annoncer, publier », de *dicere,* dire. || **prêcheur** 1175, Chr. de Troyes ; 1660, La Fontaine, péjor. || **prêche** 1547, *Doc. ;* d'abord spécialisé aux protestants ; déverbal de *prêcher.* || **prêchi-prêcha** 1808, d'Hautel. (V. PRÉDICAT, PRÉDICATION.)

précieux 1050, *Alexis* (*precios*) ; XIIIe s. (*précieux*) ; 1659, Molière, littér., d'après le fém. *précieuse,* empl. en 1656 pour désigner les dames qui composaient le cercle de l'hôtel de Rambouillet ; lat. *pretiosus,* de *pretium,* prix. || **précieusement** 1160, Benoît. || **préciosité** début XIVe s., grande valeur ; rare avant 1664, Livet, littér.

précipice 1554, Huguet ; lat. *praecipitium.*

précipiter fin XIVe s., « presser » ; 1534, Rab., jeter d'un lieu élevé ; 1671, Pomey, accélérer ; *se précipiter,* 1556, Huguet ; lat. *praecipitare,* de *praeceps,* « qui tombe la tête en avant », de *caput, capitis,* tête (v. CAPITAL). || **précipitation** début XVe s., lat. *praecipitatio,* « chute en avant », d'où, en bas lat., « hâte excessive » ; 1888, Lar., pluie ; 1694, *Acad.,* hâte. || **précipité** adj., 1549, R. Est., « trop hâtif » ; n. m., 1553, Colin, chim. || **précipitamment** début XVIe s. ; de *précipitant,* part. prés. autrefois adjectivé de *précipiter.*

préciput 1481, Bartzsch, jurid. ; adapt. du lat. jurid. *praecipuum,* « ce qu'on prend en premier lieu » (de *capere,* prendre, et *prae,* en avant), par attraction orthogr. du lat. *caput* au sens de « capital ».

précis adj., 1377, Oresme ; n. m., 1660, Bossuet ; lat. *praecisus,* « abrégé », part. passé de *praecidere,* « couper par-devant ». || **précision** 1380, *Aalma,* rognement ; 1501, *Jardin de Plaisance,* détermination ; 1606, Crespin, netteté ; lat. *praecisio.* || **préciser** début XIVe s., Gilles li Muisis, rare jusqu'à fin XVIIIe s. || **précisément** 1314, Mondeville (*précisement*). || **imprécis** 1845, R. de Radonvilliers. || **imprécision** *id.*. || **imprécisable** 1931, Lar.

précoce 1672, *Journ. des savants,* n. m., « fruit précoce » ; 1680, Richelet, adj. ; milieu XVIIIe s., Buffon, mûr sexuellement ; 1690, Furetière, mûr d'esprit ; lat. *praecox,* de *praecoquere,* mûrir hâtivement, proprem. « cuire en avant », de *prae,* et *coquere,* cuire. || **précocement** 1867, Baudelaire. || **précocité** 1715, La Quintinie.

préconiser 1321, G., proclamer ; fin XVIe s., eccl. ; 1660, Brunot, sens mod. ; bas lat. *praeconizare,* « publier », de *praeco, praeconis,* crieur public. || **préconisation** 1321, G., publication.

précordial 1363, Chauliac, anat. ; lat. *praecordia,* diaphragme, de *prae,* devant, et *cor, cordis,* cœur.

précurseur 1400, *Passion d'Arras,* mot eccl., appliqué d'abord à saint Jean-Baptiste, jusqu'au XVIe s. ; 1530, Palsgrave, qui ouvre la voie ; lat. chrét. *praecursor,* proprem. « avant-coureur », de *praecurrere,* courir en avant.

prédateur 1574, *Anc. Poésies,* « pillard », rare ; 1923, Lar., zool. ; lat. *praedator,* de *praeda,* proie.

prédécesseur 1281, *Doc.* ; bas lat. *praedecessor* (IVe s., Symmaque), de *prae,* en avant, et *decessor,* de *decedere,* s'en aller. (V. DÉCÉDER.)

prédelle 1872, Gautier, peint. ; ital. *predella,* proprem. « banc », d'orig. germ. (cf. le longobard *pretil,* l'all. *Brett,* planche).

prédestiner 1190, *Saint Bernard ;* lat. eccl. *praedestinare,* en lat. class. « (se) réserver d'avance » (v. DESTINER) ; 1541, Calvin, détermination divine. || **prédestination** *id. ;* lat. eccl. *praedestinatio.*

prédéterminer 1530, Bourgoing, théol. ; lat. eccl. *praedeterminare,* sur *prae,* en avant (v. DÉTERMINER). || **prédétermination** 1636, Dereyrolles, théol. || **prédéterminisme** fin XVIIIe s. ; all. *Praedeterminism* (Kant).

prédicat V. PRÉDICATION.

prédication 1119, Ph. de Thaon ; 1963, Lar., en logique ; lat. *praedicatio,* eccl., de *praedicare,* d'où l'anc. fr. avait tiré *prédiquer,* usité jusqu'au XVIe s., et repris en ling. (v. PRÊCHER). || **prédicat** 1370, Oresme, philos., attribut ; 1842, *Acad.,* gramm. || **prédicateur** 1239, *Doc. ;* lat. *praedicator ;* a éliminé *prêcheur* au sens eccl., au XVIIe s. || **prédicant** 1523, *Sotie de Genève,* péjor. ; anc. part. prés. de *prédiquer ;* empl., au milieu du XVIe s., pour les ministres protestants. || **prédicament** XIIIe s., d'Andeli, philos. || **prédicable** 1503, Chauliac, philos. || **prédicatif** 1380, *Aalma,* qui affirme ; 1842, *Acad.,* en logique ; bas lat. *praedicativus,* énonciatif.

prédilection V. DILECTION.

prédire milieu XIIIe s. ; lat. *praedicere,* de *prae,* avant, et *dicere,* dire. || **prédiction** 1549, R. Est. ; lat. *praedictio.*

prééminent 1453, Monstrelet ; bas lat. *praeeminens,* de *prae,* en avant, et *eminere,* s'élever (v. ÉMINENT). || **prééminence** fin XIVe s., *Songe du Verger ;* bas lat. *praeeminentia.*

préemption 1765, *Encycl.,* jurid. ; lat. *prae,* avant, et *emptio,* achat, de *emere,* acheter.

préexister fin XIVe s., rare avant le XVIIIe s. ; lat. scolast. *praeexistere,* exister. || **préexistence** 1551, Vaganay ; d'après *existence.* || **préexistentiel** 1854, Sainte-Beuve.

préface XIIIe s., Tobler-Lommatzsch ; lat. *praefatio,* préambule, de *praefari,* dire d'avance, de *fari,* parler. || **préfacer** 1784, Beaumarchais, préluder à un discours ; 1907, Lar., sens mod. || **préfacier** av. 1783, Collé.

préfecture XIIIe s., G., antiquité romaine ; début XVIe s., territoire ; XIXe s., sens actuel ; lat. *praefectura* (v. PRÉFET). || **sous-préfecture** 1800, *id.* || **préfectoral** 1836, *Acad.* || **sous-préfectoral** 1842, *Acad.*

préférer 1355, Bersuire ; lat. *praeferre,* de *prae,* en avant, et *ferre,* porter. || **préférable** 1587, *Doc.* || **préférence** 1370, Oresme, supériorité ; XVe s., sens actuel. || **préférentiel** 1915, Lar.

préfet 1170, *Rois* (*prefect*), hist. ; 1671, Boileau, enseign. ; 1793, Brunot, sens mod. ; *préfet de police,* 1800, textes admin. ; lat. *praefectus,* proprem. « préposé », de *prae,* en avant, et *facere,* faire. || **sous-préfet** 1800, *Bull. des lois.* (V. PRÉFECTURE.)

préfigurer 1220, Coincy ; lat. eccl. *praefigurare,* de *prae* et *figurare* (v. FIGURE). || **préfiguration** début XVe s., Renson (*préfiguracion*) ; lat. *praefiguratio.*

préfix 1360, Froissart, déterminé ; lat. *praefixus,* de *praefigere,* placer devant.

préfixe 1751, Dumarsais ; lat. *praefixus,* « fixé devant », de *prae,* devant, et *figere,* fixer. (V. FIXE.) || **préfixer** 1869, L. || **préfixation** 1876, Hovelacque. || **préfixal** 1967, Robert.

1. **prégnant** fin XIe s., *Gloses de Raschi,* violent ; 1962, Robert, psychol., par confusion avec l'anc. adj. *preignant* (1585, Bouchet), pressant, violent ; part. prés. de l'anc. fr. *preindre,* presser, du lat. *premere,* même sens.

2. **prégnant** XIVe s., Gilles li Muisis, au féminin, enceinte, pleine ; 1933, Marouzeau, non complètement énoncé ; lat. *praegnans,* enceinte, de *nasci,* naître, et *prae,* avant. || **prégnation** fin XIVe s., Chr. de Pisan.

préhension fin XIVe s., Chr. de Pisan (*prehencion*), « compréhension » ; 1559, Amyot, action de saisir ; lat. *prehensio,* dans les deux sens de *prehendere,* prendre. || **préhensible**

1595, Scaliger. || **préhensile** 1753, Buffon. || **préhenseur** 1842, *Acad.*

prehnite 1842, Mozin ; minéral rapporté du Cap par le colonel *Prehn.*

préjudice 1212, Anger ; 1268, É. Boileau, « dommage » ; *porter préjudice,* 1549, Est. ; *au préjudice de,* fin XIVe s. ; *sans préjudice de,* 1538, R. Est. ; lat. *praejudicium,* proprem. « jugement anticipé », de *prae,* avant, et *judicium.* || **préjudicier** 1344, Varin. || **préjudiciable** milieu XIIIe s. ; bas lat. *praejudiciabilis.* || **préjudiciel** 1276, Tanquerey, nuisible ; 1752, Trévoux, jurid. ; d'après le dér. lat. *praejudicialis,* au pr.

préjuger 1460, Chastellain, « juger » ; 1580, Montaigne, sens mod. ; lat. *praejudicare,* « juger préalablement », d'après *juger.* || **préjugé** n. m., 1584, Vaganay, « opinion faite d'avance » (encore au XVIIIe s.) ; fin XVIe s., sens mod. ; anc. part. passé.

prélart 1670, Jal., sorte de bâche ; var. *prélat,* artill., par attraction de *prélat ;* orig. inconnue.

prélasser V. PRÉLAT.

prélat 1155, Wace ; lat. médiév. *praelatus,* part. passé de *praeferre,* porter en avant, préférer, de *prae,* en avant, et *ferre,* porter. || **prélature** 1378, J. Le Fèvre. || **prélation** XIIIe s., *Saint Éloi,* hist. ; lat. *praelatio* au sens de « préférence ». || **prélasser (se)** 1532, Rab. ; avec infl. de *lasser.* (V. LAS.)

prèle ou **prêle** 1539, R. Est., bot. ; forme déglutinée de *asprele* (XIIIe s.), lat. pop. **asperella,* en lat. class. *asper,* rude (à cause de la tige ligneuse de la prèle). || **prêler** 1680, Richelet, techn.

prélever début XVIIe s. ; bas lat. *praelevare,* « lever avant, d'abord », de *prae* et *levare* (v. LEVER). || **prélèvement** 1767, Turgot, impôt ; 1780, Brunot, sens actuel.

prélibér 1826, Brillat-Savarin, proprem. « goûter le premier » ; lat. *praelibare* (v. LIBATION). || **prélibation** 1756, Voltaire, jurid. ; lat. *praelibatio.*

préliminaire 1671, Pomey (n. pl.), à propos des traités de Westphalie, dér. de *liminaire ;* adj., fin XVIIe s. || **préliminairement** 1757, Gohin.

prélude 1530, Attaingnant ; lat. *praeludere,* « se préparer à jouer », de *prae,* avant, et *ludere,* jouer. || **préluder** 1660, Oudin, essayer sa voix ; 1725, Fontenelle, *préluder à ;* lat. *praeludere.*

prématuré 1632, texte de Rouen (*prématuré*) ; lat. *praematurus,* de *prae,* avant, et *maturus,* mûr. (V. MÛR.) || **prématurément** début XVIe s.

préméditer fin XIVe s. (*se préméditer*) ; lat. *praemeditari,* de *prae,* d'avance, et *meditari,* méditer. || **préméditation** 1370, Oresme ; lat. *praemeditatio.*

***prémices** 1120, *Ps. d'Oxford ;* lat. eccl. *primitiae,* lat. class. proprem. « premiers fruits de l'année », de *primus,* premier, avec changement de *i* en *é* par attraction de *praemissa.* (V. PRÉMISSE.)

***premier** 980, *Passion* (*primer*) ; 1080, *Roland* (*premier*) ; lat. *prīmārius,* « qui est au premier rang », de *prīmus* (v. PRIME 1, PRINTEMPS). || **premièrement** 1155, Wace. || **premier-né** XIIIe s., Trénel. || **avant-première** 1892, *le Figaro,* n. f., théâtre.

prémisse fin XIIIe s. ; lat. scolast. *praemissa* (*sententia*), proposition mise en avant, de *prae,* avant, et *mittere,* mettre.

prémonition 1495, Pansier (*premonicion,* en anc. provençal) ; rare avant 1842, *Acad.,* qui le dit « hors d'usage » ; repris au XXe s. (1923, Lar.) ; de *pré-* et du rad. lat. de *monere,* avertir. || **prémonitoire** 1853, *Journ. méd.*

prémontré 1611, Cotgrave (*prémonstré*) ; du nom de *Prémontré,* localité où fut fondé cet ordre religieux.

prémunir 1378, J. Le Fèvre ; lat. *praemunire.* (V. MUNIR.)

***prendre** 842, *Serments* (*prindrai,* fut.) ; 980, *Passion* (*prendre*) ; lat. *prehendere,* saisir, contracté en *prendere* dès le Ier s. av. J.-C. (Lucrèce), et qui a éliminé peu à peu *capere,* prendre. || **prenant** adj., 1160, Benoît, « vénal » ; 1360, Froissart, techn., « qui accroche bien » ; 1788, Féraud, fig., captivant ; *partie prenante,* 1690, Furetière. || **prenable** 1155, Wace. || **preneur** fin XIIe s., *Job* (*prendeor*) ; 1265, J. de Meung (*preneeur*). || **imprenable** milieu XIVe s. || **déprendre** 1160, Benoît (*despris,* part. passé, « dénué, misérable ») ; 1395, Chr. de Pisan (*se déprendre*). || **éprendre** 1080, *Roland,* « enflammer » ; 1180, Marie de France, fig. || **se méprendre** 980, *Passion.* || **méprise** 1190, Garn. (*méprise*). || **entreprendre** 1138, Gaimar, « prendre en main » ; 1175, Chr. de Troyes, sens actuel. || **entreprise** fin XIIe s. || **entrepreneur** XIIIe s., « celui qui entreprend » ; 1611, Cotgrave, commerc. (V. COMPRENDRE, REPRENDRE, SURPRENDRE, POURPRIS, PRISE.)

prénom milieu XVIe s. ; rare avant la fin du XVIIe s. ; lat. *praenomen,* de *prae,* avant, et *nomen,* nom. || **prénommer** 1845, Besch., donner un prénom. || **prénommé** 1570, Carloix, nommé avant ; dér. de *nommer.*

prénotion 1585, Cholières ; lat. *praenotio.* (V. NOTION.)

préoccuper 1355, Bersuire, « occuper l'esprit d'une idée » ; 1642, Corn., « absorber l'esprit par un souci » ; lat. *praeoccupare,* « prendre d'avance », sens repris en fr. aux XVIe-XVIIe s., de *prae,* d'avance, et *occupare* (v. OCCUPER). || **préoccupant** adj., 1922, Proust. || **préoccupation** fin XVe s., souci ; lat. *praeoccupatio.*

préparer 1314, Mondeville, méd., « panser » ; 1398, E. Deschamps, sens mod. ; lat. *praeparare,* proprem. « disposer d'avance », de *prae* et *parare* (v. PARER 1). || **préparation** 1282, Gauchi, en élevage ; 1314, Mondeville, sens actuel ; début XXe s., exercice scolaire ; lat. *praeparatio.* || **préparatif** 1377, Oresme, n. m. sing. ; fin XVe s., Commynes, n. pl., plus usuel. || **préparateur** 1503, Chauliac, sens général ; 1837, Balzac, assistant en sciences ; 1875, Lar., pharmacie. || **préparatoire** 1322, Varin ; bas lat. *praeparatorius.*

prépondérant 1723, *Arrêt ;* lat. *praeponderans,* part. prés. de *praeponderare,* avoir le dessus, proprem. « peser plus », de *pondus, ponderis,* poids. || **prépondérance** 1752, Turgot.

préposer 1407, Lespinasse ; adaptation, d'après *poser,* du lat. *praeponere,* de *prae,* devant, et *ponere,* placer. || **préposé** 1619, *Coutumier,* employé subalterne ; 1957, *J. O.,* postier ; part. passé substantivé. || **préposition** XIIIe s., Thurot, gramm. ; lat. gramm. *praepositio.* || **prépositionnel** 1819, Boiste, gramm. || **prépositif** 1531, Vignay, « qui se met en avant » ; 1765, *Encycl.,* gramm. ; lat. gramm. *praepositivus.*

prépotence 1450, Gréban ; lat. *praepotentia,* excès de puissance. || **prépotent** *id. ;* lat. *praepotens,* de *prae,* avant, et *potens,* puissant.

prépuce fin XIIIe s., Trenel ; lat. *praeputium.* || **préputial** 1817, Virey.

prérogative début XIIIe s. ; lat. jurid. *praerogativa,* proprem. « qui vote la première », en parlant d'une centurie, de *rogare,* demander, faire voter.

***près** 1080, *Roland ; près de,* 1050, *Alexis,* prép. ; *de près,* 1175, Chr. de Troyes ; *à beaucoup près,* fin XVe s., Commynes ; adv. lat. *pressē,* proprem. « en serrant », et, en bas lat., « de près » ; de *pressus,* part. passé de *premere,* presser, serrer. || **presque** 1190, Garn. (*pres*) ; 1265, J. de Meung (*presque*). || **auprès** 1424, A. Chartier (*auprez de*). [V. APRÈS.]

présage fin XIVe s. (*presaige*) ; début XVIe s. (*présage*) ; lat. *praesagium,* de *praesagire,* prévoir, de *prae,* avant, et *sagire,* avoir du flair (v. SAGACE). || **présager** 1536, M. Du Bellay.

pré-salé V. PRÉ.

presbyte 1690, Furetière ; gr. *presbutês,* au même sens, proprem. « vieillard » (v. le suiv.). || **presbytie** 1793, Lavoisien (*presbyopie,* d'après *myopie*) ; 1820, *Dict. méd.* (*presbytie*).

presbytère 1170, *Rois* (*presbiterie*), chœur de l'église ; 1549, R. Est., sens actuel ; lat. eccl. *presbyterium,* d'abord « ordre sacerdotal », du lat. eccl. *presbyter* (v. PRÊTRE). || **presbytéral** milieu XIVe s. ; lat. eccl. *presbyteralis.* || **presbytérien** XIVe s., « chapelain » ; 1718, *Acad.,* appliqué à une confession protestante. || **presbytérianisme** 1669, Mackenzie.

prescience 1265, J. de Meung ; rare avant le XVIIe s. ; lat. eccl. *praescientia* (IIIe s., Tertullien), de *prae,* avant, et *scientia* (v. SCIENCE). || **prescient** 1265, *Livre de jostice.*

prescrire XIIIe s., *Macchabées,* « condamner » ; 1355, Bersuire, jurid. ; 1544, M. Scève, ordonner ; 1788, Féraud, méd. ; lat. *praescribere,* de *prae,* avant, et *scribere* (v. ÉCRIRE). || **prescription** 1265, *Livre de jostice,* jurid. ; lat. *praescriptio ;* 1586, Suau, méd. || **prescriptible** fin XIVe s. || **imprescriptible** fin XVe s. || **imprescriptibilité** 1721, Trévoux.

préséance V. SÉANCE.

1. **présent** adj., 1050, *Sponsus,* existant ; fin XIIe s., Bartzsch, actuel ; *à présent,* milieu XIIe s. ; lat. *praesens,* de *prae,* en avant, et d'un des rad. du v. *esse,* être ; n. m., 1338, *Doc.,* temps présent ; gramm., début XIIIe s. || **présence** 1112, *Voy. saint Brendan ; en présence de,* 1250, *Bestiaire d'amour ;* lat. *praesentia.*

2. **présent** n. m., début XIIe s., *Voy. de Charl.,* cadeau ; déverbal de *présenter.*

présenter fin IXe s., *Eulalie ; se présenter,* 1080, *Roland ;* lat. impér. *praesentare* (IIe s., Apulée), de *praesens* (v. PRÉSENT 1). || **présentation** 1180, Horn. || **présentable** 1190, *Saint Bernard,* « présent » ; 1530, Marot, « qu'on peut présenter ». || **présentateur** 1483, Isambert. || **présentatif** 1972, Lar. || **présentoir** 1904, Lar. || **présentification** 1968, Lar. (V. PRÉSENT 2, REPRÉSENTER.)

préserver 1398, E. Deschamps ; bas lat. *praeservare,* de *servare,* conserver. || **préservation** 1314, Mondeville. || **préservatif** adj., 1314, Mondeville ; 1549, R. Est., n. m. ; 1904, Lar., méd. || **préservateur** 1514, Fabri.

préside 1556, Granvelle, poste fortifié espagnol en Afrique ; esp. *presidio,* du lat. *praesidium,* garnison, de même rad. que les suivants.

présider fin XIVe s. ; 1671, Pomey, diriger comme président ; *présider à,* 1559, Amyot ; lat. *praesidere,* être à la tête, proprem. « être assis en avant », de *prae,* et *sedēre* (v. SEOIR). || **président** 1296, Langlois ; part. prés. *praesidens.* || **vice-président** fin XVe s. (*vi-président*) ; 1718, *Acad.* (*vice-président*). || **présidence** 1372, Corbichon, rare jusqu'à la fin du XVIIe s. || **vice-présidence** 1771, Trévoux. || **présidentiel** 1791, *Soc. des jacobins.* || **présidentialisme** 1966, *journ.* || **présidentialiste** *id.*

présidial adj., 1435, G., hist. ; n. m., 1551, texte royal ; lat. *praesidialis,* « relatif à un gouverneur de province », de *praeses,* « qui est à la tête ». || **présidialité** milieu XVIe s.

présidium 1949, Lar. ; russe *praesidium,* mot lat. signif. « défense ».

présomptif 1375, J. Gower (*presumptif*), « présomptueux » ; 1406, *Arch. de Bretagne* (*héritier présomptif*) ; bas lat. *praesumptivus,* « qui repose sur une conjecture », de *prae,* en avant, et *sumere,* prendre. || **présomptivement** 1460, Chastellain. || **présomption** fin XIIe s., *Ysopet de Lyon* ; lat. *praesumptio,* conjecture, et « excès de confiance ». || **présomptueux** milieu XIIe s., *Thèbes* ; bas lat. *praesumptuosus.* || **présomptueusement** 1538, R. Est. (V. PRÉSUMER.)

presque V. PRÈS.

pressentir 1414, Isambert, prévoir ; 1549, Dochez, avoir l'intuition ; lat. *praesentire,* de *prae,* avant, et *sentire,* sentir. || **pressentiment** 1572, Amyot.

***presser** milieu XIIe s., « tourmenter » ; fin XIIe s., « serrer, comprimer » ; 1552, R. Est., « faire se hâter » ; lat. *pressāre,* fréquentatif de *premere,* sur son supin *pressum.* || **presse** 1050, *Alexis,* action de presser ; 1320, Watriquet, tourment ; 1220, Coincy, hâte ; fin XIe s., *Gloses de Raschi,* machine à presser, avec divers empl. techniques, notamment, début XVIe s., imprim. ; 1690, Furetière, nombre de feuilles tirées en un jour par les imprimeurs ; 1765, *Encycl.,* ensemble des journaux ; déverbal. || **pressé** adj., milieu XVIe s., « qui a hâte ». || **presseur** fin XIVe s., Du Cange. || **pressée** n. f., 1793, *Cours d'agriculture.* || **pressage** 1803, Boiste. || **pressier** 1625, Stoer. || **pressing** 1949, Lar. ; mot angl. || **presse-citron** 1877, L. || **presse-étoupe** 1875, Lar. || **presse-fruits** 1935, Sachs-Villatte. || **presse-papiers** 1851, Flaubert. || **presse-purée** 1855, Audot. || **pression** 1256, Ald. de Sienne, « épreinte » ; rare jusqu'en 1660, Pascal, phys. ; v. 1840, Balzac, sens moral ; lat. techn. *pressio,* de *pressus,* part. passé de *premere.* || **pressoir** fin XIIe s. ; bas lat. *pressorium* (IVe s.), de même rad. que le précéd. || **pressurer** 1283, Beaumanoir (*pressoirer*) ; 1336, G. (*pressurer,* par changem. de suff.). || **pressurage** 1296, G. (*pressoirage*). || **pressureur** 1291, *D. G.* || **pressuriser** 1949, Lar. ; angl. *to pressurize.* || **pressurisation** 1949, Lar. || **dépression** 1314, Mondeville, diminution ; 1870, Lar., abattement. || **empresser** 1160, Benoît, presser ; *s'empresser,* 1580, Montaigne. || **empressé** adj., 1611, Cotgrave, affairé. || **empressement** 1608, Fr. de Sales. (V. COMPRESSE, et *oppresser* à OPPRESSION.)

prestance 1460, Chastellain, « excellence » ; 1540, G. Pellicier, sens mod. ; lat. *praestantia,* supériorité, de *prae,* en avant, et *stare,* se tenir.

prestant 1636, Mersenne, jeu d'orgues ; ital. *prestante,* excellent.

prestation fin XIIIe s., Du Cange, action de reconnaître une obligation ; début XIVe s., redevance en nature ; 1875, Lar., sens actuel ; bas lat. *praestatio,* de *praestere,* fournir ; *prestation de serment,* 1480, Bartzsch. || **prestataire** 1845, Besch.

preste 1462, *Cent Nouvelles nouvelles* ; ital. *presto* (v. PRÊT 1, adj.). || **prestement** fin XVIe s., d'Aubigné. || **prestresse** fin XVIe s., Brantôme (*pretezze*) ; ital. *prestezza.*

prestidigitateur 1823, Boiste ; adj. *preste* et lat. *digitus,* doigt. || **prestidigitation** 1823, Boiste.

prestige début XVIe s., « illusion attribuée à des sortilèges » ; milieu XVIIe s., « impression causée par les productions de l'art » ; 1778, Rousseau, sens mod. ; lat. *praestigium,* « illusion, artifice ». || **prestigieux** milieu XVIe s., « qui est sous l'influence d'un charme » ; 1780, Galiani, sens mod. ; lat. *praestigiosus,* éblouissant, trompeur.

presto 1651, Richer, « vite » ; 1762, *Acad.,* mus. ; mot ital., « vif » (v. PRESTE). || **prestissimo** 1762, *Acad.,* mus. ; superl. de *presto.*

prestolet 1657, Loret, petit prêtre, péjor. ; prov. mod. *prestoulet,* dimin. de *preste,* var. de *prestre,* prêtre.

présumer fin XIIe s., *Dial. Grégoire ; présumer de,* 1500, Auton ; lat. *praesumere,* « conjecturer », proprem. « prendre d'avance », de *prae* et *sumere* (v. PRÉSOMPTIF). || **présumable** fin XVIe s., rare avant 1781, Linguet.

***présure** fin XIIe s., *Aiol ;* lat. pop. **pre(n)sūra,* « ce qui est pris », de *prendere,* prendre. || **présurer** 1600, O. de Serres. || **présurier** début XIXe s.

1. ***prêt** adj., 1050, *Alexis* (*prest*) ; bas lat. *praestus,* de l'adv. class. *praesto,* « tout près, sous la main ». || **prêt-à-porter** 1963, Lar. (V. APPRÊTER.)

2. **prêt** V. PRÊTER.

prétantaine, pretentaine 1640, Oudin ; mot de fantaisie, p.-ê. du norm. *pertintaille,* var. fr. *pretintaille,* « ornement de robe », avec un rad. influencé par *retentir,* et un suff. *-taine,* fréquent dans les refrains de chansons ; *courir la prétantaine,* XVIIe s.

prétendre 1320, Isambert, v. tr., revendiquer ; 1378, Le Fèvre, affirmer ; lat. *praetendere,* de *prae,* en avant, et *tendere* (v. TENDRE) ; *prétendre à,* 1559, Amyot. || **prétendant** n. m., av. 1502, O. de Saint-Gelais. || **prétendu** 1611, Cotgrave, fiancé ; de *gendre prétendu,* Molière, *le Malade imaginaire.* || **prétendument** 1769, Collins. || **prétention** 1489, Espinas, exigence ; 1747, Vauvenargues, complaisance ; lat. *praetentus,* part. passé de *praetendere.* || **prétentieux** fin XVIIIe s. || **prétentieusement** 1834, Landais.

prêter début XIIe s. (*prester*) ; *prêter serment,* 1538, R. Est., repris au lat. jurid ; lat. *praestare,* fournir (v. PRESTATION), spécialisé en bas lat. au sens de « prêter ». || **prêt** 1160, Benoît (*prest*). || **prêtable** début XVIe s. || **prêt-bail** 1949, Lar. || **prêteur** 1265, Br. Latini. || **prête-nom** 1718, Bretonnier.

prétérit début XIIIe s., d'Andeli ; lat. gramm. *praeteritum* (s.-e. *tempus*), « temps passé », de même rad. que le suivant.

prétérition début XIVe s., rhét. ; lat. *praeteritio,* « omission », de *praeterire,* passer, et au fig. « omettre », de *ire,* aller, et *praeter,* « le long de, au-delà ».

prétermission 1458, Haigneré, rhét. ; lat. *praetermissio,* omission, de *praetermittere,* de *mittere,* envoyer.

préteur 1213, *Fet des Romains ;* lat. *praetor,* magistrat judiciaire. || **préture** 1552, R. Est. ; lat. *praetura.* || **prétoire** XIIe s., *Chevalerie Ogier ;* lat. *praetorium,* hist. ; 1370, Oresme, par anal., salle d'audience d'un tribunal. || **prétorien** adj., 1213, *Fet des Romains,* hist. ; n. m., 1644, Corn., hist. ; v. 1830, Balzac, fig., militaire de coup d'État.

1. **prétexte** n. m., 1530, Palsgrave ; lat. *praetextus,* « tissé ou brodé par-devant », de *texere,* tisser ; par métaph., motif mis en avant. || **prétexter** 1566, Granvelle.

2. **prétexte** n. f., 1355, Bersuire, hist. ; lat. *praetexta* (*toga*), « toge brodée par-devant », de *prae,* devant, et *texere,* tisser.

pretintaille 1702, Auneuil, ornement de robe ; norm. *pertintaille,* « collier de cheval muni de grelots », de même rad. que *prétantaine.* || **pretintailler** 1700, Maintenon. (V. PRÉTANTAINE.)

***prêtre** 1080, *Roland* (*proveire*), cas régime (cf. la rue des *Prouvaires,* à Paris) ; 1112, *Voy. saint Brendan (prestre)* ; lat. eccl. *presbyter* (IIIe s., Tertullien, « vieillard » ; *Vulgate,* « prêtre »), du gr. *presbuteros,* comparatif de *presbus,* vieillard (v. PRESBYTE, PRESBYTÈRE). || **prêtresse** 1130, *Eneas,* réservé aux cultes païens. || **prêtrise** 1320, *Roman de Fauvel.* || **prêtraille** 1498, *Soties.* || **prêtre-ouvrier** 1955, Duhamel. || **archiprêtre** XIIe s. (*arceprêtre, archeprêtre*) ; d'après le lat. eccl. *archipresbyter.*

preuve V. PROUVER.

***preux** 1080, *Roland* (*prod*), adj. et n. ; fin XIe s., *Voy. de Charl.* (*proz*) ; 1175, Chr. de Troyes (*preu*) ; de l'adj. bas lat. *prōdis,* du lat. pop. *prōde* (IVe s.), « profit, avantage », de *prōde est,* au lieu du lat. class. *prōdest,* 3e pers. sing. prés. indic. de *prodesse,* être utile. || **prouesse** 1080, *Roland* (*proece*) ; 1460, Chastellain (*prouesse*). [V. PROU, PRUDE, PRUD'HOMME.]

prévaloir 1420, Robinet ; lat. *praevalere,* « l'emporter sur », de *valere,* valoir ; *se prévaloir de,* 1570, Castelnau.

prévariquer 1120, *Ps. d'Oxford* (*prevarier*) ; 1398, E. Deschamps (*prevaricant,* part. prés. substantivé) ; 1431, Isambert (*prévariquer*) ; lat. jurid. *praevaricari,* entrer en collusion avec la partie adverse (en parlant d'un avocat), proprem. « faire des crochets, s'écarter du droit chemin », de *varus,* tourné au-dehors, cagneux. || **prévarication** 1120, *Ps. d'Oxford ;* lat. *prae-*

varicatio. || **prévaricateur** 1370, Oresme ; lat. *praevaricator.*

prévenir 1458, *Mystère,* « devancer » (sens conservé jusqu'au XVIIIe s.), 1467, Bartzsch, « citer en justice » ; 1541, Calvin, « aller au-devant » (des désirs) ; début XVIIIe s., « informer » ; lat. *praevenire,* de *prae,* avant, et *venire,* venir. || **prévenu** n., 1604, La Curne, « accusé ». || **prévenant** adj., 1514, *D. G.,* « qui devance » ; 1718, *Acad.,* sens mod. || **prévenance** 1732, *Mercure de France.* || **préventif** 1810, *Code pénal,* jurid. ; 1874, Michelet, méd. ; lat. *praeventus,* part. passé de *praevenire.* || **préventivement** 1834, Landais. || **prévention** fin XIIIe s., *R. dou Lis,* « opposition » ; 1637, Descartes, « opinion préconçue » ; 1792, Ranft, jurid., « état d'un prévenu » ; bas lat. *praeventio,* de *praeventus.* || **préventorium** 1907, Lar. ; lat. *praeventus,* sur le modèle de *sanatorium.*

prévoir 1219, Tailliar (*previr*) ; 1265, Br. Latini (*prevoir*) ; lat. *praevidere,* francisé sur *voir ;* de *videre,* voir, et *prae,* d'avance. || **prévoyant** 1570, Carloix. || **prévoyance** début XVe s. || **imprévoyant** 1596, Basmaison. || **imprévoyance** 1611, Cotgrave. || **imprévu** début XVIe s. ; *à l'imprévu,* 1671, Pomey. || **prévisible** 1847, Balzac ; de *visible,* d'après *prévoir.* || **prévisibilité** 1962, Robert. || **imprévisible** 1836, Landais. || **prévision** 1265, J. de Meung ; bas lat. *praevisio,* de *praevidere.* || **prévisionniste** 1943, Sauvy. || **imprévision** 1866, L. || **prévisionnel** 1876, *J. O.*

***prévôt** 1131, *Couronn. Louis* (*prévost*), « magistrat, officier civil » ; 1351, *Ordonnance, prévôt des marchands ;* depuis le XIXe s., d'empl. restreint (*prévôt d'armes, père prévôt,* etc.) ; lat. *praepositus,* proprem. « préposé (à) » (var. *propositus,* d'où la var. d'anc. fr. *provost*). || **prévôtal** 1514, *Doc.* || **prévôté** 1155, Wace (*prévosté*).

priape fin XVe s., « phallus » ; 1680, Richelet (*Priape*), « dieu des Jardins, et de l'Amour physique » ; lat. *Priapus,* dieu de la mythol. romaine. || **priapée** 1548, Sebillet, « œuvre licencieuse » ; bas lat. *priapeium* (*metrum*), du gr. *priapeion* (*metron*), « mètre priapéen », au plur. poème en vers priapéens, sur le dieu Priape. || **priapisme** 1495, J. de Vignay, méd. || **priapique** 1842, *Acad.*

***prier** fin IXe s., *Eulalie* (*preier*) ; 1112, *Voy. saint Brendan* (*prier,* d'après les formes toniques, *il prie,* etc.) ; bas lat. *precare,* en lat. class. *precāri ;* empl. d'abord avec un compl. direct (*prier Dieu*) ; a éliminé au XVe s. *orer* en empl. intr. || **prie-Dieu** fin XVIIe s., Saint-Simon ; Ménage et *Acad.,* 1762, recommandent encore *prié-Dieu.* || ***prière** 1120, *Ps. de Cambridge* (*preiere*) ; lat. pop. *precāria* (VIe s.), fém. substantivé de *precarius,* « qui s'obtient par des prières » ; a éliminé le lat. class. *preces,* prières. (V. PRÉCAIRE.)

prieur 1155, Wace (*prior*) ; 1175, Chr. de Troyes (*prieur*) ; lat. *prior,* « le premier de deux », spécialisé en lat. eccl. ; fin XIVe s., au fém. || **prieuré** 1190, Garnier (*prioret*). || **priorat** 1688, Boulan.

prima donna 1831, Balzac ; mots italiens, proprem. « première dame ».

1. **primage** 1840, Bonnafé, techn. ; angl. (*to*) *prime,* projeter.

2. **primage** V. PRIME 2.

primaire 1789, texte admin. (*assemblée primaire*) ; lat. *primarius* (v. PREMIER) ; 1791, Talleyrand, enseignement ; 1845, Besch., géol. ; 1910, Péguy, borné. || **primariser, primarisation** fin XIXe s.. || **primarité** 1946, Mounier.

1. **primat** 1155, Wace, eccl. ; lat. eccl. *primas, -atis,* en lat. class. « de premier rang », de *primus,* premier. || **primatie** XIVe s., G. (*primacie*). || **primatial** 1445, *Lettres Louis XI.*

2. **primat** 1927, Benda, « primauté » ; all. *Primat,* du lat. *primatus.*

primate 1793, Linné (*-at*) ; lat. *primas, -atis,* de premier rang.

primauté XIIIe s., rare avant le XVIe s. (1541, Calvin) ; lat. *primus,* premier, d'après *royauté,* etc.

1. **prime** adj., 1112, *Voy. saint Brendan ;* 1155, Wace, n. f., eccl., « première heure » (6 h du matin) ; 1690, Furetière, escrime ; auj., seulem. dans la loc. *de prime abord,* début XVIIe s., Fr. de Sales, d'après l'anc. *de prime face* (XIIIe s.), « à première vue » ; dans quelques composés (v. PRIMEROSE, PRIMESAUT, PRIMEVÈRE), et sous la forme *prin-* (v. PRINTEMPS) ; réfection, d'après le lat. *primus,* de l'anc. fr. *prin,* lui-même issu de *primus.* || **primer** XIIe s., « avoir les prémices de » ; 1564, J. Thierry, « tenir le premier rang ». || **primeur** n. f., 1160, Benoît (*en la primeur*) ; 1671, Pomey, première apparition ; 1749, *Maison rustique,* légume nouveau. || **primeuriste** 1872, *J. O.*

2. **prime** n. f., 1620, Aubin, *prime d'assurance ;* 1759, Richelet, récompense pécuniaire ; angl. *premium* (francisé d'après sa pronon-

ciation), de l'esp. *premio,* prix, récompense, du lat. *praemium.* || **primage** 1730, Savary, mar. || **primer** 1853, Laboulaye. || **surprime** 1877, L.

primerose 1175, Chr. de Troyes ; anc. adj. *prime,* et *rose.* (V. ces mots.)

primesaut 1160, *Roman de Tristan* (*de prinsaut*) ; 1669, Widerhold (*de prime-saut*), « premier saut » ; anc. adj. *prime,* et *saut.* || **primesautier** 1130, *Eneas* (*prinsaltier*) ; 1756, Voltaire (*primesautier*).

primeur V. PRIME 1.

***primevère** XIIe s. (*primevoire*) ; 1573, A. de Baïf (*primevère*) ; empl. fig. de l'anc. *primevère, primevoire,* « printemps » ; lat. pop. *prīma vēra,* fém. de *prīmum vēr,* de l'ablatif lat. class. *prīmo vēre,* « au début du printemps », d'où « au printemps », de *vēr, vēris,* printemps.

primidi 1793, Fabre d'Églantine, premier jour de la décade dans le calendrier républicain ; lat. *primus,* premier, et *dies,* jour.

primipare 1819, Boiste ; lat. *primipara,* de *primus,* premier, et *parĕre,* enfanter ; se dit d'une femme qui enfante pour la première fois. || **primiparité** 1842, *Acad.*

primitif 1320, Fauvel ; 1550, Meigret, gramm. ; début XIXe s., « qui a le caractère des premiers âges » ; 1869, L., « rudimentaire » ; milieu XIXe s., Baudelaire, beaux-arts ; 1907, Lar., *primitifs,* n. m. pl., ethnol. ; lat. *primitivus,* « qui naît le premier », de *primus* (gramm. dès le lat.). || **primitivement** 1460, Chastellain. || **primitivisme** 1904, Lar. || **primitivité** 1845, Besch.

primo 1322, Runkewitz ; ellipse de la loc. lat. *primo loco,* en premier lieu. (V. SECUNDO, TERTIO, QUARTO.)

primogéniture 1491, Orose ; moyen fr. *primogenit* (XIVe s.), aîné ; lat. *primogenitus,* né le premier, aîné ; priorité de naissance entre frères et sœurs.

primordial 1480, *Baratre infernal,* originel ; XVIe s., essentiel ; rare avant le XVIIe s. ; bas lat. *primordialis* (IIIe s., Tertullien), de *primordium,* commencement ; d'abord « qui existe à l'origine ». || **primordialement** fin XVIIe s.

primulacées 1809, Wailly ; lat. bot. mod. *primula,* primevère, lat. *primulus,* « qui commence », de *primus.*

prince 1120, *Ps. de Cambridge ;* lat. *princeps,* « premier », puis « souverain, chef ». || **princesse** 1160, Benoît ; *aux frais de la princesse,* 1877, L., fig., fam. || **princier** adj., 1714, Héliot. || **princerie** début XVe s., principauté. || **princièrement** 1875, Lar. || **principat** fin XIIIe s., terre de principauté ; XVIe s., dignité de prince. || **principauté** XIIIe s., « fête principale » ; 1370, Oresme, souveraineté ; 1473, Bartzsch, dignité de prince ; lat. *principalitas,* « excellence ». || **principicule** 1831, Barthélemy. || **prince-de-galles** 1953, Simonin, étoffe.

princeps (*édition princeps*) 1811, Mozin ; mot lat., « premier » ; se dit de la première édition d'un livre.

principal adj., 1080, *Roland* (var. *principel,* début XIIe s., *Voy. de Charl.*), « princier, de prince » ; 1119, Ph. de Thaon, sens mod. ; n. m., 1160, Benoît, personnage important ; 1283, Beaumanoir, fond d'une affaire, sujet principal ; 1549, R. Est., directeur d'un collège ; lat. *principalis,* de *princeps,* premier. || **principalement** 1190, *Saint Bernard.* || **principalat** fin XVIe s.

principauté, principicule V. PRINCE.

principe fin XIIe s., *Prise d'Orange,* commencement ; 1265, Br. Latini, « origine, première cause » ; 1351, La Curne, règle de conduite ; 1580, Montaigne, notion fondamentale d'une science ; 1631, Descartes, phys. ; *en principe,* 1833, Renan ; lat. *principium,* « commencement ».

***printemps** fin XIIe s., *Naissance du chevalier au cygne* (*prinstans*) ; fin XIIIe s. (*printemps*) ; lat. *primum tempus,* « premier temps, première saison » ; a éliminé *primevère* en ce sens, au XVIe s. (v. PRIME 1, PRIMEVÈRE). || **printanier** 1503, Chauliac. || **printanisation** 1937, Lar.

priodonte 1868, L., zool. ; gr. *prieîn,* scier, et *odous, odontos,* dent ; grand tatou d'Amérique aux griffes énormes. || **prione** 1877, L. ; gr. *priôn,* scie.

priorité 1370, Oresme ; lat. médiév. *prioritas,* de *prior.* || **prioritaire** 1949, Lar.

prise 1119, Ph. de Thaon ; part. passé de *prendre,* substantivé au fém. ; 1740, *Acad., prise de tabac ;* 1845, Besch., sens techn. divers (eau, électr., autom., son, etc.) ; *prise de vues,* 1897, *le Progrès de Lyon ; donner prise,* 1625, Stœr ; *être aux prises avec,* 1580, Montaigne ; *venir aux prises,* 1625, Stœr ; *mettre aux prises,* 1761, Marmontel ; *prise de bec,* 1869, L., fam. || **priser** (*du tabac*) 1807, Michel. || **priseur** 1807, Michel.

1. ***priser** 1080, *Roland* (*preiser*) ; XIIe s., G. (*prisier,* puis *priser,* d'après les formes toniques : je *prise,* etc.), « évaluer » et « faire cas de » ; bas lat. *pretiare,* apprécier (VIe s., Cassiodore), de *pretium,* prix. || **prisée** XIIIe s., G. || **priseur** 1252, Runkewitz ; remplacé par *huissier-priseur,* 1718, *Acad.,* puis par *commissaire-priseur,* début XIXe s. || **mépriser** fin XIIe s., *Parthenopeus* (*mesproisier*) ; XIVe s. (*mépriser*) ; avec le préf. *mé(s)-* || **méprisable** 1504, J. Lemaire de Belges. || **méprisablement** 1355, Bersuire. || **méprisant** adj., 1220, Coincy. || **mépris** 1225, *Vie saint Jean* (*mespris*). || **mépriseur** 1549, R. Est.

2. **priser** V. PRISE.

prisme début XVIIe s. (en all. depuis 1539 ; en angl. depuis 1570) ; gr. *prisma, prismatos,* de *prizeîn,* scier. || **prismatoïde** 1869, L. || **prismatique** 1647, Pascal. || **prismatiser** 1802, *Mém. Acad. sciences.*

***prison** 1080, *Roland* (*prisum*) ; début XIIe s. (*prison*), « captivité » ; fin XIIe s., lieu d'emprisonnement ; lat. pop. **pre(n)sīōnem,* acc. de **pre(n)sīō,* pour le class. *prehensio,* « action d'appréhender », de *prehendere* (v. PRENDRE) ; a éliminé *chartre* (v. CHARTRE 2 et GEÔLE). || **prisonnier** 1175, Chr. de Troyes ; en anc. fr. aussi *prison,* n. m., en ce sens. || **emprisonner** début XIIe s. || **emprisonnement** XIIIe s.

***privé** adj., fin XIe s., *Gloses de Raschi,* « familier » ; 1138, Gaimar, « où le public n'a pas accès » ; *sous seing privé,* 1690, Furetière, jurid. ; *privé* a pu signifier, du XIIe au XIXe s., « apprivoisé », d'où *appriver, priver,* « apprivoiser », encore chez La Fontaine ; lat. *privātus,* « particulier, privé ». || **privauté** fin XIIe s., R. de Moiliens (*priveté,* puis *privauté,* d'après *royauté,* etc.), « familiarité, affaire privée », etc. ; au pl., XIIIe s., *Apollonius,* confidences ; 1550, Héroet, sens érotique. || **privatif** milieu XVIe s., jurid. ; fin XVIIe s., Saint-Simon, accordé à une seule personne. || **privatim** 1923, Lar. ; adv. lat., « à titre privé ».

priver fin XIIIe s., Joinville ; *se priver,* 1538, R. Est. ; lat. *privare.* || **privation** 1290, Drouart ; au pl., 1776, Rousseau ; lat. *privatio.* || **privatif** début XVIe s., négatif ; XVIe s., sens actuel ; lat. *privativus.*

privilège 1190, Garn. ; lat. *privilegium,* « loi spéciale à un particulier », de *lex,* loi, et *privus,* privé. || **privilégier** 1220, Coincy. || **privilégié** adj., 1265, J. de Meung ; n., 1596, Hulsius.

***prix** 1050, *Alexis* (*pris*), « somme à payer » ; lat. *prĕtium* (v. PRISER 1) ; *à tout prix,* 1683, Boileau ; *à prix d'or,* 1869, L. ; *hors de prix,* 1648, Voiture ; *mettre à prix,* milieu XIVe s., au pr. ; 1671, Pomey, fig. ; *prix fixe,* 1690, Furetière ; 1175, Chr. de Troyes, « récompense ». || **déprécier** 1762, *Acad.* ; lat. *depretiare.* || **dépréciation** 1779, Gérard. || **dépréciateur** 1705, *Rapport du Bureau central.*

pro-, préfixe ; lat. *pro,* « en avant, à la place de, en faveur de » ; en fr., égalem. « partisan de », par ex. : *pro-anglais.*

probable 1282, de Gauchy (*proubable*), « qu'on peut prouver » ; fin XIVe s. (*probable*), « qui paraît vrai » ; lat. *probabilis,* de *probare,* prouver (v. PROUVER). || **probablement** 1370, Oresme. || **improbable** 1606, Crespin. || **probabilité** 1370, Oresme. || **improbabilité** 1610, Coton. || **probabilisme** 1697, Trévoux, théol. ; 1875, Lar., philos. || **probabiliste** 1704, Trévoux, théol. ; 1904, Lar., philos. || **probant** 1566, *Doc.* ; lat. *probans,* prouvant. || **probation** début XIVe s., *Gilles li Muisis,* « épreuve » ; 1549, R. Est., eccl. ; lat. *probatio,* de *probare,* prouver. || **probatoire** 1603, Fontanon ; lat. *probatorius.*

probatique XIIIe s., Guillaume de Tyr, hist. ; lat. *probaticus,* gr. *probatikos,* « relatif au bétail ».

probe milieu XVe s. (*prob*) ; lat. *probus.* || **probité** 1420, A. Chartier ; lat. *probitas.* || **improbe** XVe s., G. ; lat. *improbus.* || **improbité** XIVe s. ; lat. *improbitas.*

problème 1380, Conty, « question difficile à résoudre » ; 1632, Descartes, « question scientifique » ; lat. *problema,* gr. *problêma.* || **problématique** adj., 1450, Guill. Alexis ; n. f., 1951, Camus, philos. || **problématiquement** milieu XVIe s.

proboscide 1533, Rab., trompe d'éléphant ; lat. *proboscis, -cidis,* mot gr. || **proboscidien** 1822, Blainville.

procéder fin XIIIe s., Tobler-Lommatzsch, poursuivre un exposé ; *procéder de,* 1354, *Modus,* « émaner », théol. (*le Saint Esperit qui procede du Pere*) ; 1302, Giry, « agir judiciairement » ; 1549, R. Est., *procéder à,* « passer à l'exécution de », jurid. ; lat. eccl. *procedere,* « sortir de », et, jurid., « procéder à une action judiciaire », en lat. class. « s'avancer », de *pro* et *cedere.* || **procédé** n. m., 1540, *Cartulaire de Redon.* || **procédure** milieu XIVe s., jurid. ; XXe s., méthode. || **procédurier** adj., 1819, Boiste. || **procédural** 1877, L.

procédure V. PROCÉDER.

procellaridés 1832, Boiste (*procellaire*) ; 1875, Lar (*procellaridés*), zool. ; lat. zool. *procellaria,* de *procella,* orage.

procès 1174, E. de Fougères, « titre, contrat » ; 1209, texte de Douai (*pruchès*), « marche (du temps) » ; milieu XIIIe s., Rutebeuf, développement, progrès ; 1324, G., jurid. ; XXe s., linguist. ; lat. *processus,* « marche en avant », spécialisé jurid. en lat. médiév. (v. PROCÉDER). || **processif** 1511, J. Lemaire de Belges. || **processus** 1541, Vassée, « prolongement » ; 1869, L, sens mod. ; mot lat., signif. « progression ». || **procès-verbal** 1290, *Livre Roisin,* constat judiciaire ; 1842, Balzac, empl. courant, « constat de contravention », « compte rendu de séance ».

procession début XIIe s., *Voy. de Charl.,* eccl., « cortège religieux » ; lat. *processio,* proprem. « action d'avancer », de *procedere* (v. PROCÉDER). || **processionnaire** 1328, G., livre des prières récitées aux processions ; 1734, Réaumur, entom. || **processionnel** milieu XIVe s. (*processionnal*) ; milieu XVIe s. (*processionnel*). || **processionnellement** 1502, O. de la Marche. || **processionner** 1779, Ch. Bonnet. || **processionneur** 1743, Trévoux.

processus V. PROCÈS.

***prochain** adj. et n. m., 1120, *Ps. de Cambridge* (*prucein*) ; 1155, Wace (*prochain*) ; lat. pop. **propeanus,* de *prope,* près (cf., pour le suff. lat. pop., *ancien, lointain*) ; a éliminé l'anc. fr. *proisme,* de *proximus ;* le nom n'est usuel que depuis le XIVe s., d'abord dans le lexique eccl. || **prochainement** 1130, *Eneas,* adv. de temps.

proche 1549, R. Est. ; l'adv. *procement,* près, est de 1259, G. ; *proche de,* 1660, Scarron ; 1647, Vaugelas, n. pl., « proches parents » ; dér. régressif de *prochain ;* a éliminé l'anc. fr. *pruef, prof,* de *prope.* || **approcher** 1080 ; bas lat. *appropiare.* || **approche** XVe s. ; déverbal ; XXe s., sens actuel. || **approchant** 1555, Pasquier. || **approchable** XVe s. || **rapprocher** 1268, *Layettes.* || **rapprochement** 1460, Chastellain.

proclamer fin XIVe s. ; lat. *proclamare,* de *clamare,* appeler. || **proclamation** début XIVe s., action de publier à haute voix ; lat. *proclamatio ;* 1694, *Acad.,* écrit public contenant ce qu'on proclame. || **proclamateur** 1541, Calvin.

proclitique 1812, Mozin, gramm. ; mot formé par le grammairien allemand Hermann, sur *enclitique,* d'après le gr. *proklînein,* incliner en avant. || **proclise** 1904, Vendryes.

proconsul milieu XIIe s., hist. ; lat. *proconsul.* || **proconsulaire** 1512, J. Lemaire de Belges ; lat. *proconsularis.* || **proconsulat** 1552, Guéroult ; lat. *proconsulatus.*

procrastination 1639, Chapelain, action de différer ; lat. *procrastinatio,* ajournement, de *crastinus,* de demain.

procréer fin XIIIe s., Macé de la Charité ; lat. *procreare.* || **procréation** 1213, *Fet des Romains ;* lat. *procreatio.* || **procréateur** 1547, Budé ; lat. *procreator.* (V. CRÉER.)

proct(o)-, gr. *prôktos,* anus. || **proctalgie** 1795, Cullen, méd. || **proctite** 1827, *Acad.* || **proctologie** 1962, Robert. || **proctorrhée** 1836, Landais.

procurer fin XIIe s., « avoir soin de » ; XIIIe s., « faire obtenir » ; XIVe s., Chr. de Pisan, « être cause de » ; lat. *procurare,* même sens, de *cura,* soin. || **procure** 1265, J. de Meung, hist., eccl. || **procureur** 1212, Anger, religieux chargé des biens de la communautée ; 1268, Boileau, « qui agit par procuration, intercesseur » ; 1256, Heidel, officier de justice, avoué ; *procureur du roi,* 1285, Bevans, magistrat chargé du ministère public, d'où *procureur* (XIXe s.), au sens mod. || **procureuse** 1494, Champollion, femme de procureur ; 1836, Landais, entremetteuse. || **procurateur** 1180, *Vie saint Evroult,* sens gén., mandataire ; 1755, Montesquieu, hist. rom. || **procuration** 1219, Tailliar, pouvoir donné à un mandataire ; lat. *procuratio,* « action de veiller sur », spécialisé jurid. || **procuratoire** XIVe s. || **procuratorien** 1872, *J. O.*

prodige 1355, Bersuire ; lat. *prodigium.* || **prodigieux** fin XIVe s., qui réalise des miracles ; 1567, Ronsard, extraordinaire ; lat. *prodigiosus.* || **prodigieusement** 1549, R. Est. || **prodigiosité** 1872, Gautier.

prodigue 1265, Br. Latini ; lat. *prodigus ; enfant prodigue,* 1560, trad. de la Bible. || **prodiguer** 1552, Ronsard, *Amours,* dépenser ; fin XVIe s., donner à profusion. || **prodigalité** 1212, Anger ; bas lat. *prodigalitas.*

prodrome fin XVIe s., Montlyard, « précurseur » ; 1765, *Encycl.,* méd. ; 1875, Lar., phénomène avant-coureur ; lat. *prodromus,* proprem. « avant-coureur », du gr. *prodromos,* de *dromos,* course.

produire 1290, *Livre Roisin,* « faire apparaître en justice » ; 1377, Oresme, causer, amener ;

fin XVe s., sens actuel ; *se produire,* 1657, Pascal ; lat. *producere,* « faire avancer », adapté d'après *conduire,* etc., de *ducere,* conduire. || **produit** n. m., 1554, Peletier, math ; 1770, Raynal, sens actuel. || **sous-produit** 1873. || **reproduire** 1539, Marot. || **production** 1283, Beaumanoir (*producion*), jurid. ; 1330, Digulleville, action de faire exister ; 1695, Kuhn, sens actuel ; part. passé lat. *productus.* || **coproduction** XXe s. || **sous-production** XXe s. || **producteur** 1450, Gréban, qui conduit ; 1758, Brunot, sens actuel ; 1908, *l'Illustration,* cinéma. || **reproducteur** 1762, Bonnet. || **productif** 1470, *Livre disc.* || **productivité** 1766, Quesnay. || **improductif** 1785, Beaumarchais. || **improductivité** 1873, Lar. || **reproductif** 1760, Gohin. || **productible** 1771, Trévoux. || **productibilité** *id.* || **reproductible** 1798, *Acad.* || **improductible** début XVIIIe s. || **improductibilité** 1836, Landais. || **reproductibilité** *id.*

proéminent 1556, R. Le Blanc ; part. prés. bas lat. *proeminens* (v. ÉMINENT). || **proéminence** 1560, Paré. || **proéminer** fin XIXe s., Huysmans.

profane début XIIIe s., étranger à la religion ; 1501, Cohen, sacrilège ; adj. et n., 1553, *Bible Gérard ;* lat. *profanus,* « hors du temple », de *fanum,* temple, déjà fig. en lat. || **profaner** 1330, *Roman Renart ;* lat. *profanare.* || **profanation** 1460, J. des Ursins ; lat. eccl. *profanatio.* || **profanement** adv., 1544, Scève. || **profanateur** 1566, H. Est. ; lat. eccl. *profanator.* || **profanatoire** XIXe s.

profectif 1567, Papon, jurid. ; lat. *profectus,* qui vient de. (V. PROFIT.) || **profection** début XVIe s., astrol. ; 1752, Trévoux, sens actuel.

proférer 1265, Br. Latini ; lat. *proferre,* « porter en avant », de *pro,* en avant, et *ferre,* porter.

profès 1155, Wace (*professe*), eccl. ; lat. eccl. *professus,* « qui a déclaré », part. passé de *profiteri,* déclarer. (V. les suivants.)

professeur XIVe s., *Chir. de Lanfranc,* « celui qui enseigne » ; lat. *professor,* de *profiteri,* au sens « enseigner en public », proprem. « déclarer » (v. PROFÈS, PROFESSION). || **professer** 1584, Vaganay, déclarer ; 1738, Rollin, enseigner. || **professoral** 1686, *Nouv. de la Rép. des lettres.* || **professorat** 1685, Bayle.

profession 1155, Wace (*professiun*) ; 1190, Garnier, déclaration publique de sa foi ; début XVe s., état, métier ; *faire profession de* (d'une religion, d'un sentiment), milieu XVIe s., Amyot ; *profession de foi,* 1690, Furetière, relig. ; 1762, Rousseau, polit. ; lat. *professio,* de *professus,* part. passé de *profiteri,* déclarer (v. les précéd.). || **professer** fin XVIe s., déclarer hautement. || **professionnel** adj., 1842, Mozin ; n., 1893, *D. G.* || **professionnellement** 1845, Richard de Radonvilliers. || **professionnalisme** 1934, *le Temps,* sport.

profil 1130, *Eneas* (*porfil, pourfil*), « bordure » ; 1636, R. François (*profil*), « contour » ; 1645, Scarron, aspect du visage ; XVIIIe s., techn. ; sous la forme mod., de l'ital. *profilo,* même mot que l'anc. fr., qui vient de *porfiler,* border, de *fil* (v. ce mot). || **profiler** 1621, Binet, « dessiner les contours » ; 1755, Aviler, techn. ; *se profiler,* 1780, se montrer en silhouette ; ital. *profilare.* || **profilé** adj., 1875, Lar. ; n. m., 1963, Lar. || **profilement** 1875, Lar.

***profit** 1120, *Ps. de Cambridge* (var. *proufit, porfit, pourfit* en anc. fr.) ; *mettre à profit,* 1640, Oudin ; lat. *profĕctus,* au fig., part. passé substantivé de *proficere,* proprem. « progresser », d'où « donner du profit ». || **profiter** 1120, *Ps. de Cambridge* (*prufiter*), prospérer ; 1170, *Livre Roisin* (*profiter*), être profitable à qqn ; début XIVe s., sens actuel. || **profitable** 1155, Wace. || **profiteur** 1636, Gili, rare avant la fin du XIXe s. || **profiterole** 1532, Rab., petite gratification ; 1549, R. Est., gâteau.

profond 1080, *Roland* (*parfont*) ; 1175, Chr. de Troyes (*profonde,* adj. fém. ; réfection d'après le lat.) ; lat. *profundus,* de *fundus,* fond, d'abord avec changem. de préf. || **profondément** 1220, Coincy. || **profondeur** fin XIIe s., *Alexandre* (*parfundor*) ; 1377, Oresme (*profondeur*). || **approfondir** fin XIIIe s., Guiart. || approfondissement 1578, d'Aubigné.

pro forma 1771, Trévoux ; mots lat. signif. « pour la forme ».

profus 1472, Leseur ; lat. *profusus,* « répandu en dehors », de *fundere,* répandre. || **profusion** fin XVe s. ; *à profusion,* 1844, Balzac ; lat. *profusio.*

progéniture 1481, A. Thierry ; lat. *genitura,* génération, créature (cf. le moy. fr. *géniture*), d'après le lat. *progenies,* race, lignée, de *gignere,* engendrer. || **progéniteur** 1370, Oresme, vx.

progestatif 1968, Lar. ; lat. impér. *progestare,* porter en avant. || **progestérone** 1941, Rostand, physiol. (v. GESTATION).

prognathe 1842, *Acad.,* entom. ; 1868, Souviron, anthropologie ; gr. *pro,* en avant, et *gnathos,* mâchoire. || **prognathisme** 1849, d'Orbigny.

prognose 1669, Molière ; gr. *prognôsis,* prévision, de *pro,* d'avance, et *gnônai,* connaître. || **prognostique** 1660, Fernel ; gr. *prognôstikos.* (V. PRONOSTIC.)

programme 1677, Duilier, liste ; 1765, *Encycl.,* théâtre ; 1857, Flaubert, pédago. ; 1830, F. Wey, polit. ; milieu XXe s., électron. ; bas lat. *programma,* du gr. *programma,* affiche, de *pro,* devant, et de la rac. de *grapheîn,* écrire. || **programmer** 1917, Giraud. || **programmation** 1924, Giraud. || **programmateur** 1955, *journ.* || **programmeur** 1962, Robert. || **programmatique** 1963, *journ.*

progrès 1532, Rab. ; lat. *progressus,* « action d'avancer », du part. passé de *progredi,* avancer. || **progression** XIIIe s., *Algorisme ;* lat. *progressio,* de *progressus.* || **progressif** 1372, Corbichon ; 1797, Constant, polit. || **progressivement** 1753, Buffon. || **progressivité** 1833, *Rev. encycl.* || **progresser** 1834, Stendhal. || **progressiste** 1837, Fourier. || **progressisme** 1877, *Rev. des Deux Mondes.*

prohiber 1377, Leymarie ; lat. *prohibere,* « tenir à distance », de *pro,* en avant, et *habere,* avoir, tenir. || **prohibiteur** 1782, Gohin ; bas lat. *prohibitor.* || **prohibition** début XIIIe s. ; lat. *prohibitio.* || **prohibitif** 1503, Chauliac ; d'après le part. passé lat. *prohibitus.* || **prohibitionniste** 1833, *Rev. britannique.* || **prohibitionnisme** 1878, Lar. || **prohibitoire** 1532, Desrey.

***proie** 1119, Ph. de Thaon (*preie*), « être vivant capturé » ; 1130, *Eneas,* « butin » ; début XIIIe s., victime ; *en proie à,* 1560, Pasquier ; *oiseau de proie,* fin XIIIe s., Rutebeuf ; lat. pop. **prēda,* en lat. class. *praeda.*

projection 1314, Mondeville ; lat. *projectio,* de *projectus,* part. passé de *projicere,* jeter en avant, de *pro-* et *jacĕre,* jeter, lancer ; 1897, *l'Illustration,* cinéma. || **projectile** 1749, Buffon ; de *projectus.* || **projecteur** 1888, Lar., éclairage, cinéma. || **projecture** 1596, Hulsius, archit. || **projectif** 1752, Trévoux, géom. || **projectionniste** 1907, Lar., cinéma.

projeter 1120, *Ps. de Cambridge (porjeter),* « jeter au loin, en avant » ; fin XIVe s., Froissart, *pourjeter une embusque,* dresser une embuscade ; v. 1400, G. (*projeter*), « se proposer de faire », avec adaptation du préf. d'après le lat. *pro ;* de l'adv. anc. *por, puer,* en avant, du lat. *pro,* et du verbe *jeter.* || **projet** 1460, Chastellain (*pourjet*) ; 1549, R. Est. (*projet*). || **projeteur** 1770, Rousseau ; milieu XXe s., techn. || **avant-projet** 1845, Danvin. || **contre-projet** 1819, *Annuaire.*

prolactine 1933, Lar, physiol. ; de *pro-* et du lat. *lac, lactis,* lait ; hormone qui favorise la lactation.

prolapsus 1820, *Dict. méd. ;* de *pro-* et *lapsus,* part. passé de *labi,* tomber ; chute d'un organe.

prolation 1406, *Doc.,* rhét., mus. ; lat. *prolatio,* de *prolatus,* porté en avant, part. passé de *proferre.*

prolégat 1848, Chateaubriand ; bas lat. *prolegatus,* de *pro,* à la place de, et *legatus,* légat.

prolégomènes 1578, d'Aubigné ; gr. *prolegomena,* pl. neutre, « choses dites avant », part. prés. passif de *prolegeîn,* de *pro,* avant, et *legeîn,* dire.

prolepse 1553, Rab. (*prolepsie*) ; 1701, Furetière (*prolepse*), rhét. ; gr. *prolêpsis,* proprem. « anticipation ». || **proleptique** 1755, Prévost ; gr. *prolêptikos.*

prolétaire XIVe s. ; rare avant 1748, Montesquieu, hist. rom. ; 1761, Rousseau, sens actuel ; lat. *proletarius,* de *proles,* descendance. || **prolo** 1888, Sachs-Villatte ; abrév. pop. || **prolétariat** 1832, P. Leroux. || **prolétarien** 1872, B. Malon. || **prolétariser** 1904, Lar. || **prolétarisation** 1904, Lar.

prolifère 1766, Rozier ; lat. *proles,* descendance, et *ferre,* porter. || **proliférer** 1859, Mozin. || **prolifération** 1842, *Acad.,* bot. || **prolifique** 1503, Chauliac, qui favorise la procréation ; 1874, Michelet, sens actuel ; lat. *proles,* descendance, avec la finale des comp. en *-fique.* || **prolificité** 1941, Rostand.

prolixe 1220, Coincy (*prolipse*) ; 1440, Chastellain (*prolixe*) ; lat. *prolixus,* proprem. « allongé, étendu », fig. en bas lat. || **prolixité** 1265, J. de Meung ; lat. *prolixitas.*

prologue 1160, Benoît (*prologe*) ; 1225, *Barlaham (prologue*) ; lat. *prologus,* gr. *prologos,* de *pro-,* en avant, et *logos,* discours.

prolonger 1213, *Fet des Romains* (*prolonguer*) ; 1564, *Indice de la Bible (prolonger,* d'après *allonger*) ; bas lat. *prolongare,* de *longus,* long ; a signifié aussi, du XIIIe au XVIIIe s., « remettre à plus tard ». || **prolongement** 1165, Gautier d'Arras. || **prolongation** 1265, Br. Latini. || **prolongateur** 1963, Lar. || **prolongeable** 1788, Féraud. || **prolonge** XIVe s., Machaut (*prolongue*) ; 1752, Trévoux (*prolonge*), artill.

promener XIIIe s., G. (*pormener*) ; XVe s. (*promener,* d'après le préf. lat. *pro-*) ; *se promener,* 1465, Picot ; dér. de *mener.* || **promenade** 1557, Julyot. || **promenoir** 1538, R. Est. || **promeneur** 1560, G. (*pourmeneur*) ; 1584, Du Monin (*promeneur*).

promettre Xe s., *Saint Léger* (*prometre*) ; XIe-XIVe s., var. *pramettre ;* lat. *promittere,* adapté d'après *mettre ; se promettre de,* 1669, Racine. || **prometteur** XIIIe s., *Macchabées.* || **promis** adj., 1200, *Poème moral ;* début XIIIe s., n., « fiancé ». || **promesse** 1131, *Couronn. Loïs ;* lat. *promissa,* pl. neutre substantivé, et passé au fém. en bas lat., de *promissum,* part. passé de *promittere.* || **promission** 1160, Benoît, eccl. ; lat. *promissio,* promesse.

promiscuité 1752, Rousseau ; lat. *promiscuus,* « mêlé », et au fig. « vulgaire », de *miscere,* mêler.

promontoire 1213, *Fet des Romains ;* lat. *promontorium ;* 1845, Besch., anat., petite saillie du tympan.

promotion V. PROMOUVOIR.

promouvoir 1130, *Job,* « élever à un rang supérieur » ; 1460, Chastellain, « encourager, soutenir », vieilli au XIXe s., et repris auj. ; lat. *promovere,* « faire avancer », et en lat. impér. « élever aux honneurs », adapté d'après *mouvoir.* || **promotion** 1350, Gilles li Muisis, « élévation » ; 1678, La Rochefoucauld, « accession à une dignité » ; 1966, *journ,* commerce ; d'après angl. *promotion,* bas lat. *promotio,* de *promotus,* part. passé de *promovere.* || **promotionnel** 1966, *journ.* || **promoteur** 1350, Gilles li Muisis, qui donne l'impulsion ; 1962, Robert, qui fait construire des immeubles.

prompt 1190, Garnier (*prons*), « prêt, disposé à » ; 1530, Palsgrave, sens mod. ; lat. *promptus.* || **promptement** 1308, Aimé. || **promptitude** fin XVe s., Tardif ; bas lat. *promptitudo.*

promulguer 1355, Bersuire (*promulger*) ; lat. *promulgare.* || **promulgation** 1300, Houdoy ; rare avant le XVIIIe s. ; lat. *promulgatio.*

pronaos 1701, Tournefort, hist. archit. ; mot gr., « vestibule du temple ».

pronateur 1560, Paré, anat. ; bas lat. *pronator,* de *pronus,* « qui penche en avant ». || **pronation** 1654, Gelée ; bas lat. *pronatio ;* mouvement de la main du dehors vers le dedans.

***prône** fin XIe s., *Gloses de Raschi* (*prodne*) ; 1175, Chr. de Troyes (*prône*), « grille séparant le chœur de la nef » ; 1678, La Fontaine, « sermon prononcé devant cette grille » ; lat. pop. **protinum,* dissimilation du lat. *protirum,* de *prothyra,* pl. neutre, gr. *prothura,* « couloir de la porte d'entrée à la porte intérieure ». || **prôner** 1578, d'Aubigné, vanter, louer. || **prôneur** 1654, Guez de Balzac.

pronom XIIIe s. ; lat. *pronomen,* de *pro,* à la place de, et *nomen,* nom. || **pronominal** milieu XVIIIe s., Buffon (1714, Trévoux, var. *pronominel*) ; bas lat. *pronominalis* (Ve s., Priscien). || **pronominalement** 1829, Boiste.

prononcer 1119, Ph. de Thaon, « déclarer, proclamer » ; lat. *pronuntiare,* annoncer, de *nuntius,* nouvelle ; 1283, Beaumanoir, « dire avec autorité, faire connaître » ; 1220, Coincy, « articuler » ; 1587, Du Vair, jurid. || **prononçable** 1611, Cotgrave. || **imprononçable** 1596, Vigenère. || **prononciation** 1281, G. ; lat. *pronuntiatio.*

pronostic milieu XIIIe s., Richard de Fournival (*pronostique*), « signe précurseur » ; 1314, Mondeville (*pronostic*), méd. ; bas lat. *prognosticus,* mot gr., de *prognôstikein,* connaître d'avance (v. PROGNOSE). || **pronostiquer** 1314, Mondeville. || **pronostiqueur** début XIVe s., *Enfances Vivien.* || **pronostication** début XVIe s., Machaut.

pronunciamiento 1838, *Acad. (pronunciamento)* ; 1869, A. Royannez (*pronunciamiento*) ; mot esp., de même étym. que *prononcer.*

propagande début XVIIe s., nom d'une congrégation ; 1689, *Doc.,* relig. ; 1792, Condorcet, sens mod. ; trad. de la loc. lat. *de propaganda fide,* « pour la propagation de la foi », de *propagare* (v. PROPAGER). || **contre-propagande** XXe s. || **propagandiste** 1792, Rangt, polit. || **propagandisme** 1794, Brunot.

propager 1480, *Baratre infernal ;* lat. *propagare,* proprem. « reproduire par provignement », de *pangere,* enfoncer, planter ; *se propager,* 1762, *Acad.* || **propagation** XIIIe s., *D. G. ;* lat. *propagatio.* || **propagateur** 1495, J. de Vignay ; lat. *propagator.*

propane 1847, *Comptes rendus Acad. sciences ;* fait avec le suff. *-ane,* sur *propionique* (acide), 1847, Besch., du gr. *prôtos,* premier, et *piôn,* gras. || **propanier** 1968, Lar.

propédeutique 1877, *J. O.,* enseignement préliminaire ; 1948, *journ.,* scol. ; gr. *paideueîn,* enseigner, d'après l'all. *Propädeutik.* || **propé** v. 1950 ; abrév. fam.

propène 1932, Lar. (déjà en angl. en 1866) ; du rad. *prop-*, avec le suff. chim. *-ène.*

propension 1528, J. Du Bellay ; lat. *propensio,* de *propendere,* pencher.

propergol 1949, Lar. ; mot all., a remplacé *Energol,* nom déposé ; de *prop*(ulsion) et de *-ergol.*

prophète 980, *Passion,* relig. ; 1155, Wace, qui prédit l'avenir ; lat. eccl. *propheta,* du gr. *prophêtês,* « qui dit d'avance », de *pro,* et de *phêmi,* je parle. || **prophétesse** XIVe s., G. || **prophétie** 1119, Ph. de Thaon ; lat. eccl. *prophetia.* || **prophétiser** 1155, Wace ; lat. eccl. *prophetizare.* || **prophétique** XVe s., G., relig. ; 1495, Vignay, qui prédit ; lat. eccl. *propheticus.* || **prophétisme** 1823, Boiste.

prophylactique 1537, Canappe, méd. ; gr. *prophulaktikos,* de *prophulakteîn,* « veiller sur », préserver. || **prophylaxie** 1793, Lavoisien.

propice 1170, *Rois,* eccl. ; XIIIe s., sens actuel ; lat. *propitius,* terme surtout religieux. || **propitiation** fin XIIe s., eccl. ; lat. eccl. *propitiatio.* || **propitiateur** 1519, G. Michel, eccl. ; lat. eccl. *propitiator.* || **propitiatoire** 1170, *Rois,* n. m., dais de l'autel ; 1541, Calvin, adj.

propolis 1555, Vide, résine des ruches ; mot lat., du gr. *propolis,* « entrée d'une ville », de *polis,* ville.

proportion 1230, G. ; *à proportion,* 1636, Monet ; au pl., XVIIe s., dimensions harmonieuses ; lat. *proportio,* de *portio,* portion. || **proportionner** 1314, Mondeville. || **proportionné** adj., *id.* || **proportionnel** 1370, Oresme ; bas lat. *proportionalis.* || **proportionnellement** 1370, Oresme. || **proportionnément** 1548, Vaganay. || **proportionnalité** 1370, Oresme ; bas lat. *proportionalitas.* || **proportionnaliste** 1906, Mazel, polit. || **disproportion** 1546, Martin. || **disproportionné** 1534, Rab.

propos fin XIIe s. (*purpos*) ; XIIIe s., *Isopet* (*propos*), but ; XVe s., La Curne, paroles, proprem. « proposées comme sujet d'entretien » ; *à propos,* fin XVe s., Commynes ; déverbal de *proposer,* d'après le lat. *propositum.* || **avant-propos** 1584, *Somme des pechez.* || **à-propos** n. m., 1700, Mme de Maintenon.

proposer 1120, *Ps. d'Oxford ;* a pu signifier jusqu'au XVIIe s. « exposer » et « projeter » ; *se proposer de,* début XVe s. ; lat. *proponere,* « poser devant », « offrir, présenter à l'esprit », francisé d'après *poser* (v. ce mot). || **proposition** 1120, *Ps. d'Oxford,* suggestion ; 1265, Br. Latini, assertion ; 1690, Furetière, gramm. ; lat. *propositio,* de *propositus,* part. passé de *proponere.* || **contre-proposition** 1771, Trévoux. || **proposable** 1747, d'Argenson. || **propositionnel** 1951, Lalande.

propre 1090, *Lois de Guill.,* « qui appartient en propre » ; 1265, Br. Latini, « exact » ; 1280, *Clef d'Amors,* « bien soigné » ; 1370, Oresme, « capable » ; *propre à rien,* 1690, Furetière ; *propre à,* milieu XVIe s., « qui caractérise » ; lat. *proprius.* || **proprement** 1180, Marie de France, élégamment ; 1190, *Saint Bernard,* particulièrement. || **propret** 1530, Marot. || **propreté** 1538, R. Est., « manière convenable de s'habiller, de se meubler » ; 1671, Pomey, sens mod. || **approprier** 1226 ; lat. *appropriare.* || **impropre** 1372, Corbichon ; lat. *improprius.* || **improprement** 1366, Oresme. || **impropriété** 1488, *Mer des hist. ;* lat. *improprietas.* || **malpropre** 1550, Du Bellay. || **malpropreté** 1663, F. Brunot.

propréteur 1542, trad. de Dion ; lat. *propraetor* (v. PRÉTEUR). || **propréture** 1845, Besch.

propriété 1190, Garn., « droit de possession » ; 1265, Br. Latini, qualité propre d'un être ou d'une chose ; fin XVe s., immeuble, bien-fonds ; lat. *proprietas,* jurid., de *proprius* (v. PROPRE). || **copropriété** 1767, Le Mercier. || **propriétaire** milieu XIIIe s. ; lat. jurid. *proprietarius.* || **proprio** 1878, *Esnault ;* abrév. pop. || **copropriétaire** 1680, Richelet. || **exproprier** 1611, Cotgrave. || **expropriation** décret du 9 messidor an III.

propulsion 1640, Oudin ; rare avant 1836, Landais ; lat. *propulsus,* part. passé de *propellere,* pousser devant soi. || **propulseur** 1845, Besch. || **propulsif** 1846, *Ann. chimie.* || **propulser** 1863, La Landelle ; *se propulser,* 1962, Robert. || **motopropulseur, turbopropulseur** XXe s. (V. MOTO- 1, TURBO-, PULSION.)

propylée 1752, Trévoux, hist. ; gr. *propulaion,* proprem. « ce qui est devant la porte », de *pulê,* porte.

propylène 1869, L. ; anc. nom du *propène.* || **propyle** 1875, Lar.

proquesteur 1765, *Encycl.,* hist. ; lat. *proquaestore,* proquesteur.

prorata milieu XIVe s. (*pro rata*), proportionnellement ; fin XVIe s., *au prorata de,* loc. prép. ; 1684, La Curne, n. m. ; lat. *pro rata* (*parte*), « suivant une part déterminée », « une proportion calculée », de *pars, partis,* part, et *rata.* (V. RATIFIER.)

proroger 1330, *Girart de Roussillon* (*proroguer*) ; lat. *prorogare,* prolonger ; 1875, Lar., polit., d'après l'angl. (*to*) *prorogue.* || **prorogation** 1313, G. ; lat. *prorogatio.* || **prorogatif** 1800, Boiste ; lat. *prorogativus.*

proscenium 1719, Gueudeville ; mot lat., du gr. *proskênion,* devant de la scène d'un théâtre.

proscrire 1190, Garn., hist. ; 1770, Rousseau, bannir ; francisation, d'après *écrire,* du lat. *proscribere,* proprem. « afficher », par ext. « porter sur une table de proscription », de *scribere,* écrire. || **proscrit** n. m., 1552, R. Est. || **proscripteur** 1542, Vaganay ; lat. *proscriptor.* || **proscription** fin XVe s., hist. ; 1748, Montesquieu, bannissement ; lat. *proscriptio.*

prose 1265, Br. Latini ; lat. *prosa* (s.-e. *oratio*), « discours qui va en droite ligne », de *prorsus,* en avant. || **prosateur** 1666, Ménage ; ital. *prosatore,* du lat. *prosa.* || **prosaïque** début XVe s., opposé à *poétique ;* milieu XVIe s., Ronsard, plat, peu orné ; bas lat. *prosaicus* (VIe s., Fortunat). || **prosaïquement** 1500, G. || **prosaïser** 1723, Rousseau. || **prosaïsme** 1785, Beaumarchais. || **prosaïste** 1827, Hugo.

prosecteur 1803, Wailly ; lat. *prosectus,* part. passé de *prosecare,* découper, de *secare,* couper (v. SCIER 1). || **prosectorat** 1904, Lar.

prosélyte XIIIe s., *Évangile de Nicomède,* hist. judaïque ; 1611, Cotgrave, nouveau converti ; 1746, Vauvenargues, sens mod. ; lat. eccl. *proselytus,* converti, gr. *prosêlutos,* proprem. « nouveau venu ». || **prosélytique** 1834, Boiste. || **prosélytisme** 1721, Montesquieu.

prosobranches 1904, Lar., zool. ; gr. *proso-,* en avant, et *-branches,* « branchies ».

prosodie 1562, Ramus ; gr. *prosôdia,* « quantité relative aux vers », de *ôdê,* chant. || **prosodique** 1736, d'Olivet. || **prosodier** 1842, *Acad.* || **prosodème** 1972, Lar.

prosopopée fin XVe s., Molinet (*prosopopeÿe*), rhét. ; 1677, Dassoucy, discours emphatique ; lat. *prosopopeia,* mot gr., « qui fait parler les personnes » (non présentes), de *prosôpon,* personne, et *poieîn,* faire.

prospecter 1864, *Dict. de la conversation ;* angl. (*to*) *prospect,* regarder devant, du lat. *prospectus.* || **prospection** 1861, Simonin ; angl. *prospection.* || **prospecteur** 1866, *journ. ;* angl. *prospector.*

prospectif adj., milieu XVe s. (*science prospective,* « optique ») ; adj., 1829, Gautier (*critique prospective*), « qui concerne l'avenir » ; lat. *prospectivus,* de *prospectus* (v. le suiv.). || **prospective** 1537, *le Courtisan,* perspective ; 1958, *journ.,* sens actuel. || **prospect** XVe s. ; lat. *prospectus,* vue ; point de vue.

prospectus 1723, *D. G.,* « programme de librairie » ; 1798, *Acad.,* brochure publicitaire ; mot lat. signif. « vue, aspect », part. passé substantivé de *prospicere,* regarder devant soi.

prospère 1120, *Ps. de Cambridge* (*prospre*) ; 1308, Aimé (*prospere*) ; lat. *prosperus.* || **prospèrement** milieu XIIIe s. || **prospérité** 1120, *Ps. d'Oxford ;* lat. *prosperitas.* || **prospérer** 1355, Bersuire ; lat. *prosperare.*

prostate 1555, Belon, anat. ; gr. *prostatês,* « qui se tient en avant ». || **prostatique** 1765, *Encycl.* || **prostatite** 1836, Landais. || **prostatectomie** 1888, Lar.

prosterner 1329, Thierry, courber vers la terre ; *se prosterner,* 1478, Varin ; lat. *prosternere,* « jeter en avant, abattre » (sens repris en fr., du XIVe au XVIIIe s.). || **prosternement** fin XVIe s. || **prosternation** 1568, Granvelle. (V. PROSTRATION.)

prosthèse, prothèse 1694, Le Clerc (*prothèse*), chir. ; 1704, Trévoux, gramm. ; 1658, Thévenin (*prosthèse*), chir. ; 1765, *Encycl.* (*prosthèse*), gramm. ; 1869, L. (*prothèse dentaire*) ; bas lat. *prosthesis,* mot gr., « action d'ajouter », confondu avec *prothesis,* proposition. || **prosthétique** 1893, *D. G.,* gramm. || **prothétique** 1841, *Journ. méd.*

prostituer 1370, Oresme, « avilir » ; 1645, Corn., sens mod. ; 1690, Furetière, fig. ; *se prostituer,* début XVIe s. ; lat. *prostituere,* « exposer en public », de *pro-,* devant, et *statuere,* placer. || **prostituée** 1596, Hulsius, n. f. || **prostitution** XIIIe s., *Apocalypse,* « débauche » ; 1580, Montaigne, sens actuel ; lat. eccl. *prostitutio* (IIIe s., Tertullien).

prostration 1212, Anger, « prosternement » ; 1741, *Mém. Acad. chir.,* « abattement » ; lat. *prostratio,* aux deux sens. || **prostré** 1200, *Règle saint Benoît,* « prosterné » ; 1850, Baudelaire, « abattu » ; lat. *prostratus,* part. passé de *prosternere,* « abattre ». (V. PROSTERNER.)

prostyle 1691, Ozanam, archit. ; lat. *prostylos,* mot gr., de *pro,* devant, et *stulos,* colonne.

protagoniste 1787, Goldoni, hist. ; fig., 1904, Lar. ; gr. *prôtagônistês,* acteur chargé du premier rôle, de *prôtos,* premier, et *agônizesthai,* combattre, d'où concourir. (V. AGONIE.)

protamine 1888, Lar., chim. ; de *prot-,* rad. de *protéine,* et *amine.*

protase 1660, Corneille, littér. ; 1842, *Acad.,* rhét. ; lat. *protasis,* mot gr., signif. « proposition ».

prote 1710, *Variétés historiques,* imprim. ; gr. *prôtos,* premier.

protection fin XIIe s., *Dial. Grégoire,* sens gén. ; 1664, Colbert, écon. polit. ; lat. *protectio,* de *protegere* (v. PROTÉGER). || **protectionnisme** 1845, Besch. || **protectionniste** 1845, Besch. || **protecteur** début XIIIe s., personne qui protège ; 1730, Rollin, adj., qui protège un objet ; lat. *protector.* || **protectorat** 1751, Voltaire, dignité de protecteur ; 1846, Besch., emploi colonial.

protée 1608, N. Rapin, personne inconstante ; 1869, L., zool. ; lat. *Proteus,* dieu marin qui changeait de forme à volonté. || **protéiforme** 1761, *Journ. de méd.* || **protéacées** 1816, Candolle, bot.

protéger fin XIVe s. ; 1788, Féraud, écon. polit. ; lat. *protegere,* couvrir, de *pro,* en avant, et *tegere,* couvrir. || **protégé** n. m., 1747, Gresset. || **protège-bas** 1963, Lar. || **protège-cahier** début XXe s. || **protège-dents** 1924, Montherlant. || **protège-parapluie** XXe s. || **protège-tibia** 1962, Robert.

protéine 1838, Berzelius ; gr. *prôtos,* premier, et suff. *-éine ;* nombreux composés, type *hétéroprotéines, nucléoprotéines, phosphoprotéines,* etc., XIXe-XXe s. || **protéinurie** 1963, Lar. || **protéolyse** 1904, Lar. || **protéide** 1923, Lar., chim. (en angl. *proteid,* fin XIXe s.) ; de *protéine,* par changem. de suff. || **protéique** 1838, *Bull. sciences phys.* (V. PROTIDE.)

protèle 1842, *Acad.,* zool. ; gr. *pro-,* devant, et *telêeis,* parfait.

protéroglyphes fin XIXe s., zool. ; gr. *proteros,* premier, et *gluphê,* cannelure ; serpent dont les dents antérieures sont creusées d'un sillon pour l'écoulement du venin.

protester 1343, Runkewitz, déclarer formellement ; 1611, Cotgrave, comm., faire un protêt ; 1540, Calvin, attester solennellement et publiquement ; 1650, Retz, *protester de,* sens mod. ; lat. *protestari,* déclarer publiquement, de *testari,* attester. || **protêt** 1479, G., déclaration ; début XVIIe s., comm. || **protestable** 1876, Dansaert, comm. || **protestant** 1546, G., adj., qui embrasse la religion réformée ; avec infl. de l'allem. *Protestant ;* 1585, *Satires,* n. || **protestantisme** 1623, Delb., relig. || **protestation** 1265, J. de Meung, déclaration ; 1283, Beaumanoir, contestation ; lat. *protestatio.* || **protestataire** 1842, Mozin.

prothalle 1845, Besch., bot. ; de *pro* et *thalle.*

prothèse V. PROSTHÈSE.

protide 1838, *Bull. sciences phys. ;* de *protéine* (v. ce mot), avec changem. de suff. || **protidique** 1962, Robert.

protiste 1876, Ch. Martins, hist. nat. ; gr. *prôtos,* premier ; être vivant unicellulaire. || **protistologie** 1923, Lar.

protocole 1355, *D. G.* (*prothecolle*) ; 1596, Hulsius (*protocole*), « minute d'un acte » ; 1606, Nicot, formulaire de la correspondance officielle et privée ; 1829, Boiste, ensemble des règles de préséance officielles ; lat. jurid. *protocollum,* feuille collée aux chartes (*Code Justinien*) ; gr. *prôtokollon,* « ce qui est collé en premier », de *kollân,* coller. || **protocolaire** 1904, Lar.

protogyne 1806, *Journ. des mines,* sorte de granite ; début XXe s., bot. ; gr. *prôtos,* premier, et suff. *-gyne.* || **protogynie** 1904, Lar.

proton 1920, Rutherford (en angl.) ; 1949, Lar. (en français), phys. ; gr. *prôton,* neutre de *prôtos,* premier. || **protonique** 1949, Lar.

protonotaire 1378, J. Le Fèvre ; lat. eccl. *protonotarius,* du gr. *prôtos,* premier. (V. NOTAIRE.)

protophyte 1839, Boiste, bot. ; gr. *prôtos,* premier, et *-phyte.*

prototype 1552, Rab., modèle ; 1904, Lar., sens actuel ; lat. *prototypus,* mot gr. || **prototypique** 1842, *Acad.* (V. TYPE.)

protozoaire 1834, Boiste, zool. ; gr. *prôtos,* premier, et *zôarion,* animalcule. || **protozoologie** 1941, Caullery.

protraction 1869, L. ; bas lat. *protractio,* prolongement, de *protrahere,* tirer en avant.

protrus 1878, Lar. ; lat. *protrusus,* de *protrudere,* pousser en avant. || **protrusion** 1869, L.

protubérant 1560, Paré ; part. prés. bas lat. *protuberans,* de *tuber,* excroissance. || **protubérance** 1687, Barbier, anat. ; 1868, L., astron. || **protubérantiel** 1868, *Moniteur.*

protuteur 1667, d'après Furetière ; lat. *protutor,* qui remplace le tuteur.

***prou** 980, *Passion* (*proud*) ; XIIe s. (*preu*), n. m., « profit » ; 1080, *Roland* (*prod*) ; XIIIe s. (*prou*), adv., « beaucoup », forme proclitique de *preu ;* auj., seulem. dans la loc. *peu ou prou,* 1600, O. de Serres ; lat. pop. *prōde.* (V. PREUX, PRUDE, PRUD'HOMME.)

proue 1246, Jal (*proe*) ; 1382, Ph. de Mézières (*proue*) ; prov. *proa,* lat. *prōra.*

prouesse V. PREUX.

prout XIIIe s., G., pet ; onomat.

***prouver** XIe s., *Chanson de Guillaume* (*prover*), « mettre à l'épreuve » ; 1130, *Eneas,* « établir la vérité de » ; lat. *probare,* mettre à l'épreuve, d'où « approuver, prouver ». || **preuve** 1175, Chr. de Troyes (*prueve*) ; d'après les formes toniques de l'anc. fr. (il *prueve,* etc.). || **prouvable** 1265, J. de Meung. || **éprouver** 1080, *Roland,* « mettre à l'épreuve » et « apprendre par expérience » ; 1273, Ibn Ezra, « ressentir ». || **épreuve** 1160, Benoît ; fin XVIe s., imprimerie. || **éprouvette** 1503, Chauliac. || **contre-épreuve** 1676, Félibien

provéditeur 1669, Widerhold ; ital. *provveditore,* du lat. *providere,* pourvoir ; fonctionnaire de la république de Venise.

provençal XIIIe s. (*provencial*) ; 1574, G. (*provençal*) ; de *Provence,* lat. *Provincia,* la Province (partie de la Narbonnaise) ; n. m., 1836, Gabrielli. || **provençalisme** 1836, Gabrielli.

provende 1131, *Couronn. Loïs,* provision de vivres ; lat. eccl. *praebenda* (v. PRÉBENDE), avec adaptation d'après les mots en *pro-.*

provenir 1210, *Folque de Candie,* prendre origine ; sens lat., du XIVe au XVIe s. ; 1460, Bartzsch, « résulter de » ; lat. *provenire,* se produire, proprem. « venir en avant » ; a signifié « se produire ». || **provenance** 1294, G. (*prouvenanche*) ; 1801, Mercier (*provenance*), lieu d'origine ; 1834, Balzac, comm.

proverbe 1175, Chr. de Troyes, sens usuel ; milieu XVIIe s., petite comédie ; lat. *proverbium,* de *verbum,* mot. || **proverbial** 1487, Garbin ; lat. *proverbialis.* || **proverbialement** 1654, Sarrasin. || **proverbialiser** 1594, H. Est.

providence 1160, Benoît, « prévision » ; fin XIIe s., Reclus de Moiliens, sagesse divine ; lat. *providentia,* « prévision », et, dès le Ier s. (Sénèque), « sagesse divine prévoyant tout et pourvoyant à tout », de *providere,* pourvoir. || **providentiel** fin XVIIIe s., Cerruti, relig. ; d'après l'angl. *providential ;* 1836, Stendhal, inattendu et favorable. || **providentiellement** 1836, Stendhal. || **providentialisme** av. 1865, Proudhon, philos. || **providentialiste** 1866, Vallès.

provigner V. PROVIN

***provin** fin XIIe s., R. de Moiliens (*provain*), vitic. ; 1538, R. Est. (*provin*) ; lat. *prŏpāginem,* acc. de *prŏpāgo,* de *propagare,* au sens de « provigner » (v. PROPAGER). || **provigner** fin XIe s., *Gloses de Raschi* (*provainier*) ; 1155, Wace (*provignier*). || **provignement** 1538, R. Est. || **provignage** 1611, Cotgrave.

province 1155, Wace, eccl. ; 1213, *Fet des Romains,* ensemble des territoires hors la métropole ; lat. *provincia* (dont la forme pop. est *Provence*). || **provincial** XIIIe s., eccl. ; 1671, Pomey, n. m., eccl. ; 1671, Pomey, adj., sens usuel ; 1588, Montaigne, péjor. || **provincialement** 1800, Boiste. || **provincialat** 1694, *Acad.,* eccl. || **provincialisme** 1779, *Journ. Par.* || **provincialisé** 1868, Goncourt. || **provincialiser (se)** 1848, Chateaubriand. || **déprovincialiser** milieu XVIIIe s., Voltaire.

proviseur 1360, Froissart, fournisseur ; 1688, Miege, administrateur d'un collège ; 1812, Mozin, directeur de lycée ; lat. *provisor,* de *providere,* pourvoir. (V. PROVISION.) || **protal** 1920, Esnault ; abrév., arg. scol. || **proto** 1905, Esnault. || **provisorat** 1835, *Acad.*

provision 1265, Br. Latini, droit canon ; 1398, *Ménagier,* « prévoyance, précaution » ; 1460, Chastellain, « somme versée d'avance » ; XVe s., pl., denrées amassées par prévoyance ; *par provision,* 1460, Chastellain, jurid. ; lat. *provisio,* action de pourvoir, de *providere* (v. POURVOIR). || **provisionnel** 1484, *Doc.* (*provisionnal*) ; 1578, d'Aubigné (*provisionnel*). || **approvisionner** 1500, Authon. || **approvisionnement** 1636, Monet. || **approvisionneur** 1774, Brunot. || **réapprovisionner, réapprovisionnement** 1877, Lar.

provisoire 1499, Isambert ; lat. médiév. *provisorius,* de *provisus,* part. passé de *providere,* pourvoir. || **provisoirement** 1694, *Acad.* (V. le précéd.)

provoquer 1120, *Ps. d'Oxford* (*purvoquer*), « exciter » ; fin XIIe s., *Dial. Grégoire* (*provochier*) ; 1355, Bersuire (*provoquer*) ; lat. *provocare,* « appeler dehors », de *pro,* en avant, et *vocare,* appeler. || **provocant** 1120, *Ps. d'Oxford* (*purvocant*), incitant ; XVe s., n. m., jurid., « demandeur » ; 1775, Restif de la Bretonne, adj., sens usuel. || **provocation** fin XIIe s., Herman de Valenciennes, « appel » ; 1314, Mondeville, méd., « appel » ; 1549, R. Est., droit pénal ; 1536, M. Du Bellay, sens actuel ; lat. *provocatio.* || **provocateur** début XVIe s., « auteur d'une querelle » ; 1812, Mozin, « qui vexe » ; lat. *provocator.*

proxène 1765, *Encycl.,* hist. gr. ; gr. *proxenos,* de *xenos,* étranger ; hôte officiel d'une cité.

proxénète 1521, *Coutumier,* « courtier » ; 1527, *Bull. Soc. hist. Paris,* « entremetteur » ; lat. *proxeneta,* courtier, et par ext. entremetteur, du gr. *proxenetês,* de *xenos,* étranger, hôte. || **proxénétisme** 1841, *les Français peints par eux-mêmes.*

proximité XIVe s., Bouthillier, proche parenté ; 1543, *Recueil des lois,* sens mod. ; lat. *proximitas,* de *proximus,* très près (d'où est issu l'anc. fr. *proixime,* proche parent) ; *à proximité,* 1835, *Acad.* || **proximal** 1932, Lar. ; d'après l'angl. *proximal.*

*__proyer__ XIIIe s., *Romania* (*praer*) ; 1555, Belon (var. *pruyer, preyer*), ornith. ; réfection de l'anc. fr. *praiere* (fin XIIe s.), « (oiseau) des prés », dér. anc. de *pré,* ou issu d'un lat. pop. **pratarius.* (V. PRÉ.)

prude 1165, Gautier d'Arras (*preudre*), « vertueux » ; 1648, Scarron, sens actuel, n. f. et adj., « femme sage », puis « d'une réserve affectée » ; ellipse de *prude femme* (1175, Chr. de Troyes), même sens, de *femme* et de *prude* (v. PRUD'HOMME). || **pruderie** 1666, Molière.

prudent fin XIe s., *Fragment d'Alexandre,* sage ; 1573, Chesneau, sens actuel ; lat. *prudens,* « prévoyant, sage », contraction de *providens* (v. POURVOIR). || **prudemment** 1370, Oresme. || **prudence** début XIIIe s. ; lat. *prudentia.* || **imprudent** 1491, Vaganay ; lat. *imprudens.* || **imprudemment** 1508, Vaganay. || **imprudence** 1370, Oresme ; lat. *imprudentia.*

prud'homme 1080, *Roland* (*prodome*), « homme de valeur » ; fin XIIe s. (*preudome*), « homme expert dans un métier » ; 1690, Furetière, artisan nommé pour assister les jurés ; 1806, *Bull. des lois,* restreint au *conseil des prud'hommes,* jurid. comm. ; de *homme* et de *prod* (var. *proz,* puis *preux*), au sens de « sage » ; bas lat. *prōdis,* de *prōde* (v. PREUX). || **prud'homie** 1372, Oresme. || **prud'homal** 1907, Lar., jurid. comm. || **prudhommesque** 1853, Goncourt ; tiré du nom de Joseph *Prudhomme,* type de bourgeois sentencieux et sot, créé par H. Monnier (1830). || **prudhommerie** 1877, L. ; même étym.

pruine 1120, *Ps. de Cambridge,* « gelée blanche » ; 1842, Mozin, bot. ; lat. *prūina.*

*__prune__ 1265, J. de Meung ; fin XIIe s., R. de Moiliens, objet sans valeur ; 1780, Havard, violet ; lat. pop. *prūna,* neutre plur., pris comme subst. fém. sing., de *prūnum* (v. POIRE, POMME). || **pruneau** 1507, texte de Lille (*proniaulx*) ; 1844, Balzac, pop., projectile. || **prunier** début XIIIe s., *Otinel* (*pruner*) ; XVe s. (*prunier*). || **prunelle** 1175, Chr. de Troyes, fruit ; fin XIe s., *Gloses de Raschi,* pupille de l'œil. || **prunellier** début XIIIe s., en provençal. || **prunelée** n. f., 1803, Boiste. || **prunelaie** 1636, Monet (*pruneraie*) ; 1690, La Quintinie (*prunelaie*).

prurigo 1825, *Doc.,* méd. ; mot lat., « démangeaison ». || **prurigineux** 1363, Chauliac ; lat. *pruriginosus.* || **prurit** 1271, *Dan. di Cremona ;* lat. *pruritus,* de *prurire,* démanger.

prurit V. PRURIGO.

prussiate 1787, Guyton de Morveau ; de *Prussia,* Prusse, d'après *bleu de Prusse,* 1723, Savary (découvert en 1709 par le chimiste prussien Dippel). || **prussique** 1787, Guyton de Morveau.

prytane 1732, Trévoux, hist. gr. ; gr. *prutanis,* chef, maître. || **prytanat** 1878, Lar. || **prytanée** 1579, Lostal, hist. gr. ; 1653, Pellison, école pour les fils de militaires ; gr. *prutaneion,* édifice où s'assemblaient les prytanes.

psallette 1643, Brunot, eccl. ; gr. *psalleîn,* faire vibrer une corde, psalmodier ; maîtrise d'une église.

psalliote 1845, Besch., bot. ; gr. *psalis,* en forme de ciseaux.

psalmiste 1170, *Rois ;* lat. chrét. *psalmista* (IVe s., saint Jérôme), du gr. *psalmistês* (v. PSAUME). || **psalmique** 1869, L. ; gr. *psalmikos,* de *psalmos,* psaume. || **psalmistique** 1812, Boiste.

psalmodie 1112, *Voy. de saint Brendan ;* lat. chrét. *psalmodia* (IVe s., saint Jérôme), mot gr., de *psalmos* (v. PSAUME) et *ôdê,* chant. || **psalmodier** 1403, *Internele Consolacion.*

psaltérion 1155, Wace (*psalterium*), instrum. de mus. ; 1190, *Rois* (*psalterion*) ; lat. *psalterium,* du gr. *psaltêrion.* (V. le suivant.)

psammophyte 1932, Lar. ; gr. *psammos,* sable, et *phuton,* plante.

psaume 1120, *Ps. d'Oxford* (*psalme*) ; XIIIe s., G. (*psaume*) ; francisé en *salme, saume* (1155, Wace), qui se rencontre jusqu'au XVIe s. ; lat. eccl. *psalmus* (IIIe s., Prudence), du gr. *psalmos,* de *psalleîn,* faire vibrer une corde, d'où « psalmodier ». (V. PSALMODIE) || **psautier** 1190, Garn. (*psaltier ;* var. francisée *saltier, sautier,* 1119, Ph. de Thaon) ; lat. eccl. *psalterium* (déjà en lat. class.), du gr. *psaltêrion.* (V. PSALTÉRION.)

pschent 1830, Robert, hist. égypt. ; égyptien démotique *skhent,* précédé de l'article *p.*

pschitt fin XIXe s. ; onomat.

pseud(o)-, gr. *pseudês,* menteur, au sens de « prétendu, faux ». || **pseudarthrose** 1843, Landais. || **pseudencéphale** 1842, *Acad.* || **pseudocarpe** 1869, L. || **pseudo-classique** XXe s. || **pseudo-classicisme** XXe s. || **pseudonévroptères** 1923, Lar., entom. || **pseudonyme** 1690, Furetière ; gr. *pseudônumos,* de *onoma,* nom. || **pseudonymie** 1842, *Acad.* || **pseudopode** 1827, *Acad. ;* sur *-pode.* || **pseudoscope** 1869, L. || **pseudosmie** 1878, Lar. ; gr. *osmê,* odeur.

psitt, pst interj., 1869, L. ; imite le sifflement.

psittacidés 1827, *Acad.* (*psittacins*) ; 1875, Lar. (*psittacidés*) ; lat. *psittacus,* gr. *psittakos,* perroquet. || **psittacisme** 1704, Leibniz, fig. || **psittacose** 1904, Lar.

psoas 1732, Trévoux, anat. ; gr. *psoa,* lombes.

psoque 1827, *Acad.,* entom. ; gr. *psôkheîn,* gratter.

psore ou **psora** 1538, Canappe (*psora*), méd. ; 1572, Des Moulins (*psore*) ; lat. *psora,* gr. *psôra,* gale. || **psoriasis** 1822, *Nouveau Dict. méd. ;* gr. *psôriasis,* éruption galeuse ; méd. || **psorique** 1761, Levret.

psych(o)-, gr. *psukhê,* âme. || **psychanalyse** 1914, Régis et Hesnard ; all. *Psychoanalyse.* || **psychanalytique** 1920, Claparède. || **psychanalyste** XXe s. || **psychanalyser** XXe s. || **psychasthénie** 1903, Janet ; sur *asthénie,* manque de force. || **psychasthénique** *ibid.* || **psychédélique** 1967, *journ. ;* gr. *dêlos,* manifeste. || **psychiatre** 1802, Laveaux ; gr. *iatros,* médecin. || **psychiatrie, psychiatrique** 1842, *Acad.* || **psychiatriser** 1975, Lar. || **psychique** 1557, Dupuyherbault, « matérialiste » ; 1721, Trévoux, « animal, vital » ; 1808, Boiste, sens mod. || **psychisme** 1812, Quesné, théorie psychol. ; 1906, Grasset, sens mod. || **psychochirurgie** 1950, Puech ; sur *chirurgie.* || **psychocritique** 1949, Mauron. || **psychodrame** 1951, Palmade ; sur *drame.* || **psychodramatique** *id.* || **psychogène** 1952, Porot. || **psychogenèse** 1951, Piéron. || **psychographie** 1834, Ampère. || **psycholinguistique** 1946, Quillet. || **psychologie** fin XVIe s., Taillepied, science de l'apparition des esprits ; 1690, Dionis, science de l'âme, par oppos. à *anatomie ;* vulgarisé, début XIXe s., par Maine de Biran et ses disciples ; lat. mod. *psychologia,* fait par Mélanchthon (1497-1560), du gr. *psukhê* et de *logos,* science. || **psychologique** 1780, *Encycl.* || **psychologiquement** 1875, Lar. || **psychologue** 1760, Bonnet, spécialiste de psychologie ; 1904, Lar., sens général. || **psychologisme** 1887, Bergerat. || **psychométrie** 1842, *Acad.* (*psychomètre,* 1764, Bonnet, vx). || **psychomoteur** 1877, L. || **psychomotricité** 1952, Porot. || **psychonévrose** 1904, Dubois. || **psychonévrotique** XXe s. || **psychopathie** 1878, Lar. || **psychopathe** XIXe s. || **psychopathologie** fin XIXe s. || **psychopédagogie** 1952, *journ.* || **psychopharmacologie** 1963, Piéron. || **psychophysiologie** 1904, Lar. || **psychophysiologique** 1881, Ribot. || **psychophysique** 1754, Bonnet ; sur *physique.* || **psychopompe** 1842, *Acad.,* mythol. ; gr. *psukhopompos,* qui conduit les âmes, de *pompos,* « qui conduit ». || **psychose** 1859, *Journ. méd.* || **psychotique** 1904, Lar. || **psychosomatique** 1946, *journ.* || **psychostasie** 1827, *Acad.,* mythol. égyp. ; gr. *psukhostasia,* pesée de l'âme, de *stasis,* action de peser. || **psychotechnique** 1948, Palmade. || **psychotechnicien** XXe s. || **psychothérapie** 1904, Lar. || **psychothérapeute** 1962, Robert.

1. **psyché** 1812, *Journ. des dames,* « miroir » ; du nom de *Psyché,* en gr. *Psukhê,* jeune fille de la mythol. gr., célèbre pour sa beauté ; de même rac. que les suiv.

2. **psyché** 1842, *Acad.,* philos. ; gr. *psukhê,* âme.

psychromètre 1732, Trévoux ; gr. *psukhros,* froid. || **psychrométrie** 1842, *Acad.* || **psychrophile** 1963, Lar.

1. **psylle** 1765, *Encycl. ;* lat. *Psylli,* gr. *Psulloi,* nom d'un peuple de Cyrénaïque.

2. **psylle** 1869, L., entom. ; gr. *psulla,* puce.

ptéridophytes v. 1920, Lar., bot. ; gr. *pteris, -idos,* fougère, et *phuton,* plante.

ptéro-, gr. *pteron,* plume, aile. || **ptéranodon** 1904, Lar. ; gr. *anodous,* sans dent. || **ptérodactyle** 1821, Wailly, zool. || **ptérodon** 1875, Lar. ; gr. *odous,* dent. || **ptéropodes** 1809, Lamarck, zool. || **ptérosauriens** 1904. Lar. || **ptérygion** 1538, Canappe (*ptérigien*), méd. ; 1842, *Acad.,* bot. et zool. ; gr. *pterugion,* petite aile. || **ptéryle** fin XIXe s., zool.

ptérygoïde 1690, Dionis ; gr. *pterugoeides,* qui ressemble à une aile, gr. *pterux, -ugos,* aile. || **ptérygote** 1875, Lar.

ptomaïne 1888, Lar. ; ital. *ptomaina,* tiré en 1878, par Selmi, du gr. *ptôma,* cadavre.

ptôse 1907, Lar., méd. ; gr. *ptôsis,* chute.

ptyaline 1842, *Acad.,* chim. ; gr. *ptualon,* crachat. || **ptyalisme** 1723, J.-L. Petit, méd. ; gr. *ptualismos.*

pub 1932, Lar. ; mot angl., de *public-house,* de l'adj. *public,* et de *house,* maison.

pubère fin XIVe s. ; lat. *puber,* de même rad. que *pubis* (v. ce mot). || **puberté** 1362, *Amphorismes Ypocras ;* lat. *pubertas.* || **pubertaire** 1963, Lar. || **impubère** 1488, *Mer des hist. ;* lat. *impubes, -eris.*

pubescent 1516, G. Michel, propre à la puberté ; 1797, Bulliard, sens actuel ; part. prés. lat. *pubescens,* « qui est couvert de poils » (v. PUBIS). || **pubescence** fin XVe s., « puberté » ; 1803, Boiste, bot.

pubis 1478, Chauliac, « poil » (signe de puberté) ; 1534, *Romanische Forschungen,* anat., « os pubis » ; lat. *pubis,* var. de *pubes,* « poil follet », d'où « os pubis ». || **pubien** 1796, *Bull. Soc. philomath.*

public 1239, d'après Tailliar (*publique*) ; fin XVe s., Commynes (*public*), adj., « qui concerne tout le peuple » ; 1355, Bersuire, « qui est connu de tout le monde » ; fin XIVe s., n. m., ensemble des gens ; 1751, Duclos, public d'un spectacle ; *ennemi public,* fin XVIe s. ; *fille publique,* 1771, Trévoux ; *ministère public,* milieu XVIIe s. ; *services publics,* 1835, *Acad. ; pouvoirs publics,* 1791, Gautier ; *en public,* XIIIe s. ; lat. *publicus,* qui concerne le peuple, de *populus,* peuple ; le nom est issu du neutre substantivé au sens de « domaine public ». || **publicité** XVIe s., « crime commis devant tous » ; 1694, *Acad.,* notoriété publique ; 1829, *Album Grandjean,* réclame. || **pub** 1970, *journ. ;* abrév. de *publicité.* || **publicitaire** adj., 1932, Lar. ; n. m., agent de publicité, *id.* || **publiciste** 1748, *Nouvelle Bibliothèque germanique,* « qui écrit sur le droit public » ; 1789, Marat, « journaliste ». || **public relations** 1959, *journ. ;* mot angl., de *public,* publique, et *relation,* relation.

publicain 1190, *Saint Bernard,* hist. ; 1549, R. Est., fig. ; lat. *publicanus,* fermier d'impôts publics, de *publicus,* public.

publier 1175, Chr. de Troyes, rendre public ; début XIVe s., faire paraître (un ouvrage) ; lat. *publicare,* de *publicus,* public. || **publiable** 1639, Richelieu. || **publication** 1290, Langlois, action de publier ; 1549, R. Est., sens actuel ; lat. *publicatio,* de *publicare,* montrer au public. || **publipostage** 1972, *journ. ;* de *publicité* et *poste.*

***puce** 1170, *Rois* (*pulce*) ; *mettre la puce à l'oreille,* fin XIIIe s., Condé, « provoquer chez quelqu'un le désir amoureux » et « inspirer des inquiétudes » ; seul a subsisté ce second sens ; *marché aux puces,* fin XIXe s. ; lat. *pūlex, -ĭcis.* || **puceron** XIIIe s., *D. G.* || **épucer** 1564, J. Thierry. || **pucier** adj., 1611, Cotgrave, « plein de puces » ; n. m., 1888, Sachs-Villatte, pop., « lit ».

***pucelle** fin IXe s., *Eulalie* (*pulcella*) ; 1119, Ph. de Thaon (*pucelle*), « jeune fille » ; 1608, Régnier, iron. ; lat. pop. **pullicella* (bas lat. *pulicella, Lois des Barbares,* VIe s.), de *puella,* jeune fille ; pour d'autres, de *pŭlla,* petit d'animal (v. POULE), avec altér. de *ŭ* en *ū* d'après *pūtus,* garçon. || **puceau** XIIIe s., La Curne (*pucel*), adj. ; 1530, Palsgrave (*puceau*), n. m. || **pucelage** 1160, Benoît. || **dépuceler** 1160, Benoît. || **dépuceleur** fin XVIe s. || **dépucelage** 1580, Montaigne.

puche 1904, Lar., techn. ; de *pucher,* forme normanno-picarde de *puiser* (v. PUITS). || **pucheux** 1765, *Encycl.* (*pucheur*) ; 1803, Boiste (*pucheux*).

pudding 1678, *Observ. par un voy. ;* 1752, Trévoux (*pouding*) ; mot angl., de même orig. que *boudin* (v. ce mot). || **plum-pudding** 1756, Voltaire ; de *plum,* raisin sec.

puddler 1834, *Ann. des mines,* techn. ; angl. (*to*) *puddle,* humecter. || **puddlage** 1827, Bonnafé. || **puddleur** 1859, Mozin.

pudeur milieu XVIe s. ; lat. *pudor,* de même rad. que *pudēre.* || **pudendum** 1765, *Encycl. ; pudenda,* 1845, Besch., « parties génitales » ; mots lat., « ce dont on doit avoir honte », adj. verbal (au sing. et au pl.) de *pudēre,* avoir honte. || **impudeur** 1659, *Échevins de Rouen.* || **pudique** 1444, G. ; lat. *pudicus.* || **impudique** XIVe s., J. Le Fèvre ; lat. *impudicus.* || **pudicité** 1417, G. ; lat. *pudicitas.* || **impudicité** 1398, E. Deschamps. || **pudibond** 1488, *Mer des hist. ;* lat. *pudibundus.* || **pudibonderie** 1842, *le Charivari.* || **impudent** 1560, Ronsard ; lat. *impudens.* || **impudence** v. 1500 ; lat. *impudentia.* || **impudemment** 1594, *Ménippée.*

pudibond V. PUDEUR.

***puer** XIIe s. (*puir*) ; 1660, Molière (*puer,* qui l'a emporté au XVIIe s.) ; lat. pop. **pūtire,* en lat. class. *pūtēre.* || **puant** 980, *Passion* (*pudent*) ; fin XIIe s. (*puant*) ; *bêtes puantes,* 1573, Du Puys ; part. prés. devenu adj. || **puamment** 1380, *Aalma.* || **puanteur** 1265, Br. Latini (*puantour*). || **puantise** 1320, Watriquet. || **empuantir** 1495, *Mir. historial.* || **empuantissement** 1636, Monet.

puéril 1460, Chastellain, « qui appartient à l'enfant » ; fin XVe s., péjor., « frivole » ; lat. *puerilis,* de *puer,* enfant. || **puérilement** début XVIe s. || **puérilité** fin XIVe s. ; lat. *puerilitas.* || **puériliser** 1801, Mercier. || **puérilisme** 1901, Dupré. || **puériculture** 1863, Dr Caron ; lat. *puer,* enfant. || **puéricultrice** 1932, Lar.

puerpéral 1783, Delaroche (*fièvre puerpérale*) ; lat. *puerpera,* « accouchée », de *puer,* enfant, et *parĕre,* enfanter. || **puerpéralité** 1845, Besch.

puff 1783, Proschwitz, « réclame » ; angl. *puff,* bouffée, onomatopée. || **puffisme** 1886, Drumont. || **puffiste** 1859, Bonnaffé.

puffin 1765, *Encycl.,* zool. ; mot anglais d'orig. obsc. ; oiseau voisin du pétrel.

pugilat 1570, G. Hervet ; lat. *pugilatus,* de *pugilari,* combattre à coups de poing et de ceste, de même rad. que *pugnus* (v. POING). || **pugiliste** 1789, *Courrier de l'Europe ;* de *pugile* (1531, J. de Vignay), lat. *pugil,* athlète de pugilat. || **pugilistique** 1875, Lar.

pugnace 1842, Sainte-Beuve, « combatif » ; 1904, Lar., fig. ; lat. *pugnax, -acis,* de *pugnare,* combattre. || **pugnacité** 1788, Pauw.

puîné 1155, Wace ; de *puis,* après, et *né.*

***puis** 1080, *Roland ;* lat. pop. **postius,* réfection du lat. class. *post, postea,* d'après *melius* (cf. l'anc. fr. *ainz,* « avant », de **antius,* sur *ante, antea*). || **depuis** XIIe s. ; de *de* et *puis.* || **puisque** 1080, *Roland ;* avec *s* prononcé, d'après *lorsque, jusque.*

puisard, puisatier, puiser V. PUITS.

***puissant** 1080, *Roland,* adj. ; 1530, Lefèvre d'Étaples, qui a le pouvoir ; part. prés. de *pouvoir,* d'après les formes *puis-* du verbe. || **puissamment** 1160, Benoît. || **puissance** 1120, *Ps. d'Oxford,* « autorité » ; 1680, Lamy, mathém. ; 1660, Corn., « État souverain ». || **impuissant** fin XVe s., sens gén. ; 1558, Des Périers, physiol. || **impuissance** milieu XIVe s. || **tout-puissant** fin XIIe s. ; d'après le lat. *omnipotens.* || **toute-puissance** 1370, Oresme ; d'après *omnipotentia.*

***puits** 1120, *Ps. de Cambridge* (*puz*) ; 1175, Chr. de Troyes (*puis*) ; *puits de science,* 1718, *Acad. ;* lat. *pŭteus.* || **puiser** 1112, *Voy. de saint Brendan* (*puchier*) ; v. 1175, Chr. de Troyes (*puisier*). || **puiseur** 1220, Coincy. || **puisage** 1731, *D. G.* || **puisard** 1690, Furetière. || **puisatier** 1845, Besch. ; a remplacé *puissier* (1301, Varin). || **puisette** 1328, G. || **puisoir** 1358, G. || **épuiser** 1120, *Ps. d'Oxford* (*espuisier*), « puiser de l'eau », et « mettre à sec » ; 1175, Chr. de Troyes, fig., « employer complètement des ressources » ; XVIe s., « affaiblir, abattre ». || **épuisant** adj., 1776, Voullonne. || **épuisé** 1664, Molière, fig., improductif ; 1842, Mozin, spécialem., librairie. || **épuisement** 1347, Varin, au pr. ; 1680, Richelet, perte des forces physiques. || **épuisable** 1355, Bersuire. || **inépuisable** 1440, Chastellain. || **épuisette** 1709, Hervieux.

pulicaire fin XIe s., *Gloses de Raschi* (*erbe policaire*) ; fin XVIIIe s. (*pulicaire*), bot. ; lat. *pulex, -icis,* puce ; herbe des lieux humides.

pullman 1892, Rousiers ; mot angl., abrév. de *pullman-car* (en fr., 1873, Hubner), du nom de l'ingénieur *Pullman,* de Chicago, qui inventa ce type de wagon vers 1870.

pull-over v. 1920, *journ. ;* comp. angl., de (*to*) *pull over,* « tirer par-dessus (la tête) ». || **pull** 1962, Robert ; abrév. de *pull-over.*

pulluler 1320, G. ; lat. *pullulare,* pousser, croître, de *pullulus,* dimin. de *pullus,* petit d'un animal (v. POULE). || **pullulation** 1555, Pasquier. || **pullulement** 1873, Zola.

pulmonaire XVe s., n. f., bot. ; fin XVIe s., méd. ; 1869, Lar., relatif aux poumons ; lat. *pulmonaria,* fém. de *pulmonarius ;* 1572, Peletier, n. m. et adj., méd. ; lat. *pulmonarius,* de *pulmo, -onis,* poumon. || **pulmonique** 1537, Lespleigney, méd. ; empl. au sens de « poitrinaire », du XVIIe au début du XIXe s. || **pulmonie** XIIIe s., pneumonie. || **pulmonés** 1827, *Acad.,* zool.

pulpe début XIIe s. (*polpe*) ; XIVe-XVIIe s. (*poulpe*) ; 1611, Cotgrave (*pulpe*) ; lat. *pulpa.* || **pulpeux** 1539, R. Est. (*poulpeux*). || **pulper** 1835, *Acad.,* pharm. || **pulpation** 1835, *Acad.* || **pulpaire** 1932, Lar. || **pulpite** 1878, Moynac, méd. || **pulpectomie** 1963, Lar. || **pulpoire** 1828, Mozin. || **dépulper** 1884, Gallet

pulque 1827, *Acad. ;* mot indien de l'Amérique centrale ; sorte de boisson.

pulsation XIVe s., *Chir. de Lanfranc,* « battement douloureux » ; 1560, Paré, physiol., sens mod. ; 1765, *Encycl.,* phys. ; lat. *pulsatio,* de *pulsus* (v. POULS). || **pulsatif** XIVe s., *Chir. de Lanfranc,* méd. || **pulsatile** milieu XVIe s. || **pulsatoire** 1842, *Acad.*

pulsion 1625, Stœr, action de pousser ; 1738, Voltaire, phys. ; début XXe s., psychol. ; lat. *pulsio,* de *pulsus,* part. passé de *pellere,* pousser. || **pulsé** adj., 1966, *journ.,* techn. || **pulsionnel** 1967, *journ.* (v. PROPULSION, RÉPULSION). || **pulsographe** 1878, Lar. || **pulsomètre** 1846, Besch. || **pulsoréacteur** 1949, Lar., aéron.

pultacé 1790, *Encycl. méthod.,* méd. ; *angine pultacée,* 1829, Boiste ; lat. *puls, pultis,* bouillie. || **pultation** 1904, Lar., pharm.

pulvérin milieu XVIe s. ; ital. *polverino,* de *polvere,* poussière. (V. PULVÉRISER.)

pulvériser 1314, Mondeville ; XVIIIe s., anéantir ; bas lat. *pulverizare,* de *pulvis, pulveris,* poussière (v. POUDRE). || **pulvérisation** fin XIVe s. || **pulvérisable** fin XIVe s. || **pulvériseur** 1845, Besch. || **pulvérisateur** 1869, L. || **pulvérulent** 1773, Parmentier ; lat. *pulverulentus.* || **pulvérulence** 1823, *Mém. Acad. sciences.*

pulvinar 1963, Lar., anat. ; mot lat. signif. « coussin de lit ».

puma 1633, Baudoin ; mot de la langue quichua (Pérou), par l'intermédiaire de l'esp.

pumicif 1875, Lar. ; lat. *pumex, -icis,* pierre ponce. (V. PONCE.)

***punais** adj., 1138, *Saint Gilles* (*pudneis*), « puant, fétide » ; XIIIe s. (*punais*) ; ne subsiste que dans *œufs punais ;* lat. pop. **pūtinasius,* de **pūtire,* puer, et *nasus,* nez, proprem. « qui sent mauvais du nez ». || **punaise** début XIIIe s. (*punoise*) ; 1256, Ald. de Sienne (*punaise*), entom. ; 1836, Vidocq, personne méprisable ; 1847, Besch., petit clou à tête plate et ronde, par anal. ; fém. substantivé de *punais.* || **punaiser** 1965, Sarrazin.

punaise V. PUNAIS.

1. **punch** 1653, Boullaye Le Gouz (*bolleponge,* bol de punch) ; 1688, Blome (*punch*) ; mot angl., attesté en 1632, probablem. de l'hindi *pânch,* cinq (cinq ingrédients composant cette liqueur).

2. **punch** v. 1925, *journ. ;* mot angl., « coup, horion », de (*to*) *punch,* de même étym. que POINÇON. || **puncheur** 1930, *journ.* || **punching-ball** 1911, Hémon.

punique 1398, E. Deschamps ; lat. *punicus,* carthaginois.

***punir** fin XIIe s., *Chevalier Ogier ;* lat. *pūnīre.* || **punissable** 1477, Bartzsch. || **punisseur** 1355, Bersuire. || **punitif** 1370, Oresme, disposé à punir ; 1786, Gohin, sens mod. || **punition** 1250, Espinas ; lat. *punitio.* || **impuni** 1348, *Arch. de Reims ;* lat. *impunitus.* || **impunément** XVIe s. || **impunité** 1355, Bersuire ; lat. *impunitas.*

puntarelle 1864, Lacaze ; mot d'orig. gasconne, du lat. *puncta,* pointe ; fragment de corail dont on fait des bracelets.

pupazzo milieu XIXe s., marionnette ; mot ital. de même orig. que POUPÉE.

pupe 1842, *Acad.,* zool. ; lat. *pupa,* poupée, petite fille. || **pupipares** 1827, *Acad.,* zool. ; de *-pare.* || **pupivore** 1827, *Acad.,* zool. ; de *-vore.*

1. **pupille** 1334, *D. G.,* jurid. ; *pupille de la nation,* 1923, Lar. ; lat. jurid. *pupillus,* enfant qui n'a plus ses parents, de *pupus,* petit garçon (v. POUPARD). || **pupillaire** 1409, G. ; lat. jurid. *pupillaris.* || **pupillarité** 1398, Du Cange.

2. **pupille** 1314, Mondeville, anat. ; lat. *pupilla,* « petite fille », fém. de *pupillus* (v. le précéd.), à cause de la petite image reflétée dans la pupille. || **pupillaire** 1727, *Mém. Ac. sciences.* || **pupillé** 1842, *Acad.,* zool. || **pupillomètre** 1975, Lar. || **pupilloscopie** 1932, lar.

pupitre 1357, G. (*pepistre*) ; fin XIVe s., Chr. de Pisan (*poulpitre*) ; 1467, Havard (*pupitre*) ; lat. *pulpitrum,* proprem. « estrade ».

pupuler 1611, Cotgrave (*puputer*) ; 1625, Binet (*pupuler*) ; de *puput,* nom pop. de la *huppe,* d'orig. onomatop.

***pur** adj., 980, *Passion ;* lat. *pūrus,* propre, sans mélange. || **purement** 1200, *Poème moral.* || **pur-sang** n. m., 1842, Mozin (v. SANG). || **pureté** fin XIIe s., *Chev. Ogier* (*purté*) ; 1324, G. (*pureté,* réfection de *purté*) ; bas lat. *pūritas.* || **pureau** 1676, Félibien. || **impur** XIIIe s. ; lat. *impurus.* || **impureté** 1398, E. Deschamps ; lat. *impuritas.* || **purifier** 1190, *Saint Bernard ;* lat. *purificare.* || **purifiant** 1470, *Livre discipline divine.* || **purification** *id.,* eccl. ; 1370, Oresme, relig. ; 1663, Richelet, sens général ; lat. *purificatio.* || **purificateur** 1547, M. de Navarre. || **purificatoire** n. m., 1610, Coton, eccl. || **puriste** 1586, Taillepied, relig. ; 1625, Camus, gramm. || **purisme** 1704, Trévoux, gramm. || **apurer** fin XIIe s., *Alexandre,* « purifier » ; 1611, Cotgrave (*un compte*). || **apurement** fin XIVe s., jurid.

|| **dépurer** XIIIe s., méd. ; lat. *depurare.* || **dépuration** 1265, J. de Meung. || **dépuratif** 1792, *Encycl. méth.* || **dépuratoire** 1731, *Journ. des savants.* || **épurer** 1220, Coincy (*espurer*) ; 1793, F. Brunot, polit. || **épuration** 1606, Nicot. || **épurateur** 1792, Frey, polit. ; 1870, Lar., techn. || **épure** 1676, Félibien. || **épurement** 1220, Coincy.

purée 1220, Coincy ; anc. v. *purer,* « purifier, nettoyer », empl. avec le sens partic. de « presser des légumes pour en exprimer la pulpe » ; 1878, Esnault, « misère », d'après la loc. métaph. *être dans la purée* (v. MOUISE) ; bas lat. *pūrāre,* de *pūrus* (v. le précéd.). || **purotin** 1886, Huysmans ; de *purée,* misère, avec la même finale que *calotin,* etc.

***purger** début XIIe s., « nettoyer, purifier », et jurid. ; XIVe s., méd. ; milieu XVIIe s., techn. ; d'empl. spécialisé en fr. mod. ; lat. *purgare,* « purifier », de *pūrus,* pur. || **purge** 1290, *Livre Roisin,* jurid. ; 1538, R. Est., méd. ; 1793, Brunot, polit. ; 1863, *journ.,* « vidange » ; déverbal. || **purgeur** 1576, Sasbout, « celui qui purge » ; 1869, Le Chatelier, techn. || **purgerie** 1722, Labat, techn. || **purgeoir** 1530, Lefèvre d'Étaples, « crible » ; 1752, Trévoux, techn. || **purgation** fin XIIe s., *Dial. Grégoire,* « purification » ; XIIIe s., méd., rare av. fin XVIe s., Montaigne ; lat. *purgatio.* || **purgatif** 1325, *D. G. ;* lat. *purgativus.* || **purgatoire** 1180, Marie de France, eccl. ; lat. eccl. *purgatorium,* « qui purifie ». || **épurge** XIIIe s. (*espurge*), bot. ; déverbal de l'anc. fr. *espurgier,* purger (1120, *Ps. de Cambridge*). || **expurger** début XVe s. ; lat. *expurgare,* nettoyer.

purifier, puriforme V. PUR, PUS.

purin 1842, *Acad. ;* mot rég., de l'anc. fr. *purer,* au sens de « s'écouler, nettoyer » (v. PURÉE). De même rad., les anc. mots rég. *puriel,* 1360, texte de Lille, et *pureau,* 1457, texte de Tournai. || **purot** 1842, *Acad.,* fosse à purin ; mot de l'Ouest. || **purette** 1752, Trévoux. || **puron** 1768, *Encycl.*

puritain 1562, Ronsard, eccl. ; XVIIIe s., fig. ; angl. *puritan,* de *purity,* pureté (v. PUR), nom pris par les calvinistes de Grande-Bretagne, qui se disaient plus attachés à la pureté du dogme que les autres presbytériens. || **puritanisme** 1691, Bossuet, eccl. ; 1845, Besch., rigorisme.

purotin V. PURÉE.

purpura 1837, Billard, méd. ; lat. *purpura,* pourpre. (V. POURPRE.) || **purpuracé** 1839, Boiste. || **purpurin** adj., début XIVe s. ; réfection, d'après le lat. *purpura,* de l'anc. adj. *pourprin* (1119, Ph. de Thaon). || **purpurine** n. f., 1731, Trévoux, techn.

purulent V. PUS.

pus 1520, Chauliac ; lat. *pūs, pūris.* || **puriforme** 1765, *Encycl.* || **purulent** XIIe s., *Chev. au cygne ;* lat. *purulentus,* de *pūs, pūris.* || **purulence** 1555, Aneau. || **puruler** 1560, Charrière. (V. PUSTULE, SUPPURER.)

pusillanime 1265, Br. Latini ; bas lat. *pusillanimus* (*Vulgate*), de *pusillus animus,* « esprit mesquin ». || **pusillanimement** début XVe s. || **pusillanimité** fin XIIIe s..

pustule 1314, Mondeville ; lat. *pustula,* de même rad. que *pūs,* pus. || **pustuleux** milieu XVIe s. ; lat. *pustulosus.* || **pustulé** milieu XVIe s. || **pustulation** 1834, Taxil.

putain, putassier V. PUTE.

putatif 1398, E. Deschamps ; lat. jurid. médiév. *putativus,* du lat. *putare,* compter, estimer.

***pute** 1240, G. de Lorris ; fém. de l'anc. adj. *put,* puant, sale (1080, *Roland,*), lat. *pūtĭdus,* de *pūtēre* (v. PUER) ; repris en fr. d'auj. d'après le prov. mod. *puto,* de même étym. || **putain** 1119, Ph. de Thaon, anc. cas régime en *-ain* de *pute ;* pour la morphol., v. NONNAIN. || **putinerie** 1866, Goncourt. || **putasse** 1558, Morel, putain. || **putasser** 1486, Alexis. || **putassier** 1549, *D. G.* || **putasserie** 1606, Crespin.

putier ou **putiet** milieu XVIIe s., bot. ; de l'anc. adj. *put ;* nom du merisier. (V. le précéd.)

putois 1175, Chr. de Troyes ; de l'anc. adj. *put,* puant, du lat. *pūtĭdus,* de *pūtēre.* (V. PUER.) || **putoisé** 1925, Genevoix.

putréfier 1314, Mondeville ; lat. *putrefacere,* de *putris,* pourri (v. POURRIR), avec adapt. d'après les v. en *-fier.* || **putréfaction** 1314, Mondeville ; 1791, Mirabeau, « corruption » ; bas lat. *putrefactio.* || **putréfiable** 1875, Lar. || **putrescent** 1549, R. Est. ; lat. *putrescens,* part. prés. de *putrescere,* se putréfier, de *putris,* pourri. || **putrescence** 1801, Fourcroy. || **putrescible** 1380, Conty ; bas lat. *putrescibilis.* || **imputrescible** 1488, *Mer des hist. ;* lat. *imputrescibilis.* || **putrescibilité** 1765, *Encycl.* || **imputrescibilité** 1859, Mozin.

putride 1256, Ald. de Sienne ; lat. *putridus,* de *putris,* pourri. || **putridité** 1769, Le Bègue de Presle.

putsch v. 1925, *journ.*, d'abord à propos de l'Allemagne ; mot allem., proprem. « échauffourée ». || **putschiste** 1929, Langenscheidt.

putter 1900, Bonnafé ; mot angl., (*to*) *putt*, jouer avec un club de golf.

putto fin XIXe s., beaux-arts ; mot ital., proprem. « petit enfant », du lat. pop. *puttus*, en lat. class. *putus*.

***puy** 1080, *Roland* (*pui*), montagne, auj. rég. ; lat. *podium*, soubassement, du gr. *podion*, de *poûs, podos*, pied. (V. APPUYER.)

puya 1875, Lar., bot. ; mot esp., d'un dial. du Chili.

puzzle début XXe s., au pr. ; 1913, Maeterlinck, fig. ; mot angl., de (*to*) *puzzle*, embarrasser.

pycnomètre 1898, Littré, phys. ; gr. *puknos*, épais, et *-mètre*.

pyélite 1849, Bossu ; gr. *puelos*, « cavité, bassin » ; infection du bassinet. || **pyélographie** 1923, Lar. || **pyélonéphrite** 1878, Lar. || **pyéloscopie** 1963, Lar. || **pyélostomie** 1963., Lar.

pygargue 1482, Corbichon (*pigart*) ; 1770, Buffon (*pygargue*), zool. ; lat. *pygargus*, du gr. *pugargos*, de *pugê*, croupion, et *argos*, blanc.

pygmée 1247, G. (*pigmain, pymeau*) ; 1491, Vaganay (*pygmée*), au sens lat. ; 1588, Montaigne, fig. ; 1756, Voltaire, ethnol. ; lat. *Pygmaeus*, du gr. *Pugmaios*, nom d'un peuple légendaire de nains. || **pygméen** 1842, *Acad.*

pyjama 1837, *Journal des jeunes personnes* (*pyjaamah*), sorte de vêtement de jour ; fin XIXe s. (*pyjama*), vêtement de nuit ; angl. *pyjamas*, de l'hindî *pāē-jāma*, pantalon ample et bouffant, de *jāma*, « vêtement », et *paē*, « de jambes ».

pylône 1819, Boiste, hist., appliqué aux temples égyptiens ; 1904, Lar., techn., mod. ; gr. *pulôn*, portail de temple, de *pulê*, porte.

pylore 1552, Rab., anat. ; lat. méd. *pylorus* (C. Aurelius), gr. *pulôros*, proprem. « portier », de même rad. que le précéd. || **pylorique** 1765, *Encycl.* || **pylorisme** 1898, Littré.

pyo-, gr. *puon*, pus. || **pyodermite** 1932, Lar. || **pyogène** 1827, *Acad.* (*pyogénie*). || **pyogenèse** 1932, Lar. || **pyohémie** 1845, Besch. || **pyorrhée** 1827, *Acad.* || **pyurie** 1803, Boiste.

pyrale 1550, Ronsard (*pyralide*) ; 1622, Binet (*pyrale*), entom. ; lat. *pyralis*, mot gr., de *pûr*, feu.

pyramide début XIIe s., *Thèbes*, archit. ; 1370, Oresme, géom. ; lat. *pyramis, -idis*, du gr. *puramis, -idos*, monument égyptien, et géom. || **pyramidal** XIIIe s., Tobler-Lommatzsch ; bas lat. *pyramidalis*. || **pyramider** 1490, G. || **pyramidion** 1842, *Acad.*

pyramidon 1899, Bocquillon ; de *antipyrine* (gr. *pûr*, feu) et de *amide*.

pyrénomycètes 1842, *Acad.*, bot. ; gr. *purên*, noyau, et *-mycète*.

pyrét-, pyréto-, gr. *puretos*, fièvre, de *pûr*, feu. || **pyrétique** 1765, *Encycl.* || **pyrétogène** 1904, Lar. || **pyrétothérapie** 1932, Lar. || **Pyrex** n. dépos., 1962, Robert ; mot anglo-américain.

pyrèthre 1256, Ald. de Sienne (*piretre*), bot. ; lat. *pyrethrum*, du gr. *purethron*, de *pûr*, feu.

pyrexie 1809, Wailly, méd. ; de l'infin. gr. *puresseîn*, avoir la fièvre ; nom générique des maladies qui donnent la fièvre.

pyridine 1839, Boiste, chim. ; gr. *pûr*, feu.

pyrite XIIe s., Marbode, chim. ; gr. *puritês* (*lithos*), « (pierre) de feu », de *pûr*, feu. || **pyriteux** milieu XVIIIe s., Buffon.

pyro-, gr. *pûr, puros*, feu. || **pyrique** 1765, *Acad.*, || **pyroélectricité** 1842, *Acad.* (*pyroélectrique*). || **pyrofuge** 1963, Lar. || **pyrogallique** 1842, *Acad.*, chim. || **pyrogallol** 1875, Lar., chim. || **pyrogénation** 1962, Robert, chim. || **pyrogène** 1839, Boiste. || **pyrogravure** 1903, *le Sourire*. || **pyrograver, pyrograveur** 1907, Lar. || **pyroligneux** 1802, Laveaux. || **pyrolyse** 1962, Robert, chim. || **pyromanie** 1834, *Journ. méd.* || **pyromane** 1854, *journ.* || **pyromètre** 1738, Voltaire, phys. || **pyrométrie** fin XVIIIe s. || **pyrope** 1611, Cotgrave ; gr. *ops*, vue. || **pyrophage** 1869, L. || **pyrophore** 1752, Trévoux, chim. ; gr. *purophoros*, « qui porte le feu ». || **pyrophosphate** 1842, *Acad.* || **pyrophosphorique** 1848, Allain. || **pyroscaphe** 1776, Jouffroy d'Abbans ; gr. *skaphos*, bateau. || **pyroscope** 1836, Landais, phys. || **pyroscopie** 1827, *Acad.* || **pyrosis** 1802, Flick (*pyrosie*) ; 1845, Besch. (*pyrosis*), méd. ; gr. *purôsis*, inflammation. || **pyrosphère** 1859, Mozin, géol. || **pyrosulfurique** 1878, Lar., chim. || **pyrotechnie** 1556, Vincent, techn. ; gr. *tekhnê*, art. || **pyrotechnique** 1630, Hanzelet. || **pyrotechnicien** fin XIXe s. || **pyroxène** 1801, Haüy, minér. ; gr. *xenos*, étranger. || **pyroxyle** 1845, Besch. ; gr. *xulon*, bois. || **pyroxylique** 1842, *Acad.*

pyrrhique 1378, J. Le Fèvre (*perrique*) ; 1739, Voltaire (*pyrrhique*), n. f., hist. gr. ; 1732,

Trévoux, n. m., métr. anc. ; lat. *pyrrhicha,* du gr. *purrhikhê,* de *Purrhikhos,* inventeur présumé de la danse.

pyrrhocoris 1842, *Acad.* (*pyrrhocère*) ; 1875, Lar. (*pyrrhocoris*) ; XXe s. (*pyrrhocore*), entom. ; gr. *purrhos,* roux, et *koris,* punaise.

pyrrhonien 1546, Rab. ; de *Pyrrhon,* nom d'un philosophe gr. (IVe s. av. J.-C.). || **pyrrhonisme** 1580, Montaigne.

pythagorique 1546, Saint-Gelais ; lat. *pythagoricus,* de *Puthagoras,* nom d'un philosophe et mathématicien gr. (VIe s. av. J.-C.). || **pythagoricien** 1711, Baltus. || **pythagorisme** 1756, Voltaire.

pythie 1546, Rab., hist. ; lat. *pythia,* gr. *puthia,* « la Pythienne », de *Puthô,* anc. nom de la région de Delphes. || **pythiade** 1788, Barthélemy. || **pythien** 1550, Ronsard. || **pythique** 1690, Furetière.

python 1559, Du Bellay, mythol. ; 1803, *Bull. des sciences,* zool. ; lat. *python,* gr. *puthôn,* nom d'un serpent fabuleux tué par Apollon, de *Puthô* (v. le précéd.) : à Delphes se trouvait l'oracle d'Apollon.

pythonisse fin XIVe s. (*pithonisse*), bibl. ; 1678, La Fontaine, fig. ; lat. de la Vulgate *pythonissa,* du gr. *puthôn,* « inspiré par Apollon Pythien ». (V. les précédents.)

pyxide 1478, Chauliac, bot. ; 1842, *Acad.,* « boîte » ; lat. *pyxis, -idis,* gr. *puxis, -idos,* boîte en buis. (V. BOÎTE.)

q

quadragénaire 1569, J. Eckius ; lat. *quadragenarius,* de *quadrageni,* quarante chacun, de *quadraginta,* quarante.

quadragésime 1495, J. de Vignay, « carême » ; 1680, Richelet, sens mod. ; lat. eccl. *quadragesima* (IVe s., saint Jérôme), « carême », fém. subst. de *quadragesimus,* « quarantième ». || **quadragésimal** fin XVe s., É. de Médicis ; lat. eccl. *quadragesimalis.*

quadrangle XIIIe s., G. ; lat. *quadrangulus,* de *angulus,* angle. || **quadrangulaire** 1488, *Mer des hist.* ; bas lat. *quadrangularis.*

quadrant fin XVe s., « quart [du jour] » ; 1869, L., « quart de la circonférence » ; lat. *quadrans.* (V. CADRAN.)

quadrat 1532, Rab., « quartier de lune » ; 1690, Furetière, adj., sens actuel ; lat. *quadratus,* carré. || **quadratique** 1765, *Encycl.* || **quadrature** 1407, Chr. de Pisan, géométrie ; 1694, *Acad., quadrature du cercle ;* bas lat. *quadratura.*

quadrette 1885, A. Daudet, aux cartes ; XXe s., au jeu de boules ; provençal *quadretto,* jeu à quatre, de *quadro,* carré.

quadri-, lat. *quadri-,* préf. lat. de *quattuor,* quatre.

quadriceps 1765, *Encycl. ;* mot du bas lat., *de quadri-* et du lat. *caput, capitis,* tête.

quadriennal 1690, Furetière ; bas lat. *quadriennalis,* de *quadri-,* quatre, et *annus,* année.

quadrifide 1808, Boiste ; de *quadri-,* quatre et du lat. *findere,* fendre.

quadrige 1667, Chapelain ; lat. *quadriga,* de *jugum,* joug.

quadrijumeaux 1654, Gelée, anat. ; de *quadri-,* quatre, et *jumeaux.*

quadrilatère 1554, Peletier, adj. ; n. m. 1694, Th. Corneille ; bas lat. *quadrilaterus* (VIIe s., Isid. de Séville), de *quadri-,* quatre, et *latus, -eris,* côté. || **quadrilatéral** v. 1550.

1. **quadrille** fin XVIe s., Brantôme, n. f., petite troupe de soldats à cheval (proprem. le *quart* d'une centaine) ; 1680, Richelet, groupe de cavaliers dans un carrousel ; n. m. début XVIIIe s., Saint-Simon, un des quatre groupes d'une contredanse ; 1780, de Genlis, sorte de contredanse ; esp. *cuadrilla,* quart d'une centaine, groupe de quatre.

2. **quadrille** 1765, *Encycl.,* techn., carré de guipure, jour en losange ; esp. *cuadrillo,* forme masc. de *cuadrilla* (v. le précéd.). || **quadriller** 1819, Boiste. || **quadrillage** 1860, d'après L.

3. **quadrille** 1725, *Acad. universelle des jeux,* jeu d'hombre à quatre ; altér., d'après les précéd., de l'esp. *cuartillo,* de *cuarto,* quatrième.

quadrillion 1520, E. de La Roche ; de *quadri-,* quatre, et finale de *million.*

quadrilobe XXe s. ; de *quadri-* et *lobe.*

quadrimoteur 1929, Langenscheidt, aéron. ; de *quadri-,* quatre, et *moteur.* || **quadriréacteur** v. 1950.

quadripartite 1370, Oresme (*-parti*), divisé en quatre parties ; 1869, L. (*-partite*) ; lat. *quadripartitus,* de *quadri-* et *partitus,* partagé.

quadriphonie 1970 ; de *quadri-* et *phonie,* du gr. *phonê,* son, voix.

quadriplégie 1932, Lar. ; de *quadri-* et *-plégie,* du gr. *plêgê,* coup.

quadripôle 1963, Lar. ; de *quadri-* et *pôle.*

quadrisyllabe 1808, Boiste ; de *quadri-* et *syllabe.*

quadrivalent 1949, Lar. ; de *quadri-* et *valence.*

quadrivium XIIIe s., H. d'Andeli (*cadruve,* forme francisée), hist., division supérieure des sept arts libéraux au Moyen Âge ; 1869, L. (sous la forme latine) ; mot lat., proprem. « carrefour », fig. en bas lat., de *quadri-,* et lat. *via,* chemin. (V. TRIVIUM.)

quadrumane milieu XVIIIe s., Buffon ; lat. *manus,* main, sur le modèle de *quadrupède.*

quadrupède 1495, J. de Vignay ; lat. *quadrupes,* à quatre pieds, de *pes, pedis,* pied.

quadruple XIIIe s., G. ; lat. *quadruplex* ou *quadruplus.* || **quadrupler** 1503, Chauliac ; lat. *quadruplare.* || **quadruplement** adv. XIIIe s., *Job ;* n. m. 1875, Lar. || **quadruplés** 1941, Rostand.

quai 1167, Du Cange ; mot normanno-picard, du gaulois *caio,* quai (gallois *cae,* haie).

quaker 1657, Boulan ; mot angl., proprem. « trembleur ». (Quand ils se sentaient « possédés de l'esprit », les quakers étaient pris d'un tremblement.) || **quakerisme** 1732, Trévoux.

qualifier XVe s., Laborde (*calliffier*) ; XVIe s. (*qualifier*), « caractériser » ; lat. scolast. *qualificare,* de *qualis,* quel ; 1840, *journ.,* turf, d'après l'angl. (*to*) *qualify.* || **qualifié** XVIe s., *Coutumier général* (*vol qualifié*) ; XXe s. (*ouvrier qualifié*). || **disqualifier** 1784, *Courrier de l'Europe,* turf ; 1870, Lar., rendre indigne ; angl. (*to*) *disqualify,* même orig. || **qualifiable** 1858, Legoarant. || **inqualifiable** 1835, Gautier. || **qualification** début XVe s. ; lat. scolast. *qualificatio ;* 1840, *journ.,* turf, d'après l'angl. || **disqualification** 1784, *Courrier de l'Europe,* d'abord turf. || **qualificateur** 1665, Retz, théol. || **qualificatif** v. 1740, Dumarsais, gramm., n. m. ; adj. 1801, Mercier.

qualité 1119, Ph. de Thaon, « nature de qqch » ; XIIIe s., en parlant de qqn ; *en qualité de,* 1549, R. Est. ; lat. philos. *qualitas,* de *qualis,* quel, calqué par Cicéron sur le gr. *poiotês,* de *poios,* quel. || **qualitatif** XVe s. ; lat. scolast. *qualitativus.* || **qualitativement** XVe s., G.

***quand** Xe s., *Valenciennes* (*quant*) ; 1360, Froissard (*quand*), refait sur le lat. ; lat. *quando,* d'où la réfection orthographique en moyen fr. || **quand même** 1839, Stendhal, adv.

***quant à** 842, *Serments,* adv. ; lat. *quantum,* autant que, et *ad* (Ovide : *Quantum ad Pirithoum,* quant à Pirithoüs). || **quant-à-moi** 1585, Du Fail. || **quant-à-soi** 1780, de Genlis.

quantième 1487, Garbin ; anc. fr. *quant,* XIIe s., adj. de quantité, du lat. *quantus,* combien grand, pl. *quanti,* combien nombreux.

quantifier 1898, P. Adam ; angl. *to quantify,* quantifier, du lat. médiév. *quantificare,* du lat. *quantus,* combien grand. || **quantification** 1904, Lar. ; angl. *quantificatio.* || **quantificateur** 1968, Lar.

quantité 1190, Saint Bernard (*quantiteit*) ; lat. *quantitas,* de *quantus,* combien grand. || **quantitatif** 1586, Berson ; vulgarisé au XIXe s. || **quantitativement** 1865, Proudhon.

quantum 1764, Voltaire, n. m., philos. ; 1911, Poincaré, phys. ; lat. *quantum,* neutre sing. de *quantus,* combien grand. || **quanta** 1900, Planck, phys. ; plur. lat. de *quantum.* || **quantique** 1949, Lar.

***quarante** 1080, *Roland ;* lat. pop. *quaranta* (inscriptions de Gaule), du lat. class. *quadraginta.* || **quarantième** v. 1190, Garn. (*quarantisme*) ; XVe s. (*quarantième*). || **quarantaine** 1190, Garn. (*quaranteine*) ; XIIIe s. (*quarantaine*) ; 1636, Monet, méd. ; 1936, Montherlant, fig. || **quarantenaire** 1830, Cormenin. || **quarantenier** 1690, Furetière, mar. || **quarante-huitard** 1884, *Cri du Peuple.*

***quart** 1080, *Roland,* adj., « quatrième », jusqu'au XVIe s. ; XIIIe s., *Roman de Renart,* n. m., « quatrième partie d'un tout » ; 1529, Jal, mar. ; 1869, L., gobelet ; lat. *quartus,* quatrième. || **quart d'heure** 1666, Molière. || **quartanier** 1628, Hardy, vén. ; de *quart an,* quatrième année d'un sanglier, vén. || **quarte** n. f. 1233, G., mesure de capacité ; 1611, Cotgrave, mus. ; 1680, Richelet, aux cartes ; 1660, Scarron, en escrime ; adj. 1265, J. de Meung (*fièvre quarte*). || **quartefeuille** 1690, Furetière, héraldique. || **quartelette** XVIe s., pinte ; 1721, Trévoux, ardoise taillée ; de *quart.* || **quartier** 1080, *Roland,* adj. ; n. m. XIIIe s. || **quarteron** 1244, Fagniez, terme de mesure ; de *quartier.* || **quarteron, quarteronne** 1688, Exmelin, anthropol. ; esp. *cuarterón,* de *cuarto,* quart, lat. *quartus.* || **quartette** 1842, *Acad.* (*-tetto*) ; 1869, Lar. (*-tette*) ; ital. *quartetto.* || **quarto** 1842, *Acad.,* adv. ; mot lat. signif. « quatrièmement » (v. PRIMO, SECUNDO, TERTIO). || **quartolet** 1923, Lar., mus. ; sur *triolet.* || **quartile** 1762, *Acad.* || **quartidi** 1793, Fabre d'Églantine, 4e jour de la décade dans le calendrier républicain. (V. ÉCARTELER, ÉCARTER.)

quartier-maître 1637, A. Beaulieu, maréchal des logis (dans la cavalerie étrangère) ; 1650, *Recueil des lois,* mar. ; all. *Quartier meister,* issu de deux mots d'orig. française (*quartier* et *maistre*).

quartz 1729, Bouguer (*quertz*) ; 1749, Buffon (*quartz*) ; all. *Quartz.* || **quartzeux** 1783, Buffon. || **quartzite** 1830, Boiste. || **quartzifère** 1842, *Acad.* || **quartzique** 1842, *Acad.*

1. **quasi** 980, *Passion,* rare avant 1450 ; lat. *quasi,* comme si, presque (*quasi* est préfixe

dans *quasi-contrat* [XVIIe s.], *quasi-délit* [XVIIIe s.]). || quasiment début XVIIe s.

2. **quasi** 1767, Menon, boucherie ; origine obscure, p.-ê. empl. spécial du précédent.

quasimodo XIIIe s. ; lat. *quasi modo,* premiers mots de l'introït, à la messe du premier dimanche après Pâques.

quassia 1771, Trévoux ; lat. scient. *quassia,* de *Coissi,* nom d'un Noir qui, au Surinam, aurait découvert les propriétés de l'écorce de cet arbre.

quater 1845, Besch. ; mot lat. signif. « quatre fois », de *quattuor,* quatre.

quaternaire 1488, *Mer des hist.,* arithm. ; 1750, Buffon, géol. ; lat. *quaternarius,* de *quaterni,* quatre par quatre.

***quatorze** XIIe s., *Lois de Guill. ;* lat. pop. **quattordecim,* en lat. class. *quattuordecim,* de *quattuor,* quatre, et *decem,* dix. || **quatorzième** 1119, Ph. de Thaon (*quatorzime*), XVe s. (*-ième*). || **quatorzièmement** 1798, *Acad.*

***quatre** 1080, *Roland ;* lat. pop. *quattor,* en lat. class. *quattuor.* || **quatrième** XIVe s., *Chron. de Flandre* (*quatriesme*). || **quatrain** 1530, C. Marot. || **quatre-vingts** 1120, *Ps. d'Oxford.* Pour les composés formés avec un premier élément *quatre,* voir à la place alphab. du second élément.

quattrocento 1875, Lar. ; mot ital., de *quattro,* quatre, et *cento,* cent. || **quattrocentiste** 1842, *Acad. ;* ital. *quattrocentista.*

quatuor 1722, mus. ; lat. *quattuor,* avec var. orth.

1. **que** pron. V. QUI.

2. ***que** conj., IXe s., *sainte Eulalie ;* lat. *quia,* parce que (devenu *qui,* puis *que*).

3. **que** adv. exclamatif 980, *Passion ;* de *que,* conj.

quechua 1765, *Encycl.* (*quichoa*) ; mot indigène d'Amérique du Sud.

quel fin Xe s., *Vie de saint Léger* (*qual*) ; 1050, *Alexis* (*quel*) ; lat. *qualis.* || **lequel** 1080, *Roland.* || **quellement** milieu XIIIe s. || **quelque** 1112, *Voy. saint Brendan* (d'abord *quel,* suivi du subst., plus *que,* relatif). || **quelque... que** XIVe s., par contamination des deux précéd. || **quelqu'un** XIVe s., personne indéterminée ; fin XVe s., Commynes, pronom indéf. || **quelque chose** XVIe s. || **quelconque** 1120, *Ps. d'Oxford,* relatif ; 1907, Lar., adj. qualificatif ; francisation du relatif lat. *qualiscumque.* || **quelquefois** fin XVe s.

quémander 1243, Ph. de Novare (*caimander,* encore 1740, *Acad.*) ; anc. fr. *caïmand,* mendiant (1393, G.), usuel jusqu'au XVIe s., d'orig. inconnue. || **quémandeur** 1740, *Acad.*

qu'en-dira-t-on V. DIRE.

quenelle 1750, *Dict. des aliments ;* all. *Knödel,* boule de pâte (Alsace).

quenotte 1642, Oudin ; mot dial. (Normandie), dimin. de *quenne,* dent, joue (anc. fr. *cane,* dent) ; francique **kinni,* joue, mâchoire (all. *Kinn,* menton ; angl. *chin, id.*).

***quenouille** 1265, J. de Meung (*quenoille*) ; *tomber en quenouille,* XVIe s. ; bas lat. *conucula* (*Loi des Ripuaires*), autre forme de *colucula,* dér. pop. (VIe s.) du lat. class. *colus,* quenouille. || **quenouillée** 1552, Ch. Est.

quéquette 1920, Bauche, pénis ; p.-ê. du rad. expressif *kik-,* pointu.

querelle 1155, Wace, « contestation, plainte » (sens jurid. jusqu'au XVIIIe s.) ; 1538, R. Est., sens mod. ; lat. *querela,* var. *querella,* plainte en justice, de *queri,* se plaindre. || **quereller** 1175, Chr. de Troyes ; bas lat. *querellare.* || **querelleur** fin XIIIe s., *Établiss. de Saint Louis,* « plaignant » ; 1549, R. Est., sens mod. || **s'entre-quereller** milieu XVIe s.

***quérir** 1175, Chr. de Troyes ; anc. fr. *querre* (980, *Passion*), du lat. *quaerere,* chercher, par changement de conjugaison ; éliminé par *chercher* au XVIIe s. || **quérable** 1765, *Encycl.* || **requérir** 980, *Passion* (*requerre*) ; fin XIIIe s. (*requérir*) ; lat. pop. **requaerĕrĕ,* réfection de *requīrere,* sur *quaerere.* || **requête** 1155, Wace, « demande » ; 1283, Beaumanoir, jurid. ; d'après *quête.* || **requérant** 1265, J. de Meung. || **réquisitoire** fin XIVe s., adj. (*lettres réquisitoires*) ; 1539, R. Est., n. m. ; lat. *requisitus,* part. passé de *requirere,* rechercher, d'après les adj. en *-oire.* || **réquisitorial** 1743, d'après L.

quérulence 1963, Lar. ; dérivé du lat. *querulus,* qui se plaint, de *queri,* se plaindre.

questeur 1213, *Fet des Romains,* sens latin ; 1799, député chargé de surveiller l'emploi des fonds ; lat. *quaestor,* de *quaerere,* chercher. || **questure** 1574, Jodelle, sens latin, fin XVIIIe s., sens mod.

question 1130, *Eneas,* « interrogation », d'où « enquête judiciaire » ; fin XIVe s., « torture » (jusqu'en 1789) ; lat. *quaestio,* recherche, de *quaerere,* quérir. || **questionner** XIIIe s., *Renart.* || **questionnaire** 1555, Aneau, série de questions ; fin XVIe s. ; d'Aubigné, bourreau appliquant la question. || **questionneur** 1554, de Maumont.

***quête** 1174, E. de Fougères (*queste*), « recherche » ; XIIIe s., chercher du gibier, pour un chien ; XIIIe s., fait de recueillir des aumônes ; lat. pop. **quaesita,* part. passé, substantivé au fém. de *quaesitus,* de *quaerere,* chercher. || **quêter** XIIe s., *Aucassin et Nicolette,* même évol. sémantique. || **quêteur** début XIIIe s.

quetsche fin XVIIIe s. (*couetche*) ; 1869, Lar., forme mod. ; allem. *Zwetsche* (Alsace).

quetzal 1875, Lar., oiseau ; mot aztèque.

***queue** 1080, *Roland* (*coe, cue*) ; lat. pop. *cōda,* du lat. class. *cauda.* || **queusot** 1923, Lar., dimin. || **queuter** 1765, *Encycl.,* billard. || **queutage** 1875, Lar. || **équeuter** fin XIXe s. || **à la queue leu leu** fin XVe s. ; altér. de l'anc. fr. *à la queue le leu* (XIe s., G.), « à la queue du loup », l'un derrière l'autre (comme les loups). || **couard** 1080, *Roland ;* de *cou,* anc. forme de *queue ;* proprem. « qui porte la queue basse ». || **couardise** 1080, *Roland.* || **queue-de-cochon** 1803, Boiste, tarière. || **queue-de-rat** 1752, Trévoux, lime. || **queue-de-renard** 1803, Boiste, poêle. || **queue-d'aronde** 1538, R. Est., mode d'assemblage. || **queue-de-cheval** milieu XVIe s., « prêle » ; 1765, méd. ; v. 1950, sens actuel. || **queue-de-pie** 1900, Lar., habit. || **queue-de-poisson** 1926, Esnault. (V. aussi CAUDAL, CODA, mus.)

***queux** 1080, *Roland* (*cous*) ; lat. *cŏquus* (*cŏquere,* cuire) ; ne subsiste que dans *maître queux* (1538, Est.). [V. COQ 2.]

***qui, que, quoi** 842, *Serments* (*qui, que*) ; 1080, *Roland* (*quei*) ; lat. *qui* (d'abord nominatif masc. sing. et plur. ; au IVe s., forme commune masc., fém. et neutre) et *cui* (datif sing., employé comme cas régime après prép. jusqu'au XIIIe s., puis confondu avec le précédent) ; *que* est dérivé du lat. *quem* (acc. masc. sing., devenu forme commune du régime direct) ; *quoi* est dérivé du lat. *quid.* || **quiconque** 1160, Benoît ; d'un anc. *qui qu'onques,* « qui... jamais », influencé par le lat. *quicumque,* de même sens, d'où la graphie en un seul mot et sans *s* adverbial. || **quoique** 1080, *Roland* (*que que*) ; XIIe s., Delb. (*quoi que*).

quia (*être, mettre, réduire à*) 1460, G. Alexis ; lat. scolast. *scire quia, demonstratio quia,* expressions signifiant « la connaissance par la cause », moins complète que celle « par l'essence », désignée par *scire, demonstratio propter quid.*

quiche 1845, Besch. ; alsacien *küche(n),* gâteau (all. *Kuchen*).

quiconque V. QUI.

quidam XIVe s., *D. G.,* jurid., puis empl. fam. ; mot lat. signif. « un certain ».

quiddité 1370, J. Le Bel ; lat. scolast. *quidditas,* de *quid,* quoi.

quiet XIIIe s., *Bible ;* lat. *quietus,* tranquille (v. COI). || **quiètement** 1580, Montaigne. || **quiétude** 1482, Delb. ; bas lat. *quietudo.* || **quiétisme** v. 1675, Nicole. || **quiétiste** 1675, Nicole. || **inquiet** 1588, Montaigne, « remuant » ; 1596, Hulsius, sens actuel ; lat. *inquietus,* agité. || **inquiéter** 1170, *Rois ;* lat. *inquietare.* || **inquiétude** 1403, *Internel Consolacion,* « manque de repos » ; 1530, Palsgrave, sens actuel ; lat. *inquietudo.*

quignon XIVe s. ; altér. de **coignon,* dér. de *coin* (c'est-à-dire « morceau de pain en forme de coin »).

1. **quille** XIIIe s. ; 1460, Villon, jambe ; 1936, Esnault, pop., fin du service militaire ; anc. haut allem. *kegil,* terme de jeu. || **quiller** 1330, Digulleville. || **quillier** 1340, Le Fèvre. || **quillon** 1570, Gay. || **quillette** 1732, Trévoux. || **quillard** XXe s., arg. mil.

2. **quille** 1382, *Compte du clos des Galées de Rouen,* mar. ; anc. scand. *kilir,* plur. de *kjollr,* quille de bateau (cf. l'angl. *keel,* l'all. *Kiel,* le néerl. *kiel*). || **quillage** 1472, Bartzsch. || **quillé** 1845, Besch.

quinaire 1546, Rab. ; lat. *quinarius,* de *quini,* cinq par cinq.

quinaud 1532, Rab. ; moyen fr. *quin,* singe, d'orig. obscure.

quincaillerie 1268, É. Boileau ; de *quincaille,* ustensiles de ménage en fer, dér. du radical onomatop. *kink-* (v. CLINQUANT). || **quincaillier** 1428.

quinconce 1534, Rab. (d'abord adj., *ordre quinconce*) ; lat. *quicunx, -uncis,* pièce de cinq onces, par comparaison avec la disposition des cinq points sur la pièce.

quine 1155, Wace, terme de jeu ; lat. *quinas,* acc. fém. plur. du distributif *quini,* cinq par cinq.

quinine V. QUINQUINA.

quinola 1545, *D. G.* (*-noula*) ; 1631, Bassompierre (*-nola*), valet de cœur ; mot esp.

quinquagénaire 1560, Paré ; lat. *quinquagenarius.* (V. *cinquante* à CINQ.)

quinquagésime fin XIIIe s. ; bas lat. *quinquagesima,* fém. subst. de *quinquagesimus,* cinquantième.

quinquennal XVIe s. ; lat. *quinquennalis,* de *quinque,* cinq, et *annus,* année. || **quinquennat** 1963, Lar.

quinquet 1789, d'après *J. O.* de 1877, « sorte de lampe » ; 1808, d'Hautel, pop., « œil » ; nom de *Quinquet,* pharmacien qui perfectionna et fabriqua une lampe inventée vers 1782 par le physicien Argand.

quinquina milieu XVIe s. (*kinakina*) ; 1661, G. Patin (*quinquina*) ; quechua (langue indigène du Pérou) *kinakina,* par l'intermédiaire de l'esp. *quinaquina.* || **quinine** 1820, Caventou et Pelletier. || **quinoléine** 1860, Gerhardt, de *quinine* et du lat. *oleum,* huile. || **quinoléique** 1890, Lar.

quintaine fin XIIe s., *R. de Cambrai ;* lat. *quintana,* fém. subst. de *quitanus,* « du cinquième rang » ; d'après le sens romain (espace libre entre le 5e et le 6e manipule de la cohorte), a désigné, dans *courir la quintaine,* d'abord le parcours, puis le mannequin installé sur le poteau de but (1273, Adenet).

quintal 1298, *Voy. de Marco Polo ;* lat. médiév. *quintale,* de l'ar. *qintār,* poids de cent livres, du gr. byzantin *kentênarion,* du bas lat. *centenarium,* poids de cent livres.

***quinte** XIIe s., *Chevalier aux deux épées,* « redevance » ; 1398, E. Deschamps, mus. ; XVIe s., méd. (toux revenant toutes les cinq heures) ; XVIIe s., escrime ; fém. subst. de l'anc. *quint,* cinquième (XIIe-XVIe s., cf. Charles *Quint*), du lat. *quintus.* || **quinteux** 1542, Du Pinet.

quintefeuile bot., XIVe s., *Antidotaire ;* lat. *quinquefolium.*

quintessence 1265, Mahieu le Vilain (*quinte essence*), scolast. ; 1534, Rab., fig. ; lat. médiév. *quinta essentia,* trad. du gr. *pemptê ousia,* désignant chez Aristote l'éther, ou cinquième élément, le plus subtil des cinq éléments de l'univers. || **quintessencier** 1584, Vaganay ; auj. surtout au part. passé (1688, La Bruyère).

quintette 1832, Fontaney, mus. ; ital. *quintetto* (employé en France en 1778), dimin. de *quinto,* cinquième ; a remplacé *quinque,* 1722-1858, du lat. *quinque,* cinq.

quinto 1845, Besch. ; lat. *quinto,* cinquièmement, de *quintus,* cinq.

quintuple 1484, Chuquet ; lat. impér. *quintuplex* (IIIe s., Vopiscus). || **quintupler** fin XVe s. || **quintuplés** 1934, Rostand, jumeaux au nombre de cinq.

***quinze** 1080, *Roland ;* lat. *quindecim,* de *quinque,* cinq, et *decem,* dix. || **quinzaine** 1175, Chr. de Troyes. || **quinzième** 1119, Ph. de Thaon (*quinzisme*) ; XIVe s. (*quinzième*). || **quinze-vingts** 1398, E. Deschamps, trois cents ; spécialisé pour l'hôpital de trois cents aveugles (1550, Meigret) fondé à Paris par Saint Louis ; ancienne façon de compter par multiples de *vingt.*

quiproquo fin XVe s. (*qui pro quo*) ; lat. scolast. *quid pro quod,* prendre un *quoi* pour un *ce que,* désignant une faute d'interprétation, une bévue.

quittance, quitter, quitus V. QUITTE.

***quitte** 1080, *Roland ;* lat. jurid. médiév. *quītus,* altér. de *quietus,* tranquille (v. COI, QUIET) ; *en être quitte pour,* 1538, R. Est. ; *quitte ou double,* XVe s., *le Jouvencel* (*jouer à quitte et à double*) ; *quitte à,* XVIIe s., Sévigné. || **quitter** milieu XIIe s., *Thèbes,* « libérer d'une obligation » ; 1530, Palsgrave, « laisser, se séparer » ; lat. médiév. *quitare,* altér. de *quietare.* || **quittance** 1155, Wace, fait d'être quitte ; XIIIe s., sens actuel. || **quittancer** 1396, G. || **quitus** 1421, G. ; lat. *quitus,* employé au sens financier. || **acquitter** 1080, *Roland,* rendre quitte, libérer. || **acquit** XIIe s., paiement d'une dette ; déverbal. || **acquittement** XIIIe s., « délivrance » ; début XIVe s. « paiement d'une dette » ; 1725, Desfontaines, « absolution » ; 1835, *Acad.,* jurid. || **acquit-à-caution** 1723, Savary.

qui-vive, quoi V. VIVRE, QUI.

quolibet 1300, Joinville, « propos décousus » ; 1501, G. Cohen, sens mod. ; lat. scolast. *disputationes de quolibet,* « débats sur n'importe quoi », où *quolibet* est l'ablatif de *quod libet,* « ce qu'on veut ».

quorum 1672, Fr. Mackenzie, à propos de l'Angleterre ; milieu XIXe s., à propos d'assemblées françaises ; angl. *quorum,* du lat. (gén. plur. du relatif *qui ;* sens : « desquels »), figurant dans une formule de délibérations (*quorum maxima pars,* « desquels la plus grande partie... »).

quote-part 1588, Montaigne ; de *quote,* lat. *quota,* de *quotus,* en quel nombre, et de *part ;* a remplacé *quote partie* (XIVe s.).

quotidien 1120, *Ps. d'Oxford* (*cotidion*) ; XIIe s. (*-dien*) ; XVe s. (*quotidien*), adj. ; 1935, *Acad.,* n. m., « journal » ; lat. *quotidianus,* de *quotidie,* chaque jour. || **quotidienneté** 1834, Boiste. || **quotidiennement** début XVe s. || **biquotidien** 1899, Lar.

quotient 1484, Chuquet ; lat. *quotiens,* var. de *quoties,* « autant de fois que ».

quotité début XVe s. ; de *quote-part,* sur *quantité.*

r

r V. RE. Les mots composés avec le préfixe *r(e)* sont à l'ordre alphabétique du mot simple.

rabâcher 1611, Cotgrave, « faire du tapage » ; fin XVIIe s., Saint-Simon, sens mod. ; rac. préromane ou germ. **rabb-* (cf. l'anc. fr. *rabaster,* faire du tapage, 1160, Benoît). || **rabâchage** 1735, Voltaire. || **rabâcheur** 1740, Mme Du Châtelet. || **rabâcherie** 1761, Rousseau. || **rabâchement** 1611, Cotgrave, « action de faire du bruit ».

rabais, rabaisser V. BAISSER.

raban 1573, Dupuis ; moyen néerl. *raband,* de *band,* lien, et *raa,* vergue. || **rabaner** 1687, Desroches (*rabanter*) ; 1783, *Encycl.* (*rabaner*).

rabattre V. BATTRE.

rabbin 1351, J. Le Long (*rabain*) ; 1540, Vaganay (*rabbin*), docteur de la loi juive ; 1808, Boiste, sens mod. ; lat. ecclés. *rabbinus,* de l'araméen *rabbi* (plur. *rabbîn*), « mon maître », de *rabb,* maître. || **rabbinique** 1611, Cotgrave. || **rabbinat** 1842, Cerfberr. || **rabbiniser** 1660, Le Petit (*-é*). || **rabbinisme** 1600, Scaliger.

rabelaisien 1830, Balzac ; du nom de *Rabelais.* || **rabelaiserie** 1842, *Acad.*

rabibocher 1842, Sue ; mot du nord de la Gaule, d'un rad. *bib-,* formant des mots qui désignent quelque chose de peu important (*bibelot*). || **rabibochage** 1867, Delvau.

rabiole 1549, Maignan, bot. ; mot occitan, de l'anc. prov. *raba,* rave.

rabiot 1638, *Arch. de Caen* (*rebiot, rebiau*), eccl., « part de prébende des absents allouée en supplément aux présents » ; 1831, Willaumez, arg. mar. ; 1861, Larchey, milit., « supplément de distribution », puis « temps de service supplémentaire » ; 1832, Esnault, pop. ; gascon *rabiot,* rebut de la pêche, de *rabe,* œufs de poisson (d'après *rabe,* rave, par métaphore). || **rabioter** 1832, Esnault. || **rabiotage** 1867, Delvau. || **rabioteur** 1848, Barbier.

rabique 1829, Boiste ; lat. *rabies,* rage. || **antirabique** 1860, Sanson.

1. ***râble** XIIIe s., G. (*roable*) ; 1401, G. (*raable*), outil ; lat. *rutabulum,* fourgon de boulanger. || **râbler** 1788, *Encycl.* || **râblot** 1836, *Acad.*

2. **râble** (*d'un lièvre*) 1532, Rab., zool. ; métaphore du précéd. || **râblé** XVIe s., *D. G.*

3. **râble** 1690, Furetière, mar. ; métaphore de RÂBLE 1.

rabot 1360, *Modus,* masc. ; métaphore du mot dialectal fém. *rabotte,* lapin, dissim. de **robotte,* d'un moy. néerl. *robbe,* lapin. || **raboter** 1409, Runkewitz. || **raboteux** 1539, *D. G.* || **raboteur** 1576, Sasbout. || **raboteuse** 1876, Daudet. || **rabotage** 1765, *Encycl.* || **rabotin** 1904, Lar.

rabougrir 1600, O. de Serres ; anc. fr. *abougrir,* affaiblir (XVIe s.), de *bougre,* faible. || **rabougri** 1653, Pellisson. || **rabougrissement** 1845, Besch. (V. BOUGRE.)

rabouilleuse 1842, Balzac ; mot rég. (Berry), de *rabouiller,* troubler l'eau, de *bouiller,* agiter l'eau (1751, *Encycl.*), de *bouille,* marais (lat. pop. **bau-ŭcula*). [V. BOUE.]

rabouin 1741, Esnault, arg., « diable » ; fourbesque *rabuino,* diable.

rabouter 1294, G., « établir une hypothèque » ; 1718, *Acad.* (*raboutir*) ; 1845, Besch. (*rabouter*) ; de *abouter,* de *bout ;* « coudre ». || **raboutir** 1294, G., « établir une hypothèque »

rabrouer 1398, E. Deschamps ; moy. fr. *brouer,* gronder, être furieux, issu du norm. *breu,* écume, et aussi « bouillon » (V. BROUET, S'ÉBROUER). || **rabrouement** 1559, Amyot. || **rabroueur** 1537, *le Courtisan.*

raca (*crier raca à quelqu'un*), 1553, *Bible ;* bas lat. *raca,* pauvre ; d'un passage de l'Évangile de saint Matthieu (v, 22), où figure le mot araméen *raca,* connu par ce seul emploi ; hébreu *roq,* crachat.

racahout 1833, *Journ. des connaissances utiles* (*racaou des Arabes*) ; ar. *rāqaout,* farine.

racaille 1138, Gaimar (*rascaille*) ; terme norm., issu d'un mot non attesté *rasquer, racler* (cf. l'anc. fr. *rasche,* teigne), du lat. pop. *rasicare,* gratter, de *radere,* raser. (V. RACLER.)

race 1498, Commynes ; 1749, Buffon, biol. ; ital. *razza,* du lat. *ratio* (avec changement de terminaison), empl. au VIe s., avec le sens de « espèce d'animaux ou de fruits ». || **racé** fin XIXe s. || **racial** 1911, E. Seillière. || **racisme** 1902, Maybon. || **raciste** 1929, Langenscheidt. || **antiracisme, antiraciste** v. 1950.

racémique 1963, Lar. ; lat. *racemus,* grappe. || **racémeux** 1869, L. || **racémiser** 1962, Lar. || **racémisation** 1932, Lar.

racer n. m., 1846, Baudelaire ; mot angl., de (*to*) *race,* courir vite.

rachis 1560, Paré ; gr. *rhakhis,* épine dorsale. || **rachidien** 1806, Capuron ; par anal. avec les mots gr. à radical en *-id-.* || **rachitique** début XVIIIe s. ; de l'adj. gr. *rhakhitês.* || **rachitisme** début XVIIIe s. ; en parlant du blé ; 1749, Buffon, en parlant de l'homme. || **rachialgie** 1795, Cullen. || **rachianesthésie** 1932, Lar.

***racine** 1130, *Eneas,* bot. ; fin XIIe s., racine d'une dent ; XIIIe s., L., math. ; 1657, Lancelot, ling. ; début XIXe s., reliure ; bas lat. *radicīna,* de *radix, -icis.* || **raciner** 1155, Wace. || **racinement** 1923, Lar. || **racineux** 1550, Baïf. || **racinal** 1570, Palissy, adj. ; 1578, *Mémoires,* n. || **racinage** 1674, L., teinture ; 1827, Le Normand, reliure. || **déraciner** XIIIe s., G. ; 1870, Lar., fig. || **déraciné** n. m., 1897, Barrès, fig. || **déracinement** XVe s., G. || **déracineur** 1800, Chateaubriand. || **indéracinable** 1797, Babeuf. || **enraciner** 1175, Chr. de Troyes. || **enracinement** XVIe s.

racinien 1776, Voltaire ; de *Racine.*

racisme V. RACE.

racket 1932, Lar. ; anglo-amér. *racket,* chantage, escroquerie, du fr. *raquette* (v. ce mot). || **racketter** 1950, *journ.* || **racketteur** 1957, Vailland.

racler XIVe s., L. ; prov. *rasclar,* du lat. pop. *rasclare,* de *rasiculare,* de *rasus,* rasé (v. RACAILLE). || **racle** 1196, Bodel || **racloir** 1538, R. Est. || **racloire** 1329, G. || **raclette** 1869, L. || **racleur** 1576, Sasbout. || **raclage** 1845, Besch. || **raclée** 1792, Brunot. || **raclure** fin XIVe s.

racoler 1170, *Floire et Blanchefor,* « embrasser » ; 1750, Prévost, « enrôler » ; 1794, Chamfort, sens actuel ; de *re-* et *accoler.* || **racoleur** 1756, Vadé. || **racolage** 1747, *les Bals de bois ;* 1902, Zola, prostitution.

racontar, racornir V. CONTER, COR.

radar 1944 ; angl. *radar,* sigle de *radio detection and ranging,* détection et télémétrie par radio. || **radariste** 1953, Lar. || **radôme** 1963, Lar. ; de *radar* et *dôme.*

rade 1265, Br. Latini ; anc. angl. *rad* (auj. *road,* rade, et route). || **dérader** 1529, Parmentier. || **dérade** 1871, Rimbaud.

radeau 1355, Bersuire (*radelle*) ; 1485, *D. G.* (*radeau*) ; anc. prov. *radel,* de *rat,* radeau, du lat. *ratis.*

radée XIe s., *Gloses de Raschi,* « pluie » ; de l'anc. adj. *rade,* torrentueux, lat. *rapidus,* vite.

radi-, radical tiré du lat. *radius,* rayon. || **radiaire** 1796, *Bull. sciences.* || **radial** 1363, Chauliac, anat., « qui rayonne » ; 1615, Binet, techn. || **radiant** XIIIe s. ; rare jusqu'au XVIIIe s. (1765, *Encycl.*) ; 1869, L., astron. ; lat. *radians,* de *radiare,* rayonner. || **radian** 1962, Robert, math. || **radiance** 1825, Brillat-Savarin, fig ; 1875, Lar., phys. || **radiation** milieu XVe s., émission de rayons lumineux ; 1869, L., émission de chaleur ; 1890, Lar., ondes ; lat. *radiatio.* || **radiateur** adj., 1877, L., phys. ; n., 1895, Grouvelle. || **radiatif** 1949, Lar. || **radié** 1679, Dodart, « qui a des rayons » ; lat. *radiatus,* de *radiari.* || **radieux** 1460, Chastellain, « qui émet des rayons » ; 1671, Boileau, « heureux » ; bas lat. *radiosus.* || **radiesthésie** 1932, Lar. ; lat. *radius* et gr. *aisthêsis,* sensation. || **radiesthésiste** 1932, Lar. || **radius** 1541, Canappe, anat. ; métaphore du lat. || **radium** 1898, P. et M. Curie, chim. || **radiumthérapie** 1907, Lar. || **radon** 1923 ; du rad. de *radium,* et du suff. *-on.* || **irradier** XVe s. ; lat. *irradiare,* rayonner. || **irradiation** fin XIVe s. ; bas lat. *irradiatio.*

radiation (*action de rayer*), **radier** V. RAIE 1.

radical XIVe s., *Nature à l'alchimie ;* bas lat. *radicalis,* de *radix, -icis,* racine ; 1660, Oudin, adj. ; 1722, Dumarsais, n. m, linguistique ; 1812, Mozin, math. ; 1820, *journ.,* polit. || **radicalisme** 1820, Barbier. || **radicaliser** 1845,

Radonvilliers. || **radicalisation** 1965, *journ.* || **radicalement** 1314, Mondeville. || **radical-socialiste** 1880, d'après P. Robert.

radicule 1676, *Journ. des savants* ; lat. *radicula,* dimin. de *radix, -icis,* racine. || **radicelle** 1815, Michel ; avec changement de suff. || **radicicole** 1845, Besch. || **radiciflore** 1869, L. || **radiculaire** 1875, Lar. || **radiculalgie** 1932, Lar., méd. || **radiculite** 1932, Lar., méd.

radieux, radium V. RADI-.

radin 1835, Esnault, « gousset » ; 1885, Esnault, adj., sens actuel, pop. ; de l'argot des voleurs, p.-ê. de *rade,* à l'écart, apocope de *radeau.*

radiner 1865, Esnault ; anc. fr. *rade,* rapide, lat. *rapidus.*

radio-, élément de composition, dér. du lat. *radius,* rayon, et servant à former des mots savants (chimie, physique, médecine, etc.). Sur l'origine du deuxième élément, voir à la place alphabétique de ce dernier. || **radio-actif** 1896, Becquerel. || **radio-activité** *id.* || **radioastronomie** 1947, Lar. || **radiobalisage, radiobaliser** 1948, Lar. || **radiobiologie** v. 1950. || **radiochimie** v. 1950, || **radiochroïsme** 1907, Lar. || **radiocommunication** 1932, Lar. || **radiocompas** 1923, Lar. || **radioconducteur** 1904, Lar. || **radiocristallographie** 1968, Lar. || **radiodermite** 1906, Lar. || **radiodiagnostic** 1907, Lar. || **radiodiffusion** 1925, *journ.* ; abrév. *radio, id.* || **radiodiffuser** 1932, Lar. || **radio-électricité** 1922, Lar. || **radio-électricien** 1932, Lar. || **radio-électrique** 1922, Lar. || **radio-électronique** 1975, Lar. || **radio-élément 1914, Curie.** || **radiogoniomètre** 1907, Lar. || **radiogoniométrie, radiogoniométrique** 1922, Lar. || **radiogramme** 1904, Lar. || **radiographie** 1893, *D. G.* ; abrév. *radio,* 1949, Lar. || **radiographier** 1907, Lar. || **radiographique** 1904, Lar. || **radioguidage** 1930, Lar. || **radioguider** 1962, Robert. || **radioisotope** 1947, Lar. || **radiologie** 1904, Lar. || **radiologiste, radiologue** 1922, Lar. || **radiologique** 1904, Lar. || **radiomaritime** 1932, Lar. || **radiomètre** 1690, Furetière. || **radiométrie** 1877, Lar. || **radionavigation** 1932, Lar. || **radionavigant** 1953, Lar. || **radiophare** 1912, Lar. || **radiophonie** 1888, Lar. ; abrév. *radio,* v. 1930. || **radiophonique** 1888, Lar. || **radiopirate** 1968, Lar. || **radiorécepteur** 1949, Lar. || **radioreportage** 1930, Lar. || **radioreporter** 1934, *journ.* || **radioscopie** 1904, Lar. || **radiosondage** 1930, Lar. || **radiosonde** 1949, Lar. || **radiosource** 1963, Lar. || **radiotaxi** 1955, *journ.* || **radiotechnie** 1932, Lar. || **radiotechnique** *id.* || **radiotélégramme** 1907, Lar. || **radiotélégraphie** 1907, Lar. ; abrév. *radio,* 1930, Lar. || **radiotélégraphiste** 1910, Lar. ; abrév. *radio,* 1930, Lar. || **radiotéléphonie** 1907, Lar. ; abrév. *radio,* 1930, Lar. || **radiotélescope** v. 1950. || **radiotélévision** v. 1950. || **radiothérapie** 1901, Garnier.

radiolaires 1904, Lar. ; lat. scient. *radiolaria,* lat. class. *radiolus,* plante à forme de rayon.

radis 1507, N. de La Chesnaye (*radice*) ; 1611, Cotgrave (*radis*) ; 1842, Bourgeois, pop., petite pièce de monnaie ; ital. *radice,* du lat. *radix, -icis,* racine.

radius V. RADI-

radoire fin XIe s., *Gloses de Raschi* (*rastoire*) ; 1690, Furetière (*radoire*) ; anc. prov. *rasdoira,* du lat. pop. **rasitoria,* de *rasitare,* raser, racler, fréquentatif de *radere.*

radoter 1080, *Roland* (*redoté,* tombé en enfance, « qui radote ») ; 1175, Chr. de Troyes ; du préf. *re-,* renforcé en *ra-,* et d'un rad. issu d'une rac. germ. (moy. néerl. *doten,* rêver, tomber en enfance ; angl. [*to*] *dote,* même sens). || **radotage** 1740, *Acad.* || **radoteur** 1546, Vaganay.

radouber fin XIIIe s., « réparer » ; 1500, Auton, mar. ; de *re-* et *adouber.* || **radoub** début XVIe s., « réparation » ; 1679, Jal, mar.

radoucir V. DOUX.

rafale 1640, P. Bouton, « vent » ; 1916, Barbusse, « coups de fusil » ; ital. *raffica,* croisé avec un rad. onomatop. expressif *raff-,* exprimant un coup de vent violent, avec *affaler,* « porter sur la côte ».

raffiner V. FIN 2.

rafflésie 1845, Besch., bot. ; du n. de sir Thomas *Raffles,* gouverneur de Sumatra.

raffoler V. FOU 1.

raffut 1867, Delvau, « bruit violent » ; de *raffûter.* || **raffûter** 1477, G., « réparer » ; XVIIIe s., « faire du bruit » ; de *affûter* (v. FÛT).

rafiot 1792, Romme ; de *rafiau,* petite embarcation, dans la langue des marins méditerranéens ; orig. inconnue.

rafistoler 1649, *Mazarinades* ; anc. *afistoler* (XVe s.), tromper, puis arranger, orner ; ital. *fistola,* flûte. || **rafistolage** 1833, Cormenin.

rafle XIIIe s., instrument pour racler le feu (remplace *raffe*) ; 1362, Du Cange, action d'enlever ; 1549, R. Est., grappe privée de ses grains ; 1585, Cholières, « butin » ; 1589, Baïf, « coup gagnant au jeu » ; 1867, Delvau, arrestation massive à l'improviste ; all. *Raffel* (cf. all. *raffen,* rafler). || **rafler** 1589, Baïf. (V. ÉRAFLER.)

rafraîchir, ragaillardir V. FRAIS 1, GAILLARD.

***rage** 1080, *Roland,* « fureur » ; 1288, *Renart,* méd. ; lat. pop. **rabia,* du lat. class. *rabies.* || **rager** 1155, Wace, faire rage, s'agiter ; XVIIe s., Saint-Simon, être irrité. || **rageur** XVIe s., L., « fôlatre » ; 1832, Sue. || **rageusement** 1832, Balzac. || **rageant** 1949, Lar. || **dérager** 1870, Lar. || **enrager** 1130, *Eneas,* sens propre ; 1792, *Journ. des débats,* polit. (*enragé*).

raglan 1858, La Bédollière, pardessus à pèlerine ; du nom de lord *Raglan,* qui commanda l'armée anglaise en Crimée.

ragondin 1867, Laboulaye ; orig. obscure (on trouve parfois l'orth. *rat gondin*).

1. **ragot** fin XIVe s., cochon de lait ; 1411, *D. G.,* sanglier ; XVIIe s., personne grosse et courte ; du radical *rag-,* lat. *ragere,* bas lat. *ragire,* pousser des cris, grogner, etc. || **ragoter** 1642, Oudin, grogner comme un sanglier, d'où quereller. || **ragotin** 1834, Boiste ; du nom de *Ragotin,* 1651, personnage du *Roman comique,* de Scarron, homme petit et contrefait.

2. **ragot** début XVe s., Du Cange, reproche ; début XIXe s., commérage ; de *ragoter.* (V. RAGOT 1.)

ragoût, ragoûtant, ragoûter V. GOÛT.

ragtime 1921, Aragon ; mot anglo-américain, de *rag,* chiffon, et *time,* temps.

raguer 1682, Jal, mar., user par le frottement ; néerl. *ragen,* brosser.

raguser 1850, Balzac, « trahir » ; du n. du duc de *Raguse,* accusé d'avoir trahi Napoléon Ier.

rahat-loukoum 1923, Lar. ; ar. *rahat al-hulqum,* rafraîchissement de la gorge.

***rai** 1119, Ph. de Thaon, rayon de lumière ; lat. *radius,* rayon ; XIIe s., Tobler-Lommatzsch, « rayon de roue », écrit le plus souvent *rais ;* vx, et remplacé par *rayon.* || **rai-de-cœur** 1676, Félibien. || **rayon** 1530, Marot, « trait lumineux » ; 1674, Malebranche, opt. ; 1690, Furetière, math. ; fin XIXe s., radiation. || **rayonner** 1549, R. Est. || **rayonnement** 1558, Vaganay. || **enrayer** 1552, R. Est. || **enraiement** 1812, Boiste. || **enrayage** 1826, Mozin.

raid 1883, d'Haussonville ; angl. *raid,* forme écossaise, de l'anc. angl. *râd,* auj. *road,* route.

***raide** fin XIe s., *Gloses de Raschi* (fém. *roide,* masc. *roit*) ; refait au XIVe s. sur le fém. ; lat. *rĭgĭdus* (v. RIGIDE). La graphie archaïque *roide* a été conservée dans la langue littéraire avec une nuance de sens. || **raidement** 1170, *Rois.* || **raideur** 1170, *Rois.* || **raidir** XIIe s., *Roncevaux,* « tendre » ; *se raidir,* 1549, R. Est. || **déraidir** milieu XVIe s. || **raidissement** 1547, J. Martin. || **raidisseur** 1875, Lar. || **raidillon** 1762, *Acad.*

1. **raie** 1155, Wace (*roie*) ; 1360, Froissart (*raie*), ligne, sillon ; gaulois **rica,* en bas lat. *riga,* VIIe s. (cf. le gallois *rhych,* l'irl. *rech,* sillon). || **rayer** XIIe s., *D. G.* (*roié,* part. passé), rattaché ensuite à *rai.* || **rayure** XIVe s., Poerck (*roiure*) ; 1530, Palsgrave (*rayure*). || **radiation** fin XIVe s., action de rayer ; dér. du lat. médiév. *radiare,* fausse étymologie de *rayer.* || **radier** 1823, Boiste, rayer d'une liste.

2. ***raie** [poisson] 1155, Wace ; lat. *raia.*

raifort XVe s. (*raiz fors*) ; anc. fr. *raïz (*XIIe s.), mot fém., « racine », du lat. *radix, -icis,* et de *fort,* adj. masc. et fém. en anc. fr., au sens de « âpre » ; devenu masculin lorsque *fort* est devenu seulement masculin.

rail 1825, *Journ. hebd. des arts et métiers ;* cité en 1817 comme mot angl. ; angl. *rail,* barre, de l'anc. fr. *reille, raille* (XIe s.), même sens, du lat. *regula.* || **railway** 1800, Brunot ; mot angl. || **dérailler** 1838, Wexler, au propre et au fig. || **déraillement** *id.* || **dérailleur** 1922, Lar. || **monorail** XXe s.

railler XIIe s., *Naissance chevalier au cygne ;* anc. prov. *ralhar,* bavarder, plaisanter, du lat. pop. **ragulare,* bramer, bas lat. *ragere,* d'où est issu l'anc. fr. *raire* (XIVe s., Delb.), même sens. || **raillerie** 1495, *D. G.* || **railleur** fin XIVe s. (*railleresse*) ; 1464, *Pathelin* (*railleur*). || **railleusement** av. 1850, Balzac.

1. **rainette** XIVe s. (*ranette*) ; 1425, O. de La Haye (*rainette*) ; grenouille de buisson ; anc. fr. *raine* (1120, *Ps. d'Oxford*), grenouille ; lat. *rana.*

2. **rainette** XIIIe s., G. ; anc. fr. *roisne* (XIIIe s.), forme anc. de *rouanne* (v. ce mot).

rainure 1410, Delb. (*royneüre*) ; de *rouanne* (anc. fr. *roisne*), par l'intermédiaire de *roisner,* faire une rainure avec la *roisne.* || **rainer** 1832,

Raymond. || **raineuse** 1966, Reggiani. || **rainurer** 1913, Proust. || **rainurage** 1932, Lar.

raiponce milieu XVe s. (*responce*) ; 1636, Monet (*raiponce*) ; ital. *raponzo*, du lat. *rapa* (v. RAVE), avec modification de la première syllabe d'après l'anc. fr. *raïz*, racine (v. RAIFORT).

rais V. RAI.

***raisin** 1119, Ph. de Thaon (*resin*) ; fin XIIIe s. (*raisin*) ; 1715, L., grand format de papier (marqué, à l'origine, d'une grappe de raisin) ; lat. pop. **racīmus*, lat. class. *racēmus*, grappe de raisin, qui a éliminé *uva*. || **raisiné** début XVIe s. (*résiné*) ; 1606, Crespin (*raisiné*) ; 1808, d'Hautel, « sang » en argot. || **raisinier** 1647, *Rel. île de la Guadeloupe*, bot.

***raison** 980, *Passion*, « parole » ; XIe s., « faculté de penser » ; lat. *ratio, rationis*, calcul, compte, d'où « faculté de raisonner, raisonnement, motif », etc. Le français a gardé les principaux sens du latin, notamment celui de « motif » (*avoir raison, la raison d'une attitude*), mais a perdu plusieurs emplois usités en anc. fr. (*raison* au sens de « parole, discours », et au sens de « compte » dans *livre de raison*, usuel jusqu'au XVIe s.). || **raisonner** 1138, Gaimar, « parler » ; 1380, *Aalma*, sens actuel. || **raisonnable** 1120, *Ps. Cambridge* (*réidnable*) ; 1265, J. de Meung (*raisonnable*). || **raisonnablement** 1190, *Eneas* (*raisnablement*). || **raisonnant** 1673, Molière. || **raisonnement** 1380, *Aalma*. || **raisonneur** 1345, *Bull. philolog.*, « avocat » ; 1678, La Fontaine, sens actuel. || **déraisonnable** XIIIe s., G. || **déraisonner** XIIIe s. || **déraison** 1175, Chr. de Troyes. || **irraisonnable** 1372, Du Cange. || **irraisonné** 1842, Mozin. (V. les dérivés de formation savante à RATIOCINER et RATIONNEL, v. aussi ARRAISONNER.)

raja(h), radjah 1525, *Pigaphetta* (*raia*) ; 1628, Figuier (*raja*) ; hindi *raja*, par l'intermédiaire du portug., du sanskrit *râjâ*, roi, de même famille que le lat. *rex*, roi. || **maharajah** milieu XVIIIe s. (*marraja*), comp. avec *maha*, grand (cf. lat. *magnus*, grand).

raki 1664, Thévenot, liqueur d'Orient ; turc *rāqi*, mot arabe. (V. ARACK.)

râle nom d'oiseau. (V. RÂLER.)

râler 1456, *Romania*, var. de *racler* ; emploi d'abord expressif, par évocation métaphorique du bruit que l'on fait en raclant un objet dur. || **râle** 1164, *Richeut* (*rascle*) ; fin XIIIe s., Macé (*raalle*) ; 1549, R. Est. (*ralle*), oiseau. || **râle** n. m., 1611, Cotgrave, action de râler. || **râlant** 1834, Landais. || **râlage** 1924, Montherlant. || **râleur** 1571, M. de La Porte, « qui fait le bruit du râle » ; 1845, Besch., personne qui marchande sans acheter ; 1923, Lar., adj. ou n., pour qualifier une personne qui proteste sans cesse. || **râloter** 1881, Huysmans.

ralingue 1155, Wace ; anc. norrois *rar-lik*, de *rar*, génitif de *ra*, vergue, et *lik*, lisière d'une voile. || **ralinguer** 1687, Desroches.

rallier, rallonger V. ALLIER, LONG.

rallye 1930, Giraudoux ; abrév. de *rallye-paper* (XIXe s.), parfois francisé en *rallie-papier* (1877, L.) ; a d'abord désigné une épreuve équestre ; composé artificiellement de l'angl. (*to*) *rally*, rassembler, et *paper*, papier.

-rama 1834, Balzac ; élément de formation, impliquant l'idée de spectacle (ex. *cinérama*), tiré de mots comme *diorama, panorama*, construits sur *-orama* ; du gr. *orama*, spectacle, de *orân*, voir.

ramadan 1546, Geoffroy ; 1828, *Orientales* (*ramazan*) ; ar. *ramadān*, neuvième mois de l'année islamique.

ramage 1160, Benoît, adj., « branchu » ; 1265, J. de Meung, n., branchage ; 1530, Marot, adj., « qui chante dans la ramure » ; XVIe s., Loysel, « branche généalogique » ; 1611, Cotgrave, « représentation de feuillages sur une étoffe » ; 1549, R. Est., « chant des oiseaux dans les feuillages » ; anc. fr. *raim*, rameau (XIIe s., G.), lat. *ramus* (v. RAMEAU).

ramasser V. MASSE 1.

rambarde 1546, Rab. (*rambade*) ; 1773, Bourdé, mar., construction à la proue d'une galère ; 1962, Robert, sens mod. ; anc. ital. *rambata*, de *arrembar*, aborder un bateau, du langobard **rambôn*, enfoncer.

ramberge 1550, Bonnafé, type de bateau anglais ; angl. *rowbarge*, barge à rames (*row*).

rambin 1899, Esnault, « flatterie » ; de *rambiner*. || **rambiner** 1844, Esnault ; de *re-* et *débiner*.

rambuteau 1872, *Courrier de Vaugelas*, urinoir ; du n. du comte de Rambuteau, préfet qui fit créer ces édicules.

ramdam 1896, Esnault, « tapage », arg. milit., puis pop. ; altér. de *ramadan*.

1. **rame** V. RAMER 1.

2. **rame** 1600, O. de Serres, tuteur pour une plante grimpante ; fém. de l'anc. fr. *raim*,

branche, avec *a* analogique des dérivés *rameau, ramer.* || ramer 1549, R. Est.

3. **rame** milieu XIVe s., Du Cange, « rame de papier » ; catalan *raima,* rame, de l'ar. *rizma,* ballot ; 1855, Grangez, « convoi de bateaux » ; 1915, Barbusse, « attelage de plusieurs wagons ». || **ramette** 1845, Besch.

4. **rame** début XIVe s., Gilles li Muisis, « perche sur laquelle on étendait le drap » ; francique **hrama,* solive, charpente (cf. le moyen néerl. *rame, raem,* châssis ; all. *Rahmen,* châssis) ; spécialisé dans le vocab. du textile. || **ramer** 1723, Savary, étirer le tissu sur une rame. || **ramette** 1690, Furetière, châssis de fer servant en imprimerie.

***rameau** 1160, Benoît (*ramel*) ; lat. pop. **ramellus,* de *ramus,* branche ; l'anc. fr. *raim, rain,* de *ramus,* a été éliminé au XVIe s. || **rameux** fin XIIIe s., *Coucy ;* lat. *ramosus.* || **raméal** 1869, L. || **ramée** 1160, *Tristan,* « hutte » ; 1173, *Aiol,* « couvert de branches » ; anc. fr. *raim, rain.* || **ramier** 1173, *Aiol,* adj., « rameux » ; anc. fr. *raim,* branche (v. RAME 2) ; 1215, Pean Gatineau (*coulon ramier* ou *ramier*), adj., « vivant sur les branches » ; puis n. || **ramifier** 1314, Mondeville ; lat. médiév. *ramificare.* || **ramification** 1541, Canappe. || **ramiflore** 1869, L. || **ramille** XIIIe s., *Renart ;* anc. fr. *raim.* || **ramure** XIIIe s., *Renart* (*rameure*) ; même origine. || **ramule** 1869, L. || **ramuscule** 1842, Hugo. || **ramescence** 1869, Lar. || **ramescent** 1878, Lar.

ramentevoir 1175, Chr. de Troyes, remettre en l'esprit, jusqu'au XVIe s. ; anc. fr. *amentevoir* (1160, Benoît), de *mentevoir,* du lat. *mente habere,* avoir dans l'esprit.

ramequin 1654, d'après P. Robert ; moyen néerl. *rammeken,* pain grillé, dimin. de *ram* (cf. l'all. *Rahm,* crème) ; gâteau au fromage.

1. ***ramer** 1213, *Fet des Romains,* se servir de rames ; 1718, *Acad.,* « peiner » ; lat. pop. **remare,* de *remus,* rame. || **rame** fin XIe s., *Gloses de Raschi* (*rain*) ; 1207, Villehardouin ; déverbal de *ramer ;* d'abord grande rame de galère ; à partir du XVIe s., a concurrencé *aviron,* seul usité jusque-là. || **rameur** 1213, *Fet des Romains.*

2. **ramer** (*des pois*) V. RAME 2.

3. **ramer** (*du tissu*). V. RAME 3.

rameux V. RAMEAU.

rami 1962, Robert, jeu de cartes ; orig. obscure.

ramie 1868, L., plante textile d'Orient ; malais *rami.*

ramifier, ramille V. RAMEAU.

ramingue 1611, Cotgrave, cheval qui refuse d'avancer sous l'éperon ; ital. *ramingo,* de *ramo,* rameau ; d'abord appliqué au faucon qui vole de branche en branche, puis au cheval agité.

ramollir V. MOU.

ramoner début XIIIe s., Rutebeuf, nettoyer ; XVe s., nettoyer une cheminée ; 1941, Frison-Roche, alpinisme ; anc. fr. *ramon* (XIIIe-XIVe s.), balai de branchages, dimin. de l'anc. fr. *raim* (v. RAMEAU). || **ramonage** 1517, Houdoy, balayage ; 1439, G. (*ramonage de quemineez*). || **ramoneur** 1520, *Romania* (*ramoneux*).

rampe V. RAMPER.

rampeau 1560, Monluc, mot de jeu ; altér. probable de *rappel.*

ramper XIIe s., *Roman de Thèbes,* « grimper » ; 1170, *Rois,* « ramper pour grimper » ; 1487, Garbin, sens mod. ; francique **hrampon,* « grimper avec des griffes », sur un radical germanique **hramp-,* désignant quelque chose de crochu. || **rampant** 1120, *Ps. d'Oxford ;* 1918, Esnault, en aviation. || **rampe** 1585, Ronsard, « plan incliné, partie d'un escalier » ; de *ramper,* « être en pente » ; au XVIIe s., rangée de lumières sur la scène d'un théâtre ; *rampe de lancement,* 1945, *journ.* || **rampement** 1538, R. Est.

ramponneau 1760, Havard (*tabatière à la Ramponneau*) ; 1835, Raymond, « jouet » ; 1875, Lar., « couteau » ; 1932, Lar., « bourrade » ; du n. de *Ramponneau,* cabaretier fameux à la Courtille au XVIIIe s.

ramponner 1138, Gaimar, « railler » ; de *re-* et *prosne,* forme de *prône.*

rams 1842, La Bédollière, jeu de cartes ; de *ramas,* déverbal de *ramasser.*

ramure V. RAMEAU.

ranales 1964, Lar. ; lat. *rana,* grenouille.

rancart 1755, Vadé (*mettre au rancart*) ; altér. du norm. *mettre au récart,* de *récarter,* éparpiller, de *écarter ;* 1890, Chautard, « renseignement », « rendez-vous », avec var. orthogr. *rancard, rencard.* || **rancarder, rencarder** 1899, Esnault, pop., « renseigner ».

rance 1373, Gace, n., « goût d'une chose rance » ; XVe s., *Passion de Semur,* adj. ; lat. *rancidus.* || **rancir** 1538, R. Est. || **rancidité** 1752,

Trévoux. || **rancissement** 1877, L. || **rancissure** 1538, R. Est. || **rancescible** 1801, Fourcroy ; bas lat. *rancescere,* devenir rance.

ranch 1872, *J. O. ;* anglo-amér., de l'esp. *rancho.*

ranche 1363, G., « étai de ridelle » ; francique **runkja.*

rancho 1822, Arago ; esp. *rancho,* cabane, de *rancharse,* se loger, du fr. *se ranger.* || **rancherie** XVIIIe s., La Pérouse, village d'Indiens ; esp. *rancheria.* || **ranchero** 1907, Lar., fermier d'un rancho.

rancio fin XVIIe s., Saint-Simon, vin de liqueur du Roussillon ; esp. *rancio,* rance, du lat. *rancidus.*

rancœur 1190, *Saint Bernard ;* bas lat. *rancor, rancoris,* rancidité, et en lat. eccl. « rancune » (IVe s., saint Jérôme).

***rançon** 1130, *Eneas* (*raançon*) ; 1155, Wace (*rançon*), sens actuel ; lat. *redemptio, -onis,* rachat ; au XIIIe s., remplacé au sens religieux par *rédemption,* et spécialisé dans son sens actuel. || **rançonner** XIIIe s., *D. G.* || **rançonnement** XIVe s., Delb. || **rançonneur** début XVe s., Du Cange.

rancune 1080, *Roland ;* altér. de l'anc. fr. *rancure* (d'après l'anc. fr. *amertune,* à côté de *amertume*), du lat. pop. **rancūra,* croisement de *rancor* (v. RANCŒUR) et de *cura,* souci. || **rancuneux** début XIIe s., Reclus de Moiliens. || **rancunier** 1718, *Acad.*

randonnée 1131, *Couronn. Loïs,* « course impétueuse » ; 1574, Jodelle, en vénerie ; 1798, *Acad.,* sens mod. ; de *randonner.* || **randonner** 1155, Wace, « courir » ; 1896, Kahn, sport ; de *randon* (début XIIe s., *Thèbes*), « rapidité, impétuosité », issu, comme l'anc. verbe *randir* (XIIe s.), « courir avec impétuosité », du francique **rant,* course (cf. l'all. *rennen,* courir). || **randonneur** milieu XXe s.

rang 1080, *Roland* (*renc*), « suite de choses » ; 1462, Bartzsch, « place sociale » ; francique **hring,* cercle, anneau (all. *Ring*), introduit au sens de « assemblée en cercle ». || **ranger** 1160, Benoît. || **rangé** 1694, *Acad.,* « ordonné ». || **rangée** XIIe s., *Grégoire.* || **rangement** 1630, Monet. || **rangeur** 1298, *Marco Polo.* || **arranger** fin XIIe s., *Loherains.* || **arrangement** 1318. || **arrangeur** fin XVIe s., Tallemant des Réaux ; arts, 1836, Berlioz. || **déranger** 1080, *Roland.* || **dérangement** 1636, Monet.

ranz 1767, Rousseau, air des bergers fribourgeois ; du moyen fr. *rang de vaches* (1580, Larivey).

raout 1804, Saint-Constant (*rout*) ; 1824, Stendhal (*raout*) ; angl. *rout* (prononcé *raout*), désordre, du fr. *route,* au sens ancien de « troupe », « compagnie ». (V. ROUTIER 2.)

rapace XIIIe s., *Renart* (*rapax*) ; 1460, Chastellain (*rapace*) ; lat. *rapax, -acis,* sur le rad. de *rapere,* saisir, ravir. || **rapacité** fin XIVe s., Gerson ; lat. *rapacitas.*

râpe 1202, *D. G.,* attesté par la forme *raspa* dans un texte latin, « grappe de raisin dépouillée de ses grains » ; milieu XIIIe s., ustensile servant à râper ; déverbal de *râper.* || **râpé** 1175, Chr. de Troyes (*vin raspé*) ; 1819, Boiste, « usé ». || **râper** XIVe s., Moamin (*rasper*), « gratter » ; lat. pop. **raspare,* ramasser, germ. **raspôn,* rafler. || **râpage** 1617, Crespin, « grappillage » ; 1775, Brunot, sens actuel. || **rapeur** 1611, Cotgrave. || **râpeux** 1175, Chr. de Troyes (*raspos*). || **râpure** 1646, E. de Claye. || **râperie** 1875, Lar.

râpes XIIIe s., « chancre » ; 1393, G., « crevasses » ; moyen haut allem. *rappe.*

rapetasser 1553, Rab. ; mot lyonnais, dér. de *petas,* morceau de cuir ou d'étoffe pour rapiécer, du lat. *pittacium,* du gr. *pittakion,* emplâtre. || **rapetasseur** 1564, Rab. || **rapetassage** 1609, Camus.

rapetisser V. PETIT.

raphia 1804, *Bull. sciences ;* du malgache.

rapiat 1850, Balzac ; mot rég., de la loc. d'arg. scolaire *faire rapiamus,* chiper, du lat. *rapere,* saisir, ravir.

rapide fin XIe s., *Gloses de Raschi* (*rabde*) ; 1175, Chr. de Troyes (*rade*) ; début XVIe s. (*rapide*) ; lat. *rapidus,* de *rapere,* saisir, ravir. || **rapidement** 1611, Cotgrave. || **rapidité** 1573, Le Frère.

rapiécer V. PIÈCE.

rapière 1474, Du Cange (*espee rapiere*) ; de *râper,* par comparaison de la poignée trouée avec une râpe.

rapin 1821, Esnault, arg. des peintres ; orig. obscure. || **rapinade** 1845, Baudelaire.

rapine 1160, Benoît ; lat. *rapina,* sur *rapere,* prendre, voler. || **rapiner** 1250, *Bestiaire.* || **rapinerie** 1720, Trévoux. || **rapineur** fin XIIIe s., Joinville.

raplapla 1920, Bauche ; de *re-* et *à plat.*

rapporter, rapprocher V. APPORTER, PROCHE.

rapt 1155, Wace (*rap*) ; 1530, Palsgrave (*rapt*) ; lat. *raptus,* de *rapere,* saisir, enlever.

raquer XIIIe s., G., « cracher » ; 1893, Esnault, « payer », pop. ; picard *raquer,* cracher.

raquette 1314, Mondeville (*rachette*), paume de la main ; 1450, *Romania,* instrument, dû à la vogue du jeu de paume ; 1557, Thevet, raquette pour la neige ; lat. médiév. *rasceta,* paume, de l'ar. parlé *râhet* (class. *râhat*), même sens.

***rare** fin XIIe s., *Job* (*rere*) ; 1370, Oresme (*rare*) ; lat. *rarus.* || **rarement** 1190, *Saint Bernard* (*rerement*). || **rarissime** 1544, M. Scève. || **rareté** 1314, Mondeville (*rarité*) ; 1611, Cotgrave (*rareté*) ; lat. *raritas.* || **raréfier** 1370, Oresme ; lat. *rarefieri.* || **raréfaction** *id.* ; lat. médiév. *rarefactio.*

1. **ras** 1185, *Aliscans* (*res, ras*) ; adv., 1606, Nicot ; lat. *rasus,* part. passé de *radere,* raser. || **rasade** 1670, Brunot, proprem. « ce qui remplit le verre à ras ». || **rasière** XIVe s., anc. mesure de capacité. || **araser** XIIe s., *Aliscans,* « mettre à ras ». || **arasement** 1367, *Comptes de Macé Darne.*

2. **ras** 1556, Temporal (*arraz*) ; 1672, Thévenot (*raz*), chef abyssin ; mot abyssin (amharique), « tête, chef ».

rascasse 1560, Gesner ; prov. *rascasso,* de *rasco,* teigne ; poisson osseux d'aspect horrible. (V. RACAILLE.)

rascette V. RAQUETTE.

***raser** début XIIe s., *Pèlerinage Charlemagne,* « remplir à ras » ; 1175, Chr. de Troyes, « couper le poil » et « passer auprès » ; fin XIIe s., « abattre » ; 1851, Esnault « ennuyer » ; lat. pop. **rasare,* sur *rasus,* part. passé de *radere,* raser, d'où est issu l'anc. fr. *raire, rere,* même sens. || **rasage** 1797, *Annales de chimie.* || **rasant** fin XIIe s., *Roman d'Alexandre,* adv. ; 1770, Buffon, optique ; 1798, *Acad.,* milit. ; 1875, Lar., « qui ennuie ». || **rasement** 1845, Besch., action d'abattre. || **raseur** 1290, *Glossaire Douai,* « qui rase le poil » ; 1604, Certon, « qui rase une ville » ; 1853, Larchey, « importun ». || **rase-mottes** 1932, Lar. || **rase-pet** fin XIXe s. || **rasibus** fin XIVe s., E. Deschamps (*faire rasibus*) ; lat. scolaire, sur *rasus,* et finale de l'ablatif pluriel de la 3e déclinaison. || ***rasoir** 1160, Benoît (*rasor*) ; lat. pop. *rasorium ;* 1867, Delvau, « homme ennuyeux ».

rassasier 1120, *Ps. d'Oxford ;* anc. fr. *assasier* (1170, *Rois*), du lat. médiév. *assatiare,* class. *satiare,* de *satis,* assez. || **rassasiant** 1612, G. || **rassasiement** 1395, Chr. de Pisan.

rasséréner, rassortir, rassurer V. SEREIN, SORTE, SÛR.

rastaquouère 1881, Rigaud (*rastaquère*) ; esp. d'Amérique *rastracuero,* « traîne-cuir », désignant les parvenus, de *rastrear,* ratisser ; abrév. *rasta,* 1906, Lar. || **rastaquouérisme** 1882, *Gil Blas.*

rat 1175, Chr. de Troyes, orig. obscure ; p.-ê d'un élément onomatop. *ratt-,* commun aux langues germ. et aux langues romanes ; a désigné d'abord le rat noir, venu d'Asie centrale, puis, au XVIe s., le surmulot, et par la suite la souris et ses congénères ; 1816, Esnault, « élève danseuse » ; 1850, Balzac, « avare » ; 1907, Lar., *rat d'hôtel ;* 1651, Loret, *prendre un rat,* « ne pas partir », en parlant d'une arme ; début du XVIIIe s., *avoir des rats dans la tête,* « avoir des caprices ». || **raticide** 1966, *journ.* || **raton** 1265, J. de Meung, petit rat ; 1937, Esnault, injure raciste. || **ratonade** 1960, *journ.* || **ratier** XIIe s., qui a des caprices ; 1869, L., chien. || **ratière** fin XIVe s. || **dératisation** 1907, Lar. || **ratichon** 1628, Chereau (*rastichon*), « aumônier des prisons », puis, dans le vocab. pop., « prêtre » ; de *rat,* par anal. de couleur. || **rat-de-cave** 1680, Richelet, fonctionnaire des finances ; 1803, Boiste, bougie.

ratafia 1694, Ménage, au sens de « à votre santé » ; fin XVIIe s., liqueur ; lat. *rata fiat,* « que le marché soit conclu », de *ratus,* ratifié, et *fiat,* qu'il soit.

rataplan 1834, Boiste ; onomat.

ratapoil 1869, L. ; du n. de *Ratapoil,* militaire borné, caricature de Daumier.

ratatiner 1611, Cotgrave (*ratatiné*) ; 1762, *Acad.* (*ratatiner*), « démolir » ; *se ratatiner,* 1662, Brunot ; mot expressif tiré d'un rad. *tat-,* exprimant l'amoindrissement (cf. l'anc. fr. *tatin,* petite quantité). || **ratatinement** 1845, Calmeil.

ratatouille 1778, Esnault ; croisement de *tatouiller* et de *ratouiller,* formes express. de *touiller* (v. ce mot). || **rata** 1829, Esnault, arg., puis milit. ; abrév. du précédent.

rate XIIe s., *Roman de Thèbes,* viscère ; p.-ê. moyen néerl. *rate,* rayon de miel, par analogie de forme. || **ratelle** XIIIe s., rate ; XVe s., maladie des porcs ; d'où *rateleux,* XVIe s., Mizauld.

|| dérater début XVIe s., enlever la rate à un chien pour le rendre plus propre à la course. || **dératé** 1743, Trévoux, fig.

râteau 1180, G. (*rastel*) ; 1460, Villon (*ratteau*) ; lat. *rastellum,* dimin. de *rastrum.* || **râteler** 1220, Coincy. || **râtelage** 1436, G. || **râtelée** 1462, *Cent Nouvelles.* || **râteleur** 1694, *Acad.,* agric. || **râtelures** 1876, Lar. || **râtelier** 1250, Barbier, support ; 1611, Cotgrave, dentier. (V. RATISSER.)

rater 1718, *Acad.,* d'abord « ne pas partir », en parlant d'une arme à feu ; d'après *prendre un rat.* || **ratage** 1864, Goncourt. || **raté** n. m., 1836, *Acad.,* fait de rater, en parlant d'une arme ; 1907, Lar., automobile. || **raté** n. m., 1876, *Rev. des Deux Mondes,* homme qui a raté sa carrière.

ratiboiser 1875, Larchey, arg. des joueurs ; p.-ê. croisement de *ratisser* et d'*emboiser,* tromper, de l'anc. fr. *boisier,* même sens, du francique **bausjan ;* ou mot fantaisiste sur *ratisser.*

ratichon V. RAT.

ratifier 1297, Delb. (*rattefier*) ; lat. médiév. *ratificare,* de *ratum,* « ce qui est confirmé », part. passé neutre de *reri,* affirmer, confirmer. || **ratification** début XIVe s. ; lat. médiév. *ratificatio,* confirmation.

ratine 1260, G. (*rastin*) ; 1593, Gay (*ratine*) ; de l'anc. verbe **raster,* racler, raturer. || **ratiner** 1765, Duhamel. || **ratinage** 1812, Mozin. (V. RATISSER.)

ratio 1964, Lar. ; mot angl., lat. *ratio,* compte, calcul.

ratiociner 1546, Rab. ; lat. *ratiocinari,* de *ratio* au sens de « calcul, compte ». || **ratiocination** fin XVe s. ; lat. *ratiocinatio.* || **ratiocinateur** 1549, R. Est. || **ratiocineur** 1929, L. Daudet.

ration fin XIIIe s., Végèce, jurid. ; 1643, Fournier, ration des soldats ; 1810, Genlis, « portion » ; lat. *ratio,* au sens de « compte, mesure », spécialisé en lat. médiév. || **rationnaire** 1777, Malouet. || **rationner** 1795, *Journ. de Paris.* || **rationnement** 1870, Hugo.

rationnel 1120, *Ps. d'Oxford ;* lat. philos. *rationalis,* de *ratio* au sens de « raison ». || **rationnellement** 1836, Lamennais. || **rationaliste** 1552, Gruget, en parlant des médecins qui se contentent de l'« art », par opposition aux empiriques ; 1718, Van Effen, philos. || **rationalisme** 1803, Boiste. || **rationalité** 1280, R. Lulle, activité rationnelle ; 1836, *Acad.,* sens actuel. || **rationalisation** 1842, Mozin. || **rationaliser** 1842, Radonvilliers. || **irrationnel** 1370, Oresme ; lat. *irrationalis.* || **irrationalisme** 1828, Eckstein. || **irrationalité** 1873, Lar.

ratisser XIVe s., « racler » ; 1680, Richelet, « râteler », d'après *râteau ;* 1867, Delvau, « voler » ; moy. fr. *rater,* racler, raturer, de *rature* (v. ce mot). || **ratissoire** n. f. ou **ratissoir** n. m., milieu XIVe s. (*ratissouer,* masc.) ; 1538, R. Est. (*ratissoire*), même évol. de sens. || **ratissure** 1552, R. Est. || **ratissage** 1765, *Encycl.,* action de râteler ; 1962, Robert, milit.

rattacher V. ATTACHER.

rature XIIIe s., L., action de racler ; XIVe s., action de gratter un mot ; lat. pop. **rasitura,* de *radere,* racler. (V. RACLER, RASER.) || **raturer** 1550, Meigret ; a remplacé *rasurer* (XIVe s.) et *raser* (XVe s.). || **ratureur** milieu XIVe s.

rauque 1270, G. (*rauc*) ; 1406, Delb. (*rauque*) ; lat. *raucus.* || **raucité** XIVe s., *Moamin ;* lat. *raucitas.* || **rauquement** 1860, Goncourt. || **rauquer** 1761, Buffon, crier, en parlant du tigre. (V. ENROUER.)

ravage V. RAVIR.

ravaler 1175, Chr. de Troyes, « descendre » ; de *val ;* 1530, *Baudoin de Sebourg,* sens moral ; 1538, R. Est., « avaler » ; 1432, G., sens techn. || **ravalement** 1460, Blondel.

ravauder 1530, Palsgrave ; de *ravault,* sottise (XIIe s.) ; var. de *raval,* dépréciation, même sens, de *ravaler.* (V. VAL.) || **ravaudeur** *id.* || **ravaudage** 1553, Belon.

rave début XIVe s. ; franco-prov. *rava,* lat. *rapa,* var. de *rapum ;* a éliminé la forme régulière *reve* (XIIIe s.). || **ravière** 1539, R. Est., champ de raves. || **ravier** 1827, *Acad.,* bot. ; 1836, Landais, récipient pour hors-d'œuvre.

ravenelle XIIe s., G. ; anc. fr. *rafne* (fin XIe s., *Gloses de Raschi*), lat. *raphanus,* radis noir.

ravigoter 1611, Cotgrave ; altér., par substit. de suff., du moy. fr. *ravigorer,* XIIe-XVIIIe s., de *vigueur,* avec *o* analogique du lat. *vigor.* || **ravigote** 1720, *D. G.*

ravin V. RAVINE.

ravine 1160, Benoît (*raveine*), d'abord « vol fait avec violence », puis « violence », et « chute violente » (*raveine de terre*) ; 1388, *Ordonn. de Charles VI,* « torrent d'eau » ; XVIIe s., sens mod. ; déverbal de l'anc. fr. *raviner,* couler avec force (1160, *Tristan*), du lat. *rapina,* vol. || **raviner** 1585, Cholières, « creuser le sol ». || **ravin** 1690, Furetière ; déverbal de *raviner.* || **ravineux** 1842, *Acad.*

ravioli 1376, Prost (*raviolle*) ; 1834, Boiste ; plur. de l'ital. *ravioli* (XIVe s.), pâté de raves et de viande.

***ravir** 1112, *Voy. saint Brendan,* enlever de force ; 1220, Coincy, ravir l'esprit, exalter ; lat. pop. **rapire,* lat. class. *rapĕre,* saisir. || **ravissant** XIVe s., *Brun de la Montaigne,* « qui enlève » ; 1627, Sorel, « charmant ». || **ravissement** XIIIe s., *D. G.,* action d'enlever ; début XVIIe s., « admiration ». || **ravisseur** 1240, G. de Lorris, sens propre. || **ravage** 1355, Bersuire ; de *ravir,* au sens propre. || **ravager** fin XIIIe s., (*revagier*), « arracher des plants de vigne » ; 1559, Amyot, « piller » ; 1660, Boileau, fig. || **ravageur** XVIe s., Gauchet.

raviser V. AVISER

ravitailler 1427, *D. G. ;* anc. fr. *avitailler,* XIIe-XVIe s., pourvoir de nourriture, de l'anc. subst. *vitaille* (v. VICTUAILLE). || **ravitaillement** 1430, *Doc.* || **ravitailleur** 1527, Macquereau.

rayer, rayure V. RAIE 1.

ray-grass 1758, Patullo ; mot angl., de *ray,* ivraie, et *grass,* herbe.

1. **rayon** (*de lumière*), **rayonnement, rayonner** V. RAI.

2. **rayon** (*de miel*) 1538, R. Est. ; 1690, Furetière, planche de rangement ; 1883, Zola, rayon de magasin ; anc. fr. *ree,* du francique **hrâta* (cf. le néerl. *râta,* miel vierge). || **rayonnage** 1874, L., rayons de rangement.

3. **rayon** 1120, *Ps. de Cambridge* (*reun.*) ; XIVe s. (*rayon*), terme de jardinage, « petit sillon sur planche labourée ou ratissée » ; de *raie.* || **rayonnage** 1842, *Acad.* || **rayonner** 1869, L., tracer des sillons.

rayonne 1930, Lar. ; anglo-américain *rayon,* prononcé à l'anglaise, d'où le genre féminin, lui-même empr. au fr. *rayon* (de lumière).

raz 1360, Froissart (*ras*), courant violent dans un passage étroit ; 1484, Garcie, détroit de mer ; breton *raz,* de l'anc. scandinave *râs,* courant d'eau. || **raz-de-marée** 1678, Guillet.

razzia 1842, *Acad. ;* ar. d'Algérie *rhāzya,* ar. class. *rhazāwa,* attaque. || **razzier** 1843, *le Charivari.*

re-, ré-, préf. ; du lat. *re-,* exprimant le retour en arrière, la répétition, l'approfondissement. Les mots construits avec ce préfixe figurent pour la plupart aux mots simples.

ré XIIIe s., note de mus. (V. UT.)

réacteur, réactif, réaction V. ACTIF, ACTION.

réal 1363, *Doc.,* monnaie espagnole ; esp. *real.*

réalgar 1330, *Doc.* (*riagal*) ; fin XVe s. (*réalgar*) ; ar. *rahj-al-ghar,* « poudre de cave ».

realia 1916, Saussure, « choses réelles » ; mot lat.

réaliser, réalité V. RÉEL.

rébarbatif 1360, Froissart ; anc. fr. *se rebarber* (fin XIIIe s.), se mettre barbe contre barbe, d'où « tenir tête à ».

rebec 1379, J. de Brie, violon ; altér., d'après *bec,* de l'anc. fr. *rebebe* (1265, J. de Meung), de l'ar. *rabāb,* vielle.

rebeller (se) 1180, Barbier, intransitif aussi en anc. fr. ; lat. *rebellare,* de *bellum,* guerre. || **rebelle** 1160, Benoît ; lat. *rebellis,* révolté. || **rébellion** 1250, Le Grand ; lat. *rebellio, -onis.*

rebiffer XIIe s., Delb. (*rebiffer*), froncer le nez ; XIIIe s., rabrouer ; 1630, Saint-Amant (*se rebiffer*) ; orig. obscure, p.-ê. onomat. *biff-,* mouvement brusque. || **rebiffe** 1836, Vidocq.

rebiquer XXe s. ; p.-ê. de *bique,* au sens dial. de « corne ».

reblochon 1877, L. ; mot savoyard, de *reblochi,* traire de nouveau une vache.

rebours 1160, *Roman de Tristan,* adj., « ébouriffé » ; 1220, Coincy, « revêche » ; *à rebours,* XIIIe s., Rutebeuf, à contre-poil ; *au rebours,* 1534, Rab., en sens contraire ; bas lat. *reburrus,* « hérissé », altéré en **rebursus,* par croisement avec *reversus,* renversé. || **rebrousser** 1155, Wace (*reborser*), « venir à manquer » ; XIIIe s., *Roman de Renart,* « retrousser, relever » ; 1530, Palsgrave (*rebrousser,* peut-être d'après *trousser*) ; 1589, *Doc.,* « remonter le cours d'un fleuve » ; XVe s., J. de Bueil, *rebourser le chemin,* devenu *rebrousser chemin.* || **rebrousse-poil (à)** 1694, *Acad.* || **rebroussement** 1672, La Mothe le Vayer. || **rebroussoir** 1606, Nicot.

rebouteux, reboutonner, rebrousser V. BOUTER, BOUTON, REBOURS.

rebuffade 1578, d'Aubigné ; anc. *rebuffe* (XVIe s.), même sens, de l'ital. *ribuffo,* var. *rebuffo, rabuffo,* de *rabbuffare,* houspiller, dér. de *buffare.* (V. BOUFFER.)

rébus 1480, G. Alexis, « équivoque » ; 1530, Marot, sens actuel ; lat. *rebus,* abl. plur. de *res,* chose, jeu consistant à représenter les êtres et les objets par des dessins évoquant les *choses,* au lieu de mots les nommant.

rebuter 1215, Gatineau, « refuser » ; 1549, R. Est, « repousser » ; 1694, Boileau, « répugner » ; de *re-* et *buter,* repousser du but. || **rebut** fin XVe s., Commynes (*rebeut*) ; déverbal. || **rebutage** 1875, Lar. || **rebutant** 1669, Boileau.

récalcitrant 1551, Vaganay ; anc. fr. *récalcitrer* (1120, *Ps. de Cambridge*), « ruer », d'où « regimber » ; lat. *recalcitrare,* regimber, de *calx, calcis,* talon. || **récalcitrance** 1865, Baudelaire.

recaler V. CALER 2.

récapituler 1370, Oresme ; bas lat. *recapitulare,* de *capitulum,* chapitre. || **récapitulation** début XIIIe s. ; lat. *recapitulatio.* || **récapitulatif** 1831, d'Halloy.

recel, receler, receleur V. CELER.

recenser 1240, G. de Lorris, « raconter » ; 1534, Rab., « dénombrer » ; lat. *recensere,* recenser. (V. CENS.) || **recensement** 1611, Cotgrave, « récit » ; 1798, *Acad.,* sens actuel. || **recenseur** XIVe s., Girart de Roussillon, « conteur » ; 1789, Brunot, « celui qui compte les suffrages » ; 1869, L., sens mod. || **recension** 1753, Euler, « énumération et examen critique » ; 1812, Boiste, « vérification », en philologie.

récent milieu XVe s. ; lat. *recens, -entis,* humide, frais. || **récence** 1801, Mercier. || **récemment** 1544, M. Scève (*récentement*) ; 1646, Rotrou (*récemment*).

récépissé 1380, G. ; inf. passé lat. *recepisse,* avoir reçu (de *recipere,* recevoir), de la formule *cognosco me recepisse,* « je reconnais avoir reçu ».

réceptacle 1308, Aimé ; lat. *receptaculum,* de *receptare,* fréquentatif de *recipere,* recevoir.

récepteur 1265, *Livre de jostice* (*receteur*), « recéleur » ; XIVe s. (*récepteur*) ; 1845, Besch., « machine recevant les eaux surabondantes » ; 1869, L., sens mod. ; lat. *receptus,* part. passé de *recipere,* recevoir. || **réceptif** 1450, Gréban, « qui reçoit » ; 1821, Maine de Biran, sens mod. || **réceptivité** 1803, Boiste.

réception v. 1200, *Règle saint Benoît* ; *accusé de réception,* 1826, Mozin ; lat. *receptio,* de *recipere,* recevoir. || **réceptionnaire** 1866, L. || **réceptionner** 1923, Lar. || **réceptionniste** 1964, Lar.

récession 1869, L., action de se retirer ; lat. *recessio,* de *cedere,* aller, et *re-,* en arrière ; 1962, Robert, écon. polit. || **récessif** 1907, Lar. || **récessivité** 1962, Robert.

recette V. RECEVOIR.

***recevoir** 1080, *Roland* (*recevez*) ; 1190, Couci (*-voir*) ; réfection, par changem. de conjugaison, de *recivre,* Xe s., *Saint Léger* (var. *receivre, reçoivre*), du lat. *recipere.* || ***recette** 1080, *Roland,* « lieu où l'on se retire » ; 1283, Beaumanoir (*reçoite*), somme reçue ; 1398, *Ménagier,* manière de préparer un remède, ou un plat ; 1848, *Bull. des lois,* recette buraliste ; lat. *recepta,* fém. de *receptus,* part. passé de *recipere.* || **reçu** 1611, Cotgrave, n. m. || **receveur** 1120, *Ps. d'Oxford* (*receverre*), « qui soutient » ; 1170, *Rois,* « percepteur ». || **recevable** 1265, *Livre de jostice.* || **recevabilité** 1829, Boiste. || **irrecevable** 1588, Montaigne. || **irrecevabilité** 1874, L. || **non-recevoir** (*fin de*) 1870, L. (V. aussi RÉCEPTEUR, RÉCIPIENDAIRE, RÉCIPIENT.)

réchampir, réchaud V. CHAMP, CHAUFFER.

rêche 1244, Huon (*resque*), forme picarde ; 1761, Rousseau (*rêche*) ; francique *rubisk.*

rechigner 1155, Wace (*denz rechignier*), montrer les dents ; 1175, Chr. de Troyes (*rechignier*), sens mod. ; francique **kînan* (cf. l'anc. haut all. *kînan,* tordre la bouche). || **rechignement** XIIIe s. || **chigner, chougner** 1794, Hébert, « pleurnicher », pop.

rechute V. CHUTE.

récidive début XVe s. ; 1560, Paré, méd. ; 1593, *Doc.,* jurid. et sens général ; lat. médiév. *recidiva,* n. fém., de l'adj. *recidivus,* « retombé », d'où « qui revient », de *cadere,* tomber. || **récidiver** 1478, Chauliac, méd. ; 1488, *Mer des hist.,* jurid. ; lat. médiév. *recidivare,* de *recidiva.* || **récidivant** 1949, Lar., méd. || **récidivité** 1864, L., méd. || **récidiviste** 1845, Besch.

récif 1688, Œxmelin ; mot introd. en fr. par les colons d'Amérique ; esp. *arrecife,* « chaussée », de l'ar. *rasīf,* chaussée, digue.

récipiendaire 1674, La Fontaine ; lat. *recipiendus,* qui doit être reçu, adj. verbal de *recipere,* recevoir.

récipient milieu XVIe s., B. Aneau (*vaisseau récipient*) ; 1600, O. de Serres, vase ; lat. *recipiens,* qui reçoit, part. prés. de *recipere,* recevoir.

réciproque 1380, *Aalma,* adj. ; XVe s., G., n. m., « la pareille » ; 1800, Boiste, n. f. ; lat. *reciprocus.* || **réciprocité** 1729, *Merc. de France ;* bas lat. *reciprocitas.* || **réciproquement** fin XVe s. || **réciproquer** fin XIVe s. ; lat. *reciprocare.*

réciter 1155, Wace, « lire à haute voix » ; 1265, J. de Meung, « raconter, dire de mémoire » ; lat. *recitare,* lire à haute voix. || **récit** XVe s. || **récitation** 1398, E. Deschamps, « récit » ; 1530, Palsgrave, sens mod. ; 1728, Rollin, emploi scolaire ; lat. *recitatio,* lecture à haute voix. || **récitant** 1771, Trévoux. || **récitateur** milieu XVe s. ; lat. *recitator,* lecteur. || **récitatif** adj., 1472, *Lettres Louis XI ;* n. m., 1690, Furetière ; ital. *recitativo,* du lat. *recitare.* || **récital** 1884, *le Ménestrel ;* angl. *recital,* de (*to*) *recite,* du fr. *réciter.*

réclamer 1080, *Roland,* « invoquer, implorer » ; 1265, J. de Meung, sens mod. ; *reclamer* jusqu'au XVIe s. ; *se réclamer de,* 1175, Chr. de Troyes, « se recommander de quelqu'un » ; 1824, Segur, « se prévaloir de » ; lat. *reclamare.* || **réclamation** début XIIIe s., « demande » ; 1904, Lar., sens actuel ; lat. *reclamatio.* || **réclamateur** 1672, Isambert. || **réclame** 1560, La Curne, masc., en fauconnerie, « cri de rappel » ; a remplacé *reclaim* (XIIe-XVIe s.), masc. || **réclame** 1625, Stoer, fém., terme de typogr., notation en bas de page annonçant le premier mot de la page suivante ; 1834, Landais, petit article publicitaire ; 1842, Matoré, « publicité ».

récliner 1180, Marie de France ; lat. *reclinare,* pencher en arrière, de *clinare,* incliner.

reclus Xe s., *Saint Léger,* adj. ; début XIIIe s., n. m. ; part. passé de l'anc. fr. *reclure* (fin Xe s., *Saint Léger*), bas lat. *recludere,* enfermer, de *claudere.* (V. CLORE.) || **réclusion** XIIIe s., Richier, « vie retirée » ; 1771, Trévoux, jurid. || **réclusionnaire** 1836, *Acad.* || **recluserie** 1573, G., « cellule ».

récoler 1337, G. (*récolé,* n., « minute d'un acte ») ; 1356, G. (*récoler*), se souvenir ; 1690, Furetière, réviser, vérifier ; lat. *recolere,* se rappeler, et rappeler. || **récolement** fin XIVe s., jurid.

récollection 1372, Corbichon, « résumé » ; milieu XVIe s., « esprit de recueillement » ; lat. *recollectio,* sur *recollectus,* part. passé de *recolligere.* (V. CUEILLIR.)

récollet 1468, G. ; lat. médiév. *recollectus,* qui se recueille, part. passé de *recolligere,* recueillir, les récollets se livrant au recueillement.

récolte 1561, Vaganay ; ital. *ricolta,* de *ricogliere,* du lat. *recolligere.* (V. CUEILLIR.) || **récolter** 1742, Féraud ; fig., 1788, Féraud ; Voltaire préférait *recueillir.* || **récoltable** 1788, Féraud. || **récoltant** 1834, Landais, n. m.

récompenser 1290, *Livre Roisin,* « dédommager » ; 1380, *Aalma,* « gratifier » ; bas lat. *recompensare,* aux deux sens ; *se récompenser de,* jusqu'au XVIIIe s., « se dédommager de ». || **récompense** fin XIVe s., La Curne, « dédommagement » ; 1413, N. de Baye, « avantage ».

réconcilier, reconduction, réconforter V. CONCILIER, CONDUIRE, CONFORTER.

record 1889, Bonnafé ; angl. *record,* « enregistrement », et au fig. terme de sport, de (*to*) *record,* inscrire, enregistrer, de l'anc. fr. *recorder,* rappeler. (V. RECORS.) || **recordman** 1889, Saint-Albin ; composé de création française. || **recordwoman** 1924, Montherlant.

recors 1160, Benoît (*recort*), adj., « qui se souvient » ; n. m., 1552, Rab., « témoin » ; 1769, Voltaire, « personne servant de témoin à un huissier », « officier subalterne de justice » ; anc. fr. *recorder,* « rappeler, se rappeler », usuel jusqu'au XVIIIe s., du bas lat. *recordare,* lat. *recordari,* se souvenir.

recouvrer 1050, *Alexis ;* lat. *recupare* (V. RÉCUPÉRER) ; du XVe s. au XVIIIe s., souvent confondu avec *recouvrir.* || **recouvrable** 1450, G., « réparable » ; 1564, Thierry, « qui peut être repris » ; 1694, *Acad.,* sens mod. || **irrécouvrable** 1418, G. ; bas lat. *irrecuperabilis.* || **recouvrement** 1080, *Roland,* « secours » ; fin XIVe s., sens mod.

récréer fin XIIe s., R. de Moiliens (*recrier*) ; fin XIVe s., Gilles li Muisis (*recréer*) ; lat. *recreare.* || **récréation** 1282, Gauchi, « repos » ; 1482, Molinet, emploi scolaire ; lat. *recreatio.* || **récré** 1878, Esnault ; abrév. || **récréatif** 1487, Tardif.

récriminer milieu XVIe s. ; lat. médiév. *recriminari,* de *crimen,* grief, accusation. || **récrimination** milieu XVIe s., jurid. ; lat. *recriminatio.*

recroqueviller 1332, Digulleville (*se recroqueviller*) ; transitif, 1627, Crespin ; altér. de l'anc. fr. *recoquiller* (XIVe s.), de *coquille,* peut-être par croisement avec *croc* et avec *ville,* forme anc. de *vrille.* || **recroquevillement** 1953, Sarraute.

recru 1080, *Roland* (*recreü*), « rendu à merci, vaincu » ; 1696, La Bruyère, « épuisé de fatigue » ; part. passé de l'anc. fr. *recroire,* bas lat. *recredere,* se remettre à la merci, du lat. *credere,* croire.

recrudescence 1810, Alibert, méd. ; 1832, Fr. Wey, sens général ; lat. *recrudescere,* saigner davantage, d'où « devenir plus violent », de *crudus,* saignant. || **recrudescent** 1842, *Acad.*

recrue 1501, G. Cohen (*recreue*), « supplément, qui a recru » ; milieu XVIe s., « ce qui vient compléter un régiment » ; 1824, Ségur, « soldat » ; 1869, L., sens général ; part. passé, substantivé au fém., de *recroître,* de *croître.* || **recruter** 1691, Racine ; *se recruter,* 1875, Lar., sens général. || **recrutement** 1790, *Journ. militaire.* || **recruteur** 1771, Trévoux.

recta 1718, *Acad.,* « directement » ; 1788, Féraud, « exactement » ; adv. lat. *recta,* en droite ligne.

rectangle 1549, Peletier, adj. ; 1690, Furetière, n. m. ; bas lat. *rectangulus* (Ier s., Frontin) ; de *rectus,* droit, et *angulus,* angle. || **rectangulaire** 1571, Delb. || **rectangularité** 1819, *Mémoires Acad. sciences.*

recteur 1213, Fagniez (*rector*), « capitaine de navire » ; milieu XIIIe s., chef d'une université ; XVIe s., curé, en Bretagne ; 1806, Brunot, chef d'une circonscription académique ; lat. médiév. *rector,* de *regere,* diriger. || **rectorat** 1560, Pasquier. || **rectoral** 1594, *Ménippée.* || **vice-recteur** 1872, L.

rectifier 1280, Wadington, « amender » ; 1314, Mondeville (*rectefier*), « rendre droit » ; 1370, Oresme, « modifier » ; bas lat. *rectificare,* rendre droit, de *rectus,* droit. || **rectification** 1314, Mondeville ; bas lat. *rectificatio.* || **rectifiable** 1727, *Mémoires Acad. sciences.* || **rectificatif** 1819, Boiste, adj. ; 1964, Lar., n. m. || **rectifieuse** 1932, Lar., techn. || **rectifieur** 1932, Lar., ouvrier.

rectiligne 1370, Oresme ; bas lat. *rectilineus,* en ligne droite (VIe s., Boèce), de *rectus,* droit, et *linea,* ligne. || **rectilinéaire** 1774, Diderot.

rection début XVIe s. (*reccion*), « gouvernement » ; 1964, Lar., ling. ; lat. *rection,* action de diriger, de *regere,* diriger.

rectitude 1370, Oresme ; bas lat. *rectitudo,* caractère de ce qui est droit, de *rectus,* droit.

recto 1663, Kuhn ; ellipse de la loc. lat. médiév. *folio recto,* « sur le feuillet qui est à l'endroit », opposé à *folio verso.*

rectum 1363, Chauliac ; mot du lat. médical, ellipse de *intestinum rectum,* intestin droit. || **rectite** 1836, *Acad.* || **rectopexie** 1932, Lar. ; de *rectum* et *pexis,* action d'emboîter. || **rectoscopie** 1923, Lar. || **rectotomie** 1878, Lar.

recueillir, reculer V. CUEILLIR, CUL

récupérer 1308, Aimé, « se réfugier » ; 1495, J. de Vignay, « retrouver » ; lat. *recuperare* (v. RECOUVRER). || **récupération** milieu XIVe s. ; lat. *recuperatio.* || **récupérable** XVe s. || **irrécupérable** fin XIVe s. || **récupérateur** fin XVIe s., Brantôme, « qui recouvre quelque chose ».

récurer V. CURER.

récurrent 1541, Canappe, anat., à propos des nerfs ; 1713, Du Châtelet, math. ; 1922, Proust, sens général ; lat. *recurrens,* part. prés. de *recurrere,* courir en arrière, de *currere.* || **récurrence** 1842, *Acad.*

récursif 1968, Lar. ; angl. *recursive,* du lat. *recurrere,* revenir en arrière. || **récursivité** 1968, Lar.

récuser XIIIe s., jurid. ; 1669, Racine, sens général ; lat. *recusare,* « refuser ». || **récusable** 1529, Isambert. || **irrécusable** 1558, S. Fontaine ; rare avant le XVIIIe s. ; bas lat. *irrecusabilis.* || **récusation** début XIVe s. ; lat. *recusatio.*

rédacteur, rédaction V. RÉDIGER.

redan ou **redent** 1611, Cotgrave (*redent*) ; 1677, Colbert (*redan*), « retranchement formant dent » ; de *re-* et *dent.*

reddition V. RENDRE.

rédempteur 980, *Passion* (*redemptor*) ; milieu XVe s., Joret (*redempteur*) ; lat. eccl. *redemptor,* « celui qui rachète », de *redimere,* racheter, de *emere,* acheter. || **rédemption** 1120, *Ps. d'Oxford ;* lat. *redemptio,* « rachat ». (V. RANÇON.) || **rédemptoriste** 1829, Boiste. || **rédimer** 1398, E. Deschamps, relig. ; lat. *redimere.*

redevance V. DEVOIR.

rédhibitoire XIVe s., Bouthillier, jurid. ; 1869, L., sens général ; lat. jurid. *redhibitorius,* de *redhibere,* rendre, restituer, de *habere,* avoir. || **rédhibition** XIVe s. ; lat. jurid. *redhibitio.*

rédiger 1379, J. de Brie, « mettre par écrit » ; lat. *redigere,* « ramener », de *agere,* conduire, et parfois « disposer, arranger », d'où le sens du fr. || **rédaction** milieu XVIe s., « fait de réduire » ; 1690, Furetière, « fait d'écrire » ; 1845, Besch., sens actuel, *journ.* ; 1893, *D. G.,* emploi scolaire ; lat. *redactus,* part. passé de *redigere.* || **rédacteur** 1752, Trévoux, « compilateur » ; 1798, *Acad.*, sens actuel. || **rédactionnel** 1874, *Revue.*

rédimer V. RÉDEMPTEUR.

redingote 1725, Barbier ; francisation de l'angl. *riding-coat,* habit (*coat*) pour monter à cheval (*to ride*).

redonder fin XIIe s., R. de Moiliens ; spécialem. au XVIe s. dans le vocab. litt. ; lat. *redundare,* regorger, de *unda,* onde. || **redondant** 1265, J. de Meung ; lat. *redundans,* part. prés. de *redundare.* || **redondance** XIVe s., J. de Venette ; même évol. de sens ; lat. *redundantia,* de *redundare.*

redoute 1599, Mornay, milit., d'après *redouter ;* 1616, d'Aubigné (*ridotte*) ; 1636, Monet (*redoute*), « endroit où l'on danse, bal masqué » ; anc. ital. *ridotta* (auj. *ridotto*), « lieu où l'on se retire », puis « bal », de *ridurre,* ramener, au réfléchi « se retirer ».

redouter 1050, *Alexis ;* de *douter,* au sens de « craindre ». || **redoutable** fin XIIe s., *Grégoire.*

redoux 1930, *FEW ;* mot dial., de *radoucir.*

réduire XIIIe s., La Curne, « anéantir » ; XVIe s., math. ; XVIIe s., sens général ; francisation du lat. *reducere,* ramener, de *ducere,* conduire, d'après *conduire.* || **réduction** XIIIe s., *D. G.,* « rapprochement » ; 1300, G., alchimie ; 1690, Furetière, math. ; 1752, Trévoux, « reproduire en diminuant » ; lat. *reductio,* de *reductus,* part. passé de *reducere.* || **réducteur** 1835, *Annales chimie,* chim. ; 1875, Lar., sens général ; lat. *reductor.* || **réductif** 1314, Mondeville. || **réductible** XVIe s., Loysel. || **réductibilité** 1757, Brunot. || **irréductible** fin XVIIe s.

***réduit** XIIe s., *Roman de Thèbes* (*reduit*), refait en *réduit* d'après *réduire ;* lat. pop. **reductum,* part. passé subst., au sens de « qui est à l'écart », de *reducere.* (V. RÉDUIRE et REDOUTE.)

réduplication 1363, Chauliac, méd., « repli d'un organe » ; 1520, Fabri, rhét. ; bas lat. *reduplicatio* (VIe s., Boèce), rhét., de *reduplicare,* redoubler. || **réduplicatif** 1679, Huet.

réel 1283, Beaumanoir, jurid. ; 1380, *Aalma,* philos. ; XVIIe s., ext. de sens ; lat. médiév. *realis,* de *res,* chose. || **réellement** 1170, *Rois,* « de manière effective » ; 1680, Richelet, « véritablement ». || **réalité** XIVe s. (*réellité*), « contrat rendu réel » ; XVIe s., sens mod. ; bas lat. *realitas.* || **irréel** 1794, Brunot. || **irréalité** 1886, Villiers. || **réaliser** 1495, *Doc.,* jurid. ; 1611, Cotgrave, rendre réel ; début XVIIIe s., *réaliser sa fortune,* la transformer en argent ; de *réel,* sur lat. *realis ;* 1895, P. Bourget, « comprendre, se représenter » ; calque de l'anglo-amér. (*to*) *realize ;* 1908, *le Temps,* cinéma. || **réalisateur** 1842, *Acad.,* « qui réalise » ; 1918, *le Film,* cinéma. || **réalisation** 1508, *FEW,* jurid. ; 1847, Balzac, action de rendre effectif ; 1908, *l'Illustration,* cinéma. || **réalisable** 1780, Mirabeau, finances. || **irréalisable** 1819, Ballanche. || **irréalisé** 1845, Radonvilliers. || **réalisme** 1803, Boiste, philos. ; 1833, G. Planche, esthét. ; 1902, *Revue,* disposition à voir la réalité. || **réaliste** 1587, Marnix, philos. ; 1869, L., esthét. || **irréalisme** 1907, *Revue.* || **irréaliste** 1927, Crémieux. || **surréalisme, surréaliste** 1917, Apollinaire. || **néo-réalisme, néo-réaliste** 1939, Vincent.

réfection 1120, *Ps. de Cambridge* (*refectiun*) ; lat. *refectio,* action de refaire, de *refectus,* part. passé de *reficere,* refaire ; a signifié, aux XVIe-XVIIe s., « nourriture ». || **réfaction** 1686, Sévigné, « réparation » ; 1964, Robert, finances ; 1803, Wailly, réduction de prix ; var. de *réfection.* (V. *refaire* à FAIRE.)

réfectoire 1112, *Voy. saint Brendan* (*refraitur*) ; début XIIe s., *Grégoire* (*réfectoir*) ; lat. eccl. *refectorium,* neutre substantivé de l'adj. bas lat. *refectorius,* « qui refait, restaure », de *reficere,* refaire ; jusqu'au XVIIe s., surtout pour des communautés religieuses.

refend V. FENDRE.

référendaire 1310, Fauvel (*référendares*), officier de chancellerie ; bas lat. *referendarius,* « chargé de ce qui doit être rapporté », de *referre,* rapporter ; XIXe s., magistrat de la Cour des comptes. || **référendariat** 1845, Besch.

référer 1370, Oresme, « rapporter », jurid. ; *en référer à,* 1636, Monet ; *se référer à,* fin XVe s. ; lat. *referre,* rapporter. || **référé** 1690, Furetière, « rapport d'un juge » ; 1806, *Code de procéd.,* terme jurid., au sens mod. || **référence** 1845, Besch. || **référencer** 1877, L. || **référentiel** 1972, Lar. || **référendum** 1750, Brunot (*ad referendum*) ; 1781, Gohin, « demande de consultation » ; 1874, Lar., sens mod. ; mot lat., neutre de *referendus,* « qui doit être rapporté », adj. verbal.

1. **réfléchir** fin XIIe s., *Grégoire* (*reflekir*) ; 1265, J. de Meung (*reflechir*), optique ; adaptation, d'après *fléchir,* du lat. *reflectere,* « faire tourner, fléchir de nouveau ». || **réfléchissement** fin XIVe s., J. Le Fèvre. || **réfléchissant** adj., 1720, Trévoux. || **réflexion** 1370, Oresme ; bas lat. *reflexio,* « action de tourner en arrière », de

reflectere. || **réflexible** 1720, Coste. || **réflexibilité** 1720, Coste, d'après Newton. || **réflecteur** 1804, *Journ. des débats ;* lat. *reflectus,* part. passé de *reflectere.* || **réflectance** 1953, Lar. || **réflectif** 1803, Boiste. || **réflectivité** 1875, *le Progrès médical.* || **réflectographie** 1964, Lar. || **réflectoriser** 1968, *journ.,* au part. passé.

2. **réfléchir** 1672, Livet, « penser mûrement à quelque chose » ; adaptation, d'après *fléchir,* du lat. *reflectere* (*mentem, animum*), « tourner (son esprit) vers ». || **réfléchi** 1701, Furetière, gramm. ; 1734, Montesquieu, fait avec réflexion. || **irréfléchi** 1786, Tournon. || **réflexion** 1637, Descartes ; bas lat. *reflexio,* « action de tourner en arrière », adapté au sens intellectuel de « réfléchir ». || **irréflexion** 1785, *Littér. phil. et critique ;* d'après *irréfléchi.* || **réflexif** 1692, J. Du Hamel, propre à la conscience ; 1821, Maine de Biran, philos.

réflecteur V. RÉFLÉCHIR 1.

reflet 1651, Brunot, peinture ; XVIIIe s., ext. de sens ; 1803, Laharpe, image de quelque chose ; ital. *reflesso,* du n. bas lat. *reflexus,* retour en arrière, avec l'orth. *reflet,* d'après le lat. *reflectere.* || **refléter** 1762, *Acad.,* peinture ; 1784, Bernardin de Saint-Pierre, fig. || **reflètement** 1879, Huysmans.

reflex 1964, Lar., photog. ; mot angl., du français *reflet.*

réflexe 1372, Corbichon, qui a lieu par réflexion, jusqu'au XIXe s. ; 1841, Longet, physiologie ; lat. *reflexus,* part. passé de *reflectere.* (V. RÉFLÉCHIR 2.) || **réflexogène** 1964, Lar. || **réflexologie** 1921, d'après P. Robert. || **réflexothérapie** 1923, Lar.

refluer 1380, *Aalma* (*refluir*) ; 1450, *Romania* (*refluer*) ; lat. *refluere,* couler en arrière. || **reflux** 1553, Belon. || **refluement** 1877, L.

réformer 1190, Garnier ; *se réformer,* 1723, Rousseau ; lat. *reformare,* « réformer ». || **réformation** 1213, *Fet des Romains ;* lat. *reformatio.* || **réformateur** 1327, Isambert ; 1622, François de Sales, relig. ; lat. *reformator.* || **réformé** 1546, Calvin, à propos de la religion protestante ; d'où « celui qui suit la religion réformée ». || **réforme** 1625, Peiresc, relig. ; 1640, Oudin, sens général ; de même que *réformation,* désigne à partir du XVIIe s. la révolution religieuse du XVIe s. || **réformable** 1483, Isambert. || **irréformable** 1725, *D. G.* || **réformiste** 1834, Boiste. || **réformisme** fin XIXe s. || **reforming** 1964, Lar., en raffinage ; mot angl., de *to reform,* rectifier, du français.

refouler fin XIe s., *Gloses de Raschi,* fouler une deuxième fois ; 1611, Cotgrave, « repousser » ; 1824, Ségur, « expulser » ; 1798, *Acad.,* « déplacer un fluide » ; 1930, Delacroix, psychol. ; de *re-* et *fouler.* || **refoulement** 1538, R. Est, « action d'émousser » ; 1875, Lar., « expulsion » ; 1922, *FEW,* psychol. || **refouloir** 1870, L., techn. || **défouler** 1080, *Roland,* « maltraiter » ; milieu XXe s., psychol. || **défoulement** XVe s., reflux ; milieu XXe s., psychol.

réfractaire 1539, R. Est. ; 1792, Brunot, milit. ; lat. *refractarius,* indocile, de *refractus,* part. passé de *refringere,* briser.

réfraction 1270, Mahieu le Vilain ; lat. *refractio,* action de briser (lat. *refringere,* part. passé *refractus*). || **réfracter** 1739, Brunot, « faire dévier ». || **réfracteur** 1870, L., astron. || **réfractomètre** 1875, Lar.

refrain milieu XIIe s., *Roman de Thèbes ;* altér., d'après *refraindre,* de l'anc. fr. *refrait* (fin XIe s., *Gloses de Raschi*), part. passé substantivé de l'anc. verbe *refraindre,* « briser », d'où « modérer, moduler » ; lat. pop. **refrangere,* réfection du class. *refringere* d'après le simple *frangere,* briser. Le refrain est un retour régulier qui brise la chanson.

réfrangible 1706, *Nouvelles de la république des Lettres ;* angl. *refrangible, refrangibility,* créés par Newton, d'après le lat. *refringere,* avec le rad. de *frangere,* briser. || **réfrangibilité** *id.*

réfréner 1120, *Ps. de Cambridge ;* lat. *refrenare,* arrêter, de *re-* et *frenare,* mettre un mors, de *frenum,* mors. || **réfrènement** XIIIe s. (V. FREIN.)

réfrigérer 1380, *Aalma,* sens propre ; XIXe s., A. Daudet, fig. ; lat. *refrigerare,* de *re-* et *frigerare,* refroidir, de *frigus,* froid. || **réfrigérant** 1372, Corbichon ; 1922, Proust, fig. || **réfrigération** 1478, Chauliac. || **réfrigérateur** 1611, Cotgrave, adj. ; 1949, Lar., appareil.

réfringent 1720, Coste ; lat. *refringens,* participe prés. de *refringere.* || **réfringence** 1799, Loysel. || **biréfringent** 1866, Lar. || **biréfringence** 1878, Lar.

refuge 1120, *Ps. d'Oxford ;* lat. *refugium,* de *refugere,* se réfugier, de *fugere,* fuir. || **réfugier** 1432, Barbier ; d'apr. la forme du lat. *refugium.* || **réfugié** 1432, Barbier, qui a fui son pays ; 1832, *Bull. lois,* exilé, n. m.

refuser fin XIe s., *Lois de Guill. ;* lat. pop. **refusare,* croisement de *recusare,* « refuser », avec *refutare,* « réfuter », et en bas lat. « refuser » ; a signifié aussi en anc. fr. « repousser » et « reculer ». (V. RÉCUSER, RÉFUTER, RUSER.) || **refus** fin XIIe s., *D. G.* || **refusable** 1200, *Règle saint Benoît.* || **refusé** 1265, J. de Meung, « éconduit » ; 1870, L. , « non admis », adj. et n.

réfuter 980, *Passion* (*refuder*), « repousser » ; 1330, Digulleville, sens actuel ; lat. *refutare,* repousser, réfuter. || **réfutation** 1284, *Doc. ;* lat. *refutatio.* || **réfutable** 1569, Montaigne. || **irréfutable** 1747, Vauvenargues. || **irréfutablement** 1845, Radonvilliers. || **irréfutabilité** 1846, Lamartine. || **irréfuté** 1840, *Acad.*

regain V. GAGNER.

1. **régal** n. m., 1320, Fauvel (*rigale*) ; 1458, *Mystère* (*regalle*), « festin » ; 1690, Furetière, cadeau et mets savoureux ; 1666, Molière, vif plaisir ; anc. fr. *gale,* réjouissance (v. GALANT), avec le préf. *ri-* (empr. à l'anc. fr. *rigoler,* « se divertir », v. ce mot), remplacé par *ré-,* plus fréquent. || **régaler** 1370, J. Le Bel (*regalir*), « festoyer » ; XVIe s. (*régaler*), « gratifier de quelque chose d'agréable » ; XVIIe s., sens actuel. || **régalade** 1719, Trévoux, *à la régalade ;* 1808, d'Hautel, action de régaler ; 1835, *Acad.,* « feu vif et clair ».

2. **régal** adj., fin XIIe s., « royal » ; lat. *regalis,* royal, de *rex, regis,* roi ; auj., seulem. dans *eau régale* (Richelet, 1680). || **régalien** 1413, Runkewitz.

1. **régale** 1160, Benoît (*regaile*) ; 1246, Du Cange, n., jurid.; lat. médiév. *regalia* (s.-e. *jura*), « droits du roi ».

2. **régale** 1552 Rab. (*regualle*), anc. instrum. de mus. ; p.-ê. du lat. *regalis,* royal.

régalien, regarder V. RÉGAL 2, GARDER.

régate 1680, Richelet, « course de bateaux à Venise » ; 1932, Lar., cravate analogue à celle des marins ; vénitien *regata,* course de gondoles, proprem. « défi », peut-être du même rad. que l'ital. *gatto,* chat.

régénérer 1050, *Alexis,* au sens moral ; 1377, Lanfranc, méd. ; 1782, Brunot, polit. ; lat. eccl. *regenerare,* faire renaître, d'où « renouveler moralement ». || **régénérant** 1904, Frapié. || **régénération** 1160, Benoît ; lat. eccl. *regeneratio,* de *regenerare.* || **régénérateur** 1495, J. de Vignay. || **régénérescence** 1801, Mercier.

régent milieu XIIIe s., professeur d'université ; 1316, Isambert, sens polit. ; *régent de la Banque de France,* 1835, *Acad. ;* lat. *regens,* part. prés. de *regere,* diriger. || **régence** 1403, Isambert. || **régenter** XVe s., *Perceforest,* « gouverner » ; fin XVe s., sens actuel.

régicide 1594, *Satire Ménippée,* meurtrier et meurtre ; lat. médiév. *regicida,* de *rex, regis,* roi, et *caedere,* tuer.

regimber 1175, Chr. de Troyes (*regiber*) ; fin XIIe s., *R. de Cambrai* (*regimber*), « ruer » ; dès l'anc. fr., « résister » ; de *giber,* secouer ; formation expressive. || **regimbement** 1538, R. Est. || **regimbeur** *id.*

1. **régime** XIIIe s. (*regimen,* encore au XIVe s.), « action de diriger », sens qui subsiste jusqu'au XVIIe s. ; XVe s., La Curne, « traitement de maladie » ; XVIe s., « règle de vie » ; 1680, Richelet, grammaire ; début XVe s., système politique ; 1828, Péclet, régime pluvial ; autom., 1900, *France autom. ;* lat. *regimen,* de *regere,* diriger.

2. **régime** 1640, Bouton, inflorescence ; esp. des Antilles *racimo,* raisin, du lat. *racimus,* grappe.

régiment 1265, J. de Meung, « règlement » ; 1314, Mondeville, « traitement » ; lat. *regimentum,* direction, de *regere,* diriger ; 1553, Barbier, milit. ; d'après l'all. *Regiment.* || **régimentaire** 1791. || **enrégimenter** 1722, *Mém. de Trévoux.* || **enrégimentement** 1876, L.

région 1119, Ph. de Thaon, « pays » ; 1560, Paré, « partie du corps » ; lat. *regio,* direction, contrée ; a éliminé la forme pop. *reion, roion.* || **régional** 1478, Chauliac ; rare jusqu'en 1848, L. || **régionaliser** 1964, *journ.* || **régionalisation** 1964, *journ.* || **régionalisme** 1875, J. de Reinach. || **régionaliste** 1907, Lar.

régir début XIIIe s., « gouverner » ; 1580, Montaigne, « déterminer » ; 1530, Marot, gramm. ; lat. *regere,* diriger. || **régie** début XVIe s., Bonivard, « quartier d'une ville » ; 1670, Richelet, « administration » ; 1748, Montesquieu, sens actuel ; part. passé, substantivé au fém., de *régir.* || **régissant** 1775, Condillac, gramm. || **régisseur** 1724, *Édits.*

registre 1265, Br. Latini (*regestre*) ; XIIIe s., Rutebeuf (*registre*), livre ; anc. fr. *regeste,* récit (1155, Wace), du bas lat. *regesta,* registre, catalogue, part. passé pl. neutre, substantivé, de *regerere,* « rapporter, inscrire », avec réfection sur *épistre* (mod. *épître*) ; 1559, Amyot, mus., règles de bois d'un orgue servant pour les différents jeux ; XXe s., étendue de la voix ; lat. médiév. *registrum campanae,* corde de cloche ; *regeste* réapparaît dans le lexique des historiens vers 1870. || **registrer** 1283, Beaumanoir. || **enregistrer** XIIe s., *Vie d'Édouard ;* 1895, *le Progrès de Lyon,* cinéma. || **enregistrable** 1580, Montaigne. || **enregistrement** 1310, G. || **enregistreur** 1310, *Ordonnance,* personne qui enregistre ; 1829, Boiste, appareil.

règle XIIe s., *Dolopathos* (*reugle*), « principe moral » ; 1317, Bevans, « instrument » ; 1538, R. Est., « prescription, convention » ; lat. *regŭla ;* a éliminé la forme pop. *reille* (fin XIe s., *Gloses de Raschi*), « barre », et la forme *ruile* (1119, Ph. de Thaon), ou *rieule.* || **réglet** 1370, Oresme. || **réglette** 1415, *Français moderne.* || **régler** 1288, Bevans, « marquer de lignes » ; milieu XIVe s., « contrôler » ; 1629, Corn., « fixer » ; 1771, Voltaire, « faire fonctionner ». || **dérégler** 1280, Vegèce. || **réglable** 1842, *Acad.* || **réglage** 1508, *Comptes Gaillon.* || **régleur** 1527, Isambert. || **règlement** 1538, R. Est. || **dérèglement** 1280, R. Lulle. || **réglementaire** 1768, Brunot. || **réglementairement** 1845, Besch. || **réglementer** 1768, Brunot. || **réglementation** 1845, Besch. || **régloir** 1723, Savary. || **réglure** 1549, R. Est. || **régulateur** 1765, *Encycl. ;* dér. sav. du bas lat. *regulare,* de *regula.* || **régulation** 1460, Chastellain, « domination » ; 1836, *Acad.,* action de régler.

réglisse XIIIe s., *Blancandin* (*requelice*) ; 1393, Gay (*réglisse*) ; contraction, sous l'influence de *règle* (à cause de la forme des bâtons de réglisse), de *ricolice* (XIIe s.), métathèse de *licorece* (XIIe s.), issu, avec une altération d'après *liqueur,* du bas lat. *liquiritia* (IVe s., Végèce), du gr. *glukurrhiza,* « douce racine ».

règne fin Xe s., *Saint Léger ;* lat. *regnum,* de *rex,* roi ; a signifié aussi « royaume », en anc. fr. || **régner** fin Xe s., *Saint Léger ;* lat. *regnare.* || **régnant** 1138, Gaimar. || **interrègne** 1355, Bersuire ; lat. *interregnum.*

regorger V. GORGE.

régression 1372, Golein ; formé sur le modèle de *progression,* du lat. *regressio,* marche en arrière, de *regressus,* part. passé de *regredi,* retourner en arrière. || **régressif** 1842, *Acad. ;* sur le modèle de *progressif.* || **régresser** 1949, Lar.

regretter 1050 *Alexis,* « se lamenter sur un mort » ; 1460, Villon, sens mod. ; orig. obsc., peut-être de l'anc. scand. *grāta,* « pleurer, gémir », avec *re-* analogique des anc. *repentir, recorder, remembrer,* etc. || **regret** 1160, Benoît ; *à regret,* 1460, Chastellain. || **regrettable** 1472, Leseur. || **regrettablement** 1834, Boiste.

régulariser, régulateur V. RÉGULIER, RÈGLE.

régule 1611, Cotgrave (*régule d'antimoine,* médicament) ; 1932, Lar., alliage ; lat. *regulus,* petit roi, de *rex, regis,* roi. || **réguler** 1932, Lar.

régulier 1119, Ph. de Thaon (*réguler*) ; XIVe s. (*régulier,* par changem. de suff.) ; XXe s., « ponctuel » ; lat. *regularis,* en lat. impér. « qui a la forme d'une règle », en bas lat. « régulier », de *regula,* règle. || **réglo** 1917, Esnault. || **régularité** 1370, Oresme. || **régulariser** 1794, Brunot. || **régularisation** 1819, Boiste. || **irrégulier** 1283, Beaumanoir ; bas lat. *irregularis.* || **irrégularité** 1495, J. de Vignay ; bas lat. *irregularitas.*

régurgiter 1560, Paré ; lat. *regurgitare,* de *gurges, -itis,* « gouffre ». (V. GORGE.) || **régurgitation** *id.*

réhabiliter V. HABILE.

réifier 1965, *journ. ;* lat. *res,* chose, et *-fier,* lat. *facere,* faire. || **réification** 1960, *journ.*

***rein** fin XIIe s., *Rois,* « région lombaire » ; XIVe s., organe ; lat. *ren.* (V. ROGNON.) || **éreinter** fin XIIIe s. (*éreincier*) ; 1690, Furetière (*éreinter*), « rompre les reins » ; a remplacé l'anc. fr. *érener* (XIe s.) ; 1700, Regnard, « fatiguer » ; 1842, *Acad.,* « critiquer ». || **éreintement** 1842, *Acad.,* seulem. au fig. || **éreintage** XIXe s., Baudelaire. || **rénal** 1314, Mondeville ; lat. *renalis,* de *ren.* || **surrénal** 1762, *Acad.,* placé au-dessus des reins.

***reine** 1080 *Roland* (*reïne*) ; lat. *regina.* || **vice-reine** 1718, *Acad.* || **reine-claude** 1690, Furetière ; du nom de la *reine Claude,* épouse de François Ier ; on trouve, en 1628, *prune de la reine Claude.* || **reine-des-prés** 1655, Roland. || **reine-marguerite** 1715, La Quintinie.

reinette 1536, R. Est. (*pomme de reinette*) ; empl. fig. de *rainette,* grenouille, à cause de la peau tachetée de cette variété de pomme ; croisement orth. avec *reine,* p.-ê. parce que la *reinette* est tenue pour la reine des pommes.

réintégrer V. INTÉGRAL.

réitérer 1314, Mondeville ; lat. *reiterare,* commencer, sur *iterum,* de nouveau. || **réitération** début XVe s. || **réitératif** 1414, N. de Baye. || **réitérateur** 1870, L.

reître 1563, Ronsard ; allem. *Reiter,* cavalier ; d'abord « cavalier allemand », puis empl. péjor.

rejeter, réjouir V. JETER, JOUIR.

relaps 1384, *Bull Soc. histoire de Paris ;* lat. *relapsus,* « retombé », part. passé de *relabi,* de *labi,* tomber.

relater 1342, Gautier, « raconter » ; XVIe s., jurid. ; de *relatus,* part. passé de *referre,* raconter, rapporter. || **relation** 1265, Br. Latini, « rapport » ; 1360, Froissart, « récit » ; 1677, Fléchier, « rapport d'amitié » ; lat. *relatio,* de *relatus.* || **relatif** 1265, J. de Meung, « non absolu » ; 1370, Oresme, *relatif à ;* 1677, Miege, gramm. ; bas lat. philos. et gramm. *relativus,* de *relatus.* || **relativement** XIVe s. || **relativité** 1805, *Ann. chimie.* || **relativisme** 1897, Lar. || **relativiste** 1904, Lar. || **relationnel** 1914, d'après P. Robert.

relaxer fin XIIe s., *Romania,* relig. ; 1360, Froissart, « différer » ; 1560, Paré, « décontracter » ; milieu XVe s., « remettre en liberté » ; lat. *relaxare,* relâcher ; *se relaxer,* 1964, Lar. ; calque de l'angl. *to relax.* || **relaxation** 1314, Mondeville, méd., ; 1382, G., action de délier d'un serment ; lat. *relaxatio* (Ve s., Prosper d'Aquitaine, élargissement d'un prisonnier) ; 1954, *journ.,* « relâchement des muscles » ; calque de l'angl. *relaxation.* || **relaxe** 1671, Pomey, jurid. || **relax** 1966, *journ.,* « décontracté ».

relayer XIIIe s., B. de Condé, vén., « changer les chiens » ; XVIe s., appliqué aux chevaux ; 1636, Monet, « remplacer » ; 1964, Lar., sports ; anc. fr. *laier* (1160, *Roman Tristan*), « laisser les chiens fatigués pour en prendre d'autres ». (V. DÉLAI.) || **relais** XIIIe s. (*relai*), « repos des chiens » ; XVIe s. (*relais*), « délai » ; 1690, Furetière, « remplacement des chevaux » ; 1930, Morand, sports ; d'après le verbe *relaisser,* vén., « s'arrêter de fatigue », ou d'après le n. déverbal *relais,* « ce qui est laissé », d'empl. techn. depuis le XIIe s.

reléguer 1370, Oresme, hist. rom. ; 1588, Montaigne, « exiler » ; 1694, Bossuet, fig. ; XIXe s., empl. jurid. spécialisé ; lat. *relegare,* bannir. || **relégation** 1370, Oresme, même évol. de sens ; lat. *relegatio,* de *relegare.*

relent XIIe s., adj., « malodorant », notamment s'agissant de cadavres ; lat. *lentus,* lent à couler, d'où « visqueux », d'où « humide, moite », avec un préfixe *re-* intensif ; début XIIIe s., Raoul de Houdenc, n.

relever V. LEVER.

relief 1050, *Alexis,* « ce qui fait saillie » ; 1320, Watriquet, « restes de nourriture » ; 1875, Lar., géol. ; déverbal de *relever,* d'après les anc. formes toniques : je *relief,* etc. ; 1537, trad. du *Courtisan,* bx-arts, d'après l'ital. *rilievo.* || **bas-relief** début XVIIe s. ; d'après l'ital. *basso rilievo.* || **haut-relief** milieu XVIIe s.

relier V. LIER.

religion fin XIe s., *Lois de Guill. ;* en anc. fr., a signifié aussi « communauté religieuse » ; *entrer en religion,* 1283, Beaumanoir ; début XVIIe s., « sentiment de respect » ; lat. *religio.* || **religieux** 1112, *Voy. saint Brendan,* adj. ; 1265, Br. Latini, moine ; 1580, Montaigne, « qui respecte la règle » ; lat. *religiosus,* au sens eccl., « qui appartient à un ordre monastique ». || **religieusement** fin XIIe s., *Job.* || **religiosité** XIIIe s. ; lat. *religiositas.* || **religionnaire** 1562, Delb. ; d'après l'emploi de *religion* pour désigner la religion réformée. || **coreligionnaire** 1827, Eckstein. || **irréligion** 1560, Millet ; lat. *irreligio.* || **irréligieux** 1455, Fossetier ; lat. *irreligiosus.* || **irréligiosité** XVIIe s., Le Noblet ; lat. *irreligiositas.*

reliquat XIVe s., La Curne (*reliqua,* usité jusqu'à la fin du XVIe s.) ; lat. *reliqua,* « reste », pl. neutre de *reliquus,* « qui reste » ; XVIe s. (*reliquat*), refait sur le bas lat. *reliquatum,* part. passé substantivé de *reliquare,* avoir un reliquat, sur la rac. de *linquere,* laisser.

relique 1080, *Roland ;* lat. *reliquiae,* restes, spécial. en lat. eccl. (IVe s., saint Augustin), de *reliquus,* qui reste (v. RELIQUAT). || **reliquaire** XIIIe s., *Apollonius* (*reliquiaire*) ; 1328, Douet d'Arcq (*reliquaire*).

réluctance 1904, Lar., électr. ; angl. *reluctance,* aversion, lat. *reluctans,* qui s'oppose.

reluquer XVIIIe s., *Théâtre des boulevards,* pop. ; de *luquer,* regarder (XIVe s.), du moy. néerl. *locken,* regarder (cf. l'angl. [*to*] *look*) ; avec *u,* au lieu de *ou,* sous l'influence de *lucarne,* et de *luquet,* « œil-de-bœuf » dans les parlers du Nord.

remake 1964, Lar., cinéma ; angl. (*to*) *remake,* refaire.

rémanence 1112, *Voy. saint Brendan,* « résidence » ; 1175, Chr. de Troyes, « fait de rester » ; 1932, Lar., techn. (calque de l'angl. *remanence*) ; lat. *remanens,* part. prés. de *remanere,* rester. || **rémanent** 1119, Ph. de Thaon, « qui reste » ; XVIIe s., *Ordonnance des eaux et forêts,* « forestier » ; 1877, L., phys.

remanier, remarquer V. MANIER, MARQUER.

remblayer 1241, G. ; anc. fr. *emblayer* (XIIe s.), de *blé.* (V. DÉBLAYER.) || **remblai** 1694, Th. Corn.

remède 1181, Le Grand, méd. ; 1190, Garnier, fig. ; lat. *remedium.* || **remédier** 1282, Thierry, « porter remède » ; 1636, Corn., méd. ; lat. *remediare.* || **remédiable** 1398, E. Deschamps. || **irrémédiable** 1474, Delb. ; lat. *irremediabilis.*

remembrance 1080, *Roland ;* anc. fr. *remembrar,* se souvenir, du bas lat. *rememorari.*

remembrement, remémorer, remercier V. MEMBRE, MÉMOIRE, MERCI.

réméré 1470, H. Baude, jurid., rachat d'immeuble ; 1690, Furetière, sens actuel ; lat. médiév. *reemere,* racheter (class. *redimere*), de *emere,* acheter.

rémige 1789, Razoumowski, adj. et n. f., appliqué aux oiseaux ; lat. *remex, -igis,* rameur, de *remus,* rame, et *agere,* pousser.

réminiscence XIIIe s., Tobler-Lommatzsch ; bas lat. philos. *reminiscentia,* de *reminisci,* se souvenir.

remisage, remise V. METTRE.

rémission 1120, *Ps. d'Oxford,* « pardon » ; 1560, Paré, méd. ; lat. eccl. *remissio,* action de remettre, de *remissus,* part. passé de *remittere,* remettre. || **rémissible** XIVe s. || **irrémissible** début XIIIe s., A. Thierry ; rare en anc. fr. ; lat. *irremissibilis.*

rémittent 1795, Cullen ; lat. *remittens,* part. prés. de *remittere,* remettre. || **rémittence** 1776, d'après P. Robert.

rémora 1553, Rab. (*rémore*) ; 1562, Du Pinet (*rémora*), nom de poisson ; lat. *remora,* « retard, obstacle », de *remorari,* retarder, arrêter, de *mora,* retard (les Anciens croyaient que ce poisson pouvait arrêter les bateaux).

remords fin XIIIe s., Rutebeuf (*remors de consciance*) ; anc. part. passé de *remordre* (fin XIIe s., *Rois*), lat. *remordere.* (V. MORDRE.)

remorquer XVe s. ; ital. *rimorchiare,* du bas lat. *remulcare,* de *remulcum,* corde de halage ; var. *remolquer* (1532, Rab.), de l'esp. *remolcar,* même étym. || **remorque** 1694, Th. Corn., « traction » ; 1773, Bourdé, « câble » ; 1900, Graffigny, « véhicule ». || **remorqueur** 1823, Boiste. || **remorquage** 1834, Boiste.

rémoulade 1640, Oudin (*rémolade*), emplâtre pour les chevaux ; 1798, *Acad.* (*rémoulade*), sauce ; rouchi *rémola,* gros radis noir, ou picard *ramolas* (dér. altéré du lat. *armoracia,* raifort sauvage), avec un suff. *-ade* p. ê. analogique de *salade.*

rémouleur début XIVe s. ; de *rémoudre* (1596, Hulsius), de *émoudre.* (V. ÉMOULU, MOUDRE.)

remous 1687, Desroches (*remoux*), « tourbillon » ; 1884, A. Daudet, fig. ; déverbal du moyen fr. *remoudre,* moudre de nouveau (1481, Barbier), de *re-* et *moudre.*

rempart fin XIVe s., avec *t* analog. de l'anc. forme *boulevart ;* déverbal du moy. fr. *remparer* (1360, Froissart), « munir d'un rempart », d'après *se remparer,* « s'emparer de nouveau », d'où « se retrancher », de *emparer* (v. ce mot).

rempli, remplir V. PLIER, EMPLIR.

remuer 1080, *Roland,* « changer, rechanger » ; 1131, *Couronn. Loïs,* « agiter » ; 1398, *Ménagier,* « déplacer » ; 1662, Bossuet, fig. ; de *muer,* dans son ancien sens de « changer ». (V. MUER.) || **remuement** 1155, Wace. || **remue-ménage** 1585, Cholières, « déménagement » ; 1648, Scarron, « agitation ». || **remuable** 1265, Br. Latini, « changeant » ; 1596, Hulsius, « qu'on peut remuer ». || **remuant** 1175, Chr. de Troyes, « changeant » ; XIIIe s., sens actuel. || **remue** 1621, *Romania,* « action de changer » ; 1949, Lar., migration d'animaux en montagne. || **remueur** 1611, Cotgrave, adj. ; 1500, Espinas, ouvrier qui remue le grain ; 1584, Bouchet, qui met en mouvement, n. m.

remugle 1514, *Ordonnance* (*remeugle*), « moisi » ; anc. norrois *mygla,* « moisissure », avec *re-* de renforcement.

rémunérer début XIVe s., Gilles li Muisis ; lat. *remunerare,* de *munus, muneris,* cadeau, gratification. || **rémunération** 1300, Bouthors ; lat. *remuneratio.* || **rémunérateur** XIIIe s. ; bas lat. *remunerator.* || **rémunératoire** début XVIe s.

renâcler XVIIe s. ; altér., par croisement avec *renifler* (v. ce mot), du moy. fr. *renaquer* (1355, Bersuire), de *nascier, naquer* (1280, Bibbesworth), flairer, p.-ê. forme picarde issue du lat. pop. **nasicare,* de *nasus,* nez. || **renâclement** 1880, Huysmans.

rénal V. REIN.

renard milieu XIIIe s. (*renart*) ; de *Renart,* nom propre d'homme, qui a éliminé l'anc. *goupil* à cause du succès du *Roman de Renart ;* francique **Reginhart* (germ. *ragin,* conseil, et *hart,* dur) ; 1690, Furetière, trou fait par l'eau. || **renarde** fin XIIIe s., Rutebeuf. || **renardeau** 1288, Gelée. || **renardien** XVe s. || **renardière** milieu XVe s., nom de lieu angevin ; 1525, Thénaud, nom commun. || **renarder** 1398, E. Deschamps, « agir avec ruse » ; 1576, Sasbout, « vomir ».

renauder XVIe s., *Romania ;* de *parler renaud,* nasiller, de *regnaut,* cri du renart, var. de *renard ;* « grogner ». || **renaud** 1673, Esnault (*regnaud*) ; 1844, Esnault (*renaud*).

rencontrer 1160, Benoît, « affronter » ; 1661, Molière, « avoir une entrevue » ; anc. fr. *encontrer* (980, *Passion*), de *encontre ; se rencontrer,* 1559, Amyot. || **rencontre** XIIIe s., Huon de Méry, masc. jusqu'au XVIe s.

***rendre** Xe s. ; lat. pop. **rendere,* croisement du lat. *reddere,* rendre, et *prendere,* saisir. || **reddition** 1356, Isambert ; lat. *redditio.* || **rendement** 1190, *Saint Bernard,* action de rendre ; 1538, R. Est., écon. || **rendu** XIXe s., peinture ou photographie ; 1882, Zola, marchandise rendue par le client. || **rendez-vous** 1578, d'Aubigné. || ***rente** 1112, *Voy. saint Brendan ;* lat. pop. **rendita,* part. passé, subst. au fém., « ce que rend l'argent placé ». || **rentier** 1190, Bodel. || **arrenter** XIIIe s.. || **renter** 1220, Coincy. || **rentable** 1290, G. || **rentabilité** 1926, Gide. || **rentabiliser** 1962, Dumont.

rendzine 1964, Lar., géol. ; mot polonais.

***rêne** 1080, *Roland* (*resne*) ; lat. pop. **retina,* lat. class. *retinaculum,* lien, de *retinere,* retenir.

renégat XVe s. ; ital. *rinnegato,* « qui a renié sa religion », de *rinnegare,* lat. pop. **renegare,* renier ; a remplacé l'anc. fr. *reneié,* de *se reneier ;* au XVIIe s. encore, *moine renié.* (V. NIER.)

rénette XIIIe s., G. (*royenette*), outil tranchant ; 1532, Havard (*rénette*) ; de l'anc. fr. *roisne.* (V. ROUANNE.) || **rénetter** 1762, *Acad.*

renflouer 1529, Parmentier ; 1949, Sartre, fig. ; norm. *flouée,* de l'anglo-norm. *flot,* « marée », de l'anc. norrois *flôd, id.* || **renflouage** 1870, L. || **renflouement** *id.*

renforcer, renfort V. FORCE.

renfrogner XVe s., *Repues franches* (*refrogner*) ; XVIe s. (*renfrogner*) ; *re-* et anc. fr. *froignier,* « retrousser le nez », du gaulois **frogna,* narine (gallois *ffroen,* nez). || **renfrognement** 1539, R. Est. (*refrognement*) ; 1553, Le Plessis (*renfrognement*).

rengaine, rengainer V. GAINE.

rengréger 1458, *Mystère ;* anc. fr. *engregier,* empirer, de *gregier,* nuire, du lat. pop. **graviare,* incommoder, lat. *gravis,* lourd.

renier V. NIER.

renifler 1530, Palsgrave ; anc. fr. *nifler* (fin XIIe s.), orig. onomat., imitation du bruit correspondant (cf. l'all. *niffeln,* « flairer »). || **reniflement** 1596, Hulsius. || **renifleur** 1642, Oudin.

réniforme V. REIN.

rénitent 1555, Vide ; lat. *renitens,* part. prés. de *reniti,* résister. || **rénitence** 1538, Canappe.

renne 1552, trad. de Munster (*reen*) ; all. *Reen,* du scand. *ren* (suédois *ren,* islandais *hreinn*).

renom, renommée V. NOMMER.

renoncer 1155, Wace, « annoncer » ; 1274, Gossen, sens actuel ; lat. *renuntiare,* « annoncer en réponse ». || **renonciation** *id. ;* lat. *renuntiatio.* || **renoncement** XIIe s., « annonce » ; milieu XIIIe s., sens actuel. || **renonce** 1690, Furetière. || **renonciateur** 1839, Boiste.

renoncule 1549, Meignan (*ranoncule*) ; lat. *ranunculus,* petite grenouille, surnom de la renoncule d'eau, et dimin. de *rana,* grenouille. (V. RAINETTE.) || **renonculacée** 1798, Jolyclerc.

renouveler, rénover V. NEUF 2.

renquiller 1836, Vidocq, « rentrer » ; de *enquiller,* entrer, de *quille,* jambe.

renseigner, rentable, rente V. ENSEIGNER, RENDRE.

rentraire début XVe s., en couture, puis en tissage ; anc. fr. *entraire,* tirer (XIIe s.), avec un préf. *re-* indiquant le va-et-vient de l'aiguille ; du lat. *intrahere,* tirer, de *trahere, id.* (v. TRAIRE) ; remplacé dans la couture par *rentrer* (1611, Cotgrave). || **rentraiture** 1530, Palsgrave. || **rentrayeur** fin XVe s. || **rentrayage** 1802, Flick.

rentrer, renverser V. ENTRER, ENVERS.

renvier 1160, Benoît ; anc. fr. *envier,* inviter, lat. *invitare.* || **renvi** 1460, Chastellain, surenchère.

repaire 1080, *Roland,* « retour chez soi, demeure » ; 1119, Ph. de Thaon « lieu où se retirent les bêtes sauvages » ; XVIIe s., fig., pour les malfaiteurs ; anc. fr. *repairer* (980, *Passion*), rentrer chez soi, du bas lat. *repatriare,* du lat. class. *patria,* patrie.

répandre V. ÉPANDRE.

réparer 1130, *Eneas ;* lat. *reparare,* de *parare* (v. PARER 1). || **réparable** 1460, Chastellain. || **irréparable** début XIIIe s. ; lat. *irreparabilis.* || **réparation** 1310, *D. G. ;* lat. *reparatio.* || **réparateur** 1350, Gilles li Muisis ; lat. *reparator* (en bas lat., sens du fr.).

repartie, répartir, répartition etc. V. PARTIR 1 et 2.

repas 1112, *Voy. saint Brendan* (*repast*), « nourriture » ; 1534, Rab., sens mod. ; anc. fr. *past,* curée, lat. *pastus,* pâture, d'après *repaître.* (V. APPÂT, PAÎTRE.)

repasser V. PASSER.

repentir (se) 1080, *Roland ;* lat. *repoenitere,* lat. pop. *penitire,* en lat. class. *poenitere* (v. PÉNITENT). || **repentir** 1160, Benoît, n. m. || **repentance** 1112, *Voy. saint Brendan.* || **repenti** début XIIIe s. || **repentant** 1190, Garnier.

répercuter XIVe s., *Chir. de Lanfranc,* sens propre ; 1862, Hugo, fig. ; *se repercuter,* 1823, Boiste ; lat. *repercutere* (v. PERCUTER). || **répercussion** 1314, Mondeville, sens propre ; 1896, Bergson, fig. ; lat. *repercussio.* || **répercussif** 1314, Mondeville. || **répercussivité** 1921, Sergent.

repère 1578, *Doc.* (*repaire*) ; 1676, Félibien (*repère*), « retour à un point déterminé », d'où, au XVIIIe s., *point de repère,* et *repère,* seul, au sens de « marque, jalon » ; d'après lat. *reperire,* retrouver. || **repérer** 1676, Félibien (*repéré*) ; 1819, Boiste (*repérer*). || **repérage** 1845, Besch., techn. d'impression ; 1915, *FEW,* milit. || **repérable** 1949, Lar.

répertoire 1398, E. Deschamps ; bas lat. *repertorium,* en lat. jurid. « inventaire », de *repertus,* part. passé de *reperire,* trouver. || répertorier 1904, Lar.

répéter XIIe s., *D. G.,* « redire » ; 1530, Palsgrave, « répéter une scène » ; début XVe s., « réclamer » ; 1682, La Fontaine, « refaire » ; lat. *repetere,* redemander, de *re-* et *petere,* demander. || **répétition** fin XIIIe s., « copie » ; 1370, Oresme, action de dire plusieurs fois ; 1663, Molière, théâtre ; 1664, Sévigné, action de refaire ; lat. *repetitio.* || **répétiteur** fin XVIIe s., qui donne des répétitions ; bas lat. *repetitor.* || **répétitorat** 1904, Lar.

répit 1155, Wace (*respit*), « considération » ; 1160, Benoît, « arrêt » ; lat. *respectus,* « action de regarder derrière soi ».

replet 1180, Girart de Roussillon ; lat. *repletus,* rempli. || **réplétion** XIIIe s. ; bas lat. *repletio,* « action de remplir », spécialisé en lat. méd. médiév.

replier V. PLIER.

répliquer 1226, *Courtois d'Arras ;* lat. jurid. *replicare,* « replier », au fig. « rappeler », d'où en lat. jurid. « répondre ». || **réplique** 1307, Guiart, « réponse » ; 1875, Clément, reproduction d'une œuvre.

***répondre** 980, *Passion* (*respondre*), « dire en retour » ; XIIe s., sens général ; XIIIe s., « se porter garant » ; XIVe s., « être conforme » ; lat. pop. *respondĕre,* en lat. class. *respondēre.* || **répondeur** fin XIIe s., *Grégoire,* « qui répond » ; 1878, Lar., « impertinent » ; 1949, Lar., appareil. || ***répons** 1050, *Alexis* (*respuns*), « réponse » ; auj. seulem. en liturgie ; lat. *responsum,* part. passé de *respondere.* || **réponse** 1160, Benoît (*response*) ; a éliminé le précédent.

reporter n. m., 1829, Stendhal ; angl. *reporter* (début XIXe s.), « qui fait un rapport, une enquête » ; de (*to*) *report,* « rapporter », empr. au fr. ; 1882, *Gil Blas* (*reporteur*). || **reportage** 1865, Mackensie, métier de reporter ; 1935, *Acad.,* article.

reposer Xe s., *Valenciennes* (*repauser*), « poser » et comme v. pr., cesser d'agir ; 1155, Wace, sens actuel du v. intransitif ; bas lat. *repausare* (v. POSER). || **repos** 1080, *Roland ; de tout repos,* 1867, *Doc.* || **reposée** 1170, G. de Saint-Pair. || **reposoir** milieu XIVe s. (*reposouer*), « endroit où l'on se repose » ; 1680, Richelet, sens eccl. || **repose** 1380, G., « halte » ; 1948, Lar., techn. || **repose-pied** 1904, Lar. || **repose-tête** 1965, *journ.*

reprendre début XIIe s., *Voy. de Charl. ;* lat. *reprehendere.* (V. PRENDRE.) || **répréhension** 1190, *Saint Bernard ;* lat. *reprehensio.* || **répréhensible** 1314, Mondeville ; lat. chrét. *reprehensibilis.* || **répréhensiblement** fin XVe s. || **repris de justice** 1835, *Acad.* || **reprise** 1213, *Fet des Romains ; à plusieurs reprises,* 1559, Amyot ; 1611, Cotgrave, réparation d'étoffe. || **repriser** 1835, Raymond.

représailles 1401, Douet d'Arcq ; lat. médiév. *represalia,* de l'ital. médiév. *ripresaglia* (ital. mod. *rappresaglia*), de *riprendere,* « reprendre ce qui a été pris ».

représenter 1175, Chr. de Troyes, faire apparaître concrètement ; XIIe s., « incarner un personnage » ; 1538, R. Est., théâtre ; XVIe s., jurid. ; 1893, *D. G.,* commerce ; lat. *repraesentare,* rendre présent, et par ext. « montrer ». || **représentant** n. m., 1599, *Coutum. Normandie,* jurid. ; 1686, Brunot, polit. ; 1837, Balzac, commerce. || **représentatif** fin XIVe s. || **représentativement** 1330, *D. G.* || **représentable** 1265, J. de Meung. || **représentation** 1250,

Doc., « action de rendre présent » ; 1538, R. Est., théâtre. || **représentativité** 1961, *journ.*

répression V. RÉPRIMER.

réprimer 1314, Mondeville, « diminuer la sensibilité » ; 1355, Bersuire, sens actuel ; lat. *reprimere*, refouler, de *premere*, presser ; d'abord terme méd., puis empl. mod. || **réprimande** 1549, R. Est. (*reprimende*) ; lat. *reprimenda* (*culpa*), « (faute) devant être réprimée » ; modifié en *réprimande* (1588, Montaigne), d'après *mander*. || **réprimander** 1636, Monet. || **répression** 1372, Oresme ; lat. médiév. *repressio*, de *repressus*, part. passé de *reprimere*. || **répressif** XIVe s., Delb., méd. ; 1798, *Acad.*, sens actuel. || **répressible** 1793, Brunot.

reprise, réprobation V. REPRENDRE, RÉPROUVER.

***reprocher** 1150, Wace ; lat. pop. **repropiare*, « rapprocher, mettre sous les yeux », par ext. « blâmer ». || **reproche** 1080, *Roland*. || **reprochable** 1200, *Règle saint Benoît*. || **irréprochable** 1460, Chastellain.

réprouver 1080, *Roland*, « reprocher » ; 1265, J. de Meung, relig. ; 1120, *Ps. d'Oxford*, rejeter ; lat. *reprobare*, « rejeter, condamner », au sens spécialisé du lat. eccl., de *probare*, prouver. || **réprouvable** 1361, Oresme. || **réprobation** 1495, J. de Vignay ; lat. eccl. *reprobatio* (IIIe s., Tertullien). || **réprobateur** 1788, Féraud ; lat. eccl. *reprobator*.

reps 1812, *Journ. des dames* ; angl. *rep, reps* ; peut-être déformation de *ribs*, côtes.

reptation 1834, Boiste ; lat. *reptatio*, de *repere*, ramper. || **reptatoire** 1842, *Acad.*

reptile 1314, Mondeville, fém. ; 1530, Lefèvre d'Étaples, n. m. ; rare jusqu'au XVIIe s., où il est également adj. (*animaux reptiles*, Fénelon) ; lat. chrét. *reptile* (*Vulgate*), neutre subst. de l'adj. *reptilis*, rampant, de *repere*, ramper. || **reptilien** 1890, Villatte, sens fig. ; 1964, Lar., zool.

repu V. PAÎTRE.

république 1410, *Chron. de Boucicaut* ; lat. *respublica* ; gouvernement républicain, et également, sous l'Ancien Régime, toute forme d'État ; spécialisé après la Révolution. || **républicain** fin XVIe s., comme n. ; 1658, Brébeuf, adj. || **républicanisme** 1750, d'Argenson. || **républicaniser** 1792, Frey.

répudier XIIIe s., *Chron. de Rains* ; lat. *repudiare*. || **répudiation** 1330, *Roman Renart* ; lat. *repudiatio*. || **répudiatoire** 1925, Arnoux.

répugner 1370, Oresme, « résister à » ; 1662, Corn., sens mod. ; lat. *repugnare*, « lutter contre », par ext. « être opposé à », de *pugnare*, combattre. || **répugnant** 1213, *Fet des Romains*, « contradictoire » ; 1753, Buffon, sens mod. || **répugnance** XIIIe s., G., « désaccord » ; 1647, Rotrou, sens mod. ; lat. *repugnantia*, désaccord.

répulsion milieu XVe s., action de repousser un ennemi ; 1772, Rousseau, sens actuel ; 1746, Nollet, physique ; bas lat. *repulsio*, de *repulsus*, part. passé de *repellere*, repousser ; XIXe s., ext. de sens. || **répulsif** 1478, Chauliac, méd. ; 1705, Parent, physique ; 1772, Rousseau, fig.

réputer 1294, G., « compter » ; 1355, Bersuire, sens mod. ; lat. *reputare*, « compter, évaluer ». || **réputation** 1370, Oresme ; 1530, Palsgrave, opinion sur quelqu'un ou quelque chose ; lat. *reputatio*, évaluation.

requérir, requête V. QUÉRIR.

requiem 1277, *Doc.*, nom d'une prière catholique ; mot lat. signifiant « repos », premier mot de la prière *requiem aeternam dona eis, Domine*, « donnez-leur le repos éternel, Seigneur ».

requimpette 1884, Villatte ; orig. douteuse, p.-ê de *redingote*.

requin 1539, Parmentier ; fin XVIe s., var. *requien*, par rapprochement fantaisiste avec le précédent (on peut faire chanter le *requiem* pour un homme saisi par un requin) ; orig. obsc., p.-ê. de *re-* et *quin*, forme picarde de chien.

requinquer fin XVIe s. (*requinqué*) ; 1611, Cotgrave (*se requinquer*) ; mot picard, de l'anc. *reclinquer*, « se donner du clinquant », de *clinquer*. (V. CLINQUANT.) || **requinquage** 1904, Lar.

réquisition 1160, Benoît, action de demander ; 1636, Monet, jurid. ; 1792, *Moniteur universel*, milit. ; lat. *requisitio*, de *requirere*, sur *quaerere* (v. QUÉRIR). || **réquisitionner** 1796, Frey, milit. ; 1845, F. Wey, « prononcer un réquisitoire ». || **réquisitionnaire** 1793, Brunot.

réquisitoire V. QUÉRIR.

rescapé 1906, *journ.*, à propos de la catastrophe minière de Courrières ; forme du Hainaut de *réchappé*, entendue par les journalistes parisiens de la bouche des sauveteurs venus de Mons.

rescinder 1138, Gaimar (*recendir*), jurid. ; lat. *rescindere,* rompre. || **rescission** 1465, Martial ; bas lat. *rescissio.*

rescousse 1160, *Eneas* (*rescosse*) ; anc. part. passé, subst. au fém., de l'anc. fr. *rescourre, recourre* (1170, *Floire et Blancheflor*), « reprendre, délivrer » ; de *escourre,* « secouer », du lat. *excutere,* au part. passé *excussus ;* seulement dans *à la rescousse,* rendu par Hugo à l'usage moderne.

rescrit XIIIe s., *Livre de jostice ;* lat. impér. *rescriptum,* réponse (de l'empereur), de *scribere,* écrire. || **rescription** 1283, Beaumanoir ; bas lat. *rescriptio.*

réseau 1180, Marie de France (*resel*), « filet à mailles » ; 1240, G. de Lorris, « entrelacs » ; XIXe s., entrecroisement de voies ; var., avec un autre suff., de l'anc. fr. *reseuil,* du lat. *retiolus,* dimin. de *retis.* (V. RETS.)

résection V. RÉSÉQUER.

réséda 1562, Du Pinet ; lat. *reseda,* impératif de *resedare,* calmer, d'après les propriétés thérapeutiques de cette plante. || **résédacée** 1815, Gérardin. (V. SÉDATIF.)

réséquer 1478, Chauliac, extirper, retrancher, biffer ; 1834, Boiste, sens actuel ; lat. *resecare,* couper de nouveau, de *secare,* couper (v. SCIER). || **résection** 1549, R. Est., action de couper ; 1799, *Bull. sciences,* chirurgie ; lat. *resectio.*

réserver 1190, *Saint Bernard ;* lat. *reservare.* || **réserve** milieu XIVe s., jurid. ; XVIIe s., *journ.,* milit. ; XVIIIe s., sens moral. || **réservé** 1559, Amyot, « discret ». || **réserviste** 1872, *J. O.* || **réservation** début XIVe s., Gilles li Muisis, jurid. ; 1949, Lar., fait de réserver une place dans un avion, un train ; angl. *reservation.* || **réservataire** 1846, L. || **réservoir** milieu XVIe s.

résider 1380, *Aalma ;* lat. *residere,* demeurer, de *sedere,* « être assis » (v. SEOIR). || **résident** n. m., 1268, É. Boileau ; du part. prés. *résidens ;* a remplacé l'anc. fr. *reseant.* || **résidence** milieu XIIIe s. ; lat. médiév. *residentia.* || **résidentiel** 1944, J. Romains.

résidu 1331, Delb., « reliquat d'un compte » ; 1740, *Acad.,* « matière résultant d'une opération » ; 1398, *Ménagier,* « rebut » ; lat. *residuum,* neutre subst. de l'adj. *residuus,* « qui reste », de *residere* (v. RÉSIDER). || **résiduaire** 1877, L. || **résiduel** 1870, L.

résigner XIIIe s., *Livre de jostice* (*resiner*), « abandonner une charge » ; *se résigner,* 1673, Molière ; au XVIe s., *se résigner* a un sens moral et relig., « s'abandonner à la volonté de Dieu » ; lat. médiév. *resignare,* « rendre », en lat. class. « décacheter, annuler », de *signum,* cachet, sceau. || **résignation** 1265, Le Grand, « démission » ; 1690, Furetière, moral. || **résignataire** 1539, Isambert. || **résignateur** 1636, Monet.

résilier début XVIe s. (*resilir*) ; fin XVIIe s. (*résilier*), par changem. de conjugaison ; du lat. jurid. *resilire,* « sauter en arrière », d'où « se retirer », de *salire,* sauter. || **résiliation** XVe s. || **résiliement** 1611, Cotgrave. || **résiliable** 1836, Lamennais. || **résilient** 1932, Lar. ; angl. *résilient,* techn. || **résilience** 1923, Lar.

résille 1775, Beaumarchais (*rescille*) ; 1833, Balzac (*résille*) ; esp. *redecilla,* adapté d'après *réseau.*

résine XIIe s., *Dolopathos ;* lat. *resina.* || **résineux** 1538, Canappe ; lat. *resinosus.* || **résiner** 1382, *Compte du clos des Galées de Rouen.* || **résinier** 1768, Valmont. || **résinifère** 1812, Boiste. || **résinifier** 1836, *Acad.* || **résinification** 1801, Fourcroy. || **résinite** 1812, Mozin.

résipiscence 1405, N. de Baye, « retour à la raison », en parlant d'un aliéné ; 1542, R. Faure, empl. mod. ; lat. eccl. *resipiscentia* (IVe s., Lactance), de *resipiscere,* revenir à la raison, par ext. « se repentir », de *sapere.* (V. SAVOIR.)

résister milieu XIIIe s. ; lat. *resistere,* s'arrêter, résister, de *sistere,* s'arrêter. || **résistance** 1270, Mahieu le Vilain. || **résistant** XIVe s., *Nature à l'alchimie ;* n. m., v. 1940, hist. || **résistible** 1688, Bossuet. || **irrésistible** fin XVIIe s. ; lat. médiév. *irresistibilis.* || **résistivité** 1904, Lar.

résolu, résolution V. RÉSOUDRE.

résonner 1130, *Eneas ;* lat. *resonare,* de *sonus,* son. || **résonnement** XIIe s., *D. G.* || **résonance** 1372, Oresme ; lat. *resonantia.* || **résonateur** 1870, L. || **résonnant** 1538, R. Est.

résorber 1761, Levret ; lat. *resorbere,* absorber. || **résorption** 1746, *Doc. ;* de *resorptus,* part. passé de *resorbere.* || **résorbable** 1932, Lar.

résorcine 1875, Lar. ; angl. *resorcin* (1868), formation artificielle, de *resin,* empr. à *résine,* et *orcin,* du lat. scient. *orcina,* tiré du catalan *orcella,* orseille.

résoudre fin XIIe s., R. de Moiliens (*resous,* anc. part. passé, « désagrégé », techn.) ; lat. *resolutus,* part. passé de *resolvere ;* début XVe s.

(*résoudre*) ; adapt., d'après l'anc. fr. *soudre,* milieu XIIe s., *Roman de Thèbes* (lat. *solvere*), du lat. *resolvere,* « délier », d'où « dissoudre, désagréger » ; 1553, Rab., « résoudre » (une difficulté) ; *se résoudre,* 1360, Froissart, « se séparer » ; début XVIIe s., sens actuel. || **résolu** 1340, G., « solitaire » ; XVe s., « instruit » ; 1549, R. Est., « décidé » ; lat. *resolutus.* || **irrésolu** 1568, Montaigne. || **résolument** 1525, J. Lemaire de Belges (*résoluement*). || **résoluble** 1577, Du Verdier. || **résolubilité** 1840, Besch. || **résolution** fin XIIIe s., action de dénouer ; lat. *resolutio,* de *resolutus ;* 1314, Mondeville, méd. ; 1532, Rab., « élucidation » ; 1536, *Doc.,* « dessein arrêté » ; 1870, L., math. || **irrésolution** milieu XVIe s. || **résolutif** 1314, Mondeville, méd. || **résolutoire** 1370, Oresme. || **résolvant** 1314, Mondeville.

respect 1287, G., « action de prendre en considération » ; 1559, Amyot, sens actuel ; lat. *respectus,* « égard, considération », part. passé subst. de *respicere,* « regarder en arrière », d'où « considérer » (v. RÉPIT). || **respecter** 1554, *Papiers Granvelle.* || **respectable** 1460, G. Chastellain. || **respectabilité** 1784, *Courrier de l'Europe ;* angl. *respectability,* de *respectable,* empr. au fr. || **respectif** 1415, *D. G.,* sens actuel ; 1534, Des Périers, « prudent » ; lat. scolast. *respectivus,* de *respectus.* || **respectivement** *id.* || **respectueux** 1540, *Correspondance Guillaume Pelicier.* || **respectueusement** 1636, Monet. || **irrespectueux** 1611, Cotgrave. || **irrespect** 1834, Balzac.

respirer 1190, *Saint Bernard ;* lat. *respirare,* de *spirare,* souffler. || **respirable** 1380, Conty, « qui est propre à la respiration » ; XVIe s., Ronsard, sens mod. ; lat. *respirabilis.* || **irrespirable** 1779, Volta. || **respiration** XVe s. ; lat. *respiratio.* || **respiratoire** 1566, Delb.

resplendir 1120, *Ps de Cambridge ;* lat. *resplendere,* de *splendere,* briller (v. SPLENDIDE). || **resplendissant** adj., 1160, Benoît. || **resplendissement** 1120, *Ps. d'Oxford.*

responsable 1284, G., n. m. ; 1309, Varin, « admissible en justice » ; XIVe s., Du Cange, sens actuel ; lat. *responsus,* part. passé de *respondere,* répondre, au sens de « qui doit répondre de ses actes ». || **responsabilité** 1783, Proschwitz. || **irresponsable** 1786, Tournon. || **irresponsabilité** 1790, *l'Ami du peuple.*

resquiller 1910, Esnault, « outrepasser son droit » ; 1927, Esnault, « entrer sans payer sa place » ; prov. mod. *resquilla,* se glisser par fraude, de *esquihá,* s'enfuir. || **resquilleur** 1924, Esnault.

ressac 1613, Champlain ; prov. mod. *ressaco,* de l'esp. *resaca,* de *resacar,* tirer en arrière (esp. *sacar,* tirer).

ressasser 1549, R. Est., « agiter » ; 1615, Pasquier, « examiner » ; 1721, Trévoux, « répéter » ; *re-* et *sasser,* passer au sas, de *sas,* filtre. || **ressassement** 1777, Gohin. || **ressasseur** 1764, Voltaire. || **ressassage** 1877, *J. O.*

ressaut 1651, *Bull. Société hist.,* archit. ; 1811, Chateaubriand, géogr. ; ital. *risalto,* ressaut, en archit., de *risaltare,* faire saillie. || **ressauter** 1691, Aviler.

ressembler, ressort, ressortir V. SEMBLER, SORTIR.

ressource 1160, Benoît (*resource*), « secours » ; fin XVIe s., « moyens matériels » ; début XVe s., « moyen de recours » ; part. passé, subst. au fém., de l'anc. fr. *ressourdre* (980, *Passion*), « rejaillir », par ext. « se relever, se rétablir », du lat. *resurgere,* se relever, de *surgere.* (V. SOURDRE, RÉSURGENT.)

ressusciter 1130, *Eneas,* XVIe s., fig. ; lat. *resuscitare,* « réveiller, ranimer », spécial. en lat. eccl., de *suscitare,* éveiller. (V. SUSCITER.)

restaurer Xe s., *Vie saint Léger,* « guérir une blessure » ; 1138, Gaimar, « remettre en état » ; 1216, R. de Clari, « redonner des forces » ; lat. impér. *restaurare.* || **restaurateur** XVe s., « celui qui restaure » ; 1706, Brasey, « celui qui tient un restaurant » ; lat. impér. *restaurator.* || **restauration** 1314, Mondeville, « remise en état » ; 1677, Miege, polit. ; 1888, Lar., restaurant ; 1961, Lar., sens actuel ; lat. impér. *restauratio.* || **restaurant** n. m., 1549, M. de Navarre, « aliment qui restaure » ; 1771, Brunot, sens actuel. || **resto** 1899, Esnault.

rester 1180, Marie de France ; lat. *restare,* « persister, demeurer », de *stare,* être debout. || **restant** XIIIe s. || **reste** 1220, *la Petite Philosophie,* fém. jusqu'au XVIe s.

restituer 1261, Varin ; lat. *restituere,* de *statuere* (v. STATUER). || **restituable** milieu XVe s. || **restitution** 1251, *Doc. ;* lat. *restitutio.* || **restitutoire** XVIe s., *Coutum. général.*

restreindre 1131, *Couronn. Loïs ;* lat. *restringere,* serrer, avec infl. morphol. des verbes en *-eindre,* comme *étreindre.* || **restreint** fin XIVe s., Deschamps. || **restringent** 1642, Oudin, méd. ; part. prés. *restringens.* || **restrictif** XIVe s., Brun de Long-Borc, méd. ; début XVIe s., sens actuel ; part. passé *restrictus.* || **restriction** 1314, Mondeville (*restrinction*) ; fin XIVe s. (*restriction*) ; 1580, Montaigne, « réduction des dépenses » ; lat. médiév. *restrinctio,* bas lat. *restrictio.*

résulter 1491, Vaganay ; lat. scolast. *resultare,* en lat. class. « rebondir », de *saltare,* sauter. || **résutat** 1570, Carloix ; lat. scolast. *resultatum,* part. passé neutre subst. de *resultare.* || **résultante** milieu XVIIe s., phys.

résumer 1370, Oresme ; lat. *resumere,* reprendre, recommencer, de *sumere,* prendre. || **résumé** 1762, *Acad.*

résupiné 1870, L., bot. ; lat. *resupinatus,* infléchi, de *supinus,* penché en arrière.

résurgent début XVIe s., « ressuscité » ; fin XIXe s., en parlant des eaux souterraines ; lat. *resurgens,* part. prés. de *resurgere,* rejaillir, de *surgere,* jaillir (v. RESSOURCE, SOURDRE). || **résurgence** 1896, Haug.

résurrection 1120, *Ps. d'Oxford ;* lat. eccl. *resurrectio* (saint Augustin et *Vulgate*), de *resurgere,* « rejaillir », par ext. « se relever, se rétablir », d'où « ressusciter » ; de *surgere,* jaillir : l'anc. fr. *resourdre,* de *resurgere,* a eu parfois le sens de *ressusciter.* || **résurrectionniste** 1834, Boiste.

retable 1535, Gay, d'abord féminin ; esp. *retablo,* de *tabla,* planche, et *re-,* en arrière.

rétablir, rétamer, retarder, retenir, rétention V. ÉTABLIR, ÉTAIN, TARD, TENIR.

retentir 1175, Chr. de Troyes ; anc. fr. *tentir* (1138, *Vie saint Gilles*), lat. pop. **tinnitire,* fréquentatif expressif du lat. class. *tinnire,* résonner. || **retentissant** 1546, Vaganay. || **retentissement** 1160, Benoît.

rétiaire V. RETS.

réticence 1552, Vaganay ; lat. *reticentia,* obstination à se taire, de *reticere,* se taire, de *tacere,* même sens (v. TAIRE). || **réticent** 1845, Vaganay.

réticule 1682, *Journ. savants ;* lat. *reticulum,* petit filet, empr. pour un empl. spécial en astron. ; 1842, *Acad.,* « petit sac » ; de *retis,* filet (v. RETS, et RIDICULE 2). || **réticulaire** 1619, Hardy. || **réticulé** 1784, Brunot. || **réticulation** 1812, Mozin. || **réticulum** 1765, *Encycl.,* « résille » ; 1878, Lar., anat. ; lat. *reticulum,* réseau. || **réticulocyte** 1930, d'après P. Robert ; de *réticulum* et gr *kutos,* cellule. || **réticulopathie** 1964, Lar.

***rétif** 1080, *Roland* (*restif*) ; lat. pop. **restivus,* probabl. contract. de **restitivus,* de *restare,* s'arrêter, résister (v. RESTER). || **rétivité** XIIIe s., La Curne (*restiveté*) ; 1868, L. (*rétivité*).

rétine 1314, Mondeville ; lat. médiév. *retina,* de *rete* ou *retis,* filet, réseau, à cause du réseau de vaisseaux sanguins qu'on y aperçoit (v. RETS). || **rétinien** 1854, *Journ. méd.* || **rétinite** 1842, *Acad.,* inflammation de la rétine. || **rétinopathie** 1964, Lar. || **rétinoscopie** 1932, Lar.

rétorquer 1355, Bersuire, « retourner » ; 1549, R. Est., sens actuel ; lat. *retorquere,* retordre, au fig. rétorquer, de *torquere,* tordre. || **rétorsif** 1764, Rousseau. || **rétorsion** fin XIIIe s., G.

retors V. TORDRE.

retorte 1560, Paré, cornue, alchimie ; bas lat. *retorta,* chose tordue, part. passé, subst. au fém., de *retorquere,* retordre.

retour, retourner V. TOURNER.

1. **rétracter** 1370, Oresme, « annuler » ; 1549, R. Est., « désavouer » ; lat. *retractare,* retirer, de *tractare,* tirer, fréquentatif de *trahere,* même sens. || **rétractation** XIIIe s. ; lat. *retractatio,* de *retractare.* || **rétractable** XIVe s.

2. **rétracter** 1600, O. de Serres, « devenir plus étroit » ; 1803, *Bull. sciences,* « se raccourcir » ; même étym. que le précéd. || **rétractile** 1770, Gouan ; lat. *retractus,* part. passé de *retrahere,* retirer, de *trahere,* tirer. || **rétractilité** 1835, *Acad.* || **rétraction** 1210, *Folque de Candie,* « blâme » ; XIIIe s., « retraite » ; 1550, Paré, méd. ; lat. *retractio,* de *retrahere.* || **rétractif** 1500, Molinet.

retrait 1165, Thomas, « reflux » ; 1580, Montaigne, « lieu où l'on se retire » ; 1834, Landais, « action de retirer » ; *en retrait,* 1611, Cotgrave ; part. passé subst. de l'anc. fr. *retraire,* retirer, du lat. *retrahere,* même sens (v. les précéd. et TRAIRE) ; a signifié aussi du XIVe au XVIIIe s., « lieu d'aisances ». || **retraite** 1185, *Moniage Guillaume ;* même part. passé, subst. au fém. ; 1580, Montaigne, « fait de se retirer du monde » ; 1752, Trévoux, « action de cesser de travailler, pension », d'abord à propos des militaires. || **retraité** 1819, Boiste.

retrancher V. TRANCHER.

rétrécir XIVe s., *Traité d'alchimie ;* anc. fr. *étrécir ;* lat. pop. **strictiare,* de *strictus,* étroit. || **rétrécissement** 1547, Vaganay. (V. ÉTROIT.)

rétribuer 1370, Oresme, « indemniser » ; 1834, Boiste, « payer » ; lat. *retribuere,* de *tribuere,* attribuer (v. TRIBUT) ; d'abord « restituer », puis restriction de sens. || **rétribution** 1120, *Ps. d'Oxford ;* bas lat. *retributio.*

1. **rétro-,** préfixe signifiant « en arrière » (ex. *rétrospectif, rétrovision*), ou « en remontant dans le passé » (ex. *rétroactif*) ; du préf. lat. *retro-,* en arrière.

2. **rétro** n. m. V. RÉTROGRADE.

rétroactif 1510, Isambert, jurid. ; lat. *retroactus,* part. passé de *retroagere,* pousser (*agere*) en arrière (*retro*). || **rétroaction** 1550, La Curne. || **rétroactivité** 1812, Mozin. || **rétroagir** 1790, Desmoulins. || **non-rétroactivité** XXe s.

rétrocéder 1534, Vaganay ; lat. *retrocedere,* reculer, de *cedere,* céder. || **rétrocession** 1550, Roussat. || **rétrocessif** 1842, *Acad.*

rétroflexe 1932, Lar., phonét. ; lat. *retroflexus,* de *retroflectere,* plier en arrière.

rétrograde XIVe s., Machaut, métrique ; 1370, Oresme, « qui va en arrière » ; 1790, Mirabeau, fig. ; lat. *retrogradus,* de *retro-,* en arrière, et *gradi,* s'avancer. || **rétrograder** XIVe s., Deschamps (*-é*) ; 1488, *Mer des hist.,* astron. ; 1564, Thierry, « revenir en arrière » ; bas lat. *retrogradare.* || **rétrogradation** 1488, *Mer des hist. ;* bas lat. *retrogradatio.* || **rétrogression** 1836, Landais. || **rétro** n. m., 1889, Huysmans, billard ; abrév. de (*effet*) *rétrograde.*

rétrospectif 1779, *Courrier de l'Europe ;* de *retro-,* en arrière, et du radical *spect-,* du lat. *spectare,* regarder. || **rétrospective** 1855, *Paris chez soi.* || **rétrospectivement** 1845, Besch.

retrousser, rétroversion V. TROUSSER, VERSER.

rets 1130, *Eneas* (*rois, raiz*) ; lat. *retis,* filet ; surtout au plur. || **rétiaire** 1611, Cotgrave ; lat. *retiarus,* de *retis.* (V. RÉSEAU, RÉSILLE, RÉTICULE.)

réunion, réunir V. UNION, UNIR.

réussir 1570, Carloix (*réuscir*), « résulter » ; 1578, Wind, sens mod. ; ital. *riuscire,* « ressortir », de *uscire,* sortir. || **réussite** 1622, Guez de Balzac ; ital. *riuscita.*

revanche XIIIe s., Tobler-Lommatzsch (*revenche*), « reconnaissance » ; XVIe s., sens actuel ; déverbal de l'anc fr. *revancher* (1265, J. de Meung), de *vencher,* var. de *venger* (v. ce mot). || **revanchard** 1894, Sachs-Villatte. || **revanchiste** 1960, *journ.* || **revanchisme** *id.*

rêve V. RÊVER.

revêche 1220, Coincy (*revesche*), « violent » ; début XIVe s., sens actuel ; francique **hreubisk,* rude, âpre.

réveil, réveillon V. ÉVEILLER.

révéler 1120, *Ps. de Cambridge,* relig. ; 1691, Racine, sens actuel ; lat. *revelare,* dévoiler, de *velum,* voile. || **révélation** fin XIIe s., *Job,* relig. ; début XIVe s., sens actuel ; lat. eccl. *revelatio.* || **révélateur** milieu XVe s. ; 1842, *Acad.,* sens actuel ; lat. eccl. *revelator.*

revendication début XVe s. (*reivendication*), « action de réclamer » ; début XVIe s. (*revendication*) ; 1875, Lar., « action d'assumer » ; lat. jurid. *rei vindicatio,* action de réclamer une chose ; confusion ultérieure du premier élément *rei* et du préf. *re-.* || **revendiquer** 1395, Boutillier ; lat. jurid. *vindicare,* revendiquer. || **revendicateur** 1870, L. || **revendicatif** 1964, Lar.

revenir V. VENIR.

rêver 1130, Studer, « faire des rêves » ; 1265, J. de Meung, « vagabonder » (jusqu'au XVe s.) ; 1640, Corn., comme v. transitif ; XVIe s., sens actuel ; d'un anc. **esver,* vagabonder (cf. l'anc. fr. *desver,* perdre le sens ; v. ENDÊVER), du lat. *aestuare,* bouillonner, être agité ; ou d'un anc. gallo-roman **esvo,* vagabond, du bas lat. **exvagus,* sur l'adj. lat. class. *vagus,* même sens. A signifié aussi « délirer » (1170, *Vie d'Édouard*), jusqu'au XVIIe s. || **rêverie** début XIIIe s., Chardry, « délire » ; 1580, Montaigne, sens mod. || **rêveur** 1268, É. Boileau, « vagabond » ; 1654, G. de Balzac, sens actuel ; 1656, Pascal, « utopiste ». || **rêveusement** 1850, Balzac. || **rêve** 1674, Malebranche. || **rêvasser** XVe s., *Quinze Joies du mariage* (*ravacer*) ; 1489, Gaguin (*revasser*). || **rêvasserie** 1550, Rab. || **rêvasseur** 1736, Voltaire. || **rêvassier** 1888, A. Daudet.

réverbère V. RÉVERBÉRER.

réverbérer 1384, *Aalma,* « frapper » ; XVe s., sens actuel ; lat. *reverberare,* repousser, d'où « rejaillir » (rayons du soleil), de *verberare,* fouetter. || **réverbération** 1314, Mondeville. || **réverbère** 1502, O. de Saint-Gelais, « écho » ; 1676, Glaser, « miroir réflecteur » ; 1771, Trévoux, lanterne à miroir réflecteur ; 1835, *Acad.,* sens actuel.

revercher 1175, Chr. de Troyes, « examiner » ; lat. pop. **reverticare,* retourner, lat. class. *revertere ;* 1765, *Encycl.,* techn.

reverdir V. VERT.

révérer 1404, N. de Baye ; lat. *revereri.* || **révérence** 1155, Wace ; *faire la révérence,* 1360, Froissart ; lat. *reverentia.* || **révérend** XIIIe s., *Apocalypse ;* lat. eccl. *reverendus,* adj. verbal de *revereri,* spécialisé en terme de dignité. || **révérendissime** fin XIIIe s., Aimé (*reverentissime*) ; superl. du précéd. || **irrévérent** 1453, *Débat des hérauts ;* lat. *irreverens.* || **irrévérence** XIIIe s., Delb. ; lat. *irreverentia.* || **révérenciel** XVe s., G. (*-cial*) ; 1690, Furetière (*-ciel*) ; de *révérence.* || **révérencieux** 1642, Oudin, *id.* || **révérencieusement** XVIe s., Brantôme. || **révéremment** 1355, G. || **irrévérencieux** 1791.

revers 1269, Gauchy, n. m., « la réciproque » ; fin XIVe s., *Chron. de Boucicaut,* côté opposé ; 1553, Rab., pour le vêtement ; 1611, Cotgrave, « vicissitude » ; fin XVIe s., Brantôme, sport (paume) ; anc. adj. *revers,* retourné, du lat. *reversus,* part. passé de *revertere,* retourner, de *vertere,* tourner. || **réversion** 1304, G., jurid. ; lat. *reversio,* retour, de *revertere ;* XIXe s., empl. techn. || **réversible** 1690, Furetière. || **réversibilité** 1745, Brunot. || **irréversible** fin XIXe s. || **reversal** 1594, G., jurid.

reversi ou **reversis** XVIe s. (*reversin*), jeu de cartes ; 1611, Cotgrave (*reversi*) ; 1617, Crespin (*reversis*) ; altér., d'après *revers,* de l'ital. *rovescino,* de *rovescio,* à rebours (le gagnant est celui qui fait le moins de levées).

réversible, revigorer V. REVERS, VIGUEUR.

réviser 1250, Mousket, « examiner » ; fin XVIe s., « passer en revue une troupe » ; 1752, Trévoux, sens actuel ; lat. *revisere,* « revenir voir ». || **révision** 1298, G. (*revision*) ; bas lat. *revisio.* || **réviseur** 1567, Junius. || **révisionniste** 1851, Hugo. || **révisionnisme** 1903, Raphaël. || **antirévisionnisme** 1913, Martin du Gard. || **révisible** 1875, Bourdet

revival 1855, Mackensie ; mot angl., de *to revive,* revivre, du fr.

reviviscence, révocation V. VIVRE, RÉVOQUER.

revolin 1612, Lescarbot, mar., tournoiement du vent ; prov. *revolim,* tourbillon, du lat. *volvere,* tourner.

révolter 1500, Auton (*se révolter*), se retourner ; 1673, Racine, sens mod. ; ital. *rivoltare,* retourner, du part. *rivolto,* de *rivolgere,* du lat. *revolvere* (v. RÉVOLU). || **révolte** 1500, sens mod. ; ital. *rivolta.* || **révoltant** 1749, d'Argenson.

révolu 1377, Oresme ; lat. *revolutus,* « qui a achevé son circuit », part. passé de *revolvere,* « rouler en arrière ».

révolution fin XIIe s., *Grégoire,* astron. ; 1559, Amyot, « changement important ; 1680, Richelet, polit. ; bas lat. *revolutio,* retour, révolution des astres (IVe s., saint Augustin), de *revolutus* (v. RÉVOLU). || **révolutionnaire** 1789, Brunot. || **révolutionner** 1793, Brunot. || **révolutionnarisme** 1843, Sainte-Beuve. || **contre-révolution** 1790, Mirabeau. || **contre-révolutionnaire** 1791, Marat. || **ultra-révolutionnaire** 1794.

revolver 1848, Aug. Barbier ; angl. *revolver,* créé par S. Colt, aux États-Unis, pour désigner le pistolet à barillet, en 1835, de (*to*) *revolve,* tourner, de même rac. que les précéd. || **revolvériser** 1899, Sachs-Villatte.

révoquer XIIe s., *Dialogues Grégoire* (*revochier*), « rappeler » ; 1355, Bersuire (*révoquer*) ; 1360, Froissart, « annuler » ; fin XIVe s., « retirer d'un emploi » ; lat. *revocare,* rappeler, et au fig. « revenir sur », « annuler », de *vox, vocis,* voix. || **révocation** XIIIe s., *Cout. d'Artois,* jurid. ; lat. *revocatio.* || **révocable** début XIVe s. || **révocabilité** 1789, Brunot. || **révocatoire** 1407, *Archives.* || **irrévocable** 1357, G. ; lat. *irrevocabilis.* || **irrévocabilité** 1534, Delb.

revue V. VOIR.

révulsion 1538, Chauliac ; lat. *revulsio,* action d'arracher, de *revulsus,* part. passé de *revellere,* arracher. || **révulser** 1845, Besch. || **révulsé** 1867, Baudelaire. || **révulsif** 1555, Vide.

rewriter 1975, *Lexis ;* angl. *to rewrite,* réécrire. || **rewriting** 1964, Étiemble.

rez-de-chaussée 1506, *Doc. ;* de la loc. *à rez-de-chaussée,* de *chaussée* et de l'anc. fr. *rez* (fin XIIe s.), adj., « rasé, à ras » ; lat. *rasus.* || **rez-de-jardin** 1966, *journ.* (V. RAS 1.)

rezzou 1904, Lar. ; mot ar.

rhabdomancie 1579, Bodin ; lat. *rhabdomantia,* du gr. *rhabdos,* baguette, et *manteia,* divination. || **rhabdomancien** 1836, *Acad.*

rhagade 1363, Chauliac (*rhagadie*) ; 1611, Cotgrave, méd., fissure ; lat. *rhagas, -gadis,* gerçure, du gr. *rhegnunai,* rompre.

rhamnus 1539, L. ; nom lat. du nerprun, du gr. *rhamnos.* || **rhamnacée** 1817, Gérardin (*rhamnées*).

rhapsode 1552, Vaganay, « poète » ; gr. *rhapsôdos,* de *rhapteîn,* coudre, et *ôdê,* chant. || **rhapsodie** 1582, Bretin ; gr. *rhapsôdia.* ||

rhapsoder 1560, Paré, « recoudre ». || rhapsodiste 1687, R. Simon.

rhéo-, gr. *rheîn,* couler. || **rhéobase** 1909, d'après P. Robert. || **rhéographe** 1923, Lar. || **rhéologie** 1927, Bingham. || **rhéomètre** 1858, Nysten. || **rhéoscopique** 1878, Lar. || **rhéostat** 1875, Lar. || **rhéostatique** 1877, *J. O.* || **rhéotaxie** 1904, Lar.

rhésus 1797, Audebert, singe ; emploi arbitraire du lat. *Rhesus,* roi légendaire de Thrace.

rhéteur 1539, R. Est., « maître de rhétorique » ; 1694, *Acad.,* empl. péjor. ; lat. *rhetor,* maître d'éloquence, du gr. *rhêtôr.* || **rhétorique** 1130, *Eneas* (*rectorique*) ; XVIe s., classe de rhétorique ; lat. *rhetorica,* art oratoire, du gr. *rhêtorikê.* || **rhétoriqueur** 1493, Coquillart, « écrivain ». || **rhétoricien** 1370, Oresme (*rettoricien*), adj. ; 1680, Richelet, élève de rhétorique.

rhéto-roman 1870, d'après P. Robert ; de *rhétique,* de *Rétie.*

rhin(o)-, gr. *rhinos,* nez. || **rhinencéphale** 1964, Lar., anat. || **rhinite** 1830, *Dict. méd.* || **rhinocéros** 1288, Gelée (*rhinocerons*) ; fin XIVe s. (*rhinoceros*) ; lat. *rhinoceros,* gr. *rhinokerôs,* de *keras,* corne. || **rhinologie** 1888, Lar. || **rhinopharyngite** 1892, Guinon. || **rhino-pharynx** 1936, d'après P. Robert. || **rhinoplastie** début XIXe s. || **rhinorragie** 1870, L. || **rhinorrhée** 1870, Lar. || **rhinosclérose** 1932, Lar. || **rhinoscopie** 1867, *Journ. méd.*

rhingrave XVIe s., titre de seigneurs rhénans ; all. *Rheingraf,* « comte du Rhin » ; 1640, Scarron, « haut-de-chausses », introduit en France par le rhingrave Salm, gouverneur de Maestricht. || **rhingraviat** 1836, *Acad.*

rhizo-, gr. *rhiza,* racine. || **rhizine** 1875, Lar. || **rhizobium** 1904, Lar. (*-bion*). || **rhizoïde** 1897, *Année biol.* || **rhizome** 1817, Gérardin. || **rhizomère** 1904, Lar. || **rhizophage** 1732, Trévoux. || **rhizophylle** 1875, Lar. || **rhizopode** 1842, *Acad.* || **rhizotaxie** 1878, Lar.

rhodium 1805, *Ann. de chimie ;* mot angl., tiré en 1803, par Wollaston, du gr. *rhodon,* rose, à cause de la couleur de certains sels de ce métal.

rhodo-, gr. *rhodos,* rose. || **rhodamine** 1932, Lar. || **rhodophycées** 1904, Lar. || **rhodopsine** 1904, Lar. ; gr. *opsis,* vue. || **rhodotorula** 1964, Lar. ; lat. *torulus,* renflement.

rhododendron début XVIe s. ; lat. *rhododendron,* du gr. *rhodon,* rose, et *dendron,* arbre.

rhombe début XVIe s., géom., « losange » ; lat. *rhombus,* gr. *rhombos,* « toupie ». || **rhombique** 1870, L. || **rhomboèdre** 1817, *Ann. de chimie.* || **rhomboïde** 1542, Bovelles, géom. ; lat. *rhomboides,* gr. *rhomboeidês.*

rhopalocère 1870, L., entom. ; gr. *rhopalon,* massue, et *keras,* corne.

rhotacisme 1793, Lavoisien (*rotacisme*) ; gr. *rhôtakismos ;* évolution phonétique d'un *s* vers un *r.*

Rhovyl 1956, Robert ; nom déposé, lat. *Rhodanus,* Rhône.

rhubarbe XIIIe s., *Simples Méd.* (*reubarbe*) ; 1570, Liébault (*rhubarbe*) ; bas lat. *rheubarbarum* (VIIe s., Isid. de Séville, d'après qui *rheu* est un mot barbare signifiant « racine ») ; on trouve aussi en lat. médiév. *rhabarbarum,* et chez Rab. *rhabarbe ; rha* et *rheu* sont deux formes obscures.

rhum 1688, Blome (*rum*) ; 1784, Bonnafé (*rhum*) ; angl. *rum* (1654), abrév. de *rumbullion,* mot dial. angl., « grand tumulte », empl. dans l'île de Barbade pour désigner une liqueur forte de fabrication locale. || **rhumé** 1932, Lar. || **rhumerie** 1802, Laveaux.

rhumatisme 1549, Meignan (*rheumatisme*) ; 1673, Molière (*rhumatisme*) ; lat. *rheumatismus,* fluxion, gr. *rheumatismos,* « écoulement d'humeurs », de *rheîn,* couler. || **rhumatismal** 1755, *Encycl.* || **rhumatisant** 1478, Chauliac ; lat. *rhumatizans,* part. prés. de *rheumatizare.* || **rhumatologie** 1964, Lar. || **rhumatologue** *id.*

rhumb 1553, Nicolay (*rumb*) ; 1611, Cotgrave (*rhumb*) ; angl. *rhumb,* d'après lat. *rhombas,* losange, de *rim,* jante d'une roue.

rhume 1227, *le Besant de Dieu* (*reume, rheume*) ; 1643, Scarron (*rhume*) ; lat. *rheuma,* du gr. *rheuma,* « écoulement », de *rheîn,* couler. || **enrhumer** 1180, Marie de France (*anrimé*). || **désenrhumer** 1660, Oudin.

rhyncho-, gr. *rhugkhos,* groin, bec. || **rhynchée** 1839, Boiste, zool. || **rhynchite** 1839, Boiste, entom. || **rhynchocéphale** 1845, Besch. || **rhynchole** 1875, Lar., entom. ; gr. *oloos,* funeste. || **rhynchote** 1839, Boiste, zool.

ribambelle 1798, *Acad. ;* origine obsc., p.-ê. sur un rad. onom. *bamb-,* indiquant le balancement, l'oscillation, avec une influence du dial. *riban,* ruban.

ribaud 1175, Chr. de Troyes, « débauché » ; anc. fr. *riber,* faire le ribaud, de l'anc. haut all.

rîban, être en chaleur, s'accoupler, proprem. « frotter ». || **ribaudaille** 1150, Barbier. || **ribauderie** 1268, Boileau. || **riboter** 1745, Vadé (*riboteur*) ; de *ribauder* (1260, G.), avec changem. de suff. || **ribote** 1803, Boiste (*faire ribote*).

ribes début XVIe s., bot. ; lat. médiév. *ribes,* de l'ar. *ribas,* oseille.

ribler 1690, Furetière, courir la nuit ; 1842, *Acad.,* terme techn. ; probabl. de l'anc. haut all. *rîban* (v. RIBAUD). || **riblon** 1783, Buffon, déchet d'acier.

riblette XIIIe s. ; néerl. *ribe,* côte.

ribo-, de *arabinose,* sucre, de *gomme arabique.* || **riboflavine** 1964, Lar. || **ribonucléase** 1967, J. Verne et S. Hébert. || **ribonucléique** 1964, Lar. || **ribonucléoprotéide** 1964, Lar. || **ribosome** 1943, d'après P. Robert.

ribord 1678, Guillet, mar. ; portug. *resbordo.*

ribote, riboter V. RIBAUD.

ribouis 1854, Esnault, « savetier » ; 1880, Esnault, « soulier », pop. ; altér. de *rebouis,* de l'anc. *rebouiser,* donner le bon air à quelque chose, du fr. rég. *bouis,* anc. forme de *buis,* brunissoir de buis servant aux cordonniers pour polir la semelle, lui *donner le bouis* ou, si l'opération est répétée, le *rebouis.*

ribouldingue 1900, Esnault ; du dial. *riboulâ,* manger à satiété (Auvergne), et de *-dingue,* issu de *dinguer,* pop., « rebondir avec un bruit sonore » ; orig. onom. ; *riboulâ* est p.-ê. un croisement de l'anc. *riber* (v. RIBAUD) et de *bouler,* « enfler sa gorge ». (V. BOULE.)

ribouler 1862, Guérin ; mot dialectal, de *re-* et *boule.*

ricaner XIIIe s., *Chanson d'Antioche* (*recaner*), « braire » ; 1538, R. Est., sens mod. ; altér., par anal. de *rire,* de l'anc. fr. *rechaner,* de l'anc. picard *kenne,* joue, du francique **kinni,* mâchoire. || **ricaneur** 1555, Vaganay. || **ricanement** 1702, Chaulieu.

riccie 1765, *Encycl.* ; du nom du botaniste *Ricci.*

riche 1050, *Alexis ; nouveau riche,* 1721, Montesquieu ; francique *rîki,* puissant (cf. l'all. *reich*). || **richesse** 1119, Ph. de Thaon (*richoise*) ; 1130, *Eneas* (*richece*), « puissance » et sens actuel. || **richard** 1466, Michault. || **richement** 1138, Gaimar. || **richissime** XIIIe s. ; italianisme ; puis 1801, Mercier. || **enrichir** XIIe s. || **enrichissement** XIIIe s.

richelieu 1910, *Culina,* « chaussure » ; du nom de *Richelieu.*

richomme 1721, Trévoux ; esp. *rico hombre,* de *rico,* puissant, et *hombre,* homme.

ricin 1557, L'Escluse ; lat. *ricinus.* || **riciné** 1871, *J. O.* || **ricinodendron** 1964, Lar. || **ricinoléine** 1932, Lar.

rickettsie 1932, Lar. ; du nom de *Ricketts.* || **rickettsiose** 1964, Lar.

ricochet XIIIe s., *Fable du ricochet,* ritournelle de questions et de réponses ; 1611, Cotgrave, « rebond » ; XVIIIe s., fig., sens mod. ; orig. obsc., p.-ê. du rad. de *coq,* dimin. *cochet.* || **ricocher** début XIXe s.

ric-rac, ou **ric-à-rac,** ou **ric-et-rac** 1450, Gréban (*ric à ric*) ; 1470, *Pathelin* (*ric-à-rac*) ; 1904, Lar. (*ric-rac*) d'orig. onomat.

rictus 1821, J. de Maistre ; lat. *rictus,* contour de la bouche ouverte, de *ringi,* ouvrir la bouche en montrant les dents.

ride, rideau V. RIDER.

ridelle 1268, Boileau ; moy. haut all. *reidel,* forte perche ; balustrade légère faite d'abord de branches de chêne.

rider 1175, Chr. de Troyes (*chemise ridée*), « plisser » ; 1265, J. de Meung, sens actuel ; *se rider,* 1747, Voltaire ; anc. haut all. *rîden,* tordre (*reid,* frisé). || **ride** XIIIe s. ; déverbal || **rideau** XIVe s. ; également, au XVe s., « repli de terrain ». || **ridage** 1842, *Acad.,* techn. || **ridement** 1611, Cotgrave. || **ridoir** 1870, L., techn. || **ridule** 1970, Robert. || **riduler** 1881, Huysmans. || **dérider** 1539, R. Est.

1. **ridicule** 1500, *Thérence en françois,* adj. ; 1654, G. de Balzac, n. m. ; lat. *ridiculus,* de *ridere,* rire. || **ridiculement** 1552, R. Est. || **ridiculiser** 1648, Voiture. || **ridiculité** 1664, Robinet.

2. **ridicule** 1801, Mercier, n. m., petit sac de dame ; altér. de *réticule,* par attraction du précédent.

***rien** 980, *Passion ;* lat. *rem,* acc. de *res,* chose ; n. fém. jusqu'au XVIe s., avec le sens de « chose » ; on trouve le masc. depuis le XVe s. ; devenu mot négatif au XVIe s., par suite de son emploi fréquent avec *ne* et *pas.*

riesling 1845, Besch. ; mot allem. désignant un cépage blanc.

rif 1545, Esnault (*riffe*), feu, argot des Coquillards ; altér. de *ruffe* (1596, *Vie gén. des merce-*

lots ; déjà au XVe s., fig., « feu Saint-Antoine, érysipèle ») ; du fourbesque (argot ital.) *rufo,* rouge. || **riffauder** 1598, Bouchet. || **riffaudeur** 1837, Vidocq. || **rififi** 1942, Esnault.

1. **riflard** 1411, Baudet Herenc, sergent ; début XVIIe s. (*riflard*), nom de divers outils : rabot, ciseau, lime, etc. ; anc. fr. *rifler,* XIIe s., érafler, rafler, de l'anc. haut all. *riffilôn,* déchirer en frottant, avec suffixe *-ard.* || **rifler** 1170, *Rois.* || **rifloir** 1827, *Acad.*

2. **riflard** 1828, de Saint-Hilaire, « parapluie », pop. ; du nom d'un personnage de *la Petite Ville* (comédie de Picard, 1801), qui portait toujours un énorme parapluie.

rifle 1833, Th. Pavie, alors fém., carabine rayée ; angl. *rifle,* de (*to*) *rifle,* faire des rainures, lui-même issu de l'anc. fr. *rifler.* (V. RIFLARD 1.)

rigide 1457, *Romania,* fig. ; 1523, Vaganay, au sens propre ; lat. *rigidus* (v. RAIDE). || **rigidement** 1671, Pomey. || **rigidifier** 1885, Vallès. || **rigidité** 1641, Clave ; lat. *rigiditas.*

rigodon ou **rigaudon** 1673, Sévigné ; peut-être du nom de *Rigaud,* inventeur de cette danse.

rigole début XIIIe s. (*regol*) ; début XIVe s. (*rigole*) ; moy. néerl. *regel,* rangée, ligne droite, et *richel,* fossé d'écoulement, du lat. *regula,* règle. || **rigoler** 1297, G. || **rigolage** 1842, *Acad.*

rigoler XIIIe s., *Fabliau,* « se divertir » ou « se moquer », fam. ; croisement de *rire* et de *galer,* s'amuser (v. GALANT). || **rigolade** 1815, Esnault. || **rigolo** 1848, Hatin ; 1886, Esnault, « revolver ». || **rigolard** 1867, Delvau. || **rigolboche** 1860, *Fr. mod.*

rigueur fin XIIe s. ; *à la rigueur,* 1875, Lar. ; lat. *rigor,* même rad. que *rigidus* (v. RIGIDE, RAIDE). || **rigoureux** XIIIe s. ; lat. *rigorosus.* || **rigoureusement** 1220, *Queste del Saint Graal.* || **rigorisme** 1696, Saint-Simon ; d'après la forme lat. || **rigoriste** 1683, Barbier.

rillette 1845, Besch. ; mot dialectal *rille,* planchette, de l'anc. fr. *reille* (fin XIe s.), « latte », par analogie de forme ; lat. *regula.* (V. RÈGLE.)

rimaye 1839, Boiste ; mot savoyard, lat. *rima,* fente.

rimer 1119, Ph. de Thaon ; *ne rimer à rien,* 1779, Genlis ; francique *rimân,* de **rim,* série, nombre. || **rime** 1160, Chr. de Troyes ; déverbal. || **rimeur** 1180, *Alexandre* (*rimere,* cas sujet). || **rimailleur** 1518, Marot. || **rimailler** 1553, Rab.

***rinceau** fin XIIe s., *R. de Cambrai* (*rainsel*), « rameau » ; 1533, Havard, spécial. comme terme de blason et d'archit. ; lat. pop. **ramuscellus,* du bas lat. *ramusculus,* dimin. de *ramus,* rameau.

***rincer** fin XIIe s., *Bible* (*reincier, raincier*) ; dissimilation probable de l'anc. fr. *recincier,* du lat. pop. **recentiare,* « rafraîchir, laver », de *recens,* au sens de « frais ». || **rinçage** 1715, L. || **rinçure** 1398, *Ménagier* (*rainssure*). || **rinceur** 1490, *Anc. Poés.* || **rincée** 1793, Villers, « volée de coups ». || **rincette** 1867, Delvau. || **rince-bouche** 1842, *Acad.* || **rince-bouteilles** 1894, Sachs-Villatte. || **rince-doigts** 1907, Lar.

rinforzando 1775, Beaumarchais ; mot ital., de *rinforzare,* renforcer.

ring 1829, Mackenzie, « cercle de spectateurs » ; 1923, Lar., sens actuel ; angl. *ring,* « anneau, cercle ».

1. **ringard** 1731, Trévoux ; wallon *ringuèle,* « levier », avec changem. de suff., de l'all. dial. *Rengel,* bûche. || **ringarder** 1894, Sachs-Villatte.

2. **ringard** 1975, Lar., vieil acteur ; p.-ê. métaphore de *ringard* 1.

riotte 1130, *Saint Gilles,* dispute ; déverbal de l'anc. fr. *rioter, rihoter,* se quereller, d'orig. obscure.

ripaille 1579, N. Du Fail (*faire ripaille*) ; anc. fr. *riper,* gratter (v. RIPER). || **ripailler** 1821, Desgranges. || **ripailleur** 1578, La Noue.

ripaton 1867, Delvau ; argot *ripatonner,* réparer, de *re-* et *patte,* d'abord « soulier réparé », puis « pied ».

riper 1328, G., « gratter », d'où « glisser », techn. ; 1752, Trévoux, « déraper » ; moy. néerl. *rippen,* palper. || **ripe** 1255, G., « filet » ; 1676, Félibien, outil. || **ripage** 1847, Besch. || **ripement** 1851, Poitevin.

Ripolin 1907, Lar. ; créé en 1888 par l'inventeur *Riep,* avec son nom, l'élém. *-ol* du néerl. *olie,* huile, et le suff. savant *-in.* || **ripoliner** 1907, Lar.

ripopée XVe s., A. de La Sale, adj. (*vin ripopé*) ; XVe s., n. m. (*ripopé*) ; 1770, Rousseau, n. f. (*ripopée*) ; formation pop., p.-ê. sur le radical à alternance *pap-/pop-* du langage enfantin (v. PAPA, PAPOTER), avec infl. analog. de RIPAILLE.

riposte 1527, Macquereau (*risposte*) ; 1578, H. Est. (*riposte,* par chute du premier *s*) ; ital. *risposta,* de *rispondere,* répondre (v. RÉPONDRE). || **riposter** 1650, Scarron.

riquiqui fin XVIIIe s., « eau-de-vie » ; 1867, Delvau, adj., petit, contrefait ; forme expressive issue du langage enfantin.

***rire** 1080, *Roland ;* 1220, Coincy, « agréable » ; lat. pop. *ridĕre,* en lat. class. *ridēre.* || **rire** n. m., XIIIe s. || **riant** 1080, *Roland.* || **rieur** 1460, G. Alexis. || ***ris** fin XIe s., *Chanson de Guillaume,* « rire » ; lat. *risus,* part. passé subst. de *ridere,* rire. || **risée** 1175, Chr. de Troyes. || **risette** 1840, Dumanoir. || **risible** 1370, Oresme ; bas lat. *risibilis,* sur *risus,* de *ridere,* rire ; a pu signifier, du XVIe au XVIIIe s., « qui a la faculté de rire ». || **risibilité** XVIe s., Champeynac. || **risiblement** 1655, Molière. || **risorius** 1765, *Encycl.,* anat. || **dérision** XIIIe s., G. ; bas lat. *derisio.* || **dérisoire** XIVe s., Juv. des Ursins ; bas lat. *derisorius.*

1. **ris** 1155, Wace, mar. ; du plur. anc. scand. **rifs,* sing. *rif,* dispositif pour raccourcir. || **risée** 1689, Jal. || **arriser** 1643, *D. G.*

2. **ris** (*de veau*) XVIe s. ; de *risée* (1598, Bouchet), orig. obsc.

3. **ris** V. RIRE.

risberme 1752, Trévoux ; néerl. *rijs,* branchage, et *berm,* talus.

risotto 1855, Audot ; ital. *risotto,* de *riso,* riz ; riz cuit avec de la viande et des légumes.

risque 1557, H. Est., fém. (l'Acad. a conservé *à toute risque* jusqu'en 1798) ; 1657, Pascal, masc. ; ital. *risco* (auj. *rischio*), du bas lat. **risicare,* « doubler un promontoire », lat. class. *resecare,* de *re-* et *secare,* couper. || **risquer** 1596, Livet ; *risquer de,* 1694, *Acad. ; se risquer,* fin XVIe s. || **risque-tout** 1870, L.

rissole 1185, *Aliscans* (*rousole*) ; XIIIe s. (*roissole*) ; 1240, Ph. de Novare (*rissole*) ; lat. pop. **russeola,* fém. subst. de *russeolus,* rougeâtre (IVe s., Prudence), de *russus,* roux. || **rissoler** 1549, R. Est. || **rissolette** 1803, Boiste.

ristourne 1723, Savary (*ristorne*) ; milieu XVIIIe s. (*restourne*) ; 1829, Boiste (*ristourne*) ; d'abord masc. et terme de droit mar., « résolution de la police d'assurance » ; ital. *ristorno,* même sens, de *storno* (v. TOURNER). || **ristourner** 1723, Savary (*restourner*) ; 1829, Boiste (*ristourner*).

rital 1890, Esnault ; de *les Ital,* abrév. de *les Italiens.*

rite 1394, Bouteillier (*rit*) ; 1676, Bouhours (*rite*) ; lat. *ritus.* || **rituel** 1564, Rab. (*ritual*) ; 1669, Widerhold (*rituel*) ; lat. *ritualis.* || **rituellement** 1910, Péguy. || **ritualisme** 1829, Boiste. || **ritualiste** 1700, Trévoux. || **ritualiser** milieu XXe s. || **ritualisation** 1965, Bouthoul.

ritournelle 1670, Molière (*ritornelle*) ; 1694, *Acad.* (*ritournelle*), terme de mus. ; 1671, Sévigné, fig. ; ital. *ritornello,* de *ritorno,* retour. (V. TOURNER.)

rival 1500, *Thérence en françois ;* lat. *rivalis,* riverain autorisé à faire usage d'un cours d'eau, de *rivus,* cours d'eau ; concurrencé jusqu'au XVIe s. par *corrival,* du bas lat. *corrivalis,* avec le préf. *cor-* indiquant la communauté d'usage. || **rivalité** 1656, Molière ; lat. *rivalitas.* || **rivaliser** 1770, Livet.

***rive** 1080, *Roland ;* 1723, Savary, techn. ; lat. *rīpa.* || **rivage** fin XIe s., *Chanson de Guillaume.* || **rivulaire** 1802, Laveaux. || **dériver** XIVe s., s'écarter de la rive. (V. ARRIVER, RIVIÈRE.)

rivelaine 1771, Brunot ; mot picard, de *river,* rafler, moyen néerl. *riven,* râper.

river 1160, Benoît, « attacher » ; empl. spécial., dans *river le clou,* XIIIe s. ; de *rive,* bord. || **rivet** 1268, É. Boileau. || **rivure** fin XVe s. || **riveur** XIVe s. || **riveuse** 1877, *Gaz des trib.,* ouvrière qui rive ; 1906, Lar., machine à river. || **riveter** 1877, *J. O.* || **rivetage** *id.* || **riveteuse** 1964, Lar. || **riveur** 1330, Digulleville. || **rivoir** 1769, *Encycl.* || **rivotter** 1842, *Acad.* || **rivure** fin XVe s. || **dériver** milieu XIIIe s., enlever la rivure.

***rivière** fin XIe s., *Gloses de Raschi ;* lat. pop. **riparia,* fém. subst. de l'adj. *riparius,* « qui est sur la rive », de *ripa,* rive, d'où, en anc. fr., l'emploi possible au sens de « région proche d'une rivière, ou de la mer » (en ital. mod. *riviera*) ; *rivière de diamants,* 1747, Brunot. || **riverain** 1532, Rab. (*riveran*) ; 1690, Furetière (*riverain*). || **riveraineté** 1898, *Bull. lois.*

rivulaire 1827, *Acad. ;* lat. *rivulus,* dimin. de *rivus,* cours d'eau.

rixe début XIVe s. ; lat. *rixa,* querelle.

riz 1270, *Archives* (*ris,* puis *riz,* d'après la forme lat.) ; ital. *riso,* du lat. *oryza,* issu du gr. *oruza,* mot d'orig. orientale. || **rizaire** 1838, *Acad.* || **rizière** 1718, *Acad.* || **rizerie** 1868, *journ.* || **riziculture** 1912, Lar. || **riziculteur** 1923, Lar. || **riziforme** 1878, Lar. || **rizon** 1835, *Maison* *rustique.* || **riz-pain-sel** 1790, Brunot ; arg. milit., « celui qui distribue les vivres ».

roadster 1933, Lar., automobile ; angl. *roadster,* de *road,* route.

1. **rob** 1507, La Chesnaye, suc de fruit ; ar. *robub,* du persan.

2. **rob** ou **robre** 1767, Mackenzie, dans le vocab. du whist et du bridge ; angl. *rubber,* frotteur, de *to rub,* frotter.

robe 1155, Wace, vêtement ; spécialisé de bonne heure pour les vêtements de femme, de prêtre, de juge ; 1648, Voiture, pour les animaux ; 1546, Rab., pour les plantes ; 1730, Savary, pour le tabac ; 1870, L., pour le vin ; germ. **rauba,* butin, sens conservé en anc. fr. (v. DÉROBER), et « vêtements pris à l'ennemi ». || **enrober** XIIIe s., fournir de vêtements ; XIXe s., terme techn., « envelopper comme dans une robe ». || **robin** 1621, *Sonnet de Courval,* homme de robe, péjor. par attraction de ROBIN 2 (v. ci-après). || **rober** 1741, Savary, techn. || **robage** 1875, *J. O.,* techn. || **roberie** début XVIe s. || **robeuse** 1875, *le Temps.*

roberts 1888, Esnault ; d'après une marque de biberons.

1. **robin** V. ROBE.

2. **robin** début XIVe s., Gilles li Muisis, personnage sans considération ; du nom propre *Robin,* altér. fam. de *Robert,* et qui désignait dans l'anc. littér. un paysan prétentieux.

robinet 1285, J. Bretel, « figure ornant un instrument à cordes » ; 1401, Havard, sens actuel ; de ROBIN 2, employé comme surnom du mouton ; les robinets étaient souvent ornés d'une tête de mouton. || **robinetier** 1870, L. || **robinetterie** 1845, Besch.

robinier 1778, Lamarck ; du nom de J. *Robin,* anc. directeur du Jardin des Plantes, qui introduisit cet arbre en 1601.

roboratif 1501, F. Le Roy ; anc. fr. *reborer,* fortifier, du lat. *reborare,* de *robur,* force.

robot 1924, Jelinek, automate ; tiré du tchèque *robota,* « travail, corvée », par l'écrivain tchèque K. Tchapek, dans sa pièce *R. U. R.* (*les Robots Universels de Rossum,* 1921). || **robotisé** 1960, *journ.* || **robotisation** 1964, Lar.

robuste 1080, *Roland* (*rubeste*) ; XIIIe s. (*robuste*) ; lat. *robustus,* de *robur,* force. || **robustement** 1539, R. Est. || **robustesse** 1863, Gautier. || **robusticité** 1776, d'Épinay.

roc, rocade V. ROCHE, ROQUER.

rocambolesque fin XIXe s. ; de *Rocambole,* nom d'un personnage aux aventures extraordinaires créé par Ponson du Terrail (1829-1871), d'après le mot vieilli *rocambole* (1680, Richelet), n. f., « ail d'Espagne », d'où « chose piquante », de l'all. *Rockenbolle,* même sens propre (*Rocken,* seigle, et *Bolle,* oignon).

***roche** 980, *Passion ;* lat. pop. **rŏcca,* sans doute prélatin. || **rocher** 1138, Gaimar. || **rocheux** 1549, G. Du Bellay, rare jusqu'au XIXe s. || **rochassier** 1906, Lar. || **rochier** 1560, Gesner, poisson ; 1776, Valmont, oiseau. || **roc** 1512, J. Lemaire de Belges ; masc. de *roche.* || **rocaille** 1360, Froissart ; var. *rochaille,* 1611, Cotgrave. || **rocailleur** 1671, Havard. || **rocailleux** 1692, Dufresny. || **rocaillage** 1875, Lar. || **rococo** 1828, Stendhal ; arg. des ateliers d'artistes, formation plaisante d'après *rocaille,* à cause de l'emploi des rocailles dans le style rococo.

1. **rochet** 1170, Saint-Pair, surplis de prêtre ; bas lat. *roccus,* du francique **hrok.* (V. FROC.)

2. **rochet** (*roue à*) 1200, G., extrémité des lances de joute ; 1560, Paré, *roue à rocquet,* à cause de la forme des dents ; 1752, Trévoux, « bobine » ; francique **rukka,* quenouille (all. *Rocken*).

rock and roll 1955, *journ. ;* mot anglo-américain, de *to rock,* balancer, et *to roll,* tourner.

rocking-chair 1851, Marmier ; angl. *rocking-chair,* de *(to) rock,* balancer, et *chair,* chaise.

rococo V. ROCHE.

rocou 1614, Claude d'Abbeville ; tupi-guarani (Brésil) *urucu.* || **rocouer** 1640, Bouton. || **rocouyer** n. m., 1645, Friederici, arbre.

roder 1520, Chauliac, « ronger » ; 1723, Savary, techn. ; 1933, Lar., autom. ; lat. *rodere,* ronger (v. CORRODER, ÉRODER). || **rodage** 1836, *Acad. ;* 1933, Lar., autom.

rôder 1418, Caumont, v. tr. (*rôder le pays*) ; 1530, Palsgrave (*rauder*) ; 1549, R. Est. (*rôder*), « tourner de tous côtés dans », intr. ; anc. prov. *rodar,* « aller en rond, tourner » ; lat. *rotare,* de *rota,* roue. || **rôdeur** 1538, R. Est. || **rôdailler** 1834, Hecart. || **rôderie** 1881, Vallès.

rodomont début XVIe s. (*rodomone*) ; 1584, Amadis Jamyn (*rodomont*) ; ital. *Rodomonte,* nom d'un personnage, brave et insolent, de l'*Orlando furioso* (le *Roland furieux*) de l'Arioste. || **rodomontade** 1587, Le Poulchre.

rodonticide 1964, Lar. ; lat. *rodere,* ronger, et *caedere,* tuer.

rogations 1355, Bersuire (*rogacion*), sing., prière ; 1530, Palsgrave, plur. ; lat. eccl. *rogationes,* en lat. class. sing. *rogatio,* demande ; a remplacé la forme pop. *rovaison,* dér. de *rover,* du lat. *rogare,* demander, prier. || **rogatoire** 1599, *Cout. de Normandie,* jurid. ; lat. *rogatus,* part. passé de *rogare.*

rogatoire V. ROGATIONS.

rogatons 1367, Du Cange, « humble requête », avec valeur péjor., jusqu'au XVIIe s. ; 1660, Scarron, « placet pour demander l'aumône » ; 1662, Livet, objet de peu de valeur ; 1694, *Acad.,* sens actuel ; lat. médiév. *rogatum,* demande, neutre subst. du part. passé de *rogare,* demander, avec la pron. anc. de la finale *-um.* (V. DICTON.)

1. **rogne** 1125, *Romania* (*ruinne*) ; 1220, Coincy (*rogne*), « gale » ; lat. *aranea,* araignée, altéré en **ronea,* peut-être sous l'influence de *rodere.* || **rogneux** 1130, Studer. (V. RODER.)

2. **rogne** 1501, Cohen (*rongne*), « grognement » ; en anc. fr., *chercher rogne,* chercher noise, d'où, XVIIe s., à Saint-Étienne, « querelle » ; 1888, Villatte, mauvaise humeur ; de *rogner* (XIIe s.), grommeler, orig. onomat. || **rognonner** 1556, *Anc. Poésies.*

***rogner** 1131, *Couronn. Loïs* (*reoignier*), « couper autour », d'où « tondre » ; XIIIe s., couper (ex. les ongles) ; 1559, Amyot, fig., « retrancher » ; lat. pop. **rotundiare,* couper en rond, de *rotundus,* rond. || **rognure** fin XIe s., *Gloses Raschi,* parfois « tonsure » en anc. fr. || **rogneur** 1355, Isambert. || **rognage** 1842, *Acad.* || **rognement** 1538, R. Est. || **rognerie** 1608, Malherbe. || **rognoir** 1803, Boiste. || **rogne-pied** 1670, *Encycl.*

***rognon** fin XIIe s., *R. de Cambrai ;* lat. pop. **renio, renionis,* de *ren,* rein, et spécialisé pour les animaux. || **rognonnade** XIVe s. ; de l'anc. prov.

rogomme 1700, Mme de Maintenon (*rogum*), liqueur forte ; auj. seulem. dans *voix de rogomme* (1829, Boiste) ; orig. obsc.

1. **rogue** adj., 1215, Anger ; anc. scand. *hrôkr,* arrogant. || **roguerie** fin XVIIe s., Saint-Simon.

2. **rogue** n. f., 1723, Savary, œufs de morue salés ; anc. scand. *hrogn* (all. *Rogen,* œufs de poisson ; angl. *roe, id*). || **rogué** 1772, Duhamel.

rohart XIVe s., Laborde ; anc. norrois *hrosshval,* « cheval-baleine ».

***roi** fin IXe s., *Eulalie* (*rex*) ; 1080, *Roland* (*rei*) ; lat. *rex, rēgis.* || **royal** fin IXe s., *Eulalie* (*regiel*) ; 1155, Wace (*real*) ; lat. *regalis.* || **royalement** 1155, Wace (*reialment*). || **royauté** fin XIIe s., *Aliscans.* || **royaliste** fin XVIe s. || **royalisme** 1770, *Corr. littér., philos. et critique.* || **roitelet** fin XIIe s. ; dimin. de l'anc. fr. *roietel, roitel* (1138, Gaimar), de *roi.* || **vice-roi** 1463, Bartzsch. || **vice-royauté** 1680, Richelet. (V. RÉGICIDE, ROYAUME.)

roide, roideur V. RAIDE.

rolandique 1904, Lar., anat. ; de *Rolando,* physiologiste italien.

***rôle** 1180, *Mort Aymeri* (*rolle*) ; XVe s. (*roole*) ; XVIe s. (*rôle*) ; jusqu'au XVIIIe s., « rouleau », spécialem. manuscrit roulé, liste, acte ; 1538, R. Est., texte appris par un acteur ; 1580, Montaigne, « conduite sociale » ; XVIIe s., fonction d'un objet ; bas lat. *rotŭlus,* rouleau, de *rota,* roue. || **rôlet** 1220, *Queste del Saint Graal,* « petit rouleau » ; XVIe s., « petit rôle de théâtre ». || **enrôler** 1174, *Vie de saint Thomas Becket,* « inscrire sur un rôle » ; XVIe s., milit. || **enrôlement** 1285, G., même évol. de sens. || **enrôleur** 1660, Oudin, milit. (V. CONTRÔLE.)

romain fin XIIe s., R. de Moiliens ; lat. *Romanus ;* XVIe s., impr., caractère inventé par Jenson, en Italie ; XVIIe s., sens moral. || **romaine** 1570, Liebault (*laitue romaine*) ; laitue importée d'Avignon, où siégeait la cour papale, à la fin du XIVe s. ; *bon comme la romaine,* 1941, Aragon. || **romaniser** 1579, H. Est. || **romanisation** 1894, Sachs-Villatte. || **romanisant** 1875, *journ.* || **romanité** 1851, Poitevin.

1. **romaine** V. ROMAIN.

2. **romaine** XIVe s. (*romman*), balance ; anc. prov. *romana,* de l'ar. *rummâna,* grenade, avec infl. de *romain.*

1. ***roman** n. m., milieu XIIe s. (*romanz*), langue courante, par oppos. au latin ; XIIe s., récit en langue courante ; XIIIe s. (*romant*) ; XIVe s., « roman d'aventure en vers » ; XVe s., « roman de chevalerie en prose » ; 1560, Pasquier (*roman*) ; XVIe s., aventure extraordinaire et sens mod. ; lat. pop. **romanice,* adv., « à la façon des Romains », par oppos. aux Francs. || **romaniste** 1661, *Variétés historiques,* faiseur de romans. || **romancier** XVe s., Vauquelin ; de l'anc. forme *romanz ;* a remplacé l'anc. fr. *romanceor, romanceur* (1175, Chr. de Troyes). || **romancer** 1220, *Roman de la Violette,* traduire

en roman ; 1586, La Curne, écrire des romans ; 1681, Patru, sens actuel. || **romanesque** 1627, Sorel, « propre au roman » ; a pris au XVIIIe s. une nuance péjor. || **romantique** 1675, abbé de Nicaise, « romanesque » ; 1745, J. Leblanc, « pittoresque » ; empl. pour caractériser des paysages, d'après l'angl. *romantic* (signalé comme néol. par Philipps en 1706) ; 1810, Staël, par oppos. à « classique », d'après l'allem. *romantisch* (Schlegel) ; 1820, terme d'esthét. littér. || **romantiquement** 1842, Mozin. || **romanticisme** 1819, Stendhal ; remplacé par le suiv. || **romantisme** 1804, Senancour, « caractère romantique » ; 1823, Boiste, doctrine littéraire. || **roman-feuilleton** 1840, *journ.* || **roman-fleuve** 1930, *journ.*

2. **roman** adj., 1734, Du Cange, linguistique ; de *roman,* subst., au sens de « nouveau langage », par oppos. au latin (XVIe s., Pasquier, v. le précéd.) ; 1834, *Bull. monumental,* archit., par anal. de l'emploi linguistique. || **romaniste** 1872, *Romania,* qui étudie les langues romanes. || **romanisme** XVIIIe s., relig. || **romanistique** n. f., XXe s., linguistique ; d'apr. l'all. *Romanistik.*

romance 1599, Brantôme, féminin ; 1606, Nicot, masc. ; « chanson sentimentale » ; esp. *romance,* masc., « petit poème en stances », du prov. *romans,* même mot que ROMAN 1. || **romancero** 1831, Hugo, collection de romances.

romanche 1813, *le Conservateur suisse ;* rhéto-roman *rumontsch,* du lat. **romanice.* (V. ROMAN 1.)

romand XVIe s., Bonivard, adj. et n. ; parler français de Suisse, même mot que ROMAN 1, avec changem. de suff.

romanichel 1828, Vidocq ; de *romnitchel,* var. de *romani,* de *rom,* nom des tsiganes et de leur langue en tsigane ; on trouve *romamichel,* « maison de voleurs », en 1841, *les Français peints par eux-mêmes.* || **romano** 1859, F. Liszt.

romarin XIIIe s., *Simples Méd.* (*rosmarin*) ; lat. *rosmarinus,* rosée de mer. (V. ROSÉE.)

rombière 1890, Lar. ; moyen fr. *rommeler,* grommeler (1580, Montaigne), d'orig. obscure.

***rompre** 1080, *Roland* (*rumpre*) ; lat. *rumpĕre.* || **rompement** 1355, Bersuire ; auj. seulem. dans *rompement de tête* (1526, Marot). || **rompis** 1870, L. || **rompu** n. m., 1871, L., finances. || **rupture** 1372, Corbichon ; lat. *ruptura,* de *ruptus,* part. passé (v. ROTURE). || **rupteur** 1907, Lar. || **ruption** 1611, Cotgrave ; bas lat. *ruptio.*

romsteck 1843, Th. Gautier (*rumpsteack*) ; 1904, Lar. (*romsteck*) ; angl. *rumpsteak,* tranche de croupe.

***ronce** 1175, Chr. de Troyes ; lat. *rŭmex, rŭmĭcis,* en lat. class. « dard », et en bas lat. (Ve s.) « ronce ». || **roncier** 1547, G. || **ronceraie** 1771, Trévoux. || **ronceux** 1583, Sasbout.

ronchonner 1867, Delvau ; anc. fr. *roncher,* « ronfler » (XIIIe s., G.), bas lat. *roncare,* lat. class. *ronchus,* ricanement. || **ronchonneur** 1878, Larchey. || **ronchonnot** 1878, Larchey. || **ronchon** 1888, Sachs-Villatte. || **ronchonnement** 1880, Huysmans.

***rond** 1100, *Gormont* (*reont*) ; 1380, *Aalma* (*rond*), adj. ; lat. pop. **retundus,* en lat. class. *rotundus.* || **rond** n. m., 1155, Wace (*en rond*) ; 1538, R. Est., figure ronde ; 1461, Picot, « sou ». || **rondeur** milieu XVe s. || **ronde** fin XIIe s. (*à la ronde*) ; XIIIe s., danse en rond ; 1559, Amyot, milit. ; anc. fr. *ronder,* « faire le cercle » (1185, *Aliscans*). || **rondeau** milieu XIIIe s. (*rondel*). || **rondelet** 1354, *Modus.* || **rondelle** XIIe s., *Grégoire.* || **rondement** 1155, Wace, « environ » ; XVe s., sens actuel. || **rondir** 1243, G. || **rondin** fin XIVe s., tonneau ; début XVIe s., bûche. || **rondo** 1829, Fétis ; mot italien, de *rondeau.* || **rondoir** 1923, Lar. || **rondouillard** 1888, Goncourt. || **ronde-bosse** 1615, d'après P. Robert. || **rond-point** 1354, *Modus,* « demi-cercle » ; 1866, Verlaine, sens actuel. || **rond-de-cuir** 1885, Larchey. || **arrondir** 1270, J. de Meung (*areondir*). || **arrondissement** 1529, G. Tory, action d'arrondir ; début XVIIIe s., division territoriale ; 1800, circonscription administrative remplaçant le district. || **arrondissementier** fin XIXe s., polit.

rondache 1569, G., bouclier rond ; mot picard, de *rondelle,* avec changement de suffixe. || **rondachier** 1625, Stoer.

Ronéo 1921, d'après P. Robert ; nom déposé, du nom de la compagnie industrielle. || **ronéoter** 1960, *journ.* || **ronéotyper** 1940, *journ.*

***ronfler** 1130, *Eneas ;* croisem. de l'anc. fr. *ronchier,* du lat. *runcare* (v. RONCHONNER), avec *souffler* (v. ce mot) ; ou élargissem. d'un radical onomat. *ron-* (v. RONCHONNER, RONRON). || **ronflement** 1553, *Bible ;* 1690, Furetière, bruit d'un appareil. || **ronfleur** 1552, Rab. || **ronflant** 1529, G. Tory, bruyant ; 1688, Miege, fig., vide de sens. || **ronflotter** 1879, Huysmans.

***rongier** 1175, Chr. de Troyes (*rungier*), ruminer, puis entamer (XIIIe s.) ; lat. *rūmigare,* ruminer ; *rungier* est devenu *ronger* sous l'infl. de *roder* et aussi de **rogier,* conservés dans certains patois, du lat. pop. *rodicare,* class. *rodere* (v. RODER). || **rongeur** XVe s. || **rongement** 1538, R. Est. || **rongeage** 1949, Lar.

ronron 1761, Rousseau ; onomat. || **ronronner** 1853, Baudelaire. || **ronronnement** 1879, Huysmans.

roquefort 1642, Saint-Amant ; du nom du village de l'Aveyron où l'on fabrique ce fromage.

roquentin 1631, *D. G.,* chanteur de chansons satiriques ; 1669, Widerhold, vieux militaire ; tiré, sur le modèle de *libertin, galantin, plaisantin,* de *roquart* (Villon, XVe s.), vieillard catarrheux, d'un rad. onomat. *rok-.* (V. ROQUET.)

roquer 1690, Furetière, échecs ; de *roc* (fin XIIe s., *R. de Cambrai*), anc. nom. de la tour, jusqu'au XVIe s. ; esp. *roque,* de l'arabo-persan *rokh,* « éléphant monté ». || **roque** 1875, Lar. || **rocade** 1790, Guibert, voie parallèle à la ligne de combat, d'après le mouvement de *roc* aux échecs.

roquet 1544, *l'Arcadie,* petit chien ; du dial. *roquer,* craquer, croquer, d'un rad. onomat. *rok-,* rendant un bruit sec, un craquement.

1. **roquette** 1538, R. Est., plante crucifère ; anc. ital. *rochetta,* var. de *rucchetta,* de *ruca,* chenille, du lat. *eruca,* même sens.

2. **roquette** 1752, Trévoux (*faire la roquette*) ; 1842, *Acad.,* fusée incendiaire ; 1942, Lar., sens actuel, fusée ; angl. *rocket,* fusée. Au XVIe s., *roquet,* n. m., désignait un petit canon : origine onomat.

rorqual 1808, Boiste ; anc. norvégien *raudhhwalr,* « rouge baleine ».

rosace 1546, J. Martin ; lat. *rosaceus,* de *rosa,* rose. || **rosacée** 1694, Tournefort, bot. ; 1964, Lar., rougeur.

rosage 1545, Guéroult ; anc. nom du rhododendron ; lat. médiév. *rosago,* de *rosa,* rose, d'après *plantago,* plantain.

rosaire 1495, J. de Vignay ; lat. eccl. *rosarium,* « couronne de roses de la Vierge » ; même évol. que *chapelet.*

rosat XIIIe s., *Simples Méd.* (*huile rosat*) ; bas lat. *rosatum oleum,* huile rosée.

rosbif 1691, *Cuisinier royal* (*ros de bif*) ; 1756, Voltaire (*rostbeef*) ; 1798, *Acad.* (*rosbif*) ; angl. *roastbeef,* de *roast* (de l'anc. fr. *rost,* rôti), et *beef,* viande de bœuf.

rose 1155, Wace, n. f. ; lat. *rosa.* || **rose** 1160, Benoît, adj. || **rosé** v. 1200. || **rosâtre** 1812, Boiste. || **rosir** 1823, Boiste. || **rosette** fin XIIe s., R. de Moiliens, « petite rose ». || **roseur** 1908, *Encycl.* || **rosier** 1175, Chr. de Troyes. || **rosière** 1530, Palsgrave, lieu planté de rosiers ; 1766, *Année litt.,* jeune fille vertueuse qui recevait une couronne de roses. || **roseraie** 1690, Furetière. || **rosiériste** 1868, *Revue horticole.* || **roséole** 1836, Landais ; sur le modèle de *rougeole.* || **roselet** 1753, Buffon, hermine. || **rosaniline** 1858, Hoffmann ; de *aniline.* || **rosalbin** 1828, *Dict. hist. naturelle ;* lat. *albus,* blanc. || **rosarium** 1829, Boiste. || **rosé-des-prés** 1964, Lar.

roseau 1175, *Tristan ;* anc. fr. *ros,* roseau, du germ. **raus* (all. *Rohr*). || **roselier** adj., 1872, L.

rose-croix 1623, Naudé ; allem. *Rosenkreuzer,* de *Rosa,* rose, et *Kreuz,* croix. || **rosicrucien** 1907, Lar.

***rosée** 1080, *Roland* (*rusée*) ; lat. pop. *rosata,* du lat. *ros, roris,* rosée. || **rosoyer** 1352, Dochez.

rosse XIIe s. (*ros*), n. m., mauvais cheval ; milieu XVe s. (*rosse*), n. f. ; 1879, Vallès, adj., « dur, mordant » ; allem. *Ross,* coursier (auj. poétique), en fr. avec valeur péjor. || **rossard** 1867, Delvau. || **rosserie** 1886, Maupassant.

***rosser** 1175, Chr. de Troyes (*roissier*) ; 1650, Scarron (*rosser*) ; lat. pop. **rustiare,* de **rustia,* gaule, du lat. class. *rustum,* ronce, avec infl. de *rosse,* c'est-à-dire « battre comme on bat une rosse ». || **rossée** 1834, Landais.

rossignol 1175, Chr. de Troyes (*losseignol*) ; milieu XIIe s. (*rossignol*) ; anc. prov. *rossinhol,* du lat. pop. **lusciniolus,* masc. tiré de *lusciniola* (Plaute), dimin. de *luscinia,* rossignol. || **rossignolet** 1180, Marie de France. || **rossignoler** 1200, *Lai d'Ignaure.* || **rossignolade** 1845, Besch.

rossinante 1718, Leroux ; de *Rocinante,* nom du cheval de Don Quichotte, de *rocin,* roussin (1655, Boulan) ; refait sur *rosse.* (V. ROUSSIN.)

1. **rossolis** 1669, La Curne, fleur ; lat. médiév. *ros solis,* rosée du soleil (à cause des vésicules transparentes que portent les feuilles).

2. **rossolis** 1645, Loret, liqueur ; ital. *rosoli,* d'orig. obsc., auj. *rosolio,* interprété secondairement comme formé de *rosa,* rose, et *olio,* huile.

rostre 1355, Bersuire, puis 1835, *Acad.*, antiquité romaine ; 1812, Mozin, zool. ; 1870, L., bec de navire ; lat. *rostra,* tribune aux harangues, plur. de *rostrum,* éperon (la tribune étant jadis ornée d'éperons de navires). || **rostral** 1363, Chauliac, « en forme de bec » ; 1663, La Fontaine, archit. || **rostré** 1812, Mozin, en forme de bec, zool. || **rostriforme** 1812, Mozin, zool.

1. **rot** 1878, *Journ. d'agric.*, maladie de la vigne ; angl. *rot,* « pourriture ».

2. **rot** V. ROTER.

rotacé 1803, Boiste, bot. ; lat. *rota,* roue.

rotang 1610, *Hist. navigation ;* malais *rotan* (v. ROTIN).

rotation 1375, R. de Presles ; lat. *rotatio,* de *rotare,* tourner comme une roue, de *rota,* roue. || **rotateur** 1611, Cotgrave, anat. ; lat. *rotator.* || **rotatoire** 1746, *Nouv. Bibl. germanique.* || **rotatif** fin XIVe s., « circulaire » ; 1842, *Acad.*, sens actuel. || **rotative** n. f., 1865, imprimerie || **rotativiste** 1955, *journ.*

1. **rote** 1155, Wace, instrument de musique des jongleurs bretons ; bas lat. *chrotta* (VIe s., Fortunat), du germ. *hrôta,* empr. aux parlers celtiques.

2. **rote** 1526, *Recueil des lois,* tribunal ecclésiastique ; lat. *rota,* roue, spécial. en lat. eccl., parce que les sections de ce tribunal examinaient les affaires à tour de rôle.

rotengle 1768, Valmont, zool. ; allem. *Roteugel,* œil (*Auge*) rouge (*rot*).

***roter** 1120, *Ps. de Cambridge* (*ruter*) ; bas lat. *ruptare,* altér. du lat. class. *rŭctare.* || ***rot** 1150, Studer (*rut*) ; bas lat. *ruptus,* altér. du lat. class. *rŭctus,* d'après *ruptus,* part. passé de *rumpere,* rompre. (V. ÉRUCTATION.)

rotifère 1762, Bonnet ; lat. *rota,* roue, et suff. *-fère,* qui porte.

1. **rotin** 1688, König, genre de palmier, puis objet fabriqué avec cette plante ; malais *rotan.* || **rotinier** 1933, Lar.

2. **rotin** 1835, Raspail, « sou » ; orig. obsc.

rôtir 1155, Wace (*rostir*) ; francique **raustjan,* all. *rösten.* || **rôt** 1112, *Voy. saint Brendan* (*rost*). || **rôti** XIIIe s. || **rôtie** XIIIe s. (*rostie*). || **rôtissage** 1757, *Encycl.* || **rôtisseur** fin XIVe s. || **rôtisserie** 1460, Villon. || **rôtissoire** milieu XVe s.

rotonde 1488, *Mer des hist.*, à propos de Sainte-Marie-la-Rotonde, le Panthéon de Rome ; 1690, Furetière, édifice ; ital. *rotonda,* fém. subst. de *rotondo,* rond ; 1780, sens étendu.

rotondité 1314, Mondeville ; lat. *rotunditas,* rondeur. || **rotond** 1867, Baudelaire ; lat. *rotundus,* rond.

rotor 1923, Lar. ; contraction du lat. *rotator.*

rotule 1487, Garbin ; lat. *rotula,* dimin. de *rota,* roue. || **rotulien** 1822, *Nouveau Dict. médecine.*

***roture** 1175, Chr. de Troyes, « déchirure » ; début XVe s., condition non noble ; XVe s. (*routure*) ; lat. *rŭptura,* « rupture », de *ruptus,* part. passé de *rumpere,* rompre ; en lat. pop. « terre rompue, récemment défrichée », et par ext. « redevance due à un seigneur pour une terre à défricher », puis « terre soumise à redevance », et enfin « propriété non noble ». || **roturier** XIIIe s.

rouable n. m., XIIIe s., outil ; lat. *rutabulum,* spatule.

rouan adj., milieu XIVe s., couleur ; esp. *roano,* du lat. pop. **ravidanus,* lat. class. *ravus,* grisâtre.

***rouanne** XIIIe s., *Fabliau* (*roisne*), tarière ; lat. vulg. **rucina* (class. *runcina,* d'après *runcare,* sarcler), du gr. *rhukanê,* rabot. || **rouanner** fin XIIe s., J. Bodel (*roisnier*). || **rouannette** XIIIe s., G. (*royennette*) ; 1642, Oudin (*rouanette*). (V. RAINURE.)

roubignole 1836, Vidocq (*robignolle*), boule de liège, puis testicule, pop. ; mot dialectal, de l'anc. fr. *robiner,* saillir, de *robin,* mouton.

roublard 1830, Larchey, « heureux » ; 1835, Raspail, « mal habillé » ; 1858, *le Figaro,* « escroc » ; 1864, Veuillot, « rusé » ; argot *roubliou,* feu, de l'ital. *robbio,* rouge. || **roublarder** 1875, Larchey. || **roublarderie** milieu XIXe s. || **roublardise** 1877, Zola.

rouble 1606, Barezzi ; russe *ruble.*

roucouler 1462, *Cent Nouvelles* (*rencouler*) ; 1549, R. Est. (*roucouler*) ; orig. onomat. || **roucoulade** 1964, Lar. || **roucoulement** 1611, Cotgrave.

roudoudou 1933, Lar. ; mot expressif.

***roue** fin Xe s., *Vie saint Léger* (*rode,* puis *ruode, ruee*) ; XIIIe s., refait en *roe, roue,* d'après les dér. *rouet, rouer,* etc. ; lat. *rŏta.* || **rouet** XIIe s., *Chev. au cygne* (*roet*), petite roue. || **rouage** 1147, Du Cange (*roage*), droit seigneurial ; 1536, M. Du Bellay, « ensemble de roues ».

|| **rouelle** fin XIe s., *Gloses de Raschi* (*rodele*) ; 1398, *Ménagier* (*rouelle*), « petite roue », puis « tranche coupée en rond » ; bas lat. *rotella,* dimin. de *rota,* roue. || **rouer** 1326, G., infliger le supplice de la roue ; 1648, Scarron, « battre violemment ». || **roué** 1694, *Acad.,* « très fatigué » ; début XVIIIe s., désigne les compagnons de débauche du Régent ; 1850, Sainte-Beuve, « rusé ». || **rouerie** 1777, *Revue.*

rouf 1582, Haust ; néerl. *roef.*

rouflaquette 1876, Esnault, mèche de cheveux ; orig. obscure.

***rouge** 1130, *Eneas* (*roge*) ; lat. *rŭbeus,* « rougeâtre » ; 1848, polit. || **rougeâtre** 1270, Mahieu le Vilain (*rougaste*) ; 1636, Monet (*rougeâtre*). || **rougeaud** 1640, Patin. || **rougeur** 1130, *Eneas* (*rogor*). || **rougir** 1160, Benoît. || **rouget** 1130, *Eneas,* poisson ; de *rouget,* adj. (1170, *Floire et Blancheflor*), diminutif de *rouge.* || **rougeoyer** 1160, Benoît. || **rougeoiement** 1903, Ferréol. || **rougeoyant** XIIe s., *R. de Cambrai.* || **rougissant** 1555, G. || **rougissement** 1793, Schwan. || **rouge-gorge** début XVIe s. ; concurrencé jusqu'au XVIIe s. par *gorge-rouge.* || **rouge-queue** 1640, Delb. || ***rougeole** 1431, *Romania* (*roujolle*), maladie du seigle ; 1425, O. de La Haye (*rougeule*), sens actuel ; 1538, R. Est. (*rougeole,* refait sur *vérole*) ; lat. pop. **rubeola,* fém. subst. de *rubeolus,* dimin. de *rubeus* (v. RUBÉOLE). || **rougeoleux** 1897, Barbier. || **infra-rouge** 1877, L.

***rouille** 1175, Chr. de Troyes (*roïlle*) ; lat. pop. **robīcŭla,* en lat. class. *robigo, -inis.* || **rouiller** 1196, Ambroise. || **rouilleuse** 1964, Lar. || **rouillure** 1470, *Livre disc.* || **dérouiller** fin XIIe s. ; 1833, Corbière, pop. || **dérouillement** XVIe s. || **dérouillage** 1932, *Acad.*

rouir XIIIe s. (*roïr*) ; francique **rotjan.* || **rouissage** début XVIIIe s. || **rouisseur** 1875, Lar.

rouleau 1315, *Archives* (*rollel*) ; 1530, Palsgrave (*rouleau*) ; bas lat. *rotella,* lat. *rota,* roue.

rouler 1170, *Rois* (*rueller*) ; de *rouelle,* petite roue (v. ROUE). || **roulette** 1119, Ph. de Thaon (*ruelete*) ; 1726, Trévoux, jeu. || **roulant** 1468, O. de La Marche ; 1883, « amusant », fam. || **roulement** 1538, R. Est. || **roulage** milieu XVIe s. || **roulade** 1622, Garasse. || **roulée** 1771, Duhamel, filet de pêche ; 1834, Landais, correction. || **rouleur** 1715, Tardif ; 1796, Brunot, appliqué aux bandits de la Beauce. || **rouleuse** fin XVIIIe s., femme de mauvaise vie. || **roulier** 1339, Varin. || **roulis** 1160, Benoît (*roleïs*), mêlée ; XIIIe s., G., palissade ; 1671, Jal, mar. || **rouloir** 1364, G. || **roulotte** fin XVIIIe s. || **roulotter** 1875, Lar., faire rouler ; début XIXe s., voler. || **roulottage** 1856, Michel, vol. || **roulottier** 1821, Ansiaume, charretier ; 1835, Raspail, voleur. || **roulure** fin XVIIIe s., femme de mauvaise vie. || **dérouler** 1538, R. Est. || **déroulement** 1752, Trévoux. || **enrouler** début XIVe s. || **enroulement** 1694, Th. Corn.

round 1816, Simond, boxe ; angl. *round,* « rond, tour ».

1. **roupie** XIIIe s., Jubinal, « humeur du nez » ; orig. obsc. || **roupieux** 1265, J. de Meung.

2. **roupie** 1614, Du Jarric (*rupias*) ; port. *rupia,* de l'hindî *rûpîya,* sanskrit *rûpya,* argent.

roupiller 1597, Esnault ; orig. obscure, probablem. onomat. || **roupilleur** 1740, *Acad.* || **roupillon** 1881, Esnault.

rouquin V. ROUX.

rouscailler 1628, *Jargon,* « parler » ; milieu XIXe s., « protester » ; de *rousser,* 1611, « gronder », et *cailler,* « bavarder » (*caillette,* femme bavarde). || **rouscaille** 1915, Esnault. || **rouscailleur** 1899, Esnault.

rouspéter 1878, Esnault ; altér. du précéd., par *péter.* || **rouspéteur** 1894, Esnault. || **rouspétance** 1878, Larchey.

rousse 1841, *les Français peints par eux-mêmes,* police, pop. ; fém. subst. de *roux,* déloyal. || **roussin** 1811, Esnault.

roussalka 1875, Lar. ; mot russe.

roussin 1080, *Roland* (*roncin*) ; XVIe s. (*roussin,* par croisement avec *roux*) ; bas lat. **runcinus,* origine inconnue.

rouster 1691, Ozanam ; origine inconnue. || **rouste** début XXe s., volée de coups.

rousti 1789, Larchey (*roustir*), trompé, arg. ; a pris le sens de « volé », puis, pop., de « perdu » ; prov. mod. *rousti,* rôti, grillé, du francique **raustjan* (v. RÔTIR). || **roustissure** 1867, Delvau.

roustons 1836, Vidocq, testicules ; languedocien *roustoun,* origine inconnue.

***route** XIIe s., *Jeu d'Adam* (*rote*), « chemin percé dans une forêt » ; lat. pop. (*via*) *rupta,* voie rompue, frayée. || **router** XIVe s., Gilles li Muisis. || **routier** 1474, Molinet, adj. ; 1540, n., livre de routes terrestres ou marines ; 1230, *Saint Simon de Crépy,* voleur de grand chemin ; 1953, Lar., camionneur. || **routine** 1559, Amyot ; de *route* au fig., « chemin battu » ;

1968, Lar., en informatique. || **routinier** 1761, J.-J. Rousseau. || **routiner** 1617, Nesmond. || **router** XIVe s., Gilles li Muisis, « marcher » ; 1907, Lar., sens actuel. || **routage** 1907, Lar. || **dérouter** 1175, Chr. de Troyes, vén., « mettre les chiens hors de la route », d'où le sens mod.

1. **routier** V. ROUTE.

2. **routier** 1220, Coincy, « valet d'armée » ; 1247, Mousket, « soldat faisant partie d'une bande », 1538, R. Est., « qui a de l'expérience » ; anc. fr. *route,* bande, troupe, fém. subst. de *rout,* rompu, du lat. *ruptus,* part. passé de *rumpere,* rompre. || **déroute** 1611, Cotgrave ; anc. fr. *dérouter,* disperser, de *route,* bande.

routine V. ROUTE.

rouverin 1676, Félibien ; anc. fr. *rouvel* (1265, J. de Meung), rougeâtre, lat. *rubellus,* avec le suff. germ. *-ing.*

rouvieux 1743, Trévoux, mot picard, « rougeole » ; lat. pop. **rubeolus,* lat. class. *rubeus,* roux.

***rouvre** 1401, La Curne, chêne ; lat. pop. *robur, roboris,* neutre en lat. class. ; nombreux dérivés dans les noms de lieux (*Rouvray*). || **rouvraie** 1611, Cotgrave.

***roux** fin XIe s., *Gloses de Raschi* (*ros, rus*) ; lat. *russus.* || **roussâtre** 1401, Delb. || **rousseau** fin XIIe s. (*roussiel*). || **rousselet** 1538, R. Est. || **roussette** 1530, Palsgrave, chien de mer ; 1771, Valmont, chauve-souris ; fém. de l'anc. fr. *rousset,* diminutif de *roux.* || **rousseur** 1155, Wace (*russur*). || **roussir** 1265, J. de Meung. || **roussissage** 1827, Dupin. || **roussissure** 1790, Gohin. || **roussiller** 1829, Boiste. || **roussissement** 1866, *J. O.* || **rouquin** 1885, Esnault.

rowing 1860, *Sport ;* mot angl., de (*to*) *row,* ramer.

royal, royaliste V. ROI.

royalties 1910, *Vocabulaire technique de l'éditeur,* au sing. ; 1964, Lar., au pl. ; mot angl.

royaume 1080, *Roland* (*reialme*) ; fin XIIe s. (*roiaume*) ; altér., par infl. de *royal* (v. ROI), du lat. *regimen, regĭminis,* « direction, gouvernement ».

***ru** 1272, Joinville ; lat. *rivus.*

ruban 1268, É. Boileau (en anc. fr. pop., *riban*) ; moyen néerl. *ringhband,* « collier ». || **rubanier** 1387, Douët d'Arcq. || **rubanerie** fin XVe s. || **rubaner** 1387, Douët d'Arcq. || **rubanage** 1964, Lar. || **rubaneur** 1870, L. || **enrubanné** début XVIe s. || **enrubanner** 1779, Beaumarchais.

rubato 1907, Lar. ; mot ital., « volé », de *rubare,* voler, germ. **raubôn.*

rubéfier 1413, de La Fontaine (*rubifier*) ; lat. *rubefacere,* rendre rouge, sur de nombreux verbes en *-fier.* || **rubéfaction** 1555, Aneau.

rubéole 1845, Barrier ; lat. *rubeus,* rouge, sur le modèle de *roséole.* || **rubéoleux** 1964, Lar. || **rubéolique** 1870, L.

rubescent 1817, Gérardin ; lat. *rubescens,* part. prés. de *rubescere,* devenir rouge.

rubiacée 1718, *Mémoires Acad. ;* lat. *rubia,* garance, de *ruber,* rouge.

rubican adj., 1559, *Doc.,* équit. ; altér., sous l'infl. de *rubicond,* de l'ital. *rabicano,* « à queue blanche ».

rubicond 1398, *Somme Gautier ;* lat. *rubicondus,* de *ruber,* rouge.

rubigineux 1779, Saussure ; lat. *rubiginosus,* rouillé, de *robigo, robiginis,* rouille.

rubine 1765, *Encycl.,* chim. ; lat. *rubeus,* roux, de *ruber,* rouge.

rubis 1160, Benoît (*robin*) ; 1196, J. Bodel (*rubis*) ; forme du plur., étendue au sing. ; lat. médiév. *rubinus,* du lat. class. *rubeus.*

rubrique XIIIe s., *Assises de Jérusalem* (*rubriche*), « titre en lettres rouges des missels », d'où, plus tard, « titre », et aussi « règles de la liturgie » ; 1632, Corn., « pratique, ruse » ; 1907, Lar., dans la presse, « lieu d'origine d'une nouvelle » ; puis sens mod. ; lat. *rubrica,* terre rouge (sens repris fin XIVe s.), d'où « titre en rouge », de *ruber,* rouge.

***ruche** XIIIe s. (*rusche*) ; bas lat. *rusca* (IXe s., *Gloses*), d'orig. gauloise, « écorce », par ext. abri d'abeilles (fait d'abord avec des écorces) ; 1818, *Observ. des modes,* étoffe gaufrée. || **ruchée** 1552, R. Est. || **rucher** 1600, O. de Serres, ensemble de ruches. || **rucher** 1611, Cotgrave, recueillir le miel ; 1834, Boiste, plisser une étoffe.

rude 1131, *Couronn. Loïs ;* lat. *rudis,* brut, grossier ; a aussi ce sens jusqu'au XVIe s. || **rudement** XIIe s., *Chevalier Ogier.* || **rudesse** fin XIIIe s., Rutebeuf. || **rudoyer** 1372, Corbichon. || **rudoiement** 1571, Belleforest. || **rudiste**

1839, Boiste, mollusque dont la coquille a des aspérités.

rudenté 1547, J. Martin, archit. ; lat. *rudens, -entis,* câble. || **rudenture** 1559, J. Martin.

rudéral 1802, Laveaux, bot. ; lat. *rudus, ruderis,* décombres.

rudération 1547, J. Martin ; bas lat. *ruderatio,* de *rudis,* gravats.

rudiment 1495, J. de Vignay, « premier élément » ; 1553, Belon, « partie élémentaire » ; lat. *rudimentum,* commencement, apprentissage, de *rudis,* brut (v. RUDE). || **rudimentaire** 1812, Mozin. || **rudimentairement** 1875, *Revue.*

1. ***rue** 1050, *Alexis ;* lat. *ruga,* « ride », d'où, en lat. pop., « chemin », puis « voie bordée de maisons ». || **ruelle** 1138, Gaimar (*ruele*) ; 1423, G., espace entre le lit et la muraille ; XVIIe s., chambre à coucher où des dames de qualité recevaient.

2. ***rue** fin XIe s., *Gloses de Raschi,* plante ; lat. *rūta.*

ruellée 1334, G. ; anc. fr. *ruile,* règle de maçon, lat. *regula,* règle. || **ruiler** 1320, Richard.

***ruer** 1112, *Voy. saint Brendan,* « lancer violemment » ; *se ruer,* 1175, Chr. de Troyes ; 1212, Anger, intr., en parlant du cheval ; bas lat. *rutare* (VIIe s.), intensif du lat. class. *ruere,* pousser violemment. || **ruade** 1500, Auton. || **ruée** XIIe s., *Fierabras.* || **rueur** fin XIIIe s., Végèce.

rufian, ruffian, rufien 1398, E. Deschamps (*rufien*) ; ital. *ruffiano,* de *roffia,* moisissure, saleté, du germ. *hruf,* escarre.

rugby milieu XIXe s. ; angl. *rugby,* du nom de *Rugby,* école d'Angleterre (comté de Warwick), où l'on modifia les règles du football. || **rugbyman** 1914, Mackenzie.

rugine 1520, Chauliac, chirurgie ; bas lat. *rugina,* en lat. class. *runcina.* || **ruginer** 1363, Chauliac. (V. ROUANNE.)

rugir 1120, *Ps. d'Oxford ;* lat. *rugire ;* a éliminé la formation pop. *ruir.* || **rugissant** 1460, Chastellain. || **rugissement** 1120, *Ps. de Cambridge.*

rugosité V. RUGUEUX.

rugueux milieu XVe s., en parlant d'un pays dévasté, 1525, Garcie, sens mod. ; lat. *rugosus,* « ridé », de *ruga,* ride (v. RUE 1). || **rugosité** 1503, G. de Chauliac ; d'après la forme lat. de l'adj.

ruine 1155, Wace, « perte de la vie » ; XIIIe s., sens actuel ; lat. *ruina,* « écroulement », de *ruere,* pousser violemment (v. RUER). || **ruiner** 1260, *Récit ménestrel.* || **ruineux** XIIe s., Marbode, « qui cause la ruine » ; fin XIIIe s., « qui menace ruine », usuel jusqu'au XVIIe s. ; 1380, G., « qui cause des frais excessifs » ; lat. *ruinosus,* même sens. || **ruineusement** début XVIIe s. || **ruinure** 1676, Félibien. || **ruiniforme** 1803, Boiste. || **ruiniste** 1943, Laran.

***ruisseau** 1120, *Ps. de Cambridge* (*ruisel*) ; lat. pop. **rivuscellus,* dimin. de *rivus* (v. RU). || **ruisselet** XIIe s., *Florimont.* || **ruisseler** 1180, *Aiquin.* || **ruissellement** début XVIIe s. ; rare jusqu'au XIXe s.

rumba 1932, Lar. ; esp. des Antilles *rumba.*

rumen 1765, *Encycl. ;* bas lat. *rumen,* panse.

rumeur 1080, *Roland* (*rimur*) ; 1180, *Mort d'Aymeri* (*rumor*), « grand bruit », d'où « querelle, révolte » ; 1264, Barbier, sens mod., d'après le sens latin ; lat. *rumor, -oris,* « bruit, rumeur publique ».

ruminer 1350, Gilles li Muisis, au fig. ; 1372, Corbichon, a éliminé, au propre, un empl. du verbe *ronger* (v. ce mot) ; lat. *ruminare.* || **rumination** 1398, E. Deschamps. || **ruminement** 1538, R. Est. ; fig., début XXe s. || **ruminant** 1553, Belon, adj. ; 1680, Perrault, n. m.

rune 1653, d'après P. Robert ; norvégien *rune,* ou suédois *runa,* issus de l'anc. scand. *rûnar,* caractères d'écriture secrets. || **runiforme** 1964, Lar. || **runique** 1653, d'après P. Robert.

ruolz 1841 ; du nom du chimiste français *Ruolz* (1808-1887).

rupestre 1819, Boiste ; lat. *rupes,* rocher ; a remplacé *rupestral* (1802, Laveaux). || **rupicole** 1839, Boiste.

rupin 1628, *Jargon,* « gentilhomme », puis « riche », pop. ; arg. anc. *rupe,* « dame » (1596, Pechon), var. *ripe,* du moy. fr. *ripe,* « gale », d'où « méchante femme », de *riper,* gratter (v. RIPER). || **rupiner** 1890, Esnault.

rupture V. ROMPRE.

rural 1370, Oresme, adj. ; 1871, *Cri du peuple,* n. m. pl. ; bas lat. *ruralis,* de *rus, ruris,* campagne. || **ruralisme** 1964, Lar. || **ruralité** fin XIVe s., « ignorance » ; 1868, L., sens actuel.

***ruser** XIIe s., *Thèbes* (*reuser*), « faire reculer, reculer » ; lat. *recusare,* « refuser », et en lat. pop. « repousser » ; 1240, G. de Lorris, « tromper » ; XIVe s., sens mod. ; 1561, Nicot, vén.,

« faire des détours pour mettre les chiens en défaut ». || **ruse** 1138, *Vie saint Gilles* (*rëusse*). || **rusé** XIIIe s., Tobler-Lommatzsch.

rush 1878, *le Figaro,* sport ; angl. (*to*) *rush,* se précipiter ; 1963, Lar., sens général.

rustaud V. RUSTRE.

rustine 1753, *Encycl.,* « face du creuset » ; de l'all. *Ruckstein ;* 1922, Lar., sens actuel, n. déposé, de *Rustin,* nom du fabricant.

rustique XIIe s., *Partenopeus de Blois* (*ruistique*) ; 1355, Bersuire (*rustique*) ; lat. *rusticus,* de *rus,* campagne. || **rusticité** 1380, *Aalma,* « travail des champs » ; 1512, Lemaire de Belges, sens actuel ; lat. *rusticitas.* || **rustiquement** 1539, R. Est.

rustre 1120, *Ps. de Cambridge,* « brutal », d'où « vigoureux » ; anc. fr. *ruiste* (XIIe s.), du lat. *rusticus ;* 1375, R. de Presles, sens mod., par calque du mot lat. || **rustaud** début XVIe s. ; de la var. *ruste,* attestée jusqu'au XVIIe s. || **rustauderie** 1611, Cotgrave.

***rut** 1130, *Eneas* (*ruit*), « désir d'accouplement » ; 1155, Wace, « bramement du cerf en rut » ; et, par ext., sens mod. ; lat. *rugītus,* rugissement, de *rugire,* rugir.

rutabaga 1788, Manoncourt ; suédois *rotabaggar,* chou-navet.

rutacée 1615, L. Guyon ; lat. *ruta.* || **rutales** 1964, Lar. (V. RUE 2.)

ruthénium 1854, Bouillet ; lat. médiév. *Ruthenia,* nom de la Russie : c'est le chimiste russe Claus qui découvrit ce métal en 1844, dans l'Oural.

rutilant 1495, J. de Vignay, « rouge » ; 1512, Lemaire de Belges, « éclatant » ; lat. *rutilans,* part. prés. de *rutilare,* être (ou rendre) rouge. || **rutilance** 1851, Barbey d'Aurevilly. || **rutilation** fin XVIIIe s. || **rutiler** 1458, *Mystère.* || **rutilement** 1871, Rimbaud. || **rutilisme** 1953, Lar.

rythme 1370, Oresme (*rime*) ; 1520, Fabri (*rithme*) ; *rhythme* jusqu'en 1878, *Acad. ;* lat. *rhythmus,* du gr. *rhuthmos.* || **rythmique** 1521, Fabri ; 1690, Furetière, n. f. ; lat. *rhythmicus,* gr. *rhuthmikos.* || **rythmé** 1370, Oresme (*rimé*) ; 1836, Wilhem (*rythmé*). || **rythmer** 1857, Flaubert. || **arythmie** 1890, Lar.

S

sabayon 1803, Boiste (*sabaillon*) ; ital. *zabaione.*

sabbat fin XIIe s., *Job,* jour de repos des juifs ; av. 1613, M. Régnier, réunion nocturne de sorciers ; 1360, Froissart, « tapage » ; lat. eccl. *sabbatum,* du gr. *sabbaton,* de l'hébreu *schabbat,* repos. || **sabbatique** 1569, B. W. || **sabbataire** 1721, Trévoux. (V. SAMEDI.)

sabelle 1870, L., ver ; lat. scient. *sabella,* du lat. class. *sabalum,* sable.

sabine 1130, Studer (*savine*) ; lat. *savina* (*herba*), (herbe) des Sabins.

sabir 1852, Sainéan, jargon de l'Afrique du Nord ; 1919, Esnault, linguist. ; altér. de l'esp. *saber,* savoir, du lat. *sapĕre.*

1. **sable** fin XIe s., *Chanson de Guillaume ; sables mouvants,* 1578, d'Aubigné ; lat. *sabulum.* || **sabler** 1507, B. W., « recouvrir d'une matière en poudre » ; 1660, Oudin, « couler dans un moule de sable fin » ; 1695, Le Roux, *Dict. comm.,* « boire d'un trait ». || **sablé** 1876, Lar., gâteau. || **sableur** 1757, *Encycl.* || **sablage** 1876, *l'Opinion nationale.* || **sableuse** 1907, Lar. || **sableux** 1559, Alfonce. || **sablier** 1640, Oudin. || **sablière** 1580, B. W., carrière de sable ; 1359, *Archives,* pièce de charpente. || **sabline** 1778, Lamarck. || **ensabler** 1537, de La Grise. || **ensablement** 1673, Colbert. || **désensabler** 1694, *Acad.* || **désensablement** 1860, d'apr. Lar.

2. **sable** 1175, Chr. de Troyes, martre zibeline, et terme de blason ; russe *sobol,* par l'interméd. du lat. méd. *sabellum.* (V. ZIBELINE.)

sablon fin XIe s., *Chanson de Guillaume,* « terrain sablonneux » ; 1119, Ph. de Thaon, « sable » ; lat. *sabulo, -onis ;* éliminé par *sable.* || **sablonneux** 1160, Benoît (*sablonos*). || **sablonnière** 1196, Ambroise, carrière de sable. || **sablonner** 1295, G.

sabord 1402, Jal ; de *bord* et d'un premier élément obscur. || **saborder** 1831, Willaumez. || **sabordage** 1894, Sachs-Villatte.

sabot 1280, Saint-Pathus (*çabot*), « chaussure » et « toupie » ; p.-ê. de l'anc. fr. *bot,* crapaud, du germ. **butt,* émoussé ; 1835, *Acad.,* « mauvais violon ». || **sabotier** 1518, *D. G.* || **saboterie** 1859, Nanquette. || **saboter** XIIIe s., G., « heurter » ; 1690, Furetière, « faire du bruit avec des sabots » ; 1808, d'Hautel, « détériorer » ; 1838, *Acad.,* sens mod. || **saboteur** 1836, Landais. || **sabotage** 1842, *Acad.,* fabrication de sabots ; 1904, Lar., « mauvaise exécution » ; 1964, Robert, « manœuvres pour faire échouer ».

sabouler 1500, B. W. ; croisement de *saboter,* secouer, et de *boule.* (V. CHAMBOULER.) || **saboulage** 1675, Sévigné.

sabra 1975, Lar. ; mot hébreu.

sabre 1598, B. W. ; allem. *Säbel,* du magyar *szablya.* || **sabrer** 1680, Richelet. || **sabreur** 1790, Linguet. || **sabrage** 1883, Huysmans. || **sabreuse** 1964, Lar.

sabretache 1752, Restaut ; allem. *Säbeltasche,* poche (*Tasche*) près du sabre (*Säbel*).

saburre 1538, R. Est., méd. ; lat. *saburra,* lest. || **saburral** 1770, Lépecq, méd.

1. ***sac** (pour contenir des objets) 1050, *Alexis* (au plur. *sas*) ; 1846, Esnault, arg., billet de mille francs ; lat. *saccus,* du gr. *sakhos,* empr. à un dial. préhellénique de Cilicie. || **sachée** 1288, B. W. || **sacherie** fin XVe s. || **sachet** 1190, *saint Bernard.* || **saccule** 1842, *Acad.,* bot. || **sacculiforme** 1876, Lar. || **sacculine** 1827, *Acad.,* bot. || **ensacher** début XIIIe s. || **ensacheur** 1803, Boiste. || **ensacheuse** 1930, Lar. || **ensachement** fin XIXe s., Lar. || **ensachage** 1848, Larchevêque. || **saquer** ou **sacquer** 1131, *Couronnement Loïs ;* XIIe s. (*sachier*) ; XIIIe s. (*saquier*), au sens de « tirer violemment », jusqu'au XVIIIe s. ; XVIIIe s., fam., « congédier » (terme de compagnonnage, d'après Cornaert) ; la forme nor-

manno-picarde *saquier,* devenue *saquer,* l'a emporté. (V. BESACE, BISSAC, RESSAC, SAC 2, SACCADE, SACOCHE.)

2. **sac** (pillage d'une ville) v. 1400, Boucicaut ; ital. *sacco,* abrév. de *saccomanno,* de l'all. *Sackmann,* de *Sack,* sac, et *Mann,* homme : on emportait les objets pillés dans des sacs. (V. SACCAGER.)

saccade 1534, Rab., équit. ; XVIe s., d'Aubigné, « secousse brusque » ; *par saccades,* 1788, Barthélemy ; anc. fr. *saquer,* secouer, tirer (v. SAC 1). || **saccader** 1532, Rab., équit. ; en fr. mod., seulement part. passé *saccadé ;* 1774, *Lettres sur le drame,* en parlant d'un style.

saccager 1464, J. Chartier ; ital. *saccheggiare,* dér. de *sacco,* pillage (v. SAC 2). || **saccage** 1596, Hulsius. || **saccagement** 1553, *Bible Gérard.* || **saccageur** 1550, P. Doré.

sacchar(o)-, lat. *saccharum,* sucre, du gr. *sakkharon.* || **saccharase** 1964, Lar. || **saccharate** 1799, Loysel. || **saccharide** 1845, Besch. || **saccharifère** 1827, *Acad.* || **saccharifier** 1843, Landais. || **saccharin** 1564, Liébault. || **saccharine** 1868, Souviron. || **saccharoïde** 1827, Lar. || **saccharose** 1875, *J. O.*

saccule 1842, *Acad.,* « petit sac ». || **sacculine** 1827, *Acad.*

sacerdoce XVe s., de Seyssel, d'abord ministère de ceux qui, dans l'Ancien Testament, offraient des victimes à Dieu ; 1611, Cotgrave, prêtrise ; lat. *sacerdotium,* de *sacerdos,* « qui remplit une fonction sacrée ». || **sacerdotal** 1325, B. W. ; lat. *sacerdotalis.*

sachée, sachet V. SAC 1.

sachem 1802, Chateaubriand ; d'origine amérindienne.

sacoche 1606, La Curne (*sacosse*) ; 1611, Cotgrave (*sacoche*) ; ital. *saccoccia,* de *sacco.* (V. SAC 1.)

sacolève 1829, Boiste ; gr. *sagoleipha,* de *sagos,* casaque, et *laiphê,* voile de vaisseau.

sacramentaire, sacramentel V. SACREMENT.

1. **sacre** 1298, *Marco Polo,* oiseau de proie ; ar. *çaqr.* || **sacret** 1373, Gace de La Bigne, mâle de faucon.

2. **sacre, sacré** V. SACRER.

sacrement 842, *Serments de Strasbourg* (*sagrament*) ; 980, *Passion* (*sacrement*) ; lat. eccl. *sacramentum,* rite chrétien donnant ou augmentant la grâce, en lat. class. « obligation, serment » (v. SERMENT). || **sacramentaire** 1535, *Anc. Coutumes ;* lat. *sacramentarius.* || **sacramentel** fin XIVe s. || **sacramental** fin XIVe s., adj. ; n. m. pl., 1907, Lar. ; lat. *sacramentalis.*

sacrer 1138, Gaimar, « rendre sacré » ; 1725, Grandval, Cartouche, « dire des jurons » ; lat. *sacrare,* de *sacer,* sacré. || **sacre** 1175, Chr. de Troyes. || **sacral** 1930, Maritain. || **sacralisation** 1922, Lar. || **sacraliser** 1947, Bataille. || **sacré** XIIe s., R. de Moiliens, eccl. ; 1790, Brunot, « maudit » ; 1788, Vadé, « fameux, extraordinaire ». Abrév. : *acré,* 1837, Vidocq ; *cré,* 1866, Gavarni ; *scrongneugnieu,* juron burlesque (de *sacré nom de Dieu*), XIXe s. || **sacrément** 1934, Aragon. || **sacrebleu** 1808, d'après P. Robert ; de *sacré* et *Dieu.* || **sacro-saint** 1491, Vaganay. || **sacristie** 1339, G., n. m. ; lat. médiév. *sacristia,* de *sacrista.* || **sacristain** 1375, G. ; lat. médiév. *sacristanus,* de *sacristia,* sacristie ; a remplacé l'anc. *segretain* (1155, Wace). || **sacristi** 1790, *le Père Duchesne ;* de *sacré* (*Dieu*). || **sapristi** 1841, *les Français peints par eux-mêmes.* || **sapré** XIXe s. || **sacristine** 1671, Pomey ; lat. *sacristanus ;* 1636, Monet.

sacrifier 1119, Ph. de Thaon ; lat. *sacrificare,* de *sacer,* sacré ; 1636, Monet, « renoncer à, abandonner ». || **sacrifice** 1119, Ph. de Thaon ; lat. *sacrificium.* || **sacrificateur** 1500, B. W. || **sacrificiel** 1933, Lar.

sacrilège 1190, *Saint Bernard,* « violation d'une chose sacrée » ; 1283, Beaumanoir, « qui commet cet acte » ; 1529, Granvelle, adj. ; lat. *sacrilegium,* vol d'objets sacrés ; *sacrilegus,* voleur d'objets sacrés (de *sacer* et *legere,* ramasser).

sacripant 1600, La Curne, fanfaron ; XVIIe s., Hamilton, vaurien ; ital. *Sacripante,* personnage de l'*Orlando innamorato* de Boiardo. (V. RODOMONT.)

sacristie V. SACRER.

sacrum 1363, Chauliac ; lat. *os sacrum,* os sacré, de *sacer,* sacré. || **sacré** 1560, Paré. || **sacro-coxalgie** 1876, Lar. || **sacro-iliaque** 1836, *Acad.* || **sacro-lombaire** 1560, Paré.

sadique 1862, Sainte-Beuve ; du nom du marquis de *Sade* (1740-1814), à cause de l'érotisme cruel de ses romans (*Justine,* 1791 ; *Juliette,* 1798 ; etc.). || **sadisme** 1834, Boiste. || **sadiquement** 1951, Camus. || **sadico-anal** 1955, Lagache. || **sadomasochisme** 1953, Lar. || **sadomasochiste** 1964, Lar.

safari 1964, Lar. ; mot swahili signif. « bon voyage », de l'ar. *safara,* voyage. || **safari-photo** 1968, *le Monde.*

1. **safran** XIIe s., *D. G.,* crocus ; lat. méd. *safranum,* de l'ar. *za'farān.* || **safrané** XIIIe s. || **safraner** XIVe s., Taillevent. || **safranier** 1578, d'Aubigné.

2. **safran** 1382, *Fr. mod.* (*saffryn*), pièce du gouvernail ; esp. *azafrán,* d'orig. arabe.

safre XIIe s., *Aiol,* oxyde bleu de cobalt ; 1812, Mozin, blason ; bas lat. *saphirus,* saphir.

saga 1752, Trévoux ; anc. scand. *saga,* conte (cf. anglo-saxon *saëgen,* ce qu'on raconte) ; ancien récit scandinave.

sagace 1495, B. W. ; lat. *sagax,* qui a l'odorat subtil. || **sagacité** 1444, B. W. ; lat. *sagacitas.* || **sagacement** 1842, *Acad.*

sagaie 1307, Guiart (*archegaie*) ; 1476, *FEW* (*sagaye*) ; esp. *azagaia,* du berbère *zghāya,* sorte de javelot.

***sage** 1080, *Roland ;* 1050, *Alexis* (*savie*) ; lat. pop. **sabius,* **sapius* (*nesapius,* imbécile, chez Pétrone), de *sapere,* avoir du goût, influencé dans son évolution sémantique par le lat. *sapiens.* || **sagesse** 1175, Chr. de Troyes. || **sage-femme** début XIIIe s., *Galeran.* || **sagement** XIe s., *Chanson de Guillaume.* || **assagir** XIIIe s. || **assagissement** XXe s.

sagette 1130, *Eneas* (*saiete*) ; 1155, Wace (*saete*) ; XVe s. (*sagette*) ; lat. *sagitta,* flèche. || **sagittal** XIVe s., Lanfranc, anat. ; lat. *sagittalis.* || **sagitté** 1795, Lamarck, bot. ; lat. *sagittatus.* || **sagittaire** 1119, Ph. de Thaon, n. m., signe du zodiaque ; lat. *sagittarius,* archer (sens parfois repris en fr., milieu XVe s., Molinet) ; 1776, Valmont de Bomare, n. f., nom de plante.

***sagne** fin XIIe s., *Girart de Roussillon* (*seigne*) ; 1676, *FEW* (*sagne*), terrain marécageux ; lat. pop. **sagna, sania,* du lat. class. *sanies,* sanie, fluide épais.

sagou 1521, *Pigaphetta* (*saghu*), fécule de diverses espèces de palmiers ; port. *sagu,* du malais *sâgû.* || **sagoutier** 1779, Bachaumont.

sagouin 1537, J. Marot ; port. *sagui,* du tupi *saguim,* langue indigène du Brésil.

sagum 1655, P. Borel ; mot lat. d'orig. gauloise ; manteau court fait d'une laine grossière.

saharien 1845, Besch. ; de *Sahara.* || **saharienne** n. f., 1945, *Adam,* veste légère.

sahélien 1964, Lar. ; de *Sahel,* ar. *Sahil,* rivage.

1. ***saie** 1212, Anger, n. f., « étoffe » ; 1510, Brantôme, « manteau » ; lat. pop. **sagia,* pl. neutre dér. de *sagum,* d'orig. celtique (v. ci-dessus SAGUM), passé au fém. || **sayon** 1480, G. Alexis ; esp. *sayón,* de *saga,* manteau, même orig. que *saie.*

2. **saie** 1680, Richelet, petite brosse en soie de porc ; var. de *soie* (prononc. pop. des XVIe-XVIIe s.).

saïga 1761, Buffon, antilope ; mot russe d'orig. turque.

***saigner** 1080, *Roland* (*sainier*) ; lat. *sanguinare,* de *sanguis,* sang. || **saignée** 1130, *Eneas.* || **saigneur** XIIIe s., *D. G.* || **saigneux** 1538, R. Est. || **saignement** 1680, Richelet. || **saignoir** 1604, Certon.

***saillir** 1080, *Roland* (*salir,* puis *saillir,* par analogie avec *saillant, saillais,* où le *l* mouillé est régulier), sauter, s'élancer ; 1771, Trévoux, « faire saillie » ; lat. *salire,* couvrir une femelle (sens conservé dans le vocab. de l'élevage). || **saillant** adj., 1119, Ph. de Thaon ; n. m., 1450, Gréban, « hauteur » ; 1765, *Encycl.,* « angle ». || **saillie** 1160, Benoît, « attaque » ; 1580, Montaigne, « mouvement de l'âme, trait d'esprit » ; 1289, « saillie d'un mur ».

***sain** 1130, *Eneas ;* lat. *sanus.* || **sainement** 1050, *Alexis.* || **sainbois** 1791, Bomare, bot. || **assainir** 1774, Buffon, rendre sain. || **assainissement** XVIIIe s. || **assainisseur** 1960, Lar. || **malsain** XIVe s., Delb.

saindoux XIIIe s., B. W. (*saim dous*) ; de l'anc. fr. *saïm,* graisse (plus tard *sain,* conservé dans le vocab. de la vénerie), du lat. pop. **sagīmen,* lat. class. *sagina,* engraissement, embonpoint, et de l'adj. *doux.*

sainfoin 1549, R. Est. ; de *sain* et *foin.*

***saint** 980, *Passion ;* lat. *sanctus,* vénéré, spécialement en lat. eccl. ; n., fin Xe s., *Alexis.* || **sainteté** 1140, Wace (*saintité*) ; 1636, Monet (*sainteté*), réfection de *saintée,* 1120, *Ps. d'Oxford ;* lat. *sanctitas.* || **Toussaint** milieu XIIe s., *Couronnement Loïs* (*toz saints,* ellipse de « fête de tous les saints »). || **saint-bernard** 1907, Lar. || **saint-cyrien** 1870, L. ; de *Saint-Cyr,* commune des Yvelines. || **sainte-barbe** 1683, Le Cordier, mar. ; de *sainte Barbe,* patronne des artilleurs. || **sainte nitouche** 1534, Rab. ; de *ne y touche.* || **saint-glinglin** XIXe s. ; orig. obsc. || **saint-honoré** 1853, S. de Ségur, gâteau inventé par le pâtissier Chiboust, installé rue *Saint-Honoré,* à Paris.

saint-simonien 1830, Balzac ; du nom de *Saint-Simon,* réformateur social mort en 1825. || **saint-simonisme** 1834, Landais.

***saisir** 1080, *Roland,* d'abord, droit féodal, « mettre en possession » et « prendre possession » ; bas lat. *sacire* (*Lois barbares*), où semblent s'être confondus les deux mots franciques, **sakjan,* revendiquer, et **satjan,* mettre, poser (all. *setzen*). || **saisie** XIIe s., B. W., « possession » ; 1494, *Coutumier,* jurid. || **saisie-arrêt** 1762, *Acad.* || **saisie-brandon** 1806, *Code.* || **saisine** 1138, Gaimar. || **saisissant** 1690, Furetière. || **saisissable** 1764, Chambon. || **saisissement** 1180, Horn, action de saisir ; 1549, M. de Navarre, sens mod. || **dessaisir** 1155, Wace. || **dessaisissement** 1636, Monet. || **insaisissable** 1750. || **ressaisir** début XIIIe s.

***saison** 1119, Ph. de Thaon ; lat. *satio, -onis,* semailles, saison des semailles ; 1240, Ph. de Novare, toute saison. || **saisonnier** 1775, Liger ; n. m., 1936, Aragon. || **arrière-saison** fin XVe s., O. de La Marche. || **morte-saison** 1400, *Chron. de Boucicaut.* (V. ASSAISONNER.)

sajout 1776, Bomare ; tupi *sahu* (Brésil), petit singe.

saké 1777, *Encycl.* (*sacki*), boisson japonaise ; mot japonais.

saki 1776, Bomare ; tupi *sahij* (Brésil) ; singe.

salabre 1874, *J. O. ;* prov. *salabro,* épuisette, de *sal,* sel.

salace 1555, Belon ; lat. *salax, -acis,* lubrique, de *salire* (v. SAILLIR). || **salacité** 1542, Rab. ; lat. *salacitas.*

1. **salade** 1335, Digulleville, mets ; ital. *insalata* (cf. le prov. *salada*), mets salé (v. SEL). || **saladier** XVIe s., du Cange, fournisseur de légumes ; 1611, Cotgrave, sens mod.

2. **salade** début XVe s., casque ; ital. *celata,* pourvu d'une grande voûte (cf. l'anc. fr. *ciel,* voûte), de *cielo,* voûte, du lat. *caelum.*

saladelle 1845, Besch. ; prov. *saladelo,* lavande.

salage, salaison V. SALER.

salaire 1260, Girard d'Amiens ; lat. *salarium,* de *sal,* sel, argent pour acheter du sel, d'où « solde militaire ». || **salarier** 1369, G. ; rare avant le XVIIIe s. (1791, Mirabeau). || **salarial** 1953, Lar. || **salariat** 1845, Besch. || **salarié** adj. et n., 1758, Brunot.

salamalec 1559, Postel, « salut à la turque » ; 1850, Balzac, « saluts exagérés » ; ar. *salām 'alaïkh,* paix sur toi (formule de salut).

salamandre 1119, Ph. de Thaon ; lat. *salamandra,* mot grec ; au XVIe s., animal vivant dans le feu (Paracelse) ; d'où, au XIXe s., nom déposé d'une marque de poêles, puis nom d'un type de poêle (à combustion lente). || **salamandrine** 1878, Lar.

salami 1674, Dassoucy (*-me*) ; 1872, Gautier (*-mi*) ; ital. *salami,* pl. de *salame,* chose salée.

salangane 1719, Gemelli (*salangan*) ; 1779, Buffon (*salangane*), zool. ; malais *sarang,* nid ; hirondelle des mers de Chine.

salaud V. SALE.

sale 1160, *Roman Tristan ;* francique *salo,* trouble, terne. || **salir** fin XIIe s., R. de Moiliens. || **salissant** 1694, *Acad.,* adj. || **salissure** 1540, *Soties.* || **saleté** 1511, Vaganay. || **salaud** XIIIe s., texte de Provins. || **salauderie** *id.* || **salope** 1611, Cotgrave ; de *sale* et *hoppe,* forme dial. de *huppe* (cf. le lorrain *sale comme une hoppe*) ; d'où le masc. *salop,* 1829, confondu avec *salaud.* || **marie-salope** 1777, Lescalier, d'abord terme de marine. || **saloperie** 1694, *Acad.* || **salopette** 1834, Boiste, vêtement de travail. || **salopiaud** 1866, Delvau. || **salopard** 1911, Esnault. || **saloper** 1808, d'Hautel.

saler 1155, Wace ; fin XVIe s., La Curne, « vendre trop cher » ; de *sel.* || **salaison** XVe s., *D. G.* || **salé** adj., 1160, Benoît ; 1578, d'Aubigné, fig. || **salant** 1520, *Rev. ling. rom* (*marais salant*). || **salage** 1281, G. || **saleur** 1560, Paré. || **saloir** 1350, G. || **salure** XIIIe s., *Image du monde* (*saleure*). || **dessalé, dessaler** XIIIe s., *Chron. d'Antioche ;* 1570, A. de Monluc, fig. || **dessalement** 1764, d'après Trévoux, 1771. || **dessalaison** 1845, Besch. || **dessalage** 1865, Lar. || **indessalable** 1870, Goncourt. || **resaler** 1314, Mondeville.

salicacée 1817, Gérardin (*salicinées*) ; 1933, Lar. ; lat. *salix, -icis,* saule (v. SAULE). || **salicaire** 1694, Tournefort ; lat. scient. *salicaria.* || **salicariées** 1845, Besch. || **salicine, salicinée** 1827, *Acad.* || **salicyle** 1838, *Acad. des sciences.* || **salicylique** 1838, *Acad. des sciences.* || **salicylate** 1838, *Acad. des sciences.* || **salycyler** 1888, Lar.

salicional 1823, Boiste, jeu de l'orgue ; lat. *salix, salicis,* saule, flûtes faites avec l'écorce de saule.

salicoque 1530, G. (*saige coque*) ; 1560, Gesner (*salicoque*) ; var. *saillicoque, saillecoque, sauticot* ; « crevette » ; mot de l'Ouest, de l'anc. *salir,* sauter (v. SAILLIR), et de *coque* (v. COQUE).

salicorne 1564, J. Thierry (*salicor*) ; 1611, Cotgrave (*salicorne*) ; anc. ar. *salcoran,* selon O. de Serres, avec attraction de *corne.*

salière, salifier V. SEL.

saligaud 1269, attesté à Liège comme surnom (injure à Liège en 1380) ; 1611, Cotgrave (*saligot*), adj. ; 1611, Cotgrave (*saligaud*) ; francique *salik,* sale (de *salo,* v. SALE), avec le suff. péjor. *-ot,* dans les parlers wallon et picard (nom de deux rois sarrasins dans deux chansons de geste picardes, en 1170 et 1220) ; senti à tort, en fr. mod., comme dér. de *sale.*

salignon, salin, etc., **salir, salissure** V. SEL, SALE.

salique XVIe s. ; lat. médiév. *salicus,* de *Sala,* nom anc. de l'Yssel, dont les Francs Saliens étaient riverains. || **salien** 1870, L. ; du nom des *Francs Saliens.*

salive 1170, *Rois ;* lat. *saliva.* || **saliver** 1611, Cotgrave ; bas lat. *salivare.* || **salivant** 1765, *Encycl.* || **salivation** 1560, Paré ; bas lat. *salivatio.* || **salivaire** 1690, Furetière ; bas lat. *salivarius.* || **saliveux** 1570, Liébault.

salle 1080, *Roland* (*sale*) ; *salle d'armes,* 1677, Miege ; *salle d'attente,* milieu XIXe s. ; *salle à manger,* 1636, Monet ; *salle de bains,* 1691, Aviler ; *salle obscure,* 1917, *le Film ;* bas lat. *sala,* du francique **sal* (all. *Saal*), masc. devenu fém. ; l'attraction de *halle* a conservé *a* et entraîné la graphie *ll.*

salmigondis 1552, Rab. (*salmigondin*) ; de *salemine* (1398, *Ménagier*), de *sel* et du suff. *-ain, -ine,* avec l'élargissement *-gondis,* du moy. fr. *condir,* assaisonner (v. CONDIMENT). || **salmis** 1718, *Acad. ;* par abrév.

salmonelle 1933, Lar. ; du médecin américain *D. E. Salmon.* || **salmonellose** 1933, Lar.

salmoniculture 1910, Lar. ; lat. *salmo, -monis,* saumon. || **salmoniculteur** 1923, Lar. || **salmonidés** 1842, *Acad.*

saloir V. SALER.

salon 1664, Loret ; 1807, Staël, « centre de conversation » ; v. 1725, galerie d'exposition artistique (date à partir de laquelle ont lieu, au *Salon carré* du Louvre, des expositions régulières) ; 1750, Brunot, compte rendu d'une exposition artistique ; 1883, Havard, ameublement ; *salon de thé,* 1923, Lar. ; ital. *salone,* augmentatif de *sala,* salle, du francique **sal* (v. SALLE). || **salonnier** 1870, L., n. m. || **salonnard** fin XIXe s.

saloon 1852, Nerval ; mot anglo-américain.

salopard, salope, saloper, saloperie, salopette V. SALE.

salpêtre 1338, B. W. ; lat. médiév. *salpetrae,* sel de pierre. || **salpêtré** 1583, G. de Saluste. || **salpêtrer** 1762, *Acad.* || **salpêtreux** milieu XVIe s. || **salpêtrier** 1482, Bartzsch. || **salpêtrière** n. f., 1660, Oudin ; nom d'hôpital, 1708, Regnard. || **salpêtrage** 1838, *Acad.* || **salpêtrisation** 1845, Besch.

salpicon 1712, Massialot ; esp. *salpicón,* de *sal,* sel ; mets formé d'un mélange de viandes, de champignons, etc.

salping(o)-, lat. *salpinx, -ingis,* trompette, mot grec. || **salpingite** 1878, L. || **salpingectomie** 1933, Lar. || **salpingographie** 1964, Lar. || **salpingoplastie** 1964, Lar. || **salpingostomie** 1964, Lar. || **salpingotomie** 1890, Lar.

salsagineux XVIe s. ; de *salsagene,* salure (1120, *Ps. d'Oxford*), du lat. *salsago,* eau salée.

salsepareille 1560, Paré (*salseparille*) ; 1640, Oudin (*salsapareille*) ; esp. *zarzaparilla,* de *zarza,* ronce, issu de l'ar. *scharaç,* et *parilla,* dimin. de *parra,* treille, d'orig. prélatine, avec attraction de l'adj. *pareille.*

salsifis 1600, O. de Serres (*sercifi*) ; var. *salsefie* (XVIe s.), *sassifique* (1611, Cotgrave), *sassify ;* ital. *salsifica* (s.-e. *erba,* herbe), auj. *sassefrica ;* orig. obscure.

saltarelle 1752, Lacombe ; ital. *saltarella,* de *saltare,* sauter.

saltation 1372, Oresme ; XXe s., géogr. ; lat. *saltatio,* action de sauter (lat. *saltare*).

saltimbanque 1560, Pasquier ; ital. *saltimbanco,* de *saltare,* sauter, et *banco,* banc (proprem. « saute en banc » : le banc étant l'estrade).

salubre 1290, *Livre Roisin ;* lat. *salubris,* de *salus,* santé. || **salubrité** 1444, B. W. ; lat. *salubritas.* || **salubrement** 1290, *Livre Roisin.* || **insalubre** 1528, Desdier ; lat. *insalubris.* || **insalubrité** XVIe s., Guy Coquille.

***saluer** 1080, *Roland ;* lat. *salutare,* souhaiter la santé (*salus*). || **salueur** 1534, Des Périers. || **salutation** 1270, P. d'Abernum ; lat. *salutatio,* sur *salutare.*

***salut** Xᵉ s., *Valenciennes* (*salu*), n. f. ; XIIᵉ s. (*salut*), n. m. ; lat. *salus, -utis,* n. f., « santé » et « sauvegarde », puis « salutation » ; déjà masc. en 1080 dans *Roland,* au sens de « salutation » (senti comme déverbal de *saluer*) ; fém. jusqu'au XIIIᵉ s., au sens de « sauvegarde » et de « salut éternel ». || **salutaire** 1315, *Ordonn.* || **salutiste** 1888, Lar., membre de l'Armée du salut.

salvatelle, salvatrice V. SAUVER.

1. **salve** 1559, *Papiers Granvelle,* artill. ; lat. *salve,* formule de salutation. Les salves étaient tirées en l'honneur de quelqu'un, ou pour saluer un grand événement.

2. **Salve** 1694, *Acad. ;* mot lat., pron. *-é,* premier mot d'une antienne devenu apostrophe de salutation.

salvia V. SAUGE.

samare 1798, Ventenat ; lat. *samarum,* semence d'orme.

samba 1923, d'après P. Robert ; mot port., du tupi.

samedi 1112, *Voyage saint Brendan* (*samadi*) ; var. *sambedi, sambadi, semedi,* en anc. fr. ; lat. pop. **sambati dies,* jour du sabbat, de *sambatum,* var. d'orig. gr. de *sabbatum* (v. SABBAT), venue de la région balkanique par le Danube et le Rhin au cours d'une première christianisation.

sammy 1923, Lar., sobriquet du soldat américain ; de (*oncle*) *Sam.*

samouraï 1887, Loti ; mot japonais.

samovar 1855, *Décaméron russe ;* mot russe désignant une bouilloire.

sampan 1540, Balarin (*ciampane*) ; 1842, Mozin (*siampan*) ; 1848, Jal (*sampan*) ; ital. *ciampane,* mot chinois (trois planches) désignant un navire de transport.

sanatorium 1878, *Ass. pour l'avancement des sc. ;* bas lat. *sanatorius,* propre à guérir, de *sanare,* guérir, de *sanus,* sain. || **sana** XXᵉ s. ; abrév.

san-benito 1578, d'Aubigné (*santbéni,* forme francisée), « casaque » ; XVIIᵉ s. (*sac béni,* par attraction paronymique) ; 1675 (*san-benito*) ; esp. *sambenito,* du nom de *san Benito,* saint Benoît.

sanctifier 980, *Passion* (*saintefier*) ; 1398, E. Deschamps (*sainctifier*) ; 1541, Calvin (*sanctifier*) ; bas lat. *sanctificare,* de *sanctus* et *facere* (v. SAINT). || **sanctifiant** 1690, Furetière. || **sanctification** 1120, *Ps. d'Oxford* (*saintification*) ; début XIVᵉ s. (*sanctificassion*) ; 1541, Calvin (*sanctification*) ; lat. *sanctificatio.* || **sanctificateur** 1486, B. W. ; a remplacé l'anc. fr. *saintefierres, saintefieur* (fin XIIIᵉ s., Joinville) ; lat. *sanctificator.*

sanction XIVᵉ s., précepte relig. ; 1762, *Acad.,* approbation, au sens gén. ; 1765, *Encycl.,* récompense ou peine prévue ; 1778, Rousseau, « conséquence » ; lat. *sanctio,* de *sancire,* prescrire. || **sanctionner** 1777, *Courrier de l'Europe,* confirmer ; 1939, Giraudoux, punir.

sanctuaire 1120, *Ps. d'Oxford* (*saintuaire*) ; 1560, trad. de la *Bible* (*sanctuaire*) ; 1971, *journ.,* « lieu de refuge » ; lat. eccl. *sanctuarium,* de *sanctus,* saint.

sanctus milieu XIIIᵉ s., eccl. ; mot lat., premier mot de ce cantique.

sandal V. SANTAL.

sandale 1130, *Eneas,* d'abord « chaussure de religieux », puis « chaussure légère » ; lat. *sandalium,* du gr. *sandalion.* || **sandalette** début XXᵉ s.

sandaraque 1482, Corbichon (*landarache*) ; 1547, Vaganay (*sandaraque*) ; lat. *sandaraca,* « réalgar », du gr. *sandarakhê,* mot oriental ; résine utilisée pour la fabrication du vernis.

sandhi 1845, Besch. ; mot sanskrit signif. « liaison ».

sandjak 1540, J. Boemus (*saniaque*) ; 1762, *Acad.* (*sangiac*) ; 1904, Lar. (*sandjak*) ; mot turc désignant une administration de province.

Sandow 1902, Jarry ; nom déposé angl. désignant un extenseur, du n. de la firme.

sandre 1839, Boiste ; lat. scient. *sandra,* de l'allem. *Zander.*

sandwich 1802, *le Moniteur ;* mot angl., du nom de John Montagu, comte de *Sandwich* (1718-1792), pour qui son cuisinier inventa ce mets, qu'il lui apportait à la table de jeu ; *en sandwich,* 1884, Maupassant. || **homme-sandwich** XXᵉ s. (auparavant *sandwich* en ce sens [1876, J. Vallès], mot angl.).

***sang** 980, *Passion* (var. orth. anc. *sanc*) ; 1279, *le Castoiement,* parenté, extraction ; *se faire du bon sang,* 1735, Marivaux ; *du mauvais sang,* 1718, *Acad. ; se ronger les sangs,* 1846, Balzac ; lat. *sanguis.* || **sang-bleu** 1877, *J. O.* || **sang-de-dragon** XIIIᵉ s., *Simples Méd. ;* 1694, Th. Corn. (*sang-dragon*) ; résine. || **sang-froid** 1478, *le Jouvencel* (*froit sang*) ; milieu XVIᵉ s.

(*sang-froid*). || **sang-mêlé** 1770, Raynal, ethnol. (V. PALSAMBLEU, SAIGNER, SANGLANT, SANGSUE, SANGUIN, etc.)

***sanglant** 1080, *Roland* (var. *sanglent*) ; bas lat. *sanguilentus,* altér. du lat. class. *sanguinolentus.* || **ensanglanter** 1080, *Roland* (*ensanglentet,* part. passé) ; milieu XIIe s., *Couronn. Loïs* (*ensanglenter*).

***sangle** 1080, *Roland* (*cengle*) ; lat. *cĭngula,* de *cingĕre,* ceindre. || **sangler** 1160, Benoît (*cengler*). || **sanglage** 1964, Lar. || **sanglon** 1500, É. de Médicis (peu usité). || **sanglade** 1546, Rab. (V. CINGLER 2.)

***sanglier** fin XIe s., *Chanson Guillaume* (*sengler*) ; fin XIIIe s. (*sanglier,* par changem. de suff.) ; lat. pop. *singularis* (*porcus*), (porc) solitaire.

***sanglot** 1175, Chr. de Troyes (*senglout, sanglout*) ; 1560, Paré (*sanglot*), d'après *sangloter* (v. ci-après) ; lat. pop. **singluttus,* altér., par croisement avec **gluttus,* « gosier » et *glutīre,* « avaler », du lat. class. *singultus.* || **sanglotant** fin XIXe s. || **sanglotement** XIIIe s., Pannier. || ***sangloter** 1155, Wace (*senglouter, sanglouter*) ; 1550, Ronsard (*sanglotter,* d'après les nombreux v. en *-otter*) ; lat. pop. **singluttāre,* altér., d'après **gluttus, glutīre,* du lat. class. *singultare.* || **sangria** 1730, Savary (*sangris*) ; 1967, Robert (*sangria*) ; esp. *sangria,* de *sangre,* sang.

***sangsue** 1170, *Vie d'Édouard le Confesseur* (var. *sansue,* en anc. fr.) ; XIIIe s., Rutebeuf, fig. ; lat. *sanguisuga* (Ier s., Pline), suce-sang, de *sanguis* (v. SANG) et de *sūgere,* sucer.

sanguin 1138, Gaimar, « sanglant » ; début XIIe s., « couleur de sang » ; 1265, Br. Latini, « de tempérament sanguin » ; 1360, Froissart, « qui a rapport au sang » ; lat. *sanguineus,* de *sanguis,* sang. || **sanguine** XIIIe s., *Joufrois,* « étoffe rouge » ; 1562, du Pinet, n. f., minér., de *pierre sanguine* (XIIIe s.) ; 1564, J. Thierry, pierre précieuse ; 1767, Diderot, beaux-arts ; 1836, Landais, variété de fruit (poire, orange). || **consanguin** XIIIe s., de Gauchi ; lat. *consanguineus.* || **consanguinité** 1277, G. ; lat. *consanguinitas.* || **sanguinaire** 1363, Chauliac, « composé de sang » ; 1588, Montaigne, sens mod. ; lat. *sanguinarius.* || **sanguinolent** 1398, *Somme Gautier ;* lat. *sanguinolentus.* || **sanguinolain** 1803, Boiste. || **exsangue** XVe s. ; lat. *exsanguis,* privé de sang.

sanguisorba 1549, Fousch, bot. ; lat. scient. *sanguisorba,* du lat. *sanguis,* sang ; pimprenelle.

sanhédrin 1573, Paradrin (*senedrin*), appliqué à un livre ; 1663, Bossuet ; mot biblique (Matthieu, v. 22), araméen *sanhedrîn,* du gr. *sunedrion,* assemblée.

sanicle ou **sanicula** XIIe s. (*sanicle*) ; 1875, Lar. (*sanicule*), bot. ; bas lat. bot. **sanĭcula,* de *sanus,* sain.

sanie 1363, Chauliac ; lat. *sanies.* || **sanieux** 1314, Mondeville ; lat. *saniosus.* (V. ESSANGER, SAGNE.)

sanitaire 1801, Mercier ; lat. *sanitas,* santé ; pl., 1968, *journ.*

***sans** 980, *Passion* (*seinz*) ; 1050, *Alexis* (*senz, sens*) ; lat. *sĭne,* avec *s* adverbial, et probablem. croisement avec *absentiā,* ablatif lat. empl. comme adv., « en l'absence de, sans ». Le *z* de l'anc. fr. est dû à *enz,* du lat. *intus* (v. DANS). || **sans-abri** 1935, Sachs-Villatte. || **sans-cœur** 1808, d'Hautel. || **sans-culotte** 1792, *Journ. des débats* (v. CUL). || **sans-culottide** 1793, calendrier républicain. || **sans-façon** 1829, Stendhal. || **sans-fil** v. 1925, *journ. ;* de *téléphonie sans fil.* || **sans-filiste** 1929, *Congrès de radiodiffusion.* || **sans-gêne** 1778, *Arrêt du parl.* || **sans-le-sou** 1862, Hugo. || **sans-logis** 1893, d'après P. Robert. || **sans-pareil** 1904, Lar. || **sans-parti** 1870, *journ.* || **sans-soin** 1975, *Lexis.* || **sans-souci** XIIIe s., La Curne. || **sans-travail** 1894, Sachs-Villatte.

sansonnet 1480, *Mistère de saint Quentin ;* du nom propre *Sansonnet,* dimin. de *Sanson,* autre forme de *Samson.* (V. des dénom. semblables à MARTIN-CHASSEUR, PIERROT, etc.)

santal 1256, Ald. de Sienne (*sandal*) ; 1314, Mondeville (*sandalle*) ; var. anc. fr. *sandle, sandre ;* 1562, du Pinet (*santal*) ; lat. médiév. *sandalum,* de l'ar. *sandal,* mot d'orig. indienne ou du gr. *santalon,* même étym., selon les formes. || **santalin** 1582, Liébault.

***santé** 1050, *Alexis* (*santet*) ; 1175, Chr. de Troyes (*santé*) ; lat. *sānitas, -tātis,* de *sānus,* sain.

santon 1530, Rab. (*sancton*), « moine mendiant » ; 1912, Lar., figurine de crèche ; prov. mod. *santoun,* petit saint, ou esp. *santón,* du lat. *sanctus.* || **santonnier** 1931, A. Brun.

santonine XIVe s., *Antidotaire Nicolas* (*centonique*) ; 1546, Rab. (*santonique*) ; 1562, du Pinet (*santoline*) ; 1732, Richelet (*santonine*) ; lat. *santonica* (*herba*), (herbe) de Saintonge, du nom des *Santones,* peuple gaulois qui habitait cette région, avec changem. de suff., peut-être dû à l'influence de *barbotine,* nom d'une autre herbe vermifuge.

***sanve** XIIᵉ s. (*seneve*), « sénevé sauvage » ; lat. *sĭnāpi,* moutarde, mot gr., avec accent conservé sur la prem. syll., malgré la quantité longue de la seconde. (V. BEURRE, ENCRE, SÉNEVÉ.)

sapajou av. 1601, L'Estoile ; tupi *sapaiou* (Brésil) ; petit singe.

***sape** fin XVᵉ s., hoyau ; mot méridional, du bas lat. *sappa* (VIIᵉ s., Isid. de Séville). || **saper** 1547, *Romanische Forschungen,* « travailler avec le pic à détruire les fondements d'un édifice » ; ital. *zappare,* de *zappa,* hoyau, de même étym. que *sape* ci-dessus. || **sape** 1536, M. du Bellay, milit. ; déverbal de *saper.* || **sapement** 1536, M. du Bellay. || **saperlotte** 1878, Larchey ; de *sacrelotte* (1808, d'Hautel), de *sacré* (*Dieu*). || **saperlipopette** 1864, Rimbaud. || **sapeur** 1547, trad. de Vitruve. || **sapeur-pompier** 1825, Couturier.

sapèque 1839, *Rev. des Deux Mondes ;* malais *sapek ;* pièce de monnaie de faible valeur.

1. **saper** V. SAPE.

2. **saper** 1919, Esnault, « vêtir » ; orig. inconnue.

saphène 1256, Ald. de Sienne, anat. ; ar. *safin,* du gr. *saphênês,* transparent. || **saphénectomie** 1953, Lar.

saphique 1340, J. Le Fèvre, métr. anc. ; 1842, *Acad.,* relatif à Sapho, œuvres et mœurs ; lat. *sapphicus,* du gr. *sapphikos,* du nom de la poétesse de Lesbos *Sapho* (VIᵉ s. av. J.-C.). || **saphisme** 1838, *Acad.,* pathol.

saphir 1119, Ph. de Thaon (*saphire*) ; bas lat. *sapphirus,* du gr. *sappheiros,* d'orig. sémitique. || **saphirine** 1812, Mozin.

sapide XVIᵉ s. ; lat. *sapidus,* savoureux, de *sapere* (v. SAVOIR, INSIPIDE). || **sapidité** 1762, Valmont.

sapience 1120, *Ps. de Cambridge,* « sagesse de Dieu » ; lat. *sapientia,* sagesse (v. SAGE). || **sapientiaux** fin XIVᵉ s. (*livres sapiencialz*), eccl.

***sapin** début XIIᵉ s. ; 1723, Delesalle, « fiacre » ; 1694, *Acad.,* « cercueil ». || **sapine** 1185, *Aliscans,* « solive » ; XVᵉ s., baquet en bois ; lat. *sappīnus,* probablem. croisement d'un gaulois **sappus* et du lat. *pīnus,* pin (v. l'anc. fr. *sap,* encore auj. dans les patois). || **sapineau** 1876, Lar. || **sapinette** 1505, Gonneville, épicéa. || **sapinière** 1632, Sagard, bois de sapins.

saponaire 1562, Du Pinet ; lat. médiév. *saponaria,* du lat. *sapo, saponis,* savon. || **saponacé** 1793, Lavoisien. || **saponine** 1836, Landais.

saponifier 1799, *Ann. de chim. ;* lat. *sapo, saponis,* savon, d'après les v. en *-fier.* || **saponification** 1792, Brunot. || **saponifiable** 1845, Besch.

sapote 1598, Acosta (*çapote*) ; 1666, Thévenot, bot. ; esp. *zapote,* de l'aztèque *tzapotl.* || **sapotille** 1719, König ; esp. *zapotillo,* dimin. de *zapote.* || **sapotier** ou **sapotillier** 1771, Trévoux. || **sapotacées** 1836, Landais (*sapotées*) ; 1839, Boiste (*sapotacées*), bot.

sappan 1610, *Hist. navigation ;* malais *sappang,* bot.

sapristi V. SACRER.

sapro-, gr. *sapros,* pourri. || **saprobionte** 1968, Lar. ; gr. *bios,* vie. || **saprophage** 1827, *Acad. ;* gr. *phageîn,* manger. || **saprophyte** 1875, J.-E. Planchon ; gr. *phuton,* plante. || **saprozoïte** 1923, Lar.

saquebute 1307, Guiart (var. *saqueboute*) ; de *saquer* (v. SAC 1) et *buter* ou *bouter ;* lance armée d'un fer pour désarçonner des cavaliers.

saquer V. SAC 1.

sarabande 1605, Gontaut-Biron (*sarabante*), danse lente à trois temps ; fin XIXᵉ s., fam., « ribambelle » ; esp. *zarabanda,* danse lascive accompagnée de castagnettes, d'où « vacarme », de l'arabo-persan *serbend,* turban porté pendant la danse.

sarbacane 1530, Palsgrave, altér., d'après *canne,* de *sarbatane* (1525, *Voy. Antoine Pigaphetta*) ; encore *sarbatane,* 1798, *Acad. ;* esp. *zerbatana,* de l'ar. *zarbatāna,* d'un mot malais, *sĕmpitan* (par l'interméd. du persan).

sarcasme 1552, Rab. ; bas lat. *sarcasmus,* du gr. *sarkasmos,* de *sarkazeîn,* arracher la chair, et au fig. déchirer par des railleries, de *sarx, sarkos,* chair (v. SARCOME). || **sarcastique** fin XVIIIᵉ s., Staël ; gr. *sarkastikos,* ou de *sarcasme,* avec le suff. *-ique,* et *-t-* d'après *enthousiaste* (sur *enthousiasme*). || **sarcastiquement** 1964, Robert.

***sarcelle** 1175, Chr. de Troyes (*cercelle*) ; 1564, J. Thierry (*sarcelle*) ; lat. pop. **cercēdŭla,* lat. class. *querquedula,* du gr. *kerkithalis.*

sarcine 1855, d'après P. Robert ; lat. *sarcina,* bagage, de *sarcire,* rapiécer.

***sarcler** fin XIIIe s. ; lat. *sarcŭlāre,* de *sarcŭlum,* houe légère. || **sarclage** 1318, G. || **sarcleur** XIIIe s., Giry. || **sarcloir** XIVe s., G. || **sarclet** 1380, *Aalma.* || **sarclette** 1843, *Doc.* || **sarclure** 1562, Du Pinet.

sarco-, gr. *sarx, sarkos,* chair. || **sarcoderme** 1813, Candolle. || **sarcoïde** 1842, *Acad.* || **sarcolyte** 1904, Lar. ; gr. *luein,* dissoudre. || **sarcophile** 1876, Lar. || **sarcoplasme** 1897, *Année biol.* || **sarcopte** 1822, *Nouveau Dict. méd.* ; gr. *kopteîn,* couper.

sarcome 1560, Paré (*sarcoma*) ; 1660, Fernel (*sarcome*) ; bas lat. *sarcoma,* du gr. *sarkôma,* de *sarx, sarkos.* || **sarcomateux** 1803, Boiste.

sarcophage 1496, Vignay ; rare avant 1752, Trévoux ; lat. *sarcophagus,* du gr. *sarkophagos,* de *sarx, sarkos* (v. les précéd.) et de *phageîn,* manger. (V. CERCUEIL.)

***sardine** milieu XIIe s. (*sordine*) ; 1380, *Aalma* (*sardine*) ; lat. *sardīna,* de *Sarda,* « (poisson) de Sardaigne ». || **sardinier** 1765, *Encycl.,* n. m., « filet à sardines », et, adj., « relatif à la sardine » ; 1904, Lar., n. m., bateau pour la pêche de la sardine. || **sardinerie** 1870, L.

sardoine 1080, *Roland* (*sardonie*) ; début XIIe s., Marbode ; lat. *sardonyx,* mot gr., de *sardion,* cornaline, et *onux,* ongle.

sardonique 1558, J. du Bellay (*ris sardonien*) ; 1560, Paré (*ris sardonic*), méd. ; 1762, *Acad.* (*rire sardonique*) ; lat. *sardonicus risus,* calque du gr. *sardonios gelôs,* désignant un rire involontaire provoqué par la *sardonia,* renoncule de Sardaigne. || **sardoniquement** 1845, Besch.

sargasse 1598, Lodewijcksz ; port. *sargaço,* variété de ciste, et, par ressemblance, algue marine ; lat. *salix, salicis,* saule.

sarigue 1578, de Léry (*sarigoy*) ; tupi *sarigué* (Brésil), venu par le port. *sariguê.*

sarment 1119, Ph. de Thaon ; lat. *sarmentum.* || **sarmenteux** 1559, trad. de Dioscoride ; lat. *sarmentosus.* || **sarmenter** 1836, *Acad.*

sarracénie 1829, Bory ; lat. scient. *sarracenia,* de *Sarrasin,* n. d'un médecin. || **sarracénique** 1836, Landais, pharm. ; 1842, *Acad.,* beaux-arts.

sarrancolin 1676, Félibien ; de *Sarrancolin,* commune des Hautes-Pyrénées.

sarrasin XIIIe s., *Medicinaire* (*-sien*) ; 1585, N. du Fail (*sarrazin*) ; ellipse de *blé sarrasin,* empl. fig. (à cause de sa couleur noire) de *Sarrasin,* qui désigne en anc. fr. les Arabes, les Turcs, etc. ; 1867, Delvau, « ouvrier non syndiqué » ; bas lat. *Sarracenus,* nom d'une peuplade d'Arabie, lui-même issu de l'ar. *charqīyīn,* pl. de *charkī,* « oriental ». (V. BLÉ.) || **sarrasine** n. f., XVIe s., fortif.

sarrau fin XIe s., *Gloses de Raschi* (*sarroc*) ; 1276, du Cange (*sarrot*) ; 1732, Trévoux (*sarrau*) ; moy. haut all. *sarrok,* vêtement militaire.

sarrette 1669, d'après L., var. *serrette,* bot. ; lat. *serra,* scie.

sarriette fin XIe s., *Gloses de Raschi* (*sadree*) ; 1398, *Ménagier,* bot. ; lat. *saturēia.*

1. ***sas** 1200, *Revue* (*saas,* var. *seas*), tissu de crin ou de soie ; bas lat. *sētācium,* de *sēta,* soie de porc, crin (v. SOIE). || **sasser** 1193, Hélinant. || **sassage** 1876, Lar. || **sassement** 1611, Cotgrave. || **sasseur** 1380, *Aalma.* (V. RESSASSER.)

2. **sas** XVIe s., L., chambre en maçonnerie d'une écluse ; probablem. du précédent.

sassafras 1590, *Brève Descript.,* bot. ; esp. *sasafras,* mot d'Amérique du Sud.

satané 980, *Passion* (*satanas*) ; 1160, Benoît (*Satan*) ; bas lat. *Satanas,* du gr. *Satân,* nom de l'Esprit du Mal dans la Bible, en hébreu *Satan.* || **satanique** 1475, Molinet, rare avant le XVIIIe s. || **sataniquement** 1868, Gautier. || **satanisme** 1855, Huysmans.

satellite 1265, Br. Latini, « homme aux gages d'un despote » ; 1665, Graindorge, astron. ; *satellite artificiel,* 1930 ; lat. *satelles, satellitis,* garde du corps, par ext. « acolyte », et déjà empl. comme terme d'astron. || **satelliser** 1961, *Journ.* || **satellisation** *id.*

satiété 1120, *Ps. d'Oxford* (*sazieted*) ; 1530, Lefèvre d'Étaples (*satiété*) ; *jusqu'à satiété,* milieu XVIIIe s. ; lat. *satietas,* de même rac. que *satis,* assez. || **insatiable** XIIIe s., Aimé ; lat. *insatiabilis,* de *satiare,* rassasier. || **insatiabilité** 1546, Rab.

satin 1351, Gay (*zatin*) ; 1387, Gay (*satin*) (var. *zatanin, satanin* au XIVe s.) ; ar. *zaytoūni* (par l'interméd. de l'esp. *aceituni,* avec infl. de l'ital. *setino,* lui aussi de l'ar., avec une altér. d'après *seta,* soie), de *Zaytūn,* nom ar. de *Tsia-Toung,* ville chinoise où se fabriquait cette étoffe. || **satiné** 1603, B. W. || **satinade** 1718, *Acad.* || **satinage** 1785, *Journ. de Paris.* || **satineur** 1842, *Acad.* || **satinette** 1755, Havard (*satinet*) ; 1877, Lar. (*satinette*).

satire 1290, *Glossaire Douai* (*satre*) ; 1355, Bersuire ; 1549, R. Est., ouvrage satirique en vers ; 1673, Régnier, « critique » ; lat. *satira,* mélange de vers et de prose, var. *satyra* (d'où parfois, du XVIe au XVIIIe s., l'orth. *satyre*). || **satirique** fin XIVe s. || **satiriquement** 1549, R. Est. || **satiriser** 1544, M. Scève. || **satiriste** 1683, Spanheim.

satisfaire début XIIIe s., « payer, rémunérer », et « réparer (un dommage) » ; XIVe s., *D. G.,* « s'acquitter de ce qui est attendu » ; *se satisfaire,* 1580, Montaigne ; 1640, Corn., « plaire » ; lat. *satisfacere,* surtout jurid. || **satisfait** XIVe s., *Miracles de N.-D.,* « absous » ; 1580, Montaigne, « content ». || **insatisfait** début XVIe s., rare avant 1838, *Acad.* || **satisfaisant** 1662, Pascal. || **satisfaction** 1155, Wace, même évol. de sens que le verbe ; lat. *satisfactio,* surtout jurid. || **insatisfaction** 1600, Fr. de Sales. || **satisfecit** 1845, Besch. ; mot lat. (3e pers. sing. du parfait de *satisfacere*) signif. « il a satisfait ». (V. ACCESSIT.)

satrape 1265, Br. Latini, hist. perse ; fin XIVe s., fig. ; lat. *satrapes,* du gr. *satrapês,* d'orig. perse. || **satrapie** fin XVe s., de Seyssel ; lat. *satrapia,* mot gr. || **satrapique** 1842, *Acad.*

saturer début XIVe s., « rassasier » ; 1759, *Encycl.,* chim. ; lat. *saturare,* rassasier, de *satur,* rassasié. || **saturation** 1513, *l'Estoille du monde,* « satiété » ; 1748, *Acad. des sc.,* chim. ; bas lat. *saturatio.* || **saturable** 1835, Raymond. || **insaturable** 1803, Boiste. || **saturabilité** 1801, Fourcroy. || **saturant** 1765, *Encycl.* || **saturateur** 1857, *Bull. Soc. encouragement ;* bas lat. *saturator.* || **sursaturé** 1787, Guyton de Morveau. || **sursaturation** 1872, L.

saturnales 1355, Bersuire (*saturneles*) ; 1564, J. Thierry (*saturnales*), myth. rom. ; 1666, Patin, fig. ; lat. *saturnalia,* fêtes (licencieuses) en l'honneur de Saturne.

saturnie 1842, *Acad.,* entom. ; lat. *Saturnus,* Saturne ; paon de nuit.

saturnien 1378, J. Le Fèvre, « qui a rapport à Saturne » ; 1560, Ronsard, « enclin à la mélancolie » ; *période saturnienne,* 1842, *Acad.,* géol. ; lat. *Saturnius,* de *Saturnus,* Saturne (selon les astrologues, les êtres nés sous le signe de la planète Saturne étaient disposés à la tristesse).

saturnin 1380, Conty, « mélancolique » ; 1812, Mozin, méd. ; de *Saturne,* nom de la planète (v. le précéd.). Le sens méd. s'explique par le fait que les alchimistes ont donné le nom de Saturne au plomb, métal tenu pour très froid, comme la planète. || **saturnisme** 1878, Lar., méd.

satyre 1372, Corbichon, mythol. ; 1650, Scarron, « homme lubrique » ; 1942, Queneau, pathol. ; lat. *satyrus,* du gr. *Saturos,* demi-dieu lascif, compagnon de Bacchus dans la mythol. gr. et lat. || **satyreau** 1160, Benoît. || **satyrique** 1488, *Mer des hist. ;* lat. *satyricus,* du gr. *saturikos.* || **satyriasis** 1538, Canappe, méd. ; lat. *satyriasis,* mot gr.

***sauce** 1080, *Roland* (*salse*), adj., « salée » (eau) ; 1190, Garn. (*salse*), n. f., sens mod. ; 1398, *Ménagier* (*saulse, sauce*) ; milieu XVe s. (*sauce*) ; *sauce blanche,* 1398, *Ménagier ;* lat. pop. *salsa,* fém. substantivé de *salsus,* salé. || **sauçage** 1964, Lar. || **saucière** fin XIIe s. (*saucer,* n. m.) ; 1328, Laborde (*saucère,* n. f.). || **saucier** 1285, G. || **saucer** XIIIe s., Tobler-Lommatzsch ; *être saucé,* 1732, Richelet, être trempé par une averse. || **saucée** 1877, Zola, pop., « averse ».

***saucisse** 1268, É. Boileau ; lat. pop. **salsicia,* fém. substantivé du pl. neutre de *salsicius,* assaisonné de sel, de *salsus,* salé. || **sauciflard** 1951, Esnault. || **saucisson** 1546, Rab. ; ital. *salciccione,* augmentatif de **salsiccia,* saucisse. || **saucissonné** 1881, Vallès, pop., fig. || **saucissonner** 1886, Vallès, pop. || **saucissonneur** 1952, Gilbert.

***sauf** 980, *Passion* (*salf*) ; 1155, Wace (*sauf*), « sauvé » au sens eccl. ; lat. *salvus,* « entier, intact », sens moral en lat. eccl. ; *sain et sauf,* 1155, Wace. || **sauf** 1155, Wace, adj. suivi d'un subst., « sans porter atteinte à » ; *sauf votre respect,* 1671, Pomey ; 1247, La Curne, « excepté » ; 1549, R. Est., invar., devenu prép. || **sauf-conduit** 1160, Benoît. || **sauvegarde** 1155, Wace (*salvegarde*). || **sauvegarder** 1788, Féraud. (V. SAUVER.)

***sauge** fin XIe s., *Gloses de Raschi* (*salje*) ; XIIIe s. (*saulje*) ; lat. *salvia,* de *salvus,* sauf, d'après les propriétés médicinales de cette plante.

saugrenu 1578, H. Est. (*sogrenu*), réfection, d'après l'adj. *grenu* (v. GRAIN), de *saugreneux,* XVIe s., issu de *saugrenée* (1534, Des Périers), « fricassée de pois », de *sau,* autre forme de *sel* (v. SAUPOUDRER), de *grain* et du suff. *-ée.* || **saugrenuité** 1840, *les Guêpes.*

saule 1215, Péan Gatineau ; francique **sahla,* avec *-au-* issu de *-all-* après assimilation de *-alh-* (v. GAULOIS) ; masc. en fr., d'après les autres noms d'arbres ; concurrencé en anc. fr. par *saus, sausse* (XIe s.), du lat. *salĭcem,* acc. de *salix,* saule. || **saulaie** 1328, texte de Paris (*soloie*) ; 1406, du Cange (*saulaie*) ; concurrencé par le rég. *saussaie*, XIIIe s., de *sausse*. || **saulée** 1870, L.

***saumâtre** 1298, *Voy. de Marco Polo* (*saumastre*) ; lat. pop. **salmaster*, altér., par changem. de suff., du lat. class. *salmacĭdus*.

***saumon** 1138, Gaimar (*salmun*) ; 1175, Chr. de Troyes (*saumon*) ; lat. *salmō, -ōnis* ; adj., 1870, L., « rosé ». || **saumoneau** 1552, Rab. || **saumoné** 1564, J. Thierry.

***saumure** XIe s., *Gloses de Raschi* (*salmuire*) ; lat. pop. **salmuria*, de *sāl*, sel, et *muria*, saumure (v. MUIRE). || **saumuré** 1611, Cotgrave. || **saumurer** 1859, Mozin. || **saumurage** 1803, Boiste.

***sauner** 1660, L., « faire ou recueillir le sel » ; lat. pop. **salinare*, de *salina* (v. SEL). || **saunage** 1499, *Ordonnance*. || ***saunier** 1138, Gaimar (*salnier*) ; 1268, É. Boileau (*saunier*) ; *faux saunier*, fin XVe s. ; bas lat. *salinarius*. || **saunerie** 1234, G. || **saunière** 1220, *la Petite Philosophie* ; lat. pop. **salinarius*.

saupe 1547, Ch. Est., zool. ; mot mérid., du lat. *salpa* ; poisson méditerranéen.

saupiquet 1398, *Ménagier* ; d'un verbe non attesté **saupiquer*, piquer avec du sel, de *sel* et *piquer* (v. ces mots).

saupoudrer 1398, E. Deschamps ; de *sel* et *poudrer* (v. ces mots). || **saupoudrage** 1873, Tolhausen (1842, *Acad.*, *saupoudration*). || **saupoudreur** 1936, d'après P. Robert.

saur XIIIe s., G., dans *hareng sor*, « desséché » ; moy. néerl. *soor*. L'anc. fr. *saur* (*sor*, 1080, *Roland*), « jaune-brun » (dimin. *sorel*, conservé en anthroponymie), est issu du francique **saur*, « jaune-brun », de même rac. que *soor*. || **saurin** 1680, Richelet. || **saurer** 1284, G. (*soré*), a remplacé l'anc. *sorir* (1318, Lespinasse). || **saurage** 1876, Lar. || **saurissage** 1741, Savary. || **saurisseur** 1614, Hulsius. || **saurisserie** 1808, Boiste.

saur(o)-, gr. *saura*, lézard. || **saurien** 1800, Boiste, zool. || **sauropodes** 1904, Lar. ; gr. *pous, podos*, pied. || **sauropsidés** 1888, Lar.

saussaie V. SAULE.

***saut** 1080, *Roland* (*salt*) ; 1155, Wace (*saut*) ; lat. *saltus*. || **saut-de-lit** 1829, d'après P. Robert. || **saut-de-loup** 1740, *Acad.* || **saut-de-mouton** 1611, Cotgrave, équit. ; XIXe s., ferrov. ; 1870, L., jeu ; plutôt *saute-mouton*, auj. (v. SAUTER). [V. PRIMESAUT, SURSAUT.]

***sauter** 1175, Chr. de Troyes ; lat. *saltare*, fréquentatif de *salire*, éliminé en lat. pop. (v. SAILLIR) ; 1587, La Noue, exploser. || **saute-mouton** 1867, Delvau, jeu. || **saute-ruisseau** 1796, *Revue*. || **sauté** n. m., 1812, Mozin, culin. ; 1842, *Acad.*, danse. || **saute** (*de vent*) 1771, Trévoux ; (*d'humeur*) 1935, *Acad.* || **sauteur** XIIIe s., G., n. ; adj., XVIe s., « dressé à sauter ». || **sauterie** 1578, d'Aubigné, « saut » ; 1824, *Journ. des dames*, petite danse. || **sautoir** début XIIIe s., Huon de Méry. || **sautereau** XIIIe s., *Apocalypse* ; 1611, Cotgrave, pièce de clavecin. || **sauterelle** 1120, *Ps. d'Oxford* (*salterele*) entom. ; début XVIe s. (*sauterelle*) ; depuis 1690, Furetière, divers empl. techn. || **sautelle** milieu XVIe s., vitic. || **sautiller** 1553, Rab. ; a remplacé *sauteler*, XIIIe s. || **sautillant** adj., 1668, La Fontaine. || **sautillement** 1718, *Acad.* || **ressauter** 1382, Jean d'Arras. (V. RESSAUT, TRESSAUTER.)

***sauvage** fin XIe s., *Chanson Guillaume* ; 1596, Hulsius, « primitif » ; bas lat. *salvāticus* (*Mulomedicina*), du lat. *silvaticus*, de *silva*, forêt. || **sauvagement** fin XIIe s. || **sauvagesse** 1632, Sagard. || **sauvagerie** 1739, Gohin, « condition de sauvage » ; 1846, Balzac, « férocité ». || **sauvageon** XIIe s. || **sauvagine** 1130, *Eneas*, « oiseau d'eau ». || **sauvagin** XVe s., de Courcy.

sauvegarder V. SAUF.

***sauver** 842, *Serments* (*salvarai*, 1re pers. fut.) ; 1050, *Alexis* (*salver*) ; v. 1160, *Charroi* (*sauver*) ; bas lat. *salvāre*, surtout eccl., de *salvus* (v. SAUF) ; *se sauver*, 1464, J. Chartier, « se sauver ». || **sauveté** 1050, *Alexis*, vx depuis le XVIIe s. || **sauvetage** 1773, Bourdé, mar. ; 1922, Martin du Gard, « action de tirer du danger ». || **sauveteur** 1816, Salvandy. || **sauvette** 1867, Delvau, petite hotte ; *vendre à la sauvette*, 1949, Lar. || **sauve-qui-peut** 1614, B. W. || ***sauveur** 1050, Stengel (*salvaire*, cas sujet) ; 1120, *Ps. d'Oxford* (*salvedur*, cas régime) ; 1175, Chr. de Troyes (*sauveor*), eccl. et empl. gén. ; lat. eccl. *salvatōr, -ōris*. || **salvatrice** 1886, L. Bloy. || **salvatelle** 1314, Mondeville.

sauvignon 1732, Liger ; orig. inconnue.

savane 1529, Parmentier ; esp. *çavana*, tiré de la langue arawak (Haïti).

savant 1112, *Voyage saint Brendan*, part. prés. de *savoir*, jusqu'au XVe s. (remplacé dans cet empl. par *sachant*, d'après le subj. *sache*) ; début XVIe s., adj., sens mod. ; 1634, Mersenne, n. m., sens mod. || **savamment** 1539, R. Est. || **savantissime** 1664, Molière. || **savantasse** fin XVIe s., d'Aubigné (*sabantas*) ; 1646, Livet (*savantasse*) ; d'un mot gascon, *sabentas.* || savanterie av. 1869, Sainte-Beuve.

savarin 1856, Furpille (*brillat-savarin*) ; 1864, *Vie parisienne* (*savarin*) ; du nom du gastronome *Brillat-Savarin* (1755-1826).

savate XIIe s., *Aiol* (*chavate,* forme picarde) ; d'une forme non attestée **çavate,* de l'ar. *sabbat,* par l'interméd. de l'ital. *ciabatta,* ou de l'anc. prov. *sabata ;* 1828, Vidocq, désignant une forme de lutte. || **savetier** 1213, *Fet des Romains.*

***saveur** 1130, *Eneas* (*savor*) ; XIIIe s. (*saveur*) ; lat. *sapōr, -ōris.* || **savoureux** 1188, Conon de Béthune. || **savourer** 1112, *Voyage saint Brendan* (*savorer*) ; 1549, R. Est. (*savourer*) ; bas lat. *sapōrare.*

***savoir** 842, *Serments* (*sabir*), n. m. ; 980, *Passion* (*saveir*), v. ; 1175, Chr. de Troyes (*savoir*) ; lat. pop. **sapēre,* class. *sapĕre,* « avoir de la saveur », d'où « avoir de la pénétration », puis « comprendre », et en bas lat. « savoir », avec une infl. sémant. de *sapiens,* et élimination du lat. class. *scire.* || ***su** 1155, Wace (*senz le seü de*), part. passé substantivé ; v. 1440, Chastellain (*au sçu de*). || **à l'insu de** 1538, d'après la *Rev. hist.* || **savoir-vivre** 1466, Michault, v. ; 1580, Montaigne, n. m. || **savoir-faire** v. 1670, La Fontaine (v. SAVANT). || **assavoir** 1160, Benoît.

***savon** 1256, Ald. de Sienne ; *savon noir,* 1530, Palsgrave ; *savon de Marseille,* 1723, Savary ; lat. *sāpō, -ōnis,* désignant, selon Pline, un mélange de suif et de cendre avec lequel les Gaulois se rougissaient les cheveux, du germ. **saipon-.* || **savonner** début XVIe s. || **savonnage** 1680, Richelet. || **savonnette** 1579, Mayerne. || **savonneur** 1751, *Encycl.* || **savonneux** fin XVIIe s., Saint-Simon. || **savonnier** 1292, *Livre de la taille de Paris.* || **savonnerie** *id.*

saxatile 1555, Belon, zool. ; 1690, Furetière, bot. ; lat. *saxatilis,* de *saxum,* rocher.

saxhorn 1847, Besch. ; de l'inventeur A. J. Adolphe *Sax* et de l'allem. *Horn,* cor.

saxifrage XIIIe s., *Simples Médecines ;* bas lat. *saxifraga* (*herba*), (herbe) qui brise les rochers, de *frangere,* briser, et *saxum,* pierre ; noms populaires : *perce-pierre,* 1546, R. Est. ; *rompierre, rompepierre,* 1538, R. Est. ; *casse-pierre,* 1769, Valmont. || **saxifragacées** 1812, Mozin (*saxifragées*) ; 1842, *Acad.* (*saxifragacées*).

saxophone 1844, Huart ; du nom de l'inventeur, *A. Sax* (1814-1894), et du gr. *phônê,* voix. || **saxo** XXe s. ; abrév. || **saxophoniste** fin XIXe s.

sayette, sayon V. SAIE 1.

saynète 1764, *Arch. Aff. étr., Corr. d'Esp.* (*saïnette*) ; 1823, Boiste (*saynette*) ; esp. *sainete,* masc., « morceau de graisse ou de moelle qu'on donne aux faucons quand ils reviennent », au fig. « petite pièce bouffonne » ; diminutif de *sain,* graisse (v. SAINDOUX) ; passé au fém. en fr., à cause de la finale *-ette ;* auj. interprété comme dér. de *scène,* par étym. populaire.

sbire 1546, Rab. ; ital. *sbirro,* agent de la police, altér. de *birro,* du bas lat. *birrus, byrrhus,* « brun-rouge », du gr. *purrhos,* « couleur de feu », de *pûr,* feu ; à cause de la casaque rouge des sbires, ou de la valeur du rouge, symbole de la ruse pour la couleur rouge du diable (cf. arg. *rousse,* « police secrète »).

scabellon 1668, Havard, socle ; ital. *scabellone,* grand escabeau, du lat. *scabellum,* repris en fr. comme terme d'archéol. (v. ESCABEAU).

scabieuse 1314, Mondeville, bot. ; lat. médiév. *scabiosa,* fém. substantivé du lat. class. *scabiosus,* raboteux, galeux, de *scabies,* gale (la scabieuse était réputée guérir la gale). || **scabieux** fin XIVe s., adj., méd. ; lat. *scabiosus.*

scabreux 1500, Auton, « difficile, périlleux », notamment en parlant d'un chemin ; 1549, Du Bellay, « dur, désagréable » (d'un style) ; 1773, Voltaire, « difficile à raconter décemment » ; bas lat. *scabrosus,* rude, rugueux, du lat. class. *scaber.*

scaferlati 1707, Helvétius ; orig. obscure ; on a avancé, sans preuves décisives, que *Scaferlati* était le nom d'un ouvrier italien qui aurait inventé un nouveau procédé pour hacher le tabac.

scalaire 1808, Boiste, mollusque ; fin XIXe s., d'après P. Robert, math. ; lat. *scalaris,* d'escalier.

scald 1964, Lar. ; mot angl., de *to scald,* brûler ; maladie des pommes de terre.

scalène 1542, Bovelles, géom. ; lat. *scalenus,* du gr. *skalenos,* oblique.

scalp 1827, Chateaubriand (*scalpe*) ; angl. *scalp,* cuir chevelu. || **scalper** 1769, H. Bouchet ; angl. *to scalp,* arracher le cuir chevelu.

scalpel 1363, Chauliac ; lat. méd. *scalpellum,* de *scalpere,* tailler, gratter.

scandale 1050, *Alexis,* « occasion de péché » ; 1657, Pascal, « éclat fâcheux du mauvais exemple » ; lat. eccl. *scandalum,* « piège, obstacle », d'où, au fig., « occasion de péché, pour soi-même ou pour les autres », du gr. eccl. *skandalon,* calque de l'hébreu *mikchôl,* « obstacle, ce qui fait trébucher ». || **scandaleux** 1361, Oresme ; lat. médiév. *scandalosus.* || **scandaleusement** 1470, Trenel. || **scandaliser** 1190, *Saint Bernard* (*escandalisier*) ; fin XIIIe s. (*scandalizer*) ; même évol. sémant. que le subst. ; lat. eccl. *scandalizare.* (V. ESCLANDRE.)

scander 1519, G. Michel ; lat. gramm. *scandere,* « monter », d'où « lever et baisser le pied pour battre la mesure ». || **scansion** 1741, Pelloutier ; lat. gramm. *scansio.*

scanner 1964, Lar. ; mot angl., de *to scan,* examiner minutieusement.

scaphandre 1765, *Année litt.,* « ceinture de sauvetage » ; 1800, Boiste, sens mod. ; proprem. « homme-bateau » ; gr. *skaphê,* barque, et *anêr, andros,* homme. || **scaphandrier** 1805, Lunier.

scaph(o)-, gr. *skaphê,* vase, barque. || **scaphoïde** 1538, Canappe, anat. ; gr. *skaphoeidês,* en forme de barque. || **scaphiphore** 1876, Lar. ; gr. *phoros,* qui porte. || **scaphirhynque** 1904, Lar. ; gr. *rhuzein,* gronder. || **scaphocéphale** 1876, Lar. (V. SCAPHANDRE.)

scapin fin XVIIe s., Saint-Simon, valet intrigant ; du nom de *Scapin,* valet de la comédie ital. popularisé par *les Fourberies de Scapin,* de Molière (1671).

scapulaire fin XIIe s. (*capulaire*) ; fin XIVe s. (*scapulaire*), n. m. ; 1721, Trévoux, adj., anat. ; lat. médiév. *scapulare,* qui se passe sur les épaules, de *scapula,* épaule.

scapul(o)-, lat. *scapula,* épaule. || **scapulalgie** 1876, Lar. || **scapulectomie** 1933, Lar. || **scapulo-huméral** 1839, Boiste.

scarabée 1539, R. Est., entom. ; lat. *scarabaeus.* || **scarabéidés** 1842, *Acad.* (*scarabéides*). [V. CARABIN, ESCARBOT.]

scaramouche 1666, Molière ; de *Scaramouche,* ital. *scaramuccio,* escarmouche, surnom de l'acteur napolitain Fiorelli, qui vint jouer à Paris sous Louis XIII, resté au personnage de la comédie ital. qu'interprétait cet acteur.

scare 1560, Paré, ichtyol. ; lat. *scarus,* du gr. *skaros ;* poisson osseux de la Méditerranée. || **scaridé** 1954, Bauchot.

scarifier fin XIIIe s. ; bas lat. méd. *scarificare,* du gr. *skariphasthai,* inciser, de *skariphos,* stylet. || **scarification** 1314, Mondeville ; bas lat. méd. *scarificatio.* || **scarificateur** 1560, Paré.

scarlatine 1741, Col de Vilars ; var. *écarlatine,* 1771, Trévoux ; lat. médiév. *scarlatum,* écarlate (V. ÉCARLATE). || **scarlatiniforme** 1852, Alméras. || **scarlatineux** 1964, Lar.

scarole XIVe s., *Antidotaire Nicolas* (*scariole*) ; var. *escarole ;* ital. *scariola,* du bas lat. *escariola,* endive.

scatologie 1868, Souviron ; gr. *skôr, skatos,* excrément, et *-logie* (*scatophage,* 1546, Kab.). || **scatologique** 1863, Goncourt. || **scatophile** 1839, Boiste, zool. || **scatophage** 1552, d'après P. Robert. || **scatopse** 1791, Valmont ; gr. *opsis,* vue.

scazon 1690, Furetière, métr. anc. ; mot lat., du gr. *skazôn,* « boiteux ».

***sceau** 1080, *Roland* (*seel*) ; 1196, Bodel (*scel, sceau,* avec *c* introduit pour distinguer ce mot de *seau*) ; lat. pop. **sĭgellum,* du lat. class. *sigillum,* « figurine », d'où « figurine du cachet », dimin. de *signum ; sous le sceau de,* 1549, Rab. || **sceau de la Vierge** 1564, Liébault. || **sceau de Notre-Dame** 1538, R. Est., bot. ; la racine de cette plante a la forme d'un sceau. || **sceau-de-Salomon** 1549, Fousch, bot. ; même explic. (V. SCELLER.)

scélérat début XVe s. (var. francisée *scelere,* jusqu'à la fin du XVIe s.), adj. ; début XVIe s. (*scélérat*), n. m. ; lat. *sceleratus,* de *scelus, -eris,* crime. || **scélératement** 1836, Gautier. || **scélératesse** 1560, Pasquier.

***sceller** 1080, *Roland* (*seeler*) ; XIIIe s. (*sceller*) ; lat. pop. **sĭgellare,* du lat. class. *sigillare* (V. SCEAU). || **scellés** 1439, Havard, jurid. ; part. passé substantivé. || **scellement** 1469, G. || **scellage** 1425, G. || **scelleur** 1283, Beaumanoir. || **desceller** fin XIIe s., *Alexandre.* || **resceller** début XIVe s.

scénario 1764, Collé, au théâtre ; 1907, Méliès, au cinéma ; 1850, Balzac, « déroulement d'action » ; ital. *scenario,* « décor », de *scena,* « scène ». || **scénariste** 1915, *Ciné-Journal.*

scène 1375, R. de Presles, « représentation théâtrale » ; rare avant la fin du XVIe s. ; 1596, Hulsius, « partie du théâtre où se déroule la représentation » ; 1637, Crespin, « partie d'un acte » ; 1782, Genlis, « violente apostrophe » ; *mettre en scène,* milieu XVIIIe s. ; *mise en scène,* 1835, *Acad.,* théâtre ; 1906, *le Progrès de Lyon,* cinéma ; *metteur en scène,* XIXe s. ; cinéma, 1908, Babin ; *faire une scène à,* fin XVIIIe s. ; *scène de ménage,* 1875, Lar. ; lat. *scena,* du gr. *skênê.* || **avant-scène** milieu XVIe s., proscenium ; 1835, *Acad.,* loge. || **scénique** 1375, R. de Presles ; rare avant le XVIIIe s. ; lat. *scenicus,* du gr. *skenikos.* || **scénographie** 1547, J. Martin, archit. ; lat. *scenographia.* || **scénographique** 1762, *Acad.* || **scénologie** 1964, Lar., théâtre.

sceptique 1546, M. de Saint-Gelais, philos. ; 1746, Diderot, « qui doute » ; gr. *skeptikos,* « observateur », de *skepsesthai,* observer (les sceptiques grecs se piquaient d'observer sans rien affirmer). || **scepticisme** 1669, Sprat. || **sceptiquement** 1842, *Acad.*

sceptre 1080, *Roland ;* lat. *sceptrum,* du gr. *skeptron,* « bâton ».

schabraque 1800, Boiste, milit., couverture de la selle ; all. *Schabracke,* du turc *tchaprak,* par l'intermédiaire du hongrois.

schah ou **chah** 1546, Geuffroy (*siach*) ; 1653, de La Boullaye (*schah*) ; mot persan signif. « roi ». (V. ÉCHEC.)

schako ou **shako** 1761, de Montandre ; hongrois *csákó,* coiffure des hussards hongrois.

scheidage 1876, Lar. ; all. *scheiden,* séparer.

schéma 1586, Ronsard (*scheme*), rhét. ; rare avant 1765, *Encycl.* (*schème*), géom. ; 1829, Boiste (*schéma*), rhét. ; XIXe s., structure ; lat. *schema,* manière d'être, et figure de géom. ou de rhét., du gr. *skhêma.* || **schème** 1586, Ronsard, « figure de mots » ; 1800, Boiste, philos. kantienne. || **schématiser** 1800, Boiste, philos. kantienne ; d'après bas lat. *schematizare* ou gr. *skhematizeîn.* || **schématisme** 1635, d'après *Encycl.,* géom. ; 1800, Boiste, philos. ; 1907, Lar., « simplification » ; d'après bas lat. *schematismus* ou gr. *skhêmatismos.* || **schématique** 1378, J. Le Fèvre, « simplifié » ; 1898, *Acad.,* philos. || **schématisation** 1900, d'après P. Robert.

scherzando 1842, *Acad. ;* mot ital., de *scherzare,* plaisanter. || **scherzo** 1842, *Acad. ;* mot ital.

schibboleth 1778, Voltaire, épreuve décisive ; mot hébreu signif. « épi » (d'après un récit de la Bible [Juges, XII, 6] : les gens de Galaad, en guerre avec ceux d'Éphraïm, les reconnaissaient à ce qu'ils prononçaient mal ce mot).

schiedam 1842, *Acad. ;* néerl. *Schiedam,* nom de la ville des Pays-Bas où se fabrique cette eau-de-vie.

schisme 1160, Benoît (*cisme*) ; 1549, R. Est. (*schisme*), eccl. ; lat. eccl. *schisma,* du gr. eccl. *skhisma,* « séparation », de *skhizeîn,* fendre. || **schismatique** 1196, B. W. (*cimatique*) ; XIIIe s. (*scismatique*) ; 1562, Richard (*schismatique*) ; lat. eccl. *schismaticus,* du gr. eccl. *skhismatikos.*

schiste 1554, Aneau (*sciste*) ; 1742, d'Argenville (*schiste*) ; lat. *schistus* (*lapis*), du gr. *skhistos,* qu'on peut fendre, de *skhizeîn,* fendre. || **schisteux** 1758, Valmont (*schiteux*). || **schistosité** 1870, L. || **schistoïde** 1836, Landais. || **schistifier** 1964, Lar. || **schistification** 1923, Lar.

schizo-, gr. *skhizein,* séparer, fendre. || **schizocéphale** 1870, L. || **schizogamie** 1933, Lar. || **schizogone** 1904, Lar. || **schizophrène** v. 1920, *Journ. de psychol. ;* gr. *phrên, phrênos,* pensée. || **schizophrénie** 1917, Rogues. || **schizothymie** 1964, Lar. ; gr. *thumos,* désir.

schlague 1815, *Nain jaune ;* all. *Schlag,* « coup » (châtiment corporel infligé aux soldats allemands) ; a pris aussi le sens de « bâton ».

schlass 1879, Esnault ; all. *schlass,* fatigué.

schlich 1750, König, minér. ; mot all., de *schleichen,* se glisser.

schlinguer 1845, Besch., « puer » ; all. *schlingen,* « avaler » ; sens fr. d'apr. « puer de la bouche ».

schlitte 1864, Erckmann-Chatrian (*schlitt*), *l'Ami Fritz,* traîneau ; mot vosgien, de l'all. *Schlitten,* « traîneau », introduit par les bûcherons alsaciens. || **schlittage** 1870, L. || **schlitteur** 1789, Dietrich. || **schlitter** 1876, Lar.

schnaps XVIIIe s., Boufflers, pop., eau-de-vie ; mot all. introduit par les mercenaires, de l'all. *schnappen,* aspirer.

schnick fin XVIIIe s., *Mém. du sergent Bourgogne,* pop., eau-de-vie ; mot alsacien.

schnock 1863, Esnault ; orig. inconnue.

schnorchel v. 1949, Lar., mar. ; mot all. ; tube de sous-marin.

schooner 1801, B. W., mar. ; mot angl. ; petit bâtiment à deux mâts.

schorre 1572, Granvelle ; moyen néerl. *schor,* alluvion.

schupo 1925, P. Morand ; mot all., abrév. de *Schutzpolizei,* police de protection.

schuss 1933, *FEW,* terme de ski ; mot all. signif. « élan ».

Scialytique 1923, Lar., techn. ; gr. *skia,* ombre ; nom déposé désignant un type d'éclairage intense.

sciatique XIIIe s. (*ciatique*) ; bas lat. *sciaticus,* altér. de *ischiadicus,* du gr. *iskhiadikos,* de *iskhias, -ados,* sciatique, de *iskhion,* hanche.

scie V. SCIER.

sciemment XIIIe s., *Renart* (*essiament*) ; 1375, R. de Presles (*sciemment*) ; d'après l'adv. lat. *scienter,* du lat. *sciens, scientis,* part. prés. de *scire,* savoir (v. SCIENCE).

science 1080, *Roland ;* lat. *scientia,* de *sciens, -entis,* part. prés. de *scire,* savoir (v. le précéd.) ; *sciences naturelles,* fin XVIIe s. ; *morales, économiques, politiques,* 1777, Castillon-Sommereul ; *expérimentales, physiques,* milieu XIXe s. ; *humaines,* 1690, Furetière. || **science-fiction** 1953, *journ.* || **scientifique** 1370, Oresme ; milieu XVe s., « savant » ; bas lat. *scientificus* (VIe s., Boèce, créé pour traduire Aristote). || **scientificité** 1968, Lar. || **scientifiquement** début XVIe s. || **scientiste** 1898, R. Rolland, philos. || **scientisme** 1911, Lalande. || **prescience** fin XIIe s., théol. ; 1700, ext. de sens.

sciène 1771, Trévoux ; gr. *skiaina,* ombre (poisson), de *skia,* obscurité. || **sciénoïdes** 1839, Boiste.

***scier** 1120, *Ps. d'Oxford* (*seier*) ; XIIIe s. (*sier*), d'après *scie ;* XIVe s. (*scier*), d'après *scieur,* où le *c* a été introduit pour éviter l'homonymie avec *sieur ;* lat. *sĕcare,* couper, qui a éliminé *serrāre.* || scie fin XIIe s., Simud (*sie*). || **sciage** 1294, G. (*soiage*). || **sciant** 1842, *Acad.,* « insupportable ». || **scieur** milieu XIIIe s. || **scieuse** XXe s., machine à scier. || **scierie** 1421, G. (*soierie*) ; 1801, Mercier (*scierie*) ; *moulin à scier,* 1690, Furetière. || **sciure** 1270, Espinas.

scille XIIIe s., *Simples Méd.* (*esquille*) ; 1611, Cotgrave (*scille*), bot. ; lat. *scilla,* du gr. *skilla.*

scinder 1539, *Anc. Lois,* « retrancher » ; rare avant 1791, Mirabeau, « couper, diviser » ; lat. *scindere,* fendre (v. SCISSION).

scinque 1611, Cotgrave, zool. ; lat. *scincus,* du gr. *skigkos ;* saurien du Levant.

scintiller XIIIe s., *Roman de la Rose* (*sintiller*) ; XVIe s. (*scintiller*) ; lat. *scintillare,* de *scintilla* (v. ÉTINCELLE). || **scintillant** adj., milieu XVIe s. || **scintillation** 1490, Molinet. || **scintillement** 1764, Bonnet. || **scintigraphe** 1968, Lar.

scio-, gr. *skia,* ombre. || **sciographe** 1829, Boiste. || **sciographie** 1614, C. de Nostredame. || **sciomancie** 1546, Rab.

scion XIIe s., *Merangis* (*cion*) ; francique **kīth,* « rejeton », avec le suff. dimin. *-on.*

scirpe 1765, *Encycl.* (*scirpus*) ; 1800, Bomare, bot. ; lat. *scirpus,* jonc.

scission XIVe s., « division » ; 1495, J. de Vignay, « action de scinder » ; 1517, La Curne, « séparation dans une assemblée, dans un parti » ; bas lat. *scissio,* de *scissus,* part. passé de *scindere* (v. SCINDER). || **scissile** 1561, Du Pinet ; bas lat. *scissilis.* || **scissure** 1314, Mondeville, anat. ; bas lat. *scissura.* || **scissionnaire** 1792, Ranft. || **scissionniste** 1964, Lar. ; a remplacé *scissionnaire.* || **scissipare** 1855, Nysten ; lat. *parĕre,* enfanter. || **scissiparité** *id.*

sciure V. SCIER.

sciuridés 1876, Lar., zool. ; lat. *sciūrus,* écureuil (v. ÉCUREUIL).

sclér(o)-, gr. *skleros,* dur. || **scléranthe** 1827, *Acad. ;* gr. *anthos,* fleur. || **sclérectomie** 1871, L. || **sclérenchyme** 1870, L. ; gr. *egkhuma,* effusion, de *kheîn,* verser. || **scléreux** 1830, *Dict. méd.* || **scléroderme** 1876, Lar. || **sclérome** 1752, Trévoux. || **sclérophylle** 1871, L. || **sclérophyte** 1964, Lar. ; gr. *phuton,* plante. || **sclérotique** 1314, Mondeville ; lat. médiév. *sclerotica,* du gr. *sklêrotês,* dureté. || **sclérose** 1812, Mozin, méd. || **artériosclérose** 1833, J. F. Lobstein. || **scléroser (se), sclérosé** 1867, Virchow.

scolaire 1807, Michel (*scholaire*) ; 1829, Boiste (*scolaire*) ; *année scolaire,* 1829, Boiste ; bas lat. *scholaris,* de *scola,* école, mot gr. || **scolairement** 1933, Lar. || **postscolaire** 1899, *Rev.* || **scolarité** 1383, *Lettres de Charles VI,* « privilège des étudiants » ; 1867, *le Moniteur univ.,* « durée des études » ; lat. médiév. *scholaritas,* « état d'écolier ». || **scolariser** 1904, Frapié. || **scolarisation** 1955, *journ.* (V. ÉCOLE.)

scolastique XIIIe s., adj., au sens de « d'école » ; milieu XVe s., « propre à un professeur » ; 1625, Stoer, « propre à l'enseignement des écoles », théol. ; 1690, Furetière, n. f., philos. médiév. ; 1865, Cl. Bernard, adj. et n. f., « formaliste, traditionaliste » ; lat. *scholasticus,* du gr. *skholastikos,* « relatif à l'école ». (V. SCOLAIRE et ÉCOLE.)

scolie 1546, G. Le Rouillé (*scholie*) ; 1680, Richelet (*scolie*), note de commentateur ;

gr. *skholion,* explication, de *skholê,* école. || scoliaste 1552, Rab. (*scholiaste*) ; 1674, Bayle (*scoliaste*) ; gr. *skholiastês.*

scoliose 1836, Landais, méd. ; gr. *skoliôsis,* de *skolios,* oblique, tortueux. || **scoliotique** 1857, Remak.

scolopendre 1314, Mondeville (*scolopendrie*), bot. ; XVe s., serpent fabuleux ; 1552, Rab., sorte de mille-pattes ; lat. *scolopendrion, scolopendra,* mot gr.

scolyte 1762, Geoffroy (*scolytus*) ; orig. incertaine, p.-ê. du gr. *skôlêx,* ver.

scombre 1646, S. Gaudon, zool. ; lat. *scomber,* du gr. *skombros.* || **scombridés** 1812, Mozin (*scombéroïdes*) ; 1933, Lar. (*scombridés*).

sconse 1764, Buffon (*scunk*) ; 1964, Lar. (*sconse*), fourrure ; angl. *skunks,* pl. pris pour sing., de l'algonquin du Canada.

scoop 1966, *journ.* ; mot angl.

scooter 1949, Lar. ; mot angl. signif. « trottinette », puis « motocyclette ». || **scootériste** 1955, Gilbert.

scopolia 1876, Lar. ; du n. du naturaliste *G. A. Scopoli.*

scorbut 1557, L'Escluse (*sacerbuyte*) ; lat. médiév. *scorbutus,* de l'anc. suédois *skôrbjug,* œdème dû au caillé, de *skyr,* lait caillé, et *bjúgr,* œdème, cette maladie étant alors propre aux peuples du Nord. || **scorbutique** 1642, Falconet. || **antiscorbutique** *id.*

score 1911, Bonnafé ; 1968, *journ.,* nombre de voix ; mot angl. signif. « compte, nombre de points obtenu par chaque adversaire ».

scorie fin XIIIe s., « alluvion » ; 1555, Aneau, métall. ; lat. *scoria,* du gr. *skôria.* || **scoriacé** 1775, Robert. || **scorifier** 1750, Kœnig. || **scorification** *id.*

scorpène 1552, Rab., ichtyol. ; lat. *scorpaena* (Ier s., Pline), du gr. *skorpaina.* || **scorpénidés** 1964, Lar.

scorpion 1119, Ph. de Thaon (*scorpium*) ; début XIIe s., Studer (*scorpion*) ; lat. *scorpio* (Ier s., Pline), du gr. *skorpiôn.* || **scorpionidés** 1819, *Nouv. Dict. d'hist. nat.* (*scorpionides*) ; 1875, Lar. (*scorpionidés*).

scorsonère 1572, Des Moulins (*scorzonera*) ; 1608, J. Du Chêne (*scorsonère*), bot. ; catalan *escurçonera,* de *escurço,* serpent venimeux dont la scorsonère aurait été l'antidote, de *scorto,* « court », bas lat. *curtiō,* de *curtus,* court, par le lat. scientifique.

Scotch 1964, Robert, papier gommé ; nom déposé ; mot anglo-américain, de *to scotch,* enrayer. || **scotcher** 1965, *journ.*

scotie 1642, Oudin, archit., moulure ; lat. *scotia,* mot gr.

scotome 1855, Nysten ; bas lat. *scotôma,* vertige, de *skotos,* obscurité. || **scotomiser** 1975, Lar. || **scotomisation** *id.*

scottish 1850, *le Charivari* (*schotich*) ; 1871, L. (*scottish*) ; mot angl. signif. « (danse) d'Écosse », avec d'abord une orthogr. *sch-,* parce que cette danse écossaise était venue en France par l'interméd. de l'Allemagne.

scout, scoutisme V. BOY.

scraber 1876, Lar., techn. ; néerl. *schrabben,* gratter. || **scrabe** 1876, Lar. ; déverbal.

scraper 1949, Lar., techn. ; mot angl. signif. « racleur » ; engin de terrassement.

scratch 1891, Bonnafé ; angl. *scratch,* « raie » ; ligne de départ, en cyclisme. || **scratcher** XXe s.

scribe 1375, R. de Presles, « docteur de la Loi chez les anc. Juifs » ; milieu XVe s., copiste ; lat. *scriba,* greffier, etc., de *scribere,* écrire. || **scribouiller** 1849, Esnault ; de *scribe* et *gribouiller.* || **scribouilleur** fin XIXe s. || **scribouillard** 1914, Esnault. || **scribouillage** 1849, Larchey.

script 1788, *Doc.,* n. m., financ. ; 1933, Lar., adj., *écriture script ;* lat. *scriptum,* part. passé substantivé de *scribere,* écrire.

scripteur 1355, Bersuire, eccl. ; lat. *scriptor,* celui qui écrit, de *scribere,* écrire.

script-girl 1929, Guetta, cinéma ; mot angl., proprem. « jeune fille (chargée du) scénario ». || **script** n. f. ; abrév.

scripturaire 1721, Trévoux ; lat. *scriptura,* écriture, de *scribere,* écrire. || **scriptural** adj., 1350, Foix, qui sert à écrire ; 1842, *Acad.,* « relatif aux saintes Écritures » ; 1933, Lar., financ., en parlant de la monnaie.

scrofules 1363, Chauliac (*scrophules*) ; bas lat. *scrŏfŭlae* (IVe s., Végèce) [v. ÉCROUELLES]. || **scrofuleux** *id.* (*scrophuleux*). || **scrofulaire** XVe s., *D. G.,* bot. ; lat. médiév. *scrofularia* (cette plante passant pour guérir les écrouelles). || **scrofulariacées** 1842, *Acad.* (*scrofulariées*) ; 1871, L. (*scrofulariacées*).

scrotum 1541, Canappe, anat. ; mot lat. || **scrotal** 1538, Canappe.

scrupule 1375, R. de Presles ; 1549, M. de Navarre, « embarras » ; lat. *scrūpulus,* « caillou pointu », au fig. « inquiétude ». || **scrupule** 1350, *Romania,* « petit poids », chez les Romains ; lat. *scrupulum,* de même rad. que *scrupulus.* || **scrupuleux** fin XIIIe s. ; lat. *scrupulosus.* || **scrupuleusement** 1375, R. de Presles. || **scrupulosité** 1395, Boutillier.

scruter 1501, Le Roy ; rare jusqu'au XVIIIe s. ; lat. *scrutari,* « fouiller ». || **scrutateur** 1495, J. de Vignay, sens gén. ; 1680, Richelet, « qui dépouille un scrutin », d'après *scrutin ;* 1907, Lar., appareil, techn. ; lat. *scrutator,* qui fouille. || **scrutation** 1859, Mozin. || **inscrutable** XVe s., Delb. ; lat. *inscrutabilis.*

scrutin milieu XIIIe s., Rutebeuf (*crutine*) ; 1465, Bartzsch (*scrutin*), « action de scruter » ; XVIIIe s., abbé de Saint-Pierre, polit. ; bas lat. *scrutinium,* « action de fouiller, d'examiner », de *scrutari,* scruter. || **scrutiner** 1398, Chastellain, « examiner » ; 1794, Frey, polit.

scull 1887, Bonnafé, rame ; mot angl.

sculpter début XVe s. ; réfection, d'après *sculpteur, sculpture,* de *sculper* (1694, *Acad.*), du lat. *sculpere.* || **sculpteur** 1400, A. Thierry ; lat. *sculptor,* de *sculpere,* sculpter. || **sculpture** 1380, *Aalma* (*sculpure*) ; 1525, J. Lemaire de Belges (*sculpture*) ; lat. *sculptura.* || **sculptural** 1788, Féraud.

scurrile 1495, J. de Vignay, adj., « bouffon » ; lat. *scurrilis,* de *scurra,* n. m., bouffon. || **scurrilité** 1501, Le Roy ; lat. *scurrilitas.*

scutellaire 1829, Bory, bot. ; lat. *scutellum,* dimin. de *scutum,* écu, bouclier. || **scutelliforme** 1871, L. || **scutiforme** 1538, Canappe, anat.

scyphozoaires 1933, Lar. ; gr. *skuphos,* vase, et *zoon,* animal.

scytale 1372, Corbichon (*scitale*), serpent ; 1587, Vigenère, archéol. ; lat. *scytala,* du gr. *skutalê.*

***se** 980, *Valenciennes,* forme atone du pr. pers. réfléchi de 3e pers. ; de l'acc. lat. *sē,* en position non accentuée. || **soi** XIIe s., *Lois de Guill.* (*sei*) ; de *sē,* en position accentuée. (V. ME, TU.)

séance 1253, Th. de Champagne, « convenance » ; XIIIe s., « situation » ; fin XVIe s., « fait d'être assis » ; 1356, Isambert, « durée d'une opération » ; 1636, Monet, « réunion » ; de *seoir* (jusqu'à la fin du XVIe s.), « être assis », lat. *sedēre.* || **préséance** 1580, Montaigne.

***séant** 1050, *Alexis,* « assis » ; 1360, Froissart, « convenable » ; n. m., 1130, *Eneas* (*en son séant*) ; anc. part. prés. de *seoir* (v. le précéd.) ; *sur son séant,* 1265, J. de Meung. || **malséant** 1165, G. d'Arras. || **bienséant** XIIIe s. || **bienséance** 1539, R. Est. || **messéant** fin XIIe s., R. le Diable. (V. SEYANT.)

***seau** XIIe s. (*scel*) ; lat. pop. **sĭtellus,* du lat. class. *sitella ; il pleut à seaux,* 1690, Furetière.

sébacé 1735, Heister ; lat. impér. *sebaceus* (IIe s., Apulée), de *sebum* (v. SUIF).

sébeste 1256, Ald. de Sienne, bot. ; ar. *sebestan.* || **sébestier** 1553, *Revue.*

sébile 1417, B. W. ; étym. ar. douteuse.

sébum 1878, Lar., physiol. ; mot lat. signif. « suif » (v. SUIF). || **séborrhée** 1868, *Journ. méd.* || **séborrhéique** 1933, Lar.

***sec** 980, *Valenciennes ;* lat. *sĭccus ;* fém. *sèche,* de *sĭcca ; à sec,* XIVe s. ; *en cinq sec,* 1870, L., d'abord loc. de jeu (*sec* se disant d'une partie unique et sans revanche). || **assec** XIXe s., temps d'asséchage (d'un étang). [V. SÉCHER.]

sécable 1691, Ozanam ; lat. *secabilis,* « qui peut être coupé », de *secāre,* couper (v. SCIER). || **sécabilité** 1975, *Lexis.* || **sécant** 1542, Bovelles ; lat. *secans, -antis,* part. prés. de *secare.* || **sécante** n. f., 1634, Stevin, géom. ; fém. substantivé de *sécant.* || **sécateur** 1827, *Annales chimie ;* de *secare,* d'après les noms en *-teur, -ateur.* || **insécable** 1570, G. Hervet ; lat. *insecabilis.*

sécante V. SÉCABLE.

sécession 1355, Bersuire (*cecession*), « sédition » ; XVIe s., *faire sécession ;* XVIIe s., Peiresc, hist. rom. (retraite de la plèbe sur le mont Sacré en 493 av. J.-C.) ; 1866, Lar., *guerre de sécession,* calque de *war of secession ;* lat. *secessio,* de *secedere,* « se séparer ». || **sécessionnisme** 1970, Robert. || **sécessionniste** 1861, Mackenzie.

***sécher** 1120, *Ps. d'Oxford,* v. tr. et intr. ; lat. *siccāre,* de *sĭccus* (v. SEC). || **sèche** 1515, Du Redouer, bas-fond ; 1881, Rigaud, cigarette ; déverbal. || **sécheresse** 1120, *Ps. de Cambridge.* || **séchage** 1339, G. || **sécherie** 1333, *FEW.* || **sécheur** 1611, Cotgrave. || **séchoir** 1660, Oudin. || **sèche-cheveux** 1933, Lar. || **assécher** 1120, *Ps. d'Oxford ;* lat. *assĭcāre,* de *siccare.*

|| assèchement 1549, Tagault. || dessécher 1170, *Rois.* || dessèchement 1363, Chauliac.

second 1119, Ph. de Thaon (*secunt*) ; 1155, Wace (*second,* avec *c* d'après le lat.) ; *en second,* 1690, Furetière ; lat. *secundus,* suivant, second, de *sequi,* suivre. || **seconde** n. f., 1671, Pomey, division du temps ; lat. *minuta secunda,* par oppos. à *minuta prima,* « minute » ; 1765, *Encycl.,* classe ; 1964, Lar., autom. || **secondaire** 1287, texte de Dinant ; lat. *secundarius,* de second rang ; fin XVIIIe s., Brunot, empl. pour l'enseignement. || **secondairement** 1377, Oresme. || **secondarité** 1945, Le Senne. || **seconder** XIIIe s., « répéter » ; XIVe s., « venir après » ; début XVIe s., « aider » ; lat. *secundare,* « favoriser ». || **secondine** 1372, Corbichon, anat. ; bas lat. méd. *secundinae.*

secouer 1532, Rab. ; réfection, par changement de conjugaison et d'après les formes *secouons,* etc., de l'anc. fr. *secourre,* du lat. *succŭtĕre.* || **secouage** 1875, *J. O.* || **secouée** fin XVIe s., « saccade ». || **secousse** XVe s., A. de La Sale, fém. substantivé de l'anc. part. passé *secous* (1215) ; lat. *succussus,* de *succŭtĕre.* || **secouement** 1538, R. Est. || **secoueur** 1611, Cotgrave.

secourir 1080, *Roland* (*secorre*) ; 1410, G. (*secourir*), réfection de l'anc. fr. *secourre* (lat. *succurere*), d'après *courir.* || **secoureur** 1160, Benoît. || **secourisme** 1946, Deniker. || **secouriste** 1750, Brunot. || **secours** 1050, Sponsus (*socors*) ; fin XIIe s., *Floovant* (*secours*) ; *de secours,* 1559, du Bellay.

secousse V. SECOUER.

secret 1175, Chr. de Troyes, adj. ; prison, 1734, Lesage ; *être du secret,* 1690, Furetière ; *le secret du cœur,* 1560, *Bible ; en secret,* 1538, R. Est. ; *sous le sceau du secret,* fin XVIIe s. ; lat. *secretus,* « séparé », part. passé de *secernere,* écarter ; n. m., 1112, *Voy. saint Brendan,* du singulier *secretum,* neutre substantivé de l'adj. (V. SÉGRAIS.)

secrétaire 1180, *Vie de saint Évroult,* « tabernacle » ; fin XIIe s., « dépositaire de secrets, confident », encore au XVIIe s. (Corneille) ; 1360, Froissart, « celui qui rédige pour un autre » ; 1765, Sedaine, meuble ; lat. médiév. *secretarius,* de *secretus* (v. le précéd.) ; *secrétaire d'État,* 1570, Carloix, d'après l'esp. *secretario de estado ;* a remplacé *secrétaire des commandements.* || **secrétairerie** 1407, *Mémoires.* || **secrétariat** 1538, *Revue.* || **sous-secrétaire** 1640, Oudin. || **sous-secrétariat** 1834, Landais.

sécréter V. SÉCRÉTION.

sécrétion 1495, B. W., « séparation » ; 1711, Winslow, sens actuel ; lat. *secretio,* « séparation », « dissolution », de *secretus,* part. passé de *secernere,* écarter (v. les précéd.). || **sécréteur** 1560, Paré. || **sécrétoire** 1710, Hecquet. || **sécréter** 1798, *Bull. sciences.* || **sécrétine** 1902, d'après P. Robert.

secte 1155, Wace (*siecte*), « doctrine » ; XIVe s., Tobler-Lommatzsch, secte religieuse ; lat. *secta,* de *sequi,* suivre. || **sectateur** 1403, *Internele Consolacion ;* lat. *sectator,* de *sectari,* suivre, de *secta.* || **sectaire** 1566, Richard, « partisan fougueux » ; fin XIXe s., « intolérant ». || **sectarisme** 1891, Bonnejoy.

secteur 1542, Bovelles, géom. ; 1871, L., milit. ; 1939, Giraudoux, admin. ; lat. *sector,* « celui qui coupe », et géom., en bas lat., de *secare,* couper (v. SÉCABLE). || **sectile** 1560, Paré. || **sectoriser** 1975, *Lexis.* || **sectorisation** 1968, *Journ.* || **sectoriel** 1964, Lar. || **section** milieu XIVe s., géom. et méd., action de couper ; 1660, Pascal, division d'un traité ; 1871, L. ; 1790, Brunot, admin. ; 1798, Schwan, milit. ; 1862, Hugo, polit. ; lat. *sectio,* « action de couper ». || **sectionner** 1796, *le Néologiste fr.* || **sectionnement** 1871, L. || **sectionnaire** 1789, admin. polit. || **sectionneur** 1924, Poiré, électr. || **bissecteur** 1864, L. || **bissection** 1829, Boiste. || **intersection** 1380, Conty, « coupure » ; 1640, Oudin, géom. ; lat. *intersectio.*

séculaire 1550, Rab. ; lat. *saecularis,* de *saeculum,* siècle. (V. SIÈCLE.)

séculier 1190, Garn. (*seculer*) ; 1265, J. de Meung (*séculier,* par changem. de suff.) ; lat. eccl. *saecularis,* de *saeculum,* siècle, au sens de « monde, vie mondaine ». || **séculièrement** 1190, Garn. || **sécularité** 1170, *Vie d'Édouard ;* lat. eccl. *saecularitas.* || **séculariser** 1586, Crespet. || **sécularisation** 1567, Papon.

secundo 1534, Rab. ; abrév. de la loc. lat. *secundo loco,* en second lieu. (V. PRIMO, TERTIO.)

sécurité début XIIIe s., usuel seulement au début du XVIIe s. ; lat. *securitas,* de *securus,* sûr, pour exprimer une nuance différente de *sûreté ; sécurité militaire, sécurité sociale,* 1945. || **sécuriser** 1969, *journ.* || **sécurisation** 1968, H. Lefebvre. || **sécurisant** 1967, *la Nef.* || **insécurité** 1794.

sedan 1808, Boiste ; du nom de *Sedan,* ville où se fabrique ce drap.

sédatif 1314, Mondeville ; lat. médiév. *sedativus,* de *sedare,* calmer. || **sédation** *id.*

sédentaire 1492, B. W., « qui demeure habituellement assis » ; 1555, Vidius, sens actuel ; lat. *sedentarius,* de *sedere,* être assis (v. SEOIR). || **sédentarité** 1819, Boiste. || **sédentariser** 1910, *L. M.* || **sédentarisation** 1959, *journ.*

sedia gestatoria 1904, Lar. ; loc. ital. signif. « chaise à porteurs », de *sedia,* chaise, et *gestatoria,* qui sert à porter.

sédiment 1560, Paré, méd., « dépôt d'urine » ; 1715, autres empl. techn., notamment géol. ; lat. *sedimentum,* « affaissement », à la place du lat. méd. *sedimen,* « dépôt d'urine », de *sedere* au sens de « se poser, s'affaisser ». || **sédimentaire** 1838, *Acad.* || **sédimentation** 1871, L., géol. ; 1953, Lar., méd. || **sédimentologie** 1964, Lar.

sédition 1213, *Fet des Romains ;* lat. *seditio,* de *ire,* aller, et de l'anc. préf. *se(d)*- exprimant la séparation. || **séditieux** 1355, Bersuire ; lat. *seditiosus.*

séduire 1112, *Voy. saint Brendan,* « corrompre » ; 1460, Chastellain, « tromper » ; 1538, R. Est., « amener à faute » ; 1698, Boileau, « charmer » ; réfection, d'après le lat. eccl. *seducere,* de l'anc. fr. *souduire* (XIIe s., *Th. le Martyr*), du lat. *subducere,* proprem. « retirer », puis « séduire ». || **séduisant** adj., 1542, Dolet ; a éliminé l'anc. fr. *souduiant.* || **séducteur** 1370, Oresme ; lat. eccl. *seductor.* || **séduction** 1160, Benoît, « fait d'amener à faute » ; 1734, Voltaire, « charme » ; lat. eccl. *seductio* (en lat. class., sens propre, « action de tirer de côté »).

ségala 1868, Heuzé ; mot occitan, de *segel,* seigle, du lat. *secale.*

segment 1596, Hulsius, techn. ; lat. *segmentum,* « morceau coupé », de *secare,* couper (v. SÉCABLE, SECTEUR). || **segmentaire** 1838, *Acad.* || **segmenter** 1877, *J. O.* || **segmentation** 1878, Lar. || **segmental** 1964, *journ.*

ségrais 1690, Furetière ; anc. fr. *segrei, segrai,* forme francisée de *secret* (v. ce mot). || **ségrairie** 1286, du Cange. || **ségrayer** 1336, G.

ségrégation 1374, G. (*-cion*) ; 1550, Meigret (*-tion*) ; repris, au XXe s., dans *ségrégation raciale ;* lat. *segregatio,* de *grex, gregis,* troupeau, et du préf. anc. *se-,* à part. || **ségréger** fin XIVe s. ; lat. *segregare.* || **ségrégatif** 1368, *Bull. hist.* || **ségrégabilité** 1964, Lar. || **ségrégationniste** 1964, Lar. || **ségrégationnisme** 1964, Lar., polit.

séguedille 1630, Chapelain (*séguidille*) ; 1687, *Nouv. Méth. pour la langue esp.* (*séguedille*) ; esp. *seguidilla,* dimin. de *seguida,* suite, de *seguir,* suivre, du lat. *sequi,* de même sens.

***seiche** fin XIIe s., Helinant ; lat. *sēpia.* (V. SÉPIA.)

séide 1816, Rigonner ; du nom de *Séide,* affranchi de Mahomet, à qui il était aveuglément soumis, l'un des personnages du *Mahomet* de Voltaire (1741) ; ar. *Zayd.*

seigle 1175, Chr. de Troyes (*soigle*) ; lat. *sĕcăle,* « ce qu'on coupe », de *secāre,* couper, ou empr. au prov. *segle.*

***seigneur** 842, *Serments* (*sendra,* cas sujet ; v. SIRE, SIEUR) ; 980, *Passion* (*senior*) ; 1080, *Roland* (*seignur,* cas régime) ; ce dernier du lat. *seniōrem,* acc. de *senior,* « plus âgé », comparatif de *senex,* vieillard ; a pris un sens partic. pour remplacer les formes issues du lat. *dominus* (v. DAM, DOM). || **seigneurie** 1155, Wace (*seignorie*). || **seigneurial** XIIIe s.

***seille** XIIe s., *Rom. d'Alexandre,* « seau » ; lat. *sĭtŭla* (v. SEAU). || **seillerie** loi du 5 août 1821.

***seime** début XVIIe s., malformation du cheval ; probablem. fém. substantivé de l'anc. fr. **seim,* puis *sein,* « mutilé », du bas lat. *sēmus,* incomplet, de *semis,* moitié.

***sein** 1120, Bartzsch, mamelle ; 1578, d'Aubigné, fig. ; lat. *sĭnus,* « pli, courbure », « poitrine » (v. SINUEUX).

***seine** ou **senne** 1268, É. Boileau (*saime,* par altér.) ; 1693, *Termes* (*seine*) ; 1765, *Encycl.* (*senne*) ; sorte de filet ; lat. *sagēna* (Ier s., Manilius), du gr. *sagênê.*

***seing** 1160, Benoît ; lat. *sĭgnum,* signe ; conservé seulem. dans *sous seing privé* (1690, Furetière). || **contre-seing** 1350, La Curne. (V. SIGNE, TOCSIN.)

séisme fin XIXe s., Lar. ; gr. *seismos,* tremblement de terre (avec transcription littérale de *-ei-,* d'où la prononc. d'après les mots en *-isme),* de *seieîn,* secouer. || **sismique** 1871, L. || **sismographe** *id.* || **sismicité** 1904, Lar. || **sismogramme** 1904, Lar. || **sismographie** 1902, Jarry. || **sismologie** 1904, Lar. || **sismomètre** 1888, Lar. || **sismométrie** 1968, Lar.

***seize** 1155, Wace (*seze*) ; 1273, Adenet (*seize*) ; lat. *sēdecim,* de *sex,* six, et *decem,* dix. || **seizième** 1138, Gaimar (*sezisme*) ; 1487, Garbin (*seizième*) ; pour le suff., v. CENTIÈME. || **seizain** 1505, G. || **seiziémiste** 1964, Robert.

***séjourner** fin XIe s., *Chanson Guillaume* (*sojorner*) ; début XIIIe s., *Renart* (*séjourner,* par dissimilation) ; lat. pop. **subdiurnāre,* durer un certain temps, d'où « séjourner », du bas lat. *diurnare,* durer longtemps, de *diurnus* (v. JOUR). || **séjour** 1080, *Roland* (*sujurn*) ; 1138, Gaimar (*sejor*) ; début XIIIe s., *Galeran* (*séjour*).

***sel** 1112, *Voy. saint Brendan ;* lat. *sal.* || **salière** XIIIe s., *Renart ;* féminin de l'anc. fr. *salier,* du lat. *salarius,* de sel. || **salin** adj., 1454, G. || **salinité** 1867, O. Reclus. || **saline** 1330, du Cange, marais salant ; lat. *salina.* || **salinier** 1252, G., adj. ; XIVe s., du Cange, n. m. || ***salignon** milieu XIIIe s., sel en pain ; lat. pop. **saliniō, -ōnis,* de *salinum,* salière. (V. SALER, SAUGRENU, SAUPIQUET, SAUPOUDRER, SAUNER, etc.)

sélacien 1827, *Acad.,* zool. ; gr. *selakhos,* poisson cartilagineux.

sélage 1615, Daléchamps (*selago*), bot. ; 1819, Boiste (*sélage*) ; lat. *selago,* sabine. || **sélaginelle** 1827, *Acad.*

sélect 1869, Mérimée ; angl. *select,* de choix, du lat. *selectus,* choisi. (V. SÉLECTION.)

sélection 1801, Mercier, élevage ; 1866, *sélection naturelle,* trad. de Darwin ; mot angl., du lat. *selectio, -onis,* choix. || **sélecter** 1964, Lar. || **sélecteur** 1923, Lar. || **sélectif** 1871, L. ; d'après les couples *-ion, -if.* || **sélectivement** 1871, L. || **sélectionner** fin XIXe s. || **sélectionneur** 1923, Lar. || **sélectivité** 1929, *Congrès de radiodiffusion,* radio-électr. || **présélection** 1948, *L. M.*

sélénium 1817, *D. G.,* chim. ; tiré par Berzelius, qui découvrit ce corps, du gr. *selênê,* lune, à cause de ses analogies avec le *tellure,* mot tiré de *tellus,* nom lat. de la Terre, dont la Lune est le satellite. || **sélénieux** 1827, *Ann. chimie.* || **séléniate** 1820, *Dict. méd.* || **séléniure** 1826, *Dict. méd.* || **sélénite** 1611, Cotgrave, sulfate de chaux ; lat. *selenites,* mot gr., nom d'un minéral que l'on croyait soumis à l'influence de la Lune ; 1812, Mozin, « habitant de la Lune ». || **séléniteux** 1757, A. Roux. || **sélénique** 1721, Trévoux, astron. ; 1820, *Dict. méd.,* chim.

séléno-, gr. *selênê,* lune. || **sélénodonte** 1876, Lar. || **sélénographie** 1647, Huygens ; lat. astron. mod. *selénographia.* || **sélénographique** 1690, Furetière. || **sélénolite** 1923, Lar. || **sélénologie** 1975, *Lexis.* || **sélénostat** 1800, Boiste.

self-, angl. *self,* soi-même (même valeur que l'élém. gr. *auto-*). || **self-control** 1883, d'Haussonville. || **self-government** 1835, *Journal des débats.* || **self-induction** 1882, Bonnafé, phys. || **self-service** 1964, Lar.

selinum 1904, Lar. ; 1795, Lamarck (*sélin*), bot. ; lat. *selinum,* persil, mot gr. (V. PERSIL.)

***selle** 1050, *Alexis ;* lat. *sella,* siège, spécialisé en bas lat. ; le sens de « siège » s'est conservé dans : *aller à la selle,* 1398, E. Deschamps (où *selle* signifiait « chaise percée »), d'où le sens physiol. de *selle* (XIVe s.) ; *le cul entre deux selles* (1460, Chastellain). || **sellette** XIIIe s., *Fabliaux* (*selete*), « petit siège de bois », pour les accusés, d'où *mettre, tenir sur la sellette,* 1690, Furetière. || **seller** fin XIe s., *Lois de Guill.* (*selé,* part. passé), équit. || **sellier** XIIe s., *Roman de Thèbes.* || **sellerie** 1319, *D. G.* || **desseller** 1160, Benoît. || **resseller** fin XVIIIe s.

***selon** 1119, Ph. de Thaon (*sulunc*) ; XIIe s., *Saxons* (*selonc*) ; début XIIIe s., *Renart* (*selon*), « le long de », et « d'après » ; *selon que,* 1188, Aimon ; lat. *secundum,* en suivant, et *longus,* long.

Seltz (*eau de*) 1771, Bougainville (*Selse*) ; du nom de *Selters,* village de Prusse, sur l'Ems, qui exportait une eau minérale acidulée ; 1871, L., eau de Seltz artificielle.

semailles V. SEMER.

***semaine** 1050, *Alexis* (*sameine*) ; 1175, Chr. de Troyes (*semaine*) ; lat. eccl. *septimana* (*Code Théodosien*), fém. substantivé de *septimanus,* « relatif à sept » (Ier s., Varron), calque du gr. *hebdomas ; la semaine des quatre jeudis,* 1640, Oudin (*la semaine des trois jeudis*) ; *prêter à la petite semaine,* 1740, *Acad.* || **semainier** fin XIIe s.

sémantique 1561, B. W. (*symentique*) ; n. f., en linguistique, mot créé par Bréal (1883), « science des sens », par opposition à *phonétique,* science des sons ; gr. *sêmantikê,* fém. de *sêmantikos,* « qui indique, qui signifie », de *sêmaineîn,* signifier, de *sêma,* signe ; fin XIXe s., adj. || **sémantiste** 1898, A. Thomas. || **sémanticien** 1933, Lar. || **sémantisme** 1964, Lar. || **sémantème** 1921, J. Vendryes. || **sémème** 1964, Lar. || **sémasiologie** 1888, Lar. ; gr. *sêmatia,* signe, de *sêma,* signe, et *-logie.* || **polysémie** 1913, Nyrop.

sémaphore 1812, Mozin ; gr. *sêma,* signe, et *phoros,* « qui porte ». || **sémaphorique** loi du 28 mai 1829.

***sembler** 1080, *Roland,* « ressembler » (jusqu'au XVIe s.), et « paraître » ; bas lat. *similāre,* ressembler, de *similis,* semblable. || **semblable**

1155, Wace ; 1370, Oresme, n. m. || **semblablement** 1370, Oresme. || **semblant** n. m., 980, *Passion,* « apparition » ; fin XIIe s., Couci, « manière d'être », puis « apparence » ; *faire semblant,* XIIe s. || **semblance** 1119, Ph. de Thaon. || **dissemblable** 1130, *Eneas* (*dessemblable*) ; 1355, Bersuire (*dissemblable*) ; d'après le lat. *dissimilis.* || **dissemblance** 1160, Benoît (*dessemblance,* de *dessembler*) ; 1520, La Roche (*dissemblance,* d'après *ressemblance*). || **ressembler** 1080, *Roland,* sur le sens pr. de *sembler ;* v. tr. jusqu'au XVIIe s. ; XVIe s., *ressembler à.* || **ressemblance** 1265, Br. Latini. || **ressemblant** 1503, Chauliac.

semelle 1268, É. Boileau (*semele*) ; orig. obscure ; peut-être altér. du picard *lemelle,* XIIIe s., « lame », avec substitution à *le-,* senti comme article, d'un **se-* issu du lat. *ipsa,* qui a concurrencé *illa* (de même que *ipse* pour *ille*) dans le nord de la Gaule (v. LE, LA). || **ressemeler** 1423, G. (*rasameler*) ; 1617, Crespin (*ressemeler*). || **ressemelage** 1782, Mercier.

***semence** 1119, Ph. de Thaon ; 1803, Boiste, petits clous ; bas lat. *sēmentia,* pl. neutre, pris comme fém. substantivé, de *sēmentium,* réfection, en bas lat., du lat. class. *sēmentis,* « semailles ». || **semenceau** 1838, *Acad.* || **semencier** 1213, *Fet des Romains.* || **semen-contra** 1560, Paré, pharm., ellipse d'une loc. lat. signif. « semence contre (les vers) ». || **ensemencer** 1355, Bersuire. || **ensemencement** 1552, Ch. Est.

***semer** 1155, Wace ; 1175, Chr. de Troyes, « répandre des bruits » ; 1867, Delvau, « se débarrasser de » ; lat. *sēmināre,* issu de *sēmen, -inis,* semence, et qui a éliminé le lat. class. *serĕre,* de même rac. || **semeur** fin XIIe s., Gui de Cambrai ; lat. *sēminātor.* || **semailles** fin XIIe s., *Dialogues Grégoire ;* lat. pop. *sēminālia,* pl. neutre substantivé de l'adj. *sēminālis.* || **semaison** fin XIIIe s., Rutebeuf. || **semoir** 1328, Varin. || **semis** 1742, Buffon. || **parsemer** fin XVe s.

semestre 1550, Ronsard, adj., « qui dure six mois » ; 1576, *Arrêt Chambre des comptes,* n. m. ; adj. lat. *semestris,* de *sex,* six, et *mensis,* mois. || **semestriel** 1821, Volney (*semestral*) ; 1823, Boiste (*semestriel*). || **semestriellement** 1873, L. || **bimestriel** 1899, Lar.

semi-, préf. ; lat. *semi,* à moitié, demi.

sémillant 1546, Vaganay ; anc. fr. *semilleus,* astucieux (1250, *Bestiaire*), de *semille,* action méchante ; lat. *semen, -minis,* semence.

séminaire 1551, Le Roy, eccl. (les séminaires ont été institués par le concile de Trente, 1545) ; 1893, G. Paris, sens mod. ; lat. *seminarium,* « pépinière » (sens repris v. 1600, O. de Serres, et pendant le XVIIe s.), du lat. *seminare,* semer. || **séminariste** 1609, *Revue.*

séminal 1372, Corbichon ; lat. *seminalis,* de *semen, -inis,* semence. || **sémination** XVIIIe s., *Maison rustique,* vx ; lat. *seminatio.* || **insémination** 1694, Th. Corn., méd. ; 1952, Lar., sens actuel. || **inséminateur** 1962, Lar.

sémio-, séméio-, gr. *sêmeion,* marque, de *sêma,* signe. || **sémiographie** 1836, *Acad.* || **sémiologie** 1752, Trévoux, méd. ; 1916, Saussure, ling. || **sémiologique** 1876, Lar., méd. ; 1916, Saussure, ling. || **sémiotique** 1555, Vide.

semis V. SEMER.

sémite 1845, Besch. ; de *Sem,* nom d'un des fils de Noé, supposé l'ancêtre des peuples sémitiques (Genèse, X). || **sémitique** fin XVIIIe s., *Revue.* || **sémitisant** 1907, Lar., « spécialiste de langues sémitiques ». || **sémitisme** 1862, Renan. || **antisémite** 1891, Drumont ; *sémite* a ici le sens de « juif ». || **antisémitisme** 1886, Drumont.

***semonce** 1050, *Alexis* (*somonse*), « convocation » ; 1673, Retz, avertissement ; fém. substantivé de *semons,* part. passé de l'anc. v. *semondre,* 1080, *Roland* (*sumondre, somondre*), du lat. pop. **sŭbmonēre,* en lat. class. *sŭbmonēre,* « avertir en secret » (cf. *répondre,* pour le changem. de conjugaison, et *séjourner,* pour l'évol. du préf.). || **semoncer** 1542, *Amadis.*

semoule 1505, G. (*symole*) ; 1650, Ménage (*semoule*) ; ital. *semola,* du lat. *simila,* fleur de farine. || **semoulerie** 1934, Quillet.

sempiternel XIIIe s., rare avant le XVIIe s. ; lat. *sempiternus,* de *semper,* toujours, et *aeternus,* éternel, d'après *éternel.* || **sempiternellement** 1546, Rab.

sénaire 1827, *Acad.,* sens gén. ; 1842, *Acad.,* métr. anc. ; lat. *senarius,* adj., de *seni,* six par six, de *sex* (v. SIX).

sénat 1213, *Fet des Romains,* hist. rom. ; XVIe s., appliqué au Sénat de Venise ; 1636, Monet, polit. ; 1800, institution française fondée par Bonaparte ; lat. *senatus,* conseil des vieillards, de *senex,* vieillard. || **sénateur** 1130, *Eneas ;* lat. *senator ;* même évol. de sens. || **sénatorial** début XVIe s. ; d'après le lat. *senatorius.* || **sénatorerie** 1803, *Bull. lois.* || **sénatus-consulte** 1355, Bersuire (*senat-consult,* forme francisée) , 1476,

Bartzsch (*senatus-consulte*), hist. rom. ; v. 1799, polit. fr., repris par Bonaparte ; lat. *senatus consultum,* « décision du sénat ». (V. CONSUL, CONSULTER.)

séné XIIIe s., *Simples Méd.* ; lat. médiév. *sene,* de l'ar. *senā.*

sénéchal XIe s. (*seneschal*) ; francique **sinĭskalk,* latinisé en *siniscalcus* (*Loi des Alamans*), « serviteur (*skalk*) le plus âgé » (gotique *sinista,* aîné) [v. MARÉCHAL]. || **sénéchaussée** 1155, Wace (*seneschaucie*), dignité de sénéchal ; 1208, H. de Valenciennes, circonscription.

séneçon XIIe s., Tobler-Lommatzsch (*senetion*) ; lat. *senecio,* « petit vieillard », de *senex,* vieillard (d'après les poils blancs de la plante au printemps).

sénégali 1760, Brisson (*sénégalis*), ornith. ; de *Sénégal,* d'après *bengali.*

sénégalien 1875, Lar., appliqué aux chaleurs excessives ; dér. de *Sénégal.* || **sénégalais** 1765, *Encycl.*

sénescent XVe s., Molinet, « qui vieillit » ; 1904, Lar., décrépit ; lat. *senescens,* part. prés. de *senescere,* vieillir, de *senex,* vieillard (v. SÉNILE). || sénescence 1876, Luys.

***senestre** 1080, *Roland,* « gauche » ; XVIe s., spécialisé comme terme de blason ou de zool. ; lat. *sinĭster,* proprem. « qui est à gauche ». (V. GAUCHE, SINISTRE.)

sénevé 1256, Ald. de Sienne ; lat. pop. **sinapatum,* du lat. class. *sinapi,* moutarde.

sénile fin XVe s., Dochez, « vieux » ; 1952, Mauriac, péjor. ; rare jusqu'en 1812, Mozin ; lat. *senilis,* de *senex,* vieillard. || **sénilement** fin XIXe s., Daudet. || **sénilité** 1836, Landais.

senior 1890, sport ; lat. *senior,* comparatif de *senex,* âgé. (V. JUNIOR.)

senne V. SEINE.

señora 1830, Musset ; esp. *señora,* madame, du lat. *senior,* plus âgé. || **señorita** 1951, Gide ; dim. de *señora.*

sens 1080, *Roland* ; lat. *sensus,* « action de sentir, organe des sens, sensation, manière de penser, etc. », de *sentire,* sentir ; a absorbé l'anc. fr. *sen,* du francique **sin* (v. ASSENER, FORCENÉ) ; le *s* final ne s'est établi dans la prononc. qu'au XVIIe s. ; au sens de « direction », XIIe s., *sens* est dû à l'anc. *sen,* « chemin, direction » ; au XVIe s., « signification » ; *bon sens,* 1160, G. d'Arras ; *sens commun,* 1534, Rab. ; *reprendre ses sens,* 1667, Racine ; *en ce sens que,* 1859, Sand ; *sens propre, figuré,* 1690, Furetière. || **sensé** 1629, Corneille ; d'après le lat. eccl. *sensatus.* || **insensé** 1481, *Mystère saint Adrien* ; lat. eccl. *insensatus.* || **sensément** 1531, Rab. || **non-sens** fin XIIe s., Guill. le Clerc, « manque de bon sens » en anc. fr. || **contresens** 1560, Pasquier. || **sens devant derrière, sens dessus dessous** 1559, Amyot (avec l'orth. *sans*) ; 1607, Maupas (*sens*) ; altér., par attraction de *sens,* de *cen devant derrière* (1493, Coquillart), où *cen* est une var. de *ce* (*ce devant derrière,* 1283, Beaumanoir), d'après le couple de nég. *nen, ne.* (V. les dérivés suivants.)

sensation 1370, Oresme ; bas lat. *sensatio,* « fait de comprendre » (v. SENS) ; *faire une sensation,* 1762, Voltaire ; *à sensation,* 1877, L. || **sensationnel** fin XIXe s., Lar. ; d'après *faire sensation.* || **sensass** 1955, Esnault. || **sensationnalisme** 1964, *FEW.* || **sensationnaliste** 1965, Revel.

senseur 1975, Lar., techn. ; angl. *sensor,* de *sense,* sens.

sensible 1265, Br. Latini, philos. (*âme sensible,* par oppos. à *âme raisonnable*) ; XIVe s., Lanfranc, « capable de recevoir des impressions, perceptible » ; 1613, Régnier, « facilement ému » ; XVIIIe s., « qui a des sentiments humains » ; lat. philos. *sensibilis,* de *sentire,* sentir. || **sensiblement** 1180, Barbier, « sensément » ; 1380, *Aalma,* « notablement » ; 1926, Benoît, « approximativement ». || **sensibilité** 1314, Mondeville, même évol. de sens que *sensible* ; bas lat. philos. *sensibilitas.* || **sensibiliser** 1845, Besch. || **sensibilisateur** 1871, L. || **sensibilisable** 1871, L. || **insensible** 1230, Coincy ; bas lat. *insensibilis.* || **insensibilité** 1314, Mondeville ; bas lat. *insensibilitas.* || **insensibiliser** 1784, Brissot. || **sensiblerie** 1782, Mercier. || **suprasensible** 1872, L.

sensitif 1265, Br. Latini, philos. ; lat. médiév. *sensitivus,* de *sensus* (v. les précéd.). || **sensitive** n. f., 1665, E. Rolland, bot. ; de *herbe sensitive* (1639, Descartes) [parce que ses feuilles se replient dès qu'on les touche]. || **sensitivité** 1856, Goncourt. || **sensitivo-moteur** 1871, L.

sensoriel 1839, Guérin, de *sensorium* (1726, *le Spectateur*), philos. ; bas lat. philos. *sensorium* (VIe s., Boèce), de *sentire.* || **sensorialité** 1970, Robert. || **sensori-moteur** 1879, Duval. || **sensorimétrie** 1957, Piéron.

sensuel 1370, Oresme, « qui recherche les plaisirs des sens » ; 1541, Calvin, « relatif aux sens » ; lat. eccl. *sensualis,* de *sensus* (v. SENS). || **sensuellement** XVe s., G. || **sensualité** 1190, *saint Bernard,* « faculté de percevoir les sensations » ; même évol. de sens que l'adj. ; lat. eccl. *sensualitas.* || **sensualisme** 1803, Boiste, philos. || **sensualiste** 1812, Mozin.

***sente** 1155, Wace ; lat. *semĭta.* || **sentier** 1080, *Roland ;* peut-être du subst. lat. pop. **sēmitarius,* du lat. class. *sēmitarius,* « qui se tient dans les ruelles ».

sentence 1155, Wace, jurid. ; 1580, Montaigne, « maxime, avis moral » ; lat. *sententia,* aux deux sens, de *sentire,* au sens de « juger ». || **sentencieux** XIIIe s., *Bataille des sept arts ;* lat. *sententiosus.* || **sentencieusement** 1546, Rab. || **sentencier** 1530, Palsgrave.

senteur, sentier V. SENTIR, SENTE.

sentiment 1190, *Saint Bernard* (*sentement,* conservé jusqu'au XVIe s., encore 1544, M. Scève) ; 1314, Mondeville (*sentiment,* forme refaite) ; de *sentir* (v. ce mot). || **sentimental** 1769, trad. du *Voyage sentimental* de Sterne ; mot angl. issu du fr. *sentement.* || **sentimentalement** 1827, Matoré. || **sentimentalisme** 1801, Mercier. || **sentimentaliste** 1842, *Acad.* || **sentimentalité** 1804, Bonnafé. || **dissension** 1160, Benoît ; lat. *dissensio.* || **dissentiment** 1580, Montaigne ; anc. fr. *dissentir* (XVe s., Gréban), du lat. *dissentire,* être en désaccord, de *sentire,* sentir. || **ressentiment** XIVe s. (*ressentement*) ; 1544, *Papiers Granvelle* (*ressentiment*) ; de *ressentir* (v. SENTIR).

sentine 1185, *Aliscans,* « milieu corrompu » ; début XIIIe s., mar. ; lat. *sentina,* « fond de la cale », d'où « rebut, lie ».

sentinelle XVe s., Basselin ; ital. *sentinella,* de *sentire* au sens de « entendre », du lat. *sentire.*

***sentir** 1080, *Roland,* « percevoir une odeur » ; XIIIe s., Tobler-Lommatzsch, « exhaler une odeur » ; lat. *sentire.* || **senteur** 1354, *Modus.* || **ressentir** 1190, Garnier. (V. SENTIMENT.)

***seoir** 980, *Passion* (*seder*) ; 1155, Wace (*seoir*), « être assis », et au fig. « convenir », seul empl. conservé depuis le XVIIe s. ; lat. *sedēre,* être assis. || **messeoir** fin XIIe s., Couci. (V. ASSEOIR, SÉANCE, SÉANT, SEYANT, SURSEOIR.)

sep V. CEP.

sépale 1790, Necker, bot. ; création arbitraire, du rad. de *séparer* et de la finale de *pétale.* || **sépaloïde** 1871, L.

séparer 1314, Mondeville ; lat. *separare.* || **séparément** 1370, Oresme. || **séparable** 1372, Corbichon ; lat. *separabilis.* || **séparabalité** 1700, Dumas. || **séparation** 1314, Mondeville ; lat. *separatio.* || **séparatif** fin XVIe s., Vigenère, gramm. ; lat. *separativus.* || **séparateur** 1560, Paré ; 1875, L., n. m., techn. ; lat. *separator.* || **séparatiste** 1650, Saumaise, eccl. (secte anglaise) ; 1796, *le Néologiste fr.,* ext. de sens ; 1845, Besch., polit. ; angl. *separatist,* de (*to*) *separate,* du lat. *separare.* || **séparatisme** 1721, Trévoux, relig. ; 1860, Belly, polit. || **inséparable** XIIe s., de Gauchy ; lat. *inseparabilis.*

sépia 1791, Valmont (*seppie*) ; 1835, *Acad.* (*sépia*) ; ital. *seppia,* seiche, d'où « couleur tirée de la seiche ». (V. SEICHE.) || **sépiole** 1799, Lamarck, zool. ; lat. sc. *sepiola,* de *sepia,* seiche. || **sépion** 1933, Lar. ; prov. *sepioun.*

seps 1562, du Pinet, zool. ; mot lat., du gr. *sêps.*

***sept** 980, *Passion* (*sep*) ; fin XIIe s. (*sept*) ; lat. *septem.* || **septième** 1050, *Alexis* (*sedme*) ; 1119, Ph. de Thaon (*setme*) ; fin XIIe s. (*septime*) ; 1207, Villehardouin (*setieme*), lat. *septimus ;* cf. *centième,* pour le suff. ; *septime* est conservé comme terme d'escrime. || **septièmement** 1479, Vaganay. || **septillion** 1520, La Roche. || **septimo** 1842, *Acad. ;* loc. lat. *septimo loco,* en septième lieu. || **septain** milieu XVIIe s., jurid. ; 1872, L., métr. || **septante** 1120, *Ps. d'Oxford* (*setante,* puis avec *p* d'après le lat.), auj. rég. (Belgique, Suisse) ; lat. *septuaginta.* || **septantième** 1530, Palsgrave. || **septidi** 1793, Fabre d'Églantine ; lat. *dies,* jour. || **septénaire** 1495, J. de Vignay ; lat. *septenarius.* || **septolet** 1964, Lar.

septembre fin XIIe s., Villehardouin (*setembre,* puis *p* d'après le lat.) ; lat. *septembris,* à l'origine « le septième mois de l'année ». (V. SEPT.) || **septembral** 1534, Rab. || **septembriseur** 1792, Brunot. || **septembrisade** 1793, *Journal de la Montagne ;* d'après les exécutions de septembre 1792.

septennal 1330, *G. de Roussillon ;* rare avant 1755, abbé Prévost ; bas lat. *septennalis,* de *septem* (v. SEPT) et *annus* (v. AN). Cf. *biennal, triennal, quinquennal.* || **septennalité** 1829, Boiste. || **septennat** 1823, B. W. ; d'après *décanat,* etc. || **septentrion** 1155, Wace ; lat. *septemtrio,* au pl. *septemtriones,* proprem. « les sept bœufs » (désignait les sept étoiles de la Grande Ourse), de *septem* (v. SEPT). || **septentrional** XIVe s., Mondeville ; lat. *septemtrionalis.*

septique 1538, Canappe, « qui fait pourrir » ; 1845, Besch., « qui putrifie », en parlant de microbes ; lat. *septicus,* du gr. *sêptikos,* de *sêpeîn,* pourrir. || **septicité** 1824, *Mémoires Acad.* || **septicémie** 1847, d'après P. Robert ; gr. *haima,* sang. || **septicémique** 1857, Monneret. || **septicide** 1808, Boiste. || **antisepsie** XIXe s. ; d'après le gr. *sêpsis,* putréfaction. || **antiseptique** 1763, Adanson.

septo-, lat. *septum,* cloison. || **septomycètes** 1964, Lar., bot. || **septotomie** 1964, Lar., chir.

septuagénaire 1380, *Aalma ;* bas lat. *septuagenarius,* de *septuageni,* distributif de *septuaginta.* (V. SEPT.)

septuagésime 1190, *Saint Bernard ;* lat. eccl. *septuagesima* (s.-e. *dies*), « le soixante-dixième jour », de *septuaginta.* (V. SEPT.)

septuor 1829, Fétis ; de *sept* sur le modèle de *quatuor.*

septuple 1458, *Mystère,* adj. ; 1484, Chuquet, n. m. ; bas lat. *septuplus,* de *septem* (v. SEPT). || **septupler** 1493, B. W., rare avant 1771, Trévoux.

sépulcre 980, *Passion,* « sépulture » ; début XIIIe s., *Saint-Sépulcre ;* lat. *sepulcrum,* de *sepelire,* ensevelir. || **sépulcral** 1487, Garbin, au pr. ; XVIIe s., « lugubre ». || **sépulture** 1112, *Voy. saint Brendan* (*sepouture*) ; lat. *sepultura.*

séquelle 1369, Quemada (*sequele*) ; 1964, Robert, pathol. ; lat. *sequela,* suite, de *sequi,* suivre (v. SÉQUENCE).

séquence 1170, G. de Saint-Pair, mus. ; 1534, Rab., jeu ; 1925, Mandelstamm, cinéma ; XXe s., linguist., etc. ; bas lat. *sequentia,* « suite », de *sequi,* suivre (v. SÉQUELLE). || **séquentiel** 1957, Lar. || **séquencer** 1975, Lar.

séquestre 1281, Tanquerey, jurid. ; *en séquestre,* 1613, M. Régnier ; 1380, *Aalma,* gardien du séquestre ; lat. jurid. *sequestrum,* pour le premier sens, et lat. jurid. *sequester,* « médiateur », d'où « gardien du séquestre », pour le deuxième sens. || **séquestrer** 1260, *Vie saint Osith* (*séquestré*) ; 1370, Oresme, jurid., confier à une tierce personne ; 1560, Paré, enfermer illégalement ; lat. jurid. *sequestrare.* || **séquestration** 1403, Fréville ; lat. jurid. *sequestratio.*

sequin 1400, G. (*essequin*) ; 1540, Pélissier (*chequin*) ; 1595, Villamont (*sequin*) ; monnaie vénitienne ; ital. *zecchino,* mot vénitien, lui-même de l'ar. *sikkī,* « pièce de monnaie », de *sekka,* « coin à frapper la monnaie ».

séquoia 1871, L. ; lat. scient. *sequoia,* du chef indien *See-Quayah.*

sérac 1572, G. (*sérat*) ; 1796, Saussure (*sérac*) ; mot savoyard et suisse-romand (avec un *c* mal expliqué) signif. « fromage caillé », du lat. *serum,* petit-lait (v. SÉRUM).

sérail fin XIVe s., Chr. de Pisan ; var. *serrail* jusqu'en 1740 ; ital. *serraglio* (avec *r* double, par attraction de *serrare,* fermer, *serraglio,* clôture), du turco-persan *sarāy,* palais. (V. CARAVANSÉRAIL.)

séran XIe s., *Gloses de Raschi* (*cerens*), « peigne » ; 1265, J. de Meung (*serans*), « carde pour le chanvre » ; peut-être d'un gaulois **ker-,* peigne, et du suff. celt. *-entios* (cf. l'irl. *cîr,* peigne). || ***sérancer** XIIIe s., Taillar (*cerencier*) ; lat. pop. **cerentiare,* d'orig. gauloise. || **sérançage** 1845, Besch.

sérancolin 1676, Félibien ; du n. *Sarrancolin.*

séraphin 1080, *Roland ;* lat. eccl. *seraphim, seraphin,* mot hébreu au plur., de *saraph,* brûler (v. Isaïe, VI, 2). || **séraphique** 1460, Chastellain ; lat. eccl. *seraphicus.* || **séraphiser** 1803, Boiste.

serdeau 1440, Chastellain, officier de bouche ; altér. de *sert d'eau,* « celui qui sert de l'eau ».

1. ***serein** 1175, Chr. de Troyes (*serain*) ; 1265, J. de Meung (*serin*) ; adj., au pr. « sans nuages », et au fig. « exempt de trouble » ; lat. *sĕrēnus* (avec var. de suff. dans l'anc. *seri*). || **rasséréner** 1544, M. Scève. || **rassérénement** 1834, Landais.

2. **serein** 1138, Gaimar (*serain*) ; n. m., « soir » ; de *seir,* forme anc. de *soir,* du lat. **seranus,* de *serus,* tardif.

sérénade 1555, L. Labé ; ital. *serenata,* « ciel serein », d'où, sous l'infl. de *sera,* soir, « concert donné le soir » (1703, Trévoux).

sérénissime XIIIe s., rare avant le milieu du XVe s. ; ital. *serenissimo,* superlatif de *sereno.*

sérénité 1190, *Saint Bernard* (*sereniteit*) ; surtout empl. au sens moral, en fr. anc. et mod. ; lat. *serenitas.* (V. SEREIN 1.)

séreux V. SÉRUM.

***serf** Xe s., *Passion,* jurid. ; fig., XIIIe s. ; lat. *servus,* esclave. || **servage** fin XIIe s., *Rois.* || **asservir** XIIe s. ; XIXe s., fig. ; d'après *servir.* || **asservissement** 1443, Delb. (V. SERVIR, SERVITEUR.)

***serfouir** 1265, J. de Meung (*cerfoïr*) ; lat. pop. **circumfodire,* du lat. class. *circumfodere,*

« creuser autour » (v. FOUIR). || **serfouette** 1534, Rab. (*cerfouette*) ; 1578, Vigenère (*sarfouette*). || **serfouage** fin XVIe s. || **serfouissage** 1812, Mozin.

***serge** 1175, Chr. de Troyes (*sarge,* encore au XVIIe s.) ; 1360, *Archives* (*serge,* par fausse régression) ; lat. pop. **sarica,* altér. du lat. class. *sērica,* fém. substantivé de *sēricus,* « de soie », de l'adj. gr. *sêrikos,* de *sêr,* « ver à soie », de *Sêres,* désignant les Sères, peuple d'Asie. || **serger** XIVe s., du Cange (*sargillier*) ; 1669, *Règlem. sur les manuf.* (*serger*), n. m. || **sergé** 1771, Garsault. || **sergette** 1366, G. || **sergetterie** 1723, Savary.

***sergent** 1050, *Alexis,* « serviteur » ; en anc. et moy. fr., « homme d'armes » et « officier de justice » ; *sergent de bataille,* 1534, *Doc.* ; d'où, milieu XVIIe s., Ménage, « celui qui met les soldats en rang » ; XVIIIe s., « sous-officier » ; *sergent de ville,* 1829, *Ordonnance* du préfet de police Debelleyme ; lat. *servientem,* acc. de *serviens,* part. prés. de *servire,* « être au service » ; empl. métaph., en menuiserie, 1549, R. Est. || **sergent-major** 1587, La Noue. || **sergent-chef** 1876, Lar.

séricicole 1837, *Ann. de la Soc. séricicole* ; du lat. *sericus,* de soie (v. SERGE), et de *-cole.* || **sériciculture** 1845, Besch. || **sériciculteur** 1859, Raibaud. || **sérigraphie** ou **séricigraphie** 1949, Lar. || **séricigène** 1871, L.

série 1715, Varignon ; lat. *series.* || **sérier** 1815, Mirbel. || **sériel** 1843, Proudhon ; 1947, Leibowitz. || **sérialiser** 1975, Lar. || **sérialisation** 1975, Lar.

sérieux 1370, Oresme ; bas lat. *seriosus,* du lat. class. *serius.* || **sérieusement** 1380, *Aalma.* || **sériosité** fin XVIe s., Brantôme.

serin 1478, B. W., « oiseau » ; 1821, Desgranges, « niais » ; anc. prov. *serena, sirena,* « guêpier » (oiseau à plumage vert), du bas lat. *sirena,* lat. class. *siren,* du gr. *seirên,* « sirène » (espèce d'oiseau, et abeille sauvage). || **seriner** 1555, Belon, « chanter comme un serin » ; 1808, Boiste, fig. || **serinette** 1739, Ch. de Brosses.

seringa 1600, O. de Serres ; lat. bot. *syringa,* « seringue », parce que le bois, vidé de sa moelle, a servi à faire des seringues. (V. le suiv.)

seringue XIIIe s., *Simples Méd.* (*ceringue*) ; lat. méd. *syringa,* « seringue à injection », de l'acc. gr. *surigga,* de *surigx,* roseau, flûte (v. le précéd.). || **seringuer** 1547, J. Martin. || **seringage** 1871, L.

sériole 1827, *Acad.,* ichtyol. ; anc. prov. *serra,* scie, du lat. *serra.*

sérique V. SÉRUM.

***serment** 842, *Serments* (*sagrament*) ; 1120, *Ps. de Cambridge* (*serement*) ; 1415, Ch. d'Orléans (*serment*) ; lat. *sacramentum,* « dépôt soumis aux dieux en gage de bonne foi », puis emploi mod., qui a éliminé en ce sens *jusjurandum* ; lat. *sacrare,* rendre sacré, de *sacer,* sacré (v. SACREMENT). || **assermenter** XIIe s., *Aspremont,* passé dans le vocab. polit. pendant la Révolution.

sermon 980, *Passion,* eccl. ; 1191, *Couronn. Loïs,* fig., fam. ; lat. *sermo,* « conversation », et en lat. eccl. « discours en chaire ». || **sermonner** début XIIe s., *Couronn. Loïs,* « prêcher » ; 1160, Benoît, « exhorter ». || **sermonneur** 1220, Coincy. || **sermonnaire** 1595, Benedicti.

séro-, sérosité V. SÉRUM.

sérotine 1871, L. ; lat. *serotinus,* tardif.

***serpe** début XIIIe s., *Renart* (*sarpe*) ; 1530, Marot (*serpe,* par fausse régression) ; lat. pop. **sarpa,* de *sarpere,* tailler, émonder. || **serpette** 1350, G. || **serpillon** 1272, G.

***serpent** 1080, *Roland* ; parfois fém. en anc. fr. ; lat. *serpens, -tis,* part. prés. de *serpere,* ramper : proprem. « le rampant », euphémisme qui a éliminé le lat. class. *anguis* (v. ANGUILLE). || **serpenteau** 1160, Benoît (*serpential*). || **serpenter** XIVe s. || **serpentiforme** 1824, Raymond. || **serpentement** 1614, Nostredame. || **serpentueux** 1836, Mérimée. || **serpentin** 1130, *Eneas* ; d'abord adj. ; XVe-XVIe s., canon ; 1893, *D. G.* ; lat. *serpentinus.* || **serpente** XIVe s., Bozon, fém. de *serpent* ; 1680, Richelet, sorte de papier. || **serpentaire** XIIIe s., *Simples Méd.,* n. f., bot. ; 1819, *Nouv. Dict. sc. nat.,* n. m., zool. ; du lat. *serpentaria,* et du lat. scient. *serpentarius* (Linné). || **serpigineux** 1560, Paré ; bas lat. *serpigo, -inis,* de *serpere.*

serpillière fin XIIe s., *Alexandre* (*sarpillière*) ; XIIIe s. (*serpillière* ; pour la var. de la voyelle initiale, cf. *serge, serpe*), étoffe de laine ; 1650, Scarron, toile d'emballage, puis toile grossière de nettoyage ; peut-être lat. pop. **sirpicularia,* « étoffe de jonc », du lat. class. *scirpiculus,* de *scirpus, sirpus,* jonc.

serpolet début XVIe s., J. Lemaire de Belges ; mot prov., dimin. de *serpol* (1387, G. Phébus), du lat. *serpullum,* thym.

serpule 1800, Boiste, zool. ; lat. *serpullum,* de *serpere,* ramper.

serratule 1562, du Pinet (*serratula*) ; 1615, Daléchamps (*serratule*), bot. ; lat. *serratula,* de *serra,* scie, à cause des feuilles en dents de scie.

***serrer** fin XIe s., *Chanson Guillaume,* « tenir fermé » ; XIIe s., *Roncevaux,* « étreindre, presser », seul sens conservé en fr. mod. ; lat. pop. **serrāre,* altér., peut-être par croisement avec *ferrum,* fer, du bas lat. *serāre* (IVe s., Prudence), « fermer avec une barre », de *sera,* barre, clôture ; 1240, La Curne, « mettre en sûreté ». || **serrage** 1643, Fournier. || **serre** fin XIIe s., *Alexandre,* « action de serrer » ; 1188, Aimon de Varennes, « branche d'un mors » ; 1175, Chr. de Troyes, « prison » ; 1564, J. Thierry, serre d'oiseau de proie ; XVIe s., endroit où l'on tient enfermé (prison) ; 1660, Oudin, hortic. || **serrement** début XVIe s. || **serrure** XIe s., *Gloses de Raschi* (*seredure*) ; de *serrer* au sens anc. de « fermer ». || **serrurier** 1268, É. Boileau. || **serrurerie** 1268, É. Boileau. || **desserrer** XIIe s. ; en anc. fr., égalem. « laisser partir, lancer ». || **desserre** fin XVe s., Marot, « détente » (d'une arbalète), d'où *dur à la desserre,* XVe s., fig. || **enserrer** XIIe s. || **resserrer** fin XIIe s., *Ogier.* || **resserrement** 1550, Meigret. || **resserre** 1629, *Archives.* || **serre-feu** 1808, Boiste. || **serre-file** 1678, Guillet. || **serre-freins** 1871, L. || **serre-joint** 1845, Besch. || **serre-livres** 1949, Lar. || **serre-nez** 1871, L. || **serre-papiers** 1720, Havard. || **serre-tête** 1573, Du Puys. || **serre-tout** 1888, Daudet.

serrure V. SERRER.

***sertir** XIIe s., *Roman Alexandre* (*sartir*), « ajuster, joindre avec des coutures » ; XIVe s. (*sertir,* par fausse régression, v. SERGE), spécialisé ; lat. pop. **sartire,* de *sartus,* part. passé de *sarcire,* raccommoder. || **sertissure** début XIVe s. || **sertissage** 1871, L. || **sertisseur** 1847, Besch. || **sertissoir** 1964, Lar. || **serte** 1827, *Acad.* || **dessertir** XIIe-XIVe s. (*dessartir*), « défaire » ; 1798, *Acad.* (*dessertir*), sens mod.

sérum 1478, Chauliac (*sérot*), liquide qui constitue le sang ; 1888, Chantemesse et Widal, empl. thérapeutique ; lat. *serum,* petit-lait. || **séreux** 1363, Chauliac. || **séreuse** 1810, Capuron. || **sérosité** fin XVe s., en parlant des humeurs. || **sérique** 1933, Lar. || **sérologie** 1916, Garnier. || **sérothérapie** 1888, Ch. Richet. || **sérotonine** 1961, Galli. || **séro-diagnostic** 1896, d'après P. Robert. || **sérovaccination** 1923, Lar.

servage V. SERF.

serval 1761, Buffon, zool., chat-tigre ; port. *cerval,* cervier. (V. CERF, LOUP-CERVIER.)

servant, servante V. SERVIR.

service 1050, *Alexis* (*servise*) ; 1207, Villehardouin (*service*), état de servage, puis devoirs envers le suzerain ; XIVe s., ext. de sens d'après *servir,* notamment « ce qu'on sert sur la table » ; lat. *servitium,* esclavage, servitude, et, en lat. médiév., « devoirs du vassal ».

serviette 1328, Varin, « linge dont on se sert » ; a éliminé l'anc. fr. *touaille,* serviette, nappe (du germ. **thwhlja*), et *essuette* (v. ESSUYER) ; 1840, Larchey, porte-documents ; de *servir* (v. ce mot). || **serviette-éponge** 1890, Havard.

servile 1355, Bersuire ; lat. *servilis,* « d'esclave », égalem. fig., de *servus* (v. SERF). || **servilement** 1370, Oresme. || **servilité** 1542, Derozier, rare avant la fin du XVIIIe s.

***servir** Xe s., *Eulalie ;* lat. *servīre,* « être esclave », et par ext. « servir » (v. SERF). || **servant** début XIIe s., *Voy. de Charl.,* part. passé substantivé. || **servante** 1330, *Glossaire Vatican.* || **serveur** 1240, Ph. de Novare (*serveor*) ; 1739, Restaut (*serveur*) ; 1904, Lar., sports. || **serviable** 1160, *Eneas,* réfection de *servisable,* d'après *amiable.* || **desservir** 1050, *Alexis,* « desservir la messe » ; 1398, *Ménagier,* « enlever ce qui est servi » ; XVIIe s., « rendre un mauvais service » ; lat. *desservire,* servir avec zèle. || **desserte** 1155, Wace, action de servir la messe ; 1838, *Acad.,* « action d'assurer les communications » ; 1907, « meuble pour desservir ». || **dessert** 1540, Rab., « action de desservir » ; 1539, R. Est., « dernier service » ; part. passé de *desservir.* || **desservant** début XIVe s., rare jusqu'au XVIIIe s. || **resservir** fin XIIIe s., Rutebeuf. (V. SERVIETTE, SERVITEUR.)

serviteur 1050, *Alexis ;* bas lat. *servitor,* de *servīre.* (V. SERVIR.)

servitude 1265, J. de Meung ; lat. *servitudo,* de *servīre,* être esclave.

servo-, lat. *servire,* servir. || **servocommande** 1964, Lar. || **servofrein** 1923, Lar. || **servomécanisme** 1949, Lar. || **servomoteur** 1869, J. Farcot. || **servorégleur** 1975, *Lexis.*

sésame 1298, *Voy. de Marco Polo ;* lat. *sesamum,* du gr. *sêsamon,* d'orig. orientale. || **sésamoïde** 1552, Ch. Est. ; lat. *sesamoides,* mot gr.

sesbanie 1730, d'après P. Robert ; lat. scient. *sesbanas,* de l'arabo-persan, *sisabân.*

sesquialtère 1377, Oresme ; lat. *sesquialter,* de *sesqui,* une fois et demie, et *alter,* autre. || **sesquioxyde** 1829, *Annales chimie.*

sessile 1611, Cotgrave, bot. ; lat. *sessilis,* de *sessus,* part. passé de *sedēre,* être assis.

session 1120, *Ps. d'Oxford,* fait ou manière d'être assis (jusqu'au XVIe s.) ; 1462, Bartzsch, séance ; 1657, du Gard, polit., à propos de l'Angleterre ; 1750, Prévost d'Exiles, à propos des assemblées françaises ; XIXe s., pour les tribunaux ; en anc. fr., du lat. *sessio,* de *sessus,* part. passé de *sedēre,* être assis ; au sens eccl., du lat. *sessio* en empl. eccl. ; au sens polit., de l'angl. *session,* lui-même issu du lat. *sessio* au sens de « séance ».

sesterce 1537, La Grise ; lat. *sestertium.*

set 1896, *FEW ;* mot angl. désignant une manche au jeu de tennis ; 1895, Bourget, « clan » ; 1933, Lar., « napperon ».

sétacé 1808, Boiste ; lat. *seta,* soie.

setier fin XIe s., *Gloses de Raschi,* anc. mesure de capacité ; lat. *sextarius,* proprem. « sixième partie ». || **demi-setier** 1560, Paré. || **sétérée** 1276, G., hist. ou dial.

séton 1363, Chauliac, méd., « mèche de coton qu'on passe dans la peau » ; lat. méd. médiév. *seto,* de l'anc. prov. *sedon,* de *seda,* fil de soie de porc ; *blessure en séton,* XIXe s. (V. SOIE.)

setter 1835, Bonnafé, sorte de chien ; mot angl.

***seuil** 1120, Benoît (*suel*) ; début XIIIe s., *Renart* (var. *soil*) ; 1354, *Modus* (*seuil,* refait d'après les autres mots en *-euil*) ; lat. *sŏlum,* sol, par oppos. au linteau, et avec infl. possible de *solea,* plante du pied. (V. SOLE 1, 2, 3.)

***seul** 980, *Passion* (*sul, sol*) ; 1175, Chr. de Troyes (*seul*) ; *à seule fin,* 1649, *Conf. de Piarot et Janin,* pop., altér. de *à celle fin que,* XVe s., où *celle* était adj. ; lat. *sōlus.* || **seulement** XIIe s., *Parthenopeus ;* ext. de sens dès l'anc. fr. || **seulet** 1160, Benoît. || **souleur** XIIe s., *l'Escoufle,* d'abord « solitude », puis « frayeur subite », arch. || **esseulé** fin XIIe s., J. Érart.

***sève** 1265, J. de Meung ; lat. *sapa,* vin cuit, qui devait signifier proprem. « suc » (cf. *sapor,* « jus », chez Pline).

sévère fin XIIe s., *Grégoire,* « austère », rare avant le XVIe s. ; 1499, Bartzsch, « cruel » ; lat. *severus ;* a pris, pendant la guerre de 1914-1918, le sens de « grave » (*défaite, perte sévère*), d'après l'angl. *severe.* || **sévèrement** 1539, R. Est. || **sévérité** XIIe s., *Dialogues Grégoire ;* lat. *severitas.*

sévir début XVe s., Ch. d'Orléans ; lat. *saevire,* être furieux, d'où « commettre des violences, des cruautés », de *saevus,* furieux, violent. || **sévices** 1399, Delb., rare avant le XVIIe s. ; lat. *saevitia,* violence, cruauté.

***sevrer** 1080, *Roland,* séparer ; fin XIIe s., *l'Escoufle,* spécialement « séparer du sein », d'où « cesser de faire téter » ; lat. pop. *seperare,* du lat. class. *separāre* (v. SÉPARER). || **sevrage** 1741, Andry ; a remplacé *sevrement* (1380, *Aalma*).

sexagénaire 1425, *D. G. ;* lat. *sexagenarius,* de *sexageni,* distributif de *sexaginta.* (V. SOIXANTE.)

sexagésime 1380, *Aalma ;* lat. *sexagesima* (s.-e. *dies*), proprem. « le soixantième jour » (avant Pâques). || **sexagésimal** 1680, Richelet ; lat. *sexagesimus,* soixantième.

sexe fin XIIe s., *Grégoire* (*sex*), rare avant le XVIe s. ; lat. *sexus.* || **sex-appeal** 1931, Simenon, d'après une pièce de théâtre américaine ; comp. angl. signif. « appel du sexe, attrait sexuel ». || **sexage** 1975, *Lexis.* || **sexer** 1980, Lar. || **sexisme** 1948, Guitton. || **sexiste** 1975, Lar. || **sexué** 1880, Spencer. || **asexué** XXe s. || **sexuel** 1742, d'Argenville ; bas lat. *sexualis.* || **sexuellement** 1899, d'après P. Robert. || **sexualité** 1838, Virey. || **sexualisme** 1775, Senebier. || **sexualiser** 1964, Robert. || **sexologie** 1949, Lar. || **sexologue** 1964, Lar. || **sexonomie** 1933, Lar. || **sexy** XXe s., adj. ; mot anglo-amér. || **sex-shop** 1975, Lar. ; angl. *sex-shop,* de *sex,* sexe, et *shop,* boutique.

sextant 1553, J. Martin, mar. ; lat. scient. *sextans,* mot tiré par l'astronome Tycho Brahé du lat. *sextans,* « sixième partie », parce que le *sextant* porte une partie graduée d'un sixième de circonférence. (V. SIX.)

sexte 1080, *Roland* (*siste*) ; 1611, Cotgrave, eccl. ; lat. *sexta* (*hora*), la sixième (heure). [V. SIX.]

sextidi 1793, Fabre d'Églantine, sixième jour de la décade dans le calendrier républicain. (V. SIX.)

sextil 1377, Oresme, astron. ; lat. *sextilis,* sixième. (V. BISSEXTIL.)

sextine 1611, Cotgrave, métr. ; lat. *sextus.* (V. SIX.)

sexto 1842, *Acad.* ; ellipse de la loc. lat. *sexto loco,* en sixième lieu.

sextolet 1888, Lar., mus. ; lat. *sextus,* d'après *triolet* (v. ce mot et SIX).

sextuor 1775, *journ.* ; fait avec le lat. *sex* (v. SIX), sur le modèle de *septuor.*

sextuple 1484, Chuquet ; bas lat. *sextuplus,* de *sextus* (v. SIX). || **sextupler** 1493, G., rare avant le milieu du XVIIIe s. (1798, *Acad.*).

seyant 1872, L., adj. ; var. de *séant,* part. prés. adjectivé de *seoir* (v. ces mots).

sforzando 1799, Parny, mus. ; mot italien, de *sforzare,* renforcer.

sgraffite 1680, Richelet (*sgrafit*), anc. fresque ; ital. *sgraffito,* égratigné, de *graffito,* dessiné.

shah V. SCHAH.

shake-hand 1798, Casanova, *Mém.* ; rare avant 1840, Musset ; angl. (*to*) *shake,* secouer, et *hand,* main (le mot angl. est *handshake*).

shaker 21 mai 1895, *le Gourmet,* récipient à cocktails, à glaces ; angl. *shaker,* ce qui secoue, de (*to*) *shake,* secouer. (V. le précéd.)

shako 1761, Montandre (*schako*) ; hongrois *csako.*

shampooing 1890, Lar. ; angl. *shampooing,* massage, de l'hindi *tchāmpō,* presser. || **shampooiner** 1968, *journ.*

shantung 1910, Colette ; 1964, Lar. (*shantoung*) ; du n. de la province chinoise qui produit ce tissu.

shérif 1547, *Corr. Odet de Selve* (*cherray*) ; 1601, L'Estoile (*chérif*) ; 1680, *Conspiration* (*sheriff*), géogr. ; mot angl. signif. « officier de comté », de *shire,* comté.

sherpa 1950 ; du n. des *Sherpas,* peuple montagnard du Népal.

sherry 1786, B. W. (*sherry*) ; 1819, *Une année à Londres* (*cherry*) ; mot angl., nom anc. de la ville de *Xérès,* puis vin de Xérès. || **sherry-brandy** fin XIXe s., avec l'élém. *brandy,* du néerl. *brandewijn.*

shilling 1558, Perlin (*chelin*) ; 1656, Laurens (*shilling*) ; mot angl. désignant une unité monétaire.

shimmy v. 1920, Mackenzie, danse amér. ; XXe s., autom. ; mot anglo-amér.

shintoïsme 1765, *Encycl.* ; de *shinto,* mot japonais désignant une des religions du Japon. || **shintoïste** 1904, Lar.

shirting 1855, *Catal. de l'Exposition univ.,* textile ; mot angl., de *shirt,* chemise.

shocking 1842, Balzac ; mot angl. signif. « choquant », d'orig. fr.

shogun 1875, *Rev. des Deux Mondes* ; mot japonais, du chinois *chiang,* conduire, et *chung,* armée.

shoot 1904, *le Monde illustré,* football ; mot angl., de (*to*) *shoot,* lancer. || **shooter** 1905, Pontié, verbe. || **shooteur** XXe s.

shopping 1868, Bonnafé ; mot angl., de *shop,* boutique.

short 1933, Lar., vêtement ; mot angl., de l'adj. *short,* court.

show-business 1965, *l'Express* ; mot angl., de *show,* spectacle, et *business,* affaires.

shrapnell ou **shrapnel** 1827, Foy, comme terme angl. ; vulgarisé vers 1860 ; mot angl., du nom de l'inventeur, le général *Shrapnel* (1761-1842).

shunt 1881, Bonnafé, électr. ; mot angl. || **shunter** 1888, Lar.

1. ***si** 842, *Serments,* conj. ; lat. *sī* (var. *se, sed* [fin XIe s., *Alexis*], usuelle jusqu'au XVIe s., issue du lat. pop. *se* [VIe s.], altér. de *sī* d'après *quĭd,* empl. en bas lat. comme conj.). || **sinon** 1495, Commynes ; de l'anc. fr. *si* (*se*)... *non* (1080, *Roland*).

2. **si** 842, *Serments,* adv., « ainsi » ; auj., affirmation adversative, et « tellement » devant adj. ou adv. ; lat. *sīc,* ainsi. || **aussi** XIIe s., de *si* de l'anc. pron. *al* (var. *el*), « autre chose », du lat. pop. *āle,* réfection de *alid,* var. du lat. *aliud,* neutre de *alius,* autre. (V. AINSI.)

3. **si** 1690, Furetière, note de mus. ; des initiales du lat. *sanctus Johannes,* saint Jean. (V. UT.)

sial 1918, d'après P. Robert, géol. ; des premières syllabes de SI*licium* et AL*uminium.* || **sialique** 1970, Robert.

sialagogue 1741, Villars, méd. ; gr. *sialon,* salive, et *agôgos,* qui amène, de *ageîn,* conduire, proprem. « qui fait saliver ». || **sialogène** 1970, Robert. || **sialographie** 1964, Lar. || **sialorrhée** 1871, L.

siamois 1868, Lar., méd. ; de la désignation de deux jumeaux nés au *Siam,* qui vécurent de 1811 à 1874, et qui étaient réunis par une membrane à la hauteur de la poitrine. || **siamoise** fin XVIIe s., n. f., étoffe apportée à Louis XIV par les ambassadeurs de Siam en 1688.

sibilant 1842, Mozin ; lat. *sibilans,* part. prés. de *sibilare,* siffler. || **sibilance** 1871, L. || **sibilation** 1672, La Mothe Le Vayer ; bas lat. *sibilatio.*

sibylle 1213, *Fet des Romains* (*sebile*), antiq. ; XIIIe s., *Romania,* fig., souvent péjor. ; lat. *sibylla,* mot gr. || **sibyllin** 1220, Coincy, « de la sibylle » ; fin XIXe s., Daudet, « secret » ; lat. *sibyllinus.*

sic 1842, *Acad.,* adv. ; mot lat. signif. « ainsi ».

sicaire fin XIIIe s., La Curne ; lat. *sicarius,* de *sica,* poignard à lame recourbée, mot thrace.

siccatif 1495, B. W. (*seccitif*) ; rare avant 1642, Oudin ; lat. méd. *siccativus* (IIIe s., C. Aurelius), d'après *siccare,* sécher, de *siccus,* sec. || **siccité** 1425, O. de La Haye ; lat. *siccitas,* sécheresse. || **siccativité** 1949, Lar.

sicle 1170, *Rois,* monnaie juive ; lat. eccl. *siclus,* du gr. eccl. *siklos,* de l'hébreu *cheqel,* « monnaie d'argent ou d'or », proprem. « poids ».

side-car 1888, Lar., « voiture irlandaise à deux places et à sièges parallèles dos à dos » ; 1912, *journ.,* sens mod. ; mot angl., de *side,* côté, et *car,* voiture.

sidéral 1520, trad. de Suétone ; lat. *sideralis,* de *sidus, -eris,* astre. || **sidéré** 1530, Marot, « influencé par les astres » ; 1752, Trévoux, poét., « céleste » ; 1842, Mozin, méd. ; XIXe s., fig., fam., « stupéfait » ; bas lat. *sideratus,* frappé de paralysie, de *siderari,* « être placé sous l'influence maligne des astres ». || **sidérer** 1894, Sachs-Villatte, fig. || **sidération** 1549, G., « nécrose », méd. et astrol. ; lat. *sideratio,* influence maligne des astres. || **sidérant** 1871, L., « qui anéantit » ; 1897, Gasser, « qui plonge dans la stupeur ». || **sidérostat** 1871, L., instrument inventé par Foucault ; formé avec l'élém. *-stat.*

sidéré V. SIDÉRAL.

sidér(o)-, gr. *sidêros,* fer. || **sidérite** 1549, Rab. (*pierre sidérite*) ; 1615, Binet (*sideritis*) ; 1755, abbé Prévost, minér. ; lat. *sideritis,* mot gr., proprem. « pierre de fer ». || **sidérographie** 1835, Raymond. || **sidérolite** 1876, Lar. || **sidérolitique** 1871, L. || **sidéropénie** 1964, Lar. ; gr. *penia,* manque. || **sidérose** 1845, Besch. || **sidérurgie** 1823, Boiste ; gr. *sidêrourgia,* travail du fer, de *ourgon,* travail. || **sidérurgique** 1871, L. || **sidéroxylon** 1765, *Encycl.*

sidérurgie V. SIDÉR(O)-.

sidi 1847, Nerval, appellatif ; 1928, Bauche, péjor., pop. ; mot ar., appellatif signif. « mon seigneur », compris par les Européens au sens de « monsieur ».

***siècle** Xe s., *Eulalie* (*seule*), « vie mondaine », d'après le lat. eccl. ; 1080, *Roland* (*secle*), sens gén. ; 1175, Chr. de Troyes (*siegle*) ; XIIIe s., *Berte* (*siecle*) ; 1675, Furetière, « période de temps » ; lat. *saecŭlum.*

***siège** 1080, *Roland,* « lieu où l'on s'établit » et « place où l'on s'assied » ; 1138, Gaimar, milit. ; lat. pop. **sĕdĭcum,* de **sĕdĭcare,* dér. de *sedēre,* être assis. || **siéger** 1611, Cotgrave. || **assiéger** 1080, *Roland* (*asseger*), milit.

sien, sienne V. SON 1.

sierra 1765, d'après P. Robert, géogr. ; esp. *sierra,* scie.

sieste 1660, Sévigné (*siesta*) ; 1715, Lesage (*sieste*) ; esp. *siesta,* du lat. *sexta* (*hora*), « la sixième heure » (midi, d'après la division romaine du jour). || **siester** 1872, *J. O.*

***sieur** 1292, du Cange, anc. cas régime de *sire ;* lat. pop. **seiorem* (v. SIRE) ; encore honorifique au XVIIe s., puis cristallisé comme terme jurid., ou péjor. (V. MONSIEUR.)

***siffler** 1155, Wace ; fin XVIe s., d'Aubigné, « appeler » ; 1964, Lar., « désapprouver » ; 1904, Lar., « boire » ; lat. pop. **sīfĭlāre,* var. du lat. class. *sibilare.* || **sifflant** 1552, R. Est., adj. || **sifflante** 1701, Furetière. || **sifflet** milieu XIIIe s., Tobler-Lommatzsch ; var. *siblet,* 1280, Joinville. || **sifflement** XIIe s., *Dialogues Grégoire* (*ciflement*) ; 1398, E. Deschamps (*sifflement*). || **siffleur** 1537, B. W. || **sifflage** 1781, *Arrêt,* vétér. || **siffloter** 1841, *les Français peints par eux-mêmes.* || **sifflotement** 1885, Daudet. || **persifler** 1745, *Lettres d'un François.* || **persiflage** 1735, d'Alembert. || **persifleur** 1755, Prévost d'Exiles.

sigillé 1350, *Romania ;* lat. *sigillatus,* orné de figurines, de *sigillum* (v. SCEAU). || **sigillaire** 1806, Lunier. || **sigillographie** 1852, Migne. || **sigillographique** 1852, Migne.

sigisbée 1736, d'Argens ; ital. *cicisbeo,* galant, d'orig. obscure, peut-être mot expressif (cf. le vénitien *cici,* au XVIIIe s., « babil des femmes »).

sigle 1712, *Mémoires Trévoux ;* bas lat. jurid. *sigla,* pl. neutre, « signes abréviatifs ». || **siglaison** 1964, Lar. || **siglique** 1975, Lar.

sigma 1673, Blondel ; mot gr., lettre de l'alphabet grec corresp. à *s.* || **sigmatique** 1871, L. || **sigmoïde** 1654, Gelée ; de *sigma* et gr. *eidos,* forme.

signal 1220, *Anseïs de Carthage ;* réfection, d'après *signe,* de l'anc. fr. *seignal,* lat. pop. *signāle,* neutre substantivé de *signālis,* « de signe », de *signum,* signe. || **signaler** 1572, Ronsard (*seignaler*), « rendre remarquable » ; 1772, Bourdé, « appeler l'attention sur » ; 1587, La Noue (*se signaler*). || **signalé** 1578, H. Est. (*segnalé*), « remarquable » ; ital. *segnalato,* part. passé de *segnalare,* « rendre illustre », de *segnale,* du lat. *signalis.* || **signalement** 1718, *Acad.* || **signalétique** 1835, Raymond. || **signaleur** 1888, Lar. || **signalisation** 1909, Lar. || **signaliser** 1909, Lar., surtout au part. passé.

signataire, signature V. SIGNER.

signe Xe s., *Saint Léger ;* lat. *signum ;* a éliminé du lexique usuel la forme *seing* (v. ce mot). || **signet** fin XIIIe s., *Apollonius* (*sinet*), « petit seing » ; 1660, Sévigné, sens mod.

***signer** 1080, *Roland* (*seignier*) ; XIVe s. (*signer,* d'après *signe*), « marquer d'un signe », et aussi « faire le signe de la croix » (d'où *se signer,* 1535, Rab.) ; XVe s., « apposer sa signature » ; lat. *signāre,* mettre un signe, de *signum* (v. le précéd.). || **signataire** 1791, Danton. || **signature** 1430, *Revue.* || **contresigner** 1415, *Ordonnance.* || **soussigné** 1507, *Revue ;* d'après le lat. *subsignāre.*

signet V. SIGNE.

signifier 1080, *Roland* (*signefier*) ; lat. *significare,* de *signum* (v. SIGNE). || **signifiant** 1565, Ronsard, adj., hors d'usage depuis la fin du XVIIIe s. (encore chez Mme de Staël) ; 1916, F. de Saussure, n. m., linguist. || **signifiance** 1080, *Roland* (*senefiance*) ; 1422, A. Chartier (*signifiance*). || **signifié** 1916, F. de Saussure, n. m., linguist. || **signification** 1119, Ph. de Thaon (*signefication*) ; lat. *significatio.* || **significatif** 1495, Vignay ; bas lat. *significativus.* || **insignifiant** 1778, Vergennes. || **insignifiance** 1785, Domergue.

sil 1562, Du Pinet, argile ; mot lat.

silence 1190, *Saint Bernard ;* 1718, *Acad.,* interj. ; lat. *silentium,* de *silere,* rester silencieux. || **silencieux** XVIe s. ; lat. *silentiosus.* || **silencieusement** 1792, *Revue.* || **silenciaire** 1611, Cotgrave, hist. ; lat. *silentiarius.* || **silencer** 1874, Barbey d'Aurevilly.

silène 1765, *Encycl.,* bot. ; 1791, Valmont, macaque ; lat. bot. *silene* (*inflata*), par métaph., du nom du dieu romain *Silenus,* qu'on représentait gonflé comme une outre.

silésienne 1686, trad. de Draper (*toile de Silésie*) ; 1904, Lar. (*silésienne*) ; du nom de la *Silésie,* pays où cette étoffe fut d'abord fabriquée.

silex 1556, R. Le Blanc ; mot lat. signif. « pierre dure, caillou ». (V. SILICE.) || **silexé** 1876, Lar.

silhouette 1759, *à la silhouette,* loc. ironique, caractérisant un passage rapide ; du nom du contrôleur général E. de Silhouette, qui, parvenu aux affaires en mars 1759, devint vite impopulaire et tomba en novembre de la même année ; puis *portrait à la silhouette,* 1782, Mercier ; d'où *silhouette,* n. f., 1788, Havard, pour les objets ébauchés ; 1841, Chateaubriand, pour les personnes. || **silhouetter** v. 1865, Thoré-Bürger.

silice 1787, Guyton de Morveau ; lat. *silex, -icis* (v. SILEX). || **siliceux** 1780, Thouvenel. || **silicium** 1810, Berzelius. || **silicique** 1818, Riffaut. || **silicifère** 1871, L. || **silicifié** 1871, L. || **silicate** début XIXe s. || **silicicole** 1871, L., bot. || **silicone** 1876, Lar. || **siliconé** 1963, Léry. || **silicose** 1945, Lar., méd. || **siliciure** 1830, *Dict. méd.*

silique 1372, Corbichon, bot., « cosse » ; lat. *siliqua.* || **siliqueux** 1549, Maignan. || **silicule** 1557, Dodoens ; lat. *silicula.*

sillage 1574, Bessard ; de *siller* (*seiller,* 1330, *Baudouin de Sebourg*), mar., dér. de *sillon* (v. ce mot) ; XXe s., fig.

sillet 1642, Oudin (*cillet*), saillies d'un manche de violon marquant les notes ; ital. *ciglietto,* de *ciglio,* cil, et au fig. « bord ».

sillon 1160, Benoît (*seillonet,* dimin.) ; début XIIIe s., *Renart* (*sellon,* jusqu'au XVIIe s.), « bande de terrain laissée à un paysan », puis « sillon » ; de même orig. que l'anc. fr. *silier,* labourer, d'un rad. gaulois **selj-,* « amasser la terre ». || **sillonner** 1539, R. Est. (*seilonner*) ; XVIIe s. (*sillonner*), « marquer » ; fin XVIe s., « traverser ».

silo 1685, *Tour du monde,* « cachot » ; 1775, Béguillet (*syro,* avec *r* d'après le lat.), « fosse » ; esp. *silo,* du lat. *sīrus,* gr. *seiros,* fosse à blé. || **silotage** 1923, Lar. || **ensiler** 1842, *Acad.* (*ensilage*). || **ensileur** 1877, L.

silphe 1803, Boiste, zool. ; gr. *silphê,* blatte.

silure 1558, Thevet, poisson ; lat. *silurus,* du gr. *silouros.*

silurien 1839, de Beaumont, géol. ; angl. *silurian,* tiré en 1839 par Murchison du lat. *silures,* désignant les anciens habitants de la région d'Angleterre (Shropshire) où ce terrain fut étudié.

silvaner 1868, Lar. ; mot allem.

simagrée XIIIe s., de Fournival ; orig. obscure, p.-ê. de l'anc. fr. *si m'agrée,* « ainsi cela m'agrée ».

simarre 1606, L'Estoile ; ital. *zimarra,* de l'esp. *zamarra,* de l'ar. *sammūr,* belette. (V. CHAMARRER.)

simaruba 1665, Breton (*chimalouba*) ; 1729, *Hist. Acad.* (*simarouba*) ; mot caraïbe. || **simarubacées** 1816, Candolle (*simaroubées*) ; 1872, L. (*simaroubacées*).

simbleau 1690, Fur., techn. ; var. de *singleau, cingleau.* (V. CINGLER 2.)

simiesque 1844, Balzac ; lat. *simius,* singe. || **simien** 1842, *Acad.*

similaire 1539, Canappe ; lat. *similis,* semblable. || **similairement** 1891, Goncourt. || **similitude** 1220, *Queste del Saint Graal ;* lat. *similitudo,* ressemblance. || **similarité** 1875, Lar. || **similibronze** 1878, Lar. || **similicuir** 1964, Lar. || **similigravure** 1904, Lar. || **simili** 1875, Lar., adj., en musique ; n. m., 1881, Huysmans ; abrév. de *similigravure.* || **similiste** 1964, Lar. || **similor** 1742, Malouin.

similitude V. SIMILAIRE.

simonie 1190, Garn., eccl. ; lat. eccl. médiév. *simonia,* du nom de *Simon* (*le Magicien*), qui avait tenté de corrompre Pierre et Paul pour obtenir le don de conférer le Saint-Esprit. || **simoniaque** 1372, J. de Salisbury ; lat. eccl. médiév. *simoniacus.*

simoun 1777, Mackenzie ; angl. *simoon,* de l'ar. *samūm.*

***simple** 1138, Gaimar, adj. ; lat. *simplus,* var. de *simplex,* proprem. « formé d'un seul élément », d'où « simple, sans artifice ». || **simple** XIIIe s. (*simple médecine,* par oppos. à *médecine composée*) ; 1560, Paré, n. m. ; le masc. est dû à l'infl. de *médicament,* ou du lat. médiév. *medicamentum simplex.* || **simplesse** 1131, *Couronn. Loïs.* || **simplement** 1160, *Tristan.* || **simplet** 1180, *Enfances Vivien.* || **simplicité** 1120, *Ps. de Cambridge ;* lat. *simplicitas.* || **simpliste** 1578, Chauvelot, marchand de simples ; 1611, Cotgrave, adj. || **simplisme** 1829, Fourier. || **simplifier** 1403, *Internele Consolacion* (*simplefier*) ; lat. médiév. *simplificare.* || **simplifiable** 1871, L. || **simplification** 1470, *Livre disc.* || **simplificateur** fin XVIIIe s., Mercier.

simulacre 1170, *Rois,* « statue, image » ; XVIe s., apparence ; lat. *simulacrum,* image, représentation, de *simulare,* reproduire, imiter.

simuler 1330, Digulleville, surtout jurid. jusqu'au XIXe s. ; lat. *simulare,* au sens de « feindre ». || **simulation** 1265, J. de Meung ; lat. *simulatio.* || **simulateur** XIIIe s., « contrefacteur » ; 1525, Cretin, « qui ment » ; 1845, Besch., méd. ; 1960, *journ.,* appareil. || **dissimuler** 1360, Oresme ; lat. *dissimulare,* cacher. || **dissimulation** 1190, *Saint Bernard ;* lat. *dissimulatio.* || **dissimulateur** 1493, Coquillart ; lat. *dissimulator.*

simultané 1701, *Mémoires Trévoux ;* lat. médiév. *simultaneus,* du lat. class. *simultas,* compétition, pris au sens de « simultané », d'après le lat. *simul,* « ensemble, en même temps ». || **simultanément** 1788, Féraud. || **simultanéité** 1754, Bonnet. || **simultanéisme** 1908, Lar.

sinanthrope 1933, Lar. ; lat. *Sina,* Chine, et gr. *anthrôpos,* homme.

sinapiser 1478, Chauliac ; lat. méd. *sinapizare,* du gr. *sinapizeîn,* de *sinapi* (v. SANVE). || **sinapisme** 1560, Paré ; lat. méd. *sinapismus,* du gr. *sinapismos.*

sincère 1308, Aimé ; lat. *sincerus.* || **sincèrement** 1607, Hulsius. || **sincérité** 1280, G., « pureté » ; 1495, Vignay, sens mod. ; lat. *sinceritas.* || **insincérité** 1845, Fr. Wey.

sinciput 1538, Canappe, anat. ; lat. *sinciput, -itis,* proprem. « moitié de la tête » (de *semi* et *caput*), d'où « devant de la tête » (v. OCCIPUT). || **sincipital** 1793, Lavoisien.

sinécure 1715, Lesage, *Rem. sur l'Angleterre* (*sinecura*) ; 1804, Saint-Constant (*sinécure*), pour des usages fr. ; angl. *sinecure,* de la loc. lat. *sine cura,* « sans souci », d'abord appliquée à des charges eccl.

sine die 1888, Lar. ; loc. lat. signif. « sans fixer le jour », de *sine,* sans, et *dies,* jour.

sine qua non (*condition*) 1565, *Lettres Cath. de Médicis ;* loc. du lat. scolaire, proprem. « (condition) sans laquelle non ».

***singe** 1119, Ph. de Thaon ; 1538, R. Est., « imitateur » ; 1842, Esnault, « patron » ; lat. *sīmius,* var. de *sīmia ; payer en monnaie de singe,* 1552, Rab., par allusion à l'usage des montreurs de singe, qui payaient le péage en faisant jouer leur singe. || **singerie** 1347, G. li Muisis. || **singer** 1170, La Harpe. || **singesse** 1180, Marie de France. (V. SIMIESQUE.)

single 1896, d'après P. Robert, « un simple » au tennis, et « compartiment de wagon-lit pour un voyageur » ; mot angl. signif. « seul », de l'anc. fr. *sengle,* du lat. *singuli,* un par un.

singleton 1767, *FEW,* terme de whist et de bridge ; angl. *singleton,* de *single,* seul, de l'anc. fr. *sengle,* du lat. *singulus* (v. le précéd.).

singularité V. SINGULIER.

singulier 1190, Garn. (*singuler*) ; fin XIIIe s. (*singulier,* par changem. de suff.), « qui concerne un seul », et terme de gramm. ; XIVe s., « qui se distingue des autres » ; XVe s., péjor. ; lat. *singularis,* proprem. « seul ». || **singulièrement** 1190, *Saint Bernard.* || **singularité** 1190, *Saint Bernard* (*singulariteit*) ; bas lat. *singularitas.* || **singulariser** 1530, Palsgrave ; *se singulariser,* 1690, Furetière ; de *singulier,* d'après le lat. *singularis.* (V. SANGLIER.)

sinistre 1415, N. de Baye, adj. ; lat. *sinister,* « qui est à gauche », d'où « défavorable ». || **sinistre** 1485, Barbier, n. m. ; ital. *sinistro,* adj. substantivé, de même orig. que le précéd. || **sinistré** 1870, *Gazette des tribunaux,* adj. || **sinistrement** 1403, *Chartes.* || **sinistrose** 1908, Brissaud. || **sinistrogyre** 1904, Lar.

sinologie 1836, Raymond ; lat. *Sina,* Chine. || **sinologique** 1836, Raymond. || **sinologue** 1819, Boiste. || **sinisant** 1975, *Lexis.* || **siniser** 1942, Auboyer. || **sinophile** 1975, Lar. || **sinophobe** 1975, Lar.

sinon V. SI 1.

sinople 1138, *Saint Gilles* (*sinopre*), blas., couleur rouge ; XIVe s., couleur verte ; lat. *sinopis,* mot gr., « terre de Sinope » (de couleur rouge).

sinoque 1902, Esnault, « bille » ; 1929, Esnault, « fou ».

sinueux 1539, Canappe ; lat. *sinuosus,* de *sinus,* pli (v. SEIN). || **sinuosité** 1552, Ch. Est., d'après le lat. *sinuosus.* || **sinuer** 1789, Olivier.

1. **sinus** 1539, Canappe, anat. ; mot lat. signif. « pli, repli ». || **sinusite** 1904, Lar. || **sinusal** 1953, Lar.

2. **sinus** 1544, Apian, géom., demi-corde de l'arc double ; lat. médiév. *sinus,* trad. (par confusion avec le précéd.) de l'ar. *djayb,* « ouverture d'un vêtement ». || **cosinus** 1717, Grischow. || **sinusoïde** 1750, *Grande Encycl.* || **sinusoïdal** 1872, L.

sionisme 1886, d'après P. Robert ; du nom de *Sion,* montagne de Jérusalem. || **sioniste** 1886, d'après P. Robert.

sipho-, lat. *sipho,* du gr. *siphôn.* || **siphoïde** 1875, Lar. || **siphomycètes** 1934, Quillet. || **siphonophores** 1842, *Acad.*

siphon 1320, *Geste des Chiprois,* « trombe » ; 1546, Rab., techn. ; lat. *sipho,* du gr. *siphôn.* || **siphonner** 1871, L. || **siphonnement** 1871, L. || **siphonage** 1875, *Gazette des tribunaux.*

***sire** 980, *Valenciennes* (cas sujet), « seigneur » ; XIVe s., désigne le souverain ; XVIIe s., péjor. ; lat. pop. *seior,* forme fam. de *senior* (v. SEIGNEUR, SIEUR). || **messire** XIIe s. ; de *sire* et *mes,* anc. cas sujet sing. de *mon.*

sirène fin XIe s., *Gloses de Raschi* (*syrène*) ; 1265, Br. Latini (*sereine*) ; XVIe s. (*sirène*) ; bas lat. *sirena* (IIIe s., Tertullien), du lat. class. *siren,* mot gr. || **sirénidés** 1848, d'après P. Robert. || **sirénien** 1811, d'après P. Robert. (V. SERIN.)

sirli 1778, Buffon, ornith. ; onomat.

sirocco 1265, Br. Latini (*siloc*) ; 1441, Em. Piloti (*siroc*) ; 1575, J. Des Caurres (*siroco*) ; 1598, Villamont (*sirocco*) ; ital. *scirocco,* de l'ar. *suruq,* lever du soleil, de *sarq,* est.

sirop 1175, Chr. de Troyes ; lat. médiév. *sirupus,* de l'ar. méd. *charāb,* « boisson » (v. SORBET). || **sirupeux** 1742, Geoffroy ; d'après le lat. *sirupus.* || **siroter** 1620, Binet (*siroper*), « traiter par des sirops » ; 1680, Richelet (*siroter*), sens mod. || **siroteur** 1680, Richelet.

sirupeux, sis V. SIROP, SEOIR.

sisal 1910, Etesse ; du nom *Sisal,* port du Yucatán (Mexique) ; nom usuel de l'agave d'Amérique.

sismique, sismographe, sismologie, etc. V. SÉISME.

sison 1545, Guéroult, bot. ; mot lat., du gr. *sisôn.*

sissonne 1691, Monchesnay (*pas de sissonne*), danse (altéré parfois en *si-sol*) ; du nom du comte de *Sissonne,* qui l'aurait inventée.

sistre 1527, Marot ; lat. *sistrum,* du gr. *seîstron.*

sisymbre 1545, Guéroult (*sisymbrion*), bot. ; lat. *sisymbrium,* du gr. *sisumbrion.*

site 1576, A. Du Cerceau ; ital. *sito,* de l'anc. fr. *site,* place, du lat. *situs,* situation. || **sitomètre** 1964, Lar.

sit-in 1971, *journ.* ; loc. angl., de *to sit,* s'asseoir.

sitôt 1460, Chastellain (*sistost*) ; *de sitôt,* 1777, Féraud ; *sitôt que,* 1273, Adenet ; de *si* et *tôt.*

sittelle 1778, Buffon, pivert ; lat. scient. *sitta,* du gr. *sittê.*

situer 1290, *Livre Roisin ; se situer,* 1677, Bossuet ; lat. médiév. *situare,* de *situs* (v. SITE). || **situation** 1375, R. de Presles.

***six** 1080, *Roland* (*sis ;* puis *six,* d'après le lat.) ; lat. *sex.* || **sixième** 1190, *saint Bernard* (*seixime ;* puis *sixième,* v. CENTIÈME pour le suff.). || **sixièmement** XVe s., G. || **six-quatre-deux** (à la) 1867, Delvau. || **sizain** 1180, *Girart de Roussillon* (*sisain*), « sorte de petite monnaie » ; 1650, Molière, métrique.

sixte 1611, Cotgrave, mus. ; spécialisation au fém. de l'anc. fr. *sixte,* var. orthogr. de *siste,* « sixième », adapt. du lat. *sextus,* d'après *six.*

sizain V. SIX.

skating 1875, Bonnafé, « patinage » ; 1877, L., « lieu où l'on patine », abrév. de l'angl. *skating-rink ;* mot angl., de (*to*) *skate,* patiner.

skeet 1975, *Lexis ;* mot angl. signif. « pelle ».

skeleton 1899, *la Vie au grand air ;* mot angl. signif. « squelette, charpente ».

sketch 1903, Bonnafé ; mot angl. signif. « esquisse ».

ski 1841, *Magasin pitt.* (*skie,* encore 1875, Lar.) ; vulgarisé par le Club alpin à partir de 1890 ; norvégien *ski,* peut-être par l'angl. *ski, skie ;* prononcé d'après la lecture, car *ski* se prononce *chi* en norvégien, en angl., en all. || **skier** début XXe s. || **skieur** 1904, Lar. || **ski-bob** 1968, *journ.* || **téléski** XXe s. || **après-ski** XXe s.

skiascopie 1902, Comby, méd. ; gr. *skia,* ombre, et *-scopie.*

skiff 1851, Ph. Chasles ; angl. *skiff,* lui-même issu du fr. *esquif.*

skipper 1773, Bonnafé ; mot angl. signif. « patron ».

skunks V. SCONSE.

slalom 1908, Hök ; norvégien *slalom,* de *sla,* incliné, et *låm,* trace de ski. || **slalomeur** 1936, *journ.* || **slalomer** 1975, *Lexis.*

slang 1856, Fr. Michel ; mot angl. signif. « jargon ».

slave XVIIe s., Ménage ; anc. slave *slava,* gloire. || **slavon** 1759, Voltaire. || **slavisme** milieu XIXe s., Ph. Chasles. || **slaviste** 1876, *Rev. critique.* || **slavisant** 1904, Lar. || **slavophile** 1852, *Doc.*

sleeping-car 1872, J. Verne ; mot angl. signif. « voiture (*car*) à dormir (*to sleep*) ».

slip 1885, Pairault, « laisse » ; 1914, *Catalogue Williams,* « cache-sexe » ; angl. *slip,* petit morceau d'étoffe.

slogan 1842, *Acad.,* « cri de guerre écossais » ; 1930, G. Duhamel, formule de publicité ; mot angl., d'orig. écossaise, signif. « cri de guerre », du gaélique *sluagh,* troupe, et *gairm,* cri.

sloop 1725, Mackenzie ; mot angl., du néerl. *sloep,* du moy. fr. *chaloppe.* (V. CHALOUPE.)

sloughi 1845, Daumas, lévrier d'Afrique ; ar. maghrébin *slūgi,* lévrier.

slow 1925, d'après P. Robert ; abrév. de l'angl. *slow-fox,* de *slow,* lent, et *fox,* de *fox-trot.*

smack 1875, *J. O. ;* mot angl., du néerl.

smala ou **smalah** 1843, *journ.* (au moment de la prise de la smala d'Abd el-Kader), au pr. ; 1867, Delvau, fig., péjor. ; ar. d'Algérie *zmāla,* proprem. « réunion de tentes ».

smalt 1536, Havard (*semalte*), verre bleu ; ital. *smalto,* « email ». (V. ÉMAIL.) || **smaltine** 1845, Besch.

smaragdite 1779, Saussure, minér. ; lat. *smaragdus* (v. ÉMERAUDE). || **smaragdin** 1510, G., « émeraude » ; 1752, Trévoux.

smart 1850, en canadien fr. ; 1898, *Journ. des débats,* « élégant, chic » ; mot angl. signif. « cuisant, piquant ».

smash 1894, Bonnafé ; mot angl. signif. « écraser ». || **smasher** 1906, *les Sports.*

smectique 1778, Villeneuve, minér. ; gr. *smêktikos,* de *smêlzhein,* nettoyer.

smicard 1971, *journ. ;* du sigle *S.M.I.C.* (salaire minimum interprofessionnel de croissance).

smilax 1583, E. Le Lièvre ; mot lat., du gr. *smilax ;* nom scientif. de la *salsepareille.*

smille 1676, Félibien, « marteau de maçon » ; bas lat. *smila,* scalpel, du gr. *smilê,* instrument pour couper. || **smiller** 1676, Félibien. || **smillage** 1845, Besch.

smocks 1933, Lar. ; mot angl. signif. « chemise de femme ».

smoking 1890, Rostand, *Musardises ;* ellipse de *smoking-jacket* (1889, P. Bourget), mot angl. signif. « jaquette pour fumer », de (*to*) *smoke,* fumer.

snack-bar milieu XXe s. ; mot angl., de *snack,* portion, et *bar* (v. ce mot). || **snack** 1958, Daninos ; abrév.

snob 1857, Guiffrey, trad. du *Livre des snobs,* de Thackeray ; vulgarisé dans la seconde moitié du XIXe s. ; mot angl., de l'argot des étudiants de Cambridge, désignant les étrangers à l'université, en angl. « homme de basse condition », et partic. « garçon cordonnier ». || **snober** 1921, Proust. || **snobisme** 1867, Delvau. || **snobinette** 1898, J. Lemaitre, *Discours à la séance des cinq Acad.* || **snobinard** XXe s.

snow-boot v. 1885, *journ. ;* mot angl., de *boot,* botine, et *snow,* neige, « bottine pour la neige ».

sobre 1170, *Rois ;* lat. *sobrius.* || **sobrement** 1190, *saint Bernard.* || **sobriété** fin XIIe s. ; lat. *sobrietas.*

sobriquet XIVe s., Du Cange, « coup sous le menton » (*souzbriquet*) ; XVe s., G., qualificatif ; orig. inconnue, p.-ê. dér. de *sous.*

***soc** 1155, Wace ; lat. pop. **sŏccus,* du gaulois **succos,* suc (cf. l'irl. *socc,* « museau »). || **bissoc** 1853, *Almanach.* || **ensochure** fin XIXe s., *D. G.*

sociable 1330, *Renart le Contrefait ;* lat. *sociabilis,* de *sociare,* unir, associer (v. les suiv.). || **sociabilité** 1665, Chapelain. || **insociable** 1552, Ch. Est. || **insociabilité** 1721, Montesquieu.

social 1375, R. de Presles (*vie socielle*) ; 1601, P. Charron (*vie sociale*) ; peu usité avant le milieu du XVIIIe s. (surtout après le *Contrat social* de J.-J. Rousseau, 1761) ; valeur polit. à partir de 1831, Lamennais ; lat. *socialis,* « fait pour la société », de *socius,* compagnon ; *question sociale, parti social,* 1834, V. Considérant ; *la sociale,* 1848, chans., ellipse de *la république sociale.* || **social-démocrate** 1907, *l'Illustration.* || **social-chrétien** 1945, Lar. || **socialement** XVe s. || **socialité** XVIe s., Amyot. || **socialiser** 1786, Grivel, rendre social ; 1842, C. Pecqueur, sens écon. mod. || **socialisation** 1836, *Acad.* || **socialisme** XVIIIe s., appliqué à l'école du juriste Grotius ; 23 novembre 1831, *le Semeur,* écon. polit. || **socialiste** XVIIIe s., avec la même évolution que *socialisme* au XIXe s. (en angl. en 1822) ; *démocrate-socialiste,* 1869, tract ; *parti socialiste,* 1871, rapport du préfet du Nord. || **socialisant** adj., 1840, C. Pecqueur. || **antisocial** 1776, d'Holbach.

société 1165, Gaut. d'Arras, « association » ; 1649, La Rochefoucauld, « compagnie religieuse ou commerciale » ; lat. *societas,* de *socius,* compagnon, associé. || **sociétaire** 1788, Féraud, membre d'une société, sens qui survit seul auj. ; 1808, Ch. Fourier, pour désigner son école. || **sociétariat** 1871, L. || **sociologie** 1830, Aug. Comte, du rad. de *société* et de l'élém. *-logie,* d'après *géologie,* etc. || **sociologique** 1871, L. || **sociologue** 1904, Lar. || **sociologisme** 1907, Lar. || **sociométrie** 1964, Lar. || **socioculturel** 1965, *journ.* || **sociodrame** 1951, Palmade. || **socio-éducatif** 1965, *journ.* || **sociogenèse** 1961, Delay. || **sociogramme** 1964, Lar. || **sociolinguistique** 1968, Lar.

socinien XVIIe s., Bossuet ; du nom de l'Italien *Socin,* créateur de cette secte relig. || **socinianisme** 1691, Jurieu.

socle 1636, *Mémoires hist. Paris ;* ital. *zoccolo,* « sabot », du lat. *socculus,* brodequin. (V. SOCQUE.)

socotrin 1564, Liébault (*succocitrin*) ; 1672, Charras (*succotrin*) ; 1743, Geffroy (*socotrin*) ; aloès originaire de *Socotora,* île de la mer Rouge. (V. CHICOTIN.)

socque 1611, Cotgrave, chaussure de bois (sabot de religieux) ; 1690, Furetière, antiq. ; lat. *soccus.*

socquette 1930, *journ. ;* angl. *sock,* « bas », d'après *chaussette.*

socratique 1555, Pontus de Tyard ; gr. *sôkratikos,* disciple de Socrate.

soda 1842, *Acad. ;* abrév. de l'angl. *soda-water* (empr. v. 1820, Jouy), « eau de soude ».

sodé V. SOUDE.

sodium 1807, Davy ; angl. *soda,* lui-même issu du lat. médiév. *soda* (v. SOUDE). || **sodique** 1831, Berzelius. || **sodalite** 1845, Besch. ; de *soda,* élément tiré de *sodium.*

sodomie 1370, Oresme ; du nom de *Sodome,* ville de Palestine réputée pour ses débauches, d'après la Bible (Genèse, XIII, XVIII et XIX). || **sodomite** 1130, *Eneas ;* lat. eccl. *sodomita,* « habitant de Sodome ». || **sodomiser** 1587, G. ; rare avant 1871, L.

***sœur** 1080, *Roland* (*soer,* cas objet, var. *seror ; suer* au cas sujet) ; lat. *sorōrem,* acc., pour le cas objet, disparu très tôt, et *soror,* nominatif, pour le cas sujet, qui a seul survécu. || **sœurette** 1458, B. W., d'abord « religieuse ». || **consœur** 1342, G., « femme d'une même confrérie » ; XXe s., fém. de *confrère* pour certaines activités littéraires et artistiques ou dans certaines professions libérales. (V. SORORAL.)

sofa 1560, Postel, « estrade couverte de coussins » ; 1657, La Boullaye, « divan » ; ar. *suffa,* « coussin », par l'interméd. du turc *sofa.*

soffite n. m., 1676, Félibien ; ital. *soffitto,* plafond, du lat. pop. **suffictus,* en lat. class. *suffixus,* part. passé de *suffigere,* suspendre.

software 1966, *journ. ;* mot angl., de *soft,* mou, et *ware,* marchandise.

***soi, soi-disant** V. SE, DIRE.

***soie** fin XIe s., *Gloses de Raschi* (*seide*) ; lat. pop. *sēta,* en lat. class. *saeta,* « poil rude, poil de porc », et en bas lat. « matière filée par le ver à soie » ; a éliminé en ce sens *bombyx* et *sericum* (v. SERGE) ; *papier de soie,* 1871, *J. O.* || **soierie** 1328, Douët d'Arcq. || **soyeux** 1380, *Aalma,* adj. ; XIXe s., n. m., fabricant de soieries. || **ensoyer** XIIIe s.

***soif** 1050, *Alexis* (*sei, soi*) ; 1175, Chr. de Troyes (*soif,* avec *f* dû à la fausse analogie des mots du type *buef, bœuf,* pl. *bues,* ou du type *nois,* cas sujet [de *nix*], et *noif,* cas objet [de *nivem,* v. NEIGE]) ; lat. *sitis.* || **soiffer** 1802, d'Hautel. || **soiffeur** milieu XIXe s., Lhéritier, suppl. aux *Mémoires* de Vidocq. || **soiffard** 1843, Dupeuty. || **assoiffer** 1607, Montlyard. || **assoiffé** adj., fin XIXe s.

soigner 1160, *Charroi,* « s'occuper de, veiller à » (v. tr. et intr.) ; égalem., du XIIe au XVIe s., « avoir des soucis », « être préoccupé » ; 1636, Monet, « donner des soins » ; francique **sunnjôn,* « s'occuper de ». || **soin** 1080, *Roland.* || **soigneux** adj., 1120, *Job.* || **soigneur** n. m., 1907, Lar. || **soigneusement** fin XIIe s., *Dialogues Grégoire.* || **soignante** 1964, Lar. || **aide-soignante** n. f., XXe s. ; part. prés. substantivé.

soin V. SOIGNER.

***soir** 980, *Passion* (*seir*), n. m. ; 1080, *Roland,* adv. ; de l'adv. lat. *sērō,* « tard », de l'adj. *sērus,* tardif. || **soirée** 1180, Studer ; réfection de l'anc. fr. *serée,* XIVe s. (V. SEREIN 2.) || **soiriste** 1888, Villatte. || **bonsoir** XVe s.

soit 1175, Chr. de Troyes, conj. alternative ou interj., forme figée de la 3e pers. du sing. du subj. prés. du v. *être. ; soit que,* 1541, Calvin.

***soixante** 1080, *Roland* (*seisante,* var. *soissante,* puis *soixante* avec *x* d'après le lat.) ; lat. pop. *sexantā* (IVe s.), du lat. class. *sexaginta.* || **soixantième** 1138, Gaimar ; var. *soixantisme.* (V. CENTIÈME.) || **soixantaine** 1155, Wace (*seisanteine*) ; 1399, G. (*soixantaine*). || **soixante-dix** fin XIIIe s. ; a éliminé l'anc. *septante* (v. ce mot). || **soixante-dixième** fin XIIIe s.

1. **sol** XVe s., *Coustumier général* (*soul*) ; 1538, R. Est. (*sol*), terrain ; lat. *solum* (v. SEUIL et SOLE 2). || **sol-air** 1966, *journ.* || **sol-sol** 1964, *journ.* || **sous-sol** 1845, Besch. || **solifluxion** 1923, Lar., géogr. ; angl. *solifluction,* du lat. *solum,* sol, et *fluere,* couler.

2. **sol** forme archaïque de SOU.

3. **sol** mus., 1532, Rab. ; lat. *solve,* qui commence le 3e vers de l'hymne de saint Jean-Baptiste. (V. UT.)

solacier 1175, Chr. de Troyes, « consoler » ; anc. fr. *solas,* consolation (1090, Stengel), du lat. *solacium,* de *solari,* réconforter ; il a été remplacé par *soulager.*

solaire 1119, Ph. de Thaon ; lat. *solaris,* de *sol,* soleil. || **solarium** 1765, *Encycl.* || **solarigraphe** 1964, Lar. || **solarimètre** 1933, Lar. || **solariser** 1877, L.

solanacées 1787, *Journ. de phys.* (*solanées*) ; 1876, Lar. (*solanacées*) ; lat. *solanum,* morelle (mot lat. empr. v. 1560, Paré).

1. **solandre** 1664, Solleysel, crevasse au pli du jarret du cheval ; orig. obscure (pour la finale, v. MALANDRE).

2. **solandre** 1871, L. ; 1964, Lar. (*solandra*), bot. ; du nom du naturaliste suédois *Solander.*

soldanelle XVe s., origine languedocienne ; dér. du prov. *soltz,* viande salée, du rad. lat. *sal, salis,* sel (la soldanelle du Midi contient du sel en assez grande quantité).

soldat 1475, Bartzsch ; vulgarisé au XVIIe s. ; a remplacé *soudard* (v. ce mot) ; ital. *soldato,* de *soldare,* payer une solde. || **soldatesque** 1577, Herbillon, n. f. ; 1556, *Papiers Granvelle,* adj. ; ital. *soldatesco,* « de soldat ». (V. SOLDE 1.)

1. **solde** 1308, Aimé, n. f., paie des gens de guerre ; ital. *soldo,* n. m., proprem. « pièce de monnaie » (v. SOU) ; fém. en fr. à cause de la terminaison ; *se mettre, être à la solde de,* 1816,

Chateaubriand. || **demi-solde** 1779, *Recueil des lois.* || **solder** 1573, *Revue,* payer une solde.

2. **solde** [d'un compte] n. m. V. SOLDER 2.

1. **solder** V. SOLDE 1.

2. **solder** 1675, Savary, « arrêter un compte » ; 1772, Raynal, « acquitter ce qui reste d'un compte » ; 1877, L., « vendre des marchandises au rabais » ; ital. *saldare,* souder (v. SOUDER), adapté en *solder* d'après *solde* 1, *solder* 1, de *saldo,* solide, du lat. pop. **salidus,* de *solidus.* || **solde** n. m., 1675, Savary, « règlement d'un compte » ; 1748, Montesquieu, « ce qui reste à payer d'un compte » ; 1871, L., « vente au rabais », le plus souvent au pl. ; ital. *saldo,* francisé de même manière que le verbe. || **soldeur** 1887, B. W., marchand de soldes.

1. **sole** fin XIe s., *Gloses de Raschi,* dessous du sabot d'un cheval ; et, au fig., divers sens techn. ; lat. *solea,* sandale. || **soléaire** 1560, Paré (*solaire*) ; 1793, Lavoisien (*soléaire*).

2. ***sole** 1213, *Fet des Romains,* pièce de charpente ; réfection, d'après les dér. *solin, solive,* etc., de l'anc. fr. *suele, seule,* du lat. pop. **sŏla,* altér. de *solea* (v. le précéd.). || **solive** fin XIIe s., *Roman Alexandre.* || **soliveau** 1296, G. (*souliviau*). || **solin** 1348, G., « intervalle entre les solives, les tuiles ». || **entresol** début XVIIe s. (*entresolle*), parfois fém. ; n. m., 1718, *Acad.* (*entresol*) ; pour *entresoles,* « ce qui est entre les soles » (proprem. « logement pris sur la hauteur d'un étage ») ; XVIIIe s., sens mod.

3. **sole** 1374, B. W., agric. (attesté par le v. *assoler*) ; empl. fig. de *sole* 2. || **assoler** fin XIIe s. || **assolement** fin XVIIIe s. || **dessoler** 1690, Furetière, faire un nouvel assolement. || **dessolement** 1700, Liger.

4. **sole** XIIIe s., *Fabliaux,* poisson ; anc. prov. *sola,* du lat. pop. **sola,* réfection de *solea* (v. SOLE 1), qui a pris ce sens à cause de la forme plate de ce poisson.

solécisme 1265, Br. Latini (*solœcisme*) ; 1672, Molière (*solécisme*) ; lat. *solœcismus,* du gr. *soloikismos,* de *Soloi,* Soles, ville de Cilicie : proprem. « manière de parler (défectueuse) des habitants de Soles ».

***soleil** 980, *Passion ;* lat. pop. **soliculus,* en lat. class. *sol.* || **soleillade** 1888, Daudet. || **soleillée** 1875, *J. O.* || **soleilleux** 1582, Agneaux. || **ensoleillé** 1875, L. || **ensoleillement** XXe s.

solen 1694, Th. Corn., zool. ; mot lat., du gr. *sôlên,* canal, étui.

solennel 1190, *Saint Bernard* (*solempnel*) ; lat. *sollemnis,* orth. en bas lat. *solennis.* || **solennellement** 1190, *Saint Bernard.* || **solennité** 1120, *Ps. de Cambridge ;* lat. *sollemnitas, id.* || **solenniser** 1360, Froissart ; lat. eccl. *sollemnizare, id.* || **solennisation** 1396, *Mémoires.*

solénoïde 1838, *Acad. ;* gr. *sôlên,* canal, et élém. *-oïde.* || **solénoïdal** 1888, Lar.

soleret fin XIIe s., *Roman Alexandre ;* anc. fr. *soler.* (V. SOULIER.)

solfatare 1578, Belleforest (*solfatarie*) ; 1757, Cochin et Bellicard (*solfatare*) ; ital. *solfatare,* désignant proprem. un volcan éteint près de Naples, de *solfo,* soufre. || **solfatarien** 1904, Lar.

solfège 1767, Rousseau ; ital. *solfeggio,* de *solfa,* gamme, de *sol* et *fa* (v. SOLFIER).

solfier 1220, Coincy ; lat. médiév. *solfa,* gamme, de *sol* et *fa,* et par anal. des v. en *-fier.*

solicitor 1876, Lar. ; mot angl., du fr. *solliciteur.*

solidaire milieu XVe s., jurid., « commun à plusieurs, chacun répondant du tout » ; 1718, *Acad.,* « lié par obligation » ; 1778, Diderot, sens actuel ; loc. lat. jurid. *in solidum,* « solidairement », proprem. « pour le tout », du neutre de l'adj. *solidus* (v. SOLIDE). || **solidairement** 1496, Bartzsch. || **solidarisme** 1907, Lar. || **solidariste** 1904, Lar. || **solidarité** 1693, Isambert, jurid. ; milieu XVIIIe s., ext. || **solidariser** 1842, Radonvilliers. || **désolidariser (se)** XXe s. || **insolidaire** av. 1865, Proudhon. || **insolidarité** *id.*

solide 1314, Mondeville, adj. ; 1613, Dounot n. m., géom. ; lat. *solidus,* « massif », et au sens moral « ferme ». || **solidité** 1314, Mondeville, rare avant le XVIIe s. ; lat. *soliditas.* || **solidifier** 1783, Buffon. || **solidification** fin XVIe s., rare avant le XVIIIe s.

soliflore 1975, Lar. ; lat. *solus,* seul, et *flos,* fleur.

solifluxion V. SOL 1.

soliloque 1600, Fr. de Sales ; bas lat. *soliloquium* (IVe s., saint Augustin), de *solus,* seul, et *loqui,* parler. || **soliloquer** 1888, Daudet.

solin V. SOLE 2.

solipède 1556, R. Le Blanc, zool. ; adapt., d'après *solus* (v. SEUL), du lat. *solidipes, -pedis,* au sabot entier, non fendu, de *solidus* (v. SOLIDE), et *pes, pedis* (v. PIED).

solipsisme 1878, Lar., philos. ; lat. *solus,* seul, et *ipse,* soi-même. || **solipsiste** 1964, Lar.

soliste V. SOLO.

solitaire fin XIIe s., *Grégoire ;* lat. *solitarius,* de *solus* (v. SEUL). || **solitairement** fin XIIe s.

solitude 1213, *Fet des Romains ;* rare avant le XVIIe s. ; lat. *solitudo,* de *solus* (v. SEUL).

solive, soliveau V. SOLE 2.

solliciter début XIVe s. ; lat. *sollicitare,* agiter avec force, d'où l'empl. fig., et en lat. eccl. « se préoccuper de » ; jusqu'au XVIIIe s., a pu signifier « troubler », « s'occuper d'une affaire », et « soigner (une maladie) ». || **sollicitude** 1265, Br. Latini, « souci » ; ext. de sens en fr. mod. ; lat. *sollicitudo,* proprem. « trouble moral ». || **sollicitation** 1404, du Cange ; lat. *sollicitatio,* « inquiétude, instigation ». || **solliciteur** 1347, G., jurid., « celui qui prend soin des affaires » ; en fr. mod., ext. de sens (cf. le sens de l'angl. *sollicitor*).

sollicitude V. SOLLICITER.

solo 1703, de Brossard, mus. ; *en solo,* 1877, Daudet ; ital. *solo,* seul, du lat. *solus* (v. SEUL). || **soliste** 1836, Raymond.

solstice 1119, Ph. de Thaon (*solsticium*) ; 1265, J. de Meung ; rare jusqu'au XVIIe s. ; lat. *solsticium,* de *sol,* soleil, et *stare,* s'arrêter. || **solsticial** 1379, J. de Brie ; lat. *solstitialis.*

soluble fin XIIe s., *Dialogues Grégoire,* relig. ; 1265, J. de Meung, « qui peut être détruit » ; 1690, Furetière, sens mod. ; bas lat. *solubilis,* de *solvere,* dissoudre, disjoindre. || **solubilité** 1753, Pott. || **solubiliser** 1877, L. || **insoluble** XIIIe s., d'Andeli ; lat. *insolubilis.* || **insolubilité** 1765, *Encycl.*

solution 1119, Ph. de Thaon (*solucium*), action de dissoudre ; 1360, Froissart (*solution*), empl. mathém. ; 1690, Furetière, chim. ; *solution de continuité,* 1314, Mondeville, d'abord en chir. ; lat. *solutio,* action de délier, de dissoudre, de *solvere* (v. le précéd.). || **solutionner** 1795, Babeuf ; 1906, Lar. || **solutionnement** début XXe s., La Fouchardière. || **soluté** 1836, *Acad.*

solvable 1328, Varin, sens mod. ; 1356, *Ordonnance,* « payable » ; lat. *solvere,* au sens fig. de « payer » (v. les précéd.). || **solvabilité** 1662, Kuhn. || **solvatiser** 1933, Lar. || **solvatisation** 1933, Lar. || **insolvable** début XVe s. || **insolvabilité** 1539, R. Est.

solvant n. m., 1906, Lar. ; lat. *solvere,* dissoudre.

somatique 1620, Lamperière, biol. ; rare avant 1855 ; gr. *sômatikos,* de *sôma, sômatos,* corps. || **somatiser** 1967, Robert. || **somatisation** 1970, Robert. || **somatognosie** 1953, Lar. || **somatocyte** 1964, Lar. || **somatologie** 1762, *Acad.* || **somatotrope** 1941, Rey. || **soma** 1904, Lar., biol. ; mot gr. || **somation** 1959, Lar.

sombre milieu XIIIe s., Rutebeuf (*essombre*), « lieu obscur » ; 1374, G. (*sombre*) ; dér. d'un anc. v. **sombrer,* « faire de l'ombre », du bas lat. *subumbrare,* de *umbra* (v. OMBRE). || **sombrer** 1611, Cotgrave, « assombrir ». || **sombreur** 1823, *Obs. des modes.* || **assombrir** 1597, Ph. Bosquier ; rare jusqu'à la fin du XVIIIe s., Mirabeau. || **assombrissement** 1836, Barbey d'Aurevilly.

1. **sombrer** V. SOMBRE.

2. **sombrer** 1614, Claude d'Abbeville ; aphérèse de l'anc. v. *soussoubrer,* se renverser à la suite d'un coup de vent ; de l'esp. *zozobrar,* sombrer, mot port., de *sots,* sous, et *sobre,* au-dessus.

sombrero 1590, Quicherat (*sombrère*) ; mot esp., de *sombrar,* faire de l'ombre, du bas lat. *subumbrare* (v. SOMBRE).

sommaire 1538, R. Est., adj. ; XIVe s., L., n. m. ; lat. *summarium,* abrégé, résumé, de *summa* (v. SOMME 1) ; l'adj. est tiré du subst. || **sommairement** XIIIe s., *Arch. de Reims.*

sommation V. SOMME 1 et SOMMER 2.

1. ***somme** n. f., 1155, Wace (*sume*), « quantité » ; 1265, J. de Meung, « somme d'argent » ; 1479, Boutillier, « abrégé, recueil, ouvrage théologique » en anc. fr. ; lat. *summa,* partie la plus haute, et par ext. « partie essentielle, totalité, somme d'argent », fém. substantivé de l'adj. *summus* (v. SOMMET) ; *en somme,* 1160, *Roman Tristan,* calque du lat. *in summa ; somme toute,* début XIVe s., anc. loc. jurid., proprem. « total général ». || **sommer** 1180, *Horn,* « achever » ; 1330, Digulleville, « mettre en demeure » ; math., XVe s., du Cange, « faire une somme ». || **sommier** 1685, Furetière, registre. || **sommation** 1450, Gréban, math.

2. ***somme** n. f., 1265, Br. Latini, « bât, charge », jusqu'au XVIe s. ; auj. seulem. dans *bête de somme ;* bas lat. *sagma,* « bât », mot gr. (IVe s., Végèce ; puis *sauma,* VIIe s., Isidore de Séville). [V. SOMMELIER, SOMMIER.]

3. ***somme** 1112, *Voy. saint Brendan,* n. m., « sommeil » ; XVIIe s., sens mod., par restriction de sens devant la concurrence de *sommeil ;* lat. *somnus,* avec infl. de *sommeil.* (V. SOMMEIL.)

***sommeil** 1138, Gaimar ; bas lat. *somniculus,* « léger sommeil », dimin. de *somnus* (v. SOMME 3). || **sommeiller** 1120, *Ps. d'Oxford,* « dormir » ; XVIIe s., sens mod. || **sommeillement** 1190, *Saint Bernard.* || **sommeilleux** 1160, Benoît. || **ensommeillé** XVIe s. ; rare avant le milieu du XIXe s.

sommelier 1175, Chr. de Troyes ; altér. de **sommerier,* « conducteur de bêtes de somme », dér. de *sommier* 1 ; 1316, Havard, « officier chargé des vivres » ; XIVe s., du Cange, « domestique chargé de la table » ; 1812, Mozin, sens mod. || **sommellerie** 1504, *Revue,* pour la fonction et le lieu.

1. **sommer** V. SOMME 1.

2. **sommer** 1283, Beaumanoir, jurid., « mettre en demeure » ; lat. médiév. *summare,* proprem. « dire en résumé », de *summa,* « résumé » (v. SOMME 1). || **sommation** 1283, Beaumanoir. || **sommatoire** 1876, Lar., jurid.

sommet 1112, *Voy. saint Brendan* (*sumet*) ; anc. fr. *som,* sommet (1131, *Couronn. Loïs*), du lat. *summum,* neutre substantivé de l'adj. *summus,* « le plus haut » (v. SOMME 1, SOMMITÉ) ; *conférence au sommet,* 1964, *journ.,* polit.

1. ***sommier** 1080, *Roland,* « bête de somme » (jusqu'au XVIIe s.) ; 1432, G., « poutre » ; 1673, Havard, sommier de lit ; bas lat. *sagmārium,* bête de somme, de *sagma,* bât (v. SOMME 2).

2. **sommier** V. SOMME 1.

sommité 1270, Mahieu le Vilain, « sommet » ; 1825, *Journ. des dames,* personnage éminent ; bas lat. *summitas,* « sommet, cime », de *summa.* (V. SOMMET.)

somnambule 1690, Furetière ; lat. *somnus,* sommeil, et *ambulare,* marcher, d'après le lat. médiév. *noctambulus* (v. NOCTAMBULE, SOMME 3, SOMMEIL). || **somnambulisme** 1765, *Encycl.* || **somnanbulique** 1786, Proschwitz. || **somnanbulesque** 1847, Balzac.

somnifère 1502, O. de Saint-Gelais ; lat. *somnifer,* de *somnus,* sommeil, et *ferre,* apporter (v. SOMNAMBULE, SOMME 3, SOMMEIL).

somnolent 1429, Gerson, rare jusqu'au XIXe s. ; bas lat. *somnolentus,* de *somnus* (v. SOMME 3, SOMMEIL). || **somnolence** 1375, R. de Presles ; rare jusqu'à la fin du XVIIIe s. ; bas lat. *somnolentia.* || **somnoler** 1846, Töpffer.

somptuaire 1540, Michel de Tours (*loy somptuaire*) ; lat. (*lex*) *sumptuaria,* « (loi) relative aux dépenses », de *sumptus,* dépense, de *sumere,* prendre, employer, dépenser ; 1770, Rousseau, « de luxe ».

somptueux 1380, *Aalma ;* lat. *sumptuosus,* de *sumptus,* dépense (v. le précéd.). || **somptuosité** début XVe s. (*sumptuosité*) ; bas lat. *sumptuositas.*

1. ***son** 842, *Serments,* adj. possessif ; de la forme atone de l'acc. lat. *suum.* || **sa** de l'atone du fém. *sua.* || ***ses** de l'atone des acc. pl. masc. et fém. *suos* et *suas.* || ***sien** 842, *Serments* (*suon*) ; XIe-XIIe s. (*suen*) ; fin XIIe s., Couci (*sien*) ; de la forme tonique de l'acc. lat. *suum.* || **sienne** fém. de *sien ;* a remplacé l'anc. *soue,* issu de la forme tonique de *sua.* (V. MON 1, TON 1.)

2. ***son** 1160, Benoît, bruit ; anc. fr. *suen* (1120, *Ps. d'Oxford*), du lat. *sonus,* avec infl. de *sonner.* || **ultrason** XXe s. || **infrason** XXe s. || **sonique** XXe s., techn. || **supersonique** XXe s., techn. || **sonagramme** 1968, Lar. || **sonagraphe** *id.* || **sonomètre** 1698, Loulié, inventeur de l'appareil. || **sonothèque** 1964, Lar.

3. **son** 1193, Hélinant (*saon, seon*), « rebut » ; 1243, du Cange, « résidu de mouture » ; lat. *secundus,* qui suit, de *sequi,* suivre.

sonar 1949, Lar. ; angl. *SOund NAvigation and Ranging,* de *sound,* son, et *ranging,* réglage.

sonate 1695, *Mémoires ;* ital. *sonata,* de *sonare,* « jouer d'un instrument », du lat. *sonare.* (v. SONNER). || **sonatine** 1834, Fétis.

sonde 1180, *Perceval ;* fin XVIe s., chir. ; anglo-saxon *sund,* mer, élément dans les composés *sundline,* ligne de sonde, *sundgyrd,* perche pour sonder, *sundrap,* corde pour sonder. || **sonder** 1382, *Comptes Rouen ;* 1559, Amyot, « chercher à pénétrer ». || **sondeur** 1572, Chesneau. || **sondeuse** 1964, Lar. || **sondage** 1769, Morand. || **insondable** 1578, Léry.

***songe** 1155, Wace ; auj. surtout littér., refoulé par *rêve ;* lat. *somnium,* de *somnus* (v. SOMME 3, SOMMEIL). || ***songer** 1080, *Roland,* « rêver, faire un songe », jusqu'au XVIIe s. ; 1530, Palsgrave, sens mod. ; lat. *somniāre.* || **songeur** fin XIIe s., *Aiol (songiere).* || **songerie** XIIIe s., d'après *rêverie.* || **songe-creux** 1527, *Pronostication de Songe creux,* nom propre ; v. 1580, Montaigne, adj.

sonique V. SON 2.

***sonner** 1080, *Roland* (*soner, suner*) ; XVe s., du Cange, « jouer d'un instrument » ; lat. *sonāre,* de *sonus* (v. SON 2). || **sonante** 1842, *Acad.* ; part. prés. de *sonner.* || **sonneur** XIIIe s. (*soneor*). || **sonnerie** 1220, Coincy. || **sonnette** XIIIe s., Huon de Méry. || **sonnaille** fin XIIIe s. ; probablem. des parlers franco-prov. || **sonnailler** 1379, J. de Brie, n. m., « animal portant une clochette au cou ». || **sonnailler** 1762, *Acad.* || **dissoner** 1355, Bersuire ; rare jusqu'au XVIIIe s. ; lat. *dissonare.* || **dissonance** 1390, Conty ; bas lat. *dissonantia.* || **malsonnant** XVe s.

sonnet 1537, trad. du *Courtisan* ; ital. *sonetto,* de l'anc. prov. *sonet,* sorte de chanson (XIIe s., *Roman de Thèbes*) ou de poème, de *son,* « mélodie », puis « poème ».

sonnette sonomètre, sonothèque V. SONNER, SON 2.

sonore 1559, du Bellay ; *film sonore,* 1930, Moris ; bas lat. *sonorus,* de *sonus* (v. SON 2). || **sonorité** 1380, *Aalma,* rare jusqu'à la fin du XVIIIe s. ; bas lat. *sonoritas.* || **sonoriser** 1871, L. || **sonorisation** 1871, L. || **insonorisé, insonorisation** 1953, Lar.

sophiste XIIIe s., d'Andeli (*soffistre*), « qui use d'arguments captieux » ; 1380, *Aalma* (*sophiste*) ; lat. *sophistes,* gr. *sophistês,* sage, savant, et en partic. désignant des maîtres athéniens de rhétorique et de philosophie, dont Socrate critiqua les doctrines (Ve s. av. J.-C.). || **sophisme** 1160, Benoît (*soffime*), « ruse » ; 1549, R. Est., sens mod., d'après le lat. ; lat. *sophisma,* mot gr. || **sophistique** 1265, Br. Latini, adj. ; lat. *sophisticus,* du gr. *sophistikos* ; XIXe s., n. f., pensée des sophistes. || **sophistiquer** 1370, Oresme, « tromper » ; 1975, Lar, « perfectionner » ; bas lat. *sophisticari,* « déployer une fausse habileté ». || **sophistiqué** 1480, *Ordonn. royale.* || **sophistication** 1340, J. Le Fèvre ; rare jusqu'au XIXe s. || **sophistiqueur** 1493, Coquillart.

sophora 1845, Besch. (*sophore*) ; lat. scient. *sophora,* de l'ar. *sophera,* bot.

sophrologie 1973, *journ.* ; gr. *sophrôn,* sensé.

soporifique 1680, Richelet ; lat. *sopor,* sommeil, ou *soporare,* endormir, d'après les adj. en *-fique.* || **soporeux** 1478, Chauliac. || **soporatif** 1560, Paré, méd. || **soporifère** début XVIe s., J. Lemaire de Belges ; lat. *soporifer,* de *sopor,* et *ferre,* apporter.

soprano 1767, Rousseau, mus. ; mot ital. signif. « qui est au-dessus », du lat. pop. **superanus,* de *super,* au-dessus (v. SOUVERAIN). || **sopraniste** 1856, Castil-Blaze.

sorbe 1256, Ald. de Sienne (*çourbe*) ; 1512, J. Lemaire de Belges (*sorbe*) ; lat. *sorbum* ; fém., en fr., comme nom de fruit ; a remplacé l'anc. *corme.* || **sorbier** 1256, Ald. de Sienne (*çorbier*).

sorbet 1553, Belon ; ital. *sorbetto,* du turc *chorbet,* de l'ar. pop. *chourbat,* en ar. class. *charbāt,* boissons (v. SIROP). || **sorbetière** 1803, Boiste.

sorbonique 1541, Richard, adj. ; dér. de *Sorbonne* (d'abord collège de théologie, fondé au XIIIe s. par Robert de *Sorbon*). || **sorbonnard** 1933, Lar. || **sorbonicole** 1532, Rab. || **sorbonne** 1808, d'Hautel, « tête ». || **sorboniqueur** 1551, Richard.

***sorcier** 1130, *Eneas* ; bas lat. *sorcerius,* diseur de sorts (VIIIe s., *Gloses Reichenau*), du lat. class. *sortes,* pluriel de *sors, sortis,* oracle ; 1577, Belleau, adj. || **sorcellerie** XIIIe s., *Chanson d'Antioche,* dissimilation de **sorcererie* ; on trouve aussi en anc. fr. *sorcerie* (1138, Gaimar). || **ensorceler** XIIIe s., altération de *ensorcerer* (1188, *Chanson d'Aspremont*). || **ensorcellement** 1398, *Ménagier.* || **ensorceleur** 1539, R. Est.

sordide 1363, Chauliac ; lat. *sordidus,* de *sordes,* saleté. || **sordidité** 1573, Rubis.

sore 1827, *Acad.,* bot. ; gr. *sôros,* tas.

sorgho 1553, Belon ; ital. *sorgo,* du lat. médiév. *saricum,* plante de Syrie (*syricus*).

sorite milieu XVIe s., logique ; lat. *sorites,* du gr. *sôreitês,* de *sôros,* tas (v. SORE), parce que le *sorite* est constitué d'un entassement de prémisses.

sornette 1460, Chastellain ; dimin. de l'anc. fr. *sorne,* raillerie ; probablem. de l'anc. prov. *sorne,* obscur (v. SOURNOIS).

sororal 1533, Dassy ; lat. *soror,* sœur. || **sororat** 1964, Lar.

***sort** 980, *Passion* ; lat. *sors, sortis* (mot féminin), « tirage au sort », « consultation des dieux », « destin » ; on trouve parfois le fém. en fr. jusqu'au XVIe s., d'après le lat. (V. SORCIER, SORTE, SORTILÈGE, SORTIR.)

***sorte** XIIIe s., Tobler-Lommatzsch, « troupe » ; 1530, Palsgrave, « manière » ; *en quelque sorte,* 1650, Corn. ; *de sorte que,* 1553, Rab. ; lat. *sors, sortis,* en bas lat. « manière, façon » (v. le précéd.). || **assortir** fin XIVe s., J. Le Fèvre,

« disposer, munir » ; XVIe s., sens mod. ; infin. en *-ir* d'après *sortir.* || **assortiment** 1534, Rab. || **désassortir** 1629, Peiresc. || **rassortir** 1808, d'Hautel. || **rassortiment** 1838, *Acad.* || **réassortir, réassortiment** 1894, Sachs-Villatte.

sortie V. SORTIR.

sortilège 1213, *Fet des Romains ;* lat. médiév. *sortilegium,* divination, de *sors, sortis,* sort (v. SORT).

***sortir** 1160, Benoît, « aller hors de » ; 1395, Runkewitz ; lat. *sortiri,* tirer au sort (sens attesté aussi en anc. fr.), avec évolution sémantique obscure ; a remplacé *issir,* du lat. *exire* (v. ISSUE). || **sortable** 1190, Garnier, « convenable », de *sortir* au sens de « pourvoir ». || **sortie** 1400, A. Thierry. || **ressortir** 1080, *Roland,* « rebondir » ; 1130, *Eneas,* « se retirer, reculer » ; 1112, *Voy. saint Brendan,* « se détacher » ; début XIVe s., jurid., de *ressort* au sens jurid. || **ressort** 1210, *Estoire d'Eustachius,* jurid., « recours » ; XVe s., action de rebondir ; 1560, Paré, ressort de métal ; milieu XIVe s., « domaine » ; 1570, G., « mobile ». || **ressortissant** fin XIVe s., Deschamps, qui est du ressort ; 1904, Lar., jurid.

sosie 1738, Voltaire ; du nom de *Sosie,* esclave d'Amphitryon, que la comédie de Molière (1668) a rendu célèbre.

sostenuto 1813, Gattel ; mot ital., de *sostenere,* soutenir.

sot 1155, Wace ; d'un rad. expressif **sott-*. || **sottie ou sotie** 1190, *Saint Bernard,* « sottise », jusqu'au XVIe s. ; XVe s., satire dialoguée où figurent des *sots.* || **sottise** XIIIe s., *Fabliaux ;* a éliminé le précéd. au propre. || **sottisier** 1718, Legrand. || **sot-l'y-laisse** 1798, *Acad.* || **assoter** XIIe s., arch. || **rassoter** fin XIIe s., *Huon de Bordeaux.*

***sou** XIIe s., *Lois de Guillaume* (*solt*) ; 1175, Chr. de Troyes (*sol*) ; XIIIe s. (*sou*) ; lat. *solĭdus,* adj. substantivé (v. SOLIDE), pour désigner sous le Bas-Empire (IVe s., Amm. Marcellin) une monnaie de valeur fixe, d'abord d'or, puis, au Moyen Âge, d'argent, et enfin de cuivre. (V. SOLDAT, SOUDARD, SOUDOYER.)

soubassement milieu XIVe s. ; de *sous* et *bas ;* 1964, Robert, « base ».

soubattre 1871, L., « traire » ; de *sous* et *battre.*

soubresaut milieu XIVe s., Machaut (*soubersaut*), « saut sur soi-même » ; fin XIVe s., *Chron. de Boucicaut* (*soubresaut*) ; 1714, Fénelon, « tressaillement » ; prov. *sobresaut,* ou esp. *sobresalto,* gambade, de *sobre,* par-dessus, et *saut,* par infl. de *sursaut.* || **soubresauter** 1836, *Acad.* (V. SAUT.)

soubrette 1630, Faret ; prov. *soubreto,* fém. de *soubret,* « affecté », « qui fait le difficile », de *soubra,* « être de reste », d'où « laisser de côté », du lat. *superare,* être au-dessus (v. SUR 1).

soubreveste XVe s., *D. G. ;* ital. *sopravesta,* « veste de dessus » (v. VESTE).

souche fin XIe s., *Gloses de Raschi* (*çoche*) ; 1220, Coincy (*souche*) ; gaulois **tsŭkka,* corresp. à l'all. *Stock.* || **souchet** 1354, *Modus,* bot. (d'après les rhizomes de cette plante). || **souchetage** 1611, Cotgrave (*chonquetage*). || **soucheteur** 1638, d'après L. || **soucheter** 1893, *D. G.* || **souchon** XIIIe s.

1. **souchet** V. SOUCHE.

2. **souchet** 1624, Savot, minér. ; altér. de *souchef,* déverbal de *souchever.*

souchever 1676, Félibien, déliter une pierre ; de *sous* et *chever* (1175, Chr. de Troyes), du lat. pop. *subcavare,* creuser en dessous. || **souchèvement** 1876, Lar.

1. ***souci** XIVe s. (*soucie, soucicle*), bot. ; 1538, R. Est. (*souci,* d'après *souci* 2) ; bas lat. *solsequia,* « tournesol », proprem. « qui suit le soleil », de *sol,* soleil, et *sequi,* suivre. (V. TOURNESOL.)

2. **souci** V. SOUCIER.

***soucier** 1265, J. de Meung ; *se soucier,* 1240, G. de Lorris ; lat. pop. **sollĭcitare,* inquiéter (v. SOLLICITER), en lat. class. *sollĭcitare ;* allongem. de *i* d'après *excĭtus,* part. passé de *excīre,* exciter. || **souci** début XIIIe s., *Guillaume de Dole,* « chagrin » ; XVe s., préoccupation. || **sans-souci** XIIIe s., La Curne. || **soucieux** 1280, Adenet. || **soucieusement** 1850, Balzac. || **insoucieux** 1787, Féraud. || **insouciant** 1773, Beaumarchais. || **insouciance** 1764, Beaumarchais.

soucoupe 1640, Oudin (*sous-couppe*) ; calque de l'ital. *sotto-coppa,* de *coppa,* coupe, du lat. *cupa.*

***soudain** 1120, *Ps. de Cambridge ;* lat. pop. **sŭbitanus,* en lat. class. *subitāneus,* de *subitus* (v. SUBIT). || **soudaineté** XIIIe s. || **soudainement** 1130, *Eneas.*

soudan 1196, J. Bodel ; var. de *sultan* (v. ce mot) ; adapt. de la forme ar.

soudard 1387, J. Le Bel, « soldat » ; XVIᵉ s., péjor. ; remplacé au pr. par *soldat* (v. ce mot) ; réfection de l'anc. *soudoier,* homme d'armes, XIIᵉ s. (var. *soldier, soldoier*), de *sold, soud,* forme anc. de *sou.* (V. SOLDE 1, SOU, SOUDOYER.)

***soude** 1527, *Déclaration* (*soulde*) ; lat. médiév. *soda,* de l'ar. *suwwād,* désignant la plante dont la cendre servait à fabriquer la soude. || **soudier** 1871, L.

***souder** fin XIᵉ s., *Gloses de Raschi* (*solder*), « joindre » ; 1268, *Cristal,* « lier », au fig. ; lat. *solĭdāre,* affermir, de *solidus* (v. SOLIDE, SOU). || **soudable** 1842. || **soudure** fin XIᵉ s., *Gloses de Raschi.* || **soudeur** début XIVᵉ s. || **soudage** 1459, G. || **soudant** adj., 1871, L. || **dessouder** XIIᵉ s., *Loherains.* || **ressouder** XIIᵉ s.

soudoyer 1160, *Tristan,* « servir comme mercenaire » ; 1751, Voltaire, « corrompre » ; dér. de *sold, soud,* forme anc. de *sou.* (V. SOLDAT, SOU, SOUDARD.)

soudre 1138, Gaimar (*soldre*), « résoudre » ; lat. *solvere,* délier (v. SOULTE).

soudrille 1570, Carloix, « soudard », arch. ; croisement de *soudard* et de *drille.*

***soue** 1823, Boiste, étable à porcs ; bas lat. *sŭtis* (*Loi salique*), du gaulois **suteg.*

***souffler** 1160, Benoît (*soffler*) ; lat. *sufflare,* « souffler sur », de *flāre,* souffler. || **soufflant** 1280, Adenet ; 1836, Vidocq, « revolver ». || **soufflé** 1767, Diderot, adj., « bouffi » ; 1825, Brillat, n. m., culin. || **souffle** 1130, *Eneas,* « déplacement d'air » ; 1553, *Bible,* « respiration » ; 1562, Bonivard, « énergie ». || **soufflement** 1119, Ph. de Thaon. || **soufflet** XIIᵉ s., *Aspremont,* instrument à souffler ; 1459, du Cange, gifle. || **souffleter** 1525, Cretin. || **souffleur** XIIIᵉ s., Couci ; 1871, L., techn. || **soufflerie** XIIIᵉ s., *Fabliau.* || **soufflure** XIIIᵉ s., souffle ; 1701, Furetière, techn. || **soufflage** 1480, *Mystère.* || **soufflard** fin XVᵉ s., Molinet, techn. || **essouffler** XIIᵉ s., *Aliscans.* || **essoufflement** fin XVᵉ s.

souffreteux 1120, *Ps. d'Oxford* (*sufraitus*) ; 1265, J. de Meung (*souffreteux*), « qui est dans le dénuement », jusqu'au XVIIIᵉ s. ; début XIXᵉ s., sens actuel, d'après *souffrir ;* anc. fr. *sofraite, soufraite* (1080, *Roland*), « privation, disette », du lat. pop. **suffracta,* part. passé, substantivé au fém., du lat. pop. **suffrangere,* en lat. class. *suffringere,* « rompre ». (V. ENFREINDRE.)

***souffrir** 1050, *Alexis* (*sofrir*) ; lat. pop. **sufferīre,* en lat. class. *sufferre,* de *ferre,* supporter ; changem. de conjugaison d'après *férir, offrir.* || **souffrant** 1120, *Ps. de Cambridge,* adj. || **souffrance** 1175, Chr. de Troyes ; lat. impérial *sufferentia* (XIIIᵉ s., *Gloses de Reichenau*) ; jusqu'au XVIIᵉ s. égalem. « permission, délai ». || **souffroir** 1863, Goncourt. || **souffre-douleur** milieu XVIIᵉ s.

soufi 1834, Boiste ; ar. *soûfi,* vêtu de laine. || **soufisme** 1853, Landais.

***soufre** 1120, *Ps. de Cambridge* (*sulfre*) ; lat. *sŭlphur, sŭlfur,* var. de *sulpur,* mot dial. || **soufrer** 1256, Ald. de Sienne. || **soufrage** 1798, Pajot. || **soufrière** 1497, Villeneuve. || **soufreur** 1871, L. || **soufreuse** 1907, Lar. || **soufroir** 1723, Savary.

souhaiter 1175, Chr. de Troyes (*sohaidier*) ; milieu XIVᵉ s., G. de Machaut (*souhaiter*) ; gallo-roman **subtus-haitare,* « promettre de façon à ne pas trop s'engager », de *subtus,* et du francique *hait,* vœu. || **souhait** 1175, Chr. de Troyes (*sohet*) ; *à souhait,* XIIIᵉ s., G. || **souhaitable** 1525, J. Lemaire de Belges.

***souiller** XIIᵉ s., *Aliscans* (*soillier*) ; anc. fr. *souille* (1160, Benoît), lieu où le sanglier se vautre, du lat. *solium,* cuve. || **souillard** 1356, G. (*soillard*), « souillon » ; 1676, Félibien, techn. || **souillarde** 1731, Havard. || **souillure** XIIIᵉ s., Tobler-Lommatzsch. || **souillon** 1450, Gréban. || **souillonner** 1662, Racine. || **souille** 1933, Lar. ; de *souiller,* techn.

souïmanga 1770, Commerson ; mot malgache.

souk 1848, Daumas ; mot ar., « marché ». || **soukier** 1934, V. Margueritte, *Babel.*

***soûl** 1112, *Voy. saint Brendan* (*saul*), « repu », jusqu'au XVIIᵉ s. ; 1534, La Curne, « ivre », sens qui a prévalu ; auj. d'empl. pop. ; lat. pop. *satŭllus,* rassasié, en lat. class. *satur,* de *satis,* assez ; *tout son soûl,* XVᵉ s. || **soûler** fin XIᵉ s., *Gloses de Raschi ;* même évolution de sens. || **soûlant** 1690, Furetière. || **soûlard** XVᵉ s. || **soûlaud** 1690, Furetière. || **soûlographie** 1835, Balzac, d'après *typographie.* || **soûlerie** 1863, Goncourt. || **soûlotter** 1876, Huysmans. || **dessoûler** 1557, de Rochemore.

***soulager** 1160, Benoît (*suzlegier*) ; XIIᵉ s. (*soulager,* d'après *soulas*) ; lat. pop. **subleviare,* adapt., d'après *alleviare* (v. ALLÉGER), du lat. class. *sublevare,* soulever, alléger, soulager. || **sou-**

lagement 1384, G. (*soubzlegement*) ; XVe s. (*soulagement*).

soulane 1964, Lar. ; béarnais *soulaa,* de *sol,* soleil.

***soulas** 1090, Stengel, « consolation » ; lat. *solācium.* (V. CONSOLER.)

souleur V. SEUL.

soulever 980, *Passion* (*soslevar*) ; de *sous* et *lever.* || **soulèvement** XIIIe s., Tobler-Lommatzsch.

***soulier** fin XIe s., *Chanson Guillaume* (*soller*) ; 1175, Chr. de Troyes (*soulier*), avec changem. de suffixe ; bas lat. *subtēlāris* (s.-e. *calceus ;* VIIe s., Isid. de Séville), « chaussure pour la plante du pied », du bas lat. *subtel,* « creux sous la plante du pied » ; à l'origine, sans doute, chaussure ne couvrant pas le dessus du pied.

souligner V. LIGNE.

***souloir** 980, *Valenciennes* (*solt,* 3e pers. sing. ind. prés.) ; 1080, *Roland* (*soleir*), « avoir l'habitude » ; sorti de l'usage au XVIIe s. ; lat. *solēre.*

***soulte** XIIe s., É. de Fougères (*solte ;* puis *soute*), n. f., jurid., d'où le maintien de l'orth. arch., avec prononc. de *l* à partir du XIXe s. ; part. passé, substantivé au fém., de l'anc. verbe *soudre* (1175, Chr. de Troyes), « payer », du lat. *solvěre,* délier.

***soumettre** 1120, *Ps. de Cambridge* (*suzmetre*) ; lat. *sŭbmittere* (v. METTRE). || **soumis** adj., milieu XVIIe s., Corneille. || **insoumis** 1564, J. Thierry ; rare jusqu'à la fin du XVIIIe s.

soumission début XIVe s., La Curne (*submission,* encore en 1636 dans *le Cid*) ; début XVIe s. (*soubmission,* d'après *soumettre*) ; lat. *submissio,* « action d'abaisser », de *submittere.* || **insoumission** 1834, Boiste. || **soumissionner** 1629, Peiresc, « soumettre » ; 1796, *Néol. fr.,* admin. || **soumissionnaire** fin XVIIe s.

soupape XIIe s., J. Bodel (*souspape*), « coup sous le menton » ; 1547, J. Martin, techn., « mouvement de fermeture brusque » ; de *sous* et d'un élém. **pape,* « mâchoire », de l'anc. verbe *paper,* manger. (V. PAPELARD.)

***soupçon** 1155, Wace (*sospeçon*), fém. jusqu'au XVIe s. ; 1564, J. Thierry (*soupçon*) ; lat. impér. *suspectiōnem,* acc. de *suspectio,* en lat. class. *suspicio* (v. SUSPICION), de *suspicere,* regarder. || **soupçonneux** 1160, Benoît (*suspecenos*). || **soupçonner** 1225, *Vie saint Jean* (*souspeçonner*). || **soupçonnable** XIIIe s., G. || **insoupçonné** 1838, *Acad.* || **insoupçonnable** 1838, *Acad.*

soupe fin XIIe s., *Roman de Thèbes,* « tranche de pain sur laquelle on verse le bouillon » ; milieu XIVe s., Machaut, « bouillon avec du pain » ; bas lat. *suppa* (VIe s., Oribax), du francique **sŭppa,* de même famille que le gotique *supôn,* assaisonner, le néerl. *sopen,* tremper, l'angl. *sop,* tranche de pain, et (*to*) *sop,* tremper ; *tremper la soupe, trempé comme une soupe* (1798, *Acad.*), du sens anc. de *soupe.* || **souper** 980, *Passion,* verbe, « prendre le repas du soir » ; remplacé en ce sens à Paris, au XIXe s., par *dîner ; souper* maintenu, au XIXe s., pour le repas pris après la soirée de théâtre. || **souper** 980, *Passion* (*sopar*), n. m., même évolution de sens. || **soupière** 1729, *Mémoires.* || **soupeur** XIIIe s. (*souperres*) ; 1588, Montaigne (*soupeur*). || **soupier** 1576, Sasbout, adj., pop. || **après-souper** XVIe s. (*après-soupée*) ; milieu XVIIe s. (*après-souper*).

soupente 1338, *D. G.* (*souspente*) ; XVe-XVIe s. (*soupendue*) ; 1549, R. Est. (*soupente*) ; de l'anc. v. *souspendre,* du lat. *suspendere* (v. SUSPENDRE).

souper, soupière, soupeser V. SOUPE, PESER.

soupirail fin XIe s., *Gloses de Raschi* (*sospiriel*) ; début XIVe s. (*souspirail*) ; de *soupirer* au sens de « exalter », d'après le lat. *spiraculum,* « soupirail », de *spirāre,* respirer.

***soupirer** 980, *Passion* (*suspirer*) ; *soupirer après,* 1660, Bossuet ; lat. *suspirāre,* de *sub,* sous, et *spirare,* respirer, souffler. || **soupir** 1130, *Eneas* (*sospir*) ; déverbal. || **soupirant** adj., XIIIe s. (*souspirant*) ; 1221, *Lai,* « amoureux ».

***souple** 1130, *Eneas* (*sople*), « humble, abattu » ; 1265, Studer, « qui se plie facilement » ; lat. *supplex, supplicis,* suppliant, proprem. « qui plie les genoux pour implorer » (v. SUPPLIER). || **souplement** 1120, *Ps. d'Oxford.* || **souplesse** 1265, Br. Latini, sens mod. || **assouplir** fin XIIe s., *Huon de Bordeaux,* même évol. de sens. || **assouplissement** fin XIXe s. || **assouplissage** 1829, *Rec. industriel.*

souquenille XIIe s., *Parthenopeus* (*soschanie*) ; XIIIe s. (*sousquenie*) ; 1265, J. de Meung (*sorquenie*) ; 1680, Richelet (*souquenille*) ; moy. haut all. *sukenîe,* jaquette, issu lui-même d'une langue slave (cf. le polonais *suknia*).

souquer 1687, Desroches, mar. ; prov. mod. *souca,* d'orig. inconnue.

source 1155, Wace (*sorce*) ; XIVe s. (*source*) ; fém. substantivé de l'anc. part. passé *sors, sours,* de *sourdre.* || **sourcier** 1384, G., « vivier » ; 1781, Proschwitz, « personne ». (V. RESSOURCE.)

***sourcil** 1155, Wace ; lat. *supercilium* (v. CIL). || **sourciller** XIIIe s., Gaydon, froncer les sourcils. || **sourcilleux** 1477, Molinet (*supercilieux*) ; 1548, du Fail (*sourcilleux*), d'après *sourcil ;* lat. *superciliosus.* || **sourcilier** fin XIe s., *Chanson Guillaume.*

***sourd** 1050, *Alexis ;* lat. *sŭrdus.* || **sourdaud** XVe s., Basselin. || **sourdement** 1190, *Saint Bernard.* || **sourdingue** 1879, Esnault. || **sourd-muet** fin XVIe s. || **surdi-mutité** 1845, Besch. (V. SURDITÉ.) || **assourdir** 1120, *Ps. de Cambridge.* || **assourdissant** adj., 1840, Musset. || **assourdissement** 1611, Cotgrave. (V. SOURDINE, SURDITÉ.)

sourdine 1568, *Anc. Poésies,* « trompette peu sonore » ; 1611, Cotgrave, sens actuel ; *en sourdine,* 1860, Dochez ; ital. *sordina,* de *sordo,* sourd.

***sourdre** 1080, *Roland* (*surdre*), jaillir ; lat. *sŭrgĕre.* (V. SOURCE, SURGIR, SURGEON.)

souriceau, souricière, souriquois V. SOURIS 1.

***sourire** verbe, 1130, *Eneas ;* lat. pop. **subrīdēre,* lat. class. *subrīdēre,* de *sub,* sous, et *rīdēre* (v. RIRE). || **souriant** XIIIe s., Bartzsch, adj. || **sourire** n. m., 1175, Chr. de Troyes. || **souris** 1538, R. Est. (*soubris*), n. m. ; d'après *ris* 1 (v. ce mot) ; éliminé après le XVIIe s. pour *sourire.*

1. ***souris** 1160, Benoît ; 1907, Lar., « jeune fille » ; XIVe s., terme de boucherie ; lat. pop. **sōrīcem,* acc. de **sōrīx,* en lat. class. *sōrex, -icis,* n. m. || **souricière** 1380, *Aalma.* || **souriceau** fin XIVe s. || **souriquois** 1660, La Fontaine ; formation plaisante.

2. **souris** V. SOURIRE.

sournois 1640, Oudin ; probablem. de l'anc. prov. *sorn,* sombre, obscur, avec infl. de *morne.* || **sournoisement** fin XVIIe s., Saint-Simon. || **sournoiserie** 1814, Stendhal.

***sous** Xe s., *Valenciennes* (*soz*) ; de l'adv. lat. *subtus,* « dessous », empl. en bas lat. comme prép. (la prép. du lat. class., *sub,* a disparu). || **dessous** 980, *Passion* (*desuz*), prép. jusqu'au XVIIe s. ; 1398, subst. (V. GÉSIR, SOUPAPE, SOUTERRAIN, SOUTIRER.)

souscrire 1356, G. (*subscrire*) ; XIVe-XVe s., var. *sousécrire ;* début XVIe s. (*souscrire ;* encore *soubscrire* au XVIe s.) ; 1784, Necker, fin. ; lat. *subscribere,* adapté d'après *écrire ;* de *sub,* sous, et *scribere* (v. ÉCRIRE). || **souscription** XIIIe s., G. (*subscription*) ; 1389, G. (*soubscription*) ; 1541, Calvin ; lat. *subscriptio.* || **souscripteur** 1679, Savary ; var. *souscriveur,* 1675, *id. ;* lat. *subscriptor.*

sous-jacent 1520, Chauliac (*subjacent*) ; 1532, Rab., techn. (*sous-jacent*) ; lat. *subjacens,* de *subjacere,* être couché, refait sur *sous.*

soustraire 1119, Ph. de Thaon (*sustraire*), retirer ; 1520, La Roche, math. ; *se soustraire à,* 1160, Benoît ; lat. *subtrahere,* avec réfection du préfixe d'après *sous.* || **soustraction** 1155, Wace (*subtraction*) ; 1484, Chuquet (*soustraction*) ; même évolution du sens ; bas lat. *subtractio.* || **soustractif** 1872, L.

soutache 1838, *Acad.,* d'abord tresse de galon du schako ; hongrois *sujtás,* bordure, galon (v. SCHAKO). || **soutacher** 1849, *le Moniteur de la mode.*

soutane 1550, Rab. (*sottane*) ; 1563, Gay (*soutane*), d'après *sous ;* ital. *sottana,* « vêtement de dessous », de *sotto,* « sous ». || **soutanelle** 1657, Tallemant ; dimin. ital. *sottanella.*

soute fin XIIIe s., Joinville, mar. ; 1939, Saint-Exupéry, avion ; anc. prov. *sota,* du lat. pop. **sobta,* prép. et adv., altér., d'après *supra* (v. SUR 1), du lat. class. *sŭbtus* (v. SOUS). || **souter** 1964, Lar. || **soutier** 1907, Lar., mar.

soutènement V. SOUTENIR.

***soutenir** Xe s., *Eulalie* (*sostenir*) ; lat. pop. **sustenīre,* altér. du lat. class. *sustinēre,* d'après **tenire* (v. TENIR). || **soutenu** adj., XVIIIe s., rhét. || **soutenable** 1265, Br. Latini. || **insoutenable** milieu XVe s. || **soutènement** 1119, Ph. de Thaon (*sustenement*), « soutien » ; XVIe s., techn. || **soutenant** 1307, Guiart. || **soutenance** 1155, Wace (*soustenance*), « aliments » ; 1265, J. de Meung, « soutien » ; 1850, *soutenance de thèse,* d'après le sens pris par *soutenant* vers 1660. || **soutien** XIIIe s., Rutebeuf. || **soutien-gorge** 1904, *le Sourire.* || **souteneur** XIIe s., « qui protège », d'empl. gén. ; 1698, *Arch. Puy-de-Dôme* (au fém.), et 1718, Leroux (au masc.), « qui se fait entretenir par une prostituée ».

souterrain 1130, *Eneas* (*sozterrain*), d'abord adj. ; 1701, Furetière, n. m. ; de *sous* et *terre,* d'après le lat. *subterraneus.* || **souterrainement** fin XVIIe s., Saint-Simon.

soutien V. SOUTENIR.

soutirer XIIe s., *Roman d'Alexandre ;* 1774, Beaumarchais, « voler ». || **soutirage** 1732, Liger. || **soutireuse** 1964, Lar.

soutrage 1796, *Feuille du cultivateur* (*soustrage*) ; anc. gascon *sostratge,* du lat. pop. **substrare,* étendre dessous.

***souvenir** 1080, *Roland* (*suvenir*), verbe ; d'abord impersonnel (*il me souvient,* etc.) ; XIIIe s., *Roman Renart,* personnel et pronominal (*je me souviens,* etc.), d'après *se rappeler ;* lat. *subvenīre,* venir à l'esprit. || **souvenir** n. m., XIIIe s., Tobler-Lommatzsch. || **souvenance** XIIe s., G., littéraire depuis le XVIIe s. || **ressouvenir** 1175, Chr. de Troyes.

***souvent** 1050, *Alexis* (*suvent*) ; lat. *subinde,* « immédiatement après », d'où « plusieurs fois de suite », et en lat. impér. « souvent ». || **souventefois** 1050, *Alexis* (*soventes feiz*) ; 1175, Chr. de Troyes (*soventes fois*). [V. FOIS.]

souverain 1050, *Alexis,* adj. ; 1160, Benoît, n. m. ; lat. pop. **superānus,* de *super,* « dessus » (v. SUZERAIN) ; 1829, Boiste, monnaie angl. ; calque de l'angl. *sovereign,* lui-même issu du fr. || **souverainement** fin XIIe s., *Chevalerie Ogier.* || **souveraineté** 1120, *Ps. d'Oxford* (*suvrainetet*).

soviet 1843, C. Robert, conseil des ouvriers, à Petrograd ; 1920, *Congrès de Tours,* sens actuel ; mot russe signif. « conseil ». || **soviétique** 1918, *journ.* || **soviétiser** 1921, J. Maxe. || **soviétisation** 1920, Hamp.

sovkhoze 1936, Gide ; mot russe, abrév. de *sov*[*ietskoïe*] *khoz*[*iaïstvo*], exploitation agricole d'État. (V. KOLKHOZE.) || **sovkhozien** 1950, *journ.*

soyeux V. SOIE.

spacieux 1120, *Ps. d'Oxford* (*spacios*) ; lat. *spatiosus,* de *spatium.* || **spacieusement** 1379, J. de Brie. (V. ESPACE.)

spadassin 1532, Rab. ; ital. *spadaccino,* « tireur d'épée », péjor., de *spada,* épée.

spadice 1743, Geoffroy (*spadix*) ; 1808, Richard (*spadice*), bot. ; lat. *spadix, -icis,* « branche de palmier avec dattes », mot gr. || **spadiciflore** 1876, Lar. ; lat. *flor, floris,* fleur.

spadille 1684, chevalier de Méré, as de pique au jeu de l'hombre ; esp. *espadilla,* dimin. de *spada,* épée (l'épée figurait le pique sur les cartes esp.).

spaghetti 1893, *journ. ;* mot ital., de *spagon,* cordon, du bas lat. *spacus,* corde.

spahi 1538, Véga, « cavalier turc au service du Sultan » ; 1831, *journ.,* cavalier indigène d'Algérie au service de la France ; turc *sipāhi,* d'orig. persane (v. CIPAYE).

spalax 1827, *Acad.,* zool. ; gr. *spalax,* taupe. || **spalacidés** 1904, Lar.

spallation 1964, Lar., phys. ; mot angl., de *to spall,* éclater.

spalmer 1520, La Fosse, mar., enduire de spalme ; ital. *spalmare,* de *palma,* palme, avec le préf. *s-,* du lat. *ex.* || **spalme** 1771, Trévoux, suif mêlé de goudron.

spalte 1812, Mozin, mastic ; ital. *spalto,* asphalte.

spalter 1904, Lar., « brosse » ; allem. *spalten,* fendre.

sparadrap 1314, Mondeville (*speradrapu*) ; lat. médiév. *sparadrapum,* du lat. *spargere,* étendre.

spardeck 1813, Romme, mar. ; mot angl., de *spar,* barre, et *deck,* pont.

sparganier 1811, Wailly (*spargane*) ; lat. *sparganion,* mot gr.

sparring-partner 1925, d'après P. Robert ; mot angl., de *sparring,* lutte, et *partner,* partenaire.

spartakisme 1916, *journ.,* polit. all. ; du nom de *Spartacus,* chef d'une révolte d'esclaves sous la République romaine. || **spartakiste** *id.*

sparte 1532, Fabre, graminée servant à faire des nattes ; lat. *spartum,* du gr. *sparton.* || **sparterie** 1752, Brunot. || **spartéine** 1863, d'après P. Robert (découverte en 1851).

spasme 1244, du Cange (*espame*) ; 1314, Mondeville (*spasme*) ; lat. *spasmus,* du gr. *spasmos,* de *spân,* tirer (v. PÂMER). || **spasmodique** 1721, Trévoux ; angl. *spasmodic,* du gr. méd. *spasmôdês,* qui a le caractère du spasme. || **spasmodiquement** 1835, Raymond. || **antispasmodique** 1743, Geoffroy. || **spasmolytique** 1961, Galli. || **spasmophilie** 1907, Lar., méd.

spath 1751, *Encycl.,* géol. ; mot all. (v. FELDSPATH). || **spathique** 1757, *Encycl.* || **spathifier** 1836, *Acad.*

spathe 1743, Geoffroy, bot. ; lat. *spatha,* « tige des feuilles de palmier », mot gr. (V. ÉPÉE.)

spatial 1888, Lar., sens général ; 1964, Robert, astronaut. ; lat. *spatium* (v. ESPACE). || **spatialité** 1907, Bergson. || **spatio-temporel** 1904, d'après P. Robert (v. TEMPOREL). || **spationef** 1963, *journ.* ; sur le modèle de *aéronef.* || **spatialiser** 1907, Lar. || **spatialisation** 1964, Robert. || **spationaute** 1962, *journ.*

spatule 1377, Lanfranc (var. *espatule,* jusqu'au XVIIe s.), pharm. ; lat. *spathula, spatula,* dimin. de *spatha* au sens fig. de « cuiller allongée » (v. SPATHE). || **spatulé** 1778, Lamarck.

speaker 1649, *Lettre à Mazarin,* « président des Communes » ; 1866, *Acad., Compl.,* « orateur » ; 27 sept. 1904, *le Matin,* « annonceur de résultats sportifs » ; 1930, *journ.,* radio ; angl. *speaker,* proprem. « parleur », de (*to*) *speak,* parler (pour notre empl. mod. de *speaker,* l'angl. se sert de *announcer,* « annonceur »). || **speakerine** 1950, *journ.*

spécial 1130, *Eneas* (*especiel*) ; 1190, *Saint Bernard* (*spécial*) ; lat. *specialis,* « relatif à l'espèce, particulier », de *species,* aspect. || **spécialité** 1265, Br. Latini (*especialité*) ; XIVe s. (*spécialité*), « qualité particulière » ; 1837, Balzac, « compétence particulière » ; 1893, Courteline, « manie » ; bas lat. *specialitas* (IIIe s., Tertullien). || **spécialement** 1120, *Ps. de Cambridge.* || **spécialiser** 1555, de Selve ; rare avant 1823, Boiste. || **spécialisé** 1933, J. Romains, adj. (*ouvrier spécialisé,* etc.). || **spécialisation** 1830, A. Comte. || **spécialiste** 1832, Balzac.

spécieux fin XIVe s., « de belle apparence », encore au XVIIe s. ; 1646, Rotrou, fig., péjor., « d'apparence trompeuse » ; lat. *speciosus,* aux deux sens, de *species,* au sens de « aspect brillant ». || **spécieusement** 1690, Furetière. || **spéciosité** XVe s., Molinet.

spécifier 1283, Beaumanoir (*especefier*) ; bas lat. *specificare,* de *species* au sens de « espèce ». || **spécification** milieu XIVe s. ; lat. médiév. *specificatio.* || **spécificatif** 1314, Mondeville. || **spécifique** 1503, Chauliac ; bas lat. *specificus.* || **spécifiquement** milieu XIVe s. || **spécificité** 1836, *Acad.*

spécimen 1662, Saint-Évremond ; angl. *specimen,* mot lat. signif. « modèle, échantillon », de *species,* espèce.

spectacle 1130, *Job* ; lat. *spectaculum,* de *spectare,* regarder. || **spectaculaire** 1907, Lar., « qui concerne les spectacles » ; 1937, Daniel Rops, « surprenant » ; de *spectacle,* d'après le mot lat. || **spectateur** fin XIVe s., « témoin » ; 1553, *Bible,* sens actuel ; lat. *spectator.* (V. INSPECTER, PROSPECTER.)

spectre fin XVIe s., « apparition d'un fantôme » ; 1611, Cotgrave, fantôme ; lat. *spectrum,* de *spectare,* regarder ; début XVIIIe s., opt., d'après l'angl. *spectrum,* empr. au lat., pour cet empl., par Newton. || **spectral** 1857, Baudelaire, « qui a le caractère d'un fantôme » ; 1872, L., opt. ; *analyse spectrale,* 1862, *Annales de chimie,* physique des ondes. || **spectrogramme** 1949, Lar. || **spectrographe** 1902, d'après P. Robert. || **spectrographie** 1949, Lar. || **spectromètre** 1872, L. || **spectroscope** 1872, L. || **spectroscopie** 1872, L. || **spectroscopique** 1872, L.

spéculaire 1556, Le Blanc, adj. (*pierre spéculaire*) ; 1570, Stoer, « relatif au miroir » ; 1839, Boiste, n. f., bot. ; lat. *specularis,* « relatif au miroir ». (V. SPÉCULUM.)

spéculer 1350, *Ars d'amour,* « observer, considérer », encore au XVIe s. ; 1460, Chastellain ; *spéculer sur,* début XVe s., Chr. de Pisan, « faire des recherches théoriques ; 1801, Mercier, Bourse ; lat. *speculari,* observer. || **spéculatif** 1265, Br. Latini ; XVIIIe s., Bourse ; bas lat. *speculativus.* || **spéculation** XIIIe s., Tobler-Lommatzsch, philos. ; 1370, Oresme, « recherche théorique » ; 1776, Condillac, Bourse ; bas lat. *speculatio.* || **spéculateur** 1532, traduction, « observateur » ; 1745, Brunot, en Bourse.

spéculum 1363, Chauliac, méd. ; mot lat. signif. « miroir » ; le plus souvent suivi d'un autre mot lat. : *speculum oris, ani, uteri, oculi,* « miroir de la bouche, de l'anus, de l'utérus, de l'œil », etc. ; spécialisé en gynécologie au XIXe s.

speech 1798, *Acad.* ; mot angl. signif. « parole », de (*to*) *speak,* parler.

speiss 1765, *Encycl.* ; mot allem.

spéléologie 1893, Martel ; gr. *spêlaion,* caverne, et *-logie.* || **spéléologue** 1904, Lar. || **spéléologique** 1904, Lar.

spélonque 1265, Br. Latini ; lat. *spelunca,* caverne, du gr. *spêlugx,* de même rad. que le précédent.

spencer 1797, Brunot ; mot angl., du nom de lord *Spencer* (1758-1834), qui mit ce vêtement à la mode.

spergule 1615, Daléchamps (*spergula*) ; 1752, Trévoux (*spergule*), bot. ; lat. médiév. *spergula,* d'orig. obscure ; forme dial. *espargoule.* || **spergulaire** 1876, Lar.

spermaceti 1557, G. Ruscelli, blanc de baleine ; gr. *sperma,* semence, et lat. *cetus,* baleine.

sperme XIIIe s., *Simples Méd.* (*esperme de baleine,* trad. du précéd.) ; XIVe s., Lanfranc (*sparme*), sens mod. ; bas lat. *sperma,* du gr. *sperma, -atos,* semence, de *speireîn,* semer. || **spermatique** 1314, Mondeville ; bas lat. *spermaticus,* du gr. *spermatikos.* || **spermatisme** 1872, L. || **spermatocyte** 1897, *Année biol.* || **spermatologie** 1741, Col de Vilars ; d'après le gr. || **spermatogenèse** 1878, Duval. || **spermatophytes** ou **spermaphytes** 1888, d'après P. Robert, bot. || **spermatozoaire** milieu XIXe s. ; gr. *zôarion,* animalcule. || **spermatozoïde** 1846, Baudement, d'après le précéd. || **spermophile** 1839, Boiste, zool. ; lat. scientif. *spermophilus,* qui aime les graines, du gr. *sperma,* graine.

sphacèle 1520, Chauliac, méd., gangrène ; gr. *spakelos.* || **sphacéler** 1534, Rab.

sphaigne 1791, Valmont, bot. ; gr. *sphagnos,* mousse.

sphénoïde 1611, Cotgrave, anat. ; gr. *sphênoeidês,* « en forme de coin », de *sphên,* coin, et *eidos,* aspect. || **sphénoïdal** 1690, Dionis, anat. || **sphénoïdite** 1923, Lar.

sphère milieu XIIe s., *Rom. Thèbes* (*espere*) ; 1532, Rab. (*sphère*), géom., astron. ; 1656, Pascal, « étendue de connaissances, d'activité » ; lat. *sphaera,* du gr. *sphaira,* balle à jouer. || **sphérique** 1370, Oresme ; bas lat. *sphaericus,* du gr. *sphairikos.* || **sphéricité** 1671, P. Chérubin. || **sphéroïde** 1556, R. Le Blanc. || **sphéroïdal** 1740, *Bibliothèque brit.* || **sphéroïdique** fin XVIIIe s., Laplace. || **sphéromètre** 1803, Boiste. (V. PLANISPHÈRE, STRATOSPHÈRE.)

sphincter 1548, Rab. ; mot lat., du gr. *sphigktêr,* « qui serre », de *sphiggeîn,* serrer. || **sphinctérien** 1878, Lar. || **sphinctérotomie** 1964, Lar.

sphinx 1546, M. de Saint-Gelais (*sphinge*) ; 1552, Rab. (*sphinx*), monstre ; 1762, Geoffroy, papillon ; mot gr., parfois fém. comme en lat. ou en gr.

sphygmographe 1859, *Acad. des sciences ;* gr. *sphugmos,* pulsation, et *-graphe.* || **sphygmogramme** 1899, d'après P. Robert. || **sphygmographie** 1878, Lar. || **sphygmomanomètre** ou **sphygmotensiomètre** 1889, Potain. || **sphygmique** 1872, L.

spic XIe s., *Gloses de Raschi,* lavande ; lat. *spicum,* épi. || **spica** 1555, Vide, méd., bandage ; mot lat., var. de *spicum.* || **spicule** 1830, *Dict. sciences nat.,* zool. ; dimin. lat. *spiculum,* petite pointe. || **spicilège** 1678, *Journ. des savants,* recueil d'actes ; lat. *spicilegium,* action de glaner (v. *florilège,* à FLEUR). || **spiciflore** 1845, Besch. || **spiciforme** 1842, *Acad.*

spider 1877, Bonnaffé, autom. ; mot angl. signif. « araignée ».

spin 1925, Goudsmit et Uhlenbeck, phys. ; mot angl.

spinal 1541, Canappe, anat. ; lat. *spinalis,* de *spina,* épine. || **spinalgie** 1933, Lar. || **spina-bifida** 1804, Bodin ; mot du lat. méd., proprem. « épine-bifide ». || **spina-ventosa** 1741, Col de Vilars ; mot du lat. méd., proprem. « épine venteuse ».

spinelle 1500, *Inv. Fontainebleau,* rubis ; ital. (*rubino*) *spinello,* « petite épine ».

spinnaker 1878, Bonnafé ; mot angl.

spinosisme ou **spinozisme** 1697, Bayle ; du nom de *Spinoza,* philosophe hollandais (1632-1677). || **spinoziste** 1870, *Rev. des Deux Mondes,* adj. ; 1697, Bayle, n.

spinule 1611, Cotgrave (*spinul,* n. m.) ; 1842, *Acad.* (*spinule,* n. f.), zool., bot. ; lat. *spinula,* dimin. de *spina,* épine.

spiracle 1842, *Acad.* (*spiracule*), zool. ; lat. *spiraculum* (v. SOUPIRAIL).

spirale V. SPIRE.

spirant 1552, Rab., « respirant » ; 1872, L., linguist. ; lat. *spirans,* part. prés. de *spirare,* souffler. || **spiration** 1285, G., théol. ; bas lat. *spiratio,* respiration. || **spirographie** 1964, Lar. || **spiromètre** 1855, Nysten. || **spirométrie** *id.*

spire 1548, *Archives ;* lat. *spira ;* du gr. *speîra.* || **spiral** 1534, Rab. ; lat. médiév. *spiralis.* || **spirale** XVIe s., B. Palissy (*espiralle*) ; 1691, Ozanam (*spirale*) ; *en spirale,* 1800, Boiste. || **spiroïdal** 1868, Souviron. || **spirocercose** 1964, Lar. ; lat. scient. *spirocerca,* du gr. *kerkos,* queue. || **spirochète** 1876, Lar., zool. ; gr. *khaitê,* « chevelure longue ». || **spirochétose** 1910, Lar., méd. || **spirographe** 1827, *Acad.,* zool. || **spirorbe** 1803, Boiste, zool. || **spirée** 1694, Tournefort (*spiraea*) ; 1752, Trévoux (*spirée*), bot. ; lat. *spiraea,* du gr. *speiraia,* de même rad. que le précéd. || **spirille** 1827, *Acad.,* bot. ; 1868, Souviron, zool. || **spirillose** 1907, Lar.

spirite 1857, Allan Kardec ; angl. *spirit-rapper,* « esprit farceur » (d'où « spirite »), de *spirit,* du lat. *spiritus,* et de *rapper,* frappeur, de (*to*) *rap,* frapper sur les doigts. || **spiritisme** 1857, Kardec.

spiritoso 1872, L. ; mot ital., de *spiritus,* esprit.

spirituel Xe s., *Saint Léger* (*espiritiel*) ; fin XIIe s. (*spirituel*), théol. et philos. ; fin XVIe s., « fin d'esprit », d'après *esprit ;* lat. eccl. *spiritualis* (IIIe s., Tertullien), « relatif à l'esprit, immatériel », du lat. *spiritus,* esprit. || **spirituellement** fin XIIe s., *Dialogues Grégoire ;* 1636, Monet, d'une manière pleine d'esprit. || **spiritualité** 1283, Beaumanoir (*espiritualité,* forme courante en anc. fr.) ; lat. eccl. *spiritualitas.* || **spiritualiser** 1521, Delb. ; de *spirituel,* d'après le lat. || **spiritualisme** 1694, *Acad.,* théol. || **spiritualiste** 1771, Trévoux.

spiritueux 1363, Chauliac, méd. ; 1687, Lémery, sens mod. ; lat. *spiritus,* dans son sens méd. et alchim. au Moyen Âge. (V. *esprit-de-vin,* à ESPRIT.)

spirographe V. SPIRE.

splanchnique 1729, Vaux, anat. ; gr. *splagkhnikos,* de *splagkhnon,* viscère. || **splanchnicectomie** 1953, Lar. || **splanchnologie** 1654, Gelée.

spleen 1745, Leblanc (*splene ; splin,* chez Diderot et Voltaire) ; angl. *spleen,* rate, humeur noire, du bas lat. *splen,* gr. *splên,* rate, hypocondrie. En anc. fr., forme *splen,* 1265, Br. Latini. || **spleenétique** 1755, abbé Prévost ; angl. *splenetic,* du bas lat. *spleneticus.*

splendeur 1120, *Ps. de Cambridge ;* lat. *splendor,* de *splendere,* resplendir. || **splendide** fin XVe s. ; lat. *splendidus.* || **splendidement** début XVIe s., É. Médicis.

splénique 1555, Vide, anat. ; lat. *splenicus,* de *splen,* rate. || **splénite** 1752, Trévoux. || **splénectomie** 1822, *Dict. méd.* || **splénétique** XIVe s., Lanfranc, anat. || **splénographie** 1808, Boiste. || **splénomégalie** 1907, Lar. || **splénotomie** 1872, L.

spolier 1460, G. Alexis ; lat. *spoliare,* de *spolia,* dépouilles (v. DÉPOUILLER). || **spoliation** 1425, O. de La Haye ; lat. *spoliatio.* || **spoliateur** 1488, *Mer des hist. ;* lat. *spoliator.*

spondée 1378, J. Le Fèvre ; lat. *spondeus,* du gr. *spondeîos,* proprem. « mètre en usage dans les chants de libations », de *spondê,* libation. || **spondaïque** 1580, Montaigne ; lat. *spondaicus,* du gr. *spondeiakos.*

spondyle 1314, Mondeville (*spondille*), anat. ; 1611, Cotgrave, zool. ; lat. *spondylus,* vertèbre, du gr. *spondulos.* || **spondylite** 1823, *Dict. méd.* || **spondylose** 1907, Lar. || **spondylarthrite** 1964, Lar.

spongieux XIIIe s., Tobler-Lommatzsch ; lat. *spongiosus,* de *spongia* (v. ÉPONGE 1). || **spongiosité** 1314, Mondeville. || **spongiaire** 1827, *Acad.,* zool. || **spongite** 1644, Bachou, minér. ; lat. *spongitis.* || **spongille** 1827, *Acad.* || **spongiculture** 1907, Lar. || **spongolite** 1964, Lar., minér.

sponsoring 1974, Lar. ; angl. *sponsor,* garant, mot lat., de *spondere,* garantir.

spontané XIVe s. ; lat. *spontaneus* (Ier s., Sénèque), de *spons,* « volonté libre », empl. surtout à l'abl. *sponte ; génération spontanée,* 1775, Buffon. || **spontanément** 1381, *D. G.* || **spontanéité** 1695, Leibniz. || **spontanéisme** 1968, *journ.* || **spontanéiste** 1969, *journ.*

sporadique 1620, Lamperière, méd. ; 1872, L., géol. ; 1845, Besch., « épars » ; gr. *sporadikos,* dispersé (v. SPORE). || **sporadiquement** 1845, Besch. || **sporadicité** 1872, L.

spore 1817, Gérardin ; gr. *spora,* semence, de *speireîn,* semer. || **sporagineux** 1951, Gide. || **sporange** 1817, Gérardin. || **sporule** *id.* || **sporulation** 1875, *Acad. des sciences.* || **sporuler** 1878, Lar. (*sporulé*). || **sporoblaste** 1904, Lar. || **sporocyste** 1872, L. || **sporophore** 1845, Besch. || **sporogone** 1904, Lar. || **sporotriche** 1842, *Acad.* (*sporotrique*) ; gr. *trix, trikhos,* cheveu. || **sporotrichose** 1903, Garnier. || **sporozoaires** 1888, Lar. || **sporozoose** 1904, Lar.

sport 1828, *Journal des haras ;* mot angl., proprem. « jeu, amusement » ; forme apocopée de *disport,* de l'anc. fr. *desport* (1130, *Eneas*), même sens, de l'anc. verbe *se déporter,* s'amuser. || **sportsman** 1823, *Diorama anglais ;* mot angl., de *sport,* et *man,* homme. || **sportif** 1862, *le Sport.* || **sportivement** 1899, Bonnafé. || **sportivité** 1920, Lar. || **antisportif** 1911, Lar.

sportule 1564, J. Thierry, « présent offert aux juges » ; de l'empl. jurid. du lat. *sportula,* panier de provisions, de *sporta,* panier ; 1566, Chaumeau, « aumône ».

spot 1888, Lar. ; mot angl., proprem. « tache ».

spoutnik oct. 1957, *journ. ;* mot russe signif. « compagnon de route ».

sprat 1775, Duhamel, ichtyol. ; mot angl.

spray 1888, Lar. ; mot angl. signif. « embrun ».

springbok 1781, Buffon ; mot néerl., de *bok,* bouc, et *spring,* saut.

sprinkler 1964, Lar. ; mot angl., de *to sprinkle,* arroser.

sprint 1895, *Gil Blas,* en sport ; mot angl. désignant une course de vitesse. || **sprinter** n. m., 1889, Saint-Clair ; mot angl. || **sprinter** v., fin XIXe s.

spumeux 1363, Chauliac ; lat. *spumosus,* de *spuma,* écume, repris par le lexique pathol. ; du lat. *spuere,* cracher (v. CONSPUER). || **spume** 1363, Chauliac, méd. || **spumescent** 1817, Gérardin. || **spumosité** 1752, Trévoux.

squale 1754, La Chesnaye ; lat. *squalus.* || **squalène** 1949, Lar. || **squalidés** 1842, *Acad.*

squame 1265, Br. Latini (*esquame*) ; début XIVe s., Gilles li Muisis (*squame*) ; lat. *squama,* écaille. || **squameux** fin XIIIe s., B. de Gordon ; lat. *squamosus,* écailleux. || **squamule** 1812, Mozin. || **squamiforme** 1478, Chauliac. || **squamifère** 1823, Boiste. (V. DESQUAMER, ESCAMOTER.)

square 1725, C. de Saussure, à propos de Londres ; 1836, *Acad.,* à propos de la France ; 1842, *Acad.* ; angl. *square,* proprem. « carré », d'où « jardin sur une place carrée », issu lui-même de l'anc. fr. *esquarre,* var. de *esquerre.* (V. ÉQUERRE.)

squatter 1835, Bonnafé, « pionnier » ; 1948, Lar., personne s'installant de sa propre autorité dans un logement inoccupé ; mot anglo-amér. || **squattériser** 1975, Lar. || **squatter** verbe, 1969, *journ.*

squeeze 1964, Lar. ; mot angl., de *to squeeze,* presser, serrer. || **squeezer** 1859, *FEW,* n. m. ; 1964, Lar., verbe.

squelette 1552, Vaganay, anat. ; 1560, Paré (var. *scelete*) ; 1669, Widerhold, « symbole de la mort » ; 1690, Furetière, techn. ; gr. *skeletos,* « desséché ». || **squelettique** 1834, Balzac.

squille 1611, Cotgrave ; lat. *squilla.*

squire XXe s. ; mot angl. signif. « propriétaire rural ».

squirre 1550, Guéroult (*scirrhe*), méd. ; 1560, Paré (*scirre*) ; gr. méd. *skirrhos.* || **squirreux** 1550, Guéroult (fém. *scyrrheuse*).

stabat ou **stabat mater** 1762, Diderot ; mots latins commençant une prose liturgique : *Stabat mater dolorosa...*

***stable** 1120, *Ps. de Cambridge* (*estable*) ; 1464, A. Chartier (*stable*) ; lat. *stabilis,* de *stare,* se tenir debout (v. ÉTABLIR). || **stabilité** 1119, Ph. de Thaon ; lat. *stabilitas.* || **stabiliser** 1780, Brunot, écon. polit. ; 1845, Besch., « rendre stable » ; de *stable,* d'après la forme lat. || **stabilisation** 1780, Brunot. || **stabilisateur** 1877, Quatrefages, adj. ; 1907, Lar., appareil. || **stabiliseur** 1964, Lar. || **instable** 1372, Golein ; rare jusqu'au XVIIIe s. ; lat. *instabilis.* || **instabilité** 1468, Chastellain ; lat. *instabilitas.*

stabulation 1833, Besch., agric. ; lat. *stabulatio, -onis,* séjour dans l'étable, de *stabulum,* étable (v. ÉTABLE).

staccato 1771, Trévoux, mus. ; mot ital. signif. « d'une manière détachée ».

stade 1265, Br. Latini (*estade*), n. m., mesure grecque ; 1361, Oresme, n. f., même sens, encore chez Molière, *Mélicerte ;* 1549, R. Est., « enceinte » ; XIXe s., méd. ; 1878, Lar., « période, degré » ; lat. *stadium,* du gr. *stadion.*

stadia 1865, d'après P. Robert, n. f., instrument de mesure des distances ; gr. *stadia,* fém. de *stadios,* « planté debout ». || **stadimètre** 1877, L.

1. **staff** 1850, Lar., « stuc » ; allem. *staffieren,* étoffer. || **staffer** 1904, Lar. || **staffeur** *id.*

2. **staff** 1968, Lar. ; mot angl. signif. « état-major ».

stage 1631, Bassompierre, eccl. et jurid. ; 1782, Mercier, « période de formation » ; lat. médiév. *stagium,* calque de l'anc. fr. *estage* (v. ÉTAGE), au sens primitif de « séjour », de *ester,* du lat. *stare.* || **stagiaire** 1823, Boiste. || **stagiariser** 1974, *journ.*

stagner 1788, Féraud ; lat. *stagnare,* être stagnant, de *stagnum,* étang ; on trouve en moy. fr. *restagner,* 1544, M. Scève. || **stagnant** 1546, Rab. ; du part. prés. *stagnans.* || **stagnation** 1741, Col de Vilars.

stakhanovisme v. 1935 ; du nom de *Stakhanov,* ouvrier soviétique, créateur de cette méthode dans les mines du Donetz. || **stakhanoviste** *id.*

stalactite 1644, Bachou ; gr. *stalaktos,* « qui coule goutte à goutte », de *stalazeîn,* filtrer, couler goutte à goutte. || **stalagmite** 1683, Colbert ; gr. *stalagmos,* écoulement goutte à goutte. || **stalagmomètre** 1876, Lar. || **stalagmométrie** 1953, Lar.

stalag 1940 ; mot allem., abrév. de *Stammlager,* « camp de base ».

stalinien, stalinisme 1949, Lar. ; du nom de *Staline.*

stalle milieu XVIe s. (*stal*) ; d'abord masc., puis fém. (1743, Trévoux) ; 1826, *Journ. des dames, stalle de théâtre ;* 1861, Gayot, *stalle d'écurie ;* lat. médiév. *stallum,* stalle, de l'anc. fr. *estal,* position. (V. ÉTAL, INSTALLER.)

staminal 1803, Wailly, bot. ; lat. *stamen, -inis* (v. ÉTAMINE 2). || **staminée** 1764, Restaut. || **staminifère** 1803, Boiste. || **staminode** 1817, Gérardin.

stance 1550, Héroët, « salle » ; ital. *stanza,* proprem. « demeure », de *stare,* se tenir ; sens de « strophe », d'après le repos qui en marque la fin.

stand 1854, Chapus, tribune de courses ; 1883, *FEW,* emplacement d'exposition ; angl. *stand,* de (*to*) *stand,* se dresser ; *stand de tir,* 1875, *J. O.,* du suisse all. *Stand.*

standard 1702, *État prés. d'Angleterre,* n. m., « étalon, type » ; XIXe s., adj. ; 1897, Mackenzie, téléphone ; angl. *standard,* lui-même issu de l'anc. fr. *estandard* (v. ÉTENDARD). || **standardiser** 1915, Le Chatelier. || **standardisation** 1904, M. Plessis. || **standardiste** 1933, Lar.

stand-by 1975, *Dict. écon. ;* angl. *to stand by,* se tenir auprès.

standing n. m., 1928, Pagnol ; mot angl. signif. « importance, niveau », de (*to*) *stand,* se tenir (v. STAND).

standolie 1964, Lar. ; de *standard* et *-olie,* du lat. *oleum,* huile.

stannique 1831, Berzelius ; lat. *stannum,* étain. || **stanneux** *id.* || **stannifère** 1829, Brongniart. || **stannine** 1872, L. || **stannoïde** 1876, Lar.

staphisaigre XIIIe s., *Simples Méd.* (*taffisagre*) ; 1314, Mondeville (*staphisagre*) ; fin XVIe s. (*staphisaigre*), bot. ; bas lat. *staphis agria,* mot gr. signif. « raisin sauvage ».

staphylier 1808, Boiste, bot. ; gr. *staphulê,* grain de raisin.

1. **staphylin** n. m., 1775, *D. G.,* entom. ; gr. *staphulinos,* de *staphulê,* grain de raisin.

2. **staphylin** adj., 1752, Trévoux, anat. ; même étym. que le précédent.

staphylo-, gr. *staphulê,* grain de raisin. || **staphylome** 1560, Paré, méd., maladie de l'œil dite *raisinière ;* lat. méd. *staphyloma,* mot gr. || **staphylocoque** 1884, Rosenbach, méd. ; gr. *kokkos,* graine. || **staphylococcie** 1904, Lar. || **staphyloplastie** 1867, Bouchut ; gr. *staphulê,* luette. || **staphylorraphie** 1836, *Acad.* || **saphylotomie** 1842, *Acad.*

star 1919, *le Film,* cinéma ; mot angl. signif. « étoile ». || **starlette** 1922, *Cinémagazine ;* dimin. de *star.* || **star-system** milieu XXe s.

staroste 1606, Barezzi ; mot polonais. || **starostie** 1701, Furetière.

starter 1862, Mackenzie, en sport, « celui qui donne le départ » ; 1932, d'après P. Robert, techn. autom. ; mot angl., de *to start,* faire tressaillir, d'où « donner le départ d'une course ». || **starting-block** 1950, d'après P. Robert ; mot angl., de *to start,* partir, et *block,* bloc. || **starting-gate** 1906, Lar. ; mot angl., de *to start,* partir, et *gate,* grille.

stase 1741, Col de Vilars, méd. ; gr. *stasis,* arrêt. || **diastase** XXe s., physiol. || **métastase** XXe s., méd.

statère fin XIVe s., monnaie grecque ; bas lat. *stater,* mot gr.

stathouder 1650, Pellisson ; mot néerl. signif. « gouverneur », proprem. « qui tient la place (du souverain) », de *stade,* lieu, et *houder,* qui gouverne. (Cf. l'all. *Statthalter.*) || **stathoudérat** 1701, Furetière.

statice 1615, Des Moulins ; lat. *statice,* du gr. *statikê,* de *istanai,* arrêter.

statif 1355, Bersuire ; lat. *stativus,* fixe, de *stare,* rester debout.

station 1170, *Rois,* « lieu où l'on se fixe », peu usité en anc. fr. ; XIIIe s., relig., suite de sermons ; XIXe s., *station du chemin de croix ;* aux XVIIe-XVIIIe s., surtout lieu où l'on s'arrête, au sens gén. ; 1773, Bourdé, « mouillage » ; 1671, Rohault, astron. ; *station de lavage,* 1964, Lar. ; *station agronomique,* 1878, Lar. ; *station orbitale,* 1975, Lar. ; lat. *statio,* façon de se tenir, lieu où l'on se fixe, de *stare,* se tenir debout. || **stationnaire** 1270, Mahieu le Vilain, rare avant le XVIIe s. ; bas lat. *stationarius,* fixe ; *état stationnaire,* 1904, Lar. || **stationner** 1596, Hulsius. || **stationnement** fin XVIIIe s., Turgot. || **stationnale** 1743, Trévoux, eccl. || **sous-station** v. 1925, *journ.,* techn. || **station-service** 1949, Lar.

statique 1721, Trévoux ; *électricité statique,* 1864, L. ; gr. scient. *statikos,* « relatif à l'équilibre », de *istanai,* placer, faire tenir. || **stati-**

quement 1910, d'après P. Robert. || **statisme** 1946, Benda.

statistique 1771, Trévoux ; all. *Statistik* (1749, Schmeitzel), issu du lat. mod. *collegium statisticum,* du lat. *status,* état. || **statisticien** 1834, Landais. || **statistiquement** 1964, Robert.

stato-, gr. *statos,* stationnaire. || **statoblaste** 1904, Lar. ; gr. *blastos,* germe. || **statocyste** 1904, Lar. ; gr. *kustis,* cellule. || **statolithe** 1907, Lar. ; gr. *lithos,* pierre.

stator 1908, Lar., techn., fait sur le rad. du lat. *stare,* « se tenir immobile », par oppos. à *rotor* (lat. *rotare,* tourner).

statoréacteur 1949, Lar., aéron. ; de *réacteur* et du rad. de *stare* (v. STATOR).

statue 1120, *Ps. d'Oxford ;* lat. *statua,* de *stare,* se tenir debout. || **statuette** 1800, Cambry. || **statuaire** 1495, J. de Vignay, « sculpteur » ; 1559, Du Bellay, n. f. ; lat. *statuarius.* || **statufier** 1888, Villatte ; d'après les verbes en *-fier.*

statuer début XVe s. (*estatuer*) ; début XVIe s. (*statuer*), jurid. ; lat. *statuere,* placer, établir, égalem. jurid.

statu quo 1764, Bouchard, trad. de Brooke ; loc. du lat. diplom. ; ellipse de *in statu quo ante,* « dans l'état où auparavant (étaient les choses) ».

stature 1155, Wace (*estature*) ; 1493, Coquillart (*stature*) ; lat. *statura,* de *stare,* se tenir debout.

statut v. 1250, Le Grand ; bas lat. *statutum,* part. passé substantivé de *statuere* (v. STATUER). || **statutaire** XVIe s., *Coutumier gén.,* rare jusqu'au XIXe s. || **statutairement** 1872, L. || **antistatutaire** fin XIXe s.

stauro-, gr. *stauros,* pieu, croix. || **staurolite** 1872, L. || **stauroplégie** 1907, Lar. || **staurothèque** 1923, Lar.

stayer 11 sept. 1895, *le Temps,* en sport ; mot angl., de (*to*) *stay,* soutenir, d'où « montrer de l'endurance », de l'anc. fr. *estayer.* (V. ÉTAI 2.)

steak 1911, Hémon ; mot angl.

steamer 1829, Jacquemont ; mot angl., de *steam,* vapeur.

stéarine 1814, Chevreul ; gr. *stear,* graisse. || **stéarique** 1819, Chevreul. || **stéarinerie** 1872, L. || **stéarate** 1823, *Dict. méd.*

stéatite 1562, du Pinet, minér. ; gr. *steatitês,* de *stear, steatos,* graisse. || **stéatome** 1560, Paré, méd. ; gr. *steatôma,* graisse. || **stéatorrhée** 1872, L. || **stéatose** 1865, L. || **stéatopyge** 1842, *Acad. ;* gr. *pugê,* fesse.

steeple-chase 1828, *Journ. des haras ;* mot angl. signif. « course au clocher », de *steeple,* clocher, et *chase,* course (lui-même issu du fr. *chasse*). || **steeple** 1866, *Vie parisienne ;* abrév.

stég(o)-, gr. *stegos,* abri, de *stegein,* couvrir. || **stéganopodes** 1842, *Acad.* || **stégocéphales** 1842, Acad. || **stégomyie** 1907, Lar., entom. ; gr. *muia,* mouche. || **stégosaure** 1933, Lar., zool. ; gr. *sauros,* reptile.

steinbock fin XIe s., *Gloses de Raschi* (*estaimboc*) ; haut allem. *steinboc,* bouc de rocher ; sens actuel, 1904, Lar.

stèle 1694, Th. Corn. ; lat. *stela,* du gr. *stêlê.*

stellage 1611, Cotgrave, féod. ; allem. *Stellage,* droit ; sens actuel, 1923, Lar.

stellaire 1615, Daléchamps (*stellaria*), n. f., bot. ; 1823, *Journ. des dames* (*stellaire*) ; fin XVIIIe s., adj. ; bas lat. *stellaris* (Ve s., Macrobe), de *stella,* étoile. || **stellérides** 1808, Boiste, zool.

stellionat 1577, Forget, jurid. ; lat. *stellionatus,* de *stellio, -onis,* lézard (animal pris pour symbole de la fraude). Cf. le moy. fr. *stellion* (1314, Mondeville). || **stellionataire** 1655, Brunot.

Stellite 1923, Lar., n. déposé ; lat. *stella,* étoile.

stemm 1924, Kurz ; mot norvégien.

stencil 1923, Lar. ; mot angl., de (*to*) *stencil,* orner de couleurs étincelantes, de l'anc. fr. *estinceler* (v. ÉTINCELLE). || **stenciliste** 1950, Lar.

sténographie 1771, Trévoux ; gr. *stenos,* étroit, resserré, et *-graphie.* || **sténographe** 1792, Brunot. || **sténographier** 1792, Bertin. || **sténographique** 1775, Wailly. || **sténogramme** 1876, Lar. || **sténodactylographie** 1907, *L. M.* || **sténodactylo** 1964, Lar. || **sténotypie** 1864, Danel ; gr. *tupos,* caractère. || **sténotype** 1907, Lar. || **sténotypiste** 1907, Lar. || **sténotyper** 1911, Lar.

sténose 1823, *Dict. méd. ;* gr. *stenosis,* rétrécissement, de *stenos,* étroit. || **sténotherme** 1904, Lar., méd. || **sténosage** 1949, Lar.

stentor 1570, Picot (*cris de Stentor*) ; début XVIIe s. (*à voix de Stentor*) ; du nom de *Stentor,* nom d'un guerrier de *l'Iliade* (V, 785), à la voix aussi puissante que celle de cent hommes ensemble.

steppe 1678, A. Des Barres (*step,* encore au XVIIIe s.) ; 1827, Chateaubriand (*steppe,* masc. ;

encore masc. dans Littré) ; 1835, *Acad.*, n. f. ; russe *step*, n. f. || **steppique** 1909, Martonne (d'abord *steppeux*, 1907, Lar.).

stepper v. 1859, Dumas fils, « faire un tour à cheval » ; 1867, Gautier, « trotteur » ; mot angl., de (*to*) *step*, trotter. || **steppage** 1888, Villatte. || **steppeur** 1842, *le Charivari* (*stepper*) ; 1872, L. (*steppeur*).

stercoraire 1732, Trévoux, zool. ; lat. *stercorarius*, de *stercus*, *-oris*, excrément, fumier. || **stercoral** 1795, Cullen. || **stercorite** 1872, L.

stère 1794, textes admin., unité de mesure ; gr. *stereos*, solide. || **stérer** 1872, L.

stéréo-, gr. *stereos*, solide. || **stéréobate** 1676, Félibien, archit., sur le gr. *batês*, qui va. || **stéréochimie** 1889, d'après P. Robert. || **stéréochromie** 1876, Lar. ; sur le gr. *khrôma*, couleur. || **stéréognosie** 1964, Lar. || **stéréogramme** 1907, Lar. || **stéréographie** 1721, Trévoux. || **stéréographique** 1613, d'après L. || **stéréomètre** 1836, *Acad.* || **stéréométrie** 1560, J.-P. de Mesmes. || **stéréométrique** XVIIe s. || **stéréophonie** 1949, Lar. || **stéréophonique** 1940, d'après P. Robert. || **stéréophotographie** 1904, Lar. || **stéréoscope** 1842, *Acad.* ; d'après un mot angl. créé par Wheatstone, sur le modèle de *télescope*. || **stéréoscopique** 1856, *Doc.* || **stéréotaxie** 1964, Lar. || **stéréotomie** 1694, Th. Corn. || **stéréotomique** 1836, *Acad.* || **stéréotype** 1797, F. Didot ; gr. *tupos*, caractère. || **stéréotyper** *id.* || **stéréotypé** adj., 1834, Balzac, fig. || **stéréotypie** fin XVIIIe s. || **stéréovision** 1968, Lar.

stérile 1370, Oresme ; lat. *sterilis*. || **stérilité** v. 1355, Bersuire ; lat. *sterilitas*. || **stériliser** XIVe s., Gordon ; rare jusqu'au XVIIIe s. ; 1797, Boufflers , « rendre stérile » ; fin XIXe s., bactériol. ; 1801, Mercier, sens fig. || **stérilisation** 1869, *l'Universel*. || **stérilisateur** 1894, Sachs-Villatte.

sterlet 1575, Thevet, esturgeon de Russie ; russe *sterljad'* (cf. l'angl. *sterledey*, fin XVIe s., et *sterlet*, fin XVIIe s.).

sterling 1576, Huguet (*sterlin*) ; 1677, Miege (*sterling*) ; mot angl., du lat. médiév. *sterlingus*.

sternum 1555, Belon (*sternon*) ; mot du lat. méd. mod., du gr. *sternon*, poitrine. || **sternal** 1812, Mozin. || **sterno-cléido-mastoïdien** 1740, Trévoux. || **sternopage** 1876, Lar.

sternutatoire XIIIe s., *Simples Méd.* (*esternuatore*) ; 1560, Paré (*sternutatoire*) ; lat. *sternutare* (v. ÉTERNUER). || **sternutation** XVe s.

stérol 1933, Lar. ; de *cholestérol*. || **stéroïde** 1964, Lar. ; de *stéro(l)*, et gr. *eidos*, forme.

stertoreux 1795, Cullen, méd. ; lat. *stertere*, ronfler. || **stertor** 1904, Lar.

stéthoscope 1819, Laennec ; gr. *stêthos*, poitrine, et *-scope*.

steward 1833, Pavie ; mot angl. désignant un maître d'hôtel.

sthène 1923, Lar., unité de mesure ; gr. *sthenos*, force. || **sthénique** 1839, Boiste.

stibié 1707, Helvétius ; lat. *stibium*, antimoine. || **stibine** 1872, L.

stichomythie 1866, rhét. ; gr. *stikhos*, vers, et *muthos*, récit.

stick 1795, Miché (*stic*) ; mot angl. signif. « bâton, canne ».

stigmate fin XVe s. (*stigmacs de la Passion*), relig. ; 1580, Trippault, « marque au fer chaud » ; 1955, d'après P. Robert, « indice » ; lat. *stigmata*, pl. de *stigma*, « marque de flétrissure, faite au fer chaud », mot gr., proprem. « piqûre », de *stizeîn*, piquer. || **stigmatiser** 1532, Rab. (*stigmatisé*), au propre ; 1611, Cotgrave, « flétrir ». || **stigmatisation** 1845, Besch. || **stigmatisme** 1949, Lar., opt. || **astigmate**, **astigmatisme** 1890, Lar., opt. ; avec le préf. privatif *a-*.

stilbène 1876, Lar. ; gr. *stilbein*, briller.

stil-de-grain 1664, Savary, matière colorante ; néerl. *schijtgroen*, signif. « vert (*groen*) d'excrément (*schijt*) ».

stillation 1507, N. de La Chesnaye, techn. ; lat. *stillatio*, de *stillare*, couler goutte à goutte (v. DISTILLER, INSTILLER). || **stiller** 1544, Scève ; lat. *stillare*, tomber goutte à goutte. || **stillatoire** 1611, Cotgrave. || **stilligoutte** 1903, Huysmans ; sur *goutte*.

stimuler 1355, Bersuire, sens gén. ; 1560, Paré, méd. ; lat. *stimulare*, de *stimulus*, aiguillon. || **stimulant** 1752, Trévoux, adj. ; 1765, *Encycl.*, n. m., méd. || **stimulateur** 1549, R. Est. ; bas lat. *stimulator*. || **stimulation** 1395, Chr. de Pisan ; lat. *stimulatio*. || **stimuline** 1957, d'après P. Robert, méd. || **stimulus** 1820, Laveaux, physiol. ; mot lat.

stipe 1778, Lamarck, bot. ; lat. *stipes*, « tige ». || **stipité** 1808, Boiste, bot. || **stipule** 1749, Dulibard, bot. ; lat. *stipula*, petite tige. || **stipulaire** 1827, *Acad.*, bot.

stipendié milieu XVe s. (*paiement des stipendiés*), n. m. et adj. ; lat. *stipendiatus*, « à la solde », part. de *stipendiari*, de *stipendium*, solde militaire ; dès le lat., valeur péjor. || **stipendier** 1479, Bartzsch. || **stipendiaire** XIVe s., Du Cange ; lat. *stipendiarius.*

stipulaire V. STIPE.

stipuler 1289, *FEW,* jurid. ; rare jusqu'au XVIIe s. ; lat. jurid. *stipulari.* || **stipulation** début XIIIe s. ; lat. *stipulatio.*

stochastique XXe s. ; gr. *stokhastês,* devin ; lié au hasard.

stock 1559, Du Bellay (*prendre a stoc,* prendre à intérêt) ; 1656, Laurens, sens actuel ; 1886, Bloy, fig. ; mot angl., proprem. « tronc », d'où « provision », etc. ; même orig. que *étau* (v. ESTOC). || **stocker** 1920, Bonnafé. || **stockage** 1920, Bonnafé. || **stockiste** 1907, Lar. || **stock-car** 1958, Fabre-Luce ; sur l'angl. *car,* voiture. || **stock-exchange** 1923, Lar. ; mot angl., de *exchange,* échange.

stockfisch 1387, G. (*stocqvisch*) ; 1560, Paré (*stockvis, stockfisse,* etc.) ; moy. néerl. *stocvisch,* « poisson séché sur (ou raide comme) un bâton », de *stoc,* bâton, et *visch,* poisson (cf. l'angl. *stockfish,* l'all. *Stockfisch*).

stoff 1828, *la Mode,* étoffe légère ; angl. *stuff,* du fr. *étoffe.*

stoïque 1550, *Bible,* philos. ; 1655, Pascal, fig., sens mod. ; lat. *stoicus,* du gr. *stoikos,* de *stoa,* portique (Zénon, fondateur de l'école, au IVe s., enseignait à Athènes sous un portique). || **stoïcien** v. 1300. || **stoïcisme** 1688, La Bruyère ; a éliminé *stoïcité,* XVIe-XVIIIe s. || **stoïquement** 1555, Vaganay.

stolon 1549, Fousch, « rejeton de noisetier » ; 1808, Boiste, bot. ; lat. *stolo, -onis,* rejeton. || **stolonifère** 1808, Boiste. || **stolonial** 1923, Lar.

stomacal 1425, O. de La Haye ; lat. *stomachus,* estomac, du gr. *stomakhos,* œsophage, de *stoma,* bouche, orifice. || **stomachique** 1537, Lespleigney ; bas lat. *stomachicus,* du gr. *stomakhikos.*

stomate 1803, Boiste, zool. ; gr. *stoma, -atos,* bouche. || **stomatique** XVe s., méd. || **stomatite** 1830, *Dict. méd.* || **stomatologie** 1859, Mozin. || **stomatologiste** 1933, Lar. || **stomatoplastie** 1855, Nysten. || **stomatorragie** 1843, Landais. || **stomatoscope** 1845, Besch.

stomoxe 1764, Geoffroy, entom. ; gr. *stoma,* bouche (v. les précéd.), et *oxus,* aigu.

1. **stopper** 1847, *Annales maritimes,* faire arrêter ; angl. (*to*) *stop,* s'arrêter, arrêter. || **stop !** 1792, Romme ; angl. *stop,* impér. de (*to*) *stop.* || **stoppage** 1888, *FEW.* || **stoppeur** 1964, Robert.

2. **stopper** 1730, Savary (*restauper*) ; 1780, *Glossaire* (*estoper*) ; 1893, *D. G.* (*stopper*), « refaire une partie d'étoffe maille à maille » ; néerl. *stoppen,* de même orig. que l'all. *stopfen.* || **stoppage** 1893, *D. G.* || **stoppeur** 1893, *D. G.*

storax ou **styrax** XIIIe s., *Simples Méd.* (*storiaus*), pharm. ; lat. *styrax, storax,* du gr. *sturax.*

store 1544, Oudin, n. f., « natte » ; XVIIIe s., n. m. ; ital. dial. *stora,* n. f., en ital. *stuoja,* natte, store, du lat. *storea,* natte. || **storiste** 1973, *la Clé des mots.*

stout 1854, *FEW* ; angl. *stout,* vigoureux.

strabisme 1560, Paré (*strabismus*) ; 1660, Fernel (*strabisme*) ; gr. *strabismos,* de *strabos,* « qui louche ». || **strabique** 1845, Besch. || **strabotomie** 1872, L.

stradivarius 1833, Gautier ; du nom de *Stradivarius* (1644-1737), luthier de Crémone.

stramoine 1572, Des Moulins (*stramonia*), bot. ; 1776, Bomare (*stramoine*) ; lat. bot. médiév. *stramonium,* d'origine obscure.

strangulation 1549, Maignan ; lat. *strangulatio,* servant de dér. à *étrangler.*

strapasser 1611, Cotgrave (*estrapasser*), « harceler » ; 1684, Brunot, « peindre à la hâte » ; ital. *strapazzare,* proprem. « malmener », d'où « gâcher le travail », de *strappare,* arracher (v. ESTRAPADE).

strapontin 1298, *Livre de Marco Polo* (*straponte*) ; 1570, Carloix (*strapontin* ; var. *estrapontin* jusqu'au XVIIIe s.), « hamac » ; XVIIe s., « siège mobile dans une voiture » ; 1875, Lar., théâtre ; ital. *strapuntino,* « matelas (piqué à l'aiguille) », de l'anc. ital. *trapungere,* « piquer à l'aiguille », du lat. *transpungere,* piquer à travers. (V. POINTE.)

strass 1746, La Morlière (*stras*) ; du nom de *Stras,* joaillier, inventeur de ce faux diamant.

strasse 1690, Furetière, bourre de soie (var. *étrasse*) ; ital. *straccio,* « chiffon ».

stratagème 1372, Foulechat (*strategmmate*) ; 1564, J. Thierry (*stratagème*) ; lat. *strategema,* ruse de guerre, du gr. *stratêgêma.* (V. STRATÈGE.)

strate n. f., 1765, *Encycl.* (*strata*), géol. ; 1805, *Annales chimie* (*strate*) ; lat. *stratum,* chose étendue, part. passé subtantivé de *sternere,* étendre (v. STRATIFIER, STRATUS). || **stratifier** 1675, Lémery, d'abord en chimie, puis géol., etc. ;

lat. des alchimistes *stratificare,* de *stratum.* || **stratification** 1578, Chauvelot ; lat. des alchimistes *stratificatio.* || **stratigraphie** 1861, Dalimier. || **stratigraphique** *id.*

stratège 1721, Trévoux, hist. gr. ; 1904, Lar., sens mod., d'après le sens de *stratégie ;* gr. *stratêgos,* chef d'armée, de *stratos,* armée, et *ageîn,* conduire. || **stratégie** 1812, Mozin ; début XIXe s., fig. ; gr. *stratêgia.* || **stratégique** 1819, Boiste ; gr. *stratêgikos.* || **stratégiste** 1831, Noël et Carpentier.

stratosphère 1898, Teisserenc de Bort ; de *sphère* et du lat. *stratum,* au sens de « couverture » (v. STRATE, STRATUS). || **stratosphérique** 1933, *journ.* || **stratostat** 1934, *journ.,* à propos de l'ascension de Cosyns ; sur le modèle de *aérostat ;* n'a pas survécu. || **stratovision** 1953, Lar.

stratus 1869, *J. O.,* météor. ; mot lat. signif. « étendu » (v. STRATE). || **strato-cumulus** 1842, Dubochel.

streaking 1975, *Lexis ;* mot angl., de *to streak,* sillonner.

strepto-, gr. *streptôs,* arrondi, courbé. || **streptocoque** 1894, d'après P. Robert ; de *-coque,* du gr. *kokkos,* graine. || **streptobacille** 1933, Lar. || **streptolysine** 1933, Lar. || **streptakinase** 1953, Lar. || **streptococcie** 1897, Barbier. || **streptomycine** 1964, Lar. ; gr. *mukês,* champignon.

stress 1953, Lar. ; angl. *stress,* choc brutal. || **stresser** 1970, Robert. || **stressant** 1967, *la Nef.*

strette 1548, Barbier, « étreinte » ; 1880, Flaubert, mus. ; ital. *stretto,* « étroit, serré », du lat. *strictus* (v. le suiv.).

strict début XVIIIe s. ; lat. *strictus,* au fig., de *stringere,* serrer. (V. ÉTROIT.) || **strictement** 1503, Chauliac. || **stricto sensu** 1936, Capitant ; mot lat. signif. « au sens étroit ».

striction 1761, Levret, méd. ; lat. *strictio, -onis,* de *stringere,* étreindre.

strident 1502, O. de Saint-Gelais ; rare avant 1829, Boiste ; lat. *stridens,* part. prés. de *stridere,* produire un bruit strident. || **stridence** 1883, Daudet. || **strider** 1834, Boiste. || **strideur** fin XIIe s., *Dialogues Grégoire* (*strendor,* altér.) ; XVIe s. (*strideur*) ; lat. *stridor.* || **stridulant** 1842, *Acad.* || **striduleux** 1778, *Journ. méd. ;* lat. *stridulus,* sifflant. || **stridulation** 1817, Latreille. || **stridor** 1933, Lar. || **striduler** 1845, Besch. || **stridulatoire** 1904, Lar.

strie 1545, Van Aelst ; rare jusqu'en 1680, Richelet ; lat. *stria,* rainure. || **strié** 1534, Rab. ; lat. *striatus,* cannelé. || **strier** 1854, Nerval. || **striure** 1577, Delorme (*strieure*) ; 1755, Aviler (*striure*) ; adapt. du lat. *striatura.* || **strioscopie** 1949, Lar. || **strioscopique** 1953, Lar. || **striole** 1904, Lar.

strige 1200, G. (*estrie*) ; 1534, Rab. (*stryge*), n. f., vampire ; lat. *striga,* var. de *strix,* grand duc, du gr. *strigx.* || **strigidés** 1839, Boiste.

strigile 1544, M. Scève (*strigil*), n. m. ; rare jusqu'en 1727, Furetière ; 1752, Trévoux (*strigile*) ; lat. *strigilis* (v. ÉTRILLE).

stripping 1964, Lar., méd. ; mot angl., de (*to*) *strip,* ôter, enlever.

strip-tease 1954, *journ. ;* angl. (*to*) *strip,* déshabiller, et (*to*) *tease,* agacer. || **strip-teaseuse** *id.*

striquer 1803, Boiste, techn. ; néerl. *strijken,* du francique **strikan,* frotter. || **striqueur** 1904, Lar. || **stricage** 1803, Boiste.

strobile 1798, Richard, bot. ; lat. *strobilus,* du gr. *strobilos,* toupie, pomme de pin.

stroboscope 1888, Lar. ; gr. *strobos,* tourniquet, et *-scope.* || **stroboscopie** 1888, Lar. || **stroboscopique** 1845, Besch.

stroma 1855, Nysten ; bas lat. *stroma,* couverture, du gr. *stroma,* tapis.

strombe 1808, Boiste, zool. ; gr. *strombos,* toupie, coquillage conique.

strongle ou **strongyle** 1700, A. de Boisregard, zool. ; gr. *stroggulos,* rond. || **strongylose** 1897, Courtois. || **strongyloïdés** 1964, Lar.

strontium 1790, Crawford, chim. ; de *Strontian,* localité d'Écosse où ce corps fut découvert. || **strontiane** 1795, *Journ. des mines.* || **strontianite** *id.* || **strontique** 1872, L.

strophantus 1808, Boiste ; lat. scient. *strophantus,* du gr. *strophos,* cordon.

strophe 1550, Ronsard, au sens gr. ; 1669, Widerhold, syn. de *stance ;* lat. *stropha,* du gr. *strophê,* de *stropheîn,* tourner. || **strophique** fin XIXe s.

stropiat 1546, Rab. (*estr-*) ; ital. *stroppiato,* estropié.

structure XIVe s., « construction » ; fin XVe s., sens mod. ; lat. *structura,* de *struere,* construire. || **structural** 1877, L. || **structuralement** 1964, Robert. || **structuralisme** 1945, *Bull. société ling.*

|| **structuraliste** XXe s. || **structurer** 1870, Bürger. || **structuration** 1962, Foulquié. || **structurel** 1961, Lar. || **structurellement** 1968, Lar. || **infrastructure** fin XIXe s., techn. et économie politique. || **superstructure** 1764, Voltaire ; XIXe s., techn. et économie politique ; d'après le lat. *superstruere.*

strume 1130, *Eneas,* « bosse » ; 1560, Paré, méd. ; lat. *struma,* scrofule. || **strumeux** XIIIe s., B. de Condé (*estrumeus*) ; lat. *strumosus.* || **strumectomie** 1907, Lar. || **strumite** *id.*

struthio 1904, Lar. ; bas lat. *struthio,* autruche, du gr. *strouthiôn.*

strychnine 1818, Pelletier et Caventou (qui découvrirent ce corps) ; lat. bot. *strychnos,* « vomiquier », mot gr. : la graine du vomiquier (noix vomique) contient de la strychnine. || **strychnisme** 1872, L.

stuc 1524, Havard ; ital. *stucco,* du longobard **stukki* (cf. l'allem. *Stück*). || **stucateur** 1641, Poussin ; ital. *stuccatore.* || **stucatine** 1907, Lar. || **stuquer** 1842, Aubert.

stud-book 1828, Bonnafé ; mot angl., de *stud,* haras, et *book,* livre.

studieux 1120, *Ps. de Cambridge* (*estudius*) ; lat. *studiosus,* de *studium* (v. ÉTUDE). || **studieusement** 1541, Rab. || **studiosité** XVIe s., *Triomphes de la noble dame,* peu usité.

studio 1829, Lady Morgan ; d'abord au sens de « atelier d'artiste », puis de « atelier de photographe » ; 1908, Babin, cinéma ; mot anglo-amér., lui-même issu de l'ital. *studio,* atelier de peintre, du lat. *studium.* || **studette** 1970, Robert. (V. ÉTUDE.)

stupa 1868, *journ. ;* mot hindi.

stupéfier 1478, Chauliac ; lat. *stupefacere,* adapté d'après les verbes en *-fier.* || **stupéfiant** 1606, Charron, adj., méd. ; 1835, *Acad.,* subst. || **stupéfait** 1655, Molière ; lat. *stupefactus.* || **stupéfaction** 1363, Chauliac ; bas lat. *stupefactio.* (V. STUPEUR.)

stupeur fin XIVe s., souvent méd. en moy. fr. ; lat. *stupor,* de *stupere,* « être engourdi, frappé de stupeur ». || **stuporeux** 1933, Lar. || **stupide** XIVe s., B. de Gordon (*stupit*), « frappé de stupeur » ; 1599, Hornkens, sens mod. ; lat. *stupidus.* || **stupidement** 1588, Montaigne. || **stupidité** 1541, Calvin, « stupeur » ; 1580, Montaigne, sens mod. ; lat. *stupiditas.*

stupre 1378, La Curne ; lat. *stuprum,* débauche.

stuquer V. STUC.

style 1280, Bibbesworth (*estile*), jurid., « manière de procéder » ; 1346, G., « manière d'agir » ; 1537, trad. du *Courtisan,* « manière d'exprimer sa pensée » ; XVIIe s., appliqué aux beaux-arts ; 1935, Vercel, « exercice écrit, manière d'écrire » ; *clause de style,* 1765, *Encycl.,* terme de notaire ; lat. *stilus, stylus,* proprem. « poinçon servant à écrire sur les tablettes », sens repris au XIVe s. (v. STYLET). || **stylé** adj., 1382, Ph. de Maizières, du sens de « manière d'agir ». || **styler** XVe s., Molinet. || **styliste** 1840, Sainte-Beuve ; v. 1960, *journ.,* mode. || **stylisme** 1845, Besch. || **stylistique** 1872, L. ; allem. *Stylistik,* rhétorique. || **stylisticien** 1964, Robert. || **stylème** XXe s. (d'après *morphème, phonème,* etc.). || **styliser** 1900, Mauclair ; d'après le sens esthétique de *style.* || **stylisation** 1893, Bing.

stylet fin XVIe s., d'Aubigné (*stilet*) ; ital. *stiletto,* de *stilo,* poignard, du lat. *stilus,* poinçon (v. STYLE).

stylite 1690, Furetière ; gr. *stulitês,* de *stulos,* colonne (v. STYLOBATE).

stylobate 1545, Van Aelst ; lat. *stylobates,* mot gr., de *stulos,* colonne, et *baineîn,* « reposer sur ses pieds ». || **styloïde** 1560, Paré, méd. ; gr. *stuloeidês,* de *stulos.*

stylographe 1904, Lar. ; anglo-amér. *stylograph,* du gr. *stulos,* poinçon à écrire, et de *-graphe.* || **stylo** 1923, Lar. ; abrév. || **stylographique** 1904, Lar.

styptique 1265, Br. Latini (*stitique*), méd., astringent ; lat. méd. *stypticus,* du gr. *stuptikos,* de *stupheîn,* resserrer.

styrax 1611, Cotgrave ; lat. *styrax,* résineux, du gr. *sturax,* gomme.

suage 1332, G. (*souage*), moulure ; anc. fr. *soue, seuwe,* corde (1322, G.), du bas lat. *sōca* (VIe s.), du gaulois **soca.*

suaire début XIIe s., *Voy. de Charl. ;* lat. eccl. *sudarium,* linge où fut enseveli Jésus, en lat. class. « mouchoir pour essuyer la sueur », de *sudor* (v. *sueur,* à SUER).

suave 1549, R. Est. ; lat. *suavis ;* a remplacé la forme pop. de l'anc. fr., *souef* (1050, *Alexis*), usitée jusqu'à la fin du XVIe s. || **suavement** 1503, Chauliac. || **suavité** 1190, *Saint Bernard ;* lat. *suavitas.*

sub-, préf. ; lat. *sub,* sous ; il indique en français une subordination, une position inférieure à une autre, ou un degré légèrement inférieur à la normale.

subalterne XVe s., Forget ; bas lat. *subalternus,* de *sub,* sous, et *alternus* (v. ALTERNER). || **subalternité** 1675, Sévigné. || **subalterniser** 1831, Enfantin. || **subalternisation** 1835, Laponneraye. || **désubalterniser, désubalternisation** v. 1848.

subdiviser 1377, Oresme ; lat. *subdividere,* adapté d'après *diviser ;* var. francisé *sous-diviser* (1314, Mondeville). || **subdivisible** 1877, L. || **subdivision** 1314, Mondeville ; lat. *subdivisio.* || **subdivisionnaire** 1865, Coussemaker.

subduction 1155, Wace (*suduction*), « tromperie » ; 1596, Basmaison, « calcul » ; 1975, Lar., sens actuel.

subéreux 1798, Richard ; lat. *suber,* liège. || **subérification** 1877, L. || **subérisation** 1923, Lar. || **subérine** 1821, *Dict. méd.*

subintrant 1471, Chauliac, méd. ; lat. *sub,* et *intrans,* de *intrare,* entrer.

subir 1481, Bartzsch ; lat. *subīre,* proprem. « aller sous », de *sub,* et *ire,* d'où « supporter ».

subit 1155, Wace ; lat. *subitus,* « qui vient à l'improviste », proprem. « par-dessous », de *subire,* se présenter (v. SUBIR). || **subitement** 1190, *Saint Bernard.* || **subito** 1509, *Revue ;* adv. lat.

subjacent 1534, Rab. ; lat. *subjacens,* de *subjacere,* être placé dessous.

subjectif milieu XIVe s. ; rare jusqu'au début du XIXe s., où il est repris à l'all. philos. (Kant) *subjektiv* (1818, de Custine) ; lat. scolast. *subjectivus,* du lat. *subjicere,* « mettre sous » (v. SUJET 1). || **subjectivement** 1610, *Revue.* || **subjectivité** 1803, Boiste ; all. *Subjektivität.* || **subjectiver** 1842, *Acad.* || **subjectivisme** 1852, Proudhon, politique.

subjection 1249, *Lettre* de Jean Sarrasin, rhét. ; lat. *subjectio,* proprem. « action de mettre sous », de *subjicere* (v. SUBJECTIF, SUJET 1).

subjonctif 1529, G. Tory, adj. ; 1660, Arnauld, n. m. ; lat. gramm. *subjonctivus,* proprem. « attaché sous », d'où « subordonné », de *subjungere.* (V. CONJOINDRE.)

subjuguer XIIe s. ; bas lat. *subjugare* (IVe s., Lactance), « mettre sous le joug », de *jugum* (v. JOUG). || **subjugation** 1530, Palsgrave ; bas lat. *subjugatio.*

sublime fin XIVe s., alchimie, « sublimé » ; 1460, Chastellain, sens mod. ; lat. *sublimis,* élevé, suspendu dans les airs. || **sublimement** 1564, Thierry. || **sublimité** XIIIe s., Tobler-Lommatzsch, caractère de ce qui est placé très haut ; XVIe s., fig. ; lat. *sublimitas,* hauteur.

sublimer 1314, Mondeville, alchimie, « distiller les éléments volatils, qui se condensent à la partie supérieure du vase » ; 1572, Amyot, « idéaliser » ; lat. des alchimistes *sublimare,* en bas lat. « élever en l'air », de *sublimis.* || **sublimation** XIVe s., *D. G.,* « action d'élever les sentiments » ; 1413, Foulquié, alchim. ; lat. *sublimatio,* de même empl. que le verbe. || **sublimé** 1314, Mondeville (*arsenic sublimé*) ; 1460, Villon, n. m.

submerger XIVe s., Moamin, « plonger » ; fin XIVe s., Deschamps (*soumaigier*), « recouvrir » ; XVIe s., Jal, « envahir » ; lat. *submergere,* de *sub,* sous, et *mergere,* plonger. || **submersion** 1160, Benoît (*somersion*) ; 1314, Mondeville (*submersion*) ; bas lat. *submersio.* || **submersible** 1798, Richard ; lat. *submersus,* part. passé de *submergere ;* 1904, Lar., « sous-marin ». || **insubmersible** 1775, de La Chapelle.

subodorer 1636, Richelieu ; bas lat. *subodorari,* flairer, de *odorari,* même sens. (V. ODEUR.)

subordonner 1495, J. de Vignay ; réfection de l'anc. fr. *subordiner,* du lat. médiév. *subordinare,* d'après *ordonner ;* 1872, L., linguistique. || **subordonné** subst., 1690, Furetière. || **subordonnée** 1770, Condillac. || **subordonnément** 1677, Bossuet. || **subordonnant** 1863, L. || **insubordonné** adj., 1789, Malouet. || **subordination** 1610, Coton ; lat. médiév. *subordinatio.* || **insubordination** 1770, Bachaumont.

suborner 1283, Beaumanoir, « détourner de ses devoirs » ; 1530, Marot, « séduire une femme » ; lat. *subornare,* équiper, de *sub,* et *ornare,* au sens de « pourvoir » (v. ORNER). || **subornation** 1310, Langlois ; lat. médiév. *subornatio.* || **suborneur** fin XVe s., Desrey.

subrécargue 1667, *Fr. mod.,* mar. ; esp. *sobrecargo,* qui est en surcharge, du v. *sobrecargar,* « surcharger ».

subreptice XIIIe s. (*surreptice*), d'abord jurid. ; 1891, Huysmans, « fait à l'insu de » ; lat. *subrepticius,* clandestin, de *subrepere,* ramper sous (v. REPTILE). || **subrepticement** 1369, L. || **subreption** début XIVe s., jurid. ; lat. jurid. *subreptio.*

subroger 1332, *Archives* (*subroguer*) ; 1355, Bersuire (*subroger*), jurid. ; *subrogé tuteur,* 1690, Fur. ; lat. *subrogare,* proposer à la place d'un autre. || **subrogateur** 1765, *Encycl.* || **subrogatif** 1872, *Gazette tribunaux.* || **subrogation** 1401, G., jurid. ; bas lat. *subrogatio.* || **subrogatoire** 1842, *Acad.*

subséquent 1370, Oresme ; lat. *subsequens,* part. prés. de *subsequi,* suivre de près. || **subséquemment** 1268, É. Boileau ; bas lat. *subsequenter,* à la suite. || **subséquence** 1834, Boussi.

subside 1220, G. (*succide*) ; 1290, *Livre Roisin* (*subside*) ; lat. *subsidium,* secours, réserve, de *subsidere,* être placé en réserve.

subsidiaire 1355, Bersuire ; lat. *subsidiarius,* « qui est en réserve ». (V. SUBSIDE.) || **subsidiairement** 1580, Montaigne.

subsister 1375, R. de Presles, « maintenir en vie » ; lat. *subsistere,* s'arrêter ; 1550, *Bible,* « rester, subsister », de *sistere,* « être placé, s'arrêter ». || **subsistance** 1471, Isambert, « imposition » ; XVIe s., « fait de subsister » ; 1652, Bossuet, « ressources » ; 1774, Brunot, « vivres » ; 1964, Lar., « nourriture ».

substance 1120, *Ps. d'Oxford,* philos. ; XVe s., « nature d'un corps » ; 1588, Montaigne, « chair » ; 1572, Amyot, « réalité » ; lat. philos. *substantia,* « ce qui se tient en dessous », de *sub,* sous, et *stare,* se tenir (calque du gr. *hupostasis*) ; *en substance,* XIVe s., droit. || **substantiel** 1265, Br. Latini ; lat. eccl. *substantialis* (IIIe s., Tertullien). || **substantiellement** 1495, J. de Vignay. || **substantialité** 1501, Vérard. || **substantialisme** 1872, L. || **substantialiste** 1874, Cazelle. || **consubstantiel** 1390, Conty ; lat. eccl. *consubstantialis* (IIIe s., Tertullien). || **consubstantialité** XIIIe s., *Chronique de Saint-Denis,* théol. ; lat. *consubstantialitas* (IVe s., saint Augustin). || **consubstantiation** 1567, J. de Serres, théol. ; lat. *consubstantiatio.*

substantif XIVe s., *Ps. de Metz ;* lat. gramm. *substantivum,* de même orig. que le précéd., appliqué seulement au v. *être* (*verbe substantif*) ; le sens de « nom » est dû aux grammairiens français. || **substantiver** 1380, *Aalma.* || **substantifier** 1610, *FEW.* || **substantivé** adj., 1549, J. du Bellay. || **substantival** 1909, Lar. || **substantivement** 1660, Arnauld.

substituer 1270, Layettes ; lat. *substituere,* « placer sous », d'où « mettre à la place », de *sub* et *statuere.* || **substituable** 1964, Lar. || **substituabilité** 1964, Lar. || **substitut** 1332, *Revue,* droit ; lat. *substitutus,* part. passé de *substituere.* || **substitution** XIIIe s., G., jurid. ; 1538, R. Est., « permutation » ; lat. *substitutio.*

substrat 1745, Charp (*substratum*), philos. ; 1876, *Rev. des Deux Mondes* (*substrat*), philos. ; 1820, *FEW,* linguist. ; lat. *substratum,* de *sub,* sous, et *stratum,* étendu (v. STRATE). || **adstrat** XXe s., en linguistique ; avec le préfixe *ad-.* || **superstrat** *id. ;* avec le préfixe *super-.*

substruction 1544, Mathée, « base » ; 1813, Gattel, architecture ; lat. *substructio,* de *substruere,* construire en sous-sol.

subsumer 1876, Lar. ; lat. moderne *subsumere,* du *sub,* sous, et *sumere,* prendre, philos.

subterfuge début XIVe s. ; bas lat. *subterfugium,* de *subterfugere,* « fuir en dessous, secrètement ».

subtil 1112, *Voy. saint Brendan* (*sutil*) ; 1330, *Baudoin de Sebourg* (*subtil*), seulem. au sens intellectuel en fr. ; lat. *subtilis,* fin, délié, d'où « ingénieux ». || **subtilement** 1119, Ph. de Thaon. || **subtilité** 1119, Ph. de Thaon (*sutilitet*) ; lat. *subtilitas.* || **subtiliser** XVe s., Martial d'Auvergne, « raffiner » ; XVe s., Basselin, chimie ; 1785, Le Tourneur, « voler » (et aussi, au XVIIIe s., « tromper »). || **subtilisation** milieu XVIe s., « raisonnement raffiné » ; 1694, *Acad.,* chimie ; 1964, Robert, « vol » ; XIXe s., sens mod.

subule 1964, Lar. ; lat. *subula,* alêne. || **subulé** 1749, Dalibard, bot.

suburbain 1380, *Aalma ;* rare jusqu'en 1801, Mercier ; lat. *suburbanus,* de *urbs,* ville. || **suburbicaire** 1701, Furetière ; bas lat. *suburbicaria,* de même étym., avec un autre suffixe.

subvenir 1308, Aimé ; anc. fr. *sovenir* (1270, *Huon*), du lat. *subvenire,* « venir au secours de ». || **subvention** 1290, *Livre Roisin,* « impôt » ; 1776, Voltaire, sens actuel ; bas lat. *subventio,* aide, secours. || **subventionner** 1832, Hugo. || **subventionné** 1872, L. (*théâtre subventionné*). || **subventionnel** 1842, *Acad.*

subvertir 1120, *Ps. de Cambridge,* auj. peu usité ; lat. *subvertere,* retourner, renverser. || **subversion** 1190, *saint Bernard ;* bas lat. *subversio.* || **subversif** 1780, Proschwitz ; lat. *subversus,* part. passé. || **subversivement** 1877, L.

suc 1488, *Mer des hist.,* « liquide organique » ; 1636, Monet, « ce qui est essentiel » ; lat. *sūcus,* sève.

succédané 1690, Furetière (*succédanée*) ; 1800, Boiste (*succédané*), adj. ; 1876, Renan, n. m.,

« produit de remplacement » ; lat. *succedaneus,* de *succedere,* au sens de « remplacer ».

succéder 1290, *Livre Roisin* (*subcéder*) ; 1355, Bersuire (*succéder*), « obtenir par succession » ; 1552, Rab., « résulter » ; *se succéder,* 1662, Pascal ; lat. *succedere,* s'avancer sous, remplacer. || **successeur** 1190, Garn., « qui succède » ; 1355, Bersuire, droit ; lat. *successor.* || **succession** XIIe s., « série » ; 1212, Anger, droit ; lat. *successio.* || **successif** 1372, Corbichon ; lat. impér. *successivus.* || **successivement** 1314, Mondeville. || **successivité** 1872, L. || **successoral** 1819, Boiste, jurid. ; de *successeur,* d'après la forme lat. || **successible** 1771, Trévoux ; de *successum,* part. passé de *succedere.* || **successibilité** 1792, Brunot.

succès 1546, Rab., « résultat » ; 1647, Pascal, « résultat heureux » ; *succès de,* 1669, Boileau ; lat. *successus,* « succession » et « réussite », de *succedere* (v. PRÉCÉDER). || **insuccès** fin XVIIIe s., Barère.

succession V. SUCCÉDER.

succin 1676, Charras, ambre jaune ; lat. *succinum,* var. de *sucinum.* || **succinique** 1800, Boiste. || **succinate** *id.*

succinct fin XVe s. ; lat. *succinctus,* court-vêtu, serré, bref, part. passé de *succingere,* « ceindre en dessous, retrousser », de *cingere* (v. CEINDRE). || **succinctement** XIVe s.

succion 1314, Mondeville ; lat. *suctus,* succion, de *sugere,* sucer.

succomber 1375, R. de Presles, « mourir » ; milieu XIVe s., « être écrasé » ; lat. *succumbere,* s'affaisser, de *cubare,* être couché.

succube 1375, R. de Presles, théol. ; lat. impér. *succuba,* concubine, pédéraste, de *cubare,* être couché ; masc. d'après *incube* (v. ce mot).

succulent 1512, J. Lemaire, « constitué de sucs » ; 1560, Paré, « sanguin » ; 1735, Marivaux, « savoureux » ; lat. *succulentus,* var. de *suculentus,* de *succus,* suc. || **succulemment** 1735, Marivaux. || **succulence** 1769, Restif.

succursale 1675, Huet (*église succursale*), eccl. ; 1765, Buffon, n. f., « qui supplée » ; 1818, *Chron. de Paris,* n. f., comm. ; lat. *succursus,* part. passé de *succurrere,* aider, secourir. || **succursaliste** 1832, Cormenin, eccl. ; XXe s., comm. || **succursalisme** 1963, *journ.*

succussion 1834, Landais ; lat. *succussio,* secousse, de *succutere,* secouer, ébranler.

***sucer** 1119, Ph. de Thaon (*suchier*) ; XIVe s. (*sucer*) ; lat. pop. **sūctiare,* de *suctus,* part. passé de *sugere* (v. SUCCION). || **sucée** 1808, d'Hautel. || **sucement** 1314, Mondeville. || **suçon** 1690, Furetière. || **suceur** 1560, Paré (*succeur*), « qui suce les plaies » ; 1707, Dionis, sens actuel. || **suçoir** 1765, *Encycl.* || **sucette** 1869, Poiré. || **suçoter** 1550, Ronsard. || **suçotement** 1955, Ikor. || **resucer** 1550, Ronsard. || **resucée** 1867, Delvau.

sucre 1175, Chr. de Troyes (*çucre*) ; ital. *zucchero,* de l'ar. *sukkar,* mot de l'Inde (cf. le sanscrit *çarkarâ,* proprem. « grain » ; en gr. *sakkharon,* en lat. *saccharum,* v. SACCHARINE). || **sucrer** XIIIe s., G. (*socré,* part. passé franc-comtois) ; 1493, Coquillart (*sucrer*) ; 1894, Esnault, « enlever ». || **sucrage** 1801, Brunot. || **sucrant** 1964, Lar. || **sucrase** 1904, Lar. || **sucrate** 1872, L. || **sucrin** 1544, d'après P. Robert. || **sucrier** 1596, Hulsius, « ustensile contenant le sucre » ; 1654, Du Tertre, « confiseur » ; 1842, *Acad.,* adj. || **sucrerie** 1654, Du Tertre.

sud 1170, *Rois ;* anc. angl. *suth* (angl. mod. *south*). || **sudiste** 1861, hist., Américain des États du Sud, pendant la guerre de Sécession. || **sud-américain** 1878, Lar. || **sud-africain** 1888, Lar. || **sudarabique** 1964, Lar. || **sud-est** 1155, Wace (*suth est*). || **sud-ouest** 1423, Lannoy.

sudation 1363, Chauliac ; rare jusqu'en 1838, *Acad. ;* lat. *sudatio,* de *sudare* (v. SUER). || **sudoral** 1964, Robert. || **sudorifère** 1735, Heister ; lat. méd. *sudorifer,* de *sudor* (v. SUEUR). || **sudorification** 1878, Lar. || **sudorifique** 1560, Paré. || **sudoripare** 1858, Nysten. || **exsuder** 1560, Paré ; lat. *exsudare.* || **exsudation** 1762, *Acad. ;* lat. *exsudatio.*

suède n. m., 1846, d'après P. Robert, peau de gant ; du nom de la *Suède.* || **suédé** 1964, Lar. || **suédine** 1933, Lar. || **suédois** XVIe s.

***suer** 980, *Passion ;* lat. *sudare* (v. SUDATION). || **suage** 1370, G. || **suant** 1155, Wace, « en sueur » ; 1964, Robert, « ennuyeux ». || ***sueur** 980, *Passion* (*sudor*) ; 1307, Guiart (*sueur*) ; 1846, Sand, fig. ; lat. *sūdōr, sudoris,* masc. en lat. || **suée** fin XVe s. || **suerie** 1460, Villon. || **suette** 1560, Paré, méd. || **ressuer** XIIe s. || **ressuage** 1692, Boizard. || **suint** 1302, G. (*sun*) ; 1538, R. Est. (*suint*) ; sur le suff. collectif *-in* (v. CROTTIN). || **suinter** 1553, Martin. || **suintement** 1636, Monet.

suffète XVIIe s., A. de Courtin ; lat. *suffes, -etis,* mot punique.

suffire 1112, *Voy. saint Brendan* (*soufire*) ; 1180, Marie de France (*suffire,* forme refaite) ; lat. *sufficere,* proprem. « mettre sous, être suffisant ». || **suffisamment** 1265, J. de Meung. || **suffisant** 1120, *Ps. d'Oxford,* adj. ; 1613, M. Régnier, vaniteux. || **insuffisant** début XIVe s. || **suffisance** fin XIIe s., R. de Moiliens (*souffisanche,* forme picarde) ; XIVe s. (*suffisance*) ; même évol. de sens. || **insuffisance** 1337, G.

suffixe 1838, *Acad.,* linguist. ; lat. *suffixus,* part. passé de *suffigere,* « fixer sous » (v. AFFIXE, PRÉFIXE). || **suffixer** 1876, A. Hovelacque. || **suffixation** *id.* || **suffixal** 1904, Lar.

suffoquer 1270, Mahieu le Vilain, au propre ; 1552, Rab., fig. ; lat. *suffocare,* étouffer, de *fauces,* gorge. || **suffocant** fin XIVe s., au propre ; rare avant 1690, Furetière, adj. ; 1964, Lar., fig. || **suffocation** 1380, *Aalma ;* lat. *suffocatio.*

suffragant fin XIIe s., eccl. ; lat. eccl. *suffraganeus,* d'après le part. prés. *suffragans,* du lat. *suffragari,* recommander, favoriser, de *suffragium* (v. SUFFRAGE).

suffrage 1289, Delb. ; lat. *suffragium,* tesson avec lequel on vote, de *frangere,* briser ; *suffrage universel,* 1792, Brunot ; *suffrage restreint,* 1870, Arnould. || **suffragette** 1907, Lar., femme qui réclame le droit de vote ; calque de l'angl.

suffumigation 1490, *Guidon en fr. ;* lat. *suffumigatio.* (V. *fumigation,* à FUMER 1.)

suffusion 1363, Chauliac, méd. ; lat. *suffusio,* de *fundere,* répandre.

suggérer 1380, *Aalma* (*suggerir*) ; XVe s. (*suggérer*) ; lat. *suggerere,* « porter sous », d'où « inspirer ». || **suggestion** XIIe s., *Job ;* lat. *suggestio.* || **suggestif** 1857, *Rev. des Deux Mondes ;* angl. *suggestive,* du lat. *suggestus,* part. passé de *suggerere.* || **suggestivité** 1904, d'après P. Robert. || **suggestibilité** 1887, Binet. || **suggestionner** 1460, Chastellain ; rare avant 1838, *Cabinet de lecture.* || **autosuggestion** 1890, Lar.

sugillation 1545, Guéroult, méd. ; lat. *sugillatio,* « meurtrissure ».

suicide 1734, abbé Desfontaines ; lat. *sui,* gén. de *se,* soi, d'après *homicide.* || **suicider (se)** fin XVIIIe s. || **suicidé** 1823, Hugo, subst. || **suicidaire** 1901, Huysmans.

suidés 1864, Focillon ; lat. *sus, suis,* porc.

suie 1112, *Voy. saint Brendan ;* gaulois **sudia* (cf. le vieil irl. *sūide*).

***suif** XIIe s., *Gloss. Tours* (*seu ;* puis *siu, sui,* par métathèse) ; v. 1268, É. Boileau (*suif,* avec *f* par fausse analogie, v. SOIF) ; lat. *sēbum,* graisse. || **suiffer** 1537, *Actes des Apôtres* (*sieuver*) ; milieu XVIIe s. (*suiffer*) ; 1694, *Acad.* (*suiver*) ; 1636, Cleirac (*suiffer,* forme qui l'emporte, d'après *suif*). || **suiffage** 1964, Lar. || **suiffeux** 1842, Mozin.

sui generis fin XVIIIe s. ; loc. lat. signif. « de son espèce ».

suint, suinter V. SUER.

suisse 1558, J. du Bellay ; 1668, Racine, « portier » (vieilli depuis le XVIIIe s.) ; *suisse d'église,* XVIIIe s., d'après le costume, qui rappelait celui des mercenaires suisses.

suite V. SUIVRE.

***suivre** 980, *Passion* (*siuvre*) ; 1080, *Roland* (*sivrat,* fut.) ; XIIe s. (*sivre*) ; XIIIe s. (*suivre,* d'après [*il*] *suit,* métathèse de *siut,* du lat. pop. **sequit*) ; lat. pop. **sĕquĕre,* en lat. class. *sequi.* || *** suite** XIIe s., *Lois de Guillaume* (*siute*) ; XIIIe s. (*suite,* par métathèse) ; fém. substantivé de l'anc. part. passé **sieut,* du lat. pop. **sĕquitus.* || **suitée** 1721, Trévoux. || **ensuite** début XVIIe s. (*ensuite de*). || **suivant** 1120, *Ps. de Cambridge,* adj. ; XIIIe s., n. m., petit d'un animal, en vén. ; *suivante,* n. f., 1633, Corn., sens mod. || **suivant** XIVe s., *Miracles N.-D.,* prép. ; *suivant que,* 1534, Rab. || **suiveur** fin XIIe s., *Dialogues Grégoire ; suiveur de femmes,* 1853, Roqueplan ; 1872, L., « qui ne fait que suivre » ; XXe s., cyclisme. || **suivez-moi-jeune-homme** 1866, Lespès. || **suivisme** 1927, P. Pascal. || **ensuivre (s')** 1265, J. de Meung. || **poursuivre** début XIIe s., *Lois de Guillaume* (*persuir*). || **poursuite** milieu XIIIe s. ; en anc. fr., souvent « suite ».

1. **sujet** 1120, *Ps. d'Oxford* (*suget*), adj. ; var. de l'anc. fr. *subject ;* 1138, Gaimar, n. m. ; lat. *subjectus,* « soumis à », part. passé de *subjicere,* mettre sous. || **sujétion** 1155, Wace (*subjectiun*) ; 1190, Garnier (*subjection*) ; 1465, Bartzsch (*sujétion*) ; lat. *subjectio,* de *subjectus.* || **assujettir** 1495, Vignay. || **assujettissant** 1688, La Bruyère. || **assujettissement** 1572, Bellefo-rest.

2. **sujet** XIIIe s., Tobler-Lommatzsch, n. m., « matière, cause » ; fin XVIe s., « motif » ; 1680, Richelet, gramm. ; 1560, Paré, patient ; *au sujet de,* 1636, Haschke ; *sujet parlant,* 1933, Marouzeau ; lat. scolast. *subjectum,* « ce qui est subordonné », neutre substantivé de *subjectus.* (V. SUBJECTIF, SUJET 1, OBJET.)

sujétion V. SUJET 1.

sulcature 1872, L., géol. ; lat. *sulcare,* sillonner, de *sulcus,* sillon. || **sulciforme** 1842, *Acad.*

sulfate 1787, Guyton de Morveau ; lat. *sulfur* (v. SOUFRE). || **sulfite** 1787, Guyton de Morveau. || **sulfitage** 1904, Lar. || **sulfiter** 1877, L. || **sulfitation** 1920, *Omnium agricole.* || **sulfure** 1787, Guyton de Morveau. || **sulfurique** 1585, Le Rocquez ; rare avant 1787, Guyton de Morveau. || **sulfuration** 1842, *Acad.* || **sulfurage** 1904, Lar. || **sulfureux** 1265, J. de Meung, rare avant le XVe s. (*sulfurieux*) ; 1549, R. Est. (*sulfureux*) ; 1867, Baudelaire, « démoniaque » ; bas lat. *sulfurosus.* || **sulfuré** 1363, Chauliac ; d'après le lat. *sulfuratus, sulfureus ;* rare avant 1827, *Acad.* || **sulfurisé** 1907, Lar. || **sulfurisation** 1877, L. || **sulfaté** 1862, *Annales chimie.* || **sulfater** 1872, L. || **sulfatage** 1849, Dudesert. || **sulfateuse** 1964, Robert ; 1948, Esnault, mitraillette. || **sulfamide** 1843, Orfila. || **sulfhydrique** 1836, *Acad. ;* sur *-hydrique* [v. CHLOR(O)-].

sulfo-, élém. de comp. du lexique chim. ; de *sulfate.* || **sulfone** 1888, Lar. || **sulfoné** 1876, Lar. || **sulfocarbonate** 1845, Besch. || **sulfochlorure** 1872, L. || **sulfocyanate** 1845, Besch. || **sulfonitrique** 1907, Lar.

sulky 1860, *le Sport ;* mot angl., proprem. « boudeur » ; petite voiture légère pour les courses de trot.

sulpicien 1732, Trévoux ; de la Compagnie des prêtres de *Saint-Sulpice ;* 1897, L. Bloy, art religieux mièvre.

sultan 1298, *Marco Polo* (*soltan*) ; 1549, R. Est. (*sultan*) ; arabo-turc *soltān* (v. SOUDAN). || **sultane** 1541, Pélissier (*souldane*) ; 1548, Charrière (*sultane*). || **sultanat** 1842, *Acad.*

sumac XIIIe s., *Simples Méd.,* bot. ; ar. *summāq.*

summum 1806, *Lettres à Stendhal ;* mot lat. signif. « ce qui est au plus haut point », neutre substantivé de l'adj. superlatif *summus,* « le plus haut » (v. SOMMET).

sunlight 1923, *Mon ciné,* cinéma ; mot angloamér., de *light,* lumière, et *sun,* soleil ; projecteur.

sunna 1740, Trévoux ; ar. *sunna,* loi traditionnelle. || **sunnite** 1740, Trévoux.

super 1130, Studer (*supeir*) ; 1354, *Modus* (*super*), « sucer, gober » ; 1876, Lar., mar. ; norm. *super,* aspirer, de l'anc. scand. *supa,* humer [cf. l'angl. (*to*) *sip,* boire à petits coups].

super-, lat. *super,* « au-dessus ». Le préfixe intensif (à un degré supérieur) connaît au XXe s. un développement important.

superbe 1120, *Ps. d'Oxford,* adj., orgueilleux ; 1658, Bossuet, « imposant » ; 1762, *Acad.,* « très beau » ; lat. *superbus,* orgueilleux. || **superbe** n. f., 1119, Ph. de Thaon ; lat. *superbia,* orgueil. || **superbement** 1552, R. Est.

supercherie 1566, H. Est., « injure » ; 1588, Montaigne, « abus de force » ; fin XVIe s., Pasquier, sens mod. ; ital. *soperchieria,* excès. affront, de *soperchiare,* surabonder, de *soperchio,* surabondant, du lat. pop. **superculus,* de *super,* au-dessus.

supercoquentieux 1553, Rab. (*supercoquelicantieux*) ; début XVIIe s. (*superlicoquentieux*) ; 1833, Th. Gautier (*supercoquentieux*), « grandiose » ; lat. macaronique *superlycoustequansius.*

supère 1770, Rousseau, bot. ; lat. *superus,* qui est en haut, de *super,* au-dessus.

supérette 1959, *journ. ;* mot anglo-amér., de *supermarket,* supermarché.

superfétation 1560, Paré, physiol. ; fin XVIIe s., « ajout inutile » ; lat. médiév. *superfetatio,* de *superfetare,* concevoir de nouveau (v. FŒTUS). || **superfétatoire** 1901, Colette.

superficie 1130, *Job* (*superfice*) ; lat. *superficies,* surface, de *super,* au-dessus, et *facies,* face. || **superficiel** 1314, Mondeville, au propre ; 1370, Oresme, « sans réalité » ; lat. impér. *superficialis.* || **superficiellement** XIIIe s. (*superficiaument*) ; 1560, Paré (*superficiellement*). || **superficialité** 1512, J. Lemaire.

superflu XIIIe s., G. ; bas lat. *superfluus,* de *superfluere,* déborder, de *super,* au-dessus, et *fluere,* couler. || **superfluité** 1180, *Assises de Jérusalem ;* bas lat. *superfluitas.*

supérieur 1160, Benoît, adj. ; début XVIe s., « qui dirige d'autres », n. m. ; lat. *superior,* comparatif de *superus,* « qui est en haut » (v. SUPÈRE). || **supérieurement** 1607, Pallet. || **supériorité** 1453, Monstrelet ; lat. médiév. *superioritas.* || **supérioriser** 1842, *Acad.* || **supériorisation** 1970, Robert.

superlatif fin XIIe s., *Aymeri,* « au plus haut degré » ; 1550, Meigret, gramm. ; bas lat. *superlativus,* aux deux sens, de *superlatus,* part. passé de *superferre,* porter au-dessus. || **superlativement** début XVIe s.

superposer 1762, Rousseau ; adaptation, d'après *poser,* du lat. *superponere,* « poser au-dessus ». || **superposition** 1613, Dounot ; lat. médiév. *superpositio.* || **superposable** 1877, L.

superstition 1375, R. de Presles ; lat. *superstitio,* de *superstare,* « se tenir au-dessus ». || **superstitieux** 1375, R. de Presles ; lat. *superstitiosus.* || **superstitieusement** début XVIe s.

superstrat V. SUBSTRAT.

superviser 1921, Florey, cinéma ; milieu XXe s., fig. ; angl. (*to*) *supervise,* surveiller, du préf. *super-,* au-dessus, et de *viser.* || **supervision** 1921, P. Henry. || **superviseur** 1918, Giraud.

supin XIIIe s., d'Andeli, gramm. ; lat. *supinum,* de *supinus,* tourné en arrière.

supinateur 1560, Paré, anat. ; lat. *supinare,* coucher sur le dos. || **supination** 1654, Gelée, anat. ; lat. *supinatio.*

supplanter 1120, *Ps. d'Oxford,* « renverser » (jusqu'au XVIe s.) ; XIVe s., « écarter », d'après le lat. eccl. ; lat. *supplantare,* faire un croc-en-jambe, et en lat. eccl. « attraper, tromper », de *planta,* plante du pied. || **supplantateur** XIIe s., Herman de Valenciennes (*sousplantere*) ; 1488, *Mer des hist.* (*supplantateur*), surtout eccl. ; lat. eccl. *supplantator.* || **supplantation** 1120, *Ps. d'Oxford.*

suppléer fin XIIe s., Couci (*souploier*), « abonder » ; *id.* (*suppléer*), « se soumettre » ; 1910, *Pamphile,* « rétablir » ; lat. *supplere,* remplir de nouveau, de même rac. que *plein.* || **suppléant** 1789, *Recueil des lois,* polit. ; 1835, *Acad.,* « personne qui supplée ». || **suppléance** 1791, *Dict. Constitution.*

supplément 1313, G. (*supploiement*) ; 1370, Oresme (*supplément*) ; lat. *supplementum,* de même rac. que le précéd. ; *en supplément,* 1872, L. || **supplémentairement** 1845, Besch. || **supplémentaire** 1792, *Club des Jacobins.* || **supplémenter** 1845, Radonvilliers, « affecter à, supplémenter » ; 1933, Lar., terme de ch. de fer.

supplétif 1539, R. Est., techn. ; 1964, Lar., milit. ; bas lat. *suppletivus,* de *supplere* (v. SUPPLÉER, SUPPLÉMENT). || **supplétoire** 1790, *Décret ;* lat. médiév. *suppletorius.*

supplice fin XVe s. ; lat. *supplicium,* supplication, de même rac. que *supplier,* et par ext. « sacrifice » ou « exécution » ; 1552, R. Est., « châtiment, supplice ». || **supplicier** 1580, Montaigne ; d'après la forme lat.

***supplier** 1130, *Eneas* (*souploier*) ; 1360, Froissart (*supplier,* réfection d'après le lat.) ; lat. *supplicare,* se plier (sur les genoux), prier. || **suppliant** 1160, Benoît (*sopleiant*), adj., « humble » ; 1377, G. (*suppliant*), n. m., part. prés. substantivé. || **supplique** 1340, Varin (*supplic*), n. m. ; 1578, H. Est., n. f. ; lat. *supplicare,* d'après *réplique.*

1. **supporter** 1190, *Saint Bernard* (*soporter*) ; 1360, Froissart (*supporter*), « porter » ; 1690, Furetière, « subir » ; début XVe s., « endurer » ; lat. eccl. *supportare,* en lat. class. « porter sous, transporter ». || **support** 1466, Delb., action de supporter ; 1611, Cotgrave, « objet qui soutient ». || **supportable** début XVe s. || **insupportable** début XIVe s. || **support-chaussette** 1964, Robert.

2. **supporter** n. m., 1920, *journ.,* sport ; mot angl., de (*to*) *support,* soutenir, du fr. *supporter ;* v. tr., 1965, *journ.*

supposer 1120, *Ps. d'Oxford,* « placer sous » ; 1538, R. Est., « substituer » ; XIIIe s., « poser comme hypothèse » ; adaptation, d'après *poser,* du lat. *supponere,* mettre sous, à la place de. || **supposition** 1370, Oresme, « hypothèse » ; fin XVIe s., « substitution » ; lat. *suppositio,* substitution. || **présupposer** début XIVe s. || **présupposition** *id.*

suppositoire XIIIe s., *Simples Méd.,* pharm. ; lat. *suppositorius,* placé en dessous, de *supponere* (v. SUPPOSER).

suppôt 1298, *Marco Polo* (*suposta*) ; 1380, G. (*suppost*), « subordonné, employé subalterne » ; XIVe s., *Nature à l'alchimie,* philos. ; *suppôt de Satan,* 1662, Molière ; *suppôt du diable,* 1611, Cotgrave ; adaptation, d'après *dépôt,* du lat. *suppositus,* placé au-dessous. (V. les précédents.)

supprimer 1380, *Aalma ;* lat. *supprimere,* enfoncer, de *premere,* presser. || **suppression** 1380, *Aalma ;* lat. *suppressio,* de *suppressus,* part. passé de *supprimere.* || **supprimable** 1648, Scarron.

suppurer XIIIe s., G. de Tyr (*soupurer*) ; 1560, Paré (*suppurer*) ; lat. *suppurare,* de *pus, puris* (v. PUS). || **suppuration** 1363, Chauliac ; lat. *suppuratio.* || **suppuratif** 1363, Chauliac. || **suppurant** 1802, Flick, adj.

supputer 1552, Rab. ; lat. *supputare,* calculer. || **supputation** 1532, A. Fabre ; bas lat. *supputatio.*

1. **supra** XIXe s. ; lat. *supra,* ci-dessus, plus haut.

2. **supra-,** préf. ; lat. *supra,* au-dessus.

suprématie 1651, Mackenzie ; 1688, Bossuet (*suprématie anglicane*) ; 1819, Boiste, « prééminence, supériorité » ; angl. *supremacy,* de *supreme,* du fr. *suprême.* (V. le suivant.)

suprême fin XVe s., d'Authon ; *Être suprême,* 1704, Bourdaloue ; lat. *supremus,* superlatif de *superus.* || **suprêmement** 1575, Des Caurres. (V. SUPÈRE, SUPÉRIEUR.)

1. ***sur** Xe s., *Eulalie* (*sovre, soure*) ; 980, *Valenciennes* (*sore*), croisé avec *sus ;* 1080, *Roland* (*sur,* d'après *sus,* v. ce mot) ; lat. *super.*

2. **sur-,** préf. intensif ; de *sur* prép.

3. **sur** 1130, *Eneas,* adj., acide ; francique **sūr ;* cf. l'all. *sauer,* aigre (v. CHOUCROUTE). || **surelle** XIIe s., oseille. || **suret** XIIIe s., Condé. || **surir** début XIXe s., régional ; 1872, L., sens actuel. || **surin** 1701, Liger, sauvignon ; 1876, Lar., jeune pommier non greffé.

***sûr** 1080, *Roland* (*seür*) ; lat. *sēcūrus.* || **sûreté** 1130, *Eneas.* || **sûrement** 1080, *Roland.* || **assurer** XIIe s. ; lat. pop. *assecūrāre,* rendre sûr, puis « garantir, affirmer ». || **assurance** XIIe s., Gautier d'Arras, sens général ; 1563, Barbier, « contrat ». || **assurément** 1130, *Eneas* (*aseüreement*). || **assureur** 1550, Barbier ; XXe s., sens actuel. || **rassurer** 1175, Chr. de Troyes. || **réassurer** 1681, *Ordonn.* || **réassurance** *id.* || **rassurant** 1777, Vergennes. (V. SÉCURITÉ.)

suranné XIIIe s., *Renart,* « qui a plus d'un an » ; XIVe s., « trop vieux », d'abord jurid. ; de *sur* et *an.* || **surannation** 1606, Nicot.

surard V. SUREAU.

surate 1732, Trévoux ; ar. *surat,* chapitre.

surcot 1175, Chr. de Troyes (*sorcot*) ; de *sur* et *cotte* (v. ce mot).

surcroît XIIIe s., *Comput ;* déverbal de l'anc. fr. *surcroître* (XIIIe s., Priorat), de *sur* et *croître* (v. ce mot) ; *par surcroît,* 1672, Sacy.

surdité XIVe s., Moamin ; lat. *surditas,* de *surdus* (v. SOURD) ; a éliminé le moy. fr. *sourdesse, surdesse.* || **sourdité** 1520, Vaganay, « surdité » ; 1924, Meillet, linguist., à propos des consonnes sourdes. || **surdi-mutité** 1833, Nysten. (V. MUET.) 1845, Besch.

sureau 1359, *Ordonn.* (*suraut*) ; 1545, Guéroult (*sureau*) ; anc. fr. *seür* (XIe s., *Gloses Raschi*), altér., par croisement avec *sur* 3, de l'anc. fr. *seü,* sureau, du lat. *sabūcus,* var. de *sambucus.* || **surard** 1611, Cotgrave (*surat*) ; 1762, *Acad.* (*surard*), vinaigre aromatisé au sureau.

surérogation début XVIIe s. ; bas lat. *supererogatio,* action de payer en plus, de *supererogare.* || **surérogatoire** fin XVIe s., d'Aubigné ; lat. médiév. *supererogatorius.*

surestarie 1795, Brunot, mar. ; de *sur* et *estarie,* de l'anc. prov. *estarié,* laps de temps.

sûreté V. SÛR.

surf 1939, Hériat (*surf-board*) ; 1961, *journ.* (*surf*) ; mot anglo-amér., de *surf,* brisants, et *board,* planche.

surface 1378, J. Le Fèvre, « partie extérieure » ; 1798, *Acad.,* « étendue plane » ; 1690, Furetière, math. ; 1961, Nicole, fig., « apparence » ; *en surface,* 1923, Valéry ; *de surface,* 1862, Hugo ; de *sur* et *face,* d'après le lat. *superficies* (v. SUPERFICIE). || **surfacer** 1933, Lar., techn. || **surfaçage** 1933, Lar., techn.

surge [*laine*] 1562, du Pinet (*laine surge*) ; anc. prov. (*lana*) *surga,* du lat. (*lana*) *sūcida.*

surgé 1920, Esnault ; abrév. de *surveillant général.*

surgeon XIIIe s., G. (*sourgon*) ; XVe s. (*surgeon,* d'après *surgir*), « source » ; 1549, R. Est., branche qui pousse sur la souche ; de *sourdre* (v. ce mot), d'après l'anc. part. prés. *sourjant,* du lat. *surgens.*

1. **surgir** 1424, Lannoy (*sourgir*) ; 1497, Villeneuve (*surgir*), « aborder, jeter l'ancre » ; catalan *surgir,* du lat. *surgere,* apparaître.

2. **surgir** 1808, Boiste, « apparaître » ; adapt. du lat. *surgere,* se lever, de *surrigere* (*sub,* sous, et *regere,* guider) ; a remplacé *sourdre.*

1. **surin** bot. V. SUR 3.

2. **surin** 1827, Granval, arg., couteau d'apache (var. *sourin, chourin,* 1837, Vidocq) ; romani *tchouri.* || **suriner** *id. ;* var. *souriner, chouriner.* || **sourineur** 1843, Esnault. || **chourineur** 1842, nom d'un des personnages des *Mystères de Paris,* d'Eugène Sue.

surir V. SUR 3.

surjaler, surjouailler 1694, Th. Corn., mar. ; de *sur* et *jal, jouail.*

surjet V. JETER.

surmener 1160, Benoît (*sormener*), « exciter » ; XIIe s., Du Cange (*surmener*), « maltraiter » ; 1175, Chr. de Troyes, « fatiguer » ; de *sur* et *mener.* || **surmenage** 1858, Nysten.

surmonter 1119, Ph. de Thaon (*surmunter*), « vaincre » ; 1360, Froissart, « s'élever au-dessus » ; de *sur* et *monter.* || **surmontable** 1160, Benoît. || **insurmontable** milieu XVIe s. || **surmontage** 1964, Lar. || **surmontoir** 1968, Lar.

surnuméraire 1564, Thierry (*supernuméraire*) ; 1636, Monet (*surnuméraire*) ; bas lat. *supernumerarius* (IVe s., Végèce), de *numerus,* nombre, et *super,* au-dessus. || **surnumérariat** 1791, Brunot.

suroît 1494, Garcie (*syroest*) ; 1832, Jal (*suroît*) ; norm. *surouet,* altér. de *sud-ouest* d'après *norouè,* nord-ouest, forme de l'Ouest. (V. *noroît,* à NORD.)

surpasser 1340, G., « enfreindre » ; 1530, Palsgrave, « être supérieur » ; *se surpasser,* 1559, Amyot. || **surpassement** 1931, Gide. || **surpassable** 1876, Lar. || **insurpassable** milieu XVIe s.

surplis XIIe s., *Parthenopeus* (*sorpeliz*) ; 1190, Garn. (*surpliz*) ; adaptation du lat. médiév. *superpellicium,* du lat. *pellicia* (v. PELISSE), avec le préf. *super,* francisé en *sur.*

surprendre 1130, *Eneas* (*sorprendre*) ; de *prendre* (v. ce mot). || **surprise** 1160, Benoît (*surprise*) ; 1294, G. (*sourprise*), « impôt extraordinaire », proprem. « ce qui est pris en sus » ; 1559, Amyot, sens mod. ; part. passé fém. substantivé. || **surprise-partie** 1882, *Gil Blas ;* mot angl. (*party,* du fr. *partie*). || **surboum** 1951, Esnault ; de *boum,* fête, anniversaire.

sursauter 1542, Rab. ; de *sursaut ;* rare avant XVIIe s. || **sursaut** 1160, Benoît (*en sorsaut*), « à l'improviste » ; 1573, Du Puys, « surprise » ; fin XVIe s., d'Aubigné, « mouvement brusque » ; de *sur* et *saut.*

surseoir fin XIe s., *Lois de Guill.,* jurid. ; d'après le lat. *supersedere* (v. SEOIR). || **surséance** fin XIVe s. || **sursis** XIIIe s. ; part. passé substantivé de *surseoir.* || **sursitaire** 1956, Aragon.

surtout 1470, *Archives,* « en tout » ; 1684, Furetière, « vêtement ample » ; 1694, Havard, « pièce de vaisselle » ; *surtout que,* 1903, Jammes ; de *sur* et *tout.*

***sus** Xe s., *Eulalie,* adv., en haut ; également prép. en anc. fr., jusqu'au XVIe s. ; auj. seulement dans quelques loc., *en sus, courir sus ;* lat. pop. *sūsum* (Caton, Plaute), en lat. class. *sūrsum,* « en haut, dessus ». || **dessus** 1080, *Roland ;* n. m., 1398, *Ménagier.* || **pardessus** 1810, Brunot, vêtement ; forme substantivée de la loc. adv. *par-dessus.*

susceptible 1372, Corbichon, « exposé à » ; 1520, Chauliac, « capable de » ; début XVIIe s., « apte à recevoir » ; 1760, Palissot, « facile à offenser » ; bas lat. *susceptibilis* (VIe s., Boèce), de *suscipere,* recevoir, de *capere,* prendre. || **susceptibilité** 1752, Trévoux, au propre ; 1784, Genlis, « disposition à s'offenser ».

susception XVe s., théol., physiol. ; lat. *susceptio,* de *suscipere* (v. SUSCEPTIBLE).

susciter 980, *Passion,* « ressusciter » ; 1265, J. de Meung, sens actuel ; lat. *suscitare,* de *sub,* et *citare,* mettre en mouvement. || **suscitation** XIIIe s., Chardry ; lat. eccl. *suscitatio* (IIIe s., Tertullien). || **suscitateur** fin XVIe s. (V. RESSUSCITER.)

suscription début XIIIe s. ; rare jusqu'au milieu du XVIe s., Amyot (var. *superscription,* XIVe-XVIe s.) ; adaptation du bas lat. *superscriptio,* inscription sur, avec francisation de *super* en *sur.* || **suscrire** 1549, Peletier ; de *suscription,* d'après *écrire.*

suspect 1308, Aimé ; lat. *suspectus,* de *suspicere,* regarder en haut. || **suspecter** 1515, Desrey ; rare jusqu'en 1726, *Dict. néol. ;* lat. *suspectare.* || **suspicion** XIIe s. ; lat. *suspicio,* de *suspicere* (v. SOUPÇON). || **suspicieux** 1314, *FEW ;* lat. *suspiciosus.* || **suspicieusement** 1942, Queneau.

suspendre 1120, *Ps. d'Oxford* (var. francisée *souspendre*) ; lat. *suspendere,* de *pendere* (v. PENDRE). || **suspens** 1377, Oresme, adj., « qui est suspendu » ; 1660, Retz, relig. ; fin XIXe s., « interruption », n. m. ; du part. passé lat. *suspensus ; en suspens,* 1553, *Bible.* || **suspense** n. f., 1440, Chastellain, « intervalle » ; 1718, *Acad.,* relig. ; 1955, Gilbert, « élément qui provoque l'angoisse ». || **suspension** 1160, *Tristan* (*suspenciun*), « état de doute » ; 1744, Bonnier, horlogerie ; milieu XVIe s., « interruption » ; 1867, *Expos. univ.,* lampe suspendue ; lat. *suspensio.* || **suspente** 1773, Bourdé, mar. ; XXe s., aéron. || **suspensoir** 1314, Mondeville, anat. ; 1714, Dionis, bandage ; bas lat. *suspensorium,* neutre substantivé de l'adj. *suspensorius.* || **suspensif** 1355, Bersuire, gramm., puis jurid. ; lat. médiév. *suspensivus.* || **suspenseur** 1560, Paré ; lat. médiév. *suspensor.*

suspicion V. SUSPECT.

susseyer 1834, Boiste ; mot expressif sur *s.* || **susseyement** 1799, Gattel.

sustenter 1112, *Voy. saint Brendan,* « soutenir » ; 1541, Calvin, « nourrir » ; lat. *sustentare,* soutenir, fréquentatif de *sustinere* (v. SOUTENIR). || **sustentation** 1921, *Archives,* rare jusqu'au XVIIIe s. ; lat. *sustentatio.* || **sustentateur** fin XVe s. (*substentateur*) ; milieu XVIe s. (*sustentateur*).

susurrer 1539, *FEW ;* bas lat. *susurrare,* verbe onomat. || **susurrement** 1828, Nodier. || **susurration** milieu XIVe s., « chuchotement » ; 1599, Hornkens, « bruit léger » ; bas lat. *susurratio,* même sens.

suture 1555, Belon ; lat. méd. *sutura,* couture, de *suere* (v. COUDRE 2). || **sutural** 1803, Boiste. || **suturer** 1842, *Acad.*

suzerain début XIVe s. (*susserain*) ; 1476, Bartzsch (*suzerain*) ; de l'adv. *sus* (v. ce mot), d'après *souverain.* || **suzeraineté** 1306, Delb. (*susereneté*).

svastika ou **swastika** 1828, d'après P. Robert, symbole religieux hindou ; sanscrit *svastika,* de bon augure, de *svasti,* salut !

svelte 1642, Poussin, peint. ; 1767, Voltaire, « élancé » ; ital. *svelto,* part. passé de *svellere,* arracher, dégager. || **sveltesse** 1765, Dandré-Bardon, peint. ; 1843, Th. Gautier, « élégance » ; ital. *sveltezza.*

swap 1975, Lar., finance ; mot angl., de (*to*) *swap,* troquer.

sweater 1910, *le Gaulois ;* mot angl., de (*to*) *sweat,* suer.

sweepstake 1776, Proschwitz, loterie ; vulgarisé vers 1934 ; mot angl., de (*to*) *sweep,* enlever, et *stake,* enjeu.

swing 1895, *Sports athlét.,* boxe ; mot angl., de (*to*) *swing,* balancer ; v. 1940, terme de danse, mot angl., du même verbe. || **swinguer** 1964, Robert.

sybarite 1530, *D. G. ;* lat. *Sybarita,* « habitant de Sybaris », ville réputée pour sa vie de bien-être et de mollesse. || **sybaritique** 1553, Ronsard. || **sybaritisme** 1827, Eckstein.

sycomore 1130, *Eneas* (*sicamor*) ; lat. *sycomorus,* du gr. *sukomoros,* de *sûkon,* figue, et *moron,* mûre.

sycophante XVe s., trad. de Térence (*sicophant*) ; 1559, Amyot (*sycophante*) ; lat. *sycophanta,* du gr. *sukophantês,* dénonciateur des voleurs de figues, de *sûkon,* figue, et *phaineîn,* faire voir, dénoncer.

sycosis 1752, Trévoux (*sycose*), méd. ; lat. *sycosis,* du gr. *sukôsis,* excroissance en forme de figue, de *sûkon,* figue.

syénite 1611, Cotgrave, minér. ; du nom de *Syène,* auj. *Assouan,* en Égypte, où se trouvaient des carrières de cette roche. || **syénitique** 1845, Besch.

syllabe 1160, Benoît (*sillabe*) ; lat. *syllaba,* du gr. *sullabê,* assemblage, de *sullambanein,* prendre ensemble, réunir. || **syllabique** 1529, G. Tory ; bas lat. *syllabicus,* du gr. *sullabikos.* || **syllaber** XIIe s., rare jusqu'en 1752, Trévoux. || **syllabaire** 1752, Trévoux. || **syllabation** 1872, L. || **syllabiser** 1752, Le Roy. || **syllabisme** 1872, L. || **dissyllabe** 1529, *Traité de l'art d'orthogr. ;* lat. *disyllabus,* du gr., avec le préf. *dis-,* deux. || **monosyllabe** 1521, Fabri ; lat. *monosyllabus,* de *monos,* un. || **monosyllabisme** XXe s. || **polysyllabe** milieu XVe s. ; bas lat. gramm. *polysyllabus,* du gr. *polussullabos.* || **polysyllabique** 1550, Meigret. || **polysyllabisme** 1845, Besch.

syllabus 1865, Forcade, liste des erreurs condamnées, publiée par Pie IX en 1864 ; lat. eccl. *syllabus,* liste, du gr. *sullabos,* altér. de *silluba, sittuba,* bande de parchemin, titre.

syllepse 1660, Arnauld, rhét. ; lat. rhét. *syllepsis,* du gr. *sullepsis,* compréhension, de *sullambanein,* prendre ensemble. || **sylleptique** 1765, *Encycl.*

syllogisme 1265, J. de Meung (*silogisme*) ; 1370, Oresme (*sillogisme*) ; lat. *syllogismus,* du gr. *sullogismos,* de *sun,* avec, et *logos,* discours. || **syllogistique** 1557, de Mesmes ; lat. *syllogisticus,* du gr. *sullogistikos.* || **syllogiser** milieu XIIIe s.

sylphe 1605, Palma Cayet (*sylfe*) ; lat. *sylphus,* « génie », mot rare, repris par Paracelse (1493-1541) au sens de « génie de l'air et des bois ». || **sylphide** 1670, Montfaucon.

sylvain 1488, *Mer des hist.* (*silvain*), « divinité » ; 1800, Bomare, entom. ; lat. *sylvanus,* dieu des forêts, de *silva, sylva,* forêt. || **sylvestre** 1155, Wace (*sevestre*), « bois coupé » ; 1265, Br. Latini (*silvestre*), « sauvage » ; 1802, Laveaux, « qui vient sans culture » ; 1836, *Acad.,* sens actuel ; lat. *sylvestris,* var. de *silvestris.* || **sylve** 1080, *Roland* (*selve*) ; XIIIe s. (*silve*), forêt ; lat. *sylva.* || **sylviculture** 1835, Teulières. || **sylvicole** 1616, Biard, « sauvage » ; 1842, *Acad.,* sens actuel. || **sylviculteur** 1872, L. || **syl-**

vine 1832, Beudant. || **sylvinite** 1923, Lar., chim.

symbiose 1888, Lar., biol. ; 1964, Robert, fig. ; gr. *sumbiôsis,* vie en commun, de *sun,* avec, et *bios,* vie. || **symbiote** 1904, Lar. || **symbiotique** 1890, Rochard. || **asymbiotique** 1952, Lar.

symbole 1380, *Aalma,* « article de foi » ; 1552, Rab., « signe » ; lat. eccl. *symbolum,* symbole des Apôtres, en lat. class. « signe, marque », du gr. *sumbolos,* même sens, de *sumballeîn,* « jeter ensemble ». || **symbolique** 1553, Rab. ; fin XVIIe s., n. f., « logique symbolique » ; bas lat. *symbolicus,* « allégorique », du gr. *sumbolikos.* || **symboliquement** 1715, Pomey, « énigmatiquement ». || **symboliser** XIVe s., « s'accorder avec, avoir rapport avec » ; fin XVIIIe s., sens mod. ; lat. médiév. *symbolizare.* || **symbolisation** fin XIVe s., « accord » ; 1809, Boiste, « sympathie » ; 1834, Boiste, sens actuel. || **symbolisme** 1821, Goulianof, philos. ; 18 sept. 1886, J. Moréas, dans *le Figaro,* terme poét. || **symboliste** 2 août 1885, J. Moréas, dans le journal *le XIXe Siècle.* || **symbologie** 1803, Boiste.

symétrie 1529, Tory (*symmétrie,* jusqu'à la fin du XVIIIe s.) ; gr. *summetria,* « juste proportion », de *sun,* avec, et *metron,* mesure. || **symétrique** 1529, Tory (*symmétrique*). || **symétriquement** 1529, Tory. || **symétriser** 1613, *D. G.* || **symétrisation** 1968, Lar. || **asymétrie** début XVIIe s., math. ; gr. *asummetria ;* évol. du sens d'après *symétrie.* || **asymétrique** début XIXe s. || **dissymétrie** XIXe s. || **dissymétrique** *id.*

sympathie début XVe s., « attirance » ; lat. *sympathia,* du gr. *sumpatheia,* conformité de sentiments, de *sun,* avec, et *pathos,* sentiment, affection. || **sympathique** fin XVIe s., « qui a de l'affinité » ; 1851, Sainte-Beuve, sens actuel ; 1721, Trévoux, biol. || **sympa** 1906, Esnault, abrév. || **sympathalgie** 1953, Lar. ; de *nerf sympathique.* || **sympathiser** milieu XVIe s., Ronsard. || **sympathisant** *id.,* adj. ; n., XXe s. || **sympathiquement** 1653, Corn.

symphile 1975, *Lexis,* entom. ; gr. *sun,* avec, et *philos,* amical. || **symphilie** 1904, Lar.

symphonie 1155, Wace, instrum. de mus. ; 1370, Oresme, « accord de sons » ; 1660, Livet, morceau d'orchestre ouvrant un opéra ; 1754, *Encycl.,* sens mod. (la symphonie moderne a été créée en 1754 par Gossec et par Haydn) ; lat. *symphonia.* || **symphoniste** XIIIe s. (*synfonistre*), « joueur de vielle » ; 1678, Brunot, sens actuel. || **symphonique** fin XVIIe s., Saint-Simon.

symphorine 1839, Boiste, bot. ; gr. *sumphoros,* réuni.

symphyse 1560, Paré ; gr. *sumphusis,* union naturelle, de *sun,* avec, et *phusis,* nature.

symplectique 1842, *Acad.,* hist. nat. ; gr. *sumplektikos,* de *sun,* avec, et *plekeîn,* plier ; qui est enlacé avec un autre corps.

symposium 1813, Gattel (*symposie*), « banquet » ; 1845, de Maistre (*symposium*) ; 1964, Lar., sens actuel. ; gr. *sumposion,* banquet.

symptôme 1363, Chauliac (*sinthome*) ; 1538, Canappe (*symptôme*), méd. ; 1672, Patin, « marque, indice » ; lat. méd. *symptoma,* du gr. *sumptôma,* proprem. « accident, coïncidence », de *sun,* avec, et *pipteîn,* tomber. || **symptomatique** 1478, Chauliac (*simphonatique*) ; 1503, Chauliac (*sinthomatique*) ; 1538, Canappe (*symptomatique*) ; gr. *sumptômatikos.* || **symptomatiquement** 1937, Breton. || **symptomatologie** 1765, d'après P. Robert. || **symptomatologique** 1829, Boiste.

synagogue 1080, *Roland* (*sinagoge*) ; lat. eccl. *synagoga* (IIIe s., Tertullien), du gr. eccl. *sunagôgê,* réunion. || **synagogal** 1877, L.

synalèphe 1501, *Jardin de plaisance,* gramm., « synérèse » ; lat. gramm. *synaloepha,* du gr. *sunaloiphê,* « mélange », de *sun,* avec, et *aleipheîn,* enduire.

synallagmatique 1603, d'après P. Robert, jurid. ; gr. *sunallagmatikos,* de *sunallattein,* unir.

synanthérées 1822, *Dict. méd.,* bot. ; gr. *sun,* avec, et *anthos,* fleur.

synapse 1897, d'après P. Robert, physiol. ; gr. *sun,* avec, et *aptein,* joindre ; point de contact entre deux cellules nerveuses. || **synaptique** 1953, Lar.

synarchie 1872, L., polit. ; 1964, Lar., polit. ; gr. *sun,* avec, et *arkhein,* commander. || **synarchique** 1872, L.

synarthrose 1560, Paré ; gr. *sunarthrôsis,* de *sun,* avec, et *arthron,* articulation ; articulation fixe entre deux os.

syncatégorématique 1778, Voltaire ; bas lat. *syncategorema,* du gr. *sugkatêgorein,* accuser avec.

synchisis 1872, L. ; gr. *sugkhusis,* confusion, de *sugkheîn,* bouleverser.

synchrone 1743, *Encycl.* ; bas lat. *synchronus,* du gr. *sugkhronos,* de *sun,* avec, et *khronos,* temps. || **synchronie** 1827, *Acad.,* « comparaison de dates » ; 1916, Saussure, ling. || **synchronique** 1755, Prévost. || **synchroniquement** 1877, L. || **synchronisme** 1752, Trévoux ; gr. *sugkhronismos.* || **synchroniser** 1865, *Presse scientif.* || **synchronisation** 1888, Lar. || **postsynchroniser** 1934, Hoerée. || **synchroniseuse** 1952, *Français mod.,* cinéma. || **synchrotron** 1949, Lar.

syncinésie 1888, Lar. ; gr. *sun,* avec, et *kinêsis,* action de mouvoir.

synclinal 1872, L., géol. ; gr. *sun,* avec, et *klineîn,* incliner. || **anticlinal** 1872, L.

syncope 1314, Mondeville (*sincope*), méd. ; 1380, *Aalma,* gramm. ; 1691, Mersenne, mus. ; lat. méd. *syncopa,* du gr. *sugkopê,* de *kopteîn,* tailler, briser. || **syncoper** fin XIIIe s., *R. dou lis,* « écourter » ; 1578, H. Est., gramm. ; 1690, Furetière, mus. || **syncopal** 1780, Féraud.

syncrétisme 1611, Cotgrave ; gr. *sugkrêtismos,* union des Crétois. || **syncrétique** 1867, Baudelaire. || **syncrétiquement** 1970, Robert. || **syncrétiste** 1876, Lar.

syndactyle 1827, *Acad.,* zool. ; gr. *sun,* avec, et *daktulos,* doigt ; qui a les doigts soudés entre eux. || **syndactylie** 1872, L.

syndèse 1933, Marouzeau ; gr. *sundesis,* union, de *sudeîn,* lier ensemble.

syndesmopexie 1964, Lar., méd. ; gr. *sundesmos,* liaison, et *pêxis,* emboîtement.

syndic 1385, Delb. (*sindiz*) ; lat. eccl. *syndicus,* représentant, délégué, du gr. *sundikos,* celui qui assiste quelqu'un en justice. || **syndicat** 1477, Bartzsch, fonction de syndic, jusqu'au début du XIXe s. ; 1870, Lachâtre, finances ; 1807, *Doc.,* groupement d'ouvriers ; 1839, Mac Culloch, association professionnelle. || **syndicataire** 1868, *l'Épargne.* || **syndical** 1352, G. (*sindiqual*), n. m., « procès-verbal » ; milieu XVIe s. (*syndical*), adj., même évol. d'empl. que *syndicat.* || **syndicalisme** 1894, Sachs-Villatte. || **syndicaliste** 1904, Lar. || **syndiquer** 1546, Rab., « critiquer, censurer » ; milieu XVIIIe s., « former en corps les membres d'une corporation » ; fin XVIIIe s., *se syndiquer,* « s'affilier à un syndicat » ; même évol. sémant. que *syndicat.* || **syndiqué** 1854, Sachs-Villatte, adj. et n. || **syndicaliser** 1966, *journ.* || **syndicalisation** *id.*

syndrome 1835, Raymond, méd., « ensemble de symptômes » ; gr. *sundromê,* concours, de *sun,* avec, et *dromos,* course.

synecdoque 1521, Fabri (*sinodoche*), gramm. ; 1730, Dumarsais (*synecdoque*) ; lat. *synecdoche,* du gr. *sunekdokhê,* compréhension de plusieurs choses à la fois.

synérèse 1533, Montflory, gramm. ; lat. *synaeresis,* du gr. *sunairesis,* rapprochement.

synergie 1778, Barthez, physiol. ; XXe s., sens actuel ; gr. *sun,* avec, et *ergon,* travail ; association de plusieurs organes pour remplir une fonction. || **synergique** 1835, Raymond.

synesthésie 1888, Lar., psychol. ; gr. *sunaisthêsis,* de *sun,* avec, et *aisthêsis,* sensation. || **synesthésique** 1872, L.

syngnathe 1827, *Acad.,* ichtyol. ; lat. scient. *syngnathus,* du gr. *sun,* avec, et *gnathos,* mâchoire ; poisson à corps et à museau très allongés. || **syngnathidés** 1904, Lar.

synode 1308, Aimé (fém.) ; 1541, Calvin (masc.) ; lat. *synodus,* du gr. eccl. *sunodos,* réunion. || **synodal** 1315, Delb. ; lat. *synodalis.* || **synodique** 1556, Pontus de Thyard, astron. ; lat. *synodicus,* du gr. *sunodos,* conjonction d'astres. || **synodique** 1721, Trévoux, eccl. ; bas lat. *synodicus,* du gr. *sunodos,* réunion.

synonyme XIIe s. (*sinonimes*) ; 1380, *Aalma* ; lat. gramm. *synonymus,* du gr. *sunônumos,* de *sun,* avec, et *onoma,* nom. || **synonymie** 1582, Belleforest ; lat. *synonymia,* du gr. *sunônumia.* || **synonymique** 1791, Talleyrand-Périgord.

synopsis 1842, *Acad.,* coup d'œil sur l'ensemble d'une science ; 1876, Lar., tableau synoptique ; 1919, *le Film,* scénario ; gr. *sunopsis,* de *sun,* avec, et *opsis,* vue. || **synoptique** 1610, Duval ; gr. *sunoptikos,* de *sunopsis.* || **synopse** 1872, L. ; bas lat. *synopsis,* inventaire.

synoque 1265, Br. Latini (*sinoche*), méd., « continu » (se dit de la fièvre) ; empr., dans les trad. lat. d'Aristote, au gr. *sunokhos,* continu, de *ekheîn,* avoir, tenir.

synostose 1872, L. ; gr. *sun,* avec, et *osteon,* os.

synovie 1694, Th. Corn. ; lat. médiév. *synovia* (fin XVe s., Paracelse), humeur des articulations, d'orig. inconnue. || **synovial** 1735, Heister. || **synovite** 1833, *Transactions méd.*

syntaxe 1572, Ramus ; lat. gramm. *syntaxis,* du gr. *suntaxis,* mise en ordre. || **syntaxique**

1819, Boiste. || **syntactique** 1872, L. ; gr. *suntaktikos.* || **syntacticien** 1953, Lar. || **syntagme** 1699, Vigneul, « ordre, disposition » ; 1713, Trévoux, « traité méthodique » ; 1842, *Acad.,* hist. milit. ; 1916, Saussure, gramm. ; gr. *suntagma.* || **syntagmatique** 1916, Saussure.

synthèse 1607, Habicot, log. ; 1865, Lunier, chimie ; gr. philos. *sunthesis,* action de mettre ensemble, de *tithenai,* placer. || **synthétique** début XVIIe s., log. ; 1935, *Acad.,* chimie ; gr. *sunthetikos.* || **synthétiquement** 1762, *Acad.* || **synthétiser** 1833, Balzac. || **synthétiseur** 1972, Lar.

syntone 1929, Martin du Gard ; gr. *suntonos,* qui résonne d'accord, de *sunteinein,* tendre ensemble. || **syntonie** 1907, Lar.

syphilis 1741, Col de Vilars ; lat. mod. *syphilis* (1530, Fracastor de Vérone) ; du nom du berger légendaire *Syphilus,* des *Métamorphoses* d'Ovide, que Fracastor fait frapper de cette maladie par Apollon. || **syphilitique** 1664, G. Patin (*siphilidique*). || **syphiloïde** 1855, Nysten. || **syphilome** 1878, Lar. || **syphilisation** 1855, Nysten. || **antisyphilitique** fin XVIIIe s.

syringa 1694, Tournefort ; lat. scient. *syringa* (v. SERINGA).

syringomyélie 1823, Olivier, méd. ; gr. *surigx,* tuyau, et *muelos,* moelle ; destruction de la substance grise de la moelle épinière. || **syringomyélique** 1904, Lar.

syrinx 1752, Trévoux, « flûte » ; 1904, Lar., entom. ; lat. *syrinx,* du gr. *surigx,* tuyau.

syrphe 1803, Boiste, entom. ; lat. scient. *syrphus,* du gr. *surphax,* ordures.

système 1552, Pontus de Thyard, système philos. ; XVIIIe s., sens actuel ; bas lat. *systema,* du gr. philos. *sustêma,* ensemble. || **systématique** 1552, G. ; bas lat. *systematicus,* du gr. *sustêmatikos.* || **systématiquement** 1752, Trévoux. || **systématiser** 1756, *D. G.* || **systématisation** 1824, Saint-Simon.

systole fin XIVe s. (*sistole*), métrique ; 1541, Canappe, méd. ; gr. *sustolê,* contraction. (V. DIASTOLE.) || **systolique** 1553, Rab.

systyle 1691, d'Aviler, archit. ; lat. *systylos,* du gr. *sustulos,* aux colonnes rapprochées, de *sun,* avec, et *stulos,* colonne.

syzygie 1584, Goulart, astron. ; bas lat. *syzygia* (IIIe s., Tertullien), union de pieds métriques, du gr. *suzugia,* conjonction, union.

t

1. **tabac** 1555, Poleur (*tabaco*) ; 1599, B. W., (*tabac*) ; XVIIe s. (var. *tobac*) ; 1907, Lar., « couleur » ; esp. *tabaco,* empr. à la langue des Arawaks d'Haïti (*tzibatl*), où ce mot désignait le tuyau servant à inhaler la fumée de tabac, ainsi que le cigare de tabac (v. PETUN). || **tabatière** 1652, Berthaud ; XVIIe s. (*tabatière*), fig., techn. (V. TABAGIE.)

2. **tabac** 1802, Esnault (*passage à tabac*) ; onomat. *tabb.* || **tabasser** 1888, Villatte. || **tabassage** 1937, Malraux.

tabagie 1603, Champlain ; mot algonquin signif. d'abord « festin » ; a développé un sens nouveau, 1657, N. Sanson, sous l'infl. de *tabac.* || **tabagisme** 1896, Charcot, méd. || **tabagique** 1859, *FEW.*

tabarin milieu XVIe s., Monluc, « bouffon » ; nom d'un personnage de farce, popularisé par l'acteur Girard (1584-1626), qui reprit ce nom. || **tabarinade** 1717, *Mémoires Trévoux.*

tabaschir 1598, Lodewijcksz (*tabaxir*) ; 1842, Mozin (*tabachir, tabashir*), concrétion des tiges de bambou, sucre exsudé par la canne ; ar. *tabachīr.*

tabelle 1688, Boislisle, mémoire, rôle ; lat. *tabella,* tablette. || **tabellaire** 1828, Verger.

tabellion 1265, Br. Latini, notaire de juridiction subalterne ; 1844, Balzac, notaire, iron. ; lat. *tabelllio,* « qui écrit sur les tablettes (*tabellae,* v. le précéd.) ».

tabernacle 1120, *Ps. d'Oxford,* antiq. juive ; milieu XIVe s., chrét., « réceptacle où l'on enferme le ciboire » ; lat. eccl. *tabernaculum* (*Vulgate*), proprem. « tente ».

tabès 1520, Chauliac, maladie de langueur ; 1888, Lar., sens mod., d'après le lat. des médecins *tabes dorsalis ;* mot lat., proprem. « écoulement, liquéfaction », et au fig. « consomption ». || **tabétique** 1878, Lar., méd.

tabis 1395, Chr. de Pisan (*atabis*) ; fin XIVe s., E. Deschamps (*tabis*), étoffe, hist. ; lat. médiév. *attabi,* de l'ar. *attābī,* du nom d'un quartier de Bagdad où cette étoffe était fabriquée. || **tabiser** 1680, Richelet, façonner comme l'ancien tabis. || **tabinet** 1876, Lar.

tablature 1529, B. W., tableau de notation mus., hist. ; *donner de la tablature,* 1633, Corn., proprem. « donner quelque chose à déchiffrer », d'où « causer des difficultés » ; lat. médiév. *tabalatura,* de *tabula,* table, refait d'après TABLE (v. ce mot).

***table** 1080, *Roland ;* lat. *tabŭla,* proprem. « planche », et par ext. « table, tablette » ; *table de nuit,* 1717, L. ; *tables tournantes,* 1853, L. ; *table rase,* 1314, Mondeville, expr. issue du lat. scolast. *tabula rasa :* la formule remonte à Aristote, IVe s. av. J.-C. (*De l'âme*) ; *se mettre à table,* 1651, Scarron. || **tableau** 1280, Adenet, panneau de bois ; XVe s., « peinture qui orne le panneau » ; 1549, R. Est, « liste ». || **tableautin** 1823, Delacroix. || **tablette** 1175, Chr. de Troyes. || **tabletier** 1080, *Roland.* || **tablée** 1280, Adenet. || **tabler** 1290, *Archives,* « se mettre à table » ; 1544, Fonteneau, « planchéier » ; auj., seulement dans *tabler sur,* 1690, Furetière, anc. terme du tric-trac, où *tabler* signifiait « poser deux dames sur la même ligne ». || **tabletterie** début XVe s., Laborde. || **tableur** XIXe s. || **tablier** 1155, Wace, « planchette de table à jouer » et « tablier d'étoffe » ; a remplacé, à partir du XIVe s., *devanteau, devantier,* conservés encore dans quelques parlers rég. ; *tablier d'un pont,* 1793, Schwan. || **attabler** 1443, G. || **entablement** 1130, *Eneas,* « plancher » ; XVIe s., sens mod. (V. RETABLE.)

tabor XXe s., milit. ; mot ar. du Maroc ; corps de troupes marocain.

tabou 1785, trad. de Cook (*taboo*) ; 1831, Dumont d'Urville (*tabou*) ; ling., 1964, Robert ; angl. *taboo,* d'un mot polynésien, *tapu,* « interdit, sacré », par ext. « personne ou chose déclarée tabou » ; adj., 1842, *Acad.* || **tabouer** 1822, *FEW.* || **tabouiser** 1953, Cocteau. || **tabouisation** *id.*

tabouret 1442, Du Cange, pelote à aiguilles (sens conservé jusqu'au XVIIe s.) ; 1525, B. W., sens mod. ; de *tabour,* forme anc. de *tambour* (v. ce mot), d'après la forme de l'objet.

tabulaire 1872, L. ; lat. *tabula,* table. (V. TABLE.) || **tabulateur** 1923, Lar. || **tabulation** 1964, Lar. || **tabuler** 1964, Lar.

tac 1587, Pasquier ; onomat. ; *du tac au tac,* 1893, *D. G.* (V. TACOT, TIC-TAC.)

tacca 1827, *Acad.,* plante alimentaire d'Asie ; mot lat. bot., du malais *takah,* dentelé.

tacet 1613, Monluc, mus. ; mot lat., de *tacere,* se taire.

tache 1080, *Roland* (*teche*) ; 1120, *Ps. d'Oxford* (*tache*) ; en anc. fr., « marque, bonne ou mauvaise », sens conservé jusqu'au XVIIe s. ; dès le XIIe s., sens mod. ; lat. pop. **tacca,* signe, du gotique **taikko,* francique **têkan* (cf. l'all. *Zeichen,* signe) ; *tache,* de même étym., a subi l'infl. de *estache,* « attache », de *estachier.* (V. ATTACHER.) || **tacher** XIe s., *Gloses de Raschi.* || **tacheter** 1538, R. Est. ; de l'anc. *tachete,* dimin. de *tache.* || **tacheture** 1611, Cotgrave. || **détacher** 1501, Destrees, « ôter les taches ». || **détachant** 1876, L., adj. et n. m. || **entacher** 1190, *Saint Bernard ;* le plus souvent, dès l'anc. fr., au fig.

tâche 1175, Chr. de Troyes, « prestation rurale », puis sens mod. ; adaptation du lat. médiév. *taxa,* de *taxare* (v. TAXER) ; *prendre à tâche,* 1640, Oudin ; *à la tâche* (rémunération), XIVe s. (d'abord *en tâche*). || **tâcher** XIVe s., *Miracles Nostre-Dame.* || **tâcheron** 1508, *Archives.*

tachéographie 1681, *Journ. des savants,* cartographie ; gr. *takhus, takheos,* rapide, et *-graphie.* || **tachéographe** 1765, *Encycl.* || **tachéomètre** 1872, L. || **tachéométrie** 1858, Porro.

tachy-, gr. *takhus,* rapide. || **tachycardie** 1871, Virchow. || **tachygraphe** 1765, *Encycl.* || **tachymètre** 1839, Boiste. || **tachyphagie** 1908, Lar. || **tachypnée** 1904, Lar.

tacite 1495, *Mir. hist. ;* lat. *tacitus,* de *tacere,* se taire. || **tacitement** 1502, O. de Saint-Gelais.

taciturne 1458, *Myst. du Vieil Test. ;* lat. *taciturnus,* de *tacitus,* qui se tait. || **taciturnité** XIVe s. ; lat. *taciturnitas.*

tacle 1975, *Lexis ;* angl. *tackle,* empoigner.

taconner 1690, Furetière, typogr. ; de *tacon,* talon (1200, Bodel), du lat. médiév. *taco,* morceau de cuir, francique **takko,* pointe.

tacot 1802, Laveaux, « outil de tisserand » ; 1922, Proust, puis ce train lui-même, fam. ; 1905, *journ.,* « automobile démodée, défectueuse » ; de *tac,* onomat. (d'après le bruit de l'outil ou du véhicule).

tact 1354, *Modus,* « toucher » ; 1769, Voltaire, fig. ; lat. *tactus,* n. m., part. passé substantivé de *tangere,* toucher. || **tactile** 1541, Canappe ; lat. *tactilis.* || **tactisme** 1904, Lar.

tactique 1690, Furetière, n. f. ; XVIIIe s., adj. ; gr. *taktikê* (*tekhnê*), proprem. « art de ranger », de *tattein,* ranger. || **tacticien** 1758, Guischardt.

tadorne 1465, *FEW,* espèce de canard ; lat. *anas tadorna,* orig. inconnue.

taffetas 1314, Gay ; ital. *taffeta,* du turco-persan *tāfta,* « tissé, tressé ».

tafia 1659, Moreau de Saint-Méry ; mot créole, abrév. de *ratafia.* (V. RATAFIA.)

tagliatelles 1904, Lar. ; ital. *tagliatelli,* de *tagliati,* tranches.

taïaut 1300, B. W. (*taho*) ; 1601, Molière (*taïaut*) ; onomat., cri pour exciter les chiens de chasse.

***taie** début XIIe s., *Voy. de Charl.* (*teie*) ; début XIVe s. (*taie*) ; d'abord enveloppe de l'oreiller, puis, au XIVe s., taie sur l'œil ; lat. *thēca,* étui, fourreau, du gr. *thêkê,* boîte.

taïga 1908, *Encycl.,* géogr. ; mot russe désignant une forêt de conifères, du turco-tartare.

taillade 1532, Rab. ; ital. *tagliata,* coup qui entaille, du lat. pop. **taliare,* tailler. || **taillader** 1532, *FEW.*

***tailler** 1080, *Roland ;* lat. pop. **taliāre,* probablem. de *talea,* bouture ; *tailler des croupières,* 1616, *Anc. Théâtre fr.* || **taillant** fin XIIe s., *Mélanges,* n. m. || **taille** 1130, *Eneas,* « action de tailler » ; d'où, début XIIIe s., hauteur du corps humain (sens développé par les tailleurs d'images) ; XIIIe s., impôt sur les serfs, hist. ; fin XIVe s., E. Deschamps, mus. vocale ; *haute-taille, basse-taille,* 1762, *Acad.,* mus. ; déverbal (v. TENEUR 3, TÉNOR). || **taillable** 1283, Beaumanoir, hist. || **taillon** 1552, Rab., hist. || **tailleur** 1170, *Rois,* « chargé du taillage » ; 1180, Aimon de Varennes, « tailleur d'habits ». || **tailleuse** 1731, *Mercure de France.* || **taillerie** 1268, É. Boileau. || **tailloir** 1130, *Eneas,* plat où l'on découpait la viande ; 1537, Sagredo, archit.

|| **taillage** 1170, *Rois,* « impôt » ; 1255, G., « action de tailler ». || **taille-crayon** 1838, *Acad.* || **taille-douce** XVIe s., Laborde. || **taille-légumes** 1876, Lar. || **taille-mer** 1622, Vidos, mar. || **taille-racines** XXe s. || **taillis** 1215, B. W. || **taillandier** 1213, B. W. ; avec le suff. *-andier.* (V. LAVANDIÈRE, VIVANDIÈRE.) || **taillanderie** 1409, *Cartulaire.* || **détailler** 1175, Chr. de Troyes, couper en morceaux ; 1268, É. Boileau, « vendre par petites quantités ». || **détail** 1170, *Floire et Blancheflor* (*vendre à détail*). || **détaillant** 1649, Kuhn, n. m. (d'abord *détailleur,* 1283, Beaumanoir). || **entailler** 1120, *Ps. de Cambridge.* || **entaille** 1130, *Eneas.* || **retailler** 1160, Benoît. || **retaille** XIIe s., *Mort d'Aimery.*

tain fin XIIe s., *l'Escoufle ;* altér. d'ÉTAIN 1, d'après *teint.* (V. TEINDRE.)

***taire** 1145, G. (*taisir*) ; 1160 (*taire*) ; lat. pop. **tacire,* de *tacere ; se taire,* 980, *Passion.* (V. PLAIRE, PLAISIR.)

***taisson** 1180, Marie de France, blaireau, dial. (Est et Nord-Est) ; bas lat. *taxo, -onis* (Ve s.), mot germ., all. *Dachs.* || **taissonnière** 1242, G. (V. TANIÈRE.)

talapoin 1686, Tachard ; port. *talapaô,* du birman, signif. « monseigneur ».

talc 1518, d'après P. Robert ; ar. *talq.* || **talquage** 1975, Lar. || **talquer** 1964, Lar. || **talqueux** 1746, Brunot.

talent 980, *Passion,* « humeur » ; 1170, *Rois,* « poids d'or ou d'argent », hist. ; lat. *talentum,* gr. *talanton,* plateau de balance ; début XVIIe s., disposition naturelle ou acquise, du lat. scolastique *talentum,* don, issu du sens anc. de « monnaie », pris au fig. d'après la parabole des talents (Évangile de saint Matthieu, XXV, 14), où, de trois serviteurs à qui leur maître a confié des talents, deux savent faire fructifier les leurs, tandis que le troisième enfouit le sien en terre. || **talentueux** 1876, Goncourt. || **talentueusement** 1964, Robert.

taler 1417, Du Cange, fouler, meurtrir (des fruits), rég. ; germ. **tâlon ;* cf. l'anc. haut all. *zalon,* piller. || **taloche** 1460, Chastellain. || **talocher** 1546, Rab.

taleth 1732, Trévoux ; hébreu *tallith,* de *tatal,* couvrir.

talion 1395, Boutillier ; rare jusqu'au XVIIIe s. ; lat. *talio.*

talisman 1637, Gaffarel ; ar. pop. *tilsamān,* plur. de *tilsam,* en ar. class. *tilasm,* lui-même issu du bas gr. *telesma,* « rite religieux » ; *talisman,* prêtre musulman, 1556, Geuffroy, est un autre mot, du persan *dānichmand,* « savant ». || **talismanique** 1625, Naudé.

talle 1488, *Mer des hist. ;* lat. *thallus,* du gr. *thallos,* jeune pousse. || **taller** 1549, R. Est. || **tallage** 1860, Poitevin.

tallipot 1683, *Journal des savants,* palmier de Malabar ; mot angl., du cinghalais *talapata,* de *tala,* palmier, et *pattra,* feuille.

talmouse 1398, *Ménagier* (*talemouse*), pâtisserie soufflée ; orig. obscure, peut-être altér. du moy. néerl. *tarwemele,* farine de froment.

talmud XVIe s. ; mot hébreu, de *lamad,* apprendre. || **talmudique** 1546, Rab. || **talmudiste** 1532, d'après P. Robert.

1. **taloche** V. TALER.

2. **taloche** 1320, Watriquet, « bouclier » ; anc. fr. *talevaz* (1155, Wace), du bas lat. **talapacium.*

***talon** XIIe s., *Saxons ;* lat. pop. **tālō, -onis,* du lat. class. *talus ; talon rouge,* 1758, Voltaire, aristocrate ; *talon aiguille,* 1964, Robert. || **talonner** XIIe s. || **talonnement** 1559, Amyot. || **talonnière** 1512, J. Lemaire de Belges. || **talonnette** 1824, Raymond. || **talonnage** 1924, Montherlant, sport (rugby). || **talonneur** 1933, Lar. || **talaire** 1507, G. ; lat. *talaris,* class. *talus.*

talpack 1904, Lar. ; mot turc.

***talus** 1174, É. de Fougères (*talu*) ; lat. *talutium* (Ier s., Pline), « forte inclinaison de terrain », terme de mineur ; gaulois *talutum,* front (cf. le breton *tâl*).

talweg 1871, Mozin ; all. *Thalweg,* chemin de la vallée.

tamandua 1603, La Borie, fourmilier exotique ; lat. scient. *tamendoa,* mot tupi. || **tamanoir** 1763, Buffon ; de *tamanda,* variante du précédent.

1. **tamarin** 1298, *Marco Polo* (*tamarandi*) ; XVe s. (*tamarin*), bot. ; lat. méd. médiév. *tamarindus,* de l'ar. *tamīr hindā,* « datte de l'Inde ». || **tamarinier** 1604, F. Martin (*tamarindier*) ; 1765, *Encycl.* (*tamarinier*).

2. **tamarin** 1614, Cl. d'Abbeville (*tamary*), zool., ouistiti ; d'une langue indigène de la région de l'Amazone.

tamaris XIIIe s., *Simples Méd. ;* bas lat. *tamariscus,* var. *tamarix, tamarice,* p.-ê. de l'ar. *tamār.*

tambouille 1756, Esnault, « bombance » ; 1866, Esnault, « ragoût » ; ital. *tampone,* bombance.

tambour 1080, *Roland* (*tabour,* encore au XVIe s.) ; 1120, *Voy. de Charl.* (*tabor*) ; 1300, B. W. (*tambour*) ; persan *tabīr,* avec influence du catalan *tambor,* lui-même emprunté à l'ar. *at tambur.* || **tambourin** 1460, Chastellain (*tabourin, tambourin*). || **tambouriner** XVe s., *Perceforest* (*tabouriner*) ; 1680, Richelet (*tambouriner*). || **tambourinage** 1558, Thevet (*tabourinage*) ; 1680, Richelet (*tambourinage*). || **tambourinement** 1870, Goncourt. || **tambourineur** 1534, Des Périers (*tabourineur*) ; 1556, Allègre (*tambourineur*). || **tambourinaire** 1777, Duhamel du Monceau ; mot prov. || **tambour-major** 1651, d'après P. Robert.

tamier 1812, Mozin (*taminier*) ; 1872, L. (*tamier*), bot. ; lat. *thamnum,* taminier, du gr. *thamnos,* buisson, de *thama,* en grand nombre.

***tamis** fin XIe s., *Chanson de Guillaume ;* lat. pop. **tamīsium,* du celtique **tamesion.* || **tamiser** 1160, Benoît. || **tamisage** 1356, G. || **tamisier** 1422, G. || **tamiseur** 1360, G.

tampon 1382, *Archives,* sens propre ; milieu XIXe s., techn., ch. de fer ; anc. fr. *tapon,* du francique **tapo,* cheville. || **tamponner** XVe s., G. ; 1872, Lar., heurter, ch. de fer. || **tamponnement** 1771, Trévoux ; même évol. d'emploi que le verbe. || **tamponneur** 1893, *D. G.* || **tamponnoir** 1904, Lar.

tam-tam 1773, Bernardin de Saint-Pierre ; onomat. créole.

tan fin XIIIe s., Rutebeuf ; gaulois **tann-,* « chêne », dont on utilisait l'écorce pour préparer le cuir (cf. le breton *tann,* même sens). || **tanner** XIIIe s., Rutebeuf, sens propre ; 1220, Coincy, « importuner ; 1769, Duhamel de Monceau, « brunir ». || **tannage** 1370, *Ordonn.* || **tannant** 1762, *Acad.,* « ennuyeux ». || **tannerie** 1216, Delb. || **tanneur** 1268, É. Boileau. || **tanne** début XVe s., Ch. d'Orléans. || **tannée** 1680, Richelet. || **tanin** 1797, *Bull. des sciences.* || **tannique** 1848, Allain. || **tanniser** ou **taniser** 1877, Robinet.

***tanaisie** XIIe s., Tobler-Lommatzsch ; bas lat. **tanacēta,* pl. neutre, devenu fém., du lat. *tanacētum,* d'orig. prélatine ; plante des talus.

***tancer** 1080, *Roland ;* lat. pop. **tentiare,* « quereller », d'où « réprimander », de *tentus,* part. passé de *tendere,* faire effort, d'où « lutter, combattre ». (V. TENSON.)

***tanche** XIIIe s., *Fabliaux ;* bas lat. *tĭnca* (IVe s., Ausone), mot d'orig. gauloise.

tandem 1816, Simond, « voiture attelée de deux chevaux en flèche » ; 1887, Lami, « cylindres disposés en tandem » ; 1884, *Sport,* « bicyclette pour deux personnes » ; angl. *tandem,* du lat. *tandem,* « enfin », pris comme synonyme, dans l'arg. scol. angl., de la loc. angl. *at length,* « à la longue, en longueur ». || **tandémiste** 1904, Lar.

***tandis que** 1160, Benoît (*tans dis que*) ; lat. *tamdiu,* aussi longtemps, *quamdiu, quam,* que..., avec adjonction de l'*s* final adverbial (v. VOLONTIERS) ; du XIIe s. au XVIIe s., a vécu un adv. *tandis,* « pendant ce temps ».

tangara 1614, Laet ; mot tupi (Guyanne) ; passereau.

tangent 1683, *Journ. des savants ;* lat. *tangens, -entis,* part. prés. de *tangere,* toucher. || **tangente** 1626, Mydorge, n. f., géom. ; 1867, Delvau, arg. scol., appariteur ; *prendre la tangente,* 1867, Delvau. || **tangence** 1815, Beudant. || **tangentiel** 1816, Biot. (V. TANGIBLE.)

tangible XIVe s., Dochez ; bas lat. *tangibilis,* de *tangere,* toucher (v. TANGENT). || **tangiblement** 1876, *J. O.* || **tangibilité** 1800, Boiste. || **intangible** XVe s.

tango 1864, Delvau, *les Cythères ;* mot de l'esp. d'Amérique, nom d'une danse pop. ; 1914, *l'Illustration,* nom d'une couleur mise à la mode au moment de la vogue de cette danse.

tangon 1778, Romme, mar. ; moyen néerl. *tange,* tenailles.

tangue XIIe s., vase ; anc. scand. *tang,* varech. || **tanguier** 1872, L.

tanguer 1643, Fournier ; anc. fr. *tengre,* de l'anc. scand. *tangi,* vaciller. || **tangage** 1643, B. W. || **tangueur** 1584, Pardessus.

***tanière** fin XIIe s. (*taisniere, tesniere,* encore au XVIe s.) ; XVe s. (*taniere,* forme rég.), « terrier du blaireau » ; lat. pop. *taxōnāria,* du lat. *taxo,* blaireau, mot gaulois. (V. TAISSON.)

tanin, tannin V. TAN.

tank 1659, Mandelslo (*tanke*) ; 1857, Bonnafé (*tank*), « réservoir » ; 22 sept. 1916, *le Figaro,* « char d'assaut » ; angl. *tank,* « réservoir, citerne », d'orig. inconnue. || **tankiste** 1919, Esnault.

tanker v. 1945, Gruss, navire pétrolier ; mot angl., de *tank,* réservoir. (V. TANK.)

tanner, tanniser V. TAN.

tan-sad 1919, d'après P. Robert ; angl. *tan,* abrév. de *tandem,* et *sad,* abrév. de *saddle,* selle.

***tant** 1080, *Roland ; tant mieux, tant pis,* XVIe s., avec *tant* signif. « d'autant » ; *en tant que,* 1530, Palsgrave ; lat. *in tantum quantum ; tant et plus,* 1534, Rab. ; *tant soit peu de,* 1580, Montaigne ; *si tant est que,* av. 1650, Descartes ; *tant que,* 1190, Bodel ; lat. *tantum.* || **un tantet** 1213, *Fet des Romains.* || **un tantinet** 1458, *Mystère Vieil Testament ;* anc. fr. *tantin,* lui-même dimin. de *tant.* || **tantième** 1559, Amyot. || **autant** 1190, *Rois* (*altant*) : pour *al-/au-,* v. AUSSI. || **partant** 1160, *Eneas.* || **pourtant** 1160, *Eneas* (*portant*), « à cause de cela » ; fin XVIe s., sens mod., d'après l'empl. du mot dans les phrases négatives.

1. **tantale** 1801, métal découvert par Hatchett, nommé aussi *columbium ;* lat. scientif. *tantalum,* du lat. *Tantalus,* gr. *Tantalos,* Tantale, fils de Jupiter, condamné à la soif, ce métal ne pouvant être saturé par l'acide. || **tantalate** 1842, *Acad.* || **tantalique** *id.*

2. **tantale** 1754, Klein, ornith. ; lat. scient. *tantalus,* du lat. *Tantalus,* Tantale.

tante 1160, Benoît ; 1834, Esnault, « pédéraste » ; *Ma Tante,* 1867, Delvau, le mont-de-piété ; anc. fr. *ante,* du lat. *amĭta,* précédé de l'adj. possessif *ta,* « tante du côté du père ». || **tata** 1800 (*tatan*), *Lettre* à Stendhal, forme enfantine ; *faire sa tata,* 1845, Besch., pop., se donner de l'importance. || **tantine** fin XIXe s., Daudet.

tantôt V. TÔT.

tao 1842, *Acad. ;* mot chinois. || **taoïsme** 1845, Besch. || **taoïste** *id.*

***taon** 1175, Chr. de Troyes ; bas lat. *tabō, -ōnis,* altér., par changement de suff., du lat. class. *tabānus* (cf. le prov. *tavan*).

tapage 1695, Gherardi ; de *taper.* || **tapageur** 1743, Trévoux. || **tapageusement** 1876, *le Siècle.* || **tapager** 1828, Mozin.

taper 1175, Chr. de Troyes, frapper avec le plat de la main ; 1867, Delvau, fig., pop., demander de l'argent, sans doute d'après l'usage de taper dans la main en concluant le marché. Plusieurs hypothèses : onomat. ; ou bien du moy. néerl. *tappe,* « patte » ; ou bien ext. de sens de l'anc. fr. *taper,* « boucher », d'où « frapper (pour enfoncer le bouchon) », du germ. *tappôn* (v. TAMPON, TAPON). || **tapant,** dans *midi tapant,* 1936, Romains. || **tapé** 1758, Voltaire, adj., d'un fruit ; 1742, *Journal de Barbier,* fig., pop. (*bien tapé,* etc.). || **tape** 1360, Froissart, « coup » ; 1923, Lar., « échec ». || **tapecul** 1460, Chastellain. || **tape-à-l'œil** 1867, Delvau. || **tapure** 1690, Furetière. || **tapée** 1791, B. W. || **tapette** 1562, G., sorte de palette ; 1750, *Revue,* petite tape ; 1867, Delvau, bavardage, langue, pop. ; 1859, Larchey, « pédéraste ». || **tapeur** 1866, Delvau, emprunteur, fam. ; du sens fig. de *taper.* || **tapoter** XIIIe s., *Renart.* || **tapotage** 1855, Augier. || **tapotement** 1859, Frarière. || **tapotis** 1965, Sarrazin. || **retaper** XVIe s., G. || **retape** 1795, B. W., pop. ; déverbal. || **retapage** 1861, Goncourt.

taphophilie 1968, Lar. ; gr. *taphos,* funérailles, et *philos,* ami. || **taphophobie** 1964, Lar. ; de *phobos,* crainte.

tapin 1270, *Romania,* « tache » ; 1745, Esnault, « taloche » ; 1760, Michel, « tambour » ; 1837, d'après P. Robert, « travail, prostitution ». || **tapiner** 1920, Esnault.

tapinois (en) 1464, *Pathelin ;* de *en tapin,* XIIe s., var. anc. *à tapin,* de l'adj. *tapin,* « qui se dissimule », de *tapi,* part. passé de SE TAPIR 1.

tapioca 1651, Roulox (*tapiocha*) ; 1798, trad. de Macartney (*tapioca*) ; port. *tapioca,* du tupi ou du guarani (langues du Brésil) *tipioca,* de *tipi,* résidu, et *ok-,* presser.

1. **tapir (se)** 1130, *Eneas ;* francique **tappjan,* fermer, enfermer. (V. TAPINOIS [EN].)

2. **tapir** 1558, Thevet (*tapihire*), n. m., zool. ; mot tupi (Brésil) ; 1896, Esnault, fig. ; arg. de Normale sup., élève particulier, d'où le dér. *tapirat,* leçon particulière. || **tapiriser** 1910, Esnault.

tapis fin XIe s., *Gloses de Raschi* (*tapid*) ; *mettre sur le tapis,* fin XVIe s. ; gr. byzantin *tapêtion* (pron. *tapitsion*), empr. pendant les Croisades ; du gr. anc. *tapêtion,* dimin. de *tapês, tapêtos.* || **tapis-brosse** 1934, Duhamel. || **tapissier** début XIIIe s., var. *tapicier,* d'abord marchand ou fabricant de tapis. || **tapisserie** 1347, B. W. || **tapisser** XVe s. (*tapicier*).

tapon 1382, Delb., « bouchon » ; *en tapon,* 1690, Furetière ; francique **tappo,* cheville, bonde.

tapoter V. TAPER.

taque 1568, G., plaque de fer, spécialem. plaque de cheminée ; bas all. **tak,* all. *zacke.*

taquer XIVe s., *Chron. des Flandres ;* orig. onomat. || **taquoir** 1762, *Acad.*

taquet 1382, *Archives ;* rare jusqu'au XIXe s. ; petite pièce de bois servant à retenir un objet, empl. dans diverses techniques ; diminutif de l'anc. fr. *estake,* pieu, du francique **stakka,* piquet ; d'orig. onomatopéique. (V. TAC 1.)

taquin 1411, Dochez (*tacain*), « bandit » ; 1442, Le Franc (*taquin*), « avaricieux », jusqu'au XVIIe s. (encore 1695, Gherardi) ; av. 1799, sens mod., p.-ê. par le sens intermédiaire « qui chicane sur la dépense » ; du moyen néerl. **takehan,* de *taken,* saisir. || **taquinerie** 1553, *Bible Gérard ;* même évol. de sens. || **taquiner** 1790, B. W.

tarabiscoter 1866, Gautier, sens mod. ; proprem., terme de menuiserie, de *tarabiscot* (1803, Boiste), « rabot pour moulures », d'orig. obscure. || **tarabiscotage** 1906, d'après P. Robert.

tarabuster 1387, J. Le Bel (*tarrabustis,* désordre) ; 1695, Gherardi (*avoir l'esprit tarabusté*) ; prov. *tarabustar,* croisement de l'anc. prov. *tabustar, tabussar,* faire du bruit, avec *rabasta,* querelle, bruit. (V. RABÂCHER, TAMBOUR.)

***taranche** 1694, Th. Corn., grosse cheville de fer ; bas lat. *tarĭnca,* mot gaulois.

tarantass 1861, Gautier, voiture rustique à quatre roues ; mot russe.

tarare 1785, Rozier, agric. ; probablem. onomatop. Certains le rapprochent de l'anc. interj. de dédain *tarare* (1616, Monluc), également onomatop., probablem. refrain d'une chanson.

tarasque 1655, *Voy. d'Espagne ;* anc. prov. *tarasca,* dér. régressif de *Tarascon,* nom de ville.

taratata 1876, Vallès, interj. ; onomat.

taraud 1538, R. Est. (*tarault*) ; altér., par changement de suff., de **tareau,* var. de *tarel,* XIIIe s., forme masc. de *tarele,* XIIIe s., var. dissimilée de *tarere* (v. TARIÈRE). || **tarauder** 1690, Furetière, sens propre ; 1876, Lar., « faire souffrir ». || **taraudage** 1842, *Acad.* || **taraudeuse** 1902, Zola, mécan.

tarbouch, tarbouche 1845, Gautier ; ar. égyptien *tarbuch.*

***tard** 1050, *Alexis ;* lat. *tardē,* lentement, d'où « à la fin ». || ***tarder** 1080, *Roland* (*targier,* conservé jusqu'au XVIe s.) ; 1265, J. de Meung (*tarder*) ; *sur le tard,* 1354, *Modus ;* lat. pop. **tardicare* pour la forme primitive, et lat. *tardāre* pour la seconde forme. || **tardif** 1120, *Ps. de Cambridge ;* bas lat. *tardīvus,* de *tardē.* || **tardiveté** XIIe s., *Dialogues saint Grégoire.* || **tardillon** 1842, *Acad.* || **tardigrade** 1615, Montlyard ; lat. *tardigradus,* de *tardus,* lent, et *gradi,* marcher. || **attarder** 1160, Chr. de Troyes. || **retarder** 1175, Chr. de Troyes ; lat. *retardare.* || **retard** 1677, Duillier ; remplace *retardement* (1384, L.). || **retardateur** 1743, d'Alembert. || **retardataire** 1808, Boiste.

tare début XIVe s., « emballage dont on déduit le poids » ; 1460, *Mystère,* « déchet dans le poids ou la qualité d'une marchandise » ; 1572, Amyot, « défaut, vice » ; ital. *tara,* au pr. et au fig., lui-même issu de l'ar. *tarh,* déduction, décompte, du v. *taraha,* jeter, soustraire. || **taré** fin XVe s., J. Bouchet ; même évol. de sens. || **tarer** 1623, Naudé.

tarentelle 1807, Staël ; ital. *tarantella,* danse napolitaine, ainsi nommée en ital. par comparaison avec le *tarentisme* (v. le suiv.) ; pour d'autres, *tarantella* est dér. directement du nom de *Taranto,* Tarente, ville de l'Italie du Sud.

tarentule 1552, Rab. (*tarentole*) ; 1560, Paré (*-tule*) ; ital. *tarantola,* de *Taranto,* Tarente, ville de l'Italie du Sud, région où abondent les tarentules. || **tarentulisme** 1845, Besch. || **tarentisme** 1741, Col de Vilars, méd. ; de *tarente,* tarentule ; agitation nerveuse due à la piqûre de la tarentule.

tarer V. TARE.

taret 1756, B. W., zool. ; probablem. de *tarière,* avec changement de suff. (v. ce mot).

targe 1080, *Roland,* anc. bouclier ; francique **targa,* anc. angl. *targe,* et anc. scand. *targa.* || **targette** 1301, B. W., ornement, puis petite targe ; 1611, Cotgrave, pièce de serrurerie.

targuer (se) 1360, Froissart ; anc. ital. *si targar,* « se couvrir d'une targe » (v. le précéd.), sens attesté en fr. au XVIe s., d'où, au fig., « se faire fort » (1660, Molière).

targum 1740, Trévoux ; mot chaldéen.

taricheute 1877, *J. O.,* « embaumeur » ; gr. *tarikheutês,* de *tarikheueîn,* embaumer, de *tarikhos,* « salaison », « corps embaumé ».

***tarière** fin XIe s., *Gloses de Raschi* (*tarere,* puis *-iere,* par changement de suff.), p.-ê. sous l'infl. de l'anc. v. *tarier,* forer, agacer ; lat. *taratrum*

(VIIe s., Isid. de Séville), mot d'orig. gauloise. (V. TARAUD, TARET.)

tarif 1572, B. W. (*tariffe*, n. f.) ; 1695, Gherardi (*tarif*, n. m.) ; ital. *tariffa*, n. f., de l'ar. *ta'rīf*, notification. || **tarifer** 1733, *Français mod.* || **tarification** 1842, Mozin. || **tarifaire** 1919, Lar.

tarin 1330, *Baud. de Sebourc* ; selon Belon (1555), onomat., d'après le chant de cet oiseau ; en fr. pop., *tarin* signifie « nez » (1904, Esnault), peut-être d'après le bec pointu du tarin.

tarir 1240, G. de Lorris ; francique **tharrjan*, sécher. || **tarissable** 1536, M. Du Bellay. || **tarissement** XVIe s., Huguet, hydrologie ; fig., 1870, A. Dumas. || **intarissable** XVIe s., au pr.

tarlatane 1701, Havard (*tarnadane*) ; 1723, Savary (*tarnatane*) ; 1752, Trévoux (*tarlatane*) ; orig. obscure ; altér. du port. *tiritana*, lui-même issu du fr. *tiretaine* (v. ce mot).

tarmacadam 1907, Lar. ; de *tar*, goudron, et *macadam*, macadam.

tarot 1534, Rab. (*tarau*) ; XVIe s. (*tarot*) ; le plus souvent au pl. ; ital. *tarocco*, d'orig. obscure || **taroté** 1642, Oudin.

tarse 1560, Paré ; gr. *tarsos*, proprem. « claie », d'où « plat du pied », empr. pour désigner les os antérieurs du pied. || **tarsalgie** 1872, L. || **tarsien** 1800, *Bull. des sciences.* || **tarsier** 1765, Buffon, zool. || **tarsectomie** 1888, Lar. || **tarsoplastie** 1964, Lar. || **tarsotomie** 1923, Lar. || **métatarse** 1586, Guillemeau ; d'après *métacarpe.* || **métatarsien** 1747, James.

tartan 1792, Chantreau ; mot angl., peut-être du fr. *tiretaine*, ou de l'anc. fr. *tartarin*, « (drap) de Tartarie ».

tartane 1632, Peiresc, mar. ; ital. *tartana*, ou prov. *tartano*, eux-mêmes issus de l'anc. prov. *tartana*, « buse, oiseau de proie », par métaphore.

tartare 1756, Voltaire ; lat. médiév. *Tartarus*, Tartare, mot turco-mongol ; *sauce tartare*, 1825, *FEW.* || **tartaréen** 1842, *Acad.*

tartareux 1620, Béguin, chim. ; bas lat. *tartarum* (v. TARTRE).

tartarin 1938, Bernanos ; de *Tartarin*, personnage d'A. Daudet. || **tartarinade** 1928, d'après P. Robert.

tarte XIIIe s., *Fabliaux* ; var. de *tourte*, avec infl. de *tartre* ; 1895, d'après P. Robert, « gifle » ; adj., 1867, Delvau, « mauvais ». || **tartelette** 1349, B. W. || **tartignolle** 1925, Esnault. || **tartine** 1500, Molinet ; 1837, Balzac, fam., long article, long discours. || **tartiner** av. 1850, Balzac ; 1867, Delvau, fig. || **tartouiller** 1851, Delécluze, « peindre ».

tartir 1827, Esnault ; fourbesque *tartire*, déféquer.

tartre XIIIe s., *Simples Médecines* (*tartharum*) ; XIVe s. (*tartraire*) ; 1560, Paré (*tartre, tartare*) ; lat. médiév. *tartarum*, d'orig. obscure. || **tartreux** 1755, abbé Prévost. || **tartrique** 1787, Guyton de Morveau (*tartarique*). || **tartrate** 1795, Bosquillon. || **détartrant** 1929, Lar., n. m.

tartufe, tartuffe 1609, dans un pamphlet (*tartufo*) ; 1669, G. Patin (*tartuffe*) ; nom commun, « hypocrite », du nom d'un personnage de la comédie ital., *Tartufo*, de *truffo*, truffe (v. TRUFFE) ; rendu célèbre par le personnage de Molière (*le Tartuffe*, 1664), même orig. || **tartuferie** 1669, Graindorge. || **tartufier** 1669, Molière.

tas 1130, *Eneas* ; francique **tass*, néerl. *tas*, tas de blé. || **tasser** 1160, Benoît. || **tassage** 1422, G. || **tassement** 1370, Du Cange. || **entasser** XIIe s. || **entassement** 1210, *Folque de Candie.*

tasse 1150, G., rare jusqu'au XIVe s. ; ar. *tāssa*, écuelle.

***tasseau** 1130, *Eneas* (*tassel*) ; lat. pop. **tassellus*, croisement de *taxillus*, dé à jouer, puis « morceau de bois », et de *tessella*, dé à jouer, cube (dimin. de *tessera*, dé à jouer).

tassette 1342, Gay ; dimin. de l'anc. fr. *tasse*, poche, issu de l'all. *Tasche.* || **tassetier** 1359, Havard.

tata V. TANTE.

tatami 1975, Lar. ; mot japonais.

tatane 1840, Esnault ; de *titine*, bottine.

***tâter** 1120, *Ps. d'Oxford* (*taster*) ; lat. pop. **tastāre*, contraction de **taxitare*, fréquentatif pop. de *taxare*, toucher. || **tâteur** XIVe s., G. || **tâtement** 1530, Palsgrave. || **tâte-vin** 1872, L. || **retâter** XIIIe s., *Renart* (*retaster*). || **tatillon** 1695, Gherardi. || **tatillonner** 1695, Gherardi. || **tatillonnage** 1740, *Acad.* || **tâtonner** 1165, G. || **tâtonnement** XVe s. || **tâtonneur** 1656, *FEW.* || **à tatons** 1175, Chr. de Troyes (*à tastons*).

tatou 1553, Belon ; du tupi *tatu* (Brésil).

tatouer 1769, trad. de Hawkesworth ; angl. (*to*) *tattoo,* du tahitien *tatau.* || **tatouage** 1778, trad. de Cook. || **tatoueur** 1798, König.

taud, taude 1138, *saint Gilles ;* var. de l'anc. fr. *tialz,* de l'anc. scand. *tjald,* tente ; mar., tente de toile. || **tauder** 1180, Hue de Rotelande (*telder*).

taudis fin XIIIe s., Joinville, « abri pour les ouvriers occupés aux travaux d'un siège » ; 1460, *Mystère,* « logement misérable » ; anc. fr. *se tauder,* XIVe s., « se mettre à l'abri », du francique **tëldan,* couvrir de tente.

taule V. TÔLE 2.

***taupe** 1265, Br. Latini ; lat. *talpa ;* 1968, Lar., « espion ». || **taupe-grillon** 1700, Liger ; d'après le lat. des naturalistes *grillotalpa.* || **taupier** 1611, Cotgrave (*taupetier*) ; 1690, Furetière (*taupier*). || **taupière** 1332, G. || **tauper** 1695, Gherardi. || **taupinière** XIIIe s., B. W. ; var. *taupinée* (La Fontaine, *Fables,* VIII, 9). || **taupin** XVe s., Esnault, « mineur, pionnier » ; 1841, Esnault, élève préparant Polytechnique (école formant les officiers du génie). || **taupe** 1888, Villatte ; arg. scol., classe de préparation à Polytechnique. || **hypotaupe** XXe s., première année de cette classe.

***taure** XVIe s., génisse ; lat. *taura,* fém. de *taurus* (v. le suiv.).

taureau XIIe s. (*torel*) ; anc. fr. *tor,* taureau, du lat. *taurus,* gr. *taûros ; de taureau,* 1872, L. || **taurin** XVIe s., zool. || **taurine** 1842, *Acad.* || **taurillon** fin XIIIe s., J. Macé, *Bible.* || **taurelière** 1611, Cotgrave. || **taurides** 1877, L., astron. || **taurobole** 1721, Trévoux ; lat. *taurobolium,* gr. *taurobolion.* || **taurocholique** 1872, L. ; gr. *kholê,* bile. || **tauromachie** 1830, Mérimée. || **tauromachique** 1836, *Acad.*

tautologie XVIe s., Ramus ; bas lat. *tautologia,* mot gr., de *logos,* discours, et *tauto,* le même. || **tautologique** 1842, *Acad.* || **tautochrone** 1765, *Encycl. ;* gr. *khronos,* temps. || **tautogramme** 1690, Baillet ; gr. *gramma,* lettre. || **tautomère** 1907, Lar. ; gr. *meros,* partie. || **tautomérie** 1933, Lar.

taux 1283, Beaumanoir (*taus*) ; de l'anc. fr. *tauxer, tausser,* var. mal expliquée de *taxer* (v. ce mot).

tavaïolle 1589, Gay, liturg. ; ital. *tovagliola,* serviette, dimin. de *tovaglia,* du francique **thwahlja.*

tavelle 1302, G., « ruban étroit » ; lat. *tabella,* tablette, diminutif de *tabula,* table. || **tavelé** 1288, *Renart le Novel.* || **taveler** 1556, Temporal. || **tavelure** 1546, Vaganay, moucheture ; 1671, Pomey, maladie des arbres.

***taverne** 1175, Chr. de Troyes ; lat. *taberna.* || **tavernier** fin XIIe s., *Aymeri ;* lat. *tabernarius.*

taxer 1247, Runkewitz (*tausser*) ; 1539, R. Est. (*taxer*) ; lat. *taxare,* taxer, évaluer, mot d'orig. gr. (v. TÂCHER, TÂTER). || **taxable** 1482, Bartzsch. || **taxation** 1283, Beaumanoir ; lat. *taxatio.* || **taxe** 1378, B. W. ; lat. médiév. *taxa.* || **taxateur** 1703, Trévoux. || **taxatif** XVIIIe s. || **détaxer** 1845, Besch. || **surtaxe** 1611, Cotgrave (*surtaux*) ; 1798, *Acad.* (*surtaxe*). || **surtaxer** 1559, Amyot. (V. TAUX.)

1. **taxi** 1907, Lar. ; abrév. de *taximètre,* v. 1906 (d'abord *taxamètre,* corrigé en *taximètre* par Th. Reinach), désignant le compteur de la voiture, puis la voiture elle-même ; gr. *taxis,* au sens de « taxe », et *-mètre.*

2. **taxi-,** gr. *taxis,* arrangement, ordre. || **taxidermie** 1806, Lunier ; gr. *derma,* peau. || **taxilogie** ou **taxologie** 1872, L. (d'abord *taxologie,* 1838, *Acad.*). || **taxinonie** ou **taxonomie** 1842, *Acad.* || **taxinomique** 1842, A. Comte. || **taxodium** 1839, Boiste (*-dion*). || **taxodontes** 1964, Lar. ; gr. *odous, odontos,* dent.

taxiphone 1933, Lar. ; de *taxi[mètre]* et *-phone.*

taylorisme 1923, Lar. ; angl. *taylorism,* du nom de l'ingénieur américain Fr. *Taylor* (1856-1915), qui inventa cette rationalisation du travail. || **tayloriser** 1923, Lar. || **taylorisation** *id.*

tchernoziom 1904, Lar. ; mot russe désignant une terre noire très fertile.

***te** V. TU.

té 1690, Furetière ; objet affectant la forme de la lettre T.

team 1892, Rouziers, sport ; mot angl. ; proprem. « attelage ».

tea-room 1899, *l'Art et la mode ;* mot angl., de *tea,* thé, et *room,* pièce, salon.

technique 1721, Trévoux, adj. ; 1744, Bassuel, n. f. ; gr. *tekhnikos,* au fém. *tekhnikê,* de *tekhnê,* art ; sert de second élément à divers composés. || **techniquement** 1790, *Encycl.* || **technicité** 1845, Besch. || **technicien** 1836, Landais ; sur le modèle de *physicien.* || **Technicolor** 1917, *le Film ;* n. déposé. || **technologie**

1656, Moscherosch, « terminologie » ; 1755, abbé Prévost, sens mod. ; gr. *tekhnologia.* || **technologique** 1795, *Journ. des Mines ;* gr. *tekhnologikos.* || **technologue** 1876, Lar. || **technocratie** 1934, Lar. || **technocrate** 1957, *le Monde.*

teck ou **tek** 1614, Du Jarric (*teka*) ; 1782, König (*tek*) ; port. *teca,* lui-même issu de *tēkhu,* mot de la côte de Malabar.

teckel 1923, Lar. ; all. *teckel,* basset.

tectonique XXe s., géol. ; gr. *tektonikos,* de charpentier, de *tektôn,* menuisier.

tectrice 1808, Boiste ; lat. *tectus,* couvert ; plume de taille moyenne des oiseaux.

te deum début XVe s., B. W. ; premiers mots du cantique lat. *Te Deum laudamus...,* « Nous te louons, Dieu... ».

tee-shirt 1966, *le Monde ;* de la lettre *t,* et de *shirt,* chemise.

tégument XIIIe s., *Miracles saint Éloi,* « couverture » ; 1538, Canappe, « peau » ; lat. *tegumentum,* couverture, de *tegere,* couvrir. || **tégumentaire** 1835, Colin.

***teigne** 1120, *Ps. de Cambridge ;* lat. *tĭnea,* désignant l'insecte, et par ext., en lat. pop., la maladie du cuir chevelu ; 1850, Balzac, pop., femme hargneuse. || ***teigneux** début XIIIe s., *Roman Renart* (*teignous*) ; lat. *tineosus,* proprem. « plein de teigne ». || **tignasse** 1680, Richelet, « mauvaise perruque », puis « chevelure mal peignée », par comparaison avec une chevelure de teigneux.

***teille,** var. **tille** 1200, Bodel, écorce du tilleul, et aussi écorce du chanvre et du lin ; lat. *tilia,* tilleul. || **teiller** 1311, *FEW.* || **teillage** 1803, Boiste. || **teilleur** 1872, L.

***teindre** 1080, *Roland ;* fig., XVIe s., d'Aubigné ; lat. *tingĕre.* || **teint** 1080, *Roland.* || ***teinte** 1130, *Eneas ;* 1460, Chastellain, « coloration du visage ». || **demi-teinte** 1676, Félibien ; d'après l'ital. *mezza-tinta.* || **teinté** 1752, Trévoux. || **teinter** 1410, *FEW.* || ***déteindre** 1265, J. de Meung ; lat. pop. **distingĕre.* || **reteindre** 1268, É. Boileau. || **teinture** XIIIe s., *Renart ;* lat. *tinctura,* de *tingere ;* fig., 1640, Oudin, « apparence ». || **teinturier** XIIe s., *Sept Sages.* || **teinturerie** 1268, É. Boileau.

***tel** Xe s., *saint Léger ;* lat. *tālis.* || **tellement** XIIe s., *Chevalerie Ogier.*

télamon 1611, Cotgrave, archit. ; lat. *telamonos,* mot gr., proprem. nom d'un personnage symbolisant la figure humaine représentée en console.

1. **télé-,** gr. *têle,* loin. La série des composés s'est développée à partir de *télescope* (v. ci-après). || **télautographe** 1888, Lar. || **télébande** 1964, Lar. || **télécabine** XXe s. || **télécommande** v. 1945. || **télécommander** 1949, Lar. || **télécommunication** 1904, Estaunié. || **télécopie** 1975, *Lexis.* || **télécopieur** 1975, Lar. || **télédétection** 1975, Lar. || **télédiffusion** 1966, *Revue.* || **télédynamique** 1875, *Journ. des débats.* || **télédynamie** 1923, Lar. || **télégestion** 1969, Pilorge. || **télégramme** 1859, Mozin ; gr. *gramma,* lettre. || **télégraphe** 1792 ; créé par Miot pour l'appareil des frères Chappe, qui avaient d'abord adopté (1792) le terme *tachygraphe,* du gr. *takhus,* rapide. || **télégraphie** 1803, Boiste. || **télégraphique** 1798, B. W. || **télégraphiste** 1801, Mercier. || **télégraphier** 1842, *Acad.* || **téléguider** 1949, Lar. || **téléguidage** 1948, *L. M.,* fig. || **téléimprimeur** 1949, Lar. || **télékinésie** 1933, Lar. ; gr. *kinesis,* mouvement. || **télémanipulation** 1974, d'après P. Robert. || **télémécanique** 1907, Lar. || **télémécanicien** 1964, Lar. || **télémesure** 1949, Lar. || **télémètre** 1836, *Acad.* || **télémétrie** 1842, *Acad.* || **télémétrique** *id.* || **télémétreur** 1923, Lar. || **téléobjectif** 1904, Lar. || **télépathie** fin XIXe s. ; repris à l'angl. *telepathy,* créé par Myers en 1882, du gr. *pathos,* émotion. || **télépathique** 1891, Lalande. || **télépathe** 1964, Lar. || **téléphérage** 1887, Jacquez (*telphérage*) ; 1923, Lar. (*téléphérage*) ; angl. *telpherage* (1883, Fleeming Jenkin). || **téléphérique** 1923, Lar. ; écrit souvent *téléférique,* sous une influence italienne. || **téléphone** 1836, Sudre, pour un appareil acoustique ; 1876, repris par G. Bell ; du gr. *phônê,* voix. || **téléphoner** 1885, Daudet. || **téléphonage** 1922, Proust. || **téléphonique** 1838, *Acad. ; cabine téléphonique,* 1885. || **téléphonie** 1828, *Moniteur.* || **téléphoniste** 1907, Lar. || **téléphotographie** 1888, Lar. || **télépointage** 1949, Lar. || **téléradiographie** 1951, Rousseau. || **téléradiographique** XXe s. || **télescope** 1611, J. Tarde ; lat. mod. *telescopium* (1611), du gr. *têle,* et *skopeîn,* examiner. || **télescopique** 1765, *Encycl.* || **télescoper** 1873, Hubner, en parlant d'un accident de ch. de fer ; d'après l'anglo-amér. (*to*) *telescope.* || **télescopage** 1896, Goncourt. || **téléscripteur** 1898, d'après P. Robert. || **télésiège** 1948, Gilbert. || **téléski** 1936, Lar. || **télesthésie** XXe s. ; gr. *aisthêsis,* sensation. || **télesthésique** 1964, Lar. || **télétype** 1923, Lar. ; angl. *teletype,* abrév. de *teletypewriter.* || **télex** 1964, Lar.

2. **télé-,** de *télévision.* || **télévision** 1900, Perskyi, « système de transmission de l'image à distance ». || **télé** n. f., v. 1952 ; abrév. || **téléviser** 1933, Lar. || **télévisé** 1949, Lar. || **téléviseur** 1935, Sachs, récepteur de télévision. || **télévisuel** 1949, Lar. || **téléspectateur** 1949, Lar. ; de *télé,* au sens de « télévision », et de *spectateur.* || **télécinéma** XXe s. || **téléaste** XXe s. ; de *télé,* au sens de « télévision », sur le modèle de *cinéaste.* || **téléfilm** 1972, *journ.* || **télégénie** 1965, *journ.* || **télégénique** *id. ;* sur le modèle de *photogénique.*

téléo-, télo-, gr. *telos, teleos,* fin. || **téléologie** 1812, Mozin. || **téléologique** 1842, *Acad.* || **téléosaure** 1833, Geoffroy ; gr. *sauros,* lézard. || **téloblaste** 1904, Lar. ; gr. *blastos,* germe. || **télolécithe** 1900, *Encycl. ;* gr. *lekithos,* jaune d'œuf.

téléostéen 1873, *J. O. ;* gr. *teleios,* achevé, et *osteon,* os ; poisson osseux.

tellière 1723, Savary (*papier à la Tellière*) ; du nom du chancelier *Le Tellier* (1603-1685), qui fit fabriquer ce papier.

tellure 1800, *Annales chimie ;* lat. mod. *tellurium,* de *tellus, -uris,* terre, créé en 1798, par oppos. à *uranium,* par le chimiste all. Klaproth. Le tellure avait été découvert en 1782 dans les mines d'or de Transylvanie. || **tellureux** 1872, L. || **tellurhydrique** 1842, *Acad.* || **tellurure** 1836, *Acad.*

tellurique 1823, *Dict. médecine ;* lat. *tellus, -uris,* terre. || **tellurisme** 1845, Besch.

téméraire 1370, Oresme ; lat. *temerarius,* « accidentel », de *temere,* « par hasard », d'où « inconsidéré » : premiers sens en fr., d'où, au XVe s., « hardi ». || **témérairement** 1510, Lemaire de Belges. || **témérité** 1380, *Aalma ;* lat. *temeritas,* de même évol. sémantique.

***témoin** XIIe s., *Saxons* (*tesmoing*) ; aussi « témoignage » en anc. fr. ; lat. *testimonium,* témoignage (en bas lat. « témoin »), de *testis,* témoin. || **témoigner** 1175, Chr. de Troyes. || **témoignage** 1190, *Saint Bernard.*

***tempe** 1080, *Roland* (*temple,* conservé jusqu'au XVIIIe s.) ; XVIe s. (*tempe*) ; lat. pop. **tempŭla,* altér., par changem. de finale, du lat. class. *tempora,* forme, pl. de *tempus, -oris.*

tempérament 1478, Chauliac, « composition d'un corps, humeur » ; 1748, Diderot, « propension à l'amour physique » ; lat. *temperamentum,* juste proportion, sens repris au XVIIe s. (1660, Corneille), d'où « adoucissement », et l'expression *payer à tempérament* (1867, Larchey) ; de *temperare,* adoucir. (V. TEMPÉRER.)

température 1538, Canappe, « tempérament » (jusqu'au XVIIe s.) ; 1562, Du Pinet, « degré de chaleur » ; lat. *temperatura,* aux deux sens fr., de *temperare.* (V. TEMPÉRER.)

tempérer 1119, Ph. de Thaon ; lat. *temperare,* mélanger, d'où « adoucir, modérer » ; de *tempus* au sens de « température ». (V. TREMPER.) || **tempérant** 1553, Le Plessis ; lat. *temperans,* part. prés. adjectivé. || **tempérance** 1120, *Ps. de Cambridge.* || **intempéré** 1534, Rab. ; lat. *intemperatus.* || **intempérant** 1560, Amyot ; lat. *intemperans,* « qui ne se modère pas ». || **intempérance** 1370, Oresme ; lat. *intemperantia.*

***tempête** 1080, *Roland* (*tempeste*) ; lat. pop. **tempesta,* « temps, bon ou mauvais », fém. substantivé de l'adj. lat. class. *tempestus,* « qui vient à temps », de *tempus,* temps. || **tempêter** début XIIe s., *Thèbes,* « faire de la tempête » ; 1175, Chr. de Troyes, sens actuel. || **tempétueux** 1308, Aimé ; lat. *tempestuosus.* || **tempétueusement** XVe s., La Curne.

***temple** 1080, *Roland ;* lat. *templum.* || **templier** 1268, É. Boileau ; moine de l'ordre du Temple, fondé à Jérusalem au XIIe s., près de l'emplacement du temple des Juifs.

tempo 1842, *Acad.,* mus. ; ital. *tempo,* temps.

temporaire 1556, Vaganay ; rare jusqu'au XVIIIe s. ; lat. *temporarius,* de *tempus,* temps. || **temporairement** 1801, Wailly.

temporal 1363, Chauliac (*timporal*) ; bas lat. *temporalis* (IVe s., Végèce), de *tempus, -oris,* tempe. || **temporo-maxillaire** 1872, L. || **temporo-pariétal** 1907, Lar.

temporel 1160, Benoît (*temporal*) ; 1265, Br. Latini (*temporel*) ; lat. eccl. *temporalis,* « du monde » (1160, Benoît), opposé à « éternel » et à « spirituel », en lat. class. « temporaire » ; du lat. *tempus, -oris,* temps. || **temporalité** 1190, *saint Bernard ;* lat. eccl. *temporalitas.* || **temporellement** fin XIIe s., *Job.*

temporiser 1395, Chr. de Pisan, « durer, vivre » ; fin XVe s., Commynes, sens mod. ; lat. médiév. *temporizare,* passer le temps, de *tempus,* temps. || **temporisateur** milieu XVIe s. (*temporiseur*) ; 1788, Féraud (*temporisateur*). || **temporisation** 1788, Féraud.

***temps** Xe s., *saint Léger* (*tens, tans*) ; XIVe s. (*temps,* orth. refaite d'après le lat.) ; 1572, Ramus, gramm. ; lat. *tempus ; il est temps* (*de*),

XIIIe s. ; *prendre du bon temps,* 1360, Froissart ; *à temps,* début XVIIe s., M. Régnier. || **contretemps** 1559, Barbier ; p.-ê. ital. *a contrattempo.* || **quatre-temps** XVIe s. (V. CONTRETEMPS, PRINTEMPS.)

tenace 1501, Le Roy ; lat. *tenax,* de *tenere,* tenir. || **tenacement** 1611, Cotgrave. || **ténacité** 1370, d'après P. Robert ; lat. *tenacitas.*

***tenaille** 1130, *Eneas ;* lat. pop. **tenacula,* pl. neutre pris comme fém., bas lat. *tenăculum,* lien, tenon, de *tenēre,* tenir. || **tenailler** 1549, R. Est. || **tenaillement** 1611, Cotgrave.

tenancier 1160, Benoît, « propriétaire » ; 1893, *D. G.,* « qui tient un hôtel » ; anc. fr. *tenance,* tenure, propriété, de *tenir.*

tendance fin XIIIe s., *Châtelain de Coucy.* || **tendanciel** 1874, *la Philosophie positive.* || **tendancieux** 1904, Lar. || **tendancieusement** 1922, Proust.

tender 1837, *journ. ;* mot angl., proprem. « garde, serviteur », de (*to*) *tend,* servir.

tendon 1398, E. Deschamps, « bugrane » ; peut-être de *tendre ;* 1536, Chrétien, anat. ; lat. médiév. *tendo, tendinis,* peut-être du gr. *tenôn, -ontos,* tendon, avec infl. du verbe *tendre.* || **tendineux** 1560, Paré.

1. ***tendre** adj., 1050, *Alexis ;* lat. *tener, -eri.* || **tendreté** XIIe s., G. (*tanreté*), jusqu'au XVIe s. ; repris au XXe s., en parlant de la viande tendre. || **tendresse** 1319, *D. G.,* « jeune âge » ; rare jusqu'au XVIIe s. ; a remplacé *tendreur* (usité jusqu'au XVIe s.) et *tendreté.* || **attendrir** fin XIIIe s., Rutebeuf ; fig., XVIe s., Baïf. || **attendrissement** 1561, Belleforest. (V. TENDRON.)

2. ***tendre** v. tr., 1080, *Roland ;* intr., XIIe s., Couci (*tendre vers, à*) ; lat. *tendĕre.* || **tendu** XVIIe s., adj. || **tendeur** 1250, Poerck. || **tenderie** 1872, L. || **tendelle** 1875, *Arrêté préfect.,* vén. || **tendoir** 1765, *Encycl.* || ***tente** début XIIe s., *Couronn. Loïs,* pavillon, etc. ; de *tenta,* fém. du part. *tentus,* ou de *tendĭta,* fém. du pop. **tenditus.* || **tenture** 1538, R. Est. ; réfection, d'après *tente,* de l'anc. fr. *tendeüre.* || **détendre** 1150, *Roman de Thèbes.* || **détente** 1386, Froissart. || **détendoir** 1785, *Encycl. méth.* || **détendage** XIXe s. || **distendre** 1560, Paré ; rare avant le XVIIIe s. ; lat. *distendere.* || **distension** XIVe s., G. ; bas lat. *distensio.* || **retendre** fin XIIe s., *Aïol.* (V. TENDANCE.)

tendron fin XIe s., *Gloses de Raschi* (*tandron*), « cartilage », d'où l'empl. actuel du mot en boucherie ; XIIIe s., *Romania,* bourgeon, rejeton, d'où « jeune fille » ; de l'adj. *tendre.*

ténèbres 1080, *Roland ;* lat. *tenebrae.* || **ténébreux** 1080, *Roland ;* fig., 1580, Montaigne ; lat. *tenebrosus.*

ténébrion 1546, Rab., lutin des ténèbres ; puis empl. entom. ; bas lat. *tenebrio,* « qui recherche les ténèbres ». || **ténébrionidés** 1904, Lar.

ténesme 1554, Aneau, méd. ; lat. *tenesmus,* du gr. *teinesmos,* de *teineîn,* tendre.

1. **teneur** n. m. V. TENIR.

2. **teneur** 1257, Runkewitz, n. f., « contenu (d'un acte) » ; lat. jurid. *tenor,* « teneur, sens », en lat. class. « tenue, continuité », de *tenēre.* (V. TENIR.)

3. **teneur** n. f., 1373, Gace de la Bigne, mus. vocale, partie de la psalmodie qui en est la dominante ; milieu XVe s., n. m., celui qui chante la teneur ; lat. *tenor.* (V. TAILLER, TÉNOR.)

ténia, tænia XVe s., *D. G.* (*tynia*) ; 1560, Paré (*tœnia*) ; lat. *taenia,* proprem. « bandelette », du gr. *tainia.*

***tenir** Xe s. ; *se tenir,* XIIe s., *Roncevaux ; être tenu à,* 1283, Beaumanoir ; *tenir à,* 1360, Froissart ; lat. pop. **tenīre,* en lat. class. *tenēre.* || **tenant** 1160, *Eneas,* adj., « tenace, ferme » ; auj., seulement dans *séance tenante ;* 1160, *Eneas,* n., « celui qui tient des terres en roture » (v. TENANCIER), puis « celui qui tient contre tout adversaire, en tournoi », d'où, auj., *le tenant d'une opinion,* etc. ; *d'un seul tenant,* XIIIe s. (*en un tenant*) ; *les tenants et aboutissants,* XIVe s. || **teneur** XIIIe s., *Assises de Jérusalem,* « celui qui possède » ; *teneur de livres,* 1680, Richelet. || **tenure** 1155, Wace (*teneüre*). || **tenue** début XIIe s., *Thèbes.* || **tènement** 1190, Garn., fief. || **tenon** 1280, Bibbesworth. || **tenette** 1680, Richelet, techn. || **tenable** 1160, Benoît. || **intenable** 1627, Rohan. || **entretenir** 1160, Benoît, « tenir ensemble », d'où « maintenir, conserver », et les empl. mod. || **entretènement** XVe s. || **entreteneur** 1493, Coquillart. || **entretien** 1526, Marot. || **retenir** 1050, *Alexis ;* lat. *retinere,* refait en **retenere,* puis **retenīre.* || **retenue** 1160, Benoît. || **rétenteur** 1560, Paré. || **rétention** 1312, G., méd. et jurid. ; lat. *retentio.* (V. MAINTENIR, SOUTENIR.)

tennis 1836, Landais ; angl. *tennis,* proprem. « jeu de paume », abrév. de *lawn-tennis,* de *lawn,* pelouse, et *tennis,* lui-même issu du fr. *tenez* (*tenetz* en angl., en 1400), exclamation employée par le serveur lançant la balle. || **tennis elbow** 1964, Lar. ; loc. angl., de *tennis,* et *elbow,* coude. || **tennisman** 1964, Lar. ; mot angl.

tenon V. TENIR.

ténor 1444, B. W., rare avant le XVIIe s. (1606, Nicot) ; ital. *tenore,* manière, mode, d'où « concert, harmonie », et partic. « voix de ténor », du lat. *tenor.* (V. TAILLER, TENEUR 3.) || **ténoriser** 1769, Bonnet.

ténotomie 1836, Beugnot ; gr. *tenôn,* tendon (v. TENDON), et *-tomie.* || **ténotome** 1855, Nysten.

tension 1490, Chauliac ; bas lat. *tensio,* de *tensus,* part. passé de *tendere* (v. TENDRE 2). || **tenseur** 1872, L. ; bas lat. *tensor.* || **tensoriel** 1953, Lar. || **tensiomètre** 1949, Lar. || **hypertension** 1895, Papillon. || **hypotension** 1895, Boix. || **hypertenseur** XXe s. || **hypotenseur** XXe s. || **surtension** 1907, Lar.

tenson 1138, Gaimar, hist., poésie dialoguée où s'échangeaient arguments ou invectives ; proprem. « querelle », de même étym. que *tancer* (v. ce mot).

tentacule 1767, Geoffroy ; lat. *tentare,* au sens de « tâter ». || **tentaculaire** 1797, *Bull. sciences,* sens propre ; 1808, Boiste, sens fig.

tentation 1120, *Ps. d'Oxford* (*temptation*) ; lat. eccl. *temptatio, tentatio,* en lat. class. « tentative » ; de *temptare* (v. TENTER). || **tentateur** milieu XVe s. (*temptateur*) ; lat. eccl. *temptator, tentator,* se disant du démon, en lat. class. « séducteur ».

tentative 1546, Rab., épreuve scolaire ; 1636, Monet, sens mod. ; d'après *tenter ;* lat. scolast. *tentativa,* épreuve universitaire, de *tentare.* (V. TENTER.)

tente V. TENDRE 2.

tenter 1120, *Ps. d'Oxford ;* lat. *temptare,* chercher à atteindre, tâter, d'où « essayer, circonvenir », confondu dans le sens et l'orth. avec *tentare,* agiter, fréquentatif de *tendere,* tendre ; en anc. fr., sens méd. de « sonder (une plaie) ». || **tentant** 1466, Michault.

tenthrède 1827, *Acad.,* entom. ; gr. *tenthrêdôn ;* mouche à scie.

tenture V. TENDRE 2.

ténu 1265, Br. Latini ; lat. *tenuis ;* a éliminé la forme pop. anc. *tenve* (et le dér. *tenveté, tenvreté*). || **ténuité** 1377, Oresme ; lat. *tenuitas.* || **ténuirostre** 1800 Cuvier ; lat. *rostrum,* bec. || **ténuiflore** 1842, *Acad.* (V. ATTÉNUER.)

tenue, tenure V. TENIR.

tenuto 1788, d'après P. Robert, mus. ; ital *tenuto,* tenu.

téorbe, théorbe 1578, d'Aubigné (*tuorbe,* encore au XVIIe s.) ; XVIIe s. (*téorbe,* var. *théorbe, tiorbe, torbe*) ; ital. *tiorba,* instrument inventé au début du XVIe s. à Florence, d'orig. inconnue.

téphrite 1876, Lar. ; gr. *tephra,* cendre. || **téphrosie** 1827, *Acad. ;* lat. bot. *tephrosia,* de *tephra,* cendre ; plante utilisée comme poison de pêche.

tépide 1552, R. Est. ; lat. *tepidus,* tiède. || **tépidité** 1360, *Modus ;* lat. *tepiditas* (v. TIÈDE). || **tepidarium** 1842, *Acad.,* hist. rom. ; mot lat.

téquila 1954, S. de Beauvoir ; esp. *tequila,* du n. d'un district du Mexique.

ter 1842, *Acad. ;* mot lat., « trois fois ». (V. BIS 2.)

tératologie 1752, Trévoux ; gr. *teras, teratos,* monstre, et *-logie.* || **tératologique** 1832, d'après P. Robert. || **tératologiste** 1845, Besch. || **tératogène** 1904, Lar. || **tératogenèse** 1904, Lar. || **tératopage** 1964, Lar. ; de *-page,* gr. *pageis,* fixation. || **tératoscopie** 1806, Lunier.

terbium 1872, L. ; du nom latinisé de la localité d'*Ytterby,* en Suède ; métal du groupe des terres rares. || **terbique** 1964, Lar.

tercer V. TIERS.

tercet v. 1500, J. Lemaire de Belges (*tiercet,* d'après *tiers,* encore au XVIIe s. dans *les Femmes savantes,* III, 2) ; ital. *terzetto,* de *terzo,* troisième, tiers ; stance de trois vers.

térébinthe XIIIe s., *Simples Méd. ;* lat. *terebinthus,* gr. *terebinthos,* mot égéen. || **térébinthacée** 1803, Boiste, bot. || **térébenthine** 1160, *Eneas* (*terbentine*) ; lat. *terebenthina* (s.-e. *resina*), gr. *terebinthinê* (s.-e. *rhêtinê,* résine). || **térébenthène** 1857, d'après P. Robert. || **térébique** 1876, Lar.

térébrant 1827, *Acad. ;* lat. *terebrans,* part. prés. de *terebrare,* percer avec une tarière, de *terebrum,* tarière. || **térébration** 1540, *FEW ;* lat. *terebratio.* || **térébratule** 1768, Valmont, zool. ; lat. *terebratus,* percé.

Tergal 1958, *Manufrance,* tissu ; nom déposé.

tergiverser 1532, Rab. ; lat. *tergiversari,* proprem. « tourner (*versare*) le dos (*tergum*) ».

|| **tergiversation** 1300, *Cout. d'Artois ;* pl., 1672, G. Patin ; lat. *tergiversatio.*

1. **terme** 1050, *Alexis,* terme de paiement ; 1265, J. de Meung, « fin, dans l'espace ou dans le temps » ; *avant terme,* XVe s., J. de Troyes (pour un accouchement) ; lat. *terminus,* borne. (V. TERMINER, TERMINUS, TERTRE.)

2. **terme** 1361, Oresme ; lat. *terminus,* expression. || **terminologie** 1801, Mercier. || **terminologique** 1836, *Acad.* || **terminologue** 1975, *Revue.*

terminer 1155, Wace, « réserver, destiner à » ; lat. *terminare,* de *terminus* (v. TERME, au sens de « fin ») ; 1370, Oresme, « mettre un terme ». || **terminal** 1763, Adanson ; lat. *terminalis ;* n. m., 1968, Lar., informatique. || **terminaison** 1160, Benoît ; adapt. du lat. *terminatio.* || **terminateur** 1555, Focard. || **interminable** 1361, Oresme ; bas lat. *interminabilis.*

terminus févr. 1842, *Journ. des chemins de fer,* gare terminale ; mot angl., du lat. *terminus,* borne.

termite 1797, Cuvier ; bas lat. *termes, termitis.* || **termitière** 1830, *Dict. hist. nat. ;* d'après *fourmilière.* || **termitophage** 1907, Lar. || **termitophile** 1904, Lar.

ternaire fin XIVe s. ; lat. *ternarius,* de *terni,* trois par trois. (V. TERNE 2.)

1. **terne** adj. V. TERNIR.

2. **terne** 1155, Wace, terme du jeu de dés ; lat. *ternas,* acc. fém. pl. de *terni,* trois par trois (v. TERNAIRE) ; 1949, Lar., électr. || **terné** 1774, Brunot.

ternir XIIIe s., *Rom. Renart ;* anc. haut all. *tarnjan,* obscurcir. || **terne** XVe s., Lancelot, adj., « livide » ; 1762, Rousseau, « morne ». || **ternissure** 1546, R. Est. || **ternissement** 1560, Paré.

terpine 1848, d'après P. Robert, chim. ; mot angl., du fr. *térébenthine.* || **terpène** 1904, Lar., chim. || **terpinol** ou **terpinéol** 1904, Lar.

***terrain** 1155, Wace ; lat. pop. **terranum,* du lat. *terrēnum,* neutre substantivé de l'adj. *terrēnus,* « formé de terre », de *terra* (v. TERRE), avec changement de suff.

terramare 1867, *Rev. des Deux Mondes ;* mot ital., de *terra,* terre, et *amaro,* amer, désignant une terre employée comme engrais.

terraqué 1747, Voltaire, « de terre et d'eau » ; lat. médiév. *terraqueus,* de *terra,* terre, et *aqua,* eau.

terrasse milieu XIIe s. (*terrace*), « glacis » ; 1876, Lar., sens mod. ; anc. prov. *terrassa,* de *terra.* On trouve un autre mot *terrasse,* du XIIe s. au XVIe s., « torchis » ; il est dér. de *terre.* || **terrasser** 1556, Beaugué, « faire une terrasse » ; 1534, Des Périers, « jeter à terre » ; 1578, Ronsard, « réduire, vaincre ». || **terrassement** 1547, Martin, au pr. ; également, au XVIe s., fait de vaincre. || **terrassier** XVIe s. || **terrasson** 1842, *Acad.*

***terre** Xe s. ; lat. *terra ; par terre,* XIIe s. ; *terre ferme,* fin XIIe s., Villehardouin ; *pied à terre,* 1360, Froissart ; *ventre à terre,* début XIXe s., P.-L. Courier ; *terre à terre* XVIe s., terme de manège, à propos d'un cheval qui s'enlève par petits bonds, ses pieds restant près de la terre ; fig., 1691, Sévigné. || **terreau** XIIe s., *Roncevaux,* « fonds de terre » ; sens actuel, 1611, Cotgrave. || **terreauter** 1732, Liger. || **terreautage** 1869, *le National.* || **terrer** XIIe s. || **terrestre** 1050, *Alexis ;* lat. *terrestris,* de *terra,* terre. || **terrage** 1225, G., féod. || **terrier** début XIIe s., *Couronn. Loïs,* « territoire ». || **terrier** 1131, *Couronn. Loïs,* tanière ; 1530, Palsgrave, race de chien. || * **terreux** 1188, *Chanson d'Aspremont ;* bas lat. *terrosus.* || **terrien** 1138, Gaimar. || **terril** ou **terri** XIIIe s. (*terris*), « terrain » ; 1834, Hecart, terme des mines. || **terrir** fin XVIe s., d'Aubigné, mar., vx. || **terricole** 1611, *Anc. Théâtre fr.,* zool. ; de *-cole.* || **terrigène** 1370, Oresme, « né de la terre » ; 1904, Lar., géol. ; de *-gène.* || **terre-neuve** 1842, *Acad.,* L., race de chien ; du nom de l'île de *Terre-Neuve.* || **terrenoix** 1694, Tournefort, bot. || **déterrer** 1160, Benoist. || **enterrer** 1080, *Roland.* || **enterrement** XIIe s. || **enterreur** milieu XVIe s. (V. ATTERRER, ATTERRIR, PARTERRE, SOUTERRAIN, TERRESTRE, TERRINE, etc.)

terre-plein 1561, Paradin ; ital. *terrapieno,* de *terrapienare,* remplir de terre, de *terra,* terre, et *pieno,* plein.

terreur 1355, Bersuire ; lat. *terror,* de *terrēre,* effrayer. || **terroriste** 1794, Babeuf, de l'empl. hist. du mot *Terreur* (1793-1794) ; 1869, Flaubert, sens actuel. || **terrorisme** 1794, Brunot. || **terroriser** 1796, *Néol. fr.* || **terrible** 1130, *Eneas,* en parlant de qqch ; 1690, Furetière, en parlant d'un enfant ; lat. *terribilis.* || **terrifier** 1558, S. Fontaine (*-fiant*) ; 1794, B. W. (*-fier*) ; lat. *terrificare.*

terreux, terrible, terrifier, terril V. TERRE, TERREUR, TERRE.

terrine 1412, G. (*therine*), « (écuelle) de terre » ; anc. adj. *terrin,* de terre, lat. pop. **terrīnus,* de *terra* (v. TERRE). || **terrinée** 1582, d'Agneaux.

territoire 1278, G. ; lat. *territorium,* de *terra,* terre. || **territorial** 1748, Montesquieu ; d'après la forme lat. ; 1872, Lar., milit. || **territorialement** 1872, L. || **territorialité** 1852, *Jugement du trib. de la Seine.* || **exterritorialité** 1856, Lachâtre.

territorial V. TERRITOIRE.

***terroir** 1281, *Charte de Seclin ;* aussi « territoire », jusqu'au début du XVIIe s. ; lat. pop. **terrātōrium,* adapt. du lat. *territōrium* d'après *terra.*

terrorisme V. TERREUR.

1. **tertiaire** 1786, Saussure, géol. ; fin XVIIIe s., méd. ; 1964, Lar., écon. pol. ; lat. *tertiarius,* de *tertius,* troisième. (V. TIERS.)

2. **tertiaire** 1690, Furetière (*tierçaire*) ; 1812, Mozin (*tertiaire*), eccl. ; lat. mod. eccl. *tertiarius,* membre d'un tiers ordre.

tertio 1833, Balzac ; mot lat. signif. « troisièmement ». (V. TIERS.)

***tertre** 1080, *Roland ;* lat. pop. **termitem,* de **termes,* croisement de **terminem,* acc. tiré du neutre *termen, terminis,* var. de *terminus* au sens de « borne », avec *limes, limitis,* limite, borne.

tesselle 1827, *Acad.,* morceau de carrelage ; lat. *tessella,* dimin. de *tessera.* || **tessère** 1827, *Acad. ;* lat. *tessera,* dé à jouer.

tessiture 1907, Lar., mus. ; ital. *tessitura,* de *tessere,* tisser.

tesson 1283, Beaumanoir ; anc. fr. *tez, tes,* pl. de *têt* (1130, *Job*), autrefois « tesson », lat. *testum,* vase de terre, d'où tesson, coquille, crâne. (V. TEST 1, TÊTE.)

1. **test** XIIIe s., La Curne, coquille de noix ; 1611, Cotgrave, coquille de mollusque, etc. ; lat. *testum.* (V. TESSON.) || **testacé** 1562, Du Pinet, « couleur d'argile » ; 1690, Furetière, « muni d'un test ». || **testacelle** 1803, Boiste.

2. **test** 1895, Binet-Henri, psychol. ; angl. *test,* examen, épreuve, de l'anc. fr. *test,* pot de terre (servant à l'essai de l'or en alchimie), du lat. *testum,* couvercle. || **tester** 1941, Rostand. || **testabilité** 1906, *Archives.* || **testable** 1968, Lar.

1. **testament** jurid. V. TESTER 1.

2. **testament** 1120, *Ps. d'Oxford,* Bible ; lat. *testamentum* (v. le suiv.) au sens eccl. (IIIe s., Tertullien), qui servit pour traduire le gr. *diathêkê,* proprem. « convention, pacte », désignant en gr. eccl. l'alliance de Dieu avec les Hébreux (hébreu *berîth,* alliance).

1. **tester** fin XIIIe s., Végèce, « instruire » ; 1406, B. W., sens actuel ; lat. jurid. *testari,* témoigner, de *testis,* témoin. || **testament** 1213, *Fet des Romains ;* lat. jurid. *testamentum,* ainsi appelé parce que le testament se faisait d'abord devant témoins. || **testamentaire** 1399, *doc. jurid. ;* lat. jurid. *testamentarius.* || **testateur** XIIIe s., G. ; lat. jurid. *testator.*

2. **tester** V. TEST 2.

testicule XVe s., B. W. ; lat. *testiculus,* dimin. de *testis.* || **testostérone** 1953, Lar.

testimonial 1274, G. ; lat. impér. *testimonialis* (IIIe s., Tertullien), de *testimonium,* témoignage. (V. TÉMOIN.)

teston 1513, La Curne, anc. monnaie d'argent, utilisée du début du XVIe s. au XVIIe s. ; ital. *testone,* de *testa,* tête, d'après l'effigie du souverain.

testonner 1515, J. Marot, peigner, ajuster les cheveux, arch. ; de *tête, teste,* avec *s* maintenu dans l'orth., puis prononcé.

tétanos 1541, Canappe ; gr. *tetanos,* rigidité des membres, de l'adj. *tetanos,* rigide. || **tétanique** 1554, Aneau ; gr. *tetanikos.* || **antitétanique** 1834, Boiste. || **tétanie** 1852, Corvisart. || **tétaniser** 1872, L. || **tétanisation** 1872, L.

têtard, tétasse V. TÊTE, TÉTER.

***tête** 1050, *Alexis* (*teste*) ; *n'en faire qu'à sa tête,* XVe s. ; *homme de tête,* 1440, Chastellain ; *faire sa tête,* 1833, Vidal ; *tenir tête,* 1560, Amyot (*faire tête*) ; *avoir la tête dure,* 1690, Furetière ; *tête à tête,* 1560, Amyot (*combattre tête à tête*), ext. de sens au XVIIe s. ; *coup de tête,* fig., milieu XVIIe s. ; *à tue-tête,* 1650, Scarron ; *ne savoir où donner de la tête,* XVIIe s. ; *perdre la tête,* XVIIIe s. ; *voix de tête,* 1857, Adam ; *tête perdue,* 1694, Th. Corn. ; *tête de turc,* 1857, Goncourt ; lat. *testa,* vase de terre cuite, d'où « coquille », puis en bas lat. « crâne », et en lat. pop., par métaph. plaisante, « tête » ; a éliminé peu à peu *chef,* du lat. *caput,* au sens propre en anc. fr. || **têtu** 1265, J. de Meung (*testu*). || **têtière** XIIIe s., *Assises de Jérusalem* (*testière*). || **têtard** XIVe s. (*testard*), « qui a une grosse tête » ; 1762, *Acad.,* sens mod., zool. || **têtier** 1842, *Acad.,* techn. || **en-tête** 1836, Landais. || **tête-bêche** 1820, *Obs. des modes ;* altér. de *à tête béchevet,* renforcement de *béchevet* (1577, Belleau), de *chevet* et du préf. *bes-,* deux fois, du lat. *bis.* || **têtebleu** 1666, Molière. (V. DIEU.) || **tête-à-queue** 1872, Gautier. || **tête-de-clou** 1768, Valmont. || **tête-de-loup** 1862, Hugo. || **tête-de-Maure** 1573, Du Puys. || **tête-de-nègre** 1836, Landais. || **entêter** XIIIe s. || **entêtement** milieu XVIe s., mal de tête ; 1649, *D. G.,* obstination. || **étêter** 1288, *D. G.*

téter 1190, *saint Bernard ;* de *tette* (1200, G.), bout de la mamelle, du germ. **titta* (cf. l'all. *Zitze,* l'angl. *teat*). || **tétée** 1611, Cotgrave. || **tétine** début XIIe s., *Roman de Thèbes.* || **tétin** 1398, E. Deschamps, vx. || **téton** 1493, Coquillart. || **tétonnière** 1701, Furetière. || **tétasse** 1493, Coquillart, « mamelle ». || **téterelle** 1851, *Journ. méd.,* appareil pour aspirer le lait.

tétra-, grec *tetra,* forme de *tettares,* « quatre », en composition. || **tétracorde** 1370, Oresme ; lat. *tetrachordon,* mot gr., de *khordê,* corde. || **tétradactyle** 1808, Boiste ; gr. *daktulos,* doigt. || **tétradyname** 1795, Cullen, bot. ; de *-dyname.* || **tétraèdre** 1542, Bovelles ; gr. *tetraedron,* de *hedra,* face. || **tétraédrique** 1845, Besch. || **tétragone** 1361, Oresme ; lat. *tetragonus,* du gr. *tetragônos,* de *gônia,* angle ; 1765, *Encycl.,* « épinard ». || **tétragramme** 1549, P. de Tyard. || **tétralogie** 1752, Trévoux ; gr. *tetralogia.* || **tétramère** 1839, Boiste ; gr. *meros,* partie. || **tétramètre** 1550, Amyot, versif. || **tétrapode** 1803, Morin, zool. ; de *-pode.* || **tétraphonie** 1975, Lar. || **tétraplégie** 1904, Lar. || **tétraplégique** 1975, Lar. || **tétraptère** 1762, Geoffroy, entom. ; de *-ptère.* || **tétrarque** 1213, *Fet des Romains ;* gr. *tetrarkhês,* de *arkhein,* commander. || **tétrarchat** 1827, *Acad.* || **tétrarchie** 1450, Grébran, hist. || **tétrasomie** 1964, Lar. || **tétrastyle** 1676, Félibien ; gr. *tetrastulos,* de *stulos,* colonne. || **tétrasyllabe** 1611, Cotgrave. || **tétrodon** 1803, Boiste ; gr. *odous, odontos,* dent.

tétras 1752, Trévoux (*tétrax*), coq de bruyère ; lat. *tetrax,* mot gr. || **tétras-lyre** 1949, Lar.

teuf-teuf 1897, *Écho de Paris ;* onomat. désignant une voiture.

teuton XVIIe s., d'après P. Robert ; lat. *Teutonus.* || **teutonique** 1512, J. Lemaire de Belges.

texte 1155, Wace, « livre d'Évangile » ; 1265, J. de Meung, sens mod. ; lat. *textus,* proprem. « tissé, tissu », d'où en bas lat. « texte » (IVe s., Amm. Marcellin). || **textuel** 1453, Monstrelet. || **textuellement** XVe s., L. || **textuaire** 1636, Monet, vx. || **contexte** 1539, R. Est. ; lat. *contextus,* ensemble, enchaînement, de *contexere,* tisser ensemble ; infl. par *texte.* || **contexture** XIVe s.

textile 1752, Trévoux, adj. ; lat. *textilis,* tissé, de *texere,* tisser ; n. m., 1872, L.

texture 1380, *Aalma,* « action de tisser » ; 1503, Chauliac, « agencement » ; lat. *textura,* proprem. « tissu », de *texere,* tisser. || **texturer** 1970, Robert. || **texturation** 1964, Lar. (V. TEXTE, TEXTILE.)

thalamus 1892, Baginsky ; lat. *thalamus,* lit nuptial, union ; noyau de substance grise du cerveau situé à l'union du diencéphale et du télencéphale. || **thalamique** 1905, Testut.

thalassocratie 1730, Fontenelle ; gr. *thalassa,* mer, et *-cratie.* || **thalassothérapie** 1865, La Bollardière ; de *-thérapie.*

thaler 1566, G. ; allem. *Taler.*

thalle 1827, *Acad.,* bot. ; gr. *thallos,* branche, rejeton. || **thallophytes** 1888, Lar. ; de *-phyte.* || **thallium** 1868, Souviron, découvert par Crookes en 1861 ; gr. *thallos,* à cause de la couleur verte de la raie de ce métal dans le spectre.

thapsia XIIIe s., *Livre des simples médecines ;* lat. *thapsia,* mot gr.

thaumaturge 1610, Coton ; gr. *thaumatourgos,* faiseur de miracles, de *thauma, -atos,* miracle. || **thaumaturgie** 1831, *Acad. ;* gr. *thaumatourgia.* || **thaumaturgique** 1623, Naudé.

thé 1563, *D. G. ;* chinois *té,* par le néerl. (cf. l'angl. *tea*). || **théier** 1872, *J. O.* || **théière** 1723, Trévoux. || **théine** 1842, *Acad.* || **théisme** 1904, Lar. || **théiforme** 1732, Hecquet. || **théophylline** 1904, Lar., chim.

théatins 1642, d'après P. Robert, nom d'un ordre religieux fondé par Gian Pietro Carafa, évêque de Chieti (lat. *Theatinus*).

théâtre fin XIIe s., *Roman de Thèbes,* « lieu de tournois » ; 1398, E. Deschamps, « salle de spectacle » et « genre de comédie » ; XVe s., *Perceforest,* « lieu dramatique » ; lat. *theatrum,* gr. *theatron.* || **théâtral** 1520, Vaganay ; 1690, Furetière, « ostentatoire » ; lat. *theatralis.* || **théâtralement** 1764, Voltaire. || **théâtraliser** XXe s. || **théâtralité** 1964, Lar. || **théâtreuse** 1896, *Revue encycl.*

thébaïde 1674, Sévigné ; empl. fig. du nom d'une contrée de l'Égypte antique, voisine de *Thèbes,* où se retirèrent des ascètes chrétiens.

thébaïque 1664, Fermanel ; à cause de l'opium d'Égypte, alors le plus répandu dans le commerce, et d'après le nom de la ville égyptienne de *Thèbes.* || **thébaïsme** 1898, Littré, méd.

1. **théisme** V. THÉ.

2. **théisme** 1756, Voltaire ; angl. *theism* (1698), du gr. *theos,* dieu. || **théiste** 1705, Bayle.

thème 1265, J. de Meung (*tesme*) ; 1580, Montaigne, sujet de composition scolaire ; XVIIIe s., Rollin, sens mod. ; du lat. rhét. *thema,* mot gr., proprem. « ce qu'on pose », d'où « sujet posé », de *theînai,* placer, poser. || **thématique** 1572, *FEW,* adj. ; gr. *thematikos.*

thénar 1560, Paré (*tenar*), anat. ; gr. *thenar,* paume.

théo-, gr. *theos,* dieu. || **théobromine** 1843, Orphila ; lat. scient. *theobroma,* cacaoyer, du gr. *theos,* et *brôma,* mets. || **théocrate** 1775, Gohin. || **théocratie** 1679, E. Morin ; gr. *theokratia,* de *krateîn,* commander. || **théocratique** 1704, Trévoux. || **théodicée** 1710, Leibniz ; du gr. *dikê,* justice. || **théogonie** 1680, Richelet ; gr. *theogonia,* de *gonos,* génération. || **théogonique** 1839, Boiste. || **théologie** 1240, B. W. ; lat. eccl. *theologia,* mot gr., de *logos,* traité. || **théologique** 1375, R. de Presles ; lat. eccl. *theologicus,* du gr. *theologikos.* || **théologal** *id.* || **théologien** 1370, Oresme. || **théologiser** XIVe s., Du Cange. || **théophilanthrope** 1801, Mercier. || **théophilantropie** 1801, Mercier. || **théosophe** 1704, B. W. ; gr. *theosophos,* de *sophos,* sage. || **théosophie** av. 1784, Diderot ; gr. *theosophia.*

théorème 1538, Canappe ; lat. impér. *theorema* (IIe s., Aulu-Gelle), du gr. *theôrêma,* objet d'étude, d'où « principe », de même racine que le suivant.

théorie 1380, *Aalma ;* rare jusqu'au XVIIIe s. ; bas lat. *theoria* (IVe s., saint Jérôme), du gr. *theôria,* action d'observer, de *theôreîn,* observer, contempler ; repris au XVIIIe s. (1788, Barthélemy), au sens de « procession » (déjà en gr.). || **théorique** 1256, Ald. de Sienne, n. f. ; 1380, *Aalma,* adj. ; lat. *theoricus,* gr. *theôrikos.* || **théoriquement** 1557, Mesmes. || **théoricien** 1550, Roussat ; sur le modèle de *mathématicien.* || **théorétique** 1721, Trévoux ; bas lat. *theoreticus,* gr. *theoretikos.*

thérapeutique 1363, Chauliac, n. f. ; 1865, Cl. Bernard, adj. ; gr. *therapeutikos,* de *therapeueîn,* soigner. || **thérapeute** 1704, Trévoux, « moine judaïque » ; 1886, L. Bloy, « celui qui soigne » ; gr. *therapeutês,* médecin. || **thérapie** 1669, Molière.

thériaque 1175, Chr. de Troyes ; 1559, trad. de Dioscoride (*thériaque*), méd. ; lat. méd. *theriaca,* mot gr., de *thêr,* bête.

théridion 1839, Boiste ; gr. *thêridion,* petite bête.

thermes 1213, *Fet des Romains,* Thermes de Julien, à Paris ; 1398, *Somme Gautier,* ext. d'empl., nom commun ; lat. *thermae,* « bains chauds », du gr. *thermos,* chaud. || **thermal** 1625, Duchesne ; *station thermale,* 1876, Lar. || **thermalisme** 1845, Radonvilliers. || **thermalité** 1834, Carro. (V. THERMIDOR, THERMIQUE, THERMO.)

thermidor 1793, Fabre d'Églantine, onzième mois du calendrier révolutionnaire ; gr. *thermos,* chaud, et *dôron,* présent, avec *i* d'après *fructidor, messidor.* || **thermidorien** 1795, Brunot ; en rapport avec les événements du 9 thermidor an II (27 juillet 1794), jour où Robespierre fut renversé par la Convention.

therm(o)-, gr. *thermos,* chaud. || **thermique** 1848, Humboldt. || **thermicité** 1953, Lar. || **thermie** 1920, Lar. || **thermistance** 1960, Lar. || **thermite** 1907, Lar. || **thermocautère** 1872, L. || **thermochimie** 1872, L. || **thermochromie** 1975, Lar. || **thermoclimatique** 1964, Lar. || **thermocline** 1964, Lar. ; gr. *klinein,* incliner. || **thermocollage** 1968, Lar. || **thermocompresseur** 1964, Lar. || **thermodiffusion** 1874, *J. O.* || **thermocouple** XXe s. || **thermodurcissable** 1949, Lar. || **thermodynamique** 1872, L. || **thermo-électrique** 1842, *Acad.* || **thermo-électricité** 1842, *Acad.* || **thermogène** 1823, *Dic. méd.* || **thermographe** 1872 L. || **thermogravimétrie** 1968, Lar. || **thermolyse** 1949, Lar. || **thermomanométrie** 1876, Lar. || **thermomécanique** 1872, L. || **thermomètre** 1624, Van Etten ; var. *thermoscope,* 1793, Lavoisien. || **thermométrie** 1842, *Acad.* || **thermométrique** 1754, Bonnet. || **thermonucléaire** 1953, Lar. || **thermoplastique** 1949, Lar. || **thermopompe** 1876, Lar. || **thermopropulsé** 1949, Lar. || **thermopropulsif** 1949, Lar. || **thermopropulsion** 1949, Lar. || **thermorégulateur** 1964, Lar. || **thermorégulation** 1904, Lar. || **Thermos** 1914, *Catalogue,* récipient isolant ; nom déposé, reprenant le mot gr. || **thermosiphon** 1857, Figuier. || **thermostat** 1842, *Acad.* || **thermostatique** 1949, Lar. || **thermotactisme** 1964, Lar. || **thermotaxie** 1904, Lar. || **thermothérapie** 1876,

Journ. des débats. || **thermotropisme** 1904, Lar. (V. THERMES, THERMIDOR.)

thésauriser 1350, Gilles li Muisis ; bas lat. *thesaurizare,* de *thesaurus.* (V. TRÉSOR.) || **thésauriseur** 1764, B. W. || **thésaurisation** 1719, Gueudeville. || **thesaurus** 1904, Lar.

thèse 1579, de Lostal, « point de doctrine » ; 1718, *Acad.,* soutenance ; lat. *thesis,* mot gr., « action de poser », de *theînai,* poser. || **thésard** 1968, Lar. (V. ANTITHÈSE, SYNTHÈSE.)

théurgie 1375, R. de Presles, rare jusqu'au XVIIIe s. ; bas lat. *theurgia* (IVe s., saint Augustin), du gr. *theourgia,* proprem. « ouvrage de Dieu ». || **théurgique** 1375, R. de Presles ; bas lat. *theurgicus,* du gr. *theourgikos.* || **théurgiste** 1784, Diderot ; var. *théurgite* (1747, Voltaire).

thiase 1765, *Encycl.* ; lat. *thiasus,* danse pour Bacchus, gr. *thiasos.*

thibaude 1835, *Acad.,* tissu en poil de vache ; de *Thibaud,* surnom rural donné aux bergers.

thio-, gr. *theion,* soufre. || **thioacide** 1949, Lar. || **thioalcool** 1964, Lar. || **thiocétone** 1953, Lar. || **thiol** 1904, Lar. || **thionique** 1858, Nysten, chim. ; gr. *theion,* soufre. || **thionine** 1924, d'après P. Robert. || **thiosulfate** 1876, Lar. || **thiosulfurique** 1876, Lar.

thlaspi 1533, Champier ; lat. *thlaspi,* cresson, du gr. *thlân,* meurtrir.

thomas 1830, Esnault, vase de nuit ; n. pr. péjor.

thomisme XVIIIe s., d'après P. Robert ; de saint *Thomas.* || **thomiste** 1657, Pascal.

thon 1398, *Ménagier* ; anc. prov. *ton,* du lat. *thunnus,* gr. *thunnos.* || **thonier** 1904, Lar. || **thonaire** 1681, *Ordonn.,* filet pour prendre les thons. || **thonine** XIe s., *Gloses de Raschi* (*tonine*).

thorac(o)-, de *thorax.* || **thoracentèse** 1823, *Dic. méd.* ; gr. *kenteîn,* percer. || **thoracocentèse** 1872, L. || **thoracoplastie** 1845, Jobert. || **thoracotomie** 1888, Lar.

thorax 1314, Mondeville (*thorace,* n. f.) ; 1532, Rab. (*thorax,* n. m.) ; lat. *thorax,* du gr. *thôrax,* cuirasse. || **thoracique** 1560, Paré (*thorachique*) ; gr. *thôrakikos.*

thorium 1821, *Dict. sc. méd.* (*thorinium*) ; 1842, *Acad.* (*thorium*) ; du dieu *Thor,* qu'adoraient les Scandinaves. (Berzélius, le découvreur, était suédois.) || **thorite** 1872, L.

thrash 1933, Lar. ; angl. *to thrash,* élaguer.

thrène 1516, B. W., hist. ; 1913, Barrès, plainte ; bas lat. *threnus* (IVe s., Ausone), du gr. *thrênos,* chant funèbre.

thridace 1842, *Acad.,* pharm. ; gr. *thridax,* laitue.

thriller 1927, Cazamian ; mot angl., de *to thrill,* faire tressaillir.

thrips 1765, *Encycl.,* entom. ; gr. *thrips,* ver du bois.

thromb(o)-, de *thrombus.* || **thrombasténie** 1953, Lar. || **thrombectomie** 1953, Lar. || **thrombographie** 1953, Lar. || **thrombolyse** 1968, Lar. || **thrombopathie** 1964, Lar. || **thrombopénie** 1953, Lar. || **thrombose** 1823, *Dict. méd.* || **thrombostatique** 1970, Robert.

thrombus 1538, Canappe ; mot lat., gr. *thrombos,* caillot. || **thrombine** 1906, Lar. || **antithrombine** 1911, Lar.

thulite 1842, *Acad.* ; lat. scient. *thulium,* de *Thulé,* nom légendaire de l'Islande, où l'on trouva ce silicate. || **thulium** 1880, Clève.

thune V. TUNE.

thuriféraire 1690, Furetière, clerc qui porte l'encensoir ; 1801, Mercier, fig., encenseur, flatteur ; lat. médiév. *thuriferarius,* de *thurifer,* de *thus, thuris,* encens (gr. *thusos*), et du lat. *ferre,* porter.

thuya 1553, Belon, bot. ; lat. *thya,* du gr. *thuia.*

thyiade 1546, Rab., bacchante ; gr. *thuias, -ados,* du gr. *thueîn,* être saisi de transport.

thylacine 1827, Temminck, zool. ; lat. scient. *thylacinus,* du gr. *thulakos,* sac ; mammifère marsupial de Tasmanie.

thym XIIIe s., *Simples Médecines* ; lat. *thymum,* du gr. *thumos.* (V. THYMUS.) || **thymol** 1872, Bouillet.

thymus 1541, Vassée, anat. ; mot lat., du gr. *thumos,* au sens de « grosseur, loupe », même mot que le précéd. || **thymique** 1611, Cotgrave.

thyr(o)-, de *thyroïde.* || **thyroglobuline** 1961, Galli. || **thyroïdectomie** 1888, Lar. || **thyrotomie** 1904, Lar. || **thyroxine** 1933, Lar.

thyroïde 1560, Paré ; gr. *thuroeidês,* « en forme de porte (*thura*) », confondu, par une faute de copiste, avec *thureoeidês,* « en forme de bouclier ». || **thyroïdien** 1827, *Acad.* || **parathyroïde** 1896, Nicolas.

thyrse 1502, O. de Saint-Gelais, mythol. ; 1742, D'Argenville, bot. ; lat. *thyrsus,* gr. *thursos,* bâton de Bacchus.

thysanoures 1827, *Acad.* ; lat. scient. *thysanuros,* du gr. *thusanouros,* de *thusanos,* frange, et *oura,* queue ; insecte à trois appendices filiformes.

tiare 1374, G. (*tiara*) ; 1525, Lemaire de Belges (*tiare*) ; lat. *tiara,* d'un mot gr. d'orig. persane. || **tiaré** 1887, Huysmans.

tibia 1541, Canappe ; mot lat., proprem. « flûte » (v. TIGE). || **tibial** 1690, Furetière.

tic 1611, Cotgrave (*ticq*), vétér. ; 1654, Scarron, tic du visage ; 1738, Piron, fig. ; orig. onomatop. || **tiquer** 1664, *le Parfait Mareschal,* appliqué aux chevaux ; fin XIXe s., ext. d'empl., « manifester sa surprise ».

ticket 1727, C. de Saussure (*tiket*) ; angl. *ticket,* issu de l'anc. fr. *estiquet, estiquete.* (V. ÉTIQUETTE.)

tic-tac 1552, Ch. Est. ; onomat. || **tictaquer** 1881, Huysmans.

***tiède** 1190, Garnier (*tieve*) ; 1380, *Aalma* (*tiede*) ; lat. *tĕpĭdus.* || **tiédeur** 1190, *Saint Bernard.* || **tiédir** 1380, *Aalma.* || **tiédissement** 1845, Radonvilliers. || **attiédir** XIIIe s.

tien, tierce, tiercé V. TON 1, TIERS.

tiercelet 1284, Br. Latini ; anc. fr. *terçuel* (1175, Chr. de Troyes), lat. pop. **tertiolus,* de *tertius,* (v. TIERS) : ce mâle (du faucon, ou de l'épervier) est d'un tiers plus petit que la femelle.

***tiers** 980, *Passion,* adj., « troisième », sens conservé jusqu'au XVIIIe s. et dans les loc. *tiers état, une tierce personne ;* 1190, Ph. de Thaon, n. m. ; lat. *tertius,* troisième. || **tierce** 1119, Ph. de Thaon ; fém. substantivé de *tiers.* || **tiercé** 1954, d'après P. Robert, terme de courses ; part. passé adjectivé et substantivé de *tiercer.* || **tiercer** 1283, Beaumanoir, jurid. || **tiercement** 1382, *Lettres patentes,* n. m., jurid. || **tierceron** 1382, G., archit. || **tiercefeuille** 1690, Furetière, blas. || **tiers-point** 1611, Cotgrave, archit. ; 1752, Trévoux, lime triangulaire.

tif, tiffe 1885, Esnault, pop., cheveu ; orig. obscure, p.-ê. du dauphinois *tifo,* paille.

***tige** 1080, *Roland ;* lat. *tibia,* flûte, os de la jambe (v. TIBIA), fig. en lat. pop. || **tigelle** 1815, Mirbel, bot. || **tigette** 1549, *FEW,* archit.

tignasse V. TEIGNE.

tigre 1130, *Eneas ;* lat. *tigris,* mot gr. ; souvent fém. jusqu'au XVIe s. (le mot a les deux genres en lat. et en gr.). || **tigresse** 1564, J. Thierry ; 1890, Maupassant, femme jalouse. || **tigré** 1718, *Acad.* || **tigron, tiglon** 1937, d'après P. Robert.

tilbury 1819, *Journ. des dames ;* mot angl., du nom du carrossier qui créa ces voitures.

tilde 1839, Boiste ; esp. *tilde,* du lat. *titulus,* titre, inscription.

tillac 1382, *D. G. ;* anc. scand. *thilja,* planche au fond d'un bateau.

1. **tille** 1120, *Ps. d'Oxford,* hachette de couvreur ; anc. scand. *telgia,* couper ; proprem. « ce qui coupe ».

2. **tille** V. TEILLE.

3. **tille** 1240, G., mar., armoire de l'équipage ; même rac. que *tillac.*

***tilleul** XIIIe s., *Renart* (*tilluel*) ; lat. pop. **titiolus,* en lat. class. *tilia ;* a éliminé l'anc. fr. *til, teil,* du lat. pop. **tilius,* de *tilia* (conservé dans divers noms de lieux). || **tiliacées** 1798, Jolyclerc ; bas lat. *tiliaceus,* de *tilia.*

tilt 1966, Le Clézio ; angl. *tilt,* coup.

timbale 1471, Wright, au pr., mus. ; 1762, Havard, gobelet ; altér., d'après *cymbale,* de *tambale* (milieu XVe s.), lui-même altér., d'après *tambour,* de l'esp. *atabal* (cf. en fr. la forme *atabale,* XVIe s.), issu de l'arabo-persan *attabal,* tambour. || **timbalier** 1671, Pomey.

timbre début XIIe s., *Roman de Thèbes,* tambour ; bas gr. *tumbanon,* du gr. class. *tumpanon* (v. TYMPAN) ; 1374, G., cloche sans battant (qu'on frappe avec un marteau) et « timbre d'appartement » ; égalem. « son du timbre », d'où l'emploi mus. (1762, Rousseau). Au XIVe s., d'autre part, « marque d'armoirie », d'où, 1680, Richelet, « timbre du papier indispensable à la validité de certains actes » ; 1798, *Acad.,* marque de la poste. || **timbre-poste** 1848, *Décret.* || **timbre-quittance** 1872, L. || **timbrer** 1175, Chr. de Troyes, battre du timbre ; même évol. de sens que *timbre.* || **timbré** 1560, La Curne, « fou » ; même évolution que *piqué.* || **timbrage** 1575, G., blas. ; 1792, Brunot, sens mod.

timide 1527, Dassy ; lat. *timidus,* de *timēre,* craindre. || **timidement** 1549, R. Est. || **timidité** fin XIVe s. ; lat. *timiditas.* || **intimider** 1522, Huguet. || **intimidant** début XVIe s. || **intimidation** 1552, Rab.

timing 1962, Larminat ; mot angl., de *to time,* mesurer.

***timon** XIIe s. ; lat. pop. **tīmō, -onis,* en lat. class. *tēmō.* || **timonier** 1185, *Aliscans* (*tomonier*) ; début XIIIe s. (*timonier*). || **timonerie** 1792, Romme.

timoré 1578, *Despence,* eccl. ; 1690, Furetière, sens mod. ; lat. eccl. *timoratus* (*Vulgate*), « qui craint Dieu », de *timor,* crainte.

1. **tin** (dans *laurier-tin*) 1615, Daléchamps ; lat. *tinus.*

2. **tin** 1465, G., billot, chantier ; prov. *tin,* d'orig. obscure. || **tinter** 1835, *Acad.,* mar., faire porter sur des *tins.*

tincal 1752, Trévoux ; port. *tincal,* de l'ar. *tinkar.*

tinctorial 1796, *Néol. fr.* ; lat. *tinctorius,* qui sert à teindre, de *tingere,* teindre.

***tine** XIIe s., *Chev. au cygne,* « tonne, baquet », auj. techn. ; lat. *tīna,* vase pour le vin. || **tinette** XIIIe s., *D. G.*

tintamarre XVe s., Basselin ; formation expressive, avec *tinter* et *-marre,* d'orig. obscure. || **tintamarrer** 1573, Jodelle. || **tintamarresque** 1856, Goncourt.

1. ***tinter** 1080, *Roland,* « résonner » ; bas lat. *tinnītāre,* fréquentatif de *tinnīre,* sonner, tinter. || **tintement** 1490, Chauliac. || **tintouin** XVe s., Basselin, « pensée obsédante » ; 1560, Paré, « bourdonnement d'oreille » ; altér. expressive de *tintin* (1200, G.), tintement, de *tinter,* avec valeur omomatopéique.

2. **tinter** V. TIN 2.

tintinnabuler 1840, Balzac ; lat. *tintinnābulum,* clochette. (V. TINTER 1.) || **tintinnabulement** 1925, Genevoix.

tipule 1611, Cotgrave, entom. ; lat. *tippula,* araignée d'eau.

tique 1464, B. W. ; angl. *tick* (pendant la guerre de Cent Ans). || **tiquet** 1462, *Cent Nouvelles,* petit insecte.

tiquer V. TIC.

tiqueté 1680, Richelet (*ticté*), « tacheté » ; mot picard, de *tiket,* moucheture, du néerl. *tik,* piqûre. || **tiqueture** 1845, Besch.

tir V. TIRER.

tirade XVe s., Tilander, « action de tirer », puis « développement continu » ; 1654, G. de Balzac, théâtre ; de *tirer,* avec le suff. *-ade* ; d'abord dans *tout d'une tirade,* « d'un trait ».

tirage, tirailler V. TIRER.

1. **tire** (action de tirer). V. TIRER.

2. **tire** 1130, *Eneas,* blas., « rangée » ; francique **teri.* (V. ARTILLERIE.)

tirelire 1265, J. de Meung ; même forme que *tire-lire,* sorte de refrain du Moyen Âge ; milieu XVIe s., Ronsard, sens actuel (à cause du bruit des pièces quand on la secoue).

tirer 1080, *Roland,* au pr. ; 1534, Rab., faire usage d'une arme à feu ; *tirer l'échelle,* 1695, Gherardi ; *tirer son épingle du jeu, id. ; tirer les vers du nez, id.* ; a remplacé *traire* ; orig. obscure (il est peu probable que le mot soit issu de l'anc. fr. *martirier,* martyriser). || **tir** XIIIe s., *D. G.* (*a tir,* sans interruption) ; 1660, Oudin, action de lancer un projectile ; 1964, Lar., sports ; déverbal. || **tireur** 1220, *FEW* ; milieu XVIe s., sens comm. || **tirant** XIIIe s., La Curne (*en un tirant,* tout de suite) ; n. m., début XIVe s. ; 1677, Dassié, mar. || **tirage** 1479, G., « fermage » ; XVe s., action de tirer ; 1680, Richelet, imprimerie ; fig., 1845, Besch. || **tire** 1837, Vidocq, *vol à la tire.* || **tiret** 1544, M. Scève. || **tirette** 1589, G., « tiroir » ; 1777, *Encycl.,* techn. || **tiré** 1770, Buffon, vén. || **tirée** 1596, Hulsius (*tout d'une tirée*) ; 1876, Lar., long parcours ; a remplacé *traite.* || **tiroir** XIIIe s., vén. ; XIVe s., Laborde, fermoir d'un livre ; 1530, Palsgrave, sens mod. || **tiroir-caisse** 1925, *Science et Vie.* || **tirasse** 1379, Du Cange. || **tirasser** 1573, Jodelle. || **tirailler** 1542, *FEW.* || **tiraillement** XVIe s. || **tirailleur** 1578, *Despence* ; 1740, *Acad.,* milit. || **tiraillerie** 1757, Voltaire. || **tire-au-flanc** 1887, Esnault. || **tire-balle** 1560, Paré. || **tire-bonde** 1836, *Acad.* || **tire-botte** 1636, Monet, « soufflet » ; 1690, Furetière, sens actuel. || **tire-bouchon** 1718, *Acad.* || **tire-bouchonner** 1867, Baudelaire. || **tire-bouton** 1680, Richelet. || **tire-braise** XVe s., G. || **tire-clou** 1676, Félibien. || **tire-d'aile (à)** 1532, Rab. || **tire-fesses** 1967, Robert. || **tire-feu** 1611, Cotgrave. || **tire-fond** 1549, R. Est. || **tirefonner** 1923, Lar. || **tire-laine** 1611, Cotgrave. || **tire-lait** 1850. || **à tire-larigot** XVe s., *Chanson normande* ; 1534, Rab. (V. LARIGOT.) || **tire-ligne** 1680, Richelet. || **tire-nerf** 1890, *Encycl.* || **tire-pied** 1611, Cotgrave, techn. || **tire-point** 1803, Boiste ; altér. en TIERS-POINT. || **tire-sou** 1704, Trévoux, « receveur de rentes » ; 1803, Boiste, « gagne-petit ». || **tire-veille** 1678, Guillet, mar. || **détirer** XIIe s., G. de Saint-Pair. || **étirer** XIIIe s., *Doon de Mayence.* || **étire** 1437, Gay, techn. || **étirage** 1812, Hassenfratz. || **étireur** *id.* || **retirer** XIIIe s. || **retirade** XVIe s., techn. || **retira-**

tion XVIe s. || **retirement** XVIe s. (V. ATTIRER, SOUTIRER.)

tiretaine 1247, *D. G.,* « étoffe de prix » ; XIIIe s., le plus souvent « sorte de drap grossier » ; de l'anc. fr. *tiret,* début XIIe s., sorte d'étoffe de soie, issu du bas lat. *tyrius,* « (étoffe) de Tyr » ; le deuxième élém. est p.-ê. issu de *futaine.* (V. ce mot.)

tireur, tiroir V. TIRER.

tisane XIIIe s. ; var. *ptisane,* du XVIe au XVIIIe s., d'après le lat. ; bas lat. *tisana,* altér. de *ptisana,* du gr. *ptisanê,* « orge mondé », puis « tisane d'orge ». || **tisanière** 1967, *journ.*

tiser 1648, texte de Liège, techn. ; dér. régressif de *attiser.* || **tisard** 1723, Savary des Bruslons. || **tiseur** 1723, Savary des Bruslons. || **tisoir** 1842, *Acad.*

***tison** 1190, *Saint Bernard ;* lat. *tītiō, -ōnis.* || **tisonner** XIIIe s., *Fabliaux.* || **tisonné** 1577, R. Belleau, d'un cheval parsemé de taches noires. || **tisonnier** 1313, *Archives.*

tisser 1530, Palsgrave ; réfection, par changement de conjugaison, de l'anc. fr. *tistre,* XIIe s. (encore 1694, *Acad.*), du lat. *tĕxĕre.* || **tisserand** 1224, *D. G.* (*toisserran*) ; de *tistre,* avec le suff. germ. *-enc ;* a éliminé l'anc. fr. *tissier,* conservé comme nom de personne (de même que la forme prov. *teissendier*). || **tissu** 1175, Chr. de Troyes ; anc. part. substantivé. || **tissu-éponge** 1872, L. || **tissulaire** 1842, *Acad.* || **tissage** milieu XIIIe s. ; de *tistre.* || **tissure** 1501, G. ; a éliminé *tisture.* (V. TEXTURE.) || **tissutier** 1403, d'après Savary des Bruslons ; du part. pass. de *tistre.* || **tisserin** 1817, Cuvier, ornith. ; oiseau habile à tisser son nid. || **détisser** XVIe s. ; a éliminé *detistre* (encore 1642, Oudin).

titan XIVe s., B. W., myth. antiq. ; 1842, *Acad.,* fig. ; lat. *Titan,* mot gr., nom du père des Géants dans la mythologie gréco-latine. || **titanique** 1552, Rab. || **titanesque** 1842, Nerval. || **titanisme** fin XVIIe s., Saint-Simon. || **titanomachie** 1836, *Acad.*

titane 1803, Boiste ; corps chimique découvert par Gregor (1791) dans des terres argileuses ; lat. scient. *titanium,* du gr. *titanos,* marne. || **titanique** 1836, *Acad.* || **titanite** 1808, Boiste. || **titané** 1842, *Acad.*

titanique V. TITAN, TITANE.

titi 1834, A. Jal, *les Comiques,* nom propre ; 1830, Esnault, « gavroche », fam. ; mot de formation enfantine.

titiller 1190, Garn. (*tetiller*), comme intr. ; 1560, Paré, comme trans. ; lat. *titillare,* chatouiller. || **titillation** 1495, J. de Vignay ; rare avant 1721, Trévoux ; lat. *titillatio.*

titre 1170, *Rois* (*title*), « inscription » ; 1283, Beaumanoir, « acte juridique » ; fin XVe s., Molinet, « qualification », *titre de monnaie,* milieu XVIe s. ; *titre de rente,* av. 1850, Balzac ; lat. *tĭtūlus,* « inscription » et « titre de noblesse, marque ». || **titrer** XIIIe s., G., « donner un titre à un article ». || **titré** 1696, Furetière. || **titrier** 1762, *Acad.,* eccl. || **titrage** 1841, Baudrimont. || **attitrer** fin XIIe s., *Rois* (*atitelé*). || **sous-titre** 1872, L. ; 1912, *le Cinéma.* || **sous-titrer** 1923, *Mon ciné.* || **sous-titrage** début XXe s.

tituber 1466 *Romania ;* rare jusqu'au XIXe s. ; lat. *titubare.* || **titubation** 1377, Oresme ; lat. *titubatio.* || **titubement** début XXe s.

titulaire 1502, B. W. ; dér. du lat. *titulus.* (V. TITRE.) || **titulariat** 1841, *Rev. des Deux Mondes ;* d'après *notariat.* || **titulariser** 1857, d'après P. Robert. || **titularisation** 1857, d'après P. Robert. || **titulature** 1834, Courchamps.

titus (à la) 1829, Vidocq ; d'après la coiffure de l'empereur *Titus,* telle qu'on la voit sur les statues antiques.

tmèse v. 1540, Rab. (*tmesis*), linguist. ; lat. gramm. *tmesis* (Ve s., Servius), du gr. *tmêsis,* coupure, de *temneîn,* couper.

toast 1750, Prévost (*toste*), action de boire à la santé ; 1769, Gomicourt (*toast*) ; angl. *toast,* tranche de pain rôtie, de l'anc. fr. *tosté,* part. passé de *toster,* griller, du lat. pop. **tostāre,* de *tostus,* part. passé de *torrere,* griller. (V. TORRÉFIER et TORRIDE.) || **toaster** 1750, Montesquieu (*toster*). || **toasteur** 1964, Lar.

toboggan 1890, Coubertin, « traîneau » ; 1890, *FEW,* piste glissante ; n. déposé, 1967, *journ.,* « viaduc » ; mot angl. du Canada, empr. à l'algonquin.

toc 1579, *FEW,* onomat. ; 1856, Furpille, adj., « laid » ; 1835, Raspail, n. m., fam., « camelote, imitation » ; onomat. || **toquer** 1460, Villon, heurter, frapper ; *se toquer de,* 1853, Goncourt, « s'amouracher de ». || **toquante** ou **tocante** 1725, Granval, pop., montre ; de *toc* au sens de « sonnerie sourde d'une montre à répétition sans timbre ». || **toqué** 1685, Esnault, « un peu fou » ; part. passé de *toquer.* || **toquade** 1854, Esnault. || **toquard** ou **tocard** 1855, Esnault, « vieux galant » ; 1884, Esnault, terme de courses, « mauvais cheval » ; norm. *toquart,* « têtu », de *toquer.*

tocsin 1379, Du Cange (*touque-sain*) ; 1564, J. Thierry (*toquesing*) ; anc. prov. *tocasen,* « touche-cloche », de *toca,* du v. *tocar* (v. TOUCHER), et de *sen,* « cloche », du lat. *signum,* « cloche » en lat. eccl. (VIe s., Grégoire de Tours).

toge 1213, *Fet des Romains* (*togue,* encore 1611, Cotgrave) ; 1546, Rab. (*toge*) ; lat. *toga.* (V. ÉPITOGE.)

tohu-bohu XIIIe s. (*toroul boroul,* empr. biblique) ; 1552, Rab. (*les isles de Tohu et Bohu*) ; 1764, Voltaire (*la Terre était tohu-bohu,* « chaotique ») ; 1823, Boiste, sens mod., fig. ; hébreu *tohu wabohu,* chaos antérieur à la création (Genèse, I, 2).

toi V. TU.

***toile** XIIe s. (*teile*) ; lat. *tēla.* || **toilette** 1352, G. (*tellette*), dimin., « petite toile » (d'où la loc. *marchande à la toilette,* jusqu'à la fin du XIXe s.) ; fin XVIe s., morceau de linge placé sur une table, pour la toilette, la coiffure, etc. ; début XVIIe s., Régnier, *table de toilette ;* XVIIe s., action de s'ajuster, puis ensemble des ajustements, de l'habillement (spécialem. des femmes) ; *cabinet de toilette,* 1842, Balzac ; au pl., 1945, Sartre, « lieux d'aisances ». || **toilage** 1836, *Acad.* || **toiletter** 1834, Balzac. || **toilettage** 1964, Robert. || **toilier** 1280, *Romanische Forschungen.* || **toilerie** 1409, Du Cange. || **entoiler** fin XIIe s. || **entoilage** 1755, *Encycl.* || **rentoiler** 1690, Furetière. || **rentoilage** 1752, Trévoux.

toilette V. TOILE.

***toise** XIIe s. (*teise*), auj. hist., ou dans la loc. *passer sous la toise ;* 1696, Regnard, fig. ; lat. pop. *tē(n)sa,* « étendue (de chemin) », spécialisé comme terme de mesure, part. passé substantivé de *tendere,* tendre. || **toiser** 1268, É. Boileau, « mesurer » ; XVIIIe s., Gresset, fig. || **toisement** 1636, Monet. || **toiseur** 1549, R. Est. || **entretoise** fin XIIe s., G., pièce de bois ; de l'anc. fr. *toise,* au sens premier « qui est tendu ».

***toison** 1112, *Voy. saint Brendan* (*tuisun*) ; bas lat. *to(n)siō, -ōnis* (*Vulgate*), « tonte », d'où « toison », de *tondēre,* tondre. || **toisonner** 1590, Du Bartas.

***toit** XIIe s. (*teit*) ; lat. *tēctum,* de *tegere,* couvrir. || **toiture** XVIe s., *Coustumier général.* || **avant-toit** 1386, texte de Lausanne (*avant-they*).

tokai 1701, Furetière ; de *Tokay,* région de Hongrie.

1. **tôle** 1642, Oudin, « fer en lame » ; forme dial. de *table* (bordelais *taulo,* ou parlers du Nord-Est et de l'Est, *tôle*) ; 1803, Boiste, sens actuel. || **tôlerie** 1771, texte de Bordeaux. || **tôlier** 1836, *Acad.* || **tôlage** 1933, Lar. || **tôlée** (*neige*) 1924, Kurz, adj., empl. fig.

2. **tôle,** var. **taule** 1800, *Chauffeurs,* arg., « petite maison » ; 1837, Vidocq, arg. milit. et pop., « chambre » et « prison » ; « chambre de passe » dans l'argot des prostituées ; p.-ê. empl. partic. du précéd., à partir du sens « pierre servant de revêtement » (XIVe s.). || **tôlard** 1915, Esnault. || **tôlier** 1889, Esnault, pop. || **entôler** 1829, Vidocq. || **entôleuse** 1901, Esnault.

tolérer 1398, *Ménagier,* « être indulgent » ; 1611, Cotgrave, « supporter » ; lat. *tolerare.* || **tolérable** 1355, Bersuire ; lat. *tolerabilis.* || **intolérable** 1265, J. de Meung ; lat. *intolerabilis.* || **tolérance** 1370, Oresme ; lat. *tolerantia.* || **intolérance** 1611, Cotgrave. || **tolérant** fin XVe s., Molinet. || **intolérant** début XVIIe s. || **tolérantisme** 1721, Trévoux.

tolet 1611, Cotgrave (*thollet*), mar. ; mot normand, anc. scand. *thollr.*

tollé 1560, Paré ; var. graphique, sous l'infl. du lat. *tolle,* « prends, enlève ! » (impér. de *tollere,* enlever, par lequel, selon la *Vulgate,* les Juifs ont ordonné à Ponce Pilate de faire mourir Jésus), de l'anc. fr. *tolez,* impér. 2e pers. plur. de *toldre,* ôter, devenu cri de protestation.

tolu 1598, Regnault (*baume de tolu*), pharm. ; de *Tolu,* nom d'une ville de Colombie. || **toluène** 1872, *J. O.,* chim. ; de *tolu.* || **tolite** 1923, Lar. || **trinitrotoluène** ou **T.N.T.** 1878, Lar. (V. TRI- 1 et NITRE.) || **toluidine** 1858, Nysten. || **toluol** *id.*

tomahawk 1707, *Hist. de la Virginie* (*tomahauk*) ; angl. *tomahawk,* mot algonquin, venu du Canada.

tomate 1598, Acosta, seul emploi jusqu'au milieu du XVIIIe s. ; esp. *tomata,* de l'aztèque *tomatl ;* aux XVIIe-XVIIIe s., on disait *pomme d'amour* ou *pomme dorée.*

tombac 1737, Voltaire, métall. ; siamois *tambac ;* alliage de cuivre et de zinc.

***tombe** XIIe s. ; lat. eccl. *tŭmba* (IVe s., Prudence), du gr. *tumbos,* tumulus tombal. || **outre-tombe** début XIXe s., Chateaubriand. || **tombeau** 1130, *Eneas* (*tombel*). || **tombal** 1836, *Acad.* || **tombelle** 1625, G.

***tomber** XIIe s., var. *tumber, tumer,* « culbuter, faire culbuter » (jusqu'au XVIe s.) ; XIIIe s., *tomber à la renverse ;* XVe s., *tomber du haut en bas* (a éliminé en ce sens *choir,* au XVIIe s.), d'où l'expression *tomber malade* (1532, Rab.) ; XIXe s., tr., terme de lutte ; lat. pop. **tŭmbare,* d'orig. onomat. (bruit de chute). La var. anc. *tumer* est issue du francique **tûmon* (cf. l'anc. haut all. *tûmôn,* « tournoyer »). || **tombée** XIIIe s., *Gaydon* (*tumee*) ; fin XVe s. (*tombée*). || **tombeur** 1130, *Eneas,* « acrobate » ; 1845, Besch., terme de lutte. || **tombereau** XIIIe s. (*tumberel*) ; d'après *tomber ;* ainsi désigné parce qu'on fait basculer la caisse du véhicule. || **retomber** début XVIe s. || **retombée** début XVIe s.

tombereau V. TOMBER.

tombola 1800, Brunot ; ital. *tombola,* « culbute », d'où « sorte de jeu de loto », de *tombolare,* tomber ; d'abord au sens ital., puis, fin XIXe s., sorte de loterie.

1. **tome** n. m., 1538, Marot ; lat. impér. *tomus* (IIe s., Marc Aurèle), « coupure, portion », du gr. *tomos,* de *temneîn,* couper. || **tomer** 1801, Mercier. || **tomaison** 1829, Boiste.

2. **tome** n. f. V. TOMME.

tomenteux 1800, Richard, bot. ; lat. *tomentum,* bourre ; couvert de duvet.

tomme ou **tome** n. f., 1581, B. W., sorte de fromage ; prélatin **toma.*

tommy 1920, Proust ; mot angl. désignant fam. le simple soldat, diminutif de *Thomas.*

tomographie XXe s., méd. ; gr. *tomos,* coupure, de *temneîn,* couper, et *-graphie.* || **tomogramme** 1953, Lar.

tom-pouce 1872, L., homme de petite taille ; 1924, sorte de parapluie, et aussi de dictionnaire ; angl. *tom,* abrév. de *Thomas,* et *pouce ;* surnom d'un nain célèbre.

1. ***ton** 1050, *Alexis,* adj. poss. masc. ; du lat. *t(u)um,* acc. de *t(u)us,* en position atone. || **ta** *id.,* forme fém. ; du lat. *t(u)a(m),* en position atone. || **tien** 1120, *Ps. d'Oxford* (*tuen*) ; XIIIe s. (*tien*), par analogie de *mien* (v. ce mot) ; adj. et pron. poss. masc. ; lat. *tuum,* en position accentuée. (V. MON 1, SON 1.)

2. **ton** n. m., fin XIe s., *Roncevaux,* mus., d'où *ton de la voix ;* 1629, Corn., « manière de parler, d'écrire » ; 1669, Brunot, peinture ; lat. *tonus,* ton musical, et son d'un instrument, du gr. *tonos.* || **tonal** 1844, Fétis. || **tonalité** 1836, *Acad.* || **tonique** 1842, *Acad. ;* empl. gramm. d'après *ton,* de *tonique* 1 (v. ce mot). || **atonal** début XXe s. || **atonalité** *id.* || **atonalisme** 1955, Pincherle. || **détonner** 1611, Cotgrave. || **entonner** (*un chant*) début XIIIe s. (V. TONIQUE 1.)

tondin 1676, Félibien, astragale ; ital. *tondino,* dimin. de *tondo,* rond.

***tondre** 1190, Garn. ; lat. pop. **tondĕre,* en lat. class. *tondēre.* || **tondaison** 1160, Benoît. || **tondeur** 1247, *D. G.* || **tondeuse** 1836, *Acad.,* techn., machine à tondre le drap ; 1876, Lar., « instrument agricole » ; 1888, Lar., instrum. de coiffure. || **tonte** 1387, Barbier ; part. passé, substantivé au fém., de *tondre,* sur le modèle de *ponte, perte* (*de pondre, perdre*). || **retondre** fin XIIe s. || **tonsure** 1245, B. W. ; lat. *tonsura,* tonte ; eccl., XVe s. || **tonsurer** 1398, Deschamps. || **tonsuré** 1450, *FEW.*

1. **tonique** 1538, Canappe, « qui a une tension élastique » ; gr. *tonikos,* « qui se tend » ; 1694, Th. Corn., fortifiant. || **tonifier** 1837, Billard. || **tonicité** 1803, Boiste.

2. **tonique** V. TON 2.

tonitruant 1877, Darmesteter, sens propre ; 1964, Robert, « retentissant » ; lat. *tonitruans,* de *tonitruare,* tonner, de *tonitrus,* tonnerre. || **tonitruer** 1869, *le Gaulois.*

tonka 1823, Boiste, bot. ; mot indigène de Guyane.

tonlieu 1155, Wace (*tolneu*), anc. impôt ; lat. *teloneum,* du gr. *telôneion,* ferme des impôts.

tonnage 1300, Du Cange, droit payé pour le vin en tonneau ; de *tonne ;* 1793, B. W., sens mod. ; angl. *tonnage,* issu de l'anc. fr.

***tonne** 1160, *Charroi,* « tonne à vin » ; 1681, Colbert, mesure de capacité ; XIXe s., mesure de poids ; bas lat. *tunna, tonna,* mot gaulois (cf. le moy. irl. *tonn*), « peau », d'où « outre, vase », puis « tonneau » (1283, Beaumanoir). || **tonneau** 1138, Gaimar (*tonel*). || **tonnelet** 1295, *FEW.* || **tonnelier** 1268, É. Boileau. || **tonnellerie** 1295, *FEW.* || **tonnelage** 1334, G. || **tonnelle** 1340, *Charte de Ph. de Valois ;* à cause de la forme. || **entonner** (*un liquide*) fin XIIe s. || **entonnoir** fin XIe s., *Gloses de Raschi.* || **entonnerie** 1755, *Encycl.*

tonneau V. TONNE.

***tonner** 1120, *Ps. d'Oxford ;* lat. *tonāre ;* fig., 1671, Boileau. || ***tonnerre** 1080, *Roland* (*tuneire*) ; *coup de tonnerre,* 1660, Racine ; lat. *tonitrus.*

tono-, gr. *tonos,* tension. || **tonolyse** 1953, Lar. || **tonomètre** 1964, Robert. || **tonométrie** 1904, Lar. || **tonoscopie** 1953, Lar. || **tonotactisme** 1897, *Années biol.*

tonsure, tonte V. TONDRE 1.

tontine 1663, *Édit ;* du nom de *Tonti,* Napolitain qui inventa ce genre d'opération. || **tontinier** 1727, Trévoux, adj.

tontisse 1290, Lespinasse, « relatif à la tonture du drap » ; altér. de l'anc. fr. *tondice,* XIIIe s., dér. de *tondre.*

tonton 1712, Fénelon ; formation enfantine à redoublement. (V. TANTE.)

1. **tonture** XIIIe s., action de tondre les draps ; dér. anc. de *tonte,* ou lat. pop. **tonditura.*

2. **tonture** 1643, Fournier, mar., courbure d'un navire ; p.-ê. du précédent.

tonus 1875, Fort ; physiol., mot lat. signif. « tension ».

top 1872, L., signal sonore ; altér. de l'angl. *stop,* arrêt. (V. STOP.)

1. **topaze** n. f., 1080, *Roland,* pierre précieuse ; lat. *topazus,* du gr. *topazos.* || **topazolite** 1829, Boiste.

2. **topaze** n. m., XXe s., prévaricateur ; du nom du principal personnage de *Topaze,* comédie de Marcel Pagnol (1928).

toper XIIe s., *Roman de Thèbes,* « placer en jetant » ; orig. onomat. ; 1642, Oudin, accepter l'enjeu de l'adversaire ; conservé dans *tope là, topez là ;* calque de l'esp.

topette 1821, Cuisin ; mot picard désignant une petite bouteille, même rac. que *toupin.* (V. TOUPIE.)

tophus 1560, Paré (*tophe*) ; lat. *tophus,* tuf, gr. *tophos.* || **tophacé** 1791, Valmont.

topinambour 1617, Lescarbot (*toupinambaux*), bot. ; 1680, Richelet (*topinambour*) ; des *Topinambours,* 1578, J. de Léry (*Tououpinambaoults*), nom d'une peuplade du Brésil ; 1648, Scarron, « personne grossière ».

topique 1370, Oresme, philos. ; 1538, Canappe, méd. ; 1765, *Encycl.,* « relatif à un lieu déterminé » ; 1868, *le Temps,* « qui se rapporte à la question » ; bas lat. *topicus,* « relatif aux lieux communs », gr. *topikos,* de *topos,* lieu (empr. direct au gr. méd. *topikos,* pour le sens méd.). || **topicalisation** 1972, Lar.

topographie 1544, Apian ; lat. *topographia,* mot gr., sur *topos,* lieu. || **topo** 1861, Larchey, n. m. ; abrév. || **topographique** 1567, Nicolay. || **topographe** 1580, Montaigne ; gr. *topographos.* || **topologie** 1876, Lar. || **toponomastique** 1872, L. || **toponymie** 1869, Bladé. || **toponyme** 1948, Bazin.

top secret 1975, *Lexis ;* angl. *top,* sommet, et *secret,* secret.

toquante, toquard V. TOC.

toque 1454, Gay ; esp. *toca,* d'orig. obscure, ou ital. *tocca,* étoffe de soie, du longobard **toh,* même mot que l'all. *Tuch,* linge. || **toquet** 1480, *Mystère saint Quentin.*

toqué, toquer V. TOC.

***torche** 1175, Chr. de Troyes, « chose roulée, faisceau de choses tordues », d'où « flambeau fait d'une corde tordue, enduite de cire », puis « flambeau de bois résineux » ; lat. pop. **torca,* en lat. class. *torqua,* de *torquere,* tordre. || **torchère** 1653, Havard ; de *torche* au sens de « flambeau ». || **torcher** XIIe s., *Loherains,* « essuyer » ; de *torche* au sens primitif. || **torchage** 1484, G. || **torche-cul** 1489, *FEW.* || **torchon** 1185, *Aliscans.* || **torchonner** 1562, Rab. ; rare avant 1872, L. || **torchette** 1332, G. || **torchis** 1255, G.

***tordre** XIIe s. ; lat. pop. **torcĕre,* altér. du lat. class. *torquēre.* || ***tors** fin XIIe s., *l'Escouffle ;* anc. part. passé ; ne subsiste que dans les loc. *du fil tors, jambes torses.* || **tordeur** 1333, G. || **tordeuse** 1803, Boiste, entom. || **tordoir** 1259, *Arch. de Reims.* || **tordage** 1333, G., « fabrication d'huile » ; 1723, Savary, textile. || **tordant** fin XIXe s., pop., amusant. || **tord-boyaux** 1833, Vidal. || **tord-nez** 1837, *journ.,* vétér. || **torcol** 1555, Belon ; var. *torcou,* de *tord-col.* || **tordon** 1964, Lar. || **tortu** début XIIIe s. ; de l'anc. part. passé *tort.* || **tortil** 1581, N. de Montand ; altér. de l'anc. fr. *tortis* (XIIe s.), adj., « tordu », d'où, n. m., divers objets tordus, torche, etc. || **torsade** 1496, d'après P. Robert ; de l'anc. part. *tors ;* 1818, *Observ. des modes.* || **torsader** 1845, Richard de Radonvilliers. || **détordre** 1130, *Eneas.* || **retordre** XIIIe s., Macé de la Charité ; lat. *retorquere.* || ***retors** fin XIIe s., R. de Moiliens, « retordu » ; 1740, Voltaire, « rusé » ; anc. part. passé de *retordre.* || **retordeur** 1372, G. || **retordage** 1798, Pajot de Charmes. || **retordement** 1611, Cotgrave. (V. RÉTORQUER, ENTORSE.)

tore 1545, Van Aelst ; lat. *torus,* « brin d'une corde » ; 1842, *Acad.,* « moulure ». || **toron**

1677, Dassié, mar. || **toroniser** 1889, d'après P. Robert.

toréador 1659, *Voy. d'Esp.* ; esp. *toreador,* de *torear,* combattre le taureau, de *toro,* taureau. || **toréer** 1926, Montherlant. || **torero** 1829, Saint-Priest ; esp. *torero.* || **toril** 1765, *Encycl.*

toreutique 1812, Mozin, art de sculpter l'ivoire, etc. ; gr. *toreutikê* (*tekhnê*), art de ciseler, de *toreuein,* ciseler.

torgnole 1773, *les Porcherons* (*torniole*), volée de coups ; altér. de *tourniole,* 1812, Mozin ; mot dial., du moy. fr. *tournier,* var. de *tournoyer,* parce que la forte gifle fait tourner. || **torgnoler** 1876, Lar.

toril V. TORÉADOR.

tormentille 1314, Mondeville ; lat. médiév. *tormentilla,* de *tormentum,* tourment, parce que cette plante était réputée apaiser les maux de dents.

tornade 1655, Wicquefort (*tornade*) ; 1659, Wicquefort (*tornado*) ; esp. *tornado,* de *tornar,* tourner.

toron V. TORE.

torpédo 1831, Kemna, « torpille » ; 1913, Larbaud, autom. ; mot esp., proprem. « torpille », lat. *torpedo* (v. TORPILLE) ; la première marque de ce type d'auto était espagnole.

torpeur 1470, *Livre disc.* ; lat. *torpor,* de *torpere,* être engourdi. || **torpide** 1531, J. de Vignay, « froid » ; 1823, Boiste ; lat. *torpidus.*

torpille 1538, R. Est. (*torpile*), ichtyol. ; probablem. du prov. *torpio,* de *torpin,* avec changement de suff., du lat. *torpedo, torpedinis ;* 1812, trad. de Fulton ; angl. *torpedo,* mine, de même orig. || **torpilleur** 1872, L., marin qui dirige une torpille ; 1876, *Rev. des Deux Mondes* (*bateau-torpilleur*) ; 1890, Lar. (*torpilleur*). || **torpiller** 1872, L. || **torpillage** 1915, Lar., sens propre ; 1964, Lar., fig. || **torpillerie** 1904, Lar. || **contre-torpilleur** fin XIXe s.

1. **torque** n. m., XIIIe s., collier antique ; lat. *torques,* collier. || **torquette** 1526, G.

2. **torque** n. f., fin XIIe s., *Perceval,* bourrelet, fil de fer roulé, etc. ; forme dial. de *torche* au sens primitif (v. TORCHE).

torr 1964, Lar., unité de pression ; du mathématicien italien *Torricelli.*

torréfier 1520, B. W. ; lat. *torrefacere,* de *torrere,* dessécher, brûler. || **torréfaction** 1576, A. Thierry ; lat. scient. mod. *torrefactio.* || **torréfacteur** 1872, L.

torrent 1120, *Ps. de Cambridge ;* rare jusqu'au XVe s. ; lat. *torrens,* « dévorant », part. prés. de *torrere* pris au fig. || **torrentueux** 1823, Boiste. || **torrentiel** 1836, *Acad.*

torride 1496, B. W. ; lat. *torridus,* de *torrere.* (V. TORRÉFIER.)

tors, torsade V. TORDRE.

torse n. m., 1676, Félibien, anat. ; ital. *torso,* « tige, tronc », du lat. *thyrsus.* (V. THYRSE.)

torsion 1314, Mondeville (*torsion de ventre,* « colique ») ; 1460, Chastellain, « action de tordre » ; 1680, Richelet, techn. ; bas lat. *torsio,* proprem. « torture », de *torquere* (v. TORDRE). || **torsif** 1888, Esnault. || **distorsion** XXe s.

***tort** 980, *Passion ; à tort,* 1080, *Roland ;* lat. pop. *tortum,* part. passé, substantivé au neutre, de *torquere,* tordre ; proprem. « ce qui est tordu », d'où « acte contraire au droit, à la justice ».

torticolis 1532, Rab. (*torty colly*), « qui a le cou de travers », d'où « hypocrite » ; 1566, Du Pinet, sens mod. ; p.-ê. création plaisante, soit comme pluriel ital. de fantaisie (*torti colli*), soit d'après un lat. fictif *tortum collum.*

tortil V. TORDRE.

tortiller début XIIIe s., *Roman Renart* (*tortoillier*) ; de *tordre,* par le part. *tort.* || **tortillement** 1547, J. Martin. || **tortillage** 1677, Sévigné. || **tortillon** 1402, G. || **tortillonner** XVe s. || **tortillère** 1437, G. ; var. *tortille.* || **tortillis** 1647, La Curne, techn. || **tortillard** 1700, Liger, adj., « tordu » ; 1872, L., n. m., espèce d'orme ; 1904, Lar., petit chemin de fer. || **détortiller** XIIe s., *Aliscans.* || **entortiller** fin XIIIe s., *Renart* (*-teillier*) ; XVIe s. (*-iller*) ; de *entort,* part. passé de *entordre* (v. TORDRE). || **entortillement** 1361, Oresme. || **entortillage** 1754, Ritter. || **retortiller** 1512, J. Lemaire de Belges.

tortionnaire 1412, La Curne ; lat. médiév. *tortionarius,* de l'anc. fr. *torçonier* (1120, *Ps. d'Oxford*), du lat. *tortio.* (V. TORSION.)

tortois 1923, Lar. ; angl. *tortoise,* tortue, du français *tortis* (1119, G.)

tortorer 1866, Esnault, « manger » ; de *tortiller,* d'après *picorer.*

tortu V. TORDRE.

tortue fin XIIe s. ; prov. *tortuga,* altér., sous l'infl. de *tort* (anc. part. de *tordre*), de *tartuga,* forme dissimilée de *tartarūca,* fém. de l'adj. *tartarūcus,* proprem. « qui appartient au Tartare, à l'enfer, aux ténèbres » : la tortue était le symbole de l'esprit des ténèbres, du mal, en lutte avec le coq, symbole de l'esprit du bien.

tortueux 1170, *Rois ;* lat. *tortuosus,* de *tortus,* part. passé de *torquere* (v. TORDRE). || **tortuosité** 1314, Mondeville ; lat. *tortuositas.*

torture 1190, *Saint Bernard ;* bas lat. *tortūra,* « action de tordre », de *tortus,* part passé de *torquere* (v. TORDRE). || **torturer** 1480, Delb. || **torturant** 1480, *Baratre infernal,* fig. || **tortureur** 1480, *Baratre infernal.*

torve 1526, Marot ; lat. *torvus.*

tory 1687, Miege, parti polit. anglais ; mot angl., de l'irl. *toraidhe,* « criminel », appliqué d'abord aux partisans de Charles II, vers 1680. || **torysme** 1717, *FEW.*

toste, toster V. TOAST.

***tôt** Xe s., *Eulalie* (*tost*) ; lat. pop. **tostum,* neutre, empl. comme adv., de *tostus,* « grillé, brûlé », part. passé de *torrere* (v. TORRÉFIER) ; d'abord « chaudement », puis « promptement ». (Cf., en fr. mod., les empl. fig. de *brûler une station, se laisser griller.*) || **aussitôt** XIIIe s. || **bientôt** XIVe s. || **plutôt** XIIIe s. (*plus tost*) ; XVIIe s. (*plutôt*). || **tantôt** 1119, Ph. de Thaon, « aussitôt » ; 1507, Picot (*tantôt... tantôt*) ; 1580, Montaigne, sens mod. (V. SITÔT.)

total 1370, Oresme ; lat. scolast. **totalis,* de *totus,* tout ; n. m., 1559, Amyot. || **totalement** 1370, Oresme. || **totalité** 1375, R. de Presles. || **totaliser** 1802, Catineau. || **totalisation** 1836, *Acad.* || **totalisateur** 1869, *J. O.* || **totalitaire** 1933, d'après P. Robert, polit. ; calque de l'ital. || **totalitarisme** 1940, Bernanos.

totem 1609, Lescarbot ; angl. *totem,* mot algonquin. || **totémique** 1904, Lar. || **totémisme** 1833, B. W. ; angl. *totemism.*

toto 1653, R. Hémard (*toutou*), « pou » ; mot champenois, formation enfantine par redoublement.

toton 1611, Cotgrave (*totum*) ; lat. *totum,* tout ; chacune des quatre faces de ce dé à jouer porte l'initiale d'un mot latin ou fr. : *A* (*ccipe*), reçois ; *D* (*a*), donne ; *R* (*ien*), rien à donner ni à recevoir ; *T* (*otum*), tout (à prendre). [Pour la pronon. et l'orth. mod., v. DICTON.]

touaille fin XIe s., *Gloses de Raschi,* linge, serviette ; auj. d'empl. spécialisé ; du francique **thwahlja,* serviette (cf. l'angl. *towel*).

toubib 1898, France ; ar. d'Algérie *tbib,* médecin.

toucan 1557, Thevet, ornith. ; esp. *tucán,* mot tupi (Brésil).

***toucher** 1080, *Roland (tochier*), v. ; fin XIIe s., R. de Moiliens, n. m. ; lat. pop. **toccāre,* mot onomatop., « faire toc, heurter », d'où « atteindre » et « toucher » (v. TOC, TOCSIN). || **touche** 1160, Benoît de Sainte-Maure, « action de toucher » ; 1699, Brunot, en peinture ; 1867, Delvau, « physionomie » ; 1924, Montherlant, sports ; avec infl. de l'angl. *touch.* || **touchable** 1314, Mondeville. || **touchant** d'abord adj., puis, fin XIVe s., Froissart, prép. || **intouchable** 1560, Ronsard. || **touchette** 1525, J. Lemaire de Belges, « petite barre » ; 1844, La Fage, mus. || **toucheur** 1611, Cotgrave. || **touche-à-tout** 1836, Delaporte. || **attouchement** XIIe s. ; d'un anc. v. *attoucher* (1119, Ph. de Thaon). || **retoucher** 1220, G. de Coincy. || **retouche** 1507, *D. G.*

touer XIIIe s., texte d'Oléron, mar. ; anc. scand. *toga,* tirer. || **touage** XIIIe s. || **touée** 1415, Du Cange. || **toue** fin XIVe s., Deschamps.

touffe 1180, *Vie de saint Evroult ;* alémanique **topf,* touffe de cheveux. || **touffer** 1823, Boiste. || **touffu** 1438, G.

touffeur 1642, Oudin ; forme apocopée d'*étouffeur.* (V. ÉTOUFFER.)

***touiller** XIIe s. (*tooillier, toeillier*), « remuer, salir », usité jusqu'au XVIe s. ; 1838, *Acad.,* repris pour des empl. techn. ; lat. *tŭdīculare* (Varron), broyer, remuer, de *tŭdīcula,* moulin à olives, de *tundere,* frapper. || **touillage** 1793, *D. G.* || **touille** 1200, G. || **touilloir** 1836, Landais.

toujours 1080, *Roland* (*tuz jurs*) ; de *tous* et *jours* (pl.) ; a éliminé l'anc. fr. *sempre,* du lat. *semper.*

toundra 1876, Lar., géogr. ; russe *tundra,* du finnois *tunturi,* montagne sans arbres.

toupet 1130, *Eneas,* « touffe de poils » ; 1808, d'Hautel, « effronterie » ; dimin. de l'anc. fr. *top,* du francique **top,* all. *Zopf,* tresse de cheveux (v. TOUFFE). || **toupillon** 1414, Premierfait, petite touffe de poils.

toupie fin XIIe s., J. Bodel (*topoie*) ; 1360, Froissart (*tourpie*) ; XIVe s., *Baudouin de Sebourg* (*toupie*) ; anglo-normand *topet,* avec changement de suffixe, de l'angl. *top,* « sommet, pointe », du francique **top,* pointe. || **toupiller** début XIIe s., *Roman de Thèbes* (*toupier*) ; 1547, Mizauld (*toupiller*). || **toupilleur** 1964, Lar.

toupillon V. TOUPET.

toupin 1933, Lar. ; anc. prov. *topin,* du francique **toppin.*

touque 1470, G., « récipient » ; du pré-indo-européen **tukka,* citrouille.

1. ***tour** n. f., 1080, *Roland* (*tur*) ; lat. *tŭrris.* || **tourelle** 1175, Chr. de Troyes (*tourielle*) ; 1530, Palsgrave (*tourelle*) ; altér. d'après le v. *tourner.* || **tourier** XIIIe s., *Doon de Mayence,* « portier ». || **tourière** 1549, R. Est., eccl. ; fém. de *tourier.*

2. ***tour** n. m., XIIe s. (*torn,* puis *tor*) ; « instrument de tourneur », et dès les premiers textes, « mouvement circulaire » et « action habile » ; *à tour de rôle,* XVe s. ; *à tour de bras,* 1534, Rab. ; *tour à tour,* 1538, R. Est. ; lat. *tornus,* tour de potier, du gr. *tornos.* || **demi-tour** début XVIe s. || **autour** XVe s. ; qui a remplacé *entour.* || **pourtour** 1676, Félibien. || **touret** 1268, É. Boileau ; au lieu de *tournet,* forme atténuée par infl. de *tour* 1. || **tourillon** fin XIIe s., *Chevalerie Ogier ;* même formation que *touret.* || **tourillonneuse** 1953, Lar. || **tourer** (*la pâte*) 1765, *Encycl.* (V. ENTOURER, ENTOURNER.)

1. ***tourbe** 1050, *Alexis* (*torbe*), foule ; XVIe s., péjor. ; lat. *turba.*

2. **tourbe** v. 1200, *D. G.,* combustible ; francique **tŭrba,* all. *Torf* (v. TURF). || **tourbière** XIIIe s., Tailliar. || **tourbier** XIIIe s., *D. G.* || **tourbeux** 1752, Trévoux.

***tourbillon** fin XIe s., *Gloses de Raschi* (*torbeil*) ; 1175, Chr. de Troyes (*torbeillon*) ; lat. pop. **turbiniō,* ou **turbelliō,* ou **turbiculo,* du lat. class. *turbo, turbinis,* tourbillon, de *turbare* (v. TROUBLE). || **tourbillonner** 1529, G. Tory. || **tourbillonnement** 1767, Trévoux. || **tourbillonnaire** 1842, *Acad.*

***tourd** 1560, Gesner, ichtyol. ; 1564, J. Thierry, ornith. (grive musicienne) ; var. *tourde,* anc. prov. *tort,* du lat. *tŭrdus.*

tourdille 1664, Solleysel, gris pommelé ; esp. *tordillo,* « couleur de grive ». (V. TOURD.)

tourelle, tourier V. TOUR 1.

tourer, touret, tourillon V. TOUR 2.

tourie 1775, Demachy, grosse bouteille ; orig. inconnue.

tourisme 1841, Guichardet, appliqué d'abord aux Anglais ; angl. *tourism,* de (*to*) *tour,* excursionner, du fr. *tour* 2 (début XVIIIe s.), au sens de « promenade, voyage ». || **touriste** 1816, Simond ; angl. *tourist.* || **touristique** v. 1830, Tœppfer. || **touring** 1889, Saint-Albin ; angl. *touring.*

tourlourou 1640, *Comédie des chansons,* terme d'amitié ; 1654, Du Tertre, nom d'un crabe terrestre des Antilles ; 1834, Boiste, nom pop. du soldat d'infanterie ; formation expressive d'orig. prov., avec le sens primitif de « tapageur ».

tourmaline 1758, *Hist. de l'Acad. des sc. de Berlin* (*tourmalin*) ; 1771, Trévoux (*tourmaline*) ; cinghalais *toramalli.*

***tourment** Xe s., *Saint Léger* (*torment*) ; lat. *tormentum,* « instrument de torture », de *torquere* (v. TORDRE). || **tourmenter** 1120, *Ps. de Cambridge ;* 1676, Félibien, beaux-arts, fig. || **tourmenteur** 1555, Louise Labé. || **tourmente** XIIe s., *Th. le Martyr ;* lat. pop. *tormenta,* pl. pris comme fém. sing., du neutre *tormentum.*

tournebouler 1580, Montaigne ; anc. fr. *torneboele* (1175, Chr. de Troyes), « culbute », proprem. « tourne-boyau », avec altér., d'après *boule,* de *tourner,* et de *boele,* fém. de *boel,* anc. forme de *boyau* (v. ce mot).

tournelle V. TOUR 1.

***tourner** 980, *Passion ;* 1398, *Ménagier,* « s'aigrir », en parlant du lait ; 1907, Méliès, cinéma ; *tourner le dos,* fin XIIe s., Villehardouin ; *avoir le dos tourné,* milieu XVIe s., Amyot ; *tourner les talons,* XIVe s., *Renart ; tourner autour du pot,* 1695, Gherardi ; *tourner de l'œil,* 1867, Delvau, pop. ; lat. *tornare,* « façonner au tour » (v. TOUR 2). || **tournant** n. m., 1272, B. W. || **tourne** XIIIe s., *Joufrois.* || **tourné** fin XIVe s., Froissart, fait d'une certaine façon, en parlant d'un homme. || **tournure** 1265, J. de Meung ; lat. *tornatum,* de *tornare,* tourner (*tornatura,* VIIIe s., *Gloses de Reichenau*). || **tourneur** 1234, B. W. ; lat. *tornator.* || **tournée** fin XIIIe s., *Guillaume le Maréchal ; offrir une tournée,* 1828, Masson, payer à boire. || **tournage** 1501, Destrees ; cinéma, 1918, Diamant-Berger. || **tournis** 1482, G. || **tournebride** 1611, Cotgrave ; de *tourner* et *bride.* || **tournebroche** 1461, Picot. || **tourne-disque** 1949, Lar. || **tournedos** XVIe s., fuyard ; 1864, Labiche, *la Cagnotte,* mets. || **tournemain** 1556, B. W. (*en un tournemain*) ; var. *en un tour de main,* XVe s. || **tournevirer** 1571, Gohory ; formation à renforcement expressif, comp. des deux mots synonymes *tourner* et *virer*. || **tournevis** 1676, Félibien. || **tournoyer** début XIIe s., *Voy. de Charl.* ; aussi « faire un tournoi », en anc. fr. || **tournoi** 1130, *Eneas,* « action de tourner » ; 1130, sens spécialisé. || **tournoiement** 1130, *Eneas,* tournoi, circuit, tour ; 1671, Nicole, sens mod. || **tournailler** 1610, B. W. || **tourniquer** 1910, d'après P. Robert. || **tourniller** 1784, Beaumarchais. || **détourner** 1080, *Roland.* || **détour** 1175, Chr. de Troyes. || **détournement** 1493, *D. G.* || **retourner** 842, *Serments* (*returnar*). || **retour** XIIe s. || **retourne** 1690, Furetière ; déverbal.

tournesol 1291, B. W., matière colorante ; 1398, *Ménagier,* bot. ; ital. *tornasole,* les fleurs de tournesol se tournant vers le soleil. (V. HÉLIOTROPE.)

tourniole XIIIe s., *Roman Durmart* ; dérivé de l'anc. fr. *tourneier,* tournoyer, de *tourner.*

tourniquet XVe s., « cotte d'armes » ; XVIe s., « poutre garnie de pointes de fer », par métaph. ; puis ext. d'empl., pour désigner divers appareils tournants (sous l'infl. de *tourner*) ; altér., d'après *tourner,* de *turniquet,* vêtement de dessus, var. de *turniquel,* dér. de *turnicle, tunicle* ; du lat. *tunicula,* dimin. de *tunica,* tunique, ou dér. dial. (wallon) de *tourner.*

tournis, tournoi, tournoyer, tournure V. TOURNER.

***tournois** 1283, Beaumanoir, d'abord épithète de *livre* ou de *denier* ; lat. *Tŭronensis,* « (monnaie) frappée à Tours ».

touron 1715, *Nouvelle Instr. pour les confitures,* sorte de confiserie ; esp. *turrón.*

***tourte** XIIIe s., G. ; bas lat. *torta,* ellipse de *torta panis,* pain rond (*Vulgate*), d'orig. obscure (mot avec *o* fermé, différent du fém. de *tŏrtus,* part. passé de *torquere,* qui a un *o* ouvert). || **tourteau** fin XIe s., *Gloses de Raschi.* || **tourtière** 1573, de Baïf.

***tourterelle** 1050, *Alexis* (*turtrelle*) ; XIIIe s. (*tourterelle*) ; lat. pop. *tŭrtŭrella,* dimin. de *tŭrtŭr.* || **tourtereau** 1180, Horn.

touselle 1552, Rab. (*touzelle*), froment sans barbes ; prov. *tosela,* de *tos,* tondu, du lat. *tonsus,* de *tondere,* raser.

toussaint, tousser V. SAINT, TOUX.

***tout** Xe s., *Valenciennes* ; lat. pop. *tottus,* avec redoublement expressif, lat. class. *totus,* tout entier ; *tottus* a remplacé *omnis* en lat. pop. || **tout-à-l'égout** 1893, d'après P. Robert. || **toutefois** 1280, Studer-Waters. || **toute-puissance** 1377, Oresme. || **tout-Paris** 1820, *FEW.* || **tout-puissant** 1180, Barbier. || **tout-venant** XIVe s., *Miracles de Nostre-Dame.* || **atout** XVe s., *Journal de Paris* (*a tout*). || **partout** 1130, *Eneas.* || **toutim** 1596, Pechon de Ruby, pop., « tout ». (V. SURTOUT.)

toutou 1640, Oudin ; mot enfantin, onomat.

***toux** fin XIe s., *Gloses de Raschi* (*tous, tos*) ; lat. *tŭssis.* || **tousser** fin XIIe s., R. de Moiliens (*toussir*) ; lat. *tŭssire* ; 1560, Paré (*tousser*). || **tousseur** 1398, E. Deschamps. || **tousserie** 1404, N. de Baye. || **toussailler** 1821, Desgranges. || **toussoter** 1845, Radonvilliers. || **toussotement** 1845, Radonvilliers.

toxique 1130, *Eneas* (*tosique*) ; rare jusqu'au XVIe s. ; 1584, Du Monin (*toxique*) ; lat. *toxicum,* du gr. *toxikon,* « poison pour empoisonner la flèche », de *toxon,* flèche. || **toxicité** 1872, L. || **toxicogène** 1876, Lar. || **toxicologie** 1803, Brunot. || **toxicologique** 1836, *Acad.* || **toxicologue** 1842, *Acad.* || **toxicomanie, toxicomane** 1923, Lar. || **toxicophage** 1876, Lar. || **toxicose** 1904, Lar. || **toxine** fin XIXe s. || **toxémie** 1869, *journ.* ; gr. *haima,* sang. || **intoxiquer** fin XVe s. ; rare avant 1823, Boiste ; XXe s., fig. ; lat. médiév. *intoxicare.* || **intoxication** 1408, J. Petit ; rare avant 1837, *journ.* ; 1960, fig., polit. || **désintoxiquer** 1862, *journ.* || **désintoxication** 1862, *journ.*

toxo-, de *toxique.* || **toxolyse** 1933, Lar. || **toxoplasme** 1908, d'après P. Robert.

traban 1631, Bassompierre, hist., hallebardier ; all. *Trabant.*

trabe 1455, Fossetier, blas., hampe d'une bannière ; lat. *trabs, trabis,* poutre. || **trabée** 1611, Cotgrave, toge ornée de bandes ; lat. *trabea.*

traboule début XXe s. ; orig. inconnue.

trabuco 14 mai 1849, *Arrêté présidentiel,* sorte de cigare ; esp. *trabuco,* « gros mousquet ».

1. **trac** (piste). V. TRAQUER.

2. **trac** (peur) 1830, Esnault, fam. ; formation expressive, d'orig. obscure. || **traqueur** 1836, Lacenaire, « peureux ».

tracasser XVe s., de Collerye, « s'agiter » ; 1588, Montaigne, « donner du souci » ; de *traquer* (v. ce mot). || **tracasserie** 1580, Montaigne. || **tracas** 1500, Picot. || **tracassier** 1680, Richelet. || **tracassin** 1923, Lar.

***tracer** 1175, Chr. de Troyes (*tracier*) ; en anc. fr., souvent « aller sur une trace, chercher », et aussi « parcourir », « faire un trait pour rayer » ; 1606, Nicot, « marquer » ; fin XIIIe s., « aller vite » ; lat. pop. **tractiare,* de *tractus,* trait, sur le part. passé de *trahere,* tirer. || **trace** 1120, *Ps. d'Oxford.* || **tracement** 1476, G. || **traceur** 1558, G. Morel. || **traçage** 1873, Tolhausen. || **tracé** n. m., fin XVIIIe s. ; 1798, *Acad.* || **traçant** 1694, Tournefort (*racine traçante*) ; 1949, Lar., *balle traçante.* || **traçoir** 1676, Félibien. || **traceret** 1676, Félibien. || **retracer** fin XIVe s.

trachée 1378, J. Le Fèvre, anat. ; 1734, Brunot, zool. ; bas lat. *trachia,* du gr. *trakheia.* || **trachée-artère** XIVe s. (*artere traciee*) ; 1503, G. de Chauliac (*trachée-artère*) ; gr. méd. *trakheîa artêria,* proprem. « artère raboteuse » (à cause de ses anneaux). || **trachéen** 1838, *Acad.* || **trachéal** 1765, *Encycl.* || **trachéite** 1822, *Dict. méd.* || **trachéide** 1964, Lar. || **trachéomycose** 1964, Lar. || **trachéoscopie** 1933, Lar. || **trachéotomie** 1772, *Dict. chirurgie ;* de *-tomie.* || **trachéotomiser** 1835, J. Beugnot.

trachome 1827, *Acad.* (*trachoma*), méd. ; gr. *trakhôma,* rudesse, de *trakhus,* rude, raboteux. (V. TRACHÉE.) || **trachomateux** 1964, Lar.

trachy-, gr. *trakhus,* raboteux. || **trachyte** 1842, *Acad.,* géol. || **trachycarpus** 1964, Lar.

tract 1832, *Lettre sur les États-Unis ;* angl. *tract,* de *tractate,* « traité, opuscule », du lat. *tractatus.* (V. TRAITÉ.)

tractation 1460, Chastellain ; lat. *tractatio,* de *tractare.* (V. TRAITER.)

traction 1503, Chauliac ; lat. *tractio,* action de tirer, subst. de même rad. que *tractus,* part. passé de *trahere,* tirer (v. TRAIRE). || **tracteur** 1836, *Acad.,* chirurgie ; 1876, *la République française,* véhicule ; d'après *acteur,* sur *action.* || **tractif** 1836, *Acad.* || **tractoire** 1547, J. Martin ; lat. *tractorius.* || **tracté** adj., XXe s. || **tracter** 1965, *journ.* || **tractus** 1867, Aronssohn, anat. ; mot lat., proprem. « traînée », du part. passé *tractus ;* tissu conjonctif.

tradition 1291, G., « transmission jurid. », sens propre du lat. ; 1488, Le Huen, sens mod. ; lat. *traditio,* proprem. « action de transmettre, de livrer », de *tradere* (v. TRAHIR). || **traditionnel** 1722, Houtteville. || **traditionnellement** 1784, *FEW.* || **traditionaliste** 1849, *le Correspondant.* || **traditionalisme** 1851, *le Correspondant.*

traduire 1480, Bartzsch ; lat. *traducere,* proprem. « faire passer » ; a éliminé l'anc. fr. *translater,* conservé en angl. (*to*) *translate.* || **traducteur** fin XVe s., *FEW ;* lat. *traductor,* avec adapt. sémant. || **traduction** XIIIe s., G. ; lat. *traductio.* || **traductionnel** 1963, Mounin. || **traduisible** XVIIe s., en justice ; 1725, Brunot, à propos d'un texte, sens mod. || **intraduisible** début XVIIIe s.

trafic 1339, B. W., « commerce » ; 1656, Pascal, « commerce illégal » ; 1872, L., « circulation » ; ital. *traffico,* orig. obscure. || **trafiquer** XVe s., *le Jouvencel,* déjà avec un sens fig. ; ital. *trafficare.* || **trafiqueur** XVe s., B. W. || **trafiquant** 1585, B. W. || **traficoter** 1951, Queneau. || **traficoteur** milieu XXe s.

tragédie 1361, Oresme, sens ancien ; 1549, R. Est., « théâtre classique » ; lat. *tragoedia,* gr. *tragôidia.* || **tragique** 1546, Rab., « propre à la tragédie ; 1596, Hulsius, « catastrophique ». || **tragiquement** 1549, R. Est. ; lat. *tragicus,* gr. *tragikos.* || **tragédien** 1370, Machaut, « acteur » ; 1788, Féraud, « auteur de tragédies », synonyme de *tragique,* qui s'en différencie au XIXe s. || **tragi-comédie** 1545, J. Martin ; lat. *tragicomoedia,* pour **tragicocomoedia.* || **tragi-comique** 1624, Delb.

tragus 1751, *Encycl.,* anat. ; gr. *tragos,* bouc, à cause du poil qui couvre cette partie de l'oreille.

***trahir** 980, *Passion* (*traïr*) ; 1360, Froissart (*trahir*) ; adapt., d'après les v. en *-ir,* du lat. *tradĕre,* livrer, transmettre, d'où « trahir ». || **trahison** 1080, *Roland* (*traïsun*) ; *haute trahison,* 1677, B. W. ; angl. *high treason,* d'abord appliqué à des événements angl. ; 1690, Furetière, à propos de faits français, en remplacement de *lèse-majesté.*

traille 1395, Boutillier, bac ; lat. *tragula,* de *trahere,* tirer. || **traillet** 1769, Duhamel du Monceau.

train 1160, Benoît (*traïn*) ; de *traîner ;* « action de traîner », et par ext. « ce qu'on traîne », et « manière de traîner, allure », etc. ; *train de maison,* 1876, Lar. ; *mener grand train, id. ; mise en train,* 1860, Dochez ; *train des équipages,* fin XVIIIe s. ; dans les ch. de fer, 1827, à Saint-Étienne, *train,* de l'angl. *train* issu lui-même du fr. || **tringlot** 1857, Esnault, « soldat du train des équipages », avec attraction de *tringle* (au fig., « fusil » en arg. milit.). || **arrière-train** 1827, Chateaubriand. || **avant-train** 1628, *Traité de l'artillerie.* || **entrain** n. m., 1838, Stendhal ;

de *en train.* || **train-train** fin XVIIIe s., Brunot ; altération de *trantran* (1616, Cotgrave), d'orig. onomat., sous l'infl. de *train.*

***traîner** 1131, *Couronn. Loïs,* v. trans. (*traïner*) ; début XIIe s., *Pèlerinage Charlemagne,* v. intransitif ; lat. pop. **tragīnāre,* traîner, de **tragere* (v. TRAIRE). || **traîne** 1190, Garn. (*robe à traïne*) ; *à la traîne,* 1904, Lar. ; déverbal. || **traînage** 1531, G. || **traînant** 1160, *Roman Tristan.* || **traîneau** 1227, G. || **traînoir** 1552, Ch. Est., techn. agric. || **traînée** 1354, *Modus,* vén., trace laissée sur une certaine longueur ; 1488, *Recueil Trepperel,* « fille des rues ». || **traîneur** 1440, G. ; *traîneur de sabre,* 1867, Delvau. || **traînard** 1611, Cotgrave. || **traînasser** 1493, Coquillart. || **traînailler** 1889, Barbey d'Aurevilly. || **traîne-bûches** 1923, Lar. || **traîne-malheur** 1664, Brunot. || **traîne-savates** 1975, *Lexis.* || **training** 1872, Mackenzie ; mot angl., de *to train,* dresser. || **entraîner** XIIe s., *Aliscans ;* 1828, *Journ. des haras,* sport hippique ; empl. infl. par l'angl. (*to*) *train,* lui-même d'orig. fr. || **entraînement** 1724, P. Castel ; 1828, *Journ. des haras ;* terme de sport hippique. || **entraîneur** 1828, *Journ. des haras ;* terme de sport, d'après l'angl. *trainer ;* passé du voc. du turf dans celui de la boxe et des sports en général.

***traire** 1050, *Alexis,* « tirer », jusqu'au XVIe s. ; 1292, G., « tirer le lait » ; s'est substitué à l'anc. fr. *moudre,* du lat. *mŭlgēre,* traire, homonyme de *moudre* issu du lat. *molĕre,* broyer ; a éliminé les autres empl. de *traire* au XVIe s. ; lat. pop. **tragĕre,* altér. du lat. class. *trahĕre,* tirer, sous l'infl. de *agere* (à cause de l'analogie des participes *tractus* et *actus*). || **traite** 1119, Ph. de Thaon, « action de tirer » ; puis « chemin parcouru » ; de *traire,* au sens anc. de « tirer vers » ; 1538, R. Est., « traite du lait » ; fin XVe s., Commynes, « distance » ; XVIe s., circulation des marchandises ; *traite des nègres,* 1690, Furetière ; *traite des blanches,* 1846, Balzac ; 1679, Savary, droit sur les marchandises ; 1723, Savary, terme de banque. || **trait** 1130, *Eneas,* arme de jet. || **trayeur** 1400, *FEW.* || **trayon** XIIe s. (*traiant*), « bout du sein » ; XIIIe s. (*treon*), « bout du pis » ; 1551, *FEW* (*trayon*). || **entrait** 1416, texte normand (*antrais,* plur.), poutre qui maintient l'écartement de deux poutres latérales ; part. passé de l'anc. fr. *entraire,* tirer. (V. FORTRAIT, FORTRAITURE, PORTRAIT, RENTRAIRE, RETRAIT, etc.)

1. **trait** V. TRAIRE.

2. **trait** fin XIe s., *Chanson de Guillaume,* action de tirer, d'où « trait de flamme, de stylet » ; fin XIIe s., *L'Escoufle,* en parlant des chevaux ; *trait d'esprit,* 1658, Pascal ; *trait d'union,* 1770, Buffon ; lat. *tractus,* « action de tirer », part. passé substantivé de *trahere,* tirer. (V. TRACTION, TRAIRE, TRAITER.)

traitable 1170, B. W., malléable ; 1360, Froissart, « accommodant », fig. ; adapt., d'après *traiter,* du lat. *tractabilis,* maniable, malléable. || **intraitable** XVe s. (*intractable*) ; d'après le lat. *intractabilis.*

traite V. TRAIRE.

traité 1370, Oresme, ouvrage ; adapt., d'après *traiter,* du lat. *tractatus,* proprem. « maniement » ; 1300, *FEW,* « convention, pacte » ; d'après *traiter.*

***traiter** 1130, *Eneas ;* lat. *tractāre,* fréquentatif de *trahere* (v. TRAIRE), « tirer, traîner », d'où « manier, pratiquer, agir contre quelqu'un ». || **traitement** 1255, Delb., « convention » ; 1582, La Curne, « appointements d'un fonctionnaire » ; XVIIe s., « manière de traiter qqn ». || **traiteur** 1170, G. de Saint-Pair, négociateur ; 1648, Brunot, commerçant, restaurateur. || **traitant** 1628, Sorel, « fermier d'impôts ». || **maltraiter** 1520, Cretin. (V. TRAITÉ.)

traître 1080, *Roland* (*traïtre*) ; adapt., d'après *trahir,* du lat. *traditor ;* on a conservé *traïtre,* cas sujet en anc. fr., et non *traïtor,* cas objet, à cause de l'empl. fréquent du mot comme apostrophe. || **traîtreux** XIIIe s. ; arch. depuis le XVIIe s. || **traîtreusement** XIIIe s., Guiart. || **traîtrise** 1810, Molard.

trajectoire 1611, Cotgrave ; lat. scolast. *trajectorius,* de *trajectus.* (V. TRAJET.)

trajet 1553, Barbier (*traject*) ; XVIe s. (*trajet,* d'après *jet*) ; ital. *tragetto,* traversée, de *tragettare,* faire traverser, traverser, du bas lat. *trajectare,* de *trajectus,* part. passé du lat. class. *trajicere,* « jeter au travers », de *trans* et *jacere.*

tralala 1860, *le Gaulois,* n. m., fam. ; empr. à un refrain (1833, Béranger) ; *se mettre sur son tralala,* 1867, Delvau.

tramail V. TRÉMAIL.

***trame** XIIe s., *FEW* (*traime*) ; 1549, R. Est. (*trame,* d'après *tramer*) ; 1636, Corn., fig. ; télé, 1964, Lar. ; lat. *trāma,* chaîne du tissu. ||**tramer** XIIIe s., *D. G. ;* lat. **trāmāre.* ||**trameur** 1313, G.

tramontane 1210, Jal (*tresmontaigne*), étoile polaire ; 1298, *Livre Marco Polo,* vent du Nord ; 1549, R. Est. (*transmontane*), *id. ; perdre la* *tramontane,* XVIIe s., Voiture, « perdre l'orientation », loc. reprise à l'italien ; ital. *tramontana (stella),* « étoile d'au-delà des monts », d'où « vent d'au-delà de la montagne (les Alpes) ».

tramp 1861, *Rev. des Deux Mondes,* mar. ; mot angl. désignant un cargo sans itinéraire fixe. || **tramping** 1953, Lar., techn.

tramway 1818, Gallois ; vulgarisé en 1871, date du projet d'installation des premiers tramways (à chevaux) à Paris ; mot angl., d'orig. écossaise, « voie (*way*) à rails plats (*tram*) », puis à wagonnet ; 1860, Bonnafé, la voiture elle-même. || **tram** 1829, Mackenzie ; abrév. || **traminot** 1930, *Nouvelles littéraires,* employé de tramway ; d'après *cheminot* (v. CHEMIN).

***trancher** 1080, *Roland* (*trenchier*) ; 1380, *Aalma* (*trancher*) ; lat. pop. **trīnicare,* « couper en trois », du lat. *trīni,* trois par trois (v. ÉCARTER 1, ESQUINTER, pour ce type de formation). || **tranchant** n. m., 1130, *Eneas.* || **tranchage** 1872, L. || **tranche** 1175, Chr. de Troyes ; déverbal. || **trancheur** 1207, Villehardouin. || **tranchoir** 1206, G. || **tranchet** 1288, *Chartes du Forez.* || **tranchée** 1130, *Eneas,* « fossé » ; 1538, R. Est., « colique ». || **tranchée-abri** 1907, Lar. || **tranche-fil** 1723, Savary. || **tranchefile** 1411, G. || **tranche-montagne** 1389, Delb., comme sobriquet ; 1611, Cotgrave, nom commun. || **retrancher** début XIIe s. || **retranchement** fin XIIe s., sens gén. ; fin XVIe s., milit.

trangle 1690, Furetière, blas. ; de *tringle* (1611, Cotgrave).

tranquille 1460, G. Chastellain ; lat. *tranquillus ; tranquille comme Baptiste,* 1867, Delvau, pop. || **tranquillement** 1549, R. Est. || **tranquillité** 1190, *Saint Bernard,* « agitation » ; 1460, Chastellain, « calme » ; lat. *tranquillitas.* || **tranquilliser** 1420, O. de Saint-Gelais ; rare jusqu'à la fin du XVIIe s., 1695, Gherardi. || **tranquillisant** n. m., 1960, Vaillant, méd.

trans-, prép. *trans,* « au-delà de, à travers ». || **transafricain** 1907, Lar. || **transalpin** 1546, Rab., *Tiers Livre ;* lat. *transalpinus,* « au-delà des Alpes ». || **transatlantique** 1823, Boiste. || **transcoder** 1968, Lar. || **transducteur** 1957, Lar. || **transcontinental** 1872, L. || **transdanubien** 1775, Galiani. || **transocéanique** 1872, L. || **transpacifique** *id.* || **transpadan** 1872, L. ; lat. *Padus,* Pô. || **transphrastique** 1970, Robert. || **transpyrénées** 1904, Lar. || **transrhénan** 1835, *Acad.* || **transsibérien** 1904, Lar.

transaction 1298, G. ; lat. jurid. *transactio,* de *transigere* (v. TRANSIGER). || **transactionnel** 1823, Boiste. || **transactionnellement** 1873, *J. O.*

transbahuter 1880, Esnault, « transporter » ; de *bahut,* malle. || **transbahutement** 1951, Queneau.

transborder 1792, Brunot ; de *trans* et *bord.* || **transbordement** 1792, Brunot. || **transbordeur** 1878, Lar. (le premier fut construit à Rouen, en 1898).

transcendant 1395, Chr. de Pisan (*transcendent*) ; lat. *transcendens,* part. prés. de *transcendere,* « passer au-delà », d'où « surpasser ». || **transcendance** 1640, Oudin ; 1735, *Mercure.* || **transcendantal** 1503, Chauliac ; lat. scolast. *transcendantalis.* || **transcendantalisme** 1803, Boiste. || **transcender** XIVe s. ; abandonné, puis repris au XXe s. (1908, Lar.).

transcrire 1234, *FEW ;* adapt., d'après *écrire,* du lat. *transcribere.* || **transcription** 1338, *Revue ;* lat. jurid. *transcriptio.* || **transcripteur** 1538, *FEW ;* lat. *transcriptus,* part. passé de *transcribere,* d'après *scriptus.* || **retranscrire** 1741, Voltaire.

transe 1050, *Alexis,* « agonie » ; 1360, Froissart, « inquiétude » ; *entrer en transes,* XIVe s., avoir des visions ; déverbal de *transir,* « mourir » ; 1862, *l'Illustration,* pathol. ; angl. *trance,* catalepsie, lui-même issu de *transe,* angoisse.

transept 1823, Ducarel ; mot angl., attesté au XVIe s., du lat. *trans,* au-delà (de la nef), et *saeptum,* enclos, enceinte.

transférer 1355, Bersuire ; lat. *transferre,* porter au-delà, de *trans,* et *ferre,* porter. || **transfert** 1715, Law ; d'après le lat. *transfert,* 3e pers. sing. de l'indic. prés. de *transferre,* mot empl. sur les registres. || **transfèrement** 1704, Trévoux. || **transférable** 1596, Basmaison. || **transférabilité** 1964, Lar. (V. TRANSLATION.)

transfigurer 1160, Benoît ; lat. *transfigurare,* spécialisé en lat. eccl. pour la transfiguration du Christ. || **transfiguration** 1231, *FEW ;* lat. *transfiguratio.*

transfiler 1836, *Acad. ;* var. de *tranchefiler.* || **transfil** 1876, Lar.

transformer fin XIIe s., *Dialogues Grégoire ;* lat. *transformare,* former au-delà ; 1949, Lar., sports. || **transformation** 1375, R. de Presles ; rare jusqu'au XVIIIe s. ; lat. eccl. *transformatio* (IVe s., saint Augustin). || **transformable** 1578,

Pontus de Tyard. || **transformée** 1765, *Encycl.*, math. || **transformateur** 1617, Crespin, « qui transforme » ; 1888, Lar., appareil. || **transformisme** 1867, Broca. || **transformiste** 1876, L. || **transformationnel** 1964, Lar., linguistique.

transfuge 1355, Bersuire ; rare jusqu'en 1647, Vaugelas ; lat. *transfuga,* de *transfugere,* fuir, passer à l'ennemi, de *trans* et *fugere,* fuir.

transfusion 1539, R. Est. ; lat. *transfundere,* transvaser, proprem. « verser au-delà ». || **transfuser** 1668, *Journ. des savants ;* lat. *transfusus,* part. passé de *transfundere.* || **transfuseur** 1667, La Martinière.

transgression 1160, Benoît ; lat. *transgressio,* de *transgredi,* franchir, aller au-delà, de *trans* et de *gradi.* || **transgresseur** XIIIe s., Trenel ; lat. eccl. *transgressor* (*Vulgate*). || **transgresser** 1385, G. ; d'après le lat. *transgressus,* part. passé de *transgredi.* || **transgressif** 1842, *Acad.*

transhumer 1823, Boiste, appliqué d'abord aux Pyrénées ; esp. *trashumar,* du lat. *trans,* au-delà, et *humus,* terre. || **transhumant** 1803, B. W. || **transhumance** 1823, B. W.

transiger 1342, Du Cange ; lat. jurid. *transigere,* pousser (*agere*) à travers (*trans*), mener à bonne fin. (V. INTRANSIGEANT, TRANSACTION.)

transir XIIe s., *Roncevaux,* « trépasser », jusqu'au XVIe s., et aussi « passer, partir » ; XIVe s., G. de Machaut, être glacé de froid ; *amoureux transi,* XVe s., La Curne, expr. fig. ; lat. *transīre,* proprem. « aller au-delà », de *trans* et *īre.* (V. TRANSE.) || **transissement** XIVe s., G. de Machaut.

transistor 1953, Lar., techn. ; mot angl., abrév. de *transfer resistor,* résistance de transfert. || **transistoriser** 1964, Lar.

transit 1663, Colbert ; ital. *transito,* du lat. *transitus,* passage, de *transīre* (v. TRANSIR). || **transitaire** 1838, *Acad.* || **transiter** 1832, Balzac.

transitif 1265, Br. Latini, « passager, changeant » ; 1550, Meigret, gramm. ; lat. gramm. *transitivum* (*verbum*), « (verbe) qui passe au-delà », de *transīre.* || **transitivité** 1933, Marouzeau. || **transitivement** 1845, Radonvilliers. || **intransitif** 1679, P. de La Rue ; lat. gramm. *intransitivum* (*verbum*). || **intransitivité** XXe s.

transition XIIIe s., G., « agonie » (d'après *transir*) ; 1380, *Aalma,* rhét. ; 1521, Fabri, « moment passager » ; lat. *transitio,* passage, d'empl. spécialisé en lat. de rhét., de *transīre.* || **transitionnel** 1865, Vogt. (V. TRANSIR, TRANSITIF.)

transitoire 1170, *FEW ;* lat. eccl. *transitorius,* en lat. class. « qui sert de passage », de *transīre.* (V. TRANSIR, TRANSITION.)

transitron 1964, Lar. ; de *transit* et *électron.*

translation XIIe s., *Job,* « traduction », jusqu'au XVIe s. ; début XIVe s., jurid. ; début XVe s., « action de faire passer dans une autre situation » ; XVIIe s., « transport d'un corps » ; 1959, Tesnière, linguist. ; lat. *translatio,* transport, de *translatus,* part. passé de *transferre* (v. TRANSFÉRER). || **translatif** 1596, Basmaison, jurid. ; n. m., 1959, Tesnière, linguist. || **translater** 1120, *Ps. d'Oxford.* || **translateur** fin XIIe s., *FEW.*

translittération 1874, *Journ. des débats ;* de *transcription* et lat. *littera,* lettre. || **translittérer** 1964, Lar.

translucide 1556, Le Blanc ; lat. *translucidus,* brillant. (V. LUCIDE.) || **translucidité** 1567, *D. G.*

transmettre Xe s., Bartzsch (*trametre*), « envoyer » ; XIIe s. (*transmettre*), « communiquer » ; adapt., d'après *mettre,* du lat. *transmittere,* « envoyer au-delà », de *trans* et *mittere.* || **transmission** 1398, *Somme Gautier ;* lat. *transmissio ;* XXe s., milit. (au pl.). || **transmissible** 1583, *FEW ;* d'après le lat. *transmissus,* part. passé de *transmittere.* || **transmissibilité** 1789, Mercier. || **intransmissible** 1878, Lar. || **transmetteur** 1460, Chastellain, « celui qui transmet » ; XXe s., soldat des transmissions.

transmigration 1190, *FEW ;* XVIe s., *transmigration des âmes ;* bas lat. *transmigratio* (*Vulgate*), de *transmigrare,* changer de séjour. || **transmigrer** 1538, H. de Crenne.

transmissible, transmission V. TRANSMETTRE.

transmuer 1265, J. de Meung ; adapt., d'après *muer,* du lat. *transmutare,* déplacer, changer au-delà, de *trans* et *mutare.* || **transmutation** 1160, Benoît ; lat. *transmutatio.* || **transmuable** 1300, *Revue.* || **transmutable** 1812, Mozin. || **transmutabilité** 1721, Mencke.

transparaître, transparent, transpercer V. PARAÎTRE, PERCER.

transpirer 1503, Chauliac ; 1685, Sévigné, fig. ; lat. méd. médiév. *transpirare,* « respirer, exhaler au travers », de *trans* et *spirare,* souffler, respirer. || **transpiration** 1503, Chauliac.

transplanter, transporter, transposer V. PLANTER, PORTER, POSER.

transsexuel 1968, Lar. ; de *trans-*, et de *sexuel.* || transsexualisme 1968, Lar.

transsubstantiation 1374, *FEW ;* lat. médiév. *transsubstantiatio,* de *substantia.* (V. SUBSTANCE.) || **transubstantier** XIVe s., *FEW.*

transsuder 1700, Liger ; lat. *trans,* à travers, et *sudare,* suer ; l'anc. fr. avait le comp. *tressuer.* || transsudation 1714, Astruc.

transvaser 1570, Liébault ; de *trans* et *vase.* || transvasement 1611, Cotgrave.

transverbérer 1876, *Rev. des Deux Mondes.* || transverbération 1531, J. de Vignay ; bas lat. *transverberatio.*

transversal 1496, B. W. ; lat. *transversus,* transversal, de *transvertere,* proprem. « tourner à travers », de *trans* et *vertere.* || **transversalement** 1490, Vaganay. || **transverse** 1503, G., adj., anat. ; lat. *transversus.* (V. TRAVERS.)

trapan V. TRAPPE.

trapèze 1542, Bovelles, géom. ; XIXe s., gymn. ; bas lat. géom. *trapezium* (VIe s., Boèce), gr. *trapezion,* dimin. de *trapeza,* table à quatre pieds. || **trapézoïde** 1652, Meynier ; gr. *trapezoeidês,* de *eidos,* forme. || **trapéziste** 1879, Goncourt, gymn.

trappe 1175, Chr. de Troyes ; francique **trappa* (*Loi Salique*), moy. néerl. *trappe,* lacet ; fin XVIIe s., Sévigné, « monastère » ; de *N.-D. de la Trappe,* abbaye de l'ordre de Cîteaux, fondée en 1140, près de Mortagne (Orne), endroit où, à l'origine, on chassait à la trappe. (V. ATTRAPER, CHAUSSE-TRAPE.) || **trapan** 1331, G., « planche à trous » ; auj., haut de l'escalier ou finit la rampe. || **trapette** 1765, *Encycl.* || **trappiste** 1809, Wailly. || **trappistine** 1872, L., eccl. || **trappeur** 1833, Pavie ; anglo-amér. *trapper,* qui chasse à la trappe.

trapu 1584, Du Monin ; de l'anc. adj. *trape,* de même sens (encore au XVIe s.), d'orig. inconnue.

traque V. TRAQUER.

traquenard XVe s., « cheval au trot décousu » ; 1532, Rab., « trot décousu » ; 1680, Richelet, sorte de trébuchet ; 1622, La Curne, « piège » ; gascon *tracanart,* trot d'un cheval qui paraît trébucher, de *tracan,* allure, marche, de *traca.* (V. TRAQUER, TRAQUET 1.)

traquer 1460, *Mystère siège d'Orléans,* fouiller un bois pour en faire sortir le gibier ; moy. fr. *trac,* XIVe s., piste des bêtes, d'orig. obscure, peut-être onomat. || **traque** 1798, *Acad.* || **traqueur** 1798, *Acad.* || **étraquer** 1553, Gouberville, vén. (V. DÉTRAQUER, TRACASSER.)

1. **traquet** 1694, *Acad.,* piège ; dér. régressif de *traquenard.* (V. TRAQUENARD.)

2. **traquet** XVe s., *Myst. du Vieil Test.,* « pièce de moulin » ; espèce d'oiseau, à cause du mouvement continuel de sa queue ; onomat.

traqueur V. TRAQUER, TRAC 2.

traumatique 1549, R. Est. ; lat. méd. *traumaticus,* gr. *traumatikos,* de *trauma,* blessure. || **trauma** 1876, *Journ. de méd.* || **traumatisme** 1855, Nysten. || **traumatiser** 1921, Sergent. || **traumatisant** 1926, Martinet. || **traumatologie** 1836, d'après P. Robert. || **traumatologue** 1965, *journ.*

1. ***travail** XVIe s., machine pour ferrer les chevaux ; adapt., sous l'infl. de *travée, travetel,* du bas lat. *tripalium* (578, concile d'Auxerrre, *trepalium,* instrument de torture), proprem. « machine à trois pieux », de *tri,* trois, et *pālus.* (V. PIEU 1.)

2. **travail** V. TRAVAILLER.

***travailler** XIIe s., *Lois de Guill.,* « tourmenter » et « souffrir », jusqu'au XVIe s. ; 1680, Richelet, « exécuter un ouvrage » ; se substitue en ce sens à *ouvrer* (v. ce mot) ; lat. pop. **tripaliāre,* « torturer avec le *tripalium* » (v. TRAVAIL 1). || **travail** XIIe s., *Lois de Guill.,* tourment ; fin XVe s., Ch. d'Orléans, sens mod. ; déverbal. || **travailleur** XIIe s., B. W., « celui qui tourmente » ; 1606, Crespin, sens mod. || **travailloter** 1906, Gide. || **retravailler** 1175, Chr. de Troyes. || **travailliste** 1907, Lar., polit. ; création fr. pour désigner les membres du *Labour party* (parti du *travail*) en Angleterre ; s'est appliqué aux socialistes de la Douma russe (1905-1917). || **travaillisme** 1964, Lar.

travée 1356, G. ; dér. de l'anc. fr. *tref* (fin XIe s., *Gloses de Raschi*), poutre, du lat. *trabs, trabis* (v. TRABE). || **travelage** 1949, Lar., ch. de fer.

travelling 1927, R. Clair, cinéma ; mot angl.

***travers** 1080, *Roland ;* en anc fr., loc. adv. ou prép., *à travers, de travers, en travers* et, n. m., « chemin de traverse, poutre » ; 1637, Corn., n. m., « défaut de l'esprit » ; bas lat. *traversus,* du lat. *transversus,* adj., « qui est au travers ».

|| * **traverse** 1130, *Eneas,* sens divers, y compris « traversin » ; 1460, Chastellain, « obstacle » ; de *traversa,* fém. du bas lat. *traversus.* || **traversin** fin XIIe s., *Geste des Loherains,* chemin de traverse ; 1368, *Revue,* coussin mis *en travers* du lit. || * **traversier** 1180, *Mort Aymeri de Narbonne,* adj. et n., sens divers, et aussi « traversin » ; auj., seulement techn., *rue, flûte traversière ;* lat. pop. *traversārius,* en lat. class. *transversārius,* transversal. || **traversine** 1752, Trévoux, techn. (V. TRANSVERSAL.)

* **traverser** 980, *Passion ;* lat. pop. **traversāre,* en lat. class. *transversāre,* de *transversus* (v. TRAVERS). || **traversée** 1678, Jal ; on disait en anc. fr. *travers* en ce sens. || **traversable** 1819, Boiste. || **traversant** XIVe s., Cuvelier. || **retraverser** 1866, L.

travertin 1611, Cotgrave ; ital. *travertino,* altér. de *tivertino,* pierre de Tivoli, du lat. *Tiburtinus,* de *Tibur,* Tivoli.

travestir 1580, Montaigne ; ital. *travestire,* de *tra,* préf. exprimant la transformation, et de *vestire,* vêtir. || **travestissement** 1694, *Acad.* || **travesti** adj., 1536, M. du Bellay ; n. m., 1867, Delvau. || **travestisme** 1845, Radonvilliers.

traveteau fin XIe s., *Gloses de Raschi* (*travetel*), soliveau ; dér. de l'anc. fr. *tref,* poutre, lat. *trabs, trabis.* (V. TRAVÉE.)

traviole (de) 1836, Vidocq ; altér. pop. de la loc. adv. *de travers.*

* **travouil** XIIIe s. (*traoul*), dévidoir ; lat. pop. **trahuculus* ou **traguculus,* de *trahere,* tirer (v. TRAIRE).

trayeur, trayon V. TRAIRE.

* **tré-, tres-,** préf. ; forme pop. issue du lat. *trans,* au-delà, à travers. (V. TRÈS, adv.)

trébucher fin XIe s., *Chanson de Guillaume ;* du préf. *tré(s),* au-delà (lat. *trans*), et de l'anc. fr. *buc,* tronc du corps, du francique **būk,* all. *Bauch,* ventre ; 1329, *Ordonnance,* « peser avec le trébuchet », et l'expression *monnaie sonnante et trébuchante.* || **trébuchement** 1120, *Ps. d'Oxford.* || **trébuchet** 1175, Chr. de Troyes, « sorte de piège » ; 1326, G., « petite balance pour peser la monnaie ».

trédame 1670, Molière, juron ; forme apocopée de *Notre-Dame.*

tréfiler 1800, B. W. ; de *tré(s),* à travers (lat. *trans*), et de *fil.* || **tréfilerie** 1268, É. Boileau ; dér. de l'anc. fr. *tréfilier,* « celui qui tréfile ». || **tréfileur** 1800, B. W. || **tréfilage** 1879, Tolhausen. || **tréfiloir** 1964, Lar.

* **trèfle** XIIIe s. ; lat. pop. **trīfŏlum,* lat. class. *trifolium ;* « à trois feuilles », calque du gr. *triphullon ;* 1694, Corn., archit. || **tréflé** 1629, Dorival. || **tréflière** 1836, Landais (*tréflier*), agric.

tréfonds 1765, *Encycl. ;* de *tré-* et *fonds.*

* **treille** XIe s., *Gloses de Raschi,* « tonnelle » ; 1220, Gace Brulé, « vigne » ; lat. *trĭchĭla,* berceau de verdure. || **treillage** 1600, O. de Serres. || **treillager** 1767, Schabol. || **treillageur** 1767, Schabol.

* **treillis** 1130, *Eneas* (*tresliz*), adj., « tissé à mailles » ; n. m., XIVe s., G. (*treillis,* avec infl. de la forme et du sens de *treillage*) ; 1690, Furetière, « toile grossière » ; lat. pop. **trilīcius,* lat. class. *trilīx,* « à trois fils » (v. LICE 2). || **treillissé** 1350, *FEW.* || **treillisser** 1497, Havard.

* **treize** fin XIIe s., *Rois* (*treze*) ; lat. *trēdecim,* de *tres,* trois, et *decem,* dix. || **treizième** 1138, Gaimar (*trezime*) ; 1380, Du Cange ; suff. mod. d'après *centième.* || **treizain** 1296, G.

trélingage 1677, Dassié, mar., filin ; ital. *stralingaggio.*

tréma 1600, Palliot (*points trematz*) ; gr. *trêma, -atos,* trou, point sur un dé. || **trématode** 1827, *Acad.* (*trématodée*) ; 1839, Boiste (*trématode*), zool. ; gr. *trêmatôdês,* percé de trous ; ces vers ont la peau percée de petits trous (ventouses). || **trématophore** 1842, *Acad.,* zool. ; de *phoros,* qui porte, de *phereîn,* porter.

* **trémail,** var. **tramail** 1197, *FEW,* filet de pêche ; bas lat. *tremaculum* (*Loi Salique*), de *tri,* trois, et *macula,* maille.

trémat 1872, L., « banc de sable » ; problablem. du bas lat. *trema,* sentier. || **trémater** 1415, *FEW,* mar., dépasser un bateau. || **trématage** 1872, L.

* **tremble** 1138, Gaimar ; lat. *tremulus,* proprem. « tremblant », de *tremere,* trembler (v. TREMBLER). || **tremblaie** 1294, G.

* **trembler** 1120, *Ps. d'Oxford ;* lat. pop. **tremulāre,* de *tremulus,* tremblant, du lat. class. *tremere,* trembler (v. TREMBLE, TRÉMULER et CRAINDRE). || **tremblant** adj., 1174, Hue de Rotelande. || **tremblement** XIIe s., *Maccabées ; et tout le tremblement,* 1827, Cavé, pop., « au complet ». || **trembleur** XVe s., *FEW ;* 1657, Loret, relig. ; trad. de l'angl. *quaker ;* 1872, Bouillet, appareil. || **trembloter** 1549, R. Est.

‖ **tremblotant** adj., milieu XVIIe s., Boileau. ‖ **tremblotement** 1553, Vaganay. ‖ **tremblote** 1894, Esnault.

***trémie** fin XIe s., *Gloses de Raschi* (*tremuie,* encore en 1680, *Ordonn.*) ; 1680, Richelet (*trémie*) ; lat. impér. *trimodia* (Ier s., Pline), plur. neutre, pris comme fém. sing., du lat. class. *trimodium,* vase contenant trois muids (v. MUID). ‖ **trémillon** 1680, Richelet (*trémion*).

trémière (*rose*) 1500, E. Rolland (*rose trémière*) ; 1665, Vallot (*rose de Trémier*) ; 1690, Furetière (*rose de trémière*) ; altér. de *rose d'outremer* (1611, Cotgrave).

***trémois** 1210, G., agric., blé de printemps (qui pousse en trois mois) ; lat. pop. *trimense* (*triticum*), (blé) de trois mois.

trémolo 1829, Fétis, mus. ; ital. *tremolo,* tremblement de la voix, de l'adj. *tremolo,* tremblant, du lat. *tremulus.* (V. TREMBLE.)

trémousser (se) 1532, Rab. ; de *mousse,* au sens de « écume, bouillonnement », et du préf. *tré,* du lat. *trans.* ‖ **trémoussement** 1573, Larivey.

***tremper** XIIe s., *Roncevaux* (*temprer, tenprer*) ; XIIIe s. (*tremper,* par métathèse de *r*), « mélanger les liquides », et par ext. « imbiber, mouiller » ; XVIe s., sens figurés ; lat. *temperare,* au sens de « mélanger » (v. TEMPÉRER). ‖ **trempage** 1836, *Acad.* ‖ **trempe** 1180, *FEW* (*trempre*), au pr. ; 1570, Carloix, fig. ; 1867, Delvau, pop., volée de coups ; déverbal. ‖ **trempette** 1611, Cotgrave. ‖ **trempeur** 1611, Cotgrave. ‖ **trempée** n. f., 1842, *Acad.,* au pr. ; 1867, Delvau, volée de coups. ‖ **trempis** 1350, G. ‖ **trempoir** 1338, G. ‖ ***détremper** 1155, Wace (*des-*), « délayer » ; *détremper l'acier,* 1692, *Acad. des sciences ;* bas lat. *distemperare.* ‖ **détrempe** 1308, Gay, peint. ; 1722, Réaumur, techn. ; déverbal. ‖ **retremper** 1175, Chr. de Troyes.

tremplin 1680, Richelet ; ital. *trampolino,* de *trampolo,* échasse, sur le radical germ. **tramp* (cf. l'all. *trampeln,* trépigner).

trémulation 1873, *J. O.,* méd. ; lat. *tremulus,* tremblant (v. TREMBLE, TREMBLER). ‖ **trémuler** XVe s., *FEW,* « trembler ».

trenail 1843, *Journ. des chemins de fer,* cheville de chemin de fer ; angl. *treenail,* cheville de bois, de *tree,* arbre, et *nail,* clou.

trench-coat 1920, Lar. ; mot angl. signif. « vêtement de tranchée », de *trench,* tranchée, et *coat,* habit.

***trente** 980, *Passion du Christ ;* lat. pop. **trinta,* en lat. class. *triginta.* ‖ **trentième** 1119, Ph. de Thaon (*trentisme*) ; 1487, Garbin ; suff. mod. d'après *centième.* ‖ **trentièmement** 1636, Monet. ‖ **trentain** XIIIe s., *FEW.* ‖ **trentaine** 1155, Wace. ‖ **trentenaire** 1495, Vignay ; sur le modèle de *centenaire.* ‖ **trente-et-quarante** 1648, Scarron. ‖ **trente-et-un** (*se mettre sur son*) 1833, Vidal, fam.

trépan 1363, Chauliac ; lat. médiév. *trepanum,* gr. *trupanon,* tarière. ‖ **trépaner** 1363, Chauliac. ‖ **trépanation** XIVe s., Lanfranc.

trépasser 1080, *Roland,* « dépasser » ; 1155, Wace, « mourir » ; de *tré-* et *passer.* ‖ **trépassement** 1155, Wace. ‖ **trépas** 1130, *Eneas ;* déverbal. ‖ **trépassé** n. m., XIIIe s..

trépidation 1290, Drouart ; lat. *trepidatio,* tremblement, agitation, de *trepidus,* agité. ‖ **trépider** 1495, J. de Vignay, « s'agiter » ; 1801, Mercier, « être agité » ; lat. *trepidare.* ‖ **trépidant** 1881, Daudet ; part. prés. lat. *trepidans.*

trépied 1200, *FEW ;* lat. *tripes, tripedis,* à trois pieds ; le *p* a été maintenu parce que la composition a toujours été sentie.

trépigner 1355, Bersuire ; anc. fr. *treper,* frapper du pied, avec le suff. *-igner,* var. de *-iner ;* germ. **trippôn,* sauter (cf. l'angl. *[to] trip,* faire un croc-en-jambe, et le suédois *trippa,* trépigner). ‖ **trépignement** 1552, R. Est. ‖ **trépigneuse** 1907, Lar., manège. ‖ **trépignée** 1867, Delvau, pop., volée de coups.

trépointe 1408, G., techn. ; anc. fr. *trépoindre,* piquer au travers, de *tré-* (lat. *trans*) et de *poindre* (v. ce mot).

tréponème 1909, Lar., méd. ; gr. *trepein,* tourner.

***très** 1080, *Roland,* adv., et également prép., en anc. fr. (« jusqu'à, auprès ») ; seulement adv. intensif depuis le XVIe s. ; de la prép. lat. *trans,* au-delà de. (V. le préf. TRÉ-, TRES-.)

trésaille 1680, Richelet (*tréseille*) ; déverbal de l'anc. *trésailler,* altér. de l'anc. *trésaller,* techn., de *tres-,* au-delà, et *aller* (VIIIe s., *Gloses de Raschi, transalavit,* 3e pers. sing. du prétérit lat.). ‖ **trésaillure** 1923, Lar.

***trésor** 1050, *Alexis ;* lat. *thesaurus,* gr. *thêsauros ;* le prem. *r* est obscur ; 1534, Rab., « richesses » au pl. ‖ **trésorier** 1080, *Roland ;* bas lat. *thesaurarius.* ‖ **trésorier-payeur** 1865, *Bull. des lois.* ‖ **trésorerie** XIIIe s., La Curne.

tressaillir 1080, *Roland ;* de *saillir,* au sens anc. de « sauter », et *tres-,* au-delà, du lat. *trans* (v. SAILLIR). || **tressaillement** 1560, Paré.

tressauter 1340, G. de Machaut. || **tressautement** 1569, La Bouthière ; repris en 1857, Goncourt.

tresse fin XIe s., *Gloses de Raschi* (*tresce*) ; lat. pop. **trichia,* gr. *trikhia,* écorce de palmier. || **tresser** fin XIe s., *Gloses de Raschi.* || **tresseur** 1680, Richelet. || **tressage** 1876, Lar.

***tréteau** fin XIIe s., *Loherains* (*trestel*), au pr. ; 1669, Boileau, pl., au théâtre ; issu, avec substitution de préf., d'après les mots commençant par *tré-,* du lat. pop. **trastellum,* en bas lat. *trā(n)stillum,* poutre, traverse, dimin. de *trā(n)strum,* poutre.

***treuil** 1282, G., pressoir ; 1354, Modus, sens mod. ; lat. *tŏrculum,* pressoir. || **treuiller** 1256, G. || **treuillage** 1964, Lar.

trêve 1138, Gaimar (*true*) ; var. de l'anc. fr. *trieve,* d'où *trêve ;* francique **triuwa,* sécurité (cf. l'all. *treu,* fidèle, l'angl. *true,* vrai).

trévirer milieu XIIe s., *Roman de Thèbes ;* de *tré-* et *virer.* || **trévire** 1776, *Encycl.*

1. **tri-,** préf. ; lat. *tri-,* « trois » en composition.

2. **tri** n. m. V. TRIER.

triade 1564, Ronsard ; bas lat. *trias, -adis,* « au nombre de trois », mot gr.

triage V. TRIER.

trial 1974, *journ. ;* angl. *trial,* de *to try,* essayer.

triangle 1265, J. de Meung ; lat. *triangulum,* de *tri-,* trois, et *angulus,* angle. || **triangulaire** 1377, Oresme ; bas lat. *triangularis.* || **triangulation** 1819, Boiste ; bas lat. *triangulatio.* || **triangulé** 1803, Wailly. || **trianguler** 1829, Boiste.

triannuel 1876, Lar. ; de *tri-* et *annuel.*

trias 1845, Besch., géol. ; all. *Trias,* du bas lat. *trias,* « au nombre de trois », mot gr. ; ce terrain a trois couches : grès, calcaire, marne (v. TRIADE). || **triasique** 1845, Besch.

tribade 1566, H. Est. ; lat. *tribas, -adis,* mot gr., proprem. « frotteuse », de *tribeîn,* frotter. || **tribadisme** 1857, Monneret.

triballer 1757, d'après P. Robert ; de *baller,* danser, et l'anc. fr. *tribouler,* tourmenter. || **triballe** 1827, *Acad.,* techn.

tribomètre 1765, *Encycl. ;* de *tribo-,* gr. *tribein,* frotter, et *-mètre.* || **tribométrie** 1923, Lar.

tribord 1484, Garcie ; apocope de *estribord* (1573, Du Puys) ; néerl. *stierboord,* de *stier,* gouvernail, et *boord,* bord (v. BÂBORD). || **tribordais** 1704, Trévoux.

tribraque 1671, Pomey, terme de prosodie gr. et lat. ; gr. *tribrakhus,* de *tri-,* trois, et *brakhus,* bref.

tribu 1355, Bersuire, antiq. rom. ; 1691, Racine, « groupe de familles » ; lat. *tribus.* || **tribal** 1872, L. || **tribalisme** 1964, Lar., ethnographie.

tribulation 1120, *Ps. d'Oxford,* « infortune » ; 1799, Marmontel, « épreuves » ; lat. eccl. *tribulatio* (IIIe s., Tertullien), de *tribulare,* écraser avec la herse, puis « persécuter », de *tribulum,* herse.

tribun 1213, *Fet des Romains,* antiq. rom. ; 1823, Brunot, « orateur » ; lat. *tribunus.* || **tribunat** 1500, *FEW ;* lat. *tribunatus.* || **tribunitien** 1355, Bersuire, hist. ; lat. *tribunicius,* en bas lat. *tribunitius.*

tribunal XIIIe s., *Saint Laurent,* « siège du juge » ; 1670, Richelet, sens actuel ; lat. *tribunal,* plate-forme sur laquelle se tient le tribun. (V. TRIBUN.)

tribune 1231, B. W. ; XVe s., galerie d'église ; 1636, Monet, ext. de sens ; 1872, Pearson, « gradins » ; ital. *tribuna,* du lat. *tribunal.* (V. TRIBUNAL.)

tribut début XIVe s., *Entrée d'Espagne ;* lat. *tributum,* de *tribuere,* proprem. « répartir entre les tribus » (v. TRIBU) ; a éliminé l'anc. forme pop. *treü.* || **tributaire** 1130, *Eneas ;* lat. *tributarius.*

tricard V. TRIQUE.

tricennal 1721, Trévoux ; lat. *tricennalis,* de *triceni,* trente, et *annus,* an.

tricéphale 1803, Boiste ; de *tri-,* trois, et *kephalê,* tête.

triceps 1560, Paré, anat. ; mot lat., de *tri-,* trois, et *caput,* tête. (V. BICEPS.)

***tricher** 1175, Chr. de Troyes ; var. anc. *trechier ;* bas lat. **triccare,* de *trīcāri,* soulever des difficultés. || **triche** n. f., XIIe s., *Roman de Thèbes,* « tromperie » ; 1702, *Maison académique,* « tricherie » ; déverbal. || **tricherie** 1120, *Ps. de Cambridge.* || **tricheur** *id.*

trichine 1845, Besch. ; lat. scient. mod. *trichina,* gr. *thrix, thrikhos,* cheveu (c'est-à-dire : ver noué comme un cheveu).

tricho-, gr. *thrix, thrikhos,* cheveu. || **trichinose** 1864, *journ.* || **trichocéphale** 1812, Mozin, zool. || **trichogyne** 1876, Lar. || **trichome** 1812, Mozin. || **trichomycose** 1904, Lar. || **trichophytie** 1877, *le Progrès médical.* || **trichophyton** 1858, Nysten, bot. ; gr. *phuton,* végétal. || **trichotome** 1812, Boiste.

trichromie 1876, Lar., entom. ; 1949, Lar., imprimerie ; préf. *tri-,* trois, et gr. *khrôma,* couleur. || **trichrome** 1907, Lar.

trick 1773, *Mercure,* whist ; angl. *trick,* ruse, du normand *trikier,* tricher.

triclinium 1752, Trévoux ; mot lat., du préf. gr. *tri-,* trois, et *klinê,* lit.

tricoises 1314, Mondeville, tenailles ; altér. de *turquoises,* XIIe s., fém. de *turc,* dans **tenailles turquoises,* « tenailles turques », dénomination de cause inconnue.

tricolore 1695, Regnard ; bas lat. *tricolor,* tricolore, de *tres,* trois, et *color,* couleur.

tricorne 1836, B. W. ; de l'adj. lat. *tricornis,* à trois cornes. (V. CORNE.)

tricot V. TRICOTER, TRIQUE.

tricoter XVe s., G., « sauter » ; XIVe s., *Miracles,* « battre » ; 1560, Gay, « exécuter en mailles » ; de *tricot,* XVe s., bâton court, dimin. de *trique* (v. ce mot). || **tricot** 1660, Oudin. || **tricotage** 1573, Jodelle. || **tricotets** 1637, Discret, danse. || **tricoteur** 1585, Cholières, au fém.

tricouse 1451, *Comptes du roi René* (*tricquehouse*), guêtre ; moyen néerlandais *strickhosen.* (V. HOUSEAU.)

trictrac XVe s., *Franc Archer* (*pas tric trac*), onomat. ; 1549, R. Est, jeu.

tricuspide 1654, d'après P. Robert ; lat. *tricuspis,* « à trois pointes », de *tri-,* trois, et *cuspis,* pointe.

tricycle 1834, Landais, voiture ; 1888, Lar., vélo.

tridacne 1809, Lamarck, zool. ; gr. *tridaknos,* mordu en trois fois, de *tri,* trois, et *dakneîn,* mordre.

tride 1611, Cotgrave, équit., « prompt » ; esp. *trido.*

trident XIIIe s., rare jusqu'au XVIe s. ; lat. *tridens,* (harpon) à trois dents. || **tridenté** 1803, Boiste.

tridi 1793, Fabre d'Églantine, troisième jour de la décade républicaine ; lat. *tri,* trois, et *dies,* jour.

triduum 1872, L. (*triduo*) ; 1876, Lar. (*triduum*) ; mot lat., « espace de trois jours », spécialisé au sens eccl.

trièdre 1793 ; de *tri-,* trois, et du gr. *hedra,* siège, d'où « base ». || **triel** 1933, Marouzeau ; d'apr. *duel.*

triennal 1352, G. ; bas lat. *triennalis,* de *tri,* trois, et *annus,* an. || **triennat** 1752, Trévoux ; a remplacé, d'après les mots du type *épiscopat,* l'adj. substantivé *triennal* (1671, Pomey).

***trier** 1160, Benoît ; bas lat. *tritare* (VIe s.), broyer, séparer en broyant, du lat. class. *terere.* || **tri** milieu XIVe s., Machaut ; rare avant le XVIIIe s. (v. 1760, Rousseau). || **triable** XVe s., *Romania.* || **triage** 1370, *Chartes.* || **trieur** 1550, *FEW.*

trière 1370, Oresme (*trierie*) ; rare jusqu'au XIXe s. ; gr. *triêrês.*

trifide 1783, Bulliard, bot., zool. ; lat. *trifidus,* fendu en trois, de *findere,* fendre. (V. BIFIDE.)

trifoliolé 1876, Lar. ; de *tri,* et *foliole.* (V. FEUILLE.)

triforium milieu XIIe s., *Roman de Thèbes ;* mot angl., du lat. *triforium.*

trifouiller 1808, d'Hautel, pop. ; croisement de *fouiller* et de *tripoter.* || **trifouilleur** 1904, Lar. || **trifouillage** 1878, Lar.

trigaud 1361, Oresme, fam., arch. ; moy. haut all. *triegolf,* trompeur. || **trigauder** 1680, Richelet. || **trigauderie** 1680, Richelet.

trigémellaire 1875, *Progrès médical,* méd. ; lat. *tri-,* trois, et *gemellus,* jumeau.

trigéminé 1842, *Acad. ;* lat. *trigeminus,* de *tri-*, trois, et *geminus,* jumeau.

trigle 1791, Valmont, ichtyol. ; lat. scientif. *trigla,* du gr. *triglê,* mulet de mer. || **triglidés** 1904, Lar.

triglyphe 1545, Van Aelst ; lat. *triglyphus,* mot gr., de *gluphein,* tailler. [V. GLYPT(O)-.]

trigone n. m., 1377, Oresme ; adj., 1534, Rab. ; gr. *trigônos,* à trois angles. || **trigonal** 1549, Havard. || **trigonelle** 1827, *Acad.,* bot. || **trigonocéphale** 1827, *Acad.,* zool. || **trigonométrie** 1613, Dounot.

trijumeau 1572, Amyot ; de *tri* et *jumeau.*

trilingue 1530, Marot ; lat. *trilinguis,* de *tri-,* trois, et *lingua,* langue.

trilitère ou **trilittère** 1842, *Acad.* ; préf. *tri-,* trois, et lat. *littera,* lettre. || **trilittéralité** 1872, L.

trille 1753, Rousseau ; ital. *trillo,* du v. *trillare,* onomatop. || **triller** 1836, *Acad.*

trillion 1484, Tropfke, « mille milliers de billions » ; 1520, La Roche, sens actuel ; de *tri-* et [*mi*]*llion* (v. MILLE).

trilobites 1812, Mozin ; lat. scient. *trilobites,* de *tri-* et *lobus,* lobe.

trilogie 1765, *Encycl.* ; gr. *trilogia,* de *treis,* trois, et *logos,* discours. || **trilogique** 1836, *Acad.*

trimaran 1958, Merrien ; de *tri-* et [*cata*]*maran.*

trimard V. TRIMER.

trimbaler 1790, *Rat du Châtelet* ; forme nasalisée, d'après *brimbaler,* de *tribaler* (1266, *Miroir de vie,* et encore 1532, Rab.), lui-même altér., d'après l'anc. *baller,* danser, d'un anc. v. *tribouler,* « s'agiter, carillonner », empl. fig. de *tribouler, tribuler,* « tourmenter », du lat. eccl. *tribulare* (v. TRIBULATION). || **trimbalage** 1859, Mozin. || **trimbalement** 1865, Goncourt. || **brinquebaler** 1853, Goncourt ; de *trinqueballer,* 1534, Rab., autre altér. de *tribaler,* d'après *triqueballe,* XVe s., M. Le Franc, « chariot d'artillerie », d'orig. obscure.

trimer fin XIVe s., Deschamps (*trumer*), cheminer, « se donner de la peine » ; 1754, Esnault ; orig. obscure, peut-être à rapprocher de l'anc. *trumel,* jambe (v. TRUMEAU) : c'est-à-dire « jouer des jambes ». || **trimard** 1566, Esnault, grande route ; 1892, Esnault, vagabondage. || **trimarder** 1628, *Jargon.* || **trimardeur** 1712, Esnault, « voleur » ; 1894, Esnault, « vagabond ».

trimestre 1564, *FEW* ; lat. *trimestris,* qui dure trois mois. || **trimestriel** 1817, Gérardin.

trimètre 1701, Furetière ; de *tri-* et *mètre.*

tringle 1328, G. (*tingle*) ; 1459, Gay (*tringle,* forme altérée) ; néerl. *tingel, tengel,* cale de bois. || **tringler** 1328, G. || **tringlette** 1351, G. (*tinglette*).

tringlot V. TRAIN.

trinité 980, *Passion* ; lat. eccl. *trinitas* (IIIe s., Tertullien), de *trinus,* qui se répète trois fois. || **trinitaire** 1541, Calvin. || **trinitarien** *id.*

trinôme 1554, Peletier ; de *tri-* et [*bi*]*nôme.* (V. BINÔME.)

trinquart 1730, Savary ; angl. *trinker-boat,* de *trink,* filet, et *boat,* bateau.

trinquer fin XIVe s., Deschamps, « boire » ; all. *trinken,* boire ; 1552, Rab., sens actuel, « choquer les verres avant de boire ». || **trinqueur** 1553, Rab.

trinquet v. 1500, d'Authon, mar. ; ital. *trinchetto,* voile triangulaire, du lat. *trīni,* par trois. || **trinquette** 1512, Seyssel.

trio 1578, d'Aubigné, mus. ; 1668, La Fontaine, groupe de trois personnes ; mot ital., mus., fait d'après *duo,* sur rad. lat. *tri-,* trois.

triode 1923, Lar., électr. ; de *tri-,* trois, et [*di*]*ode.* (V. ÉLECTRODE.)

triolet 1488, *Rev. langues romanes,* strophe ; origine douteuse, peut-être de l'ital. *trio* (v. ce mot), avec infl. de l'anc. fr. *triolaine,* jeûne de trois jours ; 1839, Boiste, mus. ; de l'ital. *trio.*

triomphe 1190, Garn. ; lat. *triumphus.* || **triomphal** début XIIe s., *Roman de Thèbes* ; lat. *triumphalis.* || **triomphalement** 1510, Auton. || **triompher** 1265, J. de Meung ; lat. *triumphare.* || **triomphant** adj., 1460, *Mystère.* || **triomphateur** 1340, J. Le Fèvre ; lat. *triumphator.* || **triomphalisme** 1964, *le Monde.*

trionyx 1827, *Acad.,* zool. ; gr. *tri,* trois, et *onux,* ongle.

triparti 1460, *FEW* (*trisparti*) ; lat. *tripartitus,* divisé en trois, de *partire,* diviser. || **tripartisme** 1949, Lar. || **tripartition** 1765, *Encycl.* ; lat. *tripartitio.*

1. **tripe** 1243, Ph. de Novare, boyau ; origine obscure ; 1534, Rab., en parlant de l'homme ; fig., 1938, Bernanos. || **tripier** XIIIe s. || **triperie** 1398, *Ménagier.* || **tripaille** 1450, Gréban. || **tripette** 1462, *Cent Nouvelles,* « petite tripe » ; 1743, Trévoux, sens mod. || **tripoux** 1655, « boudin » ; 1967, Robert, sens actuel. || **étriper** 1534, Rab.

2. **tripe** 1317, B. W., étoffe de velours ; orig. obscure.

triphasé 1895, *Almanach* ; de *tri-* et *phase.*

triphtongue 1550, Meigret ; gr. *tri-,* trois, et *phtoggos,* son. (V. DIPHTONGUE.)

triplace 1964, Lar. ; de *tri* et *place.*

triple 1175, Chr. de Troyes (*treble*) ; fin XIVe s. (*triple*) ; lat. *triplus.* || **tripler** 1304, Lespinasse. || **triplement** 1490, *Guidon en fr.,* adv. ; 1515, B. W., n. m. || **détripler** XVIIIe s. || **triplet** 1872, L. || **triplette** 1891, *l'Illustration.*

triplicata 1758, Voltaire ; fém. du lat. *triplicatus,* de *triplicare,* de *tri-,* trois, et *plicare,* plier. (V. DUPLIQUER.)

triplicité 1398, E. Deschamps ; lat. *triplicitas,* de *triplex,* triple.

triploïde 1872, L. ; de *tri-* et gr. *eidos,* apparence. || **triploïdie** 1953, Lar.

tripode 1904, Lar. ; de *tri* et gr. *pous, podos,* pied.

tripoli 1508, *Archives ;* de *Tripoli,* ville de Syrie d'où venait jadis cette terre.

triporteur 1906, Lar. ; de *tri-,* trois (à trois roues), et de *porteur.*

tripot 1160, *Tristan,* manège, intrigue, acte amoureux ; 1460, Villon, jeu de paume ; 1707, Lesage, sens mod. ; sans doute dér. de *treper,* sauter, germ. **trippôn* (v. TRÉPIGNER). || **tripoter** 1581, N. de Montand ; dér. du sens premier. || **tripotage** 1482, Flamang. || **tripotée** 1843, Dupeuty. || **tripoteur** 1582, N. de Montang. || **tripotier** 1611, Cotgrave ; 1650, Scarron, « tenancier de tripot ». (V. TRIFOUILLER, TRIPATOUILLER.)

triptyque 1838, B. W. ; gr. *triptukhos,* plié en trois. (V. DIPTYQUE.)

trique 1385, G. (*jouer aux triques*) ; mot rég. (Nord-Est), var. de *estrique* (XIIIe s., G.) ; 1690, Furetière, « bâton qu'on passait sur une mesure pour en faire tomber les grains en excédent » ; de *estriquer* (1275, texte de Saint-Omer), du francique **strikan,* frotter. || **tricot** petite trique, 1413, G. || **triquet** 1680, Richelet, arch. || **triquer** 1690, Furetière, techn., séparer les bois ; 1842, *Acad.,* pop., battre. || **tricard** 1882, Esnault, interdit de séjour. (V. ÉTRIQUER.)

triqueballe XVe s., *Romania,* « instrument de torture » ; 1765, *Encycl.,* « chariot » ; orig. obscure.

trirème 1355, Bersuire ; rare avant 1721, Trévoux ; lat. *triremis,* de *tri-,* trois, et *remus,* rame.

trisection 1690, Furetière ; de *tri-* et *section.* || **trisecteur** 1829, Boiste. || **triséquer** 1872, L.

trismégiste milieu XVIIe s., Pascal ; du gr. *tris,* trois fois, et *megistos,* très grand, superlatif de *megas.*

trismus 1827, *Acad.,* méd. ; gr. *trismos,* de *trizein,* grincer.

trisoc 1835, *Maison rustique,* agric. ; de *tri-* et *soc.* (V. SOC.)

1. **trisser** 1839, Boiste ; de *tri-* et *bisser.*

2. **trisser** 1842, *Acad.,* se dit du cri de l'hirondelle ; lat. *trissare,* onomatopée.

3. **trisser** 1905, Rab., « aller rapidement » ; orig. incertaine.

trissyllabe 1529, *Mél. Picot ;* lat. *trisyllabus,* du gr. *trisullabos,* à trois syllabes.

triste Xe s., *Saint Léger ;* lat. *tristis.* || **tristement** 1175, *FEW.* || **tristesse** 1180, Marie de France ; lat. *tristitia.* || **attrister** 1468, Chastellain. || **contrister** 1170, *Rois ;* lat. *contristare.*

tritium 1949, Lar. ; gr. *tritos,* troisième, et *deutérium.*

1. **triton** 1512, J. Lemaire de Belges, mythol. ; milieu XVIIIe s., zool. ; lat. *Triton,* mot gr., nom d'une divinité aquatique.

2. **triton** 1615, d'après P. Robert, mus., « intervalle de trois tons dans le plain-chant » ; lat. médiév. *tritonum,* gr. *tritonon,* « à trois *tons* ». (V. TON 2.)

triturer 1519, G. Michel de Tours ; rare jusqu'au XVIIIe s. ; bas lat. *triturare,* de *tritus,* part. passé de *terere,* broyer. || **trituration** XIIIe s., *FEW ;* bas lat. *trituratio.* || **triturateur** 1782, *Encycl.*

triumvir 1507, Fournier, hist. rom. ; lat. *triumvir,* de *trium,* génitif pl. de *tres,* trois, et *vir,* homme. || **triumvirat** 1556, Bonivard ; lat. *triumviratus.* || **triumviral** 1579, *FEW.*

trivalent V. VALOIR.

trivelin 1654, Loret, bouffon ; ital. *Trivellino,* surnom d'un bouffon aux jambes tordues, de *trivellino,* foret, du lat. *terebellus.*

trivial 1550, Rab. ; lat. *trivialis,* commun, vulgaire, de *trivium,* carrefour. || **trivialement** 1596, Hulsius. || **trivialité** 1611, Cotgrave.

trivium XIIIe s., d'Andeli, division inférieure des sept arts au Moyen Âge ; mot lat., proprem. « carrefour de trois voies ».

troc V. TROQUER.

trocart 1694, Th. Corn. ; de *trois-quarts,* « poinçon chirurgical ».

trochanter 1560, Paré, anat. ; gr. *trokhantêr,* coureur, de *trokhazein,* courir.

1. **troche** 1220, Coincy, sarment ; lat. pop. **traduca,* en lat. class. *tradux,* sarment, de *traducere,* « conduire au-delà », de *trans* et *ducere.* || **trochée** 1561, La Curne, faisceau de

pousses. || **trochet** 1400, G., bouquet de fleurs sur un arbre. || **trochure** 1354, *Modus,* andouiller du cerf.

2. **troche** 1768, Valmont, coquillage ; lat. *trochus,* gr. *trokhos,* cerceau.

1. **trochée** 1551, Gruget, prosodie antique ; lat. *trochaeus,* gr. *trokhaios.* || **trochaïque** 1551, Aneau.

2. **trochée, trochet** V. TROCHE 1.

trochilus 1611, Cotgrave, ornith. ; gr. *trokhilos,* roitelet, de *trekhein,* courir. || **trochilidés** 1842, *Acad.* (*trochilides*).

trochisque 1256, Ald. de Sienne (*torcis*) ; 1425, O. de La Haye (*trochisque*), pharm. ; lat. méd. *trochiscus,* du gr. *trokhiskos.*

trochlée 1721, Trévoux, anat. ; lat. *trochlea.* || **trochléen** 1875, A. Fort.

trochoïde 1658, Pascal, n. f., techn. ; gr. *trokhoeidês,* en forme de roue tournante, de *trekhein,* courir, tourner.

trochure V. TROCHE 1.

troène 1265, J. de Meung (*troine*) ; 1532, R. Est. (*troesne*) ; francique **trugil,* avec passage inexpliqué de *l* à *n.*

troglodyte 1372, Corbichon ; rare jusqu'en 1552, Rab. ; lat. *troglodyta,* gr. *trôglodutês,* de *trôglê,* trou, et *dunein,* pénétrer. || **troglodytique** 1842, *Acad.* || **troglodytisme** 1875, *Rev. des Deux Mondes.*

trogne 1395, Chr. de Pisan ; gaulois **trugna* (cf. le gallois *trwyn,* nez).

trognon 1398, *Ménagier ;* de *estrongner* (1377, *FEW*), tronçonner, élaguer, altér., d'après *trogne* (v. le précéd.), de *estronner* (début XIVe s.), réfection, d'après *tronc* (*c* non prononcé), de *estronchier* (fin XIIIe s.), retrancher, de l'anc. fr. *tronchier,* du lat. *trŭncare,* de *trŭncus.* (V. TRONC.)

troïka 1849, Joanne ; russe *troika,* attelage à trois chevaux.

***trois** 980, *Passion* (*treis*) ; lat. *trēs.* || **troisième** 1175, Chr. de Troyes (*troisime*) ; 1539, R. Est. (*troisième*) ; suff. sur *centième.* || **trois-quarts** 1694, Th. Corneille, lime à trois pans. || **trois-six** 1795, *FEW ;* due à une ancienne manière d'évaluer les spiritueux.

***trôler** XIIe s., *Alexandre* (*troller*), vén. ; 1867, Delvau, pop., aller çà et là, trimer ; lat. pop. **tragullare,* var. de **tragŭlare,* suivre à la trace, de *trahere ;* au XIVe s., la var. *trailler* vient de **tragŭlāre.* || **trolle** 1655, Salnove, vén. ; déverbal. || **trôleur** 1660, Oudin, « vagabond.

1. **trolle** V. TRÔLER.

2. **trolle** 1791, Valmont, bot., renoncule alpestre ; all. *Trollblume,* de *Blume,* fleur, et *Troll,* lutin.

trolley 1893, Cattori ; mot angl., désignant un dispositif inventé en 1882, aux États-Unis, par le Belge Ch. Van de Poele ; de (*to*) *troll,* rouler, lui-même empr. au fr. *trôler.* || **trolleybus** 1938, *Français moderne.*

trombe 1611, Cotgrave ; ital. *tromba,* trompe, empl. métaph. à cause de la forme de la trombe d'eau. (V. TROMPE.)

trombidion 1803, Boiste ; lat. scient. *trombidium,* du gr. *eidos,* forme, et ital. *tromba,* trompe.

trombine 1835, Raspail, pop., visage ; ital. *trombina,* petite trompe. (V. TROMBE.)

tromblon 1669, B. W., « narcisse » ; 1803, Boiste, « arme » ; altér. de l'ital. *trombone,* augmentatif de *tromba.* (V. TROMBE et TROMBONE.)

trombone 1589, Baïf (*trombon*) ; 1703, Brossard (*trombone*) ; ital. *trombone,* augmentatif de *tromba,* grosse trompe ; a remplacé l'anc. fr. *saquebute.* || **tromboniste** 1834, Fétis.

trompe 1175, Chr. de Troyes ; francique **trŭmpa,* anc. haut all. *trumpa,* formation onomatop. || **trompette** 1319, Richard ; XVe s., sonneur de trompette. || **trompeter** 1339, Machault. || **trompeteur** 1530, Palsgrave. || **trompettiste** 1829, Fétis. || **trompillon** 1676, Félibien, archit. || **trompille** 1842, *Acad.,* techn.

tromper 1387, J. Le Bel ; de *se tromper de* (1388, Du Cange), « se jouer de », empl. fig. de *tromper* au sens de « jouer de la trompe ». || **trompeur** XIIIe s., *Sept Sages.* || **tromperie** XIVe s., Cuvelier. || **trompe-la-mort** 1834, Balzac, fam. || **trompe-l'œil** 1803, Boiste. || **détromper** 1611, Cotgrave.

***tronc** 1175, Chr. de Troyes, partie de l'arbre ; XIIIe s., *tronc des pauvres,* « coffret en forme de tronc » ; 1559, Amyot, anat. ; lat. **trŭncus,* tronqué, de *truncare.* || **tronche** 1554, Havard, « billot » ; 1596, Pechon de Ruby, tête ; lat. pop. **trunca,* forme fém. de *truncus ;* var. *tronce* (XIIIe s., G.), d'après *tronçon.* || **tronchet** 1260, *Récits ménestrel.* || **tronquer** 1265, J. de Meung ; lat. *trŭncare,* amputer, mutiler. || **troncature** 1813, Ramond. || **troncation** 1552,

R. Est. || **détroncation** 1829, Boiste ; lat. *detruncatio.*

***tronçon** 1080, *Roland* (*trunçun*) ; de l'anc. fr. *trons,* lat. pop. **trunceus,* tronqué, de *truncus* (v. TRONC). || **tronçonner** 1175, Chr. de Troyes. || **tronçonnage** 1421, G. || **tronçonneuse** 1920, *la Nature,* XXe s. || **étronçonner** milieu XVIe s.

trône 1120, *Ps. de Cambridge ;* lat. *thronus,* du gr. *thronos.* || **trôner** 1801, Mercier. || **détrôner** fin XVIe s. || **détrônement** 1731, Voltaire.

trop 1080, *Roland ;* en anc. fr., également « beaucoup, assez » ; du francique **throp,* entassement, d'où est issu le lat. médiév. *troppus* (*Loi des Alamans*), « troupeau ». (V. TROUPE.) || **trop-plein** 1671, Sévigné.

tropanol 1964, Lar. ; de *atropine.*

trope 1554, de Maumont ; lat. de rhét. *tropus,* gr. *tropos,* tour, manière. || **tropologie** XIIIe s., Guiart ; du lat. *tropologia,* mot gr.

troph(o)-, gr. *trophê,* nourriture. || **trophique** 1830, *Dict. méd.* || **trophoblaste** 1904, Lar. || **trophocyte** 1904, Lar. || **trophoplasma** 1897, *Année biol.*

trophée 1488, Vaganay ; bas lat. *trophaeum,* altér. du lat. class. *tropaeum,* gr. *tropaion.*

tropique 1375, R. de Presles ; bas lat. *tropicus,* gr. *tropikos,* sur *tropos,* tour, de *trepein,* tourner (d'après la révolution du soleil). || **tropical** 1824, *Annales sciences nat.* || **tropicalisé** 1959, Giordan. || **tropicalisation** 1964, Lar. || **subtropical** 1876, Lar.

tropisme 1904, Lar. ; gr. *tropos,* tour. (V. TROPIQUE.)

tropo-, gr. *tropos,* tour, direction. || **tropologie** XIIIe s., G. ; bas lat. *tropologia,* mot gr. || **tropopause** 1934, Quillet. || **tropophyte** 1964, Lar. ; gr. *phuton,* plante.

troposphère 1916, Lar., astron. ; de *tropo-* et de *sphère.*

troque var. de TROCHE 2.

troquer 1280, *Clef d'Amors* (*trocare,* dans un texte lat.) ; var. *trocher,* XVe s. ; orig. inconnue. || **troc** 1464, B. W. || **troqueur** 1586, B. W.

trotter 1130, *Eneas ;* anc. haut all. *trottôn* (cf. l'all. *trotten,* forme intensive de la famille de *treten,* marcher). || **trot** 1155, Wace. || **trotteur** XVe s., *FEW.* || **trotte** 1390, G., « trot » ; 1680, Richelet, sens actuel. || **trottoir** 1580, Montaigne. || **trotte-menu** 1660, Oudin. || **trotting** 1876, Lar., hippisme. || **trottiner** 1155, Wace ; var. *trotigner,* 1552, Rab. || **trottinement** 1845, d'après P. Robert. || **trottin** 1198, n. propre ; 1594, *FEW,* « animal » ; 1856, Michel, « apprentie » ; d'après *galopin.* || **trottinette** 1889, Macé ; d'après *patinette.*

1. ***trou** VIIIe s., *Loi des Ripuaires* (*traugum*) ; 1175, Chr. de Troyes (*traou*) ; lat. pop. **traucum* (cf. l'anc. prov. *trauc*), origine prégauloise. || **trouer** 1160, *Eneas.* || **trouée** fin XVe s., Molinet. || **trou-madame** 1571, Havard, jeu.

2. ***trou** 1160, Benoît (*tros*), trognon ; lat. *thyrsus,* tige, gr. *thursos,* avec métathèse de *r.* (V. THYRSE.)

troubadour 1575, J. de Nostredame ; prov. *trobador,* trouveur. (V. TROUVER, TROUVÈRE.)

***trouble** 1160, Benoît, adj. ; lat. pop. **turbulus,* croisement de *turbidus,* agité, et de *turbulentus ;* avec métathèse de *r.* || ***troubler** 1080, *Roland ;* lat. pop. *tŭrbulāre,* de **turbulus.* || **troublant** adj., 1850, Sainte-Beuve, « inquiétant ». || **trouble** n. m., 1283, Beaumanoir. || **trouble-fête** XIIIe s., *Isopet.*

trouée, trouer V. TROU 1.

troufignon 1610, Béroalde, pop., anus ; de *trou* et *figne,* anus.

troufion 1894, Esnault, pop., soldat ; probablem. altér. plaisante de *troupier.* (V. TROUPE.)

trouille 1808, Boiste, « peur » ; mot du Nord-Est, de l'anc. fr. *truilier,* broyer, de *treuil* || **trouillard** av. 1756, *Caracatara et Caracataqué.* || **trouilloter** 1833, P. Borel, *Rhapsodies,* « sentir mauvais » ; de *trouiller,* péter.

troupe 1180, Barbier, « troupeau », jusqu'au XVIe s. ; 1553, *Bible Gérard,* sens mod. ; bas lat. *troppus* (*Loi des Alamans*) ; francique **throp* (v. TROP). || **troupeau** 1155, Wace (*tropel*), syn. de *troupe ;* fin XIIIe s., empl. mod. || **troupier** 1821, Desgranges (v. TROUFION). || **attrouper** XIIIe s., *Doon de Mayence.* || **attroupement** fin XVIe s., de L'Estoile.

trousse V. TROUSSER.

troussequin 1677, Barbier, outil de menuisier ; altér., d'après *trousser,* de *trusquin* (1676, Félibien), mot wallon, forme dissimilée de *crusquin,* du flam. *kruisken,* petite croix (à cause de la forme), du moy. néerl. *cruiskijn.* || **trusquiner** 1845, Besch.

***trousser** 1080, *Roland* (*trosser*), var. *torser ;* en anc. fr., « charger » (une bête de somme), proprem. « mettre en paquet » ; XIVe s., Deschamps, « relever en pliant » ; XVIe s., d'Aubigné, « faire vite » ; bas lat. *torsare, de *torsus, var. de tortus, part. passé de torquēre (v. TORDRE). || **trousse** fin XIIe s., *Dolopathos* (*torse*), « botte de paille », etc. ; XIIIe s., « poche de selle » ; *être aux trousses, courir aux trousses de,* fin XVIe s., d'Aubigné, de *trousses* au sens de « haut-de-chausses relevé, porté par les pages » ; déverbal de *trousser.* || **trousseau** 1130, *Eneas,* synonyme de *trousse ;* début XIIIe s., *Guillaume de Dole,* « trousseau d'une jeune mariée ». || **trousse-galant** début XVIe s., É. Médicis. || **trousse-pied** 1812, Mozin. || **trousse-queue** 1553, B. W. || **troussis** 1611, Cotgrave. || **trousse-pète** 1798, *Acad.,* n. f., se dit d'une petite fille. || **trousseur** 1883, Maupassant. || **détrousser** 1119, Ph. de Thaon, « défaire ce qui est empaqueté », d'où « dépouiller de ses bagages ». || **détrousseur** 1489, J. Aubrion. || **retrousser** fin XIIe s., *l'Escoufle ;* 1530, Palsgrave, sens mod. || **retroussement** 1546, J. Martin. || **retroussis** 1680, Richelet.

***trouver** 1050, *Alexis ;* lat. pop. *trŏpare, de *trŏpus,* figure de rhét. ; « inventer, composer », puis « découvrir » dès le XIe s. || **trouvaille** 1160, Benoît. || **trouvable** 1395, Chr. de Pisan. || **introuvable** début XVIIe s., Balzac. || **trouveur** 1160, Benoît. || **retrouver** XIIe s. || **retrouvailles** 1798, Mercier. (V. TROUVÈRE, TROUBADOUR.)

trouvère 1160, Benoît ; anc. cas sujet d'un mot dont *troveor* était le cas régime, spécialisation de sens d'après le sens primitif de *trouver.* (V. TROUBADOUR, TROUVER.)

truand 1175, Chr. de Troyes, « vagabond » ; 1906, Esnault, « malfaiteur » ; gaulois *trugant (cf. l'irl. *trôgan,* dimin. de *truag,* malheureux, et le gallois *tru*). || **truander** 1175, Chr. de Troyes. || **truandaille** 1160, Benoît. || **truanderie** XIIe s. ; conservé dans le nom d'une rue de Paris.

truble ou **trouble** fin XIIIe s., *Livre des métiers,* filet de pêche ; probablem. du gr. de Marseille *trublion,* écuelle, avec infl. du lat. *trulla,* truelle. || **trubleau** 1583, G. (var. *trouble-eau, troubleau,* par attraction de *troubler*).

trublion 1901 ; mot créé par Anatole France, à la fois d'après *troubler* et le mot lat. *trublium,* écuelle, gamelle (v. TRUBLE), pour évoquer les partisans du prétendant au trône de France, surnommé *Gamelle.*

1. **truc** 1220, Coincy, ruse, procédé habile, tour d'adresse ; vulgarisé au début du XIXe s. ; prov. *truc,* déverbal de *trucá,* en anc. prov. *trucar,* « cogner, battre », d'un lat. pop. *trūdicāre, du lat. *trūdere,* pousser. || **trucher** 1628, *Jargon,* mendier. || **trucheur** 1632, Chereau. || **truquer** 1840, Esnault, « falsifier ». || **truqueur** 1840, Esnault. || **trucage** ou **truquage** 1872, L.

2. **truc** ou **truck** 1843, *Journ. des chem. de fer,* chariot ; angl. *truck,* camion.

truche 1872, L., vase ; orig. incertaine.

truchement XIIe s., *Prise d'Orange* (*drugement*) ; XIVe s. (*trucheman, truchement*), *Chron. de Flandre,* interprète ; *par le truchement de,* 1836, Balzac ; de l'ar. *tourdjoumân.* (V. DROGMAN.)

trucider 1485, *FEW,* fam. ; lat. *trucidāre,* tuer.

truculent 1495, Vaganay ; lat. *truculentus,* farouche, de *trux,* même sens. || **truculence** 1629, Ritter ; rare jusqu'en 1853, Goncourt.

truelle XIIIe s., L. ; bas lat. *truella,* avec un *ū* irrégulier, du lat. class. *trulla,* diminutif de *trua,* cuiller à pot. || **truellée** 1344, B. W. || **trueller** 1561, Maumont.

truffe 1344, Prost, *Inv. des ducs de Bourgogne ;* périgourdin *trufa,* du lat. pop. *tūfera* (*gloses*), de *tūfer, forme dial. (osco-ombrien) du lat. *tuber,* excroissance (v. TUBERCULE) ; 1843, Balzac, « nez ». || **truffeau** 1429, *FEW,* ornement. || **truffier,** fém. **truffière** 1771, Trévoux ; périgourdin *trufié, trufiero.* || **truffer** 1798, *Acad.* || **truffage** 1938, Montagné. || **trufficulture** 1875, *Rev. des Deux Mondes.* || **truffette** fin XIXe s., bonbon fabriqué à Grenoble.

***truie** XIIe s. ; bas lat. *trŏia* (VIIIe s., *Gloses de Cassel*), fém. tiré de *porcus troianus,* porc farci (Macrobe), ainsi désigné par allusion au cheval de Troie.

truisme 1828, Jacquemont ; angl. *truism,* axiome, de *true,* vrai.

***truite** 1175, Chr. de Troyes (*troite, truite*) ; bas lat. *tructa* (VIIe s., Isid. de Séville), gr. *trôktês,* vorace. || **truité** 1680, Richelet.

trullisation 1691, Daviler, crépissage à la truelle ; lat. *trullisatio,* de *trulla.* (V. TRUELLE.)

trumeau fin XIIe s., *Geste Loherains* (*trumel*), « gras de la jambe » ; conservé comme terme de boucherie, « jarret de bœuf » ; 1624, B. W., « panneau », archit. (v. aussi JAMBE, même empl. fig.) ; francique *thrŭm, morceau (cf. l'all. *Trumm*).

truquer, truqueur V. TRUC 1.

trust 1888, *Économiste fr.* ; mot angl., de (*to*) *trust,* avoir confiance dans les dirigeants, à qui on confie tous les pouvoirs. || **truster** 1911, *L. M.* || **trusteur** 1905, Adam.

trypanosome 1843, *Comptes rendus Acad. sciences,* bactériol. ; gr. *trupanê,* tarière, et *sôma,* corps. || **trypanosomiase** 1923, Lar.

trypsine 1888, Lar. ; gr. *tripsis,* friction.

tsar ou **tzar** 1561, texte d'Anvers (*czar*) ; 1607, B. W. (*tsar,* forme russe) ; mot slave, empr. anc. au lat. *caesar* (cf. l'all. *Kaiser*). || **tsarine** 1678, A. Des Barres. || **tsarévitch** 1679, S. Collins (*czaroidg*) ; XVIIIe s. (*csarewitz*). || **tsarisme** 1907, Lar.

tsé-tsé 1857, *Rev. des Deux Mondes ;* mot du dialecte des Setchuana, en Afrique australe.

tsigane XVe s. (*cigain*) ; 1843, Th. Gautier (*tzigane*) ; nom d'un peuple nomade d'Asie qui se dispersa en Europe au XVe s. ; cf. l'all. *Zigeuner,* l'ital. *zingaro,* le port. *cigano.* (V. aussi BOHÈME, GITAN, ROMANICHEL.)

tsoin-tsoin 1917, Esnault.

tsunami 1915, d'après P. Robert ; mot japonais.

***tu** 980, *Valenciennes ;* lat. *tū,* nominatif du pron. pers. de 2e pers. || **te** XIIe s. ; de l'acc. *tē* en position atone. || **toi** XIIe s. (*tei,* puis *toi*) ; acc. *tē* en position tonique (v. ME). || **tutoyer** 1280, Bibbesworth (*tutoiser*) ; 1394, Du Cange (*tutoyer*). || **tutoiement** 1636, Monet. || **tutoyeur** 1752, Ch. Le Roy.

tub 1878 (*tob*) ; 1889, P. Bourget (*tub*) ; angl. *tub,* « baquet ». || **tuber** 1898, Bourget.

tuba XIIIe s., G. ; ital. *tuba,* trompette, du lat. *tuba,* trompette.

tube 1453, B. W. ; lat. *tubus.* || **tuber** 1489, *Ordonn.* || **tubage** 1818, Gallois. || **tubaire** 1822, *Nouv. Dict.* || **tubicole** 1827, *Acad.* || **tubiste** 1904, Lar., postier préposé aux tubes pneumatiques ; 1953, Lar., ouvrier travaillant dans un caisson à air comprimé. (V. TUBULÉ.)

tubéracé 1842, *Acad.,* bot. ; lat. *tuber,* truffe.

tubercule 1541, Vassée, proéminence anatomique ; 1741, Col de Vilars, « tumeur du poumon » ; lat. méd. *tuberculum,* petite tumeur, de *tuber,* « tumeur ». (V. TRUFFE.) || **tuberculeux** milieu XVIe s., dans un autre sens que le sens méd. mod. ; fin XVIIIe s., méd. || **tubard** 1920, Esnault. || **tuberculose** 1854, *Journ. méd.* || **tuberculisation** 1842, *Acad.* || **tuberculiser** 1855, Nysten. || **tuberculine** 1891, d'après P. Robert. || **tuberculiner, tuberculiniser** 1907, Lar. || **tuberculination, tuberculinisation** 1907, Lar. || **antituberculeux** 1891, *Année scient.*

tubéreux 1478, Chauliac (*tubéroux*) ; 1560, Paré (*tubéreux*) ; lat. *tuberosus,* garni de protubérances, de *tuber* (v. TRUFFE), tubercule. || **tubéreuse** n. f., 1630, Peiresc, bot. || **tubérosité** 1478, Chauliac ; bas lat. *tuberositas.* || **tubériforme** 1842, *Acad.* || **tubérisé** 1964, Lar. || **tubérisation** 1915, Lar.

tubulé 1743, Geffroy ; lat. *tubulatus,* de *tubus* (v. TUBE). || **tubulaire** 1755, abbé Prévost ; lat. *tubulus,* dimin. de *tubus.* || **tubuleux** 1763, Planque. || **tubuliflore** 1842, *Acad. ;* de *flore.* || **tubo-ovarien** 1872, L. || **tubulure** 1762, *Acad.*

tudesque 1512, J. Lemaire de Belges ; ital. *tedesco,* de l'anc. haut all. *diutisc* (cf. l'all. *deutsch*).

tudieu 1537, Des Périers ; de [*par la ver*]*tu* [*de*] *Dieu.*

***tuer** 1130, *Eneas,* « éteindre » (jusqu'au début du XVIIe s.) ; 1155, Wace, « abattre, tuer » ; lat. pop. **tūtāre,* en lat. class. *tūtāri,* protéger, d'où en bas lat. « éteindre ». || **tuable** 1566, *FEW.* || **tuant** 1638, Chapelain, adj., fig. || **tueur** 1265, J. de Meung. || **tuerie** 1350, G. || **tue-chien** 1544, *FEW.* || **tue-mouche** 1827, *Acad.,* bot. ; 1872, L., *papier tue-mouches.* || **à tue-tête** 1650, Scarron. || **s'entre-tuer** XIIe s.

tuf 1280, *Archives ;* ital. *tufo,* forme napolitaine, du lat. *tōfus.* || **tufeau** 1433, *Rev. ling. rom.* || **tufière** 1562, Du Pinet, n. f. || **tufier** 1694, Th. Corneille, adj.

***tuile** 1170, *Rois* (*teule, tieule*) ; 1333, Gay (*tuile,* par métathèse) ; 1784, Mme de Genlis, « ennui » ; lat. *tēgula,* de *tegere,* couvrir. || **tuilerie** 1221, G. || **tuilier** 1292, *Rôle de la taille de Paris.* || **tuileau** XIVe s., G. || **tuilette** 1190, G. || **tuiler** 1756, Féraud, fig., eccl. ; 1827, *Acad.,* techn. || **tuilé** XIIIe s., La Curne. || **tuilage** 1723, Savary.

tularémie XXe s., vétér. ; lat. scient. *tularensis,* d'après le comté de *Tulare* (Californie), et du gr. *haima,* sang.

tulipe 1600, O. de Serres (*tulipan*) ; 1611, Cotgrave (*tulipe*) ; turc *tülbend* (*lâle*), plante-turban, appliqué à la tulipe blanche, par comparaison avec la forme d'un turban. || **tulipier** 1751, *Dict. d'agric.*

tulle XVIIe s. (*point de Tulle*) ; 1765, *Encycl.* (*tulle*) ; de *Tulle,* ville de la Corrèze où se fabriquait ce tissu. || **tullerie** 1872, L. || **tullier, tullière** 1868, *Moniteur universel.* || **tullliste** 1842, *Acad.*

tumeur 1398, *Somme Gautier ;* lat. *tumor,* de *tumēre,* être gonflé. || **tumoral** 1964, Lar. || **tuméfier** 1560, Paré ; lat. *tumefacere,* faire gonfler. || **tuméfaction** 1552, *Revue.* || **tumescent** 1839, Boiste. || **tumescence** 1839, Boiste. || **intumescence** 1611, Cotgrave ; lat. *intumescere,* gonfler.

tumulte 1131, *Couronn. Loïs* (*temulte*) ; 1200, *FEW* (*tumulte*) ; lat. *tumultus,* de *tumēre* au fig. (v. TUMEUR). || **tumultueux** 1354, *FEW ;* lat. *tumultuosus.* || **tumultueusement** 1355, Bersuire. || **tumultuaire** 1355, Bersuire ; lat. *tumultuarius.*

tumulus 1811, Chateaubriand, archéol. ; lat. *tumulus,* tertre, tombeau. || **tumulaire** 1771, Trévoux.

tune ou **thune** 1628, *Jargon,* « aumône » ; 1800, Esnault, « pièce de cinq francs » ; orig. obscure ; peut-être de *Tunes,* forme anc. de *Tunis :* le chef des gueux s'appelait par dérision roi de *Tunes.*

tuner 1964, Lar. ; mot angl., de *to tune,* accorder.

tungstène 1784, Guyton de Morveau, chim. ; suédois *tungsten,* pierre lourde (mot créé par le chimiste suédois *Scheele,* qui découvrit ce corps en 1780). || **tungstate** 1789, Lavoisier. || **tungstite** 1984, Lar.

tunique 1156, Rathbone ; lat. *tunica.* || **tuniqué** 1872, L., adj. ; hist. nat. || **tunicelle** XVIe s., *FEW.* || **tunicier** 1827, *Acad.,* zool. ; d'après l'enveloppe de ces animaux marins.

tunnel 1825, Wexler ; angl. *tunnel,* galerie, tuyau, issu du fr. *tonnelle.* (V. TONNE.)

tuque 1659, d'après P. Robert ; mot canadien, du français *toque.*

turban 1350, *FEW* (*tourbelon*) ; 1538, Saint-Blancard (*turban*) ; turc *tülbend,* mot persan, par l'interméd. de l'ital. *turbante,* fin XVe s. (V. TULIPE.) || **enturbanné** XVIe s.

turbe 1050, *Alexis* (*torbe*), jurid. ; lat. *turba,* foule. (V. TOURBE 1.)

turbide 1502, O. de Saint-Gelais ; lat. *turbidus,* agité. || **turbidimètre** 1910, Lar. || **turbidité** 1910, Lar.

turbine 1534, Rab., « tourbillon » ; 11 mars 1827, *Corresp.,* Ph. de Girard, roue hydraulique (mot créé par Burdin, d'après cet article) ; lat. *turbo, turbinis,* tourbillon, toupie, par ext. « cône, roue de fuseau, etc. ». || **turbinage** 1872, L. || **turbiné** 1541, Canappe. || **turbineur** 1874, L. || **turbroyeur** 1975, Lar. || **turbocompresseur** 1923, Lar. || **turboforage** 1944, Lar. || **turbomoteur** 1890, d'après P. Robert. || **turbopompe** 1923, Lar. || **turbopropulseur** 1910, *la Vie au grand air.* || **turboréacteur** 1948, Lar.

turbiner 1812, Esnault, pop., « travailler » ; de *tourpiner,* tournailler, de *torpie,* toupie, probablem. forgé sur le rad. lat. de *turbo, turbinis,* tourbillon. || **turbin** 1821, Esnault.

turbith XIIIe s., *Simples Médecines,* liseron de l'Inde, par ext., poudre purgative ; ar. *turbid.*

turbot XIIe s., E. de Fougères (*tourbout*) ; 1398, *Ménagier* (*turbot*) ; anc. scand. **thornbutr,* de *thorn,* épine, et *butr* (cf. le néerl. *butte,* l'all. *Butt,* barbue). || **turbotin** 1694, *Acad.* || **turbotière** 1803, Boiste.

turbulent XIIe s., *Règle saint Benoît ;* rare jusqu'au XVIe s. ; lat. *turbulentus* (IIIe s., Tertullien), de *turbare,* troubler. || **turbulence** 1495, J. de Vignay ; lat. *turbulentia.*

turc 1207, Villehardouin, nom de peuple ; 1660, Oudin, « personne dure », fig. ; du turco-persan *tourk,* nom de peuple ; *tête de Turc,* fig., loc. empr. au jeu de massacre. || **turquette** 1565, *FEW ;* appelé aussi *herbe au Turc.* || **turquerie** 1578, Léry. (V. TURQUIN, TURQUOISE.)

turco 1830, Esnault ; mot du sabir algérien ; proprem. « turc », puis « algérien », puis « soldat indigène » ; l'Algérie a dépendu de la Turquie jusqu'en 1830.

turdidé 1872, L., ornith. ; lat. *turdus,* grive. (V. TOURD.)

turelure, turlure XIIIe s., G., refrain de chanson ; onomat. (v. TURLUT). || **turlurette** XIVe s., *Chron. de Du Guesclin,* sorte de guitare.

turf 1828, *Journ. des haras ;* 1929, Esnault, « travail » ; angl. *turf,* gazon, pelouse. (V. TOURBE 2.) || **turfiste** 1853, Chapas.

turgescent 1813, Boiste ; lat. *turgescens,* part. prés. de *turgescere,* se gonfler. || **turgescence** 1752, Trévoux ; lat. mod. *turgescentia.* || **turgide** XVIe s.

turion 1555, Aneau, bot. ; lat. *turio,* jeune pousse.

turlupin XIVe s., Du Cange ; de *Turlupin,* surnom choisi par Legrand, auteur de farces du début du XVIIe s., d'après un terme d'origine inconnue désignant, au XIVe s., une secte d'hérétiques, et usité au XVIe s. au sens de « mauvais plaisant » || **turlupiner** 1615, *Harangue de Turlupin.* || **turlupinade** 1654, Scarron.

turlure, turlurette V. TURELURE.

turlut, turlu 1680, Richelet, nom d'oiseau ;. onomat. || **turlutaine** 1778, Beaumarchais, « serinette » ; 1893, *D. G.,* « rengaine ». || **turlututu** 1654, Loret ; onomat.

turne 1800, *Chauffeurs,* « maison » ; 1854, Gautier, arg. des grandes écoles ; alsacien *türn,* prison, forme dial. de l'all. *Turn,* tour. || **coturne** 1895, Florent, compagnon de « turne » ; de *co-,* avec, et calembour sur *cothurne.*

turnep ou **turneps** 1755, Mackenzie, chou-rave ; mot angl., de (*to*) *turn,* tourner, et de l'anc. angl. *naep,* navet, du lat. *napus.*

turonien 1842, Orbigny ; lat. *Turones,* peuple de la Loire.

turpitude 1390, *FEW ;* lat. *turpitudo,* de *turpis,* honteux. || **turpide** 1390, La Curne.

turqueterie, turquet V. TURC.

turquin 1471, *D. G. ;* ital. *turchino,* de Turquie (le bleu était la couleur favorite des Turcs).

turquoise 1298, *Livre Marco Polo ;* fém. subst. de l'anc. adj. *turquois,* de *turc* (cette pierre a été trouvée en Turquie d'Asie).

turriculé 1842, d'après P. Robert, coquillage en forme de tour ; lat. *turricula,* petite tour, dimin. de *turris.* || **turritella** 1806, Wailly, zool. ; lat. scient. *turritella,* du lat. *turritus,* garni de tours.

tussi-, lat. *tussis,* toux. || **tussigène** 1897, Nysten. || **tussilage** 1671, Quatroux ; lat. *tussilago.* || **tussipare** 1904, Lar.

tussor 1844, *Tarif des douanes* (*tussore*) ; angl. *tussore,* de l'hindoustani *tasar.*

tuteur 1265, *Livre de jostice ;* 1701, Furetière, « armature » ; lat. *tutor,* de *tueri,* protéger. || **cotuteur** XVIIIe s. || **protuteur** XVIIIe s. || **tutelle** 1332, G. ; lat. *tutela.* || **tutélaire** 1552, Rab., « secourable » ; 1613, Voultier, jurid. ; bas lat. *tutelaris.* || **tuteurer** 1907, Lar.

tutie 1256, Ald. de Sienne (*tuschie*), oxyde de zinc sublimé ; ar. *tutijâ.*

tutoyer V. TU.

tutti 1765, *Encycl.,* mus. ; mot ital., plur. de *tutto,* tout. || **tutti frutti** 1933, Lar. || **tutti quanti** 1671, Sévigné ; expr. ital., pour « tous tant qu'ils sont ».

tutu 1881, Esnault, « caleçon collant de danseuse », puis « jupe légère de danseuse » ; mot enfantin ; altér. euphémique de *cucu,* redoublement de *cul.*

tuyau fin XIe s., *Gloses de Raschi ;* francique **thūta,* trompette, tuyau (cf. le comp. gotique *thut-haurn,* corne-trompette) ; 1872, Pearson, « renseignement » (donné dans le tuyau de l'oreille). || **tuyauter** 1822, *Obs. des modes,* plier du linge à *tuyaux ;* 1899, Esnault, fam., renseigner. || **tuyauterie** 1845, Besch. || **tuyautage** 1872, L. || **tuyère** 1450, *FEW.*

tweed 1845, Th. Gautier, laine d'Écosse ; mot angl., altér., d'après *Tweed,* nom d'une rivière d'Écosse, de *tweel,* étoffe croisée (cf. l'angl. [*to*] *twill,* croiser).

twist 1904, Bonnafé, « caoutchouc » ; 1960, Robert, « danse ». || **twister** 1964, Lar.

tympan 1170, *Rois,* tambour ; XVIe s., B. Palissy (*tympane*), archit. ; XVIIe s., *Huetiana,* anat. ; lat. *tympanum,* tambourin, et par ext., archit., du gr. *tumpanon* (v. TIMBRE). || **tympanique** 1822, *Nouv. Dict. méd.* || **tympaniser** 1520, G., signaler bruyamment, jusqu'à la fin du XVIIe s. ; 1611, Cotgrave, « railler » ; lat. impér. *tympanizare,* jouer du tambourin. || **tympanite** 1372, Corbichon (*timpanide*), méd. ; lat. méd. *tympanites.* || **tympanal** 1872, L., anat. || **tympanon** 1680, Richelet, anc. instr. de mus. ; gr. *tumpanon.* || **tympanoplastie** 1964, Lar.

type 1380, *Aalma,* eccl., « modèle, symbole » ; 1777, *Encycl.,* « personnage représentatif » ; 1845, Besch., biologie ; 1844, Balzac, « individu » ; 1835, *Acad.,* imprimerie ; lat. eccl. *typus,* « modèle, exemple », du gr. *tupos,* marque d'un coup. || **typesse** 1879, Esnault. || **typé** 1843, Toeppfer. || **typer** 1873, *J. O.* || **typique** 1495, *Mir. histor.,* « allégorique » ; 1850, Balzac, « original » ; lat. eccl. *tupicus,* exemplaire, du gr. *tupikos.* || **typiquement** fin XVIIe s., Abadie. || **typifié** 1859, Mozin. || **typiser** 1834, Balzac. || **typisation** 1834, Balzac. || **typologie** 1840, *FEW.*

typhlite 1858, Nysten, méd. ; gr. *tuphlos,* caecum, « (intestin) aveugle ».

typhon 1521, Crignon ; angl. *typhoon,* de l'ar. *tufân,* lui-même p.-ê. issu du gr. *tuphôn,* tourbillon de vent.

typhus 1667, Justel ; mot du lat. méd. (IIIe s., Sammonicus), gr. méd. *tuphos,* torpeur, de *tuphein,* incendier, faire fumer. || **typhique** 1836, *Acad.* || **typhoïde** 1660, Fernel (*typhodes*) ; 1813, Pinel, relatif au typhus ; 1826, *FEW,* fièvre typhoïde. || **paratyphoïde** 1907, Lar. || **typhoïdique** 1877, *le Progrès médical.* || **typhose** 1904, Lar.

typographe 1554, Belleforest ; gr. *tupos,* caractère d'écriture (v. TYPE), et *graphein,* écrire. || **typo** 1861, Larchey, « ouvrier » ; 1964, Lar., typographie. || **typographie** 1577, Ganieu. || **typographique** 1560, J. Millet. (V. LINOTYPE, MONOTYPE.)

typtologie 1876, Lar. ; de *typto-,* du gr. *tuptein* frapper, et de *-logie.*

tyran Xe s., *Saint Léger* (*tiran*) ; lat. *tyrannus,* gr. *turannos,* maître, usurpateur, despote. || **tyranneau** 1574, Jodelle. || **tyrannie** 1155, Wace. || **tyrannique** 1370, Oresme ; lat. *tyrannicus,* gr. *turannikos.* || **tyranniser** 1370, Oresme. || **tyrannicide** 1487, Garbin, « meurtrier » ; 1562, Bonivard, « meurtre » ; lat. *tyrannicida* (v. HOMICIDE, PARRICIDE). || **tyrannosaure** 1890, d'après P. Robert, zool. ; gr. *saura,* reptile.

tyrolienne 1816, Jouy, chant (s.-e. *chanson*) ; fém. de l'adj. dér. de *Tyrol.*

tyrosine 1872, L., chim. ; gr. *turos,* fromage. || **tyrosinase** 1897, *Année biol.*

tzigane V. TSIGANE.

U

ubac XIIe s., mot provençal, versant exposé au nord ; lat. *opacus,* sombre, par l'intermédiaire du bas lat. *ubacum.* (V. ADRET, OPAQUE.)

ubéral 1909, Lar. ; lat. *uber,* sein, mamelle. || **ubérosité** *id.* ; bas lat. *uberosus,* de *uber,* fécond, fertile.

ubiquité 1548, N. du Fail ; lat. *ubique,* partout (comp. de *ubi,* où) ; *avoir don d'ubiquité,* 1839, *Acad.* || **ubiquisme** 1580, Montaigne. || **ubiquiste** 1585, Feuardent, théol. || **ubiquitaire** 1622, Fr. de Sales, théol.

ubuesque 1922, *Mercure de France* ; de *Ubu,* n. du héros de la pièce d'A. Jarry.

uchronie 1876, Renouvier, « histoire fictive » ; gr. *ou-,* préfixe négatif, et *khronos,* temps, sur le modèle de *utopie.*

uhlan 1578, Charrière (*ullac*) ; 1748, d'Argenson (*houlan*) ; mot allem., empr. au polonais, du tartare *oglan,* jeune homme.

ukase 1774, *Mém. d'Éon* (*oukas*) ; russe *ukaz,* édit, de *ukasat',* publier.

ulcère 1314, Mondeville ; lat. *ulcus, ulceris.* || **ulcérer** *id.* ; lat. *ulcerare* ; fig., 1611, Cotgrave. || **ulcération** 1314, Mondeville ; lat. *ulceratio.* || **ulcéreux** 1363, Chauliac ; lat. *ulcerosus.* || **ulcératif** XIVe s., Gordon. || **ulcéroïde** 1878, Lar. || **exulcérer** 1534, Rab. ; lat. méd. *exulcerare.* || **exulcération** XVIe s., G. ; lat. *exulceratio.*

uléma 1829, Boiste ; ar. *oulamâ,* plur. de *alim,* docte, savant.

uligineux 1265, Br. Latini ; lat. *uliginosus,* de *uligo,* humidité.

ulluco 1872, L. ; mot esp., du quechua *ullucu.*

ulmaire XIVe s., Gauchet ; lat. bot. mod. *ulmaria,* de *ulmus,* orme, d'après une ressemblance des feuilles. || **ulmique** 1834, Boiste, chim. || **ulmacées** 1828, Mozin.

ulnaire 1843, Landais ; lat. *ulna,* avant-bras.

ulster 1872, L., mot angl., type de manteau ; de *Ulster,* province irlandaise où l'on en fabriquait l'étoffe.

ultérieur 1495, J. de Vignay ; lat. *ulterior,* forme de comparatif, même rad. que *ultra,* au-delà. || **ultérieurement** 1570, Huguet.

ultimatum 1740, Brunot ; mot du lat. diplomatique mod., de *ultimus,* dernier.

ultime 1220, Coincy ; lat. *ultimus,* dernier. || **ultimo** 1842, *Acad.*

1. **ultra-,** lat. *ultra,* au-delà (de) ; sert à la construction de nombreux mots savants : *ultrason, ultraviolet,* etc. || **ultracisme** 1831, Balzac. || **ultrafiltre** 1933, Lar. || **ultramicroscope** 1906, d'après P. Robert. || **ultramoderne** 1894, Arène. || **ultraroyaliste** 1798, *Acad.* || **ultrason** 1933, Lar. || **ultrasonore** 1923, Langevin. || **ultraviolet** 1872, L. || **ultravirus** 1921, *Comptes rendus.*

2. **ultra** 1792, C. Desmoulins, extrémiste, en politique ; 1816, Jouy, ellipse de *ultra-royaliste* ; empl. subst. du préf. *ultra-.*

ultramontain 1265, du Cange (en latin) ; 1323, *Ordonn. roy.,* eccl. ; lat. eccl. *ultramontanus,* proprem. « d'au-delà des monts (les Alpes) ». || **ultramontanisme** 1733, B. W., eccl.

ululer XVe s., *FEW* ; lat. *ululare,* hurler. || **ululation** 1220, Coincy ; bas lat. *ululatio.* || **ululement** 1541, G. Michel de Tours.

***un** 980, *Passion* ; lat. *ūnus.* || **l'un** 1080, *Roland.* || **unième** 1250, Mousket (*vint et unime*) ; 1538, R. Est. (*unième*).

unanime 980, *Valenciennes* ; rare avant le XVe s. ; lat. *unanimus,* « qui a une même âme ». || **unanimement** 1361, Oresme ; lat. *unanimitas.* || **unanimisme, unanimiste** 1910, J. Romains, littér. || **unanimité** 1370, Oresme.

unau 1614, Cl. d'Abbeville, zool. ; mot tupi, d'une langue indigène du Brésil.

unciforme 1808, Boiste ; lat. *uncus,* crochet, et *forme.* || **uncinaire** 1876, Lar.

unguéal 1812, Mozin ; lat. *unguis,* ongle.

1. ***uni** Xe s., adj. ; lat. *unitus,* part. passé de *unīre.* || **uniment** 1120, *Ps. d'Oxford* (*uniement*).

2. **uni-,** premier élément d'adjectifs savants, comme *unicellulaire,* indiquant que la substance qualifiée comporte un unique objet de la catégorie désignée par le radical. || **unicellulaire** 1838, B. W. || **unicolore** 1845, Besch. || **unicorne** 1120, *Ps. d'Oxford.* || **unidirectionnel** 1953, Lar. || **uniflore** 1778, Lamarck. || **unifolié** 1842, *Acad.* || **unijambiste** 1914, *le Sourire.* || **unilingue** 1872, L. || **uninominal** 1874, *J. O.* || **unipersonnel** 1823, Boiste. || **unisexe** 1763, d'Argenson. || **unisexué** 1763, Adanson (*unisexé*). || **univalent** 1888, Lar.

unifier 1380, *Aalma ;* bas lat. *unificare,* de *unus,* un, et *facere,* faire. || **unification** 1838, B. W. || **unificateur** 1907, Lar.

uniforme 1370, Oresme, adj. ; lat. *uniformis,* « qui a une seule forme » ; 1707, Lesage, subst., abrév. d'*habit uniforme.* || **uniformément** 1380, *Aalma.* || **uniformité** 1370, Oresme ; bas lat. *uniformitas.* || **uniformiser** 1725, *Dict. néologique.* || **uniformisation** 1823, Thiers.

union fin XIIe s. ; bas lat. *unio* (IIIe s., Tertullien, aussi « unité »), de *unus,* un. || **désunion** 1479, Bartzsch ; d'après *désunir.* || **réunion** 1468, Bartzsch ; d'après *réunir.* || **unionisme, unioniste** 1834, Boiste ; de l'angl. *unionism, unionist.*

unique fin XVe s., Molinet ; lat. *unicus,* de *unus,* un. || **uniquement** 1458, *FEW.* || **unicité** 1730, Saint-Simon.

unir XIIe s., *Grégoire ;* lat. *unīre,* de *unus,* un. || **désunir** 1417, G. || **réunir** 1400 (*réaunir*) ; 1539, R. Est. (*réunir*).

unisson 1375, Oresme, mus. ; lat. *unisonus,* qui a un seul son ; fig., 1696, Regnard.

unité 1120, *Ps. d'Oxford ;* lat. *unitas,* de *unus,* un. || **unitaire** 1688, Bossuet, théol. ; 1822, Fourier, polit. || **unitarien** 1842, *Acad.* || **unitarisme** 1865, Proudhon. || **unitariste** *id.*

unitif 1420, A. Chartier ; lat. scolast. *unitivus,* de *unus,* un.

univers milieu XIIe s., *FEW ;* d'abord adj. jusqu'au XVIe s. ; lat. *universus,* tout entier, proprem. « tourné de manière à former un tout » ; 1530, Marot, subst. ; lat. philos. *universum.*

universel fin XIIe s., B. W. ; 1355, Bersuire (*universal*) ; lat. *universalis.* Le pl. *universaux,* av. 1650 (Descartes), a servi de terme scolast. || **universellement** 1265, B. W. || **universalité** 1375, R. de Presles ; bas lat. *universalitas.* || **universaliser** 1769, Cl. Bonnet. || **universalisation** 1795, Brunot. || **universaliste** 1704, Trévoux, philos. || **universalisme** 1823, Boiste.

université 1218, G., en parlant de l'univ. de Metz ; lat. *universitas,* « ensemble », employé au sens bas-lat. et médiév. de « collège, corporation », dès 1150 à Paris. || **universitaire** 1819, Boiste ; n. m., 1814, Béranger.

univoque 1363, Chauliac, méd. ; 1380, *Aalma,* en logique ; bas lat. *univocus,* de *unus,* un, et *vocare,* appeler. || **univocation** 1503, Chauliac ; bas lat. *univocatio.* || **univocité** 1921, Vendryes. || **biunivoque** 1960, Lar.

upérisation 1964, Lar. ; angl. *uperization,* de *ultra,* et *pasteurize,* pasteuriser. || **upériser** 1969, *Femme pratique.*

uppercut 1905, *la Vie au grand air ;* angl. *uppercut,* de *upper,* supérieur, et *cut,* coup.

uraète 1904, Lar. ; lat. scient. *uroaetus,* aigle à queue, de *oura,* queue, et *aetos,* aigle.

urane 1790, nom d'un corps découvert en 1789 par l'Allemand Klaproth, et appelé par ce dernier *Uran,* du nom de la planète *Uranus,* découverte en 1781 par Herschel, qui lui donna ce nom d'après celui du dieu latin *Uranus,* père de Saturne (du gr. *Ouranos,* proprem. « ciel »). || **uraneux** 1872, L. || **uranium** 1845, Besch. ; corps découvert en 1841 par Peligot. || **uranifère** 1949, Lar. || **uranique** 1845, Besch. || **uranite** 1872, L.

uranie 1827, *Acad.,* entom. ; gr. *ourania,* céleste, de *ouranos,* ciel.

uranisme 1904, Lar. ; allem. *Uranismus,* du gr. *Ourania,* surnom d'Aphrodite, la céleste.

1. **urano-,** gr. *ouranos,* ciel, voûte de la bouche. || **uranographie** 1762, *Acad. ;* a remplacé *ouranographie* (1694, Th. Corn.). || **uranoplastie** 1862, *Journ. de médecine.* || **uranoscope** 1546, Saint-Gelais.

2. **urano-,** de *uranium.* || **uranocircite** 1904, Lar. ; lat. *circus,* cercle. || **uranothorite** 1964, Lar.

urbain 1355, Bersuire ; lat. *urbanus,* de *urbs,* ville. || **interurbain** 1894, Sachs. || **urbanité** 1370, Oresme ; au fig., fin XVe s., J. Lemaire de Belges. || **urbanisme** 1842, Radonvilliers,

« urbanité » ; 1910, archit., d'après G. Bardet. || **urbaniste** 1923, Lar. || **urbaniser** 1785, R. de La Bretonne. || **urbanisation** 1924.

urbi et orbi 1833, Balzac ; loc. lat. signif. « à la ville de Rome et à l'univers ».

urcéole 1819, *Nouv. Dict. d'hist. nat.*, bot. ; lat. *urceolus*, dim. de *urceus*, vase. || **urcéolé** 1802, Richard.

urédinée 1842, *Acad.*, bot. ; lat. *uredo*, nielle (maladie des plantes), de *urere*, brûler. || **urédinales** 1964, Lar.

urée 1363, Chauliac ; de *urine*. || **urate** 1798, *Bull. sciences*. || **urique** 1803, Wailly. || **polyurique** 1810, Capuron. || **polyurie** 1836, Landais. || **urémie** 1847, Piorry ; gr. *haima*, sang. || **urémique** 1858, Nysten. || **uricémie** 1868, Gigot.

uretère 1541, Canappe ; lat. *urētēr*, du gr. *ourêtêr*, de *ourein*, uriner. || **urétérite** 1803, Wailly (*-téritis*). || **urétérectomie** 1933, Lar. || **urétérocèle** 1964, Lar. ; gr. *kêlê*, tumeur.

urètre 1667, *Journal des savants* ; lat. *urethra*, du gr. *ourêthra*, de *ourein*, uriner. || **urétral** 1796, *Bull. sciences*. || **urétrocèle** 1933, Lar. ; gr. *kêlê*, hernie. || **urétrorragie** 1872, L. || **urétroscopie** 1872, L.

urgent 1340, G. ; lat. impér. *urgens*, part. prés. de *urgēre*, presser. || **urgence** 1572, Belleforest ; rare av. 1792, Brunot ; *d'urgence*, 1790, Mirabeau. || **urger** 1903, *le Sourire* ; de *urgent*.

urine 1155, Wace (*orina*) ; 1380, *Aalma* (*urine*) ; lat. pop. **aurīna*, de *urīna*, refait d'après *aurum*, or. || **uriner** 1380, *Aalma*. || **urinaire** 1560, Paré. || **urinal** 1175, Chr. de Troyes (*orinal*), « vase de nuit », de *orine*, du lat. *urina* ; fin XIVe s. (*urinat*). || **urinifère** 1843, Landais. || **urineux** 1611, Cotgrave. || **urinoir** 1754, d'après Trévoux, vase ; 1872, L., local.

urne 1487, Garbin, « vase » ; 1845, Besch., « récipient pour recueillir les bulletins de vote » ; lat. *urna*, vase.

uro-, gr. *oûron*, urine. || **urobiline** 1877, Nysten. || **urochrome** 1865, Nysten. || **urogénital** 1846, Orbigny. || **urodèle** 1839, Boiste, batracien ; gr. *dêlos*, visible, « qui conserve sa queue ». || **urographie** XXe s. || **urologie** 1851, *Journ. de médecine*. || **urologue** 1851, *Journ. de médecine*. || **uromètre** 1872, L. || **uropode** 1876, Lar. ; gr *pous, podos*, pied.

urticaire 1759, *Journ. de médecine*, adj., *fièvre urticaire* ; 1806, Capuron, n. m. ; lat. *urtīca*, ortie, démangeaison. || **urticacée** 1868, Souviron. || **urticée** 1803, Boiste. || **urticant** 1864, Jamain. || **urtication** 1765, *Encycl.*

urubu 1770, Buffon ; angl. *urubu*, mot tupi.

***us** 1155, Wace ; lat. *ūsus*, usage, part. passé subst. de *uti*, « se servir de » ; auj. usité seulement dans la loc. *les us et coutumes*, fin XIIe s., Villehardouin.

usage 1155, Wace ; pl., fin XIIe s. ; anc. fr. *us*. || **usager** début XIVe s., n. m. || **usagé** 1289, G., « accoutumé », part. passé de l'anc. verbe *usager* (XVe s.), « s'habituer ». || **usagé** 1877, L., « qui a beaucoup servi », dér. de *usage*. || **usager** adj., 1354, *Modus*, « destiné à un usage habituel » ; n. m., 1360, G., « qui connaît les usages » ; 1933, Lar., sens actuel. || **non-usage** 1689, Brunot.

***user** 1080, *Roland*, « se servir de », comme v. tr. ; *user de*, 1283, Beaumanoir ; *s'user*, 1530, Palsgrave, « s'abîmer par l'usage » ; lat. pop. *ūsare* (VIIIe s.), de *ūsus*, part. passé de *ūti*, « se servir de ». || **usable** XIIIe s. || **usance** 1230, *Antéchrist*. || **inusable** 1845, J.-B. Richard. || **usure** 1530, Palsgrave. || **mésuser** 1283, Beaumanoir.

usine 1274, G. (*wisine*), « établissement où on travaille le fer » ; 1355, G. (*usine*) ; 1732, *Arrêt du Conseil* (sur Charleville), sens actuel ; mot des parlers du Nord et du Nord-Est, altér., d'après *cuisine*, d'un anc. picard *ouchine*, *œuchine*, du lat. *offīcīna*, « atelier ». || **usinier** 1773, à Liège, adj. ; 1367, G., n. m., « qui exploite un atelier » ; 1845, Besch., industriel. || **usiner** 1877, L., « façonner » ; argot, 1859, Esnault. || **usinage** 1876, *J. O.* || **usineur** 1918, Lar. || **usinier** 1367, G.

usité 1360, Froissart ; lat. *usitatus*, de *uti*, « se servir de » (v. US). || **inusité** 1491, Vaganay, « extraordinaire » ; 1549, R. Est., « ce qui n'est pas en usage » ; lat. *inusitatus*.

usnée 1530, Le Fournier, bot. ; lat. médiév. *usnea*, de l'ar. *usna*, mousse.

ustensile 1351, *Chartes Liège* (*utensile*) ; 1439, *Archives* (*ustencile*), par attraction de *user* ; lat. *utensilia*, « objets usuels », pl. neut. de *utensilis*, de *uti*, « se servir de ». (V. OUTIL.)

ustilago 1876, Lar. ; lat. scient. *ustilago*, chardon sauvage.

usucapion XIIIe s., G., jurid. ; lat. jurid. *usucapio*, manière d'acquérir par l'usage, de *usus*, usage (v. US), et *capere*, prendre.

usuel 1298, G. (*usuau*) ; début XVIIe s. (*usuel*) ; bas lat. *usualis,* de *usus,* usage. || **usuellement** 1507, *Coutumier.*

usufruit 1276, B. W. ; lat. jurid. *ususfructus,* de *usus,* usage (v. US), et *fructus,* fruit, revenu. || **usufructuaire** XIIIe s., G. || **usufruitier** 1411, B. W.

1. **usure** V. USER.

2. **usure** 1138, Gaimar ; lat. *usura,* intérêt de l'argent, de *usus,* usage (v. US), d'abord au sens latin ; 1690, Furetière, sens péjor. || **usurier** 1174, Fougères, n. m., prêteur à intérêt ; 1625, Peiresc, prêteur à un taux trop élevé. || **usuraire** 1320, B. W. ; lat. jurid. *usurarius,* « relatif aux intérêts » ; début XVIe s., « qui dépasse le taux légal des intérêts ».

usurper 1340, *FEW ;* lat. jurid. *usurpare,* de *usus,* usage (v. US), et *rapere,* ravir. || **usurpateur** début XVe s., A. Chartier ; bas lat. jurid. *usurpator.* || **usurpation** 1372, Golein ; lat. jurid. *usurpatio.* || **usurpatoire** 1762, Rousseau.

ut 1220, Coincy ; première note de la gamme, formée en Italie, ainsi que les cinq suivantes (*ré, mi, fa, sol, la,* XIIIe s., G. de Coincy), par Gui d'Arezzo (XIe s.), d'une des syllabes initiales de la première strophe de l'hymne latine à saint Jean-Baptiste ; UT *queant laxis* RE*sonare fibris* MI*ra gestorum* FA*muli tuorum* SOL*ve polluti* LA*bii reatum,* S*ancte* I*ohannes.* (V. DO et SI 3.)

utérus 1560, Paré ; lat. *uterus,* matrice. || **utérin** *id.,* jurid. ; lat. jurid. *uterinus,* de *uterus ;* 1560, Paré, méd. || **utéroscopie** 1872, L. || **utéro-ovarien** 1876, Lar.

utile 1120, *Ps. d'Oxford* (*utele*) ; 1260 (*utile*) ; n. m., 1617, d'Aubigné ; lat. *utilis,* de *uti,* « se servir de ». || **inutile** 1120, *Ps. d'Oxford* (*-tele*) ; 1355, Bersuire (*-tile*) ; lat. *inutilis.* || **utiliser** 1792, Necker. || **utilisateur** 1948, Lar. || **utilisation** 1796, Roux. || **utilisable** 1842, Radonvilliers. || **inutilisable** 1845, Besch. || **inutilisé** 1834, Boiste. || **utilité** 1120, *Ps. d'Oxford ;* lat. *utilitas.* || **inutilité** 1386, Isambert ; lat. *inutilitas.* || **utilitaire** 1831, *le Semeur ;* d'apr. l'angl. *utilitarian.* || **utilitarisme** *id. ;* d'apr. l'angl. *utilitarism.*

utopie 1532, Rabelais ; lat. mod. *Utopia,* nom d'un pays imaginaire, créé par Thomas Morus en 1516, sur le gr. *ou,* ne pas, et *topos,* lieu : « lieu qui n'existe pas ». || **utopiste** fin XVIIIe s., a remplacé *utopien* (1546, Rab.). || **utopique** 1529, *Romania,* relatif à l'*Utopie* de Th. Morus ; 1840, Proudhon, sens mod.

utraquiste 1872, L. ; lat. *sub utraque specie,* sous chacune des deux espèces. || **utraquisme** 1933, Lar.

utricule 1726, B. W., bot. ; lat. *utriculus,* « petite outre », et par ext. « calice de fleur », etc. || **utriculaire** 1819, Boiste. || **utriculeux** 1842, *Acad.*

uval 1363, Chauliac, en forme de grappe ; sens mod., 1877, L., « relatif aux raisins » ; lat. *uva,* grappe de raisin.

uve 1762, Bonnet, zool., ovaire en grappe ; lat. *uva,* grappe de raisin.

uvée fin XVe s., anat. ; lat. médiév. *uvea,* uvée, du lat. *uva,* grappe de raisin. || **uvéite** 1858, Nysten. || **uvéal** 1878, Lar.

uvule 1314, Mondeville ; lat. *uvula,* luette, proprem. « petit grain de raisin », de *uva,* grappe de raisin. || **uvulaire** 1735, Heister. || **uvulation** 1964, Lar.

uxoricide 1531, J. de Vignay, « meurtre » ; lat. *uxoricidium,* meurtre de l'épouse, de *uxor,* femme, et *caedere,* tuer ; 1628, *Chron. bordeloise,* « meurtrier ».

***va** 3ᵉ pers. sing. de l'ind. prés. d'*aller,* élément de composition, dans les mots suivants. || **va-comme-je-te-pousse** 1722, Marivaux. || **va-et-vient** 1765, *Encycl.* || **va-de-la-gueule** 1829, Boiste. || **va-nu-pieds** 1615, Binet. || **va-t-en-guerre** XXᵉ s., *journ.* || **va-te-laver** 1867, Delvau. || **va-tout** 1691, Montchesnay. || **à la va-vite** 1922, Proust.

vacant 1207, Delb. ; lat. *vacans, -antis,* part. prés. de *vacare,* « être vide », d'où « être vacant ». || **vacance** 1531, B. W., « manque », dans un texte jurid. ; 1611, Cotgrave, « état d'une charge sans titulaire » ; 1594, *FEW,* pl., « temps où l'on ne va plus en classe ». || **vacancier** 1942, Hamp.

vacarme 1288, *Renart le Novel ;* moyen néerl. *wacharme,* « hélas ! pauvre que je suis ! », de *wach,* malheur, et *arme,* pauvre.

vacation 1355, Bersuire, « dispense, manque, cessation » ; lat. *vacatio,* de *vacare* (v. VACANT) ; 1447, Espinas, « occupation, emploi » ; 1408, A. Thierry, « profession » (le mot est alors senti comme un dérivé de *vaquer,* s'occuper à).

vaccaire 1861, Orbigny, « herbe à vaches » ; lat. scient. *vaccaria,* de *vacca,* vache.

vaccin 1801, *Rev. philologie ;* de *virus vaccin,* avec l'adj. anc. *vaccin,* XIVᵉ s., « de vache », du lat. *vaccinus,* de *vacca,* vache ; 1942, R. Rolland, fig. || **vaccine** 1749, *Bibliothèque britannique,* maladie éruptive de la vache ; subst. de l'adj. *vaccin ;* action de vacciner, 1800. || **vacciner** 1801, Mercier. || **vaccination** 1801, Mercier ; a remplacé *vaccine.* || **revacciner** 1834, *Journ. méd.*

vaccinier 1732, Richelet, airelle ; lat. *vaccinium.*

vaccin(o)-, de *vaccin.* || **vaccinoïde** 1842, *Acad.* || **vaccinothérapie** 1913, Lar.

***vache** fin XIᵉ s. ; depuis le XIIᵉ s., peut désigner le cuir fait avec de la peau de vache, d'où, fin XVIIIᵉ s., différents types de sacs faits en cuir ; 1640, Oudin, « femme dévergondée », d'où de multiples emplois injurieux ; 1907, Lar., « personne méchante », subst. et adj. ; XXᵉ s., adj. pop., « difficile » ; lat. *vacca.* || **vachement** 1930, Esnault, bougrement. || **vachard** 1873, *Gazette des tribunaux.* || ***vacher** 1196, Bodel ; lat. pop. **vaccarius.* || **vacherie** début XIIᵉ s., *Roman de Thèbes,* étable à vaches ; 1872, Larchey, méchanceté. || **vacherin** 1500, *FEW,* « fromage ». || **vachette** fin XIIᵉ s., Reclus de Moiliens ; 1679, Savary, cuir de jeune vache.

vaciller 1180, *Vie saint Évroult ;* lat. *vacillare ;* début XIVᵉ s., Gilles li Muisis, fig. || **vacillant** 1355, Bersuire. || **vacillation** 1512, J. Lemaire de Belges. || **vacillement** 1606, Crespin.

vacuité 1314, Mondeville ; lat. *vacuitas,* de *vacuus,* vide. || **vacuum** 1872, L. (V. VACANT, VAQUER.)

vacuole 1736, P. Harscouet, *Lettre au P. André ;* lat. *vacuus,* vide. || **vacuolaire** 1848, A. Bossu. || **vacuoliser** 1970, Robert. || **vacuolisation** 1897, *Année biologique.* || **vacuome** 1964, Lar.

vade-mecum 1465, G. ; loc. lat. signif. « va avec moi ».

vadrouille 1678, Guillet, tampon, mar. ; du mot lyonnais *drouilles,* vieilles hardes, et du préf. lyonnais *va-,* à valeur intensive, du lat. *valde,* beaucoup, de *validus,* robuste ; 1867, Delvau, « drôlesse ». || **vadrouiller** 1881, Larchey. || **vadrouille** 1890, Esnault ; de *vadrouiller.* || **vadrouilleur** 1881, Rigaud.

vagabond 1375, R. de Presles ; bas lat. *vagabundus,* de *vagari,* « aller çà et là » (v. VAGUE 3, VAGUER), au sens de « imprécis » ; 1502, G., « clochard ». || **vagabonder** 1355, Bersuire. || **vagabondage** 1767, Linguet.

vagin 1668, d'après Richelet ; lat. *vagina,* gaine. || **vaginal** 1727, Furetière. || **vaginite** 1834, *Journ. de méd.* || **invaginer** 1832, Raymond. || **invagination** 1765, Brunot. (V. GAINE, VANILLE.)

vagir 1555, Peletier ; lat. *vagire.* || **vagissant** 1829, Boiste. || **vagissement** 1536, J. Bouchet.

1. **vague** n. f., 1130, *Eneas ;* anc. scand. *vâgr* (moy. bas all. *wâge,* all. *Woge*). || **vaguelette** 1903, d'après P. Robert.

2. **vague** adj., 1265, Br. Latini, « dépourvu de titulaire (pour une charge) » ; 1272, Joinville (*terrains vagues*), vide, non occupé ; lat. *vacuus,* vide (v. VACANT, VACUITÉ, VAQUER).

3. **vague** adj., 1375, *FEW,* « errant » ; 1495, Vignay, « imprécis » ; n. m., 1765, *Encycl. ; vague des passions,* fin XVIIIe s. ; *vague à l'âme,* 1802, Chateaubriand ; lat. *vagus,* « errant, vagabond ». || **vaguement** 1448, Miélot.

vaguemestre milieu XVIIe s. ; all. *Wagenmeister,* « maître des équipages », de *Wagen,* voiture, et *Meister,* maître ; 1825, Le Couturier, sens mod.

vaguer 1130, *Job ;* lat. *vagari,* « aller çà et là », errer, de *vagus,* errant ; *laisser vaguer son imagination,* 1580, Montaigne.

vahiné 1900, d'après P. Robert ; mot tahitien signif. « femme ».

vaigre 1634, Jal, mar. ; néerl. *weger.*

vaillant 1050, *Alexis ;* anc. part. prés. de *valoir,* « valant » (*n'avoir pas un sou vaillant,* 1690, Furetière) ; le sens de « courageux » apparaît dès la première attestation. || **vaillance** 1130, *Eneas ;* aussi « valeur », jusqu'au XVIIe s. || **vaillamment** 1120, *Ps. de Cambridge.*

***vain** 1120, *Ps. de Cambridge,* « vide » ; XIIIe s., *vaine pâture,* « terre où il n'y a ni semences ni fruits » ; loc. jurid., 1611, Cotgrave, « terre où les habitants d'une commune peuvent faire paître leurs bestiaux » ; en anc. fr., il a eu aussi le sens de « faible, épuisé » ; lat. *vanus,* « vide » ; « léger, illusoire », depuis la première attestation. || **en vain** 1112, *Voy. saint Brendan ;* lat. pop. *in vanum,* d'après le lat. class. *in cassum,* syn. de *frustra.* || **vainement** 1120, *Ps. d'Oxford.*

***vaincre** Xe s., *Eulalie* (*veintre*) ; XIIe s. (*vaincre*), d'après *vaincons,* etc. ; lat. *vincere.* || **vaincu** n. m., 1145, G. || **invaincu** adj., 1495, Vignay ; d'après le lat. *invictus.* || **vainqueur** 1120, Bartzsch. || **invincible** 1360, Oresme ; bas lat. *invincibilis.*

***vair** 1080, *Roland,* adj., « gris-bleu clair », en parlant des yeux ; lat. *varius* (v. VARIER) ; au XIIe s., égalem. « bigarré, varié » (empl. inus. depuis le XVe s.) ; 1138, Gaimar, subst., « fourrure de petit-gris ». || **vairon** 1170, *Floire et Blancheflor,* adj., « tacheté » ; 1165, G., subst., poisson. || **vaironner** 1964, Lar.

***vaisseau** 1155, Wace (*vaissel*), vase, récipient ; bas lat. *vascellum,* dimin. de *vas,* vase ; 1207, Villehardouin, « navire » ; a fini par éliminer *nef* dans ce sens ; 1314, Mondeville, anat. (V. VASCULAIRE.)

vaisselle 1138, Gaimar ; lat. *vascella,* pl. neut. de *vascellum,* devenu fém. en lat. pop. (v. VAISSEAU). || **vaisselier** 1295, Havard. || **vaissellerie** 1872, L.

***val** 1080, *Roland,* n. m. ; lat. *vallis,* n. f. (genre conservé dans des noms de lieux : *Laval, Lavaufranche, Froidevaux,* etc.) ; éliminé par le dér. *vallée,* ne s'emploie plus que dans le lexique géogr., et dans les loc. *par monts et par vaux,* XVe s. *à vau-l'eau,* 1552, Rabelais. || **vallée** 1080, *Roland.* || **valleuse** av. 1880, Flaubert ; mot norm., de *valleure,* contraction de *valleüre,* de *vallée, val.* (V. AVALER, DÉVALER, RAVALER.)

valdinguer 1894, Esnault ; de *valser* et *dinguer.*

1. **valence** n. f., 1839, Mac Culloch, orange ; du nom de *Valence,* ville d'Espagne.

2. **valence** 1888, Lar. ; angl. *valency,* du bas lat. *valentia,* vigueur, de *valere,* avoir de la vigueur. || **valentiel** 1964, Lar. (V. VALOIR.)

valenciennes 1761, Lacombe ; dentelle fabriquée à *Valenciennes.*

valentin av. 1460, *FEW,* prétendant choisi par une jeune fille le jour de la *Saint-Valentin* (14 février). [V. PHILIPPINE.]

valériane XIVe s., *Antidotaire Nicolas ;* lat. médiév. *valeriana,* du nom de *Valeria,* partie de l'ancienne Pannonie, d'où venait la plante. || **valérianelle** 1765, *Encycl.* || **valérianacée** 1872, L. || **valérianate** 1842, *Acad.*

***valet** 1138, Gaimar (*vaslet, varlet*) ; d'abord « jeune gentilhomme non encore armé chevalier », puis « jeune garçon » ; le sens de « domestique » est apparu dès le XIIe s., et a prévalu au début du XVIIe s. ; *valet de chambre,* 1372, Corbichon ; *valet de pied,* v. 1440, Chastellain ; depuis le XVe s., divers sens techn. ; 1611, Cotgrave, carte à jouer ; la forme *varlet* a été conservée en hist., au premier sens du mot ; lat. pop. **vassellittus,* dimin. du bas lat. *vassus,* serviteur, du celtique *vasso-* (v. VASSAL). || **valetaille** fin XVIe s., Vauquelin.

valétudinaire 1346, G. ; lat. *valetudinarius,* maladif, de *valetudo,* état de santé, de *valere,* « être bien portant ». (V. VALOIR.)

valeur 1080, *Roland ;* bas lat. *valor, valoris,* de *valere* (v. VALOIR). || **non-valeur** milieu XVe s. || **contre-valeur** 1842, Mozin. || **valeureux** XIIIe s., « qui a du prix » ; 1400, Dochez, « qui témoigne de la vaillance, brave ». || **valeureusement** 1460, Chastellain. || **valorisant** 1966, *le Monde.* || **valorisation** 1907, Lar. || **valoriser** 1929, Lar. || **dévaloriser** 1929, Lar. || **dévalorisation** 1929, Lar. || **revaloriser** 1925, *l'Écho de Paris.* || **revalorisation** 1923, Lar. || **ad valorem** 1840, La Bédollière.

valgus 1964, Lar. ; lat. *valgus,* bancal.

valide 1528, *Romania ;* lat. *validus,* « bien portant », de *valere ;* 1570, Carloix, « valable ». (V. VALOIR.) || **validité** 1508, G., en procéd. ; bas lat. *validitas ;* 1929, Martin du Gard, « fait d'être valable ». || **valider** 1411, B. W. ; bas lat. *validare.* || **validation** 1578, d'Aubigné. || **invalide** 1515, Isambert ; lat *invalidus.* || **invalider** 1452, Champollion. || **invalidation** 1636, Monet.

valise 1558, du Bellay ; ital. *valigia,* p.-ê. de l'ar. *walîha,* sac de blé. || **valoche** 1913, Esnault ; avec suffixe *-oche.* || **dévaliser** 1546, Rab. || **dévaliseur** 1636, Monet.

valkyrie 1756, Mallet ; anc. scand. *valkyria,* de *val,* champ, et *kyria,* qui choisit.

vallée V. VAL.

vallisnérie 1770, Duchêne (*vallisnère*) ; lat. bot. *vallisneria,* du nom du botaniste ital. *Vallisneri* (fin XVIIe s.).

vallon 1529, Parmentier, *le Discours de la navigation ;* ital. *vallone,* augmentatif de *valle,* vallée ; d'abord « grande vallée », puis diminutif, « petite vallée », 1564, J. Thierry (d'après la valeur du suff. *-on* en fr.). || **vallonné** 1845, Robert. || **vallonner (se)** 1872, L. || **vallonnement** 1872, L.

***valoir** 1080, *Roland ;* lat. *valēre,* « être bien portant », d'où « être évalué » ; *se faire valoir,* XVe s., *Perceforest.* || **revaloir** 1175, Chr. de Troyes. || **vaille que vaille** XIIIe s., Lerch. || **valable** XIIIe s., *Assises de Jérusalem,* « qui est dans les formes requises pour être accepté légitimement » ; apr. 1950, « qui a une certaine valeur ». || **vaurien** début XVIe s., *Anc. Poésies,* « qui ne vaut rien ». || **value** fin XIIe s. ; part. passé de *valoir,* subst. au fém. ; inus. depuis le XVIe s. || **plus-value** 1457, *Lettres de Louis XI.* || **moins-value** 1765, *Encycl.* || **évaluer** milieu XIVe s. ; a éliminé *avaluer,* 1283, empl. jusqu'au XVIe s. || **évaluation** 1361, Oresme. || **évaluateur** av. 1865, Proudhon. || **évaluable** fin XVIIIe s. || **inévaluable** 1907, Lar. || **dévaluation** 1929, Lar. || **dévaluer** 1935, Sachs. || **bivalent** 1951, Lar. || **trivalent** 1876, Lar.

valse 1800, Boiste ; all. *Walzer ; valse hésitation,* 1927, Lar. || **valser** 1798, *Acad.* || **valseur** 1801, Mercier.

valve 1560, G., battant d'une porte ; lat. *valva,* battant de porte ; 1752, Trévoux, zool. ; 1904, Lar., soupape de chambre à air. || **valvé** 1812, Mozin. || **valvaire** 1812, Mozin. || **bivalve** 1718, *Mém. Acad. sciences.* || **valvule** 1560, Paré ; lat. *valvula,* gousse, dimin. de *valva.* || **valvulaire** 1743, Trévoux. || **valvulite** 1836, *Acad.*

vamp 1921, *Cinémagazine,* cinéma ; mot anglo-amér., abrév. de *vampire.* || **vamper** 1952, *Fr. mod.,* « séduire ».

vampire 1746, Buffon ; all. *Vampir,* du slave *upuri,* d'où *oupire, upire,* en fr. du XVIIIe s., dans *Trévoux ;* fig., 1756, Mirabeau. || **vampirique** 1790, Mirabeau. || **vampirisme** 1746, A. Calmet.

1. ***van** [à vanner] 1175, Chr. de Troyes ; lat. *vannus.* || **vanner** 1100, *FEW,* nettoyer les graines à l'aide d'un van ; lat. pop. *vannare* (lat. class. *vannere*) ; fin XVe s., J. Molinet, « railler », puis « fatiguer ». || **vanne** 1883, Esnault, « raillerie ». || **vanné** 1848, G. Sand, exténué. || **vannette** 1680, Richelet. || **vannage** 1293, G. || **vanneur** 1268, É. Boileau. || **vannier** 1226, G. || **vannerie** 1340, Bevans, confrérie des vanneurs ; 1642, Oudin, atelier du vannier ; 1690, Furetière, métier du vannier. || **vannure** 1372, Corbichon. || **vannée** 1347, *FEW.*

2. **van** 1821, Arcieu, véhicule pour le transport des chevaux de course ; angl. *van,* fourgon, abrév. de *caravan,* du fr. *caravane.*

vanadium 1842, *Acad.,* corps découvert en 1830, en Suède, par Sefström ; mot lat. mod., du nom de *Vanadis,* divinité scandinave. || **vanadique** 1831, Berzelius.

vandale 1732, Voltaire, empl. fig. du nom des *Vandales,* peuple germ. qui ravagea l'Empire romain, au début du Ve s. || **vandalisme** 1793, mot créé par l'abbé Grégoire.

vandoise fin XIIe s. ; gaulois **vindēsia* ou *vĭndĭsia,* du celt. *vindos,* blanc.

vanesse 1827, *Acad.,* papillon diurne, baptisé par J.-C. Fabricius, peut-être en souvenir de *Vanessa,* héroïne de Swift.

vanille 1664, Boulan ; esp. *vainilla,* « petite gaine », dimin. de *vaina,* « gaine », du lat. *vagīna,* même sens ; a d'abord désigné la gousse du vanillier ; puis « parfum », 1813, Delille. || **vanillier** 1764, Valmont de Bomare, *Dict. d'hist. nat.* || **vanillé** 1845, d'après P. Robert. || **vanilline** 1872, L. || **vanillique** 1923, Lar. || **vanillisme** 1894, Layet. || **vanillon** 1836, *Acad.,* morceau de vanille ; 1845, Besch., variété de vanille. (V. GAINE, VAGIN.)

vanité 1120, *Ps. d'Oxford ;* lat. *vanitas,* de *vanus* (v. VAIN). || **vaniteux** 1743, Trévoux. || **vaniteusement** fin XVIIIe s., Gohin.

vanne 1274, *FEW ;* lat. mérov. *venna,* d'orig. celt., désignant un barrage pratiqué dans un cours d'eau pour prendre les poissons. || **vannelle** 1904, Lar. || **vannage** 1293, *FEW,* ensemble de vannes. || **vanner** 1694, Th. Corneille, « garnir de vannes ».

vanneau 1228, *Roman de la Violette* (*vaniel*), plume d'essor des oiseaux, d'après la forme ; XIIIe s., oiseau, d'après le bruit de ses ailes comparé à celui d'un van (selon Buffon) ; de *van* 1.

vantail 1144, G., battant d'une porte ; dér. de *vent.*

***vanter** 1080 *Roland,* v. intr., « s'attribuer des qualités qu'on n'a pas » ; bas lat. *vanitare,* « être vain », de *vanus ;* 1180, *FEW,* v. tr., « louer, exalter ». || **vantard** 1550, Monluc. || **vanterie** 1235, B. W. || **vantardise** av. 1850, Balzac.

vanvole (à la) XIIe s., *Partenopeus ;* de *vent* et *voler.*

vapeur 1265, J. de Meung, « brouillard humide » ; lat. *vapor ;* 1625, Racan, médecine ; 1794, *Journal des mines,* vapeur d'eau empl. comme force motrice, d'où *machine, bateau à vapeur, id.,* calques de l'angl. *steamboat ; bain de vapeur,* 1701, Furetière. || **vapeurs** 1613, Régnier, « malaise ». || **cheval-vapeur** 1838, *Acad.* || **vapeur** n. m., 1842, *Acad.,* abrév. de *bateau à vapeur.* || **vape** 1925, Esnault. || **vaporeux** XIVe s., Lanfranc, « plein de vapeur », ou « qui a l'apparence de la vapeur » ; 1765, *Encycl.,* flou, incertain ; 1872, L., très léger (tissu). || **vaporiser** 1771, B. W. || **vaporisation** 1756, *Encycl.* || **vaporisage** 1867, *Expos. univ.* || **vaporisateur** 1825, Brillat-Savarin. || **vapocraquer** 1975, Lar. ; de *vapeur* et *craquer.* || **évaporer** 1314, Mondeville ; fig., XVIIe s. ; lat. *evaporare.* || **évaporation** 1398, *Somme Gautier ;* lat. *evaporatio.*

vaquer 1265, Br. Latini, être vacant ; lat. *vacare,* être vide ; v. 1300, *Apollonius, vaquer à,* « s'occuper à » ; 1549, R. Est., « suspendre ses fonctions », d'où « cesser les cours ». (V. VACANT.)

vaquero 1847, Michel ; mot esp., de *vacca,* vache.

varaigne 1580, Palissy, var. de *varenne,* garenne, orifice d'un marais salant ; prélatin **vara,* eau courante. (V. GARENNE.)

varan 1210, *Estoire d'Eustachius ;* ar. *waran,* lézard.

varangue 1382, *Archives,* mar. ; anc. scand. *vrong.*

varapper 1898, *FEW ;* du nom de la *Varappe,* couloir rocheux du Salève (Haute-Savoie), toponyme d'orig. prélatine. || **varappe** 1876, *FEW.*

varech 1112, *Voy. saint Brendan,* « épave », sens conservé en fr. jusque vers 1670 ; anc. scand. *vagrek ;* le sens mod. est attesté en normand au XIVe s. (V. VRAC.)

vareuse 1784, *Ordonn.,* « chemise en grosse toile que portent les matelots pendant leur travail, pour protéger leurs vêtements » ; XVIIIe s., uniforme milit. ; abrév. de *blouse vareuse ;* de *varer,* forme normande de *garer,* « protéger ». (V. GARER.)

varice 1314, Mondeville ; lat. *varix, varicis.* || **variqueux** 1363, Chauliac ; lat. *varicosus.* || **varicocèle** début XVIIIe s. ; sur le gr. *kêlê,* tumeur ; fait d'après *cirsocèle,* 1560, Paré (gr. *kirsos,* varice).

varicelle 1764, *Dict. sc. naturelles ;* de *variole,* avec infl. de *varicocèle.*

varier 1155, Wace ; lat. *variare,* de *varius,* varié (v. VAIR). || **varié** adj., 1314, Mondeville. || **variation** 1314, Mondeville ; lat. *variatio.* || **variété** 1120, *Ps. d'Oxford ;* lat. *varietas.* || **variable** fin XIIe s. ; lat. *variabilis.* || **variateur** 1964, Lar. || **invariable** 1370, Oresme. || **variabilité** v. 1400, *FEW.* || **invariabilité** 1617, Coton. || **ne varietur** (*édition*) 1907, Lar. || **varia** 1872, L., collection de morceaux variés ; mot latin, pl. neutre de *varius.* || **variant** adj., 1382, Cuvelier. || **variante** n. f., 1718, *Acad.* || **variance** début XIIIe s., Chardry. || **invariant** n. m., 1877, Lar. || **invariance** 1931, Lar.

variole 1398, *Somme Gautier,* d'abord pl. ; bas lat. *variola* (VIe s.), « (maladie) tachetée », de *varius,* varié (v. VAIR, VARIER). || **variolé** 1829, Boiste. || **varioleux** 1766, B. W. || **variolique** 1764, *Journ. Méd.* || **antivariolique** 1838, *Acad.*

varlope fin XVe s., G. ; mot du Nord-Est, du néerl. *voorlooper,* « qui court (*loop*) devant (*voor*) ». || **varloper** 1546, Rab. || **varlopage** 1876, Lar.

varron 1607, Mizauld ; mot prov., de *bare,* larve, et lat. *varus,* pustule.

varus 1904, Lar. ; lat. *varus,* tourné en dehors.

vasculaire 1686, Chauvelot ; lat. *vasculum,* dimin. de *vas,* vase (v. VAISSEAU). || **vascularisé** 1846, Bossu. || **vascularisation** 1846, Bossu. || **vascularité** 1933, Lar.

1. **vase** n. m., 1539, R. Est. ; lat. *vas.* || **transvaser** 1570, R. Est. || **transvasement** 1611, Cotgrave. || **extravaser (s')** 1673, *Journal des savants.* || **extravasation** 1743, Geoffroy. (V. ÉVASER.)

2. **vase** n. f., 1155, Wace ; germ. **wase* (v. GAZON). || **vaseux** 1484, Garcie. || **vasard** 1687, Desroches. || **vasière** XIIIe s., texte de Caudebec. || **vasouiller** 1904, Esnault. || **envaser** fin XVIe s., Brantôme. || **envasement** fin XVIIIe s.

vaseline 1877, mot créé aux États-Unis par R. Chesebrough ; de l'all. *Wasser,* eau, de l'élément *-el-,* du gr. *elaion,* huile d'olive, et du suff. *-ine.*

vasistas 1776, Morand (*wass ist das*) ; 1798, *Acad.* (*vasistas*) ; all. *was ist das ?,* « qu'est-ce ? », nom plaisant donné à cette sorte d'ouverture, par où l'on peut s'adresser à quelqu'un.

vaso-, de *vas,* « canal, vaisseau ». || **vasoconstricteur** 1859, Bernard. || **vasodilatateur** *id.* || **vasodilatation** 1888, Lar. || **vasomoteur** 1859, *Comptes rendus.* || **vasoplégie** 1964, Lar.

vasque 1826, Boutard, *Dict. des arts du dessin ;* ital. *vasca,* du lat. *vascula,* pl. collectif de *vasculum,* dimin. de *vas* (v. VASE 1, VASCULAIRE).

***vassal** 1080, *Roland ;* bas lat. *vassallus,* du bas lat. *vassus,* serviteur (*Loi des Alamans,* etc.), du gaulois **vasso-,* homme (cf. le gallois *gwas,* jeune homme). || **vasselage** 1080, *Roland.* || **vassalité** fin XVIIe s., Saint-Simon. || **vassaliser** milieu XIXe s., d'après P. Robert.

vaste 1080, *Roland* (*guast*) ; 1495, *Mir. histor.* (*vaste*) ; lat. *vastus ;* « désert », « inculte », jusqu'au XVIIe s. (1611, Cotgrave). || **vastement** 1453, Monstrelet. || **vastitude** 1546, Gaigny. || **vastité** 1517, La Curne.

vaticiner 1481, B. W., rare jusqu'au XIXe s., où il s'emploie surtout de manière fig. ; lat. *vaticinari,* prophétiser, de *vates,* devin, et *canere,* chanter. || **vaticination** 1512, Lemaire ; lat. *vaticinatio.* || **vaticinateur** 1512, Lemaire ; lat. *vaticinator.*

vaudeville XVe s., G. (*vaudevire*), chanson de circonstance ; 1507, N. de La Chesnaie (*vaul de ville*) ; 1549, du Bellay (*vaudeville*) ; 1762, *Acad.,* « pièce de théâtre de circonstance » ; 1834, Landais, « pièce de théâtre entremêlée de couplets » ; av. 1896, Goncourt, « comédie d'intrigues et de quiproquos » ; on a donné longtemps l'étym. *vau* (*val*) *de Vire,* nom d'une région voisine de Vire (Calvados), dont les chansons étaient réputées au XVe s. ; il s'agit peut-être d'un composé *vauder* (aller) et *virer* (tourner). || **vaudevilliste** 1735, *Dict. gén.* || **vaudevillesque** 1891, Caraguel.

vaudois 1170, d'après P. Robert ; de *Valdo* (lat. *Valdesius*), nom d'un hérétique du XIIe s.

vaudou 1839, Boiste ; dahoméen *vodu,* vaudou.

vau-l'eau (à) V. VAL.

vaurien V. VALOIR.

***vautour** fin XIe s., *Gloses de Raschi ;* lat. pop. **vultorem,* du lat. *vŭltŭr ;* 1723, Rousseau, « personne rapace ».

***vautrer** 1190, G. (*se vautrer*) ; fig., 1300, *FEW ;* lat. pop. **vŏlūtŭlare,* de **volūtus,* part. passé pop. de *volvere,* tourner, retourner. || **vautrement** 1538, R. Est.

Vauvert 1460, Villon ; du château de *Vauvert* (les chartreux organisèrent des apparitions du diable pour obtenir la donation du château), d'où *au diable Vauvert.*

vavasseur début XIIe s., *Roman de Thèbes ;* bas lat. *vassus vassorum,* « vassal d'un vassal ». (V. VASSAL.)

***veau** 1120, *Ps. d'Oxford* (*veel*) ; lat. *vitellus ;* 1534, B. Des Périers, « personne sans énergie ». || **vêler** 1328, G. ; de l'anc. forme *veel.* || **vêlage** 1834, *Dict. des industries et manufactures.* || **vêlement** 1841, *Dict. des industries et manufactures.* || **vélin** XIIIe s., *Vie saint Auban ;* de l'anc. forme *veel ;* 1680, Richelet (*vélin*). [V. VITULIN.]

vecteur 1596, Hulsius, conducteur d'un bateau ou d'une voiture ; 1752, Trévoux, adj.,

« qui transporte avec soi » ; 1904, Lar., n. m., math. ; v. 1960, balistique ; lat. *vector,* « qui transporte », de *vehere,* « transporter en char » (v. VÉHICULE). || **vectoriel** 1904, Lar. || **vectogramme** 1953, Lar.

vedette 1586, Stoer, guetteur ; ital. *vedetta,* d'orig. obscure ; « porte de guetteur », 1611, Cotgrave ; 1826, *mettre en vedette,* dans le lexique du théâtre, imprimer sur l'affiche le nom d'un acteur en plus gros caractères que celui des autres, d'où l'empl. fig., 1855, F. Mornand ; fin XIXe s., A. Daudet, artiste ; 1911, *Ciné-Journal,* cinéma ; 1828, Laveaux, petit bâtiment de guerre placé en observation ; 1933, Lar., petit bateau de promenade à moteur. || **vedettariat** 1947, *Vie et langage.* || **vedettisation** 1962, *journ.*

végéter 1375, R. de Presles, « se développer » ; bas lat. *vegetare,* « croître » (lat. class. « vivifier », de *vegetus,* vigoureux) ; 1718, *Acad.,* « mener une vie inerte ». || **végétal** 1516, Perréal ; lat. médiév. *vegetalis.* || **végétaline** 1907, Lar. ; nom déposé. || **végétation** 1525, Dadonville, fait de se développer ; 1778, Rousseau, ensemble des végétaux ; 1810, Capuron, méd. || **végétatif** 1265, Br. Latini, « qui croît » ; 1778, Rousseau, « inerte », développement de sens infl. par celui de *végéter.* || **végétarien** 1875, *Bibl. univ.* et *Rev. suisse ;* angl. *vegetarian* (1847, *Vegetarian Society*). || **végétarisme** 1885, Saffray. || **végétalisme** 1836, Lar. || **végétaliste** 1975, Lar.

véhément 1119, Ph. de Thaon ; lat. *vehemens.* || **véhémence** 1488, *Mer des hist.* (*vehemence*). || **véhémentement** 1363, *Ordonn. royale.*

véhicule 1538, Canappe, méd. ; lat. *vehiculum,* moyen de transport, de *vehere,* transporter ; 1551, Du Parc, voiture ; 1660, Bossuet, « moyen de transmission ». || **véhiculer** 1852, Töpffer. || **véhiculaire** 1842, *Acad.*

***veille** 1155, Wace, « action de rester éveillé » ; 1190, Garn., « jour qui précède une fête religieuse » ; 1534, B. Des Périers, « jour précédent » ; « état d'éveil », 1636, Monet ; lat. eccl. *vigilia.* || **avant-veille** XIIIe s. || ***veiller** 1120, *Ps. d'Oxford,* « ne pas dormir » ; lat. *vigilare ;* 1180, Chr. de Troyes, « être de garde » ; 1690, Furetière, « faire la veillée ». || **veillée** XIIIe s., Rutebeuf, soirée passée en commun ; 1580, Montaigne, « temps qui s'écoule le soir ». || **veilleur** 1190, J. Bodel, « guetteur » ; 1845, Besch., « gardien de nuit ». || **veilleuse** 1762, *Acad.,* petite lampe ; *mettre en veilleuse,* 1927, Mac Orlan. || **surveiller** 1586, Stoer. || **surveillant** 1535, Olivétan. || **surveillance** 1633, B. W.

***veine** 1160, B. de Saint-Maure ; lat. *vēna,* vaisseau sanguin ; XIVe s., fig., inspiration ; XIIIe s., minéralogie ; milieu XIVe s., « chance » ; 1607, Hulsius, « raie dans le bois ». || **veinette** XIIe s., La Curne. || **veineux** 1545, B. W. || **intraveineux** 1877, *J. O.* || **veiné** 1611, Cotgrave. || **veiner** fin XVIe s., « saigner à la veine » ; fin XVIIIe s., Bernardin de Saint-Pierre, « imiter les veines du bois ou du marbre ». || **veinule** 1690, Furetière ; lat. impér. *vēnula,* petite veine. || **veinure** 1949, Lar. || **veinard** 1854, Esnault. || **veinosité** 1855, Nysten. || **déveine** 1854, Alype. || **venelle** 1138, *Saint Gilles,* « petite rue » ; anc. dimin. de *veine.*

vélaire 1874, Joret ; lat. *velum,* voile. || **vélariser** 1970, Robert. || **vélarisation** 1933, Marouzeau.

velche ou **welche** 1749, Voltaire ; allem. *Welsch,* surnom péjor. des peuples romans.

vêler, vélin V. VEAU.

vélite 1213, *Fet des Romains ;* 1355, Bersuire ; lat. *veles, velitis,* fantassin armé à la légère.

vélivole v. 1841, Chateaubriand ; lat. *velivolus,* de *velum,* voile, et *volare,* voler.

velléité v. 1600, Fr. de Sales ; lat. scolast. *velleitas,* du lat. *velle,* vouloir (imparfait du subj. *vellem,* « je voudrais »). || **velléitaire** fin XIXe s., B. W.

vélo 1888, Lar., abrév. de *vélocipède* (1804, Brunot, attesté au sens mod. en 1829, Boiste, et auj. vieilli) ; lat. *velox,* rapide, et *pes, pedis,* pied (sur le modèle de *bipède*). || **vélocipédiste** 1868, *le Monde illustré.* || **vélodrome** 1884, Baroncelli. || **vélomoteur** 1893, Faure.

véloce 1634, Girard ; lat. *velox,* rapide. || **vélocité** 1270, B. W. ; lat. *velocitas.* || **vélocifère** 1803, Darmesteter ; de *-fère.* || **vélocimètre** 1888, Lar.

velours 1155, Wace (*velos, velous*) ; 1420, A. Chartier (*velours*), par hypercorrection, le *r* n'étant pas prononcé ; anc. prov. *velos,* du lat. *vīllōsus,* velu, de *vīllus,* touffe de poils : les velours ont d'abord été importés d'Orient, par la Provence ou l'Italie ; 1822, Esnault, « faute de langage ». || **velouté** 1450, B. W. || **velouter** v. 1546, Rab., « fabriquer du velours » ; 1680, Richelet, « donner l'apparence du velours ». || **velouteux** 1904, Lar. (V. VILLEUX.)

velte 1679, Savary, récipient ; allem. dial. *Vertel,* quart (allem. *Viertel*). || **velter, veltage, velteur** 1723, Savary.

***velu** 1130, *Eneas ;* bas lat. *vĭllŭtus* (*Gloses*), class. *vĭllōsus,* de *vĭllus,* touffe de poils (v. VELOURS, VILLEUX).

vélum 1872, L., lat. *velum,* voile.

velvet 1780, R. de La Platière, velours de coton lisse ; angl. *velveteen,* « velours », de *velu.* || **velvantine** 1819, *Obs. des modes.* || **velveret** 1792, Brunot. || **velvote** 1514, Gœurot (*veluete*) ; fin XVIe s., O. de Serres (*velvote*), bot.

***venaison** 1130, *Voy. de Charlemagne,* chair de grand gibier ; lat. *venatio, -tionis,* « chasse ». (V. VÉNERIE.)

vénal fin XIIe s., R. de Moiliens ; lat. *venālis,* de *vendere,* vendre. || **vénalité** 1573, Du Puys ; bas lat. *venalitas.* || **vénalement** 1552, R. Est.

***vendange** 1190, J. Bodel ; « période de vendange », 1294, G. ; lat. *vindēmia,* de *vinum,* vin, et *demere,* enlever. || **vendanger** 1210, Herbert de Dammartin ; lat. *vindemiāre.* || **vendangeur** 1283, Beaumanoir ; lat. *vindemiator.* || **vendangerot** 1904, Lar. || **vendangette** 1636, Monet. || **vendémiaire** 1793, Fabre d'Églantine.

vendetta 1788, Salnove ; ital. *vendetta,* vengeance, du lat. *vindicta* (v. VINDICTE) ; repris au corse pour désigner la vengeance corse (vulgarisé, après 1840, par *Colomba,* de P. Mérimée, qui emploie la forme francisée *vendette*).

***vendre** 1080, *Roland ;* fig., 1283, Beaumanoir ; lat. *vendĕre,* de *venum dare,* donner à vente (v. VÉNAL). || **vendable** 1249, B. W. || **vendeur** fin XIIe s., R. de Moiliens. || **vendeuse** 1552, R. Est. || **vendu** 1283, Beaumanoir, sens propre ; 1669, Racine, « livré à quelqu'un par intérêt » ; 1835, Flaubert, n. m. || ***vente** 1155, Wace ; lat. pop. **vendita,* fém. substantivé du part. passé *venditus.* || **invendable** 1764, Voltaire. || **invendu** 1706, Richelet. || **mévente** 1680, Richelet. || **revendre** fin XIIe s. || **revendeur** *id.* || **revendeuse** 1606, Crespin. || **revente** 1283, Beaumanoir.

vendredi 1119, Ph. de Thaon ; lat. *Veneris dies,* jour de Vénus.

venelle V. VEINE.

vénéneux 1490, Chauliac ; bas lat. *venenosus,* de *venenum,* poison. || **vénénosité** 1380, *Aalma.*

vénérer 1413, B. W., « révérer Dieu » ; 1528, *FEW,* « aimer » ; lat. *venerari.* || **vénérable** 1200, *Règle saint Benoît ;* lat. *venerabilis.* || **vénération** 1200, *Règle saint Benoît ;* lat. *veneratio.*

vénerie 1155, Wace, « exercice de la chasse » ; 1552, R. Est., sens actuel ; anc. verbe *vener,* chasser (inus. depuis le XVe s.), du lat. *venāri.* || **veneur** 1120, G. (*venere*) ; 1155, Wace (*veneür*) ; XIVe s. (*veneur*) ; lat. *venator, venatōris.* || **grand veneur** fin XVe s. (V. VENAISON.)

vénérien 1466, Michault, « qui est adonné à l'amour » ; v. 1560, d'Aubigné, méd. ; adj. lat. *venerius,* de *Vénus,* déesse de l'Amour. || **vénéréologie** 1923, Lar.

venette 1662, Richer (*avoir la venette*) ; anc. verbe *vesner* (1532, Rab.), « vesser », du lat. pop. **vissinare* (lat. class. *vissire*). [V. VESSER.]

***venger** 1080, *Roland ;* lat. *vĭndicāre,* « réclamer en justice », d'où « chercher à punir, venger » ; *se venger,* 1080, *Roland.* || **vengeance** 1080, *Roland.* || **vengeur** 1120, *Ps. d'Oxford.* || **vengeresse** XIIIe s.

véniel 1380, *Aalma* (*veniel*) ; a remplacé un anc. *venial,* XIIe s. ; lat. chrét. *venialis,* pardonnable, de *venia,* pardon.

***venin** 1119, Ph. de Thaon (*venim*) ; XIIIe s. (*venin*), par substit. de suff. ; lat. pop. **venīmen,* du lat. class. *venenum,* poison (v. VÉNÉNEUX). || **venimeux** 1160, Benoît (*venimos*) ; XIVe s., « fielleux ». || **venimeusement** 1380, *Aalma.* || **venimosité** 1314, Mondeville. || **envenimer** 1119, Ph. de Thaon.

***venir** Xe s., *Eulalie ;* lat. *venīre ; venir de,* suivi de l'infin., au sens propre, XIIIe s., grammaticalisé comme semi-auxiliaire du passé récent depuis le XVIe s. || **premier venu** 1559, Amyot, « qui arrive le premier » ; 1640, Oudin, « quelconque ». || **dernier venu** 1570, Montaigne, sens propre ; 1876, Lar., personne dont on fait peu de cas. || **nouveau venu** 1633, Corn. || **venue** n. f., 1155, Wace. || **à tout venant** 1559, Amyot. || **tout-venant** n. m., 1837, *Dict. des indust. et manuf.* || **avenir** n. m., v. 1400. || **revenir** 1050, *Alexis.* || **revenu** 1300. || **survenir** 1155, Wace.

***vent** 1080, *Roland ;* lat. *ventus ; dans le vent,* 1964, Robert. || **les quatre vents** début XVIe s. || **contrevent** XVe s. || **venter** 1150, *FEW.* || **venteux** 1380, *Aalma ;* lat. *ventosus,* venteux. || **ventosité** 1256, Ald. de Sienne ; lat. méd. *ventositas,* flatuosité. || **ventôse** 1793, Fabre d'Églantine ;

lat. *ventosus.* || **ventaison** 1842, *Acad.* || **ventis** n. m. pl., 1812, Mozin, arbres abattus par le vent. || **venteau** 1640, Oudin. || **ventaille** ou **ventail** 1080, *Roland,* partie du haubert. || **venvole** 1190, Garn. ; *à la venvole,* XVIe s., Pasquier ; de *vent* et *voler.* || **paravent** 1599, Havard ; ital. *paravento,* « qui écarte le vent ». (V. VENTOUSE, ÉVENT, ÉVENTAIL, ÉVENTAIRE.)

venta 1826, Chateaubriand ; mot esp.

ventiler fin XIe s., *Gloses de Raschi,* jurid., « examiner une question » ; lat. jurid. *ventilare,* même sens, proprem. « agiter à l'air », de *ventus,* vent ; 1820, Lamartine, aérer ; 1893, *D. G.,* répartir (une somme) entre différents comptes. || **ventilation** 1382, B. W., jurid. ; 1835, *Acad.,* aération (une première fois dans Paré, 1560, action d'aérer) ; 1893, *D. G.,* répartition entre différents comptes. || **ventilateur** 1744, Hales ; angl. *ventilator,* repris par le physicien Hales au lat. *ventilator,* vanneur. || **ventileuse** 1901, Maeterlinck.

ventouse 1256, Ald. de Sienne ; bas lat. méd. *ventosa* (*cucurbita*), « courge pleine de vent » ; 1676, Félibien, sens techn.

***ventre** 1080, *Roland ;* lat. *venter,* estomac, qui a éliminé *alvus,* ventre, tandis que le sens d'« estomac » était pris par *stomachus* (v. ESTOMAC). || **bas-ventre** 1636, Monet. || **ventral** 1363, Chauliac. || **ventru** 1490, Chauliac. || **ventrée** fin XIIe s., R. de Moiliens ; en fr. mod., pop., 1867, Delvau. || **ventrière** 1130, *Eneas.* || **sous-ventrière** fin XIVe s. || **ventricule** 1314, Mondeville ; lat. méd. *ventriculus* (*cordis*), petit ventre du cœur. || **ventriculaire** 1842, *Acad.* || **ventriculographie** 1953, Lar. || **éventré** fin XIIe s., R. de Moiliens, fig., « vaincu ». || **éventrer** 1538, R. Est. || **éventration** 1743, *Mém. Acad. chir.* || **éventreur** fin XIXe s. || **ventriloque** 1552, Rab. ; sur le lat. *loqui,* parler. || **ventriloquie** 1817, *Chron. de Paris.* || **ventripotent** 1552, Rab. ; sur le lat. *potens,* puissant (d'après *omnipotent*). || **ventrebleu** 1552, Rab., altér. de *ventredieu,* 1398, E. Deschamps. || **ventre-saint-gris** 1530, Marot. || **ventrouiller** 1200, *FEW.*

vénus 1674, La Fontaine, femme d'une grande beauté ; du nom de *Vénus,* déesse de la Beauté et de l'Amour. || **vénusté** v. 1500, B. W. ; lat. *venustas,* grâce, de *venustus,* charmant, gracieux.

vêpres 1160, *Charroi* (*ves-*) ; lat. eccl. *vesperae,* pl. de *vespera,* soir, spécialisé au sens liturgique, et francisé d'après l'anc. fr. *vespre, vêpre,* soir (980, *Passion du Christ*), du lat. class. *vesper,* soir, et usité jusqu'au XVIIe s. || **vêprée** 1080, *Roland,* soirée, soir, usuel jusqu'au XVIe s., poét., Ronsard. || **vespéral** 1812, Mozin, n. m., livre des offices du soir ; 1836, *Acad.,* adj. ; bas lat. *vesperalis.*

***ver** 980, *Valenciennes* (*verme*) ; 1380, *Aalma* (*ver*) ; lat. *vermis.* || **ver de terre** 1530, Palsgrave. || **ver luisant** v. 1560, R. Belleau. || **ver à soie** 1538, R. Est. || **véreux** 1354, *Modus ;* 1559, Amyot, fig. || **vermine** 1119, Ph. de Thaon, de l'anc. forme *verm ;* 1398, E. Deschamps, fig. || **vermineux** 1211, *le Bestiaire.* || **vermis** 1858, Nysten, anat. || **vermifuge** 1738, Lémery. || **vermiller** 1354, *Modus ;* lat. pop. **vermicellus,* petit ver. || **vermiforme** 1532, Rab. || **vermivore** 1770, Buffon. || **vérot** XVe s., *FEW,* petit ver. || **véroter** 1812, Mozin. (V. VERMEIL, VERMICELLE, VERMICULÉ, VERMOULU, etc.)

véracité 1644, Descartes ; lat. *verax, -acis,* sincère (v. VRAI).

véraison 1852, *Fr. mod. ;* mot dial., du moyen fr. *vérir,* commencer à mûrir, de *vair,* changeant.

véranda 1758, Grose ; angl. *veranda,* de l'hindi *varanda,* du port. *varanda,* balustrade, de *vara,* perche, issu du lat.

vératre 1606, Junius ; lat. *veratrum,* ellébore. || **vératrine** 1821, *Dict. sc. méd.*

verbe 1050, *Alexis,* mot ou suite de mots prononcés, parole ; XIIe s., Garnier, gramm., pour traduire le gr. *rhêma* (opposé à *onoma,* nom) ; lat. *verbum,* mot, traduction du gr. *logos ;* n'est plus usité en ce sens que dans *avoir le verbe haut,* fin XVIIe s., Saint-Simon. || **verbeux** v. 1200, *Règle de saint Benoît ;* lat. *verbosus.* || **verbosité** 1501, Fr. Le Roy ; bas lat. *verbositas.* || **verbal** fin XIVe s., *Songe du verger,* « fait de vive voix » ; 1680, Richelet, gramm. ; lat. *verbalis,* de *verbum.* || **verbalement** 1337, G. || **procès-verbal** v. PROCÈS. || **verbigération** 1923, Lar. ; lat. *verbigerare,* de *gerere,* tenir. || **verbalisme** 1876, Lar. || **verbaliser** 1587, *FEW,* « faire des discours inutiles » ; 1967, *la Nef,* « s'exprimer ». || **verbalisation** 1842, *Acad.* || **verbalisateur** 1875, *Gazette des tribunaux.* || **verbomanie** 1912, Lourcé. || **déverbal, postverbal** XXe s., linguist.

verbiage 1671, Sévigné ; moy. fr. *verbier,* gazouiller, de l'anc. picard *verboier,* chanter en modulant, du francique **werbilôn,* tourbillonner. || **verbiager** 1718, *Acad.*

verdict 1669, Chamberlayne ; mot angl., de l'anc. fr. *verdict,* du lat. médiév. *vere dictum,* « véritablement dit ».

verdoyer V. VERT.

verduniser 1928, *Acad. des sc.,* procédé de purification de l'eau ; du nom de *Verdun,* où il fut inventé en 1916 par P. Bunau-Varilla. || **verdunisation** 1933, Lar.

vérécondieux fin XVe s. ; de *vércondie,* vergogne (1580, *Ancien Théâtre*), du lat. *verecundia* (v. VERGOGNE).

***verge** 1080, *Roland ;* lat. *virga ;* XIIIe s., *Renart,* anat. || **vergé** 1175, Chr. de Troyes, « rayé » ; lat. *virgatus.* || **vergette** 1165, *FEW.* || **vergeté** 1678, La Fontaine, rayé. || **vergeter** 1555, *FEW.* || **vergetier** 1659, Savary. || **vergeure** 1549, Maignan, ensemble de fils de laiton. || **vergeoise** 1762, *Encycl.,* sorte de sucre. || **vergeture** 1767, *Journ. Méd.* || **enverger** début XVIIIe s., en vannerie. || **sous-verge** fin XVIIIe s., cheval non monté, placé à la droite d'un cheval monté (*verge,* timon) ; XIXe s., fig.

***verger** 1080, *Roland ;* lat. *vĭridiarium,* jardin planté d'arbres.

verglas 1193, Hélinant (*verreglas*) ; de *verre* et de *glas,* autre forme de *glace,* avec le sens de « glace semblable à du verre ». || **verglacer** *id.* || **verglacé** 1613, Voultier.

***vergogne** 1080, *Roland,* « honte » ; lat. *verecundia,* respect, réserve, honte ; ne s'emploie plus depuis le XVIIe s., sauf dans la loc. *sans vergogne.* (V. DÉVERGONDÉ.)

vergue 1180, Marie de France (*verge*), mar. ; forme norm. ou picarde de *verge.* || **enverguer** 1678, Guillet. || **envergure** 1678, Guillet, mar. ; 1932, Lar., sens fig.

véridique 1456, Isambert ; lat. *veridicus,* de *verum,* vérité, et *dicere,* dire. || **véridicité** 1741, Desfontaines. || **véridiquement** 1845, R. de Radonvilliers.

vérifier 1296, Langlois, « enregistrer, homologuer » ; 1690, Furetière, examiner si une chose est telle qu'on l'a déclarée ; bas lat. *verificare* (VIe s., Boèce), de *verum,* le vrai, et *facere,* faire. || **vérifiable** XIVe s., A. Thierry (*verefiable*). || **vérifiabilité** 1953, Lar. || **invérifiable** 1874, *Rev. crit.* || **vérification** 1388, Douet d'Arcq. || **vérificateur** 1631, B. W. || **vérificatif** 1608, Du Sin. || **vérifieur** 1487, Garbin.

vérin 1389, texte de Douai, techn., orig. picarde ; forme masc. du lat. *vĕrūna,* broche. || **vérine** 1654, Boyer, mar.

vérisme 1888, Lar. ; ital. *verismo,* de *vero,* vrai. || **vériste** 1897, A. Daudet ; ital. *verista.*

vérité Xe s., *Saint Léger* (*veritet*) ; lat. *veritas,* de *verus,* vrai. || **véritable** 1188, *Saint Bernard.* || **véritablement** 1188, *Saint Bernard.* || **contre-vérité** début XVe s.

verjus XIIIe s., *Renart ;* de *vert* et *jus.* || **verjuté** 1694, *Acad.*

***vermeil** 1080, *Roland,* adj. ; 1213, *Fet des Romains,* n. m., drap de soie pourpre ; 1677, Havard, n. m., argent doré ; lat. *vermĭculus,* vermisseau, bas lat. « cochenille », puis « couleur écarlate produite par la cochenille », et, au VIe s., pris adjectiv. (dimin. de *vermis,* ver). || **vermillon** 1130, *Eneas* (*vermeillon*) ; 1530, Palsgrave (*vermillon*). || **vermillonner** 1577, Belleau.

vermicelle 1553, Pastel (au pl.) ; fin XVIIe s., sing. ; ital. *vermicelli,* n. pl., vermisseaux, du lat. pop. **vermicellus,* lat. class. *vermiculus,* de *vermis,* ver (v. ce mot). || **vermicelier** 1767, Malouin. || **vermicellerie** 1964, Robert.

vermiculé 1380, *Aalma,* adj. ; moy. fr. *vermicule,* vermisseau, du lat. *vermiculus,* petit ver. || **vermiculaire** XVe s., n. f., « ver » ; 1560, Paré, adj.

vermoulu 1244, R. Le Clerc d'Arras (*vermelu*) ; 1283, Beaumanoir ; de *ver* et *moulu,* part. passé de *moudre,* « mangé par les vers ». || **vermoulure** 1283, Beaumanoir. || **vermouler (se)** 1531, R. Est.

vermouth 1798, *Acad. ;* allem. *Wermut,* absinthe (cf. l'angl. *wormwood*).

vernaculaire 1765, *Encycl. ;* lat. *vernaculus,* « petit esclave né dans la maison ».

vernal 1119, Ph. de Thaon ; lat. *vernalis,* de *ver,* printemps (v. PRIMEVÈRE). || **vernalisation** 1930, d'après P. Robert.

verne 1119, Ph. de Thaon ; début XVIe s., B. Palissy ; gaulois **vernos,* aulne.

vernier 1797, *Ann. chimie ;* du nom de l'inventeur, *P. Vernier* (1580-1637).

vernis 1131, *Couronn. de Loïs ;* ital. *vernice,* du bas lat. *veronice,* résine odoriférante, du bas grec *veronikê,* de *Berenikê,* ville de Cyrénaïque d'où venaient les premiers vernis. || **vernir** 1294, B. W. || **vernisser** fin XIIe s., *R. de Cambrai.*

|| **vernissage** 1837, B. W. ; « réception », 1886, Zola. || **vernisseur** 1402, G.

vérole fin XIIe s. ; bas lat. méd. (VIe s.) *variola,* de *varius,* varié ; d'abord au sens de *variole,* et conservé ainsi dans *petite vérole,* fin XVe s., Commynes ; passé au sens de « syphilis » (XVIe s.) ; auj. d'emploi pop. || **vérolé** 1520, B. W., « atteint de la syphilis ».

Véronal 1903, *Journ. méd.,* nom déposé ; du nom de *Vérone,* où se trouvait l'inventeur, E. Fischer, et du suff. *-al* servant dans le lexique de la chimie.

véronique 1545, Guéroult, bot. ; bas lat. bot. *veronica,* du nom de sainte *Véronique ;* tauromachie, 1926, Montherlant.

verrat IXe s., *Gloses de Cassel* (*ferrat*) ; début XIVe s. (*verrat*) ; anc. fr. *ver,* du lat. *verres,* verrat.

***verre** 1155, Wace ; lat. *vitrum* (v. VITRE) ; var. *voirre,* jusqu'au XVIe s. ; 1272, Joinville, verre à boire ; 1636, Monet, quantité contenue dans un verre. || **verré** 1180, *FEW.* || **verrée** n. f., 1554, Ronsard. || **verrier** 1265, G. || **verrière** 1130, *Eneas.* || **verrine** 1130, *Eneas ;* de *verrin,* en verre, du lat. pop. **vitrinus.* || **verrerie** 1265, J. de Meung (*voirrerie*) ; début XVIe s. (*verrerie*). || **verroterie** 1657, Flacourt.

***verrou** 1120, *Ps. de Cambrai* (*veruil,* var. *veroil, verrouil*) ; 1636, Monet (*verrou*), d'après pl. *-ous, -oux* (v. de même GENOU, POU) ; lat. *verruculum,* altér., d'après *ferrum,* fer, de *veruculum,* var. *vericulum,* dimin. de *veru,* broche. || **verrouiller** fin XIIe s., R. de Moiliens (*verroillier*) ; XVe s. (*verrouiller*). || **verrouillage** 1924, Lar. ; 1964, Robert, fig. || **déverrouiller** 1160, *Moniage Guillaume ;* 1948, Lar., mettre en liberté. || **déverrouillage** 1929, Lar.

***verrue** XIIe s., *Chevalier aux deux épées ;* lat. *verrūca.* || **verruqueux** 1495, B. W. ; dér. lat. *verrucosus.* || **verrucosité** 1908, Lar. || **verrucaire** 1600, O. de Serres.

1. ***vers** n. m., 1138, Gaimar ; lat. *versus,* part. passé substantivé de *vertere,* tourner, retourner ; « laisse, strophe » en anc. fr. || **vers libres** 1673, Molière. || **vers-libriste** 1891, Verlaine. || **vers-librisme** 1923, Lar. || **verset** XIIIe s., *Renart.* || **versiculet** 1732, Voltaire. || **versifier** début XIIIe s. (*versefier*) ; lat. *versificare,* sur *facere,* faire. || **versification** fin XVe s., Molinet ; lat. *versificatio.* || **versificateur** 1488, *Mer des hist. ;* lat. *versificator.*

2. ***vers** prép., 980, *Passion ;* adv. lat. *versus,* anc. part. passé de *vertere,* tourner. || **devers** 1080, *Roland.* || **par-devers** XIIe s. || **envers** XIe s.

versaillais 1871, Goncourt ; de *Versailles,* au sens polit.

versatile 1330, Digulleville (*espée versatille,* « à deux tranchants ») ; 1588, Montaigne, « qui change facilement d'idée » ; lat. *versatilis,* de *versare* (v. VERSER). || **versatilité** 1738, d'Argenson.

verseau 1555, Jacquinot, « verse-eau » ; calque du grec *hydrokhoeus* (parce que la période correspondante, 20 janv.-20 févr., est généralement pluvieuse).

***verser** 1080, *Roland,* « renverser », « être renversé » ; lat. *versari,* fréquentatif de *vertere,* tourner ; v. 1175, répandre (un liquide) ; 1788, Barthélemy, payer une somme d'argent. || **versé à, en, dans** 1559, Amyot, « rompu à la pratique de » ; lat. *versatus,* part. passé de *versari,* « s'occuper de ». || **versant** n. m., 1800. || **verse (à)** 1680, Richelet, d'abord *à la verse,* 1640, Oudin. || **verse** n. f., 1872, L. || **versement** 1220, *Anséis,* action de répandre ; 1695, Khun, versement d'argent. || **verseur** n. m., 1547, trad. de Vitruve ; adj., 1964, Lar. || **verseuse** 1877, L. || ***versoir** XIIIe s., sorte de charrue ; 1751, *Dict. d'agr.,* pièce de la charrue ; peut-être d'un lat. pop. **versōrium.* || **déverser** 1755, abbé Prévost. || **déversoir** 1754, *Encycl.* || **déversement** 1797, *Doc.* || **reverser** 1155, Wace, retourner ; 1549, Est., verser de nouveau. || **reversement** 1877, L. (V. AVERSE, BOULE, ENVERS, MALVERSATION, VERSEAU.)

version 1270, Maheu, « retournement » ; milieu XVIe s., traduction ; lat. médiév. *versio,* du lat. *vertere,* retourner. || **rétroversion** fin XVIIIe s. || **rétroversé** 1922, Lar.

verso 1663, B. W. ; lat. *folio verso,* « sur le feuillet à l'envers ». (V. RECTO.)

verste 1607, Meigret (*virst*) ; 1763, Voltaire (*verste*) ; russe *versta,* unité de distance (1 067 m).

***vert** 1080, *Roland,* avec fém. *verte* (au fém., var. *vert* jusqu'au XVe s., *verde* jusqu'au XVIe s., encore 1546, Rab.) ; lat. *viridis ;* XIIIe s., « qui a encore de la sève », d'où *bois vert* (1636, Monet) ; XIIIe s., A. de la Halle, « jeune » ; XVIe s., « vif, rude » ; *tapis vert,* fin XVIe s., Pasquier, table de jeu ; *langue verte,* 1852, Sainéan, « argot des tricheurs » (parce qu'on joue sur un tapis vert) ; 1867, Delvau, « argot » ; *prendre sans vert,* 1546, Rab., de *jouer au « je vous prends sans vert »,* 1534, Rab., jeu du mois de mai, où l'on devait porter quelques feuilles cueillies le jour même, sous peine de payer une amende. || **vert-de-gris** 1268, É. Boileau (*vert-de-Grèce*) ; 1314, Mondeville (*vert de grice*) ; 1337, B. W. (*vert-de-gris*), avec altér. de *Grèce,* d'orig. obsc., d'après *gris.* || **vert-de-grisé** 1835, Th. Gautier. || **verdâtre** 1350, *D. G.* || **verdelet** 1319, B. W. || **verdet** 1240, *FEW,* adj. ; XIVe s., n. m., « vert-de-gris » ; XIXe s., « acétate de cuivre ». || **verdeur** XIIe s. (*verdur*), « verdure » ; fin XIVe s. (*verdeur*) ; fin XIVe s., acidité ; 1440, Charles d'Orléans, vigueur de la jeunesse. || **verdure** XIIe s., Marbode. || **verdir** fin XIIe s., v. intr. ; v. tr., 1680, Richelet. || **verdissage** 1877, *J. O.* || **verdissement** 1859, Hugo. || **verdier** 1200, G., garde forestier ; 1280, Bibbesworth, oiseau. || **verdage** 1370, *FEW,* légume ; 1842, *Acad.,* récolte enterrée en fleur. || **verdoyer** 1175, Chr. de Troyes. || **verdoyant** milieu XIIe s. || **verdoiement** 1879, Huysmans. || **reverdir** début XIIe s.

vertèbre 1363, Chauliac ; lat. *vertebra,* « articulation », de *vertere,* tourner. || **vertébral** 1674, *Journ. des savants.* || **vertébré** 1800, *Bull. des sciences.* || **invertébré** 1800, Cuvier.

vertical 1545, *FEW ;* lat. techn. *verticalis* (Ier s., Frontin), de *vertex,* sommet. || **verticale** n. f., 1845, Besch. || **verticalement** 1752, Trévoux. || **verticalité** 1752, Trévoux.

verticille 1615, Binet, archit. ; début XVIIe s., peson de fuseau ; 1694, Tournefort, bot. ; lat. *verticillus,* peson de fuseau, de *vertex,* « sommet ». || **verticillé** 1694, Tournefort.

vertige 1363, Chauliac (*vertigine*) ; lat. *vertigo,* mouvement tournant, de *vertere,* tourner. || **vertigo** 1478, Chauliac, méd. ; mot lat. || **vertigineux** 1478, Chauliac, homme sujet au vertige ; av. 1850, Balzac, « qui donne le vertige » ; lat. *vertiginosus.* || **vertigineusement** 1876, Lar.

***vertu** 1080, *Roland ;* lat. *virtūs, virtutis,* « force virile », de *vir,* homme ; en anc. fr., « vaillance, force physique, puissance » ; 1155, Wace, « pratique habituelle du bien » ; XIIIe s., « propriété d'une substance » ; 1660, Racine, « chasteté (d'une femme) ». || **vertueux** 1080, *Roland,* vigoureux, vaillant ; 1370, Oresme, « qui pratique le bien » ; « chaste », 1661, Molière. || **vertudieu** XVe s., *le Théâtre français* (*vertubieu*) ; 1558, B. Des Périers (abrév. *tudieu*) ; de *par la vertu de Dieu.* || **vertubleu** 1665, Molière, atténuation du précéd. || **vertuchou** 1616, *Anc. Théâtre.* (V. ÉVERTUER.)

vertugadin 1606, Huguet, mode ; fin XVIIe s., hortic. ; de *vertugade,* XVIe s., altér., d'après *vertu* (la vertugade étant censée protéger la vertu), de l'esp. *verdugado,* « baguette verte » (cf. *verdugale,* 1532, Rab.), de *verdugo,* baguette, dér. de *verde,* vert.

***verve** 1175, Chr. de Troyes, « proverbe » ; début XIIIe s., Rutebeuf, « inspiration » ; fin XVIe s., sens mod. ; lat. pop. **verva,* du lat. class. *verba,* plur. neutre, pris comme fém., de *verbum,* parole. || **verveux** 1583, Bretonnayau, « capricieux » ; 1801, Mercier, sens moderne.

***verveine** XIIIe s., L. ; lat. pop. **vervēna,* class. *verbēna,* rameaux de laurier.

1. **verveux** V. VERVE.

2. **verveux** n. m., 1315, Du Cange (*vrevieus*), « filet de pêche » ; lat. pop. **vertibellum,* de *vertere,* tourner (cf. *vertebolum,* filet, *Loi salique,* avec changem. de suffixe).

vésanie 1480, *Mystère saint Quentin ;* lat. *vesania,* folie, de *vesanus,* fou, sur *sanus,* sain, et *ve-,* préf. péjor.

vesce fin XIIe s., *Rom. d'Alexandre* (*vecce*) ; lat. *vĭcĭa.*

vésical 1560, Paré, « en forme d'ampoule » ; 1827, *Acad.,* « qui a rapport à la vessie » ; bas lat. *vesicalis,* de *vesica,* vessie.

vésication 1363, Chauliac ; bas lat. *vesicare,* gonfler, et au sens médic. « former des ampoules », de *vesica,* vessie, par ext. « ampoule ». || **vésicatoire** 1363, Chauliac. || **vésicant** 1363, Chauliac. || **vésico-rectal** 1904, Lar.

vésicule 1541, Canappe ; lat. *vesicula,* dimin. de *vesica,* vessie ; *vésicule biliaire,* 1812, Mozin. || **vésiculeux** 1752, Trévoux. || **vésiculaire** 1686, Chauvelot.

vesou 1667, Du Tertre, jus de canne à sucre ; mot créole, d'origine inconnue.

vespasienne 1834, *Journ. des femmes ;* du nom de l'empereur romain *Flavius Vespasianus,* d'après les urinoirs qu'il fit installer à Rome.

vespéral V. VÊPRES.

vespertilio XIVe s., *Ovide,* chauve-souris ; mot lat.

vespétro 1767, Menon, « liqueur carminative » ; de *vesser, péter* et *roter.*

***vesser** XIIIe s., *Fatrasies ;* rare avant 1606 ; a remplacé *vessir,* XIIIe-XVe s. ; lat. pop. **vissīre.* || vesse XVe s., *Miracles sainte Geneviève.* || **vesseron** 1543, *FEW.* || **vesse-de-loup** bot., 1530, Palsgrave.

***vessie** 1265, Br. Latini ; lat. pop. **vessīca,* du lat. class. *vēsīca.* (V. VÉSICAL, VÉSICATION, etc.)

vessigon 1598, *FEW,* vétér. ; ital. *vescicone,* du lat. pop. **vĕssīca.*

vestale 1355, Bersuire, adj. (*vierge vestale*) ; 1562, Du Pinet, n. f. ; lat. *vestalis,* prêtresse de Vesta. || **vestalies** 1553, Rab. (*vestales*) ; 1803, Boiste (*-talies*).

veste fin XVIe s., d'abord « vêtement à quatre pans se portant sous l'habit » ; 1680, Richelet, « vêtement sans basques » ; loc. *remporter, ramasser une veste,* 1867, Delvau, par analogie avec le double sens de *capote* (vêtement, et coup par lequel un joueur fait son adversaire *capot,* v. CAPOT 2) ; *retourner sa veste,* 1835, *Acad. ;* ital. *vesta,* du lat. *vestis,* vêtement. || **veston** 1769, Garsault, *Art du tailleur.*

vestiaire 1200, *Règle saint Benoît* (*vestuaire*) ; 1380, *Aalma (vestiaire)* ; lat. *vestiarium,* armoire à vêtements.

vestibule XIVe s., *D. G.* (*vestible*) ; 1502, O. de Saint-Gelais (*vestibule*) ; lat. *vestibulum.* || **vestibulaire** 1834, *Dict. de méd. et de chir. prat.*

vestige 1377, Oresme ; lat. *vestigium,* empreinte du pied.

vétéran 1554, *FEW* (*veterane*), adj. ; milieu XVIe s. (*vétéran*), n. m., sens mod. ; lat. *veteranus,* ancien, de *vetus, vetaris,* vieux. || **vétérance** 1705, Lamare.

vétérinaire 1563, Du Poy, adj. et n. ; lat. *veterinarius,* de *veterina,* pl., bêtes de somme.

vétiller fin XVIe s., Béroald, « s'amuser à des riens » ; moy. fr. *vette,* ruban, de l'anc. fr. *vete,* du lat. *vĭtta,* bandelette. || **vétille** 1528, *Archives.* || **vétilleur** 1642, Oudin. || **vétilleux** 1658, Scarron. || **vétillard** 1640, Oudin.

***vêtir** 980, *Passion* (*vestir*) ; lat. *vestīre.* || ***vêtement** 1080, *Roland ;* lat. *vestimentum.* || **vestimentaire** 1904, Lar. || ***vêture** 1155, Wace (*vesteure*) ; bas lat. pop. *vestitūra ;* au sens de « vêtement » en anc. fr. ; emploi restreint auj. || **dévêtir** 1130, *Eneas.* || **revêtir** fin XIe s., *Alexis,* féod., d'où les empl. fig. mod. || **revêtement** XIVe s., vêtement ; XVIe s., archit. || **survêtement** 1824, Raymond. (V. INVESTIR.)

vétiver 1827, *Journ. des dames,* bot. ; tamoul (langue de l'Inde) *vettivern.*

veto 1718, Ferrières, droit des tribuns romains ; 1790, droit de refus accordé au roi par la Constitution ; 1796, Desmoulins, jurid. ; lat. *veto* (infin. *vetare*), « j'interdis ».

vétusté 1403, *Internele Consolacion ;* lat. *vetustas,* de *vetus,* vieux. || **vétuste** 1842, *Acad. ;* de *vétusté,* d'après le lat. *vetustus.*

***veuf, veuve** 1050, *Alexis* (*vedve*), n. f. ; 1150, *Couronn. de Loïs* (*veve*) ; fin XIVe s. (*veuve*) ; lat. *vĭdua,* privée de ; le masc. *veuf,* refait sur le fém., n'apparaît qu'au XVIe s., 1596, Hulsius (au Moyen Âge, le veuvage était pour la femme un état civil à part ; ce n'était pas le cas pour le mari). || **veuvage** 1374, Du Cange.

***veule** 1190, J. Bodel, « volage, frivole » ; lat. pop. **vŏlus,* « qui vole au vent », de *volare,* voler ; 1611, Cotgrave, « affaibli par le jeûne » ; 1660, Oudin, « qui manque d'énergie ». || **veulerie** 1862, Flaubert. || **aveulir** 1876, A. Daudet. || **aveulissement** 1884, A. Daudet.

vexer 1380, *Aalma,* « tourmenter » ; lat. *vexare,* même sens ; 1808, d'Hautel, « froisser la susceptibilité de ». || **vexant** 1842, *Acad.* || **vexation** milieu XIIIe s., « tourment » ; 1870, Mérimée, « blessure d'amour-propre ». || **vexatoire** 1783, Buffon. || **vexateur** 1549, R. Est.

vexille 1527, *FEW ;* lat. *vexillum.* || **vexillaire** 1530, Marot.

via 1876, Lar., prép. ; lat. *viā,* abl. de *via,* voie.

1\. **viabilité** 1845, Besch., bon état d'une route ; bas lat. *viabilis,* « où l'on peut passer », de *via,* voie, chemin.

2\. **viabilité** V. VIE.

viaduc 1829, Wexler ; adaptation, d'après *aqueduc,* de l'angl. *viaduct,* du lat. *via,* voie, et *ductus,* action de conduire. (V. AQUEDUC.)

viager 1291, G. ; anc. fr. *viage,* durée de vie, de *vie ;* n. m., 1762, *Acad.*

***viande** 1050, *Alexis,* ensemble des aliments ; lat. pop. **vivenda,* de *vivere,* vivre, « ce qui est nécessaire à la vie » ; 1382, G., « chair animale dont on se nourrit ». || **viander** 1354, *Modus,* pâturer. || **vivandier** 1155, Wace. || **vivandière** milieu XVIe s.

viatique 1398, E. Deschamps, « route à parcourir » ; 1636, Monet, « provisions et argent de route » ; 1664, Sévigné, sens religieux ; lat. *viaticum,* de *via,* route (v. VOYAGE).

vibice 1845, Besch., marque ; lat. *vibex, vibicis.*

vibord 1642, Anthiaume, mar. ; scand. **wigibord,* parapet du bord.

vibrer fin XVe s., Fossetier ; lat. *vibrare,* agiter, brandir, d'où « vibrer » ; fig., 1831, Hugo. || **vibrant** 1747, d'Alembert ; 1872, L., plein d'ardeur. || **vibrante** 1904, Lar., n. f., phonét. || **vibration** *id.,* action de brandir ; 1632, Mersenne, phys. || **vibrement** 1832, Matoré. || **vibrage** 1949, Lar. || **vibratoire** 1840, Lamennais. || **vibratile** 1776, Lépecq. || **vibreur** 1907, Lar. || **vibrato** 1876, Lar. || **vibrion** 1797, Cuvier. || **vibrionner** 1876, *J. O.* || **vibrisse** 1845, Besch.

vicaire 1175, Chr. de Troyes, « gouverneur à la tête d'une subdivision de diocèse ou de province » ; 1414, Thierry, eccl., « remplaçant, suppléant » ; lat. *vicarius,* remplaçant (v. VIGUIER, VOYER). || **vicarial** 1570, Hervet. || **vicariat** 1430, A. Chartier. || **vicariant** 1878, Lar.

1. **vice** 1138, Gaimar ; lat. *vitium,* défaut, vice. || **vicié** 1265, Br. Latini. || **vicier** 1396, *FEW ;* lat. *vitiare,* corrompre. || **vicieux** 1265, J. de Meung ; lat. *vitiosus.* || **vicelard** 1928, Esnault.

2. **vice-,** préf. ; lat. *vice,* « à la place de », ancien ablatif, de **vicis,* tour. || **vice-amiral** 1339, B. W. || **vice-consul** 1595, Villamont. || **vice-président** 1479, Bartzsch. || **vice-roi** *id.*

vicennal 1682, *Journal des savants ;* bas lat. *vicennalis,* du lat. *viciens,* vingt fois, de la rac. de *viginti,* vingt, et de *annus,* année.

vicésimal 1872, L. ; lat. *vicesimus,* vingtième, de *viginti,* vingt.

vice versa 1536, Rab. ; loc. lat. signif. « réciproquement », de *vice,* place, et de *versa,* abl. fém. (de *vertere,* tourner), proprem. « la place étant retournée ».

vichy 1904, Lar., « étoffe » ; 1964, Robert, « eau » ; de *Vichy,* ville d'Auvergne.

vicinal XIIIe s., texte des Alpes-de-Haute-Provence, « proche » ; 1775, Turgot, sens mod. ; lat. *vicinalis,* de *vicus,* bourg. || **vicinalité** 1838, *Dict. universel du commerce.*

vicissitude 1355, Bersuire ; lat. *vicissitudo,* de **vicis,* succession, tour.

vicomte 1080, *Roland* (*vesconte*) ; bas lat. *vicecomes,* sur le modèle de *vicedominus* (v. VICE- 2, VIDAME). || **vicomtesse** XIIIe s., *Aucassin* || **vicomté** début XIIIe s., *FEW ;* resté fém. || **vicomtal** XIIIe s., G.

victime 1496, J. de Vignay, rare avant la fin du XVe s. ; lat. *victima,* animal destiné au sacrifice, sur la rac. de *vincere,* vaincre. || **victimaire** 1556, B. W. ; lat. *victimarius.*

victoire 1080, *Roland* (*victorie*) ; 1155, Wace (*victoire*) ; lat. *victoria,* de *victor,* vainqueur. || **victorieux** 1265, Br. Latini ; lat. *victoriosus.* || **victorieusement** 1355, Bersuire.

victoria av. 1844, Mackenzie, type de voiture ; du nom de *Victoria,* reine d'Angleterre (1819-1901).

victuailles 1138, Gaimar (*vitaille*) ; 1502, *FEW* (*victuaille*) ; 1542, *FEW,* empl. usuel au plur. ; lat. *victualia,* pl. neut., devenu fém. en lat. pop., de *victualis,* adj., « relatif aux vivres » (*victūs*), sur *vivere,* vivre. (V. RAVITAILLER.)

vidame 1207, Villehardouin (*visdame*) ; lat. eccl. *vicedominus,* « lieutenant d'un prince », de *vice,* à la place de, et *dominus,* seigneur. || **vidamé** XIIe s., Adgar, ou **vidamie** 1400, *Archives.*

***vide** 1155, Wace (*vuit*) ; 1762, *Acad.* (*vide*) ; lat. pop. **vŏcitus,* de **vŏcuus,* du lat. class. *vacuus,* vide (cf. *vŏcīvus,* vide, Ier s., Térence). || **vide** n. m., 1370, Oresme ; v. 1651, Pascal, *le vide.* || ***vider** 1155, Wace (*vuidier*) ; XIVe s. (*vider*), orthographe définitive depuis 1762, *Acad. ;* lat. pop. **vocitāre.* || **vidage** 1230, G. (*vuidage*). || **videur** XIIIe s. (*vuideur*). || **vidure** 1525, J. Lemaire de Belges (*vuydure*), « espace vide » ; 1611, Cotgrave, « action de vider » ; 1752, Trévoux, « ce qu'on ôte en vidant ». || **vidoir** 1912, Lar. || **vidange** 1286, texte du Hainaut (*widenghe*), égout ; XIVe s., action de vider, de nettoyer ; de *vider,* et suffixe francique **-inga.* || **vidanger** 1855, *FEW.* || **vidangeur** fin XVIIe s. || **videlle** 1659, Duez. || **vide-bouteille** 1560, *D. G.,* « ivrogne » ; 1872, L., « ustensile ». || **vide-ordures, vide-poches** 1749, Havard, meuble. || **vide-gousset** 1876, Lar. || **vide-pomme** 1828, Laveaux. || **vide-vite** 1933, Lar. || **évider** 1120, *Ps. de Cambridge* (*esvuidier*) ; 1680, Richelet (*évider*). || **évidoir** 1756, *Encycl.* || **évidage** 1838, *Acad.* || **évidement** 1865, L. || **dévider** XIe s., *Gloses de Raschi* (*desvuidier*), vider ; d'où « vider le fuseau de sa laine », par ext. « développer (la laine, le fil) ». || **dévidoir** XIIIe s., de Garlande (*desvuidoir*). || **survider** 1549, R. Est.

vidéo-, lat. *video,* je vois, élément entrant dans le vocab. de la télévision. || **vidéocassette** 1971, *le Monde.* || **vidéodisque** 1974, Lar. || **vidéophone** 1955, *le Monde.*

vidimus 1315, Fagniez, copie certifiée ; mot lat. signif. « nous avons vu ». || **vidimer** 1463, Bartzsch, certifier une copie.

vidrecome 1752, Trévoux, verre à boire ; all. *wiederkommen,* revenir.

viduité 1265, Br. Latini ; lat. *viduitas,* de *vidua,* veuve. (V. VEUF.)

***vie** 1080, *Roland ;* lat. *vīta.* || **viable** 1537, trad. du *Courtisan.* || **viabilité** 1803, Boiste. || **survie** 1510, *FEW* (*sourvie*), « fait de survivre » ; 1670, Richelet (*survie*) ; 1907, Lar., prolongation de la vie. (V. VIAGER.)

vielle, vielleux V. VIOLE 1.

vierge 1119, Ph. de Thaon (*virgine*) ; 1160, *Charroi* (*virge*) ; XIIIe s. (*vierge*) ; d'abord surtout terme eccl., puis extens. ; XVIIIe s., statue de la Vierge ; *forêt vierge,* 1845, Besch. ; *vigne vierge,* 1690, Furetière ; lat. *virgo, virginis.* || **demi-vierge** 1894, M. Prévost. || **virginal** 1050, *Alexis* (*virginel*) ; fin XIIe s., R. de Moiliens (*virginal*) ; 1533, Gay, « instrument » ; lat. *virginalis.* || **virginité** Xe s., *Eulalie ;* lat. *virginitas.* || **dévirginiser** 1829, Boiste.

***vieux** (anc. forme du pl.), **vieil,** fém. **vieille** 1080, *Roland* (*vieil*) ; lat. *vĕtŭlus,* dim. fam. de *vetus,* vieux, devenu *veclus* (Ve s., *App. Probi*). || **vieillesse** début XIIe s. (*veillece*) ; 1155, Wace (*viellece*). || **vieillir** 1155, Wace. || **vieillissement** 1596, Hulsius. || **vieillard** 1155, Wace (*vieillart*). || **vieillerie** 1680, Richelet. || **vieillot** XIIIe s., La Curne, comme n. f. ; 1538, R. Est., n. m., « petit vieux » ; 1648, Scarron, adj. || **vioc, vioque** 1837, Vidocq ; anc. fr. *viot,* vieillard (1250, Mousket).

***vif, vive** adj., 1080, *Roland ;* lat. *vīvus,* f. *viva.* || **vif** n. m., 1155, Wace, personne vivante ; 1270, Joinville, chair vive ; 1680, Richelet, proie en vie ; *haie vive,* 1552, R. Est. || **vivement** 1160, Benoît. || **vif-argent** 1160, *Charroi ;* lat. *argentum vivum,* mercure. || **revif** milieu XVIe s., mar. ; 1869, Flaubert, nouvelle vigueur. || **aviver** 1119, Ph. de Thaon ; lat. pop. **advivare.* || **avivement** v. 1175, Chr. de Troyes. || **avivage** début XVIIIe s. || **raviver** 1160, Benoît. || **ravivage** 1904, Lar. (V. VIVIFIER, VIVISECTION.)

vigie 1686, Frontignières, rocher caché sous l'eau ; début XVIIIe s., sentinelle ; port. *vigia,* de *vigiar,* veiller, du lat. *vigilare.*

vigilant 1488, B. W. ; lat. *vigilans,* part. prés. de *vigilare,* veiller. || **vigilance** 1380, *Aalma ;* lat. *vigilantia.*

1. **vigile** 1119, Ph. de Thaon (*vigilie*), « veille de fête » ; 1175, Chr. de Troyes (*vigile*), eccl. ; lat. eccl. *vigilia* (v. VEILLE).

2. **vigile** 1836, *Acad.,* « garde ».

***vigne** 1120, *Ps. d'Oxford ;* lat. *vīnea,* de *vinum,* vin. || **vigneron** fin XIIe s., R. de Moiliens. || **vignette** v. 1280, Joinville, « ornement représentant des branches ou des feuilles de vigne » ; 1454, Havard, « ornement décorant une page de livre » ; 1904, Lar., « petite gravure en forme d'étiquette collée ». || **vignettiste** 1853, Goncourt. || **vignoble** 1175, Chr. de Troyes ; anc. prov. *vinhobre,* avec substit. de suff. ; du lat. rég. **vineoporus,* adaptation du gr. *ampelophoros,* « qui porte des vignes », de *ampelos,* cep, et *-phoros,* qui porte ; ou diminutif du lat. pop. *viniculus,* devenu *vinubulus,* de *vinea.*

vigogne 1598, Acosta (*vicugne*) ; 1672, Thévenot (*vigogne*) ; esp. *vicuña,* mot quechua (Pérou).

vigueur 1080, *Roland* (*vigur*) ; 1361, Oresme (*vigueur*) ; lat. *vigor.* || **vigoureux** 1120, *Ps. de Cambridge* (*vigorous*) ; 1370, Oresme (*vigoureux*). || **revigorer** 1185, *Aliscans* (*-é*) ; 1360, Froissart (*-er*). || **revigoration** 1932, Lar. || **revigorant** début XXe s. || **ravigoter** 1611, Cotgrave, par changem. de suff. ; a remplacé *resvigoter* (v. 1220). || **ravigote** 1720, *Mercure de France,* n. f.

viguier 1265, Br. Latini ; anc. prov. *viguier,* du lat. *vicārius* (v. VICAIRE, VOYER). || **viguerie** début XIVe s. (*vigerie*) ; 1340, G. (*viguerie*) ; anc. prov. *viguaria.*

***vil** 1080, *Roland ;* lat. *vīlis,* « à bas prix », d'où « bas, méprisable ». || **avilir** XIIe s., rare avant 1350, *Ars d'amour.* || **avilissement** fin XVIe s. || **avilissant** 1761, Voltaire.

***vilain** XIIe s., *Lois de Guillaume,* paysan, homme de basse condition ; 1138, Gaimar, « poltron » ; 1155, Wace, laid (moralement) ; 1228, *Guill. de Dole,* laid (physiquement) ; lat. *villanus,* habitant de la *villa,* domaine rural. || **vilenie** 1119, Ph. de Thaon (*vilanie*) ; v. 1200 (*vilenie*).

vilayet 1869, *J. O. ;* turc *vilâyet,* province ; forme mod. *wilaya,* 1955, *journ. ;* ar. *wilāya,* province.

vilebrequin XIVe s., *Dialogue fr. flamand* (*wimbelkin*) ; 1450 (*vilebrequin*) ; moy. néerl. *wimmelkijn,* dim. de *wimmel,* tarière, avec influence du flam. *boorkin,* tarière, et, en passant en fr., des mots *virer, vibrer.*

vilipender 1375, R. de Presles ; bas lat. *vilipendere,* de *vilis* et *pendere.*

villa 1743, *Bibl. britannique,* maison de plaisance en Italie ; 1827, *Journ. des dames,* sens gén. ; ital. *villa* (v. VILLE).

village 1081, *Cartul. d'Angers* (*villagium*), groupe d'habitations rurales ; v. 1360, Froissart (*village*) ; dér. de *ville,* ferme, pour remplacer ce mot au sens de « village ». || **villageois** v. 1500.

villanelle 1557, J. Du Bellay ; ital. *villanella,* chanson ou danse villageoise, de *villano,* villageois, du bas lat. *villanus* (v. VILAIN).

***ville** v. 980, *Passion* (*vile*) ; 1690, Furetière, « quartier » ; lat. *vīlla,* « maison de campagne », et, à partir de l'Empire, « domaine rural » ; dès le gallo-roman, a désigné l'agglomération urbaine. || **ville-dortoir** 1964, Lar. || **ville-satellite** 1939, Giraudoux.

villégiature 1755, abbé Prévost ; ital. *villeggiatura,* de *villeggiare,* aller à la campagne, de *villa* (v. VILLA). || **villégiateur** 1876, *le National.* || **villégiaturer** 1860, Mérimée.

villeux XIVe s., L., rare jusqu'en 1742 ; lat. *villōsus,* de *villus,* poil (v. VELOURS, VELU). || **villosité** 1781, Sabatier.

***vin** 980, *Passion ;* lat. *vīnum ; vin cuit,* 1538, R. Est. ; *vin doux,* 1564, *Maison rustique ; cuver son vin,* 1611, Cotgrave. || **vinée** XIIIe s. (*vingnée*) ; milieu XIVe s. (*vinée*). || **vineux** v. 1200, G. ; bas lat. *vinosus* (IIIe s., Tertullien). || **vinosité** 1830, Conty. || **viner** début XIVe s., « débiter du vin » ; 1867, L., « ajouter de l'alcool à un vin ». || **vinage** 1231, G., droit sur la récolte ; 1867, L., sens mod. || **vinaire** 1756, *Encycl.,* adj. || **vinique** 1836, *Acad.* || **vinasse** 1765, *Encycl.,* chimie ; 1836, *Acad.,* vin fade. || **vinicole** 1831, Barthélemy. || **viniculture** 1834, Taxil. || **vinifère** 1812, Mozin. || **vinification** 1799, *Ann. de chimie.* || **aviné** fin XIIIe s., Rutebeuf.

vinaigre 1200, J. Bodel ; de *vin* et *aigre.* || **vinaigrette** 1398, *Ménagier.* || **vinaigré** 1680, Richelet. || **vinaigrer** 1690, Furetière. || **vinaigrier** 1514, *Ordonn. royale.* || **vinaigrerie** 1723, Savary des Bruslons.

vindicatif 1395, Chr. de Pisan ; lat. *vindicare,* venger (v. VENGER).

vindicte 1308, Aimé ; lat. *vindicta,* vengeance ; *vindicte populaire,* 1690, Furetière. (V. VENDETTA, VENGER.)

***vingt** 1080, *Roland* (*vint*) ; 1273, Adenet (*vingt*) ; bas lat. *vinti,* du lat. class. *vĭginti.* || **vingtième** 1155, Wace (*vintisme*) ; fin XIVe s. (*vintiesme*). || **vingtièmement** 1636, Monet. || **vingtaine** XIIIe s., G. || **vingt-deux** 1874, Esnault, avertissement. || **vingt-et-un** 1530, Palsgrave, jeu. || **quatre-vingts** 1120, *Ps. d'Oxford.* || **quatre-vingtième** 1530, Palsgrave. || **quatre-vingt-dix** fin XIIe s., Villehardouin (*quatre-vins et dis*). || **quatre-vingt-dixième** 1530, Palsgrave.

vinyle 1876, d'après P. Robert ; de *vin* et *éthyle.*

violacé, violat V. VIOLETTE.

viole XIIIe s., *Aucassin ;* anc. prov. *viola,* de *violar,* jouer de la vielle, onomat. ; de même, l'anc. fr. *vieller,* début XIIe s., *Voy. de Charl.* || **vielle** 1130, *Eneas* (*viele*) ; de *vieller.* || **vielleur** 1165, Thomas. || **vielleux** XVIe s., G. || **viole de gambe** 1703, S. de Brossard ; ital. *viola di gamba.* || **violiste** XVIIe s., d'après P. Robert. || **violon** v. 1500, *Anc. Poésies ;* 1803, Boiste, pop., « poste de police », par comparaison des barreaux aux cordes d'un violon. || **violoniste** 1823, Boiste. || **violoneux** 1812, Désaugiers. || **violoncelle** début XVIIIe s. (*violoncello*) ; 1743, Trévoux (*violoncelle*) ; ital. *violoncello,* dimin. de *violone,* contrebasse, « grosse viole ». || **violoncelliste** 1825, Brillat-Savarin.

violent 1213, *Fet des Romains ;* lat. *violentus,* de *violare,* faire violence. || **violemment** 1332, G. || **violence** 1215, *D. G. ;* lat. *violentia.* || **violenter** 1375, R. de Presles.

violer 1080, *Roland ;* lat. *violare,* « faire violence » ; 1170, *Rois,* « prendre de force une femme ». || **violation** XIIe s., *Naissance du chevalier.* || **violateur** 1360, G. || **viol** 1647, Vaugelas, « acte de violer une femme ». || **inviolable** début XIVe s. ; lat. *inviolabilis.* || **inviolabilité** 1611, Cotgrave.

violette début XIIe s. ; anc. fr. *viole,* même sens, du lat. *viola.* || **violet** v. 1200, *Guillaume de Dole.* || **ultraviolet** 1840, Becquerel. || **violeter** 1861, *FEW.* || **violâtre** v. 1450, O. de La Marche (*viaulatre*) ; rare avant Diderot. || **violier** v. 1360, Froissart ; dér. de l'anc. *viole.* || **violine** 1842, *Acad.* || **violacé** 1777, Guyton de Morveau ; lat. *violaceus,* couleur de violette. || **violacer** 1845, Besch. || **violacée** 1810, Capuron, bot. || **violat** 1206, Guiot de Provins.

***viorne** 1538, R. Est. , lat. *viburna,* pl. de *viburnum,* passé au fém. sing. en lat. pop.

vipère 1265, Br. Latini (*vipre*) ; 1520, La Curne, « personne méchante » ; lat. *vipera ;* a éliminé l'anc. *guivre, vouivre* (1080, Roland). || **vipereau** 1526, Marot. || **vipérin** 1553, *FEW,* adj. || **vipérine** XVe s., *Grant Herbier,* bot. || **vipéridé** 1842, *Acad.* (V. VOUIVRE.)

virago 1452, Gréban ; mot lat., de *vir,* homme (v. VIRIL).

virelai v. 1280, Adenet ; d'abord refrain de danse, de *vire.* (V. VIRER et LAI 2.)

***virer** v. 1155, Wace, tourner ; bas lat. **vīrāre,* du lat. class. *librare,* balancer, et *vibrare,* faire tournoyer. || **virement** 1546, R. Est., « action de tourner » ; 1904, Lar., financ. || **vire** XIe s., *Gloses de Raschi,* « trait d'arbalète » ; XIVe s., « action de tourner » ; 1877, *Rev. des Deux Mondes,* « chemin de montagne en lacet ». || **virage** 1773, Bourdé, mar. ; 1857, *Année scient.,* « action d'une couleur qui change » ; 1893, *D. G.,* autom. || **vireur** 1364, *Romania,* tourne-broche ; 1907, Lar., « plateau circulaire sur une machine ». || **survireuse, sous-vireuse** v. 1960, autom. || **virée** 1535, G., « rang de ceps » ; 1907, Chautard, « promenade » ; 1859, Nanquette, techn., « division d'un bois à couper ». || **revirer** début XIIe s., *Roman de Thèbes,* « craindre, éviter » ; 1530, Palsgrave, « se retourner ». || **revirement** 1587, Cholières.

vireux V. VIRUS.

virevolte 1549, R. Est. ; altér., sous l'infl. de l'ital. *giravolta,* « tour en rond », de l'anc. *virevouste* (1510, Marot), de *virer* et *vouter,* tourner, de **volvitare,* rouler, de *volvere,* tourner. || **virevolter** milieu XVIe s.

virginal V. VIERGE.

virgule 1534, Rab. ; lat. *virgula,* « petite verge », en bas lat. « trait sur une lettre ». || **virguler** 1725, Trévoux.

viril 1496, J. de Vignay ; lat. *virilis,* de *vir,* homme. || **virilement** 1403, *Internele Consolacion.* || **virilité** 1482, Molinet ; lat. *virilitas.* || **viriliser** 1796, Saint-Martin. || **virilisme** 1845, d'après P. Robert.

virole 1160, Benoît (*virol*) ; v. 1200, Bueve (*virole*) ; lat. *viriola,* bracelet, du gaulois *viria,* même sens. || **viroler** 1185, *Aliscans.* || **virolage** 1872, L.

virtuel 1503, Chauliac ; lat. scolast. *virtualis,* de *virtus,* force. || **virtualité** 1674, Le Gallois.

virtuose 1640, Mersenne ; ital. *virtuoso,* de *virtù,* « qualité, art », du lat. *virtus.* || **virtuosité** 1857, *Rev. des Deux Mondes.*

virus 1560, Paré ; lat. *virus,* poison, suc des plantes. || **vireux** 1611, Cotgrave. || **viral** 1950, *le Monde.* || **virulent** 1363, Chauliac, « qui contient du pus » ; 1768, Voltaire, fig. ; bas lat. *virulentus,* venimeux. || **virulence** 1363, Chauliac ; sens mod., 1764, Voltaire. || **virologie** 1945, d'après P. Robert. || **virologiste** 1961, *journ.*

***vis** fin XIe s., *Gloses de Raschi,* escalier tournant ; *id.,* sens mod. ; anc. plur. *vitz,* du lat. *vītis,* vrille de la vigne, et en lat. pop. « vis ». || **visser** 1762, *Acad. ;* 1946, Aymé, « mettre en prison ». || **vissage** 1840, Baudremont. || **visserie** 1871, *Almanach.* || **dévisser** 1768, *Encycl. ;* XXe s., « glisser », alpinisme. || **dévissage** 1870, Lar.

visa 1527, La Curne ; mot lat. qui se mettait sur les actes vérifiés, plur. neutre du part. passé de *videre,* proprem. « choses vues ». || **viser** 1668, Colbert, mettre son visa.

visage 1050, *Alexis* (*vis*) ; 1080, *Roland* (*visage*) ; lat. *vīsus,* part. passé subst. de *videre,* voir ; d'abord « aspect », puis « face » (XIVe s.). || **visagiste,** 1949 Lar. || **visagisme** 1949, Lar. || **dévisager** 1538, R. Est., défigurer ; 1803, Boiste, regarder avec impertinence. || **envisager** 1560, Pasquier, regarder au visage ; 1655, La Rochefoucauld, examiner en esprit.

vis-à-vis v. 1210, Herbert de Dammartin ; de l'anc. *vis,* visage, et de la prép. *à.* (V. VISAGE, VISIÈRE.)

viscère 1472, Leseur ; lat. *viscera,* plur. de *viscus, visceris,* chair. || **viscéral** v. 1460, Chastellain, « profond, intime » ; lat. eccl. *visceralis ;* 1765, *Encycl.,* méd.

visco-, de *visqueux.* || **viscose** 1899, d'après P. Robert. || **viscoplastique** 1975, Lar. (V. VISQUEUX.)

1. **viser** [un acte] V. VISA.

2. **viser** 1155, Wace, viser (un but) ; lat. pop. **vīsare,* du lat. class. *visere,* fréquentatif de *videre,* voir ; *viser à,* 1330, *Baudoin de Sebourg.* || **visée** 1219, G., « regard » ; 1530, Marot, sens mod. || **viseur** 1222, G. (*viseor*), éclaireur ; 1555, G., celui qui tire en visant ; 1842, instr. ; 1904, Lar., photogr. || **rétroviseur** 1929, *Catal. Manuf. de Saint-Étienne.* || **superviser** XXe s. (V. AVISER.)

visible 1190, *Saint Bernard ;* bas lat. *visibilis,* de *visus,* part. passé de *videre,* voir. || **visibilité**

1487, Garbin ; bas lat. *visibilitas.* || **invisible** XIIIe s., Ald. de Sienne ; lat. *invisibilis.* || **invisibilité** milieu XVIe s. ; lat. *invisibilitas.*

visière 1243, Ph. de Novare ; anc. fr. *vis,* visage. (V. VISAGE.)

vision 1120, *Ps. d'Oxford ;* XIIe s., « être surnaturel » ; XIIIe s., physiologie ; lat. *visio,* action de voir, sur la rac. de *videre* (v. VOIR). || **visionnaire** 1620, *FEW.* || **visionner** 1921, *Ciné-Magazine.* || **visionneuse** 1947, Leprohon. || **visiophone** 1971, Lar.

visiter Xe s., *Saint Léger ;* lat. *visitare,* fréquentatif de *visere,* aller voir, même rac. que *videre,* voir. || **visiteur** XIIIe s. || **visite** 1556, Thevet ; 1690, Furetière, méd. || **contre-visite** 1680, Richelet. || **visitation** fin XIIe s., *Dial. Grégoire ;* XIIIe s., spéc. au sens relig. ; lat. *visitatio.* || **visitandine** 1721, Trévoux.

vison 1420, G., « belette » ; 1761, Buffon, sens actuel ; lat. pop. **vissio,* puanteur, de **vissire,* vesser.

visqueux XIIIe s., *Simples Médecines ;* bas lat. *viscosus,* de *viscum,* gui, au sens fig. de « glu ». || **viscosité** 1256, Ald. de Sienne ; milieu XXe s., fig. ; lat. *viscositas.* (V. VISCO-.)

visu (de) 1721, Trévoux ; loc. lat. signif. « d'après la vue », d'abord d'empl. judiciaire.

visuel 1545, Jacquinot ; bas lat. *visualis* (VIe s., Cassiodore), de *visus,* part. passé de *videre,* voir. || **visuellement** 1845, Besch. || **visualiser** 1887, Binet ; cinéma, 1919, *Cinématographie française.* || **visualisation** 1887, Binet.

***vit** 1200, Bodel, pop., métaph. ; lat. *vectis,* barre, levier ; membre viril.

vital fin XIIIe s., R. Lulle ; lat. *vitalis,* de *vita,* vie. || **vitalement** 1842, *Acad.* || **vitalisme** 1775, Lalande. || **vitaliste** 1826, Broussais. || **vitalité** 1587, Cholières ; lat. *vitalitas* (Ier s., Pline). || **dévitaliser, dévitalisation** 1922, Lar. || **revitaliser** 1960, *journ.* (V. VIE.)

vitamine 1912 ; mot formé en anglais par C. Funk, du lat. *vita* et du terme de chim. *amine.* || **vitaminé** 1933, Galliot. || **vitaminisation** 1949, Lar. || **vitaminique** 1933, Carles. || **vitaminothérapie** 1953, Lar. || **dévitaminer** 1948, Lar. || **avitaminose** 1922, Lar.

vite 1160, Benoît (*viste*) ; 1250, *Bestiaire d'amour* (*vite*), adj. jusqu'au XVIIe s. ; adv. ensuite ; fin XIXe s., repris comme adj. dans les sports ; d'orig. obscure, p.-ê. onomat. || vitesse 1160, Benoît (*vistesse*) ; début XVIe s. (*vitesse*).

vitellin 1256, Ald. de Sienne ; bas lat. *vitellum,* jaune d'œuf. || **vitelline** n. f., 1845, Besch.

vitelot 1680, Richelet, ruban de pâte cuite ; de *vit,* du lat. *vectis,* barre, levier. || **vitelotte** 1812, Boiste, pomme de terre allongée.

viticole 1836, Landais ; lat. *vitis,* vigne, d'après *agricole.* || **viticulture** 1845, Besch. || **viticulteur** 1872, L.

vitigo 1538, Canappe, « herpès » ; lat. *vitium,* défaut.

vitre 1265, J. de Meung, « verre » (matière) ; XVe s., « fenêtre garnie de vitres » ; 1454, Havard, sens mod. ; lat. *vitrum* (v. VERRE). || **vitrail** 1493, Fierville (*vitral*) ; début XVIIe s. (*vitrail*). || **vitrage** 1611, Cotgrave. || **vitrer** XVe s., Laborde. || **vitré** 1363, Chauliac. || **vitrerie** 1338, *Actes normands.* || **vitrier** 1370, *D. G.* || **vitrifier** 1540, B. Des Périers. || **vitrifiable** 1734, Geoffroy. || **vitrification** XVIe s., B. Palissy. || **vitrescible** 1762, *Acad.* || **vitreux** 1256, Ald. de Sienne, « qui ressemble au verre fondu » ; 1835, *Acad.,* « dont l'éclat est terni » ; lat. médiév. *vitrosus.* || **vitrocéramique** 1975, Lar.

vitrine 1836, *Acad. ;* anc. fr. *verine,* vitrail, du lat. pop. **vitririus,* de verre.

vitriol XIIIe s., *Simples Médecines ;* bas lat. *vitriolum,* de *vitrum* (à cause de l'apparence vitreuse du sulfate ainsi appelé à l'époque) ; 1560, Paré, *huile de vitriol,* acide sulfurique ; 1876, Lar., sens mod. || **vitriolique** XVIe s., B. Palissy. || **vitriolé** 1608, Variot. || **vitrioler** 1876, Lar., techn. ; 1886, Barrère, arroser de vitriol. || **vitriolage** 1873, Tolhausen. || **vitrioleur** 1888, Villatte.

vitulin 1374, G. ; lat. *vitulinus,* de veau, du lat. *vitulus,* veau.

vitupérer Xe s., *Saint Léger,* « mutiler » ; début XIVe s., « outrager » ; XIVe s., « blâmer fortement » ; lat. *vituperare,* blâmer. || **vitupération** 1120, *Ps. d'Oxford.* || **vitupérateur** 1636, Monet.

vivace 1469, *FEW ;* lat. *vivax,* de *vivere,* vivre. || **vivacité** 1488, *Mer des hist. ;* lat. *vivacitas,* au sens fig. du bas lat.

vivandier V. VIANDE.

vivarium 1923, Lar., lat. *vivarium,* parc à gibier (v. VIVIER).

vivat 1546, Rab., interj. ; mot lat. signif. « qu'il vive », subj. présent de *vivere,* vivre ; subst., 1649, Scarron. || **vive** 1170, *Rois,* interj. ; subj. de *vivre.*

vive 1398, *Ménagier,* sorte de poisson ; altér., par attraction de *vif, vive,* du rég. *wivre* (1138, *Saint Gilles*), du lat. *vipera* (v. VIPÈRE, VOUIVRE), la *vive,* dite « dragon de la mer », étant venimeuse.

viverridés 1876, Lar. ; lat. *viverra,* furet.

***vivier** 1130, *Eneas ;* lat. *vivarium,* « endroit où l'on garde des animaux vivants », de *vivere,* vivre.

vivifier 1120, *Ps. d'Oxford ;* lat. *vivificare,* de *vivus,* vivant, et *facere,* faire. || **vivifiant** 1170, *Rois.* || **vivification** fin XIIIe s. ; lat. *vivificatio.* || **vivificateur** 1500, Molinet. || **revivifier** fin XIIIe s., « reprendre vie » ; fin XVIe s., « redonner de la vie ». || **revivification** fin XVIIe s.

vivipare 1679, *Journ. des savants ;* lat. impérial *viviparus,* de *vivus,* vivant, et *parere,* engendrer. || **viviparité** 1842, *Acad.* || **viviparidé** 1933, Lar.

vivisection 1765, *Encycl. ;* du lat. *vivus,* vivant, et de *section* (d'après *dissection*). || **vivisecteur** 1839, Guérin.

***vivre** Xe s., *Saint Léger ;* lat. *vīvĕre.* || **vivant** adj., 1150, *Voy. de Charl. ;* n. m., 1050, *Alexis.* || **bon vivant** 1680, Richelet. || **vécu** n. m., 1933, J. Romains. || **qui-vive** n. m., 1662, La Rochefoucauld, de la loc. *qui vive ? ;* 1419, *Romania,* cri d'une sentinelle. || **vivres** n. m. pl., 1155, Wace. || **viveur** 1831, Balzac. || **vivable** 1190, *Saint Bernard.* || **invivable** 1937, *journ.* || **vivoir** 1919, d'après P. Robert. || **vivoter** 1430, A. Chartier. || **vivrier** 1850, Balzac. || **revivre** XIIe s. || **reviviscence** fin XVIIe s., Leibniz ; lat. *reviviscere,* revenir à la vie. || **survivre** 1080, *Roland ; se survivre,* 1718, *Acad.* || **survivant** 1119, Ph. de Thaon. || **survivance** 1521, *Édit.* (V. VIVAT, VIVE.)

vizir 1432, La Broquière ; mot turc, du persan *vizir* (cf. d'autre part l'ar. *wāzir,* d'où sont issus *alguazil* [de *al-wāzir*] et *argousin*). || **vizirat** 1664, Thévenot.

vlan 1728, Esnault ; onomat.

vobuler 1964, Lar. ; angl. *wobble,* osciller.

vocable 1380, *Aalma ;* lat. *vocabulum,* appellation, mot, de *vocare,* appeler. || **vocabulaire** 1487, Garbin ; lat. médiév. *vocabularium.*

vocal 1265, Br. Latini, « contenant une voyelle » ; milieu XVe s., « qui s'exprime au moyen de la voix » (opposé à *par écrit*) ; lat. *vocalis,* doué de voix, de *vox, vocis,* voix. || **vocalement** 1531, Rab. || **vocaliser** 1821, Castil-Blaze ; 1611, Cotgrave, phonét. ; 1907, Lar., ling. || **vocalise** 1833, Quicherat. || **vocalisateur** 1836, *Acad.* || **vocalique** 1872, L. || **vocalisation** 1972, Lar., ling. || **vocalisme** 1864, d'après P. Robert. || **intervocalique** 1906, Lar. (V. VOYELLE.)

vocatif XIVe s., L. ; lat. *vocativus,* de *vocare,* appeler.

vocation fin XIIe s., *Dial. Grégoire,* eccl. ; XIVe s., jurid. ; v. 1440, G. Chastellain, sens mod. ; lat. *vocatio,* action d'appeler, de *vocare,* appeler, du lat. *vox,* voix.

vocero 1840, Mérimée ; mot corse, de *voce,* voix, du lat. *vox, vocis.*

vociférer 1380, Conty ; lat. *vociferari,* de *vox,* voix, et *ferre,* porter. || **vocifération** 1120, *Ps. d'Oxford ;* lat. *vociferatio.* || **vociférateur** 1834, Landais.

vocodeur 1975, Lar. ; de *vocal* et *codeur.*

vodka 1829, Dupré de Sainte-Maure ; mot russe, de *voda,* eau ; même rac. que l'all. *Wasser,* l'angl. *water.*

***vœu** 1175, Chr. de Troyes (*veu*) ; XVe s. (*vœu*) ; lat. *vōtum* (v. VOTE). || **votif** fin XIVe s., G. ; lat. *votivus,* de *votum.* || ***vouer** 1120, *Ps. d'Oxford ;* lat. pop. **votare* (v. DÉVOUER).

vogélie 1876, Lar. ; du botaniste allem. *Vogel.*

vogue 1559, Amyot ; ital. *voga,* au sens fig. de « réputation, crédit », de *vogare.* (V. VOGUER.)

voguer 1207, Villehardouin ; anc. bas all. **wogon,* var. de *wagon,* « se balancer » ; l'ital. *vogare* est un empr. à l'anc. fr.

voici 1170, *Rois* (*vez ci*) ; 1207, Villehardouin (*vois ci*) ; 1485, *Mystère du Vieil Testament* (*voici*). || **voilà** 1283, Beaumanoir (*ves la*) ; 1538, R. Est. (*voilà,* qui élimine auj. *voici* dans la langue pop.) ; de *vois,* impér. de *voir,* et *ci, là,* particules démonstratives ; *v'là,* formule vulg., est issu de *vela* (1360, Froissart). || **revoici** début XVIe s. || **revoilà** début XIVe s. (*revelà*) ; 1633, Corn. (*revoilà*).

***voie** 1080, *Roland* (*veie*) ; 1175, Chr. de Troyes (*voie*) ; lat. *vĭa,* chemin ; *voie ferrée,* 1831, *Bull. des lois ; voie d'eau,* 1678, Colbert ; fig., XIIe s., G. || **contre-voie** 1928, Lar. || **avoyer** XIIe s., « mettre sur la voie ». || **avoi** XIIe s. ;

déverbal. || **avoiement** 1190., Garn. || **avoyeur** 1213, *Fet des Romains*. (V. DÉVOYER, ENVOYER, FOURVOYER.)

1. ***voile** n. f., 1155, Wace (*veile*) ; fin XIXe s. (*voile*) ; lat. pop. **vela*, plur. neutre, passé au fém., de *vēlum*. || **voilier** 1510, *FEW*, adj. ; 1660, Oudin, « navire ». || **voilerie** 1691, Ozanam. || **voilure** 1678, Guillet, « manière de placer les voiles » ; 1691, Ozanam, « ensemble des voiles » ; 1845, Besch., « gauchissement d'une planche », etc. || **voilé** 1611, Cotgrave, « garni de voiles » ; 1765, *Encycl.*, « qui a pris la forme convexe » (bois). || **dévoiler** 1907, Lar., redresser une roue faussée. || **envoiler (s')** 1676, Félibien.

2. ***voile** n. m., 1167, Rathbone, rideau ; au XIIe s., voile de nonne, puis, 1265, J. de Meung, voile de femme ; lat. *vēlum*. || **voilette** 1593, Duchesne de La Violette, mar. ; 1842, Mozin, sens mod. || **voilage** 1933, Lar. || **voiler** XIe s., *Chanson de Guillaume*, relig. ; XIIIe s., Richier, « couvrir » ; 1606, Nicot, dérober à la vue, cacher. || **voilé** adj., « terni », 1644, Corn. ; 1798, *Acad.*, en parlant de la voix. || **dévoiler** 1440, Chastellain. || **dévoilement** 1606, Nicot. || **envoiler** 1885, Zola.

***voir** Xe s., *Saint Léger* (*veder*) ; 1050, *Alexis* (*voir*) ; lat. *vĭdēre*. || **voyant** subst., XVe s., « prophète » ; 1845, Besch., techn. || **voyante** 1891, Huysmans. || **voyance** 1829, Boiste. || **vu** prép., 1398, E. Deschamps ; *vu que*, 1421, G. || **vue** 1080, *Roland* (*vëue*) ; XIIIe s. (*vue*) ; photo, 1964, Lar. ; plan, 1704, Trévoux. || **voyeur** 1138, Gaimar (*veor*), guetteur ; XVIe s. (*voyeur*), témoin oculaire ; 1883, Richepin, pathol. || **voyeurisme** 1955, Piéron. || **revoir** 980, *Passion* (*revedeir*) ; XIIe s. (*reveoir*) ; *au revoir*, 1644, Corn. (*adieu jusqu'au revoir*) ; 1798, *Acad.*, loc. mod. || **revoyure (à la)** 1821, Nisard, loc. pop. || **revue** 1317, G., « révision d'un partage » ; XVe s., milit. ; 1792, *Revue du patriote*, publication périodique ; 1875, Lar., pièce satirique ; 1932, Lar., spectacle de variétés ; *passer en revue*, 1770, Rousseau, « examiner ». || **revuiste** 1887, Buguet. || **entrevoir** 1080, *Roland* (*entreveeir*), « se voir les uns les autres » ; 1270, « voir imparfaitement ». || **entrevue** fin XVe s., rencontre. (V. BÉVUE, POURVOIR, PRÉVOIR, VOICI.)

***voire** 1130, *Eneas* (*veire*) ; 1175, Chr. de Troyes (*voire*) ; lat. pop. **vēra*, plur. neutre de *vērus*, vrai, pris adverbialement ; donné comme vieux en 1798, *Acad.* ; repris, au XIXe s. ; *voire même*, 1615, Brunot. (V. VRAI, VÉRITÉ.)

voirie V. VOYER.

***voisin** 1138, Gaimar (*veisin*) ; fin XIIe s. (*voisin*) ; lat. pop. **vīcīnus*, de *vicus*, village, quartier ; fig., 1636, Monet. || **voisinage** 1240, de Tuim. || **voisiner** v. 1196, Bodel. || **avoisiner** 1555, Pasquier. || **circonvoisin** 1387, à Rethel.

***voiture** v. 1200 (*veiture*) ; 1283, Beaumanoir (*voiture*) ; lat. *vĕctura*, transport, de *vehere*, transporter ; a signifié aussi « mode de transport » (XIIIe-XIXe s.) ou « charge transportée » ; auto, 1876, *Journ. des Débats*. || **voiturette** 1897, *Nature*. || **voiturée** 1862, Hugo. || **voiturer** fin XIIIe s., Condé, « aller en Terre sainte » ; 1611, Cotgrave, sens mod. || **voiturier** 1213, B. W. || **voiturage** 1358, G. || **voiture-balai** 1965, *journ.* || **voiture-bar** 1964, Lar. || **voiture-lit** 1951, *Science et vie*. || **voiture-restaurant** *id.*

voïvode 1532, Charrière ; serbo-croate *vojvoder*, du russe *vojevóda*. || **voïvodie** 1812, Mozin.

***voix** 980, *Passion* (*voiz*) ; XIIIe s., avec *x* repris au nominatif du lat. ; au sens de « suffrage », 1538, R. Est. ; 1765, *Encycl.*, gramm. ; lat. *vox, vocis*. (V. VOCAL.)

vol V. VOLER 1 et 2.

volage 1080, *Roland*, « ailé » ; lat. *volaticus*, « qui vole, ailé », « changeant » ; 1260, *Vie de saint Osith*, n., « inconstant ».

***volaille** 1170, *Floire et Blancheflor*, « ensemble des oiseaux » ; 1552, R. Est., « ensemble des oiseaux de basse-cour » ; bas lat. *volatilia*, pl. neutre à valeur collective, de *volatilis*, « qui vole », par ext. « oiseau » ; 1899, Esnault, « police ». || **volailler** 1690, Furetière. || **volailleur** 1821, Desgranges. (V. VOLATILE.)

volapük 1879, Schleyer ; mot créé, par déformation de l'angl. *world*, monde, et *speak*, parler, pour désigner une langue artificielle.

volatil XIIIe s., G. (*volatille*) ; lat. *volatilis*, « qui vole », par ext. « léger ». || **volatiliser** 1611, Cotgrave, physique ; fig., 1831, Hugo. || **volatilisable** 1823, *Dict. médical*. || **volatilisation** 1641, De Clave. || **volatilité** *id.*

volatile 1120, *Ps. d'Oxford* (*volatilie*), n. f., « ensemble des oiseaux » ; XIIe s., « oiseau destiné à la table » ; 1701, Furetière (*volatile*), n. m., sens mod. ; bas lat. *volatilia*, oiseaux qui peuvent voler (v. VOLAILLE).

vol-au-vent V. VOLER 1.

volcan v. 1300, G. (var. *vulcan, boucan*) ; ital. *Volcano*, du lat. *Vulcanus*, Vulcain, dieu du Feu, nom d'abord donné aux îles Lipari, à cause de leurs volcans ; 1690, Furetière, sens mod. || **volcanique** v. 1750, Buffon. || **volcaniser** 1777, Brunot. || **volcanisme** 1842, Mozin. || **volcanologie** ou **vulcanologie** 1910, Lar.

1. ***voler** [dans l'air] Xe s., *Eulalie ;* lat. *volare.* || **vol** 1175, Chr. de Troyes ; 1907, Lar., aviation ; *vol à voile,* 1923, Lar. || **vol-au-vent** 1800, *Journ.,* pour *vole-au-vent,* en raison de la légèreté de la pâte. || **vole** 1534, Rab., jeu. || **dévole** 1690, Furetière, jeu. || **volant** adj., 1188, A. de Varennes ; début XVIe s., « qui peut se déplacer rapidement » ; 1611, Cotgrave, subst., « morceau de liège qu'on lance avec une raquette » ; 1660, Molière, en couture ; 1835, *Acad.,* mécanique ; 1860, *le Monde illustré,* autom. ; *volant de sécurité,* 1964, Robert ; aviation, 1964, Lar. || **volerie** 1180, Gace Brulé, chasse ; de *voler* au sens de « pratiquer la chasse au vol (faucon) », en anc. et moy. fr. || **volée** 1191, Gui de Cambrai. || **volière** 1398, E. Deschamps. || **volet** XIIIe s., G., « partie flottante d'une coiffe » (d'où *bavolet,* 1556) ; XVe s., « sorte d'assiette creuse » (d'où *trier sur le volet,* 1542, Rab.) ; 1611, Cotgrave, « panneau de bois se fermant sur une fenêtre ». || **volis** 1673, *FEW.* || **volige** 1694, Ménage, charpente, en moy. fr. *volisse, volice ;* 1435, G. ; lat. pop. **volaticius.* || **voliger** 1845, Besch. || **voleter** 1120, *Ps. de Cambridge.* || **volettement** 1596, Hulsius. || **envoler (s')** 1130, *Eneas ;* de *en voler.* || **envol** 1886, Rimbaud ; 1930, Lar., aviation. || **envolée** 1875, *J. O.* || **envolement** 1873, Daudet. || **survoler** 1440, Chastellain. || **survol** 1911, Lar.

2. **voler** [dérober] 1549, R. Est., métaphore formée sur le précédent, d'apr. son emploi dans le langage de la chasse (v. *volerie,* ci-dessus, à VOLER 1). || **vol** 1610, *Hist.* || **voleur** 1516, G. || **volerie** 1541, Giry. || **antivol** 1949, *L. M.*

volley-ball 1925, d'après P. Robert ; mot angl., de *volley,* volée, et *ball,* boule. || **volleyeur** 1951, *Lar. ;* au tennis, 1935, *Tennis et golf.*

volonté 980, *Passion* (*voluntez*) ; 1606, Nicot (*volonté*) ; lat. *voluntas, -atis ; bonne volonté,* 1330, *Baudoin de Sebourg.* || **volontaire** 1265, *Le Grand* (*voluntaire*), comme adj. ; 1460, Chastellain, comme n. ; lat. *voluntarius.* || **volontariat** 1866, *le Temps.* || **involontaire** 1361, Oresme. || **volontarisme** 1909, *Revue philos.* || **volontariste** 1953, Lar.

***volontiers** Xe s., *Saint Léger ;* XIIIe s. (*volontiers*) ; bas lat. *voluntarie* (Ier s., Hygin), adv. de *voluntarius* (v. VOLONTÉ).

volt 1881, *Congrès d'électricité ;* du nom du physicien italien *Volta* (1745-1827). || **voltaïque** 1815, Beudant. || **voltamètre** 1843, *Archives.* || **voltage, voltaïsation, voltampère, voltmètre** 1888, Lar. || **survolté** 1938, *le Temps.*

voltaire 1876, Lar., « fauteuil » ; de *Voltaire,* qui aimait ce siège. || **voltairien** 1836, Musset. || **voltairianisme** 1833, Gautier.

volte 1174, E. de Fougères, équitation ; ital. *volta,* « tour », du lat. pop. **volvĭta,* part. passé fém. de *volvere,* tourner. || **volter** 1440, Ch. d'Orléans.

volte-face 1564, de Laon ; ital. *volta faccia,* « tourne face », de *volta* (impér. de *voltare,* tourner) et de *faccia,* face.

voltiger 1534, Rab. ; ital. *volteggiare,* faire de la voltige, de *voltare* (v. VOLTE). || **voltige** 1544, Mathée, « incursion » ; 1835, *Acad.,* cirque. || **voltigement** 1542, Rab. || **voltigeur** 1534, Rab. ; 1804, *le Moniteur,* spécialisé comme terme militaire.

volubile 1502, O. de Saint-Gelais, « changeant » ; lat. *volubilis,* « qui tourne aisément », d'où « rapide », de *volvere,* tourner ; 1777, Sablier, « d'une grande facilité de parole ». || **volubilité** 1380, *Aalma,* « facilité à se mouvoir » ; lat. *volubilitas ;* XVe s., « inconstance » ; 1680, Richelet, « facilité de parole ». || **volubilis** 1500, *FEW,* bot.

volume XIIIe s., G., livre ; lat. *volumen,* « rouleau, manuscrit (roulé) », de *volvere,* tourner, rouler ; fin XIIIe s., G., « espace occupé par les corps ». || **volumineux** av. 1676, d'Aubignac, (ouvrage) qui a beaucoup de volumes ; 1739, Desfontaines, sens mod. ; d'après bas lat. *voluminosus* (de sens différent : « sinueux »). || **volumétrique** 1872, L. || **volumètre** 1872, L.

volupté fin XIVe s., Chr. de Pisan ; lat. *voluptas,* de *velle,* désirer. || **voluptueux** 1370, Oresme ; lat. *voluptuosus.* || **voluptueusement** 1588, Montaigne. || **voluptuaire** 1357, La Curne, « luxueux » ; 1547, Budé, « sensuel ».

volute 1545, Van Aelst ; ital. *voluta,* du lat. *voluta* (lexique des architectes), part. passé fém. subst. de *volvere,* tourner, rouler.

volve 1803, Wailly ; lat. *volva,* var. de *vulva* (v. VULVE). || **volvaire** 1803, Boiste, genre de mollusque ; lat. scient. *volvaria ;* 1827, *Acad.,* genre de champignon. || **volvacé** 1842, *Acad.*

|| **volvoce** 1806, Wailly ; lat. *volvox* (Pline), chenille.

volvulus 1685, Furetière ; lat. *volvere,* tourner.

vomer 1753, Brunot ; lat. *vōmer,* « soc de charrue ».

vomique adj., XIIIe s., *Simples Méd.* (*noix vomice*) ; XVIe s. (*vomique*) ; lat. médiév. *vomica* (*nux*), (noix) qui fait vomir ; n. f., 1611, Cotgrave. || **vomiquier** 1808, *Journ. bot.*

***vomir** 1190, Garn. ; lat. *vŏmĕre,* avec changem. de conj. || **vomissement** 1200, *FEW.* || **vomissure** XIIIe s., G. || **vomitif** 1398, *Somme Gautier.* || **vomitoire** 1549, R. Est., « qui provoque le vomissement » ; 1636, Monet, « amphithéâtre » ; lat. *vomitorium,* de *vomere.* || **vomito negro** 1808, Boiste ; mot esp. signif. « vomissement noir ». || **revomir** 1213, *Fet des Romains.*

vorace 1539, Gringore (*vorage*) ; lat. *vorax,* de *vorare,* dévorer. || **voracité** XIVe s., *Traité d'alchimie ;* lat. *voracitas.*

vote 1702, *Mémoires Trévoux ;* angl. *vote,* (*to*) *vote* (subst. et verbe), du lat. *votum,* vœu. || **voter** 1680, Richelet, « donner sa voix au chapitre » (dans les couvents) ; lat. *votare,* donner sa voix ; 1704, Clarendon, de *vote,* au sens polit. || **votant** 1727, Furetière. || **votation** 1752, Trévoux.

votif V. VŒU.

***votre, vôtre** 980, *Passion* (*vostre*) ; lat. pop. **voster,* altér., d'après *noster,* du lat. class. *vester* (v. NOTRE, NÔTRE) ; pl. **vos,** XIIe s. (*voz*), égalem. pronom en anc. fr., repose sur une forme abrégée.

vouer V. VŒU.

***vouge** XIIe s. (*vooge*), serpe ; XIVe s. (*vouge*) ; bas lat. *vidŭbium,* du gaulois **vidu,* bois (cf. l'irlandais *fidba,* faucille), sur les rac. celtiques **vidu-,* bois, et **bi,* couper.

***vouivre** XIIIe s., *Médicinaire liégeois,* « vipère » ; lat. *vīpĕra ;* 1876, Lar., blas. ; dans certains parlers rég., « animal fabuleux » (cf. Marcel Aymé, *la Vouivre*).

***vouloir** Xe s., *Eulalie* (*voleir*) ; 1180, Gace Brulé (*vouloir*) ; lat. pop. **volēre,* réfection du lat. class. *velle* d'après les autres temps ; *en vouloir à,* 1549, R. Est. || **vouloir** n. m., 1190, Garn. || **voulu** adj., 1835, *Acad.* || **volition** 1526, B. W. || **volitif** 1878, Lar. || **revouloir** 1050, *Alexis.*

***vous** v. 980, *Passion* (*vos*) ; lat. *vos* en position atone. || **vousoyer** XIVe s., du Cange (*vosoier*) ; *vous,* employé par politesse à la place de *tu* (depuis l'anc. fr., d'après le *nous* de majesté, datant du Bas-Empire). || **vousoiement** 1907, Lar. || **vouvoyer** 1834, Courchamps ; altér. fam. de *vousoyer.* || **vouvoiement** 1907, Lar.

***voussure** 1130, *Eneas,* courbure d'une voûte ; lat. pop. **volsura,* de **volsus,* au lieu du lat. class. *volutus,* part. passé de *volvere,* tourner ; *id.,* partie cintrée surmontant une baie de fenêtre. || **voussoir** 1160, Benoît ; lat. pop. **volsorium,* de **volsus,* voûté.

***voûte** milieu XIIe s. (*volte*) ; XIIIe s., *Berte* (*voûte*) ; lat. pop. **volvĭta,* part. passé pop. de *volvere,* substantivé au fém. || **voûter** 1213, *Fet des Romains ;* 1564, Thierry, en parlant d'une personne.

***voyage** 1080, *Roland* (*veiage*) ; XIIIe s. (*voiage*) ; surtout, en anc. fr., « pèlerinage », ou « croisade » ; le sens mod. apparaît au XVe s. (1425, *Romania*) ; lat. *viāticum,* « provisions de route », par ext. en bas lat. « voyage », de *via,* chemin. || **voyager** début XVe s., A. Chartier. || **voyageur** 1460, Chastellain ; *commis voyageur,* 1792, Brunot ; *pigeon voyageur,* 1764, Buffon.

voyelle 1265, Br. Latini (*voieul*), n. f. ; XVe s. (*voiel*), n. m. ; 1530, Palsgrave (*voyelle*), n. f. ; lat. *vocalis,* adapté d'après *voix,* au sens gramm. médiév. || **semi-voyelle** 1845, Besch. (V. VOCAL.)

***voyer** 1080, *Roland* (*veier*), « officier de justice » ; 1175, Chr. de Troyes (*voier*) ; lat. *vicārius,* du préf. *vice,* « à la place de » ; au XIIIe s., « officier chargé de la police des chemins » ; 1611, Cotgrave, fonctionnaire chargé de l'entretien des chemins ; *agent voyer,* XIXe s. || **voirie** 1170, Sully (*voierie*), « fonction de voyer » ; 1283, Beaumanoir, « voie publique » ; XIVe s., « lieu où l'on porte les ordures » ; XVIe s., « service chargé de l'entretien des chemins ». (V. VICAIRE, VIGUIER.)

voyou 1832, Barbier ; de *voie,* proprem. « celui qui court les rues », avec un suff. rég. (Ouest ou Midi), ou pop. (v. FILOU), correspondant à *-eur* ou à *-eux.* || **voyouterie** 1884, Goncourt. || **voyoucratie** 1865, Flaubert.

vrac (en) 1606, Nicot, en parlant des harengs non rangés dans la caque ; 1845, Besch., en parlant de marchandises ; néerl. *wrac,* mal salé, mauvais ; 1435, G., *hareng waracq,* hareng de mauvaise qualité. || **vraquier** 1973, *J. O.* (V. VARECH.)

***vrai** 1050, *Alexis* (*verai*) ; 1160, Benoît (*vrai*) ; lat. pop. *vērācus,* en lat. class. *verax, -acis ;* a remplacé en fr. l'anc. fr. *voir,* du lat. class. *verus.* || **vraiment** 1119, Ph. de Thaon (*veraiement*) ; 1636, Monet (*vraiment*). || **vraisemblable** 1265, Br. Latini, d'apr. le lat. *verisimilis.* || **vraisemblablement** fin XIVe s., Gerson. || **vraisemblance** 1358, *FEW.* || **invraisemblable** 1763, *Année littéraire.* || **invraisemblance** *id.* || **vériste** 1897, A. Daudet. || **vérisme** 1888, Lar. (V. VÉRACITÉ, VOIRE.)

***vrille** 1313, *Romania* (*veïlle*) ; fin XIVe s. (*vrille*), outil servant à percer le bois ; 1538, R. Est. (*ville*), pour les vrilles de la vigne ; XVIe s., *vrille* (de la vigne) ; lat. *vitĭcula,* vrille de vigne, de *vitis,* vigne, avec insertion de *r* d'après *virer.* || **vrillée** 1750, Ménage, liseron. || **vrillette** 1354, *Modus,* outil ; 1764, Geoffroy, insecte. || **vriller** 1752, Trévoux, « s'élever en décrivant une hélice » ; 1849, Landais, « percer avec une vrille ». || **vrillage** 1873, Tolhausen. || **dévriller** 1864, L. || **dévrillage** 1907, Lar. || **évrillage** 1910, Lar.

vrombir fin XIXe s., A. Daudet ; orig. onomatop. || **vrombissant** 1907, Lar. || **vrombissement** 1907, Lar.

vulcaniser 1847, Bonnafé ; angl. (*to*) *vulcanize,* tiré du nom du dieu *Vulcain* par Brockedon, ami de Hancock, inventeur du procédé en 1843. || **vulcanisation** 1847, Bonnafé ; angl. *vulcanization,* même formation. || **vulcaniseur** 1896, Seeligmann. (V. VOLCAN.)

vulgaire 1452, *FEW,* « commun » ; 1893, Courteline, « grossier » ; lat. *vulgaris,* de *vulgus,* « le commun des hommes ». || **vulgairement** XIIIe s., B. W. || **vulgarité** 1488, *Mer des hist.,* « masse du peuple » ; bas lat. *vulgaritas* (IIIe s., Arnobe) ; 1800, Staël, « manque de distinction ». || **vulgarisme** 1801, Mercier. || **vulgariser** 1512, J. Lemaire de Belges ; repris au XIXe s. || **vulgarisation** 1852, Gautier. || **vulgarisateur** 1836, *Acad.*

vulgate 1578, d'Aubigné, adj. ; 1666, *Journ. des savants,* n. f. ; lat. eccl. (*versio*) *vulgata,* version (de l'Évangile) répandue dans le public, de *vulgus.* (V. VULGAIRE.)

vulgum pecus 1890, Lar., « le vulgaire troupeau » ; lat. *pecus,* troupeau, et pseudo-adj. *vulgum,* vulgaire.

vulnérable 1676, Pomey ; bas lat. *vulnerabilis,* de *vulnus, -neris,* blessure. || **vulnérabilité** 1896, d'après P. Robert. || **invulnérable** av. 1525, J. Lemaire de Belges. || **invulnérabilité** 1732, Trévoux.

vulnéraire 1539, J. Canappe, *eau vulnéraire ;* n. m., 1694, *Acad. ;* lat. *vulnerarius,* de *vulnus, -neris,* blessure.

vulpin 1778, Lamarck, bot. ; adj. lat. *vulpinus,* de *vulpes,* renard.

vultueux 1827, *Acad. ;* lat. *vultuosus,* de *vultus,* visage. || **vultuosité** 1834, *Journ. de médecine.*

vulturin 1867, Goncourt ; lat. *vulturinus,* de *vultur,* vautour. || **vulturidés** 1839, Boiste.

vulve 1488, *Mer des hist. ;* lat. *vulva.* || **vulvaire** 1822, *Dict. de médecine.* || **vulvite** 1849, Bossu. || **vulvectomie** 1964, Lar.

wxyz

wagnérien 1861, Champfleury ; de Richard *Wagner.*

wagon 1826, Seguin et Biot ; une première fois, 1698, *Voyage en Angleterre,* « charrette couverte » ; angl. *waggon,* chariot. || **wagonnet** 1872, L. || **wagonnier** 1845, Besch. ; 1872, L. || **wagon-lit** 1861, *le Charivari ;* d'apr. l'angl. *sleeping-car.* || **wagon-bar** 1907, Lar. || **wagon-citerne** 1894, Sachs-Villatte. || **wagon-poste** 1856, Furpille. || **wagon-restaurant** 1873, Mackenzie ; d'apr. l'angl. *dining-car.* || **wagon-salon** 1846, *Musée des familles ;* d'après l'angl. *saloon-car.*

wallaby 1895, *Encycl. ;* mot australien ; kangourou.

wallon 1872, L. ; lat. médiév. *wallo,* du germ. **walha,* les Romains.

warrant 1671, Seignelay, « mandat d'amener » ; 1836, Chevalier, sens actuel ; angl. *warrant,* de l'anc. fr. *warrant,* forme dial. de *garant.* || **warranter** 1874, *J. O.* || **warrantage** 1894, Sachs.

wassingue 1908, d'après P. Robert ; flam. *wassching,* lavage.

water-ballast 1879, Bonnafé ; mot angl., de *water,* eau, et *ballast,* réservoir.

water-closet 1816, Simond, dans un texte sur l'Angleterre ; usuel dans le courant du XIXe s. ; mot angl., de *water,* eau, et *closet,* cabinet, de l'anc. fr. *closet,* dimin. de *clos ;* abrégé en *water,* 1898, généralem. au plur., ou *W.-C.* (1898, Franc-Nohain), *id.*

wateringue 1514, *FEW ;* flam. *watering,* de *water,* eau.

water-polo 1906, Lar. ; mot angl., de *water,* eau, et *polo,* jeu où l'on pousse une balle.

waterproof 1775, *Descr. des arts et métiers ;* mot angl. signif. « qui est à l'épreuve (*proof*) de l'eau (*water*) ».

watt 1881, *Congrès d'électricité ;* du nom du physicien écossais *J. Watt* (1736-1819). || **hectowatt, kilowatt,** etc. *id.* (V. HECTO-, KILO-, etc.)

wattman 1895, *Locomotion autom. ;* faux anglicisme, de *watt* et de l'angl. *man,* homme.

weber 1881, *Congrès d'électricité ;* de *W. E. Weber.*

week-end 1906, Coulevain, *l'Île inconnue ;* mot angl., de *week,* semaine, et *end,* fin.

western 1919, Giraud ; angl. *western,* de l'Ouest.

wharf 1833, Pavie ; mot angl. signif. « appontement ».

whig 1687, Miege ; mot angl., abrégé de *whiggamores,* terme écossais appliqué en 1680 aux adversaires des Stuarts.

whisky 1770, comte d'Orville ; mot angl., de l'irl. *uisce,* eau (abrév. de *uisce-batha,* eau-de-vie).

whist 1687, Miege ; mot angl., altér. de (*to*) *whisk,* enlever vite.

white-spirit 1964, Lar. ; mot angl., de *white,* blanc, et *spirit,* essence.

wigwam 1688, Blome ; mot angl., de l'algonquin *wikiwam.*

winchester 1890, Dauzat ; du nom de *O. F. Winchester,* fabricant d'armes.

wisigoth 1667, Boileau ; bas lat. *Visigothus,* Goth de l'Ouest.

wolfram 1765, *Encycl. ;* allem. *wolf,* loup, et *Rahm,* crème.

xanth(o)-, gr. *xanthos,* jaune. || **xanthie** 1842, *Acad.* || **xanthine** 1842, *Acad.* || **xanthique** 1270, Mahieu le Vilain. || **xanthome** 1878, Lar.

xén(o)-, gr. *xenos,* étranger. || **xénon** 1903, d'après P. Robert ; par l'angl. || **xénophile**

1907, Lar. || **xénophilie** 1907, Lar. || **xénophobe** 1906, Lar. || **xénophobie** *id.* || **xénotropisme** 1964, Lar.

xéranthème 1765, *Encycl.* ; gr. *xêros,* sec, et *anthemon,* fleur.

xérès début XVIIIe s., d'après P. Robert ; de *Xérès,* ville d'Andalousie.

xéro-, gr. *xêros,* sec. || **xérodermie** 1888, Lar. ; gr. *derma,* peau. || **xérophtalmie** 1694, Th. Corn. ; gr. *ophtalmos,* œil. || **xérophyte** 1819, *Nouv. Dict. d'hist. nat.* ; gr. *phuton,* végétal.

ximénie 1765, *Encycl.* ; de *Ximénès,* nom d'un botaniste espagnol.

xiphoïde 1560, Paré ; gr. *xiphoeidês,* de *xiphos,* épée, et *eidês,* « en forme de ». || **xiphoïdien** 1822, *Nouveau Dict. méd.*

xyl(o)-, gr. *xulon,* bois. || **xylème** 1872, L. || **xylographie** 1771, Trévoux. || **xylophage** 1803, Wailly. || **xylophone** 1868, Souviron ; gr. *phonê,* son. || **xyloïdine** av. 1855, Braconnot.

***y** 980, *Passion* ; lat. **ībī,* ici (lat. class. *ĭbī*) ; la forme *iv* (842, *Serments*) est issue de **hīc.*

yacht 1572, B. W. ; néerl. *jacht,* de l'angl. *yacht.* || **yachting, yachtman** 1859, *le Sport* ; mots angl.

yak 1791, Valmont ; mot angl., du tibétain *gyak.*

yankee 1776, *Courrier de l'Europe* ; mot anglo-amér. (attesté en 1765), de l'écossais *Jankee,* dimin. de *Jan,* surnom des Écossais et des Anglais de la Nouvelle-Angleterre, du bas lat. *Johannes,* Jean.

yaourt 1907, Lar. (*yahourt*) ; bulgare *jaurt,* lait caillé ; var. *yogourt,* 1432, La Broquière, du bulg. *jugurt,* var. de *jaurt.* || **yaourtière** 1977, Robert.

yatagan 1787, Peyssonnel ; turc *yātāghān.*

yearling 1868, Souviron ; angl. *yearling,* d'un an (*year,* année).

yéménite 1877, L. ; de *Yémen.*

yeuse 1552, R. Est. ; altér. du prov. *euse,* masc., du lat. dial. **elex* (lat. class. *ilex, -icis,* fém.).

yé-yé 1964, *le Monde* ; anglo-amér. *yeah,* de *yes,* oui.

yiddish 1864, Erckmann-Chatrian, *l'Ami Fritz* (*yudisch*) ; angl. *yiddish,* de l'allem. *jüdisch,* de *Jude,* juif.

yod 1715, Trévoux (*jod*), lettre de l'alphabet sémitique ; 1904, Lar., gramm., « semi-consonne » ; mot hébreu.

yoga 1842, *Acad.* ; mot hindi. || **yogi** 1298, *Marco Polo* (*cuigi*).

yogourt V. YAOURT.

yole 1702, Aubin ; néerl. *jol,* du danois-norvégien *jolle.*

youpin 1890, Esnault ; ar. algérien, de *yaoudi,* juif. || **youtre** 1828, Vidocq ; all. *juder,* juif.

youyou 1831, B. W., p.-ê. d'un dialecte chinois ; embarcation.

Yo-Yo 1931, *le Journal,* nom déposé ; onomat. ; jouet.

ypérite 1917 ; de *Ypres* (flam. *Yper*), ville où ce gaz asphyxiant fut employé pour la première fois.

ypréau 1432, G. ; de *Ypres,* où abonde cette espèce d'orme.

ysopet XIIe s. ; lat. *Aesopus,* Ésope, du gr. *Aisôpos.*

yttrium 1794, Gadolin ; de *Ytterby* (Suède), lieu où ce métal a été découvert. || **yttrique** 1831, Berzelius. || **ytrrifère** 1842, *Acad.* || **ytterbium** 1878, Martignac. || **ytterbine** 1888, Lar.

yucca 1555, Poleur ; esp. *yuca,* de la langue des Arawaks d'Haïti.

zabre 1842, *Acad.* ; lat. scient. *zabrus* ; d'orig. obscure ; insecte.

zain 1579, G. ; esp. *zaino,* cheval sans poils blancs, de l'ar.

zakouski 1923, Lar. ; mot russe

zani ou **zanni** av. 1559, Du Bellay ; du vénitien *Zani,* Jean (ital. *Giovanni*) ; rôle de la comédie italienne.

zanzibar ou **zanzi** 1884, Esnault ; de *Zanzibar,* pays d'Afrique orientale ; jeu de dés.

zapateado 1842, *Acad.* ; esp. *zapato,* soulier ; danse.

zazou 1937, Esnault ; onomat.

zèbre 1610, Du Jarric ; port. *zebra,* âne sauvage, puis zèbre, traduction du lat. *equiferus,* cheval sauvage. || **zébré** 1807, *Journ. des gourmands.* || **zébrer** 1844, Balzac. || **zébrure** 1845, Besch.

zébu 1752, d'apr. Buffon ; tibétain *zeba,* bosse du zébu.

zèle XIIIe s., Delb. ; lat. eccl. *zelus,* ferveur, zèle, du gr. *zêlos,* ardeur, zèle. || **zélateur** 1398, G. ; lat. eccl. *zelator.* || **zélé** 1521, *Violier.* || **zélote** 1606, Nicot ; bas lat. *zêlôtes,* du gr. || **zélotisme** 1870, L.

zen 1895, *Grande Encycl. ;* chinois *chan,* d'orig. sanskrite.

zend 1756, Voltaire ; du zend *zanti,* livre.

zénith 1370, Oresme ; fausse lecture de l'ar. *samt, semt,* chemin, « chemin au-dessus de la tête » (*samt ar-ra's*). || **zénithal** début XVIIe s. (V. AZIMUT.)

zéolite 1756, *Encycl. ;* lat. scient. *zeolithus,* du gr. *zeîn,* bouillir, et *lithos,* pierre. || **zéolitique** 1842, *Acad.*

zéphyr 1509, Marot (*zéphyre*) ; lat. *zephyrus,* du gr. *zephyros,* vent d'ouest. || **zéphyrien** 1842, *Acad.*

zeppelin 1907, d'après P. Robert ; du nom de l'inventeur, le comte allemand *Zeppelin.*

zéro 1485, Tropfke ; ital. *zero,* contraction de *zefiro,* de l'ar. *sifr* (v. CHIFFRE). || **zérotage** 1872, L.

zest 1611, Cotgrave, « bruit » ; onomat. ; *entre le zist et le zest,* 1718, *Dict. commercial.*

zeste 1536, Collerye, « chose sans importance » ; 1611, Cotgrave, « écorce ». || **zester** 1737, *Nouvelle Instruction pour les confitures.*

zêta 1872, L. || **zétacisme** 1933, Marouzeau.

zététique 1694, Th. Corn. ; gr. *zêtêtikos,* de *zêteîn,* rechercher.

zeugma 1765, *Encycl. ;* bas lat. *zeugma,* du gr. *zeûgma,* jonction.

zézayer 1832, Raymond ; onomat. imitant la répétition de *z.* || **zézaiement** 1838, B. W.

zibeline 1298, *Marco Polo* (*gibeline*) ; 1534, Rabelais (*zi-*) ; ital. *zibellino,* du russe *sobol.* (V. SABLE 2.)

zieuter 1890, Esnault ; de *yeux,* avec préfixation du phonème de liaison.

zig 1835, Raspail ; 1867, Delvau (*zigue*) ; de *gigue,* au sens de « fille enjouée » (XVIIIe s.). || **zigoto** 1901, Esnault.

zigouiller 1900, Sainéan ; poitevin *zigailler,* déchiqueter, de *zigue,* couteau, onomat.

zigzag 1662, Brunot (*zigzac*), « appareil en X » ; 1770, Buffon, « ligne brisée » ; *en zigzag,* 1694, *Acad. ;* onomat. || **zigzaguer** 1786, Béranger.

zinc 1666, Boulan (*zinch*) ; all. *Zink,* zinc ; 1873, Zola, « comptoir » ; avion, 1916, Esnault. || **zincifère** 1842, *Acad.* || **zincographie** 1845, Besch. || **zinguer** 1842, *Acad.* || **zingueur** 1842, *Acad.* || **zingage** 1842, *Acad.* || **zinguerie** 1845, Besch.

zingiber 1876, Lar. ; lat. *zinziber,* du gr. *ziggiber,* gingembre. || **zingibéracée** 1817, Gérardin.

zinnia 1808, Boiste ; du botaniste *Zinn.*

zinzin fou, 1967, Robert ; 1914, Esnault, « truc » ; onomat.

zinzinnuler 1907, Lar. ; onomat.

zinzolin 1599, *Dict. gén.* (*zizolin*) ; ital. *giuggiolino,* de l'ar. *djoljolân,* sésame.

zircon 1789, Klaproth ; esp. *girgonça,* jacinthe. || **zircone** 1803, Boiste. || **zirconite** 1819, *Nouveau Dict.* || **zirconium** *id.*

zizanie 1294, G. Des Moulins, « ivraie, mauvaise graine » ; « méchanceté », av. 1464, J. Chartier ; *semer les zizanies,* 1530, Lefèvre d'Étaples ; sens fig. d'après la parabole de l'ivraie (Matthieu, XIII, 25) ; lat. eccl. *zizania,* du gr. *zizania,* ivraie, d'orig. sémitique.

zizi 1775, Buffon, oiseau ; onomat. ; XIXe s., « petite chose » ; 1920, Banche, « sexe ».

zodiaque 1265, J. de Meung ; lat. *zodiacus,* du gr. *zôdiakos,* de *zôdion,* figure du zodiaque, dimin. de *zôon,* être vivant. || **zodiacal** v. 1500.

zoïle 1537, Marot ; lat. *zoilus,* du gr. *Zôilos,* critique alexandrin détracteur d'Homère.

zombi 1842, *les Français peints par eux-mêmes ;* mot créole désignant un mort soumis à un sorcier.

zon 1530, Marot ; onomat. || **zonzonner** av. 1950, Audiberti.

zona 1778, Geoffroy ; lat. *zona,* ceinture.

zone 1119, Ph. de Thaon, géogr. ; lat *zona,* ceinture, du gr. *zônê ;* XXe s., Lar., « territoire ». || **zoné** 1817, Gérardin. || **zonal** 1842, *Acad.* || **zonard** 1904, Esnault. || **zonier** 1923, Lar. (« qui habitait la *zone* des fortifications, à Paris »).

zonure 1842, *Acad. ;* gr. *zônê,* ceinture, et *oura,* queue ; reptile.

zoo-, gr. *zôon,* animal. || **zoophyte** 1546, Rab. ; gr. *zôophuton,* animal-plante. || **zoophore** 1546,

Rab. ; gr. *zôophoros,* qui porte des figures d'animaux, de *phoros,* qui porte, et *zôon,* animal. || **zoologie** 1750, Diderot. || **zoologique** 1754. || **zoologiste** 1760, Brunot. || **zoologue** 1771, Trévoux. || **zoo** 1931, *Exposition coloniale de Paris ;* abrév. de *jardin zoologique.* || **zoographie** 1721, Trévoux ; gr. *zôographia.* || **zoomorphe** 1904, Lar. || **zoophile** 1859, d'après P. Robert. || **zoophobe** 1894, Sachs-Villatte. || **zoospore** 1847, Orbigny. || **zootechnie** 1842, *Acad.* || **zoolâtre** 1836, Landais. || **zoolâtrie** 1721, Trévoux. || **épizoaire** 1812, Lamarck.

zoom 1917, Lar. ; mot angl. signif. « mouvement rapide ».

zorille 1640, trad. de Laet (*-rinus*) ; esp. *zorrilla,* dimin. de *zorra,* renard.

zostère 1615, Daléchamps ; lat. *zoster,* du gr. *zôstêr.*

zouave 1830, *Bull. des lois ;* fanfaron, 1880, Esnault ; arabo-berbère *zwawa,* nom d'une tribu kabyle.

zozoter 1907, Lar. ; onomat.

zut 1813, Esnault ; onomat., de *zest* (croisé avec *flûte* interj.).

zygoma 1560, Paré ; lat. scient. médiév. *zygoma,* du gr. *zugôma,* « jonction », de *zugon,* joug. || **zygomatique** 1654, Gelée.

zygote 1897, Sauvageau ; gr. *zugôtos,* attelé.

zymo-, gr. *zumê,* levain. || **zymase** 1872, L. || **zymogène** 1888, Lar. || **zymotechnie** 1762, *Acad.* (V. AZYME, ENZYME.)

zythum 1710, Richelet ; gr. *zuthos,* décoction d'orge.

Photocomposition S.C.P. - Bordeaux
Maury-Imprimeur - 45330 Malesherbes
Dépôt légal : janvier 1993 - N° de série éditeur : 17217
Imprimé en France (Printed in France) 340329 janvier 1993